公務員試験

大学教育出版
編集部［編］

試験

六法 2024年版

大学教育出版

受験生の皆さんへ

「公務員試験六法」は、三省堂発行の 1998 年版（1996 年 10 月発売）から弊社発行の 2023 年版まで、多くの受験生・指導者、法律の専門家、そして、現職の公務員の方々等に長年愛読されてきました。本書は日本で初めての横書き六法であることと、判旨の冒頭に Q&A を挿入したことで、業界の常識を打ち破り注目を集めました。さらに、判旨の末尾に、各種本試験の出題履歴を挿入したことで、使い勝手の良い「六法」としての評価をいただきました。

2020 年以降のコロナ禍で、日本の社会が激変する兆しがあります。社会が不安定化し、不景気になると、公務員人気が上昇する傾向にあります。本書が創刊されてからもすでに、バブル崩壊とリーマン・ショックという 2 つの変革期を体験し、その時期には、いつにも増して、公務員を志望する多くの読者の賛同を得てまいりました。この度のコロナ禍・ショックは、これまで以上に、日本に大きな変革をもたらす可能性があります。その状況下での本書の役割は、一層大きいものと期待され、その期待に耐えられる内容でなくてはなりません。

そこで、弊社では、「公務員試験六法」の名称とともに、その体裁等の伝統を受け継ぐだけでなく、「読者により一層親しまれる進化したものでなければならない」との理念のもとに、受験生の皆さんにその存在価値を問う重責を担う覚悟をもって作成にあたりました。

新生「公務員試験六法」は、読者から見て、読みやすさを感じ取れるように、具体的には、次の点に心掛けました。

まず、第一に、判例の判旨をできるだけ 2 色刷りとしたことです。判旨の長いものが多いため、重要な単語およびフレーズを色付けし、その単語等を目で追うことで、判旨が理解できるように工夫しました。判旨の冒頭にある Q & A と併用すれば、読者の方々には、一層、判例の理解が進むものと期待しております。

第二に、試験種別と出題年がこれまで以上に視覚的にわかりやすくなるよう、色刷りの網掛けとしました。これにより、読者が希望する試験種別の出題傾向が把握しやすくなるはずです。

第三に、できるだけスリム化することです。そのため、本書では「労働法編」「商法編」を紙面からは割愛しました。当該 2 編からの出題は、年々減少傾向にあることから、本書（紙媒体）でなく、別途、弊社 HP 上で閲覧できるようにしました。受験される試験種別で必要な読者は、そちらをご覧ください。

今後も、読者の方々のご意見をできるかぎり取り入れ、進化し続ける、使い勝手の良い「公務員試験六法」を目指し、鋭意努力する所存です。

2023 年 2 月

大学教育出版編集部

はしがき

　本書は、「公務員試験のための六法」であり、過去の公務員試験における法律科目の内容および傾向をふまえて編集したものである。

　公務員試験はここ数年難化の一途をたどり、特に法律科目は国家総合職試験に限らず、他の試験においてもその傾向は顕著である。しかも、法律科目の専門試験における比重は高く、これらの科目を理解せずに本試験に合格することは困難である。さらに、公務員試験は他の各種試験と比べ試験科目が多く、専門科目と教養科目を含めると、その科目数は20科目以上になる。一方、受験生が、法律科目に費やすことのできる時間は著しく制約されている。また、受験者は大学で法律を学んだ人だけではなく短大・専門学校等の出身者も多く、いわゆる「リーガルマインド」や試験に必要な条文および判例を抽出する能力を身につける時間的余裕のない人たちが多い。そのため、法律科目を理解できないまま本試験に突入する受験生も多くみられるのが現状である。

　ところが、これまでに出版された法令集は、不特定多数の人々を対象とし、公務員試験を意識して作成されているわけではないため、試験に直接関係しない法令が数多く収録されている。そのため、法律に不慣れな受験生は試験に必要な箇所を検索するために多くの時間を費やす一方で、法律にある程度精通している受験生の中でも、試験に不要な条文・判例等を切り取り、必要な箇所のみを六法として使用する等苦労のあとがみられ、受験生にとって公務員試験に直接役立つ法令集が求められてきた。

　そこで、本書は、「公務員試験のための六法」という基本コンセプトに基づき、あくまでも受験生の立場に立ち、限られた時間内で法律科目を理解できるように編集したものである。具体的には、公務員試験に出題される「憲法・行政法・民法・刑法・労働法・商法」の6科目に関連する法令のみを収録したこと、本試験の出題形式との関係から、条文・判例をすべて「横書き、ひらがな書き」にしたこと、また、判例の趣旨を理解するためにQ&A方式を採用したこと、さらに、判例の末尾には判例の重要度を把握するために本試験の出題年度を明記したこと等（詳しくは、「本書の使い方」を参照）である。これにより、その特色を意識して本書を活用すれば、法律科目の初学者でも本試験の出題傾向を容易に理解できるとともに、法律の勉強に費やす時間が軽減されるものと思われる。

　なお、本書はあくまでも「公務員試験のための六法」であるため、法律の体系上省略すべきでない条文が省略されている場合も少なくないが、そのことを念頭において利用していただければ幸いである。

2020年1月

三省堂編修所

本書の使い方

1 法令の収録

本書は、公務員試験に出題される科目 ― 憲法・行政法・民法・刑法 ― に関連する法令のみを収録している。しかも、本試験で出題された条文ないし重要な条文を精選して掲載し、本試験に不要と思われる箇所については省略している。なお、省略した個別の条項ごとに、その旨を付記することはしていない。

(1) 全文収録しているもの

　日本国憲法、行政代執行法、国家賠償法、行政不服審査法、行政事件訴訟法、行政機関の保有する情報の公開に関する法律、情報公開・個人情報保護審査会設置法、内閣法、国家行政組織法

(2) 一部の条文を省略しているもの（法令名に〔抄〕と表記）

　大日本帝国憲法、国会法、行政手続法、国家公務員法、地方自治法、民法、刑法

(3) 一部の条文のみを抜粋して収録しているもの（法令名に〔抜粋〕と表記）

　裁判所法、裁判官弾劾法、財政法

(4) 参考引用条文として個別に収録した条文

　一般社団法人及び一般財団法人に関する法律／会計法／関税法／刑事訴訟法／国有財産法／最低賃金法／裁判官分限法／失火の責任に関する法律／私的独占の禁止及び公正取引の確保に関する法律／自動車損害賠償保障法／借地借家法／請願法／地方公務員法／破産法／不動産登記法／民事執行法／民事訴訟法／立木に関する法律ほか

2 条　文

(1) 内容現在　2022（令和4）年12月16日までに公布された内容。

(2) 条文を横組みにしたため、漢数字についても必要に応じて算用数字に置き換えた。

　　また、条文中「左の……」等の表現は原典どおりにしてあるが、「次の……」等に読み替えていただきたい。

(3) 条文見出しを条数の次に示した。法令の原典についている見出しは（　　）で、編者がつけた見出しは［　　］でくくり区別した。

(4) 2項以上ある条文にはすべて①、②……として項番号を付し、号は1、2……で示した。

3 参照条文

行政手続法、行政事件訴訟法、行政機関の保有する情報の公開に関する法律、民法については、準用・被準用関係、適用（除外）関係にある条文に関して該当条文・事項を記した。

4　判例要旨

　原則として過去に出題された判例を可能な限り掲載し、併せて今後出題の可能性のある
ものを掲載している。

- (1)　判例の趣旨を一目で理解できるようにするために、判例要旨はすべて Q&A 方式で
掲載した。これによって本試験の出題傾向を把握することが容易になる。

　　　Ｑ&Ａの作成にあたっては、過去の本試験の選択肢を詳細に検討し、本試験問題を
容易に解けるように工夫してある。

　　　さらに、判例に関する知識および結論の整理として、Ｑ&Ａの箇所のみを確認する
ことができるので、特に時間のない直前期に威力を発揮する。なお、判例要旨中の法
令名・条数等は判決当時のものであるが、学習上の必要性に照らして付記・修正等を
加えたものがある。

- (2)　判例は過去に出題された論点に対応した形で掲載している。つまり、判例要旨を任
意に掲載しているのではなく、過去の本試験の選択肢に対応した形で判例要旨を掲載
している。そのため、同一の判例であっても、出題される論点が異なる場合があり、
その結果、同一判例で出題年度等に違いが生じる場合がある。

- (3)　判例文Ａ中の色文字部分は主旨&ポイントを示す箇所となっている。

- (4)　裁判所名等の略記は次の例による。
  - ・「最」：最高裁判所
  - ・「最大」：最高裁判所大法廷
  - ・「高」：各高等裁判所
  - ・「地」：各地方裁判所

　　なお、「判」は判決、「決」は決定をあらわす。

- (5)　判例文Ａの末の⇨は、参照すべきＱ番号（1, 2…）をあらわす。

5　出題試験の種類・年度

- (1)　各編の編扉には、試験種ごとに択一式試験での試験日出題数を示した。なお、過去の
試験情報に基づいて作成しているため、今後の試験では異なる場合がある。**必ず自身の
試験種別の最新情報を確認されたい。**

- (2)　判例要旨の末尾には、その判例が過去に出題された試験種と出題年度を付記した。
　　試験種ごとの出題年度は新しいものから順に並べてある。

　　　また、これまで出題のない判例であっても、今後の出題が予想されるものは 予想 と表
示した。なお、予想から出題にいたった場合は 予想➡国Ⅰ－令和4 などのように示した。

- (3)　「国家総合」、「国家一般」とあるのは「国家総合職」、「国家一般職」を指す（なお、国
家総合は旧国家Ⅰ種、国家一般は旧国家Ⅱ種に対応する試験種である）。
　　平成23年度までの「国Ⅰ」、「国Ⅱ」は、国家Ⅰ種、国家Ⅱ種を指す。国家Ⅰ種、国家
Ⅱ種試験は昭和59年度までそれぞれ国家上級、国家中級の名称であったが、本書では
「国Ⅰ」、「国Ⅱ」に表記を統一している。

- (4)　「裁判所総合」、「裁判所一般」は「裁判所総合職」、「裁判所一般職」を指す（なお、裁
判所総合は旧裁判所Ⅰ種、裁判所一般は旧裁判所Ⅱ種に対応する試験種である）。平成23
年度までの「裁判所Ⅰ・Ⅱ」は裁判所事務官Ⅰ・Ⅱ種試験、「国税」は国税専門官、「労基」

は労働基準監督官、「財務」は財務専門官を指す。

(5) 「地方上級」は、都道府県・政令指定都市での出題、「市役所上・中級」とは、政令指定都市以外の市役所での出題を指す。

　　また、「地方上級（市共通）」とは、「地方上級」と「市役所上・中級」の問題が同一問題である場合を指す。

　　「東京Ⅰ」、「特別区Ⅰ」は、東京都Ⅰ類、東京特別区Ⅰ類での出題を指す。

(6) 国家Ⅰ種（国家総合職）と国家Ⅱ種（国家一般職）は昭和51年以降、地方上級は昭和52年以降、市役所上・中級は昭和61年以降、国税専門官は昭和56年以降、労働基準監督官は平成15年以降、財務専門官は平成24年以降、東京都Ⅰ類（平成21年度以降、専門択一試験は行われていない）、特別区Ⅰ類、裁判所Ⅰ・Ⅱ種（裁判所総合、一般職）は平成14年以降の本試験で出題された判例を掲載している。

目　　次

注：●は判例掲載法令、▶は参考引用法令。

憲法編 ────────────────────────

憲法編

試 験 種 別		第1次試験日	出題数
国家公務員	国家総合職（法律）	4月第2週	7
	国家総合職（政治・国際）		5
	国家総合職（経済）		3
	裁判所事務官総合・一般職	5月第2週（土）	7
	国税専門官	6月第1週	3
	財務専門官		6
	労働基準監督官A		4
	国家一般職	6月第2週	5
地方公務員	特別区（東京23区）Ⅰ類	4月第4週	5
	地方上級［全国型］	6月第3週	4
	地方上級［関東型］		4
	地方上級［中部・北陸型］※		5
	地方上級［法律専門型］		5
	地方上級［経済専門型］		2
	市役所A日程（一部）		5

※名古屋市：4月第4週／愛知県：5月第3週

1

日本国憲法

（昭和21年11月3日）

［前文］

①日本国民は、正当に選挙された国会における代表者を通じて行動し、われらとわれらの子孫のために、諸国民との協和による成果と、わが国全土にわたって自由のもたらす恵沢を確保し、政府の行為によって再び戦争の惨禍が起ることのないやうにすることを決意し、ここに主権が国民に存することを宣言し、この憲法を確定する。そもそも国政は、国民の厳粛な信託によるものであって、その権威は国民に由来し、その権力は国民の代表者がこれを行使し、その福利は国民がこれを享受する。これは人類普遍の原理であり、この憲法は、かかる原理に基くものである。われらは、これに反する一切の憲法、法令及び詔勅を排除する。

②日本国民は、恒久の平和を念願し、人間相互の関係を支配する崇高な理想を深く自覚するのであって、平和を愛する諸国民の公正と信義に信頼して、われらの安全と生存を保持しようと決意した。われらは、平和を維持し、専制と隷従、圧迫と偏狭を地上から永遠に除去しようと努めている国際社会において、名誉ある地位を占めたいと思ふ。われらは、全世界の国民が、ひとしく恐怖と欠乏から免かれ、平和のうちに生存する権利を有することを確認する。

③われらは、いづれの国家も、自国のことのみに専念して他国を無視してはならないのであって、政治道徳の法則は、普遍的なものであり、この法則に従ふことは、自国の主権を維持し、他国と対等関係に立たうとする各国の責務であると信ずる。

④日本国民は、国家の名誉にかけ、全力をあげてこの崇高な理想と目的を達成することを誓ふ。

第1章　天皇

第1条　［天皇の地位、国民主権］

天皇は、日本国の象徴であり日本国民統合の象徴であって、この地位は、主権の存する日本国民の総意に基く。

第2条　［皇位の継承］

皇位は、世襲のものであって、国会の議決した皇室典範の定めるところにより、これを継承する。

第3条　［天皇の国事行為と内閣の助言と承認］

天皇の国事に関するすべての行為には、内閣の助言と承認を必要とし、内閣が、その責任を負ふ。

第4条　［天皇の権能の限界、天皇の国事行為の委任］

①天皇は、この憲法の定める国事に関する行為のみを行ひ、国政に関する権能を有しない。

②天皇は、法律の定めるところにより、その国事に関する行為を委任することができる。

第5条　［摂政］

皇室典範の定めるところにより摂政を置くとき

は、摂政は、天皇の名でその国事に関する行為を行ふ。この場合には、前条第1項の規定を準用する。

第6条　［天皇の任命権］

①天皇は、国会の指名に基いて、内閣総理大臣を任命する。

②天皇は、内閣の指名に基いて、最高裁判所の長たる裁判官を任命する。

第7条　［天皇の国事行為］

天皇は、内閣の助言と承認により、国民のために、左の国事に関する行為を行ふ。

1　憲法改正、法律、政令及び条約を公布すること。
2　国会を召集すること。
3　衆議院を解散すること。
4　国会議員の総選挙の施行を公示すること。
5　国務大臣及び法律の定めるその他の官吏の任免並びに全権委任状及び大使及び公使の信任状を認証すること。
6　大赦、特赦、減刑、刑の執行の免除及び復権を認証すること。
7　栄典を授与すること。
8　批准書及び法律の定めるその他の外交文書を認証すること。
9　外国の大使及び公使を接受すること。
10　儀式を行ふこと。

Q1 法令の公布の方法はどのように行うべきか。

A 官報によって行うべきである。　特に国家がこれに代わる他の適当な方法をもって法令の公布を行うものであることが明らかな場合でない限りは、法令の公布は従前通り、官報をもってせられるのが相当であって、たとえ事実上法令の内容が一般国民の知りうる状態におかれたとしても、いまだ法令の公布があったとすることはできない（最大判昭32・12・28）。　　　　　　　　　　**出題** 国Ⅰ・平成4

Q2 法令の公布の時期は何時か。

A 法令の内容が一般国民の知りうべき状態におかれた最初の時である。　公布の時とは、一般国民の知りうべき状態におかれた最初の時であって、当時一般の希望者が当該官報を閲覧しまたは購入しようとすればそれをなしえた最初の場所は、印刷局官報課または東京都官報販売所であり、その最初の時点は、その2か所とも同日午前8時30分であったことからしてみれば、本件改正法律は、おそくとも、同日午前8時30分までには、一般国民の知りうべき状態におかれたもの、すなわち公布されたものと解すべきである（最大判昭33・10・15）。

出題 国Ⅰ・平成4、国Ⅱ・昭和54

第8条　［皇室の財産授受の制限］

皇室に財産を譲り渡し、又は皇室が、財産を譲り受け、若しくは賜与することは、国会の議決に基か

なければならない。

第2章　戦争の放棄

第9条［戦争の放棄、戦力および交戦権の否認］

①日本国民は、正義と秩序を基調とする国際平和を誠実に希求し、国権の発動たる戦争と、武力による威嚇又は武力の行使は、国際紛争を解決する手段としては、永久にこれを放棄する。

②前項の目的を達するため、陸海空軍その他の戦力は、これを保持しない。国の交戦権は、これを認めない。

Q1 憲法9条は、わが国が自国の平和と安全を維持しその存立を全うするための自衛の措置をとることを禁止しているのか。

A 憲法は何らこれを禁止していない。　第9条は、いわゆる戦争を放棄し、いわゆる戦力の保持を禁止しているのであるが、しかしもちろんこれによりわが国が主権国としてもつ固有の自衛権は何ら否定されたものではなく、わが憲法の平和主義は決して無防備、無抵抗を定めたものではないのである。憲法前文にも明らかなように、わが国が、自国の平和と安全を維持しその存立を全うするために必要な自衛のための措置をとりうることは、国家固有の権能の行使として当然のことといわなければならない〈砂川事件〉（最大判昭34・12・16）。

> **出題** 東京Ⅰ－平成20

Q2 わが国に駐留する外国軍隊（駐留米軍）は憲法9条2項の「戦力」にあたるか。

A わが国が主体となって指揮権、管理権を行使しえない外国軍隊は、たとえわが国に駐留しても、憲法9条2項の「戦力」には該当しない。　憲法9条2項が戦力の不保持を規定したのは、わが国がいわゆる戦力を保持し、自らその主体となってこれに指揮権、管理権を行使することにより、同条1項において永久に放棄することを定めたいわゆる侵略戦争を引き起こすがごときことのないようにするためである。したがって憲法9条2項がいわゆる自衛のための戦力の保持をも禁じたものであるか否かは別として、同条項がその保持を禁止した戦力とは、わが国がその主体となってこれに指揮権、管理権を行使しうる戦力をいうものであり、外国の軍隊は、たとえそれがわが国に駐留するとしても、ここにいう戦力には該当しないと解すべきである〈砂川事件〉（最大判昭34・12・16）。

> **出題** 東京Ⅰ－平成20・15

第3章　国民の権利及び義務

第10条［国民の要件］

日本国民たる要件は、法律でこれを定める。

第11条［基本的人権の享有］

国民は、すべての基本的人権の享有を妨げられない。この憲法が国民に保障する基本的人権は、侵すことのできない永久の権利として、現在及び将来の国民に与へられる。

1　基本的人権の享有主体

(1)外国人の人権

◇総説

Q1 外国人は、憲法の規定上「何人も」と表現されている条項のみ人権が保障されるのか。

A 性質上可能な限り保障される。　憲法によって保障された人権の性質を検討して、可能な限り外国人にも人権保障を及ぼさなければならない（性質説）〈マクリーン事件〉（最大判昭53・10・4）。

> **出題** 特別区Ⅰ－平成29

◇入国の自由・再入国の自由

Q2 外国人に入国の自由は憲法上保障されているのか。

A 憲法上保障されていない。　憲法22条は、外国人の入国の自由については何ら規定しておらず、国際慣習法上、外国人の入国の拒否は当該国家の自由裁量により決定しうるものであって、特別の条約が存しない限り、国家は外国人の入国を許可する義務を負わない（最大判昭32・6・19）。

> **出題** 国家総合－平成27・25、国Ⅰ－平成16・7・3・2・昭和55、地方上級－平成10・7（市共通）・2、東京Ⅰ－平成20、特別区Ⅰ－平成15、国家一般－平成26、裁判所総合・一般－令和4、裁判所Ⅰ・Ⅱ－平成14、国税－平成4、国税・財務・労基－令和2

Q3 わが国に在留する外国人は、外国移住の自由について憲法22条1項により保障されているのか。

A 憲法22条1項ではなく、2項により保障されている。　憲法22条2項は「何人も、外国に移住し、又は国籍を離脱する自由を侵されない」と規定しており、ここにいう外国移住の自由は、その権利の性質上外国人に限って保障しないという理由はない（最大判昭32・12・25）。

> **出題** 国家総合－平成27、国Ⅰ－平成23・13、国家一般－平成26、裁判所総合・一般－平成26、裁判所Ⅰ・Ⅱ－平成20・18

Q4 外国人は入国の自由とともに、国内に在留する権利を憲法上保障されているのか。

A 憲法上保障されていない。　憲法22条1項は、日本国内における居住・移転の自由を保障する旨を規定するにとどまり、外国人がわが国に入国することについては何ら規定していないのであり、このことは、国際慣習法上、国家は外国人を受け入れる義務を負うものではなく、特別の条約がない限り、外国人を自国内に受け入れるかどうか、また、これを受け入れる場合にいかなる条件を付するかを、当該国家が自由に決定することができるとされていることと、その考えを同じくする（最大判昭32・6・19参照）。したがって、憲法上、外国人は、わが国に入国する自由を保障されていないし、在留の権利ないし引き続き在留することを要求しうる権利を保障されていない〈マクリーン事件〉（最大判昭53・10・4）。

憲法編

出題 国Ⅰ－平成16・7・3・2・昭和57、地方上級－平成10・7（市共通）・2・昭和60、裁判所総合・一般－令和4、裁判所Ⅰ・Ⅱ－平成20、国税－平成4

Q5 外国人は、外国へ一時旅行する自由と再入国の自由を憲法上保障されているか。

A 憲法上保障されていない。　わが国に在留する外国人は、憲法上、外国へ一時旅行する自由を保障されていない以上、外国人の再入国の自由は、憲法22条により保障されない〈森川キャサリーン事件〉（最判平4・11・16）。

出題 国家総合－令和1・平成25、国Ⅰ－平成23・16・13・7、地方上級－平成7（市共通）、国Ⅱ－平成12、裁判所総合・一般－令和4・平成26、裁判所Ⅰ・Ⅱ－平成18・15、国税－平成14

◇政治活動の自由等

Q6 外国人に政治活動の自由は保障されるか。

A 原則として保障される。　憲法第3章の諸規定による基本的人権の保障は、権利の性質上日本国民のみをその対象としているものを除き、わが国に在留する外国人に対しても等しく及ぶのであり、政治活動の自由についても、わが国の政治的意思決定またはその実施に影響を及ぼす活動等外国人の地位にかんがみこれを認めることが相当でないものを除き、その保障が及ぶ〈マクリーン事件〉（最大判昭53・10・4）。

出題 国家総合－平成29・27、国Ⅰ－平成23・20・16・7・2・昭和57、地方上級－平成7（市共通）、東京Ⅰ－平成20・16、国家一般－平成25、国Ⅱ－平成12・昭和63、裁判所総合・一般－令和2・平成26、裁判所Ⅰ・Ⅱ－平成18・14、国税・労基－平成19、国税－平成10・昭和58

Q7 外国人がわが国の政治的意思決定または実施に影響を及ぼす活動をする場合にも政治活動の自由は保障されるのか。

A 政治活動の自由は保障されない〈マクリーン事件〉（最大判昭53・10・4）。⇨6

Q8 外国人に対する基本的人権の保障は、外国人在留制度の枠内で与えられているにすぎないのか。

A 外国人在留制度の枠内で与えられているにすぎない。　外国人に対する基本的人権の保障は、外国人在留制度の枠内で与えられているにすぎないのであって、在留期間中の憲法の基本的人権の保障を受ける行為を在留期間の更新の際に消極的な事実として斟酌されないことが憲法上保障されていると解することはできない〈マクリーン事件〉（最大判昭53・10・4）。

出題 国家総合－令和1、国Ⅰ－平成23・20・15・昭和57、国家一般－平成25、裁判所総合・一般－平成26、裁判所Ⅰ・Ⅱ－平成18、国税・労基－平成23、国税－平成14・9

Q9 法務大臣が、外国人の在留期間の更新の際に、外国人が在留期間中に行った政治活動を消極的な事情として斟酌することは許されるのか。

A 許される〈マクリーン事件〉（最大判昭53・10・4）。⇨8

◇公務員の選定罷免権

Q10 国会議員の選挙権を有する者を日本国民に限ることは、憲法15条、14条に反するか。

A 憲法15条、14条に反しない。　国会議員の選挙権を有する者を日本国民に限っている公職選挙法9条1項は、憲法15条、14条の規定に反するものではない（最判平5・2・26）。

出題 国Ⅰ－平成7、地方上級－平成7（市共通）、国Ⅱ－平成12、裁判所Ⅰ・Ⅱ－平成18

Q11 外国人（わが国に在留する外国人の中の永住者を含む）に公務員の選定罷免権は認められるか。

A 認められない。　主権が「日本国民」に存するものとする憲法前文および1条の規定に照らせば、憲法の国民主権の原理における国民とは、日本国民すなわちわが国の国籍を有する者を意味することは明らかである。そうとすれば、公務員を選定罷免する権利を保障した憲法15条1項は、権利の性質上日本国民のみをその対象とし、同規定による権利の保障は、わが国に在留する外国人には及ばない（最判平7・2・28）。

出題 国Ⅰ－平成9、裁判所Ⅰ・Ⅱ－平成18、国税・財務・労基－令和2

◇地方公共団体の長および議会の議員の選出権

Q12 憲法93条2項の「住民」には、わが国に永住する外国人のうちで、その居住する区域の地方公共団体と特段に密接な関係をもつ者を含むのか。

A 地方公共団体の区域内に住所を有する日本国民に限られる。　国民主権の原理およびこれに基づく憲法15条1項の規定の趣旨にかんがみ、地方公共団体がわが国の統治機構の不可欠の要素を成すことをも併せ考えると、憲法93条2項の「住民」とは、地方公共団体の区域内に住所を有する日本国民を意味するのであり、当該規定は、わが国に在留する外国人に対して、地方公共団体の長、その議会の議員等の選挙の権利を保障したものではない（最判平7・2・28）。

出題 国家総合－令和1、国Ⅰ－平成20・9、地方上級－平成10・9（市共通）、市役所上級－平成14、国Ⅱ－平成10、裁判所総合・一般－平成26、国税－平成14・10

Q13 法律で、外国人（わが国に在留する外国人の中の永住者を含む）に地方公共団体の長、その議会の議員等の選挙権を付与する措置を講ずることは、憲法上禁止されているのか。

A 憲法上禁止されていない。　憲法第8章の地方自治に関する規定は、民主主義社会における地方自治の重要性にかんがみ、住民の日常生活に密接な関連を有する公共的事務は、その地方の意思に基づきその区域の地方公共団体が処理するという政治形態を憲法上の制度として保障しようとする趣旨に出たものであるから、わが国に在留する外国人のうちでも永住者等であってその居住する区域の地方公共団体と特段に緊密な関係をもつに至ったと認められるものについて、その意思を日常生活に密接な関連を有する地方公共団体の公共的事務の処理に反映させ

るべく、法律をもって、地方公共団体の長、その議会の議員等に対する選挙権を付与する措置を講ずることは、憲法上禁止されているものではない。しかし、このような措置を講ずるか否かは、もっぱら国の立法政策にかかわる事柄であって、このような措置を講じないからといって違憲の問題を生ずるものではない（最判平7・2・28）。

Q14 わが国に永住する外国人のうちで、その居住する区域と特段に密接な関係をもつ者に選挙権を認める措置を何ら講じないことは、違憲の問題を生じるのか。

A 当該外国人に選挙権を認めるか否かは国の立法政策の問題であり、違憲の問題を生じない（最判平7・2・28）。⇨13

◇公務就任権

Q15 地方公務員法は、普通地方公共団体が、法による制限の下で、条例、人事委員会規則等の定めるところにより一般職の地方公務員職に在留外国人を任命することを禁止するものか。

A 一般職の地方公務員職に在留外国人を任命することを禁止するものではない。 地方公務員法は、一般職の地方公務員（以下「職員」という。）に本邦に在留する外国人（以下「在留外国人」という。）を任命することができるかどうかについて明文の規定を置いていないが（同法19条1項参照）、普通地方公共団体が、法による制限の下で、条例、人事委員会規則等の定めるところにより一般職の地方公務員職に在留外国人を任命することを禁止するものではない。普通地方公共団体は、職員に採用した在留外国人について、国籍を理由として、給与、勤務時間その他の勤務条件につき差別的取扱いをしてはならないものとされており（労働基準法3条、112条、地方公務員法58条3項）、地方公務員法24条6項に基づく給与に関する条例で定められる昇格（給料表の上位の職務の級への変更）等も上記の勤務条件に含まれるものというべきである。しかし、上記の定めは、普通地方公共団体が職員に採用した在留外国人の処遇につき合理的な理由に基づいて日本国民と異なる取扱いをすることまで許されないとするものではない。また、そのような取扱いは、合理的な理由に基づくものである限り、憲法14条1項に違反するものでもない（最大判平17・1・26）。　　　　　　　出題 国家総合-令和4

Q16 地方公共団体が、公権力の行使にあたる行為を行うことなどを職務とする地方公務員の職を包含する一体的な管理職の任用制度を設け、日本国民に限って管理職に昇任することができることとすることは、労働基準法3条、憲法14条1項に違反するのか。

A 違反しない。　普通地方公共団体は、職員に採用した在留外国人について、国籍を理由として、給与、勤務時間その他の勤務条件につき差別的取扱いを

してはならないものとされており（労働基準法3条、112条、地方公務員法58条3項）、地方公務員法24条6項に基づく給与に関する条例で定められる昇格（給料表の上位の職務の級への変更）等も上記の勤務条件に含まれる。しかし、上記の定めは、普通地方公共団体が職員に採用した在留外国人の処遇につき合理的な理由に基づいて日本国民と異なる取扱いをすることまで許されないとするものではない。また、そのような取扱いは、合理的な理由に基づくものである限り、憲法14条1項に違反するものでもない。管理職への昇任は、昇格等を伴うのが通例であるから、在留外国人を職員に採用するにあたって管理職への昇任を前提としない条件の下でのみ就任を認めることとする場合には、そのように取り扱うことにつき合理的な理由が存在することが必要である〈管理職選考受験資格確認等請求事件〉（最大判平17・1・26）。

Q17 東京都が、管理職に昇任すれば公権力の行使にあたる行為を行うことなどを職務とする任用制度を設け、日本の国籍を有することをその昇任の資格要件としたことは、労働基準法3条、憲法14条1項に違反するのか。

A 違反しない。　公権力行使等地方公務員の職務の遂行は、住民の権利義務や法的地位の内容を定め、あるいはこれらに事実上大きな影響を及ぼすなど、住民の生活に直接間接に重大なかかわりを有するものである。それゆえ、国民主権の原理に基づき、国および普通地方公共団体による統治の在り方については日本国の統治者としての国民が最終的な責任を負うべきものであること（憲法1条、15条1項参照）に照らし、原則として日本の国籍を有する者が公権力行使等地方公務員に就任することが想定されているとみるべきであり、わが国以外の国家に帰属し、その国家との間でその国民としての権利義務を有する外国人が公権力行使等地方公務員に就任することは、本来わが国の法体系の想定するところではない。そして、普通地方公共団体が、公務員制度を構築するにあたって、公権力行使等地方公務員の職とこれに昇任するのに必要な職務経験を積むために経るべき職とを包含する一体的な管理職の任用制度を構築して人事の適正な運用を図ることも、その判断により行うことができる。そうすると、普通地方公共団体が上記のような管理職の任用制度を構築したうえで、日本国民である職員に限って管理職に昇任することができることとする措置を執ることは、合理的な理由に基づいて日本国民である職員と在留外国人である職員とを区別するものであり、上記の措置は、労働基準法3条にも、憲法14条1項にも違反するものではない。そして、この理は、前記の特別永住者についても異なるものではない〈管理職選考受験資格確認等請求事件〉（最大判平17・1・26）。

憲法編

◇社会権

Q18 外国人に国民年金法に基づく障害福祉年金の支給をしないことは、憲法25条に違反しないか。

A 憲法25条に違反しない。　社会保障上の施策において在留外国人をどのように処遇するかについては、国は、特別の条約の存しない限り、その政治的判断によりこれを決定することができるのであり、その限られた財源の下で福祉的給付を行うにあたり、自国民を在留外国人より優先的に扱うことも許される。したがって、国民年金法に基づく障害福祉年金の支給対象者から在留外国人を除外することは、立法府の裁量の範囲に属する事柄とみるべきであり、国籍条項および昭和34年11月1日より後に帰化によって日本国籍を取得した者に対し同法の障害福祉年金の支給をしないことは、憲法25条の規定に違反するものではない〈塩見訴訟〉（最判平1・3・2）。

出題 国家総合－平成29・27、国Ⅰ－平成23・15、地方上級－平成7（市共通）、東京Ⅰ－平成20・16、特別区Ⅰ－令和4・平成27、国家一般－平成24、国Ⅱ－平成12、裁判所総合・一般－平成28・26、裁判所Ⅰ・Ⅱ－平成14、国税－平成14

Q19 社会保障上の施策において在留外国人をどのように処遇するかについて、障害福祉年金の給付に関し、自国民を在留外国人に優先させることとして在留外国人を支給対象者から除くことは、憲法第14条第1項および第25条の規定に違反するか。

A 違反しない〈塩見訴訟〉（最判平1・3・2）。⇨ *18*

◇亡命権・不法入国

Q20 不法入国の外国人に基本的人権は保障されるのか。

A 基本的人権は保障される。　不法入国の外国人といえども日本に在住する限りその基本的人権および一般私権は保護されなければならないのであり、その侵害を受けた場合には、国家に対しその保護を求める権利を有することはもちろんである（最判昭25・12・28）。 出題 国税－平成2

Q21 亡命者が国籍以外の外国（避難国）の憲法もしくはその国が締結している条約に基づき保護を享受する権利、いわゆる亡命権については、憲法で保障しているのか。

A 憲法で保障していない。　逃亡犯罪人引渡法（改正前）は一般に条約の有無を問わず政治犯罪人の不引渡しを規定したものではなく、さらに、政治難民を意思に反して迫害の待つ国に引き渡してはならないという確立した国際慣習法もない。しかも、Xの韓国での処罰が客観的に確実であるとはいえない、そして、法務大臣の裁決に裁量権の逸脱・濫用はない〈尹秀吉（ユンスンギル）事件〉（東京高判昭47・4・19、最判昭51・1・26）。

出題 国家総合－平成27、国Ⅰ－平成23・16

⑵法人の人権

Q22 法人に基本的人権、特に政治的行為の自由は保障されるか。

A 政治的行為の自由は保障される。　憲法上の選挙権その他の参政権が自然人たる国民にのみ認められたものであることは、いうまでもない。しかし、会社が、納税の義務を有し自然人たる国民と等しく国税等の負担に任ずるものである以上、納税者たる立場において、国や地方公共団体の施策に対し、意見の表明その他の行動に出たとしても、これを禁圧すべき理由はない。のみならず、会社は、自然人たる国民と同様、国や政党の特定の政策を支持、推進し又は反対するなどの政治的行為をなす自由を有する〈八幡製鉄事件〉（最大判昭45・6・24）。

出題 国Ⅰ－平成20・3・昭和63・53、地方上級－平成10（市共通）、特別区Ⅰ－平成29、国Ⅰ－昭和63、国税・財務・労基－令和2、国税－平成8

Q23 法人に政治資金の寄付は認められるか。

A 政治資金の寄付は認められる。　政治資金の寄付もまさにその政治的行為の自由の一環であり、会社によってそれがなされた場合、政治の動向に影響を与えることがあったとしても、これを自然人たる国民による寄付と別異に扱うべき憲法上の要請があるものではない。また、政党への寄付は、事の性質上、国民個々の選挙権その他の参政権の行使そのものに直接影響を及ぼさないわけではなく、政党の資金の一部が選挙人の買収にあてられることがあるとしても、それはたまたま生ずる病理的現象にすぎず、しかも、かかる非違行為を抑制するための制度は厳に存在するのであって、政治資金の寄付が、選挙権の自由なる行使を直接に侵害するものではない〈八幡製鉄事件〉（最大判昭45・6・24）。

出題 国Ⅰ－平成20・15・3・昭和63・53、国家一般－平成25、国Ⅱ－平成23、国税・財務・労基－令和2、国税・労基－平成21・16

Q24 強制加入団体である税理士会が、税理士法を業界に有利な方向に改正するための工作資金として会員から特別会費を徴収し、それを特定の政治団体に寄付することは認められるか。

A 認められない。　政党など規正法上の政治団体に対して金員の寄付をするかどうかは、選挙における投票の自由と表裏をなすものとして、会員各人が市民としての個人的な政治的思想、見解、判断等に基づいて自主的に決定すべき事柄である。なぜなら、政党など規正法上の政治団体は、政治上の主義もしくは施策の推進、特定の公職の候補者の推薦等のため、金員の寄付を含む広範囲な政治活動をすることが当然に予定された政治団体であり、これらの団体に金員の寄付をすることは、選挙においてどの政党またはどの候補者を支持するかに密接につながる問題だからである。そうすると、公的な性格を有する税理士会が、このような事柄を多数決原理によって団体の意思として決定し、構成員にその協力を義務付けることはできないのであり、税理士会が特定の政治団体に寄付する行為は、たとえ税理士に係る法令の制定改廃に関する要求を実現するためであっても、税理士法49条2項所定の税理士会の目的の範囲外の行為であり、無効である〈税理士会政治献金事件〉（最判平8・3・19）。

Q25 強制加入団体である税理士会が、法令の制定改廃に関する政治的要求を実現するため、政治資金規正法上の政治団体に金員の寄付をすることは、税理士法で定められた税理士会の目的の範囲内の行為か。

A 税理士会の目的の範囲外の行為である〈税理士会政治献金事件〉（最判平8・3・19）。⇨24

Q26 阪神・淡路大震災により被災した兵庫県司法書士会に復興支援金を寄付するために特別に負担金を徴収する旨の群馬司法書士会の総会決議の効力は同会の会員に対して及ぶか。

A 群馬司法書士会の会員に対して及ぶ。　司法書士会は、司法書士の品位を保持し、その業務の改善進歩を図るため、会員の指導および連絡に関する事務を行うことを目的とするものであるが（司法書士法14条2項）、その目的を遂行するうえで直接又は間接に必要な範囲で、他の司法書士会との間で業務その他について提携、協力、援助等をすることもその活動範囲に含まれるというべきである。したがって、兵庫県司法書士会に本件拠出金を寄付することは、群馬司法書士会の権利能力の範囲内にあるというべきである。そうすると、群馬司法書士会は、本件拠出金の調達方法についても、それが公序良俗に反するなど会員の協力義務を否定すべき特段の事情がある場合を除き、多数決原理に基づき自ら決定することができるものというべきである。被上告人は、本件拠出金の調達方法についても、それが公序良俗に反するなど会員の協力義務を否定すべき特段の事情がある場合を除き、多数決原理に基づき自ら決定することができるものというべきである。その後に「これを本件についてみると、群馬司法書士会がいわゆる強制加入団体であること（同法19条）を考慮しても、本件負担金の徴収は、会員の政治的又は宗教的立場や思想信条の自由を害するものではなく、また、本件負担金の額も、登記申請事件1件につき、その平均報酬約2万1,000円の0.2%強に当たる50円であり、これを3年間の範囲で徴収するというものであって、会員に社会通念上過大な負担を課するものではないのであるから、本件負担金の徴収について、公序良俗に反するなど会員の協力義務を否定すべき特段の事情があるとは認められない。」したがって、本件決議の効力は被上告人の会員である上告人らに対して及ぶというべきである。したがって、本件決議の効力は群馬司法書士会の会員である上告人らに対して及ぶ（最判平14・4・25）。

Q27 労働組合が公職選挙に際し、推薦候補を決定しその選挙運動を行うこと自体は自由になしうるが、労働組合が当該選挙運動のための臨時組合費の徴収を組合規約に従って決定しても、組合にその納入義務は生じないのか。

A 組合員にその納入義務は生じない〈国労広島地本事件〉（最判昭50・11・28）。⇨労働組合法2条4・8～11・13

2　公法上の特別関係における人権保障

◇在監者の人権

Q28 被拘禁者に喫煙の自由を制約することは、憲法13条に反しないか。

A 憲法13条に反しない。　喫煙を許すことにより、罪証隠滅のおそれがあり、また、火災発生の場合は被拘禁者の逃走が予想され、かくては、直接拘禁の本質的目的を達することができないことは明らかである。喫煙の自由は、憲法13条の保障する基本的人権の一に含まれるとしても、あらゆる時、所において保障されるものではない。したがって、このような拘禁の目的と制限される基本的人権の内容、制限の必要性などの関係を総合考察すると、喫煙禁止という程度の自由の制限は、必要かつ合理的なものであり、（旧）監獄法施行規則96条中未決勾留により拘禁された者に対し喫煙を禁止する規定が憲法13条に違反するとはいえない（最大判昭45・9・16）。

Q29 省令である（旧）監獄法施行規則に未決勾留により拘禁された者の喫煙を禁止する規定を置くことは、憲法13条に違反するのか。

A 違反しない（最大判昭45・9・16）。⇨28

Q30 新聞紙、図書等の閲読の自由は、憲法21条の精神に照らして尊重されるものか。

A 憲法21条の精神に照らして尊重されるのではなく、憲法21条の規定の趣旨、目的から、いわばその派生原理として当然に導かれる。　およそ各人が、自由に、さまざまな意見、知識、情報に接し、これを摂取する機会をもつことは、その者が個人として自己の思想および人格を形成・発展させ、社会生活の中にこれを反映させていくうえにおいて欠くことのできないものであり、また、民主主義社会における思想および情報の自由な伝達、交流の確保という基本的原理を真に実効あるものたらしめるためにも、必要なところである。それゆえ、これらの意見、知識、情報の伝達の媒体である新聞紙、図書等の閲読の自由が憲法上保障されるべきことは、思想および良心の自由の不可侵を定めた憲法19条の規定や、表現の自由を保障した憲法21条の規定の趣旨、目的から、いわばその派生原理として当然に導かれるところであり、また、すべて国民は個人として尊重される旨を定めた憲法13条の規定の趣旨に沿うゆえんでもあると考えられる〈よど号ハイジャック事件〉（最大判昭58・6・22）。

Q31 未決拘禁者の新聞、図書等の閲読の自由を制約することは許されるか。

憲法編

A 監獄内の規律・秩序が害される相当の蓋然性がある場合には、制約が許される。　被拘禁者の新聞紙、図書等の閲読の自由の制限が許されるためには、当該閲読を許すことにより監獄内の規律および秩序が害される一般的・抽象的なおそれがあるというだけでは足りず、被拘禁者の性向、行状、監獄内の管理、保安の状況、当該新聞紙、図書等の内容その他の具体的事情のもとにおいて、その閲読を許すことにより監獄内の規律および秩序の維持上放置することのできない程度の障害が生ずる相当の蓋然性があると認められることが必要であり、かつ、その場合においても、その制限の程度は、その障害発生の防止のために必要かつ合理的な範囲にとどまる〈よど号ハイジャック事件〉（最大判昭58・6・22）。

出題 国Ⅰ－平成3・昭和62、市役所上・中級－平成11、国Ⅱ－平成8・昭和63、国税・財務・労基－令和1・平成27、国税・労基－平成20、国税－平成10・6

Q32 受刑者とその親族でない者との信書の発受とその親族である者との発受では、前者の保護の必要性は高くないのか。

A 前者の保護の必要性は同じく高い。　表現の自由を保障した憲法21条の規定の趣旨、目的にかんがみると、受刑者のその親族でない者との間の信書の発受は、受刑者の性向、行状、監獄内の管理、保安の状況、当該信書の内容その他の具体的事情の下で、これを許すことにより、監獄内の規律及び秩序の維持、受刑者の身柄の確保、受刑者の改善、更生の点において放置することのできない程度の障害が生ずる相当のがい然性があると認められる場合に限って、これを制限することが許されるものというべきであり、その場合おいても、その制限の程度は、上記の障害の発生防止のために必要かつ合理的な範囲にとどまるべきものと解するのが相当である。そうすると、監獄法46条2項は、その文言上は、特に必要があると認められる場合に限って上記信書の発受を許すものとしているようにみられるけれども、上記信書の発受の必要性は広く認められ、上記要件及び範囲でのみその制限が許されることを定めたものと解するのが相当であり、したがって、同項が憲法21条、14条1項に違反するものでない（最判平18・3・23）。 出題 国家総合－令和4

Q33 本件信書が、国会議員に対して送付済みの本件請願書等の取材、調査および報道を求める旨の内容を記載したＣ新聞社あてのものであった場合、本件信書の発信を許すことによって熊本刑務所内に放置することのできない程度の障害が生ずる相当のがい然性があるといえるのか。

A 相当のがい然性があるとはいえない。したがって、所長による本件信書の発信の不許可は違法である。　本件信書は、国会議員に対して送付済み（「受刑者処遇の在り方の改善のための獄中からの請願書」）の本件請願書等の取材、調査および報道を求める旨の内容を記載したＣ新聞社あてのものであったから、本件信書の発信を許すことによって熊本刑務所内に上記の障害が生ずる相当の蓋然性があると

いうことができないことも明らかである。そうすると、熊本刑務所長の本件信書の発信の不許可は、裁量権の範囲を逸脱し、又は裁量権を濫用したものとして（旧）監獄法46条2項の規定の適用上違法であるのみならず、国家賠償法1条1項の規定の適用上も違法というべきである。そして、熊本刑務所長は、前記のとおり、本件信書の発信によって生ずる障害の有無を何ら考慮することなく本件信書の発信を不許可としたのであるから、熊本刑務所長に過失があることも明らかである（最判平18・3・23）。 出題 予想

◇**公務員の人権**⇨憲法21条76〜83、28条4〜10参照

3　私人間における基本的人権の保障

Q34 憲法は私人相互間の関係を直接規律しているのか。

A 直接規律するのではなく、私人相互間の関係は、原則として私的自治に委ねられている。　私人間の関係においては、各人の有する自由と平等の権利自体が具体的な場合に相互に矛盾、対立する可能性があり、このような場合におけるその対立の調整は、近代自由社会においては、原則として私的自治に委ねられ、ただ、一方の他方に対する侵害の態様、程度が社会的に許容しうる一定の限界を超える場合にのみ、法がこれに介入しその間の調整を図るという建前がとられているのであって、この点において国または公共団体と個人との関係とはおのずから別個の観点からの考慮を必要とし、国または公共団体と個人との関係についての憲法上の基本権保障規定をそのまま私人相互間の関係についても適用ないし類推適用することはできない〈三菱樹脂事件〉（最大判昭48・12・12）。

出題 国Ⅰ－平成17・14・13・10・5・2、地方上級－平成2（市共通）・昭和63、東京Ⅰ－平成19、市役所上・中級－平成5、特別区Ⅰ－平成26、国Ⅱ－昭和58、裁判所総合・一般－平成26、国税・労基－平成20・19、国税－昭和58

Q35 私人相互の社会的力関係の相違がある場合、社会的弱者の人権をどのように守ることができるか。

A 民法1条、90条や不法行為に関する諸規定を運用して、社会的弱者の人権を守ることができる。

私人間において相互の社会的力関係の相違から、一方が他方に優越し事実上の支配関係が成立しているときには、法がこれに介入しその間の調整を図るという建前がとられなければならない。すなわち、私的支配関係においては、個人の基本的な自由や平等に対する具体的な侵害またはそのおそれがあり、その態様、程度が社会的に許容しうる限度を超えるときは、私的自治に対する一般的制限規定である民法1条、90条や不法行為に関する諸規定等の適切な運用によって、一面で私的自治の原則を尊重しながら、他面で社会的許容性の限度を超える侵害に対し基本的な自由や平等の利益を保護し、その間の適切

な調整を図る方途も存する〈三菱樹脂事件〉（最大判昭48・12・12）。

出題 国Ⅰ－平成17・5、特別区Ⅰ－平成26

Q36 本来国家と国民との関係を規律する人権規定は、私立大学の学則についても適用ないし類推適用されるのか。

A 人権規定は、私立大学の学則に適用ないし類推適用されない。　憲法19条、21条、23条等のいわゆる自由権的基本権の保障規定は、もっぱら国または公共団体と個人との関係を規律するものであり、私人相互間の関係について当然に適用ないし類推適用されないことは、当裁判所大法廷判例〈三菱樹脂事件〉（最大判昭48・12・12）の示すところである。したがって、私学の内部規定である「生活要録」の規定につき直接に違憲かどうかを論ずる余地はない〈昭和女子大事件〉（最判昭49・7・19）。

出題 国家総合－平成24、国Ⅰ－平成17・昭和61、地方上級－平成11、東京Ⅰ－平成19

Q37 生活要録違反を理由とした学生の退学処分に関し、当該退学処分の直接の根拠となった生活要録の規定については、直接憲法の基本権規定に違反するか否かを論ずる余地はあるのか。

A 論ずる余地はない〈昭和女子大事件〉（最判昭49・7・19）。⇨36

Q38 私立大学が学生の政治活動を理由に当該学生を退学処分にすることは許されるか。

A 当該学生を退学処分にすることは許される。　大学は国公立たると私立たるとを問わず、学生の教育と学術の研究を目的とする公共的な施設であって、学生を規律する包括的権能を有し、その権能も無制限にするものの、在学関係設定の目的と関連し、かつ、その内容が社会通念に照らして合理的と認められる範囲においてのみ是認される。したがって、本件私立大学の生活要録は、同大学が学生の思想の穏健中正を標榜する保守的傾向の私立学校であることをも勘案すれば、不合理なものと断定できず、退学処分も懲戒権者の裁量権の範囲内にあるもので違法ではない。さらに、学生の政治活動を理由に退学処分を行っても、直ちに学生の学問の自由および教育を受ける権利を侵害し公序良俗に違反しない〈昭和女子大事件〉（最判昭49・7・19）。

出題 国Ⅱ－昭和63、国税・財務・労基－平成27、国税・労基－平成15

Q39 男女間で定年に差別を設けた就業規則は合理的な差別として有効か。

A 不合理な差別を定めたものとして、民法90条の規定により無効である。　(1)日産自動車（N会社）では、女子従業員の担当職務は相当広範囲にわたっていて、従業員の努力とN会社の活用策いかんによっては貢献度を上げうる職種が数多く含まれており、女子従業員個人の能力等の評価を離れて、その全体をN会社に対する貢献度の上がらない従業員と断定する根拠はないこと、(2)しかも、女子従業員について労働の質量が向上しないのに実質賃金が上昇するという不均衡が生じていると認めるべき根拠はないこと、(3)少なくとも60歳前後まで、男女とも通常の職務であれば企業経営上要求される職務遂

行能力に欠けるところはなく、一律に従業員として不適格とみて企業外へ排除するまでの理由はないことなど、N会社の企業経営上の観点から定年年齢において女子を差別しなければならない合理的理由はない。したがって、N会社の就業規則中女子の定年年齢を男子より低く定めた部分は、もっぱら女子であることのみを理由として差別したことに帰着し、性別のみによる不合理な差別を定めたものとして民法90条の規定により無効である〈日産自動車女子定年制事件〉（最判昭56・3・24、東京高判昭54・3・12）。

出題 国Ⅰ－平成21・17・昭和59、地方上級－平成11・8・2（市共通）、東京Ⅰ－平成18、市役所上・中級－昭和62、特別区Ⅰ－平成26、国家一般－平成30、国Ⅰ－平成18・昭和63、裁判所総合・一般－令和4・1・平成25、国税・財務・労基－令和4・1、国税－平成6

Q40 自衛隊基地建設予定地の所有権をめぐる民事事件について、国が行った売買契約について、それが私法上の行為であっても、憲法9条が直接適用されるのか。

A 直接適用されない。　憲法9条は、その憲法規範として有する性格上、私法上の行為の効力を直接規律することを目的とした規定ではなく、人権規定と同様、私法上の行為に対しては直接適用されるものではなく、国が行政の主体としてではなく私人と対等の立場に立って、私人との間で個々的に締結する私法上の契約は、当該契約がその成立の経緯および内容において実質的にみて公権力の発動たる行為と何ら変わりがないといえるような特段の事情のない限り、憲法9条の直接適用を受けない〈百里基地訴訟〉（最判平1・6・20）。

出題 国Ⅰ－平成20・14、東京Ⅰ－平成19・15、特別区Ⅰ－平成15

Q41 いわゆる三ない原則を定めた校則に違反したことを理由の一つとしてされた私立高等学校の生徒に対する自主退学の勧告は、憲法13条に反するのか。

A 憲法13条に違反するか否かではなく、違法とはならない。　自動二輪車等について免許を取らない、乗らない、買わないの三原則を定めた私立高等学校の校則に違反したことを理由の一つとしてされた高等学校の生徒に対する自主退学の勧告は、生徒が、上記原則の全てに違反し、かつ、生徒の母親は、事故後、自動二輪車を処分して校則に従うべき旨の学校側の説得に応ぜず、かえって、学校側の指導方針と真向から対立し、将来家庭の協力を得て当該生徒を指導することが不可能といえる状態にあったことなどの事実関係の下においては、違法とはいえない（最判平3・9・3）。　出題 国Ⅰ－平成23

Q42 私立大学の教員であるXが自らの歴史認識に基づく意見を新聞紙上で披瀝し、それを表出させるかのような講義方法を採っていたことを理由に、私立大学がXを戒告処分とすることは許されるのか。

A 許されない。　本件Xの発言は、その見出しや発言内容に照らして、第2次世界大戦下においてわが国が採った諸政策には功罪両面があったのであ

るから、その一方のみをことさらに強調するような歴史観を強制すべきではなく、そのような見地からみて、人権センターの展示内容には偏りがあるというXの意見を表明するにすぎない。このような本件Xの発言の趣旨、内容等にかんがみると、本件発言のみを採り上げて本件就業規則所定の懲戒事由に該当すると認めるのは困難である。そうすると、私立大学（Y）による本件戒告処分は、それが本件就業規則において定められた最も軽微な懲戒処分であることを考慮しても、客観的に合理的と認められる理由を欠くものであるから、懲戒権を濫用するものとして無効である（最判平 19・7・13）。

出題 予想

第12条 [自由・権利の保持の責任とその濫用の禁止]

この憲法が国民に保障する自由及び権利は、国民の不断の努力によって、これを保持しなければならない。又、国民は、これを濫用してはならないのであって、常に公共の福祉のためにこれを利用する責任を負ふ。

Q1 受信料を負担させるにあたって受信契約の締結強制という方法を採ることは、契約自由の原則に反し、違憲となるのか。

A 契約自由の原則に反せず、合憲である。　任意に受信契約を締結しない者に対してその締結を強制するにあたり、放送法には、締結を強制する契約の内容が定められておらず、一方当事者たる原告が策定する放送受信規約によってその内容が定められることとなっている点については、同法が予定している受信契約の内容は、同法に定められた原告（日本放送協会）の目的にかなうものとして、受信契約の締結強制の趣旨に照らして適正なもので受信設備設置者間の公平が図られていることを要するものであり、放送法64条1項は、受信設備設置者に対し、上記のような内容の受信契約の締結を強制するにとどまると解されるから、放送法の立法目的を達成するのに必要かつ合理的な範囲内のものとして、憲法上許容される〈NHK受信契約締結承諾等請求事件〉（最大判平 29・12・6）。　　　　　**出題** 予想

第13条 [個人の尊重、生命・自由・幸福追求の権利、公共の福祉]

すべて国民は、個人として尊重される。生命、自由及び幸福追求に対する国民の権利については、公共の福祉に反しない限り、立法その他の国政の上で、最大の尊重を必要とする。

◇プライバシー権（肖像権等を含む）

Q1 個人の容ぼう等は、憲法によって保障されているのか。

A 憲法13条によって保障されている。　憲法13条は、国民の私生活上の自由が、警察権等の国家権力の行使に対しても保護されるべきことを規定している。そして、個人の私生活上の自由の一つとして、何人も、その承諾なしに、みだりにその容ぼう、姿態（「容ぼう等」）を撮影されない自由を有する。これを肖像権と称するかどうかは別として、少なくとも、警察官が、正当な理由もないのに、個人の容ぼう等を撮影することは、憲法13条の趣旨に反

し、許されない〈京都府学連事件〉（最大判昭 44・12・24）。

出題 国家総合－平成24、国Ⅰ－平成 19・9・3・2、地方上級－平成 20・10・2、東京Ⅰ－平成 18・14、国家一般－平成27、裁判所Ⅰ・Ⅱ－平成 23・20・19、国税・労基－平成15、国税－平成8

Q2 憲法13条後段の幸福追求権の規定は、具体的権利性のある規定か。

A 具体的権利性のある規定である〈京都府学連事件〉（最大判44・12・24）。⇨ 1

出題 国Ⅰ－平成19

Q3 警察官は犯罪捜査の必要があれば、本人の同意または裁判官の令状がなくても、自由に被疑者の容ぼう等を撮影することができるのか。

A 一定の要件の下で被疑者の容ぼう等を撮影することができる。　(1)現に犯罪が行われもしくは行われた後間がないと認められる場合であって、(2)しかも証拠保全の必要性および緊急性があり、(3)かつその撮影が一般的に許容される限度を超えない相当な方法をもって行われる場合には、(a)撮影される本人の同意がなく、(b)また裁判官の令状がなくても、警察官による個人の容ぼう等の撮影が許容される。このような場合に行われた警察官による写真撮影は、その対象の中に、(ア)犯人の容ぼう等のほか、(イ)犯人の身辺又は被写体とされた物件の近くにいたためこれを除外できない状況にある第三者である個人の容ぼう等を含むことになっても、憲法13条、35条に違反しない〈京都府学連事件〉（最大判44・12・24）。

出題 国家総合－平成24、国Ⅰ－昭和55、地方上級－平成 20・9・5、東京Ⅰ－平成14、国Ⅱ－平成 12・5、裁判所総合・一般－令和 3・平成27、裁判所Ⅰ・Ⅱ－平成 23・20、国税・財務・労基－令和3、国税・労基－平成 21・15、国税－平成8

Q4 犯罪捜査のために犯人の容ぼうを裁判官の令状なくして撮影することが許される場合であっても、その対象の中に第三者の容ぼうが含まれるときには、裁判官の令状を必要とするのか。

A 第三者の容ぼうが含まれるときにも、一定の要件の下では裁判官の令状を必要としない〈京都府学連事件〉（最大判昭 44・12・24）。⇨ 3

Q5 警察官による個人の容貌の撮影は、現に犯罪が行われ又は行われたのち間がないと認められる場合で、証拠保全の必要性・緊急性があり、撮影が一般的に許容される相当な方法をもって行われるときであっても、本人の同意若しくは裁判官の令状がない場合又は第三者の容貌が含まれる場合は、本条に違反するのか。

A 違反しない〈京都府学連事件〉（最大判44・12・24）。⇨ 3

Q6 肖像等は、商品の販売等を促進する顧客吸引力を有する場合があり、顧客吸引力を排他的に利用する権利は、当該人格権に由来する権利の一内容を構成するのか。

A 顧客吸引力を排他的に利用する権利は、当該人格権に由来する権利の一内容を構成する。　人の氏

名、肖像等（「肖像等」）は、個人の人格の象徴であるから、当該個人は、人格権に由来するものとして、これをみだりに利用されない権利を有する。そして、肖像等は、商品の販売等を促進する顧客吸引力を有する場合があり、このような顧客吸引力を排他的に利用する権利（「パブリシティ権」）は、肖像等それ自体の商業的価値に基づくものであるため、上記の人格権に由来する権利の一内容を構成する（最判平24・2・2）。

出題 国家総合 - 令和2、国家一般 - 令和2

Q7 自動速度監視装置により運転者および同乗者の容ぼうを写真撮影することは、憲法13条に違反するか。

A **憲法13条に違反しない。**　速度違反車両の自動撮影を行う自動速度監視装置による運転者の容ぼうの写真撮影は、(1)現に犯罪が行われている場合になされ、(2)犯罪の性質、態様からいって緊急に証拠保全をする必要があり、(3)その方法も一般的に許容される限度を超えない相当なものであるから憲法13条に違反せず、また、その写真撮影の際、運転者の近くにいるため除外できない状況にある同乗者の容ぼうを撮影することになっても、憲法13条、21条に違反しない（最判昭61・2・14）。

出題 国家総合 - 平成26・24、国Ⅰ - 平成17・2、国家一般 - 平成27、国Ⅱ - 平成21

Q8 何人（外国人）もみだりに指紋の押なつを強制されない自由を有するのか。

A **強制されない自由を有する。**　憲法13条は、国民の私生活上の自由が国家権力の行使に対して保護されるべきことを規定しているので、個人の私生活上の自由の一つとして、何人もみだりに指紋の押なつを強制されない自由を有するのであり、国家機関が正当な理由もなく指紋の押なつを強制することは、同条の趣旨に反して許されない。そして、このことは、その権利の性質からして、みだりに指紋の押捺を強制されない自由の保障は、わが国に在留する外国人にも等しく及ぶ（最判平7・12・15）。

出題 国家総合 - 平成27、国Ⅰ - 平成23・9、地方上級 - 平成20、東京Ⅰ - 平成20・16、裁判所総合・一般 - 平成27、国税・労基 - 平成20

Q9 在留外国人は、指紋の押捺を強制されない自由に対する制約を受ける場合があるのか。

A **公共の福祉のため必要がある場合には、相当の制限を受ける。**　みだりに指紋の押捺を強制されない自由も、公共の福祉のため必要がある場合には相当の制限を受ける。外国人指紋押捺制度は、外国人登録法1条の「本邦に在留する外国人の登録を実施することによって外国人の居住関係及び身分関係を明確ならしめ、もって在留外国人の公正な管理に資する」という目的を達成するため、戸籍制度のない外国人の人物特定につき最も確実な制度として制定されたもので、その立法目的には十分な合理性があり、かつ、必要性も肯定できる。本件当時の制度内容は、押なつ義務が3年に1度で、対象指紋も一指のみであり、加えて、その強制も罰則による間接強制にとどまるものであって、精神的、肉体的に過度の苦痛を伴うものとまではいえず、方法

としても、一般的に許容される限度を超えない相当なものである（最判平7・12・15）。

出題 国家総合 - 平成27、国Ⅰ - 平成23、地方上級 - 平成20、東京Ⅰ - 平成20、裁判所総合・一般 - 平成26、国税・労基 - 平成20

Q10 外国人に対し外国人登録原票に登録した事項の確認の申請を義務付ける制度を定めた外国人登録法（改正前）は、憲法13条に反するのか。

A **憲法13条に反しない。**　外国人に対し外国人登録原票に登録した事項の確認の申請を義務付ける制度（登録事項確認制度）を定めた外国人登録法18条1項1号（改正前）および外国人登録法11条1項（改正前）の各規定は、本邦に在留する外国人の居住関係および身分関係を明確にし、在留外国人の公正な管理に資するという行政目的を達成するため、外国人登録原票の登録事項の正確性を維持、確保する必要から設けられたものであって、その立法目的には十分な合理性があり、かつ、その必要性も肯定することができる。そして、同制度は、申請者に過度の負担を強いるものではなく、一般的に許容される限度を超えない相当なものである。したがって、上記のような立法目的の合理性、制度の必要性、相当性が認められる登録事項確認制度は、公共の福祉の要請に基づくものであって、同制度を定めた前記各規定は、憲法13条に違反しない（最判平9・11・17）。

出題 国Ⅱ - 平成12

Q11 警察官が、防犯ビデオに写っていた人物と被告人との同一性を判断するため、被告人の容ぼう等をビデオ撮影することは、被告人のプライバシーを侵害して行われた違法な捜査手続か。

A **適法な捜査手続である。**　(1)捜査機関において被告人が犯人である疑いをもつ合理的な理由が存在していたものと認められ、(2)かつ、各ビデオ撮影は、強盗殺人等事件の捜査に関し、防犯ビデオに写っていた人物の容ぼう、体型等と被告人の容ぼう、体型等との同一性の有無という犯人の特定のための重要な判断に必要な証拠資料を入手するため、これに必要な限度において、公道上を歩いている被告人の容ぼう等を撮影し、あるいは不特定多数の客が集まるパチンコ店内において被告人の容ぼう等を撮影したものであり、いずれも、通常、人が他人から容ぼう等を観察されること自体は受忍せざるをえない場所におけるものである。以上からすれば、これらのビデオ撮影は、捜査目的を達成するため、必要な範囲において、かつ、相当な方法によって行われたものといえ、捜査活動として適法なものというべきである（最決平20・4・15）。　出題 予想

Q12 プライバシー情報に係る事実を公表されない法的利益は、これを公表する理由との関係については、どのように判断すべきか。

A **両者については、諸事情を比較衡量し、本件プライバシー情報に係る事実を公表されない法的利益がこれを公表する理由に優越するか否かによって判断すべきである。**　プライバシーの侵害については、その事実を公表されない法的利益とこれを公表する理由とを比較衡量し、前者が後者に優越する場合に不法行為が成立するものと解される（最判平6・2・

8、最判平 15・3・14 参照)。そして、本件各公表が被上告人のプライバシーを侵害したものとして不法行為法上違法となるか否かは、本件プライバシー情報の性質や内容、本件各公表の当時における被上告人の年齢や社会的地位、本件各公表の目的や意義、本件各公表において本件プライバシー情報を開示する必要性、本件各公表によって本件プライバシー情報が伝達される範囲と被上告人が被る具体的被害の程度、本件各公表における表現媒体の性質など、本件プライバシー情報に係る事実を公表されない法的利益とこれを公表する理由に関する諸事情を比較衡量し、本件プライバシー情報に係る事実を公表されない法的利益がこれを公表する理由に優越するか否かによって判断すべきものである(最判令 2・10・9)。

出題 予想

Q13 少年保護事件を題材として家庭裁判所調査官が執筆した論文を雑誌及び書籍において公表した行為は、プライバシーの侵害として不法行為法上違法とはいえるのか。

A プライバシーの侵害として不法行為法上違法とはいえない。　本件プライバシー情報は、被上告人の非行事実の態様、母親の生育歴、小学校における評価、家庭裁判所への係属歴及び本件保護事件の調査における知能検査の状況に関するものであり、その秘匿性は極めて高い。また、被上告人は、本件公表の当時、19歳であり、その改善更生等に悪影響が及ぶことのないように配慮を受けるべき地位にあった。他方において、本件掲載誌における論文特集の趣旨は、本件疾患の臨床知識を共有することをもって、研究活動の促進を図るとともに、本件疾患に対する正しい理解を広めることにあったところ、上告人Ｙ1は、社会の関心を集めつつあった本件疾患の特性が非行事例でどのように現れるのか、司法機関の枠組みの中でどのように本件疾患を有する者に関わることが有効であるのかを明らかにするという目的で本件論文を執筆しており、本件各公表の目的は重要な公益を害することにあったということができる。また、本件論文には、対象少年やその関係者を直接特定した記載部分はなく、事実関係の時期を特定した記載部分もなかったのであり、上告人Ｙ1は、本件論文の執筆に当たり、対象少年である被上告人のプライバシーに対する配慮もしていたということができる。以上の諸事情に照らすと、本件プライバシー情報に係る事実を公表されない法的利益がこれを公表する理由に優越するとまではいい難い。したがって、本件各公表が被上告人のプライバシーを侵害したものとして不法行為法上違法であるということはできない(最判令 2・10・9)。

出題 予想

◇法律上の保護に値する利益 (人格的利益を含む)

Q14 市長が弁護士会の照会に応じ、犯罪の種類、軽重を問わず、前科などをすべて報告することは、公権力の違法な行使にあたるか。

A 公権力の違法な行使にあたる。　前科および犯罪経歴(以下「前科等」という。)は人の名誉、信用に直接かかわる事項であり、前科等のある者も

これをみだりに公開されないという法律上の保護に値する利益を有するのであって、市区町村長が、本来選挙資格の調査のために作成保管する犯罪人名簿に記載されている前科等をみだりに漏えいしてはならない。本件において、原審の適法に確定したところによれば、京都弁護士会が訴外Ａ弁護士の申出により京都市伏見区役所に照会し、同市中京区長に回付された被上告人の前科等の照会文書には、照会を必要とする事由としては、上記照会文書に添付されていたＡ弁護士の照会申出書に「中央労働委員会、京都地方裁判所に提出するため」とあったにすぎないのであり、このような場合に、市区町村長が漫然と弁護士会の照会に応じ、犯罪の種類、軽重を問わず、前科等のすべてを報告することは、公権力の違法な行使にあたる〈前科照会事件〉(最判昭 56・4・14)。

出題 国家総合 - 平成 30・24、国Ⅰ - 平成 19・13・2、地方上級 - 平成 20・10・9、東京Ⅰ - 平成 18、国家一般 - 平成 27、国Ⅱ - 平成 21・12、裁判所総合・一般 - 令和 3・平成 27、裁判所Ⅰ・Ⅱ - 平成 20・19、国税・財務・労基 - 令和 3、国税・労基 - 平成 20

Q15 前科および犯罪経歴は、法律上の保護に値する利益か。

A 法律上の保護に値する利益である〈前科照会事件〉(最判昭 56・4・14)。⇨ 14

Q16 前科および犯罪経歴が訴訟等の重要な争点になっていて、市区町村長に照会して回答を得るのでなければほかに立証方法がないような場合に、裁判所から前科等の照会を受けた市区町村長は、これに応じて前科等につき回答することはできないのか。

A 市区町村長は、これに応じて前科等につき回答することができる〈前科照会事件〉(最判昭 56・4・14)。⇨ 14

Q17 人は、他人からその氏名を正確に呼称されることについて、不法行為法上の保護を受けうる人格的な利益を有するのか。

A 人格的な利益を有する。　氏名は、社会的にみれば、個人を他人から識別し特定する機能を有するものであるが、同時に、その個人からみれば、人が個人として尊重される基礎であり、その個人の人格の象徴であって、人格権の一内容を構成するものであるから、人は、他人からその氏名を正確に呼称されることについて、不法行為法上の保護を受けうる人格的な利益を有する(最判昭 63・2・16)。

出題 国Ⅰ - 平成 2

Q18 調査書(高校入試の際のいわゆる内申書)への記載による情報の開示は、教育上のプライバシーの権利を侵害するのか。

A 侵害しない。　本件の記載による情報の開示は、入学者選抜に関係する特定小範囲の人に対するものであって、情報の公開には該当しないから、教育上のプライバシーを侵害するものとはいえない〈麹町中学内申書事件〉(最判昭 63・7・15)。

出題 国Ⅱ - 平成 12

Q19 インターネットを利用して短文の投稿をすることができる情報ネットワークにおいてある者のプ

ライバシーに属する事実を摘示するメッセージが投稿された場合に、その者が上記情報ネットワークの運営者に対して上記メッセージの削除を求めることができるのか。

A 上告人の本件事実を公表されない法的利益が本件各ツイートを一般の閲覧に供し続ける理由に優越する場合には、上告人は、被上告人に対し、本件各ツイートの削除を求めることができる。　上告人が、本件各ツイートにより上告人のプライバシーが侵害されたとして、ツイッターを運営して本件各ツイートを一般の閲覧に供し続ける被上告人に対し、人格権に基づき、本件各ツイートの削除を求めることができるか否かは、本件事実の性質及び内容、本件各ツイートによって本件事実が伝達される範囲と上告人が被る具体的被害の程度、上告人の社会的地位や影響力、本件各ツイートの目的や意義、本件各ツイートがされた時の社会的状況とその後の変化など、上告人の本件事実を公表されない法的利益と本件各ツイートを一般の閲覧に供し続ける理由に関する諸事情を比較衡量して判断すべきもので、その結果、上告人の本件事実を公表されない法的利益が本件各ツイートを一般の閲覧に供し続ける理由に優越する場合には、本件各ツイートの削除を求めることができるものと解するのが相当である。本件事実は、他人にみだりに知られたくない上告人のプライバシーに属する事実である。他方で、本件事実は、不特定多数の者が利用する場所において行われた軽微とはいえない犯罪事実に関するものとして、本件各ツイートがされた時点においては、公共の利害に関する事実であったといえる。しかし、上告人の逮捕から原審の口頭弁論終結時まで約8年が経過し、本件各ツイートに転載された報道記事も既に削除されていることなどからすれば、本件事実の公共の利害との関わりの程度は小さくなってきている。また、本件各ツイートは、上告人の逮捕当日にされたものであり、140文字という字数制限の下で、上記報道記事の一部を転載して本件事実を摘示したものであって、ツイッターの利用者に対して本件事実を速報することを目的としてされたものとうかがわれ、長期間にわたって閲覧され続けることを想定してされたものであるとは認め難い。さらに、上告人の氏名を条件としてツイートを検索すると検索結果として本件各ツイートが表示されるのであるから、本件事実を知らない上告人と面識のある者に本件事実が伝達される可能性が小さいとはいえない。加えて、上告人は、その父が営む事業の手伝いをするなどして生活している者であり、公的立場にある者ではない。以上の諸事情に照らすと、上告人の本件事実を公表されない法的利益が本件各ツイートを一般の閲覧に供し続ける理由に優越するものと認めるのが相当である。したがって、上告人は、被上告人に対し、本件各ツイートの削除を求めることができる（最判令4・6・24）。　　　　　**出題**予想

◇私人による人格的利益の侵害（私人間効力）

Q20 前科等については、公的機関のみならず、私人・私的団体に対しても、みだりに公開されない法

律上の利益を有するのか。

A 私人・私的団体に対しても有する。　みだりに前科等にかかわる事実を公表されないことにつき、法的保護に値する利益を有するのは、その公表が公的機関による場合でも、私人・私的団体の場合でも変わらない。そして、その者が有罪判決を受けた後あるいは服役を終えた後においては、一市民として社会に復帰することが期待されるから、その者は、前科等にかかわる事実の公表によって、新しく形成している社会生活の平穏を害されその更生を妨げられない利益を有する〈ノンフィクション「逆転」事件〉（最判平6・2・8）。
出題 国Ⅰ－平成19・13・9、東京Ⅰ－平成14

Q21 ある者の前科等にかかわる事実を公表することは一切許されないのか。

A 例外的に許される場合がある。　前科等にかかわる事実については、これを公表されない利益が法的保護に値する場合があると同時に、その公表が許されるべき場合もあるのであって、ある者の前科等にかかわる事実を実名を使用して著作物で公表したことが不法行為を構成するか否かは、その著作物の目的、性格等に照らした実名使用の意義および必要性をも併せて判断すべきもので、その結果、前科等にかかわる事実を公表されない法的利益が優越するとされる場合には、その公表によって被った精神的苦痛の賠償を求めることができる。なお、このように解しても、著作者の表現の自由を不当に制限するものではない。なぜなら、表現の自由は、十分に尊重されなければならないものであるが、つねに他の基本的人権に優越するものではなく、前科等にかかわる事実を公表することが憲法の保障する表現の自由の範囲内に属するものとして不法行為責任を追及される余地がないと解することはできないからである〈ノンフィクション「逆転」事件〉（最判平6・2・8）。
出題 国家総合－平成30・26、国Ⅰ－平成20・19・9、国Ⅱ－平成21・17、国税・労基－平成17

Q22 人の前科等にかかわる事実を実名でもって著作物で公表されることにより事実上の不利益を被ったとしても、社会的活動に対する批判あるいは評価の一資料として受忍しなければならず、精神的苦痛を理由として損害賠償を請求することはできないのか。

A 公表が許されるべき場合に比べて、前科等にかかわる事実を公表されない法的利益が優越する場合には、その公表によって被った精神的苦痛の賠償を求めることができる〈ノンフィクション「逆転」事件〉（最判平6・2・8）。⇨20

Q23 私生活上の事実が本人の意に反して公表され、プライバシーが侵害された場合、名誉毀損の場合と同様に、公表された事実が真実であることの証明がされれば免責されるのか。

A みだりに前科等にかかわる事実を公表されないことにつき、法的保護に値する利益が存在する以上、免責されない〈ノンフィクション「逆転」事件〉（最判平6・2・8）。⇨21

Q24 Y出版社が、週刊誌の記事の中で、Xについ

憲法編

て、仮名を用いて、法廷での様子、犯行態様の一部、経歴や交友関係等を記載していた行為は、Xの名誉を毀損し、プライバシーを侵害するものか。

🅐 Xの名誉を毀損し、プライバシーを侵害するものである。　本件記事に記載された犯人情報および履歴情報は、いずれもXの名誉を毀損する情報であり、また、他人にみだりに知られたくないXのプライバシーに属する情報である。Xと面識があり、又は犯人情報あるいはXの履歴情報を知る者は、その知識を手がかりに本件記事がXに関する記事であると推知することが可能であり、これらの読者の中に本件記事を読んで初めて、Xについてのそれまで知っていた以上の犯人情報や履歴情報を知った者がいた可能性も否定することはできない。したがって、Yの本件記事の掲載行為は、Xの名誉を毀損し、プライバシーを侵害するものである〈長良川リンチ殺人報道訴訟〉（最判平 15・3・14）。

[出題] 国家一般 − 令和 1

Q25 起訴事実に係る罪を犯した事件本人であること（犯人情報）および経歴や交友関係等の詳細な情報（履歴情報）に係る記事が、個人の名誉を毀損し、プライバシーを侵害する内容を含むとした場合、本件記事の掲載によって出版社に不法行為が成立するか否かはどのように判断すべきか。

🅐 被侵害利益ごとに違法性阻却事由の有無等を審理し、個別具体的に判断すべきである。　本件記事が被上告人の名誉を毀損し、プライバシーを侵害する内容を含むものとしても、本件記事の掲載によって上告人に不法行為が成立するか否かは、被侵害利益ごとに違法性阻却事由の有無を審理し、個別具体的に判断すべきである。すなわち、本件記事が週刊誌に掲載された当時の被上告人の年齢や社会的地位、当該犯罪行為の内容、これらが公表されることによって被上告人のプライバシーに属する情報が伝達される範囲と被上告人が被る具体的被害の程度、本件記事の目的や意義、公表時の社会的状況、本件記事において当該情報を公表する必要性など、その事実を公表されない法的利益とこれを公表する理由に関する諸事情を個別具体的に審理し、これらを比較衡量して判断することが必要である〈長良川リンチ殺人報道訴訟〉（最判平 15・3・14）。

[出題] 国家総合 − 平成 28

Q26 大学が国賓である外国政治家の講演会を開催するにあたり、参加者名簿を警察の要請に応じて、大学が無断で学籍番号、氏名、住所、電話番号等の個人情報を警察に開示する行為は、プライバシーを侵害するものとして不法行為を構成するのか。

🅐 プライバシーを侵害するものとして不法行為を構成する。　本件個人情報は、早稲田大学が重要な外国国賓講演会への出席希望者をあらかじめ把握するため、学生に提供を求めたものである。しかし、学籍番号、氏名、住所および電話番号のような個人情報についても、本人が、自己が欲しない他者にはみだりにこれを開示されたくないと考えることは自然なことであり、そのことへの期待は保護されるべきものであるから、本件個人情報は、上告人らのプライバシーに係る情報として法的保護の対象となる

というべきである。そして、このようなプライバシーに係る情報は、取扱い方によっては、個人の人格的な権利利益を損なうおそれのあるものであるから、慎重に取り扱われる必要がある。本件個人情報を開示することについて上告人らの同意を得る手続をとることなく、上告人らに無断で本件個人情報を警察に開示した同大学の行為は、上告人らが任意に提供したプライバシーに係る情報の適切な管理についての合理的な期待を裏切るものであり、上告人らのプライバシーを侵害するものとして不法行為を構成するというべきである〈早稲田大学江沢民講演会名簿提出事件〉（最判平 15・9・12）。

[出題] 国家総合 − 平成 28・24、国家Ⅰ − 平成 19、国家Ⅱ − 平成 21、国家一般 − 令和 2、裁判所総合・一般 − 令和 3・平成 27、裁判所Ⅰ・Ⅱ − 平成 20、国税・労基 − 平成 21

Q27 検索事業者が、ある者に関する条件による検索の求めに応じ、その者のプライバシーに属する事実を含む記事等が掲載されたウェブサイトの URL 等情報を検索結果の一部として提供する行為が違法となるか否かは、当該事実を公表されない法的利益と当該 URL 等情報を検索結果として提供する理由に関する諸事情を比較衡量して判断すべきか。

🅐 比較衡量して判断すべきである。（最決平 29・1・31）

Q28 児童買春をしたことに基づき逮捕されたという事実は、他人にみだりに知られたくないプライバシーに属する事実であるから、当該逮捕をされた者は、検索事業者に対し、逮捕された事実が含まれた URL 等情報を検索結果から削除することを求めることができるのか。

🅐 削除することを求めることはできない。（最決平 29・1・31）。　[出題] 国家総合 − 令和 2・平成 30

◇報道の自由とプライバシー権の関係

Q29 報道の自由から個人のプライバシーは保護されるのか。

🅐 プライバシーは保護される。　元来、言論、表現等の自由の保障とプライバシーの保障とは一般的にはいずれが優先するという性質のものではなく、言論、表現等は他の法益すなわち名誉、信用などを侵害しない限りでその自由が保障されている。このことはプライバシーとの関係でも同様であるが、ただ公共の秩序、利害に直接関係のある事柄の場合とか社会的に著名な存在である場合には、事柄の公的性格から一定の合理的な限界内で私生活の側面にも報道、論評等が許されるにとどまり、たとえ報道の対象が公人、公職の候補者であっても、無差別、無制限に私生活を公開することは許されない〈宴のあと事件〉（東京地判昭 39・9・28）。

[出題] 地方上級 − 平成 9・昭和 62・58

Q30 言論、表現等の自由の保障とプライバシーの保障では、言論、表現等の自由の保障が一般的に優先するのか。

🅐 言論、表現等の自由の保障が一般的に優先するわけではない〈宴のあと事件〉（東京地判昭 39・9・28）。⇨ 29

◇自己決定権

Q31 高校の校則で運転免許の取得を制限したり、パーマをかけることを禁止することは、憲法13条に違反するのか。

A 民法1条、90条に違反しない。　(1)修徳高校は、清潔かつ質素で流行を追うことなく華美に流されない態度を保持することを教育方針とし、それを具体化するものの一つとして校則を定めている、(2)修徳高校が、本件校則により、運転免許の取得につき、一定の時期以降で、かつ、学校に届け出た場合にのみ教習の受講および免許の取得を認めることとしているのは、交通事故から生徒の生命身体を守り、非行化を防止し、もって勉学に専念する時間を確保するためである、(3)同様に、パーマをかけることを禁止しているのも、高校生にふさわしい髪型を維持し、非行を防止するためであるから、本件校則は社会通念上不合理なものとはいえず、生徒に対してその遵守を求める本件校則は、民法1条、90条に違反しない〈修徳高校パーマ退学訴訟〉（最判平8・7・18）。　出題 予想

Q32 患者が輸血を伴う医療行為を拒否するとの明確な意思を有する場合、この意思決定権は尊重されるのか。

A 輸血拒否は、人格権の一内容として尊重される。　患者が、輸血を受けることは自己の宗教上の信念に反するとして、輸血を伴う医療行為を拒否するとの明確な意思を有している場合、このような意思決定をする権利は、人格権の一内容として尊重されなければならない。そして、患者が、宗教上の信念からいかなる場合にも輸血を受けることは拒否するとの固い意思を有しており、輸血を伴わない手術を受けることができると期待して医科研に入院したことを医師らが知っていたなど本件の事実関係の下では、医師らは、手術の際に輸血以外には救命手段がない事態が生ずる可能性を否定し難いと判断した場合には、当該患者に対し、医科研としてはそのような事態に至ったときには輸血をするとの方針を採っていることを説明して、医科研への入院を継続したうえ、医師らの下で本件手術を受けるか否かを患者自身の意思決定にゆだねるべきであったといえる〈エホバの証人輸血拒否訴訟〉（最判平12・2・29）。

出題 国家総合－平成28・26、国Ⅰ－平成23・17、国家一般－令和2、地方上級－平成20、裁判所Ⅰ・Ⅱ－平成19、国税・労基－平成21、国税－平成13

Q33 宗教上の信念に基づき輸血を伴う医療行為を拒否するとの明確な意思を有している患者に対し、医師が、手術の際に輸血以外には救命手段がない事態が生じた場合には輸血を行うとの方針をとっていながら、当該方針を事前に患者に説明することなく手術を行うことは、人格権の侵害にあたるのか。

A 人格権の侵害にあたる〈エホバの証人輸血拒否訴訟〉（最判平12・2・29）。⇨32

◇一般的行為の自由

Q34 賭博行為は、公共の福祉に反するのか。

A 公共の福祉に反する。　賭博行為は、怠惰浪費の弊風を生じ、勤労の美風を害し、副次的犯罪を誘発し又は国民経済の機能に重大な障害を与えるおそれすらあるので、公共の福祉に反する（最大判昭25・11・22）。

出題 国Ⅰ－平成17、国税－平成16

Q35 地下鉄の車内において商業宣伝放送を行うことは、憲法13条が保障する心の静穏を乱されない利益を侵害することになるのか。

A 憲法13条は心の静穏を乱されない利益を憲法上の権利として承認していない。　大阪市の運行する大阪市営高速鉄道（地下鉄）の列車内における商業宣伝放送を違法ということはできず、大阪市は不法行為および債務不履行の各責任を負わない〈とらわれの聞き手事件〉（最判昭63・12・20）。

出題 国Ⅰ－平成23、国Ⅱ－平成5、国家一般－令和2、国税－平成12

Q36 製造目的を問わず酒類製造を一律に免許の対象とし、製造見込量が一定数量に達することを免許の法律上の要件とすることは、憲法31条、13条に反しないか。

A 憲法31条、13条に反しない。　酒税法7条1項および54条1項の規定は、自己消費を目的とする酒類製造であっても、これを放任するときは酒税収入の減少など酒税の徴収確保に支障を生じる事態が予想されることから、国の重要な財政収入である酒税の徴収を確保するため、製造目的のいかんを問わず、酒類製造を一律に免許の対象としたうえ、免許を受けないで酒類を製造した者を処罰することとしたのであり、これにより、自己消費目的の酒類製造の自由が制約されるとしても、そのような規制が立法府の裁量権を逸脱し、著しく不合理であることが明白とはいえず、憲法31条、13条に違反しない〈どぶろく裁判事件〉（最判平1・12・14）。

出題 国家総合－平成26、国Ⅰ－平成23・17・5、地方上級－平成10、国Ⅱ－平成5

Q37 自己消費を目的とする酒類製造を、立法府の裁量に基づいて制約することは許されるか。

A 許される〈どぶろく裁判事件〉（最判平1・12・14）。⇨36

Q38 公立図書館の職員が、「教科書を考える会」（権利能力なき社団）やその賛同者等の著書に対する否定的評価と反感から、閲覧に供されている図書を廃棄した場合、当該図書の著作者の人格的利益を侵害することになるのか。

A 人格的利益を侵害することになる。　公立図書館が、住民に図書館資料を提供するための公的な場であるということは、そこで閲覧に供された図書の著作者にとって、その思想、意見等を公衆に伝達する公的な場でもある。したがって、公立図書館の図書館職員が閲覧に供されている図書を著作者の思想や信条を理由とするなど不公正な取扱いによって廃棄することは、当該著作者が著作物によってその思想、意見等を公衆に伝達する利益を不当に損なうものである。そして、著作者の思想の自由、表現の自由が憲法により保障された基本的人権であることにもかんがみると、公立図書館において、その著作物

が閲覧に供されている著作者が有する上記利益は、法的保護に値する人格的利益を有するのであり、公立図書館の図書館職員である公務員が、図書の廃棄について、基本的な職務上の義務に反し、著作者又は著作物に対する独断的な評価や個人的な好みによって不公正な取扱いをしたときは、当該図書の著作者の上記人格的利益を侵害するものとして国家賠償法上違法となる（最判平17・7・14）。

出題 国家総合－平成29・25、特別区Ⅰ－平成28、国家一般－令和3・1、国Ⅱ－平成23、裁判所総合・一般－令和4・平成29、国税・財務・労基－平成29

◇その他

Q39 わいせつ表現物の輸入行為を禁止するにあたって、個人鑑賞のための単なる所持目的による輸入行為も禁止の対象とすることは、憲法13条、31条に違反するのか。

A 憲法13条、31条に違反しない。　刑法175条がわいせつ表現物の単なる所持を処罰の対象としていないことにかんがみると、その輸入規制を最小限度のものにとどめ、単なる所持を目的とする輸入を規制の対象から除外することも考えられなくはない。しかし、わいせつ表現物がいかなる目的で輸入されるかはたやすく識別されがたいだけでなく、流入したわいせつ表現物を頒布、販売の過程におくことは容易であるから、わいせつ表現物の流入、伝播によりわが国内における健全な性的風俗が害されることを実効的に防止するには、その輸入の目的のいかんにかかわらず、その流入を一般的に、いわば水際で阻止することもやむを得ない。したがって、このように行政上の規制に必要性と合理性が認められる以上、その実効性を確保するために、当該規制に違反した者に対して、それが単なる所持を目的とするか否かにかかわりなく、一律に刑罰をもって臨むこと（関税法109条）は、憲法13条、31条に違反しない（最判平7・4・13）。

出題 国Ⅰ－平成9

〔参考〕関税法旧第109条　①関税定率法第21条第1項（輸入禁制品）に掲げる貨物を輸入した者は、5年以下の懲役若しくは500万円以下の罰金に処し、又はこれを併科する。

　関税定率法旧第21条1項　4　公安又は風俗を害すべき書籍、図画、彫刻物その他の物品

Q40 いわゆるストーカー行為を規制するストーカー規制法は、憲法13条、21条1項に違反するのか。

A 憲法13条、21条1項に違反しない。　ストーカー規制法は、個人の身体、自由および名誉に対する危害の発生を防止し、あわせて国民の生活の安全と平穏に資することを目的としており、この目的は、もとより正当である。そして、ストーカー規制法は、上記目的を達成するため、恋愛感情その他好意の感情等を表明するなどの行為のうち、相手方の身体の安全、住居等の平穏若しくは名誉が害され又は行動の自由が著しく害される不安を覚えさせるような方法により行われる社会的に逸脱したつきまと

い等の行為を規制の対象としたうえで、その中でも相手方に対する法益侵害が重大で、刑罰による抑制が必要な場合に限って、相手方の処罰意思に基づき刑罰を科すこととしたものであるから、ストーカー規制法による規制の内容は、合理的で相当なものである。以上のようなストーカー規制法の目的の正当性、規制の内容の合理性、相当性にかんがみれば、同法2条1項、2項、13条1項は、憲法13条、21条1項に違反しない（最判平15・12・11）。

出題 予想

Q41 行政機関が住基ネットにより住民らの本人確認情報を管理、利用する行為等は、当該個人がこれに同意していない場合には、憲法13条に違反するのか。

A 憲法13条に違反しない。　(1)住基ネットによって管理、利用等される本人確認情報は、氏名、生年月日、性別および住所からなる4情報に、住民票コードおよび変更情報を加えたものにすぎない。(2)このうち4情報は、人が社会生活を営むうえで一定の範囲の他者には当然開示されることが予定されている個人識別情報であり、これらはいずれも、個人の内面にかかわるような秘匿性の高い情報とはいえない。(3)また、①住基ネットのシステム上の欠陥等により外部から不当にアクセスされるなどして本人確認情報が容易に漏えいする具体的な危険はないこと、②受領者による本人確認情報の目的外利用又は本人確認情報に関する秘密の漏えい等は、懲戒処分又は刑罰をもって禁止されていることなどに照らせば、住基ネットにシステム技術上又は法制度上の不備があり、そのために本人確認情報が法令等の根拠に基づかずに又は正当な行政目的の範囲を逸脱して第三者に開示又は公表される具体的な危険が生じているということもできない。そうすると、行政機関が住基ネットにより住民である被上告人らの本人確認情報を管理、利用等する行為は、個人に関する情報をみだりに第三者に開示又は公表するものとはいえず、当該個人がこれに同意していないとしても、憲法13条により保障された上記の自由を侵害するものではない〈住基ネット訴訟〉（最判平20・3・6）。

出題 国家総合－平成30・26・24、国Ⅱ－平成2、裁判所総合・一般－令和3

Q42 嫡出否認の訴えについて出訴期間を定めた民法777条の規定は、憲法13条、14条1項に違反するのか。

A 憲法13条、14条1項に違反しない。　民法772条により嫡出の推定を受ける子につき夫がその嫡出子であることを否認するためにはどのような訴訟手続によるべきものとするかは、立法政策に属する事項であり、同法777条が嫡出否認の訴えにつき1年の出訴期間を定めたことは、身分関係の法的安定を保持するうえから合理性をもつ制度であって、憲法13条に違反するものではなく、また、憲法14条等違反の問題を生ずるものでもない（最判平26・7・17）。

出題 予想

第14条［法の下の平等、貴族制度の否認、栄典の限界］

①すべて国民は、法の下に平等であって、人種、信条、性別、社会的身分又は門地により、政治的、経済的又は社会的関係において、差別されない。
②華族その他の貴族の制度は、これを認めない。
③栄誉、勲章その他の栄典の授与は、いかなる特権も伴わない。栄典の授与は、現にこれを有し、又は将来これを受ける者の一代に限り、その効力を有する。

(1)総説

Q1 憲法14条に列挙された事由は例示列挙か限定列挙か。

A 例示列挙である。　憲法14条および地方公務員法13条は、国民に対し、法の下の平等を保障したものであり、憲法14条に列挙された事由は例示的なものであって、必ずしもそれに限るものではない（最大判昭39・5・27）。

出題 地方上級 – 平成1・昭和57、市役所上・中級 – 平成5、特別区Ⅰ – 平成19、国家一般 – 令和4・平成30・28、国税 – 昭和62

Q2 憲法14条は国民に対し絶対的な平等を保障したものか。

A 絶対的な平等を保障したものではなく、合理的な差別的取扱いを認める。　憲法14条および地方公務員法13条は、国民に対し絶対的な平等を保障したものではなく、差別すべき合理的な理由なくして差別することを禁止する趣旨と解すべきであるから、事柄の性質に即応して合理的と認められる差別的取扱いをすることは、何ら各法条の否定するところではない（最大判昭39・5・27）。

出題 国Ⅰ – 平成2、地方上級 – 平成1・昭和57、市役所上・中級 – 平成10・5、特別区Ⅰ – 平成19、国家一般 – 平成30・28、国Ⅱ – 平成9、国税・財務・労基 – 令和4、国税 – 昭和62

(2)人種 — 日本人と外国人

Q3 在留外国人のみに指紋押なつを強要することは、日本人との取扱いを異にする不合理な差別となるのか。

A 合理的な差別である。　外国人登録法の在留外国人に対する指紋押なつ制度は、「本邦に在留する外国人の登録を実施することによって外国人の居住関係及び身分関係を明確にし、在留外国人の公正な管理に資する」という目的を達成するため、戸籍制度のない外国人の人物特定につき最も確実な制度として制定されたもので、その立法目的には十分な合理性があり、かつ、必要性も肯定できるものであり、しかも押なつ義務が3年に1度で、押なつ対象指紋も一指のみであること等、方法としても一般的に許容される限度を超えない相当なものである。したがって、在留外国人は日本人とは社会的事実関係上の差異があって、その取扱いの差異には合理的根拠がある（最判平7・12・15）。

出題 裁判所総合・一般 – 平成26、国税 – 平成14

Q4 外国人に対し外国人登録原票に登録した事項の確認の申請を義務付ける制度を定めた外国人登録法（改正前）は、憲法14条に反するのか。

A 憲法14条に反しない。　外国人に対し外国人登録原票に登録した事項の確認の申請を義務付ける制度（登録事項確認制度）に関する規定は、本邦に在留する外国人の居住関係および身分関係を明確にし、在留外国人の公正な管理に資するという行政目的を達成するため、外国人登録原票の登録事項の正確性を維持、確保する必要から設けられたものであって、その立法目的には十分な合理性があり、かつ、その必要性も肯定でき、申請者に過度の負担を強いるものではなく、一般的に許容される限度を超えない相当なものである。また、戸籍制度のない外国人については、日本人とは社会的事実関係上の相違があって、その取扱いに差異を生じることには合理的根拠があり、登録事項確認制度を定めた各規定は、憲法14条に違反しない（最判平9・11・17）。

出題 国Ⅰ – 平成15

Q5 援護法による援護対象者は日本国籍を有する者に限定され、平和条約の発効により日本の国籍を喪失し朝鮮国籍を取得することとなった軍人軍属は援護対象者にならないことは、憲法14条1項に反するのか。

A 憲法14条1項に反しない。　日韓請求権協定の締結後の経過や国際情勢の推移等にかんがみると、援護法附則2項を廃止することをも含めて在日韓国人の軍人軍属に対して援護の措置を講ずることとするか否かは、大韓民国やその他の国々との間の高度な政治、外交上の問題でもあるということができ、その決定にあたっては、変動する国際情勢、国内の政治的または社会的諸事情等をも踏まえた複雑かつ高度に政策的な考慮と判断が要求される。これらのことからすれば、日韓請求権協定の締結後、上告人らを含む在日韓国人の軍人軍属に対して援護の措置を講ずることなく援護法附則2項を存置したことは、いまだ上記のような複雑かつ高度に政策的な考慮と判断の上に立って行使されるべき立法府の裁量の範囲を著しく逸脱したものとまではいうことはできず、本件処分当時において憲法14条1項に違反するに至っていたものとすることはできない（最判平13・4・5）。

出題 予想

(3)信条

Q6 民間の企業者が特定の思想・信条を有する者を、そのことを理由として雇入れを拒否することは、思想・信条による差別として許されないか。

A 雇入れを拒否しても、当然に違法とならない。　憲法は、思想、信条の自由や法の下の平等を保障すると同時に、他方、22条、29条等において、財産権の行使、営業その他広く経済活動の自由をも基本的人権として保障している。それ故、企業者は、かような経済活動の一環としてする契約締結の自由を有し、自己の営業のために労働者を雇用するにあたり、いかなる者を雇い入れるか、いかなる条件でこれを雇うかについて、法律その他による特別の制限がない限り、原則として自由にこれを決定することができ、企業者が特定の思想、信条を有する者を

その故をもって雇い入れることを拒んでも、当然に違法とはならない〈三菱樹脂事件〉（最大判昭48・12・12）。

出題 国Ⅰ－平成12・2・昭和61・59・55・53、地方上級－平成1・昭和63、市役所上・中級－平成10、特別区Ⅰ－平成26、国家一般－平成30・26、国Ⅱ－平成12、国税・労基－平成22

(4)性別

Q7 男女間で定年に差別を設けた就業規則は合理的な差別として有効か。

A 不合理な差別を定めたものとして、民法90条の規定により無効である〈日産自動車女子定年制事件〉（最判昭56・3・24）。⇨11条 37

Q8 女性に6か月の再婚禁止期間を定める民法733条1項は、憲法14条1項、24条1項に違反するのか。

A 民法733条1項の規定のうち100日を超えて再婚禁止期間を設ける部分は、憲法14条1項、24条2項に違反する。 民法733条1項の立法目的は、父性の推定の重複を回避し、もって父子関係をめぐる紛争の発生を未然に防ぐことにあると解されるところ、民法772条2項は、「婚姻の成立の日から200日を経過した後又は婚姻の解消若しくは取消しの日から300日以内に生まれた子は、婚姻中に懐胎したものと推定する」と規定して、出産の時期から逆算して懐胎の時期を推定し、その結果婚姻中に懐胎したものと推定される子について、同条1項が「妻が婚姻中に懐胎した子は、夫の子と推定する」と規定している。そうすると、女性の再婚後に生まれる子については、計算上100日の再婚禁止期間を設けることによって、父性の推定の重複が回避されることになる。夫婦間の子が嫡出子となることは婚姻による重要な効果であるところ、嫡出子について出産の時期を起点とする明確で画一的な基準から父性を推定し、父子関係を早期に定めて子の身分関係の法的安定を図る仕組みが設けられた趣旨に鑑みれば、父性の推定の重複を避けるため上記の100日について一律に女性の再婚を制約することは、婚姻および家族に関する事項について国会に認められる合理的な立法裁量の範囲を超えるものではなく、上記立法目的との関連において合理性を有するものということができる。よって、本件規定のうち100日の再婚禁止期間を設ける部分は、憲法14条1項にも、憲法24条2項にも違反するものではない。これに対し、本件規定のうち100日超過部分については、民法772条の定める父性の推定の重複を回避するために必要な期間ということはできない。以上を総合すると、本件規定のうち100日超過部分は、憲法14条1項に違反するとともに、憲法24条2項にも違反するに至っていたというべきである〈女子再婚禁止期間事件〉（最大判平27・12・16）。

出題 国家一般－平成30（判例変更前　国Ⅰ－平成15、東京Ⅰ－平成22、国Ⅱ－平成22、裁判所総合・一般－令和4、国税・労基－平成21

Q9 6か月間の女性の再婚禁止期間を定める民法の

規定は、女性の再婚後に生まれた子において父性の推定が重複することを回避し、父子関係をめぐる紛争の発生を未然に防ぐことを立法目的としているが、当該立法目的は、現代においては合理性を欠くのか。

A 立法目的には合理性がある〈女子再婚禁止期間事件〉（最大判平27・12・16）。⇨8

Q10 夫婦同姓を定める民法750条の規定は、憲法14条1項に違反するのか。

A 憲法14条1項に違反しない。 民法750条は、夫婦が夫又は妻の氏を称するものとしており、夫婦がいずれの氏を称するかを夫婦となろうとする者の間の協議にゆだねているのであって、その文言上性別に基づく法的な差別的取扱いを定めているわけではなく、本件規定の定める夫婦同氏制それ自体に男女間の形式的な不平等が存在するわけではない。わが国において、夫婦となろうとする者の間の個々の協議の結果として夫の氏を選択する夫婦が圧倒的多数を占めることが認められるとしても、それが、本件規定のあり方自体から生じた結果であるということはできない。したがって、民法750条は、憲法14条1項に違反するものではない。もっとも、氏の選択に関し、これまでは夫の氏を選択する夫婦が圧倒的多数を占めている状況にあることに鑑みると、この現状が、夫婦となろうとする者双方の真に自由な選択の結果によるものかについて留意が求められるところである（最大判平27・12・16）。

出題 裁判所総合・一般－令和3・1

Q11 地方公務員災害補償法32条1項但書および附則7条の2第2項のうち、死亡した職員の夫について、妻以外の者が当該職員の死亡の当時一定の年齢に達していることを遺族補償年金の受給の要件としている部分は、憲法14条1項に違反するのか。

A 憲法14条1項に違反しない。 地方公務員災害補償法の定める遺族補償年金制度は、憲法25条の趣旨を実現するために設けられた社会保障の性格を有する制度というべきところ、その受給の要件を定める地方公務員災害補償法32条1項但書の規定は、妻以外の遺族について一定の年齢に達していることを受給の要件としているが、男女間における生産年齢人口に占める労働力人口の割合の違い、平均的な賃金額の格差および一般的な雇用形態の違い等からうかがえる妻の置かれている社会的状況に鑑み、妻について一定の年齢に達していることを受給の要件としないことは、上告人に対する不支給処分が行われた当時においても合理的な理由を欠くものということはできない。したがって、地方公務員災害補償法32条1項但書および附則7条の2第2項のうち、死亡した職員の夫について、妻以外の者が当該職員の死亡の当時一定の年齢に達していることを受給の要件としている部分が憲法14条1項に違反するということはできない（最判平29・3・21）。

出題 予想➡国家総合－令和3

Q12 性同一性障害者につき性別の取扱いの変更の審判が認められるための要件として「生殖腺がないこと又は生殖腺の機能を永続的に欠く状態にあること」を求める性同一性障害者の性別の取扱いの特例

に関する法律3条1項4号の規定は、憲法13条、14条1項に違反するか。

A 現時点では、憲法13条、14条1項に違反しない。　性同一性障害者につき性別の取扱いの変更の審判が認められるための要件として「生殖腺がないこと又は生殖腺の機能を永続的に欠く状態にあること」を求める性同一性障害者の性別の取扱いの特例に関する法律3条1項4号の規定（以下「本件規定」という）の下では、性同一性障害者が性別の取扱いの変更の審判を受けることを望む場合には一般的には生殖腺除去手術を受けていなければならないこととなる。本件規定は、性同一性障害者一般に対して上記手術を受けること自体を強制するものではないが、性同一性障害者によっては、上記手術まで望まないのに当該審判を受けるためやむなく上記手術を受けることもありうるところであって、その意思に反して身体への侵襲を受けない自由を制約する面もあることは否定できない。もっとも、本件規定は、当該審判を受けた者について変更前の性別の生殖機能により子が生まれることがあれば、親子関係等にかかわる問題が生じ、社会に混乱を生じさせかねないことや、長きにわたって生物学的な性別に基づき男女の区別がされてきた中で急激な形での変化を避ける等の配慮に基づくものと解される。これらの配慮の必要性、方法の相当性等は、性自認に従った性別の取扱いや家族制度の理解に関する社会的状況の変化等に応じて変わりうるものであり、このような規定の憲法適合性については不断の検討を要するものというべきであるが、本件規定の目的、上記の制約の態様、現在の社会的状況等を総合的に較量すると、本件規定は、現時点では、憲法13条、14条1項に違反するものとはいえない（最決平31・1・23）。　

Q13 性同一性障害者の性別の取扱いの特例に関する法律3条1項2号は、憲法13条、14条1項、24条に違反するのか。

A 憲法13条、14条1項、24条に違反しない。性同一性障害者につき性別の取扱いの変更の審判が認められるための要件として「現に婚姻をしていないこと」を求める性同一性障害者の性別の取扱いの特例に関する法律3条1項2号の規定は、現に婚姻をしている者について性別の取扱いの変更を認めた場合、異性間においてのみ婚姻が認められている現在の婚姻秩序に混乱を生じさせかねない等の配慮に基づくものとして、合理性を欠くものとはいえないから、国会の裁量権の範囲を逸脱するものということはできず、憲法13条、14条1項、24条に違反するものとはいえない（最判令2・3・11）。　

(5)社会的身分

◇尊属・卑属

Q14 尊属殺人と普通殺人と別の法定刑を定めること自体、憲法14条1項に反するのか。

A 憲法14条1項に反しない。　刑法200条〔現在は削除〕の立法目的は、尊属を卑属またはその配偶者が殺害することで一般に高度の社会的道義的

非難に値するものとし、かかる行為を通常の殺人の場合より厳重に処罰し、特に強くこれを禁圧しようとすることにある。さらに、尊属に対する尊重報恩は、社会生活上の基本的道義であり、このような自然的情愛ないし普遍的倫理の維持は、刑法上の保護に値する。そこで、被害者が尊属であることを犯情のひとつとして具体的事件の量刑上重視することは許され、さらに進んでこのことを類型化し、法律上、刑の加重要件とする規定を設けても、かかる差別的取扱いによって直ちに合理的な根拠を欠くものとはできず、したがって、憲法14条1項に違反しない〈尊属殺重罰規定判決〉（最大判昭48・4・4）。

Q15 尊属殺人重罰規定について、尊属に対する尊重報恩という道義を保護する立法目的自体が、人格価値の平等に反する不合理な取扱いとなるのか。

A 立法目的自体には合理性がある〈尊属殺重罰規定判決〉（最大判昭48・4・4）。⇒14

Q16 尊属殺人と普通殺人とでは、刑の均衡に関する差別が著しく、尊属殺規定は違憲となるのか。

A 違憲となる。　刑法200条〔現在は削除〕の法定刑は死刑または無期懲役刑のみであり、普通殺人罪に関する同法199条の法定刑が、死刑、無期懲役刑のほか3年（改正後は5年）以上の有期懲役刑となっているのと比較して、刑種選択の範囲がきわめて重い刑に限られていることは明らかである。このようにみてくると、尊属殺の法定刑は、あまりにも厳しいものであり、刑法200条の立法目的、すなわち、尊属に対する敬愛や報恩という自然的情愛ないし普遍的倫理の維持尊重の観点のみでは、十分納得すべき説明ができず、合理的根拠に基づく差別的取扱いとして正当化することはできない。したがって、刑法200条は憲法14条1項に違反して無効である〈尊属殺重罰規定判決〉（最大判昭48・4・4）。

Q17 尊属傷害致死罪の法定刑が一般の傷害致死罪の法定刑よりも加重して規定されていることは、憲法14条1項に照らし許されないのか。

A 憲法14条1項に反しない。　尊属に対する尊重報恩は、社会生活上の基本的道義であって、このような普遍的倫理の維持は刑法上の保護に値するから、尊属に対する傷害致死を通常の傷害致死よりも重く処罰する規定を設けたとしても、かかる差別的取扱いにより、直ちに合理的根拠を欠くものではない。ただ、刑罰加重の程度によっては、その差別的取扱いの合理性を欠き、憲法14条1項に違反することになるが、刑法205条2項〔現在は削除〕の規定は、その立法目的達成のため必要な限度を逸脱しているとは考えられないから、合理的根拠に基づ

く差別的取扱いの域を出ないのであって、憲法14条1項に違反しない（最判昭49・9・26）。

◇嫡出子・非嫡出子

Q18 国籍法3条1項が、血統主義を基調としつつ、日本国籍を生来的に取得しなかった場合には、その後の生活を通じて国籍国である外国との密接な結び付きを生じさせる可能性を考慮すること（立法目的）には合理性があるのか。

A 立法目的自体には合理性がある。　国籍法3条1項は、同法の基本的な原則である血統主義を基調としつつ、日本国民との法律上の親子関係の存在に加えわが国との密接な結び付きの指標となる一定の要件を設けて、これらを充たす場合に限り出生後における日本国籍の取得を認めることとしたものと解される。このような目的を達成するため準正その他の要件が設けられ、これにより本件区別が生じたのであるが、本件区別を生じさせた上記の立法目的自体には、合理的な根拠がある（最大判平20・6・4）。

Q19 国籍法3条1項が、日本国民である父と日本国民でない母との間に出生した後に父から認知された子につき、父母の婚姻により嫡出子たる身分を取得した場合（準正）に限り日本国籍の取得を認めていることは、憲法14条1項に違反するのか。

A 憲法14条1項に違反する。　国籍法は、出生の時に父又は母のいずれかが日本国民であるときには子が日本国籍を取得するものとしている（2条1号）。その結果、日本国民である父又は母の嫡出子として出生した子はもとより、日本国民である父から胎児認知された非嫡出子および日本国民である母の非嫡出子も、生来的に日本国籍を取得することとなるところ、同じく日本国民を血統上の親として出生し、法律上の親子関係を生じた子であるにもかかわらず、日本国民である父から出生後に認知された子のうち準正により嫡出子たる身分を取得しないものに限っては、生来的に日本国籍を取得しないのみならず、国籍法3条1項所定の届出により日本国籍を取得することもできないことになる。このような区別の結果、日本国民である父から出生後に認知されたにとどまる非嫡出子のみが、日本国籍の取得について著しい差別的取扱いを受けているものといわざるをえない。以上のような差別的取扱いによって子の被る不利益は看過しがたいものというべきであり、このような差別的取扱いについては、立法目的との間に合理的関連性を見いだしがたいといわざるをえない。以上のような事情を併せ考慮するならば、国籍法が、同じく日本国民との間に法律上の親子関係を生じた子であるにもかかわらず、上記のような非嫡出子についてのみ、父母の婚姻という、子にはどうすることもできない父母の身分行為が行われない限り、生来的にも届出によっても日本国籍の取得を認めないとしている点は、今日においては、立法府に与えられた裁量権を考慮しても、わ

が国との密接な結び付きを有する者に限り日本国籍を付与するという立法目的との合理的関連性の認められる範囲を著しく超える手段を採用しているものというほかなく、その結果、不合理な差別を生じさせているものといわざるをえない。したがって、国籍法3条1項の規定が本件区別を生じさせていることは、憲法14条1項に違反する〈国籍法事件〉（最大判平20・6・4）。

Q20 非嫡出子の相続分を嫡出子の相続分の2分の1と定める民法900条4号但書は、憲法14条1項に反しないのか。

A 憲法14条1項に反する。　嫡出でない子の法定相続分を嫡出子のそれの2分の1とする本件規定の合理性は、種々の要素を総合考慮し、個人の尊厳と法の下の平等を定める憲法に照らし、嫡出でない子の権利が不当に侵害されているか否かという観点から判断されるべき法的問題であり、法律婚を尊重する意識が幅広く浸透しているということや、嫡出でない子の出生数の多寡、諸外国と比較した出生割合の大小は、上記法的問題の結論に直ちに結び付くものとはいえない。そして、法律婚という制度自体はわが国に定着しているとしても、上記制度の下で父母が婚姻関係になかったという、子にとっては自ら選択ないし修正する余地のない事柄を理由としてその子に不利益を及ぼすことは許されず、子を個人として尊重し、その権利を保障すべきであるという考えが確立されてきているものということができる。以上を総合すれば、遅くともAの相続が開始した平成13年7月当時においては、立法府の裁量権を考慮しても、嫡出子と嫡出でない子の法定相続分を区別する合理的な根拠は失われていたというべきである。したがって、本件規定は、遅くとも平成13年7月当時において、憲法14条1項に違反していたものというべきである〈非嫡出子相続分規定事件〉（最大決平25・9・4）。

Q21 民法900条4号但書の規定が憲法14条1項に違反し無効とされる場合、同条項の下ですでに行われた相続分は、遡ってすべて無効となるのか。

A 法的安定性の観点から、すべての相続分を無効とすることはできない。　本決定の違憲判断（非嫡出子の相続分を嫡出子の2分の1とする民法900条4号但書が、憲法14条に違反する）が、先例としての事実上の拘束性という形ですでに行われた遺産の分割等の効力にも影響し、いわば解決済みの事案にも効果が及ぶとすることは、著しく法的安定性を害することになる。法的安定性は法に内在する普遍的な要請であり、当裁判所の違憲判断も、その先例としての事実上の拘束性を限定し、法的安定

性の確保との調和を図ることが求められているといわなければならず、このことは、裁判において本件規定を違憲と判断することの適否という点からも問題となりうるところといえる。以上の観点からすると、すでに関係者間において裁判、合意等により確定的なものとなったといえる法律関係までをも現時点で覆すことは相当ではないが、関係者間の法律関係がそのような段階に至っていない事案であれば、本決定により違憲無効とされた本件規定の適用を排除したうえで法律関係を確定的なものとするのが相当であるといえる〈非嫡出子相続分規定事件〉(最大決平 25・9・4)。

出題 国家一般－平成 30、国税・財務・労基－令和4

Q22 出生の届出に係る届書に嫡出子又は嫡出でない子の別を記載すべきものと定める戸籍法 49 条 2 項 1 号の規定は、非嫡出子(婚外子)を不当に差別するものとして憲法 14 条 1 項に違反するか。

A 憲法 14 条 1 項に違反しない。 民法および戸籍法の各規定は、身分関係上および戸籍処理上の差異を踏まえ、戸籍事務を管掌する市町村長の事務処理の便宜に資するものとして、出生の届出に係る届書に嫡出子又は嫡出でない子の別を記載すべきことを定めているにとどまる。以上にかんがみると、本件規定それ自体によって、嫡出でない子について嫡出子との間で子又はその父母の法的地位に差異がもたらされるものとはいえない。以上によれば、戸籍法 49 条 2 項 1 号の規定は、嫡出でない子について嫡出子との関係で不合理な差別的取扱いを定めたものとはいえず、憲法 14 条 1 項に違反するものではない〈非嫡出子住民票記載義務づけ事件〉(最判平 25・9・26)。

出題 裁判所総合・一般－平成 29

Q23 日本国籍を有する父と外国籍を有する母との間に嫡出子として外国で出生し外国籍を取得した者が、出生後 3 か月以内に父母等により日本国籍を留保する意思表示がされない場合には、その出生の時から日本国籍を有しないこととする国籍法 12 条の規定は、日本で出生した者等との区別において憲法 14 条 1 項等に違反し無効となるのか。

A 憲法 14 条 1 項に違反せず無効とならない。 国外で出生して日本国籍との重国籍となるべき子に関して、実体を伴わない形骸化した日本国籍の発生をできる限り防止するとともに、重国籍の発生をできる限り回避することを目的として、国籍法 12 条において、日本国籍の生来的な取得の要件につき、日本で出生して日本国籍との重国籍となるべき子との間に区別を設けることとしたものと解され、このような同条の立法目的には合理的な根拠があるものということができる。そして、国籍法 12 条が、上記の立法目的に基づき、国外で出生して日本国籍との重国籍となるべき子に関して、日本で出生して日本国籍との重国籍となるべき子との間に区別を設けていることについても、出生の届出をすべき父母等による国籍留保の意思表示をもって当該子に係るわが国との密接な結び付きの徴表とみることができるうえ、その意思表示は原則として子の出生の日から

3 か月の期間内に出生の届出とともにするものとされるなど、父母等によるその意思表示の方法や期間にも配慮がされていることをも併せ考慮すれば、上記の区別の具体的内容は、前記の立法目的との関連において不合理なものとはいえず、立法府の合理的な裁量権の範囲を超えるものということはできない。したがって、国籍法 12 条において、出生により日本国籍との重国籍となるべき子のうち、国外で出生した者について日本で出生した者との間に設けられた上記の区別は、合理的理由のない差別にはあたらないというべきである。以上によれば、国籍法 12 条は、憲法 14 条 1 項に違反するものではない(最判平 27・3・10)。

出題 予想➡国家総合－令和 3

(6)議員定数不均衡

◇総説(衆議院選挙)

Q24 衆議院議員選挙において、人口数と定数との比率の平等を最も重要かつ基本的な基準としつつも、議員定数配分について非人口的要素を加味した国会の裁量権を認めることができるのか。

A 議員定数配分について国会の裁量権を認めることができる。 わが憲法もまた、国会両議院の議員の選挙については、議員の定数、選挙区、投票の方法その他選挙に関する事項は法律で定めるべきものとし(43 条 2 項、47 条)、両議院の議員の各選挙制度の仕組みの具体的決定を原則として国会の裁量にゆだねているのである。それゆえ、憲法は、前記投票価値の平等についても、これをそれらの選挙制度の決定について国会が考慮すべき唯一絶対の基準としているわけではなく、国会は、衆議院および参議院それぞれについて他にしんしゃくすることのできる事項をも考慮して、公正かつ効果的な代表という目標を実現するために適切な選挙制度を具体的に決定することができるのであり、投票価値の平等は、さきに例示した選挙制度のように明らかにこれに反するもの、その他憲法上正当な理由となりえないことが明らかな人種、信条、性別等による差別を除いては、原則として、国会が正当に考慮することのできる他の政策的目的ないしは理由との関連において調和的に実現されるべきものと解さなければならない(最大判昭 51・4・14)。

出題 国Ⅰ－平成 21、裁判所総合・一般－平成 29

Q25 法の下の平等は、投票価値の平等をも要求しているのか。

A 投票価値の平等をも要求している。 憲法 14 条 1 項に定める法の下の平等は、選挙権に関しては、国民はすべて政治的価値において平等であるべきであるとする徹底した平等化を志向するものであり、憲法 15 条 1 項等の各規定の文言上は単に選挙人資格における差別の禁止が定められているにすぎないが、単にそれだけにとどまらず、選挙権の内容、すなわち各選挙人の投票価値の平等もまた、憲法の要求するところである(最大判昭 51・4・14)。

出題 国Ⅰ－平成 2・昭和 59・56・55、地方上級－昭和 56、市役所上・中級－昭和 61、国税－昭和 58

日本国憲法

Q26 衆議院議員選挙における議員定数配分規定が違憲である場合、不平等を招来する部分のみならず、公職選挙法が定める配分規定全体が違憲となるのか。

A 公職選挙法が定める配分規定全体が違憲の瑕疵を帯びる。　選挙区割および議員定数の配分は、議員総数と関連させながら、複雑、微妙な考慮の下で決定されるのであって、いったんこのようにして決定されたものは、一定の議員総数の各選挙区への配分として、相互に有機的に関連し、一の部分における変動は他の部分にも波動的に影響を及ぼすべき性質を有し、その意味において不可分の一体をなすと考えられるから、当該配分規定は、単に憲法に違反する不平等を招来している部分のみでなく、全体として違憲の瑕疵を帯びる（最大判昭 51・4・14）。

出題 国Ⅰ－昭和 60、地方上級－平成 14（市共通）・8・昭和 56、市役所上・中級－昭和 61、国税－平成 9

Q27 衆議院議員選挙における議員定数配分規定が違憲である場合、当該選挙は違法で無効となるのか。

A 事情判決の法理に従い、当該選挙は違法ではあるが有効である。　本件選挙は憲法に違反する議員定数配分規定に基づいて行われたものではあるが、そのことを理由としてこれを無効とする判決をしても、これによって直ちに違憲状態が是正されるわけではなく、かえって憲法の所期するところに必ずしも適合しない結果を生ずることになる。これらの事情等を考慮するときは、本件においては、事情判決の法理に従い、本件選挙は憲法に違反する議員定数配分規定に基づいて行われた点において違法である旨を判示するにとどめ、選挙自体はこれを無効としないこととするのが、相当であり、そして、このような場合においては、選挙を無効とする旨の判決を求める請求を棄却するとともに、当該選挙が違法である旨を主文で宣言するのが、相当である（最大判昭 51・4・14）。

出題 国家総合－平成 25、国Ⅰ－昭和 60・59、地方上級－平成 14（市共通）・9・8・昭和 56、市役所上・中級－昭和 61、国家一般－令和 1、国税－平成 9

Q28 投票価値の不平等状態が生じた場合には直ちに違憲となるのか。

A 合理的期間内での是正が行われなかった場合に違憲となる。　投票価値の不平等状態が違憲の程度に達したかどうかの判定は国会の裁量権の行使として許容される範囲内のものであるかどうかという困難な点にかかるものである等のことを考慮しても、なお憲法上要求される合理的期間内の是正が行われなかったものと評価せざるをえない場合には、議員定数配分規定が、選挙当時、憲法の選挙権の平等の要求に反し、違憲となる（最大判昭 60・7・17、最大判昭 51・4・14、最大判昭 58・11・7）。

出題 国家総合－平成 25、国Ⅰ－平成 21・20・昭和 60、地方上級－平成 14（市共通）・昭和 55、特別区Ⅰ－平成 30、裁判所総合・一般－令和 1、裁判所Ⅰ・Ⅱ－平成 14、国税・労基－平成 18

Q29 衆議院議員選挙において、最大 1 対 2.92 に及ぶ選挙区間における議員 1 人あたりの人口又は選挙人数の格差を生じさせる定数配分規定は、その是正のための合理的期間を経過し、違憲となるのか。

A 合理的期間を経過したとはいえず、配分規定は違憲とならない（最大判平 5・1・20）。

出題 国Ⅱ－平成 17

Q30 比例代表選挙と小選挙区選挙とに重複して立候補することができる者が、候補者届出政党の要件と衆議院名簿届出政党等の要件の両方を充足する政党等に所属する者に限定されることは、憲法前文、43 条 1 項、14 条 1 項、15 条 3 項、44 条に違反しないのか。

A 違反しない（最大判平 11・11・10）。

出題 国Ⅰ－平成 15

Q31 小選挙区選挙において、候補者のほかに候補者届出政党にも選挙運動を認めることは、候補者届出政党に所属していない候補者との間に選挙運動のうえで差別を生じ、憲法 14 条 1 項に反するのか。

A 憲法 14 条 1 項に反しない（最大判平 11・11・10）。

出題 国Ⅰ－平成 15

Q32 最大で 2.304 倍に達し、較差 2 倍以上の選挙区の数も増加した主要な要因が、1 人別枠方式にあるとみられる場合、それ自体立法時の合理性が失われ、憲法の投票価値の平等の要求に反する状態に至っていたといえるのか。

A 立法時の合理性が失われ、憲法の投票価値の平等の要求に反する状態に至っていたといえる。ただし、当該配分規定は合憲である（最大判平 23・3・23）。

出題 国家総合－平成 24、裁判所総合・一般－令和 4

◇参議院選挙

Q33 憲法は、投票価値の平等を選挙制度の仕組みの決定における唯一、絶対的な基準としているのか。

A 唯一、絶対の基準としているのではなく、参議院の独自性などとの関連において調和的に実現されるものである。　憲法は、議員の定数、選挙区、投票の方法その他選挙に関する事項は法律で定めるべきものとしている（43 条、47 条）。また、憲法は、国会を衆議院と参議院の両議院で構成するものとし（42 条）、各議院の権限および議員の任期等に差異を設けているところ、その趣旨は、衆議院と参議院とがそれぞれ特色のある機能を発揮することによって、国会を公正かつ効果的に国民を代表する機関たらしめようとするところにある。そうすると、憲法は、投票価値の平等を選挙制度の仕組みの決定における唯一、絶対の基準としているものではなく、どのような選挙制度が国民の利害や意見を公正かつ効果的に国政に反映させることになるのかの決定を国会の裁量にゆだねており、投票価値の平等は、参議院の独自性など、国会が正当に考慮することができる他の政策的目的ないし理由との関連において調和的に実現されるべきものとしていると解さなければならない（最大判平 18・10・4）。

出題 国家一般－令和 2、国Ⅱ－平成 22

Q34 投票価値の平等に関して、憲法上の判断をするにあたって、参議院と衆議院の議員定数配分規定について異なる基準を用いることができるか。

A 異なる基準を用いることができる。　参議院議員については、衆議院議員とはその選出方法を異ならせることによってその代表の実質的内容ないし機能に独特の要素をもたせようとする意図の下に、全国選出議員と地方選出議員とに分かち、前者については事実上ある程度職能代表的な色彩が反映されることを図り、また、後者については、都道府県を構成する住民の意思を集約的に反映させるという意義ないし機能を加味しようとしたものである。したがって、公職選挙法が採用した参議院地方選出議員についての選挙の仕組みが国会に委ねられた裁量権の合理的行使として是認しうるものである以上、選挙区間における選挙人の投票の価値の平等がそれだけ損なわれることとなったとしても、直ちに公職選挙法が定める議員定数の配分の定めが憲法14条1項等の規定に違反して選挙権の平等を侵害したものとはいえない（最大判昭58・4・27）。

出題 国Ⅰ－昭和60

Q35 議員1人あたりの選挙人数の格差が6.59倍に達した参議院選挙区選挙において、当該格差は著しい不平等状態（違憲状態）にあるのか。

A 当該格差は著しい不平等状態（違憲状態）にある（最大判平8・9・11）。　**出題** 国Ⅰ－平成15

Q36 議員1人あたりの選挙人数の格差が最大6.59倍に達した参議院選挙区選挙において、当該議員定数配分規定そのものは合憲となるのか。

A 当該議員定数配分規定そのものは合憲である（最大判平8・9・11）。　**出題** 国Ⅰ－平成15

Q37 議員1人あたりの選挙人数の格差が最大4.97倍に達した参議院選挙区選挙において、当該議員定数配分規定は不平等状態にあり、違憲となるのか。

A 当該議員定数配分規定は不平等状態にはなく、また、違憲ともならない（最大判平10・9・2）。　**出題** 国Ⅰ－平成15・12

Q38 平成22年7月に本件定数配分規定の下での2回目の参議院議員通常選挙として施行された本件選挙当時の選挙区間における議員1人あたりの選挙人数の最大較差が、1対5.00に拡大した場合、当該較差は違憲となるのか。

A 当該較差は著しい不平等状態にあたるが、違憲ではない（最大判平24・10・17）。　**出題** 予想

◇地方公共団体の議会の選挙

Q39 地方公共団体の議会の選挙に関し、投票価値の平等は要求されているか。

A 投票価値の平等は要求されている。　地方公共団体の議会の選挙に関し、当該地方公共団体の住民が選挙権行使の資格において平等に取り扱われるべきであるにとどまらず、その選挙権の内容、すなわち投票価値においても平等に取り扱われるべきであることは、憲法の要求するところである（最判昭59・5・17）。

出題 国Ⅰ－昭和60、国Ⅱ－平成15

Q40 地方公共団体の議会の議員の選挙において、全選挙区間で最大1対7.45の格差が示す選挙区における投票価値の不平等は、一般的な合理性を欠いているのか。

A 一般的な合理性を欠いた著しい不平等を生じている（最判平59・5・17）。　**出題** 国Ⅰ－平成5

Q41 特例選挙区の設置（公職選挙法271条2項に基づく）につき、当該区域の人口が議員1人あたりの人口の半数を著しく下回る場合にも特例選挙区の設置は認められるか。

A 特例選挙区の設置は認められない。　都道府県議会において、当該都道府県の行政施策の遂行上当該地域からの代表確保の必要性の有無・程度、隣接の群市との合区の困難性の有無・程度等を総合判断して、公職選挙法271条2項に基づくいわゆる特例選挙区設置の必要性を判断し、かつ、地域間の均衡を図るための諸般の要素を考慮したうえでその設置を決定したときは、当該設置は原則的には都道府県議会に与えられた裁量権の合理的な行使として是認されるが、当該区域の人口が議員1人あたりの人口の半数を著しく下回る場合には、特例選挙区の設置は認められない（最判平1・12・18）。

出題 国Ⅰ－平成5、裁判所総合・一般－平成29

(7)地方公共団体の条例

Q42 売春取締りに関する罰則を条例で定めることは、地域によって取扱いに差別が生じ、憲法の平等原則に反しないか。

A 憲法の平等原則に反しない。　憲法が各地方公共団体の条例制定権を認める以上、地域によって差別を生ずることは当然に予期されることであるから、かかる差別は憲法自ら容認するところである。それ故、地方公共団体が売春の取締りについて各別に条例を制定する結果、その取扱いに差別を生ずることがあっても、地域差の故をもって違憲ということはできない（最大判昭33・10・15）。

出題 国家総合－平成26、国Ⅰ－平成12・昭和61・58、国上級－昭和61・59、東京Ⅰ－平成15、市役所上・中級－平成10、特別区Ⅰ－平成30・26・22・15、国家一般－令和3・平成30、国Ⅱ－平成20・18・14・12、裁判所総合・一般－令和2・平成25、国税・財務・労基－平成28、国税・労基－平成18、国税－昭和58

Q43 地方公共団体が執行猶予者を自動失職制度の対象外とする条例を制定することは、この種の条例を制定しない地方公共団体との間に差異が生じ、憲法14条1項に違反しないか。

A 憲法14条1項に違反しない。　地方公務員法28条4項、16条2号は、禁錮以上の刑に処せられた者が地方公務員として公務に従事する場合には、その者の公務に対する住民の信頼が損なわれるのみならず、当該地方公共団体の公務一般に対する住民の信頼も損なわれるおそれがあるため、かかる者を公務の執行から排除することにより公務に対する住民の信頼を確保することを目的としているが、地方公務員には、その地位の特殊性や職務の公共性があることに加え、わが国における刑事訴追制度や刑事裁判制度の実情のもとにおける禁錮以上の刑

憲法編

に処せられたことに対する社会的感覚などに照らせば、地方公務員法の当該諸規定の目的には合理性があり私企業労働者に比べて不当に差別したものとはいえず、また、特別の定めがある地方公共団体の公務員との間にその取扱いに差異が生ずることになっても、それは各地方公共団体の自治を尊重した結果によるのであって不合理とはいえず、地方公務員法の当該諸規定は憲法14条1項、13条に違反しない（最判平1・1・17）。

出題 国Ⅰ－平成5、市役所上・中級－平成10、国Ⅱ－平成10

Q44 公務員が禁錮以上の刑事罰を受けた場合には、それが公務員の職務内容にかかわるか否か、又は執行猶予が付されたか否かを問わず、直ちに公務員の地位を失うとするような制度は、民間労働者との均衡を著しく失い、法の下の平等に反するのか。

A 法の下の平等に反しない（最判平1・1・17）。
⇨43

Q45 禁錮以上の刑に処せられ地方公務員法の規定により失職した者に対して退職手当を支給しない旨を定めた退職手当条例6条1項2号は、憲法13条、14条1項、29条1項に違反するのか。

A 憲法13条、14条1項、29条1項に違反しない。地方公務員の地位の特殊性や職務の公共性、刑事裁判制度の実情の下における禁錮以上の刑に処せられたことに対する一般人の感覚などに加え、条例に基づき支給される一般の退職手当が地方公務員が退職した場合にその勤続を報償する趣旨を有するものであることに照らせば、条例6条1項2号の立法目的には合理性があり、同号所定の退職手当の支給制限は目的に照らして必要かつ合理的なものというべきであって、地方公務員を私企業労働者に比べて不当に差別したものとはいえないから、同号は憲法13条、14条1項、29条1項に違反するものではない（最判平12・12・19）。

出題 東京Ⅰ－平成18、特別区Ⅰ－平成22

(8)その他

Q46 量刑の当否を判断するに際して、被告人の公務員としての地位に伴う社会的道義的責任を斟酌することは、憲法14条1項に違反するのか。

A 憲法14条1項に違反しない。量刑の当否を判断するに際し、諸般の事情とともに被告人の公務員としての地位に伴う社会的・道義的責任を斟酌しても、憲法14条1項に違反するものではない（最判昭26・5・18）。　**出題** 国Ⅰ－昭和59

Q47 業務上横領を単純横領より重く処罰する刑法253条は、憲法14条1項に違反するのか。

A 憲法14条1項に違反しない。刑法253条の「業務に関する」とは、行為の属性についての区別であって、人についての区別ではない。何らの業務をもたない人は、刑法253条の罪を犯す機会がないけれども、それはその機会をもたないというだけのことであって、刑法253条が業務をもつ者ともたない者との間に差別を設け、後者を前者より優遇する趣旨ではない。同条は行為の属性を目標として加重要件を定めただけであって、人によって差別を

設けたものではない。すなわち、差別の目標は行為の属性にあるので、人の地位、身分にあるのではない。したがって、反社会性が顕著で、犯情が重いとされる場合にその刑を加重しても憲法14条に違反しない（最判昭29・9・21）。

出題 地方上級－昭和59

Q48 選挙犯罪で処罰を受けた場合には、一般犯罪により処罰を受けた場合と異なり、選挙権、被選挙権が一時停止されることは、差別待遇にあたるのか。

A 差別待遇にあたらない。公職選挙法252条所定の選挙犯罪は、いずれも選挙の公正を害する犯罪であって、かかる犯罪の処刑者は、すなわち現に選挙の公正を害したものとして、選挙に関与させるに不適当であるから、これを一定期間、公職の選挙に関与することから排除するのは相当であって、他の一般犯罪の処刑者が選挙権被選挙権を停止されるのとは、おのずから別個の事由に基づくものである。されば選挙犯罪の処刑者について、一般犯罪の処刑者に比し、特に、厳に選挙権被選挙権停止の処遇を規定しても、条理に反する差別待遇ではない（最大判昭30・2・9）。

出題 国Ⅰ－平成2・昭和59、地方上級－昭和59、国Ⅱ－平成23・13

Q49 一般職の国家公務員には政治的行為を禁止するのに対し、特別職の国家公務員の中に政治的行為を認められる者がある場合、憲法14条に反しないか。

A 憲法14条に反しない。特別職に属する公務員は、その担任する職務の性質上、その政治活動がその職務と何ら矛盾するものではなく、かえって政治的に活動することによって公共の利益を実現することも、その職分とする公務員であって、政治と明確に区別された行政の運営を担当し、その故に強くその政治的中立性を要求する一般職に属する公務員とは著しくその性質を異にするものであるから、このような差別は、また、合理的根拠に基づくものであり、公共の福祉に適合するものであって、憲法14条に違反しない（最大判昭33・4・16）。

出題 国Ⅰ－昭和61・53、地方上級－昭和59

Q50 被告人と対向的な共犯関係に立つ疑いのある者が、警察段階の捜査で不当に有利な取扱いを受け、事実上刑事訴追を免れる事実があった場合、被告人自身に対する捜査手続は憲法14条に違反するのか。

A 憲法14条に違反しない。被告人自身に対する警察の捜査が刑事訴訟法にのっとり適正に行われており、被告人が、その思想、信条、社会的身分または門地などを理由に、一般の場合に比べ捜査上不当に不利益に取り扱われたものでないときは、仮に当該被疑事実につき被告人と対向的な共犯関係に立つ疑いのある者の一部が、警察段階の捜査において不当に有利な取扱いを受け、事実上刑事訴追を免れるという事実があったとしても、そのために、被告人自身に対する捜査手続が憲法14条に違反することにはならない（最判昭56・6・26）。

出題 国Ⅰ－平成5

Q51 障害福祉年金と児童扶養手当との併給調整（禁止）条項は、憲法14条1項および13条に反しないか。

A 憲法14条1項および13条に反しない。　本件併給調整条項の適用により、上告人のように障害福祉年金を受けることができる地位にある者とそのような地位にない者との間に児童扶養手当の受給に関して差別を生ずることになるとしても、とりわけ身体障害者、母子に対する諸施策および生活保護制度の存在などに照らして総合的に判断すると、この差別が何ら合理的理由のない不当なものとはいえない。また、本件併給調整条項が児童の個人としての尊厳を害し、憲法13条に違反する恣意的かつ不合理な立法であるとはいえない〈堀木訴訟〉（最大判昭57・7・7）。

出題 国Ⅰ‐平成4、地方上級‐平成8、特別区Ⅰ‐平成26・15、国Ⅱ‐平成12、国税・財務・労基‐令和4、国税・労基‐平成22・18

Q52 サラリーマンと自営業者との所得税に不平等が生じている場合、これを定めた旧所得税法は、憲法14条に反しないか。

A 憲法14条に反しない。　租税法の分野における所得の性質の違い等を理由とする取扱いの区別は、その立法目的が正当なものであり、かつ、当該立法において具体的に採用された区別の態様がこの目的との関連で著しく不合理であることが明らかでない限り、その合理性を否定することができず、憲法14条1項の規定に違反するとはいえない。旧所得税法が給与所得に係る必要経費につき実額控除を排し、代わりに概算控除の制度を設けた目的は、給与所得者と事業所得者等との租税負担の均衡に配意しつつ、税務執行上の混乱という弊害を防止することにあることが明らかであるところ、租税負担を国民の間に公平に配分するとともに、租税の徴収を確実・的確かつ効率的に実現することは、租税法の基本原則であるから、この目的は正当性を有する。給与所得者において自ら負担する必要経費の額が一般に旧所得税法所定の前記給与所得控除の額を明らかに上回るものと認められる場合であっては、上記給与所得控除の額は給与所得に係る必要経費の額との対比において相当性を欠くことが明らかであるとはいえない。所得の捕捉の不均衡の問題は、原則的には、税務行政の適正な執行により是正されるべき性質のものであって、捕捉率の較差が正義衡平の観念に反するほどに著しく、かつ、それが長年にわたり恒常的に存在する租税法制自体に基因しているものと認められるような場合であれば格別、そうでない限り、租税法制そのものが違憲になるとはいえないから、捕捉率の較差の存在をもって本件課税規定が憲法14条1項の規定に違反するとはいえない〈サラリーマン税金訴訟〉（最大判昭60・3・27）。

出題 国家総合‐令和3・平成30、国Ⅰ‐平成21・12、地方上級‐昭和60、東京Ⅰ‐平成16、特別区Ⅰ‐平成30・26・19・15、国Ⅱ‐平成18・12、国家一般‐令和4、裁判所総合・一般‐令和2・平成30、国税・労基‐平成22

Q53 自営業者と給与所得者との間の捕捉率の較差の存在を認める（旧）所得税法は、憲法14条1項に違反するのか。

A 憲法14条1項に違反しない〈サラリーマン税金訴訟〉（最大判昭60・3・27）。⇨52

Q54 必要経費の実額控除等租税法の分野における給与所得と事業所得との取扱いの区別は、その立法目的が正当なものであり、かつ、当該立法において具体的に採用された区別の態様が当該目的との関連で著しく不合理であることが明らかでない限り、その合理性を否定することはできず、憲法14条に違反しないのか。

A 憲法14条に違反しない〈サラリーマン税金訴訟〉（最大判昭60・3・27）。⇨52

Q55 憲法14条が保障する法の下の平等においては、区別が合理的か否かの判断基準について、判例は、立法目的の重要性を厳格に解釈し、その手段が立法目的と実質的関連性を有するか否かを厳格に判断する「厳格な合理性の基準」を採用しているのか。

A 著しく不合理であることが明白でない限り違憲と判断しない「合理性の基準」を採用していると一般に解されている〈サラリーマン税金訴訟〉（最大判昭60・3・27）。

Q56 台湾住民である軍人軍属を援護法および恩給法の適用から除外する国籍条項は、憲法14条に反しないか。

A 憲法14条に反しない。　台湾住民である軍人軍属が援護法および恩給法の適用から除外されたのは、台湾住民の請求権の処理は日本国との平和条約および日華平和条約により日本国政府と中華民国政府との特別取極の主題とされたことから、台湾住民である軍人軍属に対する補償問題もまた両国政府の外交交渉によって解決されることが予定されたことに基づくのであり、そのことには十分な合理的根拠がある。したがって、本件国籍条項により、日本の国籍を有する軍人軍属と台湾住民である軍人軍属との間に差別が生じているとしても、それは以上のような根拠に基づくものである以上、本件国籍条項は、憲法14条に違反しない（最判平4・4・28）。

出題 国Ⅰ‐平成23・12、特別区Ⅰ‐平成22、国税‐平成5

Q57 国が連合国最高司令官総司令部に従い南方地域から帰還した日本人捕虜に抑留期間中の労働賃金を決済する措置を講じなかったことに対して、シベリア抑留者は憲法14条に基づき国に抑留期間中の労働賃金の支払いを請求できるか。

A 請求できない。　連合国との間の平和条約が発効するまでの数年間については、国が所得を証明する資料を所持していない者に抑留中の労働賃金を決済することは、連合国最高司令官総司令部の覚書によって許されず、連合国による占領管理下に置かれ、連合国の占領政策に忠実に従うべき義務を負っていた日本政府が、その決済の措置を講じなかったことで、上告人らに対し差別的取扱いをしたとはいえない。したがって、国が、主権回復後に、シベリア抑留者に対し、その抑留期間中の労働賃金を支

払うためには、そのような総合的政策判断のうえに立った立法措置を講ずることを必要とし、そのような立法措置が講じられていない以上、上告人らが、憲法14条1項に基づき、その抑留期間中の労働賃金の支払いを請求することはできない〈シベリア長期抑留等補償請求事件〉（最判平9・3・13）。

出題 予想

Q58 居住者の営む事業に従事して対価の支払いを受けた親族が居住者と別に事業を営む場合において、居住者の事業所得等について所得税法56条を適用してした処分（当該事業に係る事業所得等の金額の計算上、必要経費に算入しない等の処分）は、憲法14条1項に違反しないのか。

A 憲法14条1項に違反しない。　所得税法56条は、事業を営む居住者と密接な関係にある者がその事業に関して対価の支払いを受ける場合に、これを居住者の事業所得等の金額の計算上必要経費にそのまま算入することを認めると、納税者間における税負担の不均衡をもたらすおそれがあるなどのため、居住者と生計を一にする配偶者その他の親族がその居住者の営む事業所得等を生ずべき事業に従事したことその他の事由により当該事業から対価の支払いを受ける場合には、その対価に相当する金額は、その居住者の当該事業に係る事業所得等の金額の計算上、必要経費に算入しないものとしたうえで、これに伴い、その親族のその対価に係る各種所得の金額の計算上必要経費に算入されるべき金額は、その居住者の当該事業に係る事業所得等の金額の計算上、必要経費に算入することとするなどの措置を定めている。同法56条の上記の趣旨およびその文言に照らせば、居住者と生計を一にする配偶者その他の親族が居住者と別に事業を営む場合であっても、そのことを理由に同条の適用を否定することはできず、同条の要件を満たす限りその適用がある（最判平16・11・2）。

出題 予想

Q59 国民年金法（改正前）が、学生等につき国民年金の強制加入被保険者とせず、任意加入のみを認め、強制加入被保険者との間で加入および保険料免除規定の適用に関し区別したこと、および立法府が学生等を強制加入被保険者とするなどの措置を講じなかったことは、憲法25条、14条1項に反するのか。

A 憲法25条、14条1項に反しない。　平成元年改正前の法が、20歳以上の学生の保険料負担能力、国民年金に加入する必要性ないし実益の程度、加入に伴い学生および学生の属する世帯の世帯主等が負うこととなる経済的な負担等を考慮し、保険方式を基本とする国民年金制度の趣旨をふまえて、20歳以上の学生を国民年金の強制加入被保険者として一律に保険料納付義務を課すのではなく、任意加入を認めて国民年金に加入するかどうかを20歳以上の学生の意思にゆだねることとした措置は、著しく合理性を欠くということはできず、加入等に関する区別が何ら合理的理由のない不当な差別的取扱いであるということもできない。確かに、加入等に関する区別によって、保険料負担能力のない20歳以上60歳未満の者のうち20歳以上の学生とそれ以外

の者との間に障害基礎年金等の受給に関し差異が生じていたが、いわゆる拠出制の年金である障害基礎年金等の受給に関し保険料の拠出に関する要件を緩和するかどうか、どの程度緩和するかは、国民年金事業の財政および国の財政事情にも密接に関連する事項であって、立法府は、これらの事項の決定について広範な裁量を有するというべきである。そうすると、平成元年改正前の法における強制加入例外規定を含む20歳以上の学生に関する上記の措置および加入等に関する区別ならびに立法府が平成元年改正前において20歳以上の学生について国民年金の強制加入被保険者とするなどの措置を講じなかったことは、憲法25条、14条1項に違反するものではない（最判平19・9・28）。

出題 国Ⅱ−平成22

第15条［公務員の選定罷免権、公務員の本質、普通選挙・秘密投票の保障］

①公務員を選定し、及びこれを罷免することは、国民固有の権利である。

②すべて公務員は、全体の奉仕者であって、一部の奉仕者ではない。

③公務員の選挙については、成年者による普通選挙を保障する。

④すべて選挙における投票の秘密は、これを侵してはならない。選挙人は、その選択に関し公的にも私的にも責任を問はれない。

◇選挙権・被選挙権（1項）

Q1 一旦選挙の公正を阻害し、選挙に関与せしめることが不適当と認められる者を、しばらく、被選挙権、選挙権の行使から遠ざけることは、不当に国民の参政権を奪うものか。

A 不当に国民の参政権を奪うものではない。　国民主権を宣言する憲法の下において、公職の選挙権が国民の最も重要な基本的権利の一であることは所論のとおりであるが、それだけに選挙の公正はあくまでも厳粛に保持されなければならないのであって、一旦この公正を阻害し、選挙に関与せしめることが不適当とみとめられる者は、しばらく、被選挙権、選挙権の行使から遠ざけて選挙の公正を確保するとともに、本人の反省を促すことは相当であるから、これにより不当に国民の参政権を奪うものではない（最大判昭30・2・9）。

出題 国家総合−令和1

Q2 立候補の自由は、憲法15条1項により保障されているか。

A 憲法15条1項により保障される。　立候補の自由は、選挙権の自由な行使と表裏の関係にあり、自由かつ公正な選挙を維持するうえで、きわめて重要である。このような見地からいえば、憲法15条1項には、被選挙権者、特にその立候補の自由について、直接には規定していないが、これもまた、同条同項の保障する重要な基本的人権の一つである〈三井美唄労組事件〉（最大判昭43・12・4）。

出題 国家総合−令和1、国Ⅰ−平成21・昭和63・59、東京Ⅰ−平成17

Q3 拘束名簿式比例代表制は、憲法43条1項、15

条1項、3項に違反するのか。

A 違反しない。　政党等にあらかじめ候補者の氏名および当選人となるべき順位を定めた名簿を届け出させたうえ、選挙人が政党等を選択して投票し、各政党等の得票数の多寡に応じて当該名簿の順位に従って当選人を決定する方式は、投票の結果すなわち選挙人の総意により当選人が決定される点において、選挙人が候補者個人を直接選択して投票する方式と異なるところはない。したがって、改正公選法が衆議院議員選挙につき採用している拘束名簿式比例代表制が、憲法43条1項、15条1項、3項に違反するとはいえない（最大判平11・11・10）。　出題 国Ⅱ－平成22

Q4 小選挙区制の採用は、憲法の国民代表の原理等に違反するのか。

A 違反しない。　小選挙区制は、全国的にみて国民の高い支持を集めた政党等に所属する者が得票率以上の割合で議席を獲得する可能性があって、民意を集約し政権の安定につながる特質を有する反面、政権の交代を促す特質をも有するということができ、特定の政党等にとってのみ有利な制度とはいえない。小選挙区制の下においては死票を多く生む可能性があることは否定し難いが、死票はいかなる制度でも生ずるものであり、小選挙区制は、選挙を通じて国民の総意を議席に反映させる一つの合理的方法であり、これによって選出された議員が全国民の代表であるという性格と矛盾抵触するものではないから、小選挙区制の採用は国会の裁量の限界を超えるものではなく、憲法の国民代表の原理等に違反するとはいえない（最大判平11・11・10）。　出題 国Ⅱ－平成22

Q5 非拘束名簿式比例代表制の下において、参議院名簿登録者個人には投票したいが、その者の所属する参議院名簿届出政党等には投票したくないという投票意思が認められないことは、国民の選挙権を侵害し、憲法15条に違反するのか。

A 憲法15条に違反しない。　名簿式比例代表制は、政党的意味をもたない投票を認めない制度であるから、本件非拘束名簿式比例代表制の下において、参議院名簿登載者個人には投票したいが、その者の所属する参議院名簿届出政党等には投票したくないという投票意思が認められないことをもって、国民の選挙権を侵害し、憲法15条に違反するものではない。また、名簿式比例代表制の下においては、名簿登載者は、各政党に所属する者という立場で候補者となっているのであるから、改正公選法が参議院名簿登載者の氏名の記載のある投票を当該参議院名簿登載者の所属する参議院名簿届出政党等に対する投票としてその得票数を計算するものとしていることには、合理性が認められるのであって、これが国会の裁量権の限界を超えるものとは解されない（最大判平16・1・14）。　出題 国Ⅱ－平成22

Q6 公職選挙法（改正前）が、平成8年10月20日に実施された衆議院議員の総選挙当時、在外国民の投票を全く認めなかったことは、選挙権の行使を認めることが事実上不能ないし著しく困難であると認められる場合に該当し、合憲か。

A 在外国民の投票を全く認めなかったことは、上記場合に該当せず、違憲である。　国民の選挙権又はその行使を制限することは原則として許されず、国民の選挙権又はその行使を制限するためには、そのような制限をすることがやむをえないと認められる事由がなければならない。そして、そのような制限をすることなしには選挙の公正を確保しつつ選挙権の行使を認めることが事実上不能ないし著しく困難であると認められる場合でない限り、上記のやむをえない事由があるとはいえず、このような事由なしに国民の選挙権の行使を制限することは、憲法15条1項および3項、43条1項ならびに44条ただし書に違反するといわざるをえない。また、このことは、国が国民の選挙権の行使を可能にするための所要の措置をとらないという不作為によって国民が選挙権を行使することができない場合についても、同様である〈在外日本人選挙権剥奪事件〉（最大判平17・9・14）。　出題 国家総合－平成25、特別区Ⅰ－令和1・平成26、国税・労基－平成23

Q7 衆議院小選挙区選出議員の選挙および参議院選挙区選出議員の選挙について在外国民に投票をすることを認めず、在外選挙制度の対象となる選挙を当分の間、両議院の比例代表選出議員の選挙に限定することは、憲法15条1項および3項、43条1項ならびに44条ただし書に違反するのか。

A 憲法15条1項および3項、43条1項ならびに44条ただし書に違反する。　本件改正は、在外国民に国政選挙で投票をすることを認める在外選挙制度を設けたものの、当分の間、衆議院比例代表選出議員の選挙および参議院比例代表選出議員の選挙についてだけ投票をすることを認め、衆議院小選挙区選出議員の選挙および参議院選挙区選出議員の選挙については投票をすることを認めないというものである。この点に関しては、(1)本件改正後に在外選挙が繰り返し実施されてきていること、(2)通信手段が地球規模で目覚ましい発達を遂げさせていることなどによれば、在外国民に候補者個人に関する情報を適正に伝達することが著しく困難であるとはいえなくなったものというべきである。また、遅くとも、本判決言渡し後に初めて行われる衆議院議員の総選挙又は参議院議員の通常選挙の時点においては、衆議院小選挙区選出議員の選挙および参議院選挙区選出議員の選挙について在外国民に投票をすることを認めないことについて、やむをえない事由があるということはできず、公職選挙法附則8項の規定のうち、在外選挙制度の対象となる選挙を当分の間両議院の比例代表選出議員の選挙に限定する部分は、憲法15条1項および3項、43条1項ならびに44条ただし書に違反するものといわざるをえない〈在外日本人選挙権剥奪事件〉（最大判平17・9・14）。　出題 国Ⅰ－平成21、特別区Ⅰ－平成26、国家一般－令和2、国Ⅱ－平成18、国税・労基－平成23

◇連座制

Q8 選挙運動の総括主宰者が公職選挙法所定の犯

罪を犯し刑に処せられた場合でも、当選人が総括主宰者の選任および監督につき相当の注意をしていれば、当選人の当選は無効とならないのか。

A 当選人の当選は無効となる。　選挙運動の総括主宰者は、特定候補者のために、選挙運動の中心となって、その運動の行われる全区域にわたり、その運動全般を支配する実権をもつものであるから、その者が公職選挙法251条の2掲記のような犯罪を行う場合においては、その犯罪行為は候補者の当選に相当な影響を与えるものと推測され、またその得票も必ずしも選挙人の自由な意思によるものとはいいがたい。したがってその当選は、公正な選挙の結果によるものといえないから、当選人が総括主宰者の選任および監督につき注意を怠ったかどうかにかかわりなく、その当選を無効とすることが、選挙制度の本旨にもかなうのである（最大判昭37・3・14）。

出題 国Ⅰ-昭和59

Q9 組織的選挙運動管理者等の選挙犯罪による公職の候補者等であった者の当選無効および立候補の禁止規定の立法目的達成手段については、候補者が選挙犯罪の防止の注意を尽くすことにより連座を免れるみちなどが設けられているので、その手段として必要かつ合理的といえるのか。

A 立法目的達成手段として必要かつ合理的である。公職選挙法251条の3の規定は、連座の対象者を選挙運動の総括主宰者等に限っていた従来の連座制では選挙犯罪を十分抑制できなかったわが国における選挙の実態にかんがみ、連座の対象者の範囲を拡大し、公職の候補者等に組織的選挙運動管理者等が選挙犯罪を犯すことを防止するための選挙浄化の義務を課し、公職の候補者等がこれを怠ったときは、当該候補者等を制裁し、選挙の公明、適正を回復するという趣旨で設けられたものである。このように、同条の規定は、公明かつ適正な公職選挙の実現というきわめて重要な法益を実現するために定められたものであり、その立法目的は合理的である。また、当該規定は、(1)組織的選挙運動管理者等が買収等の悪質な選挙犯罪を犯し禁錮以上の刑に処せられたときに限り連座の効果を生じさせることとし、(2)立候補禁止の期間およびその対象となる選挙の範囲も限定し、さらに、(3)選挙犯罪がいわゆるおとり行為または寝返り行為によってされた場合には免責することとしているほか、(4)候補者等が当該組織的選挙運動管理者等による選挙犯罪行為の発生を防止するため相当の注意を尽くすことにより連座を免れることのできる途も新たに設けている。そうすると、このような規制は、これを全体としてみれば、前記立法目的を達成するための手段として必要かつ合理的なものである。したがって、公職選挙法251条の3の規定は、憲法13条、14条、15条1項、31条、32条、43条1項および93条2項に違反しない。そして、法251条の3第1項所定の組織的選挙運動管理者等の概念は、同項に定義されたところに照らせば、不明確で漠然としているとはいえない〈青森県議会議員選挙候補者連座訴訟〉（最判平9・3・13）。

出題 国Ⅰ-平成16、国Ⅱ-平成18、国家一般-令

和2

Q10 Xは県議会議員選挙に立候補し当選したが、Xを当選させるため選挙活動を行っていたAが選挙違反をし、公職選挙法251条の3第1項の組織的選挙運動管理者等に該当したため、Xを当選無効および立候補禁止とした。同法251条の3は、憲法15条、21条、31条等に反するのか。

A 憲法15条、21条、31条等に反しない〈青森県議会議員選挙候補者連座訴訟〉（最判平9・3・13）。⇨9

Q11 公職選挙法251条の2第1項5号の規定が、連座の対象者として公職の候補者等の秘書を加えることは、立法目的および立法目的達成手段の点から、憲法15条1項に違反するのか。

A 憲法15条1項に違反しない。　公職選挙法251条の2第1項5号の規定は、民主主義の根幹をなす選挙の公明かつ適正を確保するというきわめて重要な法益を実現するために設けられたもので、その立法趣旨は合理的である。また、同号所定の秘書は、公職の候補者等に使用される者で当該公職の候補者等の政治活動を補佐するものをいうと明確に定義されており、当該規定は、公職の候補者等と上記のような一定の関係を有する者が公職の候補者等または総括主宰者等と意思を通じて選挙運動をし所定の選挙犯罪を犯して(1)禁錮以上の刑に処せられたときに限って連座の効果を生じさせることとしており、(2)立候補禁止の期間およびその対象となる選挙の範囲も限定し、さらに、同条4項において、(3)選挙犯罪がいわゆるおとり行為または寝返り行為によってされた場合には立候補の禁止および衆議院（比例代表選出）議員の選挙における当選無効につき免責することとしているのであるから、このような規制は、これを全体としてみれば、前記立法目的を達成するための手段として必要かつ合理的なものである。したがって、同条1項5号等の規定は、憲法15条1項、31条に違反しない〈衆議院議員選挙候補者連座訴訟〉（最判平10・11・17）。

出題 予想

◇**表現の自由との関係**

Q12 新聞紙および雑誌における当該自由の規制について、選挙運動の期間中であっても、新聞紙または雑誌の発行頻度等に着目して異なる取扱いをすることは許されるのか。

A 許される。　公職選挙法（改正前のもの）148条3項は、いわゆる選挙目当ての新聞紙・雑誌が選挙の公正を害し特定の候補者と結びつく弊害を除去するためやむをえず設けられた規定であって、公正な選挙を確保するために脱法行為を防止する趣旨のものである。このような立法の趣旨・目的からすると、同項に関する罰則規定である同法235条の2第2号のいう選挙に関する「報道又は評論」とは、当該選挙に関する一切の報道・評論を指すのではなく、特定の候補者の得票について有利または不利に働くおそれがある報道・評論をいうものと解する。さらに、当該規定の構成要件に形式的に該当する場合であっても、もしその新聞紙・雑誌が真に公

正な報道・評論を掲載したものであれば、その行為の違反性が阻却されるものと解すべきである（刑法35条）。このように解する以上、公職選挙法148条3項1号イの「新聞紙にあっては毎月3回以上」の部分が憲法21条、14条に違反しないことは、明らかである（最判昭54・12・20）。

出題 国Ⅱ-平成10

Q13 政見放送の収録にあたり、公職選挙法の規定に違反するような、いわゆる差別用語が含まれた場合、当該箇所を削除して放送した場合、不法行為法上、法的利益の侵害があるのか。

A 法的利益の侵害はない。　本件削除部分は、多くの視聴者が注目するテレビジョン放送において、その使用が社会的に許容されていないことが広く認識されていた身体障害者に対する卑俗かつ侮蔑的表現であるいわゆる差別用語を使用した点で、他人の名誉を傷つけ善良な風俗を害する等政見放送としての品位を損なう言動を禁止した公職選挙法150条の2の規定に違反するものである。そして、上記規定は、テレビジョン放送による政見放送が直接かつ即時に全国の視聴者に到達して強い影響力を有していることにかんがみ、そのような言動が放送されることによる弊害を防止する目的で政見放送の品位を損なう言動を禁止したものであるから、上記規定に違反する言動がそのまま放送される利益は、法的に保護された利益とはいえず、したがって、当該言動がそのまま放送されなかったとしても、不法行為法上、法的利益の侵害があったとはいえない（最判平2・4・17）。

出題 国Ⅰ-平成16、国家一般-令和2

◇**投票の秘密（4項）**

Q14 選挙権のない者が他人になりすまして投票を行った場合（いわゆる代理投票）、当該不正投票者が何人に投票を行ったかを調べることは許されるか。

A 調べることは許されない。　選挙権のない者またはいわゆる代理投票をした者の投票についても、その投票が何人に対してなされたかは、議員の当選の効力を定める手続において取り調べてはならない（最判昭25・11・9）。

出題 国Ⅰ-昭和63・59、東京Ⅰ-平成17、国Ⅱ-平成10

Q15 公職選挙法所定の詐偽投票罪の捜査のため投票済み投票用紙の差押え等がされた場合、投票した選挙人の投票の秘密に係る法的利益の侵害はあるのか。

A 法的利益の侵害はない。　(1)本件差押え等の一連の捜査により上告人らの投票内容が外部に知られたとの事実はうかがえず、また、(2)本件差押え等の一連の捜査は詐偽投票罪の被疑者らが投票をした事実を裏付けるためにされたものであり、上告人らの投票内容を探索する目的でされたものではなく、また、(3)押収した投票用紙の指紋との照合に使用された指紋には上告人らの指紋は含まれておらず、上告人らの投票内容が外部に知られるおそれもなかったのであるから、本件差押え等の一連の捜査が上告人

らの投票の秘密を侵害したとも、これを侵害する現実的、具体的な危険を生じさせたともいえない。したがって、上告人らは、投票の秘密に係る自己の法的利益を侵害されたとはいえない（最判平9・3・28）。

出題 国家総合-令和1

◇**その他**

Q16 学資その他の経費の大半を郷里の親に依存している学生が、大学の学生寮に居住している場合、当該学生寮を選挙権行使の前提としての住所とすることができるか。

A 学生寮を選挙権行使の前提としての住所とすることができる。　およそ法令において人の住所につき法律上の効果を規定している場合、反対の解釈をなすべき特段の事由のない限り、その住所とは各人の生活の本拠を指す。したがって、休暇に際してはその全期間またはその一部を郷里またはそれ以外の親戚のもとに帰省するが、配偶者もなく、また管理すべき財産をもっていないので、休暇以外は、しばしば実家に帰る必要もなくまたその事実もない等の場合には、当該学生の住所は学生寮とすることができる（最大判昭29・10・20）。

出題 国Ⅰ-昭和59

第16条〔請願権〕

何人も、損害の救済、公務員の罷免、法律、命令又は規則の制定、廃止又は改正その他の事項に関し、平穏に請願する権利を有し、何人も、かかる請願をしたためにいかなる差別待遇も受けない。

〔参考〕請願法第3条　①請願書は、請願の事項を所管する官公署に提出しなければならない。天皇に対する請願書は、内閣にこれを提出しなければならない。

第5条　この法律に適合する請願は、官公署において、これを受理し誠実に処理しなければならない。

第6条　何人も、請願をしたためにいかなる差別待遇も受けない。

第17条〔国および公共団体の賠償責任〕

何人も、公務員の不法行為により、損害を受けたときは、法律の定めるところにより、国又は公共団体に、その賠償を求めることができる。

Q1 国又は公共団体は、公務員が他人に損害を加えた場合、形式上は職務行為であっても職務行為に直接かかわりない行為であるときには、損害賠償責任を負わないのか。

A 損害賠償責任を負う（最判昭31・11・30）。
⇨国家賠償法1条29・30

出題 特別区Ⅰ-平成14

Q2 憲法17条は、国又は公共団体が公務員の行為による不法行為責任を負うか否かについて、立法府に無制限の裁量権を付与するといった法律に対する白紙委任を認めているのか。

A 法律に対する白紙委任を認めていない。　憲法17条は、その保障する国又は公共団体に対し損害賠償を求める権利については、法律による具体化を予定している。これは、公務員のどのような行為によりいかなる要件で損害賠償責任を負うかを立法府の政策判断にゆだねたものであって、立法府に無制

限の裁量権を付与するといった法律に対する白紙委任を認めているものではない。そして、公務員の不法行為による国又は公共団体の損害賠償責任を免除し、又は制限する法律の規定が憲法17条に適合するものとして是認されるものであるかどうかは、当該行為の態様、これによって侵害される法的利益の種類および侵害の程度、免責又は責任制限の範囲および程度等に応じ、当該規定の目的の正当性ならびにその目的達成の手段として免責又は責任制限を認めることの合理性および必要性を総合的に考慮して判断すべきである（最大判平14・9・11）。

出題 予想

Q3 書留郵便物について、郵便業務従事者の故意又は重大な過失による不法行為についてまで国の損害賠償責任を免除又は制限を認める郵便法68条、73条の規定部分は、憲法17条に違反するのか。

A 憲法17条に違反する。　書留郵便物について、郵便業務従事者の故意又は重大な過失による不法行為に基づき損害が生ずるようなことは、通常の職務規範に従って業務執行がされている限り、ごく例外的な場合にとどまるはずであって、このような事態は、書留の制度に対する信頼を著しく損なうものといわなければならない。そうすると、このような例外的な場合にまで国の損害賠償責任を免除し、又は制限しなければ法1条に定める目的を達成することができないとはとうてい考えられず、郵便業務従事者の故意又は重大な過失による不法行為についてまで免責又は責任制限を認める規定に合理性があるとは認め難い。以上によれば、法68条、73条の規定のうち、郵便業務従事者の故意又は重大な過失によって損害が生じた場合に、不法行為に基づく国の損害賠償責任を免除し、又は制限している部分は、憲法17条が立法府に付与した裁量の範囲を逸脱したものであるといわざるをえず、同条に違反し、無効である（最大判平14・9・11）。 **出題** 裁判所総合・一般－平成25

〔参考〕郵便法旧68条は、法又は法に基づく総務省令（平成11年法律第160号による郵便法の改正前は、郵便省令）に従って差し出された郵便物に関して、①書留とした郵便物の全部又は一部を亡失し、又はき損したとき、と規定している。

Q4 特別送達郵便物について、郵便業務従事者の軽過失による不法行為についてまで免責又は責任制限を認める郵便法68条、73条の規定は、憲法17条に違反するのか。

A 憲法17条に違反する。　特別送達郵便物の特殊性に照らすと、郵便法68条、73条に規定する免責又は責任制限を設けることの根拠である同法1条に定める目的自体は正当であるが、特別送達郵便物については、郵便業務従事者の軽過失による不法行為から生じた損害の賠償責任を肯定したからといって、直ちに、その目的の達成が害されるということはできず、上記各条に規定する免責又は責任制限に合理性、必要性があるということは困難であり、このような免責又は責任制限の規定を設けたことは、憲法17条が立法府に付与した裁量の範囲を逸脱したものである。そうすると、郵便法68条、

73条の規定のうち、特別送達郵便物について、郵便業務従事者の軽過失による不法行為に基づき損害が生じた場合に、国家賠償法に基づく国の損害賠償責任を免除し、又は制限している部分は、憲法17条に違反し、無効である（最大判平14・9・11）。 **出題** 裁判所総合・一般－平成25

第18条〔奴隷的拘束および苦役からの自由〕

何人も、いかなる奴隷的拘束も受けない。又、犯罪に因る処罰の場合を除いては、その意に反する苦役に服させられない。

Q1 裁判員裁判制度は、憲法18条後段に違反するのか。

A 憲法18条後段に違反しない。　裁判員の職務等は、司法権の行使に対する国民の参加という点で参政権と同様の権限を国民に付与するものであり、これを「苦役」ということは必ずしも適切ではない。また、裁判員法16条は、国民の負担を過重にしないという観点から、裁判員となることを辞退できる者を類型的に規定し、さらに同条8号および同号に基づく政令においては、個々人の事情をふまえて、裁判員の職務等を行うことにより自己又は第三者に身体上、精神上又は経済上の重大な不利益が生ずると認めるに足りる相当な理由がある場合には辞退を認めるなど、辞退に関し柔軟な制度を設けている。これらの事情を考慮すれば、裁判員の職務等は、憲法18条後段が禁ずる「苦役」にあたらないことは明らかであり、また、裁判員又は裁判員候補者のその他の基本的人権を侵害するところも見当たらない（最大判平23・11・16）。

出題 予想➡国家一般－令和4

第19条〔思想および良心の自由〕

思想及び良心の自由は、これを侵してはならない。

Q1 謝罪広告を裁判所が命じることは、個人の良心の自由に反するか。

A 個人の良心の自由に反しない。　謝罪広告を命ずる判決の内容上、これを新聞紙に掲載することが単に事態の真相を告白し陳謝の意を表明するにとどまる程度のものにあっては、これが強制執行も代替作為として民事訴訟法733条（現民事執行法171条）の手続によることをえるものである。されば少なくともこの種の謝罪広告を新聞紙に掲載すべきことを命ずる原判決は、上告人に屈辱的もしくは苦役的労苦を科し、または上告人の有する倫理的な意思、良心の自由を侵害することを要求するものとは解せられないし、また民法723条にいわゆる適当な処分というべきである〈謝罪広告請求事件〉（最大判昭31・7・4）。

出題 国家総合－平成24、国Ⅰ－平成16・12・5・昭和54・52、地方上級－平成15・1、市役所上・中級－平成10・5、特別区Ⅰ－平成23・17、国家一般－令和1、国Ⅱ－平成19・14・1・昭和62・55、裁判所総合・一般－令和4・1・平成30、裁判所Ⅰ・Ⅱ－平成17・14、国税・財務・労基－令和2・平成26、国税・労基－平成22・19・16、国税－平成12

Q2 民法723条に定める名誉回復処分として、裁

憲法編

判所が加害者に新聞紙等へ謝罪広告の掲載を命じることは、それが単に事態の真相を告白し陳謝の意を表明するにとどまるものであっても、憲法19条に違反するのか。

A 憲法19条に違反しない〈謝罪広告請求事件〉（最大判昭31・7・4）。⇨1

Q3 最高裁判所裁判官の国民審査において、積極的に罷免を可とする意思が表示されていない投票は罷免を可とするものではないとの効果を発生させても、思想及び良心の自由を制限するものではないのか。

A 思想及び良心の自由を制限するものではない。

最高裁判所裁判官の国民審査の投票において、積極的に罷免を可とする意思を有しない者の投票（無印）について、罷免を可とするものでないとの効果を発生させても、何らその者の意思に反する効果を発生させるものではない。したがって、思想・良心の自由や表現の自由を制限するものではない（最判昭38・9・5）。

出題 国Ⅰ－平成23、特別区Ⅰ－平成17、国家一般－平成26、国Ⅱ－平成14、裁判所総合・一般－令和4・1

Q4 長野方式における教員の勤務評定について、各教員に学習指導および勤務態度などに関する自己観察の記入を求めたことは、記入者の人生観、教育観の表明を命じたものであり、内心の自由を侵害するものなのか。

A 記入者の人生観、教育観の表明を命じたものではなく、内心の自由を侵害するものではない。　本件通達は、第二表乙の自己観察ならびに希望事項欄の記載方法として、自己評価に基づき、たとえば「学校の指導計画が適切に実施されるように工夫しているか」、「分掌した校務を積極的に処理しているか」、「熱意をもって仕事に打ち込んでいるか」というような第二表甲の観察内容や乙の各項目等を参考にして、つとめて具体的に記入することと定めているにすぎないのであって（通達別冊第2項㉕）、その文言自体、これを最大限に拡大して解釈するのでなければ、記入者の有する世界観、人生観、教育観等の表明を命じたものと解することはできない。してみれば、本件通達によって記載を求められる事項が、上告人らの主張するような内心的自由等に重大なかかわりを有するものと認めるべき合理的根拠はない〈勤務評定長野方式事件〉（最判昭47・11・30）。　　　　　　　　　出題 特別区Ⅰ－平成23

Q5 企業者が被用者の思想・信条を理由に雇入れを拒否することは違法か。

A 違法ではない。　憲法は、思想・信条の自由や法の下の平等を保障すると同時に、他方、22条、29条等において、財産権の行使、営業その他広く経済活動の自由をも基本的人権として保障している。それ故、企業者は、かような経済活動の一環としてする契約締結の自由を有し、自己の営業のために労働者を雇用するにあたり、いかなる者を雇い入れ、いかなる条件で雇うかについて、法律その他による特別の制限がない限り、原則として自由にこれを決定することができるのであって、企

業者が特定の思想、信条を有する者をその故をもって雇い入れることを拒んでも、それを当然に違法とすることはできない〈三菱樹脂事件〉（最大判昭48・12・12）。

出題 国家総合－平成24、国Ⅰ－平成21・5・昭和53・52、地方上級－平成11・2（市共通）・昭和60、市役所上・中級－平成11・5、特別区Ⅰ－平成23、国家一般－令和4・1、国Ⅱ－平成19・昭和55、裁判所総合・一般－平成29・25、国税・財務・労基－平成27、国税・労基－平成20

Q6 使用者が、その調査目的を明らかにせずに、労働者に対して所属政党を調査し、その回答として書面の交付を要求することは、いかなる態様によったとしても、憲法19条に違反するのか。

A 質問の態様が返答を強要するものでなければ、憲法19条に違反しない。　調査目的を明らかにせずに共産党員であるか否かを尋ねた本件質問は、調査の方法として相当性に欠ける面があるものの、必要性、合理性を肯認でき、また、本件質問の態様は、返答を強要するものではなかったのであるから、本件質問は、社会的に許容しうる限界を超えてXの精神的自由を侵害した違法行為であるとはいえない。また、Xが本件書面交付の要求を拒否することによって不利益な取扱いを受けるおそれのあることを示唆したり、その要求に応じることによって有利な取扱いを受けうる旨の発言をした事実はなく、さらに、Xは上記要求を拒否したのであるから、本件書面交付の要求は、社会的に許容しうる限界を超えてXの精神的自由を侵害した違法行為であるとはいえない〈東京電力塩山営業所事件〉（最判昭63・2・5）。

出題 国家一般－令和1、国Ⅱ－平成14、国税・労基－平成15

Q7 公立高校入試の際、中学校長より作成提出された内申書において、中学生の学校内外における政治的活動が記載された場合には、受験生の思想・信条の自由の侵害にあたるのか。

A 思想・信条の自由の侵害にあたらない。　内申書に「麹町中全共闘を名乗り、他校生徒とともに校内に乱入・ビラ撒きをしたり、大学生ML派の集会に参加している」等の記載をすることは、個人の思想、信条そのものを記載したものでないことは明らかであり、その記載に係る外部的行為によっては個人の思想、信条を了知しうるものではないし、また、個人の思想、信条自体を高等学校の入学者選抜の資料に供したものとはとうてい解することができない〈麹町中学内申書事件〉（最判昭63・7・15）。

出題 国Ⅰ－平成12、特別区Ⅰ－平成23・17、国家一般－令和4・1、国Ⅱ－平成14、国税・財務・労基－令和2

Q8 使用者の行為が不当労働行為と認定されたことを関係者に周知徹底させ、同種行為の再発を抑制する趣旨のポスト・ノーティス命令で「深く反省する」、「誓約します」との文言を用いることは、憲法19条に違反するのか。

A 憲法19条に違反しない。　本件ポスト・ノーティ

ス命令が、労働委員会によって使用者の行為が不当労働行為と認定されたことを関係者に周知徹底させ、同種行為の再発を抑制しようとする趣旨のものであることは明らかであるから、その掲示文に「深く反省する」、「誓約します」などの文言を用いても、それは同種行為を繰り返さない旨の約束文言を強調する意味を有するにすぎず、使用者に対し反省等の意思表明を要求することは、当該命令の本旨とするところではなく、憲法19条に違反しない〈医療法人社団・亮正会事件〉（最判平2・3・6）。

出題 国家総合－平成24、特別区Ⅰ－令和1、国家一般－平成26

Q9 労働委員会が、不当労働行為はあったが将来は これを繰り返さない旨、使用者名で表明する看板を目立つ場所に掲示するよう命じること（ポスト・ノーティス命令）は、思想・良心の自由を侵害するか。

A 思想・良心の自由を侵害しない。　労働委員会によるポスト・ノーティス命令は、全体として使用者らの行為が不当労働行為に該当すると認定されたことおよび将来使用者らにおいて同種行為を繰り返さない旨を表示させる趣旨に出たものとみるべきであるから、当該命令が使用者らに対し、特定の思想、見解を受容することを強制するものであるとか、陳謝の意見表明を強制するものであるとの見解を前提とする憲法19条、21条違反の主張は、その前提を欠く〈ネスレ日本（日高乳業）事件〉（最判平7・2・23）。　　**出題** 特別区Ⅰ－令和1

Q10 指紋押なつ制度は、外国人の思想・良心の自由を侵害するのか。

A 外国人の思想・良心の自由を侵害しない。　指紋は指先の紋様でありそれ自体では思想、良心等個人の内心に関する情報となるものではないし、指紋押なつ制度の目的は在留外国人の公正な管理に資するため正確な人物特定をはかることにあるのであって、同制度が外国人の思想・良心の自由を害するものとは認められない（最判平7・12・15）。

出題 裁判所Ⅰ・Ⅱ－平成17

Q11 強制加入団体である税理士会が、法令の制定改廃に関する政治的要求を実現するため、政治資金規正法上の政治団体に金員の寄付をすることは、会員の思想・信条の自由との関係で許されるのか。

A 許されない。　税理士会は、法が、あらかじめ、税理士にその設立を義務付け、その結果設立された強制加入団体であって、その会員には、実質的には脱退の自由が保障されていない。したがって、その目的の範囲を判断するにあたっては、会員の思想・信条の自由との関係で、会員に要請される協力義務にも、おのずから限界がある。特に、政党など規正法上の政治団体に対して金員の寄付をするかどうかは、選挙における投票の自由と表裏をなすものとして、会員各人が市民としての個人的な政治的思想、見解、判断等に基づいて自主的に決定すべき事柄である。なぜなら、政党など規正法上の政治団体は、政治上の主義もしくは施策の推進、特定の公職の候補者の推薦等のため、金員の寄付を含む広範囲な政治活動をすることが当然に予定された政治団体であり、これらの団体に金員の寄付をすることは、

選挙においてどの政党又はどの候補者を支持するかに密接につながる問題だからである。そうすると、このような事柄を多数決原理によって団体の意思として決定し、構成員にその協力を義務付けることはできない〈税理士会政治献金事件〉（最判平8・3・19）。

出題 特別区Ⅰ－令和1・平成23、国家一般－平成26、国Ⅱ－平成19・14、裁判所総合・一般－平成30

Q12 市立小学校の音楽専科の教諭が、入学式の国歌斉唱の際に「君が代」のピアノ伴奏を行うことを内容とする校長の職務上の命令は、憲法19条に違反するのか。

A 憲法19条に違反しない。　入学式の国歌斉唱の際に「君が代」のピアノ伴奏をするという行為に対する職務命令は、公立小学校における儀式的行事において広く行われ、Ａ小学校でも従前から入学式等において行われていた国歌斉唱に際し、音楽専科の教諭にそのピアノ伴奏を命ずるものであって、上告人（音楽専科の教諭）に対して、特定の思想をもつことを強制したり、あるいはこれを禁止したりするものではなく、特定の思想の有無について告白することを強要するものでもなく、児童に対して一方的な思想や理念を教え込むことを強制するものとみることもできない。以上の諸点にかんがみると、本件職務命令は、上告人の思想および良心の自由を侵すものとして憲法19条に反するとはいえない（最判平19・2・27）。　　**出題** 国家一般－令和4・1

Q13 公立高等学校の校長が教師に対し卒業式における国歌斉唱の際に国旗に向かって起立し国歌を斉唱することを命じた職務命令は、個人の思想および良心の自由を直接的に制約し、憲法19条に違反するのか。

A 直接的な制約ではなく、間接的に制約するもので、憲法19条に違反しない。　本件職務命令当時、公立高等学校における卒業式等の式典において、国旗としての「日の丸」の掲揚および国歌としての「君が代」の斉唱が広く行われていたことは周知の事実である。そして、本件職務命令に係る起立斉唱行為は、上告人である教師の歴史観ないし世界観との関係で否定的な評価の対象となるものに対する敬意の表明の要素を含むものであることから、そのような敬意の表明には応じがたいと考える当該教師にとって、その歴史観ないし世界観に由来する行動（敬意の表明の拒否）と異なる外部的行為となるものである。この点に照らすと、本件職務命令は、一般的、客観的な見地からは式典における慣例上の儀礼的な所作とされる行為を求めるものであり、それが結果として上記の要素との関係においてその歴史観ないし世界観に由来する行動との相違を生じさせることとなるという点で、その限りで上告人の思想および良心の自由についての間接的な制約となる面がある。しかし、職務命令の目的および内容ならびに上記の制限を介して生ずる制約の態様等を総合的に較量すれば、上記の制約を許容しうる程度の必要性および合理性が認められるというべきである。以上の諸点に鑑みると、本件職務命令は、上告人の思

想および良心の自由を侵すものとして憲法19条に違反するとはいえない（最判平23・5・30）。

出題 国家総合－平成29、特別区Ⅰ－令和1、裁判所総合・一般－平成30、国税・財務・労基－令和2

第20条 [信教の自由、政教分離]
①信教の自由は、何人に対してもこれを保障する。いかなる宗教団体も、国から特権を受け、又は政治上の権力を行使してはならない。
②何人も、宗教上の行為、祝典、儀式又は行事に参加することを強制されない。
③国及びその機関は、宗教教育その他いかなる宗教的活動もしてはならない。

◇信教の自由全般

Q1 徳行を欠く住職から教義の宣布を受ければ、檀信徒の信仰生活は破壊され、その信仰の自由が奪われるため、宗派の檀信徒は、その管長が宗則に従って任命した住職を憲法20条の規定により排除できるのか。

A 排除できない。 憲法20条が19条と相まって保障する信教の自由は、何人も自己の欲するところに従い、特定の宗教を信じ또は信じない自由を有し、この自由は国家その他の権力によって不当に侵されないことであって、本件の場合のように管長が宗則に従って住職を任命したことを、その住職が徳行を欠き、檀信徒の信服しない者であるとの理由で排除しうる権能までをも檀信徒に与えたものではない（最大判昭30・6・8）。 出題 国Ⅰ－昭和58

Q2 宗教上の行為が宗教上の確信に基づいて行われた場合でも、当該行為によって他人を死に至らしめれば、信教の自由の保障の限界を逸脱することになるのか。

A 信教の自由の保障の限界を逸脱する。 精神異常者の平癒を祈願するために宗教行為として加持祈祷がなされた場合でも、それが他人の生命、身体等に危害を及ぼす違法な有形力の行使にあたるものであり、これにより被害者を死に致したもの以上、憲法20条1項の信教の自由の保障の限界を逸脱したものであり、これを刑法205条（傷害致死罪）に該当するものとして処罰したことは、何ら憲法20条1項に反しない〈加持祈祷事件〉（最大判昭38・5・15）。

出題 国Ⅰ－昭和58、地方上級－平成6（市共通）・昭和59、東京Ⅰ－平成19、市役所上・中級－平成9、特別区Ⅰ－平成24・19、国Ⅱ－平成16、裁判所総合・一般－平成27、裁判所Ⅰ・Ⅱ－平成15、国税・財務・労基－平成24、国税・労基－平成22・17、国税－平成11

Q3 キリスト教信者の妻が、殉職した自衛官の夫が県隊友会の申請に基づき神社により合祀されたことによって、自らの信教の自由が侵害されたといえるのか。

A 自らの信教の自由が侵害されたとはいえない。 人が自己の信仰生活の静謐を他者の宗教上の行為によって害されたとし、そのことに不快の感情を持ち、そのようなことがないよう望むことは、その心情として当然であるとしても、かかる宗教上の感情

を被侵害利益として、直ちに損害賠償を請求し、又は差止めを請求するなどの法的救済を求めることができるとするならば、かえって相手方の信教の自由を妨げる結果となる。信教の自由の保障は、何人も自己の信仰と相容れない信仰をもつ者の信仰に基づく行為に対して、それが強制や不利益の付与を伴うことにより自己の信教の自由を妨害するものでない限り寛容であることを要請している。このことは死去した配偶者の追慕、慰霊等に関する場合においても同様である。こうしてみると、県護国神社が被上告人の夫を合祀するのは、まさしく信教の自由により保障されているところとして同神社が自由になしえ、その自体は何人の法的利益をも侵害しない〈自衛官合祀事件〉（最大判昭63・6・1）。

出題 国家総合－令和2・平成28、国Ⅰ－平成18・13・11・6、東京Ⅰ－平成15、特別区Ⅰ－平成29・24・19、国家一般－令和3・平成29、国Ⅱ－平成13、裁判所総合・一般－平成29、国税・財務・労基－平成30・24、国税・労基－平成22・17

Q4 県護国神社がキリスト教信者である私人の夫を合祀した場合、私人は損害賠償請求という形式で争うことができるか。

A 私人の権利ないし法的利益が侵害されたと認められない限り、損害賠償請求という形式で争うことはできない〈自衛官合祀事件〉（最大判昭63・6・1）。⇨3

Q5 憲法20条3項の規定に違反する国又はその機関の宗教的活動も、憲法が保障している信教の自由を直接侵害するに至らない場合は、私人に対する関係では当然に違法と評価されないのか。

A 私人に対する関係では当然に違法と評価されない〈自衛官合祀事件〉（最大判昭63・6・1）。⇨3

Q6 宗教法人法による宗教団体の規制は、信者が宗教上の行為を行うことなどの信教の自由に介入しようとするものなのか。

A 信教の自由に介入しようとするものではなく、もっぱら宗教団体の世俗的側面だけを対象としている。 宗教法人法による宗教団体の規制は、もっぱら宗教団体の世俗的側面だけを対象とし、その精神的・宗教的側面を対象外としているのであって、信者が宗教上の行為を行うことなどの信教の自由に介入しようとするものではない（法1条2項参照）。したがって、解散命令によって宗教法人が解散しても、信者は、法人格を有しない団体を存続させ、あるいは、これを新たに結成することが妨げられるわけではなく、また、宗教上の行為を行い、その用に供する施設や物品を新たに調えることが妨げられるわけでもない。すなわち、解散命令は、信者の宗教上の行為を禁止したり制限したりする法的効果を一切伴わないのである。したがって、解散命令によって宗教団体やその信者らが行う宗教上の行為に何らかの支障を生ずるとしても、その支障は、解散命令に伴う間接的で事実上のものであるにとどまる〈宗教法人オウム真理教解散命令事件〉（最決平8・1・30）。

出題 国家総合－平成30、国Ⅰ－平成18、東京Ⅰ－

Q7 解散命令によって宗教法人を解散することは、信者の信教の自由を侵害することになるのか。

A 侵害することにはならない〈宗教法人オウム真理教解散命令事件〉（最決平 8・1・30）。⇨ 6

Q8 解散命令によって宗教団体であるオウム真理教やその信者らが行う宗教上の行為に何らかの支障を生ずることは、解散命令に伴う間接的で事実上のものにとどまるのか。

A 解散命令に伴う間接的で事実上のものにとどまる。　宗教法人法 81 条に規定する宗教法人の解散命令の制度は、もっぱら宗教法人の世俗的側面を対象とし、かつ、もっぱら世俗的目的によるものであって、宗教団体や信者の精神的・宗教的側面に容かいする意図によるものではなく、その制度の目的も合理的であるということができる。そして、オウム真理教（Ｘ）のサリン生成の行為に対処するには、（Ｘ）を解散し、その法人格を失わせることが必要かつ適切であり、他方、解散命令によって宗教団体である（Ｘ）やその信者らが行う宗教上の行為に何らかの支障を生ずることが避けられないとしても、その支障は、解散命令に伴う間接的で事実上のものであるにとどまる。したがって、本件解散命令は、宗教団体である（Ｘ）やその信者らの精神的・宗教的側面に及ぼす影響を考慮しても、（Ｘ）の行為に対処するのに必要でやむをえない法的規制であるということができる。また、本件解散命令は、法 81 条の規定に基づき、裁判所の司法審査によって発せられたものであるから、その手続の適正も担保されている。宗教上の行為の自由は、もとより最大限に尊重すべきものであるが、絶対無制限のものではなく、以上の諸点にかんがみれば、本件解散命令およびこれに対する即時抗告を棄却した原決定は、憲法 20 条 1 項に違背するものではない〈宗教法人オウム真理教解散命令事件〉（最決平 8・1・30）。

Q9 大量殺人を目的とする行為を行った特定の宗教団体に対してされた宗教法人法に基づく解散命令について、当該解散命令の制度はもっぱら世俗的目的とはいえないのか。

A もっぱら世俗的目的といえる〈宗教法人オウム真理教解散命令事件〉（最決平 8・1・30）。⇨ 6

Q10 公立高等専門学校に在学していた生徒が、体育実技で必修とされていた剣道の実習に、その信仰上の理由から参加しなかったことを理由に校長が当該生徒を退学処分とすることは、校長の裁量の範囲内の行為か。

A 校長の裁量権の範囲を超える違法な行為である。公立高等専門学校においては、剣道実技の履修が必須のものとまではいいがたく、体育科目による教育目的の達成は、他の体育種目の履修などの代替的方法によってこれを行うことも性質上可能である。にもかかわらず、当該生徒の信仰上の理由による剣道

実技の履修拒否を、正当な理由のない履修拒否と区別することなく、代替措置が不可能でもないのに、代替措置について何ら検討することなく、退学処分等をした校長の措置は、裁量権の範囲を超える違法なものである〈剣道実技拒否事件〉（最判平 8・3・8）。

◇政教分離の原則

Q11 国家と宗教とは、完全に分離されていなければならないのか。

A 完全に分離されている必要はない。　政教分離規定は、いわゆる制度的保障の規定であって間接的に信教の自由の保障を確保しようとするものであるが、国家が、社会生活に規制を加え、あるいは教育、福祉、文化などに関する助成、援助等の諸施策を実施するにあたって、宗教とのかかわり合いを生ずることを免れえない。したがって、国家と宗教の完全な分離の実現は不可能に近く、かえって不合理な事態を生じる。それ故、その分離にはおのずから一定の限界があり、それぞれの国の社会的・文化的諸条件に照らしその限界が問題となる。そこで、政教分離原則は、国家が宗教的に中立であることを要求するものではあるが、国家が宗教とのかかわり合いをもつことを全く許さないとするものではなく、宗教とのかかわり合いをもたらす行為の目的および効果にかんがみ、そのかかわり合いが上記の諸条件に照らし相当とされる限度を超えるものと認められる場合にこれを許さないとするものである〈津地鎮祭訴訟〉（最大判昭 52・7・13）。

Q12 制度的保障規定である政教分離規定は、信教の自由を直接保障するものか。

A 間接的に保障するものである〈津地鎮祭訴訟〉（最大判昭 52・7・13）。⇨ 11

Q13 憲法 20 条 3 項により禁止される「宗教的活動」には宗教上の祝典、儀式、行事等が当然に含まれるのか。

A 目的効果基準によって相当とされる限度を超えるものが、「宗教的活動」に含まれる。　憲法 20 条 3 項にいう「宗教的活動」とは、およそ国およびその機関の活動で宗教とのかかわり合いをもつすべての行為を指すものではなく、そのかかわり合いが相当とされる限度を超えるものに限られるのであって、当該行為の目的が宗教的意義をもち、その効果が宗教に対する援助、助長、促進、または圧迫、干渉等になるような行為をいう。したがって、宗教上の祝典、儀式、行事等であっても、その目的、効果が前記のようなものである限り、当然、これに含

まれる。そして、その判断にあたっては、当該行為の主宰者が宗教家であるかどうか、その順序作法（式次第）が宗教の定める方式に則ったものであるかどうかなど、当該行為の外形的側面のみにとらわれることなく、(1)当該行為の行われる場所、(2)当該行為に対する一般人の宗教的評価、(3)当該行為者が当該行為を行うについての意図、目的および宗教的意識の有無、程度、当該行為の一般人に与える効果、影響等、諸般の事情を考慮し、社会通念に従って、客観的に判断しなければならない〈津地鎮祭訴訟〉（最大判昭52・7・13）。

出題 国家総合－令和2・平成28・26、国Ⅰ－平成22・18・3・昭和58、地方上級－平成6（市共通）、市役所上・中級－平成6、国Ⅱ－平成22・16・7・2・昭和61・57、裁判所Ⅰ・Ⅱ－平成19、国税・財務・労基－平成28

Q14 ある行為が憲法20条3項にいう「宗教的活動」に該当するか否かにあたっては、主宰者や順序作法といった当該行為の外形的側面を考慮してはならず、その行為に対する一般人の宗教的評価、行為者の意図・目的および宗教的意識の有無・程度、一般人に与える効果、影響等、諸般の事情を考慮し、社会通念に従って判断しなければならないのか。

A 主宰者や順序作法といった当該行為の外形的側面のみにとらわれることなく、諸般の事情を考慮し、社会通念に従って判断しなければならない〈津地鎮祭訴訟〉（最大判昭52・7・13）。⇨ 13

Q15 憲法20条3項にいう「宗教的活動」に含まれない宗教上の行事に国家が参加を強制することは、個人の信教の自由を侵害することになるのか。

A 個人の信教の自由を侵害することになる。　憲法20条2項の宗教上の行為等は、必ずしもすべて3項の宗教的活動に含まれるという関係にあるものではなく、たとえ憲法20条3項の宗教的活動に含まれないとされる宗教上の祝典、儀式、行事等であっても、宗教的価値に反するとしてこれに参加を拒否する者に対し国家が参加を強制すれば、上記の者の信教の自由を侵害し、憲法20条2項に違反することとなる。それゆえ、憲法20条3項により禁止される宗教的活動について前記のように解したからといって、直ちに、宗教的少数者の信教の自由を侵害するおそれが生ずることにはならない〈津地鎮祭訴訟〉（最大判昭52・7・13）。

出題 国Ⅰ－平成22、特別区Ⅰ－平成15、国Ⅱ－平成17・昭和61、国税・労基－平成22

Q16 政教分離の原則に基づき、憲法により禁止される国およびその機関の宗教的活動には、宗教の教義の宣布、信者の教化育成等の活動だけでなく、宗教上の祝典、儀式、行事等を行うことも含まれるのか。

A 宗教上の祝典、儀式、行事等を行うことは含まれない〈津地鎮祭訴訟〉（最大判昭52・7・13）。⇨ 15

Q17 市体育館の起工式を地鎮祭として行うことは、憲法20条3項により禁止される「宗教的活動」にあたるのか。

A 「宗教的活動」にあたらない。　市体育館の起工

式は、それは宗教とかかわり合いをもつものであることを否定しえないが、その目的は建築着工に際し土地の平安堅固、工事の無事安全を願い、社会の一般的慣習に従った儀礼を行うというもっぱら世俗的なものと認められ、その効果は神道を援助、助長、促進または他の宗教に圧迫、干渉を加えるものとは認められないのであるから、憲法20条3項により禁止される宗教的活動にはあたらない〈津地鎮祭訴訟〉（最大判昭52・7・13）。

出題 国家総合－平成30・26、国Ⅰ－昭和62・55、地方上級－平成8・昭和62・56、東京Ⅰ－平成19、特別区Ⅰ－令和3・平成15、国Ⅱ－平成7・昭和61・57、国税・財務・労基－平成24、国税・労基－平成22、国税－平成4

Q18 地連（＝自衛隊山口地方連絡部）が県隊友会に協力して、殉職自衛官の夫を県護国神社に合祀申請することは、政教分離の原則に反するのか。

A 政教分離の原則に反しない。　合祀は神社の自主的な判断に基づいて決められる事柄であって、何人かが神社に対し合祀を求めることは、合祀のための必要な前提をなすものではない。本件合祀申請という行為は、殉職者の氏名と殉職の事実を県護国神社に明らかにし、合祀の希望を表明したにすぎず、本件合祀申請に至る過程で県隊友会に協力した地連（＝自衛隊山口地方連絡部）職員の行為は、宗教とのかかわり合いは間接的であり、その意図、目的も、合祀実現により自衛隊員の社会的地位の向上と士気の高揚を図ることにあったのであり、その行為の態様も、特定の宗教の援助、助長、促進、他の宗教の圧迫・干渉を加える効果をもつものでない〈自衛官合祀事件〉（最大判昭63・6・1）。

出題 国家総合－平成30、国Ⅰ－平成11・6、地方上級－平成8

Q19 市が町内会の申出により、地蔵像の設置を目的として市有地の無償使用を承認したことは、憲法20条3項および89条に違反するのか。

A 憲法20条3項および89条に違反しない。　(1)寺院外に存する地蔵像に対する信仰は仏教としての地蔵信仰が変質した庶民の民間信仰ではあったが、それが長年にわたり伝承された結果、その儀礼行事は地域住民の生活の中で習俗化し、このような地蔵像の帯有する宗教性は希薄なものとなっていること、(2)本件各町会は地域居住者により構成されるいわゆる町内会組織であって、「宗教的活動」を目的とする団体ではなく、その本件各地蔵像の維持運営に関する行為も、宗教的色彩の希薄な伝統的習俗的行事にとどまっていること、以上のような事実関係の下においては、大阪市が各町会に対して、地蔵像建立あるいは移設のため、市有地の無償使用を承認するなどした行為は、その目的および効果にかんがみ、その宗教とのかかわり合いがわが国の社会的・文化的諸条件に照らし信教の自由の確保という制度の根本目的との関係で相当とされる限度を超えるものとは認められず、憲法20条3項あるいは89条の規定に違反するものではない〈大阪地蔵訴訟〉（最判平4・11・16）。

出題 国Ⅱ－平成13、国税・労基－平成17

Q20 忠魂碑の移転・再建のために市が土地を買い受け、敷地を無償貸与することは、憲法20条3項により禁止される「宗教的活動」にあたるのか。

A 「宗教的活動」にあたらない。　箕面市が本件忠魂碑に関して行った土地の買い受け、忠魂碑の移転、再建、遺族会への敷地の無償貸与も、その目的は、小学校の校舎の建替え等のため、公有地上に存する戦没者記念碑的な性格を有する施設を他の場所に移転し、その敷地を学校用地として利用することを主眼とするものであり、もっぱら世俗的なものと認められ、その効果も、特定の宗教を援助、助長、促進しまたは他の宗教に圧迫、干渉を加えるものとは認められない。したがって、箕面市の各行為は、宗教とのかかわり合いの程度がわが国の社会的、文化的諸条件に照らし、信教の自由の保障の確保という制度の根本目的との関係で相当とされる限度を超えるものとは認められず、憲法20条3項により禁止される宗教的活動にはあたらない〈箕面忠魂碑・慰霊祭訴訟〉（最判平5・2・16）。

出題 国家総合−平成28、地方上級−平成8・5、特別区Ⅰ−平成29・24・19・15、国Ⅱ−平成13、国税・財務・労基−平成30、国税−平成17

Q21 忠魂碑の遺族会は憲法20条1項後段の「宗教団体」にあたるのか。

A 「宗教団体」にあたらない。　忠魂碑の遺族会は、いずれも、特定の宗教の信仰、礼拝または普及等の宗教的活動を行うことを本来の目的とする組織ないし団体には該当しないのであって、憲法20条1項後段にいう「宗教団体」、憲法89条にいう「宗教上の組織若しくは団体」に該当しない〈箕面忠魂碑・慰霊祭訴訟〉（最判平5・2・16）。

出題 国Ⅰ−平成18、地方上級−平成5、特別区Ⅰ−平成29・19、国家一般−平成29、裁判所Ⅰ・Ⅱ−平成19

Q22 慰霊祭に教育長が出席することは、忠魂碑、遺族会の性格に照らし、社会的儀礼の範囲を超え政教分離原則に反するのか。

A 政教分離原則に反しない。　箕面市教育長の本件各慰霊祭への参列は、地元において重要な公職にある者の社会的儀礼として、地区遺族会が主催する地元の戦没者の慰霊、追悼のための宗教的行事に際し、戦没者やその遺族に対して弔意、哀悼の意を表する目的で行われたものであるから、その目的は戦没者遺族に対する社会的儀礼を尽くすという、もっぱら世俗的なものであり、その効果も、特定の宗教に対する援助、助長、促進または圧迫、干渉等になるような行為とは認められない。したがって、この参列は、宗教とのかかわりあいの程度がわが国の社会的、文化的諸条件に照らし、信教の自由の保障の確保という制度の根本目的との関係で相当とされる限度を超えるものとは認められず、憲法上の政教分離原則およびそれに基づく政教分離規定に違反するものではない〈箕面忠魂碑・慰霊祭訴訟〉（最判平5・2・16）。

出題 国家総合−令和4、地方上級−平成5

Q23 県が玉串料を靖国神社に奉納することは、憲法の禁止する「宗教的活動」にあたるのか。

A 憲法の禁止する「宗教的活動」にあたる。　玉串料および供物料は、例大祭又は慰霊大祭において宗教上の儀式が執り行われるに際して神前に供えられるものであり、献灯料は、これによりみたま祭において境内に奉納者の名前を記した灯明が掲げられるというものであって、いずれも各神社が宗教的意義を有すると考えていることが明らかなものである。これらのことからすれば、県が特定の宗教団体の挙行する重要な宗教上の祭祀にかかわり合いをもったということが明らかである。そして、一般に、神社自体がその境内において挙行する恒例の重要な祭祀に際して上記のような玉串料等を奉納することは、建築主が主催して建築現場において土地の安全堅固、工事の無事安全等を祈願するために行う儀式である起工式の場合とは異なり、時代の推移によってすでにその宗教的意義が希薄化し、慣習化した社会的儀礼にすぎないものになっているとまでは到底いうことができず、一般人が本件の玉串料等の奉納を社会的儀礼の一つにすぎないと評価しているとは考えがたいところである。そうであれば、玉串料等の奉納者においても、それが宗教的意義を有するものであるという意識を大なり小なりもたざるをえないのであり、このことは、本件においても同様というべきである。これらのことからすれば、地方公共団体が特定の宗教団体に対してのみ本件のような形で特別のかかわり合いをもつことは、一般人に対して、県が当該特定の宗教団体を特別に支援しており、それらの宗教団体が他の宗教団体とは異なる特別のものであるとの印象を与え、特定の宗教への関心を呼び起こすものといわざるをえない。以上の事情を総合的に考慮して判断すれば、県が本件玉串料を靖國神社又は護國神社に奉納したことは、その目的が宗教的意義をもつことを免れず、その効果が特定の宗教に対する援助、助長、促進になると認めるべきであり、これによってもたらされる県と靖国神社等とのかかわり合いがわが国の社会的・文化的諸条件に照らし相当とされる限度を超えるものであって、憲法20条3項の禁止する宗教的活動にあたると解するのが相当である〈愛媛玉串料訴訟〉（最大判平9・4・2）。

出題 国家総合−令和4・平成26、地方上級−平成9、特別区Ⅰ−平成24・19、国Ⅱ−平成13、国税・財務・労基−平成30・28・24、国税・労基−平成17

Q24 日本遺族会および市遺族会は、「宗教団体」（20条1項後段）、「宗教上の組織若しくは団体」（89条前段）に該当するか。

A 該当しない。　日本遺族会および市遺族会が行う英霊顕彰事業には靖国神社の参拝の実施等の宗教的色彩を帯びた活動も含まれているが、これらの活動を含む事業は、会の本来の目的として、特定の宗教の信仰、礼拝、普及等の宗教的活動を行おうとするものではなく、その会員が戦没者の遺族であることにかんがみ、戦没者の慰霊、追悼、顕彰のための行事等を行うことが、会員の要望に沿うものであるとして行われていることが明らかであり、これらの点を考慮すれば、日本遺族会および市遺族会は、い

ずれも、特定の宗教の信仰、礼拝、普及等の宗教的活動を行うことを本来の目的とする組織ないし団体には該当しないのであって、「宗教団体」（憲法20条1項後段）または「宗教上の組織若しくは団体」（憲法89条）に該当しない（最判平11・10・21）。

Q25 憲法20条1項後段にいう「宗教団体」および憲法89条にいう「宗教上の組織若しくは団体」には、特定の宗教の信仰・礼拝・普及などの宗教的活動を行うことを本来の目的とするのみなず、宗教と何らかのかかわり合いのある行為を行っている組織ないし団体はすべて含まれるのか。

A 特定の宗教の信仰・礼拝・普及などの宗教的活動を行うことを本来の目的とするもののみをさす（最判平11・10・21）。⇨24

出題 特別区Ⅰ－平成29、国家一般－平成29

Q26 県の知事が大嘗祭に参列した行為は、憲法上の政教分離原則および憲法20条に違反するのか。

A 違反しない。　(1)大嘗祭は、7世紀以降、一時中断された時期はあるものの、皇位継承の際に通常行われてきた皇室の重要な伝統儀式である、(2)鹿児島県知事は、宮内庁から案内を受け、三権の長、国務大臣、各地方公共団体の代表等とともに大嘗祭の一部を構成する悠紀殿供饌の儀に参列して拝礼したにとどまる、(3)大嘗祭への鹿児島県知事の参列は、地方公共団体の長という公職にある者の社会的儀礼として、天皇の即位に伴う皇室の伝統儀式に際し、日本国および日本国民統合の象徴である天皇の即位に祝意を表する目的で行われたものであるというのである。これらの諸点にかんがみると、鹿児島県知事の大嘗祭への参列の目的は、天皇の即位に伴う皇室の伝統儀式に際し、日本国および日本国民統合の象徴である天皇に対する社会的儀礼を尽くすものであり、その効果も、特定の宗教に対する援助、助長、促進または圧迫、干渉等になるようなものではないと認められる。したがって、鹿児島県知事の大嘗祭への参列は、宗教とのかかわり合いの程度がわが国の社会的、文化的諸条件に照らし、信教の自由の保障の確保という制度の根本目的との関係で相当とされる限度を超えるものとは認められず、憲法上の政教分離原則およびそれに基づく政教分離規定に違反するものではない（最判平14・7・11、最判平16・6・28）。

出題 国家総合－平成26、国Ⅰ－平成22、国Ⅱ－平成22、国税・財務・労基－平成28

Q27 国又は地方公共団体が国公有地を無償で宗教的施設の敷地としての用に供する行為は、憲法89条との抵触が問題となる行為か。

A 直ちに憲法89条に抵触するのではなく、諸般の事情を考慮し、社会通念に照らして総合的に判断すべきである。　国公有地が無償で宗教的施設の敷地としての用に供されている場合、一般的には宗教的施設としての性格を有する施設であっても、同時に歴史的、文化財的な建造物として保護の対象となるものであったり、観光資源、国際親善、地域の親睦の場などといった他の意義を有していたりすることも少なくなく、それらの文化的あるいは社会的な価

値や意義に着目して当該施設が国公有地に設置されている場合もありえよう。これらの事情のいかんは、当該利用提供行為が、一般人の目から見て特定の宗教に対する援助等と評価されるか否かに影響するものと考えられるから、政教分離原則との関係を考えるにあたっても、重要な考慮要素とされるべきものといえよう。そうすると、国公有地が無償で宗教的施設の敷地としての用に供されている状態が、前記の見地から、信教の自由の保障の確保という制度の根本目的との関係で相当とされる限度を超えて憲法89条に違反するか否かを判断するにあたっては、(1)当該宗教的施設の性格、(2)当該土地が無償で当該施設の敷地としての用に供されるに至った経緯、(3)当該無償提供の態様、(4)これらに対する一般人の評価等、諸般の事情を考慮し、社会通念に照らして総合的に判断すべきである〈砂川市政教分離（空知太神社）訴訟〉（最大判平22・1・20）。

出題 国家総合－令和4・2、特別区Ⅰ－平成29、裁判所総合・一般－平成29

Q28 本件氏子集団は、憲法89条にいう「宗教上の組織若しくは団体」にあたるのか。

A あたる。　本件鳥居、地神宮、「神社」と表示された会館入口から祠に至る本件神社物件は、一体として神道の神社施設にあたるものとみるほかはない。また、本件神社において行われている諸行事は、地域の伝統的行事として親睦などの意義を有するとしても、神道の方式にのっとって行われているその態様にかんがみると、宗教的な意義の希薄な、単なる世俗的行事にすぎないということはできない。このように、本件神社物件は、神社神道のための施設であり、その行事も、このような施設の性格に沿って宗教的行事として行われているものということができる。本件神社物件を管理し、上記のような祭事を行っているのは、本件利用提供行為の直接の相手方である本件町内会ではなく、本件氏子集団である。本件氏子集団は、町内会に包摂される団体ではあるものの、町内会とは別に社会的に実在しているものと認められる。そして、この氏子集団は、宗教的行事等を行うことを主たる目的としている宗教団体であって、寄附を集めて本件神社の祭事を行っており、憲法89条にいう「宗教上の組織若しくは団体」にあたるものと解される〈砂川市政教分離（空知太神社）訴訟〉（最大判平22・1・20）。

出題 予想

Q29 本件氏子集団が、本件神社物件の設置に通常必要とされる対価を何ら支払うことなく、その設置に伴う便益を享受している行為は、政教分離の原則に反するのか。

A 政教分離の原則に反する。　本件氏子集団は、祭事に伴う建物使用の対価を町内会に支払うほかは、本件神社物件の設置に通常必要とされる対価を何ら支払うことなく、その設置に伴う便益を享受している。すなわち、本件利用提供行為は、その直接の効果として、氏子集団が神社を利用した宗教的活動を行うことを容易にしているものということができる。そうすると、本件利用提供行為は、市が、何らの対価を得ることなく本件各土地上に宗教的施設

日本国憲法

を設置させ、本件氏子集団においてこれを利用して宗教的活動を行うことを容易にさせているものといわざるをえず、一般人の目から見て、市が特定の宗教に対して特別の便益を提供し、これを援助していると評価されてもやむをえないものである。以上のような事情を考慮し、社会通念に照らして総合的に判断すると、本件利用提供行為は、市と本件神社ないし神道とのかかわり合いが、わが国の社会的、文化的諸条件に照らし、信教の自由の保障の確保という制度の根本目的との関係で相当とされる限度を超えるものとして、憲法 89 条の禁止する公の財産の利用提供にあたり、ひいては憲法 20 条 1 項後段の禁止する宗教団体に対する特権の付与にも該当する〈砂川市政教分離（空知太神社）訴訟〉（最大判平 22・1・20）。　出題 予想➡国家一般－令和 3

Q30 市が町内会に対し市有地を無償で神社施設の敷地としての利用に供している行為が憲法第 89 条の禁止する公の財産の利用提供に当たるかについては、当該行為の目的が宗教的意義を持ち、その効果が宗教に対する援助、助長、促進又は圧迫、干渉等になるような行為といえるか否かを基準に判断すべきか。

A 本件判旨においては、当該行為の目的が宗教的意義を持ち、その効果が宗教に対する援助、助長、促進又は圧迫、干渉等になるような行為といえるか否かを判断基準としていない〈砂川市政教分離（空知太神社）訴訟〉（最大判平 22・1・20）。➡*29*

Q31 町内会に対し無償で神社施設の敷地としての利用に供してきた市有地につき、市有地が神社の敷地となっているという市と特定の宗教とのかかわり合いを市が是正解消しようとするときは、当該神社施設を撤去し土地を明け渡す方法しかないのか。

A 違憲状態の解消には、神社施設を撤去し土地を明け渡す以外にも適切な手段がありうる。　　本件利用提供行為の現状が違憲であるとする理由は、施設の下に一定の行事を行っている本件氏子集団に対し、長期にわたって無償で土地を提供していることによるものであって、このような違憲状態の解消には、神社施設を撤去し土地を明け渡す以外にも適切な手段がありうるというべきである。たとえば、戦前に国公有に帰した多くの社寺境内地について戦後に行われた処分等と同様に、本件土地の全部又は一部を譲与し、有償で譲渡し、又は適正な時価で貸し付ける等の方法によっても上記の違憲性を解消することができる。そして、本件利用提供行為が開始された経緯や本件氏子集団による本件神社物件を利用した祭事がごく平穏な態様で行われてきていること等を考慮すると、上告人において直接的な手段に訴えて直ちに本件神社物件を撤去させるべきものとすることは、神社敷地として使用することを前提に土地を借り受けている本件町内会の信頼を害するのみならず、地域住民によって守り伝えられてきた宗教的活動を著しく困難なものにし、氏子集団の構成員の信教の自由に重大な不利益を及ぼすものとなることは自明であるといわざるをえない〈砂川市政教分離（空知太神社）訴訟〉（最大判平 22・1・20）。

出題 国家一般－平成 29、国税・財務・労基－平成 24

Q32 市が町内会に対し無償で神社施設の敷地としての利用に供していた市有地を当該町内会に譲与したことは、当該譲与が、市の監査委員の指摘を考慮し、当該神社施設への市有地の提供行為の継続が憲法の趣旨に適合しないおそれのある状態を是正解消するために行ったものであっても、憲法 20 条 3 項および 89 条に違反するのか。

A 憲法 20 条 3 項および 89 条に違反しない〈砂川市政教分離（空知太神社）訴訟〉（最大判平 22・1・20）。➡*31*

Q33 神社の鎮座 2100 年を記念する大祭に係る諸事業の奉賛を目的とする団体の発会式に地元の市長が出席して祝辞を述べた行為は、憲法 20 条 3 項に違反するのか。

A 憲法 20 条 3 項に違反しない。　神社の鎮座 2100 年を記念する大祭に係る諸事業の奉賛を目的とする団体の発会式に地元の市長が出席して祝辞を述べた行為は、地元にとって、当該神社が重要な観光資源としての側面を有し、上記大祭が観光上重要な行事であったこと、諸事業の奉賛を目的とする当該団体はこのような性質を有する行事としての大祭に係る諸事業の奉賛を目的とするもので、その事業自体が観光振興的な意義を相応に有していたこと、そして、発会式は、市内の一般の施設で行われ、その式次第は一般的な団体設立の式典等におけるものと変わらず、宗教的儀式を伴うものではなかったこと、市長は上記発会式に来賓として招かれて出席したもので、その祝辞の内容が一般の儀礼的な祝辞の範囲を超えて宗教的な意味合いを有するものであったともうかがわれないことなどから、憲法 20 条 3 項に違反しない〈白山ひめ神社政教分離訴訟〉（最判平 22・7・22）。　出題 国家総合－平成 30

Q34 市が連合町内会に対し市有地を無償で神社施設の敷地としての利用に供している行為の違憲性を解消するため市が市有地の一部を氏子集団の氏子総代表に適正な賃料で賃貸することは、憲法 89 条、20 条 1 項後段に違反するのか。

A 憲法 89 条、20 条 1 項後段に違反しない。　市が連合町内会に対し市有地を無償で神社施設の敷地としての利用に供している行為が憲法 89 条、20 条 1 項後段に違反する場合において、市が、上記神社施設の撤去および上記市有地の明渡しの請求の方法を採らずに、氏子集団による上記神社施設の一部の移設や撤去等とあわせて上記市有地の一部を上記氏子集団の氏子総代表に適正な賃料で賃貸することは、上記氏子集団が当該賃貸部分において上記神社施設の一部を維持し、年に数回程度の祭事等を今後も継続して行うことになるとしても、(1)上記賃貸がされると、上記氏子集団が利用する市有地の部分が大幅に縮小され、当該賃貸部分の範囲を外見的にも明確にする措置により利用の範囲が事実上拡大することも防止されるうえ、上記神社施設の一部の移設や撤去等の措置により上記市有地の他の部分からは上記神社施設に関連する物件や表示は除去されることとなる。(2)上記賃貸の実施は市議会の議決を要

するものではなく、上記賃貸の方針は上記氏子集団や連合町内会の意見聴取を経てその了解を得たうえで策定されたものであり、賃料の額も年3万円余であって、その支払いが将来滞る蓋然性があるとは考えがたい。などの事情の下では、上記の違憲性を解消するための手段として合理的かつ現実的であって、憲法89条、20条1項後段に違反しない〈砂川市政教分離（空知太神社）訴訟・差戻上告審〉（最判平24・2・16）。　出題 予想

Q35 市長が市の管理する都市公園内に孔子等を祀った施設を所有する一般社団法人に対して、同施設の敷地の使用料の全額を免除した行為は、憲法20条3項に違反するのか。

A 憲法20条3項に違反する。本件孔子等を祀った施設で行われる釋奠祭禮は、その内容が供物を並べて孔子の霊を迎え、上香、祝文奉読等をした後にこれを送り返すというものであることに鑑みると、思想家である孔子を歴史上の偉大な人物として顕彰するにとどまらず、その霊の存在を前提として、これを崇め奉るという宗教的意義を有する儀式というほかない。また、参加人は釋奠祭禮の観光ショー化等を許容しない姿勢を示しており、釋奠祭禮が主に観光振興等の世俗的な目的に基づいて行われているなどの事情もうかがわれない。そして、至聖門の中央の扉は、孔子の霊を迎えるために1年に1度、釋奠祭禮の日にのみ開かれるものであり、孔子の霊は、御庭空間の中央を大成殿に向かって直線的に伸びる御路を進み、大成殿の正面階段の中央部分に設けられた石龍陛を越えて大成殿へ上るというのであるから、本件施設の建物等は、上記のような宗教的意義を有する儀式である釋奠祭禮を実施するという目的に従って配置されたものということができる。また旧至聖廟等は、道教の神等を祀る天尊廟及び航海安全の守護神を祀る天妃宮と同じ敷地内にある。旧至聖廟等は当初の至聖廟等を再建したものと位置付けられ、本件施設はその旧至聖廟等を移転したものと位置付けられていること等に照らせば、本件施設は当初の至聖廟等及び旧至聖廟等の宗教性を引き継ぐものということができる。以上によれば、本件孔子等を祀った施設については、一体としてその宗教性を肯定することができることはもとより、その程度も軽微とはいえない。以上のような事情を考慮し、社会通念に照らして総合的に判断すると、本件免除は、市と宗教との関わり合いが、我が国の社会的、文化的諸条件に照らし、信教の自由の保障の確保という制度の根本目的との関係で相当とされる限度を超えるものとして、憲法20条3項の禁止する宗教的活動に該当すると解するのが相当である〈久米至聖廟（孔子廟）公有地無償使用事件〉（最大判令3・2・24）。　出題 予想

◇信教の自由と政教分離の原則との関係

Q36 信仰上の理由により学生が格技の履修を拒否し、これに対して、公立高等専門学校が代替措置をとることは、政教分離原則に反するのか。

A 政教分離原則に反しない。　信仰上の理由による格技の履修拒否に対して代替措置をとる学校も現

にあり、多数の学生が信仰上の理由に仮託して履修を拒否しようとするとも考え難く、A高専の学校全体の運営に重大な支障が生ずるなどのおそれも認められないから、他の学生に不公平感を生じさせないような適切な方法、態様による代替措置が実際上不可能であったとはいえない。また、代替措置をとることは、その目的において宗教的意義を有し、特定の宗教を援助、助長、促進する効果を有するとはいえず、他の宗教者または無宗教者に圧迫、干渉を加える効果があるともいえないのであり、その方法、態様のいかんを問わず、憲法20条3項に違反するとはいえない〈剣道実技拒否事件〉（最判平8・3・8）。　出題 国Ⅰ-平成11、国家総合-令和4、特別区Ⅰ-平成15、国Ⅱ-平成10、裁判所総合・一般-令和4、国税-平成13

Q37 公立学校において、信仰する宗教の教義に基づいて必修科目である剣道実技の履修を拒否する生徒に対し、他の体育実技の履修、レポート提出等の代替措置を課したうえで、その成果に応じた評価を行い単位の認定をすることは、特定の宗教を援助、助長、促進する効果を有するものであり、憲法20条3項に違反するのか。

A 特定の宗教を援助、助長、促進する効果を有するものではなく、憲法20条3項に違反しない〈剣道実技拒否事件〉（最判平8・3・8）。⇨36

Q38 信仰する宗教の教義に基づいて体育科目の剣道実技を拒否した公立の高等専門学校の学生に対して、公立学校側が、他の体育実技の履修等により剣道実技に代替する単位認定の措置をとることは、公教育の宗教的中立性に抵触するおそれがあるのか。

A 抵触するおそれはない。　履修拒否が信仰上の理由に基づくものかどうかは外形的事情の調査によって容易に明らかになる。公立学校において、学生の信仰を調査せん索し、宗教を序列化して別段の取扱いをすることは許されないが、学生が信仰を理由に剣道実技の履修を拒否する場合に、学校が、その理由の当否を判断するため、単なる怠学のための口実であるか、当事者の説明する宗教上の信条と履修拒否との合理的関連性が認められるかどうかを確認する程度の調査をすることが公教育の宗教的中立性に反するとはいえない〈剣道実技拒否事件〉（最判平8・3・8）。　出題 国家総合-令和2、国Ⅱ-平成22・16、裁判所総合・一般-平成27

第21条［集会・結社・表現の自由、検閲の禁止、通信の秘密］
①集会、結社及び言論、出版その他一切の表現の自由は、これを保障する。
②検閲は、これをしてはならない。通信の秘密は、これを侵してはならない。

(1)総説

Q1 表現の自由は、公共の福祉のみならず、特別な公法関係上または私法関係上の義務によっても制限を受けるのか。

A 制限を受ける。　憲法21条所定の言論、出版その他一切の表現の自由は、公共の福祉に反しえな

いものであること憲法 12 条、13 条の規定上明白であるばかりでなく、自己の自由意思に基づく特別な公法関係上または私法関係上の職務によって制限を受けることのあるのは、やむをえないところである（最大決昭 26・4・4）。 出題 地方上級－平成 5

(2)アクセス権等

Q2 私人間において、反論文掲載請求権は、憲法上保障されているか。

A 憲法上保障されていない。　憲法 21 条等のいわゆる自由権的基本権の保障規定は、国または地方公共団体の統治行動に対して基本的な個人の自由と平等を保障することを目的としたものであって、私人相互の関係については、たとえ相互の力関係の相違から一方が他方に優越し事実上後者が前者の意思に服従せざるをえないようなときであっても、適用ないし類推適用されるものでない。このことは、私人間において、当事者の一方が情報の収集、管理、処理につき強い影響力をもつ日刊新聞紙を全国的に発行・発売する者である場合でも、憲法 21 条の規定から直接に、反論掲載の請求権が他方の当事者に生ずるものではない。さらに、反論文掲載請求権は、これを認める法の明文の規定は存在しない〈サンケイ新聞事件〉（最判昭 62・4・24）。

出題 国家総合－令和 3、国 I－平成 20・15・1、地方上級－平成 6（市共通）・2（市共通）・昭和 57、市役所上・中級－平成 8、特別区 I－令和 2・平成 22・20、国 II－平成 23・17・15、裁判所総合・一般－平成 29、国税・財務・労基－令和 1、国税・労基－平成 17

Q3 反論権の制度は、表現の自由を侵害する危険性があるか。

A 表現の自由を間接的に侵害する危険性がある。いわゆる反論権の制度は、名誉あるいはプライバシーの保護に資するものがあることも否定しがたいが、新聞を発行・販売する者にとっては、反論文の掲載を強制されることになり、また、そのために紙面を割かなければならなくなる等の負担を強いられるのであって、これらの負担が、批判的記事、ことに公的事項に関する批判的記事の掲載を躊躇させ、憲法の保障する表現の自由を間接的に侵す危険につながるおそれもある。このように、反論権の制度は、民主主義社会においてきわめて重要な意味をもつ新聞等の表現の自由に対し重大な影響を及ぼすものであって、たとえ新聞などの日刊全国紙による情報の提供が一般国民に対し強い影響力をもち、その記事が特定の者の名誉ないしプライバシーに重大な影響を及ぼすことがあるとしても、不法行為が成立する場合は別論として、反論権の制度について具体的な成文法がないのに、反論権を認めるに等しい反論文掲載請求権をたやすく認めることはできない〈サンケイ新聞事件〉（最判昭 62・4・24）。

出題 国 I－平成 1、特別区 I－平成 20、裁判所総合・一般－令和 3、裁判所 I・II－平成 15

Q4 真実でない放送によって名誉を傷つけられたと主張する者は、放送法 4 条 1 項に基づき、当該マスメディアに対して、訂正放送を求めることができるのか。

A 訂正放送を求めることはできない。　放送法 4 条 1 項自体をみても、放送をした事項が真実でないことが放送事業者に判明したときに訂正放送を行うことを義務付けているだけであること等を併せ考えると、同項は、真実でない事項の放送がされた場合において、放送内容の真実性の保障および他からの干渉を排除することによる表現の自由の確保の観点から、放送事業者に対し、自律的に訂正放送等を行うことを国民全体に対する公法上の義務として定めたものであって、被害者に対して訂正放送等を求める私法上の請求権を付与する趣旨の規定ではない。放送法 4 条 1 項は被害者からの訂正放送等の請求について規定しているが、同条 2 項の規定内容を併せ考えると、これは、同請求を、放送事業者が当該放送の真実性に関する調査及び訂正放送等を行うための端緒と位置付けているのであって、これをもって、上記の私法上の請求権の根拠と解することはできない（最判平 16・11・25）。

出題 国家一般－平成 28

(3)言論・出版の自由

◇報道の自由と取材の自由

Q5 報道機関の報道は、国民の知る権利に奉仕するものか。また、事実の報道の自由は、憲法 21 条により保障されるのか。

A 国民の知る権利に奉仕するものである。また、事実の報道の自由は、憲法 21 条により保障される。報道機関の報道は、民主主義社会において、国民が国政に関与するにつき重要な判断の資料を提供し、国民の「知る権利」に奉仕するものである。したがって、思想の表明の自由とならんで、事実の報道の自由は、表現の自由を規定した憲法 21 条の保障のもとにある〈博多駅テレビフィルム提出事件〉（最大決昭 44・11・26）。

出題 国 I－平成 17・15・8・1・昭和 57、地方上級－平成 11・5（市共通）・昭和 63・58・54、市役所上・中級－平成 7、国 II－平成 23・18・4・昭和 62・59・54、裁判所総合・一般－令和 1・平成 29、裁判所 I・II－平成 21、国税・財務・労基－令和 1、国税・労基－平成 16、国税－平成 2

Q6 取材の自由は、憲法 21 条によって直接に保障されているのか。

A 直接に保障されるのではなく、憲法 21 条の精神に照らして十分尊重に値する。　報道機関の報道が正しい内容をもつためには、報道の自由とともに、報道のための取材の自由も、憲法 21 条の精神に照らし、十分尊重に値する〈博多駅テレビフィルム提出事件〉（最大決昭 44・11・26）。

出題 国 I－平成 20・17・8・6・1・昭和 57、地方上級－平成 11・昭和 57・54、特別区 I－平成 24・16、国 II－平成 18・12・11・4・昭和 62、裁判所総合・一般－令和 3・1、裁判所 I・II－平成 21、国税・財務・労基－令和 1、国税－平成 29・25

Q7 裁判所は報道機関が撮影した取材フィルムを、

刑事裁判の証拠として提出を求めることができるか。

A 諸般の事情を比較衡量して、提出を求めることができるか否かを決すべきである。　公正な刑事裁判の実現を保障するために、報道機関の取材活動によって得られたものが、証拠として必要と認められるような場合には、取材の自由がある程度の制約を被ることとなってもやむをえない。しかし、このような場合においても、一面において、審判の対象とされている犯罪の性質、態様、軽重および取材したものの証拠としての価値、ひいては、公正な刑事裁判を実現するにあたっての必要性の有無を考慮するとともに、他面において取材したものを証拠として提出させられる程度およびこれが報道の自由に及ぼす影響の度合その他諸般の事情を比較衡量して決せられるべきであり、これを刑事裁判の証拠として使用することがやむをえない場合でも、それによって受ける報道機関の不利益が必要な限度を超えないように配慮されなければならない〈博多駅テレビフィルム提出事件〉（最大決昭44・11・26）。

〔出題〕国家総合 – 令和2・平成27・25、国Ⅰ – 平成15・14・6・4・1・昭和60・58・57・55・51、地方上級 – 平成11・5（市共通）・1・昭和63・62・58・56、市役所上・中級 – 平成8、特別区Ⅰ – 平成20、国Ⅱ – 平成12・4・昭和62・54、国税・財務・労基 – 平成29・25、国税・労基 – 平成16

Q8 報道機関の取材の自由を制約することができる基準は何か。

A 公正な裁判の実現と報道機関の取材の自由とを比較衡量することである〈博多駅テレビフィルム提出事件〉（最大決昭44・11・26）。 ⇨7

Q9 テレビフィルムが証拠として使用されることによって報道機関が被る不利益は、将来の取材の自由が妨げられるにとどまらず、報道の自由そのものが妨げられることになるのか。

A 報道の自由そのものは妨げられない。　本件の場合、現場を中立的な立場から撮影した報道機関の本件フィルムが証拠上きわめて重要な価値を有し、被疑者らの罪責の有無を判定するうえに、ほとんど必須のものと認められる状況にある。他方、本件フィルムは、すでに放映されたものを含む放映のために準備されたものであり、それが証拠として使用されることによって報道機関が被る不利益は、報道の自由そのものではなく、将来の取材の自由が妨げられるおそれがあるにとどまるのであって、この程度の不利益は、報道機関の立場を十分尊重すべきものとの見地に立っても、なお忍受されなければならない程度のものである〈博多駅テレビフィルム提出事件〉（最大決昭44・11・26）。

〔出題〕地方上級 – 平成11、特別区Ⅰ – 平成24

Q10 法廷内における筆記行為は、憲法21条によって直接保障されているのか。

A 直接保障されるのではない。　憲法21条1項の規定の精神に照らして尊重される。　各人が自由にさまざまな意見、知識、情報に接し、これを摂取する機会をもつことは、その者が個人として自己の思想および人格を形成、発展させ、社会生活の中に反映させていくうえにおいて不可欠であり、民主主義社会における思想および情報の自由な伝達、交流の確保という基本原理を真に実効あらしめるためにも必要であるから、情報等に接し、これを摂取する自由は、憲法21条1項の規定の趣旨、目的から、いわばその派生原理として当然に導かれ、このような情報等に接し、これを摂取することを補助するものとしてなされる限り、筆記行為の自由は、憲法21条1項の規定の精神に照らし尊重されるべきである〈レペタ訴訟〉（最大判平1・3・8）。

〔出題〕国Ⅰ – 平成15・9・6・4、特別区Ⅰ – 令和2・平成22、国家一般 – 平成28、国Ⅱ – 平成23・18・15・5、裁判所総合・一般 – 平成29、裁判所Ⅰ・Ⅱ – 平成21

Q11 筆記行為の自由に対する制約については、厳格な基準が要求されているのか。

A 厳格な基準は要求されていない。　筆記行為の自由は、憲法21条1項の規定によって直接保障されている表現の自由そのものとは異なるから、その制限または禁止には、表現の自由に制約を加える場合に必要とされる厳格な基準が要求されるものではない〈レペタ訴訟〉（最大判平1・3・8）。

〔出題〕国Ⅰ – 平成20・9・6・4

Q12 傍聴人の法廷でのメモ採取行為に対する制限にあたっては、より制限的でない他の選びうる手段がないことを必要とするのか。

A より制限的でない他の選びうる手段がないことを必要としない〈レペタ訴訟〉（最大判平1・3・8）。 ⇨11

Q13 法廷において傍聴人がメモをとる行為の可否については、裁判長の法廷警察権の裁量に任されているのか。

A 裁判長の法廷警察権の裁量に任されている。　法廷警察権の行使は、訴訟の進行に全責任をもつ裁判長の広範な裁量に委ねられるべきであり、その行使の要否、とるべき措置についての判断は最大限に尊重されなければならず、傍聴人がメモをとる行為が規制の対象となるから、裁判長が上告人に対するメモの採取を不許可としても、法廷警察権の目的、範囲を著しく逸脱し、またはその方法がはなはだしく不当であるなどの特段の事情のない限り、国家賠償法1条1項の規定にいう違法な公権力の行使ということはできない〈レペタ訴訟〉（最大判平1・3・8）。

〔出題〕国Ⅰ – 平成4、国税 – 平成6

Q14 法廷内の写真撮影について裁判所の許可を必要とすることは憲法21条に反するか。

A 憲法21条に反しない。　憲法が裁判の対審および判決を公開法廷で行うことを規定しているのは、手続を一般に公開してその審判が公正に行われることを保障する趣旨であるから、たとい公判廷の状況を一般に報道するための取材活動であっても、その活動が公判廷における審判の秩序を乱し被告人その他訴訟関係人の正当な利益を不当に害することは、許されない。ところで、公判廷における写真の撮影等は、その行われる時、場所等のいかんによっては、

好ましくない結果を生ずるおそれがあるので、刑事訴訟規則215条は写真撮影の許可等を裁判所の裁量に委ね、その許可に従わない限りこれらの行為をすることができないことを明らかにしたのであって、同規則は憲法に違反するものではない〈北海タイムス事件〉（最大決昭33・2・17）。

出題 国Ⅰ－平成60・57・54・51、地方上級－昭和62・57、市役所上・中級－平成8、特別区Ⅰ－平成22・21・15、国Ⅱ－平成16・12、裁判所総合・一般－令和1・平成26、裁判所Ⅰ・Ⅱ－平成14、国税－昭和57

Q15 法律上新聞記者に証言拒絶権を認めないことは、憲法に違反するか。〔刑事事件〕

A 憲法に違反しない。　新聞記者に取材源につき証言拒絶権を認めるか否かは立法政策上考慮の余地のある問題であり、わが現行刑事訴訟法は新聞記者を証言拒絶権あるものとして列挙していないのであるから、刑事訴訟法149条に列挙する医師等と比較して新聞記者に同規定を類推適用することはできない。さらに、憲法21条は、新聞記者に特殊の保障を与えたものではなく、憲法21条の保障は、公共の福祉に反しない限り、いいたいことはいわせなければならない。未だいいたいことの内容も def
せず、これからその内容を作り出すための取材に関しその取材源について、公共の福祉のため最も重大な司法権の公正な発動につき必要欠くべからざる証言の義務をも犠牲にして、証言拒絶の権利までも保障したものではない〈石井記者事件〉（最大判昭27・8・6）。

出題 国Ⅰ－平成23・昭和60・57・51、地方上級－昭和56、市役所上・中級－平成8、特別区Ⅰ－平成24・16、国家一般－平成28、国Ⅱ－平成16・15・12・11、国税－平成3・昭和57

〔参考〕刑事訴訟法第149条　医師、歯科医師、助産師、看護師、弁護士（外国法事務弁護士を含む。）、弁理士、公証人、宗教の職に在る者又はこれらの職に在った者は、業務上委託を受けたため知り得た事実で他人の秘密に関するものについては、証言を拒むことができる。

Q16 民事事件において証人となった報道関係者が、民事訴訟法197条1項3号に基づいて取材源に係る証言を拒絶することができるのか。〔民事事件〕

A 一定の要件の下で証言を拒絶することができる。　当該取材源の秘密が保護に値する秘密であるかどうかは、当該報道の内容、性質、そのもつ社会的な意義・価値、当該取材の態様、将来における同種の取材活動が妨げられることによって生ずる不利益の内容、程度等と、当該民事事件の内容、性質、そのもつ社会的な意義・価値、当該民事事件において当該証言を必要とする程度、代替証拠の有無等の諸事情を比較衡量して決すべきことになる。そして、取材源の秘密は、取材の自由を確保するために必要なものとして、重要な社会的価値を有するというべきである。そうすると、(1)当該報道が公共の利益に関するものであって、(2)その取材の手段、方法が一般の刑罰法令に触れるとか、取材源となった者が取材源の秘密の開示を承諾しているなどの事情がなく、(3)

しかも、当該民事事件が社会的意義や影響のある重大な民事事件であるため、当該取材源の秘密の社会的価値を考慮してもなお公正な裁判を実現すべき必要性が高く、そのために当該証言を得ることが必要不可欠であるといった事情が認められない場合には、当該取材源の秘密は保護に値すると解すべきであり、証人は、原則として、当該取材源に係る証言を拒絶することができると解する〈NHK記者証言拒否事件〉（最決平18・10・3）。

出題 特別区Ⅰ－令和2・平成28、国家一般－令和1、裁判所総合・一般－令和3

〔参考〕民事訴訟法第197条　①次に掲げる場合には、証人は、証言を拒むことができる。
3　技術又は職業の秘密に関する事項について尋問を受ける場合

Q17 取材源の秘密が保護に値する秘密（証言拒絶が認められる秘密）であるか否かはどのように判断すべきか。

A 諸事情を比較衡量して決すべきである（最決平18・10・3）。⇨ 16

Q18 報道機関が国家機密を公務員から聞き出すことは、正当な取材活動か。

A 正当な取材活動であるか否かの判断は、目的と手段との関連で判断すべきである。　報道機関が公務員に対し根気強く執拗に説得ないし要請を続けることは、それが真に報道の目的から出たものであり、その手段・方法が法秩序全体の精神に照らし相当なものとして社会通念上是認されるものである限りは、実質的に違法性を欠き正当な業務行為である。しかし、本件では、当初から秘密文書を入手するための手段として利用する意図で当該公務員と肉体関係をもち、同公務員がその関係のため被告人の依頼を拒みがたい心理状態に陥ったことに乗じて秘密文書を持ち出させるなど、取材対象者の人格の尊厳を著しく蹂躙した当該取材行為は、その手段・方法において法秩序全体の精神に照らし社会観念上、とうてい是認することのできない不相当なものであるから、正当な取材活動の範囲を逸脱し違法性を帯びる〈外務省秘密電文漏洩事件（西山記者事件）〉（最決昭53・5・31）。

出題 国Ⅰ－平成23・昭和62・58・57、地方上級－昭和57、市役所上・中級－平成8、特別区Ⅰ－令和2・平成24・22、国Ⅱ－平成12、国税・財務・労基－平成27、国税－昭和57

Q19 報道の自由は全く制約を受けないというものではなく、報道機関が取材の目的にあっても、公務員に秘密を漏示するようそそのかす行為は、正当な業務行為とはいえず、直ちに違法性が推定されるのか。

A 方法、手段が法秩序全体の精神に照らし相当なものとして社会観念上是認されるものである限り、実質的に違法性を欠き正当な業務行為である〈外務省秘密電文漏洩事件（西山記者事件）〉（最決昭53・5・31）。⇨ 18

Q20 国家公務員法109条12号にいう秘密とは何か。またその判定は司法判断に服するのか。

A 非公知の事実であって、実質的にもそれを秘密

として保護するに値するものをいい、司法判断に服する。　国家公務員法 109 条 12 号、100 条 1 項にいう秘密とは、非公知の事実であって、実質的にもそれを秘密として保護するに値すると認められるものをいい、その判定は司法判断に服する。ところで、昭和 46 年 5 月 28 日に愛知外務大臣とマイヤー駐日米国大使との間でなされた、いわゆる沖縄返還協定に関する会談の概要が記載された本件 1034 号電信文案は、上記の秘密にあたる。また、その電文中、対米請求権問題の財源に関するいわゆる密約も、憲法秩序に抵触するとまでいえるような行動ではないから、違法秘密といわれるべきものではない〈外務省秘密電文漏洩事件（西山記者事件）〉（最決昭 53・5・31）。　出題　国 II－平成 12

Q21 報道機関は、取材ビデオテープを刑事事件の捜査に用いられる場合には、その提出を拒否できるのか。

A 拒否できる否かは諸般の事情を比較衡量して決する必要がある。　公正な裁判の実現とともに、検察事務官が行った差押処分に関しても、国家の基本的要請である公正な刑事裁判を実現するためには、適法な捜査が不可欠の前提であり、報道の自由ないし取材の自由に対する制約の許否に関しては両者の間に本質的な差異はない。したがって、取材ビデオテープの差押えの可否を決するにあたっては、捜査の対象である犯罪の性質、内容、軽重等および差し押さえるべき取材活動の結果の証拠としての価値、ひいては適正迅速な捜査を遂げるための必要性と、取材結果を証拠として押収されることによって報道機関の報道の自由が妨げられる程度および将来の取材活動の自由が受ける影響その他諸般の事情を比較衡量すべきである（最判平 1・1・30）。

出題　国 I－平成 8、国税－平成 9、国家一般－令和 3

Q22 公正な裁判の実現等のために、取材の自由を一律に制約できるのか。

A 公正な裁判の実現ないし適正迅速な捜査の遂行の必要性と取材の自由の確保とを比較衡量して取材の自由に対する制約を決すべきである。　取材の自由も公正な裁判の実現というような憲法上の要請がある場合には、ある程度の制約を受けざるをえない。その趣旨からすると、公正な刑事裁判を実現するために不可欠である適正迅速な捜査の遂行という要請がある場合にも、同様に、取材の自由がある程度の制約を受ける場合があること、また、このような要請から報道機関の取材結果に対して差押えをする場合において、差押えの可否を決するにあたっては、捜査の対象である犯罪の性質、内容、軽重等および差し押さえるべき取材結果の証拠としての価値、ひいては適正迅速な捜査を遂げるための必要性と、取材結果を証拠として押収されることによって報道機関の報道の自由が妨げられる程度および将来の取材の自由が受ける影響その他諸般の事情を比較衡量すべきであることは明らかである〈TBS ビデオテープ押収事件〉（最決平 2・7・9）。

出題　国 I－平成 4、国税・労基－平成 17

Q23 報道機関の取材ビデオテープが悪質な被疑事件の全容を解明するうえで重要な証拠価値をもち、

他方、当該テープが被疑者らの協力によりその犯行場面等を撮影録画したものであるなどの事実関係の下においては、当該テープに対する捜査機関の差押処分は、憲法 21 条に違反しないのか。

A 憲法 21 条に違反しない。　本件差押は、暴力団組長の被疑者が組員らと共謀のうえ債権回収を図るため暴行・脅迫したという、軽視できない悪質な傷害、暴力行為等処罰に関する法律違反被疑事件の捜査として行われた。しかも、被疑者、共犯者の供述が不十分で、関係者の供述も一致せず、傷害事件の重要部分を確定しがたかったため、真相を明らかにする必要上、上記の犯行状況等を収録したと推認される本件ビデオテープが差し押さえられた。本件ビデオテープは事案の全容を解明して犯罪の成否を判断するうえで重要な証拠価値をもつものであったと認められる。他方、本件ビデオテープはいわゆるマザーテープだが、差押当時、編集を終えて放映を済ませており、本件差押により申立人の受ける不利益は、本件ビデオテープの放映が不可能となって報道の機会が奪われるというものではなかった。そうすると、本件差押により、申立人をはじめ報道機関において、将来本件と同様の方法により取材をすることが仮に困難になるとしても、その不利益はさして考慮に値しない。以上の事情を総合し、本件差押は、適正迅速な捜査の遂行のためやむをえないものであり、申立人の受ける不利益は、受忍すべきものというべきである〈TBS ビデオテープ押収事件〉（最決平 2・7・9）。

出題　国 II－平成 16、国税・労基－平成 17

Q24 放送事業者等から放送番組のための取材を受けた者が、取材担当者の言動等によって当該取材で得られた素材が一定の内容、方法により放送に使用されるものと期待し、信頼したが、放送された番組の内容が取材担当者の説明と異なるものとなった場合、放送事業者等の不法行為は成立するのか。

A 不法行為は、原則として成立しないが、一定の要件の下で、成立する場合がある。　放送事業者がどのように番組の編集をするかは、放送事業者の自律的判断にゆだねられている。もっとも、取材対象者は、取材担当者から取材の目的、趣旨等に関する説明を受けて、その自由な判断で取材に応ずるかどうかの意思決定をするものであるから、取材対象者が抱いた期待、信頼がどのような場合でもおよそ法的保護の対象とはなりえないということもできない。すなわち、当該取材に応ずることにより必然的に取材対象者に格段の負担が生ずる場合において、取材担当者が、そのことを認識したうえで、取材対象者に対し、取材で得た素材について、必ず一定の内容、方法により番組中で取り上げる旨説明し、その説明が客観的にみても取材対象者に取材に応ずるという意思決定をさせる原因となるようなものであったときは、取材対象者が同人に対する取材で得られた素材が上記一定の内容、方法で当該番組において取り上げられるものと期待し、信頼したことが法律上保護される利益となりうるものである。そして、そのような場合に、結果として放送された番組の内容が取材担当者の説明と異なるものとなった場

合には、取材対象者の上記期待、信頼を不当に損なうものとして、放送事業者や制作業者に不法行為責任が認められる余地がある（最判平20・6・12）。

出題 予想

Q25 受信設備設置者に受信契約の締結を強制する放送法64条1項は、契約の自由、知る権利および財産権等を侵害し、憲法13条、21条、29条に違反するのか。

A 憲法13条、21条、29条に違反しない。　公共放送事業者と民間放送事業者との二本立て体制の下において、前者を担うものとして原告（日本放送協会）を存立させ、これを民主的かつ多元的な基盤に基づきつつ自律的に運営せしめる事業体たらしめるためその財政的基盤を受信設備設置者に受信料を負担させることにより確保するものとした仕組みは、憲法21条の保障する表現の自由の下で国民の知る権利を実質的に充足すべく採用され、その目的にかなう合理的なものであると解されるのであり、かつ、放送をめぐる環境の変化が生じつつあるとしても、なおその合理性が今日までに失われたとする事情も見いだせないのであるから、これが憲法上許される立法裁量の範囲内にあることは、明らかというべきである。このような制度の枠を離れて被告が受信設備を用いて放送を視聴する自由が憲法上保障されていると解することはできない〈NHK受信契約締結承諾等請求事件〉（最大判平29・12・6）。

出題 予想

◇営利的言論の自由

Q26 法律により一定事項以外の広告を禁止することは、憲法21条に反しないか。

A 憲法21条に反しない。　あん摩はり師きゅう師及び柔道整復師法7条の広告制限により適応性の広告をも許さないのは、もしこれを無制限に許容するときは、患者を吸引しようとするためややもすれば虚偽誇大に流れ、一般大衆を惑わすおそれがあり、その結果適時適切な治療を受ける機会を失わせるような結果を招来することをおそれたためであって、このような弊害を未然に防止するため一定事項以外の広告を禁止することは、国民の保健衛生上の見地から、公共の福祉を維持するためやむをえない措置として是認されなければならず、同法7条は、憲法21条、11条、12条、13条、19条に違反するものではない（最大判昭36・2・15）。

出題 国Ⅰ－平成4、地方上級－昭和63、国Ⅱ－昭和59・54、裁判所総合・一般－平成30、国税－平成1・昭和57

Q27 あん摩マッサージ指圧師、はり師、きゅう師等に関する法律7条1項の定める広告制限は、憲法21条の趣旨に反し許されないのか。

A 憲法21条の趣旨に反せず、許される（最大判昭36・2・15）。⇨26

(4)表現内容に関する規制

◇名誉権

Q28 私人の私生活の行状は、刑法230条の2第1項の「公共の利害に関する事実」に該当するか。

A 該当する場合がある。　私人の私生活の行状であっても、そのたずさわる社会的活動の性質およびこれを通じて社会に及ぼす影響力の程度などのいかんによっては、その社会的活動に対する批判ないし評価の一資料として、刑法230条の2第1項にいう「公共の利害に関する事実」にあたる場合がある〈月刊ペン事件〉（最判昭56・4・16）。

出題 国Ⅰ－平成6、地方上級－平成15、国Ⅱ－平成11、国税・財務－平成29・27、国税・労基－平成19

Q29 刑法230条の2第1項にいう事実を、真実であると誤信したとしても、真実であることの証明ができない場合には、名誉毀損罪が必ず成立するのか。

A 真実であることの証明がない場合でも、名誉毀損の罪が成立しない場合がある。　刑法230条の2の規定は、人格権としての個人の名誉の保護と、憲法21条による正当な言論の保障との調和を図ったものであり、これら両者間の調和と均衡を考慮するならば、たとい刑法230条の2第1項にいう事実が真実であることの証明がない場合でも、行為者がその事実を真実であると誤信し、その誤信したことについて、確実な資料、根拠に照らし相当の理由があるときは、犯罪の故意がなく、名誉毀損の罪は成立しない〈夕刊和歌山事件〉（最大判昭44・6・25）。

出題 国家総合－平成25、国Ⅰ－平成8・昭和62・55、地方上級－平成15・昭和56・54、市役所上・中級－平成4、国家一般－令和3、国Ⅱ－平成18・16、国税・財務・労基－平成25

Q30 インターネットの個人利用者による表現行為の場合においても、他の方法による表現行為の場合と同様に、行為者が摘示した事実を真実であると誤信したことについて、確実な資料、根拠に照らして相当の理由があると認められるときに限り、刑法に規定する名誉毀損罪は成立しないものと解するのが相当であって、より緩やかな要件で同罪の成立を否定すべきか。

A 刑法に規定する名誉毀損罪は成立しないものと解するのが相当であって、より緩やかな要件で同罪の成立を否定すべきではない。　個人利用者がインターネット上に掲載したものであるからといって、おしなべて、閲覧者において信頼性の低い情報として受け取るとは限らないのであって、相当の理由の存否を判断するに際し、これを一律に、個人が他の表現手段を利用した場合と区別して考えるべき根拠はない。そして、インターネット上に載せた情報は、不特定多数のインターネット利用者が瞬時に閲覧可能であり、これによる名誉毀損の被害は時として深刻なものとなり得ること、一度損なわれた名誉の回復は容易ではなく、インターネット上での反論によって十分にその回復が図られる保証があるわけでもないことなどを考慮すると、インターネットの個人利用者による表現行為の場合においても、他の場合と同様に、行為者が摘示した事実を真実であると誤信したことについて、確実な資料、根拠に照らして相当の理由があると認められるときに限り、名誉毀損罪は成立しないものと解するのが相当であっ

て、より緩やかな要件で同罪の成立を否定すべきものとは解されない（最大判昭44・6・25 参照）（最決平 22・3・15）。

出題 国家一般 – 令和 1、特別区 I – 令和 2

Q31 民事上の不法行為たる名誉棄損については、もし当該事実を真実であることが証明されなくても、不法行為は成立しないのか。

A その行為者においてその事実を真実と信ずるについて相当の理由があるときには、不法行為は成立しない。　民事上の不法行為たる名誉棄損については、その行為が公共の利害に関する事実に係りもっぱら公益を図る目的に出た場合には、摘示された事実が真実であることが証明されたときは、当該行為には違法性がなく、不法行為は成立せず、もし、当該事実が真実であることが証明されなくても、その行為者においてその事実を真実と信ずるについて相当の理由があるときには、当該行為には故意もしくは過失がなく、結局、不法行為は成立しないものと解するのが相当である（このことは、刑法 230 条の 2 の規定の趣旨からも十分うかがうことができる）（最判昭 41・6・23）。

出題 特別区 I – 平成 28、国家一般 – 平成 28、裁判所総合・一般 – 平成 18

◇わいせつ文書

Q32 わいせつ文書の販売を規制する刑法 175 条は、表現の自由を侵害する規定か。

A 表現の自由を侵害する規定ではない。　刑法 175 条がわいせつ文書の頒布販売を犯罪として禁止しているのは、出版その他表現の自由を公共の福祉により制限することを認めなければならないという趣旨によるものである。そして性的秩序を守り、最小限度の性道徳を維持することが公共の福祉の内容をなすことについて疑問の余地がないから、本件訳書をわいせつ文書と認めその出版を公共の福祉に違反するものとなすことができる〈チャタレイ事件〉（最大判昭 32・3・13）。

出題 地方上級 – 平成 10（市共通）、市役所上・中級 – 平成 7・昭和 62

Q33 わいせつ文書は、表現の自由の保障の枠外にあるので、公共の福祉による表現の自由の制約を論じる必要はないのか。

A わいせつ文書にも、表現の自由の保障が及ぶが、公共の福祉による制約は認められる〈チャタレイ事件〉（最大判昭 32・3・13）。⇨ 32

Q34 わいせつ文書にあたるか否かは、その文書の芸術性とわいせつ性との比較衡量によって決すべきか。

A 比較衡量によって決すべきではない。　文書がもつ芸術性・思想性が、文書の内容である性的描写による性的刺激を減少・緩和させて、刑法が処罰の対象とする程度以下にわいせつ性が解消されない限り、芸術的・思想的価値のある文書であっても、わいせつの文書としての取扱いを免れることはできない。当裁判所は、芸術的・思想的価値のある文書はわいせつの文書として処罰の対象とすることができないとか、名誉毀損罪に関する法理と同じく、文書の

もつわいせつ性によって侵害される法益と芸術的・思想的文書としてもつ公益性とを比較衡量して、わいせつ罪の成否を決すべしとするような主張は、採用することができない〈悪徳の栄え事件〉（最大判昭 44・10・15）。

出題 国 I – 平成 23・13、地方上級 – 平成 10（市共通）・昭和 56、国 II – 昭和 62

Q35 文書のわいせつ性の有無は、問題となる部分のみを取り出して判断すべきであって、文書全体との関連において判断すべきではないのか。

A 文書全体との関連において判断すべきである〈悪徳の栄え事件〉（最大判昭 44・10・15）。⇨ 34

Q36 文書がもつ芸術性・思想性が、文書の内容である性的描写による性的刺激を減少・緩和させて、刑法が処罰の対象とする程度以下にわいせつ性を解消させる場合が存在しうるのか。

A 存在しうる〈悪徳の栄え事件〉（最大判昭 44・10・15）。⇨ 34

Q37 文書に芸術性と思想性があっても、それがわいせつ性をもつ場合に、これを処罰の対象とすることは、憲法 21 条に反しないか。

A 憲法 21 条に反しない。　芸術的・思想的価値のある文書についても、それがわいせつ性をもつものである場合には、性生活に関する秩序および健全な風俗を維持するため、これを処罰の対象とすることが国民の生活全体の利益に合致するものと認められるから、これを目して憲法 21 条、23 条に違反するものということはできない〈悪徳の栄え事件〉（最大判昭 44・10・15）。

出題 国 I – 昭和 55、地方上級 – 平成 6、国 II – 昭和 62

Q38 文書のわいせつ性の判断は、どのようにすべきか。

A 芸術性・思想性等による性的刺激の緩和の程度等を検討して、その時代の健全な社会通念に照らして判断すべきである。　文書のわいせつ性の判断にあたっては、当該文書の性に関する露骨で詳細な描写叙述の程度とその手法、当該描写叙述全体に占める比重、文書に表現された思想等と当該描写叙述との関連性、文書の構成や展開、さらには芸術性・思想性等による性的刺激の緩和の程度、これらの観点から当該文書を全体としてみたときに、主として、読者の好色的興味に訴えるものと認められるか否かなどの諸点を検討することが必要であり、これらの事情を総合し、その時代の健全な社会通念に照らして、それが「徒らに性欲を興奮または刺激せしめ、かつ、普通人の正常な性的羞恥心を害し、善良な性的道義観念に反するもの」といえるか否かを決すべきである〈四畳半襖の下張事件〉（最判昭 55・11・28）。

出題 国 I – 平成 8、市役所上・中級 – 平成 4

Q39 自動販売機による有害図書の販売を条例で禁止することは、表現の自由に対する侵害にならないのか。

A 表現の自由に対する侵害にならない。　本条例の定めるような有害図書が一般に思慮分別の未熟な青少年の性に関する価値観に悪影響を及ぼし、性的

な逸脱行為や残虐な行為を容認する風潮の助長につながるものであって、青少年の健全な育成に有害であることは、社会共通の認識になっている。さらに、自販機による有害図書の販売は、売手と対面しないため心理的に購入が容易であること、昼夜を問わず購入ができること、購入意欲を刺激しやすいことなどの点において、書店等における販売よりもその弊害が一段と大きい。それ故、有害図書の自販機への収納禁止は、青少年に対する関係において、憲法21条1項に違反しないことはもとより、成人に対する関係においても、有害図書の流通を幾分制約することにはなるが、青少年の健全な育成を阻害する有害環境を浄化するための規制に伴う必要やむをえない制約であり、憲法21条1項に違反しない〈岐阜県青少年保護育成条例事件〉（最判平1・9・19）。

出題　国家総合-平成29、国Ⅰ-平成13・8、地方上級-平成6（市共通）、国家一般-平成24、国Ⅱ-平成17、裁判所総合・一般-平成30、裁判所Ⅰ・Ⅱ-平成23、国税・財務・労基-令和4、国税-平成6

Q40 都道府県の青少年保護条例に基づき、知事が「著しく青少年の性的感情を刺激し、その健全な成長を阻害するおそれのあるもの」と認めるフロッピーディスクを審議会等の諮問を経たうえで有害図書類として指定する処分は、憲法21条2項前段の規定する検閲にあたるのか。

A 検閲にあたらない〈岐阜県青少年保護育成条例事件〉（最判平1・9・19）。⇨39

Q41 インターネット異性紹介事業を利用して児童を誘引する行為の規制等に関する法律（届出制度）は、憲法21条1項に違反するのか。

A 憲法21条1項に違反しない。　本法は、インターネット異性紹介事業の利用に起因する児童買春その他の犯罪から児童（18歳に満たない者）を保護し、もって児童の健全な育成に資することを目的としているところ（1条、2条1号）、思慮分別が一般に未熟である児童をこのような犯罪から保護し、その健全な育成を図ることは、社会にとって重要な利益であり、本法の目的は、もとより正当である。そして、同事業の利用に起因する児童買春その他の犯罪が多発している状況を踏まえると、それら犯罪から児童を保護するために、同事業について規制を必要とする程度は高いといえる。他方、児童以外の者が、同事業を利用し、児童との性交等や異性交際の誘引に関わらない書込みをすることも制約されない。また、本法が、無届けで同事業を行うことについて罰則を定めていることも、届出義務の履行を担保するうえで合理的なことであり、罰則の内容も相当なものである。以上を踏まえると、本件届出制度は、上記の正当な立法目的を達成するための手段として必要かつ合理的なものというべきであって、憲法21条1項に違反するものではない（最判平26・1・16）。　　　　　　　　　　出題　予想

◇学校内の表現の自由

Q42 中学生の学校内外における政治的活動をしな

いよう指導説得し、生徒の校内における文書の配布につき、学校当局の許可のない文書の配布を禁止することは、憲法21条に違反するのか。

A 憲法21条に違反しない。　本件の上告人によるビラ等の文書の配布および落書きを自由とすることは、中学校における教育環境に悪影響を及ぼし、学習効果の減殺等学習効果をあげるうえにおいて放置できない弊害を発生させる相当の蓋然性があるものということができるから、かかる弊害を未然に防止するため、上記のような行為をしないよう指導説得することはもちろん、生徒会規則において生徒の校内における文書の配布を学校当局の許可にかからしめ、その許可のない文書の配布を禁止することは、必要かつ合理的な範囲の制約であって、憲法21条に違反するものではなく、したがって、この規制に反した行為を内申書に記載し、入学者選抜の資料に供したからといって、上告人の表現の自由を侵すものとはいえない〈麹町中学内申書事件〉（最判昭63・7・15）。　　　　　　　出題　予想

◇煽動行為

Q43 国民として負担する法律上の重要な義務の不履行を煽動する行為は、表現の自由の保障の範囲内の行為か。

A 表現の自由の限界を逸脱する行為である（最大判昭24・5・18）。　　　　出題　国Ⅱ-昭和62

(5)表現の時・場所・方法に関する規制

Q44 道路上の政治活動のための街頭演説を道路交通取締法規で規制することは、憲法21条に反しないか。

A 憲法21条に反しない（最判昭35・3・3）。
　　　　出題　国家一般-令和4、地方上級-平成6

Q45 都市の美観風致を維持するために、屋外広告物の設置を条例で規制することは、表現の自由に対する著しい制限になるか。

A 必要かつ合理的な制限である。　大阪市屋外広告物条例は、屋外広告物法に基づいて制定されたもので、法律と条例の両者相まって、大阪市における美観風致を維持し、および公衆に対する危害を防止するために、屋外広告物の表示の場所および方法ならびに屋外広告物を掲出する物件の設置および維持について必要な規制をしているのであり、本件印刷物の貼付が営利と関係がないとしても、上記法律および条例の規制の対象とされているところ、被告人らのした橋柱、電柱、電信柱にビラをはりつけた本件各行為は、都市の美観風致を害するものとして規制の対象とされている。したがって、この程度の規制は、公共の福祉のため、表現の自由に対し許された必要かつ合理的な制限である（最大判昭43・12・18）。

出題　国家総合-令和3、地方上級-平成6、特別区Ⅰ-平成28・20、国Ⅱ-平成5・昭和62、国税・財務・労基-平成25、国税-平成4、裁判所総合・一般-令和3

Q46 他人の家屋その他の工作物にはり札をする行為を禁止することは、表現の自由に対し著しく不合

理であることが明白な制限か。

A 必要かつ合理的な制限である。　軽犯罪法1条33号前段は、主として他人の家屋その他の工作物に関する財産権、管理権を保護するために、みだりにこれらの物にはり札をする行為を規制の対象としているところ、たとい思想を外部に発表するための手段であっても、その手段が他人の財産権、管理権を不当に害するものは、許されない。したがって、この程度の規制は、公共の福祉のため、表現の自由に対し許された必要かつ合理的な制限であって、当該法条は憲法21条1項に違反しない（最大判昭45・6・17）。

出題 国Ⅰ-平成5・昭和62・54、地方上級-昭和63・56、市役所上・中級-平成7、国Ⅱ-昭和62・54、国税-昭和57

Q47 街路樹等の支柱を、政治的な意見や情報を伝えるビラ、ポスターも含め広告物禁止の対象とし、これに違反する者に刑事罰を科することは許されるのか。

A 許される。　大分県屋外広告物条例は、屋外広告物法に基づいて制定されており、当該法律と相まって、大分県における美観風致の維持および公衆に対する危害防止の目的のために、屋外広告物の表示の場所・方法および屋外広告物を掲出する物件の設置・維持について必要な規制をしているところ、国民の文化的生活の向上を目途とする憲法の下においては、都市の美観風致を維持することは、公共の福祉を保持する所以であり、その程度の規制は、公共の福祉のため、表現の自由に対し許された必要かつ合理的な制限である（最判昭62・3・3）。

出題 国家総合-平成27、国Ⅰ-平成8

Q48 被告人らが、ビラの配布のために本件立川宿舎の敷地および各号棟の1階出入口から各室玄関前までに立ち入る行為を、住居侵入罪に問うことは、憲法21条1項に違反するのか。

A 憲法21条1項に違反しない。　本件では、表現そのものを処罰する憲法適合性が問われているのではなく、表現の手段すなわちビラの配布のために「人の看守する邸宅」に管理権者の承諾なく立ち入ったことを処罰することの憲法適合性が問われているところ、本件で被告人らが立ち入った場所は、防衛庁の職員およびその家族が私的生活を営む場所である集合住宅の共用部分およびその敷地であり、自衛隊・防衛庁当局がそのような場所として管理していたもので、もともと人が自由に出入りすることのできる場所ではない。たとえ表現の自由の行使のためとはいっても、このような場所に管理権者の意思に反して立ち入ることは、管理権者の管理権を侵害するのみならず、そこで私的生活を営む者の私生活の平穏を侵害するものといわざるをえない。したがって、本件被告人らの行為をもって刑法130条前段の罪（住居侵入罪）に問うことは、憲法21条1項に違反するものではない（最判平20・4・11、最判平21・11・30）。

出題 国家総合-令和3、裁判所総合・一般職-平成30

(6)違憲審査基準

◇検閲の禁止

Q49 検閲の主体は行政権に限られるか。

A 行政権に限られる。　検閲とは、行政権が主体となって、思想内容の表現物を対象とし、その全部または一部の発表の禁止を目的として、対象とされる一定の表現物につき網羅的・一般的に、発表前にその内容を審査したうえ、不適当と認めるものの発表を禁止することを、その特質として備えるものを指す。この検閲の禁止は、公共の福祉を理由とする例外の許容をも認めない趣旨である〈税関検査事件〉（最大判昭59・12・12）。

出題 国家総合-平成27・25、国Ⅰ-平成23・20・17・14・13・6、地方上級-平成11・昭和63、市役所上・中級-平成6、国家一般-令和3・平成24、国Ⅱ-平成18・17・2、裁判所総合・一般-平成28、裁判所Ⅰ・Ⅱ-平成23・19、国税・財務・労基-令和4、国税-平成27・25・23・10・1

Q50 検閲の禁止に例外は認められるか。

A 例外は認められない〈税関検査事件〉（最大判昭59・12・12）。⇨49

Q51 検閲の時期は、発表前か発表後か。

A 発表前である〈税関検査事件〉（最大判昭59・12・12）。⇨49・53

Q52 検閲の対象は、表現物一般か。

A 思想内容等の表現物である〈税関検査事件〉（最大判昭59・12・12）。⇨49・53

Q53 税関検査は、憲法21条2項の禁止する「検閲」にあたるか。

A「検閲」にあたらない。　税関検査により輸入が禁止される表現物は、一般に、国外においては発表済みのものであって、その輸入を禁止したからといって、当該表現物につき事前に発表そのものを一切禁止するものではない。また、当該表現物は輸入が禁止されるだけで、税関により没収、廃棄されるわけではないから、発表の機会が全面的に奪われるわけではない以上、税関検査は、事前規制そのものではない。さらに、当該検査は関税徴収手続の一環としてこれに付随して行われるものであり、思想内容などそれ自体を網羅的に審査し規制することを目的とするものではない。以上の点から、税関検査は、憲法21条の禁止する「検閲」にあたらない〈税関検査事件〉（最大判昭59・12・12）。

出題 国Ⅰ-平成23・昭和60、地方上級-平成6（市共通）・1、市役所上・中級-平成11・6、特別区Ⅰ-平成24・16、国Ⅱ-平成5、裁判所総合・一般-平成28、裁判所Ⅰ・Ⅱ-平成23、国税・労基-平成17、国税-平成9

Q54 わが国内において処罰の対象となるわいせつ文書等に関する行為において、単なる所持を目的とする輸入は、これを規制の対象から除外すべきであるから、単なる所持の目的かどうかを区別して、わいせつ文書等の流入を阻止している限りにおいて、税関検査によるわいせつ表現物の輸入規制は、憲法21条1項の規定に反しないのか。

A 単なる所持目的かどうかを区別することなく、わいせつ表現物の輸入規制をしても、**憲法21条1項の規定に反しない。**　わが国内においてわいせつ文書等に関する行為が処罰の対象となるのは、その頒布、販売および販売の目的をもってする所持等であって（刑法175条）、単なる所持自体は処罰の対象とされていないから、最小限度の制約としては、単なる所持を目的とする輸入は、これを規制の対象から除外すべき筋合いであるけれども、いかなる目的で輸入されるかはたやすく識別されがたいばかりでなく、流入したわいせつ表現物を頒布、販売の過程に置くことが容易であることは見易い道理であるから、わいせつ表現物の流入、伝播によりわが国内における健全な性的風俗が害されることを実効的に防止するには、単なる所持目的かどうかを区別することなく、その流入を一般的に、いわば水際で阻止することもやむをえないものといわなければならない〈税関検査事件〉（最大判昭59・12・12）。　出題 国家一般 - 平成24

Q55 税関検査により輸入を禁止される表現物は、税関により没収、廃棄されるため、発表の機会が全面的に奪われてしまうのか。

A 税関により没収、廃棄されるわけではないから、**発表の機会が全面的に奪われてしまうわけではない。**　税関検査により輸入が禁止される表現物は、一般に、国外においてはすでに発表済みのものであって、その輸入を禁止したからといって、それは、当該表現物につき、事前に発表そのものを一切禁止するというものではない。また、当該表現物は、輸入が禁止されるだけであって、税関により没収、廃棄されるわけではないから、発表の機会が全面的に奪われてしまうというものでもない。その意味において、税関検査は、事前規制そのものということはできない〈税関検査事件〉（最大判昭59・12・12）。　出題 国税・財務・労基 - 令和1

Q56 思想内容等の表現物につき税関長の通知がされたときには司法審査の機会が与えられていないのか。

A 司法審査の機会が与えられている。　税関検査は行政権によって行われるとはいえ、その主体となる税関は、関税の確定および徴収を本来の職務内容とする機関であって、特に思想内容等を対象としてこれを規制することを独自の使命とするものではなく、また、思想内容等の表現物につき税関長の通知がされたときは司法審査の機会が与えられているのであって、行政権の判断が最終的なものとされるわけではない〈税関検査事件〉（最大判昭59・12・12）。　出題 国税・財務・労基 - 令和1

Q57 教科書検定制度は、憲法21条2項前段の「検閲」に該当するか。

A 憲法21条2項前段の「検閲」に該当しない。本件検定は一般図書としての発行を何ら妨げるものではなく、発表禁止目的や発表前の審査などの特質がなく、不合格図書を一般図書として発行し、思想の自由市場に登場させることは何ら妨げないから、「検閲」にあたらず、憲法21条2項前段の規定に違反しない。また、普通教育の場においては、教育の中立・公正、一定水準の確保等の要請があり、こ

れを実現するために、不適切と認められる図書の教科書としての発行、使用等を禁止する必要があること、そして、その制限も、不適切と認められる内容を含む図書のみを、教科書という特殊な形態において発行を禁ずるものにすぎないことなどを考慮すると、本件検定による表現の自由の制限は、合理的で必要やむをえない限度のものであって、憲法21条1項の規定に違反しない〈第一次家永教科書訴訟〉（最判平5・3・16）。

出題 国家総合 - 平成29、地方上級 - 平成6（市共通）、市役所上・中級 - 平成11、国家一般 - 平成24、国Ⅱ - 平成18・15・6、裁判所Ⅰ・Ⅱ - 平成23、国税 - 平成8

Q58 日本放送協会が自らの判断で音声の一部を削除して放送することは、「検閲」にあたるか。

A 検閲にあたらない。　日本放送協会は、行政機関ではなく、自治省行政局選挙部長に対しその見解を照会したとはいえ、自らの判断で本件削除部分の音声を削除してテレビジョン放送をしたのであるから、この措置が憲法21条2項前段にいう「検閲」にあたらない（最判平2・4・17）。

出題 国Ⅰ - 平成4、特別区Ⅰ - 令和2、国Ⅱ - 平成23

◇事前抑制禁止の理論

Q59 裁判所の仮処分による事前差止めは、表現行為に対する事前抑制として許されないのか。

A 原則として許されないが、厳格かつ明確な要件の下で例外的に許される。　仮処分による事前差止めは、表現物の内容の網羅的一般的な審査に基づく事前規制が行政機関によりそれ自体を目的として行われる場合とは異なり、個別的な私人間の紛争について、司法裁判所により、当事者の申請に基づき差止請求権等の私法上の被保全権利の存否、保全の必要性の有無を審理判断して発せられるものであって、「検閲」にはあたらない。そして、表現行為に対する事前抑制は、新聞、雑誌その他の出版物や放送等の表現物がその自由市場に出る前に抑止してその内容を読者ないし聴視者の側に到達させる途を閉ざしまたはその到達を遅らせてその意義を失わせ、公の批判の機会を減少させるものであり、また、事前抑制たることの性質上、予測に基づくものとならざるをえないこと等から事後制裁の場合よりも広汎にわたりやすく、濫用のおそれがあるうえ、実際上の抑止的効果が事後制裁の場合より大きいと考えられるのであって、表現行為に対する事前抑制は、表現の自由を保障し検閲を禁止する憲法21条の趣旨に照らし、厳格かつ明確な要件のもとにおいてのみ許容されうる〈北方ジャーナル事件〉（最大判昭61・6・11）。

出題 国Ⅰ - 平成17・16・14・13・6・4、地方上級 - 平成15・11・10・9・6（市共通）・昭和62、東京Ⅰ - 平成18、市役所上・中級 - 平成6、国家一般 - 令和3・平成28、国Ⅱ - 平成11、裁判所総合・一般 - 平成30・27・24、裁判所Ⅰ・Ⅱ - 平成23・19・17、国税・財務・労基 - 令和4・平成29・25、国税 - 平成14

Q60 裁判所の仮処分による事前差止めは憲法 21 条 2 項の「検閲」にあたるか。

A 憲法 21 条 2 項の「検閲」にあたらない〈北方ジャーナル事件〉（最大判昭 61・6・11）。⇨59

Q61 裁判所の仮処分による事前差止めの対象が公務員または公職選挙の候補者に対する評価、批判等の表現行為に関するものである場合には、その事前差止めは許されるか。

A 事前差止めは、原則として許されない。　裁判所の仮処分による事前差止めの対象が公務員または公職選挙の候補者に対する評価、批判等の表現行為に関するものである場合には、そのこと自体から、一般にそれが公共の利害に関する事項であるということができ、その表現が私人の名誉権に優先する社会的価値を含み憲法上特に保護されるべきであることにかんがみると、当該表現行為に対する事前差止めは、原則として許されない。ただし、その表現内容が真実でなく、またはそれがもっぱら公益を図る目的のものでないことが明白であって、かつ、被害者が重大にして著しく回復困難な損害を被るおそれがあるときは、例外的に事前差止めが許される〈北方ジャーナル事件〉（最大判昭 61・6・11）。

出題 国家総合－平成 30、国Ⅰ－平成 23・17・16・13、地方上級－平成 5（市共通）、市役所上・中級－平成 11、特別区Ⅰ－令和 2・平成 24・20・16、国家一般－平成 24、国Ⅱ－平成 16、裁判所総合・一般－平成 30、裁判所Ⅰ・Ⅱ－平成 23・17、国税・財務・労基－あ令和 4、国税－平成 14

Q62 公職の選挙への立候補予定者を批判攻撃する記事を掲載した雑誌の表現内容が真実でなく、又は専ら公益を図る目的のものでないことが明白であって、かつ、被害者が重大にして著しく回復困難な損害を被るおそれがあると認められる場合に、裁判所が事前差止めをすることは、例外的に違憲とならないのか。

A 例外的に違憲とならない〈北方ジャーナル事件〉（最大判昭 61・6・11）。⇨59・60

Q63 報道機関 A が執筆した記事が公共の利害に関するものであると認められる場合であっても、県知事選挙の立候補者 B が、その手続において自己の被るおそれのある損害について疎明したときは、原則として口頭弁論又は A の審尋を必要としないのか。

A 原則として口頭弁論又は A の審尋を必要とする。公共の利害に関する事項についての表現行為に対し、その事前差止めを仮処分手続によって求める場合に、一般の仮処分命令手続のように、専ら迅速な処理を旨とし、口頭弁論ないし債務者の審尋を必要とせず、立証についても疎明で足りるものとすることは、表現の自由を確保するうえで、その手続的保障として十分であるとはいえず、事前差止めを命ずる仮処分命令を発するについては、口頭弁論又は債務者の審尋を行い、表現内容の真実性等の主張立証の機会を与えることを原則とすべきと解する。ただ、差止めの対象が公共の利害に関する事項についての表現行為である場合においても、債権者の提

出した資料によってその表現内容が前記の実体的要件を満たすと判断できるならば、口頭弁論又は債務者の審尋を経ないで差止めの仮処分命令を発したとしても、憲法 21 条の趣旨に反するものではない〈北方ジャーナル事件〉（最大判昭 61・6・11）。

出題 国家総合－令和 2、国税－平成 14、国税・財務・労基－令和 3

Q64 公職選挙の候補者に対する論評等によって、その者の名誉・プライバシーに重大かつ著しい損害を与える場合には、裁判所がその表現行為について事前差止めをすることも許されるのか。

A 事前差止めをすることも許される〈北方ジャーナル事件〉（最大判昭 61・6・11）。⇨61

Q65 人格的価値を侵害された者の差止請求により、裁判所が出版物の差止をすることは、表現の自由を侵害することにならないのか。

A 表現の自由を侵害することにはならない。　どのような場合に人格的価値の侵害行為の差止めが認められるかは、侵害行為の対象となった人物の社会的地位や侵害行為の性質に留意しつつ、予想される侵害行為によって受ける被害者側の不利益と侵害行為を差し止めることによって受ける侵害者側の不利益とを比較衡量して決すべきである。そして、①侵害行為が明らかに予想され、②その侵害行為によって被害者が重大な損失を受けるおそれがあり、かつ、③その回復を事後に図るのが不可能ないし著しく困難になると認められるときは侵害行為の差止めを肯認すべきである。したがって、(i)その小説の登場人物は公的立場にある者ではなく、また、(ii)小説の表現内容が公共の利害に関する事項でもないことに加え、(iii)小説が出版されれば請求者の精神的苦痛が倍加して平穏な日常生活や社会生活を送ることが困難となるおそれがあり、加えて、そうした (iv) 重大な損失が、小説を読む者が新たに加わるごとに増加しその平穏な日常生活が害される可能性も増大し、事後的にはその損失を回復することが著しく困難である場合には、人格権に基づき、当該小説の公表の差止めを求めることができる〈石に泳ぐ魚事件〉（最判平 14・9・24）。

出題 国家一般－令和 1、国Ⅰ－平成 19、地方上級－平成 20、特別区Ⅰ－平成 28、裁判所総合・一般－平成 27

Q66 承諾なくして小説の登場人物にされ、その小説の記述により自己のプライバシーを侵害された者が、公的立場にある者ではなく、また、小説の表現内容が公共の利害に関する事項でもないことに加え、小説が出版されれば請求者の精神的苦痛が倍加して平穏な日常生活や社会生活を送ることが困難となるおそれがあり、加えて、そうした重大な損失が、小説を読む者が新たに加わるごとに増加しその平穏な日常生活が害される可能性も増大し、事後的にはその損失を回復することが著しく困難である場合には、人格権に基づき、当該小説の公表の差止めを求めるのか。

A 当該小説の公表の差止めを求めることができる〈石に泳ぐ魚事件〉（最判平 14・9・24）。⇨65

◇明確性の理論（合憲限定解釈）

Q67 刑罰法規の定める犯罪構成要件があいまい不明確の故に憲法31条に違反し無効であるか否かは、どのような基準で決定すべきか。

A 通常の判断能力を有する一般人の理解を基準とすべきである。　およそ、刑罰法規の定める犯罪構成要件があいまい不明確の故に憲法31条に違反し無効であるとされるのは、その規定が通常の判断能力を有する一般人に対して、禁止される行為とそうでない行為とを識別するための基準を示すところがなく、そのため、その適用を受ける国民に対して刑罰の対象となる行為をあらかじめ告知する機能を果たさず、また、その運用がこれを適用する国または地方公共団体の機関の主観的判断に委ねられて恣意に流れる等、重大な弊害を生ずるからである。それ故、ある刑罰法規があいまい不明確の故に憲法31条に違反するものと認めるべきかどうかは、通常の判断能力を有する一般人の理解において、具体的場合に当該行為がその適用を受けるものかどうかの判断を可能ならしめるような基準が読みとれるかどうかによってこれを決定すべきである〈徳島市公安条例事件〉（最大判昭50・9・10）。

出題 国家総合－令和1・平成25、国Ⅰ－平成19・17・14・13、地方上級－昭和57、市役所上・中級－平成20、特別区Ⅰ－平成22・16、国家一般－平成25、国Ⅱ－平成21・15・4、裁判所総合・一般－平成27、国税・財務・労基－平成25

Q68 表現の自由を規制する立法内容が明確であるか否かは、一定の専門的判断能力を有する規制当局の理解を基準とすべきか。

A 通常の判断能力を有する一般人の理解を基準とすべきである〈徳島市公安条例事件〉（最大判昭50・9・10）。⇨67

Q69 公安条例において、集団行動に関する遵守事項として、単に「交通秩序を維持すること」と規定することは、その文言があいまい不明確であるため、憲法31条に違反し無効となるのか。

A 憲法31条に違反し無効とならない。　公安条例において、「交通秩序を維持すること」と規定している条項は、道路における集団行進等が一般的に秩序正しく平穏に行われる場合にこれに随伴する交通秩序阻害の程度を超えた、殊更な交通秩序の阻害をもたらすような行為を避止すべきことを命じている。そして、通常の判断能力を有する一般人が、具体的場合において、自己がしようとする行為が当該条項による禁止に触れるものであるかどうかを判断するにあたっては、その行為が秩序正しく平穏に行われる集団行進等に伴う交通秩序の阻害を生ずるにとどまるものか、あるいは殊更な交通秩序の阻害をもたらすようなものであるかを考えることにより、通常その判断にさほどの困難を感じることはないはずである。このようにみてくると、当該条項は、たしかにその文言が抽象的であるとのそしりを免れないとはいえ、集団行進等における道路交通の秩序遵守についての基準を読みとることが可能であり、犯罪構成要件の内容をなすものとして明確性を欠き憲

法31条に違反するとはいえない〈徳島市公安条例事件〉（最大判昭50・9・10）。

出題 国Ⅰ－平成4・昭和58、国家一般－令和3

Q70 表現の自由を規制する法律の規定につき、いわゆる合憲的限定解釈が許される場合があるか。

A 合憲的限定解釈が許される場合がある。　表現の自由を規制する法律の規定について限定解釈をすることが許されるのは、その解釈により、規制の対象となるものとそうでないものとが明確に区別され、かつ、合憲的に規制しうるもののみが規制の対象となることが明らかにされる場合でなければならず、また、一般国民の理解において、具体的場合に当該表現物が規制の対象となるかどうかの判断を可能ならしめるような基準をその規定から読みとることができなければならない〈税関検査事件〉（最大判昭59・12・12）。

出題 国Ⅰ－昭和62、国Ⅱ－平成15

Q71 関税定率法21条1項3号にいう「風俗」とは、わいせつな書籍、図画等に限られるのか。

A わいせつな書籍、図画等に限られる。　関税定率法21条1項3号にいう「公安又は風俗を害すべき」とする文言は「公安」と「風俗」の2種の規定と解され、本件においては「風俗」に関する部分について考究する。ここに合理的に解釈すれば、「風俗」とは、もっぱら性的風俗を意味し、当該規定により輸入禁止の対象とされるのはわいせつな書籍、図画等に限られるものということができ、このような限定的な解釈が可能である以上、当該規定は、何ら明確性に欠けるものではなく、憲法21条1項の規定に反しない〈税関検査事件〉（最大判昭59・12・12）。

出題 国Ⅱ－平成15

Q72 新東京国際空港の安全確保に関する緊急措置法2条が「暴力主義的破壊活動を行い、又は行うおそれがあると認められる者」と規定する要件は、不明確なものか。

A 不明確なものではない。　「暴力主義的破壊活動を行い、又は行うおそれがあると認められる者」とは、他の条項と考えあわせると、「暴力主義的破壊活動を現に行っている者又はこれを行う蓋然性の高い者」と限定解釈できるので、過度に広範な規制を行うものとはいえず、その規定する要件も不明確なものとはいえない〈成田新法事件〉（最大判平4・7・1）。

出題 予想

Q73 広島市暴走族追放条例17条（「16条第1項第1号の行為が、本市の管理する公共の場所において、特異な服装をし、顔面の全部若しくは一部を覆い隠し、円陣を組み、又は旗を立てる等威勢を示すことにより行われたときは、市長は、当該行為者に対し、当該行為の中止又は当該場所からの退去を命ずることができる。」）等の規定は、憲法21条1項および31条に違反するのか。

A 憲法21条1項および31条に違反しない。　本条例が規制の対象としている「暴走族」は、本条例2条7号の定義にもかかわらず、暴走行為を目的として結成された集団である本来的な意味における暴走族の外には、服装、旗、言動などにおいてこのような暴走族に類似し社会通念上これと同視するこ

とができる集団に限られるものと解され、したがって、市長において本条例による中止・退去命令を発しうる対象も、被告人に適用されている「集会」との関係では、本来的な意味における暴走族および上記のような類似集団による集会が、本条例16条1項1号、17条所定の場所および態様で行われている場合に限定されると解される。そして、このように限定的に解釈すれば、本条例16条1項1号、17条、19条の規定による規制は、広島市内の公共の場所における暴走族による集会等が公衆の平穏を害してきたこと、規制に係る集会であっても、これを行うことを直ちに犯罪として処罰するのではなく、市長による中止命令等の対象とするにとどめ、この命令に違反した場合に初めて処罰すべきものとするという事後的かつ段階的規制によっていること等にかんがみると、その弊害を防止しようとする規制目的の正当性、弊害防止手段としての合理性、この規制により得られる利益と失われる利益との均衡の観点に照らし、未だ憲法21条1項、31条に違反するとまではいえない（最判平19・9・18）。

出題 国家総合－令和1、裁判所Ⅰ・Ⅱ－平成20

Q74 市の暴走族追放条例の規定をその文言どおりに適用すると、規制の対象が広範囲に及び、憲法21条1項との関係で問題があると解さざるをえない場合には、合憲限定解釈を行って当該条例の有効性を維持すべきではないのか。

A 合憲限定解釈を行って当該条例の有効性を維持すべきである（最判平19・9・18）。⇨73

Q75 わが国においてすでに頒布され、販売されているわいせつ表現物を関税定率法（改正前のもの）21条1項4号による輸入規制の対象とすることは、憲法21条に反しないのか。また、輸入しようとした写真集が、関税定率法21条1項4号にいう「風俗を害すべき書籍、図画」等に該当するのか。

A 憲法21条に反しない。また、「風俗を害すべき書籍、図画」等に該当しない。　関税定率法21条1項4号に掲げる貨物に関する税関検査が憲法21条2項前段にいう「検閲」にあたらないこと、税関検査によるわいせつ表現物の輸入規制が同条1項の規定に違反しないこと、関税定率法21条1項4号にいう「風俗を害すべき書籍、図画」等とは、わいせつな書籍、図画等を指すものと解すべきであり、上記規定が広はん又は不明確のゆえに違憲無効といえないことは、当裁判所の判例〈税関検査事件〉（最大判昭59・12・12）とするところであり、わが国においてすでに頒布され、販売されているわいせつ表現物を税関検査による輸入規制の対象とすることが憲法21条1項の規定に違反するものではないことも、上記大法廷判決の趣旨に徴して明らかである〈メイプルソープ事件〉（最判平20・2・19）。　　　　　　　出題 裁判所Ⅰ・Ⅱ－平成21

Q76 大阪市ヘイトスピーチへの対処に関する条例（平成28年大阪市条例第1号）2条、5条～10条は、憲法21条1項に違反するのか。

A 憲法21条1項に違反しない。　大阪市ヘイトスピーチへの対処に関する条例の本件各規定は、拡散

防止措置等を通じて、表現の自由を一定の範囲で制約するものといえるところ、その目的は、その文理等に照らし、条例ヘイトスピーチの抑止を図ることにあると解される。そして、条例ヘイトスピーチに該当する表現活動のうち、特定の個人を対象とする表現活動のように民事上又は刑事上の責任が発生し得るものについて、これを抑止する必要性が高いことはもとより、民族全体等の不特定かつ多数の人々を対象とする表現活動のように、直ちに上記責任が発生するとはいえないものについても、人種又は民族に係る特定の属性を理由として特定人等を社会から排除すること等の不当な目的をもって公然と行われるものであって、その内容又は態様において、殊更に当該人種若しくは民族に属する者に対する差別の意識、憎悪等を誘発し若しくは助長するようなものであるか、又はその者の生命、身体等に危害を加えるといった犯罪行為を扇動するようなものであるといえるから、これを抑止する必要性が高いことに変わりはないというべきである。また、本件各規定により制限される表現活動の内容及び性質は、上記のような過激で悪質性の高い差別的言動を伴うものに限られる上、その制限の態様及び程度においても、事後的に市長による拡散防止措置等の対象となるにとどまる。そして、拡散防止措置については、市長は、看板、掲示物等の撤去要請や、インターネット上の表現についての削除要請等を行うことができると解されるものの、当該要請等に応じないものに対する制裁はなく、認識等公表についても、表現活動をしたものの氏名又は名称を特定するための法的強制力を伴う手段は存在しない。そうすると、本件各規定による表現の自由の制限は、合理的で必要やむを得ない限度にとどまるものというべきである。そして、以上説示したところによれば、本件各規定のうち、条例ヘイトスピーチの定義を規定した本件条例2条1項及び市長が拡散防止措置等をとるための要件を規定した本件条例5条1項は、通常の判断能力を有する一般人の理解において、具体的な場合に当該表現活動がその適用を受けるものかどうかの判断を可能とするような基準が読み取れるものであって、不明確なものということはできないし、過度に広汎な規制であるということもできない。したがって、本件各規定は憲法21条1項に違反するものということはできない（最判令4・2・15）。　　　　　　　　　　出題 予想

◇公務員の政治活動等(1)－合理的関連性の基準

Q77 公務員の政治的行為を禁止することは、憲法21条に違反するのか。

A 禁止目的と禁止される行為との間に合理的関連性があれば、憲法21条に違反しない。　国家公務員法102条1項および人事院規則による公務員に対する政治的行為の禁止が合理的で必要やむをえない限度にとどまるものか否かを判断するにあたっては、(1)禁止の目的、この目的と禁止される政治的行為との関連性、(2)政治的行為を禁止することにより得られる利益と禁止することにより失われる利益との均衡の3点から検討することが必要である。そ

こで、まず、(1)禁止の目的およびこの目的と禁止される行為との関連性について考えると、もし公務員の政治的行為のすべてが自由に放任されるときは、おのずから公務員の政治的中立性が損われ、その職務の遂行ひいてはその属する行政機関の公務の運営に党派的偏向を招くおそれがあり、行政の中立的運営に対する国民の信頼が損われることを免れない。したがって、このような弊害の発生を防止するため、公務員の政治的中立性を損うおそれがあると認められる政治的行為を禁止することは、禁止目的との間に合理的な関連性があるものと認められる。次に、(2)利益の均衡の点について考えてみると、公務員の政治的中立性を損うおそれのある行動類型に属する政治的行為を、これに内包される意見表明そのものの制約をねらいとしてではなく、その行動のもたらす弊害の防止をねらいとして禁止するときは、同時にそれにより意見表明の自由が制約されることにはなるが、それは、たんに行動の禁止に伴う限度での間接的、付随的な制約にすぎず、かつ、国家公務員法 102 条 1 項および人事院規則の定める行動類型以外の行為により意見を表明する自由までをも制約するものではなく、他面、禁止により得られる利益は、公務員の政治的中立性を維持し、行政の中立的運営とこれに対する国民の信頼を確保するという国民全体の共同利益なのであるから、得られる利益は、失われる利益に比してさらに重要なものというべきであり、その禁止は利益の均衡を失するものではない。したがって、国家公務員法 102 条 1 項および人事院規則 14－7 の 5 項 3 号、6 項 13 号は、合理的で必要やむをえない限度を超えるものとは認められず、憲法 21 条に違反しない〈猿払事件〉（最大判昭 49・11・6）。

出題 国Ⅰ－平成 21・17、国Ⅱ－平成 20・10・5・昭和 63、裁判所Ⅰ・Ⅱ－平成 22、国税・財務・労基－平成 27、国税・労基－平成 20、国税－平成 10

Q78 機械的労務に携わる現業の国家公務員が、勤務時間外に国の施設を利用せず、職務を利用することなく行った行為についてまで法律で刑事罰を適用することは違憲となるのか。

A 違憲とならない〈猿払事件〉（最大判昭 49・11・6）。⇨ 77

Q79 裁判官の言動が裁判所法 52 条 1 号所定の「積極的に政治運動をすること」に該当する場合、これを禁止することは、憲法 21 条 1 項に違反するのか。

A 禁止目的と禁止される行為との間に合理的関連性があれば、憲法 21 条 1 項に違反しない。　裁判官に対し「積極的に政治運動をすること」を禁止する立法目的は、裁判官の独立および中立・公正を確保し、裁判に対する国民の信頼を維持するとともに、三権分立主義の下における司法と立法、行政とのあるべき関係を規律することにあり、この立法目的は、もとより正当である。また、裁判官が積極的に政治運動をすることは、裁判官の独立および中立・公正を害し、裁判に対する国民の信頼を損うおそれが大きいから、積極的に政治運動をすることを禁止することと上記禁止目的との間に合理的な関連性があることは明らかである。さらに、裁判官が

積極的に政治運動をすることを、これに内包される意見表明そのものの制約をねらいとするときは、それはたんに行動の禁止に伴う限度での間接的、付随的な制約にすぎず、かつ、積極的に政治運動をすること以外の行為により意見を表明する自由をでも制約するものではない。他面、禁止により得られる利益は、裁判官の独立および中立・公正を確保し、裁判に対する国民の信頼を維持するものであるから、得られる利益は失われる利益に比してさらに重要であり、その禁止は利益の均衡を失するものではない。そして、「積極的に政治運動をすること」という文言が文面上不明確であるともいえない。したがって、裁判官が「積極的に政治運動をすること」を禁止することは、もとより憲法 21 条 1 項に違反するものではない〈寺西裁判官懲戒処分事件〉（最大決平 10・12・1）。

出題 国家総合－令和 4・平成 29、国Ⅱ－平成 20・18・13

Q80 裁判官も、個人的意見の表明であれば、積極的に政治運動をすることも許容されるのか。

A 許容されない〈寺西裁判官懲戒処分事件〉（最大決平 10・12・1）。⇨ 79

Q81 戸別訪問を一律に禁止することは、表現の自由の侵害にならないのか。

A 禁止目的と禁止される行為との間に合理的関連性があれば、表現の自由の侵害にならない。　戸別訪問の禁止は、意見表明そのものの制約を目的とするものではなく、意見表明の手段方法のもたらす弊害、すなわち、買収、利害誘導等の温床、選挙人の生活の平穏を害し、多額の出費などを防止し、もって選挙の自由と公平を確保することを目的としている。そして、この目的は正当であり、それらの弊害を総体としてみるときには、戸別訪問を一律に禁止することと禁止目的との間に合理的な関連性がある。さらに戸別訪問の禁止によって得られる利益は失われる利益に比してはるかに大きい。したがって、公職選挙法 138 条 1 項は、合理的で必要でむをえない限度を超えるとは認められず、憲法 21 条に違反せず戸別訪問を一律に禁止するかどうかは、もっぱら選挙の自由と公正を確保する見地からする立法政策の問題である〈戸別訪問禁止規定事件〉（最大判昭 56・6・15）。

出題 国家総合－令和 3、国家一般－令和 2、市役所上・中級－平成 7、特別区Ⅰ－平成 20、国Ⅱ－平成 17・10・昭和 62、裁判所総合・一般－平成 24、国税－平成 10

◇公務員の政治活動(2)─その他

Q82 厚生労働省大臣官房統計情報部社会統計課長補佐であった被告人が、郵便受けに文書を配布する行為を罰する国家公務員法 110 条 1 項 19 号（改正前）、102 条 1 項、人事院規則 14－7（政治的行為）6 項 7 号の各規定は、憲法 21 条 1 項、31 条に違反するのか。

A 憲法 21 条 1 項、31 条に違反しない。　被告人は、厚生労働省大臣官房統計情報部社会統計課長補佐であり、指揮命令や指導監督等を通じて他の多数

の職員の職務の遂行に影響を及ぼすことのできる地位にあったといえる。このような地位および職務の内容や権限を担っていた被告人が政党機関紙の配布という特定の政党を積極的に支援する行動を行うことについては、それが勤務外のものであったとしても、国民全体の奉仕者として政治的に中立な姿勢を特に堅持すべき立場にある管理職的地位の公務員がことさらにこのような一定の政治的傾向を顕著に示す行動に出ているのであるから、当該公務員による裁量権を伴う職務権限の行使の過程のさまざまな場面でその政治的傾向が職務内容に現れる蓋然性が高まり、その指揮命令や指導監督を通じてその部下等の職務の遂行や組織の運営にもその傾向に沿った影響を及ぼすことになりかねない。これらによって、当該公務員およびその属する行政組織の職務の遂行の政治的中立性が損なわれるおそれが実質的に生ずるものということができる。そうすると、本件配布行為が、勤務時間外である休日に、国ないし職場の施設を利用せずに、それ自体は公務員としての地位を利用することなく行われたものであることなどの事情を考慮しても、本件配布行為には、公務員の職務の遂行の政治的中立性を損なうおそれが実質的に認められ、本件配布行為は本件罰則規定の構成要件に該当するというべきである。そして、このように公務員の職務の遂行の政治的中立性を損なうおそれが実質的に認められる本件配布行為に本件罰則規定を適用することは憲法21条1項、31条に違反しないことは、明らかである〈宇治橋（厚生労働省職員）事件〉（最判平24・12・7）。

出題 国家総合－平成29、令和4、国税・財務・労基－令和1

Q83 国家公務員法において禁止されている公務員の政治的行為は、公務員の職務遂行の政治的中立性を損なうおそれが、観念的なものにとどまるものを指すのか。

A 観念的なものにとどまらず、現実的に起こりうるものとして実質的に認められるものを指す〈宇治橋事件〉（最判平24・12・7）。 ⇨ 82

Q84 社会保険事務所に年金審査官として勤務する事務官であった公務員が、郵便受けに文書を配布する行為を罰する国家公務員法110条1項19号（改正前）、102条1項、人事院規則14-7（政治的行為）6項7号の各規定は、憲法21条1項、31条の問題は生じるのか。

A 当該公務員の行為は、罰則規定の解釈上その構成要件に該当せずその適用がないため、憲法21条1項、31条違反の問題は生じない。 被告人は、社会保険事務所に年金審査官として勤務する事務官であり、本件配布行為は、管理職的地位になく、その職務の内容や権限に裁量の余地のない公務員によって、職務と全く無関係に、公務員により組織される団体の活動としての性格もなく行われたものであり、公務員による行為と認識しうる態様で行われたものでもないから、公務員の職務の遂行の政治的中立性を損なうおそれが実質的に認められるものとはいえない。そうすると、本件配布行為は本件罰則規定の構成要件に該当しないというべきである。以

上のとおりであり、被告人を無罪とした原判決は結論において相当である。なお、原判決は、本件罰則規定を被告人に適用することが憲法21条1項、31条に違反するとしているが、そもそも本件配布行為は本件罰則規定の解釈上その構成要件に該当しないためその適用がないと解すべきである〈堀越（社会保険庁職員）事件〉（最判平24・12・7）。

出題 国家総合－令和4・平成29、裁判所総合・一般－平成30

◇事前の選挙運動の禁止

Q85 選挙運動を行う期間を制限し、一切の事前運動を禁止することは、表現の自由に対する必要かつ合理的な制限を超えるのか。

A 必要かつ合理的な制限を超えていない。 公職の選挙につき、常時選挙運動を行うことを許容するときは、その間、不当、無用な競争を招き、これが規制困難による不正行為の発生等により選挙の公正を害するに至るおそれがあるのみならず、徒らに経費や労力がかさみ、経済力の差による不公平が生ずる結果となり、ひいては選挙の腐敗をも招来するおそれがある。このような弊害を防止して、選挙の公正を確保するためには、選挙運動の期間を長期にわたらない相当の期間に限定し、かつ、その始期を一定して、各候補者ができるだけ同一の条件の下に選挙運動に従事しうる必要がある。選挙が公正に行われることを保障することは、公共の福祉を維持することであるから、選挙運動をすることができる期間を規制し事前運動を禁止することは、憲法の保障する表現の自由に対し許された必要かつ合理的な制限である（最大判昭44・4・23）。

出題 国Ⅰ－平成16、国Ⅱ－平成23

(7)集会の自由

Q86 皇居外苑のメーデーのための使用申請に対する不許可処分が、表現の自由又は団体行動権を制限することを目的としたものでなければ、憲法21条および28条に違反しないのか。

A 憲法21条および28条に違反しない。 皇居外苑のメーデーのための使用申請に対する不許可処分は、管理権の適正な運用を誤ったものとは認められないし、また、管理権に名をかりて実質上表現の自由又は団体行動権を制限することを目的としたものとも認められないのであって、そうである限り、これによって、たとえ皇居前広場が本件集会および示威行進に使用することができなくなったとしても、本件不許可処分が憲法21条および28条違反であるということはできない〈皇居外苑使用不許可事件〉（最大判昭28・12・23）。

出題 国家総合－令和4・3、裁判所総合・一般－平成29

Q87 集会の自由は、民主主義社会における重要な基本的人権の一つとして特に尊重されなければならないのか。

A 特に尊重されなければならない。 現代民主主義社会においては、集会は、国民がさまざまな意見や情報等に接することにより自己の思想や人格を形

成、発展させ、また、相互に意見や情報等を伝達、交流する場として必要であり、さらに、対外的に意見を表明するための有効な手段であるから、憲法21 条 1 項の保障する集会の自由は、民主主義社会における重要な基本的人権の一つとして特に尊重されなければならないものである。しかしながら、集会の自由といえどもあらゆる場合に無制限に保障されなければならないものではなく、公共の福祉による必要かつ合理的な制限を受けることがあるのはいうまでもない。そして、このような自由に対する制限が必要かつ合理的なものとして是認されるかどうかは、制限が必要とされる程度と、制限される自由の内容および性質、これに加えられた具体的制限の態様および程度等を較量して決めるのが相当である（最大判昭 58・6・22 参照）〈成田新法事件〉（最大判平 4・7・1）。

> [出題]国家総合 - 令和 1・平成 27、裁判所総合・一般 - 令和 3・1・平成 24、国税・財務・労基 - 平成 29

Q88 集会が会館で行われれば、危険な事態が発生することを、市が主観的に予測できれば、会館使用を不許可とすることは許されるのか。

A 市が主観的に予測しただけでは不許可とすることは許されない。　本件市の市民会館条例 7 条 1 号は、「公の秩序をみだすおそれがある場合」を会館の使用を許してはならない事由として規定しているが、同号は、広義の表現をとっているとはいえ、会館における集会の自由を保障することの重要性よりも、会館で集会が開かれることによって、人の生命、身体又は財産が侵害され、公共の安全が損なわれる危険を回避し、防止することの必要性が優越する場合をいうものと限定して解すべきであり、その危険性の程度としては、単に危険な事態を生ずる蓋然性があるというだけでは足りず、明らかな差し迫った危険の発生が具体的に予見されることが必要である。そして、会館使用を不許可とできるのは、そのような事態の発生が許可権者の主観により予測されるだけでは足りず、客観的な事実に照らして具体的に明らかに予測される場合でなければならない。したがって、会館の職員、通行人、付近住民等の生命、身体又は財産が侵害される事態を生ずることが客観的事実によって具体的に明らかに予見されたという事情の下においては、会館の使用不許可処分は、憲法 21 条、地方自治法 242 条に違反しない〈泉佐野市市民会館事件〉（最判平 7・3・7）。

> [出題]国家総合 - 令和 2・1・平成 27、国Ⅰ - 平成 16、国家一般 - 令和 4・平成 25、裁判所総合・一般 - 令和 3・平成 29・26、裁判所Ⅰ・Ⅱ - 平成 21

Q89 処分当時、集会の実質上の主催者と目されるグループが、関西新空港の建設に反対して違法な実力行使を繰り返し、対立する他のグループと暴力による抗争を続けてきており、集会が会館で開かれたならば、会館内又は その付近の路上等においてグループ間で暴力の行使を伴う衝突が起こるなどの事態が生じ、その結果、会館の職員、通行人、付近住民等の生命、身体又は財産が侵害される事態を生ずることが客観的事実によって具体的に明らかに予見

されたという事情の下において、不許可とした処分は、憲法 21 条、地方自治法 242 条に違反するのか。

A 憲法 21 条、地方自治法 242 条に違反しない〈泉佐野市市民会館事件〉（最判平 7・3・7）。⇨ **88**

Q90 公共施設の管理者は、当該施設の種類、規模等に応じ、公共施設としての使命を十分達成せしめるよう適切にその管理権を行使する責任を負っており、個別の利用の可否の判断はその管理者の完全な自由裁量に属するのか。

A その管理者の完全な自由裁量に属しない〈泉佐野市市民会館事件〉（最判平 7・3・7）。⇨ **88**

Q91 労働組合の連合体が幹部を追悼するための合同葬を行うために市の福祉会館の使用許可を申請したのに対し、市が「会館の管理上支障がある」ことを理由に当該施設の利用を拒否することは許されるか。

A 当該施設の利用を拒否することは許されない。　管理者が正当な理由もないのにその利用を拒否することは、憲法の保障する集会の自由の不当な制限につながるおそれがある。そして、「会館の管理上支障があると認められるとき」には、会館の使用を許可しないとする規定（本件条例 6 条 1 項 1 号）は、会館の管理上支障が生じるとの事態が、許可権者の主観により予測されるだけでなく、客観的な事実に照らして具体的に明らかに予測される場合にはじめて、会館の使用を許可しないことを定めたものと解すべきである。したがって、本件においては、「会館の管理上支障がある」との事態が生ずることが、客観的な事実に照らして具体的に明らかに予測されたものということはできず、本件不許可処分は本件条例の解釈適用を誤った違法なものである〈上尾市福祉会館事件〉（最判平 8・3・15）。

> [出題]予想

Q92 教育研究集会のための学校施設の使用許可申請に対して、市教育委員会が、県教委等の教育委員会と教職員組合との緊張関係と対立の激化を背景として、過去の右翼団体の妨害行動を例に挙げ、不許可処分とすることは、適法な処分か。

A 市教育委員会の裁量権の範囲を逸脱し、違法な処分である。　本件学校施設の使用不許可処分の時点で、本件集会について右翼団体による具体的な妨害の動きがあったことは認められず、本件集会の予定された日は、休校日である土曜日と日曜日であり、生徒の登校は予定されていなかったことからすると、仮に妨害行動があっても、生徒に対する影響は間接的なものにとどまる可能性が高かったということができる。また、本件不許可処分は、校長が、職員会議を開いたうえ、支障がないとして、いったんは口頭で使用を許可する意思を表示した後に、右翼団体による妨害行動のおそれが具体的なものではなかったにもかかわらず、市教委が、過去の右翼団体の妨害行動を例に挙げて使用させない方向に指導し、自らも不許可処分をするに至ったというものであり、しかも、その処分は、県教委等の教育委員会と被上告人（教職員組合）との緊張関係と対立の激化を背景として行われたものであった。上記の諸点その他の前記事実関係等を考慮すると、本件中学校

およびその周辺の学校や地域に混乱を招き、児童生徒に教育上悪影響を与え、学校教育に支障を来すことが予想されるとの理由で行われた本件不許可処分は、重視すべきでない考慮要素を重視するなど、考慮した事項に対する評価が明らかに合理性を欠いており、他方、当然考慮すべき事項を十分考慮しておらず、その結果、社会通念に照らし著しく妥当性を欠いたものということができる。そうすると、本件不許可処分は裁量権を逸脱したものである（最判平18・2・7）。 **出題** 裁判所総合・一般－平成29

(8)集団行動の自由（動く集会）

Q93 行列行進又は公衆の集団示威運動を条例で合理的かつ明確な基準の下に、あらかじめ許可を受けさせることは、憲法に違反するのか。

A 憲法に違反しない。　行列行進又は公衆の集団示威運動は、本来国民の自由であるから、条例でこれらの行動につき単なる届出制を定めることは格別、一般的な許可制を定めてこれを事前に抑制することは、憲法の趣旨に反して許されない。しかし、これらの行動といえども公共の秩序を保持し、又は公共の秩序が著しく侵されることを防止するため、特定の場所または方法につき、合理的かつ明確な基準の下に、あらかじめ許可を受けさせ、又は届出をさせてこのような場合にはこれを禁止することができる旨の規定を条例に設けても、これにより直ちに憲法の保障する国民の自由を不当に制限するものではない。さらにまた、公共の安全に対し明らかにさし迫った危険を及ぼすことが予見されるときは、これを許可せず又は禁止することができる旨の規定を設けることも、直ちに憲法の保障する国民の自由を不当に制限することにはならない〈新潟県公安条例事件〉（最大判昭29・11・24）。

出題 国Ⅰ－平成6・5、市役所上・中級－平成6、国家一般－令和4・平成25、裁判所総合・一般－令和3・平成29・26、国税－平成3

Q94 集団行動による思想等の表現の自由を公安条例により事前に規制することは、憲法21条に反しないか。

A 憲法21条に反しない。　集団行動による思想等の表現は、単なる言論、出版等によるものとは異なって、現在する多数人の集合体自体の力、つまり潜在する一種の物理的力によって支持されていることを特徴とする。かような潜在的な力は、あるいは予定された計画に従い、あるいは突発的に内外からの刺激、せん動等によってつきいかり動員されうる性質のものである。この場合に平穏静粛な集団であっても、時に昂奮、激昂の渦中に巻きこまれ、はなはだしい場合には一瞬にして暴徒と化し、勢いの赴くところ実力によって法と秩序を蹂躙し、集団行動の指揮者はもちろん警察力をもってしてもいかんともしえないような事態に発展する危険が存在すること、群集心理の法則と現実の経験に徴して明らかである。したがって地方公共団体が、純粋な意味における表現といえる出版等についての事前規制である検閲が憲法21条2項によって禁止されているにかかわらず、集団行動による表現の自由に関す

る限り、いわゆる「公安条例」をもって、地方的情況その他諸般の事情を十分考慮に入れ、不測の事態に備え、法と秩序を維持するに必要かつ最小限度の措置を事前に講ずることは、やむをえない〈東京都公安条例事件〉（最大判昭35・7・20）。

出題 国Ⅰ－昭和60、市役所上・中級－平成7・6、国家一般－平成25、国Ⅱ－平成11、裁判所総合・一般－令和1・平成26

Q95 道路を使用して集団行進をしようとする者に対し、条例によりあらかじめ所轄警察署長の許可を受けさせることは、違憲とならないのか。

A 違憲とならない。　いかなる程度の措置が必要かつ最小限度のものとして是認できるかについては、条例全体の精神を実質的かつ有機的に考察しなければならない。そこで、本条例を検討すると、許可が義務づけられており、不許可の場合が厳格に制限されている。したがって本条例は規定の文面上では許可制を採用しているが、この許可制はその実質において届出制と異ならない。集団行動の条件が許可であれ届出であれ、要はそれによって表現の自由が不当に制限されることにならなければ差し支えない〈東京都公安条例事件〉（最大判昭35・7・20）。

出題 国家総合－令和1、国Ⅰ－平成5、市役所上・中級－平成11、国Ⅱ－昭和55

Q96 デモ行進により道路の機能を著しく害するなどの事情が認められる場合に、事前に許可を要するとする道路交通法は憲法21条に違反しないか。

A 憲法21条に違反しない。　道路交通法77条2項の規定は、道路使用の許可に関する明確かつ合理的な基準を掲げて道路における集団行進が不許可とされる場合を厳格に制限しており、これによれば、道路における集団行進に対し同条1項の規定による許可が与えられない場合は、当該集団行進の予想される規模、態様、コース、時刻などに照らし、これが行われることにより一般交通の用に供せられるべき道路の機能を著しく害するものと認められ、しかも同条3項の規定に基づき警察署長が条件を付与することによっても、かかる事態の発生を阻止することができないと予測される場合に限られることになる。したがって、道路における集団行進を規制する道路交通法等の各規定は、表現の自由に対する公共の福祉による必要かつ合理的な制限として憲法上是認される（最判昭57・11・16）。

出題 国Ⅰ－昭和60、地方上級－平成5（市共通）・2

(9)結社の自由

Q97 政党は議会制民主主義を支える不可欠の要素であり、同時に、国民の政治意思を形成する最も有力な媒体であるのか。

A そのとおりである。　憲法は政党について規定するところがなく、これに特別の地位を与えてはいないのであるが、憲法の定める議会制民主主義は政党を無視しては到底その円滑な運用を期待することはできないのであるから、憲法は、政党の存在を当然に予定しているものというべきであり、政党は議会制民主主義を支える不可欠の要素なのである。そ

して同時に、政党は国民の政治意思を形成する最も有力な媒体であるから、政党のあり方いかんは、国民としての重大な関心事でなければならない。したがって、その健全な発展に協力することは、会社に対しても、社会的実在としての当然の行為として期待されるところであり、協力の一態様として政治資金の寄附についても例外ではないのである〈八幡製鉄事件〉（最大判昭45・6・24）。

国Ⅱ−平成22、裁判所総合・一般−令和2

Q98 政党は、政治上の信条や意見を共通にする者が任意に結成する団体であるが、政党が党員に対して政治的忠誠を要求し、一定の統制を施すことは、憲法第19条が規定する思想良心の自由を侵害するものなのか。

A 憲法第19条が規定する思想良心の自由を侵害するものではない。　政党は、政治上の信条、意見等を共通にする者が任意に結成する政治結社であって、内部的には、通常、自律的規範を有し、その成員である党員に対して政治的忠誠を要求したり、一定の統制を施すなどの自治権能を有するものであり、国民がその政治的意思を国政に反映させ実現させるための最も有効な媒体であって、議会制民主主義を支える上においてきわめて重要な存在であるということができる。したがって、各人に対して、政党を結成し、または政党に加入し、もしくはそれから脱退する自由を保障するとともに、政党に対しては、高度の自主性と自律性を与えて自主的に組織運営をなしうる自由を保障しなければならない。他方、上記のような政党の性質、目的からすると、自由な意思によって政党を結成し、これに加入した以上、党員が政党の存立及び組織の秩序維持のために、自己の権利や自由に一定の制約を受けることがあることもまた当然である〈袴田訴訟〉（最判昭63・12・20）。 出題 裁判所総合・一般−令和2

⑽通信の秘密

Q99 電話傍受は、通信の秘密を侵害し許されないのか。

A 厳格な要件のもとに例外として許される。　電話傍受は、通信の秘密を侵害し、ひいては、個人のプライバシーを侵害する強制処分である。しかし、⑴重大な犯罪に係る被疑事件について、⑵被疑者が罪を犯したと疑うに足りる十分な理由があり、⑶かつ、当該電話により被疑事実に関連する通話の行われる蓋然性があるとともに、⑷電話傍受以外の方法によっfeeてはその犯罪に関する重要かつ必要な証拠を得ることが著しく困難であるなどの事情が存する場合において、電話傍受により侵害される利益の内容、程度を慎重に考慮したうえで、なお電話傍受を行うことが犯罪の捜査上真にやむをえないと認められるときには、法律の定める手続に従ってこれを行うことも憲法上許されると解する（最判平11・12・16）。 出題 国税・労基−平成17

第22条［居住・移転・職業選択の自由、外国移住・国籍離脱の自由］

①何人も、公共の福祉に反しない限り、居住、移転及び職業選択の自由を有する。

②何人も、外国に移住し、又は国籍を離脱する自由を侵されない。

⑴職業選択の自由（営業の自由）

◇総説

Q1 職業は、各人が自己のもつ個性を全うすべき場として、個人の人格的価値とも不可分の関連を有するのか。

A 個人の人格的価値とも不可分の関連を有する。職業は、人が自己の生計を維持するためにする継続的活動であるとともに、分業社会においては、これを通じて社会の存続と発展に寄与する社会的機能分担の活動たる性質を有し、各人が自己のもつ個性を全うすべき場として、個人の人格的価値とも不可分の関連を有するものである。憲法22条1項が、職業選択の自由を基本的人権の一つとして保障したゆえんも、現代社会における職業のもつ上記のような性格と意義にあるものということができる。そして、このような職業の性格と意義に照らすときは、職業は、ひとりその選択、すなわち職業の開始、継続、廃止において自由であるばかりでなく、選択した職業の遂行自体、すなわちその職業活動の内容、態様においても、原則として自由であることが要請されるのであり、したがって、憲法22条1項は、狭義における職業選択の自由のみならず、職業活動の自由の保障をも包含しているものと解すべきである（最大判昭50・4・30）。 出題 裁判所総合・一般−令和4

Q2 営業の自由は、憲法22条により保障されているのか。

A 憲法22条により保障されている。　憲法22条1項は、国民の基本的人権の一つとして、職業選択の自由を保障しており、そこで職業選択の自由を保障するという中には、広く一般に、いわゆる営業の自由を保障する趣旨を包含しており、ひいては、憲法が、個人の自由な経済活動を基調とする経済体制を一応予定している〈小売市場距離制限事件〉（最大判昭47・11・22）。 出題 国Ⅰ−昭和60・51、市役所上・中級−平成7、国Ⅱ−平成14・昭和61、裁判所総合・一般−令和1

◇消極目的規制

Q3 公衆浴場法で公衆浴場の配置に距離制限を設けることは、憲法22条に反するか。

A 憲法22条に反しない。　公衆浴場は、多数の国民の日常生活に必要欠くべからざる、多分に公共性を伴う厚生施設である。そして、もしその設立を業者の自由に委せて、何らその偏在およびその濫立を防止する等その配置の適正を保つために必要な措置が講ぜられないときは、その偏在により、多数の国民が日常容易に公衆浴場を利用しようとする場合に不便をきたすおそれがあり、また、その濫立により、浴場経営に無用の競争を生じその経営を経済的に不合理にし、浴場の衛生設備の低下等好ましくない影響をきたすおそれがある。このようなことは、上記公衆浴場の性質にかんがみ、国民保健および環境衛生のうえから、できる限り防止することが望ま

しく、したがって、公衆浴場の設置場所が配置の適正を欠き、その偏在ないし濫立をきたすときは、公共の福祉に反するのであって、この理由により公衆浴場の経営の許可を与えないことができる旨の規定を設けることは、憲法22条に違反しない〈公衆浴場距離制限規定事件〉（最大判昭30・1・26）。

出題 国家総合 – 平成24、国 I – 平成4、地方上級 – 平成5・昭和63、市役所上・中級 – 平成7・昭和62、特別区 I – 平成23、国 II – 平成20、国税 – 昭和63

Q4 職業の自由に対する公権力の規制の要請は、精神的自由と比較して強く、立法府の裁量が広く認められるのか。

A 立法府の裁量が広く認められる。　職業は、その性質上、社会的相互関連性が大きいため、いわゆる精神的自由に比較して、公権力による規制の要請が強く、憲法22条2項も特に「公共の福祉に反しない限り」という留保を付している。そして、職業の種類、性質、内容、社会的意義および影響力が多種多様であるため、その規制を要求する社会的理由ないし目的も、国民経済の円満な発展や社会公共の便宜の促進、経済的弱者の保護等の社会政策および経済政策上の積極的なものから、社会生活における安全の保障や秩序の維持等の消極的なものに至るまで千差万別で、その重要性も区々にわたる。それ故、規制措置が憲法22条2項の「公共の福祉」にあたるか否かは、規制の目的、必要性、内容、これによって制限される職業の自由の性質、内容および制限の程度を検討し、これらを比較考量したうえ慎重に決定されねばならない。この場合、その検討と考量をするのは、第一次的には立法府の権限と責務であり、裁判所としては、規制の目的が公共の福祉に合致するものと認められる以上、そのための規制措置の具体的内容およびその必要性と合理性については、立法府の判断がその合理的裁量の範囲にとどまる限り、立法政策上の問題としてその判断を尊重すべきものである〈薬局距離制限事件〉（最大判昭50・4・30）。

出題 国家総合 – 平成24、国 I – 平成16・5、地方上級 – 平成7、市役所上・中級 – 平成7、国 II – 平成20、裁判所総合・一般 – 令和1・平成27、国税・財務・労基 – 平成24

Q5 職業選択の自由に対する制約は消極目的規制に限られるのか。

A 消極目的規制とともに、積極目的規制も含まれる〈薬局距離制限事件〉（最大判昭50・4・30）。⇨4

Q6 薬局の開設を許可制とすることは、営業の自由に反し違憲となるのか。

A 許可制とすること自体は必ずしも違憲とはならない。　一般に許可制は、単なる職業活動の内容および態様に対する規制を超えて、狭義における職業の選択の自由そのものに制約を課するもので、職業の自由に対する強力な制限であるから、その合憲性を肯定するためには、原則として、重要な公共の利益のために必要かつ合理的な措置であることを要し、また、それが社会政策ないしは経済政策上の積

極的な目的のための措置ではなく、自由な職業活動が社会公共に対してもたらす弊害を防止するための消極的、警察的措置である場合には、許可制に比べて職業の自由に対するよりゆるやかな制限である職業活動の内容および態様に対する規制によってはその目的を十分に達成することができないと認められることを要する。そして、この要件は許可制自体についてのみならずその内容についても要求され、許可制の採用自体が是認される場合であっても、個々の許可条件については、さらに個別的にこの要件に照らしてその適否を判断しなければならない〈薬局距離制限事件〉（最大判昭50・4・30）。

出題 国 I – 平成9・5・2・昭和60、地方上級 – 平成9・7、国 II – 昭和60、裁判所総合・一般 – 平成30

Q7 薬局の適正配置規制は、狭義の職業選択の自由の制限ではなく、職業活動の内容・態様に対する制限か。

A 単なる職業活動の内容・態様に対する規制を超えて、狭義の職業選択の自由に対する制限である〈薬局距離制限事件〉（最大判昭50・4・30）。⇨6

Q8 不良医薬品の供給防止の目的のために、薬局の開設の適正配置規制を行うことは、憲法22条に反し違憲となるのか。

A 憲法22条に反し違憲無効である。　薬事法6条2項、4項の適正配置規制は、主として国民の生命および健康に対する危険の防止という消極的、警察的目的のための規制措置であり、そこで考えられている薬局等の過当競争およびその経営の不安定化の防止も、それ自体が目的ではなく、あくまでも不良医薬品の供給の防止のための手段であるにすぎない。そして、この薬局の適正配置規制がこれらの目的のために必要かつ合理的であり、薬局等の業務執行に対する規制によるだけではその目的を達することができないとすれば、許可条件の一つとして地域的な適正配置基準を定めることは、憲法22条1項に違反しない。しかし、薬局等の偏在 → 競争激化 → 一部薬局等の経営の不安定 → 不良医薬品の供給の危険が、薬局等の段階において、相当程度の規模で発生する可能性があるとすることは、確実な根拠に基づく合理的な判断とは認めがたく、本件配置規制は全体としてその必要性と合理性を肯定しうるにはなお遠いものであり、この点に関する立法府の判断は、その合理的裁量の範囲を超えるものである。したがって、薬局の開設等の許可基準の一つとして地域的制限を定めた薬事法6条2項・4項は、不良医薬品の供給防止等の目的のために必要かつ合理的な規制を定めたものといえないから、憲法22条1項に違反し、無効である〈薬局距離制限事件〉（最大判昭50・4・30）。

出題 国家総合 – 令和3・平成28、国 I – 平成20・18・13・9・2・昭和60・54・51、地方上級 – 平成9・8・昭和63・60・54、東京 I – 平成17・14、市役所上・中級 – 平成7、特別区 I – 令和4・平成28・23・22・18・14、国家一般 – 令和2・平成26、国 II – 平成22・20・昭和60、裁判所総合・一般 – 平成30・24、裁判所 I・II – 平成17、国税・財務・労基 – 平成30、国税・労基 – 平成

23・20・18、国税－平成7・昭和63

Q9 薬局開設の適正配置規制よりも、他のより緩やかな制限で不良医薬品の供給防止目的を達成することは可能であるから、当該配置規制は違憲となるのか。

A 違憲となる〈薬局距離制限事件〉（最大判昭50・4・30）。⇨8

Q10 職業選択の自由に対する規制のうち、国民の生命および健康に対する危害の防止という警察的目的のための消極規制については、当該法的規制措置が著しく不合理であることが明白である場合に限り違憲となるのか。

A 消極規制については、規制の必要性・合理性および立法目的を達成できるより緩やかな規制手段の有無を立法事実に基づいて審査しなければならない〈薬局距離制限事件〉（最大判昭50・4・30）。⇨8

◇積極目的規制

Q11 個人の経済活動に対する積極的な法的規制措置については、立法府の広い裁量が及ぶため、裁判所はこれを違憲と判断できないのか。

A 立法府がその裁量権を逸脱する場合には、裁判所は違憲と判断できる。　社会経済の分野において、法的規制措置を講ずる必要があるかどうか、その必要があるとしても、どのような対象について、どのような手段・態様の規制措置が適切妥当であるかは、主として立法政策の問題として、立法府の裁量的判断にまつほかはない。というのは、法的規制措置の必要の有無や法的規制措置の対象・手段・態様などを判断するにあたっては、その対象となる社会経済の実態についての正確な基礎資料が必要であり、具体的な法的規制措置が現実の社会経済にどのような影響を及ぼすか、その利害得失を洞察するとともに、広く社会経済政策全体との調和を考慮する等、相互に関連する諸条件についての適正な評価と判断が必要であって、このような評価と判断の機能は、まさに立法府の使命とするところであり、立法府こそがその機能を果たす適格を具えた国家機関であるからである。したがって、上記に述べたような個人の経済活動に対する法的規制措置については、立法府の政策的技術的な裁量に委ねるほかはなく、裁判所は、立法府の上記裁量的判断を尊重するのを建前とし、ただ、立法府がその裁量権を逸脱し、当該法的規制措置が著しく不合理であることの明白である場合に限って、これを違憲として、その効力を否定することができる〈小売市場距離制限事件〉（最大判昭47・11・22）。

出題 国家総合－平成28、国Ⅰ－平成18・13・5・2・昭和60・51、地方上級－平成9・昭和63、東京Ⅰ－平成14、市役所上・中級－平成7、特別区Ⅰ－平成28・18、国Ⅱ－平成16・昭和61、裁判所Ⅰ・Ⅱ－平成19・15、国税・労基－平成20、国税－昭和63

Q12 職業選択の自由に対する規制のうち、経済政策・社会政策の実現を図るための積極規制については、当該目的のために必要かつ合理的な措置であっ

て、他のより制限的でない規制手段では立法目的を達成しえない場合に限り合憲となるのか。

A 積極規制については、当該規制措置が著しく不合理であることが明白である場合に限り違憲となる〈小売市場距離制限事件〉（最大判昭47・11・22）。⇨11

Q13 小売市場の許可制は、一般消費者の利益を犠牲にして、小売商に積極的に流通市場における独占的利益を付与するもので、憲法22条に反するのか。

A 小売市場の乱設に伴う小売商相互間の過当競争によって招来される小売商の共倒れから小売商を保護するものであり、憲法22条に反しない。　小売商業調整特別措置法1条の立法目的が示すとおり、経済的基盤の弱い小売商の事業活動の機会を適正に確保し、かつ、小売商の正常な秩序を阻害する要因を除去する必要があるとの判断のもとに、その一方策として、小売市場の乱設に伴う小売商相互間の過当競争によって招来される小売商の共倒れから小売商を保護するためにとられた措置であり、一般消費者の利益を犠牲にして、小売商に対し積極的に流通市場における独占的利益を付与するためのものではない。しかも、本法は、その所定形態の小売市場のみを規制の対象としているにすぎないのであって、過当競争による弊害が特に顕著と認められる場合についてのみ、これを規制する趣旨であることが窺われる。これらの諸点からみると、本法所定の小売市場の許可規制は、国が社会経済の調和的発展を企図するという観点から中小企業保護政策の一方策としてとった措置ということができ、その目的において、一応の合理性を認めることができ、また、その規制の手段・態様においても、それが著しく不合理であることが明白であるとはいえない〈小売市場距離制限事件〉（最大判昭47・11・22）。

出題 国家総合－令和3、国Ⅰ－平成9・昭和60、東京Ⅰ－平成17、特別区Ⅰ－令和4・平成23・14、国Ⅱ－平成22・20・16・7、裁判所総合・一般－平成24、裁判所Ⅰ・Ⅱ－平成17、国税・労基－平成18、国税－平成7

Q14 小売市場の許可制は、中小企業保護政策の一方策の措置として、その目的および規制の手段の合理性は明白であり、憲法22条に反しないのか。

A 憲法22条に反しない〈小売市場距離制限事件〉（最大判昭47・11・22）。⇨13

Q15 公衆浴場が日常生活に不可欠な公共施設であり、その経営安定化を図るための距離制限は、積極的・社会経済政策的目的からする合理的な規制なのか。

A 積極的・社会経済政策的目的からする合理的な規制である。　公衆浴場法による適正配置規制は、公衆浴場業者の廃転業を防止し、健全で安定した経営を行えるようにして国民の保健福祉を維持しようとするものであるから、積極的、社会経済政策的な規制目的に出た立法であっても、立法府のとった手段がその裁量権を逸脱し、著しく不合理であることが明白でない限り、憲法に違反しない（最判平1・1・20）。

出題 国家総合－令和1・平成24、国Ⅰ－平成18・

9、地方上級 - 平成 5、東京Ⅰ - 平成 17・14、特別区Ⅰ - 平成 28、国Ⅱ - 平成 20・7、裁判所総合・一般 - 令和 4・平成 24、国税・財務・労基 - 平成 30・24、国税・労基 - 平成 18

Q16 日本繭糸事業団等でなければ生糸を輸入することができないとする生糸の一元輸入措置を定めた改正繭糸価格安定法は、憲法 22 条 1 項に違反するか。

A 憲法 22 条 1 項に違反しない。　積極的な社会経済政策の実施の一手段として、個人の経済活動に対し一定の合理的規制措置を講ずることは、憲法が予定し、かつ、許容するところであるから、裁判所は、立法府がその裁量権を逸脱し、当該規制措置が著しく不合理であることの明白な場合に限って、これを違憲としてその効力を否定することができる。このことから、本件の改正後の繭糸価格安定法が、原則として、当分の間いわゆる生糸の一元輸入措置の実施、および所定の輸入生糸を売り渡す際の売渡方法、売渡価格等の規制について規定しており、営業の自由に対し制限を加えるものであるが、当該立法行為が国家賠償法 1 条 1 項の適用上例外的に違法の評価を受けるものではない〈西陣ネクタイ訴訟〉（最判平 2・2・6）。

[出題] 東京Ⅰ - 平成 14、特別区Ⅰ - 平成 23・18、国Ⅱ - 平成 22・7、裁判所総合・一般 - 平成 24、国税・労基 - 平成 20

Q17 農業災害補償法（改正前）が定める水稲等の耕作の業務を営む者と農業共済組合との間で農作物共済の共済関係が当然に成立するという仕組み（当然加入制）は、立法府の裁量の範囲を逸脱するもので著しく不合理であることが明白であると認められるのか。

A 著しく不合理であることが明白であるとは認められない。　農業災害補償法が制定された昭和 22 年当時、食糧事情が著しくひっ迫していた一方で、農地改革に伴い多数の自作農が創設され、農業経営の安定が要請されていたところ、主食である米の生産者についての当然加入制（水稲等の耕作の業務を営む者でその耕作面積が一定の規模以上のものは農業共済組合の組合員となり当該組合との間で農作物共済の共済関係が当然に成立するという仕組み）は、職業の遂行それ自体を禁止するものではなく、職業活動に付随して、その規模等に応じて一定の負担を課するという態様の規制であることに照らすと、この当然加入制は、米の安定供給と米作農家の経営の保護という重要な公共の利益に資するものであって、その必要性と合理性を有しているといえる。このように、上記の当然加入制の採用は、公共の福祉に合致する目的のために必要かつ合理的な範囲にとどまる措置ということができ、立法府の政策的、技術的裁量の範囲を逸脱するもので著しく不合理であることが明白であるとは認めがたい。したがって、上記の当然加入制を定める法の規定は、職業の自由を侵害するものとして憲法 22 条 1 項に違反するとはいえない（最判平 17・4・26）。　[出題] 予想

◇消極・積極目的規制

Q18 公衆浴場の距離適正配置規制は、保健衛生の確保と自家風呂をもたない国民にとって必要不可欠な厚生施設の確保という消極・積極 2 つの目的があり、適正配置規制は、当該 2 つの目的を達成するための必要かつ合理的な範囲の手段なのか。

A 2 つの目的を達成するための必要かつ合理的な範囲の手段である。　公衆浴場法 2 条 2 項による適正配置規制の目的は、国民保健および環境・衛生の確保にあるとともに、公衆浴場が自家風呂をもたない国民にとって日常生活上必要不可欠な厚生施設であり、入浴料金が物価統制令により低額に統制されていること、利用者の範囲が地域的に限定されているため企業としての弾力性に乏しいこと、自家風呂の普及に伴い公衆浴場業の経営が困難になっていることなどにかんがみ、既存公衆浴場業者の経営の安定を図ることにより、自家風呂をもたない国民にとって必要不可欠な厚生施設である公衆浴場自体を確保しようとすることも、その目的としているのであり、前記適正配置規制は上記目的を達成するための必要かつ合理的な範囲内の手段と考えられるので、公衆浴場法 2 条 2 項等の規定は憲法 22 条 1 項に違反しない〈公衆浴場距離制限規定事件〉（最判平 1・3・7）。

[出題] 国家総合 - 令和 1、国Ⅰ - 平成 18・9・4、地方上級 - 平成 8・5、東京Ⅰ - 平成 17・14、国Ⅱ - 平成 22・20・7、裁判所総合・一般 - 平成 24、裁判所Ⅰ・Ⅱ - 平成 17、国税・財務・労基 - 平成 30・24、国税 - 平成 9

◇その他の規制

Q19 盗品等が古物商に流れることを阻止し、又は発見に努めて犯罪の被害者の保護を図るとともに、犯罪の予防ないし検挙を容易にすることを目的とした古物営業の許可制は憲法 22 条に反するのか。

A 憲法 22 条に反しない。　古物営業については、旧古物商取締法時代から許可営業主義をとり、各人の自由に放任する主義を採用しなかったのは、贓物の相当数が古物商に流される現実の事態にかんがみ、その流れを阻止し、又はその発見に努め、被害者の保護を図るとともに犯罪の予防、鎮圧ないし検挙を容易にするために必要であり、これは国民生活の安寧を図り、いわゆる「公共の福祉」を維持する所以であるからである。以上の点から、古物営業法が許可制度をとり、無許可営業を処罰することは「公共の福祉」を維持するための必要な制限である以上、憲法 22 条に違反するものではない（最大判昭 28・3・18）。　[出題] 裁判所Ⅰ・Ⅱ - 平成 17

Q20 高度の専門性、公共性を要求される特定の職業について、資格を認定された者だけがこれに従事できるとすることは、憲法 22 条に違反しないか。

A 憲法 22 条に違反しない。　歯科医師でない歯科技工士は歯科医師法、歯科技工法により当該行為をしてはならず、そしてこの制限は、事柄が保健衛生上危害を生ずるおそれがあるという理由に基づいているから、国民の保健衛生を保護するという公共の

福祉のための当然の制限であり、これをもって職業の自由を保障する憲法22条に違反するものではない（最大判昭34・7・8）。 出題 地方上級 – 平成7

Q21 医師やあん摩師等の免許を受けた者以外の医業類似行為については、保健衛生上何ら悪影響がないものを含め一律に規制することは、憲法22条1項に違反するのか。

A 人の健康に害を及ぼすおそれのある業務行為に限局する趣旨で禁止することは、憲法22条1項に違反しない。　　あん摩師、はり師、きゅう師および柔道整復師法12条が何人も同法1条に掲げるものを除くほか、医業類似行為を業としてはならないと規定し、同条に違反した者を同法14条が処罰するのは、これらの医業類似行為を業とすることが公共の福祉（憲法22条1項）に反するものと認めた故にほかならない。ところで、医業類似行為を業とすることが公共の福祉に反するのは、かかる業務行為が人の健康に害を及ぼすおそれがあるからである。それ故、前記法律が医業類似行為を業とすることを禁止処罰するのも、人の健康に害を及ぼすおそれのある業務行為に限局する趣旨と解しなければならないのであって、このような禁止処罰は公共の福祉上必要であるから前記法律12条、14条は憲法22条に反するものではない（最大判昭35・1・27）。

出題 裁判所総合・一般 – 平成24、国税 – 平成18

Q22 自動車運送事業の経営を免許制とすることは、職業選択の自由に違反するのか。

A 職業選択の自由に違反しない。　　道路運送法が自動車運送事業の経営を各人の自由になしうるところとしないで免許制をとり、一定の免許基準の下にこれを免許することにしているのは、わが国の交通および道路運送の実情に照らしてみて、同法の目的とするところにそうものと認められる。ところで、自家用自動車の有償運送行為は無免許営業に発展する危険性の多いものであるから、これを放任するときは無免許営業に対する取締の実効を期しがたく、免許制度は崩れ去るおそれがある。それ故に同法101条1項が自家用自動車を有償運送の用に供することを禁止しているのもまた公共の福祉の確保のために必要な制限と解される。されば同条項は憲法22条1項に違反しない（最大判昭38・12・4）。

出題 国家総合 – 令和3、国Ⅰ – 平成18、地方上級 – 昭和63、特別区Ⅰ – 平成28・18、裁判所Ⅰ・Ⅱ – 平成17、国税 – 昭和63

Q23 国家の財政目的などの理由から、たばこ等の販売を国家の独占事業とすることは、国民の営業の自由を侵害することになるのか。

A 国民の営業の自由を侵害することにならない。　国がたばこ等につき専売制を施行する趣旨は、国の財政上の重要な収入を図ることを主たる目的とするものであるが、同時に、国民一般の日常生活において広く需要のあるたばこ等は、僻地たると都会地たるとを問わず、同一の品質のものはこれを同一の価格により販売し、公衆のすべてに均等に利用しうる機会を与え、比較的簡便に購入しうることとし、一

般国民の日常生活における必要に応ずることをも目的としているのであって、結局当該専売制は、公共の福祉を維持するための制度である。したがって、たばこ専売法71条、75条は、合理的根拠に基づきかつ公共の福祉の要請に適合する規定であって、憲法14条、22条に違反しない（最大判昭39・7・15）。

出題 地方上級 – 平成7、国税・財務・労基 – 平成30

Q24 税の適正かつ確実な賦課徴収を図るという国家の財政目的のための職業の許可制による規制は、憲法22条1項の規定に違反しないのか。

A 原則として憲法22条1項の規定に違反しない。国民の租税を定めるについて、財政・経済社会政策等の国政全般からの総合的な政策判断を必要とするばかりでなく、課税要件等を定めるについて、きわめて専門技術的な判断を必要とすることも明らかである。したがって、租税法の定立については、国家財政、社会経済、国民所得、国民生活等の実態についての正確な資料を基礎とする立法府の政策的、技術的な判断にゆだねるほかなく、裁判所は、基本的にはその裁量判断を尊重せざるをえない。以上のことからすると、租税の適正かつ確実な賦課徴収を図るという国家の財政目的のための職業の許可制による規制については、その必要性と合理性についての立法府の判断が、上記の政策的、技術的な裁量の範囲を逸脱するもので、著しく不合理なものでない限り、これを憲法22条1項の規定に違反するとはいえない〈酒類販売免許制事件〉（最判平4・12・15、最判平10・3・26）。

出題 国家総合 – 令和1、国Ⅰ – 平成18・9、地方上級 – 平成10、東京Ⅰ – 平成17、特別区Ⅰ – 令和4・平成23・18・14、国家一般 – 令和2・平成29、国Ⅱ – 平成22・20・14、国税・財務・労基 – 平成28、国税・労基 – 平成23

Q25 酒類販売業を免許制にする立法府の判断は、憲法22条1項に違反しないのか。

A 憲法22条1項に違反しない。　　酒税法が酒税の納税義務者とされた酒類製造者のため、酒類の販売代金の回収を確実にさせることによって消費者への酒税の負担の円滑な転嫁を実現する目的で、これを阻害するおそれのある酒類販売業者を免許制によって酒類の流通過程から排除することとしたのも、酒類の適正かつ確実な賦課徴収を図るという重要な公共の利益のためにとられた合理的な措置である。したがって、その後の社会状況の変化と租税法体系の変遷に伴い、酒税の国税全体に占める割合等が相対的に低下するに至っても、酒税の賦課徴収に関する仕組みがいまだ合理性を失うに至っているとはいえず、酒類販売免許制度を存置すべきものとした立法府の判断が、政策的、技術的な裁量の範囲を逸脱するもので、著しく不合理であるとまでは断定しがたく、憲法22条1項に違反するとはいえない〈酒類販売免許制事件〉（最判平4・12・15、最判平10・3・26）。

出題 地方上級 – 平成10、東京Ⅰ – 平成17、特別区Ⅰ – 令和4、国家一般 – 令和2、国Ⅱ – 平成22・

憲法編

14・7、裁判所総合・一般－平成30、国税・財務・労基－平成30、国税－平成5

Q26 酒税法による酒類販売業の免許制は、もっぱら、零細経営者が多く経済的基盤の弱い酒類販売業者を保護するための積極的・政策的規制と解されるから、当該規制が著しく不合理であることが明白でない限り、憲法22条1項に違反しないのか。

A 酒税法による酒類販売業の免許制は、積極的・政策的規制ではないため、当該規制が著しく不合理であることが明白でない限り（明白性の原則）という表現をとっていない〈酒類販売免許制事件〉（最判平4・12・15、最判平10・3・26）。⇨25

Q27 司法書士および公共嘱託登記司法書士協会以外の者が、嘱託を受けて登記申請手続の代理等を行うことを禁止し、その違反者を処罰する司法書士法19条1項、25条1項は、憲法22条1項に違反するのか。

A 憲法22条1項に違反しない。　司法書士法19条1項、25条1項は、登記制度が国民の権利義務等社会生活上の利益に重大な影響を及ぼすものであることなどにかんがみ、法律に別段の定めがある場合を除いて、司法書士および公共嘱託登記司法書士協会以外の者が、嘱託を受けて登記申請手続の代理等を行うことを禁止し、その違反者を処罰するものであり、公共の福祉に合致した合理的なもので憲法22条1項に違反するものでない。したがって、行政書士が代理人として登記申請手続をすることは、正当な業務に付随する行為にあたらない（最判平12・2・8）。

[出題] 東京Ⅰ－平成17、特別区Ⅰ－令和4・平成28、国家一般－平成26、裁判所総合・一般－令和4・平成30、国税・財務・労基－平成30、国税－平成18

Q28 豚肉の差額関税制度は、憲法22条1項、25条1項、13条、31条に違反するのか。

A 違反しない。　憲法22条1項、25条1項、13条違反をいう点は、豚肉の差額関税制度は、豚肉等の輸入が完全自由化となり、豚肉の安定供給確保のための国内養豚農家の保護と輸入促進との相反する課題を調整するために導入された制度であるところ、輸入豚肉について差額関税を含むいかなる関税制度を採用するかは、立法政策の問題であって憲法適否の問題ではないから、前提を欠き、憲法31条違反をいう点は、関税法110条（平成17年法律第22号による改正前のもの）、117条（平成18年法律第17号による改正前のものおよび平成16年法律第15号による改正前のもの）が刑罰法規の合理性および罪刑の均衡を欠くものとは認められないから、前提を欠く（最決平24・9・4）。

[出題] 予想

Q29 旅行業を営む者について登録制度を採用し、無登録の者が旅行業を営むことを禁止し、これに違反した者を処罰する旅行業法29条1号、3条、2条1項は、憲法22条1項に違反するのか。

A 憲法22条1項に違反しない。　旅行業法29条1号、3条、2条1項の各規定は、旅行業務に関する取引の公正の維持、旅行の安全の確保および旅

行者の利便の増進を図ることを目的として、旅行業を営む者について登録制度を採用し、無登録の者が旅行業を営むことを禁止し、これに違反した者を処罰することにしたものである。上記各規定が、憲法22条1項に違反するものではない（最判平27・12・7）。

Q30 京都府風俗案内所の規制に関する条例が、青少年が多く利用する施設又は周辺の環境に特に配慮が必要とされる施設の敷地から一定の範囲内における風俗案内所の営業を禁止し、これを刑罰をもって担保することは、憲法22条1項に違反するのか。

A 憲法22条1項に違反しない。　風俗案内所の特質及び営業実態に起因する青少年の育成や周辺の生活環境に及ぼす影響の程度に鑑みると、京都府風俗案内所の規制に関する条例が、青少年が多く利用する施設又は周辺の環境に特に配慮が必要とされる施設の敷地から一定の範囲内における風俗案内所の営業を禁止し、これを刑罰をもって担保することは、公共の福祉に適合する上記の目的達成のための手段として必要性、合理性があるということができ、風俗営業等の規制及び業務の適正化に関する法律に基づく風俗営業に対する規制の内容及び程度を踏まえても、京都府議会が上記の営業禁止区域における風俗案内所の営業を禁止する規制を定めたことがその合理的な裁量の範囲を超えるものとはいえないから、本件条例3条1項及び16条1項1号の各規定は、憲法22条1項に違反するものではないと解するのが相当である（最判平28・12・15）。

[出題] 特別区Ⅰ－令和4

Q31 要指導医薬品について薬剤師の対面による販売又は授与を義務付ける医薬品、医療機器等の品質、有効性及び安全性の確保等に関する法律36条の6第1項及び3項各規定は、憲法22条1項に違反するのか。

A 憲法22条1項に違反しない。　医薬品は、治療上の効能、効果と共に何らかの有害な副作用が生ずる危険性を有するところ、そのうち要指導医薬品は、製造販売後調査の期間又は再審査のための調査期間を経過しておらず、需要者の選択により使用されることが目的とされている医薬品としての安全性の評価が確定していない医薬品である。そのような要指導医薬品について、適正な使用のため、薬剤師が対面により販売又は授与をしなければならないとする本件各規定は、その不適正な使用による国民の生命、健康に対する侵害を防止し、もって保健衛生上の危害の発生及び拡大の防止を図ることを目的とするものであり、このような目的が公共の福祉に合致することは明らかである。上記の本件各規定の目的を達成するため、その販売又は授与をする際に、薬剤師が、あらかじめ、要指導医薬品を使用しようとする者の年齢、他の薬剤又は医薬品の使用の状況等を確認しなければならないこととして使用者に関する最大限の情報を収集した上で、適切な指導を行うとともに指導内容の理解を確実に担保する必要があるとすることには、相応の合理性があるというべきである。また、一般用医薬品等のうち薬剤師の対面による販売又は授与が義務付けられているの

は、法4条5項3号所定の要指導医薬品のみであるところ、その市場規模は、要指導医薬品と一般用医薬品を合わせたもののうち、1％に満たない僅かな程度にとどまっている。このような要指導医薬品の市場規模等に照らすと、要指導医薬品について薬剤師の対面による販売又は授与を義務付ける本件各規定は、職業選択の自由そのものに制限を加えるものであるとはいえず、職業活動の内容及び態様に対する規制にとどまるものであることはもとより、その制限の程度が大きいということもできない。以上検討した本件各規定による規制の目的、必要性、内容、これによって制限される職業の自由の性質、内容及び制限の程度に照らすと、本件各規定による規制に必要性と合理性があるとした判断が、立法府の合理的裁量の範囲を超えるものであるということはできない。したがって、本件各規定が憲法22条1項に違反するものということはできない〈要指導医薬品指定差止請求事件〉（最判令3・3・18）。

出題 予想

(2)居住・移転の自由

Q32 わが国に在留する外国人に居住地に関する登録義務を課すことは、公共の福祉のための制限として認められるのか。

A 認められる。　住民を保護し取り締まる目的から新たに一定の場所に住居を定めたものに対し、その旨を届出もしくは登録をなすべきことを命じ、これに違反するときは制裁を科する旨の規定を設けたからといって、それは、住所もしくは住所を定めること自体を制限するものでもなく、また居所もしくは住所の移転自体を制限するものでもないから、外国人登録令4条等（改正前）は、憲法22条1項に違反し居住、移転の自由を侵害するものではない（最大判昭28・5・6）。**出題** 国家総合－平成25

Q33 外国旅行の自由は、憲法13条により保障されるのか。

A 憲法13条ではなく、22条2項により保障される。憲法22条2項の「外国に移住する自由」には外国へ一時旅行する自由を含むものであるが、外国旅行の自由といえども無制限のままに許されるものではなく、公共の福祉のために合理的な制限に服する。そして旅券発給を拒否することができる場合として、旅券法13条1項5号が、「著しく且つ直接に日本国の利益または公安を害する行為を行う虞があると認めるに足りる相当の理由がある者」と規定したのは、海外旅行の自由に対し、公共の福祉のために合理的な制限を定めたものとみることができ、この規定は漠然たる基準を示す無効のものではない〈帆足計事件〉（最大判昭33・9・10）。

出題 国家総合－令和3・平成28・25・24、国Ⅰ－平成4、特別区Ⅰ－平成15、国家一般－平成29・26、国Ⅱ－平成14、裁判所総合・一般－平成27、裁判所Ⅰ・Ⅱ－平成20、国税・財務・労基－平成28

Q34 海外へ一時的に旅行することを制限することは憲法22条2項に反しないか。また、旅券法13条1項5号は、漠然たる基準を示す無効のものと

いえるのか。

A 合理的な制限であれば、憲法22条2項に反しない。また、旅券法13条1項5号は、漠然たる基準を示す無効のものではない〈帆足計事件〉（最大判昭33・9・10）。⇨33

第23条［学問の自由］
　学問の自由は、これを保障する。

Q1 憲法23条の学問の自由は、学問的研究の自由とその研究結果の発表の自由および特に大学における教授の自由を含むのか。

A 学問的研究の自由とその研究結果の発表の自由および特に大学における教授の自由を含む。憲法23条の学問の自由は、学問的研究の自由とその研究結果の発表の自由とを含むのであって、一面において、広くすべての国民に対してそれらの学問的研究の自由とその研究結果の発表の自由とを含むのであって、一面において、広くすべての国民に対してそれらの自由を保障するとともに、他面において、大学が学術の中心として深く真理を探究することを本質とすることにかんがみて、特に大学におけるその自由を保障することを趣旨としたものである。大学については、憲法の上記の趣旨と、学校教育法52条とに基づいて、大学において教授その他の研究者がその専門の研究の結果を教授する自由は、これを保障される〈東大ポポロ事件〉（最大判昭38・5・22）。

出題 国Ⅰ－平成18・10・昭和63、地方上級－昭和55・54、国Ⅱ－平成2・1、国税－平成12

Q2 憲法23条は学問の自由を保障するための大学の自治をも保障するのか。

A 大学の自治をも保障する。　大学における学問の自由を保障するために、伝統的に大学の自治が認められている。この自治は、特に大学の教授その他の研究者の人事に関して認められる。それは大学の学問の自由と自治は、大学が深く真理を探究し、専門の学術を教授研究することを本質とすることに基づくから、直接には教授その他の研究者の研究、その結果の発表、研究結果の教授の自由とこれらを保障するための自治とを意味する。大学の施設と学生は、これらの自由と自治の効果として、施設が大学当局によって自治的に管理され、学生も学問の自由と施設の利用を認められるのである〈東大ポポロ事件〉（最大判昭38・5・22）。

出題 国家総合－令和3、国Ⅰ－平成18・10・7・昭和63、地方上級－平成2・昭和63・57・54、国Ⅱ－平成21・19・13・6、裁判所総合・一般－令和2、裁判所Ⅰ・Ⅱ－平成14

Q3 施設の管理は、大学の自治の効果として、大学によって自治的に管理されるものか。

A 大学によって自治的に管理されるものである〈東大ポポロ事件〉（最大判昭38・5・22）。⇨2

Q4 大学の自治は、大学教員の研究の自由を保障するために認められたものであり、学生自身は大学の自治の主体とならないのか。

A 学生自身は大学の自治の主体とならない〈東大ポポロ事件〉（最大判昭38・5・22）。⇨2

Q5 大学の許可した学内集会に対して警察権を発

動することは、大学の自治を侵すことにならないか。

🅰学生の集会が実社会の政治的社会的活動にかかわる場合には、大学の自治を侵すことにならない。

学生の集会が真に学問的な研究またはその結果の発表のためのものでなく、実社会の政治的社会的活動にあたる行為をする場合には、大学の有する特別の学問の自由と自治は享有しない。したがって、本件集会は、真に学問的な研究と発表のためのものでなく、実社会の政治的社会的活動であり、かつ公開の集会またはこれに準ずるものであって、大学の学問の自由と自治は、これを享有しない。したがって、本件の集会に警察官が立ち入ったことは、大学の学問の自由と自治を侵すものではない〈東大ポポロ事件〉（最大判昭38・5・22）。

[出題]国家総合－平成29、国Ⅰ－令和3・平成18・10・7・昭和63・55、地方上級－平成1・昭和54、特別区Ⅰ－令和3・平成24・20、国家一般－平成28、国Ⅱ－平成19・6

🆀6学生の集会が、実社会の政治的社会活動にあたる行為をする場合には、大学の有する特別の学問の自由と自治を侵すものではないか。

🅰大学の有する特別の学問の自由と自治は享有しない〈東大ポポロ事件〉（最大判昭38・5・22）。⇨5

🆀7教科書検定は憲法23条の規定に違反するのか。

🅰憲法23条の規定に違反しない。　教科書は、教科過程の構成に応じて組織排列された教科の主たる教材として、普通教育の場において使用される児童、生徒用の図書であって、学術研究の結果の発表を目的とするものではなく、本件検定は、申請図書に記述された研究結果が、たとい執筆者が正当と信ずるものであったとしても、いまだ学界において支持を得ていなかったり、あるいは当該学校、当該教科、当該科目、当該学年の児童、生徒の教育として取り上げるにふさわしい内容と認められないときなど旧検定基準の各条件に違反する場合に、教科書の形態における研究結果の発表を制限するにすぎない。このような本件検定が学問の自由を保障した憲法23条の規定に違反しないことは明らかである〈第一次家永教科書訴訟〉（最判平5・3・16）。

[出題]国家総合－令和3、特別区Ⅰ－令和3、国Ⅱ－平成19・11・6、裁判所総合・一般－令和2

🆀8普通教育の場で用いられる教科書について旧文部大臣が行う検定は、憲法21条、23条に違反するのか。

🅰憲法21条、23条に違反しない。　普通教育は、その内容が正確かつ中立・公正で、地域、学校のいかんにかかわらず、全国的に一定の水準が確保されることや、児童、生徒の心身の発達段階に応じたものであることなどが要請される。普通教育の場で用いられる教科書について旧文部大臣が行う検定は、これらの要請を実現するために行われるものであって、それによって教科書執筆者の表現の自由、発表の自由が制限される面があるとしても、それは教科書という特殊な形態での表現、発表を制限するにすぎず、合理的で必要やむをえない限度のもの

というべきであるから、憲法21条、23条に違反しない〈第三次家永教科書訴訟〉（最判平9・8・29）。[出題]予想➡裁判所総合・一般－令和2

第24条［家族生活における個人の尊厳と両性の平等］

①婚姻は、両性の合意のみに基いて成立し、夫婦が同等の権利を有することを基本として、相互の協力により、維持されなければならない。

②配偶者の選択、財産権、相続、住居の選定、離婚並びに婚姻及び家族に関するその他の事項に関しては、法律は、個人の尊厳と両性の本質的平等に立脚して、制定されなければならない。

🆀1夫の所得は、妻の家事労働の協力で得られた所得である以上、課税方式として夫の所得の2分の1に税率を適用し、得られた額を2倍したものを税額とする方式を法令で禁止することは憲法24条に反するのか。

🅰憲法24条に反しない。　憲法24条が定める両性の本質的平等は、個々具体の法律関係で、つねに必ず同一の権利を有することを要請するわけではない。次に、民法762条1項は、夫婦の一方が婚姻中の自己の名で得た財産をその特有財産とすると定め、この規定は夫と妻の双方に平等に適用されるとともに、夫婦は一心同体であり一の協力体であって、配偶者の一方の財産取得に対しては他方がつねに協力寄与するとしても、民法には、別に財産分与請求権、相続権ないし扶養請求権等の権利が規定されており、夫婦相互の協力、寄与に対しては、これらの権利を行使することで、夫婦間に実質上の不平等が生じないよう立法上の配慮がなされている。とすれば、民法762条1項の規定は、前記の憲法24条の法意に照らし、憲法の同条項に違反しない。それ故、本件に適用された所得税法が、生計を一にする夫婦の所得の計算について、民法762条1項によるいわゆる別産主義に依拠していても、同条項が憲法24条に違反しないから、所得税法もまた違憲ではない（最大判昭36・9・6）。

[出題]国Ⅱ－平成12・9

🆀2X名義で取得した同年中の給与所得および事業所得は、妻の家庭での家事労働等の協力により得られた所得であるから、夫婦の各自に等分して帰属し、その各2分の1だけをXの所得として申告することは許されるか。

🅰許されない（最大判昭36・9・6）。⇨1

第25条［生存権、国の社会的使命］

①すべて国民は、健康で文化的な最低限度の生活を営む権利を有する。

②国は、すべての生活部面について、社会福祉、社会保障及び公衆衛生の向上及び増進に努めなければならない。

🆀1憲法25条1項は「すべて国民は、健康で文化的な最低限度の生活を営む権利を有する」と規定しているが、この規定が、いわゆる福祉国家の理念に基づき、すべての国民が健康で文化的な最低限度の生活を営みうるよう国政を運営すべきことを国の責務として宣言したものであること、また、憲法25条2項は、国の具体的な責務を規定したものである

から、同条 2 項による施策の実施に関しての国の裁量の余地は狭く、国は「向上及び増進」のための施策を実施しなければならないのか。

A 憲法 25 条 2 項は、国の具体的な責務を規定したものではない。　憲法 25 条 2 項において「国は、すべての生活部面について、社会福祉、社会保障及び公衆衛生の向上及び増進に努めなければならない」と規定しているのは、社会生活の推移に伴う積極主義の政治である社会的施策の拡充増進に努力すべきことを国家の任務の 1 つとし宣言したものである。それは、主として社会的立法の制定およびその実施によるべきであるが、かかる生活水準の確保向上もまた国家の任務の 1 つとされたのである。すなわち、国家は、国民一般に対して概括的にかかる責務を負担しこれを国政上の任務としたのであるが、個々の国民に対して具体的、現実的にかかる義務を有するのではない。言い換えれば、この規定により直接に個々の国民は、国家に対して具体的、現実的にかかる権利を有するのではない〈食糧管理法違反事件〉（最大判昭 23・9・29）。

出題 国家総合 – 平成 26、国 II – 平成 9、国税 – 平成 9

Q2 憲法 25 条 1 項にいう「健康で文化的な最低限度の生活」の水準は、抽象的かつ相対的な概念であり、その認定判断については、その時々における文化の発達の程度、経済的・社会的条件、一般的な国民生活の状況等のさまざまな不確定要素を総合的に考量する必要があることから、行政府の広い裁量に委ねられており、当不当の問題として行政府の責任が問われることはあっても、違法行為として司法審査の対象となることはないのか。

A 違法行為として司法審査の対象となる場合がある〈食糧管理法違反事件〉（最大判昭 23・9・29）。 ⇨ 1

Q3 「やみ米」の購入運搬は、憲法の保障する生存権の行使であり、それを処罰する食糧管理法は違憲となるのか。

A 生存権の行使とはいえず、それを処罰する食糧管理法は合憲である。　食糧管理法は、昭和 17 年戦時中、戦争のため主要食糧の不足を来したために制定されたものであるが、戦後の今日といえども主食の不足は戦後事情のゆえに依然として継続しているから、同法存続の必要性は未だ消滅したものとはいえない。この点から、同法は、国民全体の福祉のため、可能な限りその生活条件を安定させるための法律であって、憲法 25 条の趣旨に適合する立法である〈食糧管理法違反事件〉（最大判昭 23・9・29）。 出題 東京 I – 平成 16

Q4 憲法 25 条は、個々の国民に対して具体的権利を賦与したものか。

A 具体的権利を賦与したものではない。　憲法 25 条 1 項は、すべての国民が健康で文化的な最低限度の生活を営みうるように国政を運営すべきことを国の責務として宣言したにとどまり、直接個々の国民に対して具体的権利を賦与したものではない。具体的権利としては、憲法の規定の趣旨を実現するために制定された生活保護法によって、はじめて与えら

れている〈朝日訴訟〉（最大判昭 42・5・24）。

出題 国 I – 平成 22・19・14・4、地方上級 – 平成 5・3（市共通）・昭和 56、市役所上・中級 – 平成 4・昭和 62、特別区 I – 令和 4・平成 20、国 II – 平成 15・9・2・昭和 62、裁判所 I・II – 平成 18、国税・労基 – 平成 21

Q5 生活保護法に基づき、被保護者が国から生活保護を受けることは、法的権利か反射的利益か。

A 法的権利である。　生活保護法の規定に基づき要保護者または被保護者が国から生活保護を受けるのは、単なる国の恩恵ないし社会政策の実施に伴う反射的利益ではなく、法的権利であって、保護受給権とも称すべきものである〈朝日訴訟〉（最大判昭 42・5・24）。

出題 国 I – 昭和 58、地方上級 – 昭和 56、国 II – 平成 9・昭和 62

Q6 生活保護法に基づく保護受給権は、相続の対象となるのか。

A 相続の対象とならない。　生活保護法の規定に基づき要保護者または被保護者が国から生活保護を受ける権利は、被保護者自身の最低限度の生活を維持するために当該個人に与えられた一身専属の権利であって、他にこれを譲渡しえないし、相続の対象ともなりえない。したがって、訴訟係属中に原告が死亡したときには、相続人によって訴訟を係属することは不可能であるから、訴えの利益も失われる〈朝日訴訟〉（最大判昭 42・5・24）。

出題 国 I – 昭和 58、地方上級 – 昭和 56、国 II – 平成 9・昭和 62

Q7 生活保護法に基づき、旧厚生大臣の行う生活保護基準の設定は旧厚生大臣の合目的的裁量に属し、その判断については司法審査の対象とならないのか。

A 裁量権の限界を超えまたは裁量権を濫用した場合には、司法審査の対象となる。　何が健康で文化的な最低限度の生活であるかの認定判断は、一応、旧厚生大臣の合目的的な裁量に委されており、その判断は、当不当の問題として政府の政治責任が問われることはあっても、直ちに違法の問題を生ずることはない。ただ、現実の生活条件を無視して著しく低い基準を設定する等憲法および生活保護法の趣旨・目的に反し、法律によって与えられた裁量権の限界を超えた場合または裁量権を濫用した場合には、違法な行為として司法審査の対象となる〈朝日訴訟〉（最大判昭 42・5・24）。

出題 国家総合 – 令和 2・平成 26、国 I – 平成 19・14・昭和 58、地方上級 – 昭和 56、東京 I – 平成 16、特別区 I – 平成 27、国 II – 平成 9・昭和 62、裁判所総合・一般 – 平成 24

Q8 憲法 25 条の規定の趣旨にこたえて、具体的な立法措置を講ずる選択決定は立法府の広い裁量に委ねられ、これに対する裁判所の司法審査は及ばないのか。

A 立法府が著しく合理性を欠き明らかに裁量の逸脱・濫用とみられる場合には、裁判所の司法審査が及ぶ。　憲法 25 条の規定は、きわめて抽象的・相対的な概念であって、その具体的内容は、その時々

における文化の発達の程度、経済的・社会的条件、一般的な国民生活の状況等との相関関係において判断決定されるべきものであるとともに、この規定を現実の立法として具体化するにあたっては、国の財政事情を無視することができず、また、多方面にわたる複雑多様な、しかも高度の専門技術的な考察とそれに基づいた政策的判断を必要とする。したがって、憲法 25 条の規定の趣旨にこたえて具体的にどのような立法措置を講ずるかの選択決定は、立法府の広い裁量に委ねられており、それが著しく合理性を欠き明らかに裁量の逸脱・濫用とみざるをえないような場合を除き、裁判所が審査判断するのに適しない事柄である〈堀木訴訟〉（最大判昭 57・7・7）。

出題 国Ⅰ－平成 22・14・4、特別区Ⅰ－令和 4・平成 20、国Ⅱ－平成 23・15・2、裁判所総合・一般－平成 28、裁判所Ⅰ・Ⅱ－平成 18、国税・財務・労基－令和 3

Q9 障害福祉年金と児童扶養手当との併給調整（禁止）を行うか否かは立法政策上の裁量事項であり、給付額が低額であっても当然に憲法 25 条違反とならないのか。

A 当然に憲法 25 条違反とならない。　一般に、社会保障法制上、同一人に同一の性格を有する 2 以上の公的年金（障害福祉年金と児童扶養手当）が支給されることとなるべき、いわゆる複数事故において、それぞれの事故それ自体としては支給原因である稼得能力の喪失または低下をもたらすものであっても、事故が 2 以上重なったからといって稼得能力の喪失または低下の程度が必ずしも事故の数に比例して増加するとはいえない。このような場合について、社会保障給付の全般的公平を図るため公的年金相互間における併給調整を行うかどうかは、立法府の裁量の範囲に属する事柄とみるべきである。また、この種の立法における給付額の決定も、立法政策上の裁量事項であり、それが低額であるからといって当然に憲法 25 条違反に結びつくものではない〈堀木訴訟〉（最大判昭 57・7・7）。

出題 国家総合－平成 26、国Ⅰ－平成 4、東京Ⅰ－平成 16、国家一般－平成 24、国Ⅱ－平成 15・9

Q10 生活保護法が緊急に治療を要する不法残留者を保護の対象としないことは、憲法 25 条・14 条に反しないのか。

A 憲法 25 条・14 条に反しない。　生活保護法が不法残留者を保護の対象とするものでないことは、その規定および趣旨に照らし明らかである。そして、憲法 25 条の趣旨にこたえて不法残留者を保護の対象に含めるかどうかは立法府の裁量の範囲に属することは明らかである。不法残留者が緊急に治療を要する場合についても、この理が当てはまるのであって、立法府は、医師法 19 条 1 項の規定があること等を考慮して生活保護法上の保護の対象とするかどうかの判断をすることができる。したがって、医師法が不法残留者を保護の対象としていないことは、憲法 25 条に違反しないと解する。また、生活保護法が不法残留者を保護の対象としないことは何ら合理的理由のない不当な差別的取扱いには当たらないから、憲法 14 条 1 項にも違反しない（最

判平 13・9・25）。

出題 国Ⅰ－平成 20

Q11 被保護世帯において、最低限度の生活を維持しつつ、子弟の高等学校修学のための費用を蓄える努力をすることは、生活保護法の趣旨目的に反するのか。

A 生活保護法の趣旨目的に反しない。　被保護者が保護金品等によって生活していく中で、支出の節約の努力（生活保護法 60 条参照）等によって貯蓄等に回すことの可能な金員が生ずることも考えられないではなく、生活保護法も、保護金品等を一定の期間内に使い切ることまでは要求していない。同法 4 条 1 項、8 条 1 項の各規定も、要保護者の保有するすべての資産等を要保護者の生活のために使い切ったうえでなければ保護が許されないとするものではない。このように考えると、生活保護法の趣旨目的にかなった目的と態様で保護金品等を原資としてされた貯蓄等は、収入認定の対象とすべき資産にはあたらない。生活保護法上、被保護世帯の子弟の義務教育に伴う費用は、教育扶助として保護の対象とされているが（同法 11 条 1 項 2 号、13 条）、高等学校修学に要する費用は保護の対象とはされていない。しかし、近時においては、ほとんどの者が高等学校に進学する状況であり、高等学校に進学することが自立のために有用であるとも考えられるのであって、生活保護の実務においても、前記のとおり、世帯内修学を認める運用がされるようになってきているのであるから、被保護世帯において、最低限度の生活を維持しつつ、子弟の高等学校修学のための費用を蓄える努力をすることは、同法の趣旨目的に反するものではない（最判平 16・3・16）。

出題 予想

Q12 恒常的に生活が困窮している状態にある者を国民健康保険の保険料の減免の対象としていない旭川市国民健康保険条例 19 条 1 項は、国民健康保険法 77 条の委任の範囲を超え、憲法 25 条、14 条に違反するのか。

A 国民健康保険法 77 条の委任の範囲を超えるものではなく、憲法 25 条、14 条に違反しない。　本件条例 19 条 1 項が、当該年において生じた事情の変更に伴い一時的に保険料負担能力の全部又は一部を喪失した者に対して保険料を減免するにとどめ、恒常的に生活が困窮している状態にある者を保険料の減免の対象としないことが、国民健康保険法 77 条の委任の範囲を超えるものということはできない。そして、上記の本件条例 19 条 1 項の定めは、著しく合理性を欠くということはできないし、経済的弱者について合理的な理由のない差別をしたものということもできない。したがって、本件条例 19 条 1 項の定めは、憲法 25 条、14 条に違反しないし、また、上告人について保険料の減免を認めなかったことは、憲法 25 条に違反するものではない〈旭川市国民健康保険条例訴訟〉（最大判平 18・3・1）。

出題 予想

Q13 介護保険の第 1 号被保険者のうち、生活保護法 6 条 2 項に規定する要保護者で地方税法（改正前）295 条により市町村民税が非課税とされる者について、条例が一律に保険料を賦課しないものとする旨

の規定又は保険料を全額免除する旨の規定を設けていない場合、憲法14条、25条に違反するのか。

A 憲法14条、25条に違反しない。　介護保険法142条は、市町村は、条例で定めるところにより、特別の理由がある者に対し、保険料を減免し、又はその徴収を猶予することができる旨を規定し、これを受けて、本件旭川市条例12条1項、13条1項は、第1号被保険者等が災害等により著しい損害を受けるなどした場合における保険料の徴収猶予および減免を規定している。そして、生活保護受給者については、生活扶助として介護保険の保険料の実費が加算して支給され（生活保護法11条1項1号、12条、生活保護法による保護の基準）、介護扶助として所定のサービスを受けることができるものとされている（同法11条1項5号、（改正前）15条の2）。以上のとおり、低所得者に対して配慮した規定が置かれているのであり、また、介護保険制度が国民の共同連帯の理念に基づき設けられたものであること（介護保険法1条）にかんがみると、本件条例が、介護保険の第1号被保険者のうち、生活保護法6条2項に規定する要保護者で地方税法（改正前）295条により市町村民税が非課税とされる者について、一律に保険料を賦課しないものとする旨の規定又は保険料を全額免除する旨の規定を設けていないとしても、それが著しく合理性を欠くということはできないし、また、経済的弱者について合理的な理由のない差別をしたものということはできない。したがって、本件条例が上記の規定を設けていないことは、憲法14条、25条に違反しない（最判平18・3・28）。　　　　　**出題** 予想

Q14 立法府が、平成元年法律第86号による国民年金法の改正前において、初診日に同改正前の同法7条1項1号イ（昭和60年法律第34号による改正前の国民年金法7条2項8号）所定の学生等であった障害者に対し、無拠出制の年金を支給する旨の規定を設けるなどの措置を講じなかったことは、憲法25条、14条1項に違反するのか。

A 憲法25条、14条1項に違反しない。　20歳前障害者は、傷病により障害の状態にあることとなり稼得能力、保険料負担能力が失われ又は著しく低下する前は、20歳未満であったため任意加入も含めおよそ国民年金の被保険者となることのできない地位にあったのに対し、初診日において20歳以上の学生である者は、傷病により障害の状態にあることとなる前に任意加入によって国民年金の被保険者となる機会を付与されていたものである。これに加えて、障害者基本法、生活保護法等による諸施策が講じられていること等をも勘案すると、平成元年改正前の法の下において、傷病により障害の状態にあることとなったが初診日において20歳以上の学生であり国民年金に任意加入していなかったために障害基礎年金等を受給することができない者に対し、無拠出制の年金を支給する旨の規定を設けるなどの措置を講じるかどうかは、立法府の裁量の範囲に属する事柄というべきであって、そのような立法措置を講じなかったことが、著しく合理性を欠くということはできない。また、無拠出制の年金の受給に関

し20歳以上の学生と20歳前障害者との間に差異が生じるとしても、両者の取扱いの区別が、何ら合理的理由のない不当な差別的取扱いであるということもできない。そうすると、上記立法不作為が憲法25条、14条1項に違反するということはできない（最判平19・9・28）。

出題 国家総合－令和4

Q15 立法府が、平成元年改正前の国民年金法において、20歳以上の学生に関し強制加入例外規定を含む立法措置を講じ、加入等に関する区別をし、他方、平成元年改正前において20歳以上の学生について国民年金の強制加入被保険者とするなどの立法措置を講じなかったことは、憲法25条、14条1項に違反するのか。

A 憲法25条、14条1項に違反しない。　平成元年改正前の国民年金法は、20歳以上の学生の保険料負担能力、国民年金に加入する必要性ないし実益の程度、加入に伴い学生および学生の属する世帯の世帯主等が負うこととなる経済的な負担の程度等を考慮し、保険方式を基本とする国民年金制度の趣旨を踏まえて、20歳以上の学生を国民年金の強制加入被保険者として一律に保険料納付義務を課すのではなく、任意加入を認めて国民年金に加入するかどうかを20歳以上の学生の意思にゆだねることとしたが、上記の事情からすれば、この立法措置が著しく合理性を欠くということはできず、加入等に関する区別が何ら合理的理由のない不当な差別的取扱いであるとはいえない。そうすると、立法府が、平成元年改正前の法において、20歳以上の学生に関し強制加入例外規定を含む上記の立法措置を講じ、加入等に関する区別をし、他方、平成元年改正前において20歳以上の学生について国民年金の強制加入被保険者とするなどの立法措置を講じなかったことは、憲法25条、14条1項に違反しない〈学生無年金障害者訴訟〉（最判平19・10・9）。

出題 国家一般－平成24

Q16 傷病により障害の状態にあることとなった初診日において20歳以上の学生であり国民年金に任意加入していなかったために障害基礎年金を受給することができない者に対し、無拠出制の年金を支給する旨の規定を設けなかった立法の不作為は、憲法14条1項および25条に違反するのか。

A 憲法14条1項および25条に違反しない。　平成元年改正前の国民年金法の下において、傷病により障害の状態にあることとなったが初診日において20歳以上の学生であり国民年金に任意加入していなかったために国民年金法30条による障害基礎年金を受給することができない者に対し、無拠出制の年金を支給する旨の規定を設けるなどの措置を講ずるかどうかは、立法府の裁量の範囲に属する事柄であって、そのような立法措置を講じなかったことが、著しく合理性を欠くとはいえない。また、無拠出制の年金の受給に関し上記のような20歳以上の学生と20歳前障害者との間に差異が生じるとしても、両者の取扱いの区別が、何ら合理的理由のない不当な差別的取扱いであるともいえない。そうすると、上記の立法不作為は憲法25条、14条1項に

違反しない〈学生無年金障害者訴訟〉（最判平19・10・9）。

Q17 国外に現在している者は、生活保護の受給対象者とはならないのか。

A 生活保護法19条所定の「居住地」にあたる居住の場所を国内に有していれば、生活保護の受給対象者となる。　国外に現在している被保護者であっても、生活保護法19条所定の「居住地」にあたると認められる居住の場所を国内に有しているものは、同条に基づき当該居住地を所管する実施機関から保護の実施を受けられると解すべきである。このように解しても、その居住地における被保護者の生活状態、資産状況等の事項を調査して把握し、その結果に基づいて所要の保護の変更、停止又は廃止を決定し、また、自立の助長のための措置を講ずることは可能であるから、保護の決定および実施に関する制度の趣旨が損なわれるとはいえない（最判平20・2・28）。

Q18 厚生労働大臣が、老齢加算の減額又は廃止をすることは、専門技術的かつ政策的な見地からの裁量権を越え、生活保護法の規定に反するのか。

A 老齢加算の一部又は全部についてその支給の根拠となっていた高齢者の特別な需要が認められないのであれば、裁量権を越えるとはいえず、生活保護法の規定に反しない。　生活保護法8条2項によれば、保護基準は、要保護者（生活保護法による保護を必要とする者をいう。以下同じ）の年齢別、性別、世帯構成別、所在地域別その他保護の種類に応じて必要な事情を考慮した最低限度の生活の需要を満たすに十分なものであって、かつ、これを超えないものでなければならない。そうすると、仮に、老齢加算の一部又は全部についてその支給の根拠となっていた高齢者の特別な需要が認められないのであれば、老齢加算の減額又は廃止をすることは、同項の規定に沿うところである。したがって、保護基準中の老齢加算に係る部分を改定するに際し、最低限度の生活を維持するうえで老齢者であることに係る特別な需要が存在するといえるか否かおよび高齢者に係る改定後の生活扶助基準の内容が、健康で文化的な生活水準を維持することができるものであるか否かを判断するにあたっては、厚生労働大臣に専門技術的かつ政策的な見地からの裁量権が認められるものというべきである（最判平24・2・28、最判平24・4・2）。

Q19 「生活に困窮する外国人に対する生活保護の措置について」と題する昭和29年の厚生省社会局長の通知（行政庁の通達）により、永住外国人の生活保護受給権は、生活保護法の対象となるのか。

A 生活保護法の対象とならない。　永住外国人の生活保護受給権に関して、現行の生活保護法は、1条および2条において、その適用の対象につき「国民」と定めたものであり、上記各条にいう「国民」とは日本国民を意味するものであって、外国人はこれに含まれない。したがって、生活保護法をはじめとする現行法令上、生活保護法が一定の範囲の外国人に適用され又は準用されると解すべき根拠は見あ

たらない。また、本件通知（「生活に困窮する外国人に対する生活保護の措置について」と題する昭和29年社発第382号厚生省社会局長通知）は行政庁の通達であり、それに基づく行政措置として一定範囲の外国人に対して生活保護が事実上実施されてきたとしても、本件通知を根拠として外国人が同法に基づく保護の対象となりうるものとは解されない。外国人は行政措置により事実上の保護の対象となりうるにとどまり、生活保護法に基づく保護の対象となるものではなく、同法に基づく受給権を有しないものというべきである〈永住外国人生活保護訴訟〉（最判平26・7・18）。

◇環境権

Q20 空港の設置者である国を被告として空港の夜間の差止めを求める請求は、通常の民事上の請求として私法上の給付請求権を有するのか。

A 通常の民事上の請求として私法上の給付請求権を有しない〈大阪国際空港公害訴訟〉（最大判昭56・12・16）。⇨行政法総論249

Q21 自衛隊機による米軍飛行場の使用に伴い生じた騒音等の公害の程度が著しい場合には、人格権・環境権に基づく自衛隊機の離着陸等の民事上の差止請求が認められる余地があるのか。また、過去および将来の損害賠償請求も認められるのか。

A 民事上の差止請求が認められない。また、過去の損害賠償請求についてのみ認められる。　自衛隊機による米軍飛行場の使用に伴い生じた騒音等の公害が違法かどうかは侵害行為の態様と侵害の程度、被侵害利益の性質と内容、侵害行為のもつ公共性の内容と程度を比較検討すべきであるが、自衛隊機の離着陸等の民事上の差止請求については、自衛隊機の運行に関する防衛庁長官の権限の行使は、騒音等により影響を受ける周辺住民との関係において、公権力の行使にあたる行為というべきであって、民事上の請求として求められた差止請求は、不適法である〈厚木基地差止請求訴訟〉（最判平5・2・25）。

第26条 ［教育を受ける権利、教育の義務、義務教育の無償］
①すべて国民は、法律の定めるところにより、その能力に応じて、ひとしく教育を受ける権利を有する。
②すべて国民は、法律の定めるところにより、その保護する子女に普通教育を受けさせる義務を負ふ。義務教育は、これを無償とする。

◇学習権

Q1 教育の権利は、子どもの学習権をも保障しているのか。

A 子どもの学習権をも保障している。　憲法26条の規定の背後には、国民各自が、一個の人間として、また、一市民として、成長、発達し、自己の人格を完成、実現するために必要な学習をする固有の権利を有すること、特に、自ら学習することのでき

ない子どもは、その学習要求を充足するための教育を自己に施すことを大人一般に対して要求する権利を有するとの観念が存在している〈旭川学テ事件〉（最大判昭51・5・21）。

出題 国家総合－令和4・2、地方上級－昭和60、東京Ⅰ－平成15、市役所上・中級－平成10、特別区Ⅰ－平成24・16、国家一般－平成28・26、国Ⅱ－平成21・15・11、裁判所Ⅰ・Ⅱ－平成14

◇教育権・教授の自由

Q2 親は法律によって義務づけられている普通教育を子どもに受けさせない教育の自由を有するか。また、国は教育内容を決定できるのか。

A 親は普通教育を受けさせない自由を有せず、また、国は必要かつ相当の範囲で教育内容を決定できる。　親は、子どもに対する自然的関係により子どもの教育に対する一定の支配権、すなわち子女の教育の自由を有するが、このような親の教育の自由は、主として家庭教育等学校外における教育や学校選択の自由にあらわれるし、また、私学教育における自由や教師の教育の自由も、それぞれ限られた一定の範囲において肯定される。しかし、それ以外の領域においては、一般に社会公共的な問題について国民全体の意思を組織的に決定、実現すべき立場にある国は、国政の一部として広く適切な教育政策を樹立、実施すべく、また、しうる者として、憲法上は、あるいは子ども自身の利益の擁護のため、あるいは子どもの成長に対する社会公共の利益と関心にこたえるため、必要かつ相当と認められる範囲において、教育内容についてもこれを決定する権能を有する〈旭川学テ事件〉（最大判昭51・5・21）。

出題 国Ⅰ－平成16・11・6・昭和57、地方上級－昭和60、東京Ⅰ－平成15、市役所上・中級－平成10、特別区Ⅰ－平成20・16、国家一般－平成26、国Ⅱ－平成21・11

Q3 普通教育における教師に完全な教授の自由を認めることができるか。

A 完全な教授の自由を認めることはできない。わが国の法制上子どもの教育の内容を決定する権能が誰に帰属するとされているかについては、2つの極端に対立する見解（国家教育権説と国民教育権説）があるが、それらはいずれも極端かつ一方的であり、そのいずれをも全面的に採用することはできない。憲法の保障する学問の自由は、単に学問研究の自由ばかりでなく、その結果を教授する自由をも含むむ、さらにまた、普通教育の場においても、たとえば教師が公権力によって特定の意見のみを教授することを強制されないという意味において、また、子どもの教育が教師と子どもとの直接の人格的接触を通じ、その個性に応じて行われなければならないという本質的要請に照らし、教授の具体的内容および方法につきある程度自由な裁量が認められなければならないという意味においては、一定の範囲における教授の自由が保障されるべきである。しかし、普通教育においては、(1)児童生徒に教授内容を批判する能力がなく、(2)教師が児童生徒に対して強い影響力、支配力を有することを考え、また、(3)子

どもの側に学校や教師を選択する余地が乏しく、(4)教育の機会均等を図るうえからも全国的に一定の水準を確保すべき強い要請があること等から、普通教育における教師に完全な教授の自由を認めることは、許されない〈旭川学テ事件〉（最大判昭51・5・21）。

出題 国家総合－令和3・2・平成29、国Ⅰ－平成22・18・16・10・昭和63・57、地方上級－昭和60・55、市役所上・中級－平成10、特別区Ⅰ－令和3・平成24・20・16、国家一般－平成28・26、国Ⅱ－平成21・19・13・6、裁判所総合・一般－令和2、裁判所Ⅰ・Ⅱ－平成22・15・14、国税・財務－平成27、国税・労基－平成16、国税－平成13

Q4 高校等の普通教育においては、児童生徒に教育内容を批判する能力がないこと、教師に強い影響力があること、全国的に一定の教育水準を確保すべき要請が強いことなどから、教授の自由が認められる余地はないのか。

A 教授の自由が認められる余地はないのではなく、完全な教授の自由が認められない〈旭川学テ事件〉（最大判昭51・5・21）。⇨2・3

Q5 学習指導要領の告示により、教師の教授の自由に制約が及ぶのか。

A 教師の教授の自由に制約が及ぶ。　国には、教育の一定水準を維持しつつ、高等学校教育の目的達成に資するために、高等学校教育の内容および方法について遵守すべき基準を定立する必要があり、特に法規によってそのような基準が定立されている事柄については、教育の具体的内容および方法につき高等学校の教師に認められるべき裁量にもおのずから制約が存する〈伝習館高校事件〉（最判平2・1・18）。

出題 国Ⅰ－平成11・6、特別区Ⅰ－令和3・平成16

Q6 学習指導要領には法規としての性質が認められるか。

A 法規としての性質が認められる。　高等学校学習指導要領は、法規としての性質を有するとした原審の判断は、正当として是認することができ、当該学習指導要領の性質をそのように解することが憲法23条、26条に違反するものでないことは、〈旭川学テ事件〉最大判昭51・5・21の趣旨とするところである〈伝習館高校事件〉（最判平2・1・18）。

出題 国Ⅰ－平成11・6、特別区Ⅰ－令和3・平成20、国税・財務・労基－令和3

◇義務教育の無償

Q7 義務教育の無償は、授業料のほかに、教科書、学用品その他教育に必要な一切の費用まで無償とすることを意味するのか。

A 教育に必要な一切の費用まで無償とすることを意味しない。　憲法26条2項後段は、国が義務教育を提供するにつき無償としないこと、換言すれば、子女の保護者に対しその子女に普通教育を受けさせるにつき、その対価を徴収しないことを定めたものであり、教育提供に対する対価とは授業料を意

味するから、同条項の無償とは授業料不徴収の意味である。それ故、憲法の義務教育は無償とするとの規定は、授業料のほかに、教科書、学用品その他教育に必要な一切の費用まで無償としなければならないことを定めたものではない（最大判昭39・2・26）。

Q8 憲法26条2項後段の規定は、普通教育が民主国家の存立、繁栄のため必要であるという国家的要請に基づくものか。

A 国家的要請に基づくものであることは否定できない。　憲法が保護者に子女を就学せしむべき義務を課しているのは、単に普通教育が民主国家の存立、繁栄のため必要であるという国家的要請だけによるものではなくして、それがまた子女の人格の完成に必要欠くべからざるものであるということから、親の本来有している子女を教育すべき責務を完うせしめんとする趣旨に出たものでもある（最大判昭39・2・26）。　　

第27条〔勤労の権利・義務、勤労条件の基準、児童酷使の禁止〕

①すべて国民は、勤労の権利を有し、義務を負ふ。
②賃金、就業時間、休息その他の勤労条件に関する基準は、法律でこれを定める。
③児童は、これを酷使してはならない。

第28条〔労働基本権〕

　勤労者の団結する権利及び団体交渉その他の団体行動をする権利は、これを保障する。

◇労働基本権全般

Q1 企業経営の権能を権利者の意思を排除して非権利者が行う生産管理は、違法性を阻却する争議行動か。

A 違法性を阻却しない争議行動である〈山田鋼業事件〉（最大判昭25・11・15）。⇨労働組合法1条⑧　

◇公務員の労働基本権

Q2 地方公務員法61条4号の規定は、すべての地方公務員の一切の争議行為を禁止し、これらの争議行為の遂行をあおる等の行為をすべて処罰する趣旨と解し、と解すべきか。

A 違憲と解すべきではなく、可能な限り、憲法の精神にそくし、これと調和しうるよう、合理的に解釈されるべきである〔判例変更前〕。　争議行為そのものに種々の態様があり、その違法性が認められる場合にも、その強弱に程度の差があるように、あおり行為等にもさまざまの態様があり、その違法性が認められる場合にも、その違法性の程度には強弱さまざまのものがありうる。それにもかかわらず、これらのニュアンスを一切否定して一律にあおり行為等を刑事罰をもってのぞむ違法性があるものと断定することは許されないというべきである。

ことに、争議行為そのものを処罰の対象とすることなく、あおり行為等に限って処罰すべきものとしている地方公務員法61条4号の趣旨からいっても、争議行為に通常随伴して行われる行為のごときは、処罰の対象とされるべきものではない。それは、争議行為禁止に違反する意味において違法な行為であるということができるとしても、争議行為の一環としての行為にほかならず、これらのあおり行為等をすべて安易に処罰すべきものとすれば、争議行為者不処罰の建前をとる地方公務員法の原則に矛盾することにならざるをえないからである。したがって、職員団体の構成員たる職員のした行為が、たとえ、あおり行為的な要素をあわせもつとしても、それは、原則として、刑事罰をもってのぞむ違法性を有するものとはいえない〈都教組事件〉（最大判昭44・4・2）〔判例変更前〕。　

〔参考〕地方公務員法第37条　①職員は、地方公共団体の機関が代表する使用者としての住民に対して同盟罷業、怠業その他の争議行為をし、又は地方公共団体の機関の活動能率を低下させる怠業的行為をしてはならない。又、何人も、このような違法な行為を企て、又はその遂行を共謀し、そそのかし、若しくはあおってはならない。

第61条　次の各号のいずれかに該当する者は、3年以下の懲役又は100万円以下の罰金に処する。

4　何人たるを問わず、第37条第1項前段に規定する違法な行為の遂行を共謀し、そそのかし、若しくはあおり、又はこれらの行為を企てた者

Q3 地方公務員法61条4号は、争議行為をした地方公務員の中で、違法な争議行為のあおり行為等をした者をすべて処罰の対象とするのか。

A 違法性の強いあおり行為等をした者に限定して処罰の対象としている〔判例変更前〕。　地方公務員法61条4号は、争議行為をした地方公務員自体を処罰の対象とすることなく、違法な争議行為のあおり行為等をした者に限ってこれを処罰することにしているのであるが、このような処罰規定の定め方も、立法政策としての当否は別として、一般的に許されないとまでは決していえない。ただ、それは、争議行為自体が違法性の強いものであることを前提とし、そのような違法な争議行為等のあおり行為等であってはじめて、刑事罰をもってのぞむ違法性を認めようとする趣旨と解すべきであって、あおり行為等の対象となるべき違法な争議行為が存しない以上、地方公務員法61条4号が適用される余地はないと解すべきである〈都教組事件〉（最大判昭44・4・2）〔判例変更前〕。　

Q4 公務員に労働基本権は保障されるか。

A 労働基本権は保障される。　憲法28条が定める労働基本権の保障は、憲法25条のいわゆる生存権の保障を基本理念とし、憲法27条の勤労の権利および勤労条件に関する基準の法定の保障と相まって勤労者の経済的地位の向上を目的とするものである。このような労働基本権の根本精神に即して考えると、公務員は、私企業の労働者と異なり、使用者との合意によって賃金その他の労働条件が決定され

る立場にないとはいえ、勤労者として、自己の労務を提供することにより生活の資を得ているものである点において一般の勤労者と異ならないから、憲法28条の労働基本権の保障は公務員に対しても及ぶ〈全農林警職法事件〉（最大判昭48・4・25）。

出題 国Ⅰ－平成13・3・昭和60、国家一般－令和1、国Ⅱ－平成14・10・昭和60、裁判所Ⅰ・Ⅱ－平成17、国税・財務・労基－令和3・平成27

Q5 私企業の労働者よりも公務員の労働基本権を制約することは、合理的な理由があるのか。

A 合理的な理由がある。　公務員は、公共の利益のために勤務するものであり、公務の円滑な運営のためには、その担当する職務内容の別なく、それぞれの職場においてその職責を果たすことが必要不可欠であって、公務員が争議行為に及ぶことは、その地位の特殊性および職務の公共性と相容れないばかりでなく、多かれ少なかれ公務の停廃をもたらし、その停廃は勤労者を含めた国民全体の共同利益に重大な影響を及ぼすか、またはそのおそれがある。さらに、公務員の給与をはじめ、その他の勤務条件は、原則として、国民の代表者により構成される国会の制定した法律、予算によって定められることとなっている。その場合、使用者としての政府にいかなる範囲の決定権を委任するかは、まさに国会自らが立法をもって定めるべき労働政策の問題である。したがって、公務員による争議行為が行われるならば、使用者としての政府によっては解決できない立法問題に逢着せざるをえないこととなり、ひいては民主的に行われるべき公務員の勤務条件決定の手続過程を歪曲することともなって、憲法の基本原則である議会制民主主義（憲法41条、83条等参照）に背馳し、国会の議決権を侵すおそれがある〈全農林警職法事件〉（最大判昭48・4・25）。

出題 国家総合－平成29、国Ⅰ－平成7、地方上級－昭和58・52、国Ⅱ－平成1、国税・労基－平成16

Q6 公務員が政府に対して団体交渉を行うことは認められるのか。

A 認められない〈全農林警職法事件〉（最大判昭48・4・25）。⇨5

Q7 非現業公務員の争議行為を一律に禁止することは、適切な代替措置が講じられている等の理由により、憲法に違反しないのか。

A 憲法に違反しない。　公務員についても憲法によってその労働基本権が保障される以上、この保障と国民全体の共同利益の擁護との間に均衡が保たれることを必要とすることは、憲法の趣旨であるから、その労働基本権を制限するにあたっては、これに代わる相応の措置が講じられなければならない。その争議行為等が、勤労者をも含めた国民全体の共同利益の保障という見地から制約を受ける公務員に対しても、その生存権保障の趣旨から、法は、これらの制約に見合う代償措置として身分、任免、服務、給与その他に関する勤務条件についての周到詳密な規定を設け、さらに中央人事行政機関として準司法機関的性格をもつ人事院を設けている。また、公務員は、労働基本権に対する制限の代償として、制度上整備された生存権擁護のための関連措置によ

る保障を受けているのである。以上のことから、国家公務員法98条5項がかかる公務員の争議行為およびそのあおり行為等を禁止するのは、勤労者をも含めた国民全体の共同利益の見地からするやむをえない制約というべきであって、憲法28条に違反するものではない〈全農林警職法事件〉（最大判昭48・4・25）。

出題 国Ⅱ－平成11

Q8 違法な争議行為をあおる等の行為をする者に対してのみ刑事罰を科すことは憲法28条に違反しないか。

A 憲法28条に違反しない。　国家公務員法110条1項17号は、公務員の争議行為による業務の停廃が広く国民全体の共同利益に重大な障害をもたらすおそれのあることを考慮し、公務員たると否とを問わず、何人であってもかかる違法な争議行為の原動力又は支柱としての役割を演じた場合については、そのことを理由として罰則を規定している。すなわち、公務員の争議行為の禁止は、憲法に違反することはないから、何人であっても、この禁止を侵す違法な争議行為をあおる等の行為をする者は、違法な争議行為に対する原動力を与える者として、単なる争議参加者にくらべて社会的責任が重いのであり、また争議行為の開始ないしはその遂行の原因を作るものであるから、かかるあおり等の行為者の責任を問い、かつ、違法な争議行為の防遏を図るため、その者に対し特に処罰の必要性を認めて罰則を設けることは、十分に合理性がある。したがって、国家公務員法110条1項17号は、憲法18条、憲法28条に違反するものではない〈全農林警職法事件〉（最大判昭48・4・25）。

出題 国Ⅰ－昭和60、国税－平成12

Q9 国家公務員法110条1項17号は、違法性の強い争議行為を違法性の強い又は社会的許容性のない行為によりあおる等した場合に限ってこれに刑事制裁を科すべき趣旨の規定と解することができるか。

A 解することはできない。　国家公務員法110条1項17号が、違法性の強い争議行為を違法性の強い又は社会的許容性のない行為によりあおる等した場合に限ってこれに刑事制裁を科しうべきものと解するときは、違法性の強弱の区別が元来ははなはだ曖昧であるから刑事制裁を科しうる場合と科しえない場合との限界がすこぶる明確性を欠くこととなり、このような不明確な限定解釈は、かえって犯罪構成要件の保障機能を失わせることとなり、その明確性を要請する憲法31条に違反する疑いすら存する〈全農林警職法事件〉（最大判昭48・4・25）。☞憲法21条(6)違憲審査基準◇明確性の理論

出題 国家総合－令和4・平成26、国Ⅰ－平成22・昭和60、国Ⅱ－平成20

Q10 地方公務員法の規定は、地方公務員の争議行為に違法性の強いものと弱いものとを区別して前者のみが同法にいう争議行為に当たるものとし、また、当該争議行為の遂行を共謀し、唆し、又はあおる等の行為のうちいわゆる争議行為に通常随伴する行為を刑事制裁の対象から除外する趣旨と解すべきか。

A 争議行為に通常随伴する行為を刑事制裁の対象から除外する趣旨と解すべきではない。　地方公務

員法61条4号の規定の解釈につき、争議行為に違法性の強いものと弱いものとを区別して、前者のみが同条同号にいう争議行為にあたるものとし、更にまた、争議行為の遂行を共謀し、そそのかし、又はあおる等の行為についても、いわゆる争議行為に通常随伴する行為は単なる争議参加行為として可罰性を有しないものとして上記規定の適用外に置かれるべきであると解する理由はない〈岩手県教組学力テスト事件〉（最大判昭51・5・21）。

出題 国家総合 − 令和4、特別区Ⅰ − 令和2

Q11 公共企業体等労働関係法の適用を受ける旧五現業及び旧三公社の職員について、その勤務条件は、憲法上、国会において法律、予算の形で決定すべきか。労使における団体交渉権、争議権は、憲法上、保障されているのか。

A 法律、予算の形で決定すべきである。労使における団体交渉権、争議権は、憲法上、保障されていない。　旧三公社は、公法人として、その法人格は国とは別であるが、その資産はすべて国のものであって、憲法83条に定める財政民主主義の原則上、その資産の処分、運用が国会の議決に基づいて行われなければならない。その資金の支出を国会の議決を経た予算の定めるところにより行うことなどが法律によって義務づけられた場合には、当然これに服すべきである。そして、旧三公社の職員の勤務条件を国会の意思とは無関係に労使間の団体交渉によって共同決定することは、憲法上許されない〈全逓名古屋中郵事件〉（最大判昭52・5・4）。

出題 国家総合 − 令和4、特別区Ⅰ − 令和2

Q12 労働基本権制約の代償措置としての人事院勧告が、政府によって完全凍結されたことを契機に行われた争議行為に対する懲戒処分については、懲戒権者は裁量権の範囲を逸脱したものであり、違法となるのか。

A 懲戒権者は裁量権の範囲を逸脱したものではなく、違法とならない。　結社の自由及び団結権の保護に関する条約（昭和40年条約第7号。いわゆるILO87号条約）3条ならびに経済的、社会的及び文化的権利に関する国際規約（昭和54年条約第6号）8条1項(c)は、いずれも公務員の争議権を保障したものとは解されず、国家公務員法98条2項および3項ならびに本件各懲戒処分が上記各条約に違反するものとはいえない。また、原審の事実認定の事実関係の下においては、本件ストライキの当時、国家公務員の労働基本権の制約に対する代償措置がその本来の機能を果たしていなかったということはできない。したがって、当該事実関係の下においては、上告人らに対する本件各懲戒処分が著しく妥当性を欠くものとはいえず、懲戒権者の裁量権の範囲を逸脱したものとはいえない〈全農林人事院勧告事件〉（最判平12・3・17）。

出題 東京Ⅰ − 平成17

Q13 使用者に対する経済的地位の向上の要請と直接関係のない政治的目的のための争議行為（純粋政治スト）は、憲法28条の労働基本権の保障を受けるのか。

A 憲法28条の労働基本権の保障を受けない　使用

者に対する経済的地位の向上の要請とは直接関係のない政治的目的のために争議行為（純粋政治スト）を私企業の労働者が行うことは認められない。しかし、私企業の労働者、公務員を問わず、経済的目的のための争議行為を行うことは、労働基本権が労働者の生きる権利のためにある以上、認められる。〈三菱重工長崎造船所事件〉（最判平4・9・25）〈全農林警職法事件〉（最大判昭48・4・25）。⇨労働組合法1条7

出題 国家総合 − 令和2、特別区Ⅰ − 平成26、国税・労基 − 平成20

Q14 非現業の国家公務員および公営企業体職員には争議権が認められるか。

A 争議は認められない。　非現業の国家公務員の場合、その勤務条件は、憲法15条、41条、83条の諸原則から、国民全体の意思を代表する国会において法律、予算の形で決定すべきものとされており、私企業の労働者の場合のような労使による勤務条件の共同決定を内容とする団体交渉権の保障はなく、その共同決定のための団体交渉過程の一環として予定されている争議権もまた、憲法上、当然に保障されていない。その理は、（旧）公労法の適用を受ける五現業および三公社の職員についても、直ちに又は基本的に妥当する〈名古屋中郵事件〉（最大判昭52・5・4）。

出題 地方上級 − 昭和53

◇組合員個人の立候補の自由と労働組合の統制権

Q15 組合員個人の立候補の自由を、組合の統制権で制約し、これに従わない組合員を統制違反者として処分することは適法であり、許されるのか。

A 組合の統制権の限界を超え違法であり、許されない。　公職選挙における立候補の自由は、憲法の保障する重要な権利であるから、これに対する制約は慎重でなければならず、組合の団結を維持するための統制権の行使に基づく制約であっても、その必要性と立候補の自由の重要性とを比較衡量して、その許否を決すべきである。そして、本件のような場合には、統一候補以外の組合員で立候補しようとする者に対し、組合が所期の目的を達成するために、立候補を思いとどまるよう、勧告または説得をすることは、組合としても、当然なしうる。しかし、組合が当該組合員に対し、勧告または説得の域を超え、立候補をとりやめることを要求し、これに従わないことを理由に当該組合員を統制違反者として処分することは、組合の統制権の限界を超えるものとして、違法である〈三井美唄労組事件〉（最大判昭43・12・4）。

出題 国家総合 − 令和1、国Ⅰ − 平成21・15・昭和63・55・54、地方上級 − 平成11、国家一般 − 令和1・平成25、国Ⅱ − 平成18・13、裁判所総合・一般 − 平成24、裁判所Ⅰ・Ⅱ − 平成17、国税・財務・労基 − 令和3、国税・労基 − 平成20・16

Q16 労働組合が統一候補以外の組合員で立候補しようとする者に対し、組合が立候補を思いとどまるよう勧告又は説得することは許されないのか。

A 勧告又は説得することは許される〈三井美唄労組事件〉（最大判昭43・12・4）。⇨15

第29条［財産権］
①財産権は、これを侵してはならない。
②財産権の内容は、公共の福祉に適合するやうに、法律でこれを定める。
③私有財産は、正当な補償の下に、これを公共のために用ひることができる。

(1)財産権と私有財産制度の保障（1項）

Q1 憲法29条は私有財産制度とともに個々の財産権を保障しているのか。

A 私有財産制度と個々の財産権を保障している。憲法29条は私有財産制度を保障しているのみでなく、社会経済的活動の基礎をなす国民の個々の財産権につきこれを基本的人権として保障する〈森林法共有林事件〉（最大判昭62・4・22）。

出題 国家総合－平成27・25、国Ⅰ－平成16、地方上級（市共通）－平成9、東京Ⅰ－平成19、特別区Ⅰ－平成21・17、国家一般－令和2・平成27、国Ⅱ－平成23・20、裁判所総合・一般－令和3・平成30・26、国税－平成7

(2)財産権の制限（2項）

Q2 農地の賃貸借契約の更新拒絶について、法律により知事の許可を得ることを条件とすることは、憲法29条に違反するのか。

A 憲法29条に違反しない。　農地所有者の所有権の行使または処分が農地法20条1項・5項の規定により、ある程度不自由になっていることは疑いがなく、その限りにおいて農地所有者の地位が一般土地の所有者に比して不利益になっていることは認めざるをえない。しかし、農業経営の民主化のため小作農の自作農地化の促進、小作農の地位の安定向上を重要施策としている現状の下では、その程度の不自由さは公共の福祉に適合する合理的な制限と認むべきであり、また、そのような農地所有者の不利益も公共の福祉を維持するうえにおいて甘受しなければならない程度のものと認むべきである。したがって、農地法20条は憲法29条に違反しない（最大判昭35・2・10）。

出題 地方上級－昭和62、国税－昭和59

Q3 法律で定められた財産権の内容を事後の法律で変更することは許されるのか。

A 公共の福祉に適合するものであれば許される。憲法29条1項・2項の規定にかんがみれば、法律でいったん定められた財産権の内容を事後の法律で変更しても、それが公共の福祉に適合するようにされたものである限り、これをもって違憲の立法ということができない。そして、この変更が公共の福祉に適合するようにされたものであるかどうかは、いったん定められた法律に基づく財産権の性質、その内容を変更する程度、およびこれを変更することによって保護される公益の性質などを総合的に勘案し、その変更が当該財産権に対する合理的な制約として容認されるべきものであるかどうかによって、判断すべきである（最大判昭53・7・12）。

出題 国家総合－令和2、国家一般－令和2、国Ⅰ－

平成22・昭和59、地方上級－昭和60、裁判所総合・一般－平成26、国税・労基－平成23

Q4 森林法による共有林の分割請求権の制限につき、社会経済政策上の積極目的規制については明白の原則を、災害防止を目的とする消極目的規制については厳格な合理性の基準を、それぞれ適用しなければならないのか。

A いわゆる二分論については明言していない。財産権は、それ自体に内在する制約があるほか、立法府が社会全体の利益を図るために加える規制により制約を受けるが、この規制は、財産権の種類、性質等が多種多様であり、また、財産権に対し規制を要求する社会的理由ないし目的も、社会公共の便宜の促進、経済的弱者の保護等の社会政策および経済政策上の積極的なものから、社会生活における安全の保障や秩序の維持等の消極的なものに至るまで多岐にわたるため、種々様々である。したがって、財産権に対して加えられる規制が憲法29条2項にいう公共の福祉に適合し是認されるべきかどうかは、規制の目的、必要性、内容、その規制によって制限される財産権の種類、性質および制限の程度等を比較考量して決すべきであるが、裁判所としては、立法府がした上記比較考量にもとづく判断を尊重すべきであるから、立法の規制目的が前示のような社会的理由ないし目的に出たとはいえないとして公共の福祉に合致しないことが明らかであるか、または規制目的が公共の福祉に合致するものであっても規制手段が上記目的を達成するための手段として必要性もしくは合理性に欠けていることが明らかであって、そのため立法府の判断が合理的裁量の範囲を超える場合に限り、当該規制立法が憲法29条2項に違背するとして、その効力を否定することができる〈森林法共有林事件〉（最大判昭62・4・22）。

出題 国家総合－令和2・1、地方上級－平成10、東京Ⅰ－平成19、国Ⅱ－平成23、国税・財務・労基－平成28、国税－平成11

Q5 財産権の規制の社会的理由としては、社会生活における安全の保障、秩序の維持等の消極的なものに限られ、社会政策および経済政策上の積極的なものは含まれないのか。

A 社会政策および経済政策上の積極的なものも含まれる〈森林法共有林事件〉（最大判昭62・4・22）。⇨4

Q6 森林法による共有林の分割請求権の制限は、社会経済政策上の積極的規制ではなく、災害防止等を目的とする消極的規制であり、その立法目的との関係において、合理性と必要性のいずれをも肯定できないことが明らかであるから、違憲となるのか。

A 当該制限は違憲ではあるが、消極的制規であるか否かは明らかではない〈森林法共有林事件〉（最大判昭62・4・22）。⇨4

Q7 共有森林について、その持分価額2分の1以下の共有者に対し、民法256条1項所定の分割請求権を否定する森林法は、憲法29条2項に違反するのか。

A 憲法29条2項に反する。　共有物分割請求権

は、各共有者に近代市民社会における原則的所有形態である単独所有への移行を可能にし、共有の本質的属性として認められているところ、森林法186条の立法目的は、森林の細分化を防止することによって森林経営の安定を図り、ひいては森林の保続培養と森林の生産力の増進を図り、もって国民経済の発展に資することにあるから、その立法目的は公共の福祉に合致しないことが明らかとはいえない。しかし、森林法186条のもとにおける共有者間の紛争により森林荒廃の事態を永続化させてしまうこと、同条には森林の範囲や期間の限定が施されていないこと、現物分割においても、価格賠償など当該共有物の性質または共有状態に応じた合理的な分割が可能であり、したがって共有森林について現物分割をしても、直ちにその細分化をきたすものとはいえないこと等を考えると、森林法186条による分割請求権の制限は、同条の立法目的との関係において、合理性と必要性のいずれをも肯定することのできないことが明らかであって、同条は、憲法29条2項に違反し、無効である〈森林法共有林事件〉（最大判昭62・4・22）。

Q8 条例によって財産権を規制することは、憲法29条2項に反しないか。

A 憲法29条2項に反しない。　条例により財産権を制限するのは、ため池の破損・決潰等による災害を未然に防止するためにあり、その財産権の行使をほとんど全面的に禁止されることになるが、それは災害を未然に防止するという社会生活上やむをえない必要からくることであって、ため池の堤とうを使用する財産上の権利を有する者は何人も、公共の福祉のため、当然これを受忍しなければならない責務を負う。すなわち、ため池の破損・決潰の原因となるため池の堤とうの使用行為は、憲法・民法の保障する財産権の行使の埒外にあるというべく、したがって、これらの行為を条例をもって禁止、処罰しても、憲法および法律に抵触またはこれを逸脱しない〈奈良県ため池条例事件〉（最大判昭38・6・26）。

Q9 ため池の堤とうを使用する財産上の権利を有する者に対し、ため池の決壊などの災害防止のために使用制限を課しても、憲法に違反しないのか。

A 憲法に違反しない〈奈良県ため池条例事件〉（最大判昭38・6・26）。⇨8

Q10 権利者自身が農地を農地以外のものに転用し、さらに転用を目的とする権利移動についても都

道府県知事の許可を必要とする農地法4条1項、5条1項の規定は、憲法29条に反しないのか。

A 憲法29条に反しない。　農地法4条1項は、農地を農地以外のものにするには、原則として都道府県知事等の許可を受けなければならないとし、法5条1項は、農地以外のものにするため農地について権利を設定し、移転するには、原則として都道府県知事等の許可を受けなければならないとしている。このような規制の目的は、土地の農業上の効率的な利用を図り、営農条件が良好な農地を確保することによって、農業経営の安定を図るとともに、国土の合理的かつ計画的な利用を図るための他の制度と相まって、土地の農業上の利用と他の利用との利用関係を調整し、農地の環境を保全することにある。この規制目的は、農地法の立法当初と比較して農地をめぐる社会情勢が変化してきたことを考慮しても、なお正当性を肯認することができる。そして、前記各条項の定める規制手段が、上記規制目的を達成するために合理性を欠くわけでもない。したがって、法4条1項、5条1項およびこれらの規定に違反した者に対する罰則である法92条は、憲法29条に違反するものではない（最判平14・4・5）。

Q11 上場会社の主要株主がその会社の株式を買い付けた後6か月以内にそれを売り付けて利益を得た場合には、インサイダー情報の不当利用や一般投資家の損害発生がなくても、会社は当該株主に対してその利益を請求できるとする（旧）証券取引法164条1項は、憲法29条に違反しないのか。

A 憲法29条に違反しない。　証券取引法164条1項は、上場会社等の役員又は主要株主がその職務又は地位により取得した秘密を不当に利用することを防止することによって、一般投資家が不利益を受けることのないようにし、国民経済上重要な役割を果たしている証券取引市場の公平性、公正性を維持するとともに、これに対する一般投資家の信頼を確保するという経済政策に基づく目的を達成するためのものと解するところ、このような目的が正当性を有し、公共の福祉に適合するものであることは明らかである。次に、規制の内容等についてみると、同項は、外形的にみて上記秘密の不当利用のおそれのある取引による利益につき、個々の具体的な取引における秘密の不当利用や一般投資家の損害発生という事実の有無を問うことなく、その提供請求ができることとして、秘密を不当に利用する取引への誘因を排除しようとするものである。また、同条同項は、その役員又は主要株主に対し、一定期間内（6か月以内）に行われた取引から得た利益の提供請求を認めることによって当該利益の保持を制限するにすぎず、それ以上の財産上の不利益を課するものではない。これらの事情を考慮すると、そのような規制手段を採ることは、前記のような立法目的達成のための手段として必要性又は合理性に欠けるものとはいえない。以上のとおり、証券取引法164条1項は、憲法29条に違反するものではない（最大判平14・2・13）。

Q12 団地内の各建物の区分所有者および議決権の各3分の2以上の賛成があれば、団地内区分所有者および議決権の各5分の4以上の多数の賛成で団地内全建物一括建替えの決議ができるものと定める区分所有法70条1項は、建替えに参加しない少数者の権利を侵害し、憲法29条に違反するのではないか。

A 憲法29条に違反しない。　区分所有法70条1項は、団地内の各建物の区分所有者および議決権の各3分の2以上の賛成があれば、団地内区分所有者および議決権の各5分の4以上の多数の賛成で団地内全建物一括建替えの決議ができるものとしているが、団地内全建物一括建替えは、団地全体として計画的に良好かつ安全な住環境を確保し、その敷地全体の効率的かつ一体的な利用を図ろうとするものであるところ、区分所有権の上記性質にかんがみると、団地全体では同法62条1項の議決要件と同一の議決要件を定め、各建物単位では区分所有者の数および議決権数の過半数を相当超える議決要件を定めているのであり、同法70条1項の定めは、なお合理性を失うものではないというべきである。また、団地内全建物一括建替えの場合、1棟建替えの場合と同じく、上記のとおり、建替えに参加しない区分所有者は、売渡請求権の行使を受けることにより、区分所有権および敷地利用権を時価で売り渡すこととされているのであり（同法70条4項、63条4項）、その経済的損失については相応の手当がされているというべきである。そうすると、規制の目的、必要性、内容、その規制によって制限される財産権の種類、性質および制限の程度等を比較考量して判断すれば、区分所有法70条は、憲法29条に違反するものではない。このことは、最高裁平成14年2月13日大法廷判決の趣旨に徴して明らかである（最判平21・4・23）。

出題 予想➡特別区Ⅰ－令和3

(3)財産権の制限と補償の要否（3項）

◇「公共のために用いる」の意味

Q13 憲法29条3項の「公共のため」とは、病院、学校、ダムなどの建設のような公共事業のためだけに限られるのか。

A 公共事業のためだけに限られず、特定の個人が受益者になる場合もある。　自作農創設特別措置法による農地改革は、耕作者の地位を安定し、その労働の成果を公正に享受させるため自作農を急速かつ広汎に創設し、また、土地の農業上の利用を増進し、農業生産力の発展と農村における民主的傾向の促進を図るという公共の福祉のための必要に基づいたものであるから、自作農創設特別措置法により買収された農地、宅地、建物等が買収申請人である特定の者に売り渡されるとしても、それは農地改革を目的とする公共の福祉のための必要に基づいて制定された自作農創設特別措置法の運用による当然の結果にほかならない（最判昭29・1・22）。

出題 国家総合－平成27・25・24、国Ⅰ－平成22・16・7・1・昭和56、地方上級－平成8・昭和56、国家一般－平成29・27、国Ⅱ－平成23・10、

裁判所総合・一般－令和3・平成30、国税・財務・労基－平成28、国税・労基－平成23、国税－平成11

◇損失補償の要否

Q14 ため池の堤とうを使用する財産上の権利行使を全面的に禁止する場合には、憲法上の損失補償を必要とするのか。

A 憲法上の損失補償を必要としない。　奈良県ため池条例4条2号は、ため池の堤とうを使用する財産上の権利の行使を著しく制限するものであるが、結局それは、災害を防止し公共の福祉を保持するうえに社会生活上やむをえないものであり、そのような制約は、ため池の堤とうを使用しうる財産権を有する者が当然受忍しなければならない責務であって、憲法29条3項の損失の補償はこれを必要としない〈奈良県ため池条例事件〉（最大判昭38・6・26）。

出題 国家総合－令和1、国Ⅰ－平成7、地方上級－昭和53、国Ⅱ－平成23・10、国税－平成9・昭和56

Q15 いわゆるサンフランシスコ平和条約の締結によって生じた在外資産の喪失については、憲法29条3項の趣旨に照らすと、その損失補償請求ができるのか。

A 損失補償請求はできない（最大判昭43・11・27）。➡〔行政法編〕　　　出題 国Ⅰ－平成16

Q16 私有財産の収用が正当な補償の下に行われたが、その後に至り収用当時の具体的な収用目的が消滅した場合、憲法上当然にこれを被収用者に返還しなければならないのか。

A 憲法上当然にではなく、立法政策上、被収用者に返還しなければならない場合がある。　私有財産の収用が正当な補償の下に行われた場合においてその後に至り収用目的が消滅したとしても、法律上当然に、これを被収用者に返還しなければならないものではない。しかし、収用が行われた後、当該収用物件につきその収用目的となった公共の用に供しないことを相当とする事実が生じた場合には、なお、国にこれを保有させ、その処置を原則として国の裁量に任せるべき合理的理由はない。したがって、このような場合には、被収用者にこれを回復する権利を保障する措置をとることは立法政策上当を得たものである（最大判昭46・1・20）。

出題 国Ⅰ－昭和59、国税－平成11

Q17 当該法令に損失補償に関する規定が存在しない場合、憲法29条を直接根拠として補償請求できるか。

A 憲法29条を直接根拠として補償請求ができる余地がある。　河川付近地制限令4条2号による制限について同条に損失補償に関する規定がないからといって、同条があらゆる場合について一切の損失補償を全く否定する趣旨とまでは解されず、本件被告人も、その損失を具体的に主張立証して、別途、直接憲法29条3項を根拠にして、補償請求をする余地が全くないわけではない〈河川付近地制限令事件〉（最大判昭43・11・27）。

憲法編

あって、その自由な取引による価格の成立を認められないこともあるからである〈農地改革事件〉（最大判昭28・12・23）。

国家総合 – 平成28、国Ⅰ – 平成1、地方上級 – 平成60・56、東京Ⅰ – 平成19、市役所上・中級 – 平成2、特別区Ⅰ – 平成21、国Ⅱ – 平成23・2・昭和61、裁判所総合・一般 – 令和3、裁判所Ⅰ・Ⅱ – 平成14、国税 – 昭和59・56

Q21 土地収用法における損失の補償は、相当な補償で足りるのか、それとも完全な補償を要するのか。

A 完全な補償を要する。　土地収用法における損失の補償は、特定の公益上必要な事業のために土地が収用される場合、その収用によって当該土地の所有者等が被る特別な犠牲の回復を図ることを目的とするものであるから、完全な補償、すなわち、収用の前後を通じて被収用者の財産価値を等しくならしめるような補償をなすべきであり、金銭をもって補償する場合には、被収用者が近傍において被収用地と同等の代替地等を取得することをうるに足りる金額の補償を要し、土地収用法72条（改正前のもの）は上記のような趣旨を明らかにした規定と解すべきである（最判昭48・10・18）。⇨損失補償4

国家総合 – 令和2、東京Ⅰ – 平成19、特別区Ⅰ – 平成21、国Ⅱ – 平成20・10、裁判所総合・一般 – 平成26、裁判所Ⅰ・Ⅱ – 平成22・14、国税 – 平成8

Q22 憲法29条3項にいう「正当な補償」とは、土地収用の場合は、土地収用裁決時の経済状態において成立すると考えられる価格に基づき合理的に算出された相当な額をいうのか。

A 合理的に算出された相当な額をいう。　憲法29条3項にいう「正当な補償」とは、その当時の経済状態において成立すると考えられる価格に基づき合理的に算出された相当な額をいうのであって、必ずしもつねに上記の価格と完全に一致することを要するものではない〈農地改革事件〉（最大判昭28・12・23）。土地収用法71条の規定が憲法29条3項に違反するかどうかも、この判例の趣旨に従って判断すべきものである〈土地収用法71条事件〉（最判平14・6・11）。

国家総合 – 平成27

Q23 土地収用法71条の規定に基づく補償金の額の決定方法は、地価変動率を考慮していない点で合理的な算出方法とはいえず、同条は憲法29条3項に違反するのか。

A 憲法29条3項に違反しない。　土地の収用に伴う補償は、収用によって土地所有者等が受ける損失に対してされるものである（土地収用法68条）ところ、収用されることが最終的に決定されるのは権利取得裁決によるのであり、その時に補償金の額が具体的に決定される（同法48条1項）のであるから、補償金の額は、同裁決の時を基準にして算定されるべきである。その具体的方法として、同法71条は、事業の認定の告示の時における相当な価格を近傍類地の取引価格等を考慮して算定したう

国家総合 – 令和2・1・平成27・25、国Ⅰ – 平成22・7・1・昭和59、地方上級 – 平成5・3・昭和60・56・53、東京Ⅰ – 平成19、市役所上・中級 – 平成4・2・昭和62、特別区Ⅰ – 令和3・平成30・17、国家一般 – 平成27、国Ⅱ – 平成20・10・昭和61、裁判所総合・一般 – 平成30・26、裁判所Ⅰ・Ⅱ – 平成22・14、国税・財務・労基 – 平成24、国税・労基 – 平成23、国税 – 平成11・7・昭和59・56

Q18 ある河川付近の土地に、河川管理上支障のある事態の発生を事前に防止することを目的とした規制が新たに課されたため、従来その土地の賃借料を支払い、労務者を雇い入れ、相当の資本を投入して砂利採取業を営んできた者が、以後これを営み得なくなり、それにより相当の損失を被ったとしても、損失補償を請求することはできないのか。

A 損失補償を請求する余地はある〈河川付近地制限令事件〉（最大判昭43・11・27）。⇨17

Q19 日本と旧ソビエトとの共同宣言に定める請求権放棄により受けた損害について、シベリア抑留者は憲法29条3項に基づき国に対して補償を請求できるのか。

A 補償を請求できない。　上告人らを含む多くの軍人・軍属が、長期にわたりシベリア地域に抑留され、強制労働を課されるに至ったのは、敗戦に伴って生じた事態であり、これによる損害は戦争により生じたものである。そして、日ソ共同宣言は、終戦処理の一環として、いまだ平和条約を締結するに至っていない旧ソビエトとの間で戦争状態を解消して正常な外交関係を回復するために合意されたものであり、わが国が同宣言6項後段において請求権放棄を合意したことは、やむをえなかったのである。この抑留が敗戦に伴って生じたこと、日ソ共同宣言が合意されるに至った経緯、同宣言の規定の内容等を考え合わせれば、同宣言6項後段に定める請求権放棄により上告人らが受けた損害も、戦争損害の一つであり、これに対する補償は、憲法29条3項の予想しないところである。したがって、上告人らが憲法29条3項に基づき国に対し請求権放棄による損害の補償を求めることはできない〈シベリア長期抑留等補償請求事件〉（最判平9・3・13）。　　　　　　　　　　

◇正当な補償

Q20 憲法29条3項の「正当な補償」の意味は、相当な補償か完全な補償か。

A 相当な補償である。　憲法29条3項にいう財産権を公共の用に供する場合の正当な補償とは、その当時の経済状態において成立することを考えられる価格に基づき、合理的に算出された相当な額をいうのであって、必ずしもつねにかかる価格と完全に一致することを要しない。なぜなら、財産権の内容は、公共の福祉に適合するように法律で定められるのを本質とするから、公共の福祉を増進しまたは維持するため必要ある場合は、財産権の使用収益または処分の権利にある制限を受けることがあり、また財産権の価格についても特定の制限を受けることが

えで、権利取得裁決の時までの物価の変動に応ずる修正率を乗じて、権利取得裁決の時における補償金の額を決定することとしている。事業認定の告示の時から権利取得裁決の時までには、近傍類地の取引価格に変動が生ずることがあり、その変動率は必ずしも上記の修正率と一致するとはいえない。以上のとおりであるから、土地収用法71条の規定は憲法29条3項に違反するものではない〈土地収用法71条事件〉（最判平14・6・11）。

〔参考〕土地収用法旧第71条　収用する土地又はその土地に関する所有権以外の権利に対する補償金の額は、近傍類地の取引価格等を考慮して算定した事業の認定の告示の時における相当な価格に、権利取得裁決の時までの物価の変動に応ずる修正率を乗じて得た額とする。この場合において、その修正率は、政令で定める方法によって算定するものとする。

Q24 正当な補償は、財産の供与と交換的に同時に履行されなければならないか。

A 財産の供与と交換的に同時に履行される必要はない。　憲法は「正当な補償」と規定しているだけであって、補償の時期についてはすこしも言明していないのであるから、補償が財産の供与と交換的に同時に履行されるべきことについては、憲法の保障するところではない。もっとも、補償が財産の供与よりもはなはだしく遅れた場合には、遅延による損害をも填補する問題を生ずるであろうが、だからといって、憲法は補償の同時履行までをも保障したものではない（最大判昭24・7・13）。

第30条［納税の義務］

　国民は、法律の定めるところにより、納税の義務を負ふ。

第31条［法定手続の保障］

　何人も、法律の定める手続によらなければ、その生命若しくは自由を奪はれ、又はその他の刑罰を科せられない。

◇告知・聴聞

Q1 被告人以外の第三者の所有物を没収する場合、当該所有者に対して告知、弁解、防御の機会を与えなければ、憲法31条、29条に反するか。

A 憲法31条、29条に反する。　第三者の所有物を没収する場合において、その没収に関して当該所有者に対し、何ら告知、弁解、防御の機会を与えることなく、その所有権を奪うことは、著しく不合理であって、憲法の容認しないところである。なぜなら、憲法29条1項、同31条の規定から、前記第三者の所有物の没収は、被告人に対する附加刑として言い渡され、その刑事処分の効果が第三者に及ぶものであるから、所有物を没収せられる第三者についても、告知、弁解、防御の機会を与えることが必要であって、これなくして第三者の所有物を没

収することは、適正な法律手続によらないで、財産権を侵害する制裁を科するにほかならないからである。したがって、関税法118条1項によって第三者の所有物を没収することは、憲法31条、29条に違反する〈第三者所有物没収事件〉（最大判昭37・11・28）。

Q2 収受した賄賂を没収できない場合に、その価額の追徴を命ぜられる第三者に告知、弁解や防御の機会の提供もなく、刑法197条の5によって第三者に追徴を命じることは、憲法31条の規定に違反するのか。

A 憲法31条の規定に違反する。　第三者に対する追徴は、被告人に対する刑とともに言い渡されるものであるが、没収に代わる処分として直接に第三者に対し一定額の金員の納付を命ずるものであるから、当該第三者に対し告知せず、弁解、防御の機会を与えないで追徴を命ずることは、適正な法律手続によらないで財産権を侵害する制裁を科するものであって、憲法31条、29条1項に違反する。しかるに、刑法197条の5は、情を知った第三者の収受した賄賂の全部または一部を没収することができないときはその価額を追徴する旨を規定しながら、その追徴を命ぜられる第三者に対する告知の手続および弁解、防御の機会を与える手続に関しては刑事訴訟法その他の法令に何ら規定するところがなく、本件においても、第三者は証人として裁判所で取り調べられているにすぎないのであるから、当該手続を履むことなく刑法197条の5によって第三者から賄賂に代わる価額を追徴することは、憲法31条、29条に違反する（最大判昭40・4・28）。

Q3 公訴事実のほかに起訴されていない犯罪事実を余罪として認定し、実質上これを処罰する趣旨の下に被告人を重く処罰した場合には、憲法31条等に反するか。

A 憲法31条、38条3項にも反する。　刑事裁判において、起訴された犯罪事実のほかに、起訴されていない犯罪事実をいわゆる余罪として認定し、実質上これを処罰する趣旨で量刑の資料に考慮し、このため被告人を重く処罰することが、不告不理の原則に反し、憲法31条に違反するのみならず、自白に補強証拠を必要とする憲法38条3項の制約を免れることとなるおそれがあって、許されない（最大判昭42・7・5）。

Q4 被告人以外の者が納付した保釈金の没取決定について、事前に告知、弁解、防御の機会が与えられていなければ、憲法31条に違反するか。

A 憲法31条に違反しない。　被告人以外の者が納付した保釈金の没取決定については、刑事罰の場合と異なり、事後に不服申立ての途が認められれば、

事前に告知、弁解、防御の機会が与えられていなくても、違憲とはならない（最大決昭 43・6・12）。

出題 国Ⅱ－平成 4

Q5 あらかじめ告知・弁解等の機会を与えずに、保釈を取消し、保釈保証金を没取する決定は、憲法 31 条に違反するのか。

A 憲法 31 条に違反しない。　被告人に弁明や説明の機会を与えないまま保釈を取り消し、保釈保証金の全部を没取した原々決定およびこれを是認した原決定は、憲法 31 条に違反するものではないことは、当裁判所の判例（最大決昭 43・6・12）の趣旨に徴して明らかである（最決平 27・9・28）。

出題 予想

◇刑事手続以外への準用の可否

Q6 令状の発付、勾留理由の開示等、刑事事件に関し、憲法の要求する手続を経ないで行われる監置または過料の制裁は、憲法 31 条の「その他の刑罰」にあたるか。

A 憲法 31 条の「その他の刑罰」にあたらない。「法廷等の秩序維持に関する法律」による制裁規定は、裁判所または裁判官の面前その他直接に知ることができる場所における言動つまり現行犯的行為に対し裁判所または裁判官自体によって適用されるものである。したがってこの場合は令状の発付、勾留理由の開示、訴追、弁護人依頼権等刑事裁判に関し憲法の要求する諸手続の範囲外にあるのみならず、またつねに証拠調を要求されていることもないのである。かような手続による処罰は事実や法律の問題が簡単明瞭であるためであり、これによって被処罰者に関し憲法の保障する人権が侵害されるおそれがない。なお、損なわれた裁判の威信の回復は迅速になされなければ十分実効をあげえないから、かような手続は迅速性の要求にも適うものである。したがって、本法 2 条による監置決定および 3 条 2 項による行為者の拘束は憲法 32 条、33 条、34 条、37 条の規定に反しない（最大決昭 33・10・15）。

Q7 裁判所が科する過料の裁判について、当事者の陳述を聴くことなく裁判を行うことは憲法 31 条に反するか。

A 憲法 31 条に反しない。　過料が当事者の意思に反して財産上の不利益を課するものであることにかんがみ、現行法は、非訟事件手続法 206 条・207 条、208 条の 2 などの規定を設け、違法・不当に過料に処せられないように十分配慮しており、その裁判は、法律の定める適正な手続による裁判といえるので憲法 31 条に違反しない（最大決昭 41・12・27）。

出題 国Ⅰ－平成 4・昭和 58

Q8 憲法 31 条の定める法定手続の保障は、刑事手続のみならず、行政手続にも及ぶか。

A 行政手続にも及ぶ場合がある。　憲法 31 条の定める法定手続の保障は、直接には刑事手続に関するものであるが、行政手続については、それが刑事手続ではないとの理由のみで、そのすべてが当然に同条による保障の枠外にあると判断することは相当ではない。しかし、同条による保障が及ぶ場合で

あっても、一般に、行政手続は、刑事手続とその性質においておのずから差異があり、また、行政目的に応じて多種多様であるから、行政処分の相手方に事前の告知、弁解、防御の機会を与えるかどうかは、行政処分により制限を受ける権利利益の内容、性質、制限の程度、行政処分により達成しようとする公益の内容、程度、緊急性等を総合較量して決定されるべきものであって、つねに必ずそのような機会を与えることを必要とするものではない〈成田新法事件〉（最大判平 4・7・1）。

出題 国家総合－平成 30、国Ⅰ－平成 19、市役所上・中級－平成 20、特別区Ⅰ－令和 1・平成 16、国Ⅱ－平成 21・15、裁判所総合・一般－平成 26、裁判所Ⅰ・Ⅱ－平成 18、国税・労基－平成 23・19、国税－平成 13・10

Q9 行政処分の相手方に事前の告知、弁解、防御の機会を与えなくても違憲とはならないのか。

A 行政手続は、行政目的に応じて多種多様であるから、違憲となる場合がある〈成田新法事件〉（最大判平 4・7・1）。⇨8

Q10 逃亡犯罪人引渡法 35 条 1 項の規定が、同法 14 条 1 項に基づく逃亡犯罪人の引渡命令につき、行政手続法第 3 章の規定の適用を除外して、上記命令の発令手続において当該逃亡犯罪人に弁明の機会を与えていないことは憲法 31 条に違反するのか。

A 憲法 31 条に違反しない。　逃亡犯罪人引渡法 14 条 1 項に基づく逃亡犯罪人の引渡命令は、東京高等裁判所において、同法 9 条に従い逃亡犯罪人およびこれを補佐する弁護士に意見を述べる機会や所要の証人尋問等の機会を与えて引渡しの可否に係る司法審査が行われ、これを経たうえで、引渡しをすることができる場合に該当する旨の同法 10 条 1 項 3 号の決定がされた場合に、これを受けて、法務大臣において引渡しを相当と認めるときに上記決定の司法判断を前提とする行政処分として発するものである。このような一連の手続の構造等を踏まえ、当該処分により制限を受ける逃亡犯罪人の権利利益の内容、性質、制限の程度、当該処分により達成しようとする公益の内容、程度、緊急性等を総合較量すれば、同法 35 条 1 項の規定が、同法 14 条 1 項に基づく逃亡犯罪人の引渡命令につき、同法に基づく他の処分と同様に行政手続法第 3 章の規定の適用を除外し、上記命令の発令手続において改めて当該逃亡犯罪人に弁明の機会を与えるものとまではしていないことは、上記の手続全体からみて逃亡犯罪人の手続保障に欠けるものとはいえず、憲法 31 条の法意に反するものということはできない（最決平 26・8・19）。

出題 予想

Q11 刑事訴訟法 278 条の 2 第 1 項による公判期日等への出頭在廷命令に正当な理由なく従わなかった弁護人に対する過料の制裁を定めた同条 3 項は、憲法 31 条、37 条 3 項に違反するのか。

A 憲法 31 条、37 条 3 項に違反しない。　過料の制裁は、訴訟手続上の秩序違反行為に対する秩序罰として設けられるものであり、弁護士会等における内部秩序を維持するための弁護士法上の懲戒制度とは、目的や性質を異にする。そうすると、刑事訴訟

法278条の2第1項による公判期日等への出頭在延命令に正当な理由なく従わなかった弁護人に対する過料の制裁を定めた同条3項は、訴訟指揮の実効性担保のための手段として合理性、必要性があるといえ、弁護士法上の懲戒制度がすでに存在していることを踏まえても、憲法31条、37条3項に違反するものではない（最決平27・5・18）。

Q12 心神喪失等の状態で重大な他害行為を行った者の医療及び観察等に関する法律（医療観察法）による処遇制度は、憲法14条、22条1項に違反するのか。また、憲法31条の法意にも反するのか。

A 憲法14条、22条1項に違反せず、憲法31条の法意にも反しない。　医療観察法は、心神喪失等の状態で重大な他害行為を行った者に対し、その適切な処遇を決定するための手続等を定めることにより、継続的かつ適切な医療ならびにその確保のために必要な観察および指導を行うことによって、その病状の改善およびこれに伴う同様の行為の再発の防止を図り、もってその社会復帰を促進することを目的としており（1条1項）、この目的は正当なものというべきである。そして、医療観察法の審判手続をみると、刑事手続とは異なり、対象者に必要な医療を迅速に実施するとともに、対象者のプライバシーを確保し、円滑な社会復帰を図るため、適正かつ合理的な手続が設けられている。ところで、憲法31条の定める法定手続の保障は、直接には刑事手続に関するものであるが、当該手続と刑事手続との差異を考慮し、当該手続の性質等に応じて個別に考えるべきものであるところ、上記のとおり、医療観察法においては、その性質等に応じた手続保障が十分なされているものと認められる。以上のような医療観察法の目的の正当性、同法の規定する処遇およびその要件の必要性、合理性、相当性、手続保障の内容等にかんがみれば、医療観察法による処遇制度は、憲法14条、22条1項に違反するものではなく、憲法31条の法意に反するものということもできない（最決平29・12・18）。

◇余罪と量刑

Q13 刑事裁判において、起訴されていない犯罪事実、いわゆる余罪を量刑のための一情状として考慮することは、憲法31条に違反するか。

A 憲法31条に違反しない。　刑事裁判において、起訴された犯罪事実のほかに、起訴されていない犯罪事実をいわゆる余罪として認定し、実質上これを処罰する趣旨で量刑の資料に考慮し、これがため被告人を重く処罰することは許されない。しかし、他面刑事裁判における量刑は、被告人の性格、経歴および犯罪の動機、目的、方法等すべての事情を考慮して、裁判所が法定刑の範囲内において、適当に決定すべきものであるから、その量刑のための一情状として、いわゆる余罪をも考慮することは、必ずしも禁じられない（最大判昭41・7・13）。

第32条［裁判を受ける権利］

何人も、裁判所において裁判を受ける権利を奪はれない。

Q1 管轄権を有しない裁判所において裁判が行われることは、憲法32条に違反するか。

A 憲法32条に違反しない。　憲法32条の趣旨はおよそ国民は憲法または法律に定められた裁判所においてのみ裁判を受ける権利を有し、裁判所以外の機関によって裁判されることはないことを保障したものであって、訴訟法で定める管轄権を有する具体的裁判所において裁判を受ける権利を保障したものではない。したがって、管轄権を有しない裁判所において裁判が行われることは、刑事訴訟法上の違背があるだけであって、憲法違反であるとはいいえない（最大判昭24・3・23）。

Q2 法律を改正し、その改正法を遡及的に適用して、出訴期間を短縮することは、憲法32条に違反しないか。

A その期間短縮が著しく不合理で実質的に裁判の拒否と認められない限り、憲法32条に違反しない。刑罰法規については憲法39条によって事後法の制定は禁止されているけれども、民事法規については憲法は法律がその効果を遡及させることを禁じていない。したがって、出訴期間も民事訴訟上の救済方法に関するものであるから、新法をもって遡及して短縮しうるのであって、改正前の法律による出訴期間が既得権として当事者の権利とはならない。そして、新法をもって遡及して出訴期間を短縮することができる以上は、その期間が著しく不合理で実質上裁判の拒否と認められるような場合でない限り憲法32条に違反しない（最大判昭24・5・18）。

Q3 訴えが提起された場合に、裁判所が訴訟の目的たる権利関係について、裁判所の判断を求める法律上の利益を欠くことを理由に、本案審理を拒否することは、憲法32条に反するのか。

A 憲法32条に反しない。　裁判は、法令を適用することによって解決しうべき権利義務に関する当事者の具体的紛争が存し訴えられた場合に、その権利義務の存否を確定する作用であるから、訴訟の目的たる権利関係につき裁判所の判断を求める法律上の利益を欠く場合、本案の審判を拒否しても、憲法32条の裁判を受ける権利の保障に反しない（最大判昭35・12・7）。

Q4 裁判所が民事上の秩序罰として科する過料の裁判について、公開の法廷における対審および判決がなされない場合には、憲法82条および32条に反するか。

A 憲法82条および32条に反しない。　民事上の秩序罰としての過料を科する作用は、国家のいわゆる後見的民事監督権の作用であり、その実質においては、一種の行政処分としての性質を有するもので

あるから、法律上、裁判所がこれを科することにしている場合でも純然たる訴訟事件としての性質の認められる刑事制裁を科する作用とは異なり、公開の法廷における対審および判決による必要はない（最大決昭41・12・27）。

出題 国Ⅰ－昭和62・51、国Ⅱ－平成12、国税－昭和60

Q5 民事上の秩序罰としての過料を科する作用は、その実質においては、一種の行政処分としての性質を有するものであるから、法律上、裁判所がこれを科することにしている場合でも、公開の法廷における対審および判決による必要はないのか。

A 必要はない（最大決昭41・12・27）。⇨4

Q6 過料の裁判に対する不服申立ての手続は、公開の法廷における対審および判決による必要があるのか。

A 必要はない（最大決昭41・12・27）。⇨4

Q7 国税犯則取締法2条により、収税官吏の請求に基づいて裁判官が行う差押え等の許可に対し、準抗告その他独立の不服申立てを認めないとすることは、憲法32条に反するか。

A 憲法32条に反しない。　国税犯則取締法2条により、収税官吏の請求に基づいて裁判官が行う差押え等の許可については、不服申立てに関する明文の規定がない限り、独立の不服申立てを認めない趣旨と解すべきであり、したがって、刑事訴訟法429条の規定の準用を認めるのは相当でなく、その許可の取消を求める準抗告は不適法である。そして、このように解しても、当該許可に関して法律上の不服の理由を有する者は、その許可により実施された強制処分の結果自己の権利が違法に侵害されたことを主張して、行政訴訟によりその許可自体の違法を理由としても当該強制処分の取消を求めることができるから、裁判を受ける権利を保障する憲法32条の規定に違反することはない（最大決昭44・12・3）。

出題 国Ⅰ－昭和63、国家一般－平成25

Q8 少額訴訟の判決に対する異議後の判決に対して控訴をすることができないとする民事訴訟法380条1項の規定は、憲法32条に違反するのか。

A 憲法32条に違反しない。　論旨は、少額訴訟の判決に対する異議後の訴訟の判決に対して控訴をすることができないとする民事訴訟法380条1項は憲法32条に違反するというものである。しかし、憲法32条は何人も裁判所において裁判を受ける権利があることを規定するにすぎないのであって、審級制度をどのように定めるかは憲法81条の規定するところを除いて専ら立法政策の問題であると解すべきことは、当裁判所の判例とするところである（最大判昭23・3・10、最大判昭29・10・13）。その趣旨に徴すると、民事訴訟法380条1項が憲法32条に違反するものでないことは明らかである（最判平12・3・17）。出題 予想

〔参考〕民事訴訟法第380条　①第378条第2項において準用する第359条又は前条第1項の規定によってした終局判決に対しては、控訴をすることができない。

Q9 判決に影響を及ぼすことが明らかな法令の違反があることを理由として最高裁判所に上告をすることを許容しない民事訴訟法312条および318条は、憲法32条に違反するのか。

A 憲法32条に違反しない。　論旨は、判決に影響を及ぼすことが明らかな法令の違反があることを理由として最高裁判所に上告をすることを許容しない民事訴訟法312条および318条が憲法32条に違反すると主張する。しかしながら、いかなる事由を理由に上告をすることを許容するかは審級制度の問題であって、憲法が81条の規定するところを除いてはこれをすべて立法の適宜に定めるところにゆだねられる事柄であり、民事訴訟法の規定が憲法32条に違反するものでないことは明らかである（最判平13・2・13）。

出題 国家一般－平成25

Q10 婚姻費用の分担に関する処分の審判に対する抗告審が、抗告の相手方に対し抗告状および抗告理由書の副本を送達せず、反論の機会を与えることなく不利益な判断をしたことは、憲法32条に反するのか。

A 憲法32条に反しない。　本質的に非訟事件である婚姻費用の分担に関する処分の審判に対する抗告審において手続にかかわる機会を失う不利益は、憲法32条所定の「裁判を受ける権利」とは直接の関係がないのであるから、原審が、抗告人（原審における相手方）に対し抗告状および抗告理由書の副本を送達せず、反論の機会を与えることなく不利益な判断をしたことが同条所定の「裁判を受ける権利」を侵害したものであるとはいえない（最判平20・5・8）。出題 予想

Q11 即決裁判手続において事実誤認を理由とする控訴を制限する刑事訴訟法403条の2第1項は、憲法32条が保障する裁判を受ける権利を侵害するのか。

A 裁判を受ける権利を侵害しない。　即決裁判手続による判決に対し、犯罪事実の誤認を理由とする上訴ができるものとすると、そのような上訴に備えて、必要以上に証拠調べが行われることになりかねず、同手続の趣旨が損なわれるおそれがある。また、被告人は、手続の過程を通して、即決裁判手続に同意するか否かにつき弁護人の助言を得る機会が保障されている（同法350条の3、350条の4、350条の9）。加えて、即決裁判手続による判決では、懲役又は禁錮の実刑を科すことができないものとされている（同法350条の14）。刑事訴訟法403条の2第1項は、上記のような即決裁判手続の制度を実効あらしめるため、被告人に対する手続保障と科刑の制限を前提に、同手続による判決において示された罪となるべき事実の誤認を理由とする控訴の申立てを制限しているものと解されるから、同規定については、相応の合理的な理由があるというべきである。そうすると、刑事訴訟法403条の2第1項は、憲法32条に違反するものではない（最判平21・7・14）。出題 予想

Q12 裁判員制度による審理裁判を受けるか否かについて被告人に選択権が認められていない場合、同

制度は憲法32条、37条に違反するのか。

A 裁判員制度は憲法32条、37条に違反しない。
憲法は、刑事裁判における国民の司法参加を許容しており、憲法の定める適正な刑事裁判を実現するための諸原則が確保されている限り、その内容を立法政策にゆだねていると解されるところ、裁判員制度においては、公平な裁判所における法と証拠に基づく適正な裁判が制度的に保障されているなど、上記の諸原則が確保されている。したがって、裁判員制度による審理裁判を受けるか否かについて被告人に選択権が認められていないからといって、同制度が憲法32条、37条に違反するものではない。このように裁判所の判例（最大判平23・11・16）の趣旨に徴して明らかである（最判平24・1・13）。　出題　国家一般 − 平成30

第33条［逮捕の要件］
　何人も、現行犯として逮捕される場合を除いては、権限を有する司法官憲が発し、且つ理由となってゐる犯罪を明示する令状によらなければ、逮捕されない。

Q1 緊急逮捕は、憲法33条に反しないか。

A 憲法33条に反しない。　刑事訴訟法210条は、死刑または無期もしくは長期3年以上の懲役若しくは禁錮にあたる罪を犯したことを疑うに足る十分な理由がある場合で、かつ急速を要し、裁判官の逮捕状を求めることができないときは、その理由を告げて被疑者を逮捕することができるとし、そしてこの場合捜査官憲は直ちに裁判官の逮捕状を求める手続をなし、もし逮捕状が発せられないときは直ちに被疑者を釈放すべきことを定めている。かような厳格な制約の下に、罪状の重い一定の犯罪のみについて、緊急やむをえない場合に限り、逮捕後直ちに裁判官の審査を受けて逮捕状の発行を求めることを条件とし、被疑者の逮捕を認めることは、憲法33条規定の趣旨に反しない（最大判昭30・12・14）。
出題　国家総合 − 平成30、国I − 平成1・昭和54、地方上級 − 昭和58、市役所上・中級 − 平成20、特別区I − 平成21、市役所I・II − 平成18、国税・労基 − 平成21・19

第34条［抑留・拘禁の要件・不法拘禁に対する保障］
　何人も、理由を直ちに告げられ、且つ、直ちに弁護人に依頼する権利を与へられなければ、抑留又は拘禁されない。又、何人も、正当な理由がなければ、拘禁されず、要求があれば、その理由は、直ちに本人及びその弁護人の出席する公開の法廷で示されなければならない。

Q1 憲法第34条前段が規定する弁護人依頼権は、単に身体の拘束を受けている被疑者が弁護人を選任することを官憲が妨害してはならないことだけを意味する権利か。

A それだけではなく、被疑者に対し、弁護人を選任した上で、弁護人に相談し、その助言を受けるなど弁護人から援助を受ける機会を持つことを実質的に保障している。　憲法34条前段は、「何人も、理由を直ちに告げられ、且つ、直ちに弁護人に依頼する権利を与へられなければ、抑留又は拘禁されない。」と定める。この弁護人に依頼する権利

は、身体の拘束を受けている被疑者が、拘束の原因となっている嫌疑を晴らしたり、人身の自由を回復するための手段を講じたりするなど自己の自由と権利を守るため弁護人から援助を受けられるようにすることを目的とするものである。したがって、上記規定は、単に被疑者が弁護人を選任することを官憲が妨害してはならないというにとどまるものではなく、被疑者に対し、弁護人を選任した上で、弁護人に相談し、その助言を受けるなど弁護人から援助を受ける機会を持つことを実質的に保障しているものと解すべきである（最大判平11・3・24）。
出題　国家一般 − 令和3

Q2 身体の拘束を受けている被疑者と弁護人との接見等を捜査機関が一方的に制限することを認める刑事訴訟法39条3項本文の規定は、憲法34条前段に違反するのか。

A 憲法34条前段に違反しない。　(1)刑事訴訟法39条3項本文の予定している接見等の制限は、弁護人等からされた接見等の申出を全面的に拒むことを許すものではなく、たんに接見等の日時を弁護人等の申出とは別の日時とするか、接見等の時間を申出より短縮させることができるものにすぎず、同項が接見交通権を制約する程度は低いというべきである。また、(2)捜査機関において接見等の指定ができるのは、弁護人等から接見等の申出を受けたときに現に捜査機関において被疑者を取調べ中である場合などのように、接見等を認めると取調べの中断等により捜査に顕著な支障が生ずる場合に限られる。このような点からみれば、刑事訴訟法39条3項本文の規定は、憲法34条前段の弁護人依頼権の保障の趣旨を実質的に損なうものではない。また、刑事訴訟法39条3項本文が被疑者側と対立する関係にある捜査機関に接見等の指定の権限を付与している点も、刑事訴訟法430条1項および2項が、捜査機関のした刑事訴訟法39条3項の処分に不服がある者は、裁判所にその処分の取消または変更を請求することができる旨を定め、捜査機関のする接見等の制限に対し、簡易迅速な司法審査の道を開いていることを考慮すれば、そのことによって刑事訴訟法39条3項本文が違憲であるとはいえない（最大判平11・3・24）。　出題　予想

Q3 弁護人から検察庁の庁舎内にいる被疑者との接見の申出を受けた検察官は、同庁舎内に専用の接見室が存在しないことを理由として接見の申出を拒否できるのか。

A 原則として、接見の申出を拒否できる。　被疑者と弁護人等との接見には、被疑者の逃亡、罪証の隠滅および戒護上の支障の発生の防止の観点からの制約があるから、検察庁の庁舎内において、弁護人等と被疑者との立会人なしの接見を認めても、被疑者の逃亡や罪証の隠滅を防止することができ、戒護上の支障が生じないような設備のある部屋等が存在しない場合には、接見の申出を拒否したとしても、これを違法とはいえない。そして、上記設備のある部屋等とは、接見室の接見のための専用の設備がある部屋に限られるものではないが、その本来の用途、設備内容等からみて、接見の申出を受けた検

憲法編

察官が、その部屋等を接見のためにも用いること
を容易に想到することができ、また、その部屋等を
接見のために用いても、被疑者の逃亡、罪証の隠滅
および戒護上の支障の発生の防止の観点からの問題
が生じないことを容易に判断しうるような部屋等で
なければならない（最判平 17・4・19）。

出題 予想

Q4 検察官が検察庁の庁舎内に接見の場所が存在
しないことを理由として同庁舎内にいる被疑者との
接見の申出を拒否したが、弁護人が同庁舎内におけ
る即時の接見を求め、即時に接見をする必要性が認
められる場合には、検察官はどのような措置をとる
べきか。

A 検察官は、秘密交通権が十分に保障されない短
時間の「接見」であってもよいかの点につき、弁
護人等の意向を確かめる義務がある。　刑事訴訟
法 39 条所定の接見を認める余地がなく、その拒
否が違法でないとしても、同条の趣旨が、接見交通
権の行使と被疑者の取調べ等の捜査の必要との合理
的な調整を図ろうとするものであること（最大判平
11・3・24 参照）にかんがみると、検察官が接見
の設備のある部屋等が存在しないことを理由として
接見の申出を拒否したにもかかわらず、弁護人等が
なお検察庁の庁舎内における即時の接見を求め、即
時に接見をする必要性が認められる場合には、検察
官は、たとえば立会人の居る部屋での短時間の「接
見」などのように、いわゆる秘密交通権が十分に
保障されないような態様の短時間の「接見」（以下、
便宜「面会接見」という。）であってもよいかどう
かという点につき、弁護人の意向を確かめ、弁護
人等がそのような面会接見であっても差し支えない
との意向を示したときは、面会接見ができるように
特別の配慮をすべき義務がある。そうすると、検察
官が、上記のような即時に接見をする必要性の認め
られる接見の申出に対し、上記のような特別の配慮
をすることを怠り、何らの措置をとらなかったと
きは、検察官の当該不作為は違法になる（最判平
17・4・19）。

出題 予想

第 35 条[住居の不可侵、捜索・押収の要件]
①何人も、その住居、書類及び所持品について、侵
　入、捜索及び押収を受けることのない権利は、第
　33 条の場合を除いては、正当な理由に基いて発
　せられ、且つ捜索する場所及び押収する物を明示
　する令状がなければ、侵されない。
②捜索又は押収は、権限を有する司法官憲が発する
　各別の令状により、これを行ふ。

◇証拠物の押収・所持品検査

Q1 証拠物の押収が違法である場合、その証拠能力
は否定されるのか。

A 原則として、証拠能力は否定されないが、例外
として、否定される場合がある。　証拠物は押収手
続が違法であっても、物それ自体の性質・形状に変
異をきたすことはなく、その存在・形状等に関する
価値に変わりのないことなど証拠物の証拠としての
性格にかんがみると、その押収手続に違法があると
して直ちにその証拠能力を否定することは、事案の

真相の究明に資する所以ではなく、相当でない。し
かし、他面において、憲法 35 条が、憲法 33 条
の場合および令状による場合を除き、住居の不可
侵、捜索および押収を受けることのない権利を保障
し、かつ受けて刑事訴訟法が捜索および押収等に
つき厳格な規定を設けていること、また、憲法 31
条が法の適正な手続を保障していること等にかん
がみると、証拠物の押収等の手続に、憲法 35 条およ
びこれを受けた刑事訴訟法 218 条 1 項等の所期す
る令状主義の精神を没却するような重大な違法があ
り、これを証拠として許容することが、将来におけ
る違法な捜査の抑制の見地からして相当でない場合
には、その証拠能力は否定される（最判昭 53・9・
7）。

出題 国Ⅰ-昭和 61、地方上級-昭和 63

Q2 警察官が職務質問の際に行う所持品検査が、所
持人の承諾のない場合には、憲法に違反するか。

A 捜査に至らない程度の行為は、強制にわたらな
い限り、憲法に違反しない。　所持品検査は、任意
手段である職務質問の附随行為として許容されるの
であるから、所持人の承諾を得て、その限度におい
てこれを行うのが原則である。しかし、職務質問な
いし所持品検査は、犯罪の予防、鎮圧等を目的とす
る行政警察上の作用であって、流動する各般の警察
事象に対応して迅速適正にこれを処理すべき行政警
察の責務にかんがみるときは、所持人の承諾のない
限り所持品検査は一切許容されないのではなく、捜
査に至らない程度の行為は、強制にわたらない限
り、所持品検査においても許容される場合がある〈明
治公園爆弾事件・松江相銀米子支店強奪事件〉（最
判昭 53・6・20）。

出題 国Ⅰ-昭和 59、国税-平成 9

◇令状

Q3 捜索、押収について、その令状が正当な理由
に基づいて発せられたことを令状中に明示しなけれ
ば、憲法 35 条に違反するか。

A 憲法 35 条に違反しない。　憲法 35 条は、捜
索、押収については、その令状に、捜索する場所お
よび押収する物を明示することを要求しているにと
どまり、その令状が正当な理由に基づいて発せられ
たことを明示することまでは要求していない。され
ば、捜索差押許可状に被疑事実の罪名を、適用法条
を示して記載することは憲法の要求するところでは
なく、捜索する場所および押収する物以外の記載事
項はすべて刑事訴訟法の規定するところに委ねられ
ており、捜索訴訟法 219 条 1 項により当該許可状
に罪名を記載するにあたっては、適用法条まで示す
必要はない（最大決昭 33・7・29）。

出題 国Ⅰ-昭和 61、地方上級-平成 2

Q4 押収令状に記載される押収物の記載対象は、具
体的かつ正確に特定されていなければならないの
か。

A 必ずしも具体的かつ正確に特定されている必要
はない。　憲法 35 条 1 項およびこれを受けた刑
事訴訟法 218 条 1 項、219 条 1 項は、その趣旨
からすると、令状に明示されていない物の差押えが
禁止されるばかりでなく、捜査機関がもっぱら別罪

の証拠に利用する目的で差押許可状に明示された物を差し押えることも禁止される。そこで、さらに、この点から本件メモの差押えの適法性を検討すると、それは別罪である賭博被疑事件の直接の証拠となるものではあるが、同時に恐喝被疑事件の証拠となりうるものであり、X連合名入りの腕章・ハッピ、組員名簿等とともに差し押えられているから、同被疑事件に関係のある捜索差押許可状の「暴力団を標章する状、バッチ、メモ等」の一部として差し押えられたものと推認することができ、記録を調査しても、捜査機関がもっぱら別罪である賭博被疑事件の証拠に利用する目的でこれを差し押えたとみるべき証跡は、存在しない（最判昭51・11・18）。

Q5 郵便物の輸出入の簡易手続として税関職員が無令状で行った検査等を許容する関税法（改正前の）76条、105条1項1号、3号は、憲法35条の法意に反しないのか。

A 憲法35条の法意に反しない。　税関検査の目的には高い公益性が認められ、大量の国際郵便物につき適正迅速に検査を行って輸出又は輸入の可否を審査する必要があるところ、その内容物の検査において、発送人又は名宛人の承諾を得なくとも、具体的な状況の下で、上記目的の実効性の確保のために必要かつ相当と認められる限度での検査方法が許容されることは不合理といえない。本件においては、税関職員らは、輸入禁制品の有無等を確認するため、本件郵便物を開披し、その内容物を目視するなどしたが、輸入禁制品である疑いがさらに強まったことから、内容物を特定するため、必要最小限度の見本を採取して、これを鑑定に付すなどしたものと認められ、本件郵便物検査は、前記のような行政上の目的を達成するために必要かつ相当な限度での検査であったといえる。したがって、裁判官の発する令状を得ずに、郵便物の発送人又は名宛人の承諾を得ることなく、本件郵便物検査を行うことは、本件各規定により許容されており、このように解しても、憲法35条の法意に反しない（最判平28・12・9）。

Q6 車両に使用者らの承諾なく秘かにGPS端末を取り付けて位置情報を検索し把握する刑事手続上の捜査であるGPS捜査は、令状がなければ行うことができない強制の処分にあたるのか。

A 強制の処分にあたる。　憲法35条は、「住居、書類及び所持品について、侵入、捜索及び押収を受けることのない権利」を規定しているところ、この規定の保障対象には、「住居、書類及び所持品」に限らずこれらに準ずる私的領域に「侵入」されることのない権利が含まれるものと解するのが相当である。そうすると、個人のプライバシーの侵害を可能とする機器をその所持品に秘かに装着することによって、合理的に推認される個人の意思に反してその私的領域に侵入する捜査手法であるGPS捜査は、個人の意思を制圧して憲法の保障する重要な法的利益を侵害するものである。さらに、公道上の所在を肉眼で把握したりカメラで撮影したりするような手法とは異なり、公権力による私的領域への侵入

を伴うものというべきである。したがって、刑事訴訟法上、特別の根拠規定がなければ許容されない強制の処分にあたる（最決昭51・3・16）とともに、一般的には、現行犯人逮捕等の令状を要しないものとされている処分と同視すべき事情があると認めるのも困難であるから、令状がなければ行うことのできない処分と解すべきである（最大判平29・3・15）。

◇**行政手続**

Q7 憲法35条1項の規定は、刑事責任追及の手続のみならず、行政手続にも及ぶのか。

A 行政手続にも及ぶ場合がある。　憲法35条1項の規定は、本来、主として刑事責任追及の手続における強制について、それが司法権による事前の抑制の下におかれるべきことを保障した趣旨であるが、当該手続が刑事責任追及を目的とするものでないとの理由のみで、その手続における一切の強制が当然に同法35条1項の規定による保障の枠外にあると判断することは相当ではない。しかし、旧所得税法70条1号、63条に規定する検査は、あらかじめ裁判官の発する令状によることをその一般的要件としないからといって、憲法35条の法意に反するとすることはできず、上記規定を違憲であるとすることはできない〈川崎民商事件〉（最大判昭47・11・22）。

◇**現行犯・緊急逮捕**

Q8 現行犯逮捕をしないまま捜索、押収をすれば憲法35条に反するか。

A 立法政策の問題であり、憲法35条に反しない。憲法35条は同法33条の場合を除外して住居、書類および所持品につき侵入、捜索および押収を受けることのない権利を保障している。この法意は同法33条による不逮捕の保障の存しない場合においては捜索押収等を受けることのない権利もまた保障されないことを明らかにしたものである。しかるに同法33条は現行犯の場合にあっては同条所定の令状なくして逮捕されてもいわゆる不逮捕の保障にはかかわりなきことを規定しているのであるから、同35条の保障もまた現行犯の場合には及ばない。それ故、少なくとも現行犯の場合に関する限り、法律が司法官憲によらずまた司法官憲の発した令状によらずその犯行の現場において捜索、押収等をなしうべきことを規定したからといって、立法政策の当否の問題にすぎないのであり、憲法35条違反の問題を生ずる余地は存しない（最大判昭30・4・27）。

Q9 緊急逮捕以前に捜索・差押えが行われた場合は、憲法35条に違反するか。

A 憲法35条に違反しない。　本件は緊急逮捕の場合であり、また、捜索、差押えは、緊急逮捕に先行したとはいえ、時間的にはこれに接着し、場所的にも逮捕の現場と同一であるから、逮捕する際に逮捕の現場でなされたものに妨げなく、麻薬の捜索、差押えは、緊急逮捕する場合の必要の限度内のものと

憲法編

認められるから、いずれの点からみても、違憲違法とする理由はない（最大判昭36・6・7）。

出題 国Ⅰ-昭和61、地方上級-昭和63

第36条 [拷問および残虐な刑罰の禁止]

公務員による拷問及び残虐な刑罰は、絶対にこれを禁ずる。

Q1 死刑は残虐な刑罰にあたるか。

A 原則として残虐な刑罰にあたらない。　刑罰としての死刑そのものが、一般に直ちに憲法36条にいわゆる残虐な刑罰に該当するとは考えられない。ただ死刑といえども、その執行方法等がその時代と環境とにおいて人道上の見地から一般に残虐性を有する場合には、もちろんこれを残虐な刑罰といわねばならないから、将来もし死刑について火あぶり、はりつけ、さらし首、釜ゆでの刑のごとき残虐な執行方法を定める法律が制定されたとするならば、その法律こそは、まさに憲法36条に違反する。したがって、現在わが国の採用している絞首方法が他の方法に比して特に人道上残虐であるとする理由は認められない（最大判昭23・3・12、最大判昭30・4・6）。

出題 国Ⅱ-平成6・昭和54、裁判所総合・一般-平成25

Q2 無期懲役は残虐な刑罰にあたるのか。

A 残虐な刑罰にあたらない。　死刑そのものは憲法36条にいわゆる「残虐な刑罰」にあたらないことは当裁判所の判例とするところである（最大判昭23・3・12参照）。すでに現行制度における死刑それ自体が「残虐な刑罰」にあたらないとすれば同様に現行制度における無期懲役刑そのものもまた残虐な刑罰といえないことは一層当然なことである（最大判昭24・12・21）。 出題 国Ⅱ-平成6

Q3 被告人からみて過重の刑であると判断した場合には、残虐な刑罰にあたるのか。

A 残虐な刑罰にあたらない。　残虐な刑罰とは、不必要な精神的、肉体的苦痛を内容とする人道上残酷と認められる刑罰をいうのであって、裁判官が法定の範囲内で刑の量定をした場合、被告人側からみて過重の刑としても、これが直ちには残虐な刑罰にあたらない（最大判昭23・6・23）。

出題 国Ⅱ-平成6

第37条 [刑事被告人の権利]

①すべて刑事事件においては、被告人は、公平な裁判所の迅速な公開裁判を受ける権利を有する。

②刑事被告人は、すべての証人に対して審問する機会を充分に与へられ、又、公費で自己のために強制的手続により証人を求める権利を有する。

③刑事被告人は、いかなる場合にも、資格を有する弁護人を依頼することができる。被告人が自らこれを依頼することができないときは、国でこれを附する。

◇公平な裁判（1項）

Q1 被告人に対する背任の公訴事実と社会的事実関係を同じくする民事訴訟事件に関与した裁判官が、その後、当該背任事件に関与した場合、被告人は公平な裁判所による裁判を受けていないのか。

A 被告人は公平な裁判所による裁判を受けている。　被告人に対する背任被告事件における公訴事実と社会的事実関係を同じくする民事訴訟事件についてその審判に関与した裁判官が、その後当該背任被告事件について合議体の一員として審判に関与したとしても、それだけでは刑事訴訟法21条1項にいわゆる不公平な裁判をするおそれがあるとはいえず、また同裁判所が憲法37条1項の公平な裁判所でないとはいえない（最決昭31・9・25）。

出題 国税-昭和60

Q2 同一事件で起訴された多数の被告人を分割審理するために、裁判所が、グループ編成を目的として、各被告人の前科や逮捕歴、自白の有無を調査することは、予断排除の原則に反し、憲法37条1項に違反するのか。

A 予断排除の原則に反せず、憲法37条1項に違反しない。　司法行政事務が裁判官会議の議によって行われることとされている法制のもとでは、裁判官において事務分配その他の司法行政の運営上必要な関係資料を入手すべきことは当然予想されているのであるから、それによって、係属中の事件につきその審判にあたる裁判官がたまたま何らかの知識を得ることとなっても、何ら事件に関していわゆる予断を抱いたことにはならない（最決昭49・7・18）。

出題 国Ⅰ-平成1・昭和57、国Ⅱ-昭和53

Q3 裁判員法71条以下が定める区分審理決定がされた場合の審理および裁判（「区分審理制度」）は、公平な裁判所の裁判を定めた憲法37条1項に違反するのか。

A 憲法37条1項に違反しない。　裁判員法は、同一の被告人について、裁判員の参加する合議体で取り扱うべき事件を含む複数の被告事件の弁論を併合した場合において、裁判員の負担に関する事情を考慮し、その円滑な選任又は職務の遂行を確保するため特に必要があると認められるときは、併合した事件のうちの一部の事件を区分し、順次、この区分した事件（区分事件）ごとに審理する旨の区分審理決定をすることができることとしている（裁判員法71条1項）。区分審理制度は、裁判員裁判における審理および裁判の特例であるところ、区分事件審判および併合事件審判のそれぞれにおいて、身分保障の下、独立して職権を行使することが保障された裁判官と、公平性、中立性を確保できるよう配慮された手続の下に選任された裁判員とによって裁判体が構成されていることや、裁判官が裁判の基本的な担い手とされていること等は、区分審理決定がされていない裁判員裁判の場合と何ら変わるところはない。以上によれば、区分審理制度においては、区分事件審判および併合事件審判の全体として公平な裁判所による法と証拠に基づく適正な裁判が行われることが制度的に十分保障されているといえる。したがって、区分審理制度は憲法37条1項に違反しない（最判平27・3・10）。 出題 予想

◇迅速な裁判（1項）

Q4 「迅速な裁判を受ける権利」は、迅速な裁判を一般的に保障するために必要な立法上および司法行

憲法編

政上の措置をとるべきことを要請するにとどまるのか。

A 立法上および司法行政上の措置を要請するにとどまらない。　憲法 37 条 1 項の保障する迅速な裁判を受ける権利は、憲法の保障する基本的人権の一つであり、当該条項は、単に迅速な裁判を一般的に保障するために必要な立法上および司法行政上の措置をとるべきことを要請するにとどまらず、さらに個々の刑事事件について、現実に当該保障に明らかに反し、審理の著しい遅延の結果、迅速な裁判を受ける被告人の権利が害せられたと認められる異常な事態が生じた場合には、これに対処すべき具体的規定がなくても、もはや当該被告人に対する手続の続行を許さず、その審理を打ち切るという非常救済手段がとられるべきことをも認めている趣旨の規定である〈高田事件〉（最大判昭 47・12・20）。

[出題] 国Ⅰ-平成 20・6・昭和 54、地方上級-平成 1（市共通）、市役所上・中級-平成 10、特別区Ⅰ-令和 1・平成 21・17、国家一般-令和 3、国Ⅱ-平成 16・昭和 56・55、裁判所総合・一般-平成 25、裁判所Ⅰ・Ⅱ-平成 20・18、国税・労基-平成 19・15、国税-平成 6

Q5 憲法は、迅速な刑事裁判を保障しているから、被告人の責任ではない原因によって裁判が著しく遅延した場合には、裁判を途中で打ち切ることが許される場合があるのか。

A 許される場合がある〈高田事件〉（最大判昭 47・12・20）。⇨4

Q6 具体的刑事事件における審理が相当程度遅延した場合、当該裁判は憲法 37 条の保障条項に反するのか。

A 遅延の期間のみならず、遅延の原因と理由などを勘案して、当該裁判が憲法 37 条の保障条項に反するか否かを決すべきである。　そもそも、具体的刑事事件における審理の遅延が憲法 37 条の保障条項に反する事態に至っているか否かは、遅延の期間のみによって一律に判断されるべきでなく、遅延の原因と理由などを勘案して、その遅延がやむをえないものと認められないかどうかなど、これにより憲法 37 条の保障条項がまもろうとしている諸利益がどの程度実際に害せられているかなど諸般の情況を総合的に判断して決せられなければならないのであって、たとえば、事件の複雑なために、結果として審理に長年月を要した場合などはこれに該当しないこともちろんであり、さらに被告人の逃亡、出廷拒否または審理引延しなど遅延の主たる原因が被告人側にあった場合には、被告人が迅速な裁判を受ける権利を自ら放棄したものであって、たとえその審理に長年月を要したとしても、迅速な裁判を受ける権利が侵害されたとはいえない〈高田事件〉（最大判昭 47・12・20）。　[出題] 国Ⅰ-昭和 59・57

◇証人審（尋）問権（2 項）

Q7 被告人側が証人申請をしたところ、裁判所がその出頭および証言を認めないまま結審し、判決を下した場合、当該判決は被告人の証人尋問権を侵害し憲法 37 条 2 項後段に違反するのか。

A 被告人の証人尋問権を侵害せず憲法 37 条 2 項後段に違反しない。　憲法上、裁判所は、当事者から申請のあった証人は、すべて取り調べなければならないかどうかについては、まず事案に関係ないと認められる証人を調べることが不必要であるのはもちろん、事案に関係あるとしてもその間おのずから軽重、親疎、濃淡、遠近、直接間接の差は存するのであるから、健全な合理性に反しない限り、裁判所は一般に自由裁量の範囲で適当に証人申請の取捨選択をすることができる。憲法 37 条第 2 項に、「刑事被告人は、公費で自己のために強制手続により証人を求める権利を有する」というのは、裁判所がその必要を認めて訊問を許可した証人について規定しているのである。この規定を根拠として、証人は被告人側の申請にかかる証人の総てを取調べるべきだとする論旨には、とうてい賛同することができない（最大判昭 23・6・23）。

[出題] 国Ⅰ-平成 1、特別区Ⅰ-平成 17、国Ⅱ-平成 11・昭和 56・53

Q8 裁判所は、被告人申請の証人をすべて喚問する必要があるのか。

A 裁判に必要適切な証人を喚問すればよい（最大判昭 23・6・23）。⇨7

Q9 第三者の供述を証拠とするのに、裁判所外の聴取書または供述に代わる書面をもって証人に代えることは許されるか。

A 証人に代えることは許される。　裁判所は、被告人側から証人の訊問請求がない場合においても、義務として現実に訊問の機会を被告人に与えなければ、証人その他の者の供述を録取した書類またはこれに代わるべき書類を証拠とすることができない理由はどこにも存在しない。憲法 37 条を根拠として、第三者の供述を証拠とするにはその者を公判において証人として訊問すべきものであり、公判廷外における聴取書または供述に代わる書面をもって証人に代えることは絶対に許されないと断定し去るは、早計にすぎる（最大判昭 23・7・19）。

[出題] 国Ⅰ-平成 6・昭和 57、特別区Ⅰ-平成 17

Q10 裁判所が裁判外で証人を尋問する場合に、勾留中の被告人にこれを立ち会わせない場合、証人の供述は証拠能力を有しないのか。

A 証人の供述は証拠能力を有する。　裁判所が裁判外で証人を尋問する場合において、勾留中の被告人を立ち会わせなくても、特別の事由がない限り、弁護人に尋問の日時・場所等を通知して弁護人に立ち会いの機会を与え、さらに被告人の証人尋問権を実質的に害しない措置をとれば、証人の供述は証拠能力を有し、裁判所の当該行為は憲法 37 条 2 項に違反しない（最大判昭 25・3・15）。

[出題] 国Ⅰ-平成 6

Q11 裁判所は刑事被告人が申請したすべての証人を尋問する義務は負うのか。

A すべての証人を尋問する義務は負わない。　憲法 37 条 2 項がすべての証人に対して審問する機会を十分に与えられると規定しているのは、裁判所の職権により又は訴訟当時の請求により喚問した証人につき反対尋問の機会を十分に与えなければなら

ないという意味であり、裁判所に被告人側の申請にかかる証人は不要と思われるものまですべて取り調べなければならない義務を負わせたものではない（最判昭27・12・25）。 出題 国Ⅱ－平成16

Q12 裁判所が証人尋問中に刑事被告人を退廷させても、尋問終了後、刑事被告人を入廷させたうえ、証言の要旨を告げて証人尋問を促し、かつ、弁護人は終始当該尋問に立ち会って補充尋問もした場合は、裁判所の当該措置は、憲法37条2項の規定に違反するのか。

A 憲法37条2項の規定に違反しない。　恐喝傷害被告事件の第一審公判における弁護側申請証人の尋問に際し、検察官から、刑事訴訟法304条の2の規定に基づき、証人が供述する間被告人を退廷させるよう申出があったので、裁判所は、弁護人に意見を求めたうえ（「意見はない」との答えがあった）、被告人全員を退廷させる旨の決定を行った。弁護人は終始証人の尋問に立ち会い、主尋問を行い、また、尋問終了後に入廷した被告人らも、証人の証言の要旨を告知され、自らも証人に尋問を行った。以上のような第一審裁判所の措置は刑事訴訟法304条の2に従ったものであり、上記規定はその証人が当該事件の被害者本人たるとその他の第三者たるとにかかわらず適用があり、かつ、この場合裁判所は立証趣旨その他によりその証人が被告人の面前においては圧迫を受け十分な供述をすることができないと認めればそれで足り、ことさらこの点につき当該証人に発問してこれを確める方法によることを必要とせず、本件第一審の上記措置は憲法37条2項前段の規定に違反しない（最判昭35・6・10）。 出題 国Ⅱ－平成16

Q13 いわゆるビデオリンク方式、遮へい措置を定めた刑事訴訟法157条の3、157条の4は、憲法37条2項前段に違反するのか。

A 憲法37条2項前段に違反しない。　証人尋問の際、被告人から証人の状態を認識できなくする遮へい措置は、弁護人が出頭している場合に限りとることができるのであって、弁護人による証人の供述態度等の観察は妨げられないのであるから、被告人の証人審問権は侵害されていない。ビデオリンク方式によることとされた場合には、被告人は、映像と音声の送受信を通じてであれ、証人の姿を見ながら供述を聞き、自ら尋問することができるのであるから、被告人の証人審問権は侵害されていない。さらには、ビデオリンク方式によったうえで被告人から証人の状態を認識できなくする遮へい措置がとられても、映像と音声の送受信を通じてであれ、被告人は、証人の供述を聞くことはでき、自ら尋問することもでき、弁護人による証人の供述態度等の観察は妨げられないのであるから、やはり被告人の証人審問権は侵害されていないことは同様である。したがって、刑事訴訟法157条の3、157条の4は、憲法37条2項前段に違反しない（最判平17・4・14）。 出題 国家一般－平成24

Q14 検察官が、証人等の尋問を請求するに際し、証人等又はその親族に対する加害行為等を防止するために、条件付与等措置および代替開示措置の規定

を定める刑事訴訟法299条の4は、憲法37条2項前段（証人審問権）に違反しないのか。

A 憲法37条2項前段（証人審問権）に違反しない。　刑事訴訟法299条の4は、検察官が、証人、鑑定人、通訳人又は翻訳人（以下「証人等」という）の尋問を請求するに際し、相手方に対し、証人等の氏名および住居を知る機会を与えるべき場合において、証人等又はその親族に対する加害行為等のおそれがあるときには、1項において、弁護人にその証人等の氏名および住居を知る機会を与えたうえでこれらを被告人に知らせてはならない旨の条件を付す等の措置（条件付与等措置）をとることができるとし、2項において、条件付与等措置によっては加害行為等を防止できないおそれがあるときには、被告人および弁護人に対し、その証人等の氏名又は住居を知る機会を与えず、証人等の氏名に代わる呼称、住居に代わる連絡先を知る機会を与える措置（代替開示措置）をとることができるなどとするものである。この条件付与等措置および代替開示措置は、証人等又はその親族に対する加害行為等のおそれがある場合に、弁護人に対し証人等の氏名および住居を知る機会を与えたうえで一定の事項が被告人その他の者に知られないようにすることを求めることなどでは、証人等の安全を確保し、証人等が公判審理において供述する負担を軽減することが困難な場合があることから、加害行為等を防止するとともに、証人等の安全を確保し、証人等が公判審理において供述する負担を軽減し、より充実した公判審理の実現を図るために設けられた措置であると解される。したがって、刑事訴訟法299条の4は、被告人の証人審問権を侵害するものではなく、37条2項前段（証人審問権）に違反しないというべきである（最決平30・7・3）。 出題 予想

◇証人喚問権（2項）

Q15 被告人が有罪判決を受けた場合には、裁判所は被告人に証人の旅費、日当等の訴訟費用の負担を命ずることができるか。

A 訴訟費用の負担を命ずることができる。　憲法37条2項の「公費で」とは、証人尋問に要する費用、すなわち、証人の旅費、日当等は、すべて国家がこれを支給することであり、その趣旨は、被告人に、訴訟の当事者たる地位にある限度で、その防御権を十分に行使させることであって、有罪判決を受けた場合にも被告人に証人の旅費、日当等の訴訟費用を負担させてはならない趣旨ではない（最大判昭23・12・27）。

出題 国Ⅰ－平成6・昭和57、地方上級－平成11・1（市共通）、特別区Ⅰ－平成21・17、国Ⅱ－平成16・11・昭和56、国家一般－平成24

◇弁護人依頼権（3項）

Q16 裁判所は、国選弁護人の選任を請求しうる旨を公訴提起前の被疑者に告知すべき義務を負うのか。

A 裁判所は、告知義務を負わない。　弁護人依頼権は被告人が自ら行使すべきもので、裁判所、検察

官等は被告人がこの権利を行使する機会を与え、その行使を妨げなければよく、憲法 37 条 3 項はその告知義務を裁判所に負わせているものではない（最大判昭 24・11・30）。

Q17 国は刑事被告人の請求がないときでも、裁判においてはつねに弁護人を同席させなければならないのか。

A つねに弁護人を同席させる必要はない。　いかなる被告事件をいわゆる必要的弁護事件となすべきかは、もっぱら刑事訴訟法によって決すべきものであって、憲法 31 条、37 条 3 項によって定まるものではない。したがって、憲法 31 条、37 条 3 項は、すべての被告事件を必要的弁護事件としなければならない趣旨ではない（最大判昭 25・2・1）。

Q18 国選弁護人についての憲法の規定は、被告人に対し弁護人の選任を請求しうる旨の告知義務を裁判所に負わせているのか。

A 裁判所は、被告人に対し弁護人の選任を請求しうる旨の告知義務を負っていない。　被告人が自らする弁護活動の行使を積極的に妨害しない限り弁護権の侵害はない。そこで、弁護人の国選を被告人の請求にかからせても弁護権の侵害とはならず、弁護権の告知も憲法上の義務ではない。そうであれば、弁護人選任照会手続も憲法上の要請とはいえず、本件のように国選弁護人の選任請求がないときに、趣意書提出最終日以後に弁護人を国選したとしても、憲法上の権利を侵害しない（最大判昭 28・4・1）。

Q19 国選弁護人の選任をいったん拒否した被告人が再度選任を請求した場合、裁判所はその請求に応じなければならないのか。

A それが権利の濫用にあたるときには裁判所は請求に応じる必要はない。　被告人が国選弁護人を通じて権利擁護のため正当な防御活動を行う意思がないことを自らの行動によって表明したものと評価すべき事情をその後も維持存続させて、国選弁護人の再選任請求を形式的に行っても、裁判所はこれに応ずる義務を負わない。すなわち訴訟法上の権利は誠実にこれを行使し濫用してはならないことは刑事訴訟規則 1 条 2 項の明定するところであって、それが憲法上の権利であっても、被告人がその権利を濫用するときはその効力は認められず、国選弁護人再選任請求を裁判所が却下しても憲法 37 条 3 項に違反しない（最判昭 54・7・24）。

Q20 国選弁護人が裁判所に対し辞任の申立てをした場合において、裁判所が解任すべき事由の有無を取り調べることは憲法に違反するのか。

A 憲法に違反しない。　国選弁護人は辞任の申出をした場合であっても、裁判所が辞任の申出について正当な理由があると認めて解任しない限りその地位を失わない。したがって国選弁護人から辞任の申出を受けた裁判所は国選弁護人を解任すべき事由の有無を判断するに必要な限度において、相当と認め

る方法により事実の取調べをすることができる（最判昭 54・7・24）。

Q21 憲法 37 条 3 項の規定は、公訴提起後の被告人のみならず、公訴提起前の被疑者も対象に含めているのか。

A 公訴提起前の被疑者を含めていない。　憲法 37 条 3 項は「刑事被告人」という言葉を用いていること、同条 1 項および 2 項は公訴提起後の被告人の権利について定めていることが明らかであり、憲法 37 条は全体として公訴提起後の被告人の権利について規定していると解されることなどからみて、同条 3 項も公訴提起後の被告人に関する規定であって、これが公訴提起前の被疑者についても適用されるものと解する余地はない（最大判平 11・3・24）。

第 38 条 [不利益な供述の強要禁止、自白の証拠能力]

① 何人も、自己に不利益な供述を強要されない。

② 強制、拷問若しくは脅迫による自白又は不当に長く抑留若しくは拘禁された後の自白は、これを証拠とすることができない。

③ 何人も、自己に不利益な唯一の証拠が本人の自白である場合には、有罪とされ、又は刑罰を科せられない。

◇ 自己に不利益な供述（1 項）

Q1 氏名は憲法 38 条 1 項の「不利益」な事項にあたり、黙秘する権利が認められるか。

A 「不利益」な事項にあたらず、黙秘する権利は認められない。　いわゆる黙秘権を規定した憲法 38 条 1 項の法文では、単に「何人も、自己に不利益な供述を強要されない。」とあるにすぎないが、その法意は、何人も自己が刑事上の責任を問われるおそれある事項について供述を強要されないことを保障したものであることは、この制度発達の沿革に徴して明らかである。されば、氏名は、原則としてここにいわゆる不利益な事項に該当するものではない（最大判昭 32・2・20）。

Q2 道路交通法による呼気検査（アルコールの保有度の調査）を拒んだ者を処罰する道路交通法 120 条 1 項の規定は、憲法 38 条 1 項に反するのか。

A 憲法 38 条 1 項に反しない。　憲法 38 条 1 項は、刑事上責任を問われるおそれのある事項について供述を強要されないことを保障したものであるが、警察官による呼気検査は、酒気を帯びて車両等を運転することの防止を目的として運転者から呼気を採取してアルコール保有の程度を調査するものであって、その供述を得ようとするものではないから、当該検査を拒んだ者を処罰する道路交通法 120 条 1 項 1 号の規定は、憲法 38 条 1 項に違反しない（最判平 9・1・30）。

Q3 憲法 38 条 1 項は、不利益供述の強要の禁止を実効的に保障するため、身体の拘束を受けている被

疑者と弁護人等との接見交通権をも保障しているから、刑事訴訟法39条3項本文の規定は、憲法38条1項に違反するのか。

🅰 憲法38条1項に違反しない。　憲法38条1項の不利益供述の強要の禁止を実効的に保障するためのような措置が採られるべきかは、基本的には捜査の実状等をふまえたうえでの立法政策の問題に帰するから、憲法38条1項の不利益供述の強要の禁止の定めから身体の拘束を受けている被疑者と弁護人等との接見交通権の保障が当然に導き出されるとはいえない（最大判平11・3・24）。

🈁 予想

〔参考〕刑事訴訟法第39条　③検察官又は司法警察職員（司法警察員及び司法巡査をいう。以下同じ。）は、捜査のため必要があるときは、公訴の提起前に限り、第1項の接見又は授受に関し、その日時、場所及び時間を指定することができる。但し、その指定は、被疑者が防禦の準備をする権利を不当に制限するようなものであってはならない。

Q4 公判前整理手続において被告人に対し主張明示義務および証拠調べ請求義務を定めている刑事訴訟法316条の17は、憲法38条1項に違反するのか。

🅰 憲法38条1項に違反しない。　刑事訴訟法316条の17は、被告人又は弁護人において、公判期日においてする予定の主張がある場合に限り、公判期日に先立って、その主張を公判前整理手続で明らかにするとともに、証拠の取調べを請求するよう義務付けるものであって、被告人に対し自己が刑事上の責任を問われるおそれのある事項について認めるように義務付けるものではなく、また、公判期日において主張をするかどうかも被告人の判断にゆだねられているのであって、主張をすること自体を強要するものでもない。そうすると、同法316条の17は、自己に不利益な供述を強要するものとはいえないから、憲法38条1項に違反しない（最決平25・3・18）。

🈁 予想

◇行政手続（1項）

Q5 麻薬取締法が麻薬取扱いに関する記帳義務を定めるとともに、これに違反した場合には処罰する旨の規定は、憲法38条1項に反するか。

🅰 憲法38条1項に反しない。　旧麻薬取締法14条1項が、麻薬取扱者に対しその取り扱った麻薬の品名および数量、取扱年月日等を所定の帳簿に記入することを命ずる理由は、麻薬取扱者による麻薬処理の実情を明確にしようとするにあるのであるから、いやしくも麻薬取扱者として麻薬を取り扱った以上は、たとえその麻薬が正規の手続を経ていないものでも、上記帳簿記入の義務は免れない。麻薬取扱者たることを自ら申請して免許された者は、そのことによって当然麻薬取締法規による厳重な監査を受け、その命ずる一切の制限又は義務に服することを受諾しているというべきである。されば、麻薬取扱者として麻薬を処理した以上、たとえその麻薬が取締法規に触れるものであっても、これを記帳させ

られることを避けることはできず、取締上の要請からいっても、かかる場合記帳の義務がないと解すべき理由は認められない。また麻薬取扱者はかかる場合、別に麻薬処理の点につき取締法規違反により処罰されるからといって、その記帳義務違反の罪の成立を認める妨げとなるものではない（最判昭29・7・16）。

🈁 国Ⅰ-昭和59、国Ⅱ-平成17

Q6 交通事故を発生させた者に対して、事故の概要について警察への報告を義務づけている道路交通取締法は、「自己に不利益な供述を強要されない」と規定する憲法38条に違反するのか。

🅰 憲法38条に違反しない。　道路交通取締法の目的にかんがみるときは、同法施行令67条は、警察署に、すみやかに、交通事故の発生を知らせ、被害者の救護、交通秩序の回復につき適切な措置をとらせ、道路における危険とこれによる被害の増大とを防止し、交通の安全を図る等のため必要かつ合理的な規定として是認しなければならない。しかも、同条2項掲記の「事故の内容」とは、その発生した日時、場所、死傷者の数および負傷の程度ならびに物の損壊およびその程度等、交通事故の態様に関する事項を指す。したがって、操縦者、乗務員その他の従業者は、警察官が交通事故に対する処理をなすにつき必要な限度においてのみ、報告義務を負担するのであって、それ以上、刑事責任を問われるおそれのある事故の原因その他の事項までも報告義務ある事項中に含まれない（最大判昭37・5・2）。

🈁 国Ⅰ-平成1・昭和52、国家一般-令和3、国Ⅰ-平成17、国税・労基-平成19

Q7 旧所得税法に規定する検査、質問は、「自己に不利益な供述」を強要するものといえるのか。

🅰 強要するものとはいえない。　旧所得税法70条10号、63条に規定する検査が、もっぱら所得税の公平確実な賦課徴収を目的とする手続であって、刑事責任の追及を目的とする手続ではなく、また、そのための資料の取得収集に直接結びつく作用を一般的に有するものでもないこと、および、このような検査制度は公益上の必要性と合理性を存するところであり、これらの点については、同法70条12号、63条に規定する質問も同様である。そして、憲法38条1項の法意が、何人も自己の刑事上の責任を問われるおそれのある事項について供述を強要されないことを保障したものであるが、この規定による保障は、純然たる刑事手続においてばかりではなく、それ以外の手続においても、実質上、刑事責任追及のための資料の取得収集に直接結びつく作用を一般的に有する手続には、ひとしく及ぶ。しかし、旧所得税法70条10号、12号、63条の検査、質問の性質が上述のようなものである以上、各規定そのものが憲法38条1項にいう「自己に不利益な供述」を強要するものとはいえない〈川崎民商事件〉（最大判昭47・11・22）。

🈁 国家総合-平成30、国Ⅱ-平成17

Q8 国税犯則取締法上の質問調査の手続については、憲法38条1項の規定による供述拒否権の保障が及ぶのか。

🅰 供述拒否権の保障が及ぶ。　国税犯則取締法は、

収税官吏に対し、犯則事件の調査のため、犯則嫌疑者等に対する質問のほか、検査、領置、臨検、捜索又は差押等をすること（以下これらを総称して「調査手続」という。）を認めている。しかし、上記調査手続は、国税の公平確実な賦課徴収という行政目的を実現するためのものであり、その性質は、一種の行政手続であって、刑事手続ではないが、その手続自体が捜査手続と類似し、これと共通するところがあるばかりでなく、上記調査の対象となる犯則事件は、間接国税以外の国税については同法 12 条の 2 又は同法 17 条各所定の告発により被疑事件となって刑事手続に移行し、告発前の調査手続において得られた質問顛末書等の資料も、上記被疑事件についての捜査および訴追の証拠資料として利用されることが予定されている。このような諸点に鑑みると、上記右調査手続は、実質的には租税犯の捜査としての機能を営むものであって、租税犯捜査の特殊性、技術性等から専門的知識経験を有する収税官吏に認められた特別の捜査手続としての性質を帯有するものと認められる。したがって、国税犯則取締法上の質問調査の手続は、犯則嫌疑者については、自己の刑事上の責任を問われるおそれのある事項についても供述を求めることになるもので、「実質上刑事責任追及のための資料の取得収集に直接結びつく作用を一般的に有する」ものというべきであって、憲法 38 条 1 項の規定による供述拒否権の保障が及ぶ（最判昭 59・3・27）。

出題　裁判所総合・一般－平成 25

Q9 憲法 38 条 1 項の規定によるいわゆる供述拒否権の保障の及ぶ手続について、供述拒否権の告知の規定を欠けば、違憲となるのか。

A 必ずしも違憲とはならない。　憲法 38 条 1 項は供述拒否権の告知を義務づけるものではなく、当該規定による保障の及ぶ手続について供述拒否権の告知を要するものとすべきかどうかは、その手続の趣旨・目的等により決められるべき立法政策の問題と解されるから、国税犯則取締法に供述拒否権告知の規定を欠き、収税官吏が犯則嫌疑者に対し同法 1 条の規定に基づく質問をするにあたりあらかじめ供述拒否権の告知をしなかったからといって、その質問手続が憲法 38 条 1 項に違反するものでない（最判昭 59・3・27）。

出題　国税－平成 13

Q10 死体を検案して異状を認めた医師は、自己がその死因等につき診療行為における業務上過失致死等の罪責を負うおそれがある場合にも、医師法 21 条の届出義務を負うとすることは、憲法 38 条 1 項に違反するのか。

A 憲法 38 条 1 項に違反しない。　異状死体に関する医師法 21 条の届出義務（以下「本件届出義務」という）は、医師が、死体を検案して死因等に異状があると認めたときは、そのことを警察署に届け出るものであって、これにより、届出人と死体とのかかわり等、犯罪行為を構成する事項の供述までも強制されるものではない。また、医師免許は、人の生命を直接左右する診療行為を行う資格を付与するとともに、それに伴う社会的責務を課するものである。このような本件届出義務の性質、内容・程度お

よび医師という資格の特質と、本件届出義務に関する公益上の高度の必要性に照らすと、医師が、同義務の履行により、捜査機関に対し自己の犯罪が発覚する端緒を与えることにもなりうるなどの点で、一定の不利益を負う可能性があっても、それは、医師免許に付随する合理的根拠のある負担として許容されるものというべきである。以上によれば、死体を検案して異状を認めた医師は、自己がその死因等につき診療行為における業務上過失致死等の罪責を問われるおそれがある場合にも、本件届出義務を負うとすることは、憲法 38 条 1 項に違反するものではない（最判平 16・4・13）。

出題　国Ⅱ－平成 17

◇刑事免責制度

Q11 共犯のうちの一部の者に刑事免責を付与することによって、自己不罪拒否特権を失わせて供述を強制し、その供述を他の者の有罪を立証する証拠とする制度は、憲法上認められる余地はないのか。

A 憲法上認められる余地はある。　刑事免責の制度は、自己負罪拒否特権に基づく証言拒否権の行使により犯罪事実の立証に必要な供述を獲得することができないという事態に対処するため、共犯等の関係にある者のうちの一部の者に対して刑事免責を付与することによって自己負罪拒否特権を失わせて供述を強制し、その供述を他の者の有罪を立証する証拠としようとする制度である（アメリカ合衆国で採用されている）。わが国の憲法が、その刑事手続等に関する諸規定に照らし、このような制度の導入を否定しているものとまでは解されないが、刑事訴訟法は、この制度に関する規定をおいていない〈ロッキード事件丸紅ルート判決〉（最大判平 7・2・22）。

出題　国Ⅱ－平成 11

◇自白の証拠能力（2 項・3 項）

Q12 自白と不当に長い抑留・拘禁との間に因果関係が存しないことが明らかな場合、その自白は証拠能力を有するのか。

A その自白は証拠能力を有する。　「不当に長く抑留若しくは拘禁された後の自白」（憲法 38 条 2 項）には、自白と不当に長い抑留・拘禁との間に因果関係が存しないことが明らかに認められる場合の自白を含まないから、かかる自白を証拠能力とすることができる（最大判昭 23・6・23）。

出題　国Ⅱ－昭和 53、国税－平成 13

Q13 検察官が「自白をすれば執行猶予ですむ」旨を被疑者に伝え、この言葉を信じてした自白に証拠能力はあるのか。

A 当該自白に証拠能力はない。　被疑者が、起訴不起訴の決定権をもつ検察官の、自白をすれば起訴猶予になる旨の言葉を信じ、起訴猶予になることを期待してした自白は、任意性に疑いがあるものとして、証拠能力を欠く（最判昭 41・7・1）。

出題　国Ⅰ－昭和 52

Q14 偽計によって被疑者が心理的強制を受け、その結果虚偽の自白が誘発されるおそれがある場合、その自白を証拠として採用することは、憲法 38 条

憲法編

2項に違反するか。

A 憲法38条2項に違反する。　捜査手続といえども、憲法の保障下にある刑事手続の一環である以上、刑事訴訟法1条所定の精神に則り、公共の福祉の維持と個人の基本的人権の保障とを全うしつつ適正に行われることにかんがみれば、捜査官が被疑者を取り調べるにあたり偽計を用いて被疑者を錯誤に陥れ自白を獲得するような尋問方法を厳に避けるべきであるが、もし偽計によって被疑者が心理的強制を受け、その結果虚偽の自白が誘発されるおそれのある場合には、その自白はその任意性に疑いがあるものとして、証拠能力を否定すべきであり、このような自白を証拠に採用することは、刑事訴訟法319条1項の規定に違反し、憲法38条2項にも違反する（最大判昭45・11・25）。

出題 国Ⅰ-昭和59・52、地方上級-昭和55、国Ⅱ-昭和53

◇自白の補強証拠（3項）

Q15 公判廷における被告人の自白には、他の補強証拠を要するか。

A 他の補強証拠を要しない。　公判廷外の自白は、それ自身すでに完結している自白であって、いかなる状態、事情、動機から、供述が形成されたかの経路は全く不明である。これに対し、公判廷の自白は、裁判所の面前で親しくつぎつぎに供述が展開されて行くものであるから、現行法の下では裁判所はその心証が得られるまで種々の面と観点から被告人を十分訊問することもできる。そして、もし、裁判所が心証を得られなければ自白はもとより証拠価値がなく、裁判所が心証を得たときにはじめて自白は証拠として役立つのである。したがって、公判廷における被告人の自白が、裁判所の自由心証によって真実に合するものと認められる場合には、公判廷外における被告人の自白とは異なり、さらに他の補強証拠を要せずに犯罪事実の認定ができる。したがって、憲法38条3項の「本人の自白」には公判廷における被告人の自白を含まない（最大判昭23・7・29）。

出題 国Ⅰ-昭和62・52、市役所上・中級-平成20、裁判所Ⅰ・Ⅱ-平成20、国税・労基-平成19

Q16 共同審理を受けている共犯者の自白は、憲法38条3項の「本人の自白」と同一視し、完全な証明力を有しないのか。

A 「本人の自白」と同一視することはできず、完全な証明力を有する。　憲法38条3項の規定は、被告人本人の自白の証拠能力を否定または制限したものではなく、また、その証明力が犯罪事実全部を肯認できない場合の規定でもなく、証拠能力ある被告人本人の供述であって、しかも、本来犯罪事実全部を肯認することのできる証明力を有するもの、換言すれば、いわゆる完全な自白のあることを前提とする規定であり、したがって、刑事訴訟法318条で採用している証拠の証明力に対する自由心証主義に対する例外規定としてこれを厳格に解釈すべきであり、共犯者の自白をいわゆる「本人の自白」と同一視しまたはこれに準ずることはできない。され

ば、かかる共犯者または共同被告人の犯罪事実に関する供述は、憲法38条2項のごとき証拠能力を有しないものでない限り、自由心証に委かされるべき独立、完全な証明力を有する〈練馬事件〉（最大判昭33・5・28）。

出題 国Ⅰ-平成1・昭和62・52、地方上級-昭和58、市役所上・中級-平成1

〔参考〕刑事訴訟法第318条　証拠の証明力は、裁判官の自由な判断に委ねる。

第39条〔刑罰法規の不遡及・一事不再理〕
　何人も、実行の時に適法であった行為又は既に無罪とされた行為については、刑事上の責任を問はれない。又、同一の犯罪について、重ねて刑事上の責任を問はれない。

Q1 刑法56条の再犯加重規定は、憲法39条に違反しないか。

A 憲法39条に違反しない。　刑法56条、57条の再犯加重の規定は、56条所定の再犯者であるという事由に基づいて、新たに犯した罪に対する法定刑を加重し、重い刑罰を科しうべきことを是認したにすぎないもので、前犯に対する確定判決を動かしたり、あるいは前犯に対し、重ねて刑罰を科する趣旨ではないから、憲法39条に違反しない（最大判昭24・12・21）。

出題 国Ⅰ-昭和55、国Ⅱ-昭和60

Q2 憲法39条前段の規定は、実体法についてだけではなく、手続法についても適用があるのか。

A 手続法については適用がない。　上告理由の一部を制限したにすぎない訴訟手続に関する刑訴応急措置法の規定を適用して、その制定前の行為を審判することは、たといそれが行為時の手続よりも多少被告人に不利益であるとしても、憲法39条にいわゆる「何人も、実行の時に適法であった行為……については、刑事上の責任を問はれない」の法則の趣旨を類推すべき場合ではない。したがって、憲法に違反しない（最大判昭25・4・26）。

出題 国Ⅰ-昭和55

Q3 下級審における無罪または有罪判決に対し、検察官が上訴をなし無罪をなすまたはより重き刑の判決を求めることは、憲法39条に違反するか。

A 憲法39条に違反しない。　一事不再理の原則は、何人も同じ犯行について、二度以上罪の有無に関する裁判を受ける危険に曝されるべきではないという根本思想に基づくものである。そして、その危険とは、同一の事件においては、訴訟手続の開始から終末に至るまでの一つの継続的状態である。されば、一審の手続も控訴審の手続もまた、上告審も同じ事件においては、継続する一つの危険の各部分にすぎないのである。したがって、同じ事件においては、いかなる段階においても唯一の危険があるのみであって、そこには二重の危険ないし二度の危険というものは存在しない。それ故に、下級審における無罪または有罪判決に対し、検察官が上訴をなし有罪またはより重き刑の判決を求めることは、被告人を二重の危険に曝すものでもなく、したがってまた憲法39条に違反して重ねて刑事上の責任を問うものでもない（最大判昭25・9・27）。

憲法編

Q4 憲法39条は、行為時の法令によれば有罪とされるものが、裁判時の法令に従えば無罪である行為につき、刑事上の責任を問われない趣旨をも含むのか。

A 刑事上の責任を問われない趣旨をも含まない。 憲法39条前段の後半に「既に無罪とされた行為については刑事上の責任を問われない」というのは、行為時の法令によれば有罪であったものが裁判時の法令に従えば無罪である行為につき、刑事上の責任を問われないという趣旨ではなく、すでに無罪の裁判のあった行為については、再び刑事上の責任を問われないという趣旨である（最大判昭26・5・30）。

Q5 起訴状に公訴事実の記載のないことを理由として公訴棄却の判決がなされた場合、同一事件につき再度公訴を提起することは、憲法39条に違反するのか。

A 憲法39条に違反しない。 憲法39条は、起訴状に公訴事実の記載のないことを理由として公訴棄却の判決がなされた場合において、同一事件につき再度公訴を提起することを禁ずる趣旨を包含するものではない（最大判昭28・12・9）。

Q6 法人税の脱税をした株式会社に対し、法人税法違反による罰金を科し、さらに同法違反による追徴税を併科することは、憲法39条の二重処罰の禁止の原則に違反するのか。

A 憲法39条の二重処罰の禁止の原則に違反しない（最大判昭33・4・30）。⇨行政法総論211

Q7 法廷等の秩序維持に関する法律による監置の制裁を科した後、さらに同一事実について刑事訴追を行い有罪判決を言い渡すことは、憲法39条に違反するのか。

A 憲法39条に違反しない。 刑事的または行政的な処罰のいずれの範疇にも属していない法廷等の秩序維持に関する法律による監置の制裁を受けた後、さらに同一事実に基づいて刑事訴追を受け有罪判決を言い渡されたとしても、憲法39条にいう同一の犯罪について重ねて刑事上の責任を問われたものとはいえない（最判昭34・4・9）。

Q8 少年法19条に基づく審判不開始の決定が事案の罪とならないことを理由とするものであっても、これを刑事訴訟における無罪判決と同視すべきではなく、少年が成年に達した後に、同一事案につき訴えを提起したとしても憲法39条に違反しないのか。

A 憲法39条に違反しない。 少年法19条1項に基づく審判不開始の決定が事案の罪とならないことを理由とするものであっても、これを刑事訴訟における無罪の判決と同視すべきではなく、これに対する不服申立ての方法がないからといって、その判断に刑事訴訟におけるいわゆる既判力が生ずることはないものといわなければならない。また、憲法39条前段にいう「無罪とされた行為」とは、刑事

訴訟における確定裁判によって無罪の判断を受けた行為を指すものと解すべきであるから、上記の解釈が憲法のこの条項に抵触するものでないことも明らかである（最大判昭40・4・28）。

Q9 行為当時の最高裁判例の示す法解釈に従えば、無罪となるべき行為を判例変更により処罰することは、憲法39条に違反するのか。

A 憲法39条に違反しない。 行為当時の最高裁判所の判例の示す法解釈に従えば、無罪となるべき行為であっても、これを処罰することは、憲法39条に違反しない（最判平8・11・18）。

Q10 第一審裁判所が無罪の判決を言い渡した場合に、控訴審裁判所が新たな証拠の取調べを待たないで被告人を勾留することは認められるのか。

A 認められる。 裁判所は、被告人が罪を犯したことを疑うに足りる相当な理由がある場合であって、刑事訴訟法60条1項各号に定める事由（以下「勾留の理由」という。）があり、かつ、その必要性があるときは、同条により、職権で被告人を勾留することができ、その時期には特段の制約がない。したがって、第一審裁判所が犯罪の証明がないことを理由として無罪の判決を言い渡した場合であっても、控訴審裁判所は、記録等の調査により、その無罪判決の理由の検討を経た上でもなお罪を犯したことを疑うに足りる相当な理由があると認めるときは、勾留の理由があり、かつ、控訴審における適正、迅速な審理のためにも勾留の必要性があると認める限り、その審理の段階を問わず、被告人を勾留することができ、新たな証拠の取調べを待たなければならないものではない（最判平12・6・27）。

Q11 「刑法の一部を改正する法律」附則2条2項は、本法による改正前の刑法において親告罪とされていた強制わいせつ罪等の罪であって本法の施行前に犯したものについて、本法の施行後は、告訴がなくても公訴を提起できるとしている点で、遡及処罰を禁止した憲法39条に違反するのと主張するのではないか。

A 遡及処罰を禁止した憲法39条に違反しない。 親告罪は、一定の犯罪について、犯人の訴追・処罰に関する被害者意思の尊重の観点から、告訴を公訴提起の要件としたものであり、親告罪であった犯罪を非親告罪とする本法は、行為時点における当該行為の違法性の評価や責任の重さを遡って変更するものではない。そして、「刑法の一部を改正する法律」附則2条2項は、本法の施行前の行為についても非親告罪として扱うこととしたものであり、被疑者・被告人となり得る者につき既に生じていた法律上の地位を著しく不安定にするようなものでもない。したがって、刑法を改正して強制わいせつ罪等を非親告罪とした本法の経過措置として、本法の施行後は、告訴がなくても公訴を提起することができるとした本法附則2条2項は、憲法39条に違反せず、その趣旨に反するとも認められない（最判令2・3・10）。

第40条 ［刑事補償］

何人も、抑留または拘禁された後、無罪の裁判を受けたときは、法律の定めるところにより、国にその補償を求めることができる。

Q1 不起訴になった事実に基づく抑留または拘禁の中に、実質上は無罪となった事実についての抑留または拘禁と認められるものがある場合、その部分について国に補償を求めることができるのか。

A 国に補償を求めることができる。　憲法40条にいう「抑留または拘禁」の中には、無罪となった公訴事実に基づく抑留または拘禁はもとより、たとえ不起訴となった事実に基づく抑留または拘禁であっても、そのうちに実質上は、無罪となった事実についての抑留または拘禁であると認められるものがあるときは、その部分の抑留または拘禁もまたこれを包含する（最大決昭31・12・24）。

出題 国家一般−昭和30、国税−平成4・3

Q2 憲法第40条にいう無罪の裁判には、少年審判手続における非行事実のないことを理由とした不処分決定も含まれるのか。

A 含まれない。　刑事補償法1条1項にいう「無罪の裁判」とは、同項および関係の諸規定から明らかなとおり、刑事訴訟法上の手続における無罪の確定裁判をいうところ、不処分決定は、刑訴法上の手続とは性質を異にする少年審判の手続における決定であるうえ、その決定を経た事件について、刑事訴追をし、又は家庭裁判所の審判に付することを妨げる効力を有しないから、非行事実が認められないことを理由とするものであっても、刑事補償法1条1項にいう「無罪の裁判」にはあたらないと解すべきであり、このように解しても憲法40条および14条に違反しない（最判平3・3・29）。

出題 国税−平成13

第4章　国会

第41条 ［国会の地位、立法権］

国会は、国権の最高機関であって、国の唯一の立法機関である。

第42条 ［両院制］

国会は、衆議院及び参議院の両議院でこれを構成する。

第43条 ［両議院の組織］

①両議院は、全国民を代表する選挙された議員でこれを組織する。

②両議院の議員の定数は、法律でこれを定める。

Q1 非拘束名簿式比例代表制による比例代表選挙は、直接選挙にあたらず、憲法43条1項に違反するのか。

A 直接選挙にあたり、憲法43条1項に違反しない（最大判平16・1・14）。　　　**出題** 予想

第44条 ［議員および選挙人の資格］

両議院の議員及びその選挙人の資格は、法律でこれを定める。但し、人種、信条、性別、社会的身分、門地、教育、財産又は収入によって差別してはならない。

第45条 ［衆議院議員の任期］

衆議院議員の任期は、4年とする。但し、衆議院

解散の場合には、その期間満了前に終了する。

第46条 ［参議院議員の任期］

参議院議員の任期は、6年とし、3年ごとに議員の半数を改選する。

第47条 ［選挙に関する事項の法定］

選挙区、投票の方法その他両議院の議員の選挙に関する事項は、法律でこれを定める。

第48条 ［両院議員兼職の禁止］

何人も、同時に両議院の議員たることはできない。

第49条 ［議員の歳費］

両議院の議員は、法律の定めるところにより、国庫から相当額の歳費を受ける。

第50条 ［議員の不逮捕特権］

両議院の議員は、法律の定める場合を除いては、国会の会期中逮捕されず、会期前に逮捕された議員は、その議院の要求があれば、会期中これを釈放しなければならない。

第51条 ［議員の免責特権］

両議院の議員は、議院で行った演説、討論又は表決について、院外で責任を問はれない。

Q1 地方議会の議員に免責特権は認められるのか。

A 免責特権は認められない。　憲法上、国権の最高機関たる国会について、広範な議院自律権を認め、特に議員の発言について、憲法51条に、いわゆる免責特権を与えているからといって、その理をそのまま直ちに地方議会にあてはめ、地方議会についても、国会と同様の議会自治・議会自律の原則を認め、さらに、地方議会議員の発言についても、いわゆる免責特権を憲法上保障しているものと解すべき根拠はない。もっとも、地方議会についても、法律の定めるところにより、その機能を適切に果たさせるため、ある程度は自治・自律の権能が認められてはいるが、その自治・自律の権能が認められている範囲内の行為についても、原則的に、裁判所の司法審査権の介入が許されるべきである（最大判昭42・5・24）。

出題 国Ⅰ−平成21・16・13、特別区Ⅰ−令和1、国Ⅱ−平成15

Q2 国会議員が議院で行った発言が、故意または過失により個人のプライバシーを侵害する場合、国会議員は憲法51条の保障する免責特権を受けないのか。

A 免責特権を受けるか否かにかかわらず、私人に対して責任を負わない。　本件発言は、国会議員であるY1によって、国会議員としての職務を行うにつきされたものであることが明らかであるから、仮に本件発言がY1の故意または過失による違法な行為であるとしても、Y2（国）が賠償責任を負うことがあるのは格別、公務員であるY1個人は、Xに対してその責任を負わない。したがって、本件発言が憲法51条に規定する「演説、討論又は表決」に該当するかどうかを論ずるまでもなく、XのY1に対する国家賠償法1条にもとづく損害賠償請求は認められない（最判平9・9・9）。　**出題** 予想

Q3 国会議員が議院で行った発言が、故意または過失により個人のプライバシーを侵害する場合、国は私人に対して責任を負うのか。

Ａ 原則として責任を負わない（最判平９・９・９）。
⇨2

Q4 国会での国会議員の質疑等によって個別の国民の権利等が侵害された場合には、直ちに当該国会議員はその職務上の法的義務に違背したことになるのか。

Ａ 直ちに違背したことにはならない。　質疑等においてどのような問題を取り上げ、どのような形でこれを行うかは、国会議員の政治的判断を含む広範な裁量にゆだねられている事柄とみるべきであって、たとえ質疑等によって結果的に個別の国民の権利等が侵害されることになったとしても、直ちに当該国会議員がその職務上の法的義務に違背したとはいえない。ただ、職務とは無関係に個別の国民の権利を侵害することを目的とするような行為が許されないことはもちろんであり、また、あえて虚偽の事実を摘示して個別の国民の名誉を毀損するような行為は、国会議員の裁量に属する正当な職務行為とはいえない。以上によれば、国会議員が国会で行った質疑等につき、国の賠償責任が肯定されるためには、当該国会議員が、その職務とはかかわりなく違法または不当な目的をもって事実を摘示し、あるいは、虚偽であることを知りながらあえてその事実を摘示するなど、国会議員がその付与された権限の趣旨に明らかに背いてこれを行使したものと認めうるような特別の事情があることを必要とする（最判平９・９・９）。

> 出題 国家総合 - 令和2、国Ⅰ - 平成22・21・18・13、特別区Ⅰ - 令和1、国家一般 - 令和3・平成27、裁判所総合・一般 - 平成24、裁判所Ⅰ・Ⅱ - 平成18

第52条 ［常会］

国会の常会は、毎年１回これを召集する。

第53条 ［臨時会］

内閣は、国会の臨時会の召集を決定することができる。いづれかの議院の総議員の４分の１以上の要求があれば、内閣は、その召集を決定しなければならない。

第54条 ［衆議院の解散、特別会、参議院の緊急集会］

①衆議院が解散されたときは、解散の日から40日以内に、衆議院議員の総選挙を行ひ、その選挙の日から30日以内に、国会を召集しなければならない。

②衆議院が解散されたときは、参議院は、同時に閉会となる。但し、内閣は、国に緊急の必要があるときは、参議院の緊急集会を求めることができる。

③前項但書の緊急集会において採られた措置は、臨時のものであって、次の国会開会の後10日以内に、衆議院の同意がない場合には、その効力を失ふ。

第55条 ［議員の資格争訟の裁判］

両議院は、各ゝその議員の資格に関する争訟を裁判する。但し、議員の議席を失はせるには、出席議員の３分の２以上の多数による議決を必要とする。

第56条 ［定足数・表決］

①両議院は、各ゝその総議員の３分の１以上の出席がなければ、議事を開き議決することができない。

②両議院の議事は、この憲法に特別の定のある場合を除いては、出席議員の過半数でこれを決し、可否同数のときは、議長の決するところによる。

第57条 ［会議の公開、秘密会］

①両議院の会議は、公開とする。但し、出席議員の３分の２以上の多数で議決したときは、秘密会を開くことができる。

②両議院は、各ゝその会議の記録を保存し、秘密会の記録の中で特に秘密を要すると認められるもの以外は、これを公表し、且つ一般に頒布しなければならない。

③出席議員の５分の１以上の要求があれば、各議員の表決は、これを会議録に記載しなければならない。

第58条 ［役員の選任、議院規則、懲罰］

①両議院は、各ゝその議長その他の役員を選任する。

②両議院は、各ゝその会議その他の手続及び内部の規律に関する規則を定め、又、院内の秩序をみだした議員を懲罰することができる。但し、議員を除名するには、出席議員の３分の２以上の多数による議決を必要とする。

第59条 ［法律案の議決、衆議院の優越］

①法律案は、この憲法に特別の定のある場合を除いては、両議院で可決したとき法律となる。

②衆議院で可決し、参議院でこれと異なった議決をした法律案は、衆議院で出席議員の３分の２以上の多数で再び可決したときは、法律となる。

③前項の規定は、法律の定めるところにより、衆議院が、両議院の協議会を開くことを求めることを妨げない。

④参議院が、衆議院の可決した法律案を受け取った後、国会休会中の期間を除いて60日以内に、議決しないときは、衆議院は、参議院がその法律案を否決したものとみなすことができる。

第60条 ［衆議院の予算先議と優越］

①予算は、さきに衆議院に提出しなければならない。

②予算について、参議院で衆議院と異なった議決をした場合に、法律の定めるところにより、両議院の協議会を開いても意見が一致しないとき、又は参議院が、衆議院の可決した予算を受け取った後、国会休会中の期間を除いて30日以内に、議決しないときは、衆議院の議決を国会の議決とする。

第61条 ［条約の国会承認と衆議院の優越］

条約の締結に必要な国会の承認については、前条第２項の規定を準用する。

第62条 ［議院の国政調査権］

両議院は、各ゝ国政に関する調査を行ひ、これに関して、証人の出頭及び証言並びに記録の提出を要求することができる。

第63条〔国務大臣の議院出席の権利・義務〕

内閣総理大臣その他の国務大臣は、両議院の一に議席を有すると有しないとにかかはらず、何時でも議案について発言するため議院に出席することができる。又、答弁又は説明のため出席を求められたときは、出席しなければならない。

第64条〔弾劾裁判所〕

①国会は、罷免の訴追を受けた裁判官を裁判するため、両議院の議員で組織する弾劾裁判所を設ける。

②弾劾に関する事項は、法律でこれを定める。

第5章　内閣

第65条〔行政権と内閣〕

行政権は、内閣に属する。

第66条〔内閣の組織・国会に対する連帯責任〕

①内閣は、法律の定めるところにより、その首長たる内閣総理大臣及びその他の国務大臣でこれを組織する。

②内閣総理大臣その他の国務大臣は、文民でなければならない。

③内閣は、行政権の行使について、国会に対し連帯して責任を負ふ。

第67条〔内閣総理大臣の指名、衆議院の優越〕

①内閣総理大臣は、国会議員の中から国会の議決で、これを指名する。この指名は、他のすべての案件に先だって、これを行ふ。

②衆議院と参議院とが異なった指名の議決をした場合に、法律の定めるところにより、両議院の協議会を開いても意見が一致しないとき、又は衆議院が指名の議決をした後、国会休会中の期間を除いて10日以内に、参議院が、指名の議決をしないときは、衆議院の議決を国会の議決とする。

第68条〔国務大臣の任免〕

①内閣総理大臣は、国務大臣を任命する。但し、その過半数は、国会議員の中から選ばれなければならない。

②内閣総理大臣は、任意に国務大臣を罷免することができる。

第69条〔衆議院の内閣不信任〕

内閣は、衆議院で不信任の決議案を可決し、又は信任の決議案を否決したときは、10日以内に衆議院が解散されない限り、総辞職をしなければならない。

第70条〔内閣総理大臣の欠缺または総選挙後の総辞職〕

内閣総理大臣が欠けたとき、又は衆議院議員総選挙の後に初めて国会の召集があったときは、内閣は、総辞職をしなければならない。

第71条〔総辞職後の内閣の職務〕

前2条の場合には、内閣は、あらたに内閣総理大臣が任命されるまで引き続きその職務を行ふ。

第72条〔内閣総理大臣の職務〕

内閣総理大臣は、内閣を代表して議案を国会に提出し、一般国務及び外交関係について国会に報告し、並びに行政各部を指揮監督する。

Q1 内閣総理大臣は、閣議にかけて決定した方針が存在しなくても、内閣の明示の意思に反しない限り、行政各部に対し、その所掌事務について一定の方向で処理しようとする指導、助言等の指示を与える権限を有するのか。

A 有する。　内閣総理大臣が行政各部に対し指揮監督権を行使するためには、閣議にかけて決定した方針が存在することを要するが、閣議にかけて決定した方針が存在しない場合においても、流動的で多様な行政需要に遅滞なく対応するため、内閣総理大臣は、少なくとも、内閣の明示の意思に反しない限り、行政各部に対し指示を与える権限を有する〈ロッキード事件丸紅ルート判決〉（最大判平7・2・22）。

出題 国家総合－令和3・1・平成29・27・25・24、国Ⅰ－平成21・17・10、国家一般－平成25、裁判所総合・一般－令和4、国税・財務・労基－平成25

第73条〔内閣の職務〕

内閣は、他の一般行政事務の外、左の事務を行ふ。

1　法律を誠実に執行し、国務を総理すること。
2　外交関係を処理すること。
3　条約を締結すること。但し、事前に、時宜によっては事後に、国会の承認を経ることを必要とする。
4　法律の定める基準に従ひ、官吏に関する事務を掌理すること。
5　予算を作成して国会に提出すること。
6　この憲法及び法律の規定を実施するために、政令を制定すること。但し、政令には、特にその法律の委任がある場合を除いては、罰則を設けることができない。
7　大赦、特赦、減刑、刑の執行の免除及び復権を決定すること。

Q1 すでに国会で承認された条約を受けてその実施のために相手方行政府との間で締結される行政協定は、改めて国会の承認を必要とするのか。

A 当該条約の責任の範囲内であれば、改めて国会の承認を必要としない。　行政協定自体につき国会の承認を経る必要があるか否かにつき、政府は、行政協定の根拠規定を含む安全保障条約が国会の承認を経ている以上、これと別に特に行政協定につき国会の承認を経る必要はなく、国会における衆参本会議においてそれぞれ、行政協定について国会の承認を経る必要がある等の決議案が否決されている事実に徴し、米軍の配備を規律する条件を規定した行政協定は、既に国会の承認を経た安全保障条約3条の委任の範囲内のものであると認められ、これにつき特に国会の承認を経なかったからといって、違憲無効ではない〈砂川事件〉（最大判昭34・12・16）。

出題 国家総合－令和2、国Ⅰ－昭和63、地方上級－平成10（市共通）

Q2 法律の委任を受けた政令がその委任内容をさらに他の命令に委任することは許されないのか。

A 許される（最大判昭33・7・9）。⇨行政法総論58

出題 国税－平成10

憲法編

Q3 刑事訴訟法は、被勾留者との接見の自由を保障し、監獄法は、接見の内容を命令に委任したところ、監獄法施行規則が被勾留者と幼年者との接見を原則として禁止することは、監獄法の委任の範囲を超えていないのか。

A 同規則は、監獄法の委任の範囲を超え無効である（最判平3・7・9）。⇨行政法総論65

出題 地方上級－平成8（市共通）、国Ⅱ－平成17

Q4 父から認知された婚姻外懐胎児童を児童扶養手当の支給対象となる児童の範囲から除外した本件括弧書は、法の委任の範囲を逸脱した違法な規定として、無効となるのか。

A 無効となる。　児童扶養手当法4条1項各号は、類型的にみて世帯の生計維持者としての父による現実の扶養を期待することができないと考えられる児童、すなわち、児童の母と婚姻関係にあるような父が存在しない状態、あるいは児童の扶養の観点からこれと同視することができる状態にある児童を支給対象児童として定めている。婚姻外懐胎児童は、世帯の生計維持者としての父がいない児童であって、父による現実の扶養を期待することができない類型の児童にあたり、施行令1条の2第3号が本件括弧書を除いた本文において婚姻外懐胎児童を法4条1項1号ないし4号に準ずる児童として取り上げていることは、法の委任の趣旨に合致するところである。一方で、施行令1条の2第3号は、本件括弧書を設けて、父から認知された婚姻外懐胎児童を支給対象児童から除外することとしている。しかし、認知により、当然に母との婚姻関係が形成されるなどして、世帯の生計維持者としての父が存在する状態になるわけでもない。また、父から認知されれば、通常、父による現実の扶養を期待することができるともいえない。したがって、婚姻外懐胎児童が認知により法律上の父がいる状態になったとしても、類型的にみて、法4条1項1号ないし4号に準ずる状態が続いていることを否定することはできない。そうすると、施行令1条の2第3号が本件括弧書を除いた本文において、法4条1項1号ないし4号に準ずる状態にある婚姻外懐胎児童を支給対象児童としながら、本件括弧書により、父から認知された婚姻外懐胎児童を除外することは、法の委任の趣旨に反するものといわざるをえない。以上のとおりであるから、父から認知された婚姻外懐胎児童を児童扶養手当の支給対象となる児童の範囲から除外した本件括弧書は、法の委任の範囲を逸脱した違法な規定として、無効と解すべきものである（最判平14・2・22）。

出題 裁判所総合・一般－平成28

Q5 退職一時金に付加して返還すべき利子の利率の定めを政令に委任する国家公務員共済組合法（平成24年改正前）附則12条の12第4項および同条の経過措置を定める厚生年金保険法等の一部を改正する法律（平成8年）附則30条1項は、憲法41条および73条6号に違反するのか。

A 憲法41条および73条6号に違反しない。　国家公務員共済組合法附則12条の12は、同一の組合員期間に対する退職一時金と退職共済年金等との

重複支給を避けるための調整措置として、従来の年金額からの控除という方法を改め、財政の均衡を保つ見地から、脱退一時金の金額の算定方法に準じ、退職一時金にその予定運用収入に相当する額を付加して返還させる方法を採用したものと解される。このような同条の趣旨等に照らすと、同条4項は、退職一時金に付加して返還すべき利子の利率について、予定運用収入に係る利率との均衡を考慮して定められる利率とする趣旨でこれを政令に委任したものと理解することができる。そして、国家公務員共済組合法附則12条の12の12の経過措置を定める厚年法改正法附則30条1項についても、これと同様の趣旨で退職一時金利子加算額の返還方法についての定めを政令に委任したものと理解することができる。したがって、国家公務員共済組合法附則12条の12第4項および厚年法改正法附則30条1項は、退職一時金に付加して返還すべき利子の利率の定めを白地で包括的に政令に委任するものということはできず、憲法41条および73条6号に違反するものではないと解するのが相当である（最判平27・12・14）。

出題 予想

第74条 [法律・政令の署名・連署]
法律及び政令には、すべて主任の国務大臣が署名し、内閣総理大臣が連署することを必要とする。

第75条 [国務大臣の不訴追特権]
国務大臣は、その在任中、内閣総理大臣の同意がなければ、訴追されない。但し、これがため、訴追の権利は、害されない。

第6章　司法

第76条 [司法権、裁判所、特別裁判所の禁止、裁判官の独立]
①すべて司法権は、最高裁判所及び法律の定めるところにより設置する下級裁判所に属する。
②特別裁判所は、これを設置することができない。行政機関は、終審として裁判を行ふことができない。
③すべて裁判官は、その良心に従ひ独立してその職権を行ひ、この憲法及び法律にのみ拘束される。

◇**具体的事件・争訟性の要件**

Q1 具体的な争訟事件が提起されなければ、司法権は発動できないのか。

A 司法権は、具体的争訟事件が提起されてはじめて発動される。　わが裁判所が現行の制度上与えられているのは司法権を行う権限であり、そして司法権が発動するためには具体的な争訟事件が提起されることを必要とし、また、わが現行の制度の下においては、特定の者の具体的な法律関係につき紛争の存する場合においてのみ裁判所にその判断を求めることができる〈警察予備隊令違憲訴訟〉（最大判昭27・10・8）。

出題 国家総合－平成30、国Ⅰ－平成3・1・昭和56・53、地方上級－平成8・4（市共通）・2（市共通）・昭和63・59・58・57・56・52、市役所上・中級－平成9・7・昭和62、国Ⅱ－平成1・昭和62・60・59・55・52、国税・労基－平成22、国

税－平成 19・3・昭和 63・57

Q2 単なる政治的または経済的問題や技術上または学術上に関する争いは、法律上の争訟といえるか。

A 法律上の争訟とはいえない。　司法権の固有の内容として裁判所が審判しうる対象は、裁判所法 3 条にいう「法律上の争訟」であって、いわゆる法律上の争訟は、法令を適用することによって解決しうべき権利義務に関する当事者間の紛争をいう。したがって、法令の適用によって解決するに適しない単なる政治的または経済的問題や技術上または学術上に関する争いは、裁判所の裁判を受けるべき事柄ではない〈技術士国家試験事件〉（最判昭 41・2・8）。

出題 国家総合－平成 26、国Ⅰ－平成 22、国Ⅱ－平成 4、裁判所Ⅰ・Ⅱ－平成 22、国税－平成 7

Q3 宗教上の教義に関する判断が、権利義務に関する判断の前提として不可欠になっている場合にも司法審査は及ぶのか。

A 司法審査は及ばない。　本件訴訟は、具体的な権利義務ないし法律関係に関する紛争の形式をとっており、その結果信仰の対象の価値または宗教上の教義に関する判断は請求の当否を決するについての前提問題であるにとどまるとされてはいるが、本件訴訟の帰趨を左右する必要不可欠のものと認められ、また、記録にあらわれた本件訴訟の経過に徴すると、本件訴訟の争点および当事者の主張立証もその判断に関するものがその核心となっていると認められることからすれば、結局本件訴訟は、その実質において法令の適用による終局的な解決の不可能なものであって、裁判所法 3 条にいう「法律上の争訟」にあたらない〈板まんだら事件〉（最判昭 56・4・7）。

出題 国家総合－平成 28・26、国Ⅰ－平成 22・19・12・8・5・3・昭和 58、地方上級－平成 14（市共通）・11・8（市共通）・3、東京Ⅰ－平成 18、市役所上・中級－平成 9・7、特別区Ⅰ－平成 19、国家一般－平成 29、国Ⅱ－平成 23、裁判所総合・一般－平成 29、裁判所Ⅰ・Ⅱ－平成 22・15、国税・財務・労基－平成 29、国税・労基－平成 22

Q4 信仰の対象の価値又は宗教上の教義に関する判断が訴訟の帰すうを左右する必要不可欠のものと認められる場合でも、訴訟物が金銭上の給付請求権等具体的な権利義務ないし法律関係に関する紛争の形式をとっていれば、法律上の争訟にあたるのか。

A 法律上の争訟にあたらない〈板まんだら事件〉（最判昭 56・4・7）。⇨3

Q5 当事者間の具体的な権利や法律関係に関する訴訟であっても、それが特定人の寺の住職としての地位の存否を判断する前提問題であり、また、宗教上の教義、信仰に関する事項に関するものである場合、裁判所に審判権はあるのか。

A 裁判所に審判権はない。　当事者間の具体的な権利義務ないし法律関係に関する訴訟であっても、宗教団体内部においてされた懲戒処分の効力が請求の当否を決する前提問題となっており、その効力の有無が当事者間の紛争の本質的争点をなすとともに、それが宗教上の教義、信仰の内容に深くかかわっているため、その教義、信仰の内容に立ち入ることなくしてその効力の有無を判断することができず、しかも、その判断が訴訟の帰趨を左右する必要不可欠のものである場合には、当該訴訟は、その実質において法令の適用による終局的解決に適しないものとして、裁判所法 3 条にいう「法律上の争訟」にあたらない。したがって、結局、本件訴訟の本質的争点である本件擯斥処分の効力の有無については裁判所の審理判断が許されないのであり、裁判所が、上告人等の主張ないし判断に従って被上告人の言説を「異説」であるとして本件擯斥処分を有効なものと判断することも、宗教上の教義、信仰に関する事項について審判権を有せず、これらの事項にかかわる紛議について厳に中立を保つべき裁判所として、とうてい許されない（最判平 1・9・8）。

出題 国Ⅰ－平成 19、地方上級－平成 6（市共通）

Q6 宗教団体内部の懲戒処分が被処分者の宗教活動を制限し、または、宗教上の地位に関する不利益を与える場合、具体的な法律関係の存否をめぐる紛争といえるか。

A 具体的な法律関係の存否をめぐる紛争とはいえない。　宗教団体内部においてされた懲戒処分が被処分者の宗教活動を制限し、あるいは当該宗教団体内部における宗教上の地位に関する不利益を与えるものにとどまる場合においては、当該処分の効力に関する紛争をもって具体的な権利または法律関係に関する紛争ということはできないから、裁判所に対して当該処分の効力の有無の確認を求めることはできない（最判平 4・1・23）。

出題 国家一般－令和 2、地方上級－平成 6（市共通）

Q7 特定の者が宗教団体の宗教活動上の地位にあることに基づいて、宗教法人である当該宗教団体の代表役員の地位にあることが争われている訴訟において、その者の宗教活動上の地位の存否を審理、判断するにつき、当該宗教団体の教義ないし信仰の内容に立ち入って審理、判断することが必要不可欠である場合には、上記の者の代表役員の地位の存否の確認を求める訴えは、裁判所法 3 条にいう「法律上の争訟」にあたるのか。

A 裁判所法 3 条にいう「法律上の争訟」にあたらない。　特定の者が宗教団体の宗教活動上の地位にあることに基づいて宗教法人である当該宗教団体の代表役員の地位にあることが争われている場合には、裁判所は、原則として、その者が宗教活動上の地位にあるか否かを審理、判断すべきものであるが、他方、宗教上の教義ないし信仰の内容にかかわる事項についてまで裁判所の審判権が及ぶものではない。したがって、特定の者の宗教活動上の地位の存否を審理、判断するにつき、当該宗教団体の教義ないし信仰の内容に立ち入って審理、判断することが必要不可欠である場合には、裁判所は、その者が宗教活動上の地位にあるか否かを審理、判断することができず、その結果、宗教法人の代表役員の地位の存否についても審理、判断することができないことになるが、この場合には、特定の者の宗教法人の代表役員の地位の存否の確認を求める訴えは、裁判

所が法令の適用によって終局的な解決を図ることができない訴訟として、裁判所法3条にいう「法律上の争訟」にあたらない（最判平5・9・7）。

出題 国家総合 – 令和3

Q8 国又は地方公共団体がもっぱら行政権の主体として国民に対して行政上の義務の履行を求める訴訟は、法律上の争訟にあたるのか。

A 法律上の争訟にあたらない。　行政事件を含む民事事件において裁判所がその固有の権限に基づいて審判することのできる対象は、裁判所法3条1項にいう「法律上の争訟」、すなわち当事者間の具体的な権利義務ないし法律関係の存否に関する紛争であって、かつ、それが法令の適用により終局的に解決することができるものに限られる（最判昭56・4・7参照）。国又は地方公共団体が提起した訴訟であって、財産権の主体として自己の財産上の権利利益の保護救済を求めるような場合には、法律上の争訟にあたるというべきであるが、国又は地方公共団体がもっぱら行政権の主体として国民に対して行政上の義務の履行を求める訴訟は、法規の適用の適正ないし一般公益の保護を目的とするものであって、自己の権利利益の保護救済を目的とするものということはできないから、法律上の争訟として当然に裁判所の審判の対象となるものではなく、法律に特別の規定がある場合に限り、提起することが許される〈宝塚市パチンコ店規制条例事件〉（最判平14・7・9）。

出題 裁判所Ⅰ・Ⅱ – 平成19

◇**司法権の限界(1) — 部分社会の法理等**

Q9 地方議会の議員の除名処分に対して司法審査は及ぶのか。

A 司法審査は及ぶ。　地方議会の議員の除名処分は、議員の身分の得喪に関する重大事項で、司法裁判権に属する事項である。〈地方議会議員懲罰事件〉（最大判昭35・10・19）。

出題 国Ⅰ – 平成22・19・15・12、地方上級 – 平成14（市共通）・11・4・昭和60・56・54・52、東京Ⅰ – 平成18、市役所Ⅰ・中級 – 平成9、特別区Ⅰ – 平成30・24・19、国家一般 – 令和2、国Ⅱ – 平成23・10、裁判所総合 – 一般 – 平成29、裁判所Ⅰ・Ⅱ – 平成15、国税・労基 – 平成19

Q10 普通地方公共団体の議会の議員に対する出席停止の懲罰の適否は、司法審査の対象となるのか。

A 司法審査の対象となる。　出席停止の懲罰は、憲法上の住民自治の原則を具現化するため、議会が行う事項等について、議事に参与し、議決に加わるなどして、住民の代表としてその意思を当該普通地方公共団体の意思決定に反映させるべく活動する責務を負う公選の議員に対し、議会がその権能において科する処分であり、これが科されると、当該議員はその期間、会議及び委員会への出席が停止され、議事に参与して議決に加わるなどの議員としての中核的な活動をすることができず、住民の負託を受けた議員としての責務を十分に果たすことができなくなる。このような出席停止の懲罰の性質や議員活動に対する制約の程度に照らすと、これが議員の権利行使の一時的制限にすぎないものとして、その

適否が専ら議会の自主的、自律的な解決に委ねられるべきであるということはできない。そうすると、出席停止の懲罰は、議会の自律的な権能に基づいてされたものとして、議会に一定の裁量が認められるべきであるものの、裁判所は、常にその適否を判断することができるというべきである。したがって、普通地方公共団体の議会の議員に対する出席停止の懲罰の適否は、司法審査の対象となるというべきである。これと異なる趣旨をいう所論引用の当裁判所大法廷昭和35年10月19日判決その他の当裁判所の判例は、いずれも変更すべきである（最大判令2・11・25）。

出題 予想

Q11 大学の単位認定に関する紛争に関して、司法審査は及ぶのか。

A 原則として及ばないが、特段の事情があれば、司法審査が及ぶ。　一般市民社会の中にあってこれとは別個に自律的な法規範を有する特殊な部分社会における法律上の係争のごときは、それが一般市民法秩序と直接の関係を有しない内部的な問題にとどまる限り、その自主的、自律的な解決に委ねるのを適当とし、裁判所の司法審査の対象にならない。さらに、大学は、国公立であると私立であるとを問わず、一般市民社会とは異なる特殊な部分社会を形成しているのであるから、このような特殊な部分社会である大学における法律上の係争のすべてが当然に裁判所の司法審査の対象になるものではない。つまり、単位の授与（認定）行為は、学生が当該授業科目を履修し試験に合格したことを確認する教育上の措置であり、卒業の要件をなすものではあるが、当然に一般市民法秩序と直接の関係を有するものでない。それ故、単位授与（認定）行為は、他にそれが一般市民法秩序と直接の関係を有するものであることを肯認するに足りる特段の事情のない限り、純然たる大学内部の問題として大学の自主的、自律的な判断に委ねられるべきものであって、裁判所の司法審査の対象にはならない〈富山大学単位不認定等違法確認訴訟〉（最判昭52・3・15）。

出題 国家総合 – 令和3・平成28、国Ⅰ – 平成22・19・15、地方上級 – 平成3・昭和60、東京Ⅰ – 平成18、特別区Ⅰ – 平成30・24・14、国家一般 – 令和4・平成29、国Ⅱ – 平成23・10、裁判所総合 – 一般 – 平成29・25、裁判所Ⅰ・Ⅱ – 平成19、国税 – 平成14

Q12 国公立大学の専攻科の学生が、大学の専攻科修了の認定を求めて出訴した場合、裁判所の司法審査は及ぶか。

A 裁判所の司法審査は及ぶ。　国公立の大学は公の教育研究施設として一般市民の利用に供されたものであり、学生は一般市民としてかかる公の施設である国公立大学を利用する権利を有するから、学生に対して国公立大学の利用を拒否することは、学生が一般市民として有する当該公の施設を利用する権利を侵害するものとして司法審査の対象になる。また、専攻科修了の認定をしないことは、実質的にみて、一般市民としての学生の国公立大学の利用を拒否することにほかならず、その意味において、学生が一般市民として有する公の施設を利用する権利

を侵害するものである。されば、本件専攻科修了の認定、不認定に関する争いは司法審査の対象になる〈富山大学単位不認定等違法確認訴訟〉（最判昭52・3・15）。

出題 地方上級 - 平成14（市共通）・11・8（市共通）、特別区Ⅰ - 平成19、裁判所Ⅰ・Ⅱ - 平成19

Q13 政党による党員の除名その他の処分は、司法審査の対象となるのか。

A 原則として、司法審査の対象とならない。　政党の結社としての自主性にかんがみると、政党の内部的自律権に属する行為は、法律に特別の定めのない限り尊重すべきであるから、政党が組織内の自律的運営として党員に対してした除名その他の処分の当否については、原則として自律的な解決に委ねるのを相当とし、したがって、政党が党員に対してした処分が一般市民法秩序と直接の関係を有しない内部的な問題にとどまる限り、裁判所の審判権は及ばず、他方、当該処分が一般市民としての権利利益を侵害する場合であっても、当該処分の当否について、裁判所は、当該政党の自律的に定めた規範が公序良俗に反するなどの特段の事情のない限り当該規範に照らし、当該規範を有しないときは条理に基づき、適正な手続に則ってされたか否かによって決すべきであり、その審理も上記の点に限られる。そして、本件除名処分は当該規約に則ってされたものであり、その手続には何らの違法もなく、当該除名処分は有効である〈袴田訴訟〉（最判昭63・12・20）。

出題 国家総合 - 令和3、国Ⅰ - 平成22・21・19・15、地方上級 - 平成6（市共通）、東京Ⅰ - 平成18、特別区Ⅰ - 平成24・14、国Ⅱ - 平成22・15・10、国家一般 - 令和4、裁判所総合・一般 - 平成25、裁判所Ⅰ・Ⅱ - 平成22、国税・財務・労基 - 平成29

Q14 政党による党員の除名処分が、一般市民としての権利利益を侵害する場合であって、当該処分の当否が、当該政党の自律的に定めた規範が公序良俗に反するなどの特段の事情があれば、裁判所の審判権は及ぶのか。

A 裁判所の審判権は及ぶ〈袴田訴訟〉（最判昭63・12・20）。⇨13

Q15 政党が組織内の自律的運営として党員に対してした除名その他の処分の当否については、原則として政党による自律的な解決にゆだねられているのか。

A 原則として政党による自律的な解決にゆだねられている。　参議院（比例代表選出）議員の選挙について政党本位の選挙制度である拘束名簿式比例代表制を採用したのは、議会制民主主義の下における政党の役割を重視したことによる。そして、政党等の政治結社は、政治上の信条、意見等を共通にする者が任意に結成するものであって、その成員である党員等に対して政治的忠誠を要求したり、一定の統制を施すなどの自治権能を有するから、各人に対して、政党等を結成し、または政党等に加入し、もしくはそれから脱退する自由を保障するとともに、政党等に対しては、高度の自主性と自律性を与えて自

主的に組織運営をすることのできる自由を保障しなければならないのであって、このような政党等の結社としての自主性にかんがみると、政党等が組織内の自律的運営として党員等に対してした除名その他の処分の当否については、原則として政党等による自律的な解決にゆだねられている〈日本新党比例代表選出繰上当選訴訟〉（最判平7・5・25）。

出題 地方上級 - 平成9（市共通）

Q16 当選訴訟において選挙会の判断に誤りがないのに、裁判所がその他の事由を原因として独自に当選を無効にできるのか。

A 実定法上の根拠がないのに、裁判所は独自の当選無効事由を設定できない。　当選訴訟（公職選挙法208条）は、選挙会等による当選人決定の適否を審理し、これが違法である場合に当該当選決定を無効とするものであるから、当選人に当選人となる資格がなかったとしてその当選が無効とされるのは、選挙会等の当選人決定の判断に法の諸規定に照らして誤りがあった場合に限られる。選挙会等の判断に誤りがないにもかかわらず、当選訴訟において裁判所がその他の事由を原因として当選を無効とすることは、実定法上の根拠がないのに裁判所が独自の当選無効事由を設定することにほかならず、法の予定するところではない。このことは、名簿届出政党等から名簿登載者の除名届が提出されている場合における繰上補充による当選人の決定についても同じである。したがって、名簿届出政党等による名簿登載者の除名が不存在または無効であることは、除名届が適法にされている限り、当選訴訟における当選無効の原因とはならない〈日本新党比例代表選出繰上当選訴訟〉（最判平7・5・25）。

出題 地方上級（市共通） - 平成9

Q17 県議会議長の県議会議員に対する発言の取消命令の適否は、司法審査の対象となるのか。

A 司法審査の対象とはならない。　普通地方公共団体の議会の運営に関する事項については、議会の議事機関としての自主的かつ円滑な運営を確保すべく、その性質上、議会の自律的な権能が尊重されるべきものであり、地方自治法129条1項は、議員の議事における発言に関しては、議長に当該発言の取消しを命ずるなどの権限を認め、もって議会が当該発言をめぐる議場における秩序の維持等に関する係争を自主的、自律的に解決することを前提としているものと解される。したがって、県議会議長により取消しを命じられた発言が配布用会議録に掲載されないことをもって、当該発言の取消命令の適否が一般市民法秩序と直接の関係を有するものと認めることはできず、その適否は県議会における内部的な問題としてその自主的、自律的な解決にゆだねられるべきものというべきである。以上によれば、県議会議長の県議会議員に対する発言の取消命令の適否は、司法審査の対象とはならない（最判平30・4・26）。

出題 予想

Q18 普通地方公共団体の議会の議員に対する懲罰その他の措置が当該議員の私法上の権利利益を侵害することを理由とする国家賠償請求の当否を判断するにあたっては、当該措置が議会の内部規律の問題

憲法編

にとどまる限り、議会の自律的な判断を尊重し、これを前提として請求の当否を判断すべきか。

A 議会の自律的な判断を尊重し、これを前提として請求の当否を判断すべきである。　本件は、被上告人（当該議員）が、議会運営委員会が本件措置をし、市議会議長がこれを公表したこと（本件措置等）によって、その名誉を毀損され、精神的損害を被ったとして、上告人に対し、国家賠償法1条1項に基づき損害賠償を求めるものである。これは、私法上の権利利益の侵害を理由とする国家賠償請求であり、その性質上、法令の適用による終局的な解決に適しないものとはいえないから、本件訴えは、裁判所法3条1項にいう法律上の争訟にあたり、適法というべきである。もっとも、被上告人（当該議員）の請求は、本件視察旅行を正当な理由なく欠席したことを理由とする本件措置等が国家賠償法1条1項の適用上違法であることを前提とするものである。普通地方公共団体の議会は、地方自治の本旨に基づき自律的な法規範を有するものであり、議会の議員に対する懲罰その他の措置については、議会の内部規律の問題にとどまる限り、その自律的な判断に委ねるのが適当である〈地方議会議員懲罰事件〉（最大判昭35・10・19参照）。そして、このことは、上記の措置が私法上の権利利益を侵害することを理由とする国家賠償請求の当否を判断する場合であっても、異なることはないというべきである。したがって、普通地方公共団体の議会の議員に対する懲罰その他の措置が当該議員の私法上の権利利益を侵害することを理由とする国家賠償請求の当否を判断するにあたっては、当該措置が議会の内部規律の問題にとどまる限り、議会の自律的な判断を尊重し、これを前提として請求の当否を判断すべきものと解する（最判平31・2・14）。**出題** 予想

Q19 市議会の議会運営委員会による議員に対する厳重注意処分の決定は、議員としての行為に対する市議会の措置であり、特段の法的効力を有するものではない場合には、当該決定が違法な公権力の行使にあたるとはいえないか。

A その適否については議会の自律的な判断を尊重すべきであり、市議会の定めた政治倫理要綱に基づくものであって、特段の法的効力を有するものではないという事情の下においては、当該決定が違法な公権力の行使にあたるとはいえない。　本件措置は、被上告人（当該議員）が本件視察旅行を正当な理由なく欠席したことが、地方自治の本旨および本件規則にのっとり、議員としての責務を全うすべきことを定めた本件要綱2条2号に違反するとして、議会運営委員会により本件要綱3条所定のその他必要な措置として行われたものである。これは、被上告人の議員としての行為に対する市議会の措置であり、かつ、本件要綱に基づくものであって特段の法的効力を有するものではない。また、市議会議長が、相当数の新聞記者のいる議員室において、本件通知書を朗読し、これを被上告人に交付したことについても、ことさらに被上告人の社会的評価を低下させるなどの態様、方法によって本件措置を公表したものとはいえない。以上によれば、本件措置は議

会の内部規律の問題にとどまるものであるから、その適否については議会の自律的な判断を尊重すべきであり、本件措置等が違法な公権力の行使にあたるものということはできない。したがって、本件措置等が国家賠償法1条1項の適用上違法であるということはできず、上告人（市議会の議会運営委員会等）は、被上告人（当該議員）に対し、国家賠償責任を負わないというべきである（最判平31・2・14）。**出題** 予想

◇**司法権の限界(2)─統治行為**

Q20 日米安保条約の内容が違憲か否かの司法審査を裁判所は行うことができるか。

A 条約の内容が一見きわめて明白に違憲無効であると認められない限り、裁判所は司法審査を行うことはできない。　安全保障条約は、主権国としてのわが国の存立の基礎にきわめて重大な関係をもつ高度の政治性を有するものであって、その内容が違憲なりや否やの法的判断は、その条約を締結した内閣およびこれを承認した国会の高度の政治ないし自由裁量的判断と表裏をなす点がすくなくない。それ故、当該条約が違憲なりや否やの法的判断は、純司法的機能をその使命とする司法裁判所の審査には、原則としてなじまない性質のものであり、したがって、一見きわめて明白に違憲無効であると認められない限りは、裁判所の司法審査権の範囲外のものであって、それは第一次的には、当該条約の締結権を有する内閣およびこれに対して承認権を有する国会の判断に従うべく、終局的には、主権を有する国民の政治的批判に委ねられるべきものである〈砂川事件〉（最大判昭34・12・16）。

出題 国家総合－平成29・28・27、国Ⅰ－平成23・22・20・18・14・12・5・3・昭和63・56、地方上級－平成14（市共通）・9・4・昭和63・58・57、東京Ⅰ－平成17・14、市役所上・中級－昭和62、特別区Ⅰ－令和1・平成26・20・14、国家一般－令和1、国Ⅱ－平成19・15・10・7・昭和62・55、裁判所総合・一般－平成30・25、国税・財務・労基－平成26、国税－平成14・9

Q21 衆議院の解散は司法審査の対象となるか。

A 司法審査の対象とならない。　直接国家統治の基本に関する高度に政治性のある国家行為のごときはたとえそれが法律上の争訟となり、これに対する有効無効の判断が法律上可能である場合であっても、かかる国家行為は裁判所の審査権の外にあり、その判断は主権者たる国民に対して政治的責任を負うところの政府、国会等の政治部門の判断に委ねられ、最終的には国民の政治判断に委ねられている。この司法権に対する制約は、結局、三権分立の原理に由来し、当該国家行為の高度の政治性、裁判所の司法機関としての性格、裁判に必然的に随伴する手続上の制約等にかんがみ、特定の明文による直接の規定はないが、司法権の憲法上の本質に内在する制約と理解すべきである。したがって、衆議院の解散は、きわめて政治性の高い国家統治の基本に関する行為であって、かくのごとき行為について、その法律上の有効無効を審査することは司法裁判所の権限の外

にあると解すべきである〈苫米地事件〉（最大判昭35・6・8）。

出題　国家総合 – 平成 29・28・26、国Ⅰ – 平成 23・22・17・16・15・5、地方上級 – 平成 8（市共通）・4・昭和 60・58・52、市役所上・中級 – 平成 9・5、特別区Ⅰ – 平成 30・26・24・19・14、国家一般 – 令和 2、国Ⅱ – 平成 23・15・11・昭和 62・53、裁判所総合・一般 – 平成 30・29、裁判所Ⅰ・Ⅱ – 平成 22・15、国税 – 平成 12・昭和 63・57

Q22　直接国家統治の基本に関する高度に政治性のある国家行為については、裁判所は司法審査を自制すべきか。

A　裁判所は司法審査を自制するのではなく、司法権の憲法上の本質に内在する制約として、司法審査ができない〈苫米地事件〉（最大判昭35・6・8）。⇒ *21*

◇司法権の限界(3) ― 自律権

Q23　衆議院の会期延長決議が適法に成立したか否かについて、裁判所は司法審査を行うことができるか。

A　司法審査を行うことはできない。　警察法は両院において議決を経たものとされ適法な手続によって公布されている以上、裁判所は両院の自主性を尊重すべく同法制定の議事手続に関する事実を審理してその有効無効を判断すべきではない〈警察法改正無効事件〉（最大判昭37・3・7）。

出題　国家総合 – 平成 30・28・26、国Ⅰ – 平成 22・17・16・15、地方上級 – 平成 11・8（市共通）・4・昭和 60・52、東京Ⅰ – 平成 18・16、市役所上・中級 – 平成 9、特別区Ⅰ – 平成 24・19・14、国家一般 – 令和 2、国Ⅱ – 平成 10、裁判所Ⅰ・Ⅱ – 平成 19・15

◇司法権の限界(4) ― 民事裁判権の限界

Q24　私人との間の書面による契約に含まれた明文の規定により当該契約から生じた紛争についてわが国の民事裁判権に服することを約することで、わが国の民事裁判権に服する旨の意思を明確に表明した場合、当該紛争についてわが国の民事裁判権から免除されることはあるのか。

A　原則として、当該紛争についてわが国の民事裁判権から免除されない。　外国国家の行為が私法的ないし業務管理的な行為であるか否かにかかわらず、外国国家は、わが国との間の条約等の国際的合意によってわが国の民事裁判権に服することに同意した場合や、わが国の裁判所に訴えを提起するなどして、特定の事件について自らすすんでわが国の民事裁判権に服する意思を表明した場合には、わが国の民事裁判権から免除されないことはいうまでもないが、そのほかにも、私人との間の書面による契約に含まれた明文の規定により当該契約から生じた紛争についてわが国の民事裁判権に服する旨の意思を明確に表明した場合にも、原則として、当該紛争についてわが国の民事裁判権から免除されないと解する（最判平18・7・21）。　　出題　予想

◇司法権の限界(5) ― 天皇の民事裁判権

Q25　天皇に民事裁判権は及ぶか。

A　民事裁判権は及ばない。　天皇は日本国の象徴であり日本国民統合の象徴であることにかんがみ、天皇には民事裁判権は及ばない。したがって、訴状において天皇を被告とする訴えについては、その訴状を却下すべきである（最判平1・11・20）。

出題　地方上級 – 平成 6（市共通）、東京Ⅰ – 平成 14

◇司法権の帰属

Q26　家庭裁判所は、特別裁判所か。

A　家庭裁判所は、司法裁判所である。　すべて司法権は最高裁判所および法律の定めるところにより設置する下級裁判所に属するところであり、家庭裁判所はこの一般的に司法権を行う通常裁判所の系列に属する下級裁判所として裁判所法により設置されたものにほかならない（最大判昭31・5・30）。

出題　国Ⅰ – 平成 23、地方上級 – 平成 3、国Ⅱ – 平成 21、国税・財務・労基 – 平成 26

Q27　下級裁判所において、裁判員制度を設けることは、違憲となるのか。

A　合憲である。　憲法は、最高裁判所と異なり、下級裁判所については、国民の司法参加を禁じているとは解されない。したがって、裁判官と国民とで構成する裁判体が、それゆえ直ちに憲法上の「裁判所」にあたらないということはできない。裁判員裁判対象事件を取り扱う裁判所は、身分保障の下、独立して職権を行使することが保障された裁判官と、公平性、中立性を確保できるよう配慮された手続の下に選任された裁判員とによって構成されるものとされている。また、裁判員の権限は、裁判官とともに公判廷で審理に臨み、評議において事実認定、法令の適用および有罪の場合の刑の量定について意見を述べ、評決を行うことにある。これら裁判員の関与する判断は、いずれも司法作用の内容をなすものであるが、必ずしもあらかじめ法律的な知識、経験を有することが不可欠な事項であるとはいえない。上記のような権限を付与された裁判員が、さまざまな視点や感覚を反映させつつ、裁判官との協議を通じて良識ある結論に達することは、十分期待することができる。このような裁判員制度の仕組みを考慮すれば、公平な「裁判所」における法と証拠に基づく適正な裁判が行われること（憲法31条、32条、37条1項）は制度的に十分保障されているうえ、裁判官は刑事裁判の基本的な担い手とされているものと認められ、憲法が定める刑事裁判の諸原則を確保するうえでの支障はないということができる。したがって、裁判員裁判制度は、憲法31条、32条、37条1項、76条1項、80条1項に違反するものではない（最大判平23・11・16）。

出題　国家総合 – 平成 25

◇特別裁判所の禁止

Q28　裁判官と裁判員によって構成された裁判体は特別裁判所にあたるのか。

A 特別裁判所にあたらない。　裁判員制度による裁判体は、地方裁判所に属するものであり、その第1審判に対しては、高等裁判所への控訴および最高裁判所への上告が認められており、裁判官と裁判員によって構成された裁判体が特別裁判所にあたらないことは明らかである（最大判平23・11・16）。

出題 国家総合 – 平成25

◇裁判官の良心（3項）

Q29 憲法76条3項の「裁判官の良心」とは何か。
A 主観的な意味での良心ではなく、客観的な裁判官としての良心の意味である。　憲法76条3項の裁判官が良心に従うというのは、裁判官が有形無形の外部の圧迫ないし誘惑に屈しないで自己内心の良識と道徳観に従うの意味である（最大判昭23・11・17）。

出題 国Ⅰ – 平成13・昭和59、地方上級 – 平成3、国税 – 平成3

◇憲法及び法律にのみ拘束される（3項）

Q30 裁判員裁判制度は、憲法76条3項に違反するのか。
A 憲法76条3項に違反しない。　憲法76条3項によれば、裁判官は憲法および法律に拘束される。そうすると、憲法が一般的に国民の司法参加を許容しており、裁判員法が憲法に適合するようにこれを法制化したものである以上、裁判員法が規定する評決制度の下で、裁判官が時に自らの意見と異なる結論に従わざるをえない場合があるとしても、それは憲法に適合する法律に拘束される結果であるから、憲法76条3項違反との評価を受ける余地はない。さらに、国民が参加した場合であっても、裁判官の多数意見と同じ結論がつねに確保されなければならないということであれば、国民の司法参加を認める意義の重要な部分が没却されることにもなりかねず、憲法が国民の司法参加を許容している以上、裁判体の構成員である裁判官の多数意見がつねに裁判の結論でなければならないとは解されない。評決の対象が限定されているうえ、評議にあたって裁判長が十分な説明を行う旨が定められ、評決については、単なる多数決でなく、多数意見の中に少なくとも1人の裁判官が加わっていることが必要とされていることなどを考えると、被告人の権利保護という観点からの配慮もされているところであり、裁判官のみによる裁判の場合と結論を異にするおそれがあることをもって、憲法上許容されない構成であるとはいえない。したがって、憲法76条3項違反をいう所論は理由がない（最大判平23・11・16）。

出題 国家総合 – 令和4・平成25、国家一般 – 平成29

Q31 一般国民の中から選任された陪審員が審理に参加して評決する制度は、職業裁判官が陪審の評決に拘束されないとした場合、憲法上認められないのか。
A 憲法上認められる（最大判平23・11・16）。⇨30

◇裁判官の独立

Q32 犯罪の嫌疑を受けた妻のため裁判官が、実質的に弁護活動に当たる行為をしたことを理由として当該裁判官に対する戒告は認められるのか。
A 戒告は認められる。　裁判の公正、中立は、裁判ないしは裁判所に対する国民の信頼の基礎を成すものであり、裁判官は、公正、中立な審判者として裁判を行うことを職責とする者である。したがって、裁判官は、職務を遂行するに際してはもとより、職務を離れた私人としての生活においても、その職責と相いれないような行為をしてはならず、また、裁判所や裁判官に対する国民の信頼を傷つけることのないように、慎重に行動すべき義務を負っているものというべきである。このことからすると、裁判官は、一般に、捜査が相当程度進展している具体的被疑事件について、その一方当事者である被疑者に加担するような実質的に弁護活動にあたる行為をすることは、これを差し控えるべきものといわなければならない。裁判官の公正、中立に対する国民の信頼を傷つける行為にまで及ぶことは、許されないというべきである（最大決平13・3・30）。

出題 予想

Q33 裁判所法49条にいう「品位を辱める行状」とは、職務上の行為に限定されるのか。
A 職務上の行為に限定されず、純然たる私的行為であるとを問わず、およそ裁判官に対する国民の信頼を損ね、又は裁判の公正を疑わせるような言動をいう。　裁判所法49条も、「品位を辱める行状」を懲戒事由として定めたものであるから、同条にいう「品位を辱める行状」とは、職務上の行為であると、純然たる私的行為であるとを問わず、およそ裁判官に対する国民の信頼を損ね、又は裁判の公正を疑わせるような言動をいうものと解するのが相当である（最大決平30・10・17）。

出題 予想

Q34 裁判官の職にあることが広く知られている状況の下で、判決が確定した担当外の民事訴訟事件に関し、ツイッター上で投稿をした行為は、裁判所法49条にいう「品位を辱める行状」にあたるのか。
A 「品位を辱める行状」にあたる。　被申立人は、裁判官の職にあることが広く知られている状況の下で、判決が確定した担当外の民事訴訟事件に関し、その内容を十分に検討した形跡を示さず、表面的な情報のみを掲げて、私人である当該訴訟の原告が訴えを提起したことが不当であるとする一方的な評価を不特定多数の閲覧者に公然と伝えたものといえる。被申立人のこのような行為は、裁判官が、その職務を行うについて、表面的かつ一方的な情報や理解のみに基づき予断をもって判断をするのではないかという疑念を国民に与えるとともに、上記原告が訴訟を提起したことを揶揄するものともとれるその表現振りとあいまって、裁判を受ける権利を保障された私人である原告の訴訟提起行為を一方的に不当とする認識ないし評価を示すことで、当該原告の感情を傷つけるものであり、裁判官に対する国民の信頼を損ね、また裁判の公正を疑わせるものでもあるといわざるをえない。したがって、被申立人の上記

行為は、裁判所法49条にいう「品位を辱める行状」にあたるというべきである（最大決平30・10・17）。　

第77条 [最高裁判所の規則制定権]

①最高裁判所は、訴訟に関する手続、弁護士、裁判所の内部規律及び司法事務処理に関する事項について、規則を定める権限を有する。

②検察官は、最高裁判所の定める規則に従はなければならない。

③最高裁判所は、下級裁判所に関する規則を定める権限を、下級裁判所に委任することができる。

Q1 訴訟手続に関する手続事項は、最高裁判所規則だけではなく、法律によって定めることもできるのか。

A 定の訴訟手続に関する規則の制定を最高裁判所規則に委任しても何ら憲法の禁ずるものでない。そして、このことが、法律により刑事手続を定めることができるものであることを前提としていることはいうまでもない。したがって、刑事訴訟法が適（合）憲であることもまたおのずから明らかである（最大判昭30・4・22）。[出題] 地方上級 – 昭和60

第78条 [裁判官の身分保障]

裁判官は、裁判により、心身の故障のために職務を執ることができないと決定された場合を除いては、公の弾劾によらなければ罷免されない。裁判官の懲戒処分は、行政機関がこれを行ふことはできない。

第79条 [最高裁判所の裁判官、国民審査、定年、報酬]

①最高裁判所は、その長たる裁判官及び法律の定める員数のその他の裁判官でこれを構成し、その長たる裁判官以外の裁判官は、内閣でこれを任命する。

②最高裁判所の裁判官の任命は、その任命後初めて行はれる衆議院議員総選挙の際国民の審査に付し、その後10年を経過した後初めて行はれる衆議院議員総選挙の際に審査に付し、その後も同様とする。

③前項の場合において、投票者の多数が裁判官の罷免を可とするときは、その裁判官は、罷免される。

④審査に関する事項は、法律でこれを定める。

⑤最高裁判所の裁判官は、法律の定める年齢に達した時に退官する。

⑥最高裁判所の裁判官は、すべて定期に相当額の報酬を受ける。この報酬は、在任中、これを減額することができない。

Q1 国民審査制度は、解職制度（リコール制）か最高裁判所の裁判官の任命の可否を国民に問う制度か。

A 解職制度（リコール制）である。　国民審査の制度はその実質においていわゆる解職の制度とみることができる。このことは憲法79条3項の規定にあらわれている。同条第2項の字句だけを見ると一見そうでないようにもみえるが、これを第3項の字句と照らし合せてみると、国民が罷免すべきか否かを決定する趣旨であって、所論のように任命そのものを完成させるか否かを審査するものでない

ことは明瞭である。この趣旨は一回審査投票をした後さらに10年を経て再び審査をすることをみても明らかである。以上のように、国民審査制度は、解職の制度であるから、積極的に罷免を可とするものと、そうでないものとの2つに分かれるのであって、前者が後者より多数であるか否かを知ろうとするものである（最大判昭27・2・20）。

[出題] 国家総合 – 平成30、国Ⅰ – 平成23・昭和60、地方上級 – 昭和62、国Ⅱ – 平成21・13・5、国税 – 平成5

Q2 最高裁判所の裁判官がその任命後初めて行われる衆議院議員選挙の際に国民審査に付される趣旨は、内閣による任命の可否を国民に問い、当該審査により任命行為を完成又は確定させるためであるのか。

A 任命行為を完成又は確定させるためではなく、解職制度の趣旨である（最大判昭27・2・20）。⇨ 1

Q3 国民審査法が在外国民に審査権の行使を全く認めていないことは、憲法15条1項、79条2項、3項に違反するのか。

A 憲法15条1項、79条2項、3項に違反する。国民審査権と同様の性質を有する選挙権については、平成10年公選法改正により在外選挙制度が創設され、平成17年大法廷判決を経て平成18年公選法改正がされた後、衆議院小選挙区選出議員の選挙及び参議院選挙区選出議員の選挙をも対象に含めた在外選挙制度の下で、現に複数回にわたり国政選挙が実施されていることも踏まえると、在外審査制度を創設すること自体について特段の制約があるとはいい難い。そして、国民審査法16条1項が、点字による国民審査の投票を行う場合においては、記号式投票ではなく、自書式投票によることとしていることに鑑みても、在外審査制度において、上記のような技術的な困難を回避するために、現在の取扱いとは異なる投票用紙の調製や投票の方式等を採用する余地がないとは断じ難いところであり、具体的な方法等のいかんを問わず、国民審査の公正を確保しつつ、在外国民の審査権の行使を可能にするための立法措置をとることが、事実上不可能ないし著しく困難であるとは解されない。そうすると、在外審査制度の創設に当たり検討すべき課題があったとしても、在外国民の審査権の行使を可能にするための立法措置が何らとられていないことについて、やむを得ない事由があるとは到底いうことができない。したがって、国民審査法が在外国民に審査権の行使を全く認めていないことは、憲法15条1項、79条2項、3項に違反するものというべきである（最大判令4・5・25）。　[出題] 予想

第80条 [下級裁判所の裁判官、任期、定年、報酬]

①下級裁判所の裁判官は、最高裁判所の指名した者の名簿によって、内閣でこれを任命する。その裁判官は、任期を10年とし、再任されることができる。但し、法律の定める年齢に達した時には退官する。

②下級裁判所の裁判官は、すべて定期に相当額の報酬を受ける。この報酬は、在任中、これを減額す

ることができない。

第81条［違憲法令等審査権］

最高裁判所は、一切の法律、命令、規則又は処分が憲法に適合するかしないかを決定する権限を有する終審裁判所である。

〔参考〕民事訴訟法第327条　①高等裁判所が上告審としてした終局判決に対しては、その判決に憲法の解釈の誤りがあることその他憲法の違反があることを理由とするときに限り、最高裁判所に更に上告をすることができる。

◇違憲審査権の性格

Q1 裁判所は具体的事件を離れて抽象的に法律、命令等の合憲性を判断する権限を有するのか。

A 具体的事件を離れて合憲性を判断する権限を有しない。　わが現行の制度の下においては、特定の者の具体的な法律関係につき紛争の存する場合においてのみ裁判所にその判断を求めることができるのであり、裁判所が具体的事件を離れて抽象的に法律命令等の合憲性を判断する権限を有するとの見解には、憲法上および法令上何らの根拠も存しない〈警察予備隊令違憲訴訟〉（最大判昭27・10・8）。

出題 国家総合－平成29・27・25、国Ⅰ－平成20・14・12・3・1・昭和56・53、地方上級－平成8・4（市共通）・2（市共通）・昭和63・59・58・57・56・52、東京Ⅰ－平成15、市役所上・中級－平成9・8・7・昭和62、特別区Ⅰ－令和1・平成26・22・20・15、国Ⅱ－平成19・15・11・1・昭和62・60・59・55・52、裁判所総合・一般－平成29、国税・労基－平成22・19、国税－平成14・9・3・昭和63・57

◇違憲審査権の主体

Q2 違憲審査権の主体は、最高裁判所に限られるか。

A 最高裁判所のみならず、下級裁判所も違憲審査権の主体となりうる。　裁判官が、具体的訴訟事件に法令を適用して裁判するにあたり、その法令が憲法に適合するか否かを判断することは、憲法によって裁判官に課せられた職務と職権であって、このことは最高裁判所の裁判官であると下級裁判所の裁判官であるとを問わない。憲法81条は、最高裁判所が違憲審査権を有する終審裁判所であることを明らかにした規定であって、下級裁判所が違憲審査権を有することを否定する趣旨ではない（最大判昭25・2・1）。

出題 国家総合－平成29・25、国Ⅰ－平成20・12・3・1・昭和56、地方上級－平成9・昭和59・58・57、東京Ⅰ－平成17、市役所上・中級－昭和62、特別区Ⅰ－平成26・22・20・15、国Ⅱ－平成19・15・11・7・昭和55、裁判所総合・一般－令和4・平成30、国税－平成14・7・昭和63・57

◇違憲審査権の対象

Q3 いわゆる裁判は一種の処分であり、憲法81条の「処分」として違憲審査の対象となるのか。

A 違憲審査の対象となる。　憲法81条によれば、

最高裁判所は、一切の法律、一切の命令、一切の規則または一切の処分について違憲審査権を有する。裁判は一般的抽象的規範を制定するものではなく、個々の事件について具体的措置をつけるものであるから、その本質は一種の処分である。しかも立法行為も行政行為も司法行為（裁判）も、ともに裁判の過程においてはピラミッド型において終審として最高裁判所の違憲審査権に服する（最大判昭23・7・7）。

出題 国家総合－平成29、国Ⅰ－昭和56、地方上級－昭和59・57・56・54、特別区Ⅰ－平成15、国Ⅱ－平成15・11・昭和62、国税－平成14・9・5

Q4 仮に当該立法の内容が憲法の規定に違反するおそれがある場合、国会議員の立法行為は直ちに違法の評価を受けるのか。

A 国会議員の立法行為は直ちに違法の評価を受けない。　国会議員の立法行為（立法不作為を含む。以下同じ）が国家賠償法1条1項の適用上違法となるかどうかは、国会議員の立法過程における行動が個別の国民に対して負う職務上の法的義務に違背したかどうかの問題であって、当該立法の内容の違憲性の問題とは区別されるべきであり、仮に当該立法の内容が憲法の規定に違反するおそれがあるとしても、その故に国会議員の立法行為が直ちに違法の評価を受けるものではない〈在宅投票制度廃止違憲訴訟〉（最判昭60・11・21）。

出題 国家総合－令和3、国Ⅰ－平成5、特別区Ⅰ－平成15、国Ⅱ－平成19

Q5 国会議員の立法行為（立法不作為）は直ちに違憲審査の対象となるか。

A 直ちに違憲審査の対象とはならない。　ある法律が個人の具体的権利利益を侵害するものであるという場合に、裁判所はその者の訴えに基づき当該法律の合憲性を判断するが、この判断はすでに成立している法律の効力に関するものであり、法律の効力についての違憲審査がなされるからといって、当該法律の立法過程における国会議員の行動、すなわち立法行為が当然に違法の評価に親しむものとなることはできない。以上のとおりであるから、国会議員は、立法に関しては、原則として、国民全体に対する関係で政治的責任を負うにとどまり、個別の国民の権利に対応した関係での法的義務を負わないのであって、国会議員の立法行為は、立法の内容が憲法の一義的な文言に違反しているにもかかわらず国会があえて当該立法を行うというごとき、容易に想定しがたいような例外的な場合でない限り、国家賠償法1条1項の規定の適用上、違法の評価を受けない〈在宅投票制度廃止違憲訴訟〉（最判昭60・11・21）。

出題 国家総合－令和3・平成27、国Ⅰ－平成18・5・昭和63、特別区Ⅰ－令和1・平成15・14、国Ⅱ－平成18

Q6 国又は公共団体は、国会又は議会の立法行為に関して、立法の内容が憲法の一義的な文言に違反しているにもかかわらず、国会又は議会があえて当該立法を行ったとしても、賠償責任を負わないのか。

A 賠償責任を負う〈在宅投票制度廃止違憲訴訟〉

（最判昭60・11・21）。⇨4・5

◇憲法訴訟の当事者適格

Q7 第三者に告知、弁解、防御の機会を与えることなく、第三者の所有物を没収することは違憲である旨を被告人は主張できるか。

A 被告人は主張できる。　関税法118条1項は、同項所定の犯罪に関係ある船舶、貨物等が被告人以外の第三者の所有に属する場合においてもこれを没収する旨規定しながら、その所有者たる第三者に対し、告知、弁解、防御の機会を与えるべきことを定めておらず、また刑事訴訟法その他の法令においても、何らかかる手続に関する規定を設けていない。したがって、関税法118条1項によって第三者の所有物を没収することは、憲法31条、29条に違反するものと断ぜざるをえない。そして、かかる没収の言渡しを受けた被告人は、たとえ第三者の所有物に関する場合であっても、被告人に対する附加刑である以上、没収の裁判の違憲を理由として上告をなしうることは、当然である。のみならず、被告人としても没収にかかる物の占有権を剥奪され、またはこれが使用、収益をなしえない状態におかれ、さらには所有権を剥奪された第三者から賠償請求権を行使される危険に曝される等、利害関係を有することが明らかであるから、上告によりこの救済を求めることができる〈第三者所有物没収事件〉（最大判昭37・11・28）。

出題 地方上級−平成6（市共通）、特別区Ⅰ−令和1

◇憲法判断の回避

Q8 憲法判断をしなくても事件が解決しうる場合には、違憲審査権を行使すべきではないのか。

A 違憲審査権を行使すべきではない。　違憲審査権を行使しうるのは、具体的争訟の裁判に必要な限度に限られる。これは当該事件の裁判の主文の判断に直接かつ絶対必要な場合にだけ、立法その他の国家行為の憲法適否に関する審査決定をなすべきことを意味する。したがって、もはや何らの判断を行う必要がないときには、違憲審査権を行使すべきではない〈恵庭事件〉（札幌地判昭42・3・29）。

出題 国Ⅰ−平成14、市役所上・中級−平成7、特別区Ⅰ−平成20

◇合憲判決の方法

Q9 裁判所が有罪判決の理由中にその法令の適用を示しただけでは、当該法令が憲法に適合するとの判断を示したことにならないのか。

A 判断を示したことになる。　裁判所は、法令に対する憲法審査権を有し、もしある法令の全部または一部が憲法に適しないと認めるときはこれを無効としてその適用を拒否することができるとともに、有罪の言渡しをするにはその理由において、必ず法令の適用を示すべき義務があるから、当事者において、ある法令が憲法に適合する旨を主張した場合に、裁判所が有罪判決の理由中にその法令の適用を挙示したときは、その法令は憲法に適合するとの判断を示したことになる。したがって、主張に対し特

に憲法に適合する旨の判断を積極的に表明しなかったとしても、違憲があるわけではない（最大判昭23・12・1）。

出題 国税−平成9

第82条〔裁判の公開〕

①裁判の対審及び判決は、公開法廷でこれを行ふ。

②裁判所が、裁判官の全員一致で、公の秩序又は善良の風俗を害する虞があると決した場合には、対審は、公開しないでこれを行ふことができる。但し、政治犯罪、出版に関する犯罪又はこの憲法第3章で保障する国民の権利が問題となってゐる事件の対審は、常にこれを公開しなければならない。

〔参考〕刑事訴訟法第53条　③日本国憲法第82条第2項但書に掲げる事件については、閲覧を禁止することはできない。

◇裁判

Q1 性質上純然たる訴訟事件につき、当事者の意思いかんにかかわらず終局的に、事実を確定し当事者の主張する権利義務の存否を確定する裁判が、公開の法廷における対審および判決によってなされない場合、憲法82条、32条に反するか。

A 憲法82条、32条に反する。　憲法は一方において、32条により基本的人権として裁判請求権を認め、何人も裁判所に対し裁判を請求して司法権による権利、利益の救済を求めることができることとするとともに、他方において、純然たる訴訟事件の裁判については、82条で公開の原則の下における対審および判決によるべき旨を定めたのであって、これにより、近代民主社会における人権の保障がまっとうされるのである。したがって、もし性質上純然たる訴訟事件につき、当事者の意思いかんにかかわらず終局的に、事実を確定し当事者の主張する権利義務の存否を確定するような裁判が、公開の法廷における対審および判決によってなされないとするならば、憲法82条に違反するとともに、同32条が基本的人権として裁判請求権を認めた趣旨をも没却することになる（最大決昭35・7・6）。

出題 国Ⅰ−平成2、東京Ⅰ−平成20、市役所上・中級−平成10、特別区Ⅰ−平成15、裁判所総合・一般−令和4・3・平成25、国税・労基−平成15

Q2 性質上純然たる訴訟事件につき、当事者の意思いかんにかかわらず終局的になされる裁判が強制調停手続によることは、憲法82条、32条に反するのか。

A 憲法82条、32条に反する。　金銭債務臨時調停法7条の調停に代わる裁判は、これに対し即時抗告の途が認められていたにせよ、その裁判が確定したうえは、確定判決と同一の効力をもつこととなるのであって、結局当事者の意思いかんにかかわらず終局的になされる裁判といわざるをえず、そしてその裁判は、公開の法廷における対審および判決によってなされるものではない。よって、憲法82条、32条の法意に照らし、金銭債務臨時調停法7条の法意を考えてみるに、同条の調停に代わる裁判は、単に既存の債権関係について、利息、期限等を形成的に変更することに関するものに限られ、純然

たる訴訟事件につき、事実を確定し当事者の主張する権利義務の存否を確定する裁判は、これを包含されていないのであって、同法8条が、この裁判は「非訟事件手続法に依り之を為す」と規定したのも、その趣旨にほかならない（最大決昭35・7・6）。

出題 国Ⅰ－昭和63、特別区Ⅰ－平成21

Q3 家事審判法の定める「夫婦の同居その他の夫婦間の協力扶助に関する処分」についての審判は、公開法廷における対審および判決を要するのか。

A 公開法廷における対審および判決を要しない。家事審判法9条1項乙類1号の「夫婦の同居その他の夫婦間の協力扶助に関する処分」は、夫婦同居の義務等の実体的権利義務を確定する趣旨のものではなく、これらの実体的権利義務の存することを前提とするもので、本質的には非訟事件の裁判であるから、これを非公開としても裁判の公開を定める憲法82条、32条に違反しない（最大決昭40・6・30）。

出題 国Ⅰ－昭和62、特別区Ⅰ－平成21・15、国Ⅱ－平成12、裁判所総合・一般－平成30

Q4 実体法上の権利関係である相続権、相続財産等の存在を前提とする遺産分割審判は公開の手続による必要があるのか。

A 公開の手続による必要はない。遺産分割の請求、したがって、これに関する審判は、相続権、相続財産等の存在を前提としてなされるものであり、それらはいずれも実体法上の権利関係であるから、その存否を終局的に確定するには、訴訟事項として対審公開の判決手続によらなければならない。しかし、そのことから、家庭裁判所は、かかる前提である法律関係につき当事者間に争いがあるときは、つねに民事訴訟による判決の確定をまってはじめて遺産分割の審判をすべきではなく、審判手続で上記前提問題の存否を審理判断したうえで分割の処分を行うことは差し支えない。このように当該前提事項の存否を審判手続によって決定しても、そのことは民事訴訟による通常の裁判を受ける途を閉ざすことを意味しないから、憲法32条、82条に違反しない（最大決昭41・3・2）。

出題 国Ⅰ－平成9、裁判所総合・一般－令和3

◇対審

Q5 裁判所が公判期日における取調べを準備するため、公判期日前に被告人を訊問することは、判決に至る「裁判の対審」にあたるため、公開の法廷における対審によらなければ、憲法に違反するのか。

A 判決に至る「裁判の対審」にあたらず、公開の法廷における対審による必要はない。旧刑事訴訟法は裁判所が第一回の公判期日における取調べを準備するため、公判期日前に被告人を訊問し又は部員をして訊問させることができることを規定したものである。もとより憲法は、何人も自己に不利益な供述を強要されないことを保障しているから、被告人は準備手続においても供述を拒むことができ、現に本件の被告人中にも供述を拒んだもののあることは記録上明らかであるが、被告人が供述を拒まず任意に供述する場合においてこれを訊問することは

憲法の禁ずるところではない。すなわち、この手続はあくまで公判の審理が完全に行われるための準備であって、公判そのものではないから、憲法にいわゆる「裁判の対審」ではない。被告人は準備手続後の公判において自己の依頼する弁護人があればその弁護人立会の下に公開法廷で審判されるのであって、これが「裁判の対審」である。されば公判の準備手続が行われたからといって、被告人は憲法37条に定める公開裁判を受ける権利を奪われるものでもなく、また憲法82条に違反して審判されるものでもない。それゆえ、旧刑事訴訟法が憲法のこれらの条規に反するものではない（最大決昭23・11・8）。

出題 特別区Ⅰ－平成21

Q6 再審を開始するか否かを定める手続は憲法82条の「裁判の対審」に含まれるのか。

A 「裁判の対審」に含まれない。憲法82条は、刑事訴訟についていうと、刑罰権の存否ならびに範囲を定める手続についての公開の法廷における対審および判決によるべき旨を定めたものであって、再審を開始するか否かを定める手続はこれに含まれない（最大決昭42・7・5）。

出題 国Ⅰ－平成2、特別区Ⅰ－平成15

Q7 公判前整理手続は憲法82条、37条1項が定める裁判の公開の原則ないし31条に違反するのか。

A 違反しない。公判前整理手続が裁判公開の原則に違反するとして憲法82条、37条1項違反をいう点については、公判前整理手続のような公判準備の手続が憲法82条にいう「裁判の対審及び判決」にあたらないことは、当裁判所の判例（最大判昭25・11・8）の趣旨に徴して明らかであり、憲法31条違反をいう点については、公判前整理手続は立証責任を被告人に負わせるものでないことは明らかであるから、いずれも前提を欠く（最決平25・3・18）。 出題 予想⇒国家総合－令和4

◇公開

Q8 憲法82条は、各人に傍聴する権利とともに、法廷内でメモをとることをも権利として保障しているのか。

A 傍聴する権利とともに、メモをとる権利をも保障していない。憲法82条1項の趣旨は、裁判を一般に公開して裁判が公正に行われることを制度として保障し、ひいては裁判に対する国民の信頼を確保しようとすることにあるのであって、裁判の公開が制度として保障されていることに伴い、各人は、裁判を傍聴することができることとなるが、この規定は、各人が裁判所に対して傍聴することを権利として要求できることまでを認めたものでないことはもとより、傍聴人に対して法廷においてメモをとることを権利として保障しているものでもない。もっとも、憲法21条1項との関係では、筆記行為の自由は、憲法21条1項の規定の精神に照らして尊重されるべきであり、傍聴人が法廷でメモをとることは、その見聞する裁判を認識、記憶するためになされるものである限り、尊重に値し、故なく妨げられない〈レペタ訴訟〉（最大判平1・3・8）。

出題 国家総合－令和4・平成30、国Ⅰ－平成2、

憲法編

地方上級－平成2、特別区Ⅰ－平成21・15、国家一般－平成25、国Ⅱ－平成18・12、裁判所総合・一般－令和4・3・平成30・29・26、裁判所Ⅰ・Ⅱ－平成22・21、国税・財務・労基－平成26、国税・労基－平成19、国税－平成5

Q9 裁判の公開が制度として保障されていることに伴い、傍聴人が法廷においてメモをとることは、その見聞する裁判を認識、記憶するためのものである限り、尊重に値し、故なく妨げられてはならないのか。

A 故なく妨げられてはならない〈レペタ訴訟〉（最大判平1・3・8）。⇨8

Q10 傍聴人のメモをとる行為は、公正かつ円滑な訴訟の運営を妨げるもので、認められないのか。

A 傍聴人のメモをとる行為は、公正かつ円滑な訴訟の運営を妨げるものではなく、傍聴人の自由に任せるべきである。　公正かつ円滑な訴訟の運営は、傍聴人がメモをとることに比べれば、はるかに優越する法益であることは多言を要しないところである。してみれば、そのメモをとる行為がいささかでも法廷における公正かつ円滑な訴訟の運営を妨げる場合には、それが制限又は禁止されるべきことは当然であるというべきである。しかし、傍聴人のメモをとる行為が公正かつ円滑な訴訟の運営を妨げるに至ることは、通常はありえないのであって、特段の事情のない限り、これを傍聴人の自由に任せるべきであり、それが憲法21条1項の規定の精神に合致するものということができる〈レペタ訴訟〉（最大判平1・3・8）。　出題 裁判所Ⅰ・Ⅱ－平成22

Q11 憲法82条1項は、国民に対して個別的・具体的権利として刑事確定訴訟記録の閲覧を請求する権利を認めているのか。

A 認めていない。　憲法82条1項は、国民に対して個別的・具体的権利として刑事確定訴訟記録の閲覧を請求する権利を認めているものではない（最決平2・2・16）。　出題 国Ⅱ－平成12、国税・労基－平成22

Q12 裁判官の分限事件について憲法82条1項の適用はあるのか。

A 憲法82条1項の適用はない。　裁判官に対する懲戒は、裁判所が裁判という形式をもってすることとされているが、一般の公務員に対する懲戒と同様、その実質においては裁判官に対する行政処分の性質を有する。したがって、裁判官に懲戒を課する作用は、固有の意味における司法権の作用ではなく、懲戒の裁判は、純然たる訴訟事件についての裁判には当たらない。また、その手続の構造をみても、申立てを受けた裁判所は、申立てを端緒として、職権で事実を探知し、必要な証拠調べを行って（規則7条、非訟事件手続法11条）、当該裁判官に対する処分を自ら行うのであるから、分限事件は、訴訟とはまったく構造を異にする。したがって、分限事件については憲法82条1項の適用はない〈寺西裁判官懲戒処分事件〉（最大決平10・12・1）。　出題 予想

Q13 いわゆるビデオリンク方式、遮へい措置を定めた刑事訴訟法157条の3、157条の4は、憲法

82条1項、37条1項に違反するのか。

A 憲法82条1項、37条1項に違反しない。　刑事訴訟法157条の3は、証人尋問の際に、証人が被告人から見られていることによって圧迫を受け精神の平穏が著しく害される場合があることから、その負担を軽減するために、そのようなおそれがあって相当と認められるときには、裁判所が、被告人と証人との間で、一方から又は相互に相手の状態を認識することができないようにするための措置をとり、同様に、傍聴人と証人との間でも、相互に相手の状態を認識することができないようにするための措置をとることができる（「遮へい措置」）とするものである。また、刑事訴訟法157条の4は、いわゆる性犯罪の被害者等の証人尋問について、裁判官および訴訟関係人の在席する場所において証言を求められることによって証人が受ける精神的圧迫を回避するために、同一構内の別の場所に証人を在席させ、映像と音声の送受信により相手の状態を相互に認識しながら通話することができる方法によって尋問することができる（「ビデオリンク方式」）とするものである。証人尋問が公判期日において行われる場合、傍聴人と証人との間で遮へい措置がとられ、あるいはビデオリンク方式によることとされ、さらには、ビデオリンク方式によったうえで傍聴人と証人との間で遮へい措置がとられても、審理が公開されていることに変わりはないから、それらの規定は、憲法82条1項、37条1項に違反するものではない（最判平17・4・14）。　出題 裁判所総合・一般－平成26

第7章　財政

第83条［財政処理の基本原則］
国の財政を処理する権限は、国会の議決に基いて、これを行使しなければならない。

第84条［課税法律主義］
あらたに租税を課し、又は現行の租税を変更するには、法律又は法律の定める条件によることを必要とする。

Q1 憲法84条の規定の文言から、納税義務者、課税標準、徴税の手続はすべて法律に基づいて定められなければならないのか。併せて、同時に法律に基づいて定めるところにまかせられているのか。

A すべて法律に基づいて定められなければならない。併せて、同時に法律に基づいて定めるところにまかせられている。　民主政治の下では国民は国会におけるその代表者を通して、自ら国費を負担することが根本原則であって、国民はその総意を反映する租税立法に基づいて自主的に納税の義務を負うものとされ（憲法30条参照）その反面においてあらたに租税を課し又は現行の租税を変更するには法律又は法律の定める条件によることが必要とされているのである（憲法84条）。されば日本国憲法の下では、租税を創設し、改廃するのはもとより、納税義務者、課税標準、徴税の手続はすべて法律に基づいて定められなければならないと同時に法律に基づいて定めるところにまかせられていると解すべきである。それゆえ、地方税法が地租を廃して土地の固

定資産税を設け、そして所有権の変動が頻繁でない土地の性格を考慮し、主として徴税の便宜に着眼してその賦課期日を定めることとしても、その当否は立法の過程において審議決定されるところに一任されているものと解すべきである（最大判昭30・3・23）。

出題 国家総合－平成27・24、国家一般－平成30、国Ⅱ－平成20、財務－平成27

Q2 通達を機縁として課税を行う場合でも、その通達の内容が正しい法律の解釈に合致すると認められるときは、法の根拠に基づく正当な課税処分と認められ、租税法律主義を定めた憲法84条に違反しないのか。

A 租税法律主義を定めた憲法84条に違反しない〈パチンコ球遊器事件〉（最判昭33・3・28）。⇨行政法総論45・46

出題 国家総合－平成27・24、国Ⅰ－平成3、東京Ⅰ－平成14、特別区Ⅰ－令和3、国家一般－令和4・平成29、国Ⅱ－平成12・9、裁判所総合・一般－平成27

Q3 市町村が行う国民健康保険の保険料に憲法84条の規定は直接に適用されるのか。

A 憲法84条の規定が直接に適用されることはない。　国又は地方公共団体が、課税権に基づき、その経費にあてるための資金を調達する目的をもって、特別の給付に対する反対給付としてでなく、一定の要件に該当するすべての者に対して課する金銭給付は、その形式のいかんにかかわらず、憲法84条に規定する租税にあたるというべきである。市町村が行う国民健康保険の保険料は、これと異なり、被保険者において保険給付を受けうることに対する反対給付として徴収されるものである。被上告人市における国民健康保険事業に要する経費の約3分の2は公的資金によって賄われているが、これによって、保険料と保険給付を受けうる地位との牽連性が断ち切られるものではない。また、国民健康保険が強制加入とされ、保険料が強制徴収されるのは、保険給付を受ける被保険者をなるべく保険事故を生ずべき者の全部とし、保険事故により生ずる個人の経済的損害を加入者相互において分担すべきであるとする社会保険としての国民健康保険の目的および性質に由来するものというべきである。したがって、上記保険料に憲法84条の規定が直接に適用されることはないというべきである〈旭川市国民健康保険条例訴訟〉（最大判平18・3・1）。

出題 国家総合－令和2・平成27・24、国家一般－令和4・平成29、国税・財務・労基－平成29

Q4 国又は地方公共団体が、課税権に基づき、その経費に充てるための資金を調達する目的をもって、特別の給付に対する反対給付としてでなく、一定の要件に該当するすべての者に対して課する金銭給付は、その形式のいかんにかかわらず、憲法84条に規定する租税に当たるのか。

A 憲法84条に規定する租税に当たる（最大判平18・3・1）。

Q5 旭川市長が各年度（平成6年度から同8年度まで）の国民健康保険の保険料率を各年度の賦課期日後に告示したことは、憲法84条の趣旨に反するのか。

A 憲法84条の趣旨に反しない。　賦課総額の算定基準および賦課総額に基づく保険料率の算定方法は、本件条例によって賦課期日までに明らかにされているのであって、この算定基準にのっとって収支均衡を図る観点から決定される賦課総額に基づいて算定される保険料率についてはし意的な判断が加わる余地はなく、これが賦課期日後に決定されたとしても法的安定が害されるものではない。したがって、被上告人市長が本件条例12条3項の規定に基づき平成6年度から同8年度までの各年度の保険料率を決定し各年度の賦課期日後に告示したことは、憲法84条の趣旨に反するとはいえない〈旭川市国民健康保険条例訴訟〉（最大判平18・3・1）。

出題 国家総合－平成27

Q6 介護保険の第1号被保険者に対して課する保険料の料率を、政令で定める基準に従い条例で定めるところにより算定する旨を規定する介護保険法129条2項は、憲法84条の趣旨に反しないのか。

A 憲法84条の趣旨に反しない。　介護保険法129条2項は、介護保険の第1号被保険者に対して課する保険料の料率を、政令で定める基準に従い条例で定めるところにより算定する旨を規定し、具体的な保険料率の決定を、同条3項の定めおよび介護保険法施行令38条所定の基準に従って制定される条例の定めるところにゆだねたのであって、保険者の恣意を許容したものではない。同法129条2項は、憲法84条の趣旨に反するということはできない（最判平18・3・28）。出題 予想

Q7 公共組合である農業共済組合が組合員に対して賦課徴収する共済掛金及び賦課金の賦課に関する法の規定は、憲法84条の趣旨に反するのか。

A 憲法84条の趣旨に反しない。　公共組合である農業共済組合が組合員に対して賦課徴収する共済掛金および賦課金は、国又は地方公共団体が課税権に基づいて課する租税ではないから、これに憲法84条の規定が直接に適用されることはない。もっとも、農業共済組合は、国の農業災害対策の一つである農業災害補償制度の運営を担当する組織として設立が認められたものであり、農作物共済に関しては農業共済組合への当然加入制がとられ（法15条1項、16条1項、19条、104条1項）、共済掛金および賦課金が強制徴収され（法87条の2第3項、4項）、賦課徴収の強制の度合いにおいては租税に類似する性質を有するものであるから、これに憲法84条の趣旨が及ぶと解すべきであるが、その賦課について法律によりどのような規律がされるべきかは、賦課徴収の強制の度合いのほか、農作物共済に係る農業災害補償制度の目的、特質等をも総合考慮して判断する必要がある。法は、共済事故により生ずる個人の経済的損害を組合員相互において分担することを目的とする農作物共済に係る共済掛金および賦課金の具体的な決定を農業共済組合の定款又は総会もしくは総代会の議決にゆだねているが（43条1項2号、45条の2、86条1項、87条1項、3項、107条1項）、これは、上記の決定を農業

憲法編

共済組合の自治にゆだね、その組合員による民主的な統制の下に置くものとしたものであって、その賦課に関する規律として合理性を有するものである。したがって、上記の共済掛金および賦課金の賦課に関する法の規定は、憲法84条の趣旨に反しない（最判平18・3・28）。

出題 国家総合 - 平成24

Q8 暦年途中で施行された改正法による**本件損益通算廃止に係る改正後措置法の規定の暦年当初からの適用を定めた本件改正附則は、憲法84条の趣旨に反するのか。**

A **憲法84条の趣旨に反しない。**　憲法84条は、課税要件および租税の賦課徴収の手続が法律で明確に定められるべきことを規定するものであるが、これにより課税関係における法的安定が保たれるべき趣旨を含むものと解する〈旭川市国民健康保険条例訴訟〉（最大判平18・3・1）。そして、法律でいったん定められた財産権の内容が事後の法律により変更されることによって法的安定に影響が及びうる場合における当該変更の憲法適合性については、当該財産権の性質、その内容を変更する程度およびこれを変更することによって保護される公益の性質などの諸事情を総合的に勘案し、その変更が当該財産権に対する合理的な制約として容認されるべきものであるかどうかによって判断すべきものであるところ（最大判昭53・7・12）、暦年途中の租税法規の変更およびその暦年当初からの適用によって納税者の租税法規上の地位が変更され、課税関係における法的安定に影響が及びうる場合においても、これと同様に解すべきものである（最判平23・9・22）。

出題 予想

Q9 **法律で一旦定められた財産権の内容が事後の法律により変更されることによって法的安定に影響が及び得る場合における当該変更の憲法適合性については、当該財産権の性質、その内容を変更する程度及びこれを変更することによって保護される公益の性質などの諸事情を総合的に勘案し、その変更が当該財産権に対する合理的な制約として容認されるべきものであるかどうかによって判断すべきか。**

A **諸事情を総合的に勘案し、その変更が当該財産権に対する合理的な制約として容認されるべきものであるかどうかによって判断すべきである。**　憲法84条は、課税要件及び租税の賦課徴収の手続が法律で明確に定められるべきことを規定するものであるが、これにより課税関係における法的安定が保たれるべき趣旨を含むものと解するのが相当である（最大判平18・3・1参照）。そして、法律で一旦定められた財産権の内容が事後の法律により変更されることによって法的安定に影響が及び得る場合、当該変更の憲法適合性については、当該財産権の性質、その内容を変更する程度及びこれを変更することによって保護される公益の性質などの諸事情を総合的に勘案し、その変更が当該財産権に対する合理的な制約として容認されるべきものであるかどうかによって判断すべきものであるところ（最大判昭53・7・12参照）、暦年途中の租税法規の変更及びその暦年当初からの適用によって納税者の租税法規上の地位が変更され、課税関係における法的安定

に影響が及び得る場合においても、これと同様に解すべきものである。なぜなら、このように暦年途中に租税法規が変更されその暦年当初から遡って適用された場合、これを通じて経済活動等に与える影響は、当該変更の具体的な対象、内容、程度によって様々に異なり得るものであるところ、これは最終的には国民の財産上の利害に帰着するものであって、このような変更後の租税法規の暦年当初からの適用の合理性は上記の諸事情を総合的に勘案して判断されるべきものであるという点において、財産権の内容を事後の法律により変更する場合と同様というべきだからである（最判平23・9・30）。

出題 国家総合 - 令和2

Q10 **法律の個別具体的な委任なくして、条例によって地方税を賦課徴収することは憲法84条に違反するのか。**

A **憲法84条に違反しない。**　普通地方公共団体は、地方自治の本旨に従い、その財産を管理し、事務を処理し、及び行政を執行する権能を有するものであり（憲法92条、94条）、その本旨に従ってこれらを行うためにはその財源を自ら調達する権能を有することが必要であることからすると、普通地方公共団体は、地方自治の不可欠の要素として、その区域内における当該普通地方公共団体の役務の提供等を受ける個人又は法人に対して国とは別途に課税権の主体となることが憲法上予定されているものと解される。しかるところ、憲法は、普通地方公共団体の課税権の具体的内容について規定しておらず、普通地方公共団体の組織及び運営に関する事項は法律でこれを定めるものとし（92条）、普通地方公共団体は法律の範囲内で条例を制定することができるものとしていること（94条）、さらに、租税の賦課については国民の税負担全体の程度や国と地方の間ないし普通地方公共団体相互間の財源の配分等の観点からの調整が必要であることに照らせば、普通地方公共団体が課することができる租税の税目、課税客体、課税標準、税率その他の事項については、憲法上、租税法律主義（84条）の原則の下で、法律において地方自治の本旨を踏まえてその準則を定めることが予定されており、これらの事項について法律において準則が定められた場合には、普通地方公共団体の課税権は、これに従ってその範囲内で行使されなければならない（最判平25・3・21）。

出題 国家一般 - 令和3

第85条 [国費支出と国の債務負担]
　国費を支出し、又は国が債務を負担するには、国会の議決に基くことを必要とする。

第86条 [予算の作成と国会の議決]
　内閣は、毎会計年度の予算を作成し、国会に提出して、その審議を受け議決を経なければならない。

第87条 [予備費]
①予見し難い予算の不足に充てるため、国会の議決に基いて予備費を設け、内閣の責任でこれを支出することができる。
②すべて予備費の支出については、内閣は、事後に国会の承諾を得なければならない。

第88条［皇室財産・皇室費用］

　すべて皇室財産は、国に属する。すべて皇室の費用は、予算に計上して国会の議決を経なければならない。

第89条［公の財産の支出または利用の制限］

　公金その他の公の財産は、宗教上の組織若しくは団体の使用、便益若しくは維持のため、又は公の支配に属しない慈善、教育若しくは博愛の事業に対し、これを支出し、又はその利用に供してはならない。

Q1 憲法89条が禁止している公金その他の公の財産を宗教上の組織又は団体の使用、便益又は維持のために支出すること又はその利用に供するというのは、公金支出行為等における国家と宗教とのかかわり合いが、相当とされる限度を超えるものをいうのであって、これに該当するかどうかを検討するに当たっては、憲法20条3項にいう宗教的活動に該当するか否かと同様の基準によって判断しなければならないのか。

A 憲法20条3項にいう宗教的活動に該当するか否かと同様の基準によって判断しなければならない。政教分離原則の意義に照らすと、憲法20条3項にいう宗教的活動とは、およそ国及びその機関の活動で宗教とのかかわり合いを持つすべての行為を指すものではなく、そのかかわり合いが上記にいう相当とされる限度を超えるものに限られるというべきであって、当該行為の目的が宗教的意義を持ち、その効果が宗教に対する援助、助長、促進又は圧迫、干渉等になるような行為をいうものと解すべきである。そして、ある行為が右にいう宗教的活動に該当するかどうかを検討するに当たっては、当該行為の外形的側面のみにとらわれることなく、当該行為の行われる場所、当該行為に対する一般人の宗教的評価、当該行為者が当該行為を行うについての意図、目的及び宗教的意識の有無、程度、当該行為の一般人に与える効果、影響 等、諸般の事情を考慮し、社会通念に従って、客観的に判断しなければならない。憲法89条が禁止している公金その他の公の財産を宗教上の組織又は団体の使用、便益又は維持のために支出すること又はその利用に供することというのも、前記の政教分離原則の意義に照らして、公金支出行為等における国家と宗教とのかかわり合いが前記の相当とされる限度を超えるものをいうものと解すべきであり、これに 該当するかどうかを検討するに当たっては、前記と同様の基準によって判断しなければならない（最大判平9・4・2）。

出題 国家一般 - 令和4

第90条［決算、会計検査院］

①国の収入支出の決算は、すべて毎年会計検査院がこれを検査し、内閣は、次の年度に、その検査報告とともに、これを国会に提出しなければならない。

②会計検査院の組織及び権限は、法律でこれを定める。

第91条［財政状況の報告］

　内閣は、国会及び国民に対し、定期に、少くとも毎年1回、国の財政状況について報告しなければな

らない。

第8章　地方自治

第92条［地方自治の基本原則］

　地方公共団体の組織及び運営に関する事項は、地方自治の本旨に基いて、法律でこれを定める。

Q1 住民訴訟の制度を設けるか否かは立法政策の問題か。

A 立法政策の問題である。　住民の有する住民訴訟に関する訴権は、地方公共団体の構成員である住民全体の利益を保障するために 法律によって特別に認められた参政権の一種であり、その訴訟の原告は、自己の個人的利益のためや地方公共団体そのものの利益のためにではなく、専ら原告を含む住民全体の利益のために、いわば公益の代表者として地方財務行政の適正化を主張するものである（最判昭53・3・30）。

出題 特別区Ⅰ - 令和2

第93条［地方公共団体の機関とその直接選挙］

①地方公共団体には、法律の定めるところにより、その議事機関として議会を設置する。

②地方公共団体の長、その議会の議員及び法律の定めるその他の吏員は、その地方公共団体の住民が、直接これを選挙する。

Q1 憲法上の地方公共団体といいうるためには、法律で地方公共団体として取り扱われていればよいのか。また、特別区は、憲法上の地方公共団体か。

A 法律で地方公共団体として取り扱われるだけでは足りない。また、特別区は、憲法上の地方公共団体ではない。　憲法上の地方公共団体といいうるためには、単に法律で地方公共団体として取り扱われているというだけでは足りず、(1)事実上住民が経済的文化的に密接な共同生活を営み、共同体意識をもっているという社会的基盤が存在し、(2)沿革的にみても、また現実の行政のうえにおいても、相当程度の自主立法権、自主行政権等地方自治の基本的権能を附与された地域団体であることを必要とする。そして、かかる実体を備えた団体である以上、その実体を無視して、憲法で保障した地方自治の権能を法律をもって奪うことは、許されない。そして、特別区がその自治権に重大な制約が加えられているのは、特別区が、東京都という市の性格をも併有した独立地方公共団体の一部を形成していることに基因するものである（最大判昭38・3・27）。

出題 国家総合 - 令和1、国Ⅰ - 平成21・7・3、地方上級 - 平成7、東京Ⅰ - 平成20、国家一般 - 令和3、国Ⅱ - 平成23・20・16、裁判所総合・一般 - 平成27

Q2 憲法93条2項の「地方公共団体」といいうるためには、いかなる要件を充たす必要があるのか。

A 事実上住民が経済的文化的に密接な共同生活を営み、共同体意識をもっているという社会的基盤が存在し、沿革的にみても、また現実の行政のうえにおいても、相当程度の自主立法権、自主行政権、自主財政権等の地方自治の基本的権能を付与された地域団体であることが要求される（最大判昭38・3・27）。⇨1

出題 国家総合 - 平成28、国Ⅰ - 平成5・昭和56、

Q3 特別区の首長を公選制にすることは憲法上の要請か。

A 首長を公選制にするか否かは憲法上の要請ではなく、立法政策の問題である。　特別区は、その長の公選制が法律によって認められていたとはいえ、憲法制定当時においてもまた昭和 27 年 8 月地方自治法改正当時においても、憲法 93 条 2 項の地方公共団体と認めることはできない。したがって、公選制の廃止・採用は立法政策の問題にほかならない（最大判昭 38・3・27）。⇨ 1

第 94 条［地方公共団体の権能］
　地方公共団体は、その財産を管理し、事務を処理し、及び行政を執行する権能を有し、法律の範囲内で条例を制定することができる。

Q1 条例制定権は、個々の法律の授権・委任に基づくものか。

A 条例制定権は、直接憲法によって授権された地方公共団体の自主立法権である。　条例は、憲法が特に民主主義政治組織の欠くべからざる構成として保障する地方自治の本旨に基づき、直接憲法 94 条により法律の範囲内において制定する権能を認められた自治立法にほかならない〈新潟県公安条例事件〉（最大判昭 29・11・24）。

Q2 ある事項について国の法令中にこれを規律する明文の規定がない場合に、条例で自由に規制を施すことができるか。

A 法律と条例の対象事項と規定文言および趣旨・目的・内容・効果を比較検討して、規制を施すか否かを決すべきである。　普通地方公共団体の制定する条例が国の法令に違反する場合には効力を有しないことは明らかであるが、条例が国の法令に違反するかどうかは、両者の対象事項と規定文言を対比するのみでなく、それぞれの趣旨、目的、内容および効果を比較し、両者の間に矛盾抵触があるかどうかによって、これを決しなければならない。たとえば、ある事項について国の法令中にこれを規律する明文の規定がない場合でも、当該法令全体からみて、その規定の欠如が特に当該事項についていかなる規制をも施すことなく放置すべきものとする趣旨であるときは、これについて規律を設ける条例の規定は国の法令に違反することとなり得るし、逆に、特定事項についてこれを規律する国の法令と条例とが併存する場合でも、後者が前者とは別の目的に基づく規律を意図するものであり、その適用によって前者の規定の意図する目的と効果を何ら阻害することがないときや、両者が同一の目的に出たものであっても、国の法令が必ずしもその規定によって全国的に一律に同一内容の規制を施す趣旨でなく、それぞれの普通地方公共団体において、その地方の実情に応じて、別段の規制を施すことを容認する趣旨であるときは、国の法令と条例との間には何らの矛盾抵触はなく、条例が国の法令に違反する問題は生じないのである〈徳島市公安条例事件〉（最大判昭 50・9・10）。

Q3 条例が法律の定める基準よりも厳しい基準を設定することは許されるか。

A 法律と条例の間に矛盾抵触がなければ許される〈徳島市公安条例事件〉（最大判昭 50・9・10）。⇨ 2

Q4 ある事項について国の法令中にこれを規律する明文の規定がない場合には、当該事項について条例により規律を設けても、憲法第 94 条に違反しないのか。

A 当該事項については地方公共団体がその地方の実情に応じて別段の規制を施すことを容認する趣旨である場合には、憲法第 94 条に違反しない〈徳島市公安条例事件〉（最大判昭 50・9・10）。⇨ 2

Q5 条例で罰則を設けることは、憲法 31 条に反し、違憲無効となるのか。

A 法律の授権が相当程度に具体的であり、限定されていれば違憲無効とならない。　地方自治法 2 条の事項は相当に具体的な内容のものであるし、同法 14 条 5 項による罰則の範囲も限定されている。しかも、条例は、法律以下の法令といっても、公選の議員をもって組織する地方公共団体の議会の議決を経て制定される自治立法であって、行政府の制定する命令等とは性質を異にし、むしろ国民の公選した議員をもって組織する国会の議決を経て制定される法律に類するものであるから、条例によって刑罰を定める場合には、法律の授権が相当な程度に具体的であり、限定されていれば足りる。そうしてみれば、地方自治法 2 条 3 項 7 号および 1 号のように相当に具体的な内容の事項につき、同法 14 条 5 項のように限定された刑罰の範囲内において、条例をもって罰則を定めることができるとしたのは、憲法 31 条の意味において法律の定める手続によって刑罰を科するものといえるのであって、同条に違反するとはいえない。したがって地方自治法 14 条 5 項に基づく本件条例の上記条項も憲法同条に違反するとはいえない〈大阪市売春取締り例事件〉（最大判昭 37・5・30）。

Q6 法律で条例に罰則を委任する場合には、その委任は政令に罰則を委任する場合と同程度に個別具体的なものであることを要するか。

A 政令に罰則を委任する場合と異なり、相当程度に具体的なものであればよい（最大判昭 37・5・30）。⇨ 5

Q7 地方公共団体が住民の財産権に制約を課す内容の条例を定めるには、法律の個別の委任が必要か。

A 法律の個別の委任は不要である〈奈良県ため池条例事件〉（最大判昭38・6・26）。⇨29条8

Q8 議員の2親等以内の親族が経営する企業は市の工事等の請負契約等を辞退しなければならず、当該議員は当該企業の辞退届を徴して提出するよう努めなければならない義務を議員に課し、それが履行されなかった場合には、議員の議員活動の自由を制約する旨を条例で定めることは、憲法21条1項に違反するのか。

A 憲法21条1項に違反しない。　本件条例の規定による2親等規制の目的は、議員の職務執行の公正を確保するとともに、議員の職務執行の公正さに対する市民の疑惑や不信を招くような行為の防止を図り、もって議会の公正な運営と市政に対する市民の信頼を確保することにあるものと解され、このような規制の目的は正当なものということができる。議員が実質的に経営する企業であるのにその経営者を名目上2親等以内の親族とするなどして地方自治法92条の2の規制の潜脱が行われるおそれや、議員が2親等以内の親族のために当該親族が経営する企業に特別の便宜を図るなどして当該職務執行の公正が害されるおそれがあることは否定しがたく（地方自治法169条、198条の2等参照）、また、2親等内親族企業が上告人の工事等を受注することは、それ自体が議員の職務執行の公正さに対する市民の疑惑や不信を招くものといえる。これに加え、本件条例は地方公共団体の議会の内部的自律権に基づく自主規制としての性格を有しており、このような議会の自律的な規制のあり方についての自主的な判断が尊重されるべきものと解されること等も考慮すると、本件規定による2親等規制に基づく議員の議員活動の自由についての制約は、地方公共団体の民主的な運営におけるその活動の意義等を考慮してもなお、前記の正当な目的を達成するための手段として必要かつ合理的な範囲のものということができる。以上にかんがみると、2親等規制を定める本件規定は、憲法21条1項に違反するものではない（最判平26・5・27）。　**出題**予想

第95条［特別法の住民投票］

一の地方公共団体のみに適用される特別法は、法律の定めるところにより、その地方公共団体の住民の投票においてその過半数の同意を得なければ、国会は、これを制定することができない。

第9章　改正

第96条［憲法改正の手続とその公布］

①この憲法の改正は、各議院の総議員の3分の2以上の賛成で、国会が、これを発議し、国民に提案してその承認を経なければならない。この承認には、特別の国民投票又は国会の定める選挙の際行はれる投票において、その過半数の賛成を必要とする。

②憲法改正について前項の承認を経たときは、天皇は、国民の名で、この憲法と一体を成すものとして、直ちにこれを公布する。

第10章　最高法規

第97条［基本的人権の本質］

この憲法が日本国民に保障する基本的人権は、人類の多年にわたる自由獲得の努力の成果であって、これらの権利は、過去幾多の試錬に堪へ、現在及び将来の国民に対し、侵すことのできない永久の権利として信託されたものである。

第98条［憲法の最高法規性、条約・国際法規の遵守］

①この憲法は、国の最高法規であって、その条規に反する法律、命令、詔勅及び国務に関するその他の行為の全部又は一部は、その効力を有しない。

②日本国が締結した条約及び確立された国際法規は、これを誠実に遵守することを必要とする。

第99条［憲法尊重擁護の義務］

天皇又は摂政及び国務大臣、国会議員、裁判官その他の公務員は、この憲法を尊重し擁護する義務を負ふ。

第11章　補則

第100条［施行期日］

①この憲法は、公布の日から起算して6箇月を経過した日〔昭22・5・3〕から、これを施行する。

②この憲法を施行するために必要な法律の制定、参議院議員の選挙及び国会召集の手続並びにこの憲法を施行するために必要な準備手続は、前項の期日よりも前に、これを行ふことができる。

第101条［国会に関する経過規定］

この憲法施行の際、参議院がまだ成立してゐないときは、その成立するまでの間、衆議院は、国会としての権限を行ふ。

第102条［第1期参議院議員の任期］

この憲法による第1期の参議院議員のうち、その半数の者の任期は、これを3年とする。その議員は、法律の定めるところにより、これを定める。

第103条［公務員に関する経過規定］

この憲法施行の際現に在職する国務大臣、衆議院議員及び裁判官並びにその他の公務員で、その地位に相応する地位がこの憲法で認められてゐる者は、法律で特別の定をした場合を除いては、この憲法施行のため、当然にはその地位を失ふことはない。但し、この憲法によって、後任者が選挙又は任命されたときは、当然その地位を失ふ。

憲法編

大日本帝国憲法（明治憲法）〔抄〕

（明治22年2月11日）

第1章　天皇

第1条　大日本帝国ハ万世一系ノ天皇之ヲ統治ス

第2条　皇位ハ皇室典範ノ定ムル所ニ依リ皇男子孫之ヲ継承ス

第3条　天皇ハ神聖ニシテ侵スヘカラス

第4条　天皇ハ国ノ元首ニシテ統治権ヲ総攬シ此ノ憲法ノ条規ニ依リ之ヲ行フ

第5条　天皇ハ帝国議会ノ協賛ヲ以テ立法権ヲ行フ

第6条　天皇ハ法律ヲ裁可シ其ノ公布及執行ヲ命ス

第7条　天皇ハ帝国議会ヲ召集シ其ノ開会閉会停会及衆議院ノ解散ヲ命ス

第8条　①天皇ハ公共ノ安全ヲ保持シ又ハ其ノ災厄ヲ避クル為緊急ノ必要ニ由リ帝国議会閉会ノ場合ニ於テ法律ニ代ルヘキ勅令ヲ発ス　②此ノ勅令ハ次ノ会期ニ於テ帝国議会ニ提出スヘシ若議会ニ於テ承諾セサルトキハ政府ハ将来ニ向テ其ノ効力ヲ失フコトヲ公布スヘシ

第9条　天皇ハ法律ヲ執行スル為ニ又ハ公共ノ安寧秩序ヲ保持シ及臣民ノ幸福ヲ増進スル為ニ必要ナル命令ヲ発シ又ハ発セシム但シ命令ヲ以テ法律ヲ変更スルコトヲ得ス

第10条　天皇ハ行政各部ノ官制及文武官ノ俸給ヲ定メ及文武官ヲ任免ス但シ此ノ憲法又ハ他ノ法律ニ特例ヲ掲ケタルモノハ各々其ノ条項ニ依ル

第11条　天皇ハ陸海軍ヲ統帥ス

第12条　天皇ハ陸海軍ノ編制及常備兵額ヲ定ム

第13条　天皇ハ戦ヲ宣シ和ヲ講シ及諸般ノ条約ヲ締結ス

第14条　①天皇ハ戒厳ヲ宣告ス　②戒厳ノ要件及効力ハ法律ヲ以テ之ヲ定ム

第15条　天皇ハ爵位勲章及其ノ他ノ栄典ヲ授与ス

第16条　天皇ハ大赦特赦減刑及復権ヲ命ス

第17条　①摂政ヲ置クハ皇室典範ノ定ムル所ニ依ル　②摂政ハ天皇ノ名ニ於テ大権ヲ行フ

第2章　臣民権利義務

第18条　日本臣民タルノ要件ハ法律ノ定ムル所ニ依ル

第19条　日本臣民ハ法律命令ノ定ムル所ノ資格ニ応シ均ク文武官ニ任セラレ及其ノ他ノ公務ニ就クコトヲ得

第20条　日本臣民ハ法律ノ定ムル所ニ従ヒ兵役ノ義務ヲ有ス

第21条　日本臣民ハ法律ノ定ムル所ニ従ヒ納税ノ義務ヲ有ス

第22条　日本臣民ハ法律ノ範囲内ニ於テ居住及移転ノ自由ヲ有ス

第23条　日本臣民ハ法律ニ依ルニ非スシテ逮捕監禁審問処罰ヲ受クルコトナシ

第24条　日本臣民ハ法律ニ定メタル裁判官ノ裁判ヲ受クルノ権ヲ奪ハル、コトナシ

第25条　日本臣民ハ法律ニ定メタル場合ヲ除ク外其ノ許諾ナクシテ住所ニ侵入セラレ及捜索セラル、コトナシ

第26条　日本臣民ハ法律ニ定メタル場合ヲ除ク外信書ノ秘密ヲ侵サル、コトナシ

第27条　①日本臣民ハ其ノ所有権ヲ侵サル、コトナシ　②公益ノ為必要ナル処分ハ法律ノ定ムル所ニ依ル

第28条　日本臣民ハ安寧秩序ヲ妨ケス及臣民タルノ義務ニ背カサル限ニ於テ信教ノ自由ヲ有ス

第29条　日本臣民ハ法律ノ範囲内ニ於テ言論著作印行集会及結社ノ自由ヲ有ス

第30条　日本臣民ハ相当ノ敬礼ヲ守リ別ニ定ムル所ノ規程ニ従ヒ請願ヲ為スコトヲ得

第31条　本章ニ掲ケタル条規ハ戦時又ハ国家事変ノ場合ニ於テ天皇大権ノ施行ヲ妨クルコトナシ

第32条　本章ニ掲ケタル条規ハ陸海軍ノ法令又ハ紀律ニ牴触セサルモノニ限リ軍人ニ準行ス

第3章　帝国議会

第33条　帝国議会ハ貴族院衆議院ノ両院ヲ以テ成立ス

第34条　貴族院ハ貴族院令ノ定ムル所ニ依リ皇族華族及勅任セラレタル議員ヲ以テ組織ス

第35条　衆議院ハ選挙法ノ定ムル所ニ依リ公選セラレタル議員ヲ以テ組織ス

第36条　何人モ同時ニ両議院ノ議員タルコトヲ得ス

第37条　凡テ法律ハ帝国議会ノ協賛ヲ経ルヲ要ス

第38条　両議院ハ政府ノ提出スル法律案ヲ議決シ及各々法律案ヲ提出スルコトヲ得

第39条　両議院ノ一ニ於テ否決シタル法律案ハ同会期中ニ於テ再ヒ提出スルコトヲ得ス

第40条　両議院ハ法律又ハ其ノ他ノ事件ニ付各々其ノ意見ヲ政府ニ建議スルコトヲ得但シ其ノ採納ヲ得サルモノハ同会期中ニ於テ再ヒ建議スルコトヲ得ス

第41条　帝国議会ハ毎年之ヲ召集ス

第42条　帝国議会ハ3箇月ヲ以テ会期トス必要アル場合ニ於テハ勅命ヲ以テ之ヲ延長スルコトアルヘシ

第43条　①臨時緊急ノ必要アル場合ニ於テ常会ノ外臨時会ヲ召集スヘシ　②臨時会ノ会期ヲ定ムルハ勅命ニ依ル

第44条　①帝国議会ノ開会閉会会期ノ延長及停会ハ両院同時ニ之ヲ行フヘシ　②衆議院解散ヲ命セラレタルトキハ貴族院ハ同時ニ停会セラルヘシ

第45条　衆議院解散ヲ命セラレタルトキハ勅命ヲ

以テ新ニ議員ヲ選挙セシメ解散ノ日ヨリ5箇月以内ニ之ヲ召集スヘシ

第46条　両議院ハ各ミ其ノ総議員3分ノ1以上出席スルニ非サレハ議事ヲ開キ議決ヲ為スコトヲ得

第47条　両議院ノ議事ハ過半数ヲ以テ決ス可否同数ナルトキハ議長ノ決スル所ニ依ル

第48条　両議院ノ会議ハ公開ス但シ政府ノ要求又ハ其ノ院ノ決議ニ依リ秘密会ト為スコトヲ得

第49条　両議院ハ各ミ天皇ニ上奏スルコトヲ得

第50条　両議院ハ臣民ヨリ呈出スル請願書ヲ受クルコトヲ得

第51条　両議院ハ此ノ憲法及議院法ニ掲クルモノ、外内部ノ整理ニ必要ナル諸規則ヲ定ムルコトヲ得

第52条　両議院ノ議員ハ議院ニ於テ発言シタル意見及表決ニ付院外ニ於テ責ヲ負フコトナシ但シ議員自ラ其ノ言論ヲ演説刊行筆記又ハ其ノ他ノ方法ヲ以テ公布シタルトキハ一般ノ法律ニ依リ処分セラルヘシ

第53条　両議院ノ議員ハ現行犯罪又ハ内乱外患ニ関ル罪ヲ除ク外会期中其ノ院ノ許諾ナクシテ逮捕セラル、コトナシ

第54条　国務大臣及政府委員ハ何時タリトモ各議院ニ出席シ及発言スルコトヲ得

第4章　国務大臣及枢密顧問

第55条　①国務各大臣ハ天皇ヲ輔弼シ其ノ責ニ任ス　②凡テ法律勅令其ノ他国務ニ関ル詔勅ハ国務大臣ノ副署ヲ要ス

第56条　枢密顧問ハ枢密院官制ノ定ムル所ニ依リ天皇ノ諮詢ニ応ヘ重要ノ国務ヲ審議ス

第5章　司法

第57条　①司法権ハ天皇ノ名ニ於テ法律ニ依リ裁判所之ヲ行フ　②裁判所ノ構成ハ法律ヲ以テ之ヲ定ム

第58条　①裁判官ハ法律ニ定メタル資格ヲ具フル者ヲ以テ之ニ任ス　②裁判官ハ刑法ノ宣告又ハ懲戒ノ処分ニ由ルノ外其ノ職ヲ免セラル、コトナシ　③懲戒ノ条規ハ法律ヲ以テ之ヲ定ム

第59条　裁判ノ対審判決ハ之ヲ公開ス但シ安寧秩序又ハ風俗ヲ害スルノ虞アルトキハ法律ニ依リ又ハ裁判所ノ決議ヲ以テ対審ノ公開ヲ停ムルコトヲ得

第60条　特別裁判所ノ管轄ニ属スヘキモノハ別ニ法律ヲ以テ之ヲ定ム

第61条　行政官庁ノ違法処分ニ由リ権利ヲ傷害セラレタリトスルノ訴訟ニシテ別ニ法律ヲ以テ定メタル行政裁判所ノ裁判ニ属スヘキモノハ司法裁判所ニ於テ受理スルノ限ニ在ラス

第6章　会計

第62条　①新ニ租税ヲ課シ及税率ヲ変更スルハ法律ヲ以テ之ヲ定ムヘシ　②但シ報償ニ属スル行政上ノ手数料及其ノ他ノ収納金ハ前項ノ限ニ在ラス　③国債ヲ起シ及予算ニ定メタルモノヲ除ク外国庫ノ負担トナルヘキ契約ヲ為スハ帝国議会ノ協賛ヲ経ヘシ

第63条　現行ノ租税ハ更ニ法律ヲ以テ之ヲ改メサル限ハ旧ニ依リ之ヲ徴収ス

第64条　①国家ノ歳出歳入ハ毎年予算ヲ以テ帝国議会ノ協賛ヲ経ヘシ　②予算ノ款項ニ超過シ又ハ予算ノ外ニ生シタル支出アルトキハ後日帝国議会ノ承諾ヲ求ムルヲ要ス

第65条　予算ハ前ニ衆議院ニ提出スヘシ

第66条　皇室経費ハ現在ノ定額ニ依リ毎年国庫ヨリ之ヲ支出シ将来増額ヲ要スル場合ヲ除ク外帝国議会ノ協賛ヲ要セス

第67条　憲法上ノ大権ニ基ツケル既定ノ歳出及法律ノ結果ニ由リ又ハ法律上政府ノ義務ニ属スル歳出ハ政府ノ同意ナクシテ帝国議会之ヲ廃除シ又ハ削減スルコトヲ得ス

第68条　特別ノ須要ニ因リ政府ハ予メ年限ヲ定メ継続費トシテ帝国議会ノ協賛ヲ求ムルコトヲ得

第69条　避クヘカラサル予算ノ不足ヲ補フ為ニ又ハ予算ノ外ニ生シタル必要ノ費用ニ充ツル為ニ予備費ヲ設クヘシ

第70条　①公共ノ安全ヲ保持スル為緊急ノ需用アル場合ニ於テ内外ノ情形ニ因リ政府ハ帝国議会ヲ召集スルコト能ハサルトキハ勅令ニ依リ財政上必要ノ処分ヲ為スコトヲ得　②前項ノ場合ニ於テハ次ノ会期ニ於テ帝国議会ニ提出シ其ノ承諾ヲ求ムルヲ要ス

第71条　帝国議会ニ於テ予算ヲ議定セス又ハ予算成立ニ至ラサルトキハ政府ハ前年度ノ予算ヲ施行スヘシ

第72条　①国家ノ歳出歳入ノ決算ハ会計検査院之ヲ検査確定シ政府ハ其ノ検査報告ト倶ニ之ヲ帝国議会ニ提出スヘシ　②会計検査院ノ組織及職権ハ法律ヲ以テ之ヲ定ム

第7章　補則

第73条　①将来此ノ憲法ノ条項ヲ改正スルノ必要アルトキハ勅命ヲ以テ議案ヲ帝国議会ノ議ニ付スヘシ　②此ノ場合ニ於テ両議院ハ各ミ其ノ総員3分ノ2以上出席スルニ非サレハ議事ヲ開クコトヲ得ス出席議員3分ノ2以上ノ多数ヲ得ルニ非サレハ改正ノ議決ヲ為スコトヲ得ス

第74条　①皇室典範ノ改正ハ帝国議会ノ議ヲ経ルヲ要セス　②皇室典範ヲ以テ此ノ憲法ノ条規ヲ変更スルコトヲ得ス

第75条　憲法及皇室典範ハ摂政ヲ置クノ間之ヲ変更スルコトヲ得ス

第76条　①法律規則命令又ハ何等ノ名称ヲ用ヰタルニ拘ラス此ノ憲法ニ矛盾セサル現行ノ法令ハ総テ遵由ノ効力ヲ有ス　②歳出上政府ノ義務ニ係ル現在ノ契約又ハ命令ハ総テ第67条ノ例ニ依ル

国会法〔抄〕

(昭和22年4月30日／法律第79号)

第1章　国会の召集及び開会式

第1条［召集詔書の公布］
①国会の召集詔書は、集会の期日を定めて、これを公布する。
②常会の召集詔書は、少なくとも10日前にこれを公布しなければならない。
③臨時会及び特別会（日本国憲法第54条により召集された国会をいう。）の召集詔書の公布は、前項によることを要しない。

第2条［常会］
常会は、毎年1月中に召集するのを常例とする。

第2条の2［特別会と常会の併合］
特別会は、常会と併せてこれを召集することができる。

第2条の3［選挙後の臨時会］
①衆議院議員の任期満了による総選挙が行われたときは、その任期が始まる日から30日以内に臨時会を召集しなければならない。但し、その期間内に常会が召集された場合又はその期間が参議院議員の通常選挙を行うべき期間にかかる場合は、この限りでない。
②参議院議員の通常選挙が行われたときは、その任期が始まる日から30日以内に臨時会を召集しなければならない。但し、その期間内に常会若しくは特別会が召集された場合又はその期間が衆議院議員の任期満了による総選挙を行うべき期間にかかる場合は、この限りでない。

第3条［臨時会の召集決定の要求］
臨時会の召集の決定を要求するには、いずれかの議院の総議員の4分の1以上の議員が連名で、議長を経由して内閣に要求書を提出しなければならない。

第5条［議員の集会］
議員は、召集詔書に指定された期日に、各議院に集会しなければならない。

第8条［開会式］
国会の開会式は、会期の始めにこれを行う。

第9条［開会式の主宰］
①開会式は、衆議院議長が主宰する。
②衆議院議長に事故があるときは、参議院議長が、主宰する。

第2章　国会の会期及び休会

第10条［常会の会期］
常会の会期は、150日間とする。但し、会期中に議員の任期が満限に達する場合には、その満限の日をもって、会期は終了するものとする。

第11条［臨時会・特別会の会期］
臨時会及び特別会の会期は、両議院一致の議決で、

これを定める。

第12条［会期の延長］
①国会の会期は、両議院一致の議決で、これを延長することができる。
②会期の延長は、常会にあっては1回、特別会及び臨時会にあっては2回を超えてはならない。

第13条［会期の議決についての衆議院の優越］
前2条の場合において、両議院の議決が一致しないとき、又は参議院が議決しないときは、衆議院の議決したところによる。

第14条［会期の起算日］
国会の会期は、召集の当日からこれを起算する。

第15条［休会］
①国会の休会は、両議院一致の議決を必要とする。
②国会の休会中、各議院は、議長において緊急の必要があると認めたとき、又は総議員の4分の1以上の議員から要求があったときは、他の院の議長と協議の上、会議を開くことができる。
③前項の場合における会議の日数は、日本国憲法及び法律に定める休会の期間にこれを算入する。
④各議院は、10日以内においてその院の休会を議決することができる。

第4章　議員

第33条［不逮捕特権］
各議院の議員は、院外における現行犯罪の場合を除いては、会期中その院の許諾がなければ逮捕されない。

第34条［逮捕許諾請求の手続］
各議院の議員の逮捕につきその院の許諾を求めるには、内閣は、所轄裁判所又は裁判官が令状を発する前に内閣へ提出した要求書の受理後速かに、その要求書の写を添えて、これを求めなければならない。

第34条の2［会期前逮捕された議員名の通知］
①内閣は、会期前に逮捕された議員があるときは、会期の始めに、その議員の属する議院の議長に、令状の写を添えてその氏名を通知しなければならない。
②内閣は、会期前に逮捕された議員について、会期中勾留期間の延長の裁判があったときは、その議員の属する議院の議長にその旨を通知しなければならない。

第34条の3［釈放要求の発議］
議員が、会期前に逮捕された議員の釈放の要求を発議するには、議員20人以上の連名で、その理由を附した要求書をその院の議長に提出しなければならない。

第35条［歳費］
議員は、一般職の国家公務員の最高の給与額（地

域手当等の手当を除く。）より少なくない歳費を受ける。

第36条［退職金］
議員は、別に定めるところにより、退職金を受けることができる。

第38条［通信手当］
議員は、公の書類を発送し及び公の性質を有する通信をなす等のため、別に定めるところにより手当を受ける。

第39条［兼職禁止］
議員は、内閣総理大臣その他の国務大臣、内閣官房副長官、内閣総理大臣補佐官、副大臣、大臣政務官、大臣補佐官及び別に法律で定めた場合を除いては、その任期中国又は地方公共団体の公務員と兼ねることができない。ただし、両議院一致の議決に基づき、その任期中内閣行政各部における各種の委員、顧問、参与その他これらに準ずる職に就く場合は、この限りでない。

第40条［委員会の種類］
各議院の委員会は、常任委員会及び特別委員会の2種とする。

第5章　委員会及び委員

第47条［審査と会期］
①常任委員会及び特別委員会は、会期中に限り、付託された案件を審査する。
②常任委員会及び特別委員会は、各議院の議決で特に付託された案件（懲罰事犯の件を含む。）については、閉会中もなお、これを審査することができる。
③前項の規定により懲罰事犯の件を閉会中審査に付する場合においては、その会期中に生じた事犯にかかるものでなければならない。
④第2項の規定により閉会中もなお審査することに決したときは、その院の議長から、その旨を他の議院及び内閣に通知する。

第48条［委員長の職務］
委員長は、委員会の議事を整理し、秩序を保持する。

第49条［定足数］
委員会は、その委員の半数以上の出席がなければ、議事を開き議決することができない。

第50条［表決］
委員会の議事は、出席委員の過半数でこれを決し、可否同数のときは、委員長の決するところによる。

第50条の2［法律案の提出］
①委員会は、その所管に属する事項に関し、法律案を提出することができる。
②前項の法律案については、委員長をもって提出者とする。

第51条［公聴会］
①委員会は、一般的関心及び目的を有する重要な案件について、公聴会を開き、真に利害関係を有する者又は学識経験者等から意見を聴くことができる。
②総予算及び重要な歳入法案については、前項の公聴会を開かなければならない。但し、すでに公聴

会を開いた案件と同一の内容のものについては、この限りでない。

第52条［傍聴］
①委員会は、議員の外傍聴を許さない。但し、報道の任務にあたる者その他の者で委員長の許可を得たものについては、この限りでない。
②委員会は、その決議により秘密会とすることができる。
③委員長は、秩序保持のため、傍聴人の退場を命ずることができる。

第53条［院への報告］
委員長は、委員会の経過及び結果を議院に報告しなければならない。

第54条［少数意見の報告］
①委員会において廃棄された少数意見で、出席委員の10分の1以上の賛成があるものは、委員長の報告に次いで、少数意見者がこれを議院に報告することができる。この場合においては、少数意見者は、その賛成者と連名で簡明な少数意見の報告書を議長に提出しなければならない。
②議長は、少数意見の報告につき、時間を制限することができる。
③第1項後段の報告書は、委員会の報告書と共にこれを会議録に掲載する。

第6章　会議

第55条［議事日程、緊急会議］
①各議院の議長は、議事日程を定め、予めこれを議院に報告する。
②議長は、特に緊急の必要があると認めたときは、会議の日時だけを議員に通知して会議を開くことができる。

第55条の2［議事協議会］
①議長は、議事の順序その他必要と認める事項につき、議院運営委員長及び議院運営委員が選任する議事協議員と協議することができる。この場合において、その意見が一致しないときは、議長は、これを裁定することができる。
②議長は、議事協議会の主宰を議院運営委員長に委任することができる。
③議長は、会期中であると閉会中であるとを問わず、何時でも議事協議会を開くことができる。

第56条［議案の発議・処理］
①議員が議案を発議するには、衆議院においては議員20人以上、参議院においては議員10人以上の賛成を要する。但し、予算を伴う法律案を発議するには、衆議院においては議員50人以上、参議院においては議員20人以上の賛成を要する。
②議案が発議又は提出されたときは、議長は、これを適当の委員会に付託し、その審査を経て会議に付する。但し、特に緊急を要するものは、発議者又は提出者の要求に基き、議院の議決で委員会の審査を省略することができる。
③委員会において、議院の会議に付するを要しないと決定した議案は、これを会議に付さない。但し、委員会の決定の日から休会中の期間を除いて7日以内に議員20人以上の要求があるものは、

これを会議に付さなければならない。

④前項但書の要求がないときは、その議案は廃案となる。

⑤前2項の規定は、他の議院から送付された議案については、これを適用しない。

第56条の2［本会議における議案の趣旨説明］

各議院に発議又は提出された議案につき、議院運営委員会が特にその必要を認めた場合は、議院の会議において、その議案の趣旨の説明を聴取することができる。

第56条の3［委員会の中間報告］

①各議院は、委員会の審査中の案件について特に必要があるときは、中間報告を求めることができる。

②前項の中間報告があった案件について、議院が特に緊急を要すると認めたときは、委員会の審査に期限を附し又は議院の会議において審議することができる。

③委員会の審査に期限を附した場合、その期間内に審査を終らなかったときは、議院の会議においてこれを審議するものとする。但し、議院は、委員会の要求により、審査期間を延長することができる。

第56条の4［同一議案審議の禁止］

各議院は、他の議院から送付又は提出された議案と同一の議案を審議することができない。

第57条［議案修正の動議］

議案につき院の会議で修正の動議を議題とするには、衆議院においては議員20人以上、参議院においては議員10人以上の賛成を要する。但し、法律案に対する修正の動議で、予算の増額を伴うもの又は予算を伴うこととなるものについては、衆議院においては議員50人以上、参議院においては議員20人以上の賛成を要する。

第57条の2［予算修正の動議］

予算につき院の会議で修正の動議を議題とするには、衆議院においては議員50人以上、参議院においては議員20人以上の賛成を要する。

第57条の3［予算の増額修正］

各議院又は各議院の委員会は、予算総額の増額修正、委員会の提出若しくは議員の発議にかかる予算を伴う法律案又は法律案に対する修正で、予算の増額を伴うもの若しくは予算を伴うこととなるものについては、内閣に対して、意見を述べる機会を与えなければならない。

第58条［予備審査］

内閣は、一の議院に議案を提出したときは、予備審査のため、提出の日から5日以内に他の議院に同一の案を送付しなければならない。

第59条［内閣提出議案の修正・撤回］

内閣が、各議院の会議又は委員会において議題となった議案を修正し、又は撤回するには、その院の承諾を要する。但し、一の議院で議決した後は、修正し、又は撤回することはできない。

第60条［提出議案の他院での説明］

各議院が提出した議案については、その委員長（その代理者を含む。）又は発議者は、他の議院において、提案の理由を説明することができる。

第61条［発言時間の制限］

①各議院の議長は、質疑、討論その他の発言につき、予め議院の議決があった場合を除いて、時間を制限することができる。

②議長の定めた時間制限に対して、出席議員の5分の1以上から異議を申し立てたときは、議長は、討論を用いないで、議院に諮らなければならない。

③議員が時間制限のため発言を終らなかった部分につき特に院の議決があった場合を除いては、議長の認める範囲内において、これを会議録に掲載する。

第62条［公開の停止］

各議院の会議は、議長又は議員10人以上の発議により、出席議員の3分の2以上の議決があったときは、公開を停めることができる。

第63条［秘密会議の記録］

秘密会議の記録中、特に秘密を要するものとその院において議決した部分は、これを公表しないことができる。

第64条［内閣総理大臣欠缺・辞職の通知］

内閣は、内閣総理大臣が欠けたとき、又は辞表を提出したときは、直ちにその旨を両議院に通知しなければならない。

第65条［議決の奏上、内閣送付］

①国会の議決を要する議案について、最後の議決があった場合にはその院の議長から、衆議院の議決が国会の議決となった場合には衆議院の議長から、その公布を要するものは、これを内閣を経由して奏上し、その他のものは、これを内閣に送付する。

②内閣総理大臣の指名については、衆議院議長から、内閣を経由してこれを奏上する。

第66条［法律の公布期限］

法律は、奏上の日から30日以内にこれを公布しなければならない。

第67条［特別法の議決の確定］

一の地方公共団体のみに適用される特別法については、国会において最後の可決があった場合は、別に法律で定めるところにより、その地方公共団体の住民の投票に付し、その過半数の同意を得たときに、さきの国会の議決が、確定して法律となる。

第68条［会期不継続］

会期中に議決に至らなかった案件は、後会に継続しない。但し、第47条第2項の規定により閉会中審査した議案及び懲罰事犯の件は、後会に継続する。

第6章の2　日本国憲法の改正の発議

第68条の2［発議］

議員が日本国憲法の改正（以下「憲法改正案」という。）の原案（以下「憲法改正原案」という。）を発議するには、第56条第1項の規定にかかわらず、衆議院においては議員100人以上、参議院においては議員50人以上の賛成を要する。

第68条の3［区分発議］

前条の憲法改正原案の発議に当たっては、内容

において関連する事項ごとに区分して行うものとする。

第68条の4 [原案修正の動議]

憲法改正原案につき議院の会議で修正の動議を議題とするには、第57条の規定にかかわらず、衆議院においては議員100人以上、参議院においては議員50人以上の賛成を要する。

第68条の5 [改正案の成立、公示・通知]

①憲法改正原案について国会において最後の可決があった場合には、その可決をもって、国会が日本国憲法第96条第1項に定める日本国憲法の改正（以下「憲法改正」という。）の発議をし、国民に提案したものとする。この場合において、両議院の議長は、憲法改正の発議をした旨及び発議に係る憲法改正案を官報に公示する。

②憲法改正原案について前項の最後の可決があった場合には、第65条第1項の規定にかかわらず、その院の議長から、内閣に対し、その旨を通知するとともに、これを送付する。

第68条の6 [投票の期日]

憲法改正の発議に係る国民投票の期日は、当該発議後速やかに、国会の議決でこれを定める。

第9章　請願

第79条 [請願書]

各議院に請願しようとする者は、議員の紹介により請願書を提出しなければならない。

第80条 [請願の処理]

①請願は、各議院において委員会の審査を経た後これを議決する。

②委員会において、議院の会議に付するを要しないと決定した請願は、これを会議に付さない。但し、議員20人以上の要求があるものは、これを会議に付さなければならない。

第81条 [請願の内閣への送付]

①各議院において採択した請願で、内閣において措置するを適当と認めたものは、これを内閣に送付する。

②内閣は、前項の請願の処理の経過を毎年議院に報告しなければならない。

第82条 [請願受理に関する各議院の独立]

各議院は、各別に請願を受け互に干預しない。

第10章　両議院関係

第83条 [両院間の議案送付・回付①]

①国会の議決を要する議案を甲議院において可決し、又は修正したときは、これを乙議院に送付し、否決したときは、その旨を乙議院に通知する。

②乙議院において甲議院の送付案に同意し、又はこれを否決したときは、その旨を甲議院に通知する。

③乙議院において甲議院の送付案を修正したときは、これを甲議院に回付する。

④甲議院において乙議院の回付案に同意し、又は同意しなかったときは、その旨を乙議院に通知する。

第83条の2 [両院間の議案送付・回付②]

①参議院は、法律案について、衆議院の送付案を否決したときは、その議案を衆議院に返付する。

②参議院は、法律案について、衆議院の回付案に同意しないで、両院協議会を求めたが衆議院がこれを拒んだとき、又は両院協議会を求めないときは、その議案を衆議院に返付する。

③参議院は、予算又は衆議院先議の条約を否決したときは、これを衆議院に返付する。衆議院は、参議院先議の条約を否決したときは、これを参議院に返付する。

第83条の3 [両院間の議案送付・回付③]

①衆議院は、日本国憲法第59条第4項の規定により、参議院が法律案を否決したものとみなしたときは、その旨を参議院に通知する。

②衆議院は、予算及び条約について、日本国憲法第60条第2項又は第61条の規定により衆議院の議決が国会の議決となったときは、その旨を参議院に通知する。

③前2項の通知があったときは、参議院は、直ちにその送付案又は回付案を衆議院に返付する。

第83条の5 [両院間の議案送付・回付④]

甲議院の送付案を、乙議院において継続審査し後の会期で議決したときは、第83条による。

第84条 [法律案に関する両院協議会]

①法律案について、衆議院において参議院の回付案に同意しなかったとき、又は参議院において衆議院の送付案を否決し及び参議院の回付案に同意しなかったときは、衆議院は、両院協議会を求めることができる。

②参議院は、衆議院の回付案に同意しなかったときに限り前項の規定にかかわらず、その通知と同時に両院協議会を求めることができる。但し、衆議院は、この両院協議会の請求を拒むことができる。

第85条 [予算・条約に関する両院協議会]

①予算及び衆議院先議の条約について、衆議院において参議院の回付案に同意しなかったとき、又は参議院において衆議院の送付案を否決したときは、衆議院は、両院協議会を求めなければならない。

②参議院先議の条約について、参議院において衆議院の回付案に同意しなかったとき、又は衆議院において参議院の送付案を否決したときは、参議院は、両院協議会を求めなければならない。

第86条 [内閣総理大臣指名に関する両院協議会]

①各議院において、内閣総理大臣の指名を議決したときは、これを他の議院に通知する。

②内閣総理大臣の指名について、両議院の議決が一致しないときは、参議院は、両院協議会を求めなければならない。

第87条 [その他の両院協議会]

①法律案、予算、条約及び憲法改正原案を除いて、国会の議決を要する案件について、後議の議院が先議の議院の議決に同意しないときは、その旨の通知と共にこれを先議の議院に返付する。

②前項の場合において、先議の議院は、両院協議会を求めることができる。

第88条［両院協議会拒否の禁止］

第84条第2項但書の場合を除いては、一の議院から両院協議会を求められたときは、他の議院は、これを拒むことができない。

第89条［組織］

両院協議会は、各議院において選挙された各々10人の委員でこれを組織する。

第91条［定足数］

両院協議会は、各議院の協議委員の各々3分の2以上の出席がなければ、議事を開き議決することができない。

第91条の2［協議委員の欠席］

①協議委員が、正当な理由がなくて欠席し、又は両院協議会の議長から再度の出席要求があってもなお出席しないときは、その協議委員の属する議院の議長は、当該協議委員は辞任したものとみなす。

②前項の場合において、その協議委員の属する議院は、直ちにその補欠選挙を行わなければならない。

第92条［表決］

①両院協議会においては、協議案が出席協議委員の3分の2以上の多数で議決されたとき成案となる。

②両院協議会の議事は、前項の場合を除いては、出席協議委員の過半数でこれを決し、可否同数のときは、議長の決するところによる。

第93条［協議会成案の審議］

①両院協議会の成案は、両院協議会を求めた議院において先ずこれを議し、他の議院にこれを送付する。

②成案については、更に修正することができない。

第94条［成案不成立の報告］

両院協議会において、成案を得なかったときは、各議院の協議委員議長は、各々その旨を議院に報告しなければならない。

第95条［各議長の出席］

各議院の議長は、両院協議会に出席して意見を述べることができる。

第96条［内閣総理大臣等の出席要求］

両院協議会は、内閣総理大臣その他の国務大臣並びに内閣官房副長官、副大臣及び大臣政務官並びに政府特別補佐人の出席を要求することができる。

第97条［傍聴禁止］

両院協議会は、傍聴を許さない。

第98条［両院協議会規程］

この法律に定めるものの外、両院協議会に関する規程は、両議院の議決によりこれを定める。

第11章　参議院の緊急集会

第99条［請求手続］

①内閣が参議院の緊急集会を求めるには、内閣総理大臣から、集会の期日を定め、案件を示して、参議院議長にこれを請求しなければならない。

②前項の規定による請求があったときは、参議院議長は、これを各議員に通知し、議員は、前項の指定された集会の期日に参議院に集会しなければならない。

第100条［不逮捕特権］

①参議院の緊急集会中、参議院の議員は、院外における現行犯罪の場合を除いては、参議院の許諾がなければ逮捕されない。

②内閣は、参議院の緊急集会前に逮捕された参議院の議員があるときは、集会の期日の前日までに、参議院議長に、令状の写を添えてその氏名を通知しなければならない。

③内閣は、参議院の緊急集会前に逮捕された参議院の議員について、緊急集会中に勾留期間の延長の裁判があったときは、参議院議長にその旨を通知しなければならない。

④参議院の緊急集会前に逮捕された参議院の議員は、参議院の要求があれば、緊急集会中これを釈放しなければならない。

⑤議員が、参議院の緊急集会前に逮捕された議員の釈放の要求を発議するには、議員20人以上の連名で、その理由を附した要求書を参議院議長に提出しなければならない。

第101条［発議］

参議院の緊急集会においては、議員は、第99条第1項の規定により示された案件に関連のあるものに限り、議案を発議することができる。

第102条［請願］

参議院の緊急集会においては、請願は、第99条第1項の規定により示された案件に関連のあるものに限り、これをすることができる。

第102条の2［終了］

緊急の案件がすべて議決されたときは、議長は、緊急集会が終ったことを宣告する。

第102条の5［読替え］

第6条、第47条第1項、第67条及び第69条第2項の規定の適用については、これらの規定中「召集」とあるのは「集会」と、「会期中」とあるのは「緊急集会中」と、「国会において最後の可決があつた場合」とあるのは「参議院の緊急集会において可決した場合」と、「国会」とあるのは「参議院の緊急集会」と、「両議院」とあるのは「参議院」と読み替え、第121条の2の規定の適用については、「会期の終了日又はその前日」とあるのは「参議院の緊急集会の終了日又はその前日」と、「閉会中審査の議決に至らなかったもの」とあるのは「委員会の審査を終了しなかったもの」と、「前の国会の会期」とあるのは「前の国会の会期終了後の参議院の緊急集会」と読み替えるものとする。

第11章の2　憲法審査会

第102条の6［設置］

日本国憲法及び日本国憲法に密接に関連する基本法制について広範かつ総合的に調査を行い、憲法改正原案、日本国憲法に係る改正の発議又は国民投票に関する法律案等を審査するため、各議院に憲法審査会を設ける。

第11章の4　情報監視審査会

第102条の13［設置］

行政における特定秘密（特定秘密の保護に関する

法律（平成 25 年法律第 108 号。以下「特定秘密保護法」という。）第 3 条第 1 項に規定する特定秘密をいう。以下同じ。）の保護に関する制度の運用を常時監視するため特定秘密の指定（同項の規定による指定をいう。）及びその解除並びに適性評価（特定秘密保護法第 12 条第 1 項に規定する適性評価をいう。）の実施の状況について調査し、並びに各議院又は各議院の委員会若しくは参議院の調査会からの第 104 条第 1 項（第 54 条の 4 第 1 項において準用する場合を含む。）の規定による特定秘密の提出の要求に係る行政機関の長（特定秘密保護法第 3 条第 1 項に規定する行政機関の長をいう。以下同じ。）の判断の適否等を審査するため、各議院に情報監視審査会を設ける。

第 102 条の 14［調査のための報告］

情報監視審査会は、調査のため、特定秘密保護法第 19 条の規定による報告を受ける。

第 102 条の 15［行政機関の長の特定秘密提出義務］

①各議院の情報監視審査会から調査のため、行政機関の長に対し、必要な特定秘密の提出（提示を含むものとする。以下第 104 条の 3 までにおいて同じ。）を求めたときは、その求めに応じなければならない。

②前項の場合における特定秘密保護法第 10 条第 1 項及び第 23 条第 2 項の規定の適用については、特定秘密保護法第 10 条第 1 項第 1 号イ中「各議院又は各議院の委員会若しくは参議院の調査会」とあるのは「各議院の情報監視審査会」と、「第 104 条第 1 項（同法第 54 条の 4 第 1 項において準用する場合を含む。）又は議院における証人の宣誓及び証言等に関する法律（昭和 22 年法律第 225 号）第 1 条」とあるのは「第 102 条の 15 第 1 項」と、「審査又は調査であって、国会法第 52 条第 2 項（同法第 54 条の 4 第 1 項において準用する場合を含む。）又は第 62 条の規定により公開しないこととされたもの」とあるのは「調査（公開しないで行われるものに限る。）」と、特定秘密保護法第 23 条第 2 項中「第 10 条」とあるのは「第 10 条（国会法第 102 条の 15 第 2 項の規定により読み替えて適用する場合を含む。）」とする。

③行政機関の長が第 1 項の求めに応じないときは、その理由を疎明しなければならない。その理由をその情報監視審査会において受諾し得る場合には、行政機関の長は、その特定秘密の提出をする必要がない。

④前項の理由を受諾することができない場合は、その情報監視審査会は、更にその特定秘密の提出が我が国の安全保障に著しい支障を及ぼすおそれがある旨の内閣の声明を要求することができる。その声明があった場合は、行政機関の長は、その特定秘密の提出をする必要がない。

⑤前項の要求後 10 日以内に、内閣がその声明を出さないときは、行政機関の長は、先に求められた特定秘密の提出をしなければならない。

第 102 条の 16［改善勧告］

①情報監視審査会は、調査の結果、必要があると認めるときは、行政機関の長に対し、行政における

特定秘密の保護に関する制度の運用について改善すべき旨の勧告をすることができる。

②情報監視審査会は、行政機関の長に対し、前項の勧告の結果とられた措置について報告を求めることができる。

第 102 条の 17［審査］

①情報監視審査会は、第 104 条の 2（第 54 条の 4 第 1 項において準用する場合を含む。）の規定による審査の求め又は要請を受けた場合は、各議院の議決により定めるところにより、これについて審査するものとする。

②各議院の情報監視審査会から審査のため、行政機関の長に対し、必要な特定秘密の提出を求めたときは、その求めに応じなければならない。

③前項の場合における特定秘密保護法第 10 条第 1 項及び第 23 条第 2 項の規定の適用については、特定秘密保護法第 10 条第 1 項第 1 号イ中「各議院又は各議院の委員会若しくは参議院の調査会」とあるのは「各議院の情報監視審査会」と、「第 104 条第 1 項（同法第 54 条の 4 第 1 項において準用する場合を含む。）又は議院における証人の宣誓及び証言等に関する法律（昭和 22 年法律第 225 号）第 1 条」とあるのは「第 102 条の 17 第 2 項」と、「審査又は調査であって、国会法第 52 条第 2 項（同法第 54 条の 4 第 1 項において準用する場合を含む。）又は第 62 条の規定により公開しないこととされたもの」とあるのは「審査（公開しないで行われるものに限る。）」と、特定秘密保護法第 23 条第 2 項中「第 10 条」とあるのは「第 10 条（国会法第 102 条の 17 第 3 項の規定により読み替えて適用する場合を含む。）」とする。

④第 102 条の 15 第 3 項から第 5 項までの規定は、行政機関の長が第 2 項の求めに応じない場合について準用する。

⑤情報監視審査会は、第 1 項の審査の結果に基づき必要があると認めるときは、行政機関の長に対し、当該審査の求め又は要請をした議院又は委員会若しくは参議院の調査会の求めに応じて報告又は記録の提出をすべき旨の勧告をすることができる。この場合において、当該勧告は、その提出を求める報告又は記録の範囲を限定して行うことができる。

⑥第 102 条の 15 第 3 項から第 5 項までの規定は、行政機関の長が前項の勧告に従わない場合について準用する。この場合において、同条第 3 項及び第 4 項中「その特定秘密の提出」とあり、並びに同条第 5 項中「先に求められた特定秘密の提出」とあるのは、「その勧告に係る報告又は記録の提出」と読み替えるものとする。

⑦情報監視審査会は、第 1 項の審査の結果を、当該審査の求め又は要請をした議院又は委員会若しくは参議院の調査会に対して通知するものとする。

第 102 条の 18［事務遂行適格］

各議院の情報監視審査会の事務は、その議院の議長が別に法律で定めるところにより実施する適性評価（情報監視審査会の事務を行った場合に特定秘密を漏らすおそれがないことについての職員又は職員

になることが見込まれる者に係る評価をいう。）においてその事務を行った場合に特定秘密を漏らすおそれがないと認められた者でなければ、行ってはならない。

第102条の19［提出された特定秘密を利用し知ることができる者］

第102条の15及び第102条の17の規定により、特定秘密が各議院の情報監視審査会に提出されたときは、その特定秘密は、その情報監視審査会の委員及び各議院の議決により定める者並びにその事務を行う職員に限り、かつ、その調査又は審査に必要な範囲で、利用し、又は知ることができるものとする。

第102条の20［準用］

情報監視審査会については、第69条から第72条まで及び第104条の規定を準用する。

第102条の21［各議院の議決］

この法律及び他の法律に定めるもののほか、情報監視審査会に関する事項は、各議院の議決によりこれを定める。

第12章　議院と国民及び官庁との関係

第103条［議員の派遣］

各議院は、議案その他の審査若しくは国政に関する調査のために又は議院において必要と認めた場合に、議員を派遣することができる。

第104条［官公署に対する報告・記録の請求］

各議院又は各議院の委員会から審査又は調査のため、内閣、官公署その他に対し、必要な報告又は記録の提出を求めたときは、その求めに応じなければならない。

第104条の2［特定秘密不提出についての審査の求め等］

各議院又は各議院の委員会が前条第1項の規定によりその内容に特定秘密である情報が含まれる報告又は記録の提出を求めた場合において、行政機関の長が同条第2項の規定により理由を疎明してその求めに応じなかったときは、その議院又は委員会は、同条第3項の規定により内閣の声明を要求することに代えて、その議院の情報監視審査会に対し、行政機関の長がその求めに応じないことについて審査を求め、又はこれを要請することができる。

第104条の3［報告・記録を利用し知ることができる者］

第104条の規定により、その内容に特定秘密である情報を含む報告又は記録が各議院又は各議院の委員会に提出されたときは、その報告又は記録は、その院の議員又は委員会の委員及びその事務を行う職員に限り、かつ、その審査又は調査に必要な範囲で、利用し、又は知ることができるものとする。

第13章　辞職、退職、補欠及び資格争訟

第107条［辞職の許可］

各議院は、その議員の辞職を許可することができる。但し、閉会中は、議長においてこれを許可することができる。

第108条［退職］

各議院の議員が、他の議院の議員となったときは、退職者となる。

第109条［同前］

各議院の議員が、法律に定めた被選の資格を失ったときは、退職者となる。

第109条の2［同前］

①衆議院の比例代表選出議員が、議員となった日以後において、当該議員が衆議院名簿登載者（公職選挙法（昭和25年法律第100号）第86条の2第1項に規定する衆議院名簿登載者をいう。以下この項において同じ。）であった衆議院名簿届出政党等（同条第1項の規定による届出をした政党その他の政治団体をいう。以下この項において同じ。）以外の政党その他の政治団体で、当該議員が選出された選挙における衆議院名簿届出政党等であるもの（当該議員が衆議院名簿登載者であった衆議院名簿届出政党等（当該衆議院名簿届出政党等に係る合併又は分割（2以上の政党その他の政治団体の設立を目的として1の政党その他の政治団体が解散し、当該2以上の政党その他の政治団体が設立されることをいう。次項において同じ。）が行われた場合における当該合併後に存続する政党その他の政治団体若しくは当該合併により設立された政党その他の政治団体又は当該分割により設立された政党その他の政治団体を含む。）を含む2以上の政党その他の政治団体の合併により当該合併後に存続するものを除く。）に所属する者となったとき（議員となった日において所属する者である場合を含む。）は、退職者となる。

②参議院の比例代表選出議員が、議員となった日以後において、当該議員が参議院名簿登載者（公職選挙法第86条の3第1項に規定する参議院名簿登載者をいう。以下この項において同じ。）であった参議院名簿届出政党等（同条第1項の規定による届出をした政党その他の政治団体をいう。以下この項において同じ。）以外の政党その他の政治団体で、当該議員が選出された選挙における参議院名簿届出政党等であるもの（当該議員が参議院名簿登載者であった参議院名簿届出政党等（当該参議院名簿届出政党等に係る合併又は分割が行われた場合における当該合併後に存続する政党その他の政治団体若しくは当該合併により設立された政党その他の政治団体又は当該分割により設立された政党その他の政治団体を含む。）を含む2以上の政党その他の政治団体の合併により当該合併後に存続するものを除く。）に所属する者となったとき（議員となった日において所属する者である場合を含む。）は、退職者となる。

第111条［資格争訟］

①各議院において、その議員の資格につき争訟があるときは、委員会の審査を経た後これを議決する。

②前項の争訟は、その院の議員から文書でこれを議長に提起しなければならない。

第113条［争訟中の議員の地位］

議員は、その資格のないことが証明されるまで、

議院において議員としての地位及び権能を失わない。但し、自己の資格争訟に関する会議において弁明はできるが、その表決に加わることができない。

第14章　紀律及び警察

第114条［内部警察権］
国会の会期中各議院の紀律を保持するため、内部警察の権は、この法律及び各議院の定める規則に従い、議長が、これを行う。閉会中もまた、同様とする。

第115条［警察官の派出］
各議院において必要とする警察官は、議長の要求により内閣がこれを派出し、議長の指揮を受ける。

第116条［会議の秩序保持］
会議中議員がこの法律又は議事規則に違いその他議場の秩序をみだし又は議院の品位を傷けるときは、議長は、これを警戒し、又は制止し、又は発言を取り消させる。命に従わないときは、議長は、当日の会議を終るまで、又は議事が翌日に継続した場合はその議事を終るまで、発言を禁止し、又は議場の外に退去させることができる。

第15章　懲罰

第121条［懲罰手続］
①各議院において懲罰事犯があるときは、議長は、先ずこれを懲罰委員会に付し審査させ、議院の議を経てこれを宣告する。
②委員会において懲罰事犯があるときは、委員長は、これを議長に報告し処分を求めなければならない。
③議員は、衆議院においては40人以上、参議院においては20人以上の賛成で懲罰の動議を提出することができる。この動議は、事犯があった日から3日以内にこれを提出しなければならない。

第121条の2［会期末事犯の懲罰手続］
①会期の終了日又はその前日に生じた懲罰事犯で、議長が懲罰委員会に付することができなかったもの並びに懲罰委員会に付され、閉会中審査の議決に至らなかったもの及び委員会の審査を終了し議院の議決に至らなかったものについては、議長は、次の国会の召集の日から3日以内にこれを懲罰委員会に付することができる。
②議員は、会期の終了日又はその前日に生じた事犯で、懲罰の動議を提出するいとまがなかったもの及び動議が提出され議決に至らなかったもの並びに懲罰委員会に付され、閉会中審査の議決に至らなかったもの及び委員会の審査を終了し議院の議

決に至らなかったものについては、前条第3項に規定する定数の議員の賛成で、次の国会の召集の日から3日以内に懲罰の動議を提出することができる。
③前2項の規定は、衆議院にあっては衆議院議員の総選挙の後最初に召集される国会において、参議院にあっては参議院議員の通常選挙の後最初に召集される国会において、前の国会の会期の終了日又はその前日における懲罰事犯については、それぞれこれを適用しない。

第121条の3［閉会中の事犯］
①閉会中、委員会その他議院内部において懲罰事犯があるときは、議長は、次の国会の召集の日から3日以内にこれを懲罰委員会に付することができる。
②議員は、閉会中、委員会その他議院内部において生じた事犯について、第121条第3項に規定する定数の議員の賛成で、次の国会の召集の日から3日以内に懲罰の動議を提出することができる。

第122条［懲罰の種類］
懲罰は、左の通りとする。
1　公開議場における戒告
2　公開議場における陳謝
3　一定期間の登院停止
4　除名

第123条［除名議員の再選］
両議院は、除名された議員で再び当選した者を拒むことができない。

第16章　弾劾裁判所

第125条［弾劾裁判所］
①裁判官の弾劾は、各議院においてその議員の中から選挙された同数の裁判員で組織する弾劾裁判所がこれを行う。
②弾劾裁判所の裁判長は、裁判員がこれを互選する。

第126条［訴追委員会］
①裁判官の罷免の訴追は、各議院においてその議員の中から選挙された同数の訴追委員で組織する訴追委員会がこれを行う。
②訴追委員会の委員長は、その委員がこれを互選する。

第127条［兼職禁止］
弾劾裁判所の裁判員は、同時に訴追委員となることができない。

第129条［別の法律］
この法律に定めるものの外、弾劾裁判所及び訴追委員会に関する事項は、別に法律でこれを定める。

裁判所法〔抜粋〕

（昭和22年4月16日／法律第59号）

第1編　総則

第1条（この法律の趣旨）
日本国憲法に定める最高裁判所及び下級裁判所については、この法律の定めるところによる。

第2条（下級裁判所）
①下級裁判所は、高等裁判所、地方裁判所、家庭裁判所及び簡易裁判所とする。
②下級裁判所の設立、廃止及び管轄区域は、別に法律でこれを定める。

第3条（裁判所の権限）
①裁判所は、日本国憲法に特別の定のある場合を除いて一切の法律上の争訟を裁判し、その他法律において特に定める権限を有する。
②前項の規定は、行政機関が前審として審判することを妨げない。
③この法律の規定は、刑事について、別に法律で陪審の制度を設けることを妨げない。

第4条（上級審の裁判の拘束力）
上級審の裁判所の裁判における判断は、その事件について下級審の裁判所を拘束する。

第5条（裁判官）
①最高裁判所の裁判官は、その長たる裁判官を最高裁判所長官とし、その他の裁判官を最高裁判所判事とする。
②下級裁判所の裁判官は、高等裁判所の長たる裁判官を高等裁判所長官とし、その他の裁判官を判事、判事補及び簡易裁判所判事とする。
③最高裁判所判事の員数は、14人とし、下級裁判所の裁判官の員数は、別に法律でこれを定める。

第2章　最高裁判所

第6条（所在地）
最高裁判所は、これを東京都に置く。

第7条（裁判権）
最高裁判所は、左の事項について裁判権を有する。
1　上告
2　訴訟法において特に定める抗告

第8条（その他の権限）
最高裁判所は、この法律に定めるものの外、他の法律において特に定める権限を有する。

第9条（大法廷・小法廷）
①最高裁判所は、大法廷又は小法廷で審理及び裁判をする。
②大法廷は、全員の裁判官の、小法廷は、最高裁判所の定める員数の裁判官の合議体とする。但し、小法廷の裁判官の員数は、3人以上でなければならない。
③各合議体の裁判官のうち1人を裁判長とする。
④各合議体では、最高裁判所の定める員数の裁判官

が出席すれば、審理及び裁判をすることができる。

第10条（大法廷及び小法廷の審判）
事件を大法廷又は小法廷のいずれで取り扱うかについては、最高裁判所の定めるところによる。但し、左の場合においては、小法廷では裁判をすることができない。
1　当事者の主張に基いて、法律、命令、規則又は処分が憲法に適合するかしないかを判断するとき。（意見が前に大法廷でした、その法律、命令、規則又は処分が憲法に適合するとの裁判と同じであるときを除く。）
2　前号の場合を除いて、法律、命令、規則又は処分が憲法に適合しないと認めるとき。
3　憲法その他の法令の解釈適用について、意見が前に最高裁判所のした裁判に反するとき。

第11条（裁判官の意見の表示）
裁判書には、各裁判官の意見を表示しなければならない。

第12条（司法行政事務）
①最高裁判所が司法行政事務を行うのは、裁判官会議の議によるものとし、最高裁判所長官が、これを総括する。
②裁判官会議は、全員の裁判官でこれを組織し、最高裁判所長官が、その議長となる。

第3編　下級裁判所

第1章　高等裁判所

第15条（構成）
各高等裁判所は、高等裁判所長官及び相応な員数の判事でこれを構成する。

第16条（裁判権）
高等裁判所は、左の事項について裁判権を有する。
1　地方裁判所の第一審判決、家庭裁判所の判決及び簡易裁判所の刑事に関する判決に対する控訴
2　第7条第2号の抗告を除いて、地方裁判所及び家庭裁判所の決定及び命令並びに簡易裁判所の刑事に関する決定及び命令に対する抗告
3　刑事に関するものを除いて、地方裁判所の第二審判決及び簡易裁判所の判決に対する上告
4　刑法第77条乃至第79条の罪に係る訴訟の第一審

第18条（合議制）
①高等裁判所は、裁判官の合議体でその事件を取り扱う。但し、法廷ですべき審理及び裁判を除いて、その他の事項につき他の法律に特別の定があるときは、その定に従う。
②前項の合議体の裁判官の員数は、3人とし、そのうち1人を裁判長とする。但し、第16条第4号の訴訟については、裁判官の員数は、5人とする。

第2章　地方裁判所

第23条（構成）

　各地方裁判所は、相応な員数の判事及び判事補でこれを構成する。

第24条（裁判権）

　地方裁判所は、次の事項について裁判権を有する。

1　第33条第1項第1号の請求以外の請求に係る訴訟（第31条の3第1項第2号の人事訴訟を除く。）及び第33条第1項第1号の請求に係る訴訟のうち不動産に関する訴訟の第一審

2　第16条第4号の罪及び罰金以下の刑に当たる罪以外の罪に係る訴訟の第一審

3　第16条第1号の控訴を除いて、簡易裁判所の判決に対する控訴

4　第7条第2号及び第16条第2号の抗告を除いて、簡易裁判所の決定及び命令に対する抗告

第26条（一人制・合議制）

①地方裁判所は、第2項に規定する場合を除いて、1人の裁判官でその事件を取り扱う。

②次に掲げる事件は、裁判官の合議体でこれを取り扱う。ただし、法廷ですべき審理及び裁判を除いて、その他の事項につき他の法律に特別の定めがあるときは、その定めに従う。

1　合議体で審理及び裁判をする旨の決定を合議体でした事件

2　死刑又は無期若しくは短期1年以上の懲役若しくは禁錮に当たる罪（刑法第236条、第238条又は第239条の罪及びその未遂罪、暴力行為等処罰に関する法律（大正15年法律第60号）第1条ノ2第1項若しくは第2項又は第1条ノ3第1項の罪並びに盗犯等の防止及び処分に関する法律（昭和5年法律第9号）第2条又は第3条の罪を除く。）に係る事件

3　簡易裁判所の判決に対する控訴事件並びに簡易裁判所の決定及び命令に対する抗告事件

4　その他他の法律において合議体で審理及び裁判をすべきものと定められた事件

③前項の合議体の裁判官の員数は、3人とし、そのうち1人を裁判長とする。

第27条（判事補の職権の制限）

①判事補は、他の法律に特別の定めのある場合を除いて、1人で裁判をすることができない。

②判事補は、同時に2人以上合議体に加わり、又は裁判長となることができない。

第3章　家庭裁判所

第31条の2（構成）

　各家庭裁判所は、相応な員数の判事及び判事補でこれを構成する。

第31条の3（裁判権その他の権限）

①家庭裁判所は、次の権限を有する。

1　家事事件手続法（平成23年法律第52号）で定める家庭に関する事件の審判及び調停

2　人事訴訟法（平成15年法律第109号）で定める人事訴訟の第一審の裁判

3　少年法（昭和23年法律第168号）で定める少年の保護事件の審判

②家庭裁判所は、この法律に定めるものの外、他の法律において特に定める権限を有する。

第31条の4（1人制・合議制）

①家庭裁判所は、審判又は裁判を行うときは、次項に規定する場合を除いて、1人の裁判官でその事件を取り扱う。

②次に掲げる事件は、裁判官の合議体でこれを取り扱う。ただし、審判を終局させる決定並びに法廷ですべき審理及び裁判を除いて、その他の事項につき他の法律に特別の定めがあるときは、その定めに従う。

1　合議体で審判又は審理及び裁判をする旨の決定を合議体でした事件

2　他の法律において合議体で審判又は審理及び裁判をすべきものと定められた事件

③前項の合議体の裁判官の員数は、3人とし、そのうち1人を裁判長とする。

第4編　裁判所の職員及び司法修習生

第1章　裁判官

第39条（最高裁判所の裁判官の任免）

①最高裁判所長官は、内閣の指名に基いて、天皇がこれを任命する。

②最高裁判所判事は、内閣でこれを任命する。

③最高裁判所判事の任免は、天皇がこれを認証する。

④最高裁判所長官及び最高裁判所判事の任命は、国民の審査に関する法律の定めるところにより国民の審査に付される。

第40条（下級裁判所の裁判官の任免）

①高等裁判所長官、判事、判事補及び簡易裁判所判事は、最高裁判所の指名した者の名簿によって、内閣でこれを任命する。

②高等裁判所長官の任免は、天皇がこれを認証する。

③第1項の裁判官は、その官に任命された日から10年を経過したときは、その任期を終えるものとし、再任されることができる。

第41条（最高裁判所の裁判官の任命資格）

①最高裁判所の裁判官は、識見の高い、法律の素養のある年齢40年以上の者の中からこれを任命し、そのうち少くとも10人は、10年以上第1号及び第2号に掲げる職の一若しくは二に在った者又は左の各号に掲げる職の一若しくは二以上に在ってその年数を通算して20年以上になる者でなければならない。

1　高等裁判所長官

2　判事

3　簡易裁判所判事

4　検察官

5　弁護士

6　別に法律で定める大学の法律学の教授又は准教授

②5年以上前項第1号及び第2号に掲げる職の一若しくは二に在った者又は10年以上同項第1号から第6号までに掲げる職の一若しくは二以上に在った者が判事補、裁判所調査官、最高裁判所事務総長、裁判所事務官、司法研修所教官、裁判所職員総合研修所教官、法務省の事務次官、法務事務官又は法務教官の職に在ったときは、その在職は、同項の規定の適用については、これを同項第3号から第6号までに掲げる職の在職とみなす。

③前2項の規定の適用については、第1項第3号乃至第5号及び前項に掲げる職に在った年数は、司法修習生の修習を終えた後の年数に限り、これを当該職に在った年数とする。

④3年以上第1項第6号の大学の法律学の教授又は准教授の職に在った者が簡易裁判所判事、検察官又は弁護士の職に就いた場合においては、その簡易裁判所判事、検察官（副検事を除く。）又は弁護士の職に在った年数については、前項の規定は、これを適用しない。

第42条（高等裁判所長官及び判事の任命資格）

①高等裁判所長官及び判事は、次の各号に掲げる職の一又は二以上に在ってその年数を通算して10年以上になる者の中からこれを任命する。
1　判事補
2　簡易裁判所判事
3　検察官
4　弁護士
5　裁判所調査官、司法研修所教官又は裁判所職員総合研修所教官
6　前条第1項第6号の大学の法律学の教授又は准教授

②前項の規定の適用については、3年以上同項各号に掲げる職の一又は二以上に在った者が裁判所事務官、法務事務官又は法務教官の職に在ったときは、その在職は、これを同項各号に掲げる職の在職とみなす。

③前2項の規定の適用については、第1項第2号乃至第5号及び前項に掲げる職に在った年数は、司法修習生の修習を終えた後の年数に限り、これを当該職に在った年数とする。

④3年以上前条第1項第6号の大学の法律学の教授又は准教授の職に在った者が簡易裁判所判事、検察官又は弁護士の職に就いた場合においては、その簡易裁判所判事、検察官（副検事を除く。）又は弁護士の職に在った年数については、前項の規定は、これを適用しない。司法修習生の修習を終えないで簡易裁判所判事又は検察官に任命された者の第66条の試験に合格した後の簡易裁判所判事、検察官（副検事を除く。）又は弁護士の職に在った年数についても、同様とする。

第43条（判事補の任命資格）

判事補は、司法修習生の修習を終えた者の中からこれを任命する。

第44条（簡易裁判所判事の任命資格）

①簡易裁判所判事は、高等裁判所長官若しくは判事の職に在った者又は次の各号に掲げる職の一若しくは二以上に在ってその年数を通算して三年以上

になる者の中からこれを任命する。
1　判事補
2　検察官
3　弁護士
4　裁判所調査官、裁判所事務官、司法研修所教官、裁判所職員総合研修所教官、法務事務官又は法務教官
5　第41条第1項第6号の大学の法律学の教授又は准教授

②前項の規定の適用については、同項第2号乃至第4号に掲げる職に在った年数は、司法修習生の修習を終えた後の年数に限り、これを当該職に在った年数とする。

③司法修習生の修習を終えないで検察官に任命された者の第66条の試験に合格した後の検察官（副検事を除く。）又は弁護士の職に在った年数については、前項の規定は、これを適用しない。

第46条（任命の欠格事由）

他の法律の定めるところにより一般の官吏に任命されることができない者の外、左の各号の一に該当する者は、これを裁判官に任命することができない。
1　禁錮以上の刑に処せられた者
2　弾劾裁判所の罷免の裁判を受けた者

第47条（補職）

下級裁判所の裁判官の職は、最高裁判所がこれを補する。

第48条（身分の保障）

裁判官は、公の弾劾又は国民の審査に関する法律による場合及び別に法律で定めるところにより心身の故障のために職務を執ることができないと裁判された場合を除いては、その意思に反して、免官、転官、転所、職務の停止又は報酬の減額をされることはない。

第49条（懲戒）

裁判官は、職務上の義務に違反し、若しくは職務を怠り、又は品位を辱める行状があったときは、別に法律で定めるところにより裁判によって懲戒される。

第50条（定年）

最高裁判所の裁判官は、年齢70年、高等裁判所、地方裁判所又は家庭裁判所の裁判官は、年齢65年、簡易裁判所の裁判官は、年齢70年に達した時に退官する。

第51条（報酬）

裁判官の受ける報酬については、別に法律でこれを定める。

第52条（政治運動等の禁止）

裁判官は、在任中、左の行為をすることができない。
1　国会若しくは地方公共団体の議会の議員となり、又は積極的に政治運動をすること。
2　最高裁判所の許可のある場合を除いて、報酬のある他の職務に従事すること。
3　商業を営み、その他金銭上の利益を目的とする業務を行うこと。

裁判所法

第5編　裁判事務の取扱

第1章　法廷

第69条（開廷の場所）

①法廷は、裁判所又は支部でこれを開く。

②最高裁は、必要と認めるときは、前項の規定にかかわらず、他の場所で法廷を開き、又はその指定する他の場所で下級裁判所に法廷を開かせることができる。

第70条（公開停止の手続）

　裁判所は、日本国憲法第82条第2項の規定により対審を公開しないで行うには、公衆を退廷させる前に、その旨を理由とともに言い渡さなければならない。判決を言い渡すときは、再び公衆を入廷させなければならない。

第71条（法廷の秩序維持）

①法廷における秩序の維持は、裁判長又は開廷をした1人の裁判官がこれを行う。

②裁判長又は開廷をした1人の裁判官は、法廷における裁判所の職務の執行を妨げ、又は不当な行状をする者に対し、退廷を命じ、その他法廷における秩序を維持するのに必要な事項を命じ、又は処置を執ることができる。

第71条の2（警察官の派出要求）

①裁判長又は開廷をした1人の裁判官は、法廷における秩序を維持するため必要があると認めるときは、警視総監又は道府県警察本部長に警察官の派出を要求することができる。法廷における秩序を維持するため特に必要があると認めるときは、開廷前においてもその要求をすることができる。

②前項の要求により派出された警察官は、法廷における秩序の維持につき、裁判長又は1人の裁判官の指揮を受ける。

第72条（法廷外における処分）

①裁判所が他の法律の定めるところにより法廷外の場所で職務を行う場合において、裁判長又は1人の裁判官は、裁判所の職務の執行を妨げる者に対し、退去を命じ、その他必要な事項を命じ、又は処置を執ることができる。

②前条の規定は、前項の場合にこれを準用する。

③前2項に規定する裁判長の権限は、裁判官が他の法律の定めるところにより法廷外の場所で職務を行う場合において、その裁判官もこれを有する。

第73条（審判妨害罪）

　第71条又は前条の規定による命令に違反して裁判所又は裁判官の職務の執行を妨げた者は、これを1年以下の懲役若しくは禁錮又は千円以下の罰金に処する。

第3章　裁判の評議

第75条（評議の秘密）

①合議体でする裁判の評議は、これを公行しない。但し、司法修習生の傍聴を許すことができる。

②評議は、裁判長が、これを開き、且つこれを整理する。その評議の経過並びに各裁判官の意見及びその多少の数については、この法律に特別の定がない限り、秘密を守らなければならない。

第76条（意見を述べる義務）

　裁判官は、評議において、その意見を述べなければならない。

第77条（評決）

①裁判は、最高裁判所の裁判について最高裁判所が特別の定をした場合を除いて、過半数の意見による。

②過半数の意見によって裁判をする場合において、左の事項について意見が3説以上に分れ、その説が各ミ半数にならないときは、裁判は、左の意見による。

1　数額については、過半数になるまで最も多額の意見の数を順次少額の意見の数に加え、その中で最も少額の意見

2　刑事については、過半数になるまで被告人に最も不利な意見の数を順次利益な意見の数に加え、その中で最も利益な意見

第6編　司法行政

第80条（司法行政の監督）

　司法行政の監督権は、左の各号の定めるところによりこれを行う。

1　最高裁判所は、最高裁判所の職員並びに下級裁判所及びその職員を監督する。

2　各高等裁判所は、その高等裁判所の職員並びに管轄区域内の下級裁判所及びその職員を監督する。

3　各地方裁判所は、その地方裁判所の職員並びに管轄区域内の簡易裁判所及びその職員を監督する。

4　各家庭裁判所は、その家庭裁判所の職員を監督する。

5　第37条に規定する簡易裁判所の裁判官は、その簡易裁判所の裁判官以外の職員を監督する。

第81条（監督権と裁判権との関係）

　前条の監督は、裁判官の裁判権に影響を及ぼし、又はこれを制限することはない。

憲法編

裁判官弾劾法〔抜粋〕

（昭和22年11月20日／法律第137号）

第1章　総則

第1条（この法律の趣旨）
　裁判官の弾劾については、国会法に定めるものの外、この法律の定めるところによる。

第2条（弾劾による罷免の事由）
　弾劾により裁判官を罷免するのは、左の場合とする。
　　1　職務上の義務に著しく違反し、又は職務を甚だしく怠ったとき。
　　2　その他職務の内外を問わず、裁判官としての威信を著しく失うべき非行があったとき。

第4条（弾劾裁判所及び訴追委員会の職権行使）
　弾劾裁判所及び訴追委員会は、国会の閉会中でも職権を行うことができる。

第2章　訴追

第5条（裁判官訴追委員・予備員）
①裁判官訴追委員（以下訴追委員という。）の員数は、衆議院議員及び参議院議員各10人とし、その予備員の員数は、衆議院議員及び参議院議員各5人とする。
②衆議院議員たる訴追委員及びその予備員の選挙は、衆議院議員総選挙の後初めて召集される国会の会期の始めにこれを行う。
③衆議院議員たる訴追委員又はその予備員が欠けたときは、衆議院においてその補欠選挙を行う。
④参議院における訴追委員及びその予備員の選挙は、第22回国会の会期中にこれを行う。
⑤参議院議員たる訴追委員又はその予備員が欠けたときは、参議院においてその補欠選挙を行う。
⑥訴追委員及びその予備員の任期は、衆議院議員又は参議院議員としての任期による。
⑦訴追委員又はその予備員が辞職しようとするときは、委員長を経由して、その者の属する議院の許可を受けなければならない。但し、国会の閉会中は、その者の属する議院の議長の許可を受けて辞職することができる。
⑧予備員は、その者の属する議院の議員たる訴追委員に事故のある場合又はその訴追委員が欠けた場合に、その訴追委員の職務を行う。
⑨予備員が前項の規定により職務を行う順序は、その選挙の際、その者の属する議院の議決によりこれを定める。
⑩委員長は、国会の閉会中その職務を行う場合においては、両議院の議長の協議して定めるところにより、職務雑費を受ける。国会議員の歳費、旅費及び手当等に関する法律（昭和22年法律第80号）第9条第2項の規定は、この場合について準用する。

第15条（訴追の請求）
①何人も、裁判官について弾劾による罷免の事由があると思料するときは、訴追委員会に対し、罷免の訴追をすべきことを求めることができる。
②高等裁判所長官はその勤務する裁判所及びその管轄区域内の下級裁判所について、地方裁判所長はその勤務する裁判所及びその管轄区域内の簡易裁判所の裁判官について、家庭裁判所長はその勤務する裁判所の裁判官について、弾劾による罷免の事由があると思料するときは、最高裁判所に対し、その旨を報告しなければならない。
③最高裁判所は、裁判官について、弾劾による罷免の事由があると思料するときは、訴追委員会に対し罷免の訴追をすべきことを求めなければならない。
④罷免の訴追の請求をするには、その事由を記載した書面を提出しなければならない。但し、その証拠は、これを要しない。

第3章　裁判

第16条（裁判員・予備員）
①裁判員の員数は、衆議院議員及び参議院議員各7人とし、その予備員の員数は、衆議院議員及び参議院議員各4人とする。
②衆議院議員たる裁判員及びその予備員については、第5条第2項及び第3項の規定を準用する。
③参議院における裁判員及びその予備員の選挙は、第1回国会の会期中にこれを行う。
④参議院議員たる裁判員又はその予備員が欠けたときは、参議院においてその補欠選挙を行う。
⑤裁判員及びその予備員の任期は、衆議院議員又は参議院議員としての任期による。
⑥裁判員及びその予備員が辞職しようとするときは、裁判長を経由して、その者の属する議院の許可を受けなければならない。但し、国会の閉会中は、その者の属する議院の議長の許可を受けて辞職することができる。
⑦予備員は、その者の属する議院の議員たる裁判員に事故のある場合又はその裁判員が欠けた場合に、その裁判員の職務を行う。
⑧予備員が前項の規定により職務を行う順序は、その選挙の際、その者の属する議院の議決によりこれを定める。
⑨裁判長は、国会開会中その職務を行う場合においては、両議院の議長の協議して定めるところにより、職務雑費を受ける。第5条第10項後段の規定は、この場合について準用する。

第22条（弁護人の選任）
①罷免の訴追を受けた裁判官は、何時でも弁護人を選任することができる。

②弁護人については、刑事訴訟に関する法令の規定を準用する。

第32条（一事不再理）
弾劾裁判所は、既に裁判を経た事由については、罷免の裁判をすることができない。

第37条（罷免の裁判の効果）
裁判官は、罷免の裁判の宣告により罷免される。

第38条（資格回復の裁判）
①弾劾裁判所は左の場合においては、罷免の裁判を受けた者の請求により、資格回復の裁判をすることができる。
1　罷免の裁判の宣告の日から5年を経過し相当とする事由があるとき。
2　罷免の事由がないことの明確な証拠をあらたに発見し、その他資格回復の裁判をすることを相当とする事由があるとき。
②資格回復の裁判は、罷免の裁判を受けた者がその裁判を受けたため他の法律の定めるところにより失った資格を回復する。

第39条（裁判官の職務の停止）
弾劾裁判所は、相当と認めるときは、何時でも、罷免の訴追を受けた裁判官の職務を停止することができる。

〔参考〕裁判官分限法第1条（免官）　①裁判官は、回復の困難な心身の故障のために職務を執ることができないと裁判された場合及び本人が免官を願い出た場合には、日本国憲法の定めるところによりその官の任命を行う権限を有するものにおいてこれを免ずることができる。　②前項の願出は、最高裁判所を経てこれをしなければならない。

第2条（懲戒）　裁判官の懲戒は、戒告又は1万円以下の過料とする。

第3条（裁判権）　①各高等裁判所は、その管轄区域内の地方裁判所、家庭裁判所及び簡易裁判所の裁判官に係る第1条第1項の裁判及び前条の懲戒に関する事件（以下分限事件という。）について裁判権を有する。　②最高裁判所は、左の事件について裁判権を有する。
1　第一審且つ終審として、最高裁判所及び各高等裁判所の裁判官に係る分限事件
2　終審として、高等裁判所が前項の裁判権に基いてした裁判に対する抗告事件

第4条（合議体）　分限事件は、高等裁判所においては、5人の裁判官の合議体で、最高裁判所にいては、大法廷で、これを取り扱う。

第5条（管轄）　分限事件の管轄裁判所は、第6条の申立の時を標準としてこれを定める。

第6条（事件の開始）　分限事件の裁判手続は、裁判所法第80条の規定により当該裁判官に対して監督権を行う裁判所の申立により、これを開始する。

第7条（裁判）　①第1条第1項の裁判又は第2条の懲戒の裁判をするには、その原因たる事実及び証拠によりこれを認めた理由を示さなければならない。　②裁判所は、前項の裁判をする前に当該裁判官の陳述を聴かなければならない。

第8条（抗告）　①高等裁判所が分限事件についてした裁判に対しては、最高裁判所の定めるところにより抗告をすることができる。　②抗告裁判所の裁判については、前条の規定を準用する。

第9条（手続の費用）　分限事件の手続の費用は、国庫の負担とする。

第10条（手続の中止）　分限事件の裁判手続は、当該裁判官について刑事又は弾劾の裁判事件が係属する間は、これを中止することができる。

第11条（裁判手続）　分限事件の裁判手続は、この法律に特別の定のあるものを除いて、最高裁判所の定めるところによる。

第12条（裁判の通知）　第1条第1項の裁判が確定したときは、最高裁判所は、その旨を内閣に通知しなければならない。

第13条（過料の裁判の執行）　懲戒による過料の裁判の執行については、非訟事件手続法（平成23年法律第51号）第121条の規定を準用する。

憲法編

財政法〔抜粋〕

（昭和22年3月31日／法律第34号）

第1章　財政総則

第1条［目的］

国の予算その他財政の基本に関しては、この法律の定めるところによる。

第2条［収入・支出・歳入・歳出の意義］

①収入とは、国の各般の需要を充たすための支払の財源となるべき現金の収納をいい、支出とは、国の各般の需要を充たすための現金の支払をいう。

②前項の現金の収納には、他の財産の処分又は新らたな債務の負担に因り生ずるものをも含み、同項の現金の支払には、他の財産の取得又は債務の減少を生ずるものをも含む。

③なお第1項の収入及び支出には、会計間の繰入その他国庫内において行う移換によるものを含む。

④歳入とは、1会計年度における一切の収入をいい、歳出とは、1会計年度における一切の支出をいう。

第3条［課徴金・専売価格・事業料金と国会］

租税を除く外、国が国権に基いて収納する課徴金及び法律上又は事実上国の独占に属する事業における専売価格若しくは事業料金については、すべて法律又は国会の議決に基いて定めなければならない。

第4条［歳出財源の制限］

①国の歳出は、公債又は借入金以外の歳入を以て、その財源としなければならない。但し、公共事業費、出資金及び貸付金の財源については、国会の議決を経た金額の範囲内で、公債を発行し又は借入金をなすことができる。

②前項但書の規定により公債を発行し又は借入金をなす場合においては、その償還の計画を国会に提出しなければならない。

③第1項に規定する公共事業費の範囲については、毎会計年度、国会の議決を経なければならない。

第5条［公債発行・借入金借入の制限］

すべて、公債の発行については、日本銀行にこれを引き受けさせ、又、借入金の借入については、日本銀行からこれを借り入れてはならない。但し、特別の事由がある場合において、国会の議決を経た金額の範囲内では、この限りでない。

第6条［剰余金充当の制限］

①各会計年度において歳入歳出の決算上剰余を生じた場合においては、当該剰余金のうち、2分の1を下らない金額は、他の法律によるものの外、これを剰余金を生じた年度の翌翌年度までに、公債又は借入金の償還財源に充てなければならない。

②前項の剰余金の計算については、政令でこれを定める。

第7条［財務省証券の発行、一時借入金］

①国は、国庫金の出納上必要があるときは、財務省証券を発行し又は日本銀行から一時借入金をなすことができる。

②前項に規定する財務省証券及び一時借入金は、当該年度の歳入を以て、これを償還しなければならない。

③財務省証券の発行及び一時借入金の借入の最高額については、毎会計年度、国会の議決を経なければならない。

第2章　会計区分

第11条［会計年度］

国の会計年度は、毎年4月1日に始まり、翌年3月31日に終るものとする。

第13条［一般会計・特別会計］

①国の会計を分つて一般会計及び特別会計とする。

②国が特定の事業を行う場合、特定の資金を保有してその運用を行う場合その他特定の歳入を以て特定の歳出に充て一般の歳入歳出と区分して経理する必要がある場合に限り、法律を以て、特別会計を設置するものとする。

第3章　予算

第1節　総則

第14条［予算総計主義］

歳入歳出は、すべて、これを予算に編入しなければならない。

第14条の2［継続費］

①国は、工事、製造その他の事業で、その完成に数年度を要するものについて、特に必要がある場合においては、経費の総額及び年割額を定め、予め国会の議決を経て、その議決するところに従い、数年度にわたって支出することができる。

②前項の規定により国が支出することができる年限は、当該会計年度以降5箇年度以内とする。但し、予算を以て、国会の議決を経て更にその年限を延長することができる。

③前2項の規定により支出することができる経費は、これを継続費という。

④前3項の規定は、国会が、継続費成立後の会計年度の予算の審議において、当該継続費につき重ねて審議することを妨げるものではない。

第14条の3［繰越明許費］

①歳出予算の経費のうち、その性質上又は予算成立後の事由に基き年度内にその支出を終らない見込のあるものについては、予め国会の議決を経て、翌年度に繰り越して使用することができる。

②前項の規定により翌年度に繰り越して使用することができる経費は、これを繰越明許費という。

第15条［国庫債務負担行為］

①法律に基くもの又は歳出予算の金額（第43条の

3に規定する承認があった金額を含む。）若しくは継続費の総額の範囲内におけるものの外、国が債務を負担する行為をなすには、予め予算を以て、国会の議決を経なければならない。

②前項に規定するものの外、災害復旧その他緊急の必要がある場合においては、国は毎会計年度、国会の議決を経た金額の範囲内において、債務を負担する行為をなすことができる。

③前2項の規定により国が債務を負担する行為に因り支出すべき年限は、当該会計年度以降5箇年度以内とする。但し、国会の議決により更にその年限を延長するもの並びに外国人に支給する給料及び恩給、地方公共団体の債務の保証又は債務の元利若しくは利子の補給、土地、建物の借料及び国際条約に基く分担金に関するもの、その他法律で定めるものは、この限りでない。

④第2項の規定により国が債務を負担した行為については、次の常会において国会に報告しなければならない。

⑤第1項又は第2項の規定により国が債務を負担する行為は、これを国庫債務負担行為という。

第2節　予算の作成

第16条［予算の内容］
予算は、予算総則、歳入歳出予算、継続費、繰越明許費及び国庫債務負担行為とする。

第19条［独立機関の歳出見積りの減額］
内閣は、国会、裁判所及び会計検査院の歳出見積を減額した場合においては、国会、裁判所又は会計検査院の送付に係る歳出見積につき、その詳細を歳入歳出予算に附記するとともに、国会が、国会、裁判所又は会計検査院に係る歳出額を修正する場合における必要な財源についても明記しなければならない。

第20条［歳入予算明細書・予定経費要求書等の作製］
①財務大臣は、毎会計年度、第18条の閣議決定に基いて、歳入予算明細書を作製しなければならない。

②衆議院議長、参議院議長、最高裁判所長官、会計検査院長並びに内閣総理大臣及び各省大臣（以下各省各庁の長という。）は、毎会計年度、第18条の閣議決定のあった概算の範囲内で予定経費要求書、継続費要求書、繰越明許費要求書及び国庫債務負担行為要求書（以下予定経費要求書等という。）を作製し、これを財務大臣に送付しなければならない。

第21条［予算の作成・決定］
財務大臣は、歳入予算明細書、衆議院、参議院、裁判所、会計検査院並びに内閣（内閣府を除く。）、内閣府及び各省（以下「各省各庁」という。）の予定経費要求書等に基いて予算を作成し、閣議の決定を経なければならない。

第27条［予算の国会提出］
内閣は、毎会計年度の予算を、前年度の1月中に、

国会に提出するのを常例とする。

第29条［補正予算］
内閣は、次に掲げる場合に限り、予算作成の手続に準じ、補正予算を作成し、これを国会に提出することができる。

1　法律上又は契約上の義務に属する経費の不足を補うほか、予算作成後に生じた事由に基づき特に緊要となった経費の支出（当該年度において国庫内の移換えにとどまるものを含む。）又は債務の負担を行なうため必要な予算の追加を行なう場合

2　予算作成後に生じた事由に基づいて、予算に追加以外の変更を加える場合

第30条［暫定予算］
①内閣は、必要に応じて、1会計年度のうちの一定期間に係る暫定予算を作成し、これを国会に提出することができる。

②暫定予算は、当該年度の予算が成立したときは、失効するものとし、暫定予算に基く支出又はこれに基く債務の負担があるときは、これを当該年度の予算に基いてなしたものとみなす。

第3節　予算の執行

第33条［移用・流用の制限］
①各省各庁の長は、歳出予算又は継続費の定める各部局等の経費の金額又は部局等内の各項の経費の金額については、各部局等の間又は各項の間において彼此移用することができない。但し、予算の執行上の必要に基き、あらかじめ予算をもって国会の議決を経た場合に限り、財務大臣の承認を経て移用することができる。

②各省各庁の長は、各目の経費の金額については、財務大臣の承認を経なければ、目の間において、彼此流用することができない。

③財務大臣は、第1項但書又は前項の規定に基く移用又は流用について承認をしたときは、その旨を当該各省各庁の長及び会計検査院に通知しなければならない。

④第1項但書又は第2項の規定により移用又は流用した経費の金額については、歳入歳出の決算報告書において、これを明らかにするとともに、その理由を記載しなければならない。

第36条［予備費支弁の調書・総調書］
①予備費を以て支弁した金額については、各省各庁の長は、その調書を作製して、次の国会の常会の開会後直ちに、これを財務大臣に送付しなければならない。

②財務大臣は、前項の調書に基いて予備費を以て支弁した金額の総調書を作製しなければならない。

③内閣は、予備費を以て支弁した総調書及び各省各庁の調書を次の常会において国会に提出して、その承諾を求めなければならない。

④財務大臣は、前項の総調書及び調書を会計検査院に送付しなければならない。

行政法編

◆ 試 験 種 別 出 題 数 ◆

試 験 種 別		第 1 次試験日	出題数
国家公務員	国家総合職（法律）	4 月第 2 週	*12*
	国家総合職（政治・国際）		*5*
	国家総合職（経済）		*–*
	国税専門官	6 月第 1 週	*3*
	財務専門官		*8*
	労働基準監督官 A		*4*
	国家一般職	6 月第 2 週	*5*
	裁判所事務官総合・一般職	5 月第 2 週（土）	*–*
地方公務員	地方上級［全国型］	6 月第 3 週	*5*
	地方上級［関東型］		*5*
	地方上級［中部・北陸型］※		*8*
	地方上級［法律専門型］		*12*
	地方上級［経済専門型］		*–*
	市役所 A 日程（一部）		*6*
	特別区（東京 23 区）Ⅰ類	4 月第 4 週	*5*

※名古屋市：4 月第 4 週／愛知県：5 月第 3 週

行政法総論

1　行政上の法律関係

◇公法と私法

Q1 国の普通財産売払代金債権は、会計法30条に規定する5年の消滅時効期間に服するのか。

A 5年の消滅時効期間に服さない。　国の普通財産の売払いは、国有財産法および会計法の各規定に準拠して行われるとしても、その法律関係は本質上私法関係というべきであり、その結果生じた代金債権もまた私法上の金銭債権であって、公法上の金銭債権ではないから、会計法30条の規定により5年の消滅時効期間に服さない（最判昭41・11・1）。

出題 国Ⅰ-昭和55、地方上級-平成8（市共通）

〔参考〕会計法第30条　金銭の給付を目的とする国の権利で、時効に関し他の法律に規定がないものは、これを行使することができる時から5年間行使しないときは、時効によって消滅する。国に対する権利で、金銭の給付を目的とするものについても、また同様とする。

Q2 私企業の労働者の不法行為によって国が不法行為に基づく損害賠償請求権を取得した場合、当該債権は会計法31条1項の時効の利益の放棄を許さないとの規定の適用を受けるか。

A 規定の適用を受けない。　私企業の労働者に対する不法行為に基づく損害賠償債権は、私法上の金銭債権であって、公法上の金銭債権ではないから、その時効による消滅については、会計法31条1項にいう「別段の規定」である民法の規定が適用される。それ故、本訴請求債権は、会計法31条1項の規定する時効の利益を放棄することができない旨の制限に服さない（最判昭44・11・6）。

出題 国Ⅰ-昭和62

〔参考〕会計法第31条　①金銭の給付を目的とする国の権利の時効による消滅については、別段の規定がないときは、時効の援用を要せず、また、その利益を放棄することができないものとする。国に対する権利で、金銭の給付を目的とするものについても、また同様とする。

Q3 現業国家公務員の勤務関係は、国家公務員法が全面的に適用されるいわゆる非現業の国家公務員の勤務関係とは異なり、当事者の自治にゆだねられているから、公法上の関係ではないのか。

A 公法上の関係である。　現業公務員は、一般職の国家公務員として、国の行政機関に勤務するものであり、しかも、その勤務関係の根幹をなす任用、分限、懲戒、服務等については、国家公務員法およびそれに基づく人事院規則の詳細な規定がほぼ全面的に適用されているその勤務関係は、基本的には、

公法的規律に服する公法上の関係である。もっとも、現業公務員は、国が経営するものとはいえ、経済的活動を行う企業に従事するものであるし、さらに、当該公務員に適用される公労法8条・40条1項などからすると、その勤務関係は、国家公務員法が全面的に適用されるいわゆる非現業の国家公務員のそれとは異なり、ある程度当事者の自治に委ねられている面があるが、上記の面も、結局は国家公務員法および人事院規則による強い制約の下にあるから、これをもって、現業公務員の勤務関係が基本的に公法上の関係であることを否定することはできない（最判昭49・7・19）。

出題 国Ⅰ-平成3・昭和59、国Ⅱ-平成12、地方上級-平成8、国税-平成5

Q4 国が公務員に対する安全配慮義務を懈怠したために、公務員が生命・健康等を害した場合、公務員の国に対する損害賠償請求権の消滅時効は5年か。

A 民法167条1項の適用により10年である。会計法30条が金銭の給付を目的とする国の権利および国に対する権利につき5年の消滅時効期間を定めたのは、国の権利義務を早期に決済する必要があるなど行政上の便宜を考慮したためである。これに対して、国が、公務員に対する安全配慮義務を懈怠し違法に公務員の生命、健康等侵害して損害を受けた公務員に対し損害賠償の義務を負う事態は、その発生が偶発的であって多発するものとはいえないから、上記義務につき前記のような行政上の便宜を考慮する必要はなく、また、国が義務者であっても、被害者に損害を賠償すべき義務は、公平の理念に基づき被害者に生じた損害の公平な塡補を目的とする点において、私人相互間における損害賠償の関係とその目的性質を異にするのではないから、国に対する上記損害賠償請求権の消滅時効期間は、会計法30条所定の5年ではなく、民法167条1項により10年と解すべきである〈陸上自衛隊八戸事件〉（最判昭50・2・25）。

出題 国家総合-令和4・1・平成29・27、国Ⅰ-平成22・13・12・昭和62、国Ⅱ-平成12、国税-平成5

Q5 国は、公務員の生命および健康等を危険から保護するよう配慮する義務を負う必要はないのか。

A 必要がある〈陸上自衛隊八戸事件〉（最判昭50・2・25）。⇨4

Q6 国は、拘置所に収容された被勾留者に対して、当該診療行為に関し、被勾留者の生命および身体の安全を確保し、危険から保護する義務とともに、その不履行が損害賠償責任を生じさせることとなる信義則上の安全配慮義務を負うのか。

A 信義則上の安全配慮義務を負わない。　未決勾

留は、刑事訴訟法の規定に基づき、逃亡又は罪証隠滅の防止を目的として、被疑者又は被告人の居住を刑事施設内に限定するものであって、このような未決勾留による拘禁関係は、勾留の裁判に基づき被勾留者の意思にかかわらず形成され、法令等の規定に従って規律されるものである。そうすると、未決勾留による拘禁関係は、当事者の一方又は双方が相手方に対して信義則上の安全配慮義務を負うべき特別な社会的接触の関係とはいえない。したがって、国は、拘置所に収容された被勾留者に対して、当該診療行為に関し、被勾留者の生命および身体の安全を確保し、危険から保護する必要とともに、その不履行が損害賠償責任を生じさせることとなる信義則上の安全配慮義務を負うものではない（最判平28・4・21）。 出題 国家総合 – 平成29

Q7 厚生年金保険法47条に基づく障害年金の支分権（支払期月ごとに支払うものとされる保険給付の支給を受ける権利）の消滅時効は、いつから進行するのか。

A 当該障害年金に係る裁定を受ける前であっても、厚生年金保険法36条所定の支払期が到来した時から進行する。　厚生年金保険法47条に基づく障害年金の支分権（支払期月ごとに支払うものとされる保険給付の支給を受ける権利）は、5年間これを行わないときは時効により消滅し（厚生年金保険の保険給付及び国民年金の給付に係る時効の特例等に関する法律附則4条、会計法30条）、その時効は、権利を行使することができる時から進行する（会計法31条2項、民法166条1項）ところ、上記支分権は、厚生年金保険法36条所定の支払期の到来により発生するものの、受給権者は、当該障害年金に係る裁定を受ける前においてはその支給を受けることができない。しかしながら、障害年金を受ける権利の発生要件やその支給時期、金額等については、厚生年金保険法に明確な規定が設けられており、裁定は、受給権者の請求に基づいて上記発生要件の存否等を公権的に確認するものにすぎないのであって、受給権者は、裁定の請求をすることにより、同法の定めるところに従った内容の裁定を受けて障害年金の支給を受けられることとなるのであるから、裁定を受けていないことは、上記支分権の消滅時効の進行を妨げるものではない。したがって、上記支分権の消滅時効は、当該障害年金に係る裁定を受ける前であっても、同法36条所定の支払期が到来した時から進行するものと解する。したがって、本件においては、上告人の傷害に係る障害年金のうち同法36条所定の支払期から5年を経過したものにつき、時効により消滅したものと解する（最判平29・10・17）。 出題 予想

Q8 法令の規定により現金出納の権限がない公共団体の長が、当該地方公共団体の名で第三者から金員を借り入れた場合、民法110条の規定が類推適用されるのか。

A 民法110条の規定が類推適用される余地はある。　現金出納の権限のない村長が、村の名において他人より金員を借入れ、これを自ら受領したにとどまる場合は、当該金員の借入れが村議会の決議に基づ

いてもその他人と村との間には当該金員の消費貸借は成立しないが、この場合、村につき民法110条所定の「代理人がその権限外の行為をした場合」に該当するものとして、同条の類推適用によりその責任を認めるのが相当である（最判昭34・7・14）。 出題 国Ⅰ－昭和61、国税－平成5

Q9 自作農創設特別措置法に基づく農地買収処分について、民法177条は適用されるのか。

A 民法177条は適用されない。　政府の自作農創設特別措置法に基づく農地買収処分は、国家が権力的手段をもって農地の強制買上げを行うものであって、対等の関係にある私人相互の経済取引を本旨とする民法上の売買とは、その本質を異にする。したがって、かかる私経済上の取引の安全を保障するために設けられた民法177条の規定は、自作農創設特別措置法による農地買収処分には、その適用はない。されば政府が同法に従って、農地の買収を行うには、単に登記簿の記載に依拠して、登記簿上の農地の所有者を相手方として買収処分を行うべきではなく、真実の農地の所有者から、これを買収すべきである（最大判昭28・2・18）。 出題 国Ⅰ－平成19・昭和54

Q10 公権力による土地の強制買収処分のように、対等の関係にある私人間の経済的取引を本旨とする民法上の売買とはその本質を異にするものについては、真実の所有者と異なる登記簿上の所有者を相手方としてなされた場合には、当然に無効となるのか。

A 当然に無効となる（最大判昭28・2・18）。⇨9

Q11 国税滞納処分による差押えについて、民法177条の適用があるのか。

A 民法177条の適用がある。　国税滞納処分においては、国は、その有する租税債権につき、自ら執行機関として、強制執行の方法により、その満足を得ようとするものであって、滞納者の財産を差し押えた国の地位は、あたかも、民事訴訟法上の強制執行における差押債権者の地位に類するものであり、租税債権がたまたま公法上のものであることは、この関係において、国が一般私法上の債権者より不利益の取扱いを受ける理由となるものではない。それ故、滞納処分による差押えの関係においても、民法177条の適用がある（最判昭31・4・24）。 出題 国家総合 – 令和1・平成27、国Ⅰ－平成19・1・昭和61・59、地方上級 – 平成8（市町村）、国税 – 平成5

Q12 租税債権者としての国家は、租税債権の満足の段階では、私法規定に服すべきか。

A 特別の規定がない限り、私法規定に服すべきである。　登記簿上不動産の所有名義人となっている国税滞納者に対する滞納処分として、上記不動産を公売処分に付した国が、登記の欠缺を主張するにつき正当の利益を有する第三者にあたらない場合には、当該不動産は、目的不動産の所有権を競落人に取得させる効果を生じないとする意味において、無効と解すべきである（最判昭35・3・31）。 出題 国Ⅰ－昭和61

Q13 公務員の給与の過払いがあった場合、過払給

与金額相当の不当利得返還請求権を自働債権とし、給与請求権を受働債権として相殺できるのか。

A 相殺できる場合がある。　労働基準法24条1項本文は、賃金全額払いの原則を明らかにしていることから、使用者が自己の労働者に対する反対債権（自働債権）に基づき、ほしいままに相殺を主張して賃金の全部または一部を控除することは許されない。しかし、賃金支払いの実際においては、計算の困難等のため、時として過払いを生ずることは避けがたいところであり、その場合における過払給与金額相当の不当利得返還請求権を自働債権とし、その後支払うべき賃金（給与請求権）を受働債権として相殺することは、適正な賃金額を支払うための調整として適切である（最判昭45・10・30）。

Q14 公営住宅の使用関係については、公営住宅法と条例以外に民法および借地借家法が適用される場合があるのか。

A 民法および借地借家法が適用される場合がある。公営住宅の使用関係については、公営住宅法および条例に基づく条例が特別法として民法および借地借家法に優先して適用されるが、法および条例に特別の定めがない限り、原則として一般法である民法および借地借家法の適用があり、その契約関係を規律するについては、信頼関係の法理の適用がある〈都営住宅明渡し事件〉（最判昭59・12・13）。

Q15 公営住宅の使用者が法律の定める公営住宅の明渡請求事由に該当する行為をした場合、それにより信頼関係が破壊されたか否かを問わず、事業主体の長は当該使用者に対し明渡請求ができるのか。

A 信頼関係が破壊されていれば、明渡請求ができる〈都営住宅明渡し事件〉（最判昭59・12・13）。⇨14

Q16 名義上の所有者と真実の所有者が異なり、前者が納税義務者とされる場合、名義上の所有者から真実の所有者に対して不当利得返還請求ができるか。

A 不当利得返還請求ができる。　地方税法は、課税上の技術的考慮から、土地については、土地登記簿または土地補充課税台帳に、家屋については建物登記簿または家屋補充課税台帳に、一定の時点に、所有者として登記または登録されている者を所有者として、その者に課税する方式を採用している。したがって、真実は土地、家屋の所有者でない者が、登記簿または台帳に所有者として登記または登録されているために、同税の納税義務者として課税され、これを納付した場合においては、土地、家屋の真の所有者は、これにより同税の課税を免れたことになり、所有者として登記または登録されている者に対する関係において、不当に、納付税額に相当する利得を得たのである。したがって、名義上の所有者は真実の所有者に対して不当利得を原因とする返還請求ができる（最判昭47・1・25）。

Q17 自衛隊基地建設予定地の所有権をめぐる民事事件について、国が行った売買契約について、それが私法上の行為であっても、憲法9条が直接適用されるのか。

A 直接適用されない。　憲法9条は、その憲法規範として有する性格上、私法上の行為の効力を直接規律することを目的とした規定ではなく、人権規定と同様、私法上の行為に対しては直接適用されるものではなく、国が行政の主体としてではなく私人と対等の立場に立って、私人との間で個々的に締結する私法上の契約は、当該契約がその成立の経緯および内容において実質的にみて公権力の発動たる行為と何ら変わりがないといえるような特段の事情のない限り、憲法9条の直接適用を受けない〈百里基地訴訟〉（最判平1・6・20）。

Q18 防火地域又は準防火地域内にある外壁が耐火構造の建築物について、その外壁を隣地境界線に接して設けることができる旨の規定（建築基準法65条）は、境界線から50センチメートル以上の距離をおかなければ、建築物を築造することができないと規定する民法234条1項に抵触するのか。

A 建築基準法65条は、民法234条1項の特則であるから、民法234条1項に抵触しない。　建築基準法65条は、防火地域又は準防火地域内にある外壁が耐火構造の建築物について、その外壁を隣地境界線に接して設けることができる旨規定しているが、これは、同条所定の建築物に限り、その建築については民法234条1項の規定の適用が排除される旨を定めたものである。けだし、建築基準法65条は、耐火構造の外壁を設けることが防火上望ましいという見地や、防火地域又は準防火地域における土地の合理的ないし効率的な利用を図るという見地に基づき、相隣関係を規律する趣旨で、各地域内にある建物で外壁が耐火構造のものについては、その外壁を隣地境界線に接して設けることができることを規定したものと解すべきであるからである（最判平1・9・19）。

Q19 道路指定土地内に設置されたブロック塀について、隣接土地所有者は、日常生活に支障が生じていない場合でも、建築基準法に違反することを理由に、塀の撤去を求める私法上の権利を有するのか。

A 日常生活に支障が生じていない場合には、塀の撤去を求める私法上の権利を有しない。　Yは、建築基準法42条2項に規定する指定がされた本件道路指定土地内に同法44条1項に違反する建築物である本件ブロック塀を設置したのであるが、このことから直ちに、本件道路指定土地に隣接する土地の地上建物の所有者であるXに、本件ブロック塀の収去を求める私法上の権利があるわけではない。本件ブロック塀の内側に位置するYの所有地のうち、Yが従前設置していた塀の内側の部分は、現実に道路として開設されておらず、Xが通行していたわけではないから、当該部分については、自由に通行しうる反射的利益が生じていたわけではないし、また、本件ブロック塀の設置により既存の通路

の幅員が狭められた範囲はブロック 2 枚分の幅の程度にとどまり、本件ブロック塀の外側（南側）には公道に通ずる通路があるから、X の日常生活に支障が生じたとはいえず、本件ブロック塀が設置されたことで X の人格的利益が侵害されたとはいえない（最判平 5・11・26）。

出題 市役所上・中級－平成 9

Q20 国民金融公庫（現国民生活金融公庫）が、恩給担保金融に関する法律に基づき、恩給受給者に対して恩給を担保にして貸付けたところ、後に国が恩給受給者に対する恩給裁定を取り消した場合、国は裁定取消しの効果を国民金融公庫に対して主張し、不当利得返還請求を求めることができるか。

A 不当利得返還請求を求めることはできない。 Y 国民金融公庫は、政府がその資本金の全額を出資する公法人であり、大蔵大臣の認可、監督、計画、指示の下に、一般の金融機関から資金の融通を受けることを困難とする国民大衆に対して、必要な事業資金等の供給を目的とするものであって、政府の行政目的の一端を担うものである。それゆえ、Y が X 国に対し経済的な利益を主張するにも、一般の私人とは立場を異にする面があることは否定できない。しかし、反面、Y は、政府から独立した法人として、自立的に経済活動を営むのであるうえ、恩給担保貸付けを行うことができる者を Y 等に限定した恩給法の趣旨にかんがみると、Y は、恩給受給者に対しては一定の要件の下に恩給担保貸付けをすることが義務付けられているのであるから、Y が公法人であるというだけで、X に対し、自らの経済的利益を前提とする前記のような主張をすることが許されなくなるわけではない。そして、Y が恩給受給者に対しては恩給を担保に貸付けをすることが法律上義務づけられており、しかも恩給裁定の有効性については Y 自ら審査することができず、これを有効なものとして扱わざるをえないものであること等の事情があるときは、X は、Y に対し、払渡金につき、不当利得返還請求をすることは許されない（最判平 6・2・8）。

出題 国 I－平成 18・17・16

Q21 道路が権原なく占有される場合には、道路管理者は、占有者に対し、占用料相当額の損害賠償請求権又は不当利得返還請求権を取得するのか。

A 取得する。 道路法 32 条 1 項は、道路に広告塔その他これに類する工作物等を設け、継続して道路を使用しようとする場合においては、道路管理者の許可を受けなければならないと定めている。そして、同法 39 条 1 項は、道路管理者は道路の占用につき占用料を徴収することができる旨を定めており、この規定に基づく占用料は、都道府県道に係るものにあっては道路管理者である都道府県の収入となる（道路法施行令 19 条の 4 第 1 項）。このように、道路管理者は道路の占用につき占用料を徴収して収入とすることができるから、道路が権原なく占有された場合には、道路管理者は、占有者に対し、占用料相当額の損害賠償請求権又は不当利得返還請求権を取得する。これを本件についてみると、被上告人らは、各自動販売機を都道にはみ出して設置した日から撤去した日までの間、何らの占有権原なく

これらの自動販売機を設置してはみ出し部分の都道を占有していたのであるから、東京都は、被上告人らに対し、上記各占有に係る占用料相当額の損害賠償請求権又は不当利得返還請求権を取得したものといえる（最判平 16・4・23）。

出題 予想

Q22 たばこ等の自動販売機を都道にはみ出して設置した業者が東京都に協力し費用の負担をして多数の自動販売機を撤去したなどの事情の下では、東京都がその業者に対して撤去前の都道占用料相当額の損害賠償請求権又は不当利得返還請求権を行使しないことは違法か。

A 違法ではない。 はみ出した自動販売機の占用料相当額を算定するとしても、その金額は、占用部分が 1 台当たり 1m² とすれば、1 か月当たり約 1,683 円にすぎず、他方、はみ出し自動販売機は当時約 3 万 6,000 台もあったのであるから、東京都が、はみ出し自動販売機全体について考慮する必要がある中において、1 台ごとに債務者を特定して債権額を算定することには多くの労力と多額の費用とを要するものであったとして、本件について、地方自治法施行令 171 条の 5 第 3 号が定める「債権金額が少額で、取立てに要する費用に満たない」と認めたことを違法であるとはいえない。また、はみ出し自動販売機に係る最大の課題は、それを放置することにより通行の妨害となるなど望ましくない状況を解消するためこれを撤去させるべきことにあったのであるから、対価を徴収することよりも、はみ出し自動販売機の撤去という抜本的解決を図ることを優先した東京都の判断は、十分に首肯することができる。そして、商品製造業者が、東京都に協力をし、撤去費用の負担をすることで、はみ出し自動販売機の撤去という目的が達成されたのであるから、そのような事情の下では、東京都がさらに撤去前の占用料相当額の金員を商品製造業者から取り立てることは著しく不適当であると判断したとしても、それを違法であるということはできない（最判平 16・4・23）。

出題 予想

Q23 普通地方公共団体の長が当該普通地方公共団体を代表して行う契約に民法 108 条が類推適用され、長が同条に違反して双方代理行為をした場合には、議会は、同法 116 条の類推適用により上記双方代理行為を追認できるのか。

A 民法 108 条が類推適用され、議会は、同法 116 条の類推適用により当該双方代理行為を追認できる。 普通地方公共団体の長が当該普通地方公共団体を代表して行う契約締結行為であっても、長が相手方を代表して行うことは、私人間における双方代理行為等による契約と同様に、当該普通地方公共団体の利益が害されるおそれがある場合がある。そうすると、普通地方公共団体の長が当該普通地方公共団体を代表して行う契約の締結には、民法 108 条が類推適用される。そして、普通地方公共団体の長が当該普通地方公共団体を代表するとともに相手方を代理ないし代表して契約を締結した場合であっても同法 116 条が類推適用され、議会が長による上記双方代理行為を追認したときには、同条の類推適用により、議会の意思に沿って本人であ

る普通地方公共団体に法律効果が帰属する（最判平16・7・13）。　**出題**国 I −平成22

Q24 社会通念上、当該道路が当該地方公共団体の事実的支配に属する客観的関係にあると認められる場合でも、地方公共団体が、道路法上の道路管理権を有していない場合には、当該道路を構成する敷地について占有権を有しないのか。

A 占有権を有する。　占有権の取得原因事実は、自己のためにする意思をもって物を所持することであるところ（民法180条）、ここでいう所持とは、社会通念上、その物がその人の事実的支配に属するものというべき客観的関係にあることを指す（大判昭15・10・24）。そうすると、地方公共団体が、道路を一般交通の用に供するために管理しており、その管理の内容、態様にかかわらず、社会通念上、当該道路が当該地方公共団体の事実的支配に属する客観的関係にあると認められる場合には、当該地方公共団体は、道路法上の道路管理権を有するか否かにかかわらず、自己のためにする意思をもって当該道路を所持するものであるから、当該道路を構成する敷地について占有権を有する（最判平18・2・21）。　**出題**国 I −平成22

◇権利の融通性

Q25 恩給権者である債務者が債権者に恩給金の受領を委任し、債権者にその受領した恩給金を債務の弁済に充当させる契約は有効か。

A 当該契約は有効である。　一般に取引の実際において恩給を担保に供するといえば、債務者たる恩給金受領者が恩給証書と委任状とを債権者に交付して恩給金の受領を債権者に委任し、同人にその受領した恩給金を債務の弁済に充当させることを約すると同時に、その委任契約の解除権を放棄する特約をなすことによって、実質上恩給受領権自体に質権を設定すると同一の効果を収めることを指称するものである以上、その恩給金受領の委任と受領する恩給金による債務の弁済充当についての合意はもとより有効であるが、その委任契約の解除権の放棄を特約することは恩給法11条に対する脱法行為として無効であって、債務者は何時でも恩給受領の委任を解除し恩給証書の返還を請求しうる（最判昭30・10・27）。　**出題**国 I −昭和59

Q26 生活保護法に基づき要保護者が国から生活保護を受ける利益は、財産的利益であり、他者に譲渡することはできないが、相続の対象となるのか。

A 生活保護受給権は一身専属的権利であり、他者に譲渡することも、相続の対象ともならない〈朝日訴訟〉（最大判昭42・5・24）。⇨憲法25条4

出題 地方上級−平成10、市役所上・中級−平成9、特別区 I −平成15

Q27 地方議会の議員報酬請求権は、譲渡できるのか。

A 条例に譲渡禁止の規定がない限り、譲渡できる。　普通地方公共団体（地方議会）の議員の報酬請求権は、公法上の権利であるが、公法上の権利であっても、それが法律上特定の者に専属するものとされているのではなく、単なる経済的価値として移

転性が予定されている場合には、その譲渡性を否定する理由はない。したがって、地方議会の議員の報酬請求権は、当該普通地方公共団体の条例に譲渡禁止の規定がない限り、譲渡することができる（最判昭53・2・23）。

出題 国家総合−令和4・1・平成27、国 I −平成3・昭和63・61・59、特別区 I −平成15、国税−平成5

◇特別の法律関係

Q28 大学は在学する学生を規律する包括的権能を有し、学生の懲戒処分に関する判断は懲戒権者に認められた裁量権の範囲内にあるのか。

A 大学は包括的権能を有し、裁量の範囲内で学生を懲戒処分にできる。　大学は、国公私立を問わず、その設置目的を達成するために、必要な事項を学則等により一方的に制定し、これによって在学する学生を規律する包括的権能を有し、特に私立学校は在学関係設定の目的と関連し、かつ、その内容が社会通念に照らして合理的と認められる範囲においてその包括的権能を有する。したがって、保守的校風を有する大学が、学内および学外における学生の政治的活動につきかなり広範な規律を及ぼす結果、実社会の政治的社会的活動を理由に退学処分を下したとしても、本件退学処分は、その判断において社会通念上合理性を欠くとはいえず、懲戒権者に認められた裁量権の範囲内にある〈昭和女子大事件〉（最判昭49・7・19）。　**出題**国 I −平成5

◇取締法規・強行法規

Q29 統制法規違反の法律行為は私法上有効か。

A 私法上無効である。　煮乾いわし売買当時施行の臨時物資需給調整法は、わが国における産業の回復振興に関する基本的政策および計画の実施を確保するために制定されたものであり、同法に基づく加工水産物配給規制は昭和22年内閣訓令3号指定配給物資配給手続規定に従い、上記目的達成のため物資およびその需給調整方法等を特定し、同規則2条によって指定された煮乾いわし等の物資については、法定の除外事由その他特段の事情の存しない限り、同規則3条以下所定の集荷機関、荷受機関、登録小売店舗等の機構を通ずる取引のみの効力を認め、上記以外の無資格者による取引の効力を認めない趣意であって上記法令はこの意味における強行法規であるから、本件契約は無効である（最判昭30・9・30）。　**出題**国 I −昭和61・59

Q30 取締法規に違反してなされた私法上の法律行為は、公序良俗違反の法律行為にあたり、民法90条により無効となるのか。

A 無効とならない（最判昭35・3・18）。⇨78

Q31 宅地建物取引業者が建設大臣の定める額を超えた報酬を受けた場合、仲介報酬契約のうち所定の額を超える部分は有効か。

A 無効である。　宅地建物取引業法17条1項、2項は、宅地建物取引の仲介報酬契約のうち告示所定の額を超える部分の実体最高効力を否定し、この契約の実体上の効力を所定最高額の範囲に制限し、こ

れによって一般大衆を保護する趣旨をも含んでいるから、同条項は強行法規で、所定最高額を超える契約部分は無効である（最判昭45・2・26）。

Q32 保険業者が普通保険約款を一方的に変更し、変更につき主務大臣の認可を受けないでその約款に基づいて保険契約を締結した場合、変更後の契約は有効か。

A その変更が恣意的なものでなければ、変更後の契約は有効である。　保険契約の内容を律する普通保険約款を公正妥当にし保険契約者を保護するという点においては、行政的監督は補充的なものにすぎず、主務大臣の認可を受けないでもそれだけで直ちに約款は無効とならない。したがって、船舶海上保険につき、普通保険約款を一方的に変更し、変更につき主務大臣の認可を受けないでその約款に基づいて保険契約を締結したとしても、その変更が保険業者の恣意的な目的に出たものでなく、変更された条項が強行法規や公序良俗に違反しあるいは不合理なものでない限り、変更後の約款に従った契約もその効力を有する（最判昭45・12・24）。

Q33 独占禁止法は強行法規であり、不公正な取引方法を禁止する同法19条に違反した契約は、その私法上の効力を否定されるのか。

A 私法上の効力は否定されない。　独占禁止法19条に違反した契約の私法上の効力については、その契約が公序良俗に反するとされるような場合は格別として、同条が強行法規であるからとの理由で直ちに無効になるわけではない。なぜなら、独占禁止法20条は、専門的機関である公正取引委員会に弾力的な措置をとらせることによって、同法の目的を達成することを予定しているのであるから、同条の趣旨にかんがみると、同法19条に違反する不公正な取引方法による行為の私法上の効力についてこれを直ちに無効とすることは同法の目的に合致するとは言い難いからである（最判昭52・6・20）。

2　法の一般原則

Q34 平等原則は、憲法あるいは条理から導かれる行政上の法の一般原則として、比例原則と並んで行政裁量を制約する基準となるのか。

A 行政裁量を制約する基準となる。　行政庁は、何らいわれがなく特定の個人を差別的に取り扱いこれに不利益を及ぼす自由を有するものではなく、この意味においては、行政庁の裁量権には一定の限界がある（最判昭30・6・24）。

Q35 旧食塩管理法による米の供出個人割当通知にあたり、原告以外の生産者には、当該通知をしたが、原告個人に対する供出割当の手続を履践しなかった点は、行政庁による裁量権の行使が平等原則違反にあたるとして、当該通知の取消しは認められるのか。

A 当該通知の取消しは認められない。　同じ部落内のX（原告）以外の生産者に対しては、事前割当

の方法により昭和23年5月10日頃に個人割当の通知が行われたのに対し、Xに対しては、別に、食糧調整委員会の議決を経て、産米作付反別その他地力等につき所要の調査を遂げ、とくにXが本来の農家でないことも考慮してその負担を軽減し、同年12月24日に供出割当数量を通知したというのである。かような事情の下では、Xが事前割当の手続に参加し協議に与する機会を失ったとしてもやむをえないところであり、またXについては個別的に生産の状況を調査するため上記の程度において割当通知が遅延したとしても、強いてこれをとがめない事情にあったものといわねばならない。以上のような事情を総合して考えれば、Yが供出割当についてX（原告）を前記の程度において他の生産者と区別して取り扱ったとしても、これをもっていわれのない差別取扱による違法処分というにはあたらず、また当該措置がXに対する人格蔑視に基づく違法処分であるということもできない（最判昭30・6・24）。

Q36 法律に根拠をもたず、専ら実際上の便宜のために打ち出された事実上の措置にすぎない行為にも、法律上の効果を認めることはできるのか。

A 法律上の効果を認めることはできない。　一般に、一定の法律効果の発生を目的とする行政庁の行為につき、法律がその要件、手続および形式を具体的に定めている場合には、同様の効果を生ぜしめるために法律の定める手続、形式以外のそれによることは原則として認めない趣旨である。そうすると、農地法は、名義変更の許可のような形式、手続によって売渡予約上の権利を有する地位を承継させることを認めておらず、上記の要件を具備し所定の手続を履践した者に対してのみ、前記のような予約上の権利を付与することとしたものである。したがって、本件入植名義の変更の許可は、法律に根拠をもたず、専ら実際上の便宜のために打ち出された事実上の措置にすぎないのであって、これについて予約上の権利を有する地位の移転ないし付与という効果を認めることはできない（最判昭59・11・29）。

Q37 権利が確定的に発生したとして課税の対象とされた債権が後に貸倒れとなった場合には、課税処分は後発的な貸倒れにより無効となり、納税者は、それを前提に、国に対し、民法703条に基づいて不当利得の返還を請求できるのか。

A 課税処分は後発的な貸倒れにより無効とならないが、不当利得の返還請求はできる。　課税処分が、後発的な貸倒れにより、遡って当然に違法、無効とはならないが、その貸倒れによって課税の前提が失われるにもかかわらず、なお、課税庁が当該課税処分に基づいて徴収権を行使し、あるいは、すでに徴収した税額をそのまま保有することができるとすることは、所得税の本質に反するばかりでなく、事業所得を構成する債権の貸倒れの場合とその他の債権の貸倒れの場合との間にいわれなき救済措置の不均衡をもたらす。そこで、貸倒れの発生とその数額が格別の認定判断をまつまでもなく客観的に明白で、課税庁に前記の認定判断権を留保する合理的必

要性が認められない場合にまでで、課税庁自身による前記の是正措置が講ぜられない限り納税者が先の課税処分に基づく租税の収納を甘受しなければならないとすることは、著しく不当であって、正義公平の原則にもとる。それゆえ、このような場合には、課税庁による是正措置がなくても、課税庁又は国は、納税者に対し、その貸倒れにかかる金額の限度においてもはや当該課税処分の効力を主張することができず、したがって、当該課税処分に基づいて租税を徴収しえないことはもちろん、すでに徴収したものは、法律上の原因を欠く利得となる（最判昭49・3・8）。 出題 国Ⅰ－平成13、特別区Ⅰ－平成27

Q38 租税法規に適合する課税処分については、租税法律主義の原則以外に、信義則の法理が適用されるのか。

A 信義則の法理が適用される場合もある。　租税法規に適合する課税処分について、法の一般原則である信義則の法理の適用により、当該課税処分を違法なものとして取り消すことができる場合があるとしても、法律による行政の原理、特に租税法律主義の原則が貫かれるべき場合においては、上記法理の適用については慎重でなければならず、租税法規の適用における納税者間の平等、公平という要請を犠牲にしてもなお当該課税処分に係る課税を免れさせて納税者の信頼を保護しなければ正義に反するといえるような特別の事情が存する場合に、はじめて上記法理の適用の是非を考えるべきである。具体的には、(1)公的見解の表示があること、(2)これを信頼してなされた納税者の行動があること、(3)納税者に帰責事由が存在しないこと、(4)課税処分によって納税者に不利益があることという特段の事情がある場合に限り、信義則の適用を認めるべきである（最判昭62・10・30）。

出題 国Ⅰ－平成15・12・5・3、地方上級－平成11、国家一般－平成25、国税－平成14

Q39 法律による行政の原理が貫かれるべき租税法律関係においては、租税法規に適合する課税処分について信義則の法理の適用により違法なものとして取り消すことができる場合があるとしても、納税者間の平等、公平という要請を犠牲にしてもなお納税者の信頼を保護しなければ正義に反するといえるような特別の事情が存する場合に初めて同法理の適用の是非を考えるべきなのか。

A 特別の事情が存する場合に初めて同法理の適用の是非を考えるべきである　（最判昭62・10・30）。⇨38

Q40 地方公共団体が一定内容の将来にわたって継続すべき施策を決定したが、これを自由に変更したため、私人に損害が発生すれば損害を補償する必要があるのか。

A 信頼関係を破壊する変更により、私人が損害を被れば損害を補償する必要性がある。　地方公共団体の施策決定が、(1)一定内容の継続的な施策を定めるにとどまらず、(2)特定の者に対して当該施策に適合する特定内容の活動をすることを促す個別的、具体的な勧告ないし勧誘を伴うものであり、かつ、(3)その活動が相当長期にわたる当該施策の継続を前提

としてはじめてこれに投入する資金または労力に相応する効果を生じうる性質のものである場合には、上記特定の者は、当該施策が当該活動の基盤として維持されるものと信頼し、これを前提として上記の活動ないしその準備活動に入るのが通常である。このような状況のもとでは、たとえ勧告ないし勧誘に基づいてその者と当該地方公共団体との間に当該施策の維持を内容とする契約が締結されなくとも、密接な交渉をもつに至った当事者間の関係を規律すべき信義衡平の原則に照らし、その施策の変更にあたってはかかる信頼に対して法的保護が与えられなければならない。したがって、社会観念上看過することのできない程度の積極的損害を被る場合に、地方公共団体において上記損害を補償するなどの代償的措置を講ずることなく施策を変更することは、当事者間に形成された信頼関係を不当に破壊するものとして違法性を帯び、地方公共団体の不法行為責任を生じさせるものである（最判昭56・1・27）。

出題 国家総合－平成29、国Ⅰ－平成16・15・10・8・5・4・3・昭和63・58、地方上級－平成11、東京Ⅰ－平成18、特別区Ⅰ－平成28・21、国家一般－令和3、国Ⅱ－平成6、国税・労基－平成22・15、国税－平成10

Q41 工場誘致の行政指導を信頼した企業が、多大の資金を工場建設に投入しており、政策が変更されれば積極的損害を被る場合に、損害の補償の代償措置を講ずることなく、当該政策を変更することは違法となるのか。

A 違法となる（最判昭56・1・27）。⇨40

Q42 ブラジルに出国したとの一事により、何ら法令上の根拠のない通達に基づき、被爆者援護法等に基づく健康管理手当受給権を失権した被上告人に対し、上告人は、未支給の本件健康管理手当の支給権の消滅時効の主張をすることができるか。

A 消滅時効の主張は、信義則上認められない。被上告人らは、その申請により本件健康管理手当の受給権を具体的な権利として取得したところ、上告人は、被上告人らがブラジルに出国したことにより、同受給権につき402号通達に基づく失権の取扱いをしたものであり、しかも、このような通達や取扱いには何ら法令上の根拠はなかったのである。通達に定められた事項は法令上相応の根拠を有するものであるとの推測を国民に与えるものであるから、前記のような402号通達の明確な定めに基づき健康管理手当の受給権について失権の取扱いをされた者に、なおその行使を期待することはきわめて困難であったといわざるをえない。以上のような事情の下においては、上告人が消滅時効を主張して未支給の本件健康管理手当の支給義務を免れようとすることは、違法な通達を定めて受給権者の権利行使を困難にしていた国から事務の委任を受け、又は事務を受託し、自らも上記通達に従い違法な事務処理をしていた普通地方公共団体ないしその機関自身が、受給権者による権利の不行使を理由として支払義務を免れようとするに等しいものといわざるをえない。そうすると、上告人の消滅時効の主張は、402号通達が発出されているにもかかわらず、

当該被爆者については同通達に基づく失権の取扱い
に対し訴訟を提起するなどして自己の権利を行使す
ることが合理的に期待できる事情があったなどの特
段の事情のない限り、信義則に反し許されない（最
判平19・2・6）。　**出題**　予想➡国家総合－令和4

Q43 普通地方公共団体が、法令遵守義務に反して、
すでに具体的な権利として発生している国民の重要
な権利に関し、法令に違反してその行使を積極的に
妨げるような一方的かつ統一的な取扱いをし、その
行使を著しく困難にさせた結果、これを消滅時効に
かからせた場合、地方自治法236条2項の適用は
認められるのか。

A 認められない。　　地方自治法236条2項が所
定の普通地方公共団体に対する権利の時効消滅につ
き当該普通地方公共団体による援用を要しないこと
としたのは、上記権利については、その性質上、法
令に従い適正かつ画一的にこれを処理することが、
当該普通地方公共団体の事務処理上の便宜および
住民の平等的取扱いの理念（同法10条2項参照）
に資することから、時効援用の制度（民法145条）
を適用する必要がないと判断されたことによる。こ
のような趣旨にかんがみると、普通地方公共団体に
対する債権に関する消滅時効の主張が信義則に反し
許されないとされる場合は、きわめて限定される
のである。そうすると、本件のように、普通地方公共
団体が、上記のような基本的な義務に反して、すで
に具体的な権利として発生している国民の重要な権
利に関し、法令に違反してその行使を積極的に妨げ
るような一方的かつ統一的な取扱いをし、その行使
を著しく困難にさせた結果、これを消滅時効にかか
らせたというきわめて例外的な場合においては、上
記のような便宜を与える基礎を欠くといわざるをえ
ず、したがって、本件において、上告人が上記規定
を根拠に消滅時効を主張することは許されない（最
判平19・2・6）。　　**出題**　国家総合－令和1

3　行政立法

◇行政規則

Q44 裁判所は、法令の解釈適用にあたって、通達
に示された法令の解釈と異なる独自の解釈ができる
か。

A 独自の解釈ができる。　　通達は、原則として、
法規の性質をもつものではなく、行政組織内部の命
令にすぎないから、上級行政機関が関係下級行政
機関・職員を拘束することはあっても、一般の国
民は直接これに拘束されるものではなく、このこと
は、通達の内容が、法令の解釈や取扱いに関するも
ので、国民の権利義務に重大なかかわりをもつよう
なものである場合においても別段異なるところはな
い。したがって、行政機関が通達の趣旨に反する処
分をした場合においても、そのことを理由として、
その処分の効力が左右されるものではない。さら
に、裁判所が通達に拘束されることはなく、裁判所
は、法令の解釈適用にあたって、通達に示された法
令の解釈と異なる独自の解釈をすることができ、通

達に定める取扱いが法の趣旨に反するときは独自に
その違法を判定することもできる〈墓地埋葬通達事
件〉（最判昭43・12・24）。

出題 国家総合－平成29・26、国Ⅰ－平成23・
20・11・5・3・昭和60、地方上級－平成9・7・3・
昭和62・54、市役所上・中級－平成7、国家一般
－平成24、国Ⅱ－平成16・10・3、国税－平成5・
昭和60・58

Q45 行政庁が法律を事実上適用しない状態が長年
続いた後に、通達を機縁として法律を適用すること
は許されるか。

A 通達の内容が法の正しい解釈に合致するもので
あれば許される。　　本件の課税がたまたま通達を機
縁として行われたものであっても、通達の内容が法
の正しい解釈に合致するものである以上、本件課税
処分は法の根拠に基づく処分と解するに妨げがない
〈パチンコ球遊器事件〉（最判昭33・3・28）。

出題 国家総合－令和2、国Ⅰ－平成23・20・15・
2・昭和60、地方上級－平成3（市共通）・昭和
57、国税・財務・労基－平成28

Q46 旧物品税法1条1項が課税対象物品の1つと
しての「遊戯具」にパチンコ球遊器が含まれるか否
か明記せず、後に通達で球遊器が含まれるとした場
合、この課税処分は法の根拠に基づいているのか。

A 当該課税処分は法の根拠に基づいている。　　社
会観念上普通に遊戯具とされているパチンコ球遊器
は物品税法上の「遊戯具」のうちに含まれる。なぜ
なら、物品税は当初は消費税として出発したがその
後次第に生活必需品その他いわゆる資本的消費財も
課税品目中に加えられていったこと、さらに、消費
的消費財と生産的消費財との区別は相対的であっ
て、パチンコ球遊器も自家用消費財としての性格を
全くもっていなかったとはいいえないからである。
したがって、通達の内容が法の正しい解釈に合致す
るものである以上、本件課税処分は法の根拠に基づ
く処分である〈パチンコ球遊器事件〉（最判昭33・
3・28）。

出題 国家総合－平成26、国Ⅰ－平成23・2・昭和
60、地方上級－平成3（市共通）・昭和57、国家
一般－平成30、国税－平成11

Q47 漁業法および水産資源保護法に基づく漁業調
整規則が定める一定種類の漁業の禁止規定は、わが
国領海および公海と連接して一体をなす外国の領海
においてなした日本国民の行為にも適用があるの
か。

A 適用がある。　　漁業法65条1項および水産資
源法4条1項の規定に基づいて制定された北海道
海面漁業調整規則（以下本件規則）36条の規定は、
本来、北海道地先海面であって、当該各法律および
本件規則の目的である水産資源の保護培養および維
持ならびに漁業秩序の確立のための漁業取締りその
他漁業調整を必要とし、かつ、主務大臣または北海
道知事が漁業取締りを行うことが可能である範囲の
海面における漁業、すなわち、以上の範囲のわが国
領海における漁業および公海における日本国民の漁
業に適用がある。しかし、前記各法律および本件規
則の目的を十分達成するためには、何らの境界もな

い広大な海洋の水産動植物を対象として行われる漁業の性質にかんがみれば、日本国民が前記範囲のわが国領海および公海と連接して一体をなす外国の領海においてした本件規則36条に違反する行為をも処罰する必要があり、それゆえ、本件規則36条の漁業禁止の規定およびその罰則である本件規則55条は、当然日本国民がかかる外国の領海において営む漁業にも適用される趣旨のものである。したがって、これらの規定は、前記範囲の公海およびこれらと連接して一体をなす外国の領海において日本国民がした同規則36条違反の行為（国外犯）をも処罰する旨を定めたものである（最判昭46・4・22）。

Q48 行政庁が裁量に任された事項について裁量権行使の準則（裁量基準）を定めている場合、その準則に違背して行われた処分は、当然違法となるのか。

A 当然違法とならない。　行政庁がその裁量に任された事項について裁量権行使の準則を定めることがあっても、このような準則は、本来、行政庁の処分の妥当性を確保するためのものであるから、処分が当該準則に違背して行われたとしても、原則として当不当の問題を生ずるにとどまり、当然に違法とならない〈マクリーン事件〉（最大判昭53・10・4）。

出題 国Ⅰ－平成20・18・7、国家一般－平成30、国Ⅱ－平成22・10、国税・労基－平成22、国税－平成10

Q49 行政庁に自由裁量行為を行う権限が認められている場合において、裁量判断の基準が通達で定められているときは、この基準に反して行われた行政行為は、平等原則に反し当然に違法となるのか。

A 当然に違法とはならない〈マクリーン事件〉（最大判昭53・10・4）。⇨48

Q50 行政庁がその裁量に任された事項について裁量権行使の準則を定める場合、国民の権利義務に影響を与えることから、その設定には法律の根拠が必要となるのか。

A 法律の根拠は必要とならない〈マクリーン事件〉（最大判昭53・10・4）。⇨48

Q51 通達は、司法審査の対象となるのか。

A 司法審査の対象とならない。　通達は、原則として法規としての性質をもつものではないから、一般国民を直接拘束するものではない。しかも、現行法上行政訴訟において取消しの訴えの対象となりうるものは、国民の権利義務、法律上の地位に直接具体的に法律上の影響を及ぼすような行政処分等でなければならないから、通達の取消しを求める訴えは許されないものとして却下すべきである（最判昭43・12・24）。

出題 国家総合－平成28・24、国Ⅰ－平成16・11・7・3・2・昭和63・60・57・56・52・51、地方上級－平成9・8・3（市共通）・昭和57・54、東京Ⅰ－平成16、市役所上・中級－昭和61、国家一般－平成27・24、国Ⅱ－平成16・3、国税－平成14・12・11・8・5

Q52 通達の内容が国民の権利義務に重大なかかわりをもつような場合、その法規性は認められるのか。

A 法規性は認められない（最判昭43・12・24）。⇨51

Q53 行政庁が国民に対し、通達に違反する処分を行った場合、国民は行政組織内部での規範である通達に違反することを理由にその違法を主張できるか。

A その違法を主張できない（最判昭43・12・24）。⇨51

Q54 行政庁がその裁量に基づいて許認可を行うにあたり、当該許認可を規定する法律の根拠なく通達で内部的な審査基準を設定することは、侵害留保の原則に照らして許されないのか。

A 通達で内部的な審査基準を設定することは、許される。　原子炉施設の安全性に関する審査は、多方面にわたるきわめて高度な最新の科学的、専門技術的知見に基づく総合的判断が必要とされるものであることが明らかである。そして、核原料物質、核燃料物質および原子炉の規制に関する法律24条2項が、内閣総理大臣は、原子炉設置の許可をする場合においては、同条1項3号（技術的能力に係る部分に限る。）および4号所定の基準の適用について、あらかじめ原子力委員会の意見を聴き、これを尊重してしなければならないと定めているのは、上記のような原子炉施設の安全性に関する審査の特質を考慮し、各号所定の基準の適合性については、各専門分野の学識経験者等を擁する原子力委員会の科学的、専門技術的知見に基づく意見を尊重して行う内閣総理大臣の合理的な判断にゆだねる趣旨と解するのが相当である。したがって、原子炉施設の安全性に関する判断の適否が争われる原子炉設置許可処分の取消訴訟における裁判所の審理、判断は、原子力委員会もしくは原子炉安全専門審査会の専門技術的な調査審議および判断を基にしてされた被告行政庁（改正後は被告行政主体）の判断に不合理な点があるか否かという観点から行われるべきである〈伊方原発訴訟〉（最判平4・10・29）。

出題 国Ⅰ－平成11

◇法規命令

Q55 法令の効力は何時から発生するか。

A 慣習法として、官報に公布されてはじめて、効力が発生する。　公式令廃止後の実際の取扱いとしては、法令の公布は従前通り官報によってなされてきているのであり、特に国家がこれに代わる他の適当な方法をもって法令の公布を行うものであることが明らかな場合でない限りは、法令の公布は従前通り、官報をもってなされるものと解するのが相当であって、たとえ事実上法令の内容が一般国民の知りうる状態に置かれたとしても、いまだ法令の公布があったとはいえない（最大判昭32・12・28）。

出題 国Ⅰ－平成5・昭和59、市役所上・中級－平成6、特別区Ⅰ－令和3・平成15

Q56 法令の公布があったとすべき時点は具体的にどのような場合か。

A 一般の希望者が官報を閲覧または購入可能な最初の時点である。　一般の希望者がいずれかの官報販売所または印刷局官報課において法令が掲載され

た官報を閲覧または購入しようとすればなしえた最初の時点に公布がなされ、改正法令が全国一律に施行されるに至ったものである（最大判昭33・10・15）（補足意見）。　　　　　　　出題 国Ⅱ－平成6

Q57 法規命令で罰則を定めることができるか。

A 法律で具体的委任があれば罰則を定めることができる。　　命令で罰則を規定しうるためには、憲法のもとにおいては、基本たる法律において具体的に委任する旨の規定の存在することを必要とする（最大判昭27・12・24）（憲法73条6号但書参照）。

出題 国Ⅰ－平成5・2・昭和61、国Ⅱ－平成6・3・昭和55、国税－昭和60・58

Q58 法律により命令に委任された事項を規則に再委任することは、法律の明文がなくても許されるか。

A 法律の明文がなくても再委任が許される場合がある。　　酒税法54条は、その帳簿の記載等の義務の主体およびその義務の内容たる製造、貯蔵または販売に関する事実を帳簿に記載すべきこと等を規定し、ただ、その義務の内容の一部たる記載事項の詳細を命令の定めるところに一任しているにすぎないのであって、立法権がかような権限を行政機関に賦与するがごときは憲法上差支ないことは、憲法73条6号本文および但書の規定に徴し明白である。そして酒税法施行規則61条は、その1号ないし8号において帳簿に記載すべき事項を具体的かつ詳細に規定しており、同条9号は、これらの規定に洩れた事項で、各地方の実状に即し記載事項とする必要とするものを税務署長の指定に委せたものであって、酒税法施行規則においてこのような規定を置いたとしても、酒税法54条の委任の趣旨に反せず、違憲ではない（最大判昭33・7・9）。

出題 国家総合－令和2、国Ⅰ－平成12・昭和59、国税・財務・労基－令和4

Q59 国家公務員法に基づき一般職の国家公務員の政治的行為の制限を定めた人事院規則は、一般職の国家公務員の職責に照らして必要と認められる政治的行為の制限を規定したものであり、当該規則には同法の規定によって委任された範囲を逸脱した点は認められないのか。

A 委任された範囲を逸脱した点は認められない。人事院規則14-7は国家公務員法102条1項に基づき、一般職に属する国家公務員の職責に照らして必要と認められる政治的行為の制限を規定したものであり、委任の範囲を逸脱したものではない（最判昭33・5・1）。　　　　出題 国Ⅰ－平成21

Q60 国家公務員法102条1項が、懲戒処分および刑罰の対象となる行為の定めを人事院規則に一律に委任することは、憲法の容認する委任の限度を超えるのか。

A 憲法の許容する委任の限度を超えない。　　政治的行為の定めを人事院規則に委任する国家公務員法102条1項が、公務員の政治的中立性を損なうおそれのある行動類型に属する政治的行為を具体的に定めることを委任するものであることは、同条項の合理的な解釈により理解しうるところである。そして、そのような政治的行為が、公務員組織の内部秩

序を維持する見地から課される懲戒処分を根拠づけるに足りるものであるとともに、国民全体の共同利益を擁護する見地から科される刑罰を根拠づける違法性を帯びる以上、同条項が、懲戒処分および刑罰の対象となる行為の定めを人事院規則に一律に委任することは、憲法の許容する委任の限度を超えるものではない〈猿払事件〉（最大判昭49・11・6）。

出題 国家総合－平成27、国Ⅰ－平成12

Q61 国家公務員に対して禁止される政治的行為の内容を人事院規則に委任した国家公務員法の規定は、憲法41条に照らし違憲となるのか。

A 違憲とならない〈宇治橋事件〉（最判平24・12・7）。⇨憲法21条5

出題 国家総合－平成27

Q62 学習指導要領には法規としての性質が認められるか。

A 法規としての性質が認められる〈伝習館高校事件〉（最判平2・1・18）。⇨憲法26条5

出題 国家総合－平成27・26、国税・財務・労基－平成28、国税－平成8

Q63 社会的、経済的にみて、すでに農地としての現況を将来にわたって維持すべき意義を失い、近く農地以外のものとすることが明らかな場合には、農地法旧80条は、旧所有者への売払いを義務付けていることが予定されているにもかかわらず、農地法の委任を受けた農地法施行令旧16条が、買収農地として農地法旧80条の認定をしないことは、法の委任を超え、無効となるのか。

A 法の委任を超え、無効となる。　　農地法施行令16条4号が、買収農地のうち農地法80条1項の認定の対象となるべき土地を買収後新たに生じた公用等の目的に供する緊急の必要があり、かつ、その用に供されることが確実なものに制限していることは、その規定上明らかである。その趣旨は、買収の目的を重視し、その目的に優先する公用等の目的に供する緊急の必要があり、かつ、その用に供されることが確実な場合に限り売り払うべきこととしたものである。同項は、その規定の体裁からみて、売払いの対象を定める基準を政令に委任しているものであるが、委任の範囲にはおのずから限度があり、明らかに法が売払いの対象として予定しているものを除外することは、農地法80条に基づく売払制度の趣旨に照らし、許されない。したがって、当該買収農地自体、社会的、経済的にみて、すでにその農地としての現況を将来にわたって維持すべき意義を失い、近く農地以外のものとすることを相当とするものとして、買収の目的である自作農の創設等の目的に供しないことを相当とする状況にあるといいうるものが生ずることは、当然に予測され、農地法80条は、もとよりこのような買収農地についても旧所有者への売払いを義務付けているものと解されなければならない。したがって、同条の認定をすることができる場合につき、農地法施行令16条が、自作農創設特別措置法3条による買収農地については農地法施行令16条4号の場合に限ることとし、それ以外の前記のような場合につき農地法80条の認定をすることができないとしたことは、法の

委任の範囲を超えた無効のものである（最大判昭46・1・20）。

出題 国Ⅰ-平成12、国税・財務・労基-令和4

Q64 銃砲刀剣類所持等取締法は、所持禁止の刀剣類から除外対象とするものを日本刀に限るか否か明らかにしていない場合に、規則で日本刀に限ると規定することは、法の委任の趣旨を逸脱しないか。

A 法の委任の趣旨を逸脱しない。　旧文部省規則においていかなる鑑定の基準を定めるかについては、法の委任の趣旨を逸脱しない範囲内において、所轄行政庁に専門技術的な観点からの一定の裁量権が認められている。そして、銃砲刀剣類所持等取締法が明らかにしないものの、旧文部省規則が文化的価値のある刀剣類の鑑定基準として、美術品として文化財的価値を有する日本刀に限る旨を定め、この基準に合致するもののみをわが国において価値を有するものとして登録の対象にすべきものとしたことは、銃砲刀剣類所持等取締法の趣旨に沿う合理性を有する鑑定基準を定めたものといえるから、これをもって法の委任の趣旨を逸脱する無効のものとはいえない（最判平2・2・1）。

出題 国家総合-平成25、国Ⅰ-平成21・16・12、特別区Ⅰ-令和2、国Ⅱ-平成6、国税・財務・労基-令和4、平成28

Q65 刑事訴訟法は、被勾留者との接見の自由を保障し、監獄法は、接見の内容を命令に委任したところ、監獄法施行規則が被勾留者と幼年者との接見を原則として禁止することは、監獄法の委任の範囲を超えていないか。

A 同規則は、監獄法の委任の範囲を超え無効である。　被勾留者も当該拘禁関係に伴う一定の制約の範囲外においては原則として一般市民としての自由を保障されているのであり、幼年者の心情の保護は元来その監護にあたる親権者等が配慮する事柄であることからすれば、監獄法が一律に幼年者と被勾留者との接見を禁止することを予定し、容認しているものと解することは困難である。そうすると、監獄法施行規則120条（および124条）は、法の容認する接見の自由を制限するものとして、監獄法50条の委任の範囲を超えた無効のものである（最判平3・7・9）。

出題 国家総合-平成29、国Ⅰ-平成21・16・12、国家一般-平成30、国Ⅱ-平成6、国税・財務・労基-令和4、国税-平成4・8

Q66 教科書検定の基準について、学校教育法には規定がないにもかかわらず、当該法律による委任により教科用図書検定規則（文部省令）、教科用図書検定基準（文部省告示）が、これを定めた場合、白紙委任にあたるのか。

A 白紙委任にあたらず、合憲である。　教科書は、内容が正確かつ中立・公正であり、当該学校の目的、教育目標、教育内容に適合し、内容の程度が児童、生徒の心身の発達段階に応じたもので、学習、生徒の使用の便宜に適うものでなければならないことはおのずと明らかであり、教科用図書検定規則、教科用図書検定基準は、教育基本法、学校教育法から明らかな教科書の要件を審査の内容および基準として

具体化したものにすぎない〈第一次家永教科書訴訟〉（最判平5・3・16）。　　　　出題 予想

Q67 検定の審査の内容及び基準並びに検定の手続について、学校教育法には具体的な規定がなく、省令や告示で定めていることは、法律の委任を欠き、違法となるのか。

A 法律の委任を欠くとまではいえず、違法とならない。　検定の審査の内容及び基準並びに検定の手続は、文部省令、文部省告示に規定されているが、これらは関係法律から明らかな教科書の要件を審査の内容及び基準として具体化したものにすぎず、文部大臣が、学校教育法の規定に基づいて、審査の内容及び基準並びに検定の施行細則である検定の手続きを定めたことは、法律の委任を欠くとまではいえず、違法とならない〈第三次家長教科書訴訟〉（最判平9・8・29）。

出題 国税・財務・労基-令和4

Q68 父から認知された婚姻外懐胎児童を児童扶養手当の支給対象となる児童の範囲から除外した本件括弧書は、法の委任の範囲を逸脱した違法な規定として、無効となるのか。

A 無効となる。　児童扶養手当法施行令1条の2第3号は、本件括弧書を設けて、父から認知された婚姻外懐胎児童を児童扶養手当の支給対象児童から除外することとしている。しかし、認知により、当然に母との婚姻関係が形成されるなどして、世帯の生計維持者としての父が存在する状態になるわけでもない。また、父から認知されれば、通常、父による現実の扶養を期待することができるともいえない。したがって、婚姻外懐胎児童が認知により法律上の父がいる状態になったとしても、類型的にみて、法4条1項1号ないし4号に準ずる状態が続いていることを否定することはできない。そうすると、施行令1条の2第3号が本件括弧書を除いた本文において、法4条1項1号ないし4号に準ずる状態にある婚姻外懐胎児童を支給対象児童としながら、本件括弧書により、父から認知された婚姻外懐胎児童を除外することは、法の委任の趣旨に反するものといわざるをえない。以上のとおりであるから、父から認知された婚姻外懐胎児童を児童扶養手当の支給対象となる児童の範囲から除外した本件括弧書は、法の委任の範囲を逸脱した違法な規定として、無効と解すべきものである（最判平14・2・22）。

出題 国家総合-平成25、国Ⅰ-平成21、特別区Ⅰ-令和2

Q69 社会通念上、常用平易であることが明らかな文字「曽」を子の名に用いることのできる文字として定めなかった施行規則60条は、戸籍法50条1項が許容していない文字使用の範囲の制限を加えたことになり、同法による委任の趣旨を逸脱するものとして違法、無効となるのか。

A 施行規則60条は、違法、無効となる。　戸籍法（以下「法」という。）50条1項が子の名には常用平易な文字を用いなければならないとしているのは、従来、子の名に用いられる漢字にはきわめて複雑かつ難解なものが多く、そのため命名された本

人や関係者に、社会生活上、多大の不便や支障を生じさせたことから、子の名に用いられるべき文字を常用平易な文字に制限し、これを簡明ならしめることを目的とするものと解される。戸籍法50条2項は、常用平易な文字の範囲は法務省令でこれを定めると規定し、施行規則60条が法50条2項の常用平易な文字の範囲を定めている。施行規則60条は、上記委任に基づき、常用平易な文字を限定列挙したものと解すべきであるが、法50条2項は、子の名には常用平易な文字を用いなければならないとの同条1項による制限の具体化を施行規則60条に委任したものであるから、同条が、社会通念上、常用平易であることが明らかな文字「曽」を子の名に用いることのできる文字として定めなかった場合には、法50条1項が許容していない文字使用の範囲の制限を加えたことになり、その限りにおいて、施行規則60条は、法による委任の趣旨を逸脱するものとして違法、無効と解すべきである（最判平15・12・25）。

Q70 地方自治法85条1項は、解職の投票に関する規定であり、これに基づき政令で定めることができるのもその範囲に限られ、政令で解職の請求についてまで規定することを許容しているのか。

A 地方自治法85条1項は、解職の請求についてまで政令で規定することを許容していない。　地方自治法は、議員の解職請求について、解職の請求と解職の投票という2つの段階に区分して規定しているところ、同法85条1項は、公職選挙法中の普通地方公共団体の選挙に関する規定（以下「選挙関係規定」という）を地方自治法80条3項による解職の投票に準用する旨定めているのであるから、その準用がされるのも、請求手続とは区分された投票手続についてであると解される。したがって、地方自治法85条1項は、もっぱら解職の投票に関する規定であり、これに基づき政令で定めることができるのもその範囲に限られるものであって、解職の請求についてまで政令で規定することを許容するものということはできない。しかるに、本件各規定は、地方自治法85条1項に基づき公職選挙法89条1項本文を議員の解職請求代表者の資格について準用し、公務員について解職請求代表者となることを禁止している。これは、地方自治法85条1項に基づく政令の定めとして許される範囲を超えたものであって、その資格制限が請求手続にまで及ぼされる限りで無効と解するのが相当である（最大判平21・11・18）。

Q71 町議会議員に係る解職請求者署名簿に関する事件において、地方自治法施行令の各規定は、地方自治法に基づく公職選挙法を議員の解職請求代表者の資格について準用し、公務員について解職請求代表者となることを禁止しているが、これは、地方自治法に基づく政令の定めとして許される範囲を超えたものであって、その資格制限が請求手続にまで及ぼされる限りで無効であるのか。

A 無効である（最大判平21・11・18）。⇨*70*

Q72 厚生労働大臣が制定した新施行規則による郵便等販売の規制は、新薬事法の委任の範囲を逸脱した違法なものとして無効となるのか。

A 新薬事法の委任の範囲を逸脱した違法なものとして無効となる。　厚生労働大臣が制定した新施行規則による郵便等販売の規制は、一般用医薬品の過半を占める第一類医薬品および第二類医薬品に係る郵便等販売を一律に禁止する内容のものである。これに対し、新薬事法36条の5および36条の6は、いずれもその文理上は郵便等販売の規制並びに店舗における販売、授与および情報提供を対面で行うことを義務付けていないことはもとより、その必要性等について明示的に触れているわけでもなく、医薬品に係る販売又は授与の方法等の制限について定める新薬事法37条1項も、郵便等販売が違法とされていなかったことの明らかな旧薬事法当時から実質的に改正されていない。また、新薬事法の他の規定中にも、店舗販売業者による一般用医薬品の販売又は授与やその際の情報提供の方法を原則として店舗における対面によるものに限るべきであるとか、郵便等販売を規制すべきであるとの趣旨を明確に示すものは存在しない。したがって、新施行規則のうち、店舗販売業者に対し、一般用医薬品のうち第一類医薬品および第二類医薬品について、①当該店舗において対面で販売させ又は授与させなければならない（159条の14第1項、2項本文）ものとし、②当該店舗内の情報提供を行う場所において情報の提供を対面により行わせなければならない（159条の15第1項1号、159条の17第1項、2号）ものとし、③郵便等販売をしてはならない（142条、15条の4第1項1号）ものとした各規定は、いずれも上記各医薬品に係る郵便等販売を一律に禁止することとなる限度において、新薬事法の趣旨に適合するものではなく、新薬事法の委任の範囲を逸脱した違法なものとして無効というべきである（最判平25・1・11）。

Q73 ふるさと納税制度に係る平成31年総務省告示第179号2条3号の規定のうち、地方税法37条の2及び314条の7を改正する平成31年法律第2号の規定の施行前における寄附金の募集及び受領について定める部分は、上記規定による改正後の地方税法37条の2第2項及び314条の7第2項の委任の範囲を逸脱した違法なものとして無効となるのか。

A 委任の範囲を逸脱した違法なものとして無効となる。　地方税法37条の2第2項は、指定の基準のうち「都道府県等による第1号寄附金の募集の適正な実施に係る基準」の策定を総務大臣に委ねており、同大臣は、この委任に基づいて、募集適正基準の一つとして本件告示2条3号を定めたものである。また、地方自治法245条の2は、普通地方公共団体は、その事務の処理に関し、法律又はこれに基づく政令によらなければ、普通地方公共団体に対する国又は都道府県の関与（同法245条）を受け、又は要することとされることはないとする関与法定主義を規定するところ、本件告示2条3号は、普通地方公共団体に対する国の関与に当たる指定の

基準を定めるものであるから、関与法定主義に鑑みても、その策定には法律上の根拠を要するというべきである。　そうすると、本件告示2条3号の規定が地方税法37条の2第2項の委任の範囲を逸脱するものである場合には、その逸脱する部分は違法なものとして効力を有しないというべきである（最判令2・6・30）。　**出題** 予想

◇**国と地方公共団体との関係**

Q74 地方公共団体の教育委員会（地教委）が、文部大臣による全国の中学校を対象とした学力調査の実施要求に応じて、その要求に係る事項を実施することは、教育における地方自治の原則に反し違法性があるのか。

A **違法性はない。**　地方公共団体の教育委員会（地教委）は、地教行法23条17号により当該地方公共団体の教育にかかる調査をする権限を有しており、各市町村教委による本件学力調査の実施も、当該市町村教委が文部大臣の要求に応じその所掌する中学校の教育にかかる調査として、上記法条に基づいて行ったものであって、文部大臣の要求によって初めて法律上根拠付けられる調査権限を行使したものではない。その意味において、文部大臣の要求は、法手続上は、市町村教委による調査実施の動機をなすものであるにすぎず、その法的要件をなすものではない。それ故、本件において旭川市教委が旭川市立の各中学校につき実施した調査行為は、たとえそれが地教行法54条2項の規定上文部大臣又は北海道教委の要求に従う義務がないにもかかわらずその義務があるものと信じてされたものであっても、少なくとも手続法上は権限なくされた行為として違法であるわけではない。そして、市町村教委は、市町村立の学校を所管する行政機関として、その管理権に基づき、学校の教育課程の編成について基準を設定し、一般的な指示を与え、指導、助言を行うとともに、特に必要な場合には具体的な命令を発することもできるから、旭川市教委が、各中学校長に対し、授業計画を変更し、学校長をテスト責任者としてテストの実施を命じたことも、手続的には適法な権限に基づくものであり、本件学力調査の実施には手続上の違法性はない〔旭川学テ事件〕（最大判昭51・5・21）。　**出題** 国Ⅰ-平成18

4　行政行為

⑴**行政行為の成立**

Q75 行政行為の効力発生時期は何時か。

A **相手方に到達した時（相手方が現実に了知し、また相手方の了知しうべき状態におかれた時）である。**　特定の公務員の任免のごとき行政庁の処分については、特別の規定のない限り、意思表示の一般的法理に従い、その意思表示が相手方に到達した時と解する。すなわち、辞令書の交付その他公の通知によって、相手方が現実にこれを了知し、また相手方の了知しうべき状態におかれた時である（最判昭29・8・24）。

Q76 書面によって表示された行政行為が、行政庁の真意と一致しなくても、行政行為の内容が客観的に法律に適合していれば、その効力は生じるのか。

A **行政行為が書面によって表示されたところに従い、その効力は生じる。**　行政行為は表示行為によって成立するものであって、行政機関の内部で確定したものであっても外部に表示しない間は意思表示ではありえない。そして当該行政行為が要式行為であると否とを問わず書面によって表示されたときは書面の作成によって行政行為は成立し、その書面の到達によって行政行為の効力を生ずるものである。この場合、表示行為が当該行政機関の内部的意思決定と相違していても表示行為が正当の権限ある者によってなされたものである限り、当該書面に表示されているとおりの行政行為があったものと認めなければならない（最判昭29・9・28）。

出題 国Ⅰ-平成1、地方上級-昭和62、国家一般-平成28、国税・労基-平成18、国税-平成13・11・9・6

Q77 行政行為が行政行為として有効に成立したといえるためには、行政庁の内部において意思決定の事実があるか、あるいは意思決定の内容を記載した書面が作成されていることで足りるのか。

A **その意思決定が何らかの形式で外部に表示される必要がある**（最判昭29・9・28）。⇨76

⑵**行政行為の意義・成立・種類**

Q78 行政処分とは何か。

A **直接国民の権利義務を形成しまたはその範囲を確定することが法律上認められているものである。**　行政庁の処分とは、行政庁の法令に基づく行為のすべてを意味するものではなく、公権力の主体たる国または公共団体が行う行為のうち、その行為によって、直接国民の権利義務を形成しまたはその範囲を確定することが法律上認められているものをいう（最判昭39・10・29）。

出題 国Ⅰ-平成8・3・昭和56・51

Q79 食品衛生法上の無許可営業による売買契約の私法上の効力は有効か無効か。

A **有効である。**　本件売買契約が食品衛生法による取締りの対象に含まれているかどうかはともかくとして、同法は単なる取締法規にすぎないから、上告人が食肉販売業の許可を受けていないとしても、食品衛生法により本件取引の効力が否定される理由はない。それ故、上記許可の有無は本件取引の私法上の効力に消長を及ぼさない（最判昭35・3・18）。

出題 国Ⅰ-平成19・2・昭和61・59、地方上級-昭和60、国税-平成7

Q80 有毒物質の混入している食品を売買した場合、それによってその食品が一般大衆の購買ルートに乗り、その結果、公衆衛生を害することが明らかであれば、当該売買契約は民法90条の規定に反し無効となるのか。

A **民法90条の規定に反し無効となる。**　有毒性物

質である硼砂の混入したアラレを販売すれば、食品衛生法4条2号に抵触し、処罰を免れないことはいうまでもないが、その理由だけで、上記アラレの販売が民法90条に反し無効のものとなるものではない。しかしながら、アラレの製造販売を業とする者が、硼砂の有毒性物質であり、これを混入したアラレを販売することが食品衛生法の禁止しているものであることを知りながら、あえてこれを製造のうえ、同じ販売業者である者の要請に応じて売り渡し、その取引を継続したという場合には、一般大衆の購買のルートに乗せたものと認められ、その結果、公衆衛生を害するに至るであろうことはみやすき道理であるから、そのような取引は民法90条に抵触し無効のものと解する（最判昭39・1・23）。

[出題] 国Ⅰ-平成19

Q81 国民年金の給付を受ける権利は、受給権者の請求に基づき社会保険庁長官（当時）が裁定するものであるため、同長官による裁定を受けて初めて年金の支給が可能になるのか。

A 長官による裁定を受けて初めて年金の支給が可能になる。　国民年金法19条1項所定の遺族は、死亡した受給権者が有していた請求権を同項の規定に基づき承継的に取得するものと理解することができるが、以下に述べるとおり、自己が所定の遺族にあたるとしてその権利を行使するためには、社会保険庁長官に対する請求をし、同長官の支給の決定を受けることが必要である。国民年金法16条は、給付を受ける権利は、受給権者の請求に基づき社会保険庁長官が裁定するものとしているが、これは、画一公平な処理により無用の紛争を防止し、給付の法的確実性を担保するため、その権利の発生要件の存否や金額等につき同長官が公権的に確認するのが相当であるとの見地から、基本権たる受給権について、同長官による裁定を受けて初めて年金の支給が可能となる旨を明らかにしたものである（最判平7・11・7）。[出題] 国家総合-令和3、国Ⅰ-平成23

(3)行政行為における裁量

◇法規裁量等

Q82 農地に関する賃借権の設定移転についての市町村農地委員会の承認の有無は、自由裁量か。

A 農地委員会の自由裁量ではない。　農地に関する賃借権の設定移転は本来個人の自由契約に委せられていた事項であって、法律が小作権保護の必要上これに制限を加え、この効力を承認にかからせているのは、結局個人の自由の制限であり、法律が承認について客観的な基準を定めていない場合でも、法律の目的に必要な限度においてのみ行政庁も承認を拒むことができるのであって、農地調整法の趣旨に反して承認を与えないのは違法である。換言すれば、承認するかしないかは農地委員会の自由な裁量に委されていない（最判昭31・4・13）。

[出題] 国Ⅰ-昭和51、地方上級-昭和60、国Ⅱ-昭和61

Q83 自動車運転手の道路交通法違反の行為が、同法所定の運転免許取消しの事由に該当するか否かの判断は、公安委員会の自由裁量に委されているのか。

A 原則として公安委員会の法規裁量に属する。自動車運転手の交通取締法規違反の行為が運転免許取消事由に該当するかの判断は、公安委員会の純然たる自由裁量に委されたものではなく、道路交通取締法等の規定の趣旨にそう一定の客観的標準に照らして決せられるべきいわゆる法規裁量に属するものであるが、元来運転免許取消し等の処分は道路における危険を防止し、その他交通の安全と円滑を図ることを目的とする行政行為であるから、これを行うについては、公安委員会は何がその規定の趣旨とするところに適合するかを各事案ごとにその具体的事実関係に照らして判断することを要し、その限度において公安委員会には裁量権が認められている（最判昭39・6・4）。

[出題] 国Ⅰ-昭和57・51、国Ⅱ-昭和61

Q84 公衆浴場法に基づく営業許可申請において、いずれも許可基準を満たす競願関係が生じた場合、行政庁は何を基準にして許可を与えるべきか。

A 申請の前後により先願者に許可を与えなければならない。　公衆浴場法に基づく営業許可の申請が所定の許可基準に適合するものである限り、行政庁は、これに対して許可を与えなければならないから、許可をめぐって競願関係が生じた場合に、各競願者の申請が、いずれも許可基準を満たすものであって、その限りでは条件が同一であるときは、行政庁は、その申請の前後により、先願者に許可を与えなければならない。そして、先願後願の関係は、所定の申請書がこれを受け付ける権限を有する行政庁に提出された時を基準として定めるのが相当であって、申請の受付ないし受理というような行政庁の行為の前後によってこれを定めることはできない（最判昭47・5・19）。

[出題] 国Ⅰ-平成12・2・昭和63、特別区Ⅰ-平成18、国Ⅱ-平成13

Q85 毒物及び劇物取締法が定める登録拒否事由に該当しないのに、行政庁の裁量で登録を拒否することは許されるか。

A 行政庁の裁量で登録を拒否することは許されない。　毒物及び劇物取締法それ自体は、毒物及び劇物の輸入業等の営業に対する規制は、もっぱら設備の面から登録を制限することをもって足りるものとし、毒物及び劇物がどのような目的でどのような用途の製品に使われるかについては、特定毒物の場合のほかは、直接規制の対象とせず、他の個々の法律がそれぞれの目的に応じて個別的に取り上げて規制するのに委ねている趣旨である。そうすると、本件ストロングライフがその用途に従って使用されることにより人体に対する危害が生ずるおそれがあることをもってその輸入業の登録の拒否事由とすることは、毒物及び劇物の輸入業等の登録の許否をもっぱら設備に関する基準に適合するか否かにかからしめている同法の趣旨に反し、許されない〈ストロングライフ事件〉（最判昭56・2・26）。

[出題] 国家総合-令和3、国Ⅰ-平成17・5・昭和62、国税・労基-平成22

Q86 道路法および車両制限令に基づいて道路管理

者が行う特殊な車両の認定には、裁量の余地はないのか。

A 原則として裁量の余地はないが、例外的に認められる場合がある。　道路法47条4項の規定に基づく車両制限令12条所定の道路管理者の認定は、同令5条から7条までに規定する車両についての制限に関する基準に適合しないことが、車両の構造または車両に積載する貨物が特殊であるためやむをえないものであるかどうかの認定にすぎず、車両の通行の禁止または制限を解除する性格を有する許可とは法的性格を異にし、基本的には裁量の余地のない確認的行為の性格を有するものである。ただし、上記認定にあたっては、具体的事案に応じ道路行政上、比較衡量的判断を含む合理的な行政裁量を行使することが全く許容されないものではない（最判昭57・4・23）。

出題　国家総合－令和4、国Ⅰ－平成11・5、東京Ⅰ－平成18、特別区Ⅰ－平成29、国Ⅱ－平成13

Q87 土地収用法による補償額の決定については収用委員会の補償に関する認定判断に裁量権の逸脱濫用があるか否かを審理判断するのか。

A 収用委員会には裁量は認められず、裁判所は証拠に基づき正当な補償額を客観的に認定する。　土地収用法による補償金の額は、「相当な価格」（同法71条参照）等の不確定概念によって定められているが、それは通常人の経験則および社会通念に従って、客観的に認定されうるのであり、かつ、認定すべきであって、補償の範囲およびその額（以下、これらを「補償額」という。）の決定につき収用委員会に裁量権は認められない。したがって、同法133条所定の損失補償に関する訴訟において、裁判所は、収用委員会の補償に関する認定判断に裁量権の逸脱濫用があるかどうかを審理判断するのではなく、証拠に基づき裁決時点における正当な補償額を客観的に認定し、裁決に定められた補償額が当該認定額と異なるときは、裁決に定められた補償額を違法とし、正当な補償額を確定すべきである（最判平9・1・28）。

出題　国家総合－令和1・平成30、国Ⅰ－平成21・11、国Ⅱ－平成21・13、国税・労基－平成16

Q88 住民基本台帳法による転入届を法定の届出事項に係る事由以外の事由を理由として不受理とすることはできるか。

A 不受理とすることはできない。　住民基本台帳に関する法令の規定およびその趣旨によれば、住民基本台帳は、これに住民の居住関係の事実と合致した正確な記録をすることによって、住民の居住関係の公証、選挙人名簿の登録その他の住民に関する事務の処理の基礎とするものであるから、市町村長（地方自治法252条の19第1項の指定都市にあっては区長）は、住民基本台帳法（以下「法」という）の適用が除外される者以外の者から法22条（改正前）の規定による転入届があった場合には、その者に新たに当該市町村（指定都市にあっては区）の区域内に住所を定めた事実があれば、法定の届出事項に係る事由以外の事由を理由として転入

届を受理しないことは許されず、住民票を作成しなければならない。したがって、地域の秩序が破壊され住民の生命や身体の安全が害される危険性が高度に認められるような特別の事情がある場合には、転入届を受理しないことが許される旨の主張は、実定法上の根拠を欠く主張といわざるをえない（最判平15・6・26）。

出題　国Ⅰ－平成17、国Ⅱ－平成17

Q89 キャンプ用テントを起居の場所とし、これを住所とした申請に対し、これを不受理とする処分は適法か。

A 適法である。　上告人は、都市公園法に違反して、都市公園内に不法に設置したキャンプ用テントを起居の場所とし、公園施設である水道設備等を利用して日常生活を営んでいることなど原審の適法に確定した事実関係の下においては、社会通念上、上記テントの所在地が客観的に生活の本拠としての実体を具備しているものとみることはできない。上告人が上記テントの所在地に住所を有するものということはできないとし、本件不受理処分は適法であるとした原審の判断は、是認することができる（最判平20・10・3）。

出題　予想

◇自由裁量(1)─ 政治的・外交的判断等

Q90 皇居外苑のメーデーのための使用申請に対する不許可処分は、厚生大臣の管理権に基づく全くの自由裁量に属するものか。

A 全くの自由裁量に属するものではない。　本件不許可処分は、それが管理権を逸脱した不法のものであると認むべき事情のあらわれていない本件においては、厚生大臣は国民公園管理規則4条の適用につき勘案すべき諸点を十分考慮のうえ、その公園としての使命を達成させようとする立場に立って、不許可処分をしたもので、決して単なる自由裁量によったものでなく管理権の適正な運用を誤ったものとは認められない〈皇居外苑使用不許可事件〉（最大判昭28・12・23）。

出題　地方上級－昭和60、国税－昭和60

Q91 旅券法に基づく外務大臣の旅券発給拒否処分の適法性に関して、裁判所は司法審査ができるか。

A 司法審査ができる場合がある。　外務大臣が旅券法13条1項5号の規定により、旅券発給拒否処分をした場合において、裁判所は、その処分当時の旅券発給申請者の地位、経歴、人がら、その旅行の目的、渡航先である国の情勢、および外交方針、外務大臣の認定判断の過程、その他これに関するすべての事実を斟酌したうえで、外務大臣の当該処分が同号の規定により外務大臣に与えられた権限をその法規の目的に従って適法に行使したかどうかを判断すべきものであって、その判断は、ただ単に当該処分が外務大臣の恣意によるかどうか、その判断の前提とされた事実の認識について明白な誤りがあるかどうか、または、その結論に至る推理に著しい不合理があるかどうかなどに限定されない（最判昭44・7・11）。

出題　国Ⅰ－昭和57・51、地方上級－昭和60、国

Ⅱ－昭和61

Q92 外国人の在留期間の更新の有無の判断は法務大臣の裁量にあるのか。また、この判断に対して裁判所が審査することは可能か。

A 法務大臣の裁量にあり、その裁量権の範囲を超えまたは濫用があれば、裁判所は審査できる。
外国人の在留期間の更新の許否にあたっては、事柄の性質上、出入国管理行政の責任を負う法務大臣の裁量に任せるのでなければとうてい適切な結果を期待することができない。そして、出入国管理令21条3項に基づく法務大臣の「在留期間の更新を適当と認めるに足りる相当の理由」があるかどうかの判断に関する法務大臣の裁量権の性質にかんがみ、その判断が全く事実の基礎を欠くことが明らかである場合または事実に対する評価が明白に合理性を欠く等により社会通念上著しく妥当性を欠くことが明らかである場合に限り、裁量権の範囲を超えまたはその濫用があったものとして違法となる。したがって、裁判所は、外国人在留期間の更新の有無の判断が法務大臣の裁量権の行使としてなされたものであることを前提として、その判断の基礎とされた重要な事実に誤認があること等により上記判断が全く事実の基礎を欠くかどうか、または事実に対する評価が明白に合理性を欠くこと等により上記判断が社会通念に照らし著しく妥当性を欠くことが明らかであるかどうかについて審理しなければならない〈マクリーン事件〉（最大判昭53・10・4）。

出題 国家総合－令和4、国Ⅰ－平成14・5・1、地方上級－昭和54、東京Ⅰ－平成18・15、特別区Ⅰ－平成24、国Ⅱ－平成13、国税・労基－平成22・16

Q93 ＸとＡとの長期間の別居のため、Ｙ（法務大臣）がＸの在留資格を「短期滞在」に変更した後、ＸとＡとの婚姻関係が有効であるとの判決等の事実があるのに、「日本人の配偶者等」への在留資格の変更申請を考慮する機会を与えないことは、違法か。

A Ｙはその裁量権の範囲を逸脱し、またはこれを濫用したものであり、当該処分は違法である。　Ｘは、「日本人の配偶者又は子」の在留資格をもって本邦における在留を継続してきていたが、Ｙ（法務大臣）はＸとＡとが長期間にわたり別居していたことなどから、Ｘの本邦における活動は、もはや日本人の配偶者の身分を有する者としての活動に該当しないとの判断の下に、Ｘの意に反して、その在留資格を「短期滞在」に変更する旨の申請ありとして取り扱い、これを許可する旨の処分をし、これにより、Ｘが「日本人の配偶者等」の在留資格による在留期間の更新を申請する機会を失わせたのである。しかも、本件処分時においても、ＸとＡとの婚姻関係が有効であることが判決によって確定していたうえ、Ｘは、その後にＡから提起された離婚請求訴訟についても応訴していたことから、Ｘの活動は、日本人の配偶者の身分を有するものとしての活動に該当する。そうであれば、少なくとも、Ｘの在留資格が「短期滞在」に変更されるに至った経緯にかんがみれば、Ｙは、信義則上、「短期滞在」の在留資格によるＸの在留期間の更新を許可したうえ

で、Ｘに対し、「日本人の配偶者等」への在留資格の変更申請をしてＸが「日本人の配偶者等」の在留資格に属する活動を引き続き行うのを適当と認めるに足りる相当の理由があるかどうかにつき公権的判断を受ける機会を与えることを要したのである。以上の点から、Ｘがした在留期間の更新申請に対し、これを不許可とした本件処分は、上記のような経緯を考慮していない点において、Ｙがその裁量権の範囲を逸脱し、またはこれを濫用したものであるとの評価を免れず、本件処分は違法である（最判平8・7・2）。

出題 国Ⅰ－平成15

Q94 協定永住資格を有する在日韓国人に対して、法務大臣が指紋押捺拒否を理由に再入国不許可処分をすることは適法か。

A 適法である。　本件不許可処分がされた当時の社会情勢や指紋押なつ制度の維持による在留外国人およびその出入国の公正な管理の必要性その他の諸事情に加えて、再入国の許否の判断に関する法務大臣の裁量権の範囲がその性質上広範なものとされている趣旨にもかんがみると、協定永住資格を有する者についての法務大臣の上記許否の判断に当たってはその者の本邦における生活の安定という観点をも斟酌すべきであることや、本件不許可処分が上告人に与えた不利益の大きさ、本件不許可処分以降、在留外国人の指紋押なつ義務が軽減され、協定永住資格を有する者についてはさらに指紋押なつ制度自体が廃止されるに至った経緯等を考慮してもなお、当該処分に係る法務大臣の判断が社会通念上著しく妥当性を欠くことが明らかであるとはいえない。したがって、当該判断は、裁量権の範囲を超え、またはその濫用があったものとして違法であるとはいえない〈在日韓国人再入国不許可処分取消訴訟〉（最判平10・4・10）。

出題 予想

◇自由裁量(2)－専門技術的判断

Q95 温泉の掘さくの許可を拒むか否かの判断は、行政庁の裁量に任されているのか。

A 原則として、行政庁の裁量に任されている。
温泉源を保護しその利用の適正化を図る見地から許可を拒む必要があるかどうかの判断は、主として、専門技術的な判断を基礎とする行政庁の裁量により決定されるべき事柄であって、裁判所が行政庁の判断を違法視しうるのは、その判断が行政庁に任された裁量権の限界を超える場合に限る（最判昭33・7・1）。

出題 国家総合－平成24、国Ⅰ－昭和61・57、地方上級－昭和60、国Ⅱ－平成7、国税－昭和63

Q96 汚物の収集、運搬、処分の許可を汚物取扱業者に与えるか否かは、市町村長の自由裁量に委ねられているのか。

A 市町村長の自由裁量に委ねられている。　市町村長が汚物処理業の許可を与えるかどうかは、清掃法の目的と当該市町村の清掃計画とに照らし、市町村がその責務である汚物処理の事務を円滑完全に遂行するに必要適切であるかどうかという観点から、これを決すべきであり、清掃法15条1項によるし尿浄化槽内汚物取扱業についての市町村長

の不許可処分が、その申請者において申請地域外の汚物をも取り扱っているため、他地域の汚物が申請地域の汚物処理場に持ち込まれるおそれがあり、また、申請地域の汚物の処理にはすでに許可を得ている業者だけで十分であるなどのような事情を考慮してされたものであるときは、それにより、従来許可を要しないとの取扱いの下でし尿浄化槽清掃に従事していた申請者の営業実績が無に帰することになったとしても、それだけで当該不許可処分が裁量権の範囲を逸脱したものということはできない（最判昭47・10・12）。

出題　国Ⅰ-平成5・昭和57、国税・労基-平成16
Q97 個室付浴場業の開業を阻止することを主たる目的としてされた知事の児童遊園設置認可処分は違法か。

A 行政権の著しい濫用にあたり違法である。　個室付浴場業の開業を阻止することを主たる目的としてされた知事の児童遊園設置認可処分は、たとえ児童遊園がその設置基準に適合しているものであるとしても、行政権の著しい濫用によるものとして違法であり、かつ、当該認可処分とこれを前提としてされた本件営業停止処分によって個室付浴場業の会社が被った損害との間には相当因果関係があるから、当該会社の本訴損害賠償請求（国家賠償法1条に基づく）はこれを認容すべきである（最判昭53・5・26）。

出題　国家総合-令和4・3、国Ⅰ-平成13・12・1・昭和62、東京Ⅰ-平成14、国Ⅱ-平成17・13・7、国税・労基-平成22・16、国税-平成14・12・9・4・昭和63
Q98 行政庁が客観的には法律により与えられた裁量権の範囲内で行為した場合であっても、主観的に法の定めと異なる目的で当該行為をしたときは、当該行為は裁量権を濫用した違法なものとなるのか。

A 当該行為は裁量権を濫用した違法なものとなる（最判昭53・5・26）。⇨*97*

Q99 原子炉設置許可処分の専門技術性に対して、司法審査ができるのか。

A 司法審査ができる場合がある。　原子炉施設の安全性に関する判断の適否が争われる原子炉設置許可処分の取消訴訟における裁判所の審理、判断は、原子力委員会もしくは原子炉安全専門審査会の専門技術的な調査審議および判断をもとにしてされた被告行政庁（改正後は被告行政主体）の判断に不合理な点があるか否かという観点から、行われるべきであって、現在の科学水準に照らし、上記調査審議において用いられた具体的審査基準に不合理な点があり、あるいは当該原子炉施設が上記の具体的審査基準に適合するとした原子力委員会もしくは原子炉安全専門審査会の調査審議および判断の過程に看過し難い過誤、欠落があり、被告行政庁（改正後は被告行政主体）の判断がこれに依拠してされたと認められる場合には、被告行政庁の上記判断に不合理な点があるものとして、上記判断に基づく原子炉設置許可処分は違法である〈伊方原発訴訟〉（最判平4・10・29）。

出題　国家総合-令和2・1・平成24、国Ⅰ-平成

21・15・8、東京Ⅰ-平成14、特別区Ⅰ-平成24、国家一般-平成28、国Ⅱ-平成22・13、国税-平成9
Q100 原子炉設置許可処分取消訴訟における裁判所の審理、判断は、原子力委員会および原子炉安全専門審査会の専門技術的な調査審議および判断を基になされた主務大臣の判断に不合理な点があるか否かという観点から行われるべきであるから、主務大臣の判断は、原子力委員会および原子炉安全専門審査会の判断に依拠していると認められる限り、違法とはならないのか。

A 主務大臣の判断が、原子力委員会および原子炉安全専門審査会の判断に依拠していても、違法となる場合がある〈伊方原発訴訟〉（最判平4・10・29）。⇨*99*

Q101 行政庁が許可処分を行う際に前提とした安全性に関する科学的知見が変動した場合、当該処分の取消訴訟において、裁判所は現在の科学技術水準に照らして審理、判断すべきか。

A 裁判所は現在の科学技術水準に照らして審理、判断すべきである〈伊方原発訴訟〉（最判平4・10・29）。⇨*99*

Q102 「酒類の販売業免許等の取扱について」国税庁長官の通達で定める酒税法10条11号該当性の認定基準は、合理性を有しているのか。また、その原則的規定（酒税法10条11号）を機械的に適用さえすれば足りるのか。

A 合理性を有している。ただ、機械的に適用さえすれば足りるのではなく、事案に応じて、各種例外的取扱いの採用をも積極的に考慮し、弾力的にこれを運用するよう努めるべきである。　酒類の消費量は、何よりも当該販売地域に居住する人口の大小によって左右されるものと考えられるから、これを基準として需給の均衡を図ることは、世帯数等を基準とするよりも合理的な認定方法ということができる。したがって、「酒類の販売業免許等の取扱について」における酒税法10条11号該当性の認定基準は、当該申請に係る参入によって当該小売販売地域における酒類の供給が過剰となる事態を生じさせるか否かを客観的かつ公正に認定するものであって、合理性を有しているということができるので、これに適合した処分は原則として適法というべきである。もっとも、酒税法10条11号の規定は、立法目的を達成するための手段として合理性を認めうるとはいえ、申請者の人的、物的、資金的要素に欠陥があって経営の基礎が薄弱と認められる場合にその参入を排除しようとする同条10号の規定と比べれば、手段として間接的なものであることは否定しがたいところであるから、酒類販売業の免許制が職業選択の自由に対する重大な制約であることにかんがみると、同条11号の規定を拡大的に運用することは許されるべきではない。したがって、「酒類の販売業免許等の取扱について」も、その原則的規定を機械的に適用さえすれば足りるものではなく、事案に応じて、各種例外的取扱いの採用をも積極的に考慮し、弾力的にこれを運用するよう努めるべきである（最判平10・7・16）。

Q103 通達により定められた一定の運賃計算方式により算定された額と異なる運賃額を内容とする運賃の設定又は変更の認可申請について、所定の原価計算書その他運賃の額の算出基礎を記載した書類が併せて提出された場合には、当該申請についての法の基準に適合しているか否かを当該提出書類に基づいて個別に審査判断すべきか。

A 個別に審査判断すべきである。　道路運送法9条2項1号の基準は抽象的、概括的なものであり、その基準に適合するか否かは、行政庁の専門技術的な知識経験と公益上の判断を必要とし、ある程度の裁量的要素があることを否定することはできない。本件通達の定める運賃原価算定基準に示された原価計算の方法は、同号の基準に適合するか否かの具体的判断基準として合理性を有するといえる。そして、平均原価方式に従って算定された額をもって当該同一地域内のタクシー事業者に対する運賃の設定又は変更の認可の基準とし、上記の額を変更後の運賃の額とする運賃変更の認可申請については、特段の事情のない限り同号の基準に適合しているものと判断することも、地方運輸局長の前記裁量権の行使としては認しうるところである。もっとも、タクシー事業者が平均原価方式により算定された額と異なる運賃額を内容とする運賃の設定又は変更の認可申請をし、上記運賃額が同号の基準に適合することを明らかにするため道路運送法施行規則（改正前のもの）10条2項所定の原価計算書その他運賃の額の算出の基礎を記載した書類を提出した場合には、地方運輸局長は、当該申請について道路運送法9条2項1号の基準に適合しているか否かを上記提出書類に基づいて個別に審査判断すべきである（最判平11・7・19）。

Q104 被保護世帯において子弟の高等学校修学の費用に充てることを目的として加入した学資保険の満期保険金の一部について収入認定をし、保護の額を減じた保護変更決定処分は、違法となるのか。

A 違法となる（最判平16・3・16）。⇨憲法25条11

Q105 民有地に代えて公有地を利用することができるにもかかわらず、それを考慮することなく、建設大臣が都市計画決定をすることは、裁量権の範囲を超え又はその濫用があり、違法となるのか。

A 他に特段の事情のない限り、裁量権の範囲を超え又はその濫用があり、違法となる。　旧都市計画法は、都市施設に関する都市計画を決定するにあたり都市施設の区域をどのように定めるべきであるかについて規定しておらず、都市施設の用地として民有地を利用することができるのは公有地を利用することによって行政目的を達成することができない場合に限られると解さなければならない理由はない。しかし、都市施設は、その性質上、土地利用、交通等の現状および将来の見通しを勘案して、適切な規模で必要な位置に配置することにより、円滑な都市活動を確保し、良好な都市環境を保持するように定めなければならないものであるから、都市施設の区域は、当該都市施設が適切な規模で必要な位置に配置されたものとなるような合理性をもって定められるべきものである。この場合において、民有地に代えて公有地を利用することができるときには、そのことも上記の合理性を判断する一つの考慮要素となりうると解すべきである。したがって、民有地に代えて公有地を利用することができるにもかかわらず、それを考慮することなく、建設大臣が判断をすることは、他に特段の事情のない限り、社会通念に照らし著しく妥当性を欠き、本件都市計画決定は、裁量権の範囲を超え又はその濫用があったものとして違法となる（最判平18・9・4）。

Q106 都市計画において、都市施設の適切な規模や配置といった事項は、一義的に定めることのできるものでなく、土地利用、交通等の現状および将来の見通しを勘案して、様々な利益を比較考量し、これらを総合して政策的、技術的な裁量によって決定せざるをえないものであって、都市計画を決定する行政庁の広範な裁量にゆだねられているというべきであるが、まず公有地の利用を検討し、公有地の利用によって行政目的を達成することができない場合にのみ私有地の利用が認められるべきであるといった観点を、都市計画を策定する際の合理性を判断する一つの考慮要素としてはならないのか。

A 上記観点を、都市計画を策定する際の合理性を判断する一つの考慮要素としなければならない（最判平18・9・4）。⇨ 105

Q107 小田急線の一部高架式とする鉄道事業認可は、裁量権の範囲を逸脱し又はこれを濫用したものとして違法となるのか。

A 違法とならない。　都市施設の規模、配置等に関する事項を定めるにあたっての判断は、これを決定する行政庁の広範な裁量にゆだねられているのであって、裁判所が都市施設に関する都市計画の決定又は変更の内容の適否を審査するにあたっては、当該決定又は変更が裁量権の行使としてされたことを前提として、その基礎とされた重要な事実に誤認があること等により重要な事実の基礎を欠くこととなる場合、又は、事実に対する評価が明らかに合理性を欠くこと、判断の過程において考慮すべき事情を考慮しないこと等によりその内容が社会通念に照らし著しく妥当性を欠くものと認められる場合に限り、裁量権の範囲を逸脱し又はこれを濫用したものとして違法となるとすべきものと解する。そうすると、平成5年決定は、本件区間の連続立体交差化事業に伴う騒音等によって事業地の周辺地域に居住する住民に健康又は生活環境に係る著しい被害が発生することの防止を図るという観点から、本件評価書の内容にも十分配慮し、環境の保全について適切な配慮をしたものであり、公害防止計画にも適合するものであって、都市計画法等の要請に反するものではなく、鉄道騒音に対して十分な考慮を欠くものでもない。したがって、この点について、平成5年決定が考慮すべき事情を考慮せずにされたものということはできず、また、その判断内容に明らかに合理性を欠く点があるともいえない。以上により、

平成 5 年決定が本件高架式を採用した点において裁量権の範囲を逸脱し又はこれを濫用したものとして違法となるとはいえない〈小田急電鉄高架橋訴訟〉（最判平 18・11・2）。

出題 国 I − 平成 23・21、国 II − 平成 22

Q108 都市施設に関する都市計画の決定にあたっては、当該都市施設に関する諸般の事情を総合的に考慮すべきであるが、考慮すべき環境への影響を考慮しなくても違法とならないのか。

A 考慮すべき環境への影響を考慮しなければ違法となる〈小田急電鉄高架橋訴訟〉（最判平 18・11・2）。⇨ *107*

出題 国家総合 − 平成 30

Q109 海岸法 37 条の 4 の規定に基づく占用の許可の申請があった場合において、当該占用が一般公共海岸区域の用途又は目的を妨げない場合でも、占用の許可をしないことは許されるのか。

A 海岸管理者の裁量判断として占用の許可をしないことが許される場合がある。　　海岸法 37 条の 4 の規定に基づく一般公共海岸区域の占用の許可の申請があった場合において、申請に係る占用が当該一般公共海岸区域の用途又は目的を妨げないときであっても、海岸管理者は、必ず占用の許可をしなければならないものではなく、海岸法の目的等を勘案した裁量判断として占用の許可をしないことが相当であれば、占用の許可をしないことができる。なぜなら、同法 37 条の 4 の立法趣旨からすれば、一般公共海岸区域の占用の許否の判断にあたっては、当該地域の自然的又は社会的な条件、海岸環境、海岸利用の状況等の諸般の事情を十分に勘案し、行政財産の管理としての側面からだけではなく、同法の目的の下で地域の実情に即してその許否の判断をしなければならないのであって、このような判断は、その性質上、海岸管理者の裁量にゆだねるのでなければ適切な結果を期待することができないからである（最判平 19・12・7）。

出題 国家総合 − 平成 29・25、国 I − 平成 22

Q110 採石業等を目的とする会社が、岩石の採石計画の認可を受けた採石場に近接する一般公共海岸区域に岩石搬出用の桟橋を設けるため、海岸法 37 条の 4 の規定に基づいて上記一般公共海岸区域の占用の許可の申請をした場合、占用の許可をしない旨の処分は裁量権の範囲を超え又はその濫用があったものとして違法となるのか。

A 一定の要件の下で、当該処分は違法となる。　　採石業等を目的とする会社が、岩石の採取計画の認可を受けた採石場に近接する一般公共海岸区域に岩石搬出用の桟橋を設けるため、海岸法 37 条の 4 の規定に基づいて、上記一般公共海岸区域の管理者である県知事に対し、その占用の許可の申請をした場合において、上記会社が桟橋を設けて一般公共海岸区域を占用してもその用途又は目的を妨げないこと、上記占用の許可がされなければ上記採石場において採石業を行うことが相当に困難になることがうかがわれること、その他上記申請をめぐる事情の下では、県知事から権限の委任を受けた県土木事務所長がした上記占用の許可をしない旨の処分は、考慮すべきでない事項を考慮し、他方、当然考慮すべ

き事項を十分考慮しておらず、その結果、社会通念に照らし著しく妥当性を欠いたものということができ、本件不許可処分は、裁量権の範囲を超え又はその濫用があったものとして違法となる（最判平 19・12・7）。

出題 予想

Q111 生活扶助の老齢加算の廃止を内容とする保護基準の改定は、当該改定の時点において 70 歳以上の高齢者には老齢加算に見合う特別な需要が認められず、高齢者に係る当該改定後の生活扶助基準の内容が高齢者の健康で文化的な生活水準を維持するに足りるものであるとした厚生労働大臣の判断は、違法となるのか。

A 最低限度の生活の具体化に係る判断の過程および手続における過誤、欠落の有無等の観点からみて裁量権の範囲の逸脱又はその濫用があると認められる場合には、生活保護法 3 条、8 条 2 項の規定に違反し、違法となる。　　老齢加算の減額又は廃止の要否の前提となる最低限度の生活の需要に係る評価被保護者の期待的利益についての可及的な配慮は、専門技術的な考察に基づいた政策的判断であって、老齢加算の支給根拠およびその額等については、それまでも各種の統計専門家の作成した資料等に基づいて高齢者の特別な需要に係る推計加算対象世帯と一般世帯との消費構造の比較検討がされてきたところである。これらの経緯等にかんがみると、老齢加算の廃止を内容とする保護基準の改定は、①当該改定の時点において 70 歳以上の高齢者には老齢加算に見合う特別な需要が認められず、高齢者に係る当該改定後の生活扶助基準の内容が高齢者の健康で文化的な生活水準を維持するに足りるものであるとした厚生労働大臣の判断に、最低限度の生活の具体化に係る判断の過程および手続における過誤、欠落の有無等の観点からみて裁量権の範囲の逸脱又はその濫用があると認められる場合、あるいは、②老齢加算の廃止に際し激変緩和等の措置を採るか否かについての方針およびこれを採る場合において現に選択した措置が相当であるとした同大臣の判断に、被保護者の期待的利益等への影響等の観点からみて裁量権の範囲の逸脱又はその濫用があると認められる場合に、生活保護法 3 条、8 条 2 項の規定に違反し、違法となるものというべきである（最判平 24・2・28）。

出題 国家総合 − 平成 30

Q112 市が土地開発公社の取得した土地をその簿価に基づき正常価格の約 1.35 倍の価格で買い取る売買契約を締結した市長の判断は、裁量権の範囲を逸脱し又はこれを濫用するものとして違法となるのか。

A 違法とならない。　　市がすでに取得していた隣接地と一体のものとして事業の用に供するため、土地開発公社の取得した土地をその簿価に基づき正常価格の約 1.35 倍の価格で買い取る売買契約を締結した市長の判断は、①上記隣接地の取得価格は、近隣土地の分譲価格等を参考にして定められたものであり、相応の合理性を有するものであったこと、②上記売買契約に係る土地の 1㎡あたりの取得価格は、上記隣接地の 1m² あたりの取得価格を下回るものであり、これを地価変動率で上記売買契約締結

当時のものに引き直した価格をも下回るものであったことなど判示の事情の下では、その裁量権の範囲を逸脱し又はこれを濫用するものとして違法となるとはいえない（最判平 28・6・27）。　出題 予想

◇自由裁量(3)―学校教育・施設利用等

Q113 高等学校用の教科書図書検定における合否の判定等の判断は、文部大臣の合理的な裁量に委ねられ、裁判所の司法判断は及ばないのか。

A 文部大臣の合理的な裁量に委ねられるが、裁量の範囲を逸脱すれば、裁判所の司法判断は及ぶ。
高等学校用の教科書の合否の判定、条件付合格の条件の付与等についての教科用図書検定調査審議会の判断の過程に、原稿の記述内容または欠陥の指摘の根拠となるべき検定当時の学説状況、教育状況についての認識や、旧検定基準に違反するとの評価等に看過しがたい過誤があって、文部大臣の判断がこれに依拠してされたと認められる場合には、当該判断は、裁量権の範囲を逸脱したものとして、国家賠償法上違法となる〈第一次家永教科書訴訟〉（最判平 5・3・16）。

出題 国家総合－平成 24、国Ⅰ－平成 15、東京Ⅰ－平成 18

Q114 高等学校用の教科書図書検定における文部大臣の合否の判定等の判断が、その裁量の範囲を逸脱し、国家賠償法上違法となる場合があるのか。

A 裁量の範囲を逸脱し、国家賠償法上違法となる場合がある〈第一次家永教科書訴訟〉（最判平 5・3・16）。⇨ 113　出題 予想

Q115 原級留置処分又は退学処分を行うかどうかの判断は、校長の合理的な教育的裁量にゆだねられ、裁判所による司法審査は及ばないのか。

A 校長の合理的な教育的裁量にゆだねられるが、当該処分が、裁量権の範囲を超え又は裁量権の濫用がある場合には、裁判所による司法審査は及ぶ。
原級留置処分又は退学処分を行うかどうかの判断は、校長の合理的な教育的裁量にゆだねられるべきものであり、裁判所がその処分の適否を審査するにあたっては、校長と同一の立場に立って当該処分をすべきであったかどうか等について判断し、その結果と当該処分とを比較してその適否、軽重等を論ずべきものではなく、校長の裁量権の行使としての処分が、全く事実の基礎を欠くか又は社会観念上著しく妥当を欠き、裁量権の範囲を超え又は裁量権を濫用したと認められる場合に限り、違法であるが、退学処分の要件の認定につき他の処分の選択に比較して特に慎重な配慮を要するものであり、その学生に与える不利益の大きさに照らして、原級留置処分の決定にあたっても、同様に慎重な配慮が要求される〈剣道実技拒否事件〉（最判平 8・3・8）。　出題 予想

Q116 公立学校において、信仰上の理由により剣道実技の履修を拒否した者に対して原級留置処分を行うかどうかの判断にあたり、処分に至る過程において剣道実技の代替措置の是非、その方法、態様に係る考慮が十分になされていなくても、当該処分は適法か。

A 当該処分は違法である。　本件各処分（原級留置、退学処分）に至るまでに高等専門学校で剣道実技以外の何らかの代替措置をとることの是非、その方法、態様等について十分に考慮するべきである。しかも、信仰上の理由に基づく格技の履修拒否に対して代替措置をとっている学校も現にあり、代替措置をとることによって、神戸高等専門学校における教育秩序を維持することができないとか、学校全体の運営に看過することができない重大な支障を生ずるおそれがあったとは認められず、代替措置をとることが実際上不可能であったわけではない。また、代替措置をとることが、その方法、態様のいかんを問わず、憲法 20 条 3 項に違反するということもできず、当事者の説明する宗教上の信条と履修拒否との合理的関連性が認められるかどうかを確認する程度の調査をすることが公教育の宗教的中立性に反するとはいえない。以上のことから、Y（校長）の措置は、考慮すべき事項を考慮しておらず、又は考慮された事実に対する評価が明白に合理性を欠き、その結果、社会観念上著しく妥当を欠く処分をしたものと評するほかなく、本件各処分は、裁量権の範囲を超える違法なものといわざるをえない〈剣道実技拒否事件〉（最判平 8・3・8）。

出題 国家総合－平成 25、国Ⅰ－平成 15、東京Ⅰ－平成 18

Q117 文部大臣が検定審議会の答申等に基づいて行う合否の判定等についての検定審議会の判断の過程に、看過しがたい過誤があって、文部大臣の判断がこれに依拠して判断した場合には、当該判断は、裁量権の範囲を逸脱したことになるのか。

A 裁量権の範囲を逸脱したことになる。　文部大臣が検定審議会の答申等に基づいて行う合否の判定や、必要な修正を行った後に再度審査を行うことが適当であると検定審議会が認める場合に申請者に通知する検定意見の内容等の審査、判断は、申請図書について、内容が学問的に正確であるか、中立・公正であるか、教科の目標等を達成するうえで適切であるか、児童、生徒の心身の発達段階に適応しているかなどのさまざまな観点から多角的に行われるもので、学術的、教育的な専門技術的判断であるから、事柄の性質上、文部大臣の合理的な裁量にゆだねられるものであるが、上記の判定等についての検定審議会の判断の過程に、原稿の記述内容又は欠陥の指摘の根拠となるべき検定当時の学説状況、教育状況についての認識や、本件検定基準に違反するとの評価等に看過しがたい過誤があって、文部大臣の判断がこれに依拠してされたと認められる場合には、上記判断は、裁量権の範囲を逸脱したものとして、国家賠償法上違法となると解するのが相当である（最判平 17・12・1）。　出題 予想

Q118 学校施設の目的外使用を許可するか否かは、原則として、管理者の裁量にゆだねられているのか。

A 原則として、管理者の裁量にゆだねられている。
学校施設の目的外使用を許可するか否かは、原則として、管理者の裁量にゆだねられている。すなわち、学校教育上支障があれば使用を許可することが

できないことは明らかであるが、そのような支障がないからといって当然に許可しなくてはならないものではなく、行政財産である学校施設の目的および用途と目的外使用の目的、態様等との関係に配慮した合理的な裁量判断により使用許可をしないこともできる。学校教育上の支障とは、物理的支障に限らず、教育的配慮の観点から、児童、生徒に対し精神的悪影響を与え、学校の教育方針にもとることとなる場合も含まれ、現在の具体的な支障だけでなく、将来における教育上の支障が生ずるおそれが明白に認められる場合も含まれる。また、管理者の裁量判断は、許可申請に係る使用の日時、場所、目的および態様、使用者の範囲、使用の必要性の程度、許可をするにあたっての支障又は許可をした場合の弊害もしくは影響の内容および程度、代替施設確保の困難性など許可をしないことによる申請者側の不都合又は影響の内容および程度等の諸般の事情を総合考慮してされるものであり、その裁量権の行使が逸脱濫用にあたるか否かの司法審査においては、その判断が裁量権の行使としてされたことを前提としたうえで、その判断要素の選択や判断過程に合理性を欠くところがないかを検討し、その判断が、重要な事実の基礎を欠くか、又は社会通念に照らし著しく妥当性を欠くものと認められる場合に限って、裁量権の逸脱又は濫用として違法となる（最判平18・2・7）。

出題 国家総合 – 令和2・平成30・25、国Ⅰ – 平成21

Q119 公立学校の施設の目的外使用を許可するか否かは、当該施設の管理者の裁量にゆだねられるものの、学校教育上支障がない場合には、原則としてこれを許可しなければならないのか。

A 合理的な裁量判断により許可しないこともできる（最判平18・2・7）。⇨ 117

Q120 従前、同一目的での学校施設の使用許可申請を物理的支障のない限り許可してきたという運用の下で、従前と異なる取扱いをすることは裁量権の濫用となるのか。

A 直ちに、裁量権の濫用とはならない。　教職員の職員団体は、教職員を構成員とするとはいえ、その勤務条件の維持改善を図ることを目的とするものであって、学校における教育活動を直接目的とするものではないから、職員団体にとって使用の必要性が大きいからといって、管理者において職員団体の活動のためにする学校施設の使用を受忍し、許容しなければならない義務を負うものではないし、使用を許さないことが学校施設につき管理者が有する裁量権の逸脱又は濫用であると認められるような場合を除いては、その使用不許可が違法となるものでもない。また、従前、同一目的での使用許可申請を物理的支障のない限り許可してきたという運用があったとしても、そのことから直ちに、従前と異なる取扱いをすることが裁量権の濫用となるものではない。もっとも、従前の許可の運用は、使用目的の相当性やこれと異なる取扱いの動機の不当性を推認させることがあったり、比例原則ないし平等原則の観点から、裁量権濫用にあたるか否かの判断において

考慮すべき要素となったりすることは否定できない（最判平18・2・7）。

出題 予想

Q121 教育研究集会のための学校施設の使用許可申請に対して、市教育委員会が、県教委等の教育委員会と教職員組合との緊張関係と対立の激化を背景として、過去の右翼団体の妨害行動を例に挙げ、不許可処分とすることは、適法な処分か。

A 市教育委員会の裁量権の範囲を逸脱し、違法な処分である。　本件不許可処分の時点で、本件集会について右翼団体の街宣車が来て街宣活動を行っていたという具体的な妨害の動きがあったことは認められず、本件集会の予定された日は、休校日である土曜日と日曜日であり、生徒の登校は予定されていなかったことからすると、仮に妨害行動がされても、生徒に対する影響は間接的なものにとどまる可能性が高かったということができる。また、本件不許可処分は、校長が、職員会議を開いたうえ、支障がないとして、いったんは口頭で使用を許可する意思を表示した後に、右翼団体による妨害行動のおそれが具体的なものではなかったにもかかわらず、市教委が、過去の右翼団体の妨害行動を例にあげて使用させない方向に指導し、自らも不許可処分をするに至ったというものであり、しかも、その処分は、県教委等の教育委員会と教職員組合との緊張関係と対立の激化を背景として行われたものであった。上記の諸点その他の前記事実関係等を考慮すると、本件中学校およびその周辺の学校や地域に混乱を招き、児童生徒に教育上悪影響を与え、学校教育に支障を来すことが予想されるとの理由で行われた本件不許可処分は、重視すべきでない考慮要素を重視するなど、考慮した事項に対する評価が明らかに合理性を欠いており、他方、当然考慮すべき事項を十分考慮しておらず、その結果、社会通念に照らし著しく妥当性を欠いたものということができる。そうすると、本件不許可処分は裁量権を逸脱したものである（最判平18・2・7）。

出題 予想

Q122 公立の高等学校又は養護学校の教職員が卒業式等の式典において、国歌斉唱の際に国旗に向かって起立して斉唱すること又は国歌のピアノ伴奏を行うことを命ずる旨の校長の職務命令に従わなかったために学校長が下した戒告処分は、裁量権の範囲を超え又は濫用にあたり違法となるのか。

A 違法とはならない。　公立の高等学校又は養護学校の教職員が、卒業式等の式典において国歌斉唱の際に国旗に向かって起立して斉唱すること又は国歌のピアノ伴奏を行うことを命ずる旨の校長の職務命令に従わず起立しなかったこと又は伴奏を拒否したことを理由に、教育委員会から戒告処分を受けた場合において、上記不起立又は伴奏拒否が当該教職員の歴史観ないし世界観等に起因するもので、積極的な妨害等の作為ではなく、物理的に式次第の遂行を妨げるものではなく、当該式典の進行に具体的にどの程度の支障や混乱をもたらしたかの客観的な評価が困難なものであったとしても、上記戒告処分は、同種の行為による懲戒処分等の処分歴の有無等にかかわらず、裁量権の範囲を超え又はこれを濫用するものとして違法であるとはいえない（最判平

24・1・16)。

[出題]予想

Q123 公立養護学校の教職員が卒業式において、国歌斉唱の際に国旗に向かって起立して斉唱することを命ずる旨の校長の職務命令に従わなかったことを理由とする減給処分は、裁量権の範囲を超え違法か。

A 違法となる。 公立養護学校の教職員が、卒業式において国歌斉唱の際に国旗に向かって起立して斉唱することを命ずる旨の校長の職務命令に従わず起立しなかったことを理由に、教育委員会から、過去の懲戒処分の対象と同様の非違行為を再び行った場合には処分を加重するという方針の下に減給処分を受けた場合において、上記職務命令が生徒等への配慮を含め教育上の行事にふさわしい秩序の確保とともに式典の円滑な進行を図るものであり、上記不起立が当該式典における教職員による職務命令違反として式典の秩序や雰囲気を一定程度損なう作用をもたらし式典に参列する生徒への影響も伴うものであったとしても、上記減給処分は、減給の期間の長短および割合の多寡にかかわらず、裁量権の範囲を超えるものとして違法である（最判平24・1・16)。

[出題]予想

Q124 公立高等学校の教職員が卒業式等における国歌斉唱時の起立斉唱を命ずる旨の職務命令に違反したことを理由として、教育委員会が再任用職員等の選考において上記教職員を不合格としたこと等は、裁量権の範囲を超え又はこれを濫用したものとして違法であるといえるのか。

A 裁量権の範囲を超え又はこれを濫用したものとして違法であるとはいえない。 公立高等学校の教職員が卒業式又は入学式において国歌斉唱の際に国旗に向かって起立して斉唱することを命ずる旨の校長の職務命令に違反したことを理由として、教育委員会が再任用職員等の採用候補者選考において上記教職員を不合格とし、又はその合格を取り消したことは、(1)上記不合格等の当時、再任用職員等として採用されることを希望する者が原則として全員採用されるという運用が確立していたとはいえないこと、(2)当該職務命令は、学校教育の目標や卒業式等の儀式的行事の意義、あり方等を定めた関係法令等の諸規定の趣旨に沿って、地方公務員の地位の性質およびその職務の公共性をふまえ、生徒等への配慮を含め、教育上の行事にふさわしい秩序の確保とともに式典の円滑な進行を図るものであったこと、(3)上記教職員の上記職務命令に違反する行為は、式典の秩序や雰囲気を一定程度損なう作用をもたらし、式典に参列する生徒への影響も伴うものであったこと等の事情の下においては、裁量権の範囲を超え又はこれを濫用したものとして違法であるとはいえない（最判平30・7・19)。

[出題]予想

◇自由裁量(4)― 大学生・公務員・被拘禁者（在監者）

Q125 大学の学生に対する懲戒処分は、懲戒権者（学長）の裁量に任されているのか。

A 懲戒権者（学長）の裁量に任されている。 大学の学生に対する懲戒処分は、教育施設としての大学の内部規律を維持し教育目的を達成するために認

められる自律的作用である。そして、懲戒権者たる学長が学生の行為に対し懲戒処分を発動するにあたり、その行為が懲戒に値するものであるかどうか、懲戒処分のうちいずれの処分を選ぶべきかを決するについては、学内の事情に通暁し直接教育の衝にあたる者の裁量に任せるのでなければ、適切な結果を期することはできない。それ故、学生の行為に対し、懲戒処分を発動するかどうか、懲戒処分のうちいずれの処分を選ぶかを決定することは、その決定が全く事実上の根拠に基づかないと認められる場合であるか、もしくは社会観念上著しく妥当を欠き懲戒権者に任された裁量権の範囲を超えるものと認められる場合を除き、懲戒権者の裁量に任されている（最判昭29・7・30)。

[出題]国Ⅰ-平成14・1・昭和54・51、地方上級-昭和54、市役所上・中級-昭和61、国Ⅱ-平成12・昭和61・60、国税-平成12・8・昭和56

Q126 大学生が学則違反により退学処分に付された場合には、裁判所は、当該処分の違法性を判断するにあたり、当該学則をその評価基準とすべきではないのか。

A 当該学則をその評価基準とすべきである。 学生に対する懲戒処分に関する判断は、大学の合理的な裁量に任すのでなければ、適切な結果を期し難いものである。退学処分は特に慎重な配慮を要しはするが、その方法と程度は学校当局の具体的かつ専門的・自律的判断に委ねざるをえず、補導の過程を経由することがつねに学校当局の法的義務であるとまでは解しえない。したがって、大学当局の措置は冷静、寛容および忍耐を欠いたうらみがあるが、当該学生に対する退学処分は、その判断において社会通念上合理性を欠くとはいい難く、懲戒権者に認められた裁量権の範囲内にあるものとして、その効力は是認される〈昭和女子大事件〉（最判昭49・7・19)。

[出題]国Ⅰ-平成13

Q127 地方公務員法に基づく分限処分は、任命権者の純然たる自由裁量に委ねられているのか。

A 純然たる自由裁量に委ねられていない。 地方公務員法28条に基づく分限処分については、任命権者にある程度の裁量権は認められるが、もとよりその純然たる自由裁量に委ねられているものではなく、分限制度の目的（公務の能率の維持およびその適正な運営の確保）と関係のない目的や動機に基づいて分限処分をすることは許されず、処分事由の有無の判断についても恣意にわたることを許さず、考慮すべき事項を考慮せず、考慮すべきでない事項を考慮して判断するとか、また、その判断が合理性をもつ判断として許容される限度を超えた不当なものであるときは、裁量権の行使を誤った違法のものであることを免れない。そして、任命権者の分限処分が、このような違法性を有するかどうかは、同法8条8項にいう法律問題として裁判所の審判に服すべきものであるとともに、裁判所の審査はその範囲に限られ、このような違法の程度に至らない判断の当不当には及ばない（最判昭48・9・14)。

[出題]国家総合-令和2・平成25、国Ⅰ-平成22・1

〔参考〕地方公務員法第28条　④職員は、第16条

行政法総論

各号（第2号を除く。）のいずれかに該当するに至ったときは、条例に特別の定めがある場合を除くほか、その職を失う。

Q128 条件附期間採用中の職員（公務員）を分限免職処分にすることは、任命権者の純然たる自由裁量に委ねられているのか。

A 純然たる自由裁量に委ねられていない。　条件附期間採用中の職員に対する分限処分については、任命権者に相応の裁量権が認められることはいうまでもないが、その判断が合理性をもつものとして許容される限度を超えた不当なものであるときは、裁量権の行使を誤った違法なものというべきであり、この分限処分が違法性を有するかどうかについては、裁判所の審査に服すべきである（最判昭49・12・17）。　出題 国Ⅰ-平成3

Q129 公務員に懲戒事由がある場合に、懲戒処分の中のいかなる処分を選ぶかは、懲戒権者の裁量に任され、当該処分は司法審査の対象とならないのか。

A 懲戒権者の裁量に任されており、裁量権を逸脱し、これを濫用した場合は、司法審査の対象となる。　公務員につき、国家公務員法に定められた懲戒事由がある場合に、懲戒処分を行うかどうか、懲戒処分を行うときにいかなる処分を選ぶかは、懲戒権者の裁量に任されている。もとより上記の裁量は、恣意にわたることをえないものであることは当然であるが、懲戒権者が上記の裁量権の行使としてした懲戒処分は、それが社会観念上著しく妥当を欠いて裁量権を付与した目的を逸脱し、これを濫用したと認められる場合でない限り、その裁量権の範囲内にあるものとして、違法とならない。したがって、裁判所が上記の処分の適否を審査するにあたっては、懲戒権者と同一の立場に立って懲戒処分をすべきであったかどうかまたはいかなる処分を選択すべきであったかについて判断し、その結果と懲戒処分とを比較してその軽重を論ずべきものではなく、懲戒権者の裁量権の行使に基づく処分が社会観念上著しく妥当を欠き、裁量権を濫用したと認められる場合に限り違法である（最判昭52・12・20）。

出題 国家総合-令和2、国Ⅰ-平成21・14・11・1・昭和63・57、地方上級-平成9、東京Ⅰ-平成18・14、特別区Ⅰ-平成24、国Ⅱ-平成22・12・7・昭和61・60、国税・労基-平成19・16、国税-平成4・昭和63

Q130 受刑者と訴訟代理人である弁護士との接見の許可につき接見時間を30分以内に制限することは刑務所長の裁量的判断にゆだねられているのか。

A 刑務所長の裁量的判断にゆだねられている。刑務所における接見時間および接見度数の制限は、多数の受刑者を収容する刑務所内における施設業務の正常な運営を維持し、受刑者の間における処遇の公平を図り、施設内の規律および秩序を確保するために必要とされるものであり、また、受刑者との接見に刑務所職員の立会いを要するのは、不法な物品の授受等刑務所の規律および秩序を害する行為や逃走その他収容目的を阻害する行為を防止するためであるとともに、接見を通じて観察了知される事情を当該受刑者に対する適切な処遇の実施の資料とする

ところにその目的がある。したがって、具体的場合において処遇上その他の必要から30分を超える接見を認めるかどうか、あるいは教化上その他の必要から立会いを行わないことをするかどうかは、いずれも、当該受刑者の性向、行状等を含めて刑務所内の実情に通暁した刑務所長の裁量的判断にゆだねられているものと解すべきであり、刑務所長が上記の裁量権の行使としてした判断は、裁量権の範囲を逸脱し、またはこれを濫用したと認められる場合でない限り、国家賠償法1条1項にいう違法な行為には当たらない。以上の理は、受刑者が自己の訴訟代理人である弁護士と接見する場合でも異ならない（最判平12・9・7）。　出題 予想

Q131 教員Xがエックス線検査を受検せず、またこれを受検するよう命じた校長の職務命令を拒否したことに対して、Y県教育委員会が3か月間の給与および調整手当の総額を1割減給する懲戒処分を下したことは適法か。

A 適法である。　学校保健法による教職員に対する定期の健康診断、中でも結核の有無に関する検査は、教職員の保護及び能率増進のためはもとより、教職員の健康が、保健上および教育上、児童、生徒等に対し大きな影響を与えることにかんがみて実施すべきものとされている。また、結核予防法による教職員に対する定期の健康診断も、教職員個人の保護に加えて、結核が社会的にも害を及ぼすものであるため、学校における集団を防衛する見地から、これを行うべきものとされているものである。市町村立中学校の教諭その他の職員は、その職務を遂行するに当たって、労働安全衛生法66条5項、結核予防法7条1項の規定に従うべきであり、職務上の上司である当該中学校の校長は、当該中学校に所属する教諭その他の職員に対し、職務上の命令として、結核の有無に関するエックス線検査を受診することを命ずることができる。また、Xが当時エックス線検査を行うことが相当でない身体状態ないし健康状態にあったなどの事情もうかがわれないなど本件においては、校長の上記命令は適法と認められ、Xがこれに従わなかったことは地方公務員法（改正前）29条1項1号（法令違反）、2号（職務上の業務違反）に該当し、3か月間の給与および調整手当の総額を1割減給する懲戒処分を下したことは適法である（最判平13・4・26）。

出題 労基-平成24（労働法での出題）

Q132 上司の指導、職務命令に従わず、服務規律を遵守しないXを分限免職処分とすることは、裁量権の範囲を超え、これを濫用してされた違法なものといえるのか。

A 違法なものとはいえない。　(1)Xは約7年間の長期にわたって、胸章不着用、始業時刻後の出勤簿押印、標準作業方法違反、研修拒否、超過勤務拒否等の非違行為その他類似の行為を繰り返し、(2)「その態様も、上司から再三にわたり指導訓戒されているにもかかわらず、あえて上司の職務上の命令に従わず、終始無言の態度を採るというものであって」、(3)「懲戒処分を受けても、人事院の判定が下されるまでは、当該懲戒処分の理由とされた非違行為を一

向に改めようとしないばかりか」、(4)「人事院の判定が下された後は、それまでとは異なる類型の新たな非違行為を始め、懲戒処分の対象とされなかった非違行為については頑として改めなかったのであるから、上司の指導、職務命令に従わず、服務規律を遵守しないXの行為、態度等は、容易に矯正することのできるXの素質、性格等によるものであり、職務の円滑な遂行に支障を生ずる高度の蓋然性が認められる。そうすると、本件分限免職処分が裁量権の範囲を超え、これを濫用してされた違法なものであるとはいえない〈日本郵政公社（大曲郵便局）事件〉（最判平 16・3・25）。　**出題 予想**

Q133 市立中学校の柔道部の顧問である教諭が、部員間のいじめにより受傷した被害生徒に対し、受診に際して医師に自招事故による旨の虚偽の説明をするよう指示したこと等を理由として、懲戒権者が当該教諭を停職 6 か月の懲戒処分とすることは違法か。

A 懲戒権者が当該教諭を停職 6 か月の懲戒処分とすることは適法である。　市立中学校の柔道部の顧問である教諭が、①部員間で生じた暴力行為を伴ういじめにより受傷した被害生徒に対し、受診に際して医師に自招事故による旨の虚偽の説明をするよう指示したことは、被害生徒の心情への配慮を欠くものであって、いじめを受けている生徒の心配や不安、苦痛を取り除くことを最優先として適切かつ迅速に対処すること等を求めるいじめ防止対策推進法や兵庫県いじめ防止基本方針等に反するものであり、また、重い傷害を負った被害生徒に対し誤った診断や不適切な治療が行われるおそれを生じさせるものであった。また、②加害生徒の大会への出場を禁止する旨の校長の職務命令に従わず同生徒を出場させたことは、当該いじめにおける加害生徒の行為が重大な非行であるにもかかわらず、その重大性を踏まえた適切な対応をとることなく、柔道部の活動や加害生徒の利益等を優先させるものであったこと等の事情の下では、当該教諭を停職 6 か月の懲戒処分としたことは、当該処分が裁量権の範囲を逸脱した違法なものとはいえない（最判令 2・7・6）。　**出題 予想**

Q134 部下への暴行等の行為をした地方公共団体の消防職員が地方公務員法 28 条 1 項 3 号に該当するとして、任命権者が下した分限免職処分は、常に裁量権の範囲を逸脱し違法となるのか。

A 常に裁量権の範囲を逸脱し違法とはいえない。　部下への暴行等の各行為は、5 年を超えて繰り返され、約 80 件にも上るものである。その対象となった消防職員も、約 30 人と多数であるばかりか、上告人の消防職員全体の人数の半数近くを占める。そして、その内容は、現に刑事罰を科されたものを含む暴行、暴言、極めて卑わいな言動、プライバシーを侵害した上に相手を不安に陥れる言動等、多岐にわたる。こうした長期間にわたる悪質で社会常識を欠く一連の行為に表れた被上告人の粗野な性格につき、公務員である消防職員として要求される一般的な適格性を欠くとみることが不合理であるとはいえない。また、本件各行為の頻度等も考慮すると、上

記性格を簡単に矯正することはできず、指導の機会を設けるなどしても改善の余地がないとみることにも不合理な点は見当たらない。さらに、本件各行為により上告人の消防組織の職場環境が悪化するといった影響は、公務の能率の維持の観点から看過し難いものであり、特に消防組織においては、職員間で緊密な意思疎通を図ることが、消防職員や住民の生命や身体の安全を確保するために重要であることにも鑑みれば、上記のような影響を重視することも合理的であるといえる。そして、本件各行為の中には、被上告人の行為を上司等に報告する者への報復を示唆する発言等も含まれており、現に報復を懸念する消防職員が相当数に上ること等からして、被上告人を消防組織内に配置しつつ、その組織としての適正な運営を確保することは困難であるといえる。以上の事情を総合考慮すると、免職の場合には特に厳密、慎重な判断が要求されることを考慮しても、被上告人に対し分限免職処分をした消防長の判断が合理性を持つものとして許容される限度を超えたものであるとはいえず、本件処分が裁量権の行使を誤った違法なものであるということはできない。そして、このことは、上告人の消防組織において上司が部下に対して厳しく接する傾向等があったとしても何ら変わるものではない（最判令 4・9・13）。　**出題 予想**

◇その他

Q135 マンション建設を目的とする不動産業者の建築確認申請に対し、付近住民がこれを阻止しようとし、両者の間に入った特別区が一定期間建築確認を留保した場合、その留保は裁量の範囲を超え違法となるのか。

A その留保は裁量の範囲内にとどまり違法とならない。　道路管理者としての権限を行う中野区長が本件認定申請に対して 5 か月間認定を留保した理由は、当該認定をすることによって本件建物の建築に反対する付近住民と不動産業者側との間で実力による衝突が起こる危険を招来するかの判断のもとにこの危険を回避するためであり、当該留保期間は約 5 か月間に及んではいるが、結局、中野区長は当初予想された実力による衝突の危険は回避されたと判断して本件認定に及んだのである。したがって、この事実関係によれば、中野区長の本件認定留保は、その理由および留保期間からみて行政裁量の行使として許容される範囲内にとどまるもので、国家賠償法 1 条 1 項の定める違法性はない（最判昭 57・4・23）。

出題 国Ⅰ－平成 19・11、国家一般－令和 4、地方上級－平成 8

Q136 裁判所は、社団法人たる医師会の設立許可に関する行政庁の判断に裁量権の逸脱濫用があるかどうかの審査にとどまるのか。

A 行政庁の判断に裁量権の逸脱濫用があるかどうかの審査にとどまる。　公益法人の設立の許可につき、民法 34 条は具体的な許可基準を定めておらず、主務官庁の広汎な裁量に任せているから、不許可処分において主務官庁が一定の事実を基礎として

行政法総論

不許可が相当であるという結論に至った判断過程に一応の合理性があることを否定できなければ、裁量の範囲を超えまたはそれを濫用したものとはいえない（最判昭63・7・14）。 出題 国Ⅰ-平成11

Q137 宅建業者に対する業務の停止ないし免許の取消しの有無は、知事等の専門的判断に基づく合理的裁量に委ねられているのか。また、当該取引関係者に対し知事等が当該権限を行使しなければ、損害賠償責任（国賠法1条）を負うのか。

A 合理的裁量に委ねられ、損害賠償責任を負わない（最判平1・11・24）。⇨国家賠償法1条 *14*

Q138 ある事実関係が「品位を失うべき非行」といった弁護士に対する懲戒事由に該当するかどうか、また、該当するとした場合に懲戒するか否か、懲戒するとしてどのような処分を選択するかについては、弁護士会の合理的な裁量にゆだねられているのか。

A 弁護士会の合理的な裁量にゆだねられている。弁護士に対する所属弁護士会および上告人（以下、両者を含む意味で「弁護士会」という。）による懲戒の制度は、弁護士の自主性や自律性を重んじ、弁護士会の弁護士に対する指導監督作用の一環として設けられたものである。また、懲戒の可否、程度等の判断においては、懲戒事由の内容、被害の有無や程度、これに対する社会的評価、被処分者に与える影響、弁護士の使命の重要性、職務の社会性等の諸般の事情を総合的に考慮することが必要である。したがって、ある事実関係が「品位を失うべき非行」といった弁護士に対する懲戒事由に該当するかどうか、また、該当するとした場合に懲戒するか否か、懲戒するとしてどのような処分を選択するかについては、弁護士会の合理的な裁量にゆだねられているものと解され、弁護士会の裁量権の行使としての懲戒処分は、全く事実の基礎を欠くか、又は社会通念上著しく妥当性を欠き、裁量権の範囲を超え又は裁量権を濫用してされたと認められる場合に限り、違法となる（最判平18・9・14）。 出題 予想

(4)行政行為の効力と国家賠償請求、刑事訴訟

Q139 審査庁がいったん行った裁決を取り消し新たに裁決を行った場合、新たな裁決は違法であり、その効力を有しないのか。

A 原則として新たな裁決は違法であるが、その新たな裁決は当然無効な場合を除き、適法に取り消されない限り（完全に）その効力を有する。　県農地委員会は、YがM村農地委員会のした裁定を不服として申し立てた訴願につき、訴願棄却の裁決をしながら、さらにYの申出によって再議の結果、先に棄却したYの訴願における主張を相当と認め、前記訴願棄却の裁決を取り消したうえ改めて訴願の趣旨を容認する裁決をしている。このような訴願裁決庁がいったんなした訴願裁決を自ら取り消すことは、原則として許されず、県農地委員会がYの申出により先になした裁決を取り消してさらに訴願の趣旨を容認する裁決をしたことは違法である。しかし、行政処分は、たとえ違法であっても、その違法が重大かつ明白で当該処分が当然無効である場合を

除いては、適法に取り消されない限り（完全に）その効力を有し、県農地委員会が行った前記訴願裁決取消の裁決は、いまだ取り消されないのであり、しかもこれを当然無効とすることはできない（最判昭30・12・26）。

出題 国Ⅰ-平成23・13・2、特別区Ⅰ-平成27・18・15、国税・労基-平成17、国税-平成12・9

Q140 行政処分が違法であることを理由として国家賠償を請求するにあたっては、あらかじめ行政処分の取消しまたは無効確認の判決を得なければならないのか。

A 行政処分の取消しまたは無効確認の判決を得ておく必要はない。　行政処分が違法であることを理由として国家賠償の請求をするについては、あらかじめ当該行政処分につき取消しまたは無効確認の判決を得る必要はない（最判昭36・4・21）。

出題 国家総合-平成29・24、国Ⅰ-平成19・18・17・15・13・5・2・1、昭和63・60・57・56・55・54・53・51、地方上級-平成7・6（市共通）・2、昭和59・58、東京Ⅰ-平成14、市役所上・中級-平成10・7、特別区Ⅰ-平成30・24・15、国家一般-令和2・平成28、国税-平成16・14・11・9、昭和62・57、国税・財務・労基-平成24、国税・労基-平成23・19・18・17・16、国税-平成12・11・9・7・6、昭和59

Q141 刑事裁判において、違法な行政行為によって命じられた業務違反に対する行政刑罰の科刑が争われる場合、行政行為には公定力があるため、当該行政行為の違法を理由に刑罰を免れるのか。

A 刑事裁判では刑法に照らし適法か否かが問題となるのであり、公定力の問題とは次元が異なる。
本来、児童遊園は、児童に健全な遊びを与えてその健康を増進し、情操を豊かにすることを目的とする施設であるから、児童遊園設置の認可申請、同認可処分もその趣旨に沿ってなされるべきであって、被告会社の営業の規制を主たる動機、目的とする児童遊園設置の認可申請を容れた本件認可処分は、行政権の濫用に相当する違法性があり、被告会社の営業に対しこれを規制しうる効力を有しない（最判昭53・6・16）。

出題 国Ⅰ-平成13・2、東京Ⅰ-平成19・14

Q142 行政処分に違反して刑事訴追された者は、刑事訴訟とは別に取消訴訟を提起し、取消し又は無効確認の訴えの判決を得なければならないのか。

A 取消し又は無効確認の訴えの判決を得る必要はない（刑事訴訟とは別問題）（最判昭53・6・16）。⇨ *141*

Q143 免許停止処分の理由となった交通事故が刑事裁判で無罪となった場合、免許停止処分歴に基づく非反則者に対する公訴の提起は違法となるのか。

A 公訴の提起は適法である。　免許停止処分の理由となった軽微な交通事故につき、その後の刑事裁判で傷害の事実の証明がないとして無罪となった場合においても、免許停止処分は、無効ではなく、かつ、権限のある行政庁又は裁判所により取り消されてもいないから、被告人を過去1年以内の免許停止処分歴に基づき反則者にあたらないと認めてな

された速度違反事件の本件公訴の提起は、適法である（最決昭63・10・28）。

(5)行政行為の無効

Q144 権限ある者により適法に発せられた外国人退去強制令書において、法令の要請する執行者の署名捺印がない場合、同令書に基づく執行は違法か。

A 適法である。　退去強制令書に執行者の署名捺印を要求した外国人登録令施行規則19条（改正前）の趣旨は、これにより執行に関する責任の所在を明らかにし、その執行が適正に行われることを間接的に担保したものである。したがって、その署名捺印は執行者が何人であるかを明確にする意義を有するにとどまるのであって、当該令書執行の要件をなすものではない。それゆえ、退去強制令書が権限ある者によって適法に発せられれば、その執行は有効であって、当該令書に執行者の署名捺印がなくても、令書に基づく執行は違法とならない（最判昭25・12・28）。

Q145 村長解職賛否投票の無効が宣言された場合、賛否投票の有効を前提としてそれまでになされた後任村長の行政処分は無効となるのか。

A 無効とならない。　上告人は、本訴において賛否投票の無効が宣言されるときは、判決の効力は既往に遡及し、後任村長の関与したа村の奈良市への合併の効力にも影響を及ぼす旨主張するけれども、たとえ賛否投票の効力の無効が宣言されても、賛否投票の有効なことを前提としてそれまでの間になされた後任村長の行政処分は、無効となるものではない（最大判昭35・12・7）。

Q146 行政処分が当然無効であるための要件は何か。

A 重大かつ明白な瑕疵がある場合である。　行政処分が当然無効であるというためには、処分に重大かつ明白な瑕疵がなければならず、ここに重大かつ明白な瑕疵というのは、「処分の要件の存在を肯定する処分庁の認定に重大・明白な瑕疵がある場合」を指すのであって、瑕疵が明白であるというのは、処分成立の当初から、誤認であることが外形上、客観的に明白である場合を指すのであって、瑕疵が明白であるかどうかは、処分の外形上、客観的に、誤認が一見看取しうるものであるかどうかにより決すべきものであって、行政庁が怠慢により調査すべき資料を見落としたかどうかは、処分に外形上客観的に明白な瑕疵があるかどうかの判定に直接関係を有するものではない（最判昭36・3・7）。

Q147 行政庁に調査すべき資料を見落とした等、何らかの過誤が存することは、重大かつ明白な瑕疵にあたるのか。

A 重大かつ明白な瑕疵にあたらない（最判昭36・3・7）。⇨ 146

Q148 行政行為成立の当初から誤認であることが外形上、客観的に明白でなかったとしても、行政庁が少し調査すればその違法性の存在が明らかであったという場合、当該行政行為の瑕疵は明白といえるのか。

A 行政庁の怠慢により調査すべき資料を見落としたかどうかは、当該行政行為の瑕疵が明白であるか否かとは関係ない（最判昭36・3・7）。⇨ 146

Q149 瑕疵が重大かつ明白であるか否かは、事実審の最終口頭弁論期日までに行われた証拠調べに基づく証拠資料により客観的に確定された事実により判断すべきか。

A 処分成立の当初から誤認であることが外形的客観的に明白である場合を指す（最判昭36・3・7）。⇨ 146

Q150 農地買収令書に目的とする農地は特定されていないが、当事者間において事実上特定されていれば、当該農地買収処分は有効に成立するのか。

A 当該処分は有効に成立しない。　自作農創設特別措置法3条の規定による農地の買収は、同法9条による買収令書の交付によって効力を生じ、同法12条により上記令書に記載した買収時期にその所有権が政府に帰属し、上記土地に関する権利が原則として消滅するものである。それ故に、買収令書においてその目的たる農地を特定することを要するのは明らかである。したがって、当該農地買収令書にその目的とする農地が特定されていなければ、当該処分は有効に成立しない（最判昭26・3・8）。

Q151 内務大臣が帰化要件を具備するものと認定したところ、その認定に過誤があった場合、当該許可処分は無効となるのか。

A 無効とならない。　いったん内務大臣がかかる条件（旧国籍法7条2項ないし5号の要件）を具備するものと認定してその帰化申請を許可した以上、仮にその認定に過誤があり、客観的には当該条件を具備しない申請人に対して帰化を許したこととなるような場合においても、かかる瑕疵を理由として取消しの問題を生ずるか否かは格別、少なくともその許可処分を目して法律上当然無効とすべきではない。なぜなら、国家機関の公法的行為（行政処分）はそれが当該国家機関の権限に属する処分としての外観的形式を具有する限り、仮りにその処分に関し違法の点があったとしても、その違法が重大かつ明白である場合のほかは、これを法律上当然無効とすべきではないからである（最大判昭31・7・18）。

Q152 行政行為は、それが行政庁の権限に属する処分としての外観的形式を具有すれば、仮に当該処分に関し違法の点があっても、その違法が重大かつ明白でなければ、法律上当然に無効とならないのか。

A 法律上当然に無効とならない（最大判昭31・7・18）。⇨ 151

Q153 行政行為の瑕疵が重大かつ明白である場合であっても、取消訴訟等の手続を経ないまま、当該

行政行為の無効を前提とした法律関係を主張することはできないのか。

A 当該行政行為の無効を前提とした法律関係を主張することができる（最大判昭31・7・18）。⇨ *151*

Q154 自作農創設特別措置法に基づく農地の買収計画にあたり、農地委員会長が農地買収計画樹立決議の議事に関与することが、農地調整法に違反する場合、当該決議の瑕疵には重大な違法があるといえるのか。

A 重大な違法があるとはいえない。　農地委員会長が農地買収計画樹立決議の議事に関与することが、農地調整法15条の12に違反する場合、自作農創設特別措置法3条の規定に基づく農地買収にあっては、農地委員会の裁量権行使の範囲は比較的限定されていること、買収された農地が現実に売り渡されるためには改めて市町村農地委員会のその旨の審議議決を必要とすることにかんがみ、他に著しく決議の公正を害する特段の事由の認められない限り、農地買収計画樹立決議の瑕疵は同決議を無効にするほどの重大な違法があるとはいえない（最判昭38・12・12）。

出題 国Ⅰ-昭和51、国税-平成11

Q155 委員会に無資格者が参加していた場合には、その数が議決の結果を覆すに足りないときであっても、当該議決は無効となるのか。

A 当該議決は無効とならない（最判昭38・12・12）。⇨ *154*

Q156 行政行為の瑕疵が重大で、それにより被る当事者の被害が著しく大きく、かつ、第三者の信頼保護を考慮する必要のない場合でも、その瑕疵が明白といえないときは、これは無効とならないのか。

A 無効になる。　一般に、課税処分が課税庁と被課税者との間にのみ存するもので、処分の存在を信頼する第三者の保護を考慮する必要のないこと等を勘案すれば、当該処分における内容上の過誤が課税処分の根幹についてのそれであって、徴税行政の安定とその円滑な運営の要請を斟酌してもなお、不服申立期間の徒過による不可争的効果の発生を理由として被課税者に当該処分による不利益を甘受させることが、著しく不当と認められるような例外的な事情のある場合には、前記の過誤による瑕疵は、当該処分を当然無効とさせるものである（最判昭48・4・26）。

出題 国家総合-平成30、国Ⅰ-平成20、地方上級-平成10、東京Ⅰ-平成17、市役所上・中級-平成10・9、特別区Ⅰ-令和1・平成27、国Ⅱ-平成8・昭和60、国税・財務・労基-令和1、国税・労基-平成22・18、国税-平成11・9

Q157 課税処分に課税要件の根幹にかかわる内容上の過誤がある場合、法定の不服申立期間を徒過すれば、裁判上当該課税処分の効力を争うことはできないのか。

A 法定の不服申立期間を徒過しても、裁判上当該課税処分の効力を争うことができる（最判昭48・4・26）。⇨ *156*

Q158 課税処分における内容上の過誤は、課税要

件の根幹についてのものであるから、私人に当該処分による不利益を甘受させることが著しく不当と認められる例外的事情がある場合、当該処分は無効となるのか。

A 当該処分は無効となる（最判昭48・4・26）。⇨ *156*

Q159 課税処分が譲渡所得の全くない者になされた場合、当該処分は無効となるか。

A 当該処分は無効となる。　本件課税処分は、譲渡所得の全くないところにあるものとしてなされた点において、課税要件の根幹についての重大な過誤をおかした瑕疵を帯有するものであり、原告としては、いわば全く不知の間に第三者がほしいままにした登記操作によって、突如として譲渡所得による課税処分を受けたことになるわけであり、かかる原告に瑕疵ある課税処分の不可争的効果による不利益を甘受させることは、特段の事情がない限り、著しく酷である（最判昭48・4・26）。

出題 国Ⅰ-昭和57

Q160 高年齢者等の雇用の安定等に関する法律に基づく生活費に租税を課すことは、無効な行政処分か。

A 無効な行政処分である。　上告人（X）は高年齢者等の雇用の安定等に関する法律に基づき生活費の支給を受けていたのであるから、生活費というのは、同法18条に規定する雇用対策法の規定にもとづく手当のことを指す。そして、同法13条は、求職者等に対し職業転換給付金を支給することを規定しており、同法17条は、「租税その他の公課は、職業転換給付金を標準として、課することができない。」と規定しているから、この手当については、これを標準として租税を課すことができない。そうすると上告人が職業転換給付金の交付を受けていたとすれば、これを所得とみて国民健康保険税の所得割額を課税することは許されず、総所得金額に職業転換給付金を含めて同規定〔地方税法703条の5第1項および大東市市税条例110条〕を適用することも、許されない。雇用対策法17条が、職業転換給付金が求職者等の生活や求職活動を支えるための給付であることを考慮して、これに課税することを禁止していることに照らせば、本件処分が上記の各禁止に違反してされたとするならば、本件処分には課税要件の根幹についての過誤があり、徴税行政の安定とその円滑な運営の要請を斟酌しても、なお、不服申立期間の徒過による不可争的効果の発生を理由として上告人に本件処分による不利益を甘受させることが著しく不当と認められる例外的な事情のある場合に該当する（最判平9・11・11）。

出題 予想

Q161 法人でない社団の要件を具備すると認定してされた法人税等の更正が、仮に当該認定に誤りがある場合、誤認であることが更正成立の当初から外形上、客観的に明白であり、無効となるのか。

A 無効とならない。　C研究所の定款の成立過程および備付け状況に照らし定款の効力に疑義があることが明らかとはいえず、定款の規定の文言のみをもって会員の要件が不明確であると速断することは

できないうえ、Bが終身理事および会長である旨の定款の定めがあったが、これを変更することは定款上可能であったし、また、会員総会、支部大会および理事会が一見してその機能を果たしていなかったと断定することもできない。そうすると、外形的事実に着目する限りにおいては、C研究所は、意思決定機関としての会員総会、業務執行機関ないし代表機関としての理事会ないし会長が置かれるなど団体としての組織を備え、会員総会の決議が支部において選出された会員代表の多数決によって行われるなど多数決の原則が行われ、定款の規定上は構成員である会員の変更にかかわらず団体として存続するとされ、代表の方法、総会の運営、財産の管理その他団体としての主要な点が確定しているようにみえる。したがって、課税庁においてC研究所が法人でない社団の要件を具備すると認定したことには、それなりの合理的な理由が認められるのであって、仮にその認定に誤りがあるとしても、誤認であることが本件各更正の成立の当初から外形上、客観的に明白であるとはいえない（最判平16・7・13）。

〈出題〉予想

(6)瑕疵の治癒・違法性の承継等

◇瑕疵の治癒

Q162 農地買収計画に対する訴願裁決を経ない手続の進行は瑕疵があり違法であるが、この瑕疵が治癒されることはあるのか。

A 瑕疵が治癒される場合がある。　農地買収計画につき異議・訴願の提起があるにもかかわらず、これに対する裁決・決定を経ないで爾後の手続を進行させたという違法は、買収処分の無効原因となるものではなく、事後において決定・裁決があったときは、これにより買収処分の瑕疵は治癒される（最判昭36・7・14）。

〈出題〉国家総合－平成30、国Ⅰ－平成17・昭和51、特別区Ⅰ－令和1、国税・財務・労基－令和1

Q163 法人税の青色申告の更正における附記理由が不備で当該処分に瑕疵がある場合、後日これに対する審査裁決において処分の具体的根拠が明らかにされれば、それにより瑕疵は治癒されるのか。

A 瑕疵は治癒されない。　更正に理由附記を命じた規定の趣旨は、処分庁の判断の慎重、合理性を担保してその恣意を抑制するとともに、処分の理由を相手方に知らせて不服申立ての便宜を与えることである。したがって、この趣旨に徴して考えるならば、処分庁と異なる機関の行為により附記理由不備の瑕疵が治癒されるとすることは、処分そのものの慎重、合理性を確保する目的にそわないばかりでなく、処分の相手方としても、審査裁決によってはじめて具体的な処分根拠を知らされたのでは、それ以前の審査手続において十分な不服理由を主張することができないという不利益を免れない。それ故、更正における附記理由不備の瑕疵は、後日これに対する審査裁決において処分の具体的根拠が明らかにされたとしても、それにより治癒されるものではない（最判昭47・12・5、最判昭47・3・31）。

〈出題〉国家総合－平成30、国Ⅰ－平成17・6・4・

昭和60・55、地方上級－平成7・2（市共通）・昭和59、特別区Ⅰ－令和1、国税・労基－平成23・20・16、国税－平成13・8

Q164 道路位置廃止処分が、これにより一部土地が袋地となる点において建築基準法違反の結果を生ずることを看過してされた場合においても、その後の事情の変更によりその違反状態が解消するに至ったときは、当該処分の瑕疵は治癒されたものと解すべきか。

A 当該処分の瑕疵は治癒されたものと解すべきである。　本件処分後の事情と建築基準法43条1項（改正前のもの）違反との関係について考えるに、原審確定の事実によれば、本件道路の廃止により、被上告人および訴外Eの各所有地が袋地となったものであって、本件処分が同条項の規定に違反する違法な処分といわざるをえない。ところで、同条項の趣旨とするところは、主として、避難又は通行の安全を期することにあり、道路の廃止により同条項に抵触することとなる場合には、建築基準法45条により、その廃止を禁止することができるものとしているところからみれば、上記の禁止もまた、避難又は通行の安全を保障するための措置と解せられる。してみれば、道路の廃止によって、いったん、建築基準法43条1項の規定に違反する結果を生じたとしても、その後の事情の変更により、上記の違反状態が実質上解消するに至った後においては、もはや、建築基準法45条に定める処分をする必要はなく、また、これをすることもできないものと解すべきである。この趣旨に即して考えれば、建築基準法43条1項違反の結果を生ずることを看過してなされた違法な道路位置廃止処分であっても、当該処分の後、事情の変更により、違反状態が解消するに至ったときは、処分当時の違法は治癒され、もはや、これを理由として当該処分を取り消すとか、当該処分が当然に無効であるとすることは許されない（最判昭47・7・25）。

〈出題〉国家総合－平成30

◇違法性の承継

Q165 先行行政行為と後行行政行為が連続した一連の手続を構成し、一定の法律効果の発生をめざしている場合、先行行政行為の違法を理由に後行行政行為の違法が認められる場合があるのか。

A 違法が認められる場合がある。　自作農創設特別措置法7条1項買収計画に対して異議訴訟を提起しているのは、ただその違法の場合に行政庁に是正の機会を与え所有者の権利保護の簡便な途を開いただけであって、異議訴訟上の手続をとらなかったからといって買収処分取消しの訴訟においてその違法を攻撃する機会を失わせる趣旨ではない。したがって、都道府県農地委員会や知事が買収計画の内容の適否を審査する権限と買収計画またはその承認の決議に対し、これを再議に付して是正させる権限の適正な行使を誤った結果、内容の違法な買収計画に基づいて買収処分が行われたならば、かかる買収処分が違法であることはいうまでもなく、当事者は買収計画に対する不服を申し立てる権利を失ったとしても、

さらに買収処分取消しの訴えにおいてその違法を攻撃しうる（最判昭25・9・15）。

出題 国家総合－平成24、国Ⅰ－平成20・2、国税・労基－平成18

Q166 財務会計上の行為である当該行為自体に固有の瑕疵はないが、先行する非財務会計的な原因行為が違法である場合、住民が当該行為もまた違法であると主張して住民訴訟を提起できるか。

A 住民訴訟を提起できる場合がある。　地方自治法242条の2第1項4号の規定に基づく代位請求にかかる当該職員に対する損害賠償請求訴訟において、当該職員の財務会計上の行為をとらえて当該規定に基づく損害賠償責任を問うことができるのは、たといこれに先行する原因行為に違法事由が存する場合であっても、当該原因行為を前提としてされた当該職員の行為自体が財務会計法規上の義務に違反する違法なものであるときに限られる（最判平4・12・15）。

出題 国家総合－令和1

Q167 教育委員会が、1日の間に、公立学校の教頭で勧奨退職に応じた者を校長に任命して昇給させるとともに同日退職を承認する処分をした場合において、知事がしたそれらの者の昇給後の号給を基礎とする退職手当の支出決定は、財務会計法規上の義務に違反する違法なものといえるのか。

A 原則として、財務会計法規上の義務に違反する違法なものとはいえない。　(1)東京都教育委員会は、東京都内の公立学校において教頭職にある者のうち勧奨退職に応じた29名について、昭和58年3月31日付けで校長に任命したうえ、学校職員の給与に関する条例および学校職員の初任給、昇格及び昇給等に関する規則の関係規定に基づき、勧奨退職に応じた勤続15年以上の職員を2号給昇給させる制度を適用して、2号給昇給させ（以上の各措置を「本件昇格処分」という）、さらに、同日29名につき退職承認処分（以下「本件退職承認処分」という）をした、(2)東京都教育委員会の所掌に係る事項に関する予算の執行権限を有する東京都知事は、本件昇格処分および本件退職承認処分に応じて、昇給後の号給を基礎として算定した退職手当につき本件支出決定をし、29名は退職手当の支給を受けた、という事実関係の下では、本件昇格処分および本件退職承認処分が著しく合理性を欠きそのためにこれに予算執行の適正確保の見地から看過しえない瑕疵が存するものとは解しえないから、東京都知事としては、東京都教育委員会が行った本件昇格処分および本件退職承認処分を前提として、これに伴う所要の財務会計上の措置を採るべき義務があるものというべきであり、したがって、東京都知事のした本件支出決定が、その職務上負担する財務会計法規上の義務に違反してされた違法なものということはできない（最判平4・12・15）。

出題 国家総合－平成24、国Ⅰ－平成20

Q168 県知事のした違法な旅行命令に基づき、県職員により旅費の支出命令がされた場合、旅行命令の違法性が承継され、当然に支出命令にも財務会計法規上の違法が存し、当該県職員は、地方自治法に基づく損害賠償責任を問われるのか。

A 旅行命令の違法性は承継されず、当該県職員は、地方自治法に基づく損害賠償責任を問われない。

本件野球大会に参加する県議会議員を応援する用務および大阪事務所において訓示をする用務を目的として発せられた本件旅行命令には、裁量権を逸脱し又は濫用した違法があるというべきである。そして、財務会計上の行為を行った職員に対して地方自治法242条の2第1項4号に基づいて損害賠償責任を問うことができるのは、先行する原因行為に違法事由がある場合であっても、上記原因行為を前提にしてされた当該職員の行為自体が財務会計法規上の義務に違反する違法なものであるときに限られる（最判平4・12・15）。前記事実関係の下においては、知事の権限に属する出張命令につき専決を任された総務部財政課主幹兼総務係長である上告人Cは、知事又は知事から権限の委任を受けるなどしてその権限を有するに至った職員が発した旅行命令を是正する権限を有していたとはいえ、本件旅行命令が著しく合理性を欠き、そのために予算執行の適正確保の見地から看過しえない瑕疵があるときでない限り、これを尊重し、その内容に応じた財務会計上の措置をとる義務があるというべきである。そして、県においては、総務部長が例年全国野球大会に参加する県議会議員の応援に赴いていたのであり、本件出張では、その応援に赴く用務のほか、県の機関において職務執行基準の遵守を徹底するために訓示するという総務部長の職務に属する用務もその目的の一つとされていたのである。このような事情に照らすと、本件旅行命令が著しく合理性を欠き、そのために予算執行の適正確保の見地から看過しえない瑕疵があるとはいえないから、上告人Cとしては、本件旅行命令を前提としてこれに伴う所要の財務会計上の措置をとる義務があるというべきである。そうすると、本件支出命令が財務会計法規上の義務に違反してされた違法なものであるということはできない（最判平17・3・10）。

出題 国Ⅰ－平成20

Q169 条例所定の接道要件を満たしていない建築物について、同条例に基づく安全認定が行われたうえで建築確認がされている場合、安全認定が取り消されていなくても、建築確認の取消訴訟において、安全認定の違法を主張することは許されるのか。

A 許される。　建築基準法に基づく建築確認における接道要件充足の有無の判断と、東京都建築安全条例に基づく安全認定における安全上の支障の有無の判断は、異なる機関がそれぞれの権限に基づき行うこととされているが、安全認定が行われたうえで建築確認がされている場合、安全認定が取り消されていなくても、建築確認の取消訴訟において、安全認定が違法であるために接道要件を満たしていないと主張することは許される（最判平21・12・17）。

出題 国家総合－令和3・平成30、特別区Ⅰ－令和1、国税・財務・労基－令和1・平成25

◇違法行為の転換

Q170 農地買収計画について、当初適用された根

行政法編

拠条文では違法であるが、別の根拠条文により適法とすることが認められるのか。

A 認められる。　改正前の自作農創設特別措置法附則2項によれば、3条1項の規定により農地の買収については、市町村農地委員会は、相当と認めるときは、「命令」の定めるところにより、昭和20年11月23日現在における事実に基づいて6条の規定による農地買収計画を定めることができるものである。そして、上記「命令」である同法施行令43条は、上記期日現在における小作農が農地買収計画を定めるべきことを請求したときは、市町村農地委員会は、当該小作地につき附則2項の規定により同日現在の事実に基づいて買収計画を定めなければならないと規定し、また、同令45条1項は、同条所定の農地については、市町村農地委員会は、同法附則2項の規定により同日現在の事実に基づいて農地買収計画を定めることの可否につき審議しなければならないと規定しているだけであるから、同令43条による場合と同令45条による場合とによって、市町村農地委員会が買収計画を相当と認める理由を異にするものとは認められない。したがって原判決が同令43条により定めたと認定した村農地委員会の本件買収計画を被上告委員会が同令45条を適用して相当と認めX の訴願を容れない旨の裁決をしたことは違法であるとはいえない（最大判昭29・7・19）。

出題 国Ⅰ-平成17、特別区Ⅰ-令和1、国税・労基-平成20

Q171 行政行為に瑕疵があって違法ないし無効である場合に、これを別の行政行為とみたときは、瑕疵がなく、かつ、目的、手続、内容においても適法要件を満たしていると認められるときは、これを当該別の行政行為とみたてて有効なものと扱うことは認められるのか。

A 有効なものと扱うことは認められる（最大判昭29・7・19）。⇨170

◇理由の差換

Q172 法人税の青色申告に対する更正処分の取消訴訟の中で処分理由の誤りが判明した場合、処分理由の追加主張を認めることができるのか。

A 認めることができる場合がある。　Y（税務署長）は、本訴における本件更正処分の適否に関する新たな攻撃防御方法として、仮に本件不動産の取得価額が7,600万9,600円であるとしても、その販売価額は9,450万円であるから、いずれにしても本件更正処分は適法であるとの趣旨の本件追加主張をした、というのであって、このような場合にYに本件追加主張の提出を許しても、上記更正処分を争うにつき被処分者たるX に格別の不利益を与えるものではないから、一般的に青色申告書による申告についてした更正処分の取消訴訟において更正の理由とは異なるいかなる事実をも主張することができると解すべきかどうかはともかく、Y が本件追加主張を提出することは妨げない（最判昭56・7・14）。**出題** 国Ⅰ-平成17、国税・労基-平成22

(7)職権による取消・撤回

◇総論

Q173 行政処分をした行政庁が自らその処分を取り消すことができるか。

A 当該処分の性質によって職権による取消しができるか否かが決まる。　元来許可が行政庁の自由裁量に属するものであってもそれはもともと法律の目的とする政策を具体的場合に行政庁に実現させるために授権されたものであるから、処分をした行政庁が自らその処分を取り消すことができるかどうか、すなわち処分の拘束力をどの程度に認めうるかは一律には定めることができないのであって、各処分について授権をした当該法律がそれによって達成しようとする公益上の必要、つまり当該処分の性質によって定まる（最判昭28・9・4）。

出題 国Ⅰ-昭和54、地方上級-昭和60

Q174 行政庁が行政行為を取り消すことにより国民の権利利益を侵害する場合には、当該行政行為が違法でも、これを取り消すことはできないのか。

A 取消しによって得られる利益が、失われる利益よりも小さい場合には、取り消すことができない。農地買収令書発付後約3年4か月を経過した後に、買収目的地の10分の1に満たない部分が宅地であった場合には、特段の事情のない限り買収農地の売渡しを受くべき私人の利益を犠牲にしてもなおかつ買収令書の全部を取り消さなければならない公益上の必要があるとは解されないから、特段の事情がない限り、取消処分は、違法の瑕疵を帯びる（最判昭33・9・9）。

出題 地方上級-平成3、国Ⅱ-平成2、国税-平成14

Q175 職権による取消しは、行政行為に瑕疵があれば自由に行うことができるのか。

A 侵益的行政行為の場合には自由に行うことができるが、授益的行政行為や第三者の法的地位に重要な影響を及ぼす行政行為については、特段の公益上の必要がある場合でなければ取り消すことができない（最判昭33・9・9）。⇨174

◇職権による取消・撤回ができる場合

Q176 自作農創設特別措置法の規定に基づく農地の買収計画、売渡計画という行政処分が、違法又は不当であっても、それが当然無効と認められず、すでに法定の不服申立期間の徒過により争訟手続によってその効力を争えなくなった場合には、行政庁は、これを取り消すことができないのか。

A 行政庁は、これを取り消すことができる。　自作農創設特別措置法の規定に基づく農地の買収計画、売渡計画という行政処分が、違法又は不当であれば、それが、たとえ、当然無効と認められず、また、すでに法定の不服申立期間の徒過により争訟手続によってその効力を争いえなくなったものであっても、処分をした行政庁その他正当な権限を有する行政庁においては、自らその違法又は不当を認めて、処分の取消しによって生ずる不利益と、取消しをしないことによってかかる処分に基づきすでに生

行政法総論

じた効果をそのまま維持することの不利益とを比較考量し、しかも当該処分を放置することが公共の福祉の要請に照らし著しく不当であると認められるときに限り、これを取り消すことができると解するのが相当である（最判昭43・11・7）。

Q177 農地買収処分が、法定の要件に違反して行われ、買収すべきでない者から農地を買収した場合、行政庁は、当該処分を職権により取り消さなければならないか。

A 職権により取り消さなければならない。　自作農創設特別措置法の規定に基づく農地買収は、個人の所有権に対する重大な制約であるところ、かかる重大な制約は、その目的が自作農を創設して農業生産力の発展と農業経営の民主化を図ることにあるという理由によって是認されうる強制措置であるから、かかる処分が、法定の要件に違反して行われ、買収すべきでない者から農地を買収したような場合には、他に特段の事情の認められない以上、その処分を取り消して当該農地を旧所有者に復帰させることが、公共の福祉の要請にそうのである（最判昭43・11・7）。

Q178 法令上医師免許処分の撤回について直接明文の規定がなくても、医師会はその権限で旧優生保護法（母体保護法）に基づく指定医師の指定を撤回できるのか。

A 医師会の権限で指定医師の指定を撤回できる。医師会が当該医師に旧優生保護法（母体保護法）に基づく指定医師の指定をしたのちに、当該医師が法秩序遵守等の面において指定医師としての適格性を欠くことが明らかになり、当該医師に対する指定を存続させることが公益に適合しない状態が生じた場合には、実子あっせん行為のもつ法的問題点（実子あっせん行為は、医師の作成する出生証明書の信用を損ない、戸籍制度の秩序を乱し、不実の親子関係の形成により、子の法的地位を不安定にし、未成年の子を養子とするには家庭裁判所の許可を得なければならない旨定めた民法798条の規定の趣旨を潜脱するばかりでなく、近親婚のおそれ等の弊害をもたらす）、指定医師の指定の性質等に照らすと、指定医師の指定の撤回によって当該医師の被る不利益を考慮しても、なおそれを撤回すべき公益上の必要性が高いと認められるから、法令上その撤回について直接明文の規定がなくとも、指定医師の指定の権限を付与されている医師会は、その権限において当該医師に対する上記指定を撤回することができる〈実子あっせん指定医取消事件〉（最判昭63・6・17）。

Q179 授益的行政行為について、法令にその撤回を認める規定がない場合、当該行政行為の撤回は許されないのか。

A 当該行政行為の撤回は許される〈実子あっせん指定医取消事件〉（最判昭63・6・17）。⇨ 178

Q180 私人に対してなされた使用許可を撤回するには、当該私人に重大な法律違反や責めに帰すべき事由がなければならないか。

A 相手方保護に優先する公益上の必要があれば、相当な補償をすることにより撤回できる〈実子あっせん指定医取消事件〉（最判昭63・6・17）。⇨ 178

Q181 行政行為の撤回によって行政行為の相手方の被る不利益を考慮しても、なおそれを撤回すべき公益上の必要性が高いと認められる場合には、法令上その撤回について直接明文の規定がなくても、行政庁はその権限において当該行政行為を撤回できるのか。

A 当該行政行為を撤回できる〈実子あっせん指定医取消事件〉（最判昭63・6・17）。⇨ 178

Q182 法人が税務検査の際に適時に提示することが可能なように態勢を整えて帳簿書類を保存していなかった場合は、青色申告承認の取消事由に該当するのか。

A 取消事由に該当する。　事業者が消費税法30条1項の適用を受けるには、消費税法施行令（改正前）50条1項の定めるとおり、同法30条7項に規定する帳簿等を整理し、これらを所定の期間および場所において、同法62条に基づく国税庁、国税局又は税務署の職員（以下「税務職員」という。）による検査にあたって適時に提示することが可能なように態勢を整えて保存することを要し、事業者がこれを行っていなかった場合には、同法30条7項により、事業者が災害その他やむをえない事情によりこれをすることができなかったことを証明しない限り（同項ただし書）、同条1項の規定は適用されない（最判平16・12・16、最判平16・12・20）。本件の事実関係によれば、上告人（法人）は、被上告人の職員から上告人に対する税務調査において適法に帳簿等の提示を求められ、これに応じがたいとする理由も格別なかったにもかかわらず、帳簿等の提示を拒み続けたといえる。そうすると、上告人（法人）が、上記調査が行われた時点で帳簿等を保管していたとしても、同法62条に基づく税務職員による帳簿等の検査にあたって適時にこれを提示することが可能なように態勢を整えて帳簿等を保存していたとはいえず、本件は同法30条7項にいう帳簿等を保存しない場合にあたり、上告人（法人）に同項ただし書に該当する事情も認められないから、被上告人が上告人（法人）に対して同条1項の適用がないとしてした本件各更正処分等に違法はない〈消費税更正処分等取消請求事件〉（最判平17・3・10）。

Q183 東日本大震災により被害を受けた世帯が、大規模半壊世帯に該当するとの認定の下に、被災者生活再建支援法に基づき、被災者生活再建支援金の支給決定がされた場合において、当該世帯の居住する住宅の被害の程度が客観的には半壊以下のものであったなどの事情の下では、当該決定をした被災者生活再建支援法人は、上記認定に誤りがあるこ

とを理由として、当該決定を取り消すことができるか。

A 当該決定を取り消すことができる。　東日本大震災による本件マンションの被害の程度は客観的には一部損壊にとどまり、本件各世帯は、東日本大震災による被害を受けているものの、被災者生活再建支援法の規定する「被災世帯」には該当しなかったのであるから、本件各支給決定は、本件各世帯の被災世帯該当性についての認定に誤りがあるという瑕疵を有するものといわざるを得ない。そして、この瑕疵は、被災者生活再建支援法の規定する支援金の支給要件の根幹に関わるものというべきである。さらに、本件各支給決定の効果を維持することによって生ずる不利益をさらに検討すると、その効果を維持した場合には、支援金の支給に関し、東日本大震災により被害を受けた極めて多数の世帯の間において、公平性が確保されないこととなる。このような結果を許容することは、支援金に係る制度の適正な運用ひいては当該制度それ自体に対する国民の信頼を害することとなる。また、本件各支給決定の効果を維持することによる不利益は、住民の生活の安定と被災地の速やかな復興という支援法の目的の実現を困難にする性質のものであるということができる。その一方で、本件各支給決定を取り消すことによって生ずる不利益を検討すると、その取消しがされた場合には、本件世帯主らにとっては、その有効性を信頼し、あるいはすでに全額を費消していたにもかかわらず、本件各支援金相当額を返還させられる結果となる。このことによる負担感は、本件世帯主らがすでに東日本大震災による被害を受けていることも勘案すると、小さくないといわざるを得ない。しかしながら、本件世帯主らは、支援法上、本件各支援金に係る利益を享受することのできる法的地位をおよそ有しないのである。また、本件世帯主らは、すでに利益を得たことに対応して金員の返還を求められているにとどまり、新たな金員の拠出等を求められているわけではない。これらの点も併せ考慮すると、前記瑕疵を有する本件各支給決定については、その効果を維持することによって生ずる不利益がこれを取り消すことによって生ずる不利益と比較して重大であり、その取消しを正当化するに足りる公益上の必要があると認められる。したがって、被災者生活再建支援法人（宮城県から被災者生活再建支援金の支給に関する事務の委託を受けた）は、本件各世帯が大規模半壊世帯に該当するとの認定に誤りがあることを理由として、本件各支給決定を取り消すことができるというべきである（最判令3・6・4）。

◇職権による取消・撤回ができない場合

Q184 行政庁がその成立に瑕疵のない行政行為について、公益上その効力を存続せしめえない新たな事由が発生したためこれを取り消した場合、再び同じ内容の行政行為をすることはつねに違法となるのか。

A つねに違法となるわけではない。　行政庁がその処分をひとたび取り消したからといって、再び同

じ処分をすることがつねに違法であるとは断定できない（最判昭28・3・3）。　出題 国Ⅰ-昭和62

Q185 私法上の権利、法律関係を形成する行政行為に瑕疵がある場合、行政庁は職権で当該行為を取り消すことができるか。

A 行政庁は原則として職権で取り消すことができない。　農地の賃貸借の当事者が農調法9条3項所定の許可を受けるために申請書を提出した場合、都道府県知事はその申請書の記載にはかかわりなく、諸般の事情を考慮して許可を与えることが相当であるかどうかを決しなければならない。それ故、かりにその申請書に不実の記載があっても、行政庁は申請書の記載にかかわりなく、当事者双方に存する諸般の事情を勘案したうえ許可を与えることが相当であると決定することができるのであって、行政庁がその権限に基づいて許可を与えれば、それによって申請者だけが特定の利益を受けるのではなく、利害の反する賃貸借の両当事者を拘束する法律状態が形成されるのである。それ故、かような場合に、申請者側に詐欺等の不正行為があったことが顕著でない限り、処分をした行政庁もその処分に拘束されて処分後にはさきの処分は取り消しできないことにしなければ、農調法9条3項所定の法律行為について特に賃貸借当事者の意思の自主性を制限して、その効力を行政庁の許可にかからしめた法的秩序には客観的安定性がないことになって、それではかえって耕作者の地位の安定を図る農調法の目的にそわないことになることは明らかである。したがって、本件では当該許可を取り消すべき公益上の必要はない（最判昭28・9・4）。

Q186 旧農地調整法に基づく農地賃貸借契約の更新拒絶について県知事の許可が与えられれば、たとえ申請者側に詐欺等の不正行為があったことが顕著であったとしても、処分をした行政庁もその処分に拘束されて取消を行うことはできないか。

A 特別な事情がある場合には、例外的に、処分をした行政庁は、取り消すことができる（最判昭28・9・4）。⇨185

Q187 裁決がいったんなされた後に、裁決庁自ら（あるいは処分庁）がこれを取り消すことができるか。

A 取り消すことはできない。　裁決が行政処分であることはいうまでもないが、実質的にみればその本質は法律上の争訟を裁判するものである。憲法76条2項後段によれば、「行政機関は、終審として裁判を行うことができない」が前審としてならば何ら差し支えないのである。したがって、このような性質を有する裁決は、他の一般行政処分と異なり、裁決庁自らこれを取り消すことはできない（最判昭29・1・21）。

◇職権による撤回と損失補償との関係

Q188 行政行為の撤回による損失について、法律に補償の規定がない場合には、利益状態を同じくする類似の事例につき法律に補償の規定があっても、その類推適用により補償を求めることはできないのか。

A 類推適用により補償を求めることはできる。
本件取消しを理由とする損失補償に関する法律および都条例についてみるに、本件取消しがされた当時（昭和32年6月29日）の地方自治法および都条例には損失補償に関する規定を見出すことができない。しかし、当時の国有財産法は、すでに、普通財産を貸し付けた場合における貸付期間中の契約解除による損失補償の規定をもうけ（同法24条）、これを行政財産に準用していた（同法19条）ところ、国有であれ都有であれ行政財産に差等はなく、公平の原則からしても国有財産法の上記規定は都有行政財産の使用許可の場合にこれを類推適用すべきものと解するのが相当であって、これは憲法29条3項の趣旨にも合致するところである（最判昭49・2・5）。
出題 特別区Ⅰ－平成17

Q189 都有行政財産たる土地につき使用許可によって与えられた使用権が、期間の定めのない場合、当該使用権は何時消滅するのか。さらに、使用権者は、撤回による土地使用権喪失について補償を請求しうるのか。

A 当該行政財産本来の用途または目的上の必要を生じたときに原則として消滅する。また使用権者は、補償を請求しえない。　都有行政財産たる土地につき使用許可によって与えられた使用権は、それが期間の定めのない場合であれば、上記行政財産本来の用途または目的上の必要を生じたときはその時点において原則として消滅すべきものであり、また、権利自体にこのような制約が内在しているものとして付与されている。すなわち、当該行政財産に上記の必要を生じたときに上記使用権が消滅することを余儀なくされるのは、使用権自体に内在する前記のような制約に由来するものであるから、使用権者は、行政財産に上記の必要を生じたときは原則として、地方公共団体に対しもはや当該使用権を保有する実質的理由を失うに至るのであって、土地使用権の撤回により、使用権が喪失しても、使用権者は、補償を請求することができない（最判昭49・2・5）。
出題 国家総合－令和1・平成24、国Ⅰ－平成21・17・16・12・9・8・5、地方上級－平成9・8（市共通）・昭和58、特別区Ⅰ－平成26・23・17、国家一般－令和4・平成28、国Ⅱ－平成13・昭和62、国税・労基－平成20・15、国税－平成4・3

Q190 国又は地方公共団体が行政財産たる土地の使用を許可した後に公用等に供するため当該許可を取り消す場合には、当該許可が期間の定めのないものであっても、特別な事情の存しない限り、損失補償を要するのか。

A 損失補償は、原則として不要である（最判昭49・2・5）。⇨*189*

(8)行政行為の附款

Q191 地方公務員の任用については、無期限とすべきであるにもかかわらず、特に法の明文がないのに、条件付採用制度をとることは違法となるのか。

A 条件付採用制度をとることは違法ではない。
地方公務員法は、その建前として、職員の身分を保障し、職員に安んじて自己の職務に専念させる趣旨に出たものであるから、職員の期限付任用も、それを必要とする特段の事由が存し、かつ、それがその趣旨に反しない場合においては、特に法律にこれを認める明文がなくても、許される（最判昭38・4・2）。
出題 国Ⅰ－平成3、地方上級－昭和62、国Ⅱ－平成4

Q192 法令に附款を付しうる明文の規定がない場合でも、その行政行為が行政庁の裁量に属すると認められる場合には、行政行為に附款を付することができるか。

A 行政行為に附款を付することができる（最判昭38・4・2）。⇨*191*

Q193 都市計画事業として広場設定事業の決定されている土地の上に建築許可をするにあたり、広場設定事業施行の際には無償で建築物の撤去を命じうる旨の条件を付した場合、一定の事実関係の下で、当該条件は、都市計画上の事業の実施上やむをえない制限といえるのか。

A 一定の事実関係の下では、やむをえない制限といえる。　本件広場設定事業は、予算の関係上一時施行が延期されたが、予算の成立とともに施行されることになっていたのであって、その施行の際は、本件土地は都市計画法16条によって収用又は使用されることが明らかであり、かかる土地の上に新たに建築物を設置しても、上記事業の実施に伴い除却を要することも明らかであったばかりでなく、本件許可については、出願らは、広場設定事業施行の場合は、いかなる条件でも異議をいわず、建物を撤去すべき旨の書面を差し入れ、又はその旨を承諾していたのであって、このような事実関係の下においては、本件許可に際し、無償で撤去を命じうる等の条項をこれに附したことは、都市計画事業たる本件広場設定事業の実施上必要やむをえない制限であったということができる（最大判昭33・4・9）。
出題 国Ⅰ－平成12、国Ⅱ－平成21、国税・労基－平成15

5　行政契約

Q194 社会保険診療報酬支払基金が保険者等から診療報酬の支払委託を受ける関係は私法上の契約関係か。また、同基金は当然に診療担当者に対して支払いをなすべき法律上の義務を負うのか。

A 当該関係は公法上の契約関係であり、同基金は、自己の名において支払いをなすべき法律上の義務を負う。　健康保険法および国民健康保険法は、A（保険者）がB（診療担当者）からの診療報酬の請求に対する審査・支払事務を基金に委託できる旨を規

定するにとどまるが、社会保険診療報酬支払基金法（以下、基金法）によれば、基金は、Bから提出された診療報酬請求書の審査や政府その他の保険者がBに支払うべき診療報酬の迅速適正な支払いを目的とする法人であること（1条・2条）、一方でAから毎月相当額の金額の委託を受け、他方で診療報酬請求書の審査、Bに対する診療報酬の支払いを行うことを主要業務としていること（23条1・2項）、所管大臣の監督下におかれていること（20条以下）、法定されているものにつき診療報酬の支払いを一時差し止める権限を有すること（14条の4）、などから、Y（社会保険診療報酬支払基金および国民健康保険団体連合会）がAから診療報酬の支払委託を受ける関係（31条3項参照）は公法上の契約関係であり、Yが当該委託を受けたときは、Bに対し、その請求にかかる診療報酬につき、自ら審査したところに従い、自己の名において支払いをする法律上の義務を負う（最判昭48・12・20）。

Q195 売買、貸借、請負その他の契約については、随意契約による場合を除き、入札または競り売りの手続によらなければならないが、ここで「随意契約によることができる場合」とは、競売入札の方法によること自体が不可能または著しく困難な場合をいうのか。

A 不可能または著しく困難な場合に限られない。地方自治法施行令（昭和49年政令203号による改正前のもの）167条の2第1項1号にいう「その性質又は目的が競争入札に適しないものをするとき」（随意契約）とは、当該契約の性質または目的に照らして競争入札の方法による契約の締結が不可能または著しく困難というべき場合だけではなく、普通地方公共団体において当該契約の目的、内容に照らしそれに相応する資力、信用、技術、経験等を有する相手方を選定しその者との間で契約の締結をするという方法を採るのが当該契約の性質に照らしまたはその目的を究極的に達成するうえでより妥当であり、ひいては当該普通地方公共団体の利益の増進につながると合理的に判断される場合も同項1号に掲げる場合に該当する。そして、上記のような場合に該当するか否かは、契約の公正および価格の有利性を図ることを目的として普通地方公共団体の契約締結の方法に制限を加えている前記法および施行令の趣旨を勘案し、個々具体的な契約ごとに、当該契約の種類、内容、性質、目的等諸般の事情を考慮して当該普通地方公共団体の契約担当者の合理的な裁量判断により決定されるべきである（最判昭62・3・20）。

Q196 注文者である市が、建設工事の遂行能力や施設が稼働を開始した後の保守点検態勢といった点の考慮から契約の相手方の資力、信用、技術、経験等々の能力に大きな関心を持ち、これらを熟知した上で特定の相手方を選定しその者との間で契約を締結することは妥当でなく、請負契約を随意契約の方法によって締結したことは違法にあたるのか。

A 違法にあたらない。　本件請負契約の締結はご

み処理施設という複雑かつ大規模な施設の建設を目的とするものであって、その請負代金としても高額にのぼるものであり、また、各社のプラントは炉体の構造等が異なっていて、各社はこの点に特許権まで有するものではないが、ロストルの揺動装置等には実用新案権を有していたのであるから、これらの点にかんがみると、注文者たる福井市において、上記施設自体の品質、機能、工事価格に関心を払うのは当然であるが、そればかりではなく、建設工事の遂行能力や施設が稼働を開始した後の保守点検態勢といった点の考慮から契約の相手方の資力、信用、技術、経験を熟知した上で特定の相手方を選定しその者との間で契約を締結するのが妥当であると考えることには十分首肯するに足りる理由がある。他方、本件請負契約の締結について公正を妨げる事情は何らうかがうことができないから、結局、亡Dにおいて本件請負契約をもって地方自治法 施行令167条の2第1項1号（改正前）にいう「その性質又は目的が競争入札に通じないもの」に該当すると判断したことに合理性を欠く点があるということはできず、したがって、随意契約の方法によって上記請負契約を締結したことに違法はない（最判昭62・3・20）。

Q197 地方公共団体と私人との間で締結された契約が、地方自治法上の随意契約の制限に違反する場合、当該契約は私法上当然無効となるのか。

A 私法上当然に無効とならない。　随意契約の制限に関する地方自治法等に違反して締結された契約の私法上の効力については別途考察する必要があり、かかる違法な契約であっても私法上当然に無効となるものではなく、随意契約によることができる場合として地方自治法施行令167条の2第1項が掲げる事由のいずれにもあたらないことが何人の目にも明らかである場合や契約の相手方において随意契約の方法による当該契約の締結が許されないことを知りまたは知りうべかりし場合のように当該契約の効力を無効としなければ随意契約の締結に制限を加える地方自治法および前記令の規定の趣旨を没却する結果となる特段の事情が認められる場合に限り、私法上無効になる（最判昭62・5・19）。

Q198 随意契約が私法上無効となるのは、これを無効としなければ随意契約の締結に制限を加える法の規定の趣旨を没却する結果となる特段の事情がある場合に限られるのか。

A 特段の事情がある場合に限られる（最判昭62・5・19）。⇒197

Q199 新たな給水申込みのうち、需要量が特に大きく、住宅を供給する事業を営む者が住宅分譲目的でしたものについて、給水契約の締結を拒むことにより、急激な需要の増加を抑制することには、水道法15条1項にいう「正当の理由」があるといえるのか。

A「正当の理由」があるといえる。　水道法15条1項にいう「正当の理由」とは水道事業者の正常

な企業努力にもかかわらず給水契約の締結を拒まざるをえない理由を指す。近い将来において需要量が給水量を上回り水不足が生ずることが確実に予見されるという地域にあっては、水道事業者である市町村としては、そのような事態を招かないよう困難な自然的条件を克服して給水量をできるかぎり増やすことが第一に執られるべきであるが、それによってもなお深刻な水不足が避けられない場合には、もっぱら水の需給の均衡を保つという観点から水道水の需要の著しい増加を抑制するための施策をとることも、やむをえない措置として許されるのである。そうすると、需要の抑制施策の一つとして、新たな給水申込みのうち、需要量が特に大きく、現に居住している住民の生活用水を得るためではなく住宅を供給する事業を営む者が住宅分譲目的でしたものについて、給水契約の締結を拒むことにより、急激な需要の増加を抑制することには、水道法15条1項にいう「正当の理由」があるということができる〈志免町給水拒否事件〉（最判平11・1・21）。

出題 国家総合 – 令和3・平成24、国Ⅰ – 平成16、国家一般 – 令和1、特別区Ⅰ – 令和3、国税・財務・労基 – 令和4

Q200 地方自治法等の法令の趣旨に反する運用基準の下で、主たる営業所が村内にないなどの事情から形式的に村外業者に当たると判断し、そのことのみを理由として、公共工事の指名競争入札に平成10年度まで継続的に参加していた施工業者をおよそ一切の工事につき平成12年度以降全く指名せず指名競争入札に参加させない措置を採ったことは、社会通念上著しく妥当性を欠くものであり、そのような措置に裁量権の逸脱又は濫用があったとはいえるのか。

A 裁量権の逸脱又は濫用があったとはいえる。　村の発注する公共工事の指名競争入札に昭和60年ころから平成10年度まで指名を受けて継続的に参加し工事を受注していた建設業者に対し、村が、村外業者に当たることなどを理由に、同12年度以降全く指名せず入札に参加させない措置を採った場合において、(1)村内業者で対応できる工事の指名競争入札では村内業者のみを指名するという実際の運用基準は村の要綱等に明定されておらず、村内業者であるか否かの客観的で具体的な判定基準も明らかにされていなかったこと、(2)上記業者は、平成6年に代表者らが同村から県内の他の町へ転居した後も、登記簿上の本店所在地を同村内とし、同所に代表者の母である監査役が居住し、上記業者の看板を掲げるなどしており、平成10年度までは指名を受け、受注した工事において施工上の支障を生じさせたこともうかがわれないことなどの事情の下では、指名についての上記運用および上記業者が村外業者にあたるという判断が合理的であるとはいえない（最判平18・10・26）。　出題 特別区Ⅰ – 令和3

Q201 普通地方公共団体が、土地開発公社との間で締結した土地の先行取得の委託契約に基づく義務の履行として、当該土地開発公社が取得した当該土地を買い取る売買契約を締結した場合には、仮に当

該委託契約の締結が違法なものであった場合には、当該売買契約の締結を財務会計法規上の義務に違反する違法なものと評価することはできないのか。

A 当該売買契約の締結を財務会計法規上の義務に違反する違法なものと評価することはできる。　土地開発公社が普通地方公共団体との間の委託契約に基づいて先行取得を行った土地について、当該普通地方公共団体が当該土地開発公社とその買取りのための売買契約を締結する場合において、当該委託契約が私法上無効であるときには、当該普通地方公共団体の契約締結権者は、無効な委託契約に基づく義務の履行として買取りのための売買契約を締結してはならないという財務会計法規上の義務を負っていると解すべきであり、契約締結権者がその義務に違反して買取りのための売買契約を締結すれば、その締結は違法なものになる。また、先行取得の委託契約が私法上無効ではないものの、これが違法に締結されたものであって、当該普通地方公共団体がその取消権又は解除権を有しているときや、当該委託契約が著しく合理性を欠きそのためその締結に予算執行の適正確保の見地から看過し得ない瑕疵が存し、かつ、客観的にみて当該普通地方公共団体が当該委託契約を解消することができる特殊な事情があるときにも、当該普通地方公共団体の契約締結権者は、これらの事情を考慮することなく、漫然と違法な委託契約に基づく義務の履行として買取りのための売買契約を締結してはならないという財務会計法規上の義務を負っていると解すべきであり、契約締結権者がその義務に違反して買取りのための売買契約を締結すれば、その締結は違法なものになる（最判平20・1・18）。

出題 国家総合 – 令和3、特別区Ⅰ – 令和3

Q202 町とその区域内に産業廃棄物処理施設を設置している産業廃棄物処分業者とが締結した公害防止協定における、上記施設の使用期限の定めおよびその期限を超えて産業廃棄物の処分を行ってはならない旨の定めは、廃棄物処理法の趣旨に反するのか。

A 廃棄物処理法の趣旨に反しない。「廃棄物処理法」（改正前のもの）の各規定は、知事が、処分業者としての適格性や処理施設の要件適合性を判断し、産業廃棄物の処分事業が廃棄物処理法の目的に沿うものとなるように適切に規制できるようにするために設けられたものであり、知事の許可が、処分業者に対し、許可が効力を有する限り事業や処理施設の使用を継続すべき義務を課すものではないことは明らかである。そして、「廃棄物処理法」には、処分業者にそのような義務を課す条文は存せず、かえって、処分業者による事業の全部又は一部の廃止、処理施設の廃止については、知事に対する届出で足りる旨規定されているのであるから（14条の3において準用する7条の2第3項、15条の2第3項において準用する9条3項）、処分業者が、公害防止協定において、協定の相手方に対し、その事業や処理施設を将来廃止する旨を約束することは、処分業者自身の自由な判断で行えることであり、その結果、許可が効力を有する期間内に事業や処理施設が廃止されることがあったとしても、

同法に何ら抵触するものではない（最判平21・7・10）。

出題 国家総合 - 令和3・平成24、国家一般 - 令和1・平成27、特別区Ⅰ - 令和3、国税・財務・労基 - 令和4

6　行政上の義務履行確保の制度

(1)行政代執行

Q203 庁舎の明渡しないし立退く義務は行政代執行によりその履行が確保される行政上の義務といえるか。

A 行政代執行によりその履行が確保される行政上の義務とはいえない。　庁舎の管理権者たる市長が、相手方に対する庁舎の使用許可を取り消すときは、庁舎の使用関係はこれによって終了し、市長が管理権に基づいて相手方に対し庁舎の明渡しないし立退きを求めることができ、相手方はこれに応ずべき義務あることはいうまでもないが、この義務は行政代執行によってその履行が確保される行政上の義務ではない。なぜなら、行政代執行による強制実現が許される義務は、行政代執行法2条によって明らかなように、法律が直接行為を命じた結果による義務であるか、または行政庁が法律に基づき行為を命じた結果に基づく義務に限定されている。しかし、本件のごとき庁舎使用許可取消処分については、処分があれば、庁舎の明渡しないしは立退きをなすべき旨を直接命じた法律の規定はない。また、使用許可取消処分は単に庁舎の使用関係を終了させるだけで、庁舎の明渡しないしは立退きを命じたものではないし、また、これを命じうる権限を与えた法律の規定もないからである。そのうえ、行政代執行により履行の確保される行政上の義務は、いわゆる「為す義務」たる作為義務のうち代替的なものに限られるのであって、庁舎の明渡しないしは立退きのごとき、いわゆる「与える義務」は含まれないものと解すべきである。これらの義務の強制的実現には実力による占有の解除を必要とするのであって、法律が直接強制を許す場合においてのみ可能になるのである（大阪高判昭40・10・5）。

出題 国Ⅰ - 平成2・昭和57、国Ⅱ - 平成21・15

Q204 市長が事務所として使用するため市庁舎の一部の使用許可を取り消す旨の処分をし、この処分に不満をもった市職員で構成される職員団体Aが明け渡すことなく、引き続き同所を利用している状況の下で、市長はAが同所内に存置している物件について、これを搬出するよう、Aに対し行政代執行法に基づく戒告を行い、これに従わないときは、同法の手続に従った後、市長はAに代わって当該物件を搬出することができるのか。

A 市長はAに代わって当該物件を搬出することはできない（大阪高判昭40・10・5）。⇨203

Q205 上記のQ204の事例で、市長はAに対し、明け渡すべき行政代執行法に基づく戒告を行い、これに従わないときは、同法の手続に従った後、市長はAが同所を使用しないようにするため、

同所に居るAの職員を実力で排除することはできるのか。

A 同所に居るAの職員を実力で排除することはできない（大阪高判昭40・10・5）。⇨203

Q206 市長が事務所として使用するため市庁舎の一部の使用許可を取り消す旨の処分をし、この処分に不満をもった市職員で構成される職員団体Aが明け渡すことなく、引き続き同所を利用している状況の下で、市はAに対し、同所の明け渡しを求める公法上の当事者訴訟又は民事訴訟を提起し、その勝訴判決に基づく強制執行を請求し、又は仮処分を求めることができるのか。

A できる。　庁舎の明渡しないしは立退き請求については、庁舎の権利主体たる茨木市より相手方に対し、公法上の法律関係に関する訴えたる、当事者訴訟を提起し、その確定判決に基づく強制執行によるか、あるいは仮処分によるなど、民事訴訟法上の強制的実現の方法に出ずべきものである（大阪高判昭40・10・5）。　出題 国Ⅱ - 平成21・15

Q207 行政代執行が認められない場合に、国又は地方公共団体は、行政権の主体として、国民に対して行政上の義務の履行を求める訴訟を提起することはできるのか。

A 当該訴訟は、法律上の訴訟にあたらず、提起することはできない〈宝塚市パチンコ店規制条例事件〉（最判平14・7・9）。⇨行政事件訴訟法1条7

Q208 漁港管理者である町が、漁港水域内に不法に設置されたヨット係留杭を法規に基づかずに強制撤去したことが、行政代執行上適法であると認められない場合、この撤去に要した費用の支出も違法といえるのか。

A 緊急の事態に対処するためのやむをえない措置に係る支出として、違法とはいえない。　漁港管理者である町が、当該漁港の区域内の水域に不法に設置されたヨット係留杭を、漁港管理規程が制定されていなかったため、法規に基づかずに強制撤去する費用を支出した場合において、上記係留杭の不法設置により、その設置水域には、漁船等の航行可能な水路が狭められ、特に夜間、干潮時に航行する漁船等にとってきわめて危険な状況が生じていたのに、上記係留杭の除却命令権限を有する県知事は、直ちには撤去することができないとし、その設置者においても県知事の至急撤去の指示にもかかわらず、撤去しようとしなかったなどの事実関係の下においては、撤去費用の支出は、緊急の事態に対処するためのやむをえない措置に係る支出として、違法とはいえない〈浦安鉄杭撤去事件〉（最判平3・3・8）。　出題 国家総合 - 令和4、特別区Ⅰ - 平成27

(2)行政上の強制徴収

Q209 国税滞納処分による差押えについて、民法177条の適用があるのか。

A 民法177条の適用がある（最判昭31・4・24）。⇨11

Q210 行政庁（農業共済組合）が行政上の強制徴収の手段を与えられている場合に、民事訴訟法上の強制手段により債権の実現を図ることは許される

か。

A 民事訴訟法上の強制手段により債権の実現を図ることは許されない。　農業共済組合が組合員に対して有する債権について、**法が一般私法上の債権にみられない特別の取扱いを認めているのは、**農業災害に関する共済事業の公共性にかんがみ、その事業遂行上必要な財源を確保するためには、租税に準ずる簡易迅速な行政上の強制徴収の手段によることが、もっとも適切かつ妥当であるからである。したがって、農業共済組合が、法律上特にかような独自の手段を与えられながら、この手段によることなく、一般私法上の債権と同様、訴えを提起し、民事訴訟法上の強制執行の手段によってこれら債権の実現を図ることは、前示立法の趣旨に反し、公共性の強い農業共済組合の権能行使の適正を欠くものとして、許されない（最大判昭41・2・23）。

出題 国家総合－平成28・26・25、国Ⅰ－平成19・17・11・8・6・昭和63・60、地方上級－昭和59、市役所上・中級－平成10、特別区Ⅰ－平成27、国家一般－令和1・平成25、国税・労基－平成15、国税－平成12・10・7

(3)行政罰

Q211 追徴税（課税要件事実の隠蔽・仮装による申告納税義務違反に対して課せられる重加算税）と刑罰たる罰金とを併科することは、憲法39条（二重処罰の禁止の原則）に反しないか。

A 憲法39条（二重処罰の禁止の原則）に反しない。旧法人税法48条1項の逋脱犯に対する刑罰が、脱税者の不正行為の反社会性ないし道徳性に着目し、これに対する制裁として科せられるものであるのに反し、同法43条の追徴税は、単に過少申告・不申告による納税義務違反の事実があれば、同条所定のやむをえない事由のない限り、その違反の法人に対し課せられるものであり、これによって、過少申告・不申告による納税義務違反の発生を防止し、納税の実をあげようとする趣旨に出た行政上の措置である。法が追徴税を行政機関の行政手続により租税の形式により課すべきものとしたことは追徴税を課せられるべき納税義務違反者の行為を犯罪とし、これに対する刑罰として、これを課する趣旨でないことは明らかである。追徴税のかような性質にかんがみれば、憲法39条の規定は刑罰たる罰金と追徴税とを併科することを禁止する趣旨を含まない（最大判昭33・4・30）。

出題 国家総合－令和4・2・平成25、国Ⅰ－平成11・7・平成、昭和59、国Ⅱ－平成12、国家一般－令和4、国税－平成12・7

Q212 行政犯において過失行為を処罰することができるのは、過失行為を罰する旨の明文の規定が設けられている場合に限られるのか。

A 限られない。　古物営業法29条で処罰する「同法17条の規定に違反した者」とは、その取り締まる事柄の本質にかんがみ、故意に帳簿に所定の事項を記載しなかったものばかりでなく、過失によりこれを記載しなかったものをも包含する法意である（最判昭37・5・4）。出題 国Ⅰ－昭和59・53

Q213 秩序罰としての過料と刑罰としての罰金、拘留とを併科することは、憲法31条、39条後段に反するのか。

A 憲法31条、39条後段に反しない。　刑事訴訟法160条は訴訟手続上の秩序を維持するために秩序違反行為に対して当該手続を主宰する裁判所または裁判官により直接科せられる秩序罰としての過料を規定したものであり、同161条は刑事司法に協力しない行為に対して通常の刑事訴訟手続により科せられる刑罰としての罰金、拘留を規定したものであって、両者は目的、要件および実現の手続を異にし、必ずしも二者択一の関係になく併科を妨げず、上記規定が憲法31条、同39条後段に違反しない（最判昭39・6・5）。

出題 東京Ⅰ－平成15、国家一般Ⅰ－平成27
〔参考〕刑事訴訟法第160条　①証人が正当な理由がなく宣誓又は証言を拒んだときは、決定で、10万円以下の過料に処し、かつ、その拒絶により生じた費用の賠償を命ずることができる。
第161条　正当な理由がなく宣誓又は証言を拒んだ者は、1年以下の懲役又は30万円以下の罰金に処する。

Q214 加算税の制度は、実質的にみれば、納税の実を挙げんとするための行政上の措置を超える制裁であるから、同一の行為に対して加算税と刑事罰を併科することは許されないのか。

A 行政上の措置を超える制裁ではなく、併科することは許される。　国税通則法67条に定める重加算税は、行政機関の行政手続により違反者に課されるもので、これによって納税義務違反の発生を防止し、もって徴税の実を挙げようとする行政上の措置であり、違反者の不正行為の反社会性ないし反道徳性に着目してこれに対する制裁として科される刑罰とは趣旨、性格を異にするから、重加算税のほかに刑罰を科しても憲法39条に違反しない（最判昭45・9・11）。

出題 国Ⅰ－平成16、国家一般－平成25

Q215 私的独占の禁止及び公正取引の確保に関する法律の定める課徴金は、カルテルによる利得を強制的に徴収することを目的とする制度であり、当該課徴金は刑事罰と両立しうるか。

A 当該課徴金は刑事罰と両立しうる。　独占禁止法違反のカルテル行為について刑事事件で罰金刑が確定し、国から不当利得返還請求訴訟が提起されている場合でも、課徴金の納付を命じることは、憲法39条、29条、31条に反しない（最判平10・10・13）。出題 国家一般－平成16

Q216 行政法規における事業主処罰規定について、事業主が従業者の選任・監督について無過失であることの証明がなされた場合にも、事業主は処罰されるのか。

A 無過失であることの証明がなされた場合には、事業主は処罰されない。　旧入場税法17条の3は、事業主たる人の代理人、使用人、その他の従業者が入場税を逋脱しまたは逋脱せんとした行為に対し、事業主として当該行為者らの選任、監督その他違反行為を防止するために必要な注意を尽くさなかった

行政法編

過失の存在を推定した規定と解すべく、したがって事業主において上記に関する注意を尽くしたことの証明がなされない限り、事業主もまた刑責を免れないとする法意と解する（最大判昭32・11・27）。

Q217 警視総監または道府県警察本部長の行う反則金の納付の通告（行政刑罰）に不服のある者は、刑事手続によるべきか、それとも抗告訴訟によるべきか。

A 刑事手続によるべきである（最判昭57・7・15）。⇨行政事件訴訟法3条41

(4)即時強制・行政調査

◇税務関係

Q218 行政機関の行う立入検査については、いかなる場合にも司法官憲が発する令状が必要か。

A 司法官憲が発する令状を必要としない場合がある。　憲法33条は現行犯の場合にあっては同条所定の令状なくして逮捕されてもいわゆる不逮捕の保障にはかかわりないことを規定しているものであるから、同35条の保障もまた現行犯の場合には及ばない。それ故、少なくとも現行犯の場合に関する限り、法律が司法官憲によらずまた司法官憲が発した令状によらずその犯行の現場において捜索、押収等をなしうべきことを規定したからといって、立法政策上の当否の問題にすぎないのであり、憲法35条違反の問題を生ずる余地は存しない。したがって、収税官吏が犯則事件を調査するうえで必要かつ急速を要する場合には、裁判官の許可なく、立入検査を行うことができる（最大判昭30・4・27）。

Q219 所得税法に基づいてなされる行政調査は、令状を要件としなくても、刑事手続における令状主義を規定した憲法35条1項の保障の枠内にあるのか。

A 憲法35条1項の保障の枠内にある。　旧所得税法63条は、収税官吏による検査については、もっぱら、所得税の公平確実な賦課徴収のために必要な資料を収集することを目的とする手続であって、その性質上、刑事責任の追及を目的とする手続ではなく、また、同検査が、刑事責任追及のための資料の取得収集に直接結びつくものではないこと、および、このような検査制度に公益上の必要性と合理性の存すること、しかも、同検査自体が相手方の自由な意思を著しく拘束して、実質上、直接的物理的な強制と同視すべき程度にまで達するものとは、いまだ認めがたい以上、同検査につき、裁判官の発する令状を要件としなくても、2憲法35条1項に違反しない〈川崎民商事件〉（最大判昭47・11・22）。⇨憲法35条7

Q220 収税官吏による所得税検査に関する手続に裁判官の令状は必要か。

A 裁判官の発する令状は不要である〈川崎民商事件〉（最大判昭47・11・22）。⇨219

Q221 所得税法に基づく帳簿書類の検査は、性質上、刑事責任追及のための資料の取得収集に直接結び付く作用を一般的に有するものか。また、もっぱら刑事手続に関するものである憲法35条の規定は当該検査に適用される余地はないのか。

A 一般的に有するものではない。また、当該検査に憲法35条が適用される余地はある〈川崎民商事件〉（最大判昭47・11・22）。⇨219

Q222 所得税法上の質問検査を確定申告期間経過前に行うことは法律上許されるか。

A 法律上許される。　所得税法234条1項の規定は、国税庁、国税局または税務署の調査権限を有する職員において、当該調査の目的、調査すべき事項、申請、申告の体裁内容、帳簿等の記入保存状況、相手方の事業の形態等諸般の具体的事情にかんがみ、客観的な必要性があると判断される場合には、職権調査の一方法として、同条1項各号規定の者に対し質問し、またはその事業に関する帳簿、書類その他当該調査事項に関連性を有する物件の検査を行う権限を認めた趣旨であって、この場合の質問検査の範囲、程度、時期、場所等実定法上特段の定めのない実施の細目については、質問検査の必要があり、かつ、これと相手方の私的利益との衡量において社会通念上相当な限度にとどまる限り、権限ある税務職員の合理的な選択に委ねられているものと解すべく、暦年前または確定申告期間経過前といえども質問検査が法律上許されないものではなく、実施の日時場所の事前通知、調査の理由および必要性の個別的、具体的な告知のごときも、質問検査を行ううえの法律上一律の要件とされていない〈荒川民商事件〉（最決昭48・7・10）。

Q223 所得税法234条1項の税務調査における質問検査権における実施の日時場所の事前通知、調査の理由および必要性の個別的、具体的な告知については、質問検査を行ううえで一律の要件としなければならないのか。

A 一律の要件とする必要はない〈荒川民商事件〉（最決昭48・7・10）。⇨222

Q224 〔旧〕国税犯則取締法上の質問調査の手続に関して、犯則嫌疑者に憲法38条1項の規定による供述拒否権の保障は及ぶのか。

A 供述拒否権の保障が及ぶ。　国税犯則取締法上の質問調査の手続は、国税の公平確実な賦課徴収という行政目的を実現するためのものであり、その性質は、一種の行政手続であって、刑事手続ではないが、その手続自体が捜査手続と類似し、これと共通するところがある等、上記調査手続は、実質的には租税犯の捜査としての機能を営むものであって、租税犯捜査の特殊性、技術性等から専門的知識経験を有する収税官吏に認められた特別の捜査手続としての性質を帯有する。したがって、国税犯則取締法上の質問調査の手続は、犯則嫌疑者については、自己の刑事上の責任を問われるおそれのある事項につい

ても供述を求められることになるもので、「実質上刑事責任追及のための資料の取得収集に直結びつく作用を一般的に有する」ものであって、憲法38条1項の規定による供述拒否権の保障が及ぶ（最判昭59・3・27）。

Q225〔旧〕国税犯則取締法に基づく収税官吏の調査により収集された資料を、課税庁が同じ者に対する課税処分のために利用することは許されるのか。

A 利用することは許される（最判昭59・3・27）。⇨224

Q226 行政調査により収集された情報を、〔旧〕国税犯則取締法に基づく課税処分や青色申告承認の取消処分のために利用することは許されるか。

A 許される。　収税官吏が犯則嫌疑者に対し国税犯則取締法に基づく調査を行った場合に、課税庁が当該調査により収集された資料をその者に対する課税処分および青色申告承認の取消処分を行うために利用することは許される（最判昭63・3・31）。

出題 国家総合－令和3・平成27、国Ⅰ－平成23、東京Ⅰ－平成20・16、国Ⅱ－平成8

Q227 法人税法に規定する質問又は検査の権限の行使にあたって、取得収集される証拠資料が後に犯則事件の証拠として利用されることが想定できれば、その質問又は検査の権限が犯則事件の調査あるいは捜査のための手段として行使されたことになるのか。

A 行使されたことにはならない。　法人税法（改正前）156条によると、同法153条ないし155条に規定する質問又は検査の権限は、犯罪の証拠資料を取得収集し、保全するためなど、犯則事件の調査あるいは捜査のための手段として行使することは許されないと解するのが相当である。しかしながら、上記質問又は検査の権限の行使にあたって、取得収集される証拠資料が後に犯則事件の証拠として利用されることが想定できたとしても、そのことによって直ちに、上記質問又は検査の権限が犯則事件の調査あるいは捜査のための手段として行使されたことにはならない（最決平16・1・20）。

出題 国家総合－令和3、国Ⅰ－平成23・18

◇警察関係

Q228 道路交通法70条の安全運転義務は、同法の他の各条に定められている運転者の具体的個別的義務を補充する趣旨で設けられていることから考えると、他の各条の義務違反の罪のうち過失犯処罰の規定を欠く罪の過失犯たる内容を有する行為についても、同法70条の過失犯の構成要件を充たす限り、その処罰規定が適用されるのか。

A その処罰規定が適用される。　道路交通法70条の安全運転義務は、同法の他の各条に定められている運転者の具体的個別的義務を補充する趣旨で設けられたものであり、同法70条違反の罪の規定と上記各条の義務違反の罪の規定との関係は、いわゆる法条競合にあたるものと解される（最判昭46・5・13）。すなわち、同法70条の安全運転義務は、他の各条の義務違反の罪以外のこれと異なる内容を

もっているものではなく、その構成要件自体としては他の各条の義務違反にあたる場合をも包含しているのであるが、他の各条の義務違反の罪の過失犯自体が処罰されないことから、直ちに、これらの罪の過失犯たる内容をもつ行為のうち同法70条後段の安全運転義務違反の過失犯の構成要件を充たすものについて、それが同法70条後段の安全運転義務違反の過失犯としても処罰されないということはできない（最判昭48・4・19）。

出題 国税・労基－平成15

Q229 鉄道地内にみだりに立ち入る罪を犯した者に対しては、鉄道係員が旅客及び公衆を車外又は鉄道地外に退去させることができると定めた鉄道営業法42条1項3号は、即時強制を認めたものか。

A 即時強制を認めたものである。　鉄道営業法42条1項は、旅客、公衆が停車場その他鉄道地内にみだりに立ち入ったとき等同項各号に定める行為に及んだ場合、鉄道係員は、当該旅客、公衆を車外又は鉄道地外に退去させうる旨を規定している。なぜなら、鉄道施設は、不特定多数の旅客および公衆が利用するものであり、また、性質上特別の危険性を有するものであるから、車内又は鉄道地内における法規ないし秩序違反の行動は、これをすみやかに排除する必要があるためにほかならない。すなわち、同条項は、鉄道事業の公共性にかんがみ、事業の安全かつ確実な運営を可能ならしめるため、とくにかかる運営につき責任を負う鉄道事業者に直接にこの排除の権限を付与したものである。そして、鉄道営業法42条1項の規定により、鉄道係員が当該旅客、公衆を車外又は鉄道地外に退去させるにあたっては、まず退去を促して自発的に退去させるのが相当であり、また、この方法をもって足りるのが通常であるが、自発的な退去に応じない場合、又は危険が切迫する等やむをえない事情がある場合には、警察官の出動を要請するまでもなく、鉄道係員において当該具体的事情に応じて必要最少限度の強制力を用いうるものであり、また、このように解しても、前述のような鉄道事業の公共性に基づく合理的な規定として、憲法31条に違反するものではない（最大判昭48・4・25）。

出題 国家総合－令和4、特別区Ⅰ－平成23

Q230 即時強制は、執行機関の裁量にゆだねられ、その要件、内容の認定や実力行使の程度、態様、方法を選択する場合、法規の趣旨目的を厳格に解釈し、相手方の人権侵害を最小限にとどめるよう配慮しなければならないのか。

A 相手方の人権侵害を最小限にとどめるよう配慮しなければならない（最大判昭48・4・25）。⇨229

Q231 警察による所持品検査は、所持人の承諾を得なければ行うことができないのか。

A 所持人の承諾がなくとも、捜索に至らない程度の行為は、強制にわたらない限り、行うことができる。　所持品検査は、任意手段である職務質問の附随行為として許容されるのであるから、所持人の承諾を得て、その限度においてこれを行うのが原則である。しかし、職務質問ないし所持品検査は、犯罪

行政法編

の予防、鎮圧等を目的とする行政警察上の作用であって、流動する各般の警察事務に対応して迅速適正にこれを処理すべき行政警察の責務にかんがみるときは、所持人の承諾のない限り所持品検査は一切許容されないのではなく、捜索に至らない程度の行為は、強制にわたらない限り、所持品検査においても許容される場合がある。もっとも、所持品検査には種々の態様のものがあるので、その許容限度を一般的に定めることは困難であるが、所持品について捜索および押収を受けることのない権利は憲法35条の保障するところであり、捜索に至らない程度の行為であってもこれを受ける者の権利を害するものであるから、状況のいかんを問わず常にかかる行為が許容されるのではなく、かかる行為は、限定的な場合において、所持品検査の必要性、緊急性、これによって害される個人の法益と保護されるべき公共の利益との権衡などを考慮し、具体的状況の下で相当と認められる限度においてのみ、許容されるものである〈明治公園爆弾事件・松江相銀米子支店強奪事件〉（最判昭53・6・20）。

出題 国家総合－令和3・平成27、国Ⅰ－昭和63・57、地方上級－平成11（市共通）、東京Ⅰ－平成20、国税・労基－平成15

Q232 警察官が、銀行強盗の容疑が濃厚な者を深夜に検問の現場から警察署に同行して職務質問中、容疑を確かめる緊急の必要上、承諾がないままその者の所持品であるバッグの施錠されていないチャックを開披し内部を一べつしたにすぎない行為は、適法な行為か。

A 適法な行為である。　　B巡査長の行為は、猟銃および登山用ナイフを使用しての銀行強盗という重大な犯罪が発生し犯人の検挙が緊急の警察責務とされていた状況の下において、深夜に検問の現場を通りかかったAおよび被告人の両名が、犯人としての濃厚な容疑が存在し、かつ、兇器を所持している疑いもあったのに、警察官の職務質問に対し黙秘したうえ再三にわたる所持品の開披要求を拒否するなどの不審な挙動をとり続けたため、両名の容疑を確かめる緊急の必要上されたものであって、所持品検査の緊急性、必要性が強かった反面、所持品検査の態様は携行中の所持品であるバッグの施錠されていないチャックを開披し内部を一べつしたにすぎないものであるから、これによる法益の侵害はさほど大きいものではなく、上述の経過に照らせば相当と認めうる行為であるから、警察官職務執行法2条1項の職務質問に附随する行為として許容されるとした原判決の判断は正当である〈明治公園爆弾事件・松江相銀米子支店強奪事件〉（最判昭53・6・20）。 出題 国Ⅰ－平成10

Q233 警察官職務執行法による所持品検査は、所持人に対して強制的に行うことができるか。

A 強制的に行うことはできない。　　警察官職務執行法2条1項に基づく職務質問に附随して行う所持品検査は、任意手段として許容されるものであるから、所持人の承諾を得てその限度でこれを行うのが原則であるが、職務質問ないし所持品検査の目的、性格および作用等にかんがみると、所持人の承

諾のない限り所持品検査は一切許容されないのではなく、捜索に至らない程度の行為は、強制にわたらない限り、たとえ所持品の承諾がなくても、所持品検査の必要性、緊急性、これによって侵害される個人の法益と保護されるべき公共の利益との権衡などを考慮し、具体的状況のもとで相当と認められる限度において許容される場合がある（最判昭53・9・7）。 出題 国Ⅰ－平成18、国税・労基－平成15

Q234 警察官が、覚せい剤の使用ないし所持の容疑がかなり濃厚に認められる者に対して職務質問中、その者の承諾がないのに、その上衣左側内ポケットに手を差し入れて所持品を取り出したうえ検査した行為は、適法な行為か。

A 違法な行為である。　　巡査が被告人に対し、被告人の上衣左側内ポケットの所持品の提示を要求した段階においては、被告人に覚せい剤の使用ないし所持の容疑がかなり濃厚に認められ、また、同巡査らの職務質問に妨害が入りかねない状況もあったから、上記所持品を検査する必要性ないし緊急性はこれを肯認しうるが、被告人の承諾がないのに、その上衣左側内ポケットに手を差し入れて所持品を取り出したうえ検査した同巡査の行為は、一般にプライバシー侵害の程度の高い行為であり、かつ、その態様において捜索に類するものであるから、上記のような本件の具体的状況の下においては、相当な行為とは認めがたいところであって、職務質問に附随する所持品検査の許容限度を逸脱したものと解するのが相当である。してみると、上記違法な所持品検査およびこれに続いて行われた試掘検査によって初めて覚せい剤所持の事実が明らかとなった結果、被告人を覚せい剤取締法違反被疑事実で現行犯逮捕する要件が整った本件事案においては、逮捕に伴い行われた本件証拠物の差押手続は違法といわざるをえない（最判昭53・9・7）。 出題 予想

Q235 自動車の一斉検問は、強制力の伴わない任意手段によれば、無制限に許されるか。

A 無制限には許されない。　　警察法2条1項が「交通の取締」を警察の責務として定めていることに照らすと、交通の安全および交通秩序の維持などに必要な警察の諸活動は、強制力を伴わない任意手段による限り、一般的に許容されるものであるが、それが国民の権利、自由の干渉にわたるおそれのある事項にかかわる場合には、任意手段によるからといって無制限に許されるものでないことも同条2項および警察官職務執行法1条などの趣旨にかんがみ明らかである（最決昭55・9・22）。

出題 国家総合－令和3・平成27、国Ⅰ－平成23・10・3、地方上級－平成11（市共通）、東京Ⅰ－平成20、国Ⅱ－平成8

Q236 任意調査は、それが相手方の任意の協力を求める形で行われ、相手方の自由を不当に制約することにならない方法・態様で行われる限り、国民の権利・自由の干渉にわたるおそれのある事項についても、行うことができるか。

A 行うことができる（最決昭55・9・22）。⇨235

Q237 新東京国際空港の安全確保に関する緊急措

置法3条3項に基づく立入りに際しては、裁判官の発する令状を必要とするのか。

A 裁判官の発する令状を必要としない。　行政手続における強制の一種である立入りに全て裁判官の令状を要すると解するのは相当ではなく、当該立入りが、公共の福祉の維持という行政目的を達成するため欠くべからざるものであるかどうか、刑事責任追及のための資料収集に直接結び付くものであるかどうか、また、強制の程度、態様が直接的なものであるかどうかなどを総合判断して、裁判官の令状の要否を決めるべきである。新東京国際空港の安全確保に関する緊急措置法3条3項は、運輸大臣は、同条1項の禁止命令を出した場合において必要があると認めるときは、その職員をして当該工作物に立ち入らせ、又は関係者に質問させることができる旨を規定し、その際に裁判官の令状を要する旨を規定していない。しかし、上記立入り等は、同条1項に基づく使用禁止命令がすでに発せられている工作物についてその命令の履行を確保するために必要な限度においてのみ認められるものであり、その立入りの必要性は高いこと、上記立入りには職員の身分証明書の携帯および提示が要求されていること（同条4項）、立入り等の権限は犯罪捜査のために認められたものと解釈してはならないと規定され（同条5項）、刑事責任追及のための資料収集に直接結び付くものではないこと、強制の程度、態様が直接的物理的なものではないこと（9条2項）を総合判断すれば、本法3条1、3項は、憲法35条の法意に反するものとはいえない〈成田新法事件〉（最大判平4・7・1）。

出題 国Ⅰ-平成23

7　公物・営造物

Q238 行政主体が正当な権限なく、他人の物について公用開始行為をした場合、その公用開始行為は有効か。

A 正当な権限なくなされた公用開始行為は無効である。　国家が何ら正当な権限なくして私人所有の土地のうえに公の行政行為をなし、これを公共の用に供する場合には、当該私人所有の土地は公物たる性質を有するに至ることなく、その土地所有者は民法その他の法規の範囲内において依然として使用収益処分をなす権限を有し、その所有権を侵害されたときは、物上請求権を行使して所有権本来の効用を受けることができる（大判昭6・12・9）。

出題 国Ⅰ-昭和63

Q239 慣習による公水使用権は認められるか。また、公水使用権は独占排他的に利用しうる絶対不可侵の権利か。

A 慣習による公水使用権は認められる。また、絶対不可侵の権利ではない。　公水使用権は、それが慣習によるものであると行政庁の許可によるものであるとを問わず、公共用物たる公水のうえに存する権利であることにかんがみ、河川の全水量を独占排他的に利用しうる絶対不可侵の権利ではなく、使用目的を満たすに必要な限度の流水を使用しうるにすぎない（最判昭37・4・10）。

出題 国家総合-令和4・1・平成29・24、国Ⅰ-平成3・昭和57、地方上級-平成10、特別区Ⅰ-平成15、国Ⅱ-平成9

Q240 河川の沿岸に住む住民の公水使用権については、それが行政庁の許可によるものであれば、河川の全水量を独占排他的に利用しうるが、それが慣習によるものであれば、使用目的を満たすに必要な限度の流水を使用しうるにすぎないのか。

A 行政庁の許可か慣習であるかを問わず、河川の全水量を独占排他的に利用できない（最判昭37・4・10）。⇨239

Q241 地方公共団体の開設している村道使用の自由権を侵害された場合、村民は、不法行為に基づく損害賠償請求権とともに、妨害排除請求権を有するのか。

A 損害賠償請求権とともに、妨害排除請求権を有する。　地方公共団体の開設している村道に対しては村民各自は他の村民がその道路に対して有する利益ないし自由を侵害しない程度において、自己の生活上必須の行動を自由に行いうべきところの使用の自由権（民法710条参照）を有する。もちろん、この通行の自由権は公法関係から由来するものであるが、各自が日常生活上諸般の権利を行使するについて欠くことのできない要具であるから、これに対しては民法上の保護を与えるべきは当然である。それ故、一村民がこの権利を妨害されたときは民法上不法行為の問題の生するのは当然であり、この妨害が継続するときは、この排除を求める権利を有することは、いうまでもない（最判昭39・1・16）。

出題 国家総合-平成29、国Ⅰ-平成16・12・8・3・昭和63・59・57、市役所上・中級-平成9、特別区Ⅰ-平成15、国Ⅱ-平成9

Q242 第三者が何らの権限に基づかずに、他人の物を公物として公用開始行為を行った場合、当該公用開始行為は有効か。

A 当該公用開始行為は無効である。　道路法に定める道路を開設するためには、原則として、まず路線の指定または認定があり、道路管理者において道路の区域を決定し、その敷地等のうえに所有権その他の権利を取得し、必要な工事を行って道路としての形体をととのえ、さらに、その供用を開始する手続に及ぶことを必要とするものであって、他人の土地について何ら権限を取得することなく供用を開始することは許されないが、上記の手続を経て当初適法に供用開始行為がなされ、道路として使用が開始された以上、当該道路敷地については公物たる道路の構成部分として道路法所定（道路法4条、旧道路法6条）の制限が加えられることになる。そして、その制限は、当該道路敷地が公の用に供せられた結果発生するものであって、道路敷地使用の権限に基づくものではない（最判昭44・12・4）。

出題 国家総合-平成29、国Ⅰ-平成16・3、地方上級-平成8（市共通）

Q243 道路はいわゆる公物として道路法の規制を受けるが、道路の敷地について私人が所有権を有することは可能か。

A 道路はいわゆる公物として道路法の規制を受け、

道路の敷地について私人が所有権を有することは可能である（最判昭44・12・4）。⇨242

Q244 道路敷地に供用が開始された後に、道路管理者が当該敷地の使用権原の対抗要件を欠いている間に道路敷地の所有権を取得した第三者は、敷地所有権に加えられた制限を免れることができるか。

A 免れることはできない。　当該適法に供用開始行為がなされ、道路として使用が開始された以上、当該道路敷地については公物たる道路の構成部分として道路法所定の制限が加えられるが、その制限は、当該道路敷地が公の用に供せられた結果発生するものであって、その後に至って、道路管理者が対抗要件を欠くため上記道路敷地の所有権を取得した第三者に対抗しえないこととなっても、当該道路の廃止がなされない限り、敷地所有権に加えられた制限は消滅しない。したがって、その後に当該敷地の所有権を取得した第三者は、上記の制限の加わった状態における土地所有権を取得するにすぎず、使用収益権の行使が妨げられていることを理由として、損害賠償を求めることはできない（最判昭44・12・4）。

出題 国家総合－平成28、国Ⅰ－平成13・12・6・4・昭和57・55、国税－平成9

Q245 公共用財産につき、行政主体の明示の意思表示による公用廃止がなくても、取得時効が成立する場合があるのか。

A 取得時効が成立する場合がある。　公共用財産が、長年の間事実上公の目的に供用されることなく放置され、公共用財産としての形態、機能を全く喪失し、この物のうえに他人の平穏かつ公然の占有が継続したが、そのため実際上公の目的が害されるようなこともなく、もはやその物を公共用財産として維持すべき理由がなくなった場合には、上記公共用財産について、黙示的に公用が廃止されたものとして、これについて取得時効の成立を妨げない（最判昭51・12・24）。

出題 国家総合－令和4・3・平成29・24、国Ⅰ－平成22・16・12・6・昭和62・61・57・56・53、国Ⅱ－平成9

Q246 公物は原則として公用廃止のない限り私人による時効取得の対象とならないが、長年の間、事実上公の目的に供用されることなく放置されている場合には、例外的に公用廃止の有無を問わず、時効が成立するのか。

A 公用廃止がなければ、時効は成立しない（最判昭51・12・24）。⇨245

Q247 国の営造物が私法的規制に親しむことはあるのか。

A 私法的規制に親しむことがある。　営造物管理権の本体をなすものは、公権力の行使をその本質的内容としない非権力的な権能であって、同種の私的施設の所有権に基づく管理権能とその本質において特に異ならない。国の営造物である本件空港の管理に関する事項のうち、その目的の公共性に由来する多少の修正をみることがあるのは別として、私営の飛行場の場合におけると同じく、私法的規制に親しむものがあることは、否定しえない〈大阪国際空

港公害訴訟〉（最大判昭56・12・16）。

出題 国家総合－平成30、国Ⅰ－平成10・5

Q248 空港における航空機の離着陸の規制等は、運輸大臣の有する空港管理権に基づくものか。

A 運輸大臣の有する空港管理権と航空行政権が不可分一体的に結びついたものである。　本件空港の管理に関する事項のうち、少なくとも航空機の離着陸の規制そのもの等、本件空港の本来の機能の達成実現に直接にかかわる事項自体については、空港管理権（公権力の行使を本質的内容としない）に基づく管理と航空行政権（公権力の行使を本質的内容とする）に基づく規制とが、空港管理権者としての運輸大臣と航空行政権の主管者としての運輸大臣のそれぞれ別個の判断に基づいて分離独立的に行われ、両者の間に矛盾乖離を生じ、本件空港を国営空港とした本旨を没却し又はこれに支障を与える結果を生ずることがないよう、いわば両者が不即不離、不可分一体的に行使実現されている。換言すれば、本件空港における航空機の離着陸の規制等は、これを法律においてみると、単に本件空港についての営造物管理の行使という立場のみにおいてされるべきもの、そして現にされているものとみるべきではなく、航空行政権の行使という立場をも加えた、複合的観点に立った総合的判断に基づいてされるべきもの、そして現にされているものとみるべきである。本件空港の離着陸のためにする供用は運輸大臣の有する空港管理権と航空行政権という二種の権限の総合的判断に基づいた不可分一体的な行使の結果であるとみるべきであるから、原告らが行政訴訟の方法により何らかの請求をすることができるかどうかはともかくとして、国に対し、いわゆる通常の民事上の請求として私法上の給付請求権を有するわけではない〈大阪国際空港公害訴訟〉（最大判昭56・12・16）。

出題 国家総合－令和1・平成30、国Ⅰ－平成10・6、地方上級－平成10、国Ⅱ－平成13

Q249 空港の設置者である国を被告として空港の夜間の使用差止めを求める請求は、通常の民事上の請求として私法上の給付請求権を有するのか。

A 民事上の請求として私法上の給付請求権を有しない〈大阪国際空港公害訴訟〉（最大判昭56・12・16）。⇨248

Q250 庁舎管理規則に定める庁舎管理者による庁舎等における広告物等の掲示の許可は、国有財産法18条3項にいう行政財産の目的外使用の許可にあたるのか。

A 行政財産の目的外使用の許可にあたらない。土地および庁舎についての国有財産法18条3項の規定によるいわゆる行政財産の目的外使用の許可については、庁舎管理者による庁舎等における広告物等の掲示の許可（庁舎管理規程6条）は、もっぱら庁舎等における広告物等の掲示等の行為によってする情報、意見等の伝達、表明等の一般的禁止を特定の場合について解除するという意味および効果を有する処分であって、その許可の結果、許可を受けた者においてそのような伝達、表明等の行為のために指定された場所を使用することができることとなるとしても、それは、その者が許可によって禁止

を解除され、当該行為をする自由を回復した結果にすぎず、その許可自体は、許可を受けた者に対し、その行為のために当該場所を使用する何らかの公法上または私法上の権利を設定、付与する意味ないし効果を帯有するものではなく、もとより国有財産法18条3項にいう行政財産の目的外使用の許可にもあたらない（最判昭57・10・7）。

出題 国Ⅰ–平成13・8、国Ⅱ–平成9

Q251 庁舎管理規程に基づく庁舎等における広告物等の掲示の許可は、返還の時期があらかじめ定め

られていない場合には、庁舎管理者は、民法上の使用貸借に関する規定の類推適用により、いつでも、当該掲示の許可を撤回することができるのか。

A 庁舎等の維持管理又は秩序維持上の必要又は理由があるときは、許可の撤回を肯定できる（使用貸借に関する規定の類推適用ではない）（最判昭57・10・7）。⇨250

〔参考〕国有財産法第18条　③行政財産は、その用途又は目的を妨げない限度において、その使用又は収益を許可することができる。

行政代執行法

（昭和23年5月15日／法律第43号）

第1条［本法の適用範囲］
行政上の義務の履行確保に関しては、別に法律で定めるものを除いては、この法律の定めるところによる。

第2条［代執行の要件］
法律（法律の委任に基く命令、規則及び条例を含む。以下同じ。）により直接に命ぜられ、又は法律に基き行政庁により命ぜられた行為（他人が代ってなすことのできる行為に限る。）について義務者がこれを履行しない場合、他の手段によってその履行を確保することが困難であり、且つその不履行を放置することが著しく公益に反すると認められるときは、当該行政庁は、自ら義務者のなすべき行為をなし、又は第三者をしてこれをなさしめ、その費用を義務者から徴収することができる。

第3条［代執行の手続－戒告・通知］
①前条の規定による処分（代執行）をなすには、相当の履行期限を定め、その期限までに履行がなされないときは、代執行をなすべき旨を、予め文書で戒告しなければならない。
②義務者が、前項の戒告を受けて、指定の期限までにその義務を履行しないときは、当該行政庁は、代執行令書をもって、代執行をなすべき時期、代執行のために派遣する執行責任者の氏名及び代執行に要する費用の概算による見積額を義務者に通知する。
③非常の場合又は危険切迫の場合において、当該行為の急速な実施について緊急の必要があり、前2項に規定する手続をとる暇がないときは、その手続を経ないで代執行をすることができる。

第4条［執行責任者の証票携帯呈示義務］
代執行のために現場に派遣される執行責任者は、その者が執行責任者たる本人であることを示すべき証票を携帯し、要求があるときは、何時でもこれを呈示しなければならない。

第5条［費用納付命令］
代執行に要した費用の徴収については、実際に要した費用の額及びその納期日を定め、義務者に対し、文書をもってその納付を命じなければならない。

第6条［費用の徴収］
①代執行に要した費用は、国税滞納処分の例により、これを徴収することができる。
②代執行に要した費用については、行政庁は、国税及び地方税に次ぐ順位の先取特権を有する。
③代執行に要した費用を徴収したときは、その徴収金は、事務費の所属に従い、国庫又は地方公共団体の経済の収入となる。

行政代執行法

行政手続法〔抄〕

（平成5年11月12日／法律第88号）

第1章　総則

第1条（目的等）

①この法律は、処分、行政指導及び届出に関する手続並びに命令等を定める手続に関し、共通する事項を定めることによって、行政運営における公正の確保と透明性（行政上の意思決定について、その内容及び過程が国民にとって明らかであることをいう。第46条において同じ。）の向上を図り、もって国民の権利利益の保護に資することを目的とする。

②処分、行政指導及び届出に関する手続並びに命令等を定める手続に関しこの法律に規定する事項について、他の法律に特別の定めがある場合は、その定めるところによる。

第2条（定義）

この法律において、次の各号に掲げる用語の意義は、当該各号に定めるところによる。

1　法令　法律、法律に基づく命令（告示を含む。）、条例及び地方公共団体の執行機関の規則（規程を含む。以下「規則」という。）をいう。

2　処分　行政庁の処分その他公権力の行使に当たる行為をいう。

3　申請　法令に基づき、行政庁の許可、認可、免許その他の自己に対し何らかの利益を付与する処分（以下「許認可等」という。）を求める行為であって、当該行為に対して行政庁が諾否の応答をすべきこととされているものをいう。

4　不利益処分　行政庁が、法令に基づき、特定の者を名あて人として、直接に、これに義務を課し、又はその権利を制限する処分をいう。ただし、次のいずれかに該当するものを除く。

イ　事実上の行為及び事実上の行為をするに当たりその範囲、時期等を明らかにするために法令上必要とされている手続としての処分

ロ　申請により求められた許認可等を拒否する処分その他申請に基づき当該申請をした者を名あて人としてされる処分

ハ　名あて人となるべき者の同意の下にすることとされている処分

ニ　許認可等の効力を失わせる処分であって、当該許認可等の基礎となった事実が消滅した旨の届出があったことを理由としてされるもの

5　行政機関　次に掲げる機関をいう。

イ　法律の規定に基づき内閣に置かれる機関若しくは内閣の所轄の下に置かれる機関、宮内庁、内閣府設置法（平成11年法律第89号）第49条第1項若しくは第2項に規定する機関、国家行政組織法（昭和23年法律第120号）第3条第2項に規定する機関、会計検査院若しくはこれらに置かれる機関又はこれらの機関の職員であって法律上独立に権限を行使することを認められた職員

ロ　地方公共団体の機関（議会を除く。）

6　行政指導　行政機関がその任務又は所掌事務の範囲内において一定の行政目的を実現するため特定の者に一定の作為又は不作為を求める指導、勧告、助言その他の行為であって処分に該当しないものをいう。

7　届出　行政庁に対し一定の事項の通知をする行為（申請に該当するものを除く。）であって、法令により直接に当該通知が義務付けられているもの（自己の期待する一定の法律上の効果を発生させるためには当該通知をすべきこととされているものを含む。）をいう。

8　命令等　内閣又は行政機関が定める次に掲げるものをいう。

イ　法律に基づく命令（処分の要件を定める告示を含む。次条第2項において単に「命令」という。）又は規則

ロ　審査基準（申請により求められた許認可等をするかどうかをその法令の定めに従って判断するために必要とされる基準をいう。以下同じ。）

ハ　処分基準（不利益処分をするかどうか又はどのような不利益処分とするかについてその法令の定めに従って判断するために必要とされる基準をいう。以下同じ。）

ニ　行政指導指針（同一の行政目的を実現するため一定の条件に該当する複数の者に対し行政指導をしようとするときにこれらの行政指導に共通してその内容となるべき事項をいう。以下同じ。）

第3条（適用除外）

①次に掲げる処分及び行政指導については、次章から第4章の2までの規定は、適用しない。

1　国会の両院若しくは一院又は議会の議決によってされる処分

2　裁判所若しくは裁判官の裁判により、又は裁判の執行としてされる処分

3　国会の両院若しくは一院若しくは議会の議決を経て、又はこれらの同意若しくは承認を得た上でされるべきものとされている処分

4　検査官会議で決すべきものとされている処分及び会計検査の際にされる行政指導

5　刑事事件に関する法令に基づいて検察官、検

察事務官又は司法警察職員がする処分及び行政指導

6　国税又は地方税の犯則事件に関する法令（他の法令において準用する場合を含む。）に基づいて国税庁長官、国税局長、税務署長、国税庁、国税局若しくは税務署の当該職員、税関長、税関職員又は徴税吏員（他の法令の規定に基づいてこれらの職員の職務を行う者を含む。）がする処分及び行政指導並びに金融商品取引の犯則事件に関する法令（他の法令において準用する場合を含む。）に基づいて証券取引等監視委員会、その職員（当該法令においてその職員とする者を含む。）、財務局長又は財務支局長がする処分及び行政指導

7　学校、講習所、訓練所又は研修所において、教育、講習、訓練又は研修の目的を達成するために、学生、生徒、児童若しくは幼児若しくはこれらの保護者、講習生、訓練生又は研修生に対してされる処分及び行政指導

8　刑務所、少年刑務所、拘置所、留置施設、海上保安留置施設、少年院、少年鑑別所又は婦人補導院において、収容の目的を達成するためにされる処分及び行政指導

9　公務員（国家公務員法（昭和22年法律第120号）第2条第1項に規定する国家公務員及び地方公務員法（昭和25年法律第261号）第3条第1項に規定する地方公務員をいう。以下同じ。）又は公務員であった者に対してその職務又は身分に関してされる処分及び行政指導

10　外国人の出入国、難民の認定又は帰化に関する処分及び行政指導

14　報告又は物件の提出を命ずる処分その他その職務の遂行上必要な情報の収集を直接の目的としてされる処分及び行政指導

15　審査請求、再調査の請求その他の不服申立てに対する行政庁の裁決、決定その他の処分

16　前号に規定する処分の手続又は第3章に規定する聴聞若しくは弁明の機会の付与の手続その他の意見陳述のための手続において法令に基づいてされる処分及び行政指導

③第1項各号及び前項各号に掲げるもののほか、地方公共団体の機関がする処分（その根拠となる規定が条例又は規則に置かれているものに限る。）及び行政指導、地方公共団体の機関に対する届出（前条第7号の通知の根拠となる規定が条例又は規則に置かれているものに限る。）並びに地方公共団体の機関が命令等を定める行為については、次章から第6章までの規定は、適用しない。
＊地方公共団体の措置（46条）

第4条（国の機関等に対する処分等の適用除外）
①国の機関又は地方公共団体若しくはその機関に対する処分（これらの機関又は団体がその固有の資格において当該処分の名あて人となるものに限る。）及び行政指導並びにこれらの機関又は団体がする届出（これらの機関又は団体がその固有

の資格においてすべきこととされているものに限る。）については、この法律の規定は、適用しない。

②次の各号のいずれかに該当する法人に対する処分であって、当該法人の監督に関する法律の特別の規定に基づいてされるもの（当該法人の解散を命じ、若しくは設立に関する認可を取り消す処分又は当該法人の役員若しくは当該法人の業務に従事する者の解任を命ずる処分を除く。）については、次章及び第3章の規定は、適用しない。

1　法律により直接に設立された法人又は特別の法律により特別の設立行為をもって設立された法人

2　特別の法律により設立され、かつ、その設立に関し行政庁の認可を要する法人のうち、その行う業務が国又は地方公共団体の行政運営と密接な関連を有するものとして政令で定める法人

③行政庁が法律の規定に基づく試験、検査、検定、登録その他の行政上の事務について当該法律に基づきその全部又は一部を行わせる者を指定した場合において、その指定を受けた者（その者が法人である場合にあっては、その役員）又は職員その他の者が当該事務に従事することに関し公務に従事する職員とみなされるときは、その指定を受けた者に対し当該法律に基づいて当該事務に関し監督上される処分（当該指定を取り消す処分、その指定を受けた者が法人である場合における当該役員の解任を命ずる処分又はその指定を受けた者の当該事務に従事する者の解任を命ずる処分を除く。）については、次章及び第3章の規定は、適用しない。

④次に掲げる命令等を定める行為については、第6章の規定は、適用しない。

4　国又は地方公共団体の予算、決算及び会計について定める命令等（入札の参加者の資格、入札保証金その他の国又は地方公共団体の契約の相手方又は相手方になろうとする者に係る事項を定める命令等を除く。）並びに国又は地方公共団体の財産及び物品の管理について定める命令等（国又は地方公共団体が財産及び物品を貸し付け、交換し、売り払い、譲与し、信託し、若しくは出資の目的とし、又はこれらに私権を設定することについて定める命令等であって、これらの行為の相手方又は相手方になろうとする者に係る事項を定めるものを除く。）

5　会計検査について定める命令等

6　国の機関相互間の関係について定める命令等並びに地方自治法（昭和22年法律第67号）第2編第11章に規定する国と普通地方公共団体との関係及び普通地方公共団体相互間の関係その他の国と地方公共団体との関係及び地方公共団体相互間の関係について定める命令等（第1項の規定によりこの法律の規定を適用しないこととされる処分に係る命令等を含む。）

7　第2項各号に規定する法人の役員及び職員、業務の範囲、財務及び会計その他の組織、運営及び管理について定める命令等（これらの法人に対する処分であって、これらの法人の解散を命じ、若しくは設立に関する認可を取り消す処分又はこれらの法人の役員若しくはこれらの法人の業務に従事する者の解任を命ずる処分に係る命令等を除く。）

第2章　申請に対する処分

第5条（審査基準）

①行政庁は、審査基準を定めるものとする。

②行政庁は、審査基準を定めるに当たっては、許認可等の性質に照らしてできる限り具体的なものとしなければならない。

③行政庁は、行政上特別の支障があるときを除き、法令により申請の提出先とされている機関の事務所における備付けその他の適当な方法により審査基準を公にしておかなければならない。

Q1 個人タクシー事業の免許申請の許否手続について抽象的な免許基準を定めていれば、申請人に主張、立証の機会を与える必要はないのか。

A 抽象的な免許基準だけでは足りず、申請人に主張、立証の機会を与える必要がある。　本件におけるように、多数の者のうちから少数特定の者を、具体的個別的事実関係に基づき選択して免許の許否を決しようとする行政庁としては、事実の認定につき行政庁の独断を疑うことが客観的にもっともと認められるような不公正な手続をとってはならない。すなわち、道路運送法6条は抽象的な免許基準を定めているにすぎないのであるから、内部的にせよ、さらに、その趣旨を具体化した審査基準を設定し、これを公正かつ合理的に適用すべく、特に、当該基準の内容が微妙、高度の認定を要するようなものである等の場合には、当該基準を適用するうえで必要とされる事項について、申請人に対し、その主張と証拠の提出の機会を与えなければならない。免許の申請人はこのような公正な手続によって免許の許否につき判定を受けるべき法的利益を有し、これに反する審査手続によって免許の申請の却下処分がなされたときは、当該利益を侵害するものとして、上記処分の違法事由となる〈個人タクシー事件〉（最判昭46・10・28）。

出題 国Ⅰ-平成18・16・15・14・10・6・5・1・昭和59・57、地方上級-平成9（市共通）、東京Ⅰ-平成14、特別区Ⅰ-平成24、国税-平成11

Q2 行政庁が多数の者のうちから少数特定の者を選択して免許を与える場合には、内部的にせよ法定の抽象的な免許基準を具体化した審査基準を設定し、これを公正かつ合理的に適用しなければならないのか。

A 適用しなければならない〈個人タクシー事件〉（最判昭46・10・28）。⇨1

Q3 要件の認定又は効果の選択に関する裁量が広く認められる処分については、裁判所は、行政庁の判断が全く事実の基礎を欠くかどうか、および社会通念上著しく妥当を欠くかどうかの審査に加えて、

公正な手続によって裁量権が行使されたかどうかも審査すべきか。

A 審査すべきである〈個人タクシー事件〉（最判昭46・10・28）。⇨1

Q4 営業免許の申請受理後に行った聴聞手続に不正があった場合、申請に対する却下処分の効力に影響はあるのか。

A 当該却下処分は違法性を有する〈個人タクシー事件〉（最判昭46・10・28）。⇨1

第6条（標準処理期間）

行政庁は、申請がその事務所に到達してから当該申請に対する処分をするまでに通常要すべき標準的な期間（法令により当該行政庁と異なる機関が当該申請の提出先とされている場合は、併せて、当該申請が当該提出先とされている機関の事務所に到達してから当該行政庁の事務所に到達するまでに通常要すべき標準的な期間）を定めるよう努めるとともに、これを定めたときは、これらの当該申請の提出先とされている機関の事務所における備付けその他の適当な方法により公にしておかなければならない。

第7条（申請に対する審査、応答）

行政庁は、申請がその事務所に到達したときは遅滞なく当該申請の審査を開始しなければならず、かつ、申請書の記載事項に不備がないこと、申請書に必要な書類が添付されていること、申請をすることができる期間内にされたものであることその他の法令に定められた申請の形式上の要件に適合しない申請については、速やかに、申請をした者（以下「申請者」という。）に対し相当の期間を定めて当該申請の補正を求め、又は当該申請により求められた許認可等を拒否しなければならない。

第8条（理由の提示）

①行政庁は、申請により求められた許認可等を拒否する処分をする場合は、申請者に対し、同時に、当該処分の理由を示さなければならない。ただし、法令に定められた許認可等の要件又は公にされた審査基準が数量的指標その他の客観的指標により明確に定められている場合であって、当該申請がこれらに適合しないことが申請書の記載又は添付書類その他の申請の内容から明らかであるときは、申請者の求めがあったときにこれを示せば足りる。

②前項本文に規定する処分を書面でするときは、同項の理由は、書面により示さなければならない。

Q1 旅券法に基づく一般旅券の発給拒否通知書に附記すべき理由としては、単に発給拒否の根拠規定を示すだけでよいのか。

A 単に発給拒否の根拠規定を示すだけでは足りない。　旅券法14条は一般旅券発給拒否通知書に拒否の理由を附記しなければならないとしている。その理由附記の程度はいかなる事実関係に基づきいかなる法規を適用して一般旅券の発給が拒否されたかを、申請者においてその記載自体から了知しうるものでなければならず、単に発給拒否の根拠規定を示すだけでは、それによって当該規定の適用の基礎となった事実関係をも当然知りうるような場合は別と

行政法編

して、旅券法の要求する理由附記として十分でない。したがって、旅券法13条1項5号を根拠に発給の拒否処分を行う場合には、いかなる事実関係を認定して申請者が同号に該当すると判断したかを具体的に記載することを要する（最判昭60・1・22）。

出題 国家総合－令和3、国Ⅰ－平成8・6・4・昭和63、国Ⅱ－平成23・7、国税・財務・労基－平成27、国税－平成5

第9条（情報の提供）

①行政庁は、申請者の求めに応じ、当該申請に係る審査の進行状況及び当該申請に対する処分の時期の見通しを示すよう努めなければならない。

②行政庁は、申請をしようとする者又は申請者の求めに応じ、申請書の記載及び添付書類に関する事項その他の申請に必要な情報の提供に努めなければならない。

第10条（公聴会の開催等）

　行政庁は、申請に対する処分であって、申請者以外の者の利害を考慮すべきことが当該法令において許認可等の要件とされているものを行う場合には、必要に応じ、公聴会の開催その他の適当な方法により当該申請者以外の者の意見を聴く機会を設けるよう努めなければならない。

第11条（複数の行政庁が関与する処分）

①行政庁は、申請の処理をするに当たり、他の行政庁において同一の申請者からされた関連する申請が審査中であることをもって自らすべき許認可等をするかどうかについての審査又は判断を殊更に遅延させるようなことをしてはならない。

②一の申請又は同一の申請者からされた相互に関連する複数の申請に対する処分について複数の行政庁が関与する場合においては、当該複数の行政庁は、必要に応じ、相互に連絡をとり、当該申請者からの説明の聴取を共同して行う等により審査の促進に努めるものとする。

第3章　不利益処分

第1節　通則

第12条（処分の基準）

①行政庁は、処分基準を定め、かつ、これを公にしておくよう努めなければならない。

②行政庁は、処分基準を定めるに当たっては、不利益処分の性質に照らしてできる限り具体的なものとしなければならない。

Q1「処分基準」において、先行の処分を受けたことを理由として後行の処分に係る量定を加重する旨の不利益な取扱いの定めがある場合には、この「処分基準」の定めと異なる取扱いをすることは適法か。

A 特段の事情のない限り違法となる。　行政手続法12条1項の規定により定めて公にしている処分基準において、先行の処分を受けたことを理由として後行の処分に係る量定を加重する旨の不利益な取扱いの定めがある場合に、当該行政庁が後行の処分につき当該処分基準の定めと異なる取扱いをするならば、裁量権の行使における公正かつ平等な取扱

いの要請や基準の内容に係る相手方の信頼の保護等の観点から、当該処分基準の定めと異なる取扱いをすることを相当と認めるべき特段の事情がない限り、そのような取扱いは裁量権の範囲の逸脱又はその濫用にあたることとなる。この意味において、当該行政庁の後行の処分における裁量権は当該処分基準に従って行使されるべきことが覊束されており、先行の処分を受けた者が後行の処分の対象となるときは、上記特段の事情がない限り当該処分基準の定めにより所定の量定の加重がされることになるものということができる。以上にかんがみると、行政手続法12条1項の規定により定められ公にされている処分基準において、先行の処分を受けたことを理由として後行の処分に係る量定を加重する旨の不利益な取扱いの定めがある場合には、上記先行の処分にあたる処分を受けた者は、将来において上記後行の処分にあたる処分の対象となりうるときは、上記先行の処分にあたる処分の効果が期間の経過によりなくなった後においても、当該処分基準の定めにより上記の不利益な取扱いを受けるべき期間内はなお当該処分の取消しによって回復すべき法律上の利益を有する（最判平27・3・3）。

出題 国家総合－令和2、国家一般－令和3

Q2 風俗営業者に対する営業停止処分が営業停止期間の経過により効力を失った場合、行政手続法に基づいて定められ公にされている処分基準に、先行の営業停止処分の存在を理由として将来の営業停止処分を加重する旨が定められている場合には、当該風俗営業者には、当該営業停止処分の取消しを求める訴えの利益は認められないのか。

A 訴えの利益は認められる（最判平27・3・3）。⇨ 1

第13条（不利益処分をしようとする場合の手続）

　行政庁は、不利益処分をしようとする場合には、次の各号の区分に従い、この章の定めるところにより、当該不利益処分の名あて人となるべき者について、当該各号に定める意見陳述のための手続を執らなければならない。

　1　次のいずれかに該当するとき　聴聞
　　イ　許認可等を取り消す不利益処分をしようとするとき。
　　ロ　イに規定するもののほか、名あて人の資格又は地位を直接にはく奪する不利益処分をしようとするとき。
　　ハ　名あて人が法人である場合におけるその役員の解任を命ずる不利益処分、名あて人の業務に従事する者の解任を命ずる不利益処分又は名あて人の会員である者の除名を命ずる不利益処分をしようとするとき。
　　ニ　イからハまでに掲げる場合以外の場合であって行政庁が相当と認めるとき。
　2　前号イからニまでのいずれにも該当しないとき　弁明の機会の付与

②次の各号のいずれかに該当するときは、前項の規定は、適用しない。

　1　公益上、緊急に不利益処分をする必要があるため、前項に規定する意見陳述のための手続

を執ることができないとき。

2　法令上必要とされる資格がなかったこと又は失われるに至ったことが判明した場合に必ずすることとされている不利益処分であって、その資格の不存在又は喪失の事実が裁判所の判決書又は決定書、一定の職に就いたことを証する当該任命権者の書類その他の客観的な資料により直接証明されたものをしようとするとき。

3　施設若しくは設備の設置、維持若しくは管理又は物の製造、販売その他の取扱いについて遵守すべき事項が法令において技術的な基準をもって明確に定められている場合において、専ら当該基準が充足されていないことを理由として当該基準に従うべきことを命ずる不利益処分であってその不充足の事実が計測、実験その他客観的な認定方法によって確認されたものをしようとするとき。

4　納付すべき金銭の額を確定し、一定の額の金銭の納付を命じ、又は金銭の給付決定の取消しその他の金銭の給付を制限する不利益処分をしようとするとき。

5　当該不利益処分の性質上、それによって課される義務の内容が著しく軽微なものであるため名あて人となるべき者の意見をあらかじめ聴くことを要しないものとして政令で定める処分をしようとするとき。

Q1 相手方に事前の告知、弁解、防御の機会を与えずに、行政処分をすることは、憲法31条に反するか。

A 必ずしも憲法31条に反しない。　憲法31条の定める法定手続の保障は、直接には刑事手続に関するものであるが、行政手続については、それが刑事手続ではないとの理由のみで、そのすべてが当然に同条による保障の枠外にあると判断することは相当でない。しかし、同条による保障が行政手続に及ぶ場合であっても、一般に、行政手続は、刑事手続とその性質においておのずから差異があり、また、行政目的に応じて多種多様であるから、行政処分の相手方に事前の告知、弁解、防御の機会を与えるかどうかは、行政処分により制限を受ける権利利益の内容、性質、制限の程度、行政処分により達成しようとする公益の内容、程度、緊急性等を総合較量して決定されるべきであって、つねに必ずそのような機会を与えることを必要としない〈成田新法事件〉（最大判平4・7・1）。　　**出題** 国Ⅰ−平成16・5

第14条（不利益処分の理由の提示）

①行政庁は、不利益処分をする場合には、その名あて人に対し、同時に、当該不利益処分の理由を示さなければならない。ただし、当該理由を示さないで処分をすべき差し迫った必要がある場合は、この限りでない。

②行政庁は、前項ただし書の場合においては、当該名あて人の所在が判明しなくなったときその他処分後において理由を示すことが困難な事情があるときを除き、処分後相当の期間内に、同項の理由を示さなければならない。

③不利益処分を書面でするときは、前2項の理由は、書面により示さなければならない。

Q1 法令が行政処分に理由の提示を求めているのは、処分庁の判断の慎重と合理性を担保してその恣意を抑制するとともに、処分の理由を相手方に知らせて不服の申立てに便宜を与える趣旨に出たものであり、その提示を欠く場合には処分自体の取消しを免れないのか。

A 処分自体の取消しを免れない。　旧法人税法25条が、承認取消しの通知書の書面には取消しの基因となった事実が同条8項各号のいずれに該当するかを附記しなければならないと命じたのは、承認の取消しが承認を得た法人に認められる納税上の種々の特典（前五事業年度内の欠損金額の繰越、推計課税の禁止、更正理由の附記等）を剥奪する不利益処分であることにかんがみ、取消事由の有無についての処分庁の判断の慎重と公正妥当を担保してその恣意を抑制するとともに、取消しの理由を処分の相手方に知らせることによって、その不服申立てに便宜を与えるためであり、この点において、青色申告の更正における理由附記の規定（同法32条）その他一般に法が行政処分につき理由の附記を要求している場合の多くとその趣旨、目的を同じくするものである（最判昭49・4・25）。

　　　　　　　　　　　　　　出題 国家総合−令和3

Q2 行政庁が不利益処分をする場合に示す理由附記の内容および程度はどの程度求められるのか。

A 理由附記の内容および程度は、処分の相手方がその記載から了知しうるものでなければならない。　青色申告承認取消処分通知書の要求される理由附記内容および程度は、特段の理由のない限り、いかなる事実関係に基づきいかなる法規を適用して当該処分がなされたのかを、処分の相手方においてその記載自体から了知しうるものでなければならず、単に抽象的に処分の根拠規定を示すだけでは、それによって当該規定の適用の原因となった具体的事実関係をも当然に知りうるような例外の場合を除いては、法の要求する附記としては十分ではない（最判昭49・4・25）。

出題 国Ⅰ−昭和60、地方上級−平成2（市共通）、国税−平成10

Q3 青色申告の承認取消通知に附記すべき理由としては、処分の根拠規定、当該号数を示せば足りるのか。

A 処分の根拠規定、当該号数を示すだけではなく、処分の相手方がその記載から了知しうるものでなければならない（最判昭49・4・25）。⇨2

Q4 一級建築士の資格を剥奪する免許取消処分を行うにあたって、当該処分の原因となる事実および処分の根拠法条が示されていれば、「理由付記」としては十分な適法な処分か。

A 処分基準の適用関係が示されなければ、「理由付記」としては十分といえず、違法な処分である。　建築士に対する懲戒処分に際して同時に示されるべき理由としては、処分の原因となる事実および処分の根拠法条に加えて、本件処分基準の適用関係が示されなければ、処分の名宛人におい

て、上記事実および根拠法条の提示によって処分要件の該当性に係る理由は知りうるとしても、いかなる理由に基づいてどのような処分基準の適用によって当該処分が選択されたのかを知ることは困難であるのが通例である。これを本件について見ると、本件免許取消処分は上告人X1の一級建築士としての資格を直接に剥奪する重大な不利益処分であるところ、その処分の理由として、上告人X1が、札幌市内の複数の土地を敷地とする建築物の設計者として、建築基準法令に定める構造基準に適合しない設計を行い、それにより耐震性等の不足する構造上危険な建築物を現出させ、又は構造計算書に偽装が見られる不適切な設計を行ったという処分の原因となる事実と、建築士法10条1項2号および3号という処分の根拠法条とが示されているのみで、本件処分基準の適用関係が全く示されておらず、その複雑な基準の下では、上告人X1において、上記事実および根拠法条の提示によって処分要件の該当性に係る理由は相応に知りうるとしても、いかなる理由に基づいてどのような処分基準の適用によって免許取消処分が選択されたのかを知ることはできない。このような本件の事情の下においては、行政手続法14条1項本文の趣旨に照らし、同項本文の要求する理由提示としては十分とはいえず、本件免許取消処分は、同項本文の定める理由提示の要件を欠いた違法な処分であって、取消しを免れない（最判平23・6・7）。 **出題** 予想→国家総合－令和3

第2節　聴聞

第15条（聴聞の通知の方式）

① 行政庁は、聴聞を行うに当たっては、聴聞を行うべき期日までに相当な期間をおいて、不利益処分の名あて人となるべき者に対し、次に掲げる事項を書面により通知しなければならない。
  1 予定される不利益処分の内容及び根拠となる法令の条項
  2 不利益処分の原因となる事実
  3 聴聞の期日及び場所
  4 聴聞に関する事務を所掌する組織の名称及び所在地

② 前項の書面においては、次に掲げる事項を教示しなければならない。
  1 聴聞の期日に出頭して意見を述べ、及び証拠書類又は証拠物（以下「証拠書類等」という。）を提出し、又は聴聞の期日への出頭に代えて陳述書及び証拠書類等を提出することができること。
  2 聴聞が終結する時までの間、当該不利益処分の原因となる事実を証する資料の閲覧を求めることができること。

＊弁明の機会の付与に準用（31条）

第16条（代理人）

① 前項第1項の通知を受けた者（同条第3項後段の規定により当該通知が到達したものとみなされる者を含む。以下「当事者」という。）は、代理人を選任することができる。

② 代理人は、各自、当事者のために、聴聞に関する一切の行為をすることができる。

③ 代理人の資格は、書面で証明しなければならない。

④ 代理人がその資格を失ったときは、当該代理人を選任した当事者は、書面でその旨を行政庁に届け出なければならない。

＊弁明の機会の付与に準用（31条）

第17条（参加人）

① 第19条の規定により聴聞を主宰する者（以下「主宰者」という。）は、必要があると認めるときは、当事者以外の者であって当該不利益処分の根拠となる法令に照らし当該不利益処分につき利害関係を有するものと認められる者（同条第2項第6号において「関係人」という。）に対し、当該聴聞に関する手続に参加することを求め、又は当該聴聞に関する手続に参加することを許可することができる。

② 前項の規定により当該聴聞に関する手続に参加する者（以下「参加人」という。）は、代理人を選任することができる。

③ 前条第2項から第4項までの規定は、前項の代理人について準用する。この場合において、同条第2項及び第4項中「当事者」とあるのは、「参加人」と読み替えるものとする。

第18条（文書等の閲覧）

① 当事者及び当該不利益処分がされた場合に自己の利益を害されることとなる参加人（以下この条及び第24条第3項において「当事者等」という。）は、聴聞の通知があった時から聴聞が終結する時までの間、行政庁に対し、当該事案についてした調査の結果に係る調書その他の当該不利益処分の原因となる事実を証する資料の閲覧を求めることができる。この場合において、行政庁は、第三者の利益を害するおそれがあるときその他正当な理由があるときでなければ、その閲覧を拒むことができない。

② 前項の規定は、当事者等が聴聞の期日における審理の進行に応じて必要となった資料の閲覧を更に求めることを妨げない。

③ 行政庁は、前2項の閲覧について日時及び場所を指定することができる。

第19条（聴聞の主宰）

① 聴聞は、行政庁が指名する職員その他政令で定める者が主宰する。

② 次の各号のいずれかに該当する者は、聴聞を主宰することができない。
  1 当該聴聞の当事者又は参加人
  2 前号に規定する者の配偶者、4親等内の親族又は同居の親族
  3 第1号に規定する者の代理人又は次条第3項に規定する補佐人
  4 前3号に規定する者であった者
  5 第1号に規定する者の後見人、後見監督人、保佐人、保佐監督人、補助人又は補助監督人
  6 参加人以外の関係人

第20条（聴聞の期日における審理の方式）

①主宰者は、最初の聴聞の期日の冒頭において、行政庁の職員に、予定される不利益処分の内容及び根拠となる法令の条項並びにその原因となる事実を聴聞の期日に出頭した者に対し説明させなければならない。

②当事者又は参加人は、聴聞の期日に出頭して、意見を述べ、及び証拠書類等を提出し、並びに主宰者の許可を得て行政庁の職員に対し質問を発することができる。

③前項の場合において、当事者又は参加人は、主宰者の許可を得て、補佐人とともに出頭することができる。

④主宰者は、聴聞の期日において必要があると認めるときは、当事者若しくは参加人に対し質問を発し、意見の陳述若しくは証拠書類等の提出を促し、又は行政庁の職員に対し説明を求めることができる。

⑤主宰者は、当事者又は参加人の一部が出頭しないときであっても、聴聞の期日における審理を行うことができる。

⑥聴聞の期日における審理は、行政庁が公開することを相当と認めるときを除き、公開しない。

第21条（陳述書等の提出）

①当事者又は参加人は、聴聞の期日への出頭に代えて、主宰者に対し、聴聞の期日までに陳述書及び証拠書類等を提出することができる。

②主宰者は、聴聞の期日に出頭した者に対し、その求めに応じて、前項の陳述書及び証拠書類等を示すことができる。

第22条（続行期日の指定）

①主宰者は、聴聞の期日における審理の結果、なお聴聞を続行する必要があると認めるときは、さらに新たな期日を定めることができる。

②前項の場合においては、当事者及び参加人に対し、あらかじめ、次回の聴聞の期日及び場所を書面により通知しなければならない。ただし、聴聞の期日に出頭した当事者及び参加人に対しては、当該聴聞の期日においてこれを告知すれば足りる。

第23条（当事者の不出頭等の場合における聴聞の終結）

①主宰者は、当事者の全部若しくは一部が正当な理由なく聴聞の期日に出頭せず、かつ、第21条第1項に規定する陳述書若しくは証拠書類等を提出しない場合、又は参加人の全部若しくは一部が聴聞の期日に出頭しない場合には、これらの者に対し改めて意見を述べ、及び証拠書類等を提出する機会を与えることなく、聴聞を終結することができる。

②主宰者は、前項に規定する場合のほか、当事者の全部又は一部が聴聞の期日に出頭せず、かつ、第21条第1項に規定する陳述書又は証拠書類等を提出しない場合において、これらの者の聴聞の期日への出頭が相当期間引き続き見込めないときは、これらの者に対し、期限を定めて陳述書及び証拠書類等の提出を求め、当該期限が到来したと

きに聴聞を終結することとすることができる。

第24条（聴聞調書及び報告書）

①主宰者は、聴聞の審理の経過を記載した調書を作成し、当該調書において、不利益処分の原因となる事実に対する当事者及び参加人の陳述の要旨を明らかにしておかなければならない。

②前項の調書は、聴聞の期日における審理が行われた場合には各期日ごとに、当該審理が行われなかった場合には聴聞の終結後速やかに作成しなければならない。

③主宰者は、聴聞の終結後速やかに、不利益処分の原因となる事実に対する当事者等の主張に理由があるかどうかについての意見を記載した報告書を作成し、第1項の調書とともに行政庁に提出しなければならない。

④当事者又は参加人は、第1項の調書及び前項の報告書の閲覧を求めることができる。

第25条（聴聞の再開）

行政庁は、聴聞の終結後に生じた事情にかんがみ必要があると認めるときは、主宰者に対し、前条第3項の規定により提出された報告書を返戻して聴聞の再開を命ずることができる。第22条第2項本文及び第3項の規定は、この場合について準用する。

第26条（聴聞を経てされる不利益処分の決定）

行政庁は、不利益処分の決定をするときは、第24条第1項の調書の内容及び同条第3項の報告書に記載された主宰者の意見を十分に参酌してこれをしなければならない。

第27条（審査請求の制限）

この節の規定に基づく処分又はその不作為については、審査請求をすることができない。

第28条（役員等の解任等を命ずる不利益処分をしようとする場合の聴聞等の特例）

①第13条第1項第1号ハに該当する不利益処分に係る聴聞において第15条第1項の通知があった場合におけるこの節の規定の適用については、名あて人である法人の役員、名あて人の業務に従事する者又は名あて人の会員である者（当該処分において解任し又は除名すべきこととされている者に限る。）は、同項の通知を受けた者とみなす。

②前項の不利益処分のうち名あて人である法人の役員又は名あて人の業務に従事する者（以下この項において「役員等」という。）の解任を命ずるものに係る聴聞が行われた場合においては、当該処分にその名あて人が従わないことを理由として法令の規定によりされる当該役員等を解任する不利益処分については、第13条第1項の規定にかかわらず、行政庁は、当該役員等について聴聞を行うことを要しない。

第3節　弁明の機会の付与

第29条（弁明の機会の付与の方式）

①弁明は、行政庁が口頭ですることを認めたときを除き、弁明を記載した書面（以下「弁明書」という。）を提出してするものとする。

②弁明をするときは、証拠書類等を提出することが

できる。

第30条（弁明の機会の付与の通知の方式）

行政庁は、弁明書の提出期限（口頭による弁明の機会の付与を行う場合には、その日時）までに相当な期間をおいて、不利益処分の名あて人となるべき者に対し、次に掲げる事項を書面により通知しなければならない。

1　予定される不利益処分の内容及び根拠となる法令の条項
2　不利益処分の原因となる事実
3　弁明書の提出先及び提出期限（口頭による弁明の機会の付与を行う場合には、その旨並びに出頭すべき日時及び場所）

第31条（聴聞に関する手続の準用）

第15条第3項及び第16条の規定は、弁明の機会の付与について準用する。この場合において、第15条第3項中「第1項」とあるのは「第30条」と、「同項第3号及び第4号」とあるのは「同条第3号」と、第16条第1項中「前条第1項」とあるのは「第30条」と、「同条第3項後段」とあるのは「第31条において準用する第15条第3項後段」と読み替えるものとする。

第4章　行政指導

第32条（行政指導の一般原則）

①行政指導にあっては、行政指導に携わる者は、いやしくも当該行政機関の任務又は所掌事務の範囲を逸脱してはならないこと及び行政指導の内容があくまでも相手方の任意の協力によってのみ実現されるものであることに留意しなければならない。

②行政指導に携わる者は、その相手方が行政指導に従わなかったことを理由として、不利益な取扱いをしてはならない。

Q1 違法建築物について、A市が建築基準法違反の状態を是正させる目的で、Bの給水装置新設工事申込みの受理を事実上拒絶し、申込書を返戻した措置は、水道法に違反してBの給水を受けるべき権利を侵害したとして、A市は損害賠償責任を負うのか。

A 損害賠償責任を負わない。　Y（豊中市）の水道局給水課長がXの本件建物についての給水装置新設工事申込みの受理を事実上拒絶し、申込書を返戻した措置は、上記申込みの受理を最終的に拒否する旨の意思表示をしたものではなく、Xに対し、当該建物につき存する建築基準法違反の状態を是正して建築確認を受けたうえ申込みをするよう一応の勧告をしたものにすぎないのであって、これに対しXは、その後1年半余を経過したのち改めて上記工事の申込みをして受理されるまでの間、工事申込みに関して何らの措置を講じないままこれを放置していたのであるから、上記の事実関係の下においては、Yの水道局給水課長の当初の措置のみによっては、Yの職員がXの給水装置工事申込みの受理を違法に拒否したものとして、YにおいてXに対し不法行為法上の損害賠償の責任を負うものではない（最判昭56・7・16）。

Q2 建物所有者から給水装置新設工事申込みに対し市の側でこれを受理せず申込書を返戻したのは、当該建物の建築基準法違反状態を是正して建築確認を受けたうえで申込みをするよう一応の勧告をしたものにすぎず、かつ、申込者の側でその後これに関して何らの措置を講じないまま放置していたという場合、水道法上の給水義務に違反し、市は不法行為責任を負うのか。

A 市は不法行為責任を負わない（最判昭56・7・16）。⇨ 1

Q3 給水装置新設工事の申込みに対し、市が当該建物が建築確認を受けていないことを理由として受理を拒否することは、許されるのか。

A 許されない。　市側が給水契約書の受領を拒絶した時期には、事業主は、指導要綱に基づく行政指導には従わない意思を明確に表明し、マンションの購入者も、入居にあたり給水を現実に必要としていたのであり、このような場合には、指導要綱を事業主に順守させるため行政指導を継続する必要があったとしても、これを理由として事業主らとの給水契約の締結を留保することは許されず、当該留保は、給水契約の締結を拒んだ行為にあたる。しかも、給水契約を締結して給水することが公序良俗違反を助長することとなるような事情があれば格別、本件ではそのような事情もなかったのであるから、水道事業者としては、たとえ指導要綱に従わない事業主らからの給水契約の申込みであっても、その締結を拒むことは許されないから、市側には本件給水契約の締結を拒む「正当の理由」（水道法15条第1項）がなかったのである〈武蔵野市マンション事件〉（最決平1・11・8）。

Q4 水道事業者たる地方公共団体が、宅地開発要綱に基づく行政指導に従わなかった建築業者の建築物に関して、それを理由として給水契約の締結を拒否しても、給水拒否に公益上の必要性が認められれば許されるのか。

A 許されない〈武蔵野市マンション事件〉（最決平1・11・8）。⇨ 3

Q5 行政機関は、行政指導をすることができる旨を規定した明文の規定がない場合にも行政指導ができるのか。

A 行政機関の任務ないし所掌事務の範囲内において、一定の行政目的を実現するために行政指導ができる。　運輸大臣が民間航空会社に対し特定機種の選定購入を勧奨することができるとする明文の根拠規定は存在しない。しかし、一般に、行政機関は、その任務ないし所掌事務の範囲内において、一定の行政目的を実現するため、特定の者に一定の作為または不作為を求める指導、勧告、助言をすることができ、このような行政指導は公務員の職務権限に基づく職務行為である。したがって、運輸省設置法および航空法が定める運輸大臣の職務権限からすれば、航空会社が新機種の航空機を就航させよう

とする場合、必要な行政目的があるときには、運輸大臣は、行政指導として、民間航空会社に対し特定機種の選定購入を勧奨することも許される。したがって、特定機種の選定購入の勧奨は、一般的には、運輸大臣の航空運輸行政に関する行政指導として、その職務権限に属するものというべきである〈ロッキード事件丸紅ルート判決〉（最大判平7・2・22）。 **出題** 国Ⅰ－平成22・20

第33条（申請に関連する行政指導）

申請の取下げ又は内容の変更を求める行政指導にあっては、行政指導に携わる者は、申請者が当該行政指導に従う意思がない旨を表明したにもかかわらず当該行政指導を継続すること等により当該申請者の権利の行使を妨げるようなことをしてはならない。

Q1 建築主に対し、建築物の建築計画につき一定の譲歩、協力を求める行政指導を行い、建築主が任意にこれに応じている場合に、建築計画に対する確認処分を留保することは、直ちに違法な措置といえるのか。

A 直ちに違法な措置とはいえない。　建築主が確認処分の留保につき任意に同意しているものと認められる場合のほか、必ずしもその同意のあることが明確であるとはいえない場合であっても、諸般の事情から直ちに確認処分をしないで応答を留保することが法の趣旨目的に照らし社会通念上合理的と認められるときは、その間確認申請に対する応答を留保することをもって、確認処分を違法に遅滞するものということはできない（最判昭60・7・16）。

出題 国Ⅰ－平成9・5、地方上級－平成8、国家一般－平成29、国Ⅱ－平成22・6、国税・労基－平成18、国税・財務・労基－令和3、国税－平成30

Q2 行政指導に対して建築主が、もはや協力できないとの意思を真摯かつ明確に表明し、当該確認申請に対し直ちに応答を求めているのは、行政側がその後、行政指導が行われているとの理由で建築確認処分を留保することは適法か。

A 原則として違法である。　建築主が行政指導に対して、不協力・不服従の意思を表明している場合に、当該建築主が受ける不利益と当該行政指導の目的とする公益上の必要性とを比較衡量して、行政指導に対する建築主の不協力が社会通念上正義の観念に反するような特段の事情が存在しない限り、行政指導が行われていることの理由だけで確認処分を留保することは、違法である。したがって、いったん行政指導に応じて建築主と付近住民との間に話合いによる紛争解決をめざして協議が始められた場合でも、建築主が建築主事に対し、確認処分を留保されたままでの行政指導にはもはや協力できないとの意思を真摯かつ明確に表明し、当該確認申請に対し直ちに応答を求めているときは、前記特段の事情が存在しない限り、当該行政指導を理由に建築主に対し確認処分の留保の措置を受忍させることは許されないから、それ以降の行政指導を理由とする確認処分の留保は、違法となる（最判昭60・7・16）。

出題 国家総合－平成27、国Ⅰ－平成19・15・12・8、地方上級－平成11・8・5、国家一般－令和3・平成29・25、国Ⅱ－平成10・7・6、国税－平成30・22・18・13

Q3 乙市は甲のマンション建築確認申請に対し、指導要綱に基づく行政指導を行っている間は、いつまでも建築確認処分を留保できるのか。

A いつまでも建築確認処分を留保できない（最判昭60・7・16）。⇨ 2

Q4 行政指導への受忍を強いるには、相手方の任意性の有無の判断について、行政指導により相手方が受ける不利益と行政指導が目的とする公益上の必要性とを比較衡量して客観的に判断されるべきか。

A 相手方の任意性の有無の判断ではなく、確認処分の留保の適法性の判断について検討する（最判昭60・7・16）。⇨ 2

Q5 教育施設の充実にあてるために、行政指導として宅地開発の事業主に対して寄付金の納付を求めることが、住民の生活環境を乱開発から守ることを目的としても、法律または条例で定められていない金銭の納付を求めることは、行政指導の限度を超える違法な公権力の行使にあたるのか。

A 当該行政指導が強制にわたるなど事業主の任意性を損なうことがない限り、違法ではない〈武蔵野市教育施設負担金事件〉（最判平5・2・18）。⇨ 国家賠償法1条8

第34条（許認可等の権限に関連する行政指導）

許認可等をする権限又は許認可等に基づく処分をする権限を有する行政機関が、当該権限を行使することができない場合又は行使する意思がない場合においてする行政指導にあっては、行政指導に携わる者は、当該権限を行使し得る旨を殊更に示すことにより相手方に当該行政指導に従うことを余儀なくさせるようなことをしてはならない。

第35条（行政指導の方式）

①行政指導に携わる者は、その相手方に対して、当該行政指導の趣旨及び内容並びに責任者を明確に示さなければならない。

②行政指導に携わる者は、当該行政指導をする際に、行政機関が許認可等をする権限又は許認可等に基づく処分をする権限を行使し得る旨を示すときは、その相手方に対して、次に掲げる事項を示さなければならない。

　1　当該権限を行使し得る根拠となる法令の条項

　2　前号の条項に規定する要件

　3　当該権限の行使が前号の要件に適合する理由

③行政指導が口頭でされた場合において、その相手方から前2項に規定する事項を記載した書面の交付を求められたときは、当該行政指導に携わる者は、行政上特別の支障がない限り、これを交付しなければならない。

④前項の規定は、次に掲げる行政指導については、適用しない。

　1　相手方に対しその場において完了する行為を求めるもの

　2　既に文書（前項の書面を含む。）又は電磁的記録（電子的方式、磁気的方式その他人の知

行政法編

覚によっては認識することができない方式で作られる記録であって、電子計算機による情報処理の用に供されるものをいう。）によりその相手方に通知されている事項と同一の内容を求めるもの

第36条（複数の者を対象とする行政指導）
　同一の行政目的を実現するため一定の条件に該当する複数の者に対し行政指導をしようとするときは、行政機関は、あらかじめ、事案に応じ、行政指導指針を定め、かつ、行政上特別の支障がない限り、これを公表しなければならない。

第36条の2（行政指導の中止等の求め）
①法令に違反する行為の是正を求める行政指導（その根拠となる規定が法律に置かれているものに限る。）の相手方は、当該行政指導が当該法律に規定する要件に適合しないと思料するときは、当該行政指導をした行政機関に対し、その旨を申し出て、当該行政指導の中止その他必要な措置をとることを求めることができる。ただし、当該行政指導がその相手方について弁明その他意見陳述のための手続を経てされたものであるときは、この限りでない。
②前項の申出は、次に掲げる事項を記載した申出書を提出してしなければならない。
　1　申出をする者の氏名又は名称及び住所又は居所
　2　当該行政指導の内容
　3　当該行政指導がその根拠とする法律の条項
　4　前号の条項に規定する要件
　5　当該行政指導が前号の要件に適合しないと思料する理由
　6　その他参考となる事項
③当該行政機関は、第1項の規定による申出があったときは、必要な調査を行い、当該行政指導が当該法律に規定する要件に適合しないと認めるときは、当該行政指導の中止その他必要な措置をとらなければならない。

◇**行政指導と独占禁止法**

Q1 石油連盟がその構成員である事業者の発意に基づき事業者の従うべき基準価格を団体の意思として協議決定した場合、その後の行政指導により、石油連盟の値上げ決定によって成立する競争の実質的制限の要件は、消滅するのか。

A その後の行政指導により消滅しない。　独占禁止法8条1項1号にいう競争の実質的制限が成立するための要件としては、事業者団体の行動を通じ事業者間の競争に実質的制限をもたらすこと、すなわち、石油連盟の機関決定により石油連盟所属の事業者らの価格行動の一致をもたらすことがあれば足りる。したがって、事業者団体がその構成員である事業者の発意に基づき事業者の従うべき基準価格を団体の意思として協議決定した場合においては、たとえ、その後これに関する行政指導があったとしても、当該事業者団体がその行った基準価格の決定を明確に破棄したと認められるような特段の事情がない限り、上記行政指導があったことにより当然に

前記独占禁止法8条1項1号にいう競争の実質的制限が消滅したものとすることは許されない（最判昭57・3・9）。

出題 国Ⅰ-平成12・5、国税・労基-平成18
〔参考〕私的独占の禁止及び公正取引の確保に関する法律第8条　事業者団体は、次の各号のいずれかに該当する行為をしてはならない。
　1　一定の取引分野における競争を実質的に制限すること。

Q2 石油業法に直接の根拠をもたない価格に関する行政指導であっても、これを必要とする事情がある場合に行われたときは、違法とされない場合があるのか。

A 違法とされない場合がある。　通産省設置法3条2号は、鉱産物および工業品の生産、流通および消費の増進、改善および調整等に関する国の行政事務を一体的に遂行することを通産省の任務としており、これを受けて石油業法は、石油製品の第一次エネルギーとしての重要性等にかんがみ、「石油の安定的かつ低廉な供給を図り、もつて国民経済の発展と国民生活の向上に資する」という目的（同法1条）の下に、標準価格制度（同法15条）という直接的な方法のほか、石油精製業および設備の新設等に関する許可制（同法4条、7条）さらには通産大臣をして石油供給計画を定めさせること（同法3条）などの間接的な方法によって、行政が石油製品価格の形成に介入することを認めている。そして、流動する事態に対する円滑・柔軟な行政の対応の必要性にかんがみると、石油業法に直接の根拠をもたない価格に関する行政指導であっても、これを必要とする事情がある場合に、これに対処するため社会通念上相当と認められる方法によって行われ「一般消費者の利益を確保するとともに、国民経済の民主的で健全な発展を、促進する」という独占禁止法の究極の目的に実質的に抵触しないものである限り、これを違法とすべき理由はない。そして、価格に関する事業者間の合意が形式的に独占禁止法に違反するようにみえる場合であっても、それが適法な行政指導に従い、これに協力して行われたものであるときは、その違法性が阻却される〈石油カルテル刑事事件〉（最判昭59・2・24）。

出題 国Ⅰ-平成22・19・5・3、地方上級-平成20、国家一般-令和3、国税・財務・労基-平成26、国税-平成30・22

Q3 価格に関する事業者間の合意が形式的に独占禁止法に抵触するようにみえる場合であっても、それが適法な行政指導に従い、これに協力して行われたものであるときは、違法性が阻却されるのか。

A 違法性が阻却される〈石油カルテル刑事事件〉（最判昭59・2・24）。⇨2

第4章の2　処分等の求め

第36条の3
①何人も、法令に違反する事実がある場合において、その是正のためにされるべき処分又は行政指導（その根拠となる規定が法律に置かれているものに限る。）がされていないと思料するときは、

当該処分をする権限を有する行政庁又は当該行政指導をする権限を有する行政機関に対し、その旨を申し出て、当該処分又は行政指導をすることを求めることができる。

② 前項の申出は、次に掲げる事項を記載した申出書を提出してしなければならない。

1　申出をする者の氏名又は名称及び住所又は居所

2　法令に違反する事実の内容

3　当該処分又は行政指導の内容

4　当該処分又は行政指導の根拠となる法令の条項

5　当該処分又は行政指導がされるべきであると思料する理由

6　その他参考となる事項

③ 当該行政庁又は行政機関は、第１項の規定による申出があったときは、必要な調査を行い、その結果に基づき必要があると認めるときは、当該処分又は行政指導をしなければならない。

第5章　届出

第37条（届出）

届出が届出書の記載事項に不備がないこと、届出書に必要な書類が添付されていることその他の法令に定められた届出の形式上の要件に適合している場合は、当該届出が法令により当該届出の提出先とされている機関の事務所に到達したときに、当該届出をすべき手続上の義務が履行されたものとする。

第6章　意見公募手続等

第38条（命令等を定める場合の一般原則）

① 命令等を定める機関（閣議の決定により命令等が定められる場合にあっては、当該命令等の立案をする各大臣。以下「命令等制定機関」という。）は、命令等を定めるに当たっては、当該命令等がこれを定める根拠となる法令の趣旨に適合するものとなるようにしなければならない。

② 命令等制定機関は、命令等を定めた後においても、当該命令等の規定の実施状況、社会経済情勢の変化等を勘案し、必要に応じ、当該命令等の内容について検討を加え、その適正を確保するよう努めなければならない。

第39条（意見公募手続）

① 命令等制定機関は、命令等を定めようとする場合には、当該命令等の案（命令等で定めようとする内容を示すものをいう。以下同じ。）及びこれに関連する資料をあらかじめ公示し、意見（情報を含む。以下同じ。）の提出先及び意見の提出のための期間（以下「意見提出期間」という。）を定めて広く一般の意見を求めなければならない。

② 前項の規定により公示する命令等の案は、具体的かつ明確な内容のものであって、かつ、当該命令等の題名及び当該命令等を定める根拠となる法令の条項が明示されたものでなければならない。

③ 第１項の規定により定める意見提出期間は、同項の公示の日から起算して30日以上でなければならない。

④ 次の各号のいずれかに該当するときは、第１項の規定は、適用しない。

1　公益上、緊急に命令等を定める必要があるため、第１項の規定による手続（以下「意見公募手続」という。）を実施することが困難であるとき。

2　納付すべき金銭について定める法律の制定又は改正により必要となる当該金銭の額の算定の基礎となるべき金額及び率並びに算定方法についての命令等その他当該法律の施行に関し必要な事項を定める命令等を定めようとするとき。

3　予算の定めるところにより金銭の給付決定を行うために必要となる当該金銭の額の算定の基礎となるべき金額及び率並びに算定方法その他の事項を定める命令等を定めようとするとき。

4　法律の規定により、内閣府設置法第49条第１項若しくは第２項若しくは国家行政組織法第３条第２項に規定する委員会又は内閣府設置法第37条若しくは第54条若しくは国家行政組織法第８条に規定する機関（以下「委員会等」という。）の議を経て定めることとされている命令等であって、相反する利害を有する者の間の利害の調整を目的として、法律又は政令の規定により、これらの者及び公益をそれぞれ代表する委員をもって組織される委員会等において審議を行うこととされているものとして政令で定める命令等を定めようとするとき。

5　他の行政機関が意見公募手続を実施して定めた命令等と実質的に同一の命令等を定めようとするとき。

6　法律の規定に基づき法令の規定の適用又は準用について必要な技術的読替えを定める命令等を定めようとするとき。

7　命令等を定める根拠となる法令の規定の削除に伴い当然必要とされる当該命令等の廃止をしようとするとき。

8　他の法令の制定又は改廃に伴い当然必要とされる規定の整理その他の意見公募手続を実施することを要しない軽微な変更として政令で定めるものを内容とする命令等を定めようとするとき。

第40条（意見公募手続の特例）

① 命令等制定機関は、命令等を定めようとする場合において、30日以上の意見提出期間を定めることができないやむを得ない理由があるときは、前条第３項の規定にかかわらず、30日を下回る意見提出期間を定めることができる。この場合においては、当該命令等の案の公示の際その理由を明らかにしなければならない。

② 命令等制定機関は、委員会等の議を経て命令等を定めようとする場合（前条第４項第４号に該当する場合を除く。）において、当該委員会等が意見公募手続に準じた手続を実施したときは、同条第１項の規定にかかわらず、自ら意見公募手続を実

行政法編

施することを要しない。

*44条で準用

第41条（意見公募手続の周知等）

命令等制定機関は、意見公募手続を実施して命令等を定めるに当たっては、必要に応じ、当該意見公募手続の実施について周知するよう努めるとともに、当該意見公募手続の実施に関連する情報の提供に努めるものとする。

第42条（提出意見の考慮）

命令等制定機関は、意見公募手続を実施して命令等を定める場合には、意見提出期間内に当該命令等制定機関に対し提出された当該命令等の案についての意見（以下「提出意見」という。）を十分に考慮しなければならない。

*44条で準用

第43条（結果の公示等）

①命令等制定機関は、意見公募手続を実施して命令等を定めた場合には、当該命令等の公布（公布をしないものにあっては、公にする行為。第5項において同じ。）と同時期に、次に掲げる事項を公示しなければならない。

1　命令等の題名

2　命令等の案の公示の日

3　提出意見（提出意見がなかった場合にあっては、その旨）

4　提出意見を考慮した結果（意見公募手続を実施した命令等の案と定めた命令等との差異を含む。）及びその理由

②命令等制定機関は、前項の規定にかかわらず、必要に応じ、同項第3号の提出意見に代えて、当該提出意見を整理又は要約したものを公示することができる。この場合においては、当該公示の後遅滞なく、当該提出意見を当該命令等制定機関の事務所における備付けその他の適当な方法により公にしなければならない。

③命令等制定機関は、前2項の規定により提出意見を公示し又は公にすることにより第三者の利益を害するおそれがあるとき、その他正当な理由があるときは、当該提出意見の全部又は一部を除くことができる。

④命令等制定機関は、意見公募手続を実施したにもかかわらず命令等を定めないこととした場合には、その旨（別の命令等の案について改めて意見公募手続を実施しようとする場合にあっては、その旨を含む。）並びに第1項第1号及び第2号に掲げる事項を速やかに公示しなければならない。

⑤命令等制定機関は、第39条第4項各号のいずれかに該当することにより意見公募手続を実施しないで命令等を定めた場合には、当該命令等の公布と同時期に、次に掲げる事項を公示しなければならない。ただし、第1号に掲げる事項のうち命令等の趣旨については、同項第1号から第4号までのいずれかに該当することにより意見公募手続を実施しなかった場合において、当該命令等自体から明らかでないときに限る。

1　命令等の題名及び趣旨

2　意見公募手続を実施しなかった旨及びその理由

*44条で準用

第44条（準用）

第42条の規定は第40条第2項に該当することにより命令等制定機関が自ら意見公募手続を実施しないで命令等を定める場合について、前条第1項から第3項までの規定は第40条第2項に該当することにより命令等制定機関が自ら意見公募手続を実施しないで命令等を定めた場合について、前条第4項の規定は第40条第2項に該当することにより命令等制定機関が自ら意見公募手続を実施しないで命令等を定めないこととした場合について準用する。この場合において、第42条中「当該命令等制定機関」とあるのは「委員会等」と、前条第1項第2号中「命令等の案の公示の日」とあるのは「委員会等が命令等の案について公示に準じた手続を実施した日」と、同項第4号中「意見公募手続を実施した」とあるのは「委員会等が意見公募手続に準じた手続を実施した」と読み替えるものとする。

第45条（公示の方法）

①第39条第1項並びに第43条第1項（前条において読み替えて準用する場合を含む。）、第4項（前条において準用する場合を含む。）及び第5項の規定による公示は、電子情報処理組織を使用する方法その他の情報通信の技術を利用する方法により行うものとする。

②前項の公示に関し必要な事項は、総務大臣が定める。

第7章　補則

第46条（地方公共団体の措置）

地方公共団体は、第3条第3項において第2章から前章までの規定を適用しないこととされた処分、行政指導及び届出並びに命令等を定める行為に関する手続について、この法律の規定の趣旨にのっとり、行政運営における公正の確保と透明性の向上を図るため必要な措置を講ずるよう努めなければならない。

❖審議会と行政手続

Q1 行政庁が行政処分をなすにあたって、諮問機関に諮問しなければならない旨を法律が定めている場合、諮問を経ないでなされた処分は無効か。

A 当該処分は無効とならない。　温泉法20条によれば、知事が同法8条1項等所定の規定による処分をしようとするときは温泉審議会の意見を聞かなければならないこととされているが、同法20条が知事に対し温泉審議会の意見を聞かなければならないこととしたのは、知事の処分の内容を適正ならしめるためであり、利害関係人の利益の保護を直接の目的としたものではなく、また、知事は上記の意見に拘束されるものではない。そして、これらの諸点を併せ考えれば、本件許可処分にあたり、知事による温泉審議会の意見聴取は持廻り決議の方法によってなされたものであり、その瑕疵は、取消しの原因としてはともかく、本件許可処分を無効にする

ものではない（最判昭 46・1・22）。

Q2 行政庁が法が定めた諮問を経ずに行政処分をした場合、当該行政処分は適法か。

A 当該行政処分は違法として取消しを免れない。
行政庁が行政処分をするにあたって、諮問機関に諮問し、その決定を尊重して処分をしなければならない旨を法が定めているのは、処分行政庁が、諮問機関の決定（答申）を慎重に検討し、これに十分な考慮を払い、特段の合理的な理由のない限りこれに反する処分をしないように要求することにより、当該行政処分の客観的な適正妥当と公正を担保することを法が所期しているためであるから、かかる場合における諮問機関に対する諮問の経由は、きわめて重大な意義を有し、したがって、行政処分が諮問を経ないでなされた場合はもちろん、これを経た場合においても、当該諮問機関の審理、決定（答申）の過程に重大な法規違反があることなどにより、その決定（答申）自体に法が上記諮問機関に対する諮問を経ることを要求した趣旨に反するような瑕疵があるときは、これを経てなされた処分も違法として取消しを免れない〈群馬中央バス事件〉（最判昭 50・5・29）。

Q3 バス路線免許交付の許否は行政庁の裁量権に属するが、群馬中央バス事件では、免許申請の審理手続に瑕疵があったため、免許申請の却下処分は違法となるのか。

A 免許申請の却下処分は違法とならない〈群馬中央バス事件〉（最判昭 50・5・29）。⇨ 2

Q4 行政処分をするにあたって、法律上諮問機関への諮問を経由しなければならないとされている場合において、日本国憲法における法治国原理の手続的理解から、憲法解釈上、諮問機関の審理において公正な行政手続が要請されるのか。

A 憲法解釈上ではなく、制定法が聴聞手続にかかわる公聴会を内容とする諮問手続を置いているときには、公聴会を定める制定法の趣旨から、諮問手続の公正確保を強調している〈群馬中央バス事件〉（最判昭 50・5・29）。⇨ 2

Q5 道路運送法に基づく一般乗合旅客自動車運送事業の免許申請について諮問された運輸審議会の公聴会の審理手続は、その内容において、関係者に対し、決定の基礎となる諸事項に関する諸般の証拠その他の資料と意見を十分に提出してこれを審議会の決定に反映させることを実質的に可能にするものでなければならないのか。

A 実質的に可能にするものでなければならない。
公聴会の審理を要求する趣旨が、免許の許否に関する運輸審議会の客観性のある適正かつ公正な決定（答申）を保障するにあるにことに鑑みると、道路運送法は、運輸審議会の公聴会における審理を単なる資料の収集および調査の一形式として定めたにとどまり、運輸省設置法および運輸審議会一般規則に定められた形式を踏みさえすれば、その審理の具体的

方法および内容のいかんを問わず、これに基づく決定（答申）を適法なものとする趣旨ではなく、運輸審議会の公聴会における審理手続も又、上記の趣旨に沿い、その内容において、これらの関係者に対し、決定の基礎となる諸事項に関する諸般の証拠その他の資料と意見を十分に提出してこれを審議会の決定（答申）に反映させることを実質的に可能にするものでなければならない〈群馬中央バス事件〉（最判昭 50・5・29）。

❖行政上の法律関係と私人の行為との関係

Q1 国籍離脱の届出が本人の意思に基づかず、かつ他人名義で行われた場合、当該国籍離脱の届出（行政行為）は有効か。

A 国籍離脱の届出（行政行為）は無効である。
国籍離脱の届出が本人の意思に基づかず、かつ他人名義（本人の父名義）で行われた場合、本人の国籍離脱の届出は無効であり、かつ、その後、国籍離脱を前提としてなされた国籍回復に関する内務大臣の許可もまた無効である（最大判昭 32・7・20）。

Q2 公務員の退職願いが行政庁に到達すると、その撤回は許されないのか。

A 免職辞令の交付前であれば原則として撤回は許される。　退職願いの提出者に対し、免職辞令の交付があり、免職処分が提出者に対する関係で有効に成立した後においては、もはや、これを撤回する余地がないことはもちろんであるが、その前においては、退職願いは、それ自体で独立に法的意義を有する行為ではないから、これを撤回することは原則として自由であり、退職願いの提出に対し任命権者の側で内部的に一定の手続がなされた時点以降絶対に撤回が許されないとする考えは、明文の規定のない現行法の下では、これをとることはできない。ただ、免職辞令の交付前においても、退職願いを撤回することが信義に反すると認められるような特段の事情がある場合には、その撤回は許されない（最判昭 34・6・26）。

Q3 地方公務員による退職願の提出を前提として進められた後の手続がすべて徒労に帰す結果を導くとしても、免職辞令の交付前であれば、当該公務員は退職願を撤回することは許されるのか。

A 退職願を撤回することは、信義則に反し制限される（最判昭 34・6・26）。⇨ 2

Q4 納税義務者は、その自主的判断により申告した所得金額に錯誤があることを主張できるか。

A 原則として記載内容の錯誤を主張できない。
所得税法は、申告納税制度を採用し、確定申告書記載事項の過誤の是正につき特段の規定を設けた趣旨は、所得税の課税標準等の決定については最もその間の事情に通じている納税義務者自身の申告に基づ

行政法編

くものとし、その過誤の是正は法律が特に認めた場合に限る建前とすることが、租税債務を可及的速やかに確定させる国家財政上の要請に応ずるものであり、納税義務者に対しても過当な不利益を強いるおそれがないと認めたからである。したがって、確定申告書の記載内容の過誤の是正については、その錯誤が客観的に明白かつ重大であって、前記所得税法の定めた方法以外にその是正を許さないならば、納税義務者の利益を著しく害すると認められる特段の事情がある場合でなければ、法定の方法によらないで記載内容の錯誤を主張することは、許されない（最判昭 39・10・22）。

出題 国 I・平成 20・12・7・昭和 62・57、特別区 I・平成 18

Q5 複数の者の共有に属する私道について建築基準法上の道路位置廃止処分を申請する場合に、所定の権利者の承諾を欠いた申請に基づく当該処分は無効か。

A 当該処分は原則として、無効とならない。　建築基準法 42 条 1 項 5 号に基づく位置の指定を受けた道路につき道路位置廃止処分をする場合における所定の権利者の承諾は、道路位置指定処分をする場合における権利者の承諾と異なって、主として、指定による私権の制限の解除を意味するのみならず、当該権利者は、その意味を正しく理解していなかったとはいえ、私道が従前よりは狭くなる程度のことを承知のうえで本件道路位置廃止申請書添付の図面に捺印したものであることがうかがわれる。それ故、当該権利者の承諾を欠く申請に基づいてされた本件処分であっても、その承諾の欠缺が申請関係書類上明白であるのにこれを看過してされたというような特別の場合を除いて、これを当然に無効な処分とすることはできない（最判昭 47・7・25）。

出題 国 I・平成 20・3

Q6 公認会計士が業務を廃止すれば、その地位は喪失するのか。

A 日本公認会計士協会がその登録を抹消した時に、地位は喪失する。　公認会計士たる地位の喪失は、当該公認会計士が業務の遂行の意思がなくなったことを明らかにし、かつ、監督機関において監督関係の保持の必要がないと認めたときにはじめて生ずるもの、すなわち公認会計士法 21 条 1 号の規定についていえば、公認会計士がその業務を廃止した時ではなく、公認会計士協会がこれに基づいて登録を抹消した時に生ずるものと解するのが、法の趣旨、目的に合致する（最判昭 50・9・26）。

出題 国 I・平成 3・昭和 62

Q7 相続税申告の基礎とされた遺産分割協議が通謀虚偽表示により無効であることを確認する判決が確定した場合に、国税通則法 23 条 2 項 1 号により更正の請求をすることができるのか。

A 更正の請求をすることはできない。　本件は、上告人が、亡父の相続に関して遺産分割協議に基づき相続の申告をした後、他の相続人から遺産分割協議無効確認の訴えを提起され、同訴訟において、上記遺産分割協議が通謀虚偽表示により無効である旨の判決が確定した。これは、上告人が、自らの主導の下に、通謀虚偽表示により本件遺産分割協議が成立した外形を作出し、これに基づいて本件申告を行ったものである。そこで、上告人は、本件遺産分割協議の無効を確認する判決が確定したため更正請求をしたのであるが、上記の事実関係の下では、上告人が、国税通則法 23 条 1 項所定の期間内に更正の請求をしなかったことにつきやむをえない理由があるとはいえないから、同条 2 項 1 号により更正の請求をすることは許されない（最判平 15・4・25）。

出題 予想

Q8 登記等を受けた者は、過大に登録免許税を納付した場合には、登記機関に申し出て、1 年以内に過誤納金の還付請求をしなければならないのか。

A 消滅時効期間である 5 年間は行使可能である。　登録免許税法 31 条 1 項および 2 項の趣旨は、過誤納金の還付が円滑に行われるようにするために簡便な手続を設けることにある。同項が上記の請求につき 1 年の期間制限を定めているのも、登記等を受けた者が上記の簡便な手続を利用するについてその期間を画する趣旨であるにすぎないのであって、当該期間経過後は還付請求権が存在していても一切その行使をすることができず、登録免許税の還付を請求するにはもっぱら同項所定の手続によらなければならないとする手続の排他性を定めるものではない。このように解さないと、税務署長が登記等を受けた者から納付していない登録免許税の納付不足額を徴収する場合には、国税通則法 72 条所定の国税の徴収権の消滅時効期間である 5 年間はこれを行うことが可能であるにもかかわらず、登録免許税の還付については、同法 74 条所定の還付金の消滅時効期間である 5 年間が経過する前に、1 年の期間の経過によりその還付を受けることができなくなり、納付不足額の徴収と権衡を失することになるからである（最判平 17・4・14）。

出題 予想

Q9 申告納税方式の国税と登録免許税とは、是正を求める期間は同じか。

A 同じではなく、申告納税方式の国税では是正期間は 1 年である。　申告納税方式の国税については、納税義務者が、自己の管理、支配下において生じた課税の根拠等となる事実に基づき、自己の責任で行う確定申告により納付すべき税額が確定するという原則がとられているため、納税申告書に記載した課税標準等もしくは税額等の計算が国税に関する法律の規定に従っていなかったこと又は当該計算に誤りがあったことにより、当該申告書の提出により納付すべき税額が過大であるときなどには、当該申告書に係る国税の法定申告期限から 1 年以内に限り、税務署長に対し、更正をすべき旨の請求をすることができるのであって、上記期間を超えて上記の請求をすることができるのはやむをえない理由がある場合に限られる（国税通則法 23 条 1 項および 2 項）。これは、申告納税方式の下では、自己の責任において確定申告をするために、その誤りを是正するについて法的安定の要請に基づき短期の期間制限を設けられても、納税義務者としてはやむをえないことであるからである。これに対し、登録免許税は、納税義務は登記の時に成立し、納付すべき税額は納税義

行政手続法

務の成立と同時に特別の手続を要しないで確定するのであるから、登録免許税法31条2項所定の請求は、申告納税方式の国税について定める国税通則法23条所定の更正の請求とはその前提が異なるといわざるをえず、これらを同列に論ずることはできない（最判平17・4・14）。　出題予想

行政不服審査法

（平成 26 年 6 月 13 日／法律第 68 号）

第1章　総則

第1条　（目的等）

①この法律は、行政庁の違法又は不当な処分その他公権力の行使に当たる行為に関し、国民が簡易迅速かつ公正な手続の下で広く行政庁に対する不服申立てをすることができるための制度を定めることにより、国民の権利利益の救済を図るとともに、行政の適正な運営を確保することを目的とする。

②行政庁の処分その他公権力の行使に当たる行為（以下単に「処分」という。）に関する不服申立てについては、他の法律に特別の定めがある場合を除くほか、この法律の定めるところによる。

第2条　（処分についての審査請求）

行政庁の処分に不服がある者は、第4条及び第5条第2項の定めるところにより、審査請求をすることができる。

第3条　（不作為についての審査請求）

法令に基づき行政庁に対して処分についての申請をした者は、当該申請から相当の期間が経過したにもかかわらず、行政庁の不作為（法令に基づく申請に対して何らの処分をもしないことをいう。以下同じ。）がある場合には、次の定めるところにより、当該不作為についての審査請求をすることができる。

第4条　（審査請求をすべき行政庁）

審査請求は、法律（条例に基づく処分については、条例）に特別の定めがある場合を除くほか、次の各号に掲げる場合の区分に応じ、当該各号に定める行政庁に対してするものとする。

1　処分庁等（処分をした行政庁（以下「処分庁」という。）又は不作為に係る行政庁（以下「不作為庁」という。）をいう。以下同じ。）に上級行政庁がない場合又は処分庁等が主任の大臣若しくは宮内庁長官若しくは内閣府設置法（平成11年法律第89号）第49条第1項若しくは第2項若しくは国家行政組織法（昭和23年法律第120号）第3条第2項に規定する庁の長である場合　当該処分庁等

2　宮内庁長官又は内閣府設置法第49条第1項若しくは第2項若しくは国家行政組織法第3条第2項に規定する庁の長が処分庁等の上級行政庁である場合　宮内庁長官又は当該庁の長

3　主任の大臣が処分庁等の上級行政庁である場合（前2号に掲げる場合を除く。）　当該主任の大臣

4　前3号に掲げる場合以外の場合　当該処分庁等の最上級行政庁

第5条　（再調査の請求）

①行政庁の処分につき処分庁以外の行政庁に対して審査請求をすることができる場合において、法律に再調査の請求をすることができる旨の定めがあるときは、当該処分に不服がある者は、処分庁に対して再調査の請求をすることができる。ただし、当該処分について第2条の規定により審査請求をしたときは、この限りでない。

②前項本文の規定により再調査の請求をしたときは、当該再調査の請求についての決定を経た後でなければ、審査請求をすることができない。ただし、次の各号のいずれかに該当する場合は、この限りでない。

1　当該処分につき再調査の請求をした日（第61条において読み替えて準用する第23条の規定により不備を補正すべきことを命じられた場合にあっては、当該不備を補正した日）の翌日から起算して3月を経過しても、処分庁が当該再調査の請求につき決定をしない場合

2　その他再調査の請求についての決定を経ないことにつき正当な理由がある場合

第6条　（再審査請求）

①行政庁の処分につき法律に再審査請求をすることができる旨の定めがある場合には、当該処分についての審査請求の裁決に不服がある者は、再審査請求をすることができる。

②再審査請求は、原裁決（再審査請求をすることができる処分についての審査請求の裁決をいう。以下同じ。）又は当該処分（以下「原裁決等」という。）を対象として、前項の法律に定める行政庁に対してするものとする。

第7条　（適用除外）

①次に掲げる処分及びその不作為については、第2条及び第3条の規定は、適用しない。

1　国会の両院若しくは一院又は議会の議決によってされる処分

2　裁判所若しくは裁判官の裁判により、又は裁判の執行としてされる処分

3　国会の両院若しくは一院若しくは議会の議決を経て、又はこれらの同意若しくは承認を得た上でされるべきものとされている処分

4　検査官会議で決すべきものとされている処分

5　当事者間の法律関係を確認し、又は形成する処分で、法令の規定により当該処分に関する訴えにおいてその法律関係の当事者の一方を被告とすべきものと定められているもの

6　刑事事件に関する法令に基づいて検察官、検察事務官又は司法警察職員がする処分

7　国税又は地方税の犯則事件に関する法令（他

の法令において準用する場合を含む。）に基づいて国税庁長官、国税局長、税務署長、国税庁、国税局若しくは税務署の当該職員、税関長、税関職員又は徴税吏員（他の法令の規定に基づいてこれらの職員の職務を行う者を含む。）がする処分及び金融商品取引の犯則事件に関する法令（他の法令において準用する場合を含む。）に基づいて証券取引等監視委員会、その職員（当該法令においてその職員とみなされる者を含む。）、財務局長又は財務支局長がする処分

8　学校、講習所、訓練所又は研修所において、教育、講習、訓練又は研修の目的を達成するために、学生、生徒、児童若しくは幼児若しくはこれらの保護者、講習生、訓練生又は研修生に対してされる処分

9　刑務所、少年刑務所、拘置所、留置施設、海上保安留置施設、少年院、少年鑑別所又は婦人補導院において、収容の目的を達成するためにされる処分

10　外国人の出入国又は帰化に関する処分

11　専ら人の学識技能に関する試験又は検定の結果についての処分

12　この法律に基づく処分（第5章第1節第1款の規定に基づく処分を除く。）

②国の機関又は地方公共団体その他の公共団体若しくはその機関に対する処分で、これらの機関又は団体がその固有の資格において当該処分の相手方となるもの及びその不作為については、この法律の規定は、適用しない。

◇不服申立適格

Q1　不服申立ては、違法または不当な行政処分によって直接に自己の権利利益を侵害された者だけが提起できるのか。

A　他人に対する処分によって不利益を被った場合にも提起できる。　不当表示防止法10条1項により公正取引委員会の認定に対する行政上の不服申立ては、行政上の不服申立ての一種にほかならないから、同法10条6項にいう「第1項の規定による公正取引委員会の処分について不服があるもの」とは、一般の行政処分についての不服申立ての場合と同様に、当該処分について不服申立てをする法律上の利益がある者、すなわち、当該処分により自己の権利もしくは法律上保護された利益を侵害されまたは必然的に侵害されるおそれのある者をいう。そして、ここにいう法律上保護された利益とは、行政法規が私人等権利主体の個人的利益を保護することを目的として行政権の行使に制約を課していることにより保障されている利益であって、それは、行政法規が他の目的、特に公益の実現を目的として行政権の行使に制約を課している結果、たまたま一定の者が受けることとなる反射的利益とは区別される〈主婦連ジュース不当表示事件〉（最判昭53・3・14）。

出題　国Ⅰ－平成18・9、国Ⅱ－平成16・10・9

Q2　行政不服申立ての資格を有する者の範囲は、行

政事件訴訟法における原告適格よりも広く認められるのか。

A　両者は同じである〈主婦連ジュース不当表示事件〉（最判昭53・3・14）。⇨1

Q3　不服申立てについては、行政の適正な運営を確保するにつき何らかの利害関係を有する者であれば、これをすることができるのか。

A　不服申立てについても、法律上の利益を有する者に限られる〈主婦連ジュース不当表示事件〉（最判昭53・3・14）。⇨1

Q4　一般消費者は、公正取引委員会による公正競争規約の認定につき不当景品類及び不当表示防止法（景表法）10条6項による不服申立てをする法律上の利益を有する者か。

A　一般消費者は、法律上の利益を有する者ではない。　景表法の目的とするところは公益の実現にあり、同法1条にいう一般消費者の利益の保護も公益保護の一環としてのそれであるというべきである。してみると、同法の規定にいう一般消費者も国民を消費者としての側面からとらえたものというべきであり、景表法の規定により一般消費者が受ける利益は、公正取引委員会による同法の適正な運用によって実現されるべき公益の保護を通じ国民一般が共通してもつに至る抽象的、平均的、一般的な利益、換言すれば、同法の規定の目的である公益の保護の結果として生ずる反射的な利益ないし事実上の利益であって、本来私人等権利主体の個人的な利益を保護することを目的とする法規により保障された利益とはいえない。したがって、仮に公正取引委員会による公正競争規約の認定が正当になされなかったとしても、一般消費者としては、景表法の規定の適正な運用によって得られるべき反射的な利益ないし事実上の利益が得られなかったにとどまり、その本来有する法律上の地位には、何ら消長はない。そこで、単に一般消費者であるというだけでは、公正取引委員会による公正競争規約の認定につき景表法10条6項による不服申立てをする法律上の利益をもつ者であるとはいえない〈主婦連ジュース不当表示事件〉（最判昭53・3・14）。

出題　国Ⅰ－平成17・5・4・1・昭和56、地方上級－平成6（市town）・昭和63、東京Ⅰ－平成19、国Ⅱ－平成10、国税・財務・労基－平成25、国税－平成7

Q5　地方公共団体の議会の議員が地方自治法92条の2の規定に該当するかどうかについて議会がする同法127条1項の規定による決定に対し同法127条4項において準用する118条5項の規定により不服申立をすることができる者は、当該決定によってその職を失うことになる当該議員に限られるのか。

A　当該議員に限られる。　地方自治法127条4項が同条1項による議会の決定に関する不服申立について、法118条5項の規定を準用するという形をとっていることから直ちに、法はこの両者の不服申立を完全に同一視し、後者の争訟に適用される法規および法理のすべてを前者にも適用すべきことを定めたものと解することは相当でない。同法127条1項の決定は、特定の議員について上記条

行政法編

項の掲げる失職事由が存在するかどうかを判定する行為で、積極的な判定がされた場合には当該議員につき議員の職の喪失という法律上の不利益を生ぜしめる点において一般に個人の権利を制限し又はこれに義務を課する行政処分と同視せられるべきものであって、議会の選挙における投票の効力に関する決定とは著しくその性格を異にしており、違法な決定によって上記のような不利益を受けた当該議員に対し、同種の行政処分による被害者に対すると同様の権利救済手段としての不服申立を認める必要や理由はたやすく肯定することができても、後者の決定におけるように選挙の適正な執行の担保という公益上の目的からこれに対する民衆争訟的な不服手続を設けるべきものとされた趣旨がこの場合にも当然に妥当するということはできない。法127条4項が同条1項の決定につき法118条5項の規定を準用しているのは、単に、上記決定に対し不服申立が可能なこと、およびその方法、手続は118条5項のそれと同様であることを定めたにとどまり、後者の不服と同様の民衆争訟的な不服手続をこの場合にも採用したわけのものではなく、不服申立をすることができる者の範囲は、一般の行政処分の場合と同様にその適否を争う個人的な法律上の利益を有する者に限定されることを当然に予定したものにすぎない（最判昭56・5・14）。　出題 国Ⅰ-平成17

Q6 懲戒免職処分を受けた国家公務員が立候補の届出をした後に、当該懲戒免職処分が人事院の判定等により修正され、または、取り消された場合、同人の公務員としての地位は回復するのか。

A 同人の公務員としての地位は回復しない。　公職選挙法90条の趣旨は、立候補を制限されている現職の公務員が立候補の届出等をしたときは、その地位を、届出等が受理されると同時に、自動的に失うものとすることにより、いたずらに選挙の規定違反の事態の生ずることなどを防止しようとすることにある。これらの規定の趣旨からすると、現行法上、公務員たる地位と公職の候補者たる地位とは、両立しえない関係にあり、いわば、二者択一の関係にあるものとみるべきである。このような両者の関係にかんがみると、懲戒免職処分を受けた国家公務員がこれを不服として人事院に対する不服申立て、さらには、当該処分の取消訴訟を提起して係争中に公職の候補者となるべく立候補の届出をした場合においても、公職選挙法90条が適用され、あたかも、同人が係争中に国家公務員についての欠格条項に該当するに至った場合と同様、立候補の届出時点で、同人の国家公務員たる地位は、人事院の判定等によってこれを回復する可能性を含めて、確定的に消滅する。したがって、立候補の届出がされた以上、その後に当該懲戒免職処分が判定等により修正され、または、取り消されたとしても、同人の公務員たる地位は回復する余地はない（最判平1・4・27）。　出題 国Ⅰ-平成4

◇適用除外（7条1項10号）

Q7 退去強制令書の発付について、行政不服審査法に基づく異議申立ておよび審査請求をすることはで

きるのか。

A 行政不服審査法に基づく異議申立ておよび審査請求をすることはできない。　退去強制令書の発付は、外国人の出入国に関する処分であるから、行政庁の処分等についての不服申立てに関し一般的な手続を定める行政不服審査法に基づいて（異議申立ておよび）審査請求をすることはできない（同法7条1項10号）（最判平18・10・5）。　出題 予想

◇　固有の資格（7条2項）

Q8 埋立承認は、国の機関が行政不服審査法7条2項にいう「固有の資格」において相手方となることはできるのか。

A 「固有の資格」において相手方となることはできない。　埋立ての事業については、国の機関と国以外の者のいずれについても、都道府県知事の処分（埋立承認又は埋立免許）を受けて初めて当該事業を適法に実施し得る地位を得ることができるものとされ、かつ、当該処分を受けるための規律が実質的に異ならないのであるから、処分の名称や当該事業の実施の過程等における規律に差異があることを考慮しても、国の機関が一般私人が立ち得ないような立場において埋立承認の相手方となるものとはいえないというべきである。したがって、埋立承認は、国の機関が行政不服審査法7条2項にいう「固有の資格」において相手方となることはできない。そして、埋立承認の取消しである本件埋立承認取消しについて、これと別異に解すべき理由は見当たらない。そうすると、本件埋立承認取消しにつき、国の機関である沖縄防衛局がその「固有の資格」において相手方となったものということはできない。以上によれば、本件埋立承認取消しは沖縄防衛局が行政不服審査法7条2項にいう「固有の資格」において相手方となった処分とはいえない（最判令2・3・26）。　出題 予想

第8条（特別の不服申立ての制度）
　前条の規定は、同条の規定により審査請求をすることができない処分又は不作為につき、別に法令で当該処分又は不作為の性質に応じた不服申立ての制度を設けることを妨げない。

第2章　審査請求
第1節　審査庁及び審理関係人
第9条（審理員）
①第4条又は他の法律若しくは条例の規定により審査請求がされた行政庁（第14条の規定により引継ぎを受けた行政庁を含む。以下「審査庁」という。）は、審査庁に所属する職員（第17条に規定する名簿を作成した場合にあっては、当該名簿に記載されている者）のうちから第3節に規定する審理手続（この節に規定する手続を含む。）を行う者を指名するとともに、その旨を審査請求人及び処分庁等（審査庁以外の処分庁等に限る。）に通知しなければならない。ただし、次の各号のいずれかに掲げる機関が審査庁である場合若しくは条例に基づく処分について条例に特別の定めがある場合又は第24条の規定により当該審査請求を

却下する場合は、この限りでない。
1　内閣府設置法第49条第1項若しくは第2項又は国家行政組織法第3条第2項に規定する委員会
2　内閣府設置法第37条若しくは第54条又は国家行政組織法第8条に規定する機関
3　地方自治法（昭和22年法律第67号）第138条の4第1項に規定する委員会若しくは委員又は同条第3項に規定する機関
②審査庁が前項の規定により指名する者は、次に掲げる者以外の者でなければならない。
1　審査請求に係る処分若しくは当該処分に係る再調査の請求についての決定に関与した者又は審査請求に係る不作為に係る処分に関与し、若しくは関与することとなる者
2　審査請求人
3　審査請求人の配偶者、4親等内の親族又は同居の親族
4　審査請求人の代理人
5　前2号に掲げる者であった者
6　審査請求人の後見人、後見監督人、保佐人、保佐監督人、補助人又は補助監督人
7　第13条第1項に規定する利害関係人
③審査庁が第1項各号に掲げる機関である場合又は同項ただし書の特別の定めがある場合においては、別表第1の上欄に掲げる規定の適用については、これらの規定中同表の中欄に掲げる字句は、それぞれ同表の下欄に掲げる字句に読み替えるものとし、第17条、第40条、第42条及び第50条第2項の規定は、適用しない。
④前項に規定する場合において、審査庁は、必要があると認めるときは、その職員（第2項各号（第1項各号に掲げる機関の構成員にあっては、第1号を除く。）に掲げる者以外の者に限る。）に、前項において読み替えて適用する第31条第1項の規定による審査請求人若しくは第13条第4項に規定する参加人の意見の陳述を聴かせ、前項において読み替えて適用する第34条の規定による参考人の陳述を聴かせ、同項において読み替えて適用する第35条第1項の規定による検証をさせ、前項において読み替えて適用する第36条の規定による第28条に規定する審理関係人に対する質問をさせ、又は同項において読み替えて適用する第37条第1項若しくは第2項の規定による意見の聴取を行わせることができる。

第10条（法人でない社団又は財団の審査請求）
法人でない社団又は財団で代表者又は管理人の定めがあるものは、その名で審査請求をすることができる。

第11条（総代）
①多数人が共同して審査請求をしようとするときは、3人を超えない総代を互選することができる。
②共同審査請求人が総代を互選しない場合において、必要があると認めるときは、第9条第1項の規定により指名された者（以下「審理員」という。）は、総代の互選を命ずることができる。

③総代は、各自、他の共同審査請求人のために、審査請求の取下げを除き、当該審査請求に関する一切の行為をすることができる。
④総代が選任されたときは、共同審査請求人は、総代を通じてのみ、前項の行為をすることができる。
⑤共同審査請求人に対する行政庁の通知その他の行為は、2人以上の総代が選任されている場合においても、1人の総代に対してすれば足りる。
⑥共同審査請求人は、必要があると認める場合には、総代を解任することができる。

第12条（代理人による審査請求）
①審査請求は、代理人によってすることができる。
②前項の代理人は、各自、審査請求人のために、当該審査請求に関する一切の行為をすることができる。ただし、審査請求の取下げは、特別の委任を受けた場合に限り、することができる。

第13条（参加人）
①利害関係人（審査請求人以外の者であって審査請求に係る処分又は不作為に係る処分の根拠となる法令に照らし当該処分につき利害関係を有するものと認められる者をいう。以下同じ。）は、審理員の許可を得て、当該審査請求に参加することができる。
②審理員は、必要があると認める場合には、利害関係人に対し、当該審査請求に参加することを求めることができる。
③審査請求への参加は、代理人によってすることができる。
④前項の代理人は、各自、第1項又は第2項の規定により当該審査請求に参加する者（以下「参加人」という。）のために、当該審査請求への参加に関する一切の行為をすることができる。ただし、審査請求への参加の取下げは、特別の委任を受けた場合に限り、することができる。

第14条（行政庁が裁決をする権限を有しなくなった場合の措置）
行政庁が審査請求がされた後法令の改廃により当該審査請求につき裁決をする権限を有しなくなったときは、当該行政庁は、第19条に規定する審査請求書又は第21条第2項に規定する審査請求録取書及び関係書類その他の物件を新たに当該審査請求につき裁決をする権限を有することとなった行政庁に引き継がなければならない。この場合において、その引継ぎを受けた行政庁は、速やかに、その旨を審査請求人及び参加人に通知しなければならない。

第15条（審理手続の承継）
①審査請求人が死亡したときは、相続人その他法令により審査請求の目的である処分に係る権利を承継した者は、審査請求人の地位を承継する。
②審査請求人について合併又は分割（審査請求の目的である処分に係る権利を承継させるものに限る。）があったときは、合併後存続する法人その他の社団若しくは財団若しくは合併により設立された法人その他の社団若しくは財団又は分割により当該権利を承継した法人は、審査請求人の地位を承継する。

③前2項の場合には、審査請求人の地位を承継した相続人その他の者又は法人その他の社団若しくは財団は、書面でその旨を審査庁に届け出なければならない。この場合には、届出書には、死亡若しくは分割による権利の承継又は合併の事実を証する書面を添付しなければならない。

④第1項又は第2項の場合において、前項の規定による届出がされるまでの間において、死亡者又は合併前の法人その他の社団若しくは財団若しくは分割をした法人に宛ててされた通知が審査請求人の地位を承継した相続人その他の者又は合併後の法人その他の社団若しくは財団若しくは分割により審査請求人の地位を承継した法人に到達したときは、当該通知は、これらの者に対する通知としての効力を有する。

⑤第1項の場合において、審査請求人の地位を承継した相続人その他の者が2人以上あるときは、その1人に対する通知その他の行為は、全員に対してされたものとみなす。

⑥審査請求の目的である処分に係る権利を譲り受けた者は、審査庁の許可を得て、審査請求人の地位を承継することができる。

第16条（標準審理期間）
　第4条又は他の法律若しくは条例の規定により審査庁となるべき行政庁（以下「審査庁となるべき行政庁」という。）は、審査請求がその事務所に到達してから当該審査請求に対する裁決をするまでに通常要すべき標準的な期間を定めるよう努めるとともに、これを定めたときは、当該審査庁となるべき行政庁及び関係処分庁（当該審査請求の対象となるべき処分の権限を有する行政庁であって当該審査庁となるべき行政庁以外のものをいう。次条において同じ。）の事務所における備付けその他の適当な方法により公にしておかなければならない。

第17条（審理員となるべき者の名簿）
　審査庁となるべき行政庁は、審理員となるべき者の名簿を作成するよう努めるとともに、これを作成したときは、当該審査庁となるべき行政庁及び関係処分庁の事務所における備付けその他の適当な方法により公にしておかなければならない。

第2節　審査請求の手続

第18条（審査請求期間）
①処分についての審査請求は、処分があったことを知った日の翌日から起算して3月（当該処分について再調査の請求をしたときは、当該再調査の請求についての決定があったことを知った日の翌日から起算して1月）を経過したときは、することができない。ただし、正当な理由があるときは、この限りでない。

②処分についての審査請求は、処分（当該処分について再調査の請求をしたときは、当該再調査の請求についての決定）があった日の翌日から起算して1年を経過したときは、することができない。ただし、正当な理由があるときは、この限りでない。

③次条に規定する審査請求書を郵便又は民間事業者

による信書の送達に関する法律（平成14年法律第99号）第2条第6項に規定する一般信書便事業者若しくは同条第9項に規定する特定信書便事業者による同条第2項に規定する信書便で提出した場合における前2項に規定する期間（以下「審査請求期間」という。）の計算については、送付に要した日数は、算入しない。

Q1 処分の名宛人以外の第三者にとって、行政不服審査法14条1項本文にいう「処分があったことを知った日」とは、何時を指すのか。

A 諸般の事情から当該第三者が処分があったことを了知したものと推認することができた日を指す。処分の名宛人以外の第三者が、行政不服審査法18条1項本文にいう「処分があったことを知った日」とは、諸般の事情から当該第三者が処分があったことを了知したものと推認することができた日を指し、その翌日を当該第三者の審査請求期間の起算日とすることができる（最判平5・12・17）。

出題 予想

Q2 都市計画法における都市計画事業の認可のような告示について「処分があったことを知った日」とは、当該処分の効力を受ける者が当該処分の存在を現実に知った日か。

A「処分があったことを知った日」とは、告示があった日である。　行政不服審査法18条1項本文の規定する「処分があったことを知った日」というのは、処分がその名あて人に個別に通知される場合には、その者が処分のあったことを現実に知った日のことをいい、処分があったことを知りえただけでは足りない（最判昭27・11・20参照）。しかし、都市計画法における都市計画事業の認可のように、処分が個別の通知ではなく告示をもって多数の関係権利者等に画一的に告知される場合には、そのような告知方法がとられている趣旨にかんがみて、上記の「処分があったことを知った日」というのは、告示があった日をいうと解する（最判平14・10・24）。

出題 国Ⅰ・平成18・16

第19条（審査請求書の提出）
①審査請求は、他の法律（条例に基づく処分については、条例）に口頭ですることができる旨の定めがある場合を除き、政令で定めるところにより、審査請求書を提出してしなければならない。

②処分についての審査請求書には、次に掲げる事項を記載しなければならない。
　1　審査請求人の氏名又は名称及び住所又は居所
　2　審査請求に係る処分の内容
　3　審査請求に係る処分（当該処分について再調査の請求についての決定を経たときは、当該決定）があったことを知った年月日
　4　審査請求の趣旨及び理由
　5　処分庁の教示の有無及びその内容
　6　審査請求の年月日

③不作為についての審査請求書には、次に掲げる事項を記載しなければならない。
　1　審査請求人の氏名又は名称及び住所又は居所
　2　当該不作為に係る処分についての申請の内容及び年月日

3　審査請求の年月日

④審査請求人が、法人その他の社団若しくは財団である場合、総代を互選した場合又は代理人によって審査請求をする場合には、審査請求書には、第2項各号又は前項各号に掲げる事項のほか、その代表者若しくは管理人、総代又は代理人の氏名及び住所又は居所を記載しなければならない。

⑤処分についての審査請求書には、第2項及び前項に規定する事項のほか、次の各号に掲げる場合においては、当該各号に定める事項を記載しなければならない。

1　第5条第2項第1号の規定により再調査の請求についての決定を経ないで審査請求をする場合　再調査の請求をした年月日

2　第5条第2項第2号の規定により再調査の請求についての決定を経ないで審査請求をする場合　その決定を経ないことについての正当な理由

3　審査請求期間の経過後において審査請求をする場合　前条第1項ただし書又は第2項ただし書に規定する正当な理由

Q1 不服申立書であるか、陳情書であるか等、不服申立人の意思は、何によって判断すべきか。

A 当事者の主観的意図、つまり、当事者の意思解釈によって判断すべきである。　両人の真意は、当初の不服申立書にある文言の客観的意義はとにかく、自分らの主観的意図としては、施行規程に対する不服申立てをするつもりはなく、自分ら個人の土地の換地に対する陳情の趣旨を強調することにあったのである。そして、都市計画法施行令17条による不服の申立てであるかもしくは単なる陳情であるかは、当事者の意思解釈の問題に帰するのであって、施行規程を改めなければできないような事項を含むからといって、直ちにこれを施行令17条による不服申立てと解すべき理由はない（最判昭32・12・25）。

出題　国Ⅰ－平成18・13・12・昭和62・61、国税・労基－平成16

第20条（口頭による審査請求）

口頭で審査請求をする場合には、前条第2項から第5項までに規定する事項を陳述しなければならない。この場合において、陳述を受けた行政庁は、その陳述の内容を録取し、これを陳述人に読み聞かせて誤りのないことを確認し、陳述人に押印させなければならない。

第21条（処分庁等を経由する審査請求）

①審査請求をすべき行政庁が処分庁等と異なる場合における審査請求は、処分庁等を経由してすることができる。この場合において、審査請求人は、処分庁等に審査請求書を提出し、又は処分庁等に対し第19条第2項から第5項までに規定する事項を陳述するものとする。

②前項の場合には、処分庁等は、直ちに、審査請求書又は審査請求録取書（前条後段の規定により陳述の内容を録取した書面をいう。第29条第1項及び第55条において同じ。）を審査庁となるべき行政庁に送付しなければならない。

③第1項の場合における審査請求期間の計算については、処分庁に審査請求書を提出し、又は処分庁に対し当該事項を陳述した時に、処分についての審査請求があったものとみなす。

第22条（誤った教示をした場合の救済）

①審査請求をすることができる処分につき、処分庁が誤って審査請求をすべき行政庁でない行政庁を審査請求をすべき行政庁として教示した場合において、その教示された行政庁に書面で審査請求がされたときは、当該行政庁は、速やかに、審査請求書を処分庁又は審査庁となるべき行政庁に送付し、かつ、その旨を審査請求人に通知しなければならない。

②前項の規定により処分庁に審査請求書が送付されたときは、処分庁は、速やかに、これを審査庁となるべき行政庁に送付し、かつ、その旨を審査請求人に通知しなければならない。

③第1項の処分のうち、再調査の請求をすることができない処分につき、処分庁が誤って再調査の請求をすることができる旨を教示した場合において、当該処分庁に再調査の請求がされたときは、処分庁は、速やかに、再調査の請求書（第61条において読み替えて準用する第19条に規定する再調査の請求書をいう。以下この条において同じ。）又は再調査の請求録取書（第61条において準用する第20条後段の規定により陳述の内容を録取した書面をいう。以下この条において同じ。）を審査庁となるべき行政庁に送付し、かつ、その旨を再調査の請求人に通知しなければならない。

④再調査の請求をすることができる処分につき、処分庁が誤って審査請求をすることができる旨を教示しなかった場合において、当該処分庁に再調査の請求がされた場合であって、再調査の請求人から申立てがあったときは、処分庁は、速やかに、再調査の請求書又は再調査の請求録取書及び関係書類その他の物件を審査庁となるべき行政庁に送付しなければならない。この場合において、その送付を受けた行政庁は、速やかに、その旨を再調査の請求人及び第61条において読み替えて準用する第13条第1項又は第2項の規定により当該再調査の請求に参加する者に通知しなければならない。

⑤前各項の規定により審査請求書又は再調査の請求書若しくは再調査の請求録取書が審査庁となるべき行政庁に送付されたときは、初めから審査庁となるべき行政庁に審査請求がされたものとみなす。

第23条（審査請求書の補正）

審査請求書が第19条の規定に違反する場合には、審査庁は、相当の期間を定め、その期間内に不備を補正すべきことを命じなければならない。

第24条（審理手続を経ないでする却下裁決）

①前条の場合において、審査請求人が同条の期間内に不備を補正しないときは、審査庁は、次節に規定する審理手続を経ないで、第45条第1項又は第49条第1項の規定に基づき、裁決で、当該審査請求を却下することができる。

②審査請求が不適法であって補正することができないことが明らかなときも、前項と同様とする。

第25条（執行停止）

①審査請求は、処分の効力、処分の執行又は手続の続行を妨げない。

②処分庁の上級行政庁又は処分庁である審査庁は、必要があると認める場合には、審査請求人の申立てにより又は職権で、処分の効力、処分の執行又は手続の続行の全部又は一部の停止その他の措置（以下「執行停止」という。）をとることができる。

③処分庁の上級行政庁又は処分庁のいずれでもない審査庁は、必要があると認める場合には、審査請求人の申立てにより、処分庁の意見を聴取した上、執行停止をすることができる。ただし、処分の効力、処分の執行又は手続の続行の全部又は一部の停止以外の措置をとることはできない。

④前2項の規定による審査請求人の申立てがあった場合において、処分、処分の執行又は手続の続行により生ずる重大な損害を避けるために緊急の必要があると認めるときは、審査庁は、執行停止をしなければならない。ただし、公共の福祉に重大な影響を及ぼすおそれがあるとき、又は本案について理由がないとみえるときは、この限りでない。

⑤審査庁は、前項に規定する重大な損害を生ずるか否かを判断するに当たっては、損害の回復の困難の程度を考慮するものとし、損害の性質及び程度並びに処分の内容及び性質をも勘案するものとする。

⑥第2項から第4項までの場合において、処分の効力の停止は、処分の効力の停止以外の措置によって目的を達することができるときは、することができない。

⑦執行停止の申立てがあったとき、又は審理員から第40条に規定する執行停止をすべき旨の意見書が提出されたときは、審査庁は、速やかに、執行停止をするかどうかを決定しなければならない。

第26条（執行停止の取消し）

執行停止をした後において、執行停止が公共の福祉に重大な影響を及ぼすことが明らかとなったとき、その他事情が変更したときは、審査庁は、その執行停止を取り消すことができる。

第27条（審査請求の取下げ）

①審査請求人は、裁決があるまでは、いつでも審査請求を取り下げることができる。

②審査請求の取下げは、書面でしなければならない。

第3節　審理手続

第28条（審理手続の計画的進行）

審査請求人、参加人及び処分庁等（以下「審理関係人」という。）並びに審理員は、簡易迅速かつ公正な審理の実現のため、審理において、相互に協力するとともに、審理手続の計画的な進行を図らなければならない。

第29条（弁明書の提出）

①審理員は、審査庁から指名されたときは、直ちに、審査請求書又は審査請求録取書の写しを処分庁等に送付しなければならない。ただし、処分庁等が審査庁である場合には、この限りでない。

②審理員は、相当の期間を定めて、処分庁等に対し、弁明書の提出を求めるものとする。

③処分庁等は、前項の弁明書に、次の各号の区分に応じ、当該各号に定める事項を記載しなければならない。

1　処分についての審査請求に対する弁明書　処分の内容及び理由

2　不作為についての審査請求に対する弁明書　処分をしていない理由並びに予定される処分の時期、内容及び理由

④処分庁等が次に掲げる書面を保有する場合には、前項第1号に掲げる弁明書にこれを添付するものとする。

1　行政手続法（平成5年法律第88号）第24条第1項の調書及び同条第3項の報告書

2　行政手続法第29条第1項に規定する弁明書

⑤審理員は、処分庁等から弁明書の提出があったときは、これを審査請求人及び参加人に送付しなければならない。

第30条（反論書等の提出）

①審査請求人は、前条第5項の規定により送付された弁明書に記載された事項に対する反論を記載した書面（以下「反論書」という。）を提出することができる。この場合において、審理員が、反論書を提出すべき相当の期間を定めたときは、その期間内にこれを提出しなければならない。

②参加人は、審査請求に係る事件に関する意見を記載した書面（第40条及び第42条第1項を除き、以下「意見書」という。）を提出することができる。この場合において、審理員が、意見書を提出すべき相当の期間を定めたときは、その期間内にこれを提出しなければならない。

③審理員は、審査請求人から反論書の提出があったときはこれを参加人及び処分庁等に、参加人から意見書の提出があったときはこれを審査請求人及び処分庁等に、それぞれ送付しなければならない。

第31条（口頭意見陳述）

①審査請求人又は参加人の申立てがあった場合には、審理員は、当該申立てをした者（以下この条及び第41条第2項第2号において「申立人」という。）に口頭で審査請求に係る事件に関する意見を述べる機会を与えなければならない。ただし、当該申立人の所在その他の事情により当該意見を述べる機会を与えることが困難であると認められる場合には、この限りでない。

②前項本文の規定による意見の陳述（以下「口頭意見陳述」という。）は、審理員が期日及び場所を指定し、全ての審理関係人を招集してさせるものとする。

③口頭意見陳述において、申立人は、審理員の許可を得て、補佐人とともに出頭することができる。

④口頭意見陳述において、審理員は、申立人のする陳述が事件に関係のない事項にわたる場合その他相当でない場合には、これを制限することができ

る。

⑤口頭意見陳述に際し、申立人は、審理員の許可を得て、審査請求に係る事件に関し、処分庁等に対して、質問を発することができる。

Q1 審査請求の審理手続において、個別法で公開の口頭審理が定められている場合には、当該口頭審理の手続は、民事訴訟と同様の厳格な意味での口頭審理の方式が要請されているのか。

A 要請されていない。　口頭審理の制度は、固定資産の評価額の適否につき審査申出人に主張、証拠の提出の機会を与え、委員会の判断の基礎およびその過程の客観性と公正を図ろうとする趣旨に出るものであり、その手続は、あくまでも簡易、迅速に納税者の権利救済を図ることを目的とする行政救済手続の一環をなすのであって、民事訴訟におけるような厳格な意味での口頭審理の方式が要請されていない（最判平2・1・18）。　出題 国Ⅰ-平成13

Q2 固定資産評価審査委員会が、地方税法433条6項の規定に基づき口頭審理を行う場合、口頭審理外において職権で事実の調査を行うことは妨げられないのか。また、口頭審理外で行った調査の結果等を判断の基礎として審理の申出を棄却する場合には、当該調査の結果等を口頭審理に上程しなければならないのか。

A 職権で事実の調査を行うことは妨げられない。ただし、口頭審理に上程する必要はない。　固定資産評価審査委員会は口頭審理を行う場合においても、口頭審理外において職権で事実の調査を行うことを妨げられるものではないところ（地方税法433条1項）、その場合にも審査申出人に立会いの機会を与えることは法律上要求されていない。また、審査申出人は、地方税法430条により提出された資料および条例により作成される調査記録を閲覧し、これに関する反論、証拠を提出することができるのであるから、委員会が口頭審理外で行った調査の結果や収集した資料を判断の基礎として採用し、審査の申出を棄却する場合でも、上記調査の結果等を口頭審理に上程するなどの手続を経ることは要しない（最判平2・1・18）。

出題 国Ⅰ-平成16

第32条（証拠書類等の提出）
①審査請求人又は参加人は、証拠書類又は証拠物を提出することができる。
②処分庁等は、当該処分の理由となる事実を証する書類その他の物件を提出することができる。
③前2項の場合において、審理員が、証拠書類若しくは証拠物又は書類その他の物件を提出すべき相当の期間を定めたときは、その期間内にこれを提出しなければならない。

第33条（物件の提出要求）
審理員は、審査請求人若しくは参加人の申立てにより又は職権で、書類その他の物件の所持人に対し、相当の期間を定めて、その物件の提出を求めることができる。この場合において、審理員は、その提出された物件を留め置くことができる。

第34条（参考人の陳述及び鑑定の要求）
審理員は、審査請求人若しくは参加人の申立てにより又は職権で、適当と認める者に、参考人としてその知っている事実の陳述を求め、又は鑑定を求めることができる。

第35条（検証）
①審理員は、審査請求人若しくは参加人の申立てにより又は職権で、必要な場所につき、検証をすることができる。
②審理員は、審査請求人又は参加人の申立てにより前項の検証をしようとするときは、あらかじめ、その日時及び場所を当該申立てをした者に通知し、これに立ち会う機会を与えなければならない。

第36条（審理関係人への質問）
審理員は、審査請求人若しくは参加人の申立てにより又は職権で、審査請求に係る事件に関し、審理関係人に質問することができる。

第37条（審理手続の計画的遂行）
①審理員は、審査請求に係る事件について、審理すべき事項が多数であり又は錯綜そうしているなど事件が複雑であることその他の事情により、迅速かつ公正な審理を行うため、第31条から前条までに定める審理手続を計画的に遂行する必要があると認める場合には、期日及び場所を指定して、審理関係人を招集し、あらかじめ、これらの審理手続の申立てに関する意見の聴取を行うことができる。
②審理員は、審理関係人が遠隔の地に居住している場合その他相当と認める場合には、政令で定めるところにより、審理員及び審理関係人が音声の送受信により通話をすることができる方法によって、前項に規定する意見の聴取を行うことができる。
③審理員は、前2項の規定による意見の聴取を行ったときは、遅滞なく、第31条から前条までに定める審理手続の期日及び場所並びに第41条第1項の規定による審理手続の終結の予定時期を決定し、これらを審理関係人に通知するものとする。当該予定時期を変更したときも、同様とする。

第38条（審査請求人等による提出書類等の閲覧等）
①審査請求人又は参加人は、第41条第1項又は第2項の規定により審理手続が終結するまでの間、審理員に対し、提出書類等（第29条第4項各号に掲げる書面又は第32条第1項若しくは第2項若しくは第33条の規定により提出された書類その他の物件をいう。次項において同じ。）の閲覧（電磁的記録（電子的方式、磁気的方式その他人の知覚によっては認識することができない方式で作られる記録であって、電子計算機による情報処理の用に供されるものをいう。以下同じ。）にあっては、記録された事項を審査庁が定める方法により表示したものの閲覧）又は当該書面若しくは当該書類の写し若しくは当該電磁的記録に記録された事項を記載した書面の交付を求めることができる。この場合において、審理員は、第三者の利益を害するおそれがあると認めるとき、その他正当な理由があるときでなければ、その閲覧又は交付を拒むことができない。

②審理員は、前項の規定による閲覧をさせ、又は同項の規定による交付をしようとするときは、当該閲覧又は交付に係る提出書類等の提出人の意見を聴かなければならない。ただし、審理員が、その必要がないと認めるときは、この限りでない。

③審理員は、第1項の規定による閲覧について、日時及び場所を指定することができる。

④第1項の規定による交付を受ける審査請求人又は参加人は、政令で定めるところにより、実費の範囲内において政令で定める額の手数料を納めなければならない。

⑤審理員は、経済的困難その他特別の理由があると認めるときは、政令で定めるところにより、前項の手数料を減額し、又は免除することができる。

⑥地方公共団体（都道府県、市町村及び特別区並びに地方公共団体の組合に限る。以下同じ。）に所属する行政庁が審査庁である場合における前2項の規定の適用については、これらの規定中「政令」とあるのは、「条例」とし、国又は地方公共団体に所属しない行政庁が審査庁である場合におけるこれらの規定の適用については、これらの規定中「政令で」とあるのは、「審査庁が」とする。

Q1 不利益処分の審査請求者は、不利益処分の事後審査における審査の議事録を閲覧する権利を有するのか。

A 議事録の閲覧請求権を有しない。　人事委員会の審査手続においては、審査請求者は、審査手続の当事者としてその手続に関与し、手続が適正かつ公正に行われているかどうかを知りうる状態にある反面において、会議の議事録には、別段の規定がなければ、訴訟手続における調書のごとき絶対的証明力がなく、人事委員会の審査手続について審査請求者に議事録閲覧の機会を与えこれに関する不服申立ての途を開くかどうかは一に立法政策に属する問題である。このような法制の下においては、審査請求者に議事録の閲覧請求権が与えられているものとは認めがたく、したがって、審査請求者は、人事委員会によって議事録の閲覧請求が拒否されたからといって、その拒否処分の取消しまたは無効確認の訴えを提起することは許されない（最判昭 39・10・13）。　出題 国Ⅰ-平成 6

第 39 条（審理手続の併合又は分離）

審理員は、必要があると認める場合には、数個の審査請求に係る審理手続を併合し、又は併合された数個の審査請求に係る審理手続を分離することができる。

第 40 条（審理員による執行停止の意見書の提出）

審理員は、必要があると認める場合には、審査庁に対し、執行停止をすべき旨の意見書を提出することができる。

第 41 条（審理手続の終結）

①審理員は、必要な審理を終えたと認めるときは、審理手続を終結するものとする。

②前項に定めるもののほか、審理員は、次の各号のいずれかに該当するときは、審理手続を終結することができる。

1　次のイからホまでに掲げる規定の相当の期間

内に、当該イからホまでに定める物件が提出されない場合において、更に一定の期間を示して、当該物件の提出を求めたにもかかわらず、当該提出期間内に当該物件が提出されなかったとき。

イ　第 29 条第 2 項　弁明書
ロ　第 30 条第 1 項後段　反論書
ハ　第 30 条第 2 項後段　意見書
ニ　第 32 条第 3 項　証拠書類若しくは証拠物又は書類その他の物件
ホ　第 33 条前段　書類その他の物件

2　申立人が、正当な理由なく、口頭意見陳述に出頭しないとき。

③審理員が前 2 項の規定により審理手続を終結したときは、速やかに、審理関係人に対し、審理手続を終結した旨並びに次条第 1 項に規定する審理員意見書及び事件記録（審査請求書、弁明書その他審査請求に係る事件に関する書類その他の物件のうち政令で定めるものをいう。同条第 2 項及び第 43 条第 2 項において同じ。）を審査庁に提出する予定時期を通知するものとする。当該予定時期を変更したときも、同様とする。

第 42 条（審理員意見書）

①審理員は、審理手続を終結したときは、遅滞なく、審査庁がすべき裁決に関する意見書（以下「審理員意見書」という。）を作成しなければならない。

②審理員は、審理員意見書を作成したときは、速やかに、これを事件記録とともに、審査庁に提出しなければならない。

第 4 節　行政不服審査会等への諮問

第 43 条

①審査庁は、審理員意見書の提出を受けたときは、次の各号のいずれかに該当する場合を除き、審査庁が主任の大臣又は宮内庁長官若しくは内閣府設置法第 49 条第 1 項若しくは第 2 項若しくは国家行政組織法第 3 条第 2 項に規定する庁の長である場合にあっては行政不服審査会に、審査庁が地方公共団体の長（地方公共団体の組合にあっては、長、管理者又は理事会）である場合にあっては第 81 条第 1 項又は第 2 項の機関に、それぞれ諮問しなければならない。

1　審査請求に係る処分をしようとするときに他の法律又は政令（条例に基づく処分については、条例）に第 9 条第 1 項各号に掲げる機関若しくは地方公共団体の議会又はこれらの機関に類するものとして政令で定めるもの（以下「審議会等」という。）の議を経るべき旨又は経ることができる旨の定めがあり、かつ、当該議を経て当該処分がされた場合

2　裁決をしようとするときに他の法律又は政令（条例に基づく処分については、条例）に第 9 条第 1 項各号に掲げる機関若しくは地方公共団体の議会又はこれらの機関に類するものとして政令で定めるものの議を経るべき旨又は経ることができる旨の定めがあり、かつ、

当該議を経て裁決をしようとする場合

3　第46条第3項又は第49条第4項の規定により審議会等の議を経て裁決をしようとする場合

4　審査請求人から、行政不服審査会又は第81条第1項若しくは第2項の機関（以下「行政不服審査会等」という。）への諮問を希望しない旨の申出がされている場合（参加人から、行政不服審査会等に諮問しないことについて反対する旨の申出がされている場合を除く。）

5　審査請求が、行政不服審査会等によって、国民の権利利益及び行政の運営に対する影響の程度その他当該事件の性質を勘案して、諮問を要しないものと認められたものである場合

6　審査請求が不適法であり、却下する場合

7　第46条第1項の規定により審査請求に係る処分（法令に基づく申請を却下し、又は棄却する処分及び事実上の行為を除く。）の全部を取り消し、又は第47条第1号若しくは第2号の規定により審査請求に係る事実上の行為の全部を撤廃すべき旨を命じ、若しくは撤廃することとする場合（当該処分の全部を取り消すこと又は当該事実上の行為の全部を撤廃すべき旨を命じ、若しくは撤廃することについて反対する旨の意見書が提出されている場合及び口頭意見陳述においてその旨の意見が述べられている場合を除く。）

8　第46条第2項各号又は第49条第3項各号に定める措置（法令に基づく申請の全部を認容すべき旨を命じ、又は認容するものに限る。）をとることとする場合（当該申請の全部を認容することについて反対する旨の意見書が提出されている場合及び口頭意見陳述においてその旨の意見が述べられている場合を除く。）

②前項の規定による諮問は、審理員意見書及び事件記録の写しを添えてしなければならない。

③第1項の規定により諮問をした審査庁は、審理関係人（処分庁等が審査庁である場合にあっては、審査請求人及び参加人）に対し、当該諮問をした旨を通知するとともに、審理員意見書の写しを送付しなければならない。

第5節　裁決

Q1 審査庁は、審査請求人の主張しない事実を職権によって探知できるか。

A 職権によって探知できる。　選挙の効力に関する訴願の審理に際し、裁決庁は訴願人の主張しない事実を職権によって探知することができる。なぜなら、訴願においては訴訟におけるがごとく、当事者の対立弁論により攻撃防御の方法を尽くす途が開かれているわけではなく、したがって、弁論主義を適用すべき限りではないから、訴願庁がその裁決をなすにあたって職権をもって其の基礎となるべき事実を探知しうべきことはもちろんであり、必ずしも訴願人の主張した事実のみを斟酌すべきものではないからである（最判昭29・10・14）。

Q2 重加算税賦課決定に対する審査請求において、国税不服審判所長が、国税通則法65条1項の過少申告加算税の課税要件は充足しているが、同法68条の重加算税の課税要件である「隠ぺい又は仮装」の事実が認められないと判断した場合、原処分のした重加算税賦課決定の全部を取り消す裁決をすべきか。

A 全部を取り消す裁決をすべきである。　国税通則法（以下「法」という。）65条の規定により過少申告加算税と法68条1項の規定による重加算税とは、ともに申告納税方式による国税について過少な申告を行った納税者に対する行政上の制裁として賦課されるものであって、両者は相互に無関係な別個独立の処分ではなく、重加算税の賦課は、過少申告加算税として賦課されるべき一定の税額に前記加重額に当たる一定の金額を加えた額の税を賦課する処分として、当該過少申告加算税の賦課に相当する部分をその中に含んでいる。したがって、重加算税の賦課決定に対する審査請求においては、その加重事由の存否のみならず、過少申告加算税賦課要件の存否も当然に審判の対象となり、審査の結果、後者の要件の全部または一部が否定された場合には、加重事由の存否を問うまでもなく当然にその限度で重加算税の全部または一部が取消しを免れないこととなるとともに、上記後者の要件の存在が認められ、加重事由の存否の点についてのみ原処分の認定判断に誤りがある場合には、加算税額中これに応じて減額されるべき部分についてのみ原処分を取り消し、その余については審査請求を棄却すべきものであって、このように解しても、審査庁である国税不服審判所長がその権限に属さない税の賦課決定権を行使したことにはならない（最判昭58・10・27）。　　　　　　　　　　**出題** 予想

第44条（裁決の時期）

審査庁は、行政不服審査会等から諮問に対する答申を受けたとき（前条第1項の規定による諮問を要しない場合（同項第2号又は第3号に該当する場合を除く。）にあっては審理員意見書が提出されたとき、同項第2号又は第3号に該当する場合にあっては同項第2号又は第3号に規定する議を経たとき）は、遅滞なく、裁決をしなければならない。

Q1 一定期間内に審査請求に対する裁決をなすべきことが法定されている場合に、その裁決期間経過後になされた裁決は違法か。

A 裁決期間経過後の裁決は違法ではない。　自作農創設特別措置法7条5項は訓示的規定と解すべきであるから、同項の裁決期間経過後に裁決がなされても、これを違法というべき理由はない（最判昭28・9・11）。

第45条（処分についての審査請求の却下又は棄却）

①処分についての審査請求が法定の期間経過後にされたものである場合その他不適法である場合には、審査庁は、裁決で、当該審査請求を却下する。

②処分についての審査請求が理由がない場合には、

行政法編

審査庁は、裁決で、当該審査請求を棄却する。
③審査請求に係る処分が違法又は不当ではあるが、これを取り消し、又は撤廃することにより公の利益に著しい障害を生ずる場合において、審査請求人の受ける損害の程度、その損害の賠償又は防止の程度及び方法その他一切の事情を考慮した上、処分を取り消し、又は撤廃することが公共の福祉に適合しないと認めるときは、審査庁は、裁決で、当該審査請求を棄却することができる。この場合には、審査庁は、裁決の主文で、当該処分が違法又は不当であることを宣言しなければならない。

第46条（処分についての審査請求の認容）
①処分（事実上の行為を除く。以下この条及び第48条において同じ。）についての審査請求が理由がある場合（前条第3項の規定の適用がある場合を除く。）には、審査庁は、裁決で、当該処分の全部若しくは一部を取り消し、又はこれを変更する。ただし、審査庁が処分庁の上級行政庁又は処分庁のいずれでもない場合には、当該処分を変更することはできない。
②前項の規定により法令に基づく申請を却下し、又は棄却する処分の全部又は一部を取り消す場合において、次の各号に掲げる審査庁は、当該申請に対して一定の処分をすべきものと認めるときは、当該各号に定める措置をとる。
　1　処分庁の上級行政庁である審査庁　当該処分庁に対し、当該処分をすべき旨を命ずること。
　2　処分庁である審査庁　当該処分をすること。
③前項に規定する一定の処分に関し、第43条第1項第1号に規定する議を経るべき旨の定めがある場合において、審査庁が前項各号に定める措置をとるために必要があると認めるときは、審査庁は、当該定めに係る審議会等の議を経ることができる。
④前項に規定する定めがある場合のほか、第2項に規定する一定の処分に関し、他の法令に関係行政機関との協議の実施その他の手続をとるべき旨の定めがある場合において、審査庁が同項各号に定める措置をとるために必要があると認めるときは、審査庁は、当該手続をとることができる。

第47条
事実上の行為についての審査請求が理由がある場合（第45条第3項の規定の適用がある場合を除く。）には、審査庁は、裁決で、当該事実上の行為が違法又は不当である旨を宣言するとともに、次の各号に掲げる審査庁の区分に応じ、当該各号に定める措置をとる。ただし、審査庁が処分庁の上級行政庁以外の審査庁である場合には、当該事実上の行為を変更すべき旨を命ずることはできない。
　1　処分庁以外の審査庁　当該処分庁に対し、当該事実上の行為の全部若しくは一部を撤廃し、又はこれを変更すべき旨を命ずること。
　2　処分庁である審査庁　当該事実上の行為の全部若しくは一部を撤廃し、又はこれを変更すること。

第48条（不利益変更の禁止）
　第46条第1項本文又は前条の場合において、審査庁は、審査請求人の不利益に当該処分を変更し、又は当該事実上の行為を変更すべき旨を命じ、若しくはこれを変更することはできない。

第49条（不作為についての審査請求の裁決）
①不作為についての審査請求が当該不作為に係る処分についての申請から相当の期間が経過しないでされたものである場合その他不適法である場合には、審査庁は、裁決で、当該審査請求を却下する。
②不作為についての審査請求が理由がない場合には、審査庁は、裁決で、当該審査請求を棄却する。
③不作為についての審査請求が理由がある場合には、審査庁は、裁決で、当該不作為が違法又は不当である旨を宣言する。この場合において、次の各号に掲げる審査庁は、当該申請に対して一定の処分をすべきものと認めるときは、当該各号に定める措置をとる。
　1　不作為庁の上級行政庁である審査庁　当該不作為庁に対し、当該処分をすべき旨を命ずること。
　2　不作為庁である審査庁　当該処分をすること。
④審査請求に係る不作為に係る処分に関し、第43条第1項第1号に規定する議を経るべき旨の定めがある場合において、審査庁が前項各号に定める措置をとるために必要があると認めるときは、審査庁は、当該定めに係る審議会等の議を経ることができる。
⑤前項に規定する定めがある場合のほか、審査請求に係る不作為に係る処分に関し、他の法令に関係行政機関との協議の実施その他の手続をとるべき旨の定めがある場合において、審査庁が第3項各号に定める措置をとるために必要があると認めるときは、審査庁は、当該手続をとることができる。

第50条（裁決の方式）
①裁決は、次に掲げる事項を記載し、審査庁が記名押印した裁決書によりしなければならない。
　1　主文
　2　事案の概要
　3　審理関係人の主張の要旨
　4　理由（第1号の主文が審理員意見書又は行政不服審査会等若しくは審議会等の答申書と異なる内容である場合には、異なることとなった理由を含む。）
②第43条第1項の規定による行政不服審査会等への諮問を要しない場合には、前項の裁決書には、審理員意見書を添付しなければならない。
③審査庁は、再審査請求をすることができる裁決をする場合には、裁決書に再審査請求をすることができる旨並びに再審査請求をすべき行政庁及び再審査請求期間（第62条に規定する期間をいう。）を記載して、これらを教示しなければならない。

Q1 理由を附すべきことを要件としている争訟の

裁決において、その理由を説示しないことは、違法で無効原因となるのか。

A 違法ではあるが、無効原因とはならない。　不服申立て（審査請求）の制度は行政処分により権利を侵害されたもののために認められた救済手段であるとともに、かかる処分をなした行政庁に対しその処分の当否につき再考の機会を与えようとするものである。されば不服申立て（審査請求）について審理を遂げその当否を判断した場合、その理由を説示すべきことは当然の事理として推奨さるべきである。少なくとも訴訟の裁決については訴願法14条においてその理由を附すべきことを要請しているから、裁決にその理由を説示しないことは違法である。しかし、行政行為はそれをなした行政庁の権限に属する処分としての外観的形態を具有する限り、仮にその処分に関し違法の点があったとしても、その違法が重大かつ明白である場合のほかは、これを法律上当然無効となすべきではない（最判昭32・1・31）。　　出題 国Ⅰ−平成4・昭和62・60・55

Q2 裁決には理由を附記することが定められているのに、理由の附記を欠いていたが、請求人が棄却の理由を推知できる場合、当該裁決は違法とならないのか。

A 当該裁決は違法となり取り消すことができる。法人税法が、審査決定の書面に理由を附記すべきものとしているのは、行政不服審査法による裁決の理由附記と同様に、決定機関の判断を慎重ならしめるとともに、審査決定が審査機関の恣意に流れることのないように、その公正を保障するものであるから、その理由としては、請求人の不服の事由に対応してその結論に到達した過程を明らかにしなければならない。ことに本件のように、当初税務署長がした処分に理由の附記がない場合に、請求人の請求を排斥するについては、審査請求書記載の不服の事由が簡単であっても、原処分を正当とする理由を明らかにしなければならない。このように考えるならば、本件審査決定の理由は、理由として不備であることが明白である。このことは、請求人が棄却の理由を推知できる場合であると否とにかかわりはない。また、法律が審査決定に理由を附記すべき旨を規定しているのは、行政機関として、その結論に到達した理由を相手方国民に知らせることを義務づけているのであって、これを反面からいえば、国民は自己の主張する行政機関の判断とその理由とを要求する権利をもつともいえる。したがって、理由にならないような理由を附記するにとどまる決定は、審査決定手続に違法がある場合と同様に、判決による取消しを免れない（最判昭37・12・26）。　　出題 国Ⅰ−平成5・4・昭和60・57・55

Q3 出入国管理及び難民認定法49条3項所定の裁決については、書面の作成を裁決の成立要件としているのか。

A 書面の作成を裁決の成立要件とはしていない。出入国管理及び難民認定法49条3項所定の裁決については、行政不服審査法の裁決に関する規定が適用されず、裁決は書面で行わなければならない旨規定している行政不服審査法50条1項は適用さ

れないこと、また、入管法においては、特別な不服申立手続が定められ、その一連の手続の一部である同法49条3項所定の裁決については書面で行うべきものとはされておらず、同裁決の通知については法務大臣が直接容疑者に対して行うものとはされていないこと、さらに、容疑者に対し裁決書を交付することなどを予定した規則もないことなどに照らすと、同法施行規則43条が法務大臣の裁決につき裁決書によって行うものとすると規定した趣旨は、法務大臣が異議の申出に対し審理判断をするにあたり、その判断の慎重、適正を期するとともに、後続する手続を行う機関に対し退去強制令書の発付の事前手続が終了したことを明らかにするため、行政庁の内部において文書を作成すべきこととしたものにすぎない。したがって、同条は、書面の作成を裁決の成立要件とするものではない。そして、上記のとおり、容疑者に対して裁決書を交付することが予定されていないことからすると、同条は、容疑者に対し、裁決書により理由を明らかにして取消訴訟等を提起する便宜を与えるなどの手続的利益を保障したものではない（最判平18・10・5）。　　出題 予想

第51条（裁決の効力発生）
①裁決は、審査請求人（当該審査請求が処分の相手方以外の者のしたものである場合における第46条第1項及び第47条の規定による裁決にあっては、審査請求人及び処分の相手方）に送達された時に、その効力を生ずる。
②裁決の送達は、送達を受けるべき者に裁決書の謄本を送付することによってする。ただし、送達を受けるべき者の所在が知れない場合その他裁決書の謄本を送付することができない場合には、公示の方法によってすることができる。
③公示の方法による送達は、審査庁が裁決書の謄本を保管し、いつでもその送達を受けるべき者に交付する旨を当該審査庁の掲示場に掲示し、かつ、その旨を官報その他の公報又は新聞紙に少なくとも1回掲載してするものとする。この場合において、その掲示を始めた日の翌日から起算して2週間を経過した時に裁決書の謄本の送付があったものとみなす。
④審査庁は、裁決書の謄本を参加人及び処分庁等（審査庁以外の処分庁等に限る。）に送付しなければならない。

第52条（裁決の拘束力）
①裁決は、関係行政庁を拘束する。
②申請に基づいてした処分が手続の違法若しくは不当を理由として裁決で取り消され、又は申請を却下し、若しくは棄却した処分が裁決で取り消された場合には、処分庁は、裁決の趣旨に従い、改めて申請に対する処分をしなければならない。
③法令の規定により公示された処分が裁決で取り消され、又は変更された場合には、処分庁は、当該処分が取り消され、又は変更された旨を公示しなければならない。
④法令の規定により処分の相手方以外の利害関係人に通知された処分が裁決で取り消され、又は変更された場合には、処分庁は、その通知を受けた者

（審査請求人及び参加人を除く。）に、当該処分が取り消され、又は変更された旨を通知しなければならない。

Q1 不服申立て（審査請求）の裁決等によって紛争が確定すると、当事者や行政庁はこれに拘束されるのか。

A 拘束される。　不服申立て（審査請求）の裁決等は、一定の争訟手続に従い、当事者を手続に関与させて、紛争の終局的解決を図ることを目的とするから、それが確定すると、当事者がこれを争うことができなくなるのはもとより、行政庁も、特別の規定がない限り、それを取り消しまたは変更しえない拘束を受けることになる（最判昭42・9・26）。

Q2 審査請求に対する棄却裁決により原処分が維持された場合、原処分庁は自ら原処分を取り消すことができるか。

A 原処分庁は自ら原処分を取り消すことができる。原処分を取り消しまたは変更する裁決は、（異議）決定庁を拘束するが、原処分を適法と認めて審査請求を棄却する裁決があっても、（異議）決定庁は独自の審理判断に基づいて自ら原処分を取り消しまたは変更することを妨げない（最判昭49・7・19）。

出題 国Ⅰ－昭和62・60・57・55・52、国Ⅱ－昭和63、国税－平成11・5・2

◇行政審判 ― 実質的証拠法則

Q3 公正取引委員会が行った審決の事実認定について、裁判所は独自の立場で新たに認定をやり直すことができるのか。

A 裁判所は独自の立場で新たに認定をやり直すことはできない。　独占禁止法80条は、裁判所は審決の認定事実については独自の立場で新たに認定をやり直すのではなく、審判で取り調べられた証拠から当該事実を認定することが合理的であるかどうかの点のみを審査する趣旨である〈和光堂粉ミルク再販事件〉（最判昭50・7・10）。**出題** 国Ⅰ－平成6

第53条（証拠書類等の返還）

　審査庁は、裁決をしたときは、速やかに、第32条第1項又は第2項の規定により提出された証拠書類若しくは証拠物又は書類その他の物件及び第33条の規定による提出要求に応じて提出された書類その他の物件をその提出人に返還しなければならない。

第3章　再調査の請求

第54条（再調査の請求期間）

①再調査の請求は、処分があったことを知った日の翌日から起算して3月を経過したときは、することができない。ただし、正当な理由があるときは、この限りでない。

②再調査の請求は、処分があった日の翌日から起算して1年を経過したときは、することができない。ただし、正当な理由があるときは、この限りでない。

第55条（誤った教示をした場合の救済）

①再調査の請求をすることができる処分につき、処

分庁が誤って再調査の請求をすることができる旨を教示しなかった場合において、審査請求がされた場合であって、審査請求人から申立てがあったときは、審査庁は、速やかに、審査請求書又は審査請求録取書を処分庁に送付しなければならない。ただし、審査請求人に対し弁明書が送付された後においては、この限りでない。

②前項本文の規定により審査請求書又は審査請求録取書の送付を受けた処分庁は、速やかに、その旨を審査請求人及び参加人に通知しなければならない。

③第1項本文の規定により審査請求書又は審査請求録取書が処分庁に送付されたときは、初めから処分庁に再調査の請求がされたものとみなす。

第56条（再調査の請求についての決定を経ずに審査請求がされた場合）

　第5条第2項ただし書の規定により審査請求がされたときは、同項の再調査の請求は、取り下げられたものとみなす。ただし、処分庁において当該審査請求がされた日以前に再調査の請求に係る処分（事実上の行為を除く。）を取り消す旨の第60条第1項の決定書の謄本を発している場合又は再調査の請求に係る事実上の行為を撤廃している場合は、当該審査請求（処分（事実上の行為を除く。）の一部を取り消す旨の第59条第1項の決定がされている場合又は事実上の行為の一部が撤廃されている場合にあっては、その部分に限る。）が取り下げられたものとみなす。

第57条（3月後の教示）

　処分庁は、再調査の請求がされた日（第61条において読み替えて準用する第23条の規定により不備を補正すべきことを命じた場合にあっては、当該不備が補正された日）の翌日から起算して3月を経過しても当該再調査の請求が係属しているときは、遅滞なく、当該処分について直ちに審査請求をすることができる旨を書面でその再調査の請求人に教示しなければならない。

第58条（再調査の請求の却下又は棄却の決定）

①再調査の請求が法定の期間経過後にされたものである場合その他不適法である場合には、処分庁は、決定で、当該再調査の請求を却下する。

②再調査の請求が理由がない場合には、処分庁は、決定で、当該再調査の請求を棄却する。

第59条（再調査の請求の認容の決定）

①処分（事実上の行為を除く。）についての再調査の請求が理由がある場合には、処分庁は、決定で、当該処分の全部若しくは一部を取り消し、又はこれを変更する。

②事実上の行為についての再調査の請求が理由がある場合には、処分庁は、決定で、当該事実上の行為が違法又は不当である旨を宣言するとともに、当該事実上の行為の全部若しくは一部を撤廃し、又はこれを変更する。

③処分庁は、前2項の場合において、再調査の請求人の不利益に当該処分又は当該事実上の行為を変更することはできない。

第60条（決定の方式）

①前2条の決定は、主文及び理由を記載し、処分庁が記名押印した決定書によりしなければならない。

②処分庁は、前項の決定書（再調査の請求に係る処分の全部を取り消し、又は撤廃する決定に係るものを除く。）に、再調査の請求に係る処分につき審査請求をすることができる旨（却下の決定である場合にあっては、当該却下の決定が違法な場合に限り審査請求をすることができる旨）並びに審査請求をすべき行政庁及び審査請求期間を記載して、これらを教示しなければならない。

第61条（審査請求に関する規定の準用）

第9条第4項、第10条から第16条まで、第18条第3項、第19条（第3項並びに第5項第1号及び第2号を除く。）、第20条、第23条、第24条、第25条（第3項を除く。）、第26条、第27条、第31条（第5項を除く。）、第32条（第2項を除く。）、第39条、第51条及び第53条の規定は、再調査の請求について準用する。この場合において、別表第2の上欄に掲げる規定中同表の中欄に掲げる字句は、それぞれ同表の下欄に掲げる字句に読み替えるものとする。

第4章　再審査請求

第62条（再審査請求期間）

①再審査請求は、原裁決があったことを知った日の翌日から起算して1月を経過したときは、することができない。ただし、正当な理由があるときは、この限りでない。

②再審査請求は、原裁決があった日の翌日から起算して1年を経過したときは、することができない。ただし、正当な理由があるときは、この限りでない。

第63条（裁決書の送付）

第66条第1項において読み替えて準用する第11条第2項に規定する審理員又は第66条第1項において準用する第9条第1項各号に掲げる機関である再審査庁（他の法律の規定により再審査請求がされた行政庁（第66条第1項において読み替えて準用する第14条の規定により引継ぎを受けた行政庁を含む。）をいう。以下同じ。）は、原裁決をした行政庁に対し、原裁決に係る裁決書の送付を求めるものとする。

第64条（再審査請求の却下又は棄却の裁決）

①再審査請求が法定の期間経過後にされたものである場合その他不適法である場合には、再審査庁は、裁決で、当該再審査請求を却下する。

②再審査請求が理由がない場合には、再審査庁は、裁決で、当該再審査請求を棄却する。

③再審査請求に係る原裁決（審査請求を却下し、又は棄却したものに限る。）が違法又は不当である場合において、当該再審査請求に係る処分が違法又は不当のいずれでもないときは、再審査庁は、裁決で、当該再審査請求を棄却する。

④前項に規定する場合のほか、再審査請求に係る原裁決等が違法又は不当ではあるが、これを取り消し、又は撤廃することにより公の利益に著しい障害を生ずる場合において、再審査請求人の受ける損害の程度、その損害の賠償又は防止の程度及び方法その他一切の事情を考慮した上、原裁決等を取り消し、又は撤廃することが公共の福祉に適合しないと認めるときは、裁決で、当該再審査請求を棄却することができる。この場合には、再審査庁は、裁決の主文で、当該原裁決等が違法又は不当であることを宣言しなければならない。

第65条（再審査請求の認容の裁決）

①原裁決等（事実上の行為を除く。）についての再審査請求が理由がある場合（前条第3項に規定する場合及び同条第4項の規定の適用がある場合を除く。）には、再審査庁は、裁決で、当該原裁決等の全部又は一部を取り消す。

②事実上の行為についての再審査請求が理由がある場合（前条第4項の規定の適用がある場合を除く。）には、裁決で、当該事実上の行為が違法又は不当である旨を宣言するとともに、処分庁に対し、当該事実上の行為の全部又は一部を撤廃すべき旨を命ずる。

第66条（審査請求に関する規定の準用）

①第2章（第9条第3項、第18条（第3項を除く。）、第19条第3項並びに第5項第1号及び第2号、第22条、第25条第2項、第29条（第1項を除く。）、第30条第1項、第41条第2項第1号イ及びロ、第4節、第45条から第49条まで並びに第50条第3項を除く。）の規定は、再審査請求について準用する。この場合において、別表第3の上欄に掲げる規定中同表の中欄に掲げる字句は、それぞれ同表の下欄に掲げる字句に読み替えるものとする。

②再審査庁が前項において準用する第9条第1項各号に掲げる機関である場合には、前項において準用する第17条、第40条、第42条及び第50条第2項の規定は、適用しない。

第5章　行政不服審査会等

第1節　行政不服審査会

第1款　設置及び組織

第67条（設置）

①総務省に、行政不服審査会（以下「審査会」という。）を置く。

②審査会は、この法律の規定によりその権限に属せられた事項を処理する。

第68条（組織）

①審査会は、委員9人をもって組織する。

②委員は、非常勤とする。ただし、そのうち3人以内は、常勤とすることができる。

第69条（委員）

①委員は、審査会の権限に属する事項に関し公正な判断をすることができ、かつ、法律又は行政に関して優れた識見を有する者のうちから、両議院の同意を得て、総務大臣が任命する。

②委員の任期が満了し、又は欠員を生じた場合にお

いて、国会の閉会又は衆議院の解散のために両議院の同意を得ることができないときは、総務大臣は、前項の規定にかかわらず、同項に定める資格を有する者のうちから、委員を任命することができる。

③前項の場合においては、任命後最初の国会で両議院の事後の承認を得なければならない。この場合において、両議院の事後の承認が得られないときは、総務大臣は、直ちにその委員を罷免しなければならない。

④委員の任期は、3年とする。ただし、補欠の委員の任期は、前任者の残任期間とする。

⑤委員は、再任されることができる。

⑥委員の任期が満了したときは、当該委員は、後任者が任命されるまで引き続きその職務を行うものとする。

⑦総務大臣は、委員が心身の故障のために職務の執行ができないと認める場合又は委員に職務上の義務違反その他委員たるに適しない非行があると認める場合には、両議院の同意を得て、その委員を罷免することができる。

⑧委員は、職務上知ることができた秘密を漏らしてはならない。その職を退いた後も同様とする。

⑨委員は、在任中、政党その他の政治的団体の役員となり、又は積極的に政治運動をしてはならない。

⑩常勤の委員は、在任中、総務大臣の許可がある場合を除き、報酬を得て他の職務に従事し、又は営利事業を営み、その他金銭上の利益を目的とする業務を行ってはならない。

⑪委員の給与は、別に法律で定める。

第70条（会長）

①審査会に、会長を置き、委員の互選により選任する。

②会長は、会務を総理し、審査会を代表する。

③会長に事故があるときは、あらかじめその指名する委員が、その職務を代理する。

第71条（専門委員）

①審査会に、専門の事項を調査させるため、専門委員を置くことができる。

②専門委員は、学識経験のある者のうちから、総務大臣が任命する。

③専門委員は、その者の任命に係る当該専門の事項に関する調査が終了したときは、解任されるものとする。

④専門委員は、非常勤とする。

第72条（合議体）

①審査会は、委員のうちから、審査会が指名する者3人をもって構成する合議体で、審査請求に係る事件について調査審議する。

②前項の規定にかかわらず、審査会が定める場合においては、委員の全員をもって構成する合議体で、審査請求に係る事件について調査審議する。

第73条（事務局）

①審査会の事務を処理させるため、審査会に事務局を置く。

②事務局に、事務局長のほか、所要の職員を置く。

③事務局長は、会長の命を受けて、局務を掌理する。

第2款　審査会の調査審議の手続

第74条（審査会の調査権限）

審査会は、必要があると認める場合には、審査請求に係る事件に関し、審査請求人、参加人又は第43条第1項の規定により審査会に諮問をした審査庁（以下この款において「審査関係人」という。）にその主張を記載した書面（以下この款において「主張書面」という。）又は資料の提出を求めること、適当と認める者にその知っている事実の陳述又は鑑定を求めることその他必要な調査をすることができる。

第75条（意見の陳述）

①審査会は、審査関係人の申立てがあった場合には、当該審査関係人に口頭で意見を述べる機会を与えなければならない。ただし、審査会が、その必要がないと認める場合には、この限りでない。

②前項本文の場合において、審査請求人又は参加人は、審査会の許可を得て、補佐人とともに出頭することができる。

第76条（主張書面等の提出）

審査関係人は、審査会に対し、主張書面又は資料を提出することができる。この場合において、審査会が、主張書面又は資料を提出すべき相当の期間を定めたときは、その期間内にこれを提出しなければならない。

第77条（委員による調査手続）

審査会は、必要があると認める場合には、その指名する委員に、第74条の規定による調査をさせ、又は第75条第1項本文の規定による審査関係人の意見の陳述を聴かせることができる。

第78条（提出資料の閲覧等）

①審査関係人は、審査会に対し、審査会に提出された主張書面若しくは資料の閲覧（電磁的記録にあっては、記録された事項を審査会が定める方法により表示したものの閲覧）又は当該主張書面若しくは当該資料の写し若しくは当該電磁的記録に記録された事項を記載した書面の交付を求めることができる。この場合において、審査会は、第三者の利益を害するおそれがあると認めるとき、その他正当な理由があるときでなければ、その閲覧又は交付を拒むことができない。

②審査会は、前項の規定による閲覧をさせ、又は同項の規定による交付をしようとするときは、当該閲覧又は交付に係る主張書面又は資料の提出人の意見を聴かなければならない。ただし、審査会が、その必要がないと認めるときは、この限りでない。

③審査会は、第1項の規定による閲覧について、日時及び場所を指定することができる。

④第1項の規定による交付を受ける審査請求人又は参加人は、政令で定めるところにより、実費の範囲内において政令で定める額の手数料を納めなければならない。

⑤審査会は、経済的困難その他特別の理由があると

認めるときは、政令で定めるところにより、前項の手数料を減額し、又は免除することができる。

第79条（答申書の送付等）

審査会は、諮問に対する答申をしたときは、答申書の写しを審査請求人及び参加人に送付するとともに、答申の内容を公表するものとする。

第3款　雑則

第80条（政令への委任）

この法律に定めるもののほか、審査会に関し必要な事項は、政令で定める。

第2節　地方公共団体に置かれる機関

第81条

①地方公共団体に、執行機関の附属機関として、この法律の規定によりその権限に属させられた事項を処理するための機関を置く。

②前項の規定にかかわらず、地方公共団体は、当該地方公共団体における不服申立ての状況等に鑑み同項の機関を置くことが不適当又は困難であるときは、条例で定めるところにより、事件ごとに、執行機関の附属機関として、この法律の規定によりその権限に属させられた事項を処理するための機関を置くこととすることができる。

③前節第2款の規定は、前2項の機関について準用する。この場合において、第78条第4項及び第5項中「政令」とあるのは、「条例」と読み替えるものとする。

④前3項に定めるもののほか、第1項又は第2項の機関の組織及び運営に関し必要な事項は、当該機関を置く地方公共団体の条例（地方自治法第252条の7第1項の規定により共同設置する機関にあっては、同項の規約）で定める。

第6章　補則

第82条（不服申立てをすべき行政庁等の教示）

①行政庁は、審査請求若しくは再調査の請求又は他の法令に基づく不服申立て（以下この条において「不服申立て」と総称する。）をすることができる処分をする場合には、処分の相手方に対し、当該処分につき不服申立てをすることができる旨並びに不服申立てをすべき行政庁及び不服申立てをすることができる期間を書面で教示しなければならない。ただし、当該処分を口頭でする場合は、この限りでない。

②行政庁は、利害関係人から、当該処分が不服申立てをすることができる処分であるかどうか並びに当該処分が不服申立てをすることができるものである場合における不服申立てをすべき行政庁及び不服申立てをすることができる期間につき教示を求められたときは、当該事項を教示しなければならない。

③前項の場合において、教示を求めた者が書面による教示を求めたときは、当該教示は、書面でしなければならない。

Q1 行政不服審査法82条1項（旧57条1項）は、特定の個人又は団体を名あて人とするものでない処

分については、その適用があるのか。

A 適用はない。　行政不服審査法82条1項（旧57条1項）は、同項所定の処分を書面でする場合に、その処分の相手方に対して不服申立てに関する教示をしなければならないとしているから、特定の個人又は団体を名あて人として行うものでない処分についてはその適用がない。建築基準法46条1項に基づく壁面線の指定は、特定の街区を対象として行ういわば対物的な処分であり、特定の個人又は団体を名あて人として行うものではないから、上記指定については行政不服審査法82条1項（旧57条1項）の適用はない（利害関係人は、同条2項により教示を求めることができるものとされている）。のみならず、同法は、行政庁が同法82条（旧57条）の規定による教示をしなかった場合の救済として、処分をした行政庁に不服申立書を提出すればそのときに正当な審査庁に不服申立てがされたものとみなし、その限度で不服申立期間の徒過を救済することとしているものであって（同法83条（旧58条））、同法が不服申立期間の進行を止めるという救済方法を採用したものと解すべき根拠はない（最判昭61・6・19）。

出題　国Ⅰ－平成21、国家一般－平成29

Q2 建築基準法46条1項に基づく壁面線の指定は、特定の街区を対象として行ういわば対物的な処分であり、特定の個人又は団体を名あて人として行うものではないから、当該指定については、行政不服審査法の規定に基づく職権による教示を行う必要はないのか。

A 行政不服審査法の規定に基づく職権による教示を行う必要はない（最判昭61・6・19）。⇨ 1

第83条（教示をしなかった場合の不服申立て）

①行政庁が前条の規定による教示をしなかった場合には、当該処分について不服がある者は、当該処分庁に不服申立書を提出することができる。

②第19条（第5項第1号及び第2号を除く。）の規定は、前項の不服申立書について準用する。

③第1項の規定による不服申立書の提出があった場合において、当該処分が処分庁以外の行政庁に対し審査請求をすることができる処分であるときは、処分庁は、速やかに、当該不服申立書を当該行政庁に送付しなければならない。当該処分が他の法令に基づき、処分庁以外の行政庁に不服申立てをすることができる処分であるときも、同様とする。

④前項の規定により不服申立書が送付されたときは、初めから当該行政庁に審査請求又は当該法令に基づく不服申立てがされたものとみなす。

⑤第3項の場合を除くほか、第1項の規定により不服申立書が提出されたときは、初めから当該処分庁に審査請求又は当該法令に基づく不服申立てがされたものとみなす。

第84条（情報の提供）

審査請求、再調査の請求若しくは再審査請求又は他の法令に基づく不服申立て（以下この条及び次条において「不服申立て」と総称する。）につき裁決、決定その他の処分（同条において「裁決等」とい

う。）をする権限を有する行政庁は、不服申立てを
しようとする者又は不服申立てをした者の求めに応
じ、不服申立書の記載に関する事項その他の不服申
立てに必要な情報の提供に努めなければならない。

第85条（公表）

　不服申立てにつき裁決等をする権限を有する行政
庁は、当該行政庁がした裁決等の内容その他当該行
政庁における不服申立ての処理状況について公表す
るよう努めなければならない。

第86条（政令への委任）

　この法律に定めるもののほか、この法律の実施の
ために必要な事項は、政令で定める。

第87条（罰則）

　第69条第8項の規定に違反して秘密を漏らした
者は、1年以下の懲役又は50万円以下の罰金に処
する。

行政不服審査法

行政事件訴訟法

（昭和37年5月16日／法律第139号）

第1章　総則

第1条（この法律の趣旨）

行政事件訴訟については、他の法律に特別の定めがある場合を除くほか、この法律の定めるところによる。

Q1 市議会の議員が市を被告として市議会の予算に関する議決の無効確認を求める訴えは、裁判所法3条の「法律上の争訟」にあたるのか。

A 「法律上の争訟」にあたらない。　本件村議会の予算議決は、単にそれだけでは村住民の具体的な権利義務に直接関係なく、村長において、議決に基づき、課税その他の行政処分を行うに至って初めて、直接関係を生ずるのであるから、本件村議会の予算議決があったというだけでは、未だ行政処分はないのであり、具体的な権利義務に関する争訟があるとはいえず、したがって、裁判所法3条の「法律上の争訟」にあたるということはできない。また、本件のごとき村議会の議決に対し単にその効力を争う趣旨の出訴を認めた特別の法律の規定も存在しない（最判昭29・2・11）。 **出題** 国Ⅰ-平成22

Q2 統治行為は法律上の争訟となるのか。

A 法律上の争訟にあたる〈苫米地事件〉（最大判昭35・6・8）。⇨憲法76条21 **出題** 国Ⅰ-平成8

Q3 ある法律が国会において議決を経たものとされ、適法な手続によって公布された場合でも、裁判所は当該法律制定の議事手続の有効・無効を判断できるのか。

A 有効・無効を判断できない〈警察法改正無効事件〉（最大判昭37・3・7）。⇨憲法76条22

出題 国Ⅰ-平成8

Q4 国家試験（技術士法に基づいて科学技術庁長官が技術士試験受験者に対して行う）における合格、不合格の判定は、司法審査の対象となるのか。

A 司法審査の対象とならない。　司法権の固有の内容として裁判所が審判しうる対象は、裁判所法3条にいう「法律上の争訟」に限られ、いわゆる法律上の争訟とは、「法令を適用することによって解決し得べき権利義務に関する当事者間の紛争をいう」ものと解される。したがって、法令の適用によって解決するに適さない単なる政治的または経済的問題や技術上または学術上に関する争いは、裁判所の裁判を受けうべき事柄ではない。国家試験における合格、不合格の判定も学問または技術上の知識、能力、意見等の優劣、当否の判断を内容とする行為であるから、その試験実施機関の最終判断に委かされるべきものであって、その判断の当否を審査し具体的に法令を適用して、その争いを解決調整できるものとはいえない〈技術士国家試験事件〉（最判昭41・2・8）。

出題 国家総合-平成28、国Ⅰ-平成8・昭和57、地方上級-昭和59・54、国家一般-平成28

Q5 大学の単位認定に関する紛争に関して、司法審査は及ぶのか。

A 原則として、司法審査は及ばない〈富山大学単位不認定等違法確認訴訟〉（最判昭52・3・15）。⇨憲法76条10・11

出題 国Ⅰ-昭和58、地方上級-昭和54、国税・労基-平成22

Q6 地方裁判所および家庭裁判所の各支部を廃止する旨を定めた最高裁判所規則について、当該支部の管轄区域内に居住する者が、具体的な紛争を離れ、抽象的に上記規則の憲法違反を主張してその取消しを求める訴えは、裁判所法3条1項にいう法律上の争訟にあたるのか。

A 法律上の争訟にあたらない。　本件各訴えは、地方裁判所及び家庭裁判所支部設置規則及び家庭裁判所出張所設置規則の一部を改正する規則（以下「本件改正規則」という）のうち、福岡地方裁判所および福岡家庭裁判所の各甘木支部を廃止する部分について、これが憲法32条、14条1項、前文に違反するという、また、本件改正規則の制定には同法77条1項所定の規則制定権の濫用の違法がある等として、上告人らが廃止に係る福岡地方裁判所および福岡家庭裁判所の各甘木支部の管轄区域内に居住する国民としての立場でその取消しを求めるというものであり、上告人らが、本件各訴えにおいて、裁判所に対し、上記の立場以上に進んで上告人らに関わる具体的な紛争についてその審判を求めるものでないことは、その主張自体から明らかである。そうすると、本件各訴えは、結局、裁判所に対して抽象的に最高裁判所規則が憲法に適合するかしないかの判断を求めるものに帰し、裁判所法3条1項にいう「法律上の争訟」にあたらないというほかはない（最判平3・4・19）。 **出題** 国家総合-平成25

Q7 国又は地方公共団体が専ら行政権の主体として国民に対して行政上の義務の履行を求める訴訟は、裁判所法3条1項にいう法律上の争訟にあたるのか。

A 法律上の争訟にあたらない。　国または地方公共団体が提起した訴訟であって、財産権の主体として自己の財産上の権利利益の保護救済を求めるような場合には、法律上の争訟に当たるが、国または地方公共団体がもっぱら行政権の主体として国民に対して行政上の義務の履行を求める訴訟は、法規の適用の適正ないし一般公益の保護を目的とするものであって、自己の権利利益の保護救済を目的とするものではないから、法律上の争訟として当然に裁判所の審判の対象となるものではなく、法律に特別の規定がある場合に限り、提起することが許されるものである。そして、行政代執行法は、行政上の義務の

履行確保に関しては、別に法律で定めるものを除いては、同法の定めるところによるものと規定して（1条）、同法が行政上の義務の履行に関する一般法であることを明らかにしたうえで、その具体的な方法としては、同法2条の規定による代執行のみを認めている。また、行政事件訴訟法その他の法律にも、一般に国または地方公共団体が国民に対して行政上の義務の履行を求める訴訟を提起することを認める特別の規定は存在しない。したがって、国または地方公共団体がもっぱら行政権の主体として国民に対して行政上の義務の履行を求める訴訟は、裁判所法3条1項にいう法律上の争訟に当たらず、これを認める特別の規定もないから、不適法というべきである〈宝塚市パチンコ店規制条例事件〉（最判平14・7・9）。

出題 国家総合 − 令和4・2・1・平成28・24、国Ⅰ − 平成17、国税・労基 − 平成22

Q8 検察審査会法41条の6第1項所定の検察審査会による起訴をすべき旨の議決に対して、行政事件訴訟を提起して争うことができるか。

A 行政事件訴訟を提起して争うことはできない。検察審査会法41条の6第1項所定の検察審査会による起訴をすべき旨の議決は、刑事訴訟手続における公訴提起（同法41条の10第1項）の前提となる手続であって、その適否は、刑事訴訟手続において判断されるべきものであり、行政事件訴訟を提起して争うことはできず、これを本案とする行政事件訴訟法25条2項の執行停止の申立てをすることもできない。したがって、上記議決の効力の停止を求める本件申立ては、不適法として却下を免れない（最判平22・11・25）。

出題 国家総合 − 平成28

Q9 地方自治法255条の2第1項1号の規定による審査請求に対する裁決について、原処分をした執行機関の所属する行政主体である都道府県は、取消訴訟を提起する適格を有するのか。

A 取消訴訟を提起する適格を有しない。　本件裁決は、法定受託事務に係る上告人の執行機関の処分である本件承認取消しについて、その相手方である沖縄防衛局がした本件規定による審査請求を受けて、公有水面埋立てを所管する国土交通大臣によりされたものである。行政不服審査法及び地方自治法の規定やその趣旨等に加え、法定受託事務に係る都道府県知事その他の都道府県の執行機関の処分についての審査請求に関し、これらの法律に当該都道府県が審査庁の裁決の適法性を争うことができる旨の規定が置かれていないことも併せ考慮すると、これらの法律は、当該処分の相手方の権利利益の簡易迅速かつ実効的な救済を図るとともに、当該事務の適正な処理を確保するため、原処分をした執行機関の所属する行政主体である都道府県が抗告訴訟により審査庁の裁決の適法性を争うことを認めていないものと解すべきである。そうすると、本件規定による審査請求に対する裁決について、原処分をした執行機関の所属する行政主体である都道府県は、取消訴訟を提起する適格を有しないものと解するのが相当である。したがって、本件規定による審査請求に対して

された本件裁決について、原処分である本件承認取消しをした執行機関の所属する行政主体である上告人は、取消訴訟を提起することができない（最判令4・12・8）。　　　　　　　　出題 予想

第2条（行政事件訴訟）
この法律において「行政事件訴訟」とは、抗告訴訟、当事者訴訟、民衆訴訟及び機関訴訟をいう。

第3条（抗告訴訟）
①この法律において「抗告訴訟」とは、行政庁の公権力の行使に関する不服の訴訟をいう。
②この法律において「処分の取消しの訴え」とは、行政庁の処分その他公権力の行使に当たる行為（次項に規定する裁決、決定その他の行為を除く。以下単に「処分」という。）の取消しを求める訴訟をいう。
③この法律において「裁決の取消しの訴え」とは、審査請求その他の不服申立て（以下単に「審査請求」という。）に対する行政庁の裁決、決定その他の行為（以下単に「裁決」という。）の取消しを求める訴訟をいう。
④この法律において「無効等確認の訴え」とは、処分若しくは裁決の存否又はその効力の有無の確認を求める訴訟をいう。
⑤この法律において「不作為の違法確認の訴え」とは、行政庁が法令に基づく申請に対し、相当の期間内に何らかの処分又は裁決をすべきであるにかかわらず、これをしないことについての違法の確認を求める訴訟をいう。
⑥この法律において「義務付けの訴え」とは、次に掲げる場合において、行政庁がその処分又は裁決をすべき旨を命ずることを求める訴訟をいう。
　1　行政庁が一定の処分をすべきであるにかかわらずこれがされないとき（次号に掲げる場合を除く）。
　2　行政庁に対し一定の処分又は裁決を求める旨の法令に基づく申請又は審査請求がされた場合において、当該行政庁がその処分又は裁決をすべきであるにかかわらずこれがされないとき。
⑦この法律において「差止めの訴え」とは、行政庁が一定の処分又は裁決をすべきでないにかかわらずこれがされようとしている場合において、行政庁がその処分又は裁決をしてはならない旨を命ずることを求める訴訟をいう。

(1)抗告訴訟の対象 ― 処分性

◇処分性 ― 総論

Q1 行政事件訴訟法3条に規定する行政庁の処分とは何か。

A 公権力の主体たる国または公共団体が行う行為で、直接国民の権利義務を形成しまたはその範囲を確定することが法律上認められるものをいう。　行政庁の処分とは、行政庁の法令に基づく行為のすべてを意味するものではなく、公権力の主体たる国または公共団体が行う行為のうち、その行為によって、直接国民の権利義務を形成しまたはその範囲を確定することが法律上認められているものをいう

（最判昭39・10・29、最判昭30・2・24）。

出題 国Ⅰ－平成8・7・5・3・昭和56、市役所上・中級－平成7、特別区Ⅰ－平成14、国税・財務・労基－令和1・平成27、国家一般－令和4、国税－平成7・4

Q2 行政庁の行為が違法なものであれば、無効となるのか。

A 原則、有効である。　　行政庁の行為は、公共の福祉の維持、増進のために、法の内容を実現することを目的とし、正当の権限ある行政庁により、法に準拠してなされるもので、社会公共の福祉にきわめて関係の深い事柄であるから、仮に違法なものであっても、それが正当な権限を有する機関により取り消されるまでは、一応有効として取り扱われる。したがって、これによって、権利、利益を侵害された者が、当該行為を当然無効と主張し、行政事件訴訟（特例）法によって救済を求めうるには、当該行為の無効が正当な権限のある機関により確認される必要があり、それまでは事実上有効なものとして取り扱われなければならない（最判昭39・10・29、最判昭30・2・24）。

出題 国Ⅰ－平成7・5・3・昭和56、国税－平成7・4

◇処分性が肯定された事例

Q3 地方議会の議決によって行う議員に対する除名処分は、取消訴訟の対象となるか。

A 取消訴訟の対象となる。　　通常の場合においては、議会が議決をしても、その議決は外部に対し地方公共団体の行為としての効力をもたず、議決に基づいて、執行機関が行政処分をした場合に、はじめて効力を生ずるのであって、したがって、議決を直ちに行政処分ということはできないのであるが、議員懲罰の議決は執行機関による行政処分をまたず、直接に効力を生じ、この点において通常の議決とはその性質を異にし、行政処分と何ら変わるところはない。したがって、行政事件訴訟（特例）法の適用にあたっては、懲罰議決はこれを行政処分と解し、これを行う議会は行政庁と解する（最判昭26・4・28）。

出題 国Ⅰ－昭和56・53・51、地方上級－昭和52

Q4 普通地方公共団体の議員の出席停止の懲罰と議員の除名処分に対して司法審査は及ぶか。

A 司法審査は、議員の出席停止に対しては及ばないが、議員の除名処分に対しては及ぶ〈地方議会議員懲罰事件〉（最大判昭35・10・19）。⇨憲法76条8

出題 国Ⅰ－平成8・昭和63、国Ⅱ－平成12・昭和53

Q5 国税犯則調査の手続は行政手続か、それとも刑事手続か。

A 一種の行政手続である。　　国税犯則取締法による国税犯則事件の調査手続は、その内容として収税官吏の質問、検査、領置、臨検、捜索、差押等の行為が認められている点において刑事訴訟法上の被疑事件の捜査手続と類似するところがあり、また、犯則事件は、告発によって被疑事件に移行し、さらに告発前に得られた資料は、被疑事件の捜査において

利用されるものである等の点において、犯則事件の調査手続と被疑事件の捜査手続とはたがいに関連するところがある。しかし、現行法制上、国税犯則事件調査手続の性質は、一種の行政手続であって、刑事手続（司法手続）ではないと解すべきである。なぜなら、国税犯則取締法によれば、国税犯則事件の調査手続は刑事訴訟法上の被疑事件の捜査でないことが明らかであり、また、国税犯則事件に関する法令に基づき収税官吏等のする処分に対する不服申立てについては、それが行政庁の処分であることを前提として、行政事件訴訟法により訴訟を提起すべきものであるからである（最大決昭44・12・3）。

出題 予想

Q6 供託官が行政機関としての立場から、供託物取戻請求につき理由がないとして却下した行為は、抗告訴訟の対象となるか。

A 抗告訴訟の対象となる。　　弁済供託における供託金取戻請求が供託官により却下された場合には、供託官を被告として却下処分の取消しの訴えを提起することができる（最大判昭45・7・15）。

出題 国家総合－平成28、国Ⅰ－平成3、国税・財務・労基－令和1、国税・労基－平成21

Q7 所得税法に基づく税務署長の納税の告知は、抗告訴訟の対象となる行政処分にあたるか。

A 抗告訴訟の対象となる行政処分にあたる。　　一般に納税の告知は、国税通則法36条所定の場合に、国税徴収手続の第一段階をなすものとして要求され、滞納処分の不可欠の前提となるものであり、また、その性質は、税額の確定した国税債権につき、納期限を指定して納税義務者等に履行を請求する行為、すなわち徴収処分である。したがって、支払者は納税の告知に対する抗告訴訟において、その前提問題たる納税義務の存否または範囲を争うことができる（最判昭45・12・24）。

出題 国家総合－令和1、国Ⅰ－平成11・5、国家一般－平成27

Q8 関税定率法による輸入禁製品該当の通知は、行政事件訴訟法にいう「行政庁の処分」に該当するのか。

A 「行政庁の処分」に該当する。　　関税定率法による通知等は、その法律上の性質において税関長の判断の結果の表明、すなわち観念の通知であるとはいうものの、もともと法律の規定に準拠してなされたものであり、かつ、これにより、輸入申告者に対し申告にかかる本件貨物を適法に輸入することができなくなるという法律上の効果を及ぼすものであるから、行政事件訴訟法3条2項にいう「行政庁の処分その他公権力の行使にあたる行為」に該当する（最判昭54・12・25）。

出題 国家総合－令和4、国Ⅰ－平成19・11・8・7・3・昭和63・59・57・54、国家一般－平成27、国税－平成7

Q9 関税定率法に基づく輸入禁制品である旨の輸入業者への税関長の通知は、抗告訴訟の対象となる行政庁の処分にあたるか。

A 抗告訴訟の対象となる行政庁の処分にあたる。　　関税定率法21条3項に基づく通知は、当該物件

行政法編

につき輸入が許されないとする税関長の意見がはじめて公にされるもので、しかも以後不許可処分がされることはなく、その意味において輸入申告に対する行政庁側の最終的な拒否の態度を表明するものとみて妨げない。輸入申告および許可の手続のない郵便物の輸入についても、同項の通知が最終的な拒否の態度の表明にあたることは、何ら異なるところはない。そして、現実に同項による通知がされたときは、郵便物以外の貨物および郵便物を輸入できなくなるのである。以上より、かかる通関手続の実際において、税関長の通知は、実質的な拒否処分（不許可処分）として機能しているのであり、当該通知および異議の申出に対する決定は、抗告訴訟の対象となる行政庁の処分および決定にあたる〈税関検査事件〉（最大判昭59・12・12）。

Q10 土地区画整理法に基づく土地区画整理組合の設立認可は、処分性が認められるか。

A 処分性が認められる。　土地区画整理法による土地区画整理組合の設立の認可は、単に設立認可申請に係る組合の事業計画を確定させるだけのものではなく、その組合の事業施行地区内の宅地について所有権または借地権を有する者をすべて強制的にその組合員とする公法上の法人たる土地区画整理組合を成立させ、これに土地区画整理事業を施行する権限を付与する効力を有するものであるから、抗告訴訟の対象となる行政処分である（最判昭60・12・17）。

出題 国Ⅰ-平成7、国税・財務・労基-平成29、国税・労基-平成21

Q11 都市再開発法に基づく第二種市街地再開発事業の事業計画の決定は、抗告訴訟の対象となる行政処分にあたるか。

A 抗告訴訟の対象となる行政処分にあたる。　再開発事業の事業計画の決定は、その公告の日から、土地収用法上の事業の認定と同一の法律効果を生ずるものであるから（都市再開発法26条4項）、市町村は、その決定の公告により、同法に基づく収用権限を取得するとともに、その結果として、施行地区内の土地の所有者等は、特段の事情のない限り、自己の所有地等が収用されるべき地位に立たされることになる。しかも、この場合、都市再開発法上、施行地区内の宅地の所有者等は、契約または収用により施行者（市町村）に取得される当該宅地等につき、公告があった日から起算して30日以内に、その対償の払渡しを受けることとするかまたはこれに代えて建築施設の部分の譲受け希望の申出をするかの選択を余儀なくされるのである（同法118条の2第1項1号）。そうであるとすると、公告された再開発事業の事業計画の決定は、施行地区内の土地の所有者等の法的地位に直接的な影響を及ぼすものであって、抗告訴訟の対象となる行政処分にあたる（最判平4・11・26）。

出題 国家総合-平成28、国Ⅰ-平成23・7、特別区Ⅰ-平成21、国Ⅰ-平成13、国税・労基-平成15、国税-平成10

Q12 登記官が不動産登記簿の表題部に所有者を記

載する行為は、抗告訴訟の対象となるのか。

A 抗告訴訟の対象となる。　登記官が不動産登記簿の表題部に所有者を記載する行為は、所有者と記載された特定の個人に不動産登記法100条1項1号（旧法）に基づき所有権保存登記申請をすることができる地位を与えるという法的効果を有するから、抗告訴訟の対象となる行政処分にあたる（最判平9・3・11）。

Q13 建築基準法42条2項の規定により同条1項の道路とみなされる道路の都道府県知事による指定は、それが告示による一括指定の方法でされた場合であっても、抗告訴訟の対象となる行政処分にあたるのか。

A 行政処分にあたる。　本件告示は、幅員4メートル未満1.8メートル以上の道を一括して2項道路として指定するものであるが、これによって、建築基準法第3章の規定が適用されるに至った時点において、現に建築物が立ち並んでいる幅員4メートル未満の道のうち、本件告示の定める幅1.8メートル以上の条件に合致するものすべてについて2項道路としての指定がされたこととなり、当該道につき指定の効果が生じる。本件告示によって2項道路の指定の効果が生じる以上、このような指定の効果が及ぶ個々の道は2項道路とされ、その敷地所有者は当該道路につき道路内の建築等が制限され（法44条）、私道の変更又は廃止が制限される（法45条）等の具体的な私権の制限を受けることになる。そうすると、特定行政庁による2項道路の指定は、それが一括指定の方法でされた場合であっても、個別の土地についてその本来的な効果として具体的な私権制限を発生させ、個人の権利義務に対して直接影響を与える。したがって、本件告示のような一括指定の方法による2項道路の指定も、抗告訴訟の対象となる行政処分にあたる（最判平14・1・17）。

出題 国家総合-平成28、国Ⅰ-平成22・16、国Ⅱ-平成21

Q14 幅員4メートル未満1.8メートル以上の道を一括して2項道路として指定する、特定行政庁（奈良県知事）の県告示は、抗告訴訟の対象となる行政処分にあたるのか。

A 行政処分にあたる（最判平14・1・17）。⇨ *13*

Q15 労働者災害補償保険法（改正前）23条1項2号に基づく労働福祉事業である労災就学援護費の支給に関して労働基準監督署長が行う同援護費の支給又は不支給の決定は、抗告訴訟の対象となる行政処分にあたるのか。

A 行政処分にあたる。　労働者災害補償保険法は、労働者が業務災害等を被った場合に、政府が、法第3章の規定に基づいて行う保険給付を補完するために、労働福祉事業として、保険給付と同様の手続により、被災労働者又はその遺族に対して労災就学援護費を支給することができる旨を規定しているものと解するのが相当である。そして、被災労働者又はその遺族は、上記のとおり、所定の支給要件を具備するときは所定額の労災就学援護費の支給を受け

ることができるという抽象的な地位を与えられているが、具体的に支給を受けるためには、労働基準監督署長に申請し、所定の支給要件を具備していることの確認を受けなければならず、労働基準監督署長の支給決定によって初めて具体的な労災就学援護費の支給請求権を取得するものといわなければならない。そうすると、労働基準監督署長の行う労災就学援護費の支給又は不支給の決定は、法を根拠とする優越的地位に基づいて一方的に行う公権力の行使であり、被災労働者又はその遺族の上記権利に直接影響を及ぼす法的効果を有するものであるから、抗告訴訟の対象となる行政処分にあたる（最判平15・9・4）。

[出題]国家総合-平成29、国Ⅰ-平成22・20、国家一般-平成24、国Ⅱ-平成21

Q16 食品衛生法16条（改正前）に基づき食品等の輸入の届出をした対して検疫所長が行う当該食品等が同法6条に違反する旨の通知は、抗告訴訟の対象となる行政処分にあたるのか。

A 行政処分にあたる。　食品衛生法違反通知書による本件通知は、食品衛生法16条（改正前）に根拠を置くものであり、厚生労働大臣の委任を受けた被上告人が、上告人に対し、本件食品について、法6条の規定に違反すると認定し、したがって輸入届出の手続が完了したことを証する食品等輸入届出済証を交付しないと決定したことを通知する趣旨のものである。そして、本件通知により、上告人は、本件食品について、関税法70条2項の「検査の完了又は条件の具備」を税関に証明し、その確認を受けることができなくなり、その結果、同条3項により輸入の許可も受けられなくなるのであり、上記関税法基本通達に基づく通関実務の下で、輸入申告書を提出しても受理されずに返却されることとなるのである。したがって、本件通知は、上記のような法的効力を有するものであって、取消訴訟の対象となる（最判平16・4・26）。

[出題]国家総合-平成28、国Ⅰ-平成20、国家一般-令和2、国Ⅱ-平成21

Q17 登録免許税法に基づく過誤納金の還付等に関する通知をすべき旨の請求に対して登記機関がした拒否通知は、抗告訴訟の対象となる行政処分にあたるのか。

A 行政処分にあたる。　登録免許税法31条2項は、登記等を受けた者に対し、簡易迅速に還付を受けることができる手続を利用することができる地位を保障しているものと解する。そして、登録免許税法31条2項に基づく還付通知をすべき旨の請求に対してされた拒否通知は、登記機関が還付通知を行わず、還付手続をとらないことを明らかにするものであって、これにより、登記等を受けた者は、簡易迅速に還付を受けることができる手続を利用することができなくなる。そうすると、上記の拒否通知は、登記等を受けた者に対して上記の手続上の地位を否定する法的効果を有するものとして、抗告訴訟の対象となる行政処分にあたると解する（最判平17・4・14）。

[出題]国家総合-令和4・平成29・25、国Ⅱ-平成

21

Q18 医療法（改正前）30条の7の規定に基づき都道府県知事が病院を開設しようとする者に対して行う病院開設中止の勧告は、抗告訴訟の対象となる行政処分にあたらないのか。

A 行政処分にあたる。　医療法30条の7の規定に基づく病院開設中止の勧告は、医療法上は当該勧告を受けた者が任意にこれに従うことを期待してされる行政指導として定められているけれども、当該勧告を受けた者に対し、これに従わない場合には、相当程度の確実さをもって、病院を開設しても保険医療機関の指定を受けることができなくなるという結果をもたらすことができる。そして、いわゆる国民皆保険制度が採用されているわが国においては、健康保険、国民健康保険等を利用しないで病院で受診する者はほとんどなく、保険医療機関の指定を受けずに診療行為を行う病院がほとんど存在しないことは公知の事実であるから、保険医療機関の指定を受けることができない場合には、実際上病院の開設自体を断念せざるをえないことになる。このような医療法30条の7の規定に基づく病院開設中止の勧告の保険医療機関の指定に及ぼす効果および病院経営における保険医療機関の指定のもつ意義を併せ考えると、この勧告は、行政事件訴訟法3条2項にいう「行政庁の処分その他公権力の行使に当たる行為」にあたると解するのが相当である。後に保険医療機関の指定拒否処分の効力を抗告訴訟によって争うことができるとしても、そのことは上記の結論を左右するものではない。したがって、本件勧告は、行政事件訴訟法3条2項の「行政庁の処分その他公権力の行使に当たる行為」にあたる（最判平17・7・15）。

[出題]国家総合-平成29・27・24、国Ⅰ-平成22・20・19、地方上級-平成20、国家一般-平成24、国Ⅱ-平成18、国税・財務・労基-令和1

Q19 医療法（改正前）30条の7の規定に基づき都道府県知事が、病院を開設しようとする者に対して行う病床数削減の勧告は抗告訴訟の対象となる行政処分にあたるのか。

A 行政処分にあたる。　医療法および健康保険法の規定の内容やその運用の実情に照らすと、医療法（改正前）30条の7の規定に基づく勧告で開設申請に係る病院の病床数の削減を内容とするものは、医療法上は当該勧告を受けた者が任意にこれに従うことを期待してされる行政指導として定められてはいるけれども、当該勧告を受けた者に対し、これに従わない場合には、相当程度の確実さをもって、病院を開設しても削減を勧告された病床を除いてしか保険医療機関の指定を受けることができなくなるという結果をもたらすものである。このような医療法（改正前）30条の7の規定に基づく上記勧告の保険医療機関の指定に及ぼす効果および病院経営における保険医療機関の指定のもつ意義を併せ考えると、この勧告は、行政事件訴訟法3条2項にいう「行政庁の処分その他公権力の行使に当たる行為」にあたると解するのが相当である。後に保険医療機関の指定拒否処分の効力を抗告訴訟によって争うこ

とができるとしても、そのことは上記の結論を左右するものではない（最判平 17・10・25）。

出題 地方上級 – 平成 20

Q20 輸入しようとした写真集が、男性性器を強調したものでも、その写真が写真集全体に占める比重が相当に低い場合、上記写真集は輸入禁制品に該当する旨の通知処分は、取消しの対象とならないのか。

A 通知処分は、取消しの対象となる〈メイプルソープ事件〉（最判平 20・2・19）。　　**出題** 予想

Q21 土地区画整理法上の土地区画整理事業計画は抗告訴訟の対象となる処分性が認められるか。

A 処分性が認められる。　　土地区画整理事業の事業計画が決定されると、当該土地区画整理事業の施行によって施行地区内の宅地所有者等の権利にいかなる影響が及ぶかについて、一定の限度で具体的に予測することが可能になるのである。そして、土地区画整理事業の事業計画については、いったんその決定がされると、特段の事情のない限り、その事業計画に定められたところに従って具体的な事業がそのまま進められ、その後の手続として、施行地区内の宅地について換地処分が当然に行われることになる。前記の建築行為等の制限は、このような事業計画の決定に基づく具体的な事業の施行の障害となるおそれのある事態が生ずることを防ぐために法的強制力を伴って設けられているのであり、しかも、施行地区内の宅地所有者等は、換地処分の公告がある日まで、その制限を継続的に課され続けるのである。そうすると、施行地区内の宅地所有者等は、事業計画の決定がされることによって、前記のような規制を伴う土地区画整理事業の手続に従って換地処分を受けるべき地位に立たされるものということができ、その意味で、その法的地位に直接的な影響が生ずるものというべきであり、事業計画の決定に伴う法的効果が一般的、抽象的なものにすぎないということはできない（最大判平 20・9・10）。

出題 国家総合 – 平成 29・24、国 I – 平成 22、国家一般 – 平成 24、国税・財務・労基 – 平成 29、国税・労基 – 平成 22・21（判例変更前　国 I – 平成 13・11・10・7・5・4・3・昭和 63・57、地方上級 – 平成 8・3（市共通）・昭和 54、市役所上・中級 – 平成 10、特別区 I – 平成 28、国家一般 – 令和 2・平成 28、国 II – 平成 13、国税・労基 – 平成 18・15、国税 – 平成 7）

Q22 当該換地処分等を対象として取消訴訟を提起する前段階で、土地区画整理事業計画を対象として取消訴訟を提起する必要があるのか。

A 必要がある。換地処分の段階で取消訴訟を認めても、事業全体に著しい混乱をもたらすおそれがあるからである。　　もとより、換地処分を受けた宅地所有者等やその前に仮換地の指定を受けた宅地所有者等は、当該換地処分等を対象として取消訴訟を提起することができるが、換地処分がされた段階では、実際上、すでに工事等も進捗し、換地計画も具体的に定められるなどしており、その時点で事業計画の違法を理由として当該換地処分等を取り消した場合には、事業全体に著しい混乱をもたらすことになりかねない。それゆえ、換地処分等の取消訴

訟において、宅地所有者等が事業計画の違法を主張し、その主張が認められたとしても、当該換地処分等を取り消すことは公共の福祉に適合しないとして事情判決（行政事件訴訟法 31 条 1 項）がされる可能性が相当程度あるのであり、換地処分等がされた段階でこれを対象として取消訴訟を提起することができるとしても、宅地所有者等の被る権利侵害に対する救済が十分に果たされるとはいいがたい。そうすると、事業計画の適否が争われる場合、実効的な権利救済を図るためには、事業計画の決定がされた段階で、これを対象とした取消訴訟の提起を認めることに合理性があるというべきである。以上によれば、市町村の施行に係る土地区画整理事業の事業計画の決定は、施行地区内の宅地所有者等の法的地位に変動をもたらすものであって、抗告訴訟の対象とするに足りる法的効果を有するものということができ、実効的な権利救済を図るという観点からみても、これを対象とした抗告訴訟の提起を認めるのが合理的である。したがって、上記事業計画の決定は、行政事件訴訟法 3 条 2 項にいう「行政庁の処分その他公権力の行使に当たる行為」にあたるものと解するのが相当である。これと異なる趣旨をいう最大判昭 41・2・23、最判平 4・10・6 は、いずれも変更すべきである（最大判平 20・9・10）。

出題 国家総合 – 平成 29・24、国 I – 平成 22、国家一般 – 平成 24、国税・財務・労基 – 平成 29、国税・労基 – 平成 22・21（判例変更前　国 I – 平成 13・11・10・7・5・4・3・昭和 63・57、地方上級 – 平成 8・3（市共通）・昭和 54、市役所上・中級 – 平成 10、特別区 I – 平成 28、国家一般 – 平成 28、国 II – 平成 13、国税・労基 – 平成 18・15、国税 – 平成 7）

Q23 市の設置する特定の保育所を廃止する条例の制定行為は、抗告訴訟の対象となる行政処分にあたるのか。

A 行政処分にあたる。　　市の設置する特定の保育所を廃止する条例の制定行為は、当該保育所の利用関係が保護者の選択に基づき保育所および保育の実施期間を定めて設定されるものであり、現に保育を受けている児童およびその保護者は当該保育所において保育の実施期間が満了するまでの間、保育を受けることを期待しうる法的地位を有すること、同条例が、他に行政庁の処分を待つことなくその施行により当該保育所廃止の効果を発生させ、入所中の児童およびその保護者という限られた特定の者に対して、直接、上記法的地位を奪う結果を生じさせるものであることなどの事情の下では、抗告訴訟の対象となる行政処分にあたる〈横浜市立保育園廃止処分取消請求事件〉（最判平 21・11・26）。

出題 国家総合 – 令和 1・平成 29・24、国家一般 – 平成 24

Q24 建築基準法に基づく建築確認における接道要件充足の有無の判断と、東京都建築安全条例に基づく安全認定における安全上の支障の有無の判断について、安全認定が行われたうえで、建築確認がされている場合、安全認定が取り消されていなくても、建築確認の取消訴訟において、安全認定が違法であ

るために接道要件を満たしていないと主張することは許されるのか。

A **許される。** 建築主事又は指定確認検査機関による建築確認における接道要件充足の有無の判断と、知事による安全認定における安全上の支障の有無の判断は、異なる機関がそれぞれの権限に基づき行うこととされているが、もともとは一体的に行われていたものであり、避難又は通行の安全の確保という同一の目的を達成するために行われるものである。そして、前記のとおり、安全認定は、建築主に対し建築確認申請手続における一定の地位を与えるものであり、建築確認と結合して初めてその効果を発揮するものである。他方、安全認定があっても、これを申請者以外の者に通知することは予定されておらず、建築確認があるまでは工事が行われることもないから、周辺住民等これを争おうとする者がその存在を速やかに知ることができるとは限らない（これに対し、建築確認については、工事の施工者は、建築基準法89条1項に従い建築確認があった旨の表示を工事現場にしなければならない。そうすると、その適否を争うための手続的保障がこれを争おうとする者に十分に与えられているというのは困難である。仮に周辺住民等が安全認定の存在を知ったとしても、その者において、安全認定によって直ちに不利益を受けることはなく、建築確認があった段階で初めて不利益が現実化すると考えて、その段階までは争訟の提起という手段はとらないという判断をすることがあながち不合理であるともいえない。以上の事情を考慮すると、安全認定が行われたうえで建築確認がされている場合、安全認定が取り消されていなくても、建築確認の取消訴訟において、安全認定が違法であるために本件条例4条1項所定の接道義務の違反があると主張することは許される（最判平21・12・17）。

出題 国家総合－平成24

Q25 土壌汚染対策法3条2項による通知は抗告訴訟の対象となる行政処分にあたるか。

A **行政処分にあたる。** 都道府県知事は、有害物質使用特定施設の使用が廃止されたことを知った場合において、当該施設を設置していた者以外に当該施設に係る工場又は事業場の敷地であった土地の所有者、管理者又は占有者（以下「所有者等」という）があるときは、当該施設の使用が廃止された旨その他の事項を通知する（法3条2項、同施行規則13条、14条）。その通知を受けた当該土地の所有者等は、当該通知を受けた日から起算して原則として120日以内に、当該土地の土壌の法2条1項所定の特定有害物質による汚染の状況について、環境大臣が指定する者に所定の方法により調査させて、都道府県知事に所定の様式による報告書を提出してその結果を報告しなければならない（法3条1項等）。これらの法令の規定によれば、法3条2項による通知は、通知を受けた当該土地の所有者等に上記の調査および報告の義務を生じさせ、その法的地位に直接的な影響を及ぼすものというべきである。都道府県知事は、法3条2項による通知を受

けた当該土地の所有者等が上記の報告をしないときは、その者に対しその報告を行うべきことを命ずることができ（同条3項）、その命令に違反した者については罰則が定められているが（改正前の法38条）、その報告の義務自体は上記通知によってすでに発生しているものである。そうすると、実効的な権利救済を図るという観点からみても、同条2項による通知がされた段階で、これを対象とする取消訴訟の提起が制限されるべき理由はない。以上によれば、法3条2項による通知は、抗告訴訟の対象となる行政処分にあたる（最判平24・2・3）。

出題 予想

◇**処分性が否定された事例**

Q26 知事が行う建築許可に際してなされる消防法に基づく消防庁の同意は、行政処分にあたるか。

A **行政処分にあたらない。** 消防庁の同意は、知事に対する行政機関相互間の行為であって、これにより対国民との直接の関係においてその権利義務を形成しまたはその範囲を確定する行為とは認められないから、これを抗告訴訟の対象となる行政処分ということはできない（最判昭34・1・29）。

出題 国家総合－平成26、国Ⅰ－平成18・11・5・昭和51、地方上級－昭和54・52、国家一般－平成24、国税－平成12・昭和58

Q27 国有財産法の普通財産の払下げは、行政処分か。

A **行政処分ではない。** 国有財産法の普通財産の払下げが売渡申請書の提出、これに対する払下許可の形式をとっているからといって、行政処分ということはできず、この払下げは私法上の売買と解すべきである（最判昭35・7・12）。

出題 国家総合－令和1・平成26、国Ⅰ－昭和51、地方上級－昭和54、国家一般－平成27、国税・財務・労基－平成29、国税－昭和60

Q28 海難の原因を明らかにする海難審判庁の裁決は、行政訴訟の対象となる行政処分にあたるか。

A **行政処分にあたらない。** 海難審判庁の裁決であっても、海難の原因を明らかにする裁決は、国民の権利義務に直接に関係し、国民の法律上の利益を侵すことのない裁決であるから、行政訴訟の対象となる行政処分にあたらず、その取消しを求める訴えを提起することはできない（最大判昭36・3・15）。

出題 国Ⅰ－平成3・昭和63、地方上級－昭和59・52、国Ⅱ－平成3

Q29 行政指導が違法であるため私人に実質的な不利益が生じている場合、当該行政指導は取消訴訟の対象となるのか。

A **取消訴訟の対象とはならない。** 行政指導によって私人に実質的な不利益が生じている場合、その行政指導が違法であっても、行政指導はそれ自体、直接の法的効果を生じるものでないから、行政処分に該当せず、取消訴訟の対象とならない（最判昭38・6・4）。

出題 国Ⅰ－平成15・3・昭和63、地方上級－平成8・5・昭和55、市役所上・中級－平成11、国Ⅱ－

平成 6、国税・労基 - 平成 22、国税 - 平成 13

Q30 公の権威をもって一定の事項を証明し、それに公の証拠力を与えるいわゆる公証行為は、抗告訴訟の対象となるのか。

A 抗告訴訟の対象とならない。　市町村長が地代家賃統制令 14 条の規定に基づき家賃台帳に家賃の停止統制額又は認可統制額その他法所定の事項を記入する行為は、借家の家賃に停止統制額又は認可統制額の存在することおよびその金額等につき、公の権威をもってこれらの事項を証明し、それに公の証拠力を与えるいわゆる公証行為である。しかし、それは、元来家賃台帳を市役所又は町村役場に備えつけ公衆の閲覧に供することによって上記の事項を一般に周知徹底させて統制額を超える契約等を防止し、併せて行政庁内部における事務処理の便益に資せんことを目的とするにすぎないものであって、もとよりその行為によって新たに国民の権利義務を形成し、あるいはその範囲を確認する性質を有するものではない（最判昭 39・1・24）。

出題 国家総合 - 平成 24、国 I - 平成 17

Q31 私法上の契約により都が私人との間に対等の立場で締結したごみ焼却場の設置行為は、行政事件訴訟（特例）法にいう「行政庁の処分」に該当するのか。

A 「行政庁の処分」に該当しない。　ごみ焼却場は、都がさきに私人から買収した都所有の土地のうえに、私人との間に対等の立場に立って締結した私法上の契約により設置されたものであるから、都がごみ焼却場の設置を計画し、その計画案を都議会に提出した行為は都の内部的手続行為にとどまる。したがって、仮に当該設置行為によって、不利益を被る者があるとしても、当該設置行為は、都が公権力の行使により直接私人の権利義務を形成し、またはその範囲を確定することを法律上認められている場合に該当するものといえず、行政事件訴訟（特例）法にいう「行政庁の処分」に該当しない（最判昭 39・10・29）。

出題 国 I - 平成 19・3・昭和 56・51、国税・財務・労基 - 令和 1、国税 - 平成 7・4

Q32 通達は、司法審査の対象となるか。

A 司法審査の対象とならない（最判昭 43・12・24）。⇨行政法総論 51

Q33 国の普通財産の売払許可処分は、抗告訴訟の対象となる行政処分にあたるのか。

A 行政処分にあたらない。　当該土地が買収農地である限り、これを自作農の創設等の目的に供しないことが相当であるという事実が客観的に存する以上、農林大臣は内部的にその認定を行い旧所有者に売り払わなければならないという拘束を受け、旧所有者は農林大臣に対し買受けに応ずべきことを求める権利を有するものであり、農地法 80 条による買収農地の旧所有者に対する売払いは、すでに、当該土地につき自作農の創設等の用に供するという公共的目的が消滅したものであから、一般国有財産の払下げと同様、私法上の行為というべきである。しかも、農地法 80 条に基づく農林大臣の認定は、その申立て、審査等対外的手続につき特別の定めはな

く、同条の定める要件を充足する事実が生じたときに行わなければならない覊束された内部的な行為にとどまるのであるから、これを独立の行政処分とみる余地はない（最大判昭 46・1・20）。

出題 国 I - 平成 16、国税・労基 - 平成 21、国税 - 平成 12

Q34 関税法に基づく犯則者に対する通告処分は取消訴訟の対象となるのか。

A 取消訴訟の対象とならない。　関税犯則事件の調査手続は行政手続であり、通告処分は行政庁のなす行政行為ではあるが、通告処分を受けた犯則者は、通告処分の旨を履行するかどうかをその自由意思により決することができ、いかなる場合にも通告に定める納付を強制されることはないのであり、ただ、任意に履行したときは公訴は提起されず、履行しないときは、税関長の告発および検察官の公訴の提起をまって刑事手続に移行し、通告の対象となった犯則事実の有無等については刑事手続において争いうることとなるのである。そして以上の諸点その他行政不服審査法 7 条 1 項 7 号の規定等をも勘案すれば、関税法においては、犯則者が通告処分の旨を任意に履行する場合のほかは、通告処分の対象となった犯則事案についての刑事手続において争わせ、上記手続によって最終的に決すべきものとし、通告処分については、それ自体を争わしめることなく、当該処分はこれを行政事件訴訟の対象から除外することとしているものと解するのが相当である。したがって、通告処分の取消訴訟は許されない（最判昭 47・4・20）。

出題 国 I - 平成 7

Q35 行政計画の策定手続について、法律上、意見書の提出を認めているにもかかわらず、その意見書を採択せず、不採択の通知をした場合、当該通知は取消訴訟の対象となるのか。

A 不採択の通知は取消訴訟の対象とならない。　土地区画整理法 20 条 2 項に規定する利害関係者の意見書の提出は、土地区画整理組合を設立しようとする者が定めた事業計画について利害関係者に書面で意見を申し出る機会を与え知事（または指定都市の長）の監督権の発動を促す途を開いたものであって、行政事件訴訟法 3 条 3 項にいう「審査請求その他の不服申立て」にあたらないから、当該意見書にかかる意見を採択すべきでない旨の都道府県知事または政令指定都市の長の通知が同項にいう「裁決」にあたらない。また、当該通知は、利害関係者の法的地位に何ら影響を及ぼすものではないから、同条 2 項にいう「行政庁の処分その他公権力の行使にあたる行為」にもあたらない。したがって、当該通知を取消訴訟によって争うことは許されない（最判昭 52・12・23）。

出題 市役所上・中級 - 平成 5

Q36 運輸大臣が鉄建公団にした認可は、抗告訴訟の対象となる行政処分にあたるか。

A 抗告訴訟の対象となる行政処分にあたらない。運輸大臣が鉄建公団に対してなした認可は、いわば上級行政機関としての運輸大臣が下級行政機関としての日本鉄道建設公団に対しその作成した工事実施計画の整備計画との整合性等を審査してなす監督手

段としての承認の性質を有するもので、行政機関相互の行為と同視すべきものであり、行政行為として外部に対する効力を有するものではなく、また、これによって直接国民の権利義務を形成し、またはその範囲を確定する効果を伴うものではないから、抗告訴訟の対象となる行政処分にあたらない〈成田新幹線事件〉（最判昭53・12・8）。

出題 国Ⅰ-平成20・18・16・8・7・昭和57、地方上級-昭和54、国家一般-令和2、Ⅱ-平成13

Q37 都市計画法に基づく都市計画としての工業地域指定の決定は、抗告訴訟の対象となる行政処分にあたるのか。

A 抗告訴訟の対象となる行政処分にあたらない。

都市計画区域内において工業地域を指定する決定は、都市計画法8条1項1号に基づき都市計画決定の一つであり、その決定が告示されて効力を生ずると、当該地域内においては、建築物の用途、容積率、建ぺい率等につき従前と異なる基準が適用され、これらの基準に適合しない建築物については、建築確認を受けることができず、ひいてはその建築等をすることができなくなるから、その決定は、当該地域内の土地所有者等に建築基準法上新たな制約を課し、その限度で一定の法状態の変動を生じさせるものであることは否定できない。しかし、かかる効果は、あたかも新たにこのような制約を課する法令が制定された場合におけると同様の当該地域内の不特定多数の者に対する一般的抽象的なそれにすぎず、このような効果を生ずるということだけから直ちにその地域内の個人に対する具体的な権利侵害を伴う処分があったものとして、これに対する抗告訴訟を肯定することはできない（最判昭57・4・22）。

出題 国家総合-令和1・平成25・24、国Ⅰ-平成19・13・12・10・7・昭和63・59、地方上級-昭和59、東京Ⅰ-平成18、特別区Ⅰ-平成28、国Ⅱ-平成13、国税・労基-平成18、国税-平成12・11

Q38 知事が都市計画区域内において工業地域を指定する決定は、当該区域内に財産権を有する者が相互に利益を享受する一方において社会的拘束として受忍しなければならない範囲内にとどまるから、処分性が否定されるのか。

A 当該決定は社会的拘束として受忍しなければならない範囲内にとどまるからではなく、一般的抽象的なものにすぎないから、処分性が否定される（最判昭57・4・22）。⇨37

Q39 都市計画法に基づく用途地域指定の決定は、当該区域内の土地所有者等に建築基準法上新たな制約を課し、その限度で一定の法状態の変動を生ぜしめるものであることから、これに対する抗告訴訟は認められるのか。

A 抗告訴訟は認められない（最判昭57・4・22）。⇨37

Q40 地方公務員採用内定の取消しは、抗告訴訟の対象となる処分にあたるのか。

A 抗告訴訟の対象となる処分にあたらない。　本件採用内定の通知は、単に採用発令の手続を支障なく行うための準備手続としてされる事実上の行為に

すぎず、東京都（X）と（Y）との間で、（Y）を東京都職員（地方公務員）として採用し、東京都職員としての地位を取得させることを目的とする確定的な意思表示ないしは始期付又は条件付採用行為と目すべきものではない。そうすると、東京都（X）において正当な理由がなく採用内定を取り消しても、これによって、内定通知を信頼し、東京都職員として採用されることを期待して他の就職の機会を放棄するなど、東京都（X）に就職するための準備を行った者（Y）に対し損害賠償の責任を負うことがあるのは格別、採用内定の取消し自体は、採用内定を受けた者の法律上の地位ないし権利関係に影響を及ぼすものではないから、行政事件訴訟法3条2項にいう「行政庁の処分その他公権力の行使に当たる行為」に該当するものということができず、採用内定者においてその取消しを訴求することはできない〈東京都建設局事件〉（最判昭57・5・27）。

出題 国家総合-平成30、国Ⅰ-平成10・3・昭和63・59、地方上級-昭和62、特別区-平成19（労働法での出題）・16、国税-平成10

Q41 警視総監または道府県警察本部長の行う反則金の納付の通告（行政刑罰）に不服のある者は、刑事手続と抗告訴訟のいずれによるべきか。

A 抗告訴訟ではなく刑事手続によるべきである。

反則金の納付の通告があっても、これにより通告を受けた者において通告に係る反則金を納付すべき法律上の義務が生ずるわけではなく、ただその者が任意にその反則金を納付したときは公訴が提起されないというにとどまり、納付しないときは、検察官の公訴の提起によって刑事手続が開始され、その手続において通告の理由となった反則行為となるべき事実の有無等が審判されることとなる。してみると道路交通法は、反則金の納付の通告を受けた者が、その自由意思により、通告にかかる反則金を納付し、これによる事案の終結の途を選んだときは、もはや当該通告の理由となった反則行為の不正当等を主張して通告自体の適否を争い、これに対する抗告訴訟によってその効果の覆滅を図ることはこれを許さず、そのような主張をしようとするのであれば、反則金を納付せず、後に公訴が提起されたときにこれによって開始された刑事手続の中でこれを争い、これについて裁判所の審判を求める途を選ぶべきである。そして、もしそうでなく、そのような抗告訴訟が許されるものとすると、本来刑事手続における審判対象として予定されている事項を行政訴訟手続で審判することとなり、また、刑事手続と行政訴訟手続との関係について複雑困難な問題を生ずるのであって、同法がこのような結果を予想し、これを容認しているものとは考えられない（最判昭57・7・15）。

出題 国家総合-平成28・26、国Ⅰ-平成22・16・13・11・昭和63、地方上級-平成7、国家一般-平成26、国税・財務・労基-平成27

Q42 警察本部長が道路交通法に基づいて行う交通反則金の納付の通告は、通告を受けた者について通告に係る反則金を納付すべき法律上の義務を生ぜしめるものか。

▲法律上の義務を生ぜさせるものではない（最判昭57・7・15）。⇨*41*

Q43 道路交通法による反則金の納付の通告は、抗告訴訟の対象となる行政処分にあたるのか。

▲行政処分にあたらない（最判昭57・7・15）。⇨*41*

Q44 都市計画法に基づく地区計画の決定、告示は抗告訴訟の対象となる処分にあたるのか。

▲抗告訴訟の対象となる処分にあたらない。　都市計画法（平成2年改正前のもの）12条の4第1項1号の規定に基づく地区計画の決定、告示は、区域内の個人の権利義務に対して具体的な変動を与えるという法律上の効果を伴うものではなく、抗告訴訟の対象となる処分にあたらない（最判平6・4・22）。
出題予想

Q45 公共施設の管理者である行政機関等が、開発許可を申請しようとする者に対し都市計画法32条で定める同意を拒否した場合、当該拒否行為は抗告訴訟の対象となるのか。

▲抗告訴訟の対象とならない。　国もしくは地方公共団体またはその機関（以下「行政機関等」という）が公共施設の管理権限を有する場合には、行政機関等が都市計画法32条の同意を求める相手方となり、行政機関等がその同意を拒否する行為は、公共施設の適正な管理上当該行為を行うことは相当でない旨の公法上の判断を表示する行為であり、その同意を拒否する行為それ自体は、開発行為を禁止または制限する効果をもつものとはいえない。したがって、開発行為を行おうとする者が、その同意を得ることができず、開発行為を行うことができなくなったとしても、その権利ないし法的地位が侵害されたとはいえないから、その同意を拒否する行為が、国民の権利ないし法律上の地位に直接影響を及ぼすものであるとはいえない。そうすると、公共施設の管理者である行政機関等が法32条所定の同意を拒否する行為は、抗告訴訟の対象となる処分にはあたらない（最判平7・3・23）。
出題 国家総合－令和4・平成26、国Ⅰ－平成13・9、国Ⅱ－平成21

Q46 公共施設管理者が開発行為を行うことへの同意を拒否する行為は、開発行為を禁止または制限する効果を有せず、処分性は認められないのか。

▲処分性は認められない（最判平7・3・23）。⇨*45*

Q47 市立中学校の「中学校生徒心得」に男子生徒の頭髪は丸刈りとする旨の定めをおく行為は抗告訴訟の対象となる処分にあたるのか。

▲抗告訴訟の対象となる処分にあたらない。　市立中学校の「中学校生徒心得」に男子生徒の頭髪は丸刈りとする旨の定めは、生徒の守るべき一般的な心得を示すにとどまり、それ以上に、個々の生徒に対する具体的な権利義務を形成するなどの法的効果を生ずるものではなく、この定めをおく行為は抗告訴訟の対象となる処分にあたらない〈丸刈り訴訟〉（最判平8・2・22）。出題予想

Q48 世帯主と嫡出子との続柄は、「長男（長女）、二男（二女）」と記載するのに対し、非嫡出子との

続柄を「子」と記載する行為は、抗告訴訟の対象となる行政処分にあたるのか。

▲あたらない。　市町村長が住民基本台帳法7条に基づき住民票に同条各号に掲げる事項を記載する行為は、元来、公の権威をもって住民の居住関係に関するこれらの事項を証明し、それに公の証拠力を与えるいわゆる公証行為であり、それ自体によって新たに国民の権利義務を形成し、またはその範囲を確定する法的効果を有するものではない。もっとも、同法15条1項、公職選挙法21条1項によれば、住民票に特定の住民の氏名等を記載する行為は、その者が当該市町村の選挙人名簿に登録されるか否かを決定づけるものであって、その者は選挙人名簿に登録されない限り原則として投票をすることができないのであるから、これに法的効果が与えられているということができる。しかし住民票に特定の住民と世帯主との続柄がどのように記載されるかは、その者が選挙人名簿に登録されるか否かには何らの影響も及ぼさないことが明らかであり、住民票にその続柄を記載する行為が何らかの法的効果を有すると解すべき根拠はない。したがって、住民票に世帯主との続柄を記載する行為は、抗告訴訟の対象となる行政処分にはあたらない〈非嫡出子住民票続柄記載事件〉（最判平11・1・21）。
出題 国Ⅰ－平成23・17・13、国家一般－令和2

Q49 市町村長が住民基本台帳法7条に基づき同条各号に掲げる事項を記載する行為（特定の住民と世帯主との続柄を記載する行為）には、法的効果も与えられ、処分性が肯定されるのか。

▲法的効果も与えられておらず、処分性が否定される〈非嫡出子住民票続柄記載事件〉（最判平11・1・21）。⇨*48*

Q50 市町村が経営する簡易水道事業に係る条例所定の水道料金を改定する条例の制定行為は、抗告訴訟の対象となる行政処分にあたるのか。

▲抗告訴訟の対象となる行政処分にあたらない。本件別表の無効確認を求める被上告人らの訴えは、本件改正条例の制定行為が抗告訴訟の対象となる行政処分にあたることを前提に、行政事件訴訟法3条4項の無効等確認の訴えとして、本件改正条例により定められた本件別表が無効であることの確認を求めるものである。しかしながら、抗告訴訟の対象となる行政処分とは、行政庁の処分その他公権力の行使にあたる行為をいうものである。本件改正条例は、旧高根町が営む簡易水道事業の水道料金を一般的に改定するものであって、そもそも限られた特定の者に対してのみ適用されるものではなく、本件改正条例の制定行為をもって行政庁が法の執行として行う処分と実質的に同視することはできないから、本件改正条例の制定行為は、抗告訴訟の対象となる行政処分にはあたらない（最判平18・7・14）。
出題 国家総合－令和4・平成28・25、国Ⅰ－平成20、国家一般－平成27、国税・財務・労基－平成29

Q51 出生した子につき住民票の記載を求める親からの申出に対し特別区の区長がした記載をしない旨

の応答は、抗告訴訟の対象となる行政処分にあたるのか。

A 抗告訴訟の対象となる行政処分にあたらない。　上告人子につき住民票の記載をすることを求める上告人父の申出は、住民基本台帳法（以下「法」という。）の規定による届出があった場合に市町村（特別区を含む。以下同じ。）の長にこれに対する応答義務が課されている（住民基本台帳法施行令11条参照）のとは異なり、申出に対する応答義務が課されておらず、住民票の記載に係る職権の発動を促す法14条2項所定の申出とみるほかないものである。したがって、本件応答は、法令に根拠のない事実上の応答にすぎず、これにより上告人子又は上告人父の権利義務ないし法律上の地位に直接影響を及ぼすものではないから、抗告訴訟の対象となる行政処分に該当しないと解される（最判平21・4・17）。　出題国家総合 - 令和4・平成25

Q52 市営の老人福祉施設の民間事業者への移管にあたり、その資産の譲渡先としてその運営を引き継ぐ事業者の選考のための公募において、提案書を提出してこれに応募した者が市長から提案について決定に至らなかった旨の通知を受けた場合、当該通知は抗告訴訟の対象となる行政処分にあたるのか。

A 行政処分にあたらない。　本件民間移管は、上告人と受託事業者との間で、上告人が受託事業者に対し本件建物等を無償で譲渡し本件土地を貸し付け、受託事業者が移管条件に従い当該施設を老人福祉施設として経営することを約する旨の契約（以下「本件契約」という。）を締結することにより行うことが予定されていたものである。本件募集要綱では、上告人は受託事業者の決定後においても移管条件が遵守される見込みがないと判断するときはその決定を取り消すことができるとされており、本件契約においても、これと同様の条項が定められれば解除権が留保されるほか、本件土地の貸付けには、公益上の理由による解除権が留保されており（地方自治法238条の5第4項、238条の4第5項）、本件契約を締結するか否かは相手方の意思にゆだねられているから、そのような留保によって本件契約の契約としての性格に本質的な変化が生ずるものではない。以上によれば、紋別市長がした本件通知は、上告人が、契約の相手方となる事業者を選考するための手法として法令の定めに基づかずに行った事業者の募集に応募した者に対し、その者を相手方として当該契約を締結しないこととした事実を告知するものにすぎず、公権力の行使にあたる行為としての性質を有するものではない。したがって、本件通知は、抗告訴訟の対象となる行政処分にはあたらない（最判平23・6・14）。　出題予想

第4条（当事者訴訟）

この法律において「当事者訴訟」とは、当事者間の法律関係を確認し又は形成する処分又は裁決に関する訴訟で法令の規定によりその法律関係の当事者の一方を被告とするもの及び公法上の法律関係に関する確認の訴えその他の公法上の法律関係に関する訴訟をいう。

Q1 在外国民である上告人らが次回の衆議院議員の総選挙における小選挙区選出議員の選挙および参議院議員の通常選挙における選挙区選出議員の選挙において、在外選挙人名簿に登録されていることに基づいて投票をすることができる地位にあることの確認を求める訴えは、適法な訴えか。

A 適法な訴えである。　公職選挙法附則8項につき所要の改正がされないと、在外国民である上告人らが、今後直近に実施されることになる衆議院議員の総選挙における小選挙区選出議員の選挙および参議院議員の通常選挙における選挙区選出議員の選挙において投票をすることができず、選挙権を行使する権利を侵害されることになるので、そのような事態になることを防止するために、同上告人らが、同項が違憲無効であるとして、当該各選挙につき選挙権を行使する権利を有することの確認をあらかじめ求める訴えである。選挙権は、これを行使することができなければ意味がないものといわざるをえず、侵害を受けた後に争うことによっては権利行使の実質を回復することができない性質のものであるから、具体的な選挙につき選挙権を行使する権利の重要性にかんがみると、具体的な選挙につき選挙権を行使する権利の有無につき争いがある場合にこれを有することの確認を求める訴えについては、それが有効適切な手段であると認められる限り、確認の利益を肯定すべきである。そこで、本件について検討するに、公職選挙法附則8項の規定のうち、在外選挙制度の対象となる選挙を当分の間、両議院の比例代表選出議員の選挙に限定する部分は、憲法15条1項および3項、43条1項ならびに44条ただし書に違反するもので無効であって、上告人らは、次回の衆議院議員の総選挙における小選挙区選出議員の選挙および参議院議員の通常選挙における選挙区選出議員の選挙において、在外選挙人名簿に登録されていることに基づいて投票をすることができる地位にあるというべきである〈在外日本人選挙権剥奪事件〉（最大判平17・9・14）。　出題国家総合 - 令和1・平成28・26

Q2 選挙権に関して、具体的な選挙につき選挙権を行使する権利の有無が争われている場合でなくても、将来的に選挙権の行使が妨げられることをあらかじめ防ぐために提起される確認訴訟については、確認の利益を肯定すべきか。

A 具体的な選挙につき選挙権を行使する権利の有無が争われている場合でなければ、確認訴訟の提起はできない〈在外日本人選挙権剥奪事件〉（最大判平17・9・14）。⇨ 1

Q3 在外国民である上告人らは、次回の衆議院議員の総選挙における小選挙区選出議員の選挙および参議院の通常選挙における選挙区選出議員の選挙において、在外選挙人名簿に登録されていることに基づいて投票をすることができる地位にあるのか。

A 投票をすることができる地位にある〈在外日本人選挙権剥奪事件〉（最大判平17・9・14）。⇨ 1

Q4 公立高等学校等の教職員が卒業式等の式典における国歌斉唱時の起立斉唱等に係る職務命令に基づく義務の不存在の確認を求める訴えについて公法上の法律関係に関する確認の訴えとして確認の利益があるのか。

行政法編

A 確認の利益がある。　公立高等学校等の教職員が卒業式等の式典における国歌斉唱の際に国旗に向かって起立して斉唱すること又はピアノ伴奏をすることを命ずる旨の校長の職務命令に基づく義務の不存在の確認を求める訴えは、(1)当該地方公共団体では、教育委員会が各校長に対し上記職務命令の発出の必要性を基礎付ける事項等を示達した通達をふまえ、多数の公立高等学校等の教職員が、毎年度2回以上の各式典に際し、上記職務命令を受けている、(2)上記職務命令に従わない教職員については、その違反およびその累積が懲戒処分の処分事由および加重事由との評価を受けることに伴い、勤務成績の評価を通じた昇給等に係る不利益という行政処分以外の処遇上の不利益が反復継続的かつ累積加重的に発生し拡大する危険があるなどの事情の下では、上記職務命令の違反を理由とする行政処分以外の処遇上の不利益の予防を目的とする公法上の法律関係に関する確認の訴えとして、確認の利益がある（最判平24・2・9）。

出題 国家総合−平成26

Q5 旧薬事法規則において、店舗販売業者に対して第一種医薬品及び第二種医薬品の郵便販売等を禁止する規定の違法・無効を主張して、店舗販売業者がそれらの医薬品の郵便等販売をすることができる権利ないし地位を有することの確認を求める訴えは、実質的当事者訴訟に当たるのか。

A 実質的当事者訴訟に当たる。　旧薬事法規則において、店舗販売業者に対して第一種医薬品及び第二種医薬品の郵便販売等を禁止する規定が設けられたが、当該規定の違法・無効を主張して、当該規定にかかわらず、店舗販売業者がそれらの医薬品の郵便等販売をすることができる権利ないし地位を有することの確認を求める訴訟は、実質的当事者訴訟に当たる（最判平25・1・11）。

出題 国家総合−令和4

Q6 国が在外国民に対して次回の最高裁判所の裁判官の任命に関する国民の審査において審査権の行使をさせないことが違法であることの確認を求める訴えは認められるのか。

A 違法であることの確認を求める訴えは認められる。　国が在外国民（国外に居住していて国内の市町村の区域内に住所を有していない日本国民）に対して国外に住所を有することをもって次回の最高裁判所の裁判官の任命に関する国民の審査において審査権の行使をさせないことが憲法15条1項、79条2項、3項等に違反して違法であることの確認を求める訴えは、公法上の法律関係に関する確認の訴えとして適法である（最大判令4・5・25）。

出題 予想

第5条（民衆訴訟）

この法律において「民衆訴訟」とは、国又は公共団体の機関の法規に適合しない行為の是正を求める訴えで、選挙人たる資格その他自己の法律上の利益にかかわらない資格で提起するものをいう。

第6条（機関訴訟）

この法律において「機関訴訟」とは、国又は公共団体の機関相互間における権限の存否又はその行使に関する紛争についての訴訟をいう。

第7条（この法律に定めがない事項）

行政事件訴訟に関し、この法律に定めがない事項については、民事訴訟の例による。

〔参考〕民事訴訟法第29条　法人でない社団又は財団で代表者又は管理人の定めがあるものは、その名において訴え、又は訴えられることができる。

第44条　①当事者が補助参加について異議を述べたときは、裁判所は、補助参加の許否について、決定で、裁判をする。この場合においては、補助参加人は、参加の理由を疎明しなければならない。

②前項の異議は、当事者がこれを述べないで弁論をし、又は弁論準備手続において申述をした後は、述べることができない。

③第1項の裁判に対しては、即時抗告をすることができる。

第114条　①確定判決は、主文に包含するものに限り、既判力を有する。

第115条　①確定判決は、次に掲げる者に対してその効力を有する。

　1　当事者

　2　当事者が他人のために原告又は被告となった場合のその他人

　3　以下略

第179条　裁判所において当事者が自白した事実及び顕著な事実は、証明することを要しない。

第261条　①訴えは、判決が確定するまで、その全部又は一部を取り下げることができる。

Q1 行政処分の無効確認訴訟においては、行政庁側に当該処分の適法性を立証する責任があるのか。

A 原告に立証責任がある。　（原告の）無効原因の主張としては、誤認が重大・明白であることを具体的事実（地上に堅固な建物が建っているような純然たる宅地を農地と誤認して買収したということ）にもとづいて主張すべきであり、たんに抽象的に処分に重大・明白な瑕疵があると主張したり、もしくは、処分の取消原因が当然に無効原因を構成すると主張するだけでは足りない（最判昭34・9・22）。

出題 国Ⅰ−平成20、地方上級−平成10

Q2 行政庁の裁量に任された処分の無効確認を求める訴訟においては、その無効確認を求める者が、行政庁の裁量権の行使がその範囲を超え、又は濫用にわたる違法な処分であり、その違法が重大かつ明白であることまで主張・立証する必要はないのか。

A 主張・立証する必要がある。　行政事件訴訟法の下においても、行政庁の裁量に任された行政処分の無効確認を求める訴訟においては、その無効確認を求める者において、行政庁が当該行政処分をするにあたってした裁量権の行使がその範囲を超え又は濫用にわたり、したがって、当該行政処分が違法であり、かつ、その違法が重大かつ明白であることを主張および立証することを要する（最判昭42・4・7）。

出題 国家総合−平成25、国Ⅰ−平成16・12、国税・労基−平成23・18

Q3 国家賠償請求訴訟において原告の主張する違法と、当該原告がすでに請求棄却の確定判決を受けた換地処分取消請求訴訟で主張した違法とが、その

内容において異なるものでないときは、確定判決の既判力は、国家賠償の請求に及ぶのか。

A 国家賠償の請求に及ぶ。　本件土地に対する換地処分につき、上告人が、本件において主張する違法と、換地処分取消請求訴訟において主張した違法とは、その内容において異なるものではないことが記録上認められるから、行政訴訟において上告人が請求棄却の確定判決を受け、本件換地処分につき取消原因となる違法の存在が否定された以上、その既判力により、本件においても、換地処分が違法であるとの判断はできないものというべきである（最判昭48・3・27）。　**出題** 国家総合－平成30・25

Q4 行政庁の専門技術的裁量行為についての取消訴訟において、被告行政庁が依拠した具体的審査基準ならびに調査審議および判断の過程等、被告行政庁（改正後は被告行政主体）の判断に不合理な点があることを、原告の側がつねに主張、立証する責任を負うのか。

A 原告側がつねに主張、立証する責任を負うわけではない。　原子炉設置許可処分についての取消訴訟においては、被告行政庁（X）がした判断に不合理な点があることの主張、立証責任は、本来、原告が負うべきものであるが、当該原子炉施設の安全審査に関する資料をすべて（X）の側が保持していることなどの点を考慮すると、（X）の側において、まず、（X）の判断に不合理な点のないことを相当の根拠、資料に基づき主張、立証する必要があり、（X）がその主張、立証を尽くさない場合には、（X）がした当該判断に不合理な点があることが事実上推認される〈伊方原発訴訟〉（最判平4・10・29）。　**出題** 国家総合－令和1、国I－平成11・8

Q5 原子爆弾被爆者の医療給付の認定申請が認められるためには、放射線起因性について、相当程度の蓋然性の証明があれば足りるのか。

A 特定の事実が特定の結果発生を招来した関係を是認しうる高度の蓋然性を証明することを要する。行政処分の要件として因果関係の存在が必要とされる場合に、その拒否処分の取消訴訟において被処分者がすべき因果関係の立証の程度は、特別の定めがない限り、通常の民事訴訟における場合と異なるものではない。そして、訴訟上の因果関係の立証は、一点の疑義も許されない自然科学的証明ではないが、経験則に照らして全証拠を総合検討し、特定の事実が特定の結果発生を招来した関係を是認しうる高度の蓋然性を証明することであり、その判定は、通常人が疑いを差し挟まない程度に真実性の確信をもちうるものであることを必要とすると解すべきであるから、原子爆弾被爆者の医療等に関する法律8条1項の認定の要件とされている放射線起因性についても、要証事実につき「相当程度の蓋然性」さえ立証すれば足りるとすることはできない。なお、放射線に起因するものでない負傷又は疾病については、その者の治癒能力が放射線の影響を受けているために医療を要する状態にあることを要するところ、放射線起因性の「影響」を受けていることについても高度の蓋然性を証明することが必要であることは、いうまでもない〈長崎原爆訴訟〉（最判平12・7・18）。

出題 予想

Q6 公害健康被害の補償等に関する法律4条2項に基づく水俣病の認定の申請を棄却する処分の取消訴訟における審理および判断は、どのような方法に基づいて行われるべきか。

A 経験則に照らして、申請者につき水俣病の罹患の有無を個別具体的に判断すべきである。　公害健康被害の補償等に関する法律4条2項に基づく水俣病の認定の申請を棄却する処分の取消訴訟における裁判所の審理および判断は、処分行政庁の判断の基準とされた昭和52年判断条件に水俣病に関する医学的研究の状況や医学界における一般的定説的な医学的知見に照らして不合理な点があるか否か、公害健康被害認定審査会の調査審議・判断に過誤・欠落があってこれに依拠してされた処分行政庁の判断に不合理な点があるか否かといった観点から行われるべきものではなく、経験則に照らして個々の事案における諸般の事情と関係証拠を総合的に検討し、個々の具体的な症候と原因物質との間の個別的な因果関係の有無等を審理の対象として、申請者につき水俣病の罹患の有無を個別具体的に判断すべきものである（最判平25・4・16）。

出題 国家総合－令和4・1

第2章　抗告訴訟

第1節　取消訴訟

第8条（処分の取消しの訴えと審査請求との関係）

①処分の取消しの訴えは、当該処分につき法令の規定により審査請求をすることができる場合においても、直ちに提起することを妨げない。ただし、法律に当該処分についての審査請求に対する裁決を経た後でなければ処分の取消しの訴えを提起することができない旨の定めがあるときは、この限りでない。

②前項ただし書の場合においても、次の各号の一に該当するときは、裁決を経ないで、処分の取消しの訴えを提起することができる。

　1　審査請求があった日から3箇月を経過しても裁決がないとき。

　2　処分、処分の執行又は手続の続行により生ずる著しい損害を避けるため緊急の必要があるとき。

　3　その他裁決を経ないことにつき正当な理由があるとき。

③第1項本文の場合において、当該処分につき審査請求がされているときは、裁判所は、その審査請求に対する裁決があるまで（審査請求があった日から3箇月を経過しても裁決がないときは、その期間を経過するまで）、訴訟手続を中止することができる。

　＊不作為の違法確認の訴えに準用（38条4項）

Q1 個別の法律で審査請求前置主義が定められている場合に、適法な審査請求をしたにもかかわらず審査庁が誤って不適法とした場合、不服審査を経たものとして扱うのが合理的なのか。

A 不服審査を経たものとして扱うのが合理的である。　本訴のXの請求は更正処分の取消しである

から所得税法51条により原則として再調査決定、審査決定を経なければ提起できないのであるが、国税庁長官または国税局長が誤ってこれを不適法として却下した場合には本来行政庁は処分について再審理の機会が与えられていたのであるから、却下の決定であってもこれは前記規定にいう審査の決定にあたる（最判昭36・7・21）。

出題 国Ⅰ－平成9、国税・労基－平成22

第9条（原告適格）

①処分の取消しの訴え及び裁決の取消しの訴え（以下「取消訴訟」という。）は、当該処分又は裁決の取消しを求めるにつき法律上の利益を有する者（処分又は裁決の効果が期間の経過その他の理由によりなくなった後においてもなお処分又は裁決の取消しによって回復すべき法律上の利益を有する者を含む。）に限り、提起することができる。

②裁判所は、処分又は裁決の相手方以外の者について前項に規定する法律上の利益の有無を判断するに当たっては、当該処分又は裁決の根拠となる法令の規定の文言のみによることなく、当該法令の趣旨及び目的並びに当該処分において考慮されるべき利益の内容及び性質を考慮するものとする。この場合において、当該法令の趣旨及び目的を考慮するに当たっては、当該法令と目的を共通にする関係法令があるときはその趣旨及び目的をも参酌するものとし、当該利益の内容及び性質を考慮するに当たっては、当該処分又は裁決がその根拠となる法令に違反してされた場合に害されることとなる利益の内容及び性質並びにこれが害される態様及び程度をも勘案するものとする。

＊義務付け訴訟に準用（37条の2第4項：9条2項のみ準用）、差止訴訟に準用（37条の4第4項：9条2項のみ準用）、民衆訴訟・機関訴訟に適用除外（43条1項）

(1)原告適格

◇原告適格 — 総論

Q1 原告適格を有する者とは、処分の相手方に限られるのか。

A 法律上の利益を有する者であればよい。　原告適格を有する者は、取消しを求めるにつき法律上の利益を有する者であればよく、処分の相手方に限られない（最判昭31・7・20）。

出題 国Ⅰ－平成1、地方上級－平成6（市共通）・昭和58・55、国Ⅱ－平成2・昭和62・58、国税・労基－平成19、国税－昭和62・57

Q2 原告適格を有する者（法律上の利益を有する者）とは誰か。

A 当該処分により自己の権利もしくは法律上保護された利益を侵害されまたは必然的に侵害されるおそれのある者をいう。　行政事件訴訟法9条は、取消訴訟の原告適格について規定するが、同条にいう当該処分の取消しを求めるにつき「法律上の利益を有する者」とは、当該処分により自己の権利もしくは法律上保護された利益を侵害され、または必然的に侵害されるおそれのある者をいうのであり、当該処分を定めた行政法規が、不特定多数者の具体的

利益をもっぱら一般的公益の中に吸収解消させるにとどめず、それが帰属する個々人の個別的利益としてもこれを保護すべきものとする趣旨を含むと解される場合には、かかる利益もここにいう法律上保護された利益にあたり、当該処分によりこれを侵害されまたは必然的に侵害されるおそれのある者は、当該処分の取消訴訟における原告適格を有する〈新潟空港訴訟〉（最判平1・2・17）（最判平9・1・28）〈もんじゅ訴訟〉（最判平4・9・22）。そして、当該行政法規が、不特定多数者の具体的利益をそれが帰属する個々人の個別的利益としても保護すべきものとする趣旨を含むか否かは、当該行政法規およびそれと目的を共通にする関連法規の関係規定によって形成される法体系の中において、当該処分の根拠規定が、当該処分を通して上記のような個々人の個別的利益をも保護すべきものとして位置付けられているとみることができるかどうかによって決すべきである〈新潟空港訴訟〉（最判平1・2・17）。

出題 国Ⅰ－平成17・13・11・6・1、国税－平成14

Q3 当該処分を定めた行政法規が、不特定多数者の具体的利益を一般的公益の中に吸収解消させる場合には、原告適格を有するのか。

A 原告適格を有しない〈新潟空港訴訟〉（最判平1・2・17）。⇨2

Q4 当該行政法規が、不特定多数者の具体的利益をそれが帰属する個々人の個別的利益としても保護すべきものとする趣旨を含むか否かは、当該行政法規によって判断すべきか。

A 当該行政法規及びそれと目的を共通する関連法規の関係規定によって形成される法体系の中において判断すべきである〈新潟空港訴訟〉（最判平1・2・17）。⇨2

Q5 処分の相手方以外の者について法律上保護された利益の有無を判断するにあたっては、当該処分の根拠となる法令の規定の文言のみによるべきか。

A 法令の規定の文言のみによることなく、行政事件訴訟法9条2項が定める諸要素を考慮して判断すべきである。　行政事件訴訟法9条は、取消訴訟の原告適格について規定するが、同条1項にいう当該処分の取消を求めるにつき「法律上の利益を有する者」とは、当該処分により自己の権利もしくは法律上保護された利益を侵害され、又は必然的に侵害されるおそれのある者をいうのであり、当該処分を定めた行政法規が、不特定多数者の具体的利益をもっぱら一般的公益の中に吸収解消させるにとどめず、それが帰属する個々人の個別的利益としてもこれを保護すべきものとする趣旨を含むと解される場合には、このような利益もここにいう法律上保護された利益にあたり、当該処分によりこれを侵害され又は必然的に侵害されるおそれのある者は、当該処分の取消訴訟における原告適格を有するものというべきである。そして、当該処分の相手方以外の者について上記の法律上保護された利益の有無を判断するにあたっては、当該処分の根拠となる法令の規定の文言のみによることなく、当該法令の趣旨および目的ならびに当該処分において考慮されるべき利益の

内容および性質を考慮し、この場合において、当該法令の趣旨および目的を考慮するにあたっては、当該法令と目的を共通にする関係法令があるときはその趣旨および目的をも参酌し、当該利益の内容および性質を考慮するにあたっては、当該処分がその根拠となる法令に違反してされた場合に害されることとなる利益の内容および性質ならびにこれが害される態様および程度をも勘案すべきものである（行政事件訴訟法9条2項参照）〈小田急電鉄高架橋訴訟〉（最大判平17・12・7）。　　　　　　　**出題** 予想

◇原告適格が肯定された事例

Q6 公衆浴場の営業について公衆浴場法によって営業規制が施されている場合、既存許可営業者は新規参入者に対する営業許可の取消しを求める法的利益（原告適格）を有するか。

A 法的利益（原告適格）を有する。　公衆浴場法が公衆浴場の営業について、許可制を採用したのは、主として「国民保健及び環境衛生」という公共の福祉の見地から出たものであることはもちろんであるが、他面、同時に、無用の競争により経営が不合理化することのないように濫立を防止することが公共の福祉のため必要であるとの見地から、被許可者を濫立による経営の不合理化から守ろうとする意図をも有するものであることは否定しえないのであって、適正な許可制度の運用によって保護せられるべき業者の営業上の利益は、単なる事実上の反射的利益というにとどまらず、自己の公衆浴場法によって保護せられる法的利益と解する（最判昭37・1・19）。

出題 国家総合－令和2、国Ⅰ－平成23・6・2、地方上級－平成10・昭和63・59・55、特別区Ⅰ－平成15、国Ⅱ－平成10・5、国税－平成8・5・昭和60

Q7 甲は放送局の開設免許の申請を郵政大臣丙に申請したところ、放送局免許取得の競願者乙に免許が付与され、甲は免許を拒否された場合、甲は放送局免許拒否処分の取消しを訴求するだけでなく、乙に対する免許処分の取消しを訴求する訴えの利益（原告適格）も認められるか。

A 訴えの利益（原告適格）は認められる。　甲と乙とは、係争の同一周波をめぐって競願関係にあり、郵政大臣丙は、甲よりも乙を優位にあるものと認めて、これに予備免許を与え、甲にはこれを拒んだもので、甲に対する拒否処分と乙に対する免許付与とは、表裏の関係にある。そして、甲が当該拒否処分に対して異議申立てをしたのに対し、郵政大臣丙は、電波管理審議会の議決した決定案に基づいて、これを棄却する決定をしたものであるが、これが違法たるを免れないとして取り消された場合には、郵政大臣丙は、当該決定前の白紙の状態に立ち返り、あらためて審議会に対し、甲の申請と乙の申請とを比較して、はたしていずれを可とすべきか、その優劣についての判定（決定案に対しての議決）を求め、これに基づいて異議申立てに対する決定をなすべきである。すなわち、本件のごとき場合においては、甲は、自己に対する拒否処分の取消しを訴求しうるほか、競願者乙に対する免許処分の取消し

をも訴求しうるのであり、郵政大臣丙による再審査の結果によっては、乙に対する免許を取り消し甲に対し免許を付与するということもありうるのである。ゆえに、本件棄却決定の取消しが当然に乙に対する免許取消しを招来するものでないことを理由に、本件訴えの利益を否定することはできない〈東京12チャンネル事件〉（最判昭43・12・24）。

出題 国家総合－令和2、国Ⅰ－平成19・11・7・4・2・昭和59・56・51、国家一般－平成26、国Ⅱ－平成12・昭和60

Q8 行政処分の根拠規定が、不特定多数者の具体的利益を抽象的一般的公益の中に解消せしめるにとどめず、これと並んで、それらの利益の全部または一部につきそれが帰属する個々人の個別的利益としてもこれを保護することは可能であって、特定の法律の規定がこのような趣旨を含むときは、当該法律の規定に違反してされた行政庁の処分に対し、これらの利益を害されたとする個々人においてその処分の取消しを訴求する原告適格を有する〈長沼ナイキ基地訴訟〉（最判昭57・9・9）。

出題 市役所上・中級－平成7

Q9 保安林の指定が違法に解除され、それによって自己の利益を害された場合、その者は、当該解除処分の取消しの訴えを提起する原告適格を有するか。

A 原告適格を有する。　森林法は、森林の存続によって不特定多数者の受ける生活利益のうち一定範囲のものを公益と並んで保護すべき個人の個別的利益としてとらえ、かかる利益の帰属者に対し保安林の指定につき「直接の利害関係を有する者」としてその利益主張をすることができる地位を法律上付与している。そうすると、かかる「直接の利害関係を有する者」は、保安林の指定が違法に解除され、それによって自己の利益を害された場合には、当該解除処分に対する取消しの訴えを提起する原告適格を有する者ということができる〈長沼ナイキ基地訴訟〉（最判昭57・9・9）。

出題 国Ⅰ－平成17・11・5・4、市役所上・中級－平成4・1、国税・財務・労基－令和4

Q10 飛行場の周辺に居住する住民は、新たに付与された定期航空運送事業免許の取消しを求めるにつき法律上の利益を有する者か。

A 法律上の利益を有する者である。　新たに付与された定期航空運送事業免許にかかる路線の使用飛行場の周辺に居住していて、当該免許にかかる事業が行われる結果、当該飛行場を使用する各種航空機の騒音の程度、当該飛行場の1日の離着陸回数、離着陸の時間帯等からして、当該免許に係る路線を航行する航空機の騒音によって社会通念上著しい障害を受けることとなる者は、当該免許の取消しを求めるにつき法律上の利益を有する者として、その取消訴訟における原告適格を有する〈新潟空港訴訟〉（最判平1・2・17）。

出題 国Ⅰ－平成22・13・6・5、国Ⅱ－平成10

Q11 原子炉設置許可処分の取消訴訟において、設置が予定される付近に居住する住民に当該訴訟の原告適格が認められるか。

A 原告適格は認められる。　いわゆる法律上保護された利益（原告適格）は、侵害された者に限らず、必然的に侵害されるおそれのある者も含まず、行政法規が、不特定多数者の具体的利益をそれが帰属する個々人の個別的利益としても保護すべき者とする趣旨を含むか否かは、当該行政法規の趣旨・目的、当該行政法規が当該処分を通して保護しようとしている利益の内容・性質等を考慮して判断すべきである。そして、このような観点からみれば、「核原料物質、核燃料物質及び原子炉の規制に関する法律」23条・24条等の規定は、周辺住民の個別的利益をも保護するものであるから、原子炉から約29キロないし58キロメートルの範囲内に居住している住民には、原告適格が認められる〈もんじゅ訴訟〉（最判平4・9・22）。

出題 国Ⅰ-平成17・13・6、国税・財務・労基-令和4

Q12 都市再開発法に基づく第一種市街地再開発事業の施行地区の宅地の所有者は、その宅地上の借地権者に対する権利変換に関する処分につき、自己に対するのみならず、借地権者に対する処分の取消しをも訴求する原告適格を有するのか。

A 原告適格を有する。　都市再開発法に基づく第一市街地再開発事業の施行地区の宅地の所有者は、その宅地上の借地権者に対する権利変換に関する処分につき、当該借地権の不存在を主張して、自己に対する処分の取消しを訴求するほか、借地権者に対する処分の取消しをも訴求する原告適格を有する（最判平5・12・17）。　　出題 予想

Q13 開発区域内の土地が、がけ崩れのおそれが多い土地等にあたる場合、がけ崩れ等による直接的な被害を受けることが予想される範囲の地域に居住する者は、開発許可の取消しを求めるにつき法律上の利益を有する者にあたるのか。

A 法律上の利益を有する者にあたる。　都市計画法33条1項7号（改正前）は、開発区域内の土地が、地盤の軟弱な土地、がけ崩れまたは出水のおそれが多い土地その他これらに類する土地であるときは、地盤の改良、擁壁の設置等安全上必要な措置が講ぜられるように設計が定められていることを開発許可の基準としている。この規定は、そのような土地において安全上必要な措置を講じないままに開発行為を行うときは、その結果、がけ崩れ等の災害が発生して、人の生命、身体の安全等が脅かされるおそれがあることにかんがみ、そのような災害を防止するために、開発許可の段階で、開発行為の設計内容を十分審査し、上記の措置が講ぜられるように設計が定められている場合にのみ許可をすることとしているのである。そして、このがけ崩れ等が起きた場合における被害は、開発区域内のみならず開発区域に近接する一定範囲の地域に居住する住民に直接的に及ぶことが予想される。以上のような同号の趣旨・目的、同号が開発許可を通して保護しようとしている利益の内容・性質等にかんがみれば、同号

は、がけ崩れ等のおそれのない良好な都市環境の保持・形成を図るとともに、がけ崩れ等による被害が直接的に及ぶことが想定される開発区域内外の一定範囲の地域の住民の生命、身体の安全等を、個々人の個別的利益としても保護すべきものとする趣旨を含むものである。そうすると、開発区域内の土地が同号にいうがけ崩れのおそれが多い土地等にあたる場合には、がけ崩れ等による直接的な被害を受けることが予想される範囲の地域に居住する者は、開発許可の取消しを求めるにつき法律上の利益を有する者として、その取消訴訟における原告適格を有する（最判平9・1・28）。　出題 国Ⅰ-平成15・11

Q14 土砂の流出または崩壊、水害等の災害による直接的な被害を受けることが予想される範囲の地域に居住する者は、開発許可の取消しを求めるにつき法律上の利益を有する者にあたるのか。

A 法律上の利益を有する者にあたる。　森林法10条の2第2項1号および同項1号の2の規定は、森林において必要な防災措置を講じないままに開発行為を行うときは、その結果、土砂の流出または崩壊、水害等の災害が発生して、人の生命、身体の安全等が脅かされるおそれがあることにかんがみ、開発許可の段階で、開発行為の設計内容を十分審査し、当該開発行為により土砂の流出または崩壊、水害等の災害を発生させるおそれがない場合にのみ許可をすることとしている。そして、この土砂の流出または崩壊、水害等の災害が発生した場合における被害は、当該開発区域に近接する一定範囲の地域に居住する住民に直接的に及ぶことが予想される。以上のような上記各号の趣旨・目的、これらが開発許可を通して保護しようとしている利益の内容・性質等にかんがみれば、これらの規定は、土砂の流出または崩壊、水害等の災害防止機能という森林の有する公益的機能の確保を図るとともに、土砂の流出または崩壊、水害等の災害による被害が直接的に及ぶことが想定される開発区域に近接する一定範囲の地域に居住する住民の生命、身体の安全等を個々人の個別的利益としても保護すべき趣旨を含むものと解すべきである。そうすると、土砂の流出または崩壊、水害等の災害による直接的な被害を受けることが予想される範囲の地域に居住する者は、開発許可の取消しを求めるにつき法律上の利益を有する者として、その取消訴訟における原告適格を有する（最判平13・3・13）。

出題 国家総合-平成29

Q15 総合設計許可に係る建築物の倒壊、炎上等により直接的な被害を受けることが予想される範囲の地域に存する建築物に居住し又はこれを所有する者は、総合設計許可の取消しを求める原告適格を有するのか。

A 原告適格を有する。　総合設計許可の根拠規定である法59条の2第1項は、当該建築物の倒壊、炎上等による被害が直接的に及ぶことが想定される周辺の一定範囲の地域に存する建築物についてその居住者の生命、身体の安全等および財産としてのその建築物を、個々人の個別的利益としても保護すべきものとする趣旨を含むものと解すべき

である。そうすると、総合設計許可に係る建築物の倒壊、炎上等により直接的な被害を受けることが予想される範囲の地域に存する建築物に居住し又はこれを所有する者は、総合設計許可の取消しを求めるにつき法律上の利益を有する者として、その取消訴訟における原告適格を有する（最判平14・1・22）。

出題 国家総合 – 平成29、国Ⅰ – 平成23・22

Q16 総合設計許可に係る建築物により日照を阻害される周辺の他の建築物の居住者は、総合設計許可の取消しを求める原告適格を有するのか。

A 原告適格を有する。　建築基準法59条の2第1項は、総合設計許可に係る建築物により日照を阻害される周辺の他の建築物に居住する者の健康を個々人の個別的利益としても保護すべきものとする趣旨を含む。そうすると、総合設計許可に係る建築物により日照を阻害される周辺の他の建築物の居住者は、総合設計許可の取消しを求める法律上の利益を有する者として、その取消訴訟における原告適格を有する（最判平14・3・28）。**出題 予想**

Q17 都市計画事業の事業地の周辺に居住する住民のうち事業が実施されることにより騒音、振動等による健康又は生活環境に係る著しい被害を直接的に受けるおそれのある者は、同事業の認可の取消を求める訴訟の原告適格を有するのか。

A 原告適格を有する。　都市計画に関する都市計画法の規定をみると、同法は、都市計画の基準に関して、当該都市について公害防止計画が定められているときは都市計画がこれに適合したものでなければならないとし（13条1項柱書き）、都市施設は良好な都市環境を保持するように定めることとしている（同項5号）。また、上記の公害防止計画の根拠となる法令である公害対策基本法は、国民の健康を保護するとともに、生活環境を保全することを目的とし（1条）、国および地方公共団体が公害の防止に関する施策を策定し、実施する責務を有するとしている（4条、5条）。公害防止計画に関するこれらの規定は、相当範囲にわたる騒音、振動等により健康又は生活環境に係る著しい被害が発生するおそれのある地域について、その発生を防止するために総合的な施策を講ずることを趣旨および目的とするものと解される。そして、都市計画法13条1項柱書きが、都市計画は公害防止計画に適合しなければならない旨を規定していることからすれば、都市計画の決定又は変更にあたっては、上記のような公害防止計画に関する公害対策基本法の規定の趣旨および目的をふまえて行われることが求められる。そして、都市計画事業の認可は、都市計画に事業の内容が適合することを基準としてされるものであるところ、都市計画に関する都市計画法の規定に加えて、公害対策基本法等の規定の趣旨および目的をも参酌していることも考慮すれば、都市計画事業の認可に関する同法の規定は、事業に伴う騒音、振動等によって、事業地の周辺地域に居住する住民に健康又は生活環境の被害が発生することを防止し、もって健康で文化的な都市生活を確保し、良好な生活環境を保全することも、その趣旨および目的とするも

のと解される。したがって、都市計画事業の事業地の周辺に居住する住民のうち当該事業が実施されることにより騒音、振動等による健康又は生活環境に係る著しい被害を直接的に受けるおそれのある者は、当該事業の認可の取消を求めるにつき法律上の利益を有する者として、その取消訴訟における原告適格を有するものといわなければならない〈小田急電鉄高架訴訟〉（最大判平17・12・7）。

出題 国家総合 – 平成29、国Ⅰ – 平成23・22、国税・財務・労基 – 令和1、国税・労基 – 平成25

Q18 都市計画事業の認可に関する都市計画法の規定が、事業地の周辺地域に居住する住民に対し、違法な事業に起因する騒音、振動等によってこのような健康又は生活環境に係る著しい被害を受けないという具体的利益を保護しようとするものと解される場合、この具体的利益は、一般的公益の中に吸収解消させることができるのか。

A 吸収解消させることは困難である。　都市計画法又はその関係法令に違反した違法な都市計画の決定又は変更を基礎として都市計画事業の認可がされた場合に、そのような事業に起因する騒音、振動等による被害を直接的に受けるのは、事業地の周辺の一定範囲の地域に居住する住民に限られ、その被害の程度は、居住地が事業地に接近するにつれて増大するものと考えられる。また、このような事業に係る事業地の周辺地域に居住する住民が、当該地域に居住し続けることにより上記の被害を反復、継続して受けた場合、その被害は、これらの住民の健康や生活環境に係る著しい被害にも至りかねないものである。そして、都市計画事業の認可に関する同法の規定は、その趣旨および目的にかんがみれば、事業地の周辺地域に居住する住民に対し、違法な事業に起因する騒音、振動等によってこのような健康又は生活環境に係る著しい被害を受けないという具体的利益を保護しようとするものと解されるところ、前記のような被害の内容、性質、程度等に照らせば、この具体的利益は、一般的公益の中に吸収解消させることが困難なものといわざるをえない。したがって、都市計画事業の事業地の周辺に居住する住民のうち当該事業が実施されることにより騒音、振動等による健康又は生活環境に係る著しい被害を直接的に受けるおそれのある者は、当該事業の認可の取消を求めるにつき法律上の利益を有する者として、その取消訴訟における原告適格を有するものといわなければならない〈小田急電鉄高架訴訟〉（最大判平17・12・7）。**出題 国Ⅰ – 平成23**

Q19 自転車競技法（改正前のもの）4条2項に基づく設置許可がされた場外車券発売施設の周辺において文教施設又は医療施設を開設する者は、いわゆる位置基準を根拠として上記許可の取消訴訟の原告適格を有するのか。

A 原告適格を有する。　場外施設は、多数の来場者が参集することによってその周辺に享楽的な雰囲気や喧噪といった環境をもたらすものであるから、位置基準は、そのような環境の変化によって周辺の医療施設等の開設者が被る文教又は保健衛生にかかわる業務上の支障について、とくに国民の生活に及

行政法編

ぼす影響が大きいものとして、その支障が著しいものである場合に当該場外施設の設置を禁止し当該医療施設等の開設者の行う業務を保護する趣旨をも含む規定であると解することができる。したがって、仮に当該場外施設が設置、運営されることに伴い、その周辺に所在する特定の医療施設等に上記のような著しい支障を生ずるおそれが具体的に認められる場合には、当該場外施設の設置許可が違法とされることもあることとなる。このように、位置基準は、一般的公益を保護する趣旨に加えて、上記のような業務上の支障が具体的に生ずるおそれのある医療施設等の開設者において、健全で静穏な環境の下で円滑に業務を行うことのできる利益を、個々の開設者の個別的利益として保護する趣旨であるというべきであるから、当該場外施設の設置、運営に伴い著しい業務上の支障が生ずるおそれがあると位置的に認められる区域に医療施設等を開設する者は、自転車競技法施行規則（平成18年経済産業省令126号による改正前のもの）15条1項1号所定のいわゆる位置基準を根拠として上記許可の取消訴訟の原告適格を有する（最判平21・10・15）。

Q20 滞納者と他の者との共有に係る不動産につき滞納者の持分が国税徴収法47条1項に基づいて差し押さえられた場合、他の共有者は、その差押処分の取消訴訟の原告適格を有するのか。

A 原告適格を有する。　国税徴収法47条1項に基づく差押処分は、滞納者の所有する特定の財産につき、その名宛人である滞納者に対しその譲渡や用益権設定等の処分を禁止する効力を有するものであるから、滞納者と他の者との共有に係る不動産につき滞納者の持分が同項に基づいて差し押さえられた場合には、滞納者において、当該持分の譲渡や当該不動産に係る用益権設定等の処分が禁止されるため、滞納処分による差押登記後に当該不動産につき賃貸や地上権設定等をしてもこれを公売処分による当該持分の買受人に対抗することができず、その結果、滞納者の持分と使用収益上の不可分一体をなす持分を有する他の共有者についても当該不動産に係る用益権設定等の処分が制約を受け、その処分の権利が制限されることとなる。以上にかんがみると、滞納者と他の者との共有に係る不動産につき滞納者の持分が国税徴収法47条1項に基づいて差し押さえられた場合における他の共有者は、その差押処分の法的効果による権利の制限を受けるものであって、当該処分により自己の権利を侵害され又は必然的に侵害されるおそれのある者として、その差押処分の取消しを求めるにつき法律上の利益を有する者にあたり、その取消訴訟における原告適格を有するものと解するのが相当である（最判平25・7・12）。

Q21 市町村長から一定の区域につきすでに一般廃棄物収集運搬業又は一般廃棄物処分業の許可又はその更新を受けている者は、当該区域を対象として他の者に対してされた一般廃棄物収集運搬業又は一般

廃棄物処分業の許可処分又は許可更新処分について、その取消訴訟の原告適格を有するのか。

A 取消訴訟の原告適格を有する。　一般廃棄物処理業に関する需給状況の調整に係る規制の仕組みおよび内容、その規制に係る廃棄物処理法の趣旨および目的、一般廃棄物処理の事業の性質、その事業に係る許可の性質および内容等を総合考慮すると、廃棄物処理法は、市町村長から一定の区域につき一般廃棄物処理業の許可又はその更新を受けて市町村に代わってこれを行う許可業者について、当該区域における需給の均衡が損なわれ、その事業の適正な運営が害されることにより前記のような事態が発生することを防止するため、上記の規制を設けているものというべきであり、他の者から一般廃棄物処理業の許可又はその更新の申請に対して市町村長が上記のように既存の許可業者の事業への影響を考慮してその許否を判断することを通じて、当該区域の衛生や環境を保持するうえでその基礎となるものとして、その事業に係る営業上の利益を個々の既存の許可業者の個別的利益としても保護すべきものとする趣旨を含むと解するのが相当である。したがって、市町村長から一定の区域につきすでに廃棄物処理法7条に基づく一般廃棄物処理業の許可又はその更新を受けている者は、当該区域を対象として他の者に対してされた一般廃棄物処理業の許可処分又は許可更新処分について、その取消しを求めるにつき法律上の利益を有する者として、その取消訴訟における原告適格を有するものというべきである（最判平26・1・28）。

Q22 産業廃棄物の最終処分場の周辺住民は、産業廃棄物処分業および特別管理産業廃棄物処分業の許可処分の無効確認訴訟ならびに上記各処分業の許可更新処分の取消訴訟の原告適格を有するのか。

A 原告適格を有する。　産業廃棄物の最終処分場の周辺に居住する住民のうち、当該最終処分場から有害な物質が排出された場合にこれに起因する大気や土壌の汚染、水質の汚濁、悪臭等による健康又は生活環境に係る著しい被害を直接的に受けるおそれのある者は、当該最終処分場を事業の用に供する施設としてされた産業廃棄物処分業および特別管理産業廃棄物処分業の許可処分および許可更新処分の取消訴訟および無効確認訴訟につき、これらの取消しおよび無効確認を求める法律上の利益を有する者として原告適格を有する。本件における産業廃棄物の最終処分場の周辺に居住する者は、約3万㎡の埋立地を有する管理型最終処分場である当該最終処分場の中心地点から約1.8㎞の範囲内の地域に居住する者であって、当該最終処分場の設置の許可に際して生活環境に及ぼす影響についての調査の対象とされた地域にその居住地が含まれているなどの判示の事情の下では、当該最終処分場を事業の用に供する施設としてされた産業廃棄物処分業および特別管理産業廃棄物処分業の許可処分の無効確認訴訟ならびに上記各処分業の許可更新処分の取消訴訟につき、これらの無効確認および取消しを求める法律上の利益を有する者として原告適格を有する（最判平

26・7・29）。　　　　　　　　　　　　　　出題　予想

Q23 じん肺に関し相当の学識経験を有する医師の審査等に基づき、じん肺の所見の有無およびその進展の程度を確認し、じん肺に関する健康管理その他必要な措置を適切に講じうるよう、じん肺の所見が必要ないと認められる者（管理1）に該当する旨の決定を受けた労働者等が、当該決定の取消しを求める訴訟の係属中に死亡した場合には、当該訴訟は、当該労働者等の死亡によって当然に終了するのか。

A 当然に終了するものではなく、労災保険法11条1項所定の遺族においてこれを承継することができる。　都道府県労働局長のじん肺管理区分の決定は、粉じん作業に従事する労働者および粉じん作業に従事する労働者であった者を対象とし、じん肺健康診断の結果を基礎として、じん肺に関し相当の学識経験を有する医師である地方じん肺診査医の審査等に基づき、じん肺の所見の有無およびその進展の程度を確認し、じん肺に関する健康管理その他必要な措置を適切に講じうるよう、じん肺の所見がないと認められる者を管理1に、当該所見があると認められる者をその進展の程度に応じて管理2から管理4までに区分するもの（じん肺法4条2項）である。以上によれば、都道府県労働局長から所定の手続を経て管理1に該当する旨の決定を受けた労働者等は、これを不服として、当該決定の取消しを求める法律上の利益を有するところ、労災保険法11条1項所定の遺族は、死亡した労働者等が有していたじん肺に係る労災保険給付の請求権を承継的に取得するものと理解することができること（同項および同条2項）を考慮すると、このような法律上の利益は、当該労働者等が死亡したとしても、当該労働者等のじん肺に係る未支給の労災保険給付を請求することができる上記遺族が存する限り、失われるものではない（最判平29・4・6）。　出題　予想

◇原告適格が否定された事例

Q24 知事の市町村合併に関する処分の取消しを求める法律上の利益（原告適格）を、当該関係住民は有するか。

A 関係住民は法律上の利益（原告適格）を有しない。地方自治法7条1項による知事の処分は、関係市町村民の権利義務に関する直接の処分ではなく、仮に住民として有する具体的権利義務の内容について変動があったとしても、その変動は市町村の合併等による間接的な結果にすぎない。そして、Xらが従来、村の住民であったことによって有していた権利は合併後は市の住民として行使することができるのであって、その具体的権利義務について争いのある場合に、当該権利義務の存否について訴訟をもって争うは格別、本件合併そのものの適否については、Xらは訴えを提起する法律上の利益を有しない（最判昭30・12・2）。　出題　国Ⅰ－平成2、地方上級－昭和54

Q25 生活保護の一部廃止処分に対する取消しの訴えが提起されたところ、訴訟係属中に原告が死亡した場合、相続人は当該訴訟を係属する訴えの利益を有するか。

A 相続人は当該訴訟を係属する訴えの利益を有しない。　生活保護法の規定に基づき要保護者または被保護者が国から生活保護を受ける権利は、被保護者自身の最低限度の生活を維持するために当該個人に与えられた一身専属の権利であって、他にこれを譲渡しえないし、相続の対象ともなりえない。したがって、訴訟係属中に原告が死亡したときには、相続人によって訴訟を係属することは不可能であるから、訴えの利益も失われる〈朝日訴訟〉（最大判昭42・5・24）。　出題　国Ⅰ－平成23、国Ⅱ－昭和60

Q26 住民は居住地の町名が変更された場合、この取消を求める法的利益（原告適格）を有するか。

A 法的利益（原告適格）を有しない。　町名は、住民の日常生活にとって密接な関係をもつものであるが、元来、それは、単なる地域特定のための名称であるにとどまり、個人が特定の町名を自己の居住地等の表示に用いることによる利益不利益は、通常、当該土地を含む区域に現にその特定の名称が付されていることから生ずる事実上のものであるにすぎず、当該区域内の住民その他同区域内の土地について関係を有する者であるからといって、直ちに現在の町名をみだりに変更されないという利益が法的に保障されている根拠は存しないし、もとより、これを他の町名に変更すべきことを求める権利を有しない（最判昭48・1・19）。

出題　国Ⅰ－平成2・昭和56、地方上級－昭和54、国Ⅱ－昭和60、国税－昭和60

Q27 日本弁護士連合会の懲戒処分に対し、懲戒処分を受けた本人以外に懲戒請求者にも、出訴について訴えの利益があるのか。

A 懲戒請求者は、出訴について訴えの利益を有しない。　弁護士の懲戒制度は、弁護士会または日本弁護士連合会（日弁連）の自主的な判断に基づいて、弁護士の綱紀、信用、品位等の保持を図ることを目的とするものであるが、弁護士法58条所定の懲戒請求権および同法61条所定の異議申立権は、懲戒制度の目的の適正な見地から特に認められたものであり、懲戒請求者個人の利益保護のためのものではない。それ故、懲戒請求者が日弁連の異議申立てを棄却する旨の裁決に不服があるとしても、法律に特に出訴を認める規定がない限り、裁判所に出訴することは許されず、この点につき出訴を認めた法律の規定がないから、日弁連のした本件裁決の取消しを求める本件訴えは、不適法である（最判昭49・11・8）。　出題　国税－昭和60

Q28 一般消費者は、公正取引委員会による公正競争規約の認定につき不当景品類及び不当表示防止法（景表法）10条6項による不服申立てをする法律上の利益を有する者か。

A 一般消費者は、法律上の利益を有する者ではない〈主婦連ジュース不当表示事件〉（最判昭53・3・14）。⇨行政不服審査法7条4

Q29 公有水面の周辺水面に漁業権を有する地域住民による公有水面埋立免許処分等の取消訴訟において、直接明文の規定はなくとも、法律の合理的解釈により当該地域住民の原告適格は認められるのか。

A 原告適格は認められない。　地域住民らは、本

件公有水面の周辺の水面において漁業を営む権利を有するにすぎない者というべきであるが、本件埋立免許および本件竣功認可が上記の権利に対し直接の法律上の影響を与えるものでないことは明らかである。そして、旧埋立法には、当該公有水面の周辺の水面において漁業を営む者の権利を保護することを目的として埋立免許権又は竣功認可権の行使に制約を課している明文の規定はなく、また、同法の解釈からかかる制約を導くことも困難である。以上のとおりであるから、地域住民らは、本件埋立免許又は本件竣功認可の法的効果として自己の権利利益を侵害され又は必然的に侵害されるおそれのある者ということができず、その取消しを訴求する原告適格を有していない〈伊達火力発電所事件〉（最判昭60・12・17）。

出題 国家総合 - 令和2、国Ⅰ - 平成13

Q30 地方鉄道の路線の周辺に居住し、かつ日常、当該地方鉄道の特別急行旅客列車を利用している者は、当該地方鉄道に対する特別急行料金改定認可処分の取消しを求める原告適格を有するのか。

A 原告適格を有しない。　地方鉄道法21条に基づく認可処分そのものは、本来、当該地方鉄道の利用者の契約上の地位に直接影響を及ぼすものではなく、このことは、その利用形態のいかんにより差異を生ずるものではない。また、同条の趣旨は、もっぱら公共の利益を確保することにあるのであって、当該地方鉄道の利用者の個別的な利益を保護することにあるのではなく、他に同条が当該地方鉄道の利用者の個別的な権利利益を保護することを目的として認可権の行使に制約を課していると解すべき根拠はない。そうすると、地方鉄道の路線の周辺に居住する者であって、通勤定期券を購入するなどしたうえ、日常運行している特別急行列車を利用しているとしても、本件特別急行料金の改定（変更）の認可処分によって自己の権利利益を侵害されまたは必然的に侵害されるおそれの者にあたるということができず、認可処分の取消しを求める原告適格を有しない〈近鉄特急料金訴訟〉（最判平1・4・13）。

出題 国Ⅰ - 平成22・6、市役所上・中級 - 平成5、国Ⅱ - 平成10、国税 - 平成28・10

Q31 遺跡を研究の対象としてきた学術研究者は、史跡指定解除処分の取消しを求める法律上の利益（原告適格）を有するか。

A 原告適格（原告適格）を有しない。　文化財保護条例および文化財保護法は、文化財の保存・活用から個々の県民あるいは国民が受ける利益については、本来本件条例および法がその目的としている公益の中に吸収解消させ、その保護は、もっぱら公益の実現を通じて図ることと解される。そして、本件条例および法において、文化財の学術研究者の学問研究上の利益の保護について特段の配慮をしていると解しうる規定を見出すことはできないから、そこに、学術研究者の当該利益について、一般の県民あるいは国民が文化財の保護・活用から受ける利益を超えてその保護を図ろうとする趣旨を認めることはできない。したがって、遺跡を研究の対象としてきた学術研究者は、史跡指定解除処分の取消しを

求めるにつき法律上の利益（原告適格）を有しない〈伊場遺跡訴訟〉（最判平1・6・20）。

出題 国家総合 - 令和2、国Ⅰ - 平成13・11・6、国Ⅱ - 平成10、国税・財務・労基 - 令和4・平成28、国税・労基 - 平成25

Q32 がけ崩れのおそれが多い土地の開発許可の取消訴訟を提起した、開発区域周辺住民が死亡した場合、原告適格は承継されるのか。

A 原告適格は承継されない。　開発区域周辺住民の有していた本件開発許可の取消しを求める法律上の利益は、同住民の生命、身体の安全等という一身専属的なものであり、相続の対象となるものではないから、その死亡により当該取消訴訟は当然終了する（最判平9・1・28）。

出題 国Ⅰ - 平成14

Q33 パチンコ屋の近隣地域に居住する者は、風俗（パチンコ屋）営業許可の取消しを求める原告適格を有するのか。

A 原告適格を有しない。　風俗営業等の規制及び業務の適正化等に関する法律は、善良の風俗と清浄な風俗環境を保持し、および少年の健全な育成に障害を及ぼす行為を防止するため、風俗営業および風俗関連営業等について、営業時間、営業区域等を制限し、および年少者をこれらの営業所に立ち入らせること等を規制するとともに、風俗営業の健全化に資するため、その業務の適正化を促進する等の措置を講ずることを目的とする（法1条）。この目的規定から、法の風俗営業の許可に関する規定が一般的公益の保護に加えて個々人の個別的利益をも保護すべきものとする趣旨を含むことを読み取ることは、困難である。また、風俗営業の許可の基準を定める法4条2項2号は、良好な風俗環境の保全という公益的な見地から風俗営業の制限地域の指定を行うことを予定しているのであって、同号自体が当該営業制限地域の居住者個々人の個別的利益をも保護することを目的としているものとは解しがたい。そうすると、もっぱら公益保護の観点からの基準に従って規定された施行条例3条1項1号は、同号所定の地域に居住する住民の個別的利益を保護する趣旨を含まない。したがって、当該地域に居住する者は、風俗営業の許可の取消しを求める原告適格を有するとはいえない（最判平10・12・17）。

出題 国Ⅰ - 平成15、国税・財務・労基 - 平成28、国税・労基 - 平成25

Q34 墓地から300メートルに満たない地域に敷地がある住宅等に居住する者は、墓地、埋葬に関する法律10条1項に基づいて大阪府知事のした墓地の経営許可の取消しを求める原告適格を有するのか。

A 原告適格を有しない。　墓地、埋葬等に関する法律（以下「法」という。）10条1項は、墓地等の経営に関する許否の判断を都道府県知事の広範な裁量にゆだねる趣旨に出たものであって、法は、墓地等の管理および埋葬等が国民の宗教的感情に適合し、かつ、公衆衛生その他公共の福祉の見地から支障なく行われることを目的とする法の趣旨に従い、都道府県知事が、公益的見地から、墓地等の経営の許可に関する許否の判断を行うことを予定してい

行政事件訴訟法

る。したがって法 10 条 1 項自体が当該墓地等の周辺に居住する者個々人の個別的利益をも保護することを目的としているものとは解し難い。また、大阪府墓地等の経営の許可等に関する条例（昭和 60 年大阪府条例第 3 号）7 条 1 号は、墓地および火葬場の設置場所の基準として、「住宅、学校、病院、事務所、店舗その他これらに類する施設の敷地から 300 メートル以上離れていること。ただし、知事が公衆衛生その他公共の福祉の見地から支障がないと認めるときは、この限りでない。」と規定している。しかし、同号は、その周辺に墓地および火葬場を設置することが制限されるべき施設を住宅、事務所、店舗を含めて広く規定しており、その制限の解除は専ら公益的見地から行われるものとされていることにかんがみれば、同号がある特定の施設に着目して当該施設の設置者の個別的利益を特に保護しようとする趣旨を含むものとは解し難い。したがって、墓地から 300 メートルに満たない地域に敷地がある住宅等に居住する者は法 10 条 1 項に基づいて大阪府知事のした墓地の経営許可の取消しを求める原告適格を有しない（最判平 12・3・17）。

Q35 開発区域内又はその周辺に所在する土地上に立木を有する者は、森林法に基づく林地開発許可処分の取消訴訟の原告適格が認められるのか。

A 原告適格は認められない。　森林法 10 条の 2 第 2 項 1 号は、当該開発行為をする森林の現に有する土地に関する災害の防止の機能からみて、当該開発行為により当該森林の周辺の地域において土砂の流出又は崩壊その他の災害を発生させるおそれがないことを、又、同項 1 号の 2 は、当該開発行為をする森林の現に有する水害の防止の機能からみて、当該開発行為により当該機能に依存する地域における水害を発生させるおそれがないことを開発許可の要件としている。これらの規定は、森林において必要な防災措置を講じないままに開発行為を行うときは、その結果、土砂の流出又は崩壊、水害等の災害が発生して、人の生命、身体の安全等が脅かされるおそれがあることにかんがみ、開発許可の段階で、開発行為の設計内容を十分審査し、当該開発行為により土砂の流出又は崩壊、水害等の災害を発生させるおそれがない場合にのみ許可をすることとしている。しかし、上記規定から、周辺住民の生命、身体の安全等に加えて周辺土地の所有権等の財産権までを個々人の個別的利益として保護すべきものとする趣旨を含むことを読み取ることは困難である。したがって、本件開発区域内又はその周辺に所在する土地上に立木を有する者は、林地開発許可処分の取消訴訟の原告適格を認められない（最判平 13・3・13）。

Q36 鉄道の連続立体交差化にあたり付属街路を設置することを内容とする都市計画事業認可の取消訴訟において事業地の周辺に居住する住民は原告適格を有するのか。

A 原告適格を有しない。　事実関係等によれば、本件各付属街路事業に係る付属街路は、本件鉄道事業による沿線の日照への影響を軽減するほ

か、沿線地域内の交通の処理や災害時の緊急車両の通行に供すること、地域の街づくりのために役立てること等をも目的として設置されるものであるというのであり、本件各付属街路事業は、本件鉄道事業と密接な関連を有するものの、これとは別個のそれぞれ独立した都市計画事業であることは明らかであるから、上告人らの本件各付属街路事業認可の取消を求める上記の原告適格についても、個々の事業の認可ごとにその有無を検討すべきである。そして、本件各付属街路事業に係る付属街路が、小田急小田原線の連続立体交差化にあたり、環境に配慮して日照への影響を軽減することを主たる目的として設置されるものであることに加え、これらの付属街路の規模等に照らせば、本件各付属街路事業の事業地内の不動産につき権利を有しない上告人らについて、本件各付属街路事業が実施されることにより健康又は生活環境に係る著しい被害を直接的に受けるおそれがあると認めることはできない。したがって、上告人らは、本件各付属街路事業認可の取消を求める原告適格を有すると解することはできない〈小田急電鉄高架橋訴訟〉（最大判平 17・12・7）。

Q37 医療法（平成 17 年改正前）7 条に基づく開設許可のされた病院（A）の付近において、医療施設を開設し医療行為をする医療法人等（B）は、同許可の取消訴訟の原告適格を有するのか。

A B は原告適格を有しない。　許可の要件を定める医療法の規定は、病院開設の許否の判断にあたり、当該病院の開設地の付近で医療施設を開設している者等（以下「他施設開設者」という。）の利益を考慮することを予定していないことが明らかである。医療法 30 条の 3 は、都道府県は医療を提供する体制の確保に関する計画（以下「医療計画」という。）を定めるものとし（同条 1 項）、そこに定める事項として「基準病床数に関する事項」を掲げており（同条 2 項 3 号）、同法 30 条の 7 は、医療計画の達成の推進のために特に必要がある場合には、都道府県知事が病院開設の許可の申請者に対し病院の開設等に関し勧告することができるものとしている。また、同法 30 条の 3 が都道府県において医療計画を定めることとした目的は、良質かつ適切な医療を効率的に提供する体制を確保することにあるから（最判平 17・9・8 参照）、同条が他施設開設者の利益を保護する趣旨を含むと解することもできない。法の目的を定める同法 1 条および医師等の責務を定める同法 1 条の 4 の規定からも、病院開設の許可に関する同法の規定が他施設開設者の利益を保護すべきものとする趣旨を含むことを読み取ることはできず、そのほか、上告人らが本件開設許可の取消しを求める法律上の利益を有すると解すべき根拠はみいだせない。そうすると、上告人らは、本件開設許可の取消しを求める原告適格を有しない（最判平 19・10・19）。

Q38 自転車競技法（改正前のもの）4 条 2 項に基づく設置許可がされた場外車券発売施設の周辺に居住する者等は、いわゆる位置基準を根拠として上記

許可の取消訴訟の原告適格を有するのか。

A 原告適格を有しない。　一般的に、場外施設が設置、運営された場合に周辺住民等が被る可能性のある被害は、交通、風紀、教育など広い意味での生活環境の悪化であって、その設置、運営により、直ちに周辺住民等の生命、身体の安全や健康が脅かされたり、その財産に著しい被害が生じたりすることまでは想定しがたいところである。そして、このような生活環境に関する利益は、基本的には公益に属する利益というべきであって、法令に手掛かりとなることが明らかな規定がないにもかかわらず、当然に、法が周辺住民等について上記のような被害を受けないという利益を個々人の個別的利益としても保護する趣旨を含むと解するのは困難といわざるをえない。位置基準は、場外施設が医療施設等から相当の距離を有し、当該場外施設において車券の発売等の営業が行われた場合に文教上又は保健衛生上著しい支障を来すおそれがないことを、その設置許可要件の一つとして定めるものである。そして、当該場外施設の設置、運営に伴う上記の支障が著しいものといえるか否かは、単に個々の医療施設等に着目して判断されるべきものではなく、当該場外施設の設置予定地およびその周辺の地域的特性、文教施設の種類・学区やその分布状況、医療施設の規模・診療科目やその分布状況、当該場外施設が設置、運営された場合に予想される周辺環境への影響等の事情をも考慮し、長期的観点に立って総合的に判断されるべき事柄である。このように、法が位置基準によって保護しようとしているのは、第一次的には、不特定多数者の利益であるところ、それは、性質上、一般的公益に属する利益であって、原告適格を基礎付けるには足りないものであるといわざるをえない。したがって、場外施設の周辺において居住し又は事業（医療施設等に係る事業を除く）を営むにすぎない者や、医療施設等の利用者は、場外施設の設置許可の取消しを求める原告適格を有しない（最判平21・10・15）。

(2)訴えの利益（狭義）

◇訴えの利益（狭義）が肯定された事例

Q39 同一の放送用周波の競願者に対する免許処分の取消訴訟において、当該免許の期間満了後直ちに再免許が与えられ、継続して事業が維持されている場合であっても、当該免許処分の取消しを求める訴えの利益は失われるのか。

A 訴えの利益は失われない。　「再免許」と称するものも、なお、本件の予備免許および本免許を前提とするものであって、当初の免許期間の満了とともに免許の効力が完全に喪失され、再免許において、従前とは全く別個無関係に、新たな免許が発効し、全く新たな免許期間が開始するものと解するのは相当でない。そして、競願者に対する免許処分（異議申立て棄却決定）の取消訴訟において、免許期間の満了という点が問題とあるのであるが、期間満了後再免許が付与されず、免許が完全に失効した場合は

格別として、期間満了後直ちに再免許が与えられ、継続して事業が維持されている場合に、これを免許失効の場合と同視して、訴えの利益を否定することは相当でない。けだし、訴えの利益の有無という観点からすれば、競願者に対する免許処分の取消しを訴求する場合はもちろん、自己に対する拒否処分の取消しを訴求する場合においても、当初の免許期間の満了と再免許は、たんなる形式にすぎず、免許期間の更新とその実質において異なるところはないと認められるからである〈東京12チャンネル事件〉（最判昭43・12・24）。

Q40 甲が乙に対する免許処分の取消しを訴求する場合および自己に対する拒否処分の取消しを訴求する場合において、当該免許期間が満了しても乙が再免許を受けて免許事業を継続しているときは、甲の提起した訴訟の利益は失われないのか。

A 甲の提起した訴訟の利益は失われない〈東京12チャンネル事件〉（最判昭43・12・24）。⇨39

Q41 免職された公務員が免職処分の取消訴訟の係属中に死亡した場合、相続人は訴訟を承継できるのか。

A 取消判決によって回復される当該公務員の給料請求権等については、訴訟を承継できる。　免職された公務員が免職処分の取消訴訟の係属中に死亡した場合には、その取消判決によって回復される当該公務員の給料請求権等を相続する者が当該訴訟を承継する（最判昭49・12・10）。

Q42 所得税の確定申告がされた後、減額再更正処分がされた場合、当初の更正処分に対する訴えの利益は失われるのか。

A 当初の更正処分に対する訴えの利益は失われない。　申告にかかる税額につき更正処分がされたのち、いわゆる減額再更正がされた場合、その再更正処分は、それにより減少した税額にかかる部分についてのみ法的効果を及ぼすものであり（国税通則法29条2項）、それ自体は再更正処分の理由のいかんにかかわらず、当初の更正処分とは別個独立の課税処分ではなく、その実質は、当初の更正処分の変更であり、それによって、税額の一部取消しという納税者に有利な効果をもたらす処分と解する。そうすると、納税者は、当該再更正処分に対してその救済を求める訴えの利益はなく、もっぱら減額された当初の更正処分の取消しを訴求することをもって足りる（最判昭56・4・24）。

Q43 土地改良事業施行認可処分の取消訴訟中に、土地事業計画にかかる工事および換地処分がすべて完了したため、これを原状回復することが、社会通念上、不可能である場合、当該認可処分の取消しを求める法律上の利益は失われるのか。

A 法律上の利益は失われない。　本件認可処分は、事業の施行者に対し、事業施行地域内の土地につき

土地改良事業を施行することを認可するもの、すなわち、土地改良事業施行権を付与するものであり、本件事業において、本件認可処分後に行われる換地処分等の一連の手続および処分は、本件認可処分が有効に存在することを前提とするものであるから、本件訴訟において本件認可処分が取り消されるとすれば、これにより当該換地処分等の法的効力は影響を受ける。そして、本件訴訟において、本件土地改良事業施行認可処分が取り消された場合に、本件事業施行地域を本件事業施行以前の原状に回復することが、本件訴訟係属中に本件事業計画にかかる工事および換地処分がすべて完了したため、社会的、経済的損失の観点からみて、社会通念上、不可能であるとしても、上記のような事情は、行政事件訴訟法31条の適用に関して考慮されるべき事柄であって、本件認可処分の取消しを求める法律上の利益を消滅させるものではない（最判平4・1・24）。

出題 国家総合－平成27、国Ⅰ－平成23・19・14・9・7、特別区Ⅰ－令和1、国家一般－令和3・平成29・24、国Ⅱ－平成12、国税・財務・労基－令和3・平成26、国税－平成14

Q44 Xは行政庁Aの処分の取消しを求めて提訴し、その訴訟係属中、処分が有効であることを前提として大規模な工事が完了した等の理由により、処分が取り消された場合、Aの処分が違法であっても、裁判所は取消請求に関して、訴えの利益なしとして却下しなければならないのか。

A 訴えの利益なしとして却下する必要はない（最判平4・1・24）。⇨43

Q45 請求に係る公文書の非公開決定の取消訴訟において、当該公文書が書証として提出された場合、当該公文書の非公開決定の取消しを求める訴えの利益は消滅するのか。

A 訴えの利益は消滅しない。　愛知県公文書公開条例は、県民の公文書の公開を請求する権利を明らかにするとともに、公文書の公開に関し必要な事項を定めている（1条）。本件条例における公文書の公開とは、実施機関が本件条例の定めるところにより公文書を閲覧に供し、又は公文書の写しを交付することをいい（2条3項）、実施機関は、本件条例に基づき公文書の公開を求める請求書を受理したときは、請求に係る公文書の公開をするかどうかの決定をしなければならないものとされている（8条1項）。そして、本件条例には、請求者が請求に係る公文書の内容を知り、又はその写しを取得している場合に当該公文書の公開を制限する趣旨の規定は存在しない。これらの規定に照らすと、本件条例5条所定の公開請求権者は、本件条例に基づき公文書の公開を請求して、所定の手続により請求に係る公文書を閲覧し、又は写しの交付を受けることを求める法律上の利益を有するから、請求に係る公文書の非公開決定の取消訴訟において当該公文書が書証として提出されたとしても、当該公文書の非公開決定の取消しを求める訴えの利益は消滅するものではない〈愛知県知事交際費事件〉（最判平14・2・28）。

出題 国Ⅰ－平成18、国税・財務・労基－平成26

Q46 自動車等運転免許証の有効期間の更新にあたり、一般運転者として扱われ、優良運転者である旨の記載のない免許証を交付されて更新処分を受けた者は、当該更新処分の取消しを求める訴えの利益を有するか。

A 訴えの利益を有する。　道路交通法は、優良運転者の実績を賞揚し、優良な運転へと免許証保有者を誘導して交通事故の防止を図る目的で、優良運転者であることを免許証に記載して公に明らかにすることとするとともに、優良運転者に対し更新手続上の優遇措置を講じているのである。このことに、優良運転者の制度の沿革等をあわせて考慮すれば、同法は、客観的に優良運転者の要件を満たす者に対しては優良運転者である旨の記載のある免許証を交付して更新処分を行うということを、単なる事実上の措置にとどめず、その者の法律上の地位として保障するとの立法政策を、交通事故の防止を図るという制度の目的を全うするため、特に採用したものと解するのが相当である。確かに、免許証の更新処分において交付される免許証が優良運転者である旨の記載のある免許証であるかそうでないものであるかによって、当該免許証の有効期間等が左右されるものではない。また、上記記載のある免許証を交付して更新処分を行うことは、免許証の更新の申請の内容を成す事項ではない。しかしながら、上記のとおり、客観的に優良運転者の要件を満たす者であれば優良運転者である旨の記載のある免許証を交付して行う更新処分を受ける法律上の地位を有することが肯定される以上、一般運転者として扱われ上記記載のない免許証を交付されて免許証の更新処分を受けた者は、上記の法律上の地位を否定されたことを理由として、これを回復するため、同更新処分の取消しを求める訴えの利益を有するというべきものである（最判平21・2・27）。

出題 国家総合－令和4、国Ⅰ－平成23、国家一般－令和3・平成24

Q47 市街化調整区域内にある土地を開発区域として都市計画法（平成26年による改正前）29条1項による開発許可を受けた開発行為に関する工事が完了し、当該工事の検査済証が交付された後においては、当該開発許可の取消しを求める訴えの利益は失われるのか。

A 訴えの利益は失われない。　市街化調整区域のうち、開発許可を受けた開発区域以外の区域においては、都市計画法43条1項により、原則として知事等の許可を受けない限り建築物の建築等が制限されるのに対し、開発許可を受けた開発区域においては、同法42条1項により、開発行為に関する工事が完了し、検査済証が交付されて工事完了公告がされた後は、当該開発許可に係る予定建築物等以外の建築物の建築等が原則として制限されるものの、予定建築物等の建築等についてはこれが可能となる。そうすると、市街化調整区域においては、開発許可がされ、その効力を前提とする検査済証が交付されて工事完了公告がされることにより、予定建築物等の建築等が可能となるという法的効果が生ずるものということができる。したがって、市街化調

整区域内にある土地を開発区域とする開発行為ひいては当該開発行為に係る予定建築物等の建築等が制限されるべきであるとして開発許可の取消しを求める者は、当該開発行為に関する工事が完了し、当該工事の検査済証が交付された後においても、当該開発許可の取消しを求める訴えの利益は失われないと解するのが相当である（最判平27・12・14）。

Q48 原子爆弾被爆者に対する援護に関する法律に基づく被爆者健康手帳交付申請および健康管理手当認定申請の各却下処分の取消しを求める訴訟ならびに同取消しに加えて被爆者健康手帳の交付の義務付けを求める訴訟について、訴訟の係属中に申請者が死亡した場合には、その相続人が当該訴訟を承継するのか。

A 訴訟の係属中に申請者が死亡した場合には、その相続人が当該訴訟を承継する。　被爆者援護法に基づく健康管理手当は、原子爆弾の放射能の影響による造血機能障害等の障害に苦しみ続け、不安の中で生活している被爆者に対し、毎月定額の手当を支給することにより、その健康および福祉に寄与することを目的とするものであるところ（同法前文、27条参照）、被爆者援護法27条は、その受給権に関し、被爆者であって、所定の疾病に罹患しているものであれば、同条2項所定の都道府県知事の認定を受けることによって、当該認定の申請をした日の属する月の翌月から一定額の金銭を受給することができる旨を定めている。このような規定に照らすと、同手当に係る受給権は、所定の各要件を満たすことによって得られる具体的給付を求める権利として規定されているということができる。以上のような同法の性格や健康管理手当の目的および内容にかんがみると、同条に基づく認定の申請がされた健康管理手当の受給権は、当該申請をした者の一身に専属する権利ということはできず、相続の対象となるものであるから、被爆者健康手帳交付申請および健康管理手当認定申請の各却下処分の取消しを求める訴訟ならびに同取消しに加えて被爆者健康手帳の交付の義務付けを求める訴訟について、訴訟の係属中に申請者が死亡した場合には、当該訴訟は当該申請者の死亡により当然に終了するものではなく、その相続人がこれを承継するものと解するのが相当である（最判平29・12・18）。　　　　出題 予想

◇訴えの利益（狭義）が否定された事例

Q49 特定日に予定された集団示威行動のための公会堂、公園使用を不許可処分にした場合、当該日が経過しても不許可処分の取消しを求める訴えの利益を有するか。

A 訴えの利益を有しない。　特定日に予定された集団示威行動のための公会堂、公園使用に関する不

許可処分について、当該日が経過すれば判決を求める法律上の利益は喪失する〈皇居外苑使用不許可事件〉（最大判昭28・12・23）。

Q50 法人税に関する更正処分（第1次更正処分）の取消しを求める訴訟の係属中に、被上告人の税務署長が、更正処分の瑕疵を是正するため、係争年度の所得金額を確定申告書記載の金額に減額する旨の再更正（第2次更正処分）と更正の具体的根拠を明示して、申告にかかる課税標準および税額を第1次更正処分のとおりに更正する旨の再々更正（第3次更正処分）とが同日付で行なわれた場合、原告が提起している（第1次更正処分）の取消しを求める訴訟は、その訴えの利益を失うのか。

A 訴えの利益を失う。　原判決の確定した事実によれば、被上告人税務署長は、本件訴訟係属後の昭和35年4月30日にいたり、訴訟で攻撃されている更正処分の瑕疵を是正するために、同日付で、更正の用紙を用い、上告人の昭和31事業年度の所得金額を確定申告書記載の金額に減額する旨の再更正（第2次更正処分）と、更正の具体的根拠を明示して、申告に係る課税標準および税額を第1次更正処分のとおりに更正する旨の再々更正（第3次更正処分）をなし、上記2個の処分の通知書を1通の封筒に同封して上告人に送付したのである。上記の事実関係の下においては、第2次更正処分は、第3次更正処分を行うための前提手続たる意味を有するにすぎず、また、第3次更正処分も、実質的には、第1次更正処分の附記理由を追完したにとどまることは否定しえず、また、かかる行為の効力には疑問がないわけではない。しかしながら、これらの行為も、各々独立の行政処分であることはいうまでもなく、その取消しの求められていない本件においては、第1次更正処分は第2次更正処分によって取り消され、第3次更正処分は、第1次更正処分とは別個になされた新たな行政処分であると解さざるをえない。されば、第1次更正処分の取消しを求めるにすぎない本件訴えは、第2次更正処分の行なわれた時以降、その利益を失うにいたったものというべきである〈まからず屋事件〉（最判昭42・9・19）。　　出題 国家総合－平成27

Q51 税務署長の更正処分に対して取消訴訟係属中に増額再更正処分がなされた場合、当初の更正処分の取消しを求める訴えの利益はあるのか。

A 訴えの利益は失われる。　税務署長の更正処分に対して取消訴訟提起中に増額再更正処分がなされたときは、増額再更正処分は更正処分を取り消したうえでなされる新たな処分であるから、当初の更正処分の取消しを求める訴えの利益は失われる（最判昭55・11・20）。

Q52 自動車運転免許の効力停止処分を受けた者が、停止期間を経過し、かつ当該違反・無処分で1年を経過したときにも、当該処分の取消しによって回復すべき法律上の利益を有するか。

A 法律上の利益を有しない。　本件原処分の効果は当該処分の日１日の期間の経過によりなくなったものであり、また、本件原処分の日から１年を経過した日の翌日以降、Ｘが本件原処分を理由に道路交通法上不利益を受けるおそれがなくなったことはもとより、他に本件原処分を理由にＸを不利益に取り扱いうることを認めた法令の規定はないから、行政事件訴訟法９条の規定の適用上、Ｘは、本件原処分および本件裁決の取消しによって回復すべき法律上の利益を有しない。この点に関して、原審は、Ｘには、本件原処分の記載のある免許証を所持することにより警察官に本件原処分の存した事実を覚知され、名誉、感情、信用等を損なう可能性が常時継続して存在するとし、その排除は法の保護に値するＸの利益であるとして本件裁決取消しの訴えを適法とした。しかし、このような可能性の存在が認められるとしても、それは本件原処分がもたらす事実上の効果にすぎず、これをもってＸが本件裁決取消しの訴えによって回復すべき法律上の利益を有することの根拠とするのは相当でない（最判昭55・11・25）。

出題 国Ⅰ－平成19・2・昭和63、地方上級－平成9（市共通）、市役所上・中級－平成1、国家一般－平成29、国Ⅱ－平成12・5、国税・財務・労基－令和3・平成26、国税－平成12・10

Q53 運転免許停止処分の記載のある免許証を所持することにより、名誉等を損なう可能性がある場合には、処分の本体たる効果が消滅した後も、当該処分の取消しを求める訴えの利益はあるのか。

A 訴えの利益はない（最判昭55・11・25）。⇨52

Q54 保安林指定解除処分の取消訴訟係属中に保安林に代替する施設が完成した場合、訴えの利益はあるのか。

A 訴えの利益はない。　原告適格の基礎は、保安林指定解除処分に基づく立木竹の伐採に伴う理水機能の低下の影響を直接受ける点において保安林の存在による洪水や渇水の防止上の利益を侵害されているところにあるから、いわゆる代替措置の設置によって洪水や渇水の危険が解消され、その防止上からは当該保安林の存続の必要性がなくなったときは、もはや指定解除処分の取消しを求める訴えの利益は失われる〈長沼ナイキ基地訴訟〉（最判昭57・9・9）。

出題 国家総合－平成30、国Ⅰ－平成19・14・7・5・昭和59、地方上級－平成9（市共通）、市役所上・中級－平成4・1、国家一般－平成29、国Ⅱ－平成15・12、国税・財務・労基－令和3・1、国税・労基－平成15

Q55 建築確認の取消訴訟の係属中に建築工事が完了した場合、建築確認の取消しを求める訴えの利益はあるのか。

A 訴えの利益はない。　建築工事が完了した後における建築主事等の検査は、当該建築物およびその敷地が建築関係規定に適合しているかどうかを基準とし、同じく特定行政庁の違反是正命令は、当該建築物およびその敷地が建築基準法ならびにこれに基づく命令および条例の規定に適合しているかどうかを基準とし、いずれも当該建築物およびその敷地が建築確認に係る計画どおりのものであるかどうかを基準とするものでないうえ、違反是正命令を発するかどうかは、特定行政庁の裁量にゆだねられているから、建築確認の存在は、検査済証の交付を拒否し又は違反是正命令を発する上において法的障害となるものではなく、また、たとえ建築確認が違法であるとして判決で取り消されたとしても、検査済証の交付を拒否し又は違反是正命令を発すべき法的拘束力が生ずるものではない。したがって、建築確認は、それを受けなければ当該工事をすることができないという法的効果を付与されているにすぎないから、当該工事が完了した場合においては、建築確認の取消しを求める訴えの利益は失われるものといわざるをえない（最判昭59・10・26）。

出題 国家総合－平成30、国Ⅰ－平成20・14・7・5・2、地方上級－平成9（市共通）、特別区Ⅰ－令和1、国家一般－令和3・平成29・24、国Ⅱ－平成12、国税・財務・労基－令和3・平成26、国税－平成14・8

Q56 建築物の建築等の工事が完了した後における特定行政庁の違反是正命令の発出については、特定行政庁の裁量にゆだねられており、建築確認の存在が検査済証の交付を拒否し又は違反是正命令を発する上において法的障害となるものではないが、建築確認の取消しについては、違反是正命令権限の行使に重大な影響を持つことから、工事が完了した場合においても、建築確認の取消しを求める訴えの利益は認められるのか。

A 訴えの利益は認められない（最判昭59・10・26）。⇨55

Q57 市立学校教諭が同一市内の他の中学校教諭とする旨の転任処分を受けた場合において、当該処分がその身分、俸給等に異動を生じさせず、客観的、実際的見地からみて勤務場所、勤務内容等に不利益を伴うものでないときでも、転任処分の取消しを求める訴えの利益は認められるのか。

A 他に特段の事情がない限り、訴えの利益は認められない。　本件転任処分は、Ａ中学校教諭として勤務していたＸらを同一市内のＢ中学校教諭に補する旨配置換えを命じたものにすぎず、Ｘらの身分、俸給等に異動を生ぜしめるものでないことはもとより、客観的また実際的見地からみても、Ｘらの勤務場所、勤務内容等においてなんらの不利益を伴うものでない。したがって、他に特段の事情の認められない本件においては、Ｘらについて本件転任処分の取消しを求める法律上の利益を肯認することはできないものといわなければならない（最判昭61・10・23）。　出題 国家総合－平成30

Q58 都市計画法に基づく開発行為の許可の取消訴訟係属中に、許可にかかる開発行為に関する工事が完了した場合、許可の取消しを求める訴えの利益はあるのか。

A 許可の取消しを求める訴えの利益はない。　都市計画法29条に基づく許可（開発許可）は、あらかじめ申請にかかる開発行為が同法33条所定の要

行政法編

件に適合しているかどうかを公権的に判断する行為であるから、許可にかかる開発行為に関する工事が完了したときは、開発許可の有する法的効果は消滅する。したがって、許可の取消しを求める訴えの利益も失われる（最判平5・9・10）。

Q59 再入国の許可申請に対する不許可処分を受けた者が再入国の許可を受けないまま本邦から出国した場合、当該不許可処分の取消しを求める訴えの利益を有するのか。

A 訴えの利益を有しない。　　再入国の許可申請に対する不許可処分を受けた者が再入国の許可を受けないまま本邦から出国した場合には、当該不許可処分の取消しを求める訴えの利益は失われる。その理由は、次のとおりである。本邦に在留する外国人が再入国の許可を受けないまま本邦から出国した場合には、同人がそれまで有していた在留資格は消滅するところ、出入国管理及び難民認定法26条1項にもとづく再入国の許可は、本邦に在留する外国人に対し、新たな在留資格を付与するものではなく、同人が有していた在留資格を出国にもかかわらず存続させ、上記在留資格のままで本邦に再び入国することを認める処分である。そうすると、再入国の許可申請に対する不許可処分を受けた者が再入国の許可を受けないまま本邦から出国した場合には、同人がそれまで有していた在留資格が消滅することにより、当該不許可処分が取り消されても、同人に対して上記在留資格のままで再入国することを認める余地はなくなるから、同人は、当該不許可処分の取消しによって回復すべき法律上の利益を失うに至るのである〈在日韓国人再入国不許可処分取消訴訟〉（最判平10・4・10）。

Q60 免許証の更新を受けようとする者が優良運転者であるか一般運転者であるかによって、他の公安委員会を経由した更新申請書の提出の可否並びに手数料の額が異なるため、それらは、同更新処分がその名あて人にもたらした法律上の地位に対する不利益な影響とは解され、これ自体が同更新処分の取消しを求める利益の根拠となるのか。

A 同更新処分の取消しを求める利益の根拠とならない。　　免許証の更新を受けようとする者が優良運転者であるか一般運転者であるかによって、他の公安委員会を経由した更新申請書の提出の可否並びに更新時講習の講習事項等及び手数料の額が異なるものとされているが、それらは、いずれも、免許証の更新処分がされるまでの手続上の要件のみにかかわる事項であって、同更新処分がその名あて人にもたらした法律上の地位に対する不利益な影響とは解し得ないから、これ自体が同更新処分の取消しを求める利益の根拠となるものではない（最判平21・2・27）。

Q61 市町村が設置する保育所を廃止する条例の制定行為について、保育を受けている児童又はその保護者が、当該保育所における保育の実施期間がすべて満了している場合でも、当該条例の制定行為の取消しを求める訴えの利益を有するのか。

A 訴えの利益を有しない。　　市町村の設置する保育所で保育を受けている児童又はその保護者が、当該保育所を廃止する条例の効力を争って、当該市町村を相手に当事者訴訟ないし民事訴訟を提起し、勝訴判決や保全命令を得たとしても、これらは訴訟の当事者である当該児童又はその保護者と当該市町村との間でのみ効力を生ずるにすぎないから、これらを受けた市町村としては当該保育所を存続させるかどうかについての実際の対応に困難をきたすことにもなり、処分の取消判決や執行停止の決定に第三者効（行政事件訴訟法32条）が認められている取消訴訟において当該条例の制定行為の適法性を争いうるとすることには合理性がある。以上によれば、本件改正条例の制定行為は、抗告訴訟の対象となる行政処分にあたると解するのが相当である。しかしながら、現時点においては、上告人らに係る保育の実施期間がすべて満了していることが明らかであるから、本件改正条例の制定行為の取消しを求める訴えの利益は失われたものというべきである。そうすると、本件訴えのうち上記制定行為の取消しを求める部分を不適法として却下すべきものとした原審の判断は、結論において是認することができる〈横浜市立保育園廃止処分取消請求事件〉（最判平21・11・26）。

(3)処分後の事情の変更

Q62 免職された公務員が、免職処分の取消訴訟係属中に公職の候補者として届出をしたため、法律上その職を辞したものとみなされるに至った場合、免職された公務員に訴えの利益は認められるか。

A 訴えの利益が認められる。　　公務員免職の行政処分は、それが取り消されない限り、免職処分の効力を保有し、当該公務員は、違法な免職処分さえなければ公務員として有するはずであった給料請求権その他の権利、利益につき裁判所に救済を求めることができなくなるから、本件免職処分の効力を排除する判決を求めることは、その権利、利益を回復するための必要な手段である。そして、行政事件訴訟法9条が、たとえ注意的にもしろ、括弧内において規定を設けたことをかんがみれば、同法の下においては、広く訴えの利益を認めるべきである（最大判昭40・4・28）。

Q63 自動車の運転免許の取消しに対して、その取消処分の取消しの訴えを提起したところ、訴訟係属中に運転免許の有効期間が経過した場合、訴えの利益は失われるのか。

A 訴えの利益は失われない。　　道路交通法101条が、免許証有効期間満了にあたり適性検査を行い、その結果自動車等の運転に支障がないと認められる者については免許証の有効期間を更新して免許を存続させることにし、同法105条が、免許証の有効期間の更新を受けなかったときは免許は効力を

失うものとしたのは、現に免許証を行使しつつある者に対し、その運転適性を維持しているかどうかについての定期検査を強行し、不適格者には適宜の措置をとる目的に出でたものであることにかんがみれば、これらの規定は、本件のように免許が現在取り消されており、その取消しの適否が訴訟によって争われている場合についてまで適用を予定したものとは解しがたい。むしろかような取消処分の係争中の免許については、その取消処分の取消しが確定して免許証を行使しうる状態に復帰した際に、その適性検査の時期に至ったものとして取り扱うのが相当であり、道路交通法上もそのような取扱いを許されないとする根拠は認められない。してみれば、本件被上告人の免許証の有効期間の経過は、何ら本件訴えの利益の存続に影響しない（最判昭40・8・2）。

出題 国家総合 – 平成27、市役所上・中級 – 平成1、特別区Ⅰ – 令和1、国Ⅱ – 昭和60

第10条（取消しの理由の制限）
①取消訴訟においては、自己の法律上の利益に関係のない違法を理由として取消しを求めることができない。
②処分の取消しの訴えとその処分についての審査請求を棄却した裁決の取消しの訴えとを提起することができる場合には、裁決の取消しの訴えにおいては、処分の違法を理由として取消しを求めることができない。
＊処分の無効等確認の訴えとその処分についての審査請求を棄却した裁決に係る抗告訴訟とを提起できる場合に準用（38条2項：10条2項のみ準用）、不作為の違法確認の訴えに準用（38条4項：10条2項のみ準用）、民衆訴訟・機関訴訟に適用除外（43条1項）

◇ **10条1項**

Q1 飛行場の周辺に居住する住民は、新たに付与された定期航空運送事業免許の取消しを求めるにつき、その違法事由の主張は、「自己の法律上の利益に関係のない違法」にあたるのか。
A 「自己の法律上の利益に関係のない違法」にあたり、その主張について棄却を免れない。　本件各免許の違法事由として具体的に主張するところは、要するに、①被上告人が告示された供用開始期日の前から本件空港の変更後の着陸帯Ｂおよび滑走路Ｂを供用したのは違法であり、このような状態において付与された本件各免許は航空法101条1項3号の免許基準に適合しない、②本件空港の着陸帯ＡおよびＢは非計器用であるのに、被上告人はこれを違法に計器用に供用しており、このような状態において付与された本件各免許は右免許基準に適合しない、③日本航空株式会社に対する本件免許は、当該路線の利用客の大部分が遊興目的の韓国ツアーの団体客である点において、同条同項1号の免許基準に適合せず、また、当該路線については、日韓航空協定に基づく相互乗入れが原則であることにより輸送力が著しく供給過剰となるので、同項2号の免許基準に適合しない、というものであるから、上告人（付近住民）の上記違法事由の主張がいずれも

自己の法律上の利益に関係のない違法をいうものであることは明らかである。そうすると、本件請求は、上告人が本件各免許の取消しを訴求する原告適格を有するとしても、行政事件訴訟法10条1項によりその主張自体失当として棄却を免れないことになる〈新潟空港訴訟〉（最判平1・2・17）。

出題 予想

◇ **10条2項**

Q2 原処分の違法を理由とする裁決の取消判決が確定した場合には、原処分の違法であることが確定して、当該処分はその効力を失うのか。
A 当該処分はその効力を失う。　農地買収計画についての訴願を棄却した裁決が行政事件特例法に基づく裁決取消しの訴訟について買収計画の違法を理由として取り消されたときは、この買収計画は効力を失う（最判昭50・11・28）。

出題 国Ⅰ – 昭和62

Q3 取消訴訟において、裁決で原処分の修正がなされた場合、公務員の懲戒処分について行われた修正裁決に不服のある者は、裁決の取消しの訴えを提起しなければならないのか。
A 懲戒処分（原処分）の取消しの訴えを提起しなければならない（訴えの利益がある）。　懲戒処分につき人事院の修正裁決があった場合、それにより懲戒権者の行った懲戒処分（原処分）が一体として取り消されて消滅し、人事院において新たな内容の懲戒処分をしたものではなく、修正裁決は、原処分を行った懲戒権者の懲戒権の発動に関する意思決定を承認し、これに基づく原処分の存在を前提としたうえで、原処分の法律効果の内容を一定の限度のものに変更する効果を生じさせるにすぎないのであり、これにより、原処分は、当初から修正裁決による修正どおりの法律効果を伴う懲戒処分として存在していたものとみなされることになる。以上より、修正裁決によってもなお懲戒処分（原処分）は存在するのであるから、被処分者たる上告人は、処分事由の不存在等懲戒処分の違法を理由としてその取消しを求める訴えの利益を失わない（最判昭62・4・21）。

出題 国Ⅰ – 平成16・12・6、特別区Ⅰ – 平成14

Q4 審査請求に対して人事院が懲戒処分を修正する裁決を行った場合、懲戒権者の行った懲戒処分は一体として取り消され消滅し、被処分者は、処分事由の不存在等懲戒処分の違法を理由としてその取消しを求める訴えの利益を失うのか。
A 懲戒処分は消滅せず、その取消しを求める訴えの利益を失わない（最判昭62・4・21）。⇨3

Q5 土地収用法94条7項又は8項の規定による収用委員会の裁決の判断内容が損失の補償に関する事項に限られている場合であっても、その名宛人は、上記裁決の取消訴訟を提起することができるのか。
A 裁決の取消訴訟を提起することができる。　土地収用法に基づく収用委員会の裁決は、行政事件訴訟法3条2項の「処分」に該当するものであるから、上記裁決の名宛人は、土地収用法133条1項又は行政事件訴訟法14条3項所定の出訴期間

行政法編

内に、収用委員会の所属する都道府県を被告として（同法11条1項）、収用委員会の裁決の取消訴訟を提起することができる。また、土地収用法133条2項および3項は、収用委員会の裁決のうち損失の補償に関する訴えに係る出訴期間および被告とすべき者を定めているところ、上記各項が収用委員会の裁決の取消訴訟とは別個に損失の補償に関する訴えを規定していることからすれば、同法において、収用委員会の裁決のうち損失の補償に関する事項については損失の補償に関する訴えによって争うべきものとされているのであって、上記裁決の取消訴訟において主張しうる違法事由は損失の補償に関する事項以外の違法事由に限られるものと解される（同法132条2項参照）。もっとも、これは収用委員会の裁決の取消訴訟において主張しうる違法事由の範囲が制限されるにとどまり、上記裁決の名宛人としては、裁決手続の違法を含む損失の補償に関する事項以外の違法事由を主張して上記裁決の取消しを求めうるのであるから、同法94条7項又は8項の規定による収用委員会の裁決の判断内容が損失の補償に関する事項に限られている場合であっても、上記裁決の取消訴訟を提起することが制限されるものではない。そうすると、土地収用法94条7項又は8項の規定による収用委員会の裁決の判断内容が損失の補償に関する事項に限られている場合であっても、その名宛人は、上記裁決の取消訴訟を提起することができるものというべきである。そして、以上の理は、道路法70条4項に基づく土地収用法94条7項又は8項の規定による収用委員会の裁決についても同様にあてはまるものである（最判平25・10・25）。　出題 予想

第11条（被告適格等）

①処分又は裁決をした行政庁（処分又は裁決があった後に当該行政庁の権限が他の行政庁に承継されたときは、当該他の行政庁。以下同じ。）が国又は公共団体に所属する場合には、取消訴訟は、次の各号に掲げる訴えの区分に応じてそれぞれ当該各号に定める者を被告として提起しなければならない。

1　処分の取消しの訴え　当該処分をした行政庁の所属する国又は公共団体

2　裁決の取消しの訴え　当該裁決をした行政庁の所属する国又は公共団体

②処分又は裁決をした行政庁が国又は公共団体に所属しない場合には、取消訴訟は、当該行政庁を被告として提起しなければならない。

③前2項の規定により被告とすべき国若しくは公共団体又は行政庁がない場合には、取消訴訟は、当該処分又は裁決に係る事務の帰属する国又は公共団体を被告として提起しなければならない。

④第1項又は前項の規定により国又は公共団体を被告として取消訴訟を提起する場合には、訴状には、民事訴訟の例により記載すべき事項のほか、次の各号に掲げる訴えの区分に応じてそれぞれ当該各号に定める行政庁をも記載するものとする。

1　処分の取消しの訴え　当該処分をした行政庁

2　裁決の取消しの訴え　当該裁決をした行政庁

⑤第1項又は第3項の規定により国又は公共団体を被告として取消訴訟が提起された場合には、被告は、遅滞なく、裁判所に対し、前項各号に掲げる訴えの区分に応じてそれぞれ当該各号に定める行政庁を明らかにしなければならない。

⑥処分又は裁決をした行政庁は、当該処分又は裁決に係る第1項の規定による国又は公共団体を被告とする訴訟について、裁判上の一切の行為をする権限を有する。

＊抗告訴訟に準用（38条1項）

Q1 権限委任の場合、受任行政庁の行った行政処分に対する取消訴訟は、委任行政庁を被告とすべきか。（改正前の判例）

A 受任行政庁が被告となる。　行政庁相互間におていていわゆる権限の委任がなされた場合、委任を受けた行政庁はその処分を自己の行為としてするものである以上、その処分の取消しの訴えは、委任を受けた行政庁を被告として提起すべきである（最判昭54・7・20）。

出題 地方上級－平成3（市共通）・昭和58、国家一般－平成26、国Ⅱ－平成15・1

第12条（管轄）

①取消訴訟は、被告の普通裁判籍の所在地を管轄する裁判所又は処分若しくは裁決をした行政庁の所在地を管轄する裁判所の管轄に属する。

②土地の収用、鉱業権の設定その他不動産又は特定の場所に係る処分又は裁決についての取消訴訟は、その不動産又は場所の所在地の裁判所にも、提起することができる。

③取消訴訟は、当該処分又は裁決に関し事案の処理に当たった下級行政機関の所在地の裁判所にも、提起することができる。

④国又は独立行政法人通則法（平成11年法律第103号）第2条第1項に規定する独立行政法人若しくは別表に掲げる法人を被告とする取消訴訟は、原告の普通裁判籍の所在地を管轄する高等裁判所の所在地を管轄する地方裁判所（次項において「特定管轄裁判所」という。）にも、提起することができる。

⑤前項の規定により特定管轄裁判所に同項の取消訴訟が提起された場合であって、他の裁判所に事実上及び法律上同一の原因に基づいてされた処分又は裁決に係る抗告訴訟が係属している場合においては、当該特定管轄裁判所は、当事者の住所又は所在地、尋問を受けるべき証人の住所、争点又は証拠の共通性その他の事情を考慮して、相当と認めるときは、申立てにより又は職権で、訴訟の全部又は一部について、当該他の裁判所又は第1項から第3項までに定める裁判所に移送することができる。

＊抗告訴訟に準用（38条1項）

Q1 社会保険庁長官がした国民年金法による障害基礎年金の支給停止処分等の無効確認訴訟等につき、和歌山県知事は行政事件訴訟法12条3項にいう「事案の処理に当たった下級行政機関」に該当するのか。

A 「事案の処理に当たった下級行政機関」に該当す

る場合がある。　行政事件訴訟法12条3項にいう「事案の処理に当たった下級行政機関」とは、当該処分等に関し事案の処理そのものに実質的に関与した下級行政関をいうものと解する。そして、当該処分等に関し事案の処理そのものに実質的に関与したと評価することができるか否かは、当該処分等の内容、性質に照らして、当該下級行政機関の関与の具体的態様、程度、当該処分等に対する影響の度合い等を総合考慮して決すべきである。このような観点からすれば、当該下級行政機関において自ら積極的に事案の調査を行い当該処分の成立に必要な資料を収集した上意見を付してこれを処分庁に送付ないし報告し、これに基づいて処分庁が最終的判断を行った上で当該処分をしたような場合はもとより、当該下級行政機関において処分庁に対する意見具申をしていないときであっても、処分要件該当性が一義的に明確であるような場合などは、当該下級行政機関の関与の具体的態様、程度等によっては、当該下級行政機関は当該処分に関し事案の処理そのものに実質的に関与したと評価することができる（最判平13・2・27）。

Q2「事案の処理に当たった下級行政機関」（行政事件訴訟法12条3項）は、当該処分又は裁決を行った行政庁の指揮監督下にある行政機関に限られるのか。

A 限られない。　行政事件訴訟法12条3項にいう当該処分又は裁決に関し事案の処理にあたった下行政機関とは、当該処分等に関し事案の処理そのものに実質的に関与した下級行政機関をいい（最判平13・2・27）、この下級行政機関にあたるものは、当該処分等を行った行政庁の指揮監督下にある行政機関に限られない（最判平15・3・14）。

Q3 日本年金機構の下部組織である事務センターは、行政事件訴訟法12条3項にいう「事案の処理に当たった下級行政機関」に該当しないのか。

A「事案の処理に当たった下級行政機関」に該当する。　本件において、国民年金法に基づき年金の給付を受ける権利の裁定に係る事務の委託を受けた日本年金機構の下部組織である事務センターが日本年金機構法等の定めに従って裁定に係る処分にかかわる事務を行った場合において、上記事務センターが当該組織において自ら積極的に事案の調査を行い当該処分の成立に必要な資料を収集したうえ、意見を付してこれを処分行政庁に送付ないし報告し、これに基づいて処分行政庁が最終的判断を行ったうえで当該処分をしたような場合などは、当該組織の関与の具体的態様、程度等によっては、当該組織は当該処分に関し事案の処理そのものに実質的に関与したと評価することができ、事務センターは行政事件訴訟法12条3項にいう「事案の処理に当たった下級行政機関」に該当する（最判平26・9・25）。

第13条（関連請求に係る訴訟の移送）
　取消訴訟と次の各号の一に該当する請求（以下「関連請求」という。）に係る訴訟とが別個の裁判所に係属する場合において、相当と認めるときは、関連請求に係る訴訟の係属する裁判所は、申立てにより又は職権で、その訴訟を取消訴訟の係属する裁判所に移送することができる。ただし、取消訴訟又は関連請求に係る訴訟の係属する裁判所が高等裁判所であるときは、この限りでない。
1　当該処分又は裁決に関連する原状回復又は損害賠償の請求
2　当該処分とともに1個の手続を構成する他の処分の取消しの請求
3　当該処分に係る裁決の取消しの請求
4　当該裁決に係る処分の取消しの請求
5　当該処分又は裁決の取消しを求める他の請求
6　その他当該処分又は裁決の取消しの請求と関連する請求
＊抗告訴訟に準用（38条1項）

Q1 同一人所有、同一敷地内の一つのリゾートホテルを構成している各建物の登録価格に関する固定資産評価審査委員会の各決定の取消し請求は関連請求にあたるのか。

A 関連請求にあたる。　同一人の所有に係る、同一の敷地にあって一つのリゾートホテルを構成している本件各建物について、同一年度の登録価格につき、需給事情による減点補正がされていないのは違法であるとしてされた審査の申出を棄却する固定資産評価審査委員会の決定のうち抗告人が本件各建物の適正な時価と主張する価格を超える部分の取消しを求める訴訟である。これによれば、本件訴訟に係る各請求の基礎となる社会的事実は一体としてとらえられるべきものであって密接に関連しており、争点も同一であるから、上記各請求は、互いに行政事件訴訟法13条6号所定の関連請求にあたるものと解するのが相当である。したがって、上記各請求に係る訴えは、同法16条1項により、これらを併合して提起することができるものというべきである。このように解することが、審理の重複や裁判の矛盾抵触を避け、当事者の訴訟提起・追行上の負担を軽減するとともに、訴訟の迅速な解決にも役立つものというべきである（最決平17・3・29）。

第14条（出訴期間）
①取消訴訟は、処分又は裁決があったことを知った日から6箇月を経過したときは、提起することができない。ただし、正当な理由があるときは、この限りでない。
②取消訴訟は、処分又は裁決の日から1年を経過したときは、提起することができない。ただし、正当な理由があるときは、この限りでない。
③処分又は裁決につき審査請求をすることができる場合又は行政庁が誤って審査請求をすることができる旨を教示した場合において、審査請求があったときは、処分又は裁決に係る取消訴訟は、その審査請求をした者については、前2項の規定にかかわらず、これに対する裁決があったことを知った日から6箇月を経過したとき又は当該裁決の日から1年を経過したときは、提起することができない。ただし、正当な理由があるときは、この限りでない。

Q1 出訴期間を設けるか否か、どの程度の長さにするかは立法上の裁量事項であるから、その期間がきわめて短期に設定されたとしても、憲法上の問題は生じないのか。

A 憲法上の問題は生じる。　　刑罰法規については、憲法39条によって事後法の制定は禁止されているが、民事法規については憲法は法律がその効果を遡及させることを禁じてはいない。したがって民事訴訟上の救済方法のように公共の福祉が要請する限り、従前の例によらずに、遡及して変更することができると解すべきである。出訴期間も民事訴訟上の救済方法に関するものであるから、新法により遡及して短縮しうると解すべきであって、改正前の法律による出訴期間が既得権として当事者の権利となるものではない。そして新法により遡及して出訴期間を短縮することができる以上は、その期間が著しく不合理で実質上裁判の拒否と認められるような場合でない限り、憲法32条に違反するものではない（最大判昭24・5・18）。⇨憲法32条2

出題 国Ⅰ－平成18・15・3、国家一般－令和1、国Ⅱ－平成11、国税・労基－平成23

Q2 法律改正によって取消訴訟の出訴期間が短縮された場合、改正前の行政行為については、改正前の法律による出訴期間内であれば、当該行政行為に対する取消訴訟の提起が許されるか。

A 改正により短縮された出訴期間内で取消訴訟を提起しなければならない（最大判昭24・5・18）。⇨1

Q3 行政事件訴訟法14条1項、行政不服審査法18条1項等における「処分のあったことを知った日」とは、何を指すのか。

A 当事者が処分の存在を現実に知った日を指す。「処分のあったことを知った日」とは、当事者が書類の交付、口頭の告知その他の方法により処分の存在を現実に知った日を指すものであって、抽象的な知りうべかりし日を意味するものではない。もっとも処分を記載した書類が当事者の住所に送達される等のことがあって、社会通念上処分のあったことが当事者の知りうべき状態におかれたときは、反証のない限り、その処分のあったことを知ったものと推定することはできる（最判昭27・11・20）。

出題 国Ⅰ－平成18・3・昭和54、市役所上・中級－平成7、国Ⅱ－平成11

Q4 行政庁の側で相手方が処分されたことを現実に知ったことを立証しない限り、知らなかったものと推定されるのか。

A 反証のない限り、知ったものと推定される（最判昭27・11・20）。⇨3

Q5 行政処分に対する再審査請求自体が不適法であり、請求事由の存否について、実体的判断がなされず、当該再審査請求が却下された場合、行政処分の取消訴訟の出訴期間は何時から起算すべきか。

A 審査請求に対する判定があったことを知った日から起算すべきである。　地方公務員法8条7項の規定に基づく昭和26年名古屋市人事委員会規則第7号「不利益処分についての不服申立てに関する規則」15条の定める再審の請求は、行政事件訴

訟法14条3項にいう「審査請求」にあたるものと解するのが相当であり、したがって、不利益処分についての審査請求又は再調査請求、に対する同市人事委員会の判定に対して再審の請求があったときは、当該不利益処分についてその請求人から提起する取消訴訟の出訴期間は、上記再審の請求に対する同人事委員会の決定があったことを知った日から起算すべきものである。しかしながら、再審の請求自体が不適法であって、再審事由の存否についての実体的判断がされることなく再審の請求が却下されたときは、行政事件訴訟法14条3項の規定を適用する余地はないのであって、この場合には当該不利益処分の取消訴訟の出訴期間については、審査請求に対する同人事委員会の判定があったことを知った日から起算すべきものと解するのが相当である（最判昭56・2・24）。

出題 国Ⅰ－平成18・3、国Ⅱ－平成11

Q6 行政事件訴訟法14条3項に定める審査請求には、市の人事委員会規則（地方公務員法旧8条7項）に定める再審の請求は含まれるのか。⇨5

A 含まれる（最判昭56・2・24）。⇨5

Q7 収用委員会の裁決につき審査請求をすることができる場合に、審査請求がされたときにおける収用委員会の裁決の取消訴訟の出訴期間は、何時から起算し、どの程度の期間となるのか。

A その審査請求に対する裁決があったことを知った日から6か月以内かつ当該裁決の日から1年以内となる。　収用委員会の裁決につき審査請求がされなかった場合に法律関係の早期安定の観点から出訴期間を短縮する特例が設けられている（「収用委員会の裁決に関する訴えは、裁決書の正本の送達を受けた日から3月の不変期間内に提起しなければならない」（土地収用法133条1項））としても、収用委員会の裁決につき審査請求がされた場合における収用委員会の裁決の取消訴訟の出訴期間について、これと必ずしも同様の規律に服させなければならないというものではない。したがって、収用委員会の裁決につき審査請求をすることができる場合において、審査請求がされたときは、収用委員会の裁決の取消訴訟の出訴期間については、土地収用法の特例規定（133条1項）が適用されるものではなく、他に同法に別段の特例規定が存しない以上、原則どおり行政事件訴訟法14条3項の一般規定が適用され、その審査請求に対する裁決があったことを知った日から6か月以内かつ当該裁決の日から1年以内となると解するのが相当である（最判平24・11・20）。出題 予想

Q8 個人情報の一部を不開示とする決定の取消しを求める訴えが、出訴期間を経過した後に提起されたことにつき、行政事件訴訟法14条1項但書にいう「正当な理由」があるといえるのか。

A 本件の事情の下では、「正当な理由」があるとはいえない。　京都府個人情報保護条例（平成8年京都府条例）に基づく開示請求に対して個人情報の一部を不開示とする決定の取消しを求める訴えが、行政事件訴訟法14条1項の定める出訴期間を経過した後に提起されたことにつき、同条項但

行政事件訴訟法

書にいう「正当な理由」があるとはいえない。なぜなら、京都府個人情報保護条例に基づく開示請求に対してされた、個人情報の一部を不開示とする決定に係る通知書において、出訴期間の教示がなされていること、当該通知書の記載は不開示部分を特定して不開示の理由を付したものであること、当該通知書が開示請求者を代理する弁護士の下に到達した1週間後に当該決定に係る個人情報の開示が実施されたことなどの事情等があるからである（最判平28・3・10）。　　　　　　　　　　　**出題** 予想

第15条（被告を誤った訴えの救済）

①取消訴訟において、原告が故意又は重大な過失によらないで被告とすべき者を誤ったときは、裁判所は、原告の申立てにより、決定をもって、被告を変更することを許すことができる。

②前項の決定は、書面でするものとし、その正本を新たな被告に送達しなければならない。

③第1項の決定があったときは、出訴期間の遵守については、新たな被告に対する訴えは、最初に訴えを提起した時に提起されたものとみなす。

④第1項の決定があったときは、従前の被告に対しては、訴えの取下げがあったものとみなす。

⑤第1項の決定に対しては、不服を申し立てることができない。

⑥第1項の申立てを却下する決定に対しては、即時抗告をすることができる。

⑦上訴審において第1項の決定をしたときは、裁判所は、その訴訟を管轄裁判所に移送しなければならない。

＊当事者訴訟に準用（40条2項）

第16条（請求の客観的併合）

①取消訴訟には、関連請求に係る訴えを併合することができる。

②前項の規定により訴えを併合する場合において、取消訴訟の第一審裁判所が高等裁判所であるときは、関連請求に係る訴えの被告の同意を得なければならない。被告が異議を述べないで、本案について弁論をし、又は弁論準備手続において申述をしたときは、同意したものとみなす。

＊抗告訴訟に準用（38条1項）

第17条（共同訴訟）

①数人は、その数人の請求又はその数人に対する請求が処分又は裁決の取消しの請求と関連請求とである場合に限り、共同訴訟人として訴え、又は訴えられることができる。

②前項の場合には、前条第2項の規定を準用する。

＊抗告訴訟に準用（38条1項）

第18条（第三者による請求の追加的併合）

第三者は、取消訴訟の口頭弁論の終結に至るまで、その訴訟の当事者の一方を被告として、関連請求に係る訴えをこれに併合して提起することができる。この場合において、当該取消訴訟が高等裁判所に係属しているときは、第16条第2項の規定を準用する。

＊抗告訴訟に準用（38条1項）

第19条（原告による請求の追加的併合）

①原告は、取消訴訟の口頭弁論の終結に至るまで、

関連請求に係る訴えをこれに併合して提起することができる。この場合において、当該取消訴訟が高等裁判所に係属しているときは、第16条第2項の規定を準用する。

②前項の規定は、取消訴訟について民事訴訟法（平成8年法律第109号）第143条の規定の例によることを妨げない。

＊抗告訴訟に準用（38条1項）

〔参考〕民事訴訟法第143条

①原告は、請求の基礎に変更がない限り、口頭弁論の終結に至るまで、請求又は請求の原因を変更することができる。ただし、これにより著しく訴訟手続を遅滞させることとなるときは、この限りでない。

②請求の変更は、書面でしなければならない。

③前項の書面は、相手方に送達しなければならない。

④裁判所は、請求又は請求の原因の変更を不当であると認めるときは、申立てにより又は職権で、その変更を許さない旨の決定をしなければならない。

Q1 取消訴訟提起後に訴えの変更がある場合、出訴期間遵守の有無は、何時を基準にして決定すべきか。

A 訴えの変更の時を基準として決定すべきである。訴えの変更は、変更後の新請求については新たな訴えの提起であるから、この訴えの提起につき出訴期間の制限がある場合には、この出訴期間の遵守の有無は、変更前後の請求の間に訴訟物の同一性が認められるとき、または両者の間に存する関係から、変更後の新請求にかかる訴えを当初の訴えの提起の時に提起されたものと同視し、出訴期間の遵守において欠けるところがないと解すべき特段の事情があるときを除き、訴えの変更の時を基準としてこれを決しなければならない（最判昭61・2・24）。

出題 国Ⅰ-平成3、国Ⅱ-平成11

第20条

前条第1項前段の規定により、処分の取消しの訴えをその処分についての審査請求を棄却した裁決の取消しの訴えに併合して提起する場合には、同項後段において準用する第16条第2項の規定にかかわらず、処分の取消しの訴えの被告の同意を得ることを要せず、また、その提起があったときは、出訴期間の遵守については、処分の取消しの訴えは、裁決の取消しの訴えを提起した時に提起されたものとみなす。

＊処分の無効等確認の訴えとその処分についての審査請求を棄却した裁決に係る抗告訴訟とを提起できる場合に準用（38条2項）

第21条（国又は公共団体に対する請求への訴えの変更）

①裁判所は、取消訴訟の目的たる請求を当該処分又は裁決に係る事務の帰属する国又は公共団体に対する損害賠償その他の請求に変更することが相当であると認めるときは、請求の基礎に変更がない限り、口頭弁論の終結に至るまで、原告の申立てにより、決定をもって、訴えの変更を許すことができる。

行政法編

②前項の決定には、第15条第2項の規定を準用する。

③裁判所は、第1項の規定により訴えの変更を許す決定をするには、あらかじめ、当事者及び損害賠償その他の請求に係る訴えの被告の意見をきかなければならない。

④訴えの変更を許す決定に対しては、即時抗告をすることができる。

⑤訴えの変更を許さない決定に対しては、不服を申し立てることができない。

＊抗告訴訟に準用（38条1項）

Q1 指定確認検査機関が行う建築確認の事務は、地方公共団体に帰属し、その取消請求を地方公共団体に対する損害賠償請求に変更することは認められるのか。

A 変更することは認められる。　建築基準法は、建築物の計画が建築基準関係規定に適合するものであることについての確認に関する事務を地方公共団体の事務とする前提に立ったうえで、指定確認検査機関をして、上記の確認に関する事務を特定行政庁の監督下において行わせることとしたのである。そうすると、指定確認検査機関による確認に関する事務は、建築主事による確認に関する事務の場合と同様に、地方公共団体の事務であり、その事務の帰属する行政主体は、当該確認に係る建築物について確認をする権限を有する建築主事が置かれた地方公共団体である。したがって、指定確認検査機関の確認に係る建築物について確認をする権限を有する建築主事が置かれた地方公共団体は、指定確認検査機関の当該確認につき行政事件訴訟法21条1項所定の「当該処分又は裁決に係る事務の帰属する国又は公共団体」にあたるのであって、抗告人（株式会社東京建築検査機構）は、本件確認に係る事務の帰属する公共団体にあたる（最決平17・6・24）。

【出題】予想

第22条（第三者の訴訟参加）

①裁判所は、訴訟の結果により権利を害される第三者があるときは、当事者若しくはその第三者の申立てにより又は職権で、決定をもって、その第三者を訴訟に参加させることができる。

②裁判所は、前項の決定をするには、あらかじめ、当事者及び第三者の意見をきかなければならない。

③第1項の申立てをした第三者は、その申立てを却下する決定に対して即時抗告をすることができる。

④第1項の規定により訴訟に参加した第三者については、民事訴訟法第40条第1項から第3項までの規定を準用する。

⑤第1項の規定により第三者が参加の申立てをした場合には、民事訴訟法第45条第3項及び第4項の規定を準用する。

＊抗告訴訟に準用（38条1項）

〔参考〕民事訴訟法第40条

①訴訟の目的が共同訴訟人の全員について合一にのみ確定すべき場合には、その1人の訴訟行為は、全員の利益においてのみその効力を生ずる。

②前項に規定する場合には、共同訴訟人の1人に対する相手方の訴訟行為は、全員に対してその効力を生ずる。

③第1項に規定する場合において、共同訴訟人の1人について訴訟手続の中断又は中止の原因があるときは、その中断又は中止は、全員についてその効力を生ずる。

第45条

③補助参加人は、補助参加について異議があった場合においても、補助参加を許さない裁判が確定するまでの間は、訴訟行為をすることができる。

④補助参加人の訴訟行為は、補助参加を許さない裁判が確定した場合においても、当事者が援用したときは、その効力を有する。

Q1 労災保険不支給決定取消訴訟において使用者の訴訟参加は認められるか。

A 認められる。　徴収法12条3項各号所定の一定規模以上の事業においては、労災保険給付の不支給決定の取消判決が確定すると、行政事件訴訟法33条の定める取消判決の拘束力により労災保険給付の支給決定がされて保険給付が行われ、次々年度以降の保険料が増額される可能性があるから、当該事業の事業主は、労働基準監督署長の敗訴を防ぐことに法律上の利害関係を有し、これを補助するために労災保険給付の不支給決定の取消訴訟に参加をすることが許されると解する〈レンゴー事件〉（最決平13・2・22）。

【出題】予想

Q2 労働組合の救済申立てに係る救済命令の取消訴訟に当該組合に所属する労働者が行政事件訴訟法22条に基づき参加することはできるか。

A 参加することはできない。　労働組合法27条に定める労働委員会の救済命令制度は、不当労働行為につき一定の救済利益を有すると認められる労働組合および労働者に対し、それぞれ独立の救済申立権を保障するものであるから、労働組合のみが労働委員会に救済を申し立てた場合に、その申立てに係る救済命令又は救済申立てを棄却する命令が確定したとしても、当該労働組合に所属する労働者が自ら救済申立てをする権利に何らかの法的影響が及ぶものではない。そして、労働組合の救済申立てに係る救済命令の内容が労働者個人の雇用関係上の権利にかかわるものである場合には、当該労働者は、使用者が公法上の義務としてこれを履行することにより利益を受けることになり、上記救済命令が判決により取り消されれば、その利益を受けられなくなるのであるが、当該労働者は上記の義務の履行を求める権利を有するものではないし、救済を申し立てなかった当該労働者の救済命令を求める権利が侵害されることもないのであるから、上記利益を受けられなくなることによりその者の法律上の利益が害されたとはいえない。以上によれば、上記労働者は行政事件訴訟法22条1項にいう「訴訟の結果により権利を害される第三者」にはあたらない（最判平14・9・26）。

【出題】予想

Q3 産業廃棄物のいわゆる管理型最終処分場の設置許可申請に対する不許可処分の取消訴訟において、当該施設から有害な物質が排出された場合に直

行政事件訴訟法

接的かつ重大な被害を受けることが想定される範囲の住民にあたる者は、補助参加の利益を有するのか。

A **補助参加の利益を有する。**　人体に有害な物質を含む産業廃棄物の処理施設である管理型最終処分場については、設置許可処分における審査に過誤、欠落があり有害な物質が許容限度を超えて排出された場合には、その周辺に居住する者の生命、身体に重大な危害を及ぼすなどの災害を引き起こすことがありうる。このような同項の趣旨・目的および上記の災害による被害の内容・性質等を考慮すると、同項は、管理型最終処分場について、その周辺に居住し、当該施設から有害な物質が排出された場合に直接的かつ重大な被害を受けることが想定される範囲の住民の生命、身体の安全等を個々人の個別的利益としても保護すべきものとする趣旨を含む。したがって、上記の範囲の住民にあたることが疎明された者は、民事訴訟法42条にいう「訴訟の結果について利害関係を有する第三者」にあたる（最決平15・1・24）。　　　　　　　　　　**出題** 予想

〔参考〕民事訴訟法第42条　訴訟の結果について利害関係を有する第三者は、当事者の一方を補助するため、その訴訟に参加することができる。

第23条（行政庁の訴訟参加）

①裁判所は、処分又は裁決をした行政庁以外の行政庁を訴訟に参加させることが必要であると認めるときは、当事者若しくはその行政庁の申立てにより又は職権で、決定をもって、その行政庁を訴訟に参加させることができる。

②裁判所は、前項の決定をするには、あらかじめ、当事者及び当該行政庁の意見をきかなければならない。

③第1項の規定により訴訟に参加した行政庁については、民事訴訟法第45条第1項及び第2項の規定を準用する。

＊抗告訴訟に準用（38条1項）、当事者訴訟に準用（41条1項）、争点訴訟に準用（45条1項）

〔参考〕民事訴訟法第45条

①補助参加人は、訴訟について、攻撃又は防御の方法の提出、異議の申立て、上訴の提起、再審の訴えの提起その他一切の訴訟行為をすることができる。ただし、補助参加の時における訴訟の程度に従いすることができないものは、この限りでない。

②補助参加人の訴訟行為は、被参加人の訴訟行為と抵触するときは、その効力を有しない。

第23条の2（釈明処分の特則）

①裁判所は、訴訟関係を明瞭にするため、必要があると認めるときは、次に掲げる処分をすることができる。

1　被告である国若しくは公共団体に所属する行政庁又は被告である行政庁に対し、処分又は裁決の内容、処分又は裁決の根拠となる法令の条項、処分又は裁決の原因となる事実その他処分又は裁決の理由を明らかにする資料（次項に規定する審査請求に係る事件の記録を除く。）であって当該行政庁が保有するものの全部又は一部の提出を求めること。

2　前号に規定する行政庁以外の行政庁に対し、同号に規定する資料であって当該行政庁が保有するものの全部又は一部の送付を嘱託すること。

②裁判所は、処分についての審査請求に対する裁決を経た後に取消訴訟の提起があったときは、次に掲げる処分をすることができる。

1　被告である国若しくは公共団体に所属する行政庁又は被告である行政庁に対し、当該審査請求に係る事件の記録であって当該行政庁が保有するものの全部又は一部の提出を求めること。

2　前号に規定する行政庁以外の行政庁に対し、同号に規定する事件の記録であって当該行政庁が保有するものの全部又は一部の送付を嘱託すること。

＊無効等確認の訴えに準用（38条3項）、当事者訴訟における処分又は裁決の理由を明らかにする資料の提出について準用（41条2項）、争点訴訟に準用（45条4項）

第24条（職権証拠調べ）

裁判所は、必要があると認めるときは、職権で、証拠調べをすることができる。ただし、その証拠調べの結果について、当事者の意見をきかなければならない。

＊抗告訴訟に準用（38条1項）、当事者訴訟に準用（41条1項）、争点訴訟に準用（45条4項）

Q1 裁判所は、証拠につき十分な心証を得た場合であっても、職権によってさらに証拠を調べ、確信を得たことを示す必要があるのか。

A **必要はない。**　行政事件訴訟特例法9条は、証拠につき十分の心証を得られない場合、職権で、証拠を調べることのできる旨を規定したものであって、原審が証拠につき十分の心証を得られる以上、職権によってさらに証拠を調べる必要はない（最判昭28・12・24）。

出題 国家総合－令和2、国Ⅱ－平成12、国税・労基－平成18

第25条（執行停止）

①処分の取消しの訴えの提起は、処分の効力、処分の執行又は手続の続行を妨げない。

②処分の取消しの訴えの提起があった場合において、処分、処分の執行又は手続の続行により生ずる重大な損害を避けるため緊急の必要があるときは、裁判所は、申立てにより、決定をもって、処分の効力、処分の執行又は手続の続行の全部又は一部の停止（以下「執行停止」という。）をすることができる。ただし、処分の効力の停止は、処分の執行又は手続の続行の停止によって目的を達することができる場合には、することができない。

③裁判所は、前項に規定する重大な損害を生ずるか否かを判断するに当たっては、損害の回復の困難の程度を考慮するものとし、損害の性質及び程度並びに処分の内容及び性質をも勘案するものとする。

④執行停止は、公共の福祉に重大な影響を及ぼすお

それがあるとき、又は本案について理由がないとみえるときは、することができない。

⑤第2項の決定は、疎明に基づいてする。

⑥第2項の決定は、口頭弁論を経ないですることができる。ただし、あらかじめ、当事者の意見をきかなければならない。

⑦第2項の申立てに対する決定に対しては、即時抗告をすることができる。

⑧第2項の決定に対する即時抗告は、その決定の執行を停止する効力を有しない。

＊無効等確認の訴えに準用（38条3項）、仮の義務付け・仮の差止めに準用（37条の5第4項：25条5項6項7項8項のみ準用）

Q1 在留期間の経過を理由とする退去強制令書の発布処分を受けた者が、当該処分について取消訴訟の提起およびその執行停止の申立てをした場合には、取消訴訟の判決が確定するまで当該令書の執行停止が認められるのか。

A 認められない。　Xが本国に強制送還され、わが国に在留しなくなれば、自ら訴訟を追行することは困難となるを免れないことになるが、訴訟代理人によって訴訟を追行することは可能であり、また、訴訟の進行上当事者尋問などのためXが直接法廷に出頭することが必要となった場合には、その時点において、所定の手続により、改めてわが国への上陸が認められないわけではない。それ故、本件令書が執行され、Xがその本国に強制送還されたとしても、それによってXの裁判を受ける権利が否定されることにはならない（最決昭52・3・10）。

出題 国Ⅰ−平成11

Q2 地方議会議員の除名処分の効力停止決定がされることによって、除名による欠員が生じたことに基づいて行われた繰上補充による当選人の定めは、その根拠を失うことになり、選挙管理委員会は、当該当選人の定めを撤回し、その当選を遡及無効とすべき義務を負うのか。

A その当選を将来に向かって無効とすべき義務を負う。　地方議会議員の除名処分の効力停止決定がされた場合には、除名による欠員が生じたことに基づいて行われた繰上補充による当選人の定めは、その根拠を失うことになるから、関係行政庁である選挙管理委員会は、当該効力停止決定に拘束され、繰上補充による当選人の定めを撤回し、その当選を将来に向かって無効とすべき義務を負う（最決平11・1・11）。

出題 国家総合−平成30

Q3 日本弁護士連合会が弁護士に対して行う戒告処分は、それが当該弁護士に告知された時にその効力が生じ、告知によって完結するが、裁判所は、その後行われる公告が行われることを法的に阻止することはできるのか。

A 裁判所は、その後行われる公告が行われることを法的に阻止することはできない。　弁護士に対する戒告処分は、それが当該弁護士に告知されたときにその効力が生じ、告知によって完結する。弁護士法会則97条3項1項に基づいて行われる公告は、処分があった事実を一般に周知させるための手続であって、処分の効力として行われるものでも、処分

の続行手続として行われるものでもないというべきである。そうすると、本件処分の効力またはその手続の続行を停止することによって本件公告が行われることを法的に阻止することはできないし、本件処分が本件公告を介して第三者の知るところとなり、相手方の弁護士としての社会的信用等が低下するなどの事態を生ずるとしても、それは本件処分によるものではないから、これをもって本件処分により生ずる回復困難な損害（改正前の文言）にあたるものということはできない（最決平15・3・11）。

出題 国家総合−令和3

Q4 弁護士に対する業務停止3月の懲戒処分による社会的信用の低下、業務上の信頼関係の毀損等の損害は、行政事件訴訟法25条2項にいう「重大な損害」にあたるのか。

A 「重大な損害」にあたる。　相手方（弁護士）は、その所属する弁護士会から業務停止3月の懲戒処分を受けたが、当該業務停止期間中に期日が指定されているものだけで31件の訴訟案件を受任していたなど本件事実関係の下においては、行政事件訴訟法25条3項所定の事由を考慮し勘案して、上記懲戒処分によって相手方（弁護士）に生ずる社会的信用の低下、業務上の信頼関係の毀損等の損害は同条2項に規定する「重大な損害」にあたる（最判平19・12・18）。

出題 国家総合−平成26

Q5 村議会の議員である者につき地方自治法92条の2の規定に該当する旨の決定がされ、その補欠選挙が行われた場合において、同選挙は上記決定の効力が停止された後に行われたものであった場合、上記の者は、上記決定の取消判決を得れば、議員の地位を回復することはできるのか。

A 議員の地位を回復することはできない。　公職選挙法に定める選挙又は当選の効力は、同法所定の争訟の結果無効となる場合のほか、原則として当然無効となるものではない。そして、普通地方公共団体の議会の議員の選挙およびその当選の効力に関し不服がある選挙人又は公職の候補者は、同法所定の期間内に異議の申出をすることができるところ、本件の事実経過に照らせば、相手方は、本件補欠選挙について、決定の効力が停止されたことにより留寿都（るすつ）村議会の議員に欠員が生じていないこととなったにもかかわらず行われた無効なものであるとして、異議の申出をすることができたというべきである。しかし、上記期間内に異議の申出はされなかったのであるから、本件補欠選挙および同選挙における当選の効力は、もはやこれを争いえないこととなり、このことと、相手方が本件決定を取り消す旨の判決を得ることによって上記議員の地位を回復しうるとすることとは、相容れないものというほかない。したがって、相手方は、本件決定を取り消す旨の判決を得ても、上記議員の地位を回復することはできないというべきである（最決平29・12・19）。

出題 予想

第26条（事情変更による執行停止の取消し）

①執行停止の決定が確定した後に、その理由が消滅し、その他事情が変更したときは、裁判所は、相手方の申立てにより、決定をもって、執行停止の

決定を取り消すことができる。

②前項の申立てに対する決定及びこれに対する不服については、前条第5項から第8項までの規定を準用する。

＊無効等確認の訴えに準用（38条3項）、仮の義務付け・仮の差止めに準用（37条の5第4項）

第27条（内閣総理大臣の異議）

①第25条第2項の申立てがあった場合には、内閣総理大臣は、裁判所に対し、異議を述べることができる。執行停止の決定があった後においても、同様とする。

②前項の異議には、理由を附さなければならない。

③前項の異議の理由においては、内閣総理大臣は、処分の効力を存続し、処分を執行し、又は手続を続行しなければ、公共の福祉に重大な影響を及ぼすおそれのある事情を示すものとする。

④第1項の異議があったときは、裁判所は、執行停止をすることができず、また、すでに執行停止の決定をしているときは、これを取り消さなければならない。

⑤第1項後段の異議は、執行停止の決定をした裁判所に対して述べなければならない。ただし、その決定に対する抗告が抗告裁判所に係属しているときは、抗告裁判所に対して述べなければならない。

⑥内閣総理大臣は、やむをえない場合でなければ、第1項の異議を述べてはならず、また、異議を述べたときは、次の常会において国会にこれを報告しなければならない。

＊無効等確認の訴えに準用（38条3項）、仮の義務付け・仮の差止めに準用（37条の5第4項）

第28条（執行停止等の管轄裁判所）

執行停止又はその決定の取消しの申立ての管轄裁判所は、本案の係属する裁判所とする。

＊無効等確認の訴えに準用（38条3項）、仮の義務付け・仮の差止めに準用（37条の5第4項）

第29条（執行停止に関する規定の準用）

前4条の規定は、裁決の取消しの訴えの提起があった場合における執行停止に関する事項について準用する。

＊無効等確認の訴えに準用（38条3項）

第30条（裁量処分の取消し）

行政庁の裁量処分については、裁量権の範囲をこえ又はその濫用があった場合に限り、裁判所は、その処分を取り消すことができる。

第31条（特別の事情による請求の棄却）

①取消訴訟については、処分又は裁決が違法ではあるが、これを取り消すことにより公の利益に著しい障害を生ずる場合において、原告の受ける損害の程度、その損害の賠償又は防止の程度及び方法その他一切の事情を考慮したうえ、処分又は裁決を取り消すことが公共の福祉に適合しないと認めるときは、裁判所は、請求を棄却することができる。この場合には、当該判決の主文において、処分又は裁決が違法であることを宣言しなければならない。

②裁判所は、相当と認めるときは、終局判決前に、

判決をもって、処分又は裁決が違法であることを宣言することができる。

③終局判決に事実及び理由を記載するには、前項の判決を引用することができる。

第32条（取消判決等の効力）

①処分又は裁決を取り消す判決は、第三者に対しても効力を有する。

②前項の規定は、執行停止の決定又はこれを取り消す決定に準用する。

＊無効等確認の訴えに準用（38条3項：32条2項のみ準用）

〔参考〕民事訴訟法第114条

①確定判決は、主文に包含するものに限り、既判力を有する。

第115条

①確定判決は、次に掲げる者に対してその効力を有する。

　1　当事者

　2　当事者が他人のために原告又は被告となった場合のその他人

Q1 裁判所が行政処分の違法性を判断する基準時は判決時か行政処分時か。

A 行政処分時である。　　行政処分の取消しまたは変更を求める訴えにおいて裁判所の判断すべきことは係争の行政処分が違法に行われたかどうかの点である。行政処分の行われたのち法律が改正されたからといって、行政庁は改正法律によって行政処分をしたのではないから裁判所が改正後の法律によって行政処分の当否を判断することはできない（最判昭27・1・25）。

出題 国Ⅰ－昭和63・62・61・55・51、特別区Ⅰ－平成14、国Ⅱ－平成8、国税・財務・労基－平成27、国税・労基－平成23・19、国税－平成4

Q2 取消訴訟において、裁判所は訴訟の結果によって権利を害される第三者をその訴訟に参加させる場合、その訴訟参加の性質は民事訴訟法上の補助参加と同様に訴訟当事者の一方を補助するためのものか。

A 補助参加者の地位を超えて共同訴訟的補助参加として扱われる。　　本訴は訴願棄却裁決の取消しを求める訴訟（行政事件訴訟特例法による）であり、公権力の行使に関する法律関係を対象とするものであって、当該法律関係は画一的に規制する必要があるから、その取消判決は、第三者に対しても効力を有する。したがって、かかる訴訟に参加した利害関係人は、民事訴訟法45条2項の適用を受けることなく、あたかも共同訴訟人のごとく訴訟行為をなしうべき地位を有するのであり、被参加人と参加人との間には同法40条の規定が準用され、いわゆる共同訴訟的補助参加人と解する。それ故、被参加人だけで控訴を取り下げたとしても、これによって同控訴が当然効力を失うものではない（最判昭40・6・24）。　　**出題** 国Ⅱ－平成12・8、国税－平成8

〔参考〕民事訴訟法第40条 ⇒ 22条参照

　民事訴訟法第45条2項 ⇒ 23条参照

Q3 裁判所は、取消訴訟の判決の結果により権利を害される第三者がある場合は、当事者もしくはその

行政法編

第三者の申立てにより又職権で、その第三者を訴訟に参加させることができるが、被参加人だけで控訴を取り下げたときには、これによって当該控訴は当然効力を失うのか。

A 当該控訴は当然効力を失わない（最判昭40・6・24）。⇨ **Q2**

Q4 固定資産課税台帳に登録された土地の価格についての固定資産評価審査委員会の決定の取消訴訟において、同委員会の認定した価格が裁判所の認定した適正な時価等を上回っていることを理由として同決定を取り消す場合、その取消しの範囲は審査決定の全部なのか。

A その取消しの範囲は審査決定の適正な時価等を超える部分である。　固定資産課税台帳に登録された基準年度に係る賦課期日における土地の価格についての固定資産評価審査委員会の決定の取消訴訟において、裁判所が、同期日における当該土地の適正な時価又は固定資産評価基準によって決定される価格を認定し、同委員会の認定した価格が上記の適正な時価等を上回っていることを理由として同決定を取り消す場合には、同決定のうち上記適正な時価等を超える部分を取り消せば足りる（最判平17・7・11）。　出題 国家総合－平成30、国家一般－令和1

第33条

①処分又は裁決を取り消す判決は、その事件について、処分又は裁決をした行政庁その他の関係行政庁を拘束する。

②申請を却下し若しくは棄却した処分又は審査請求を却下し若しくは棄却した裁決が判決により取り消されたときは、その処分又は裁決をした行政庁は、判決の趣旨に従い、改めて申請に対する処分又は審査請求に対する裁決をしなければならない。

③前項の規定は、申請に基づいてした処分又は審査請求を認容した裁決が判決により手続に違法があることを理由として取り消された場合に準用する。

④第1項の規定は、執行停止の決定に準用する。

＊抗告訴訟に準用（38条1項）、仮の義務付け・仮の差止めに準用（37条の5第4項：33条1項のみ準用）、当事者訴訟に準用（41条1項）

Q1 相続税法（改正前）55条に基づく申告の後にされた増額更正処分のうち上記申告に係る税額を超える部分を取り消す旨の判決が確定した場合において、課税庁は、国税通則法所定の更正の除斥期間が経過した後に相続税法32条1号の規定による更正の請求に対する処分及び同法35条3項1号の規定による更正をするに際し、当該判決の拘束力によって当該判決に示された個々の財産の価額等を用いて税額等を計算すべき義務を負うのか。

A 税額等を計算すべき義務を負わない。　相続税法32条1号の規定による更正の請求においては、後発的事由以外の事由を主張することはできないのであるから、一旦確定していた相続税額の算定基礎となった個々の財産に係る評価の誤りを当該請求の理由とすることはできず、課税庁も、国税通則法所定の更正の除斥期間が経過した後は、当該請

求に対する処分において上記の評価の誤りを是正することはできないものと解する。また、課税庁は、相続税法35条3項1号の規定による更正においても、同様に、上記の評価の誤りを是正することはできず、一旦確定していた相続税額の算定基礎となった価額を用いることになると解する。処分を取り消す判決が確定した場合には、その拘束力（行政事件訴訟法33条1項）により、処分をした行政庁等は、その事件につき当該判決における主文が導き出されるのに必要な事実認定及び法律判断に従って行動すべき義務を負うこととなるが、上記拘束力によっても、行政庁が法令上の根拠を欠く行動を義務付けられるものではないから、その義務の内容は、当該行政庁がそれを行う法令上の権限があるものに限られるものと解される。そして、相続税法55条に基づく申告の後にされた増額更正処分の取消訴訟において、個々の財産につき上記申告とは異なる価額を認定した上で、その結果算出される税額が上記申告に係る税額を下回るとの理由により当該処分のうち上記申告に係る税額を超える部分を取り消す旨の判決が確定した、当該判決により増額更正処分の一部取消しがされた後の税額が上記申告における個々の財産の価額を照らして、国税通則法所定の更正の除斥期間が経過した後においては、当該判決に示された価額や評価方法を用いて相続税法32条1号の規定による更正の請求に対する処分及び同法35条3項1号の規定による更正をする法令上の権限を有していないものといわざるを得ない。そうすると、上記の場合においては、当該判決の個々の財産の価額や評価方法に関する判断部分について拘束力が生ずるか否かを論ずるまでもなく、課税庁は、国税通則法所定の更正の除斥期間が経過した後に相続税法32条1号の規定による更正の請求に対する処分および同法35条3項1号の規定による更正をするに際し、当該判決の拘束力によって当該判決に示された個々の財産の価額や評価方法を用いて、税額等を計算すべき義務を負うことはない（最判令3・6・24）。　出題 予想

第34条（第三者の再審の訴え）

①処分又は裁決を取り消す判決により権利を害された第三者で、自己の責めに帰することができない理由により訴訟に参加することができなかったため判決に影響を及ぼすべき攻撃又は防御の方法を提出することができなかったものは、これを理由として、確定の終局判決に対し、再審の訴えをもって、不服の申立てをすることができる。

②前項の訴えは、確定判決を知った日から30日以内に提起しなければならない。

③前項の期間は、不変期間とする。

④第1項の訴えは、判決が確定した日から1年を経過したときは、提起することができない。

第35条（訴訟費用の裁判の効力）

国又は公共団体に所属する行政庁が当事者又は参加人である訴訟における確定した訴訟費用の裁判は、当該行政庁が所属する国又は公共団体に対し、又はそれらの者のために、効力を有する。

＊抗告訴訟に準用（38条1項）、当事者訴訟に準

用（41条1項）、争点訴訟に準用（45条4項）

第2節　その他の抗告訴訟

第36条（無効等確認の訴えの原告適格）

無効等確認の訴えは、当該処分又は裁決に続く処分により損害を受けるおそれのある者その他当該処分又は裁決の無効等の確認を求めるにつき法律上の利益を有する者で、当該処分若しくは裁決の存否又はその効力の有無を前提とする現在の法律関係に関する訴えによって目的を達することができないものに限り、提起することができる。

＊民衆訴訟・機関訴訟に適用除外

◇総説

Q1 無効等確認の訴えの原告適格は、取消訴訟の原告適格よりも狭く解すべきか。

A 取消訴訟の原告適格の場合と同義に解する。当該行政法規が、不特定多数者の具体的利益をそれが帰属する個々人の個別的利益としても保護すべきものとする趣旨を含むか否かは、当該行政法規の趣旨・目的、当該行政法規が当該処分を通して保護しようとしている利益の内容・性質等を考慮して判断すべきである。行政事件訴訟法36条は、無効等確認の訴えの原告適格について規定するが、同条にいう当該処分の無効等の確認を求めるにつき「法律上の利益を有する者」の意義についても、上記の取消訴訟の原告適格の場合と同義に解する〈もんじゅ訴訟〉（最判平4・9・22）。　**出題** 東京 I - 平成19

◇予防的無効確認訴訟

Q2 納税者が、課税処分を受け、当該課税処分にかかる税金をいまだ納付していないため滞納処分を受けるおそれがある場合、当該課税処分の無効確認を求める訴えを提起することができるか。

A 訴えを提起することができる。　課税処分が法定の処分要件を欠く場合には、まず行政上の不服申立てをし、これが容れられなかったときに初めて当該処分の取消しを訴求すべきであり、このような行政上又は司法上の救済手続のいずれにおいても、その不服申立てについては法定期間の遵守が要求され、その所定期間を徒過した後においては、もはや当該処分の内容上の過誤を理由としてその効力を争うことはできない。課税処分に対する不服申立てについて不服申立て前置主義を採るのは、比較的短期間に大量的になされる課税処分を可及的速やかに確定させることにより、徴税行政の安定とその円滑な運営を確保しようとする要請によるものであるためである。しかし、この一般的な原則は、いわば通常予測されうるような事態を制度上予定したものであって、法は、以上のような原則に対して、課税処分についても、行政上の不服申立手続の経由や出訴期間の遵守を要求しないで、当該処分の効力を争うことのできる例外的な場合の存することを否定しているものとは考えられない。すなわち、納税者が、課税処分を受け、当該課税処分にかかる税金をいまだ納付していないため滞納処分を受けるおそれがある場合において、当該課税処分の無効を主張してこ

れを争おうとするときは、納税者は、行政事件訴訟法36条により、当該課税処分の無効確認を求める訴えを提起することができる（最判昭48・4・26、最判昭51・4・27）。

出題 国家総合 - 平成25、国 I - 平成16・12・6・昭和61、地方上級 - 昭和54、国 II - 平成5

Q3 土地区画整理組合の事業施行地区内の宅地の所有権者または借地権者が、当該事業に伴う処分を受けるおそれがある場合、当該組合の設立認可処分の無効確認を求める訴えを提起できるか。

A 訴えを提起できる。　組合設立の認可により土地区画整理組合が成立すると、組合員は、組合役員および総代の選挙権、被選挙権およびその解任請求権、総代および総会の部会における議決権等の権利を有するとともに、組合の事業経費を分担する義務を負うものであるから、土地区画整理組合の成立に伴い法律上当然に上記のような組合員たる地位を取得させられることとなる事業施行地区内の宅地の所有権者または借地権者は、当該組合の設立認可処分の効力を争うにつき法律上の利益を有する（最判昭60・12・17）。　**出題** 国 I - 平成16・6

◇補充的無効確認訴訟

Q4 山林を入会林野として使用してきた入会権者は、当該山林に関する入会林野整備計画の認可および公告の無効確認を求める訴えを提起できるか。

A 当該処分の無効確認を求める訴えの提起はできない。　入会林野等にかかる権利関係の近代化の助長に関する法律に基づいて県知事のした入会林野整備計画の認可および公告に対し入会権を主張する者は、行政事件訴訟法36条所定の原告適格を有せず、当該処分の無効確認を求める訴えを提起することができない（最判昭60・9・6）。　**出題** 国 I - 平成6

Q5 土地改良事業の施行に伴い土地改良区から換地処分を受けた者が、当該換地処分は照応の原則に反することを主張して、無効確認を求める訴えを提起できるか。

A 訴えを提起できる。　土地改良事業の施行に伴い土地改良区から換地処分を受けた者が、当該換地処分は照応の原則に違反し無効であると主張してこれを争おうとするときは、行政事件訴訟法36条により上記換地処分の無効確認を求める訴えを提起することができる。なぜなら、当該換地処分の無効を前提とする従前の土地の所有権確認訴訟等の現在の法律関係に関する訴えは当該紛争を解決するための争訟形態として適切なものとはいえず、むしろ当該換地処分の無効確認を求める訴えのほうがより直截的で適切な争訟形態というべきであり、結局上記のような場合には、当該換地処分の無効を前提とする現在の法律関係に関する訴えによってはその目的を達することができないものとして、行政事件訴訟法36条所定の無効確認の訴えの原告適格を肯認すべききものであるからである（最判昭62・4・17）。

出題 国家総合 - 平成25、国 I - 平成16・12・6・1、国家一般 - 平成28

Q6 付近住民が原子炉施設の設置者である事業者

行政法編

に対して人格権等に基づき原子炉の建設ないし運転の差止めを求める民事訴訟を提起している場合でも、当該民事訴訟とは別に当該原子炉の設置許可処分の無効確認訴訟を提起することは認められるのか。

A 無効確認訴訟を提起することは認められる。処分の無効確認訴訟を提起しうるための要件の一つである、当該処分の効力の有無を前提とする現在の法律関係に関する訴えによって目的を達することができない場合とは、当該処分に基づいて生ずる法律関係に関し、処分の無効を前提とする当事者訴訟又は民事訴訟によっては、その処分のため被っている不利益を排除することができない場合はもとより、当該処分に起因する紛争を解決するための争訟形態として、当該処分の無効を前提とする当事者訴訟又は民事訴訟との比較において、当該処分の無効確認を求める訴えのほうがより直截的で適切な争訟形態であるとみるべき場合をも意味するものである。本件についてこれをみると、付近住民は人格権等に基づき本件原子炉の建設ないし運転の差止めを求める民事訴訟を提起しているが、この民事訴訟は、行政事件訴訟法 36 条にいう当該処分の効力の有無を前提とする現在の法律関係に関する訴えに該当するものではなく、また、本件無効確認訴訟と比較して、本件設置許可処分に起因する本件紛争を解決するための争訟形態としてより直截的で適切なものであるともいえないから、付近住民において民事訴訟の提起が可能であって現にこれを提起していることは、本件無効確認訴訟が同条所定の前記要件を欠くことの根拠とはなりえない〈もんじゅ訴訟〉（最判平4・9・22）。

Q7 無効等確認の訴えの提起の要件の一つである、当該処分の効力の有無を前提とする現在の法律関係に関する訴えによって目的を達することができない場合とは、当該処分に起因する紛争を解決するための争訟形態として、当該処分の無効を前提とする当事者訴訟又は民事訴訟との比較において、当該処分の無効確認を求める訴えのほうがより直截的で適切な争訟形態であるとみるべき場合をも意味するのか。

A 当該処分の無効確認を求める訴えのほうがより直截的で適切な争訟形態であるとみるべき場合をも意味する（最判平4・9・22）。⇨6

Q8 原子炉の周辺に居住する付近住民は、原子炉設置許可処分の無効確認訴訟を提起する原告適格を有するのか。

A 原告適格を有する。　原子炉等規制法 24 条 1 項 3 号所定の技術的能力の有無および 4 号所定の安全性に関する各審査に過誤、欠落があった場合には重大な原子炉事故が起こる可能性があり、事故が起こったときは、原子炉施設に近い住民ほど被害を受ける蓋然性が高く、しかも、その被害の程度はより直接的かつ重大なものとなるのであって、特に、原子炉施設の近くに居住する者はその生命、身体等に直接的かつ重大な被害を受けるものと想定される

のであり、上記各号は、このような原子炉の事故等がもたらす災害による被害の性質を考慮したうえで、その技術的能力および安全性に関する基準を定めるものである。上記各号の趣旨、各号が考慮している被害の性質等に鑑みると、単に公衆の生命、身体の安全、環境上の利益を一般的公益として保護しようとするにとどまらず、原子炉施設周辺に居住し、上記事故等がもたらす災害により直接的かつ重大な被害を受けることが想定される範囲の住民の生命、身体の安全等を個々人の個別的利益としても保護すべきものとする趣旨を含むと解すべきである。以上説示した見地に立って本件をみるのに、上告人らは本件原子炉から約 29 キロメートルないし約 58 キロメートルの範囲内の地域に居住していること、本件原子炉は研究開発段階にある原子炉である高速増殖炉であり、その電気出力は 28 万キロワットであって、炉心の燃料としてはウランとプルトニウムの混合酸化物が用いられ、炉心内において毒性の強いプルトニウムの増殖が行われるものであることが記録上明らかである。とすると、付近住民は、起こりうる事故等による災害により直接的かつ重大な被害を受ける者と想定される地域内に居住する者であるから、本件設置許可処分の無効確認を求める本訴請求において、行政事件訴訟法 36 条所定の「法律上の利益を有する者」に該当する〈もんじゅ訴訟〉（最判平4・9・22）。

Q9 原子炉から半径 20 キロメートル以内に居住している住民のみが、原子炉設置許可処分の無効確認訴訟の原告適格を有するのか。

A 原子炉から約 29 キロメートルないし約 58 キロメートルの範囲内の地域に居住している住民が、原告適格を有する〈もんじゅ訴訟〉（最判平4・9・22）。⇨8

第 37 条（不作為の違法確認の訴えの原告適格）

不作為の違法確認の訴えは、処分又は裁決についての申請をした者に限り、提起することができる。

Q1 独占禁止法の規定に基づく一定の報告・措置要求は、公正取引委員会の審査手続開始の発動を促す規定であるため、不作為の違法確認の訴えを提起できないのか。

A 不作為の違法確認の訴えは提起できない。　独占禁止法 45 条 1 項は、公正取引委員会の審査手続開始の職権発動を促す端緒に関する規定であるにとどまり、報告者に対して、公正取引委員会に適切な措置をとることを要求する具体的請求権を付与したものであるとは解されない。また、独占禁止法の定める審判制度は、もともと公益保護の立場から同法違反の状態を是正することを主眼とするものであって、違反行為による被害者の個人的利益の救済を図ることを目的とするものではなく、同法 25 条が特殊の損害賠償責任を定め、同法 26 条において上記損害賠償の請求権は所定の審決が確定した後でなければ裁判上これを主張することができないと規定しているのは、これによって個々の被害者の受けた損害の塡補を容易ならしめることにより、審判に

行政事件訴訟法

おいて命ぜられる排除措置と相俟って同法違反の行為に対する抑止的効果をあげようとする目的に出た附随的制度にすぎないからである。したがって独占禁止法25条にいう被害者に該当するからといって、審決を求める特段の権利・利益を保障されたものと解することはできない。これを要するに、公正取引委員会は、独占禁止法45条1項に基づく報告、措置要求に対して応答義務を負うものではなく、また、これを不問に付したからといって、被害者の具体的権利・利益を侵害するものとはいえない。したがって、独占禁止法45条1項に基づく報告、措置要求は法令に基づく申請権の行使であるとはいえないのであるから、本件異議申立て（改正後は、審査請求）に対する不作為の違法確認の訴えは不適法である（最判昭47・11・16）。

出題 国税・労基− 平成15

〔参考〕私的独占の禁止及び公正取引の確保に関する法律第45条

①何人も、この法律の規定に違反する事実があると思料するときは、公正取引委員会に対し、その事実を報告し、適当な措置をとるべきことを求めることができる。

第37条の2（義務付けの訴えの要件等）

①第3条第6項第1号に掲げる場合において、義務付けの訴えは、一定の処分がされないことにより重大な損害を生ずるおそれがあり、かつ、その損害を避けるため他に適当な方法がないときに限り、提起することができる。

②裁判所は、前項に規定する重大な損害を生ずるか否かを判断するに当たっては、損害の回復の困難の程度を考慮するものとし、損害の性質及び程度並びに処分の内容及び性質をも勘案するものとする。

③第1項の義務付けの訴えは、行政庁が一定の処分をすべき旨を命ずることを求めるにつき法律上の利益を有する者に限り、提起することができる。

④前項に規定する法律上の利益の有無の判断については、第9条第2項の規定を準用する。

⑤義務付けの訴えが第1項及び第3項に規定する要件に該当する場合において、その義務付けの訴えに係る処分につき、行政庁がその処分をすべきであることがその処分の根拠となる法令の規定から明らかであると認められ又は行政庁がその処分をしないことがその裁量権の範囲を超え若しくはその濫用となると認められるときは、裁判所は、行政庁がその処分をすべき旨を命ずる判決をする。

第37条の3

①第3条第6項第2号に掲げる場合において、義務付けの訴えは、次の各号に掲げる要件のいずれかに該当するときに限り、提起することができる。

1　当該法令に基づく申請又は審査請求に対し相当の期間内に何らの処分又は裁決がされないこと。

2　当該法令に基づく申請又は審査請求を却下し又は棄却する旨の処分又は裁決がされた場合において、当該処分又は裁決が取り消されるべきものであり、又は無効若しくは不存在で

あること。

②前項の義務付けの訴えは、同項各号に規定する法令に基づく申請又は審査請求をした者に限り、提起することができる。

③第1項の義務付けの訴えを提起するときは、次の各号に掲げる区分に応じてそれぞれ当該各号に定める訴えをその義務付けの訴えに併合して提起しなければならない。この場合において、当該各号に定める訴えに係る訴訟の管轄について他の法律に特別の定めがあるときは、当該義務付けの訴えに係る訴訟の管轄は、第38条第1項において準用する第12条の規定にかかわらず、その定めに従う。

1　第1項第1号に掲げる要件に該当する場合　同号に規定する処分又は裁決に係る不作為の違法確認の訴え

2　第1項第2号に掲げる要件に該当する場合　同号に規定する処分又は裁決に係る取消訴訟又は無効等確認の訴え

④前項の規定により併合して提起された義務付けの訴え及び同項各号に定める訴えに係る弁論及び裁判は、分離しないでしなければならない。

⑤義務付けの訴えが第1項から第3項までに規定する要件に該当する場合において、同項各号に定める訴えに係る請求に理由があると認められ、かつ、その義務付けの訴えに係る処分又は裁決につき、行政庁がその処分若しくは裁決をすべきであることがその処分若しくは裁決の根拠となる法令の規定から明らかであると認められ又は行政庁がその処分若しくは裁決をしないことがその裁量権の範囲を超え若しくはその濫用となると認められるときは、裁判所は、その義務付けの訴えに係る処分又は裁決をすべき旨を命ずる判決をする。

⑥第4項の規定にかかわらず、裁判所は、審理の状況その他の事情を考慮して、第3項各号に定める訴えについてのみ終局判決をすることがより迅速な争訟の解決に資すると認めるときは、当該訴えについてのみ終局判決をすることができる。この場合において、裁判所は、当該訴えについてのみ終局判決をしたときは、当事者の意見を聴いて、当該訴えに係る訴訟手続が完結するまでの間、義務付けの訴えに係る訴訟手続を中止することができる。

⑦第1項の義務付けの訴えのうち、行政庁が一定の裁決をすべき旨を命ずることを求めるものは、処分についての審査請求がされた場合において、当該処分に係る処分の取消しの訴え又は無効等確認の訴えを提起することができないときに限り、提起することができる。

第37条の4（差止めの訴えの要件）

①差止めの訴えは、一定の処分又は裁決がされることにより重大な損害を生ずるおそれがある場合に限り、提起することができる。ただし、その損害を避けるため他に適当な方法があるときは、この限りでない。

②裁判所は、前項に規定する重大な損害を生ずるか否かを判断するに当たっては、損害の回復の困難

行政法編

の程度を考慮するものとし、損害の性質及び程度並びに処分又は裁決の内容及び性質をも勘案するものとする。

③差止めの訴えは、行政庁が一定の処分又は裁決をしてはならない旨を命ずることを求めるにつき法律上の利益を有する者に限り、提起することができる。

④前項に規定する法律上の利益の有無の判断については、第9条第2項の規定を準用する。

⑤差止めの訴えが第1項及び第3項に規定する要件に該当する場合において、その差止めの訴えに係る処分又は裁決につき、行政庁がその処分若しくは裁決をすべきでないことがその処分若しくは裁決の根拠となる法令の規定から明らかであると認められ又は行政庁がその処分若しくは裁決をすることがその裁量権の範囲を超え若しくはその濫用となると認められるときは、裁判所は、行政庁がその処分又は裁決をしてはならない旨を命ずる判決をする。

◇差止め訴訟の要件

Q1 処分の差止めの訴えについて、「重大な損害を生ずるおそれ」があると認められるためには、執行停止の決定を受けることなどにより容易に救済を受けることができるものであればよいのか。

A 処分がされる前に差止めを命ずる方法によるのでなければ救済を受けることが困難なものであることを要する。　処分の差止めの訴えについて行政事件訴訟法37条の4第1項所定の「重大な損害を生ずるおそれ」があると認められるためには、処分がされることにより生ずるおそれのある損害が、処分がされた後に取消訴訟又は無効確認訴訟を提起して執行停止の決定を受けることなどにより容易に救済を受けることができるものではなく、処分がされる前に差止めを命ずる方法によるのでなければ救済を受けることが困難なものであることを要する（最判平24・2・9）。

出題 国家総合 – 平成30、国家一般 – 平成26

Q2 公立高等学校等の教職員が卒業式等の式典における国歌斉唱時の起立斉唱等に係る職務命令の違反を理由とする懲戒処分の差止めを求める訴えについて、「重大な損害を生ずるおそれ」があると認められるのか。

A 一定の事情の下で、「重大な損害を生ずるおそれ」があると認められる。　公立高等学校等の教職員が卒業式等の式典における国歌斉唱の際に国旗に向かって起立して斉唱すること又はピアノ伴奏をすることを命ずる旨の校長の職務命令の違反を理由とする懲戒処分の差止めを求める訴えについて、(1)当該地方公共団体では、教育委員会が各校長に対し上記職務命令の発出の必要性を基礎付ける事項等を示達した通達をふまえ、多数の公立高等学校等の教職員が、毎年度2回以上の各式典に際し、上記職務命令を受けている、(2)上記職務命令に従わない教職員については、過去の懲戒処分の対象と同様の非違行為を再び行った場合には処分を加重するという方針の下に、おおむね、その違反が1回目は戒告、2、

3回目は減給、4回目以降は停職という処分量定に従い、懲戒処分が反復継続的かつ累積加重的にされる危険があるなどの事情の下では、行政事件訴訟法37条の4第1項所定の「重大な損害を生ずるおそれ」があると認められる（最判平24・2・9）。

出題 予想

Q3 自衛隊が設置し、海上自衛隊およびアメリカ合衆国海軍が使用する飛行場において、航空機の運航による騒音被害が航空機の離着陸が行われるたびに発生し、これを反復継続的に受けることにより蓄積していくおそれのある場合には、飛行場の周辺住民は、航空機の運航の差止めを求める訴えについて、「重大な損害を生ずるおそれ」があると認められるのか。

A 「重大な損害を生ずるおそれ」があると認められる。　自衛隊が設置し、海上自衛隊およびアメリカ合衆国海軍が使用する飛行場の周辺に居住する住民が、当該飛行場における航空機の運航による騒音被害を理由として、自衛隊の使用する航空機の毎日午後8時から午前8時までの間の運航等の差止めを求める訴えについて、①上記住民は、当該飛行場周辺の「防衛施設周辺の生活環境の整備等に関する法律」4条所定の第一種区域内に居住し、当該飛行場に離着陸する航空機の発する騒音により、睡眠妨害、聴取妨害および精神的作業の妨害や不快感等をはじめとする精神的苦痛を反復継続的に受けており、その程度は軽視しがたいこと、②このような被害の発生に自衛隊の使用する航空機の運航が一定程度寄与していること、③上記騒音は、当該飛行場において内外の情勢等に応じて配備され運航される航空機の離着陸が行われるたびに発生するものであり、上記被害もそれに応じてそのつど発生し、これを反復継続的に受けることにより蓄積していくおそれのあるものであることなどの事情の下においては、当該飛行場における自衛隊の使用する航空機の運航の内容、性質を勘案しても、行政事件訴訟法37条の4第1項所定の「重大な損害を生ずるおそれ」があると認められる（最判平28・12・8）。

出題 予想

◇差止め訴訟が認められない場合の無名抗告訴訟の可否

Q4 公立高等学校等の教職員が卒業式等の式典における国歌斉唱時の起立斉唱等に係る職務命令に基づく義務の不存在の確認を求める訴えについて、いわゆる無名抗告訴訟は認められるのか。

A 無名抗告訴訟は認められない。　公立高等学校等の教職員が卒業式等の式典における国歌斉唱の際に国旗に向かって起立して斉唱すること又はピアノ伴奏をすることを命ずる旨の校長の職務命令に基づく義務の不存在の確認を求める訴えは、上記職務命令の違反を理由としてされる蓋然性のある懲戒処分の差止めの訴えを法定の類型の抗告訴訟として適法に提起することができ、その本案において当該義務の存否が判断の対象となるという事情の下では、上記懲戒処分の予防を目的とするいわゆる無名抗告訴訟としては、他に適当な争訟方法があるものとし

て、不適法である（最判平24・2・9）。

出題 予想

Q5 差止めの訴えの訴訟要件である「行政庁によって一定の処分がされる蓋然性があること」を満たさない場合における、将来の不利益処分の予防を目的として当該処分の前提となる公的義務の不存在確認を求める無名抗告訴訟は認められるか。

A 公的義務の不存在確認を求める無名抗告訴訟は認められない。　本件訴えは、本件職務命令への不服従を理由とする懲戒処分の予防を目的として、本件職務命令に基づく公的義務の不存在確認を求める無名抗告訴訟であると解されるところ、このような将来の不利益処分の予防を目的として当該処分の前提となる公的義務の不存在確認を求める無名抗告訴訟は、当該処分に係る差止めの訴えと目的が同じであり、請求が認容されたときには行政庁が当該処分をすることが許されなくなるという点でも、差止めの訴えと異ならない。また、差止めの訴えについては、行政庁がその処分をすべきでないことがその処分の根拠となる法令の規定から明らかであると認められること等が本案要件（本案の判断において請求が認容されるための要件をいう。以下同じ）とされており（行政事件訴訟法37条の4第5項）、差止めの訴えに係る請求においては、当該処分の前提として公的義務の存否が問題となる場合には、その点も審理の対象となることからすれば、上記無名抗告訴訟は、確認の訴えの形式で、差止めの訴えに係る本案要件の該当性を審理の対象とするものということができる。そうすると、同法の下において、上記無名抗告訴訟につき、差止めの訴えよりも緩やかな訴訟要件により、これが許容されているものとは解されない。そして、差止めの訴えの訴訟要件については、救済の必要性を基礎付ける前提として、一定の処分がされようとしていること（同法3条7項）、すなわち、行政庁によって一定の処分がされる蓋然性があることとの要件（以下「蓋然性の要件」という）を満たすことが必要とされている。したがって、将来の不利益処分の予防を目的として当該処分の前提となる公的義務の不存在確認を求める無名抗告訴訟は、蓋然性の要件を満たさない場合には不適法というべきである（最判令1・7・22）。**出題** 予想

第37条の5（仮の義務付け及び仮の差止め）

①義務付けの訴えの提起があった場合において、その義務付けの訴えに係る処分又は裁決がされないことにより生ずる償うことのできない損害を避けるため緊急の必要があり、かつ、本案について理由があるとみえるときは、裁判所は、申立てにより、決定をもって、仮に行政庁がその処分又は裁決をすべき旨を命ずること（以下この条において「仮の義務付け」という。）ができる。

②差止めの訴えの提起があった場合において、その差止めの訴えに係る処分又は裁決がされることにより生ずる償うことのできない損害を避けるため緊急の必要があり、かつ、本案について理由があるとみえるときは、裁判所は、申立てにより、決定をもって、仮に行政庁がその処分又は裁決をしてはならない旨を命ずること（以下この条におい

て「仮の差止め」という。）ができる。

③仮の義務付け又は仮の差止めは、公共の福祉に重大な影響を及ぼすおそれがあるときは、することができない。

④第25条第5項から第8項まで、第26条から第28条まで及び第33条第1項の規定は、仮の義務付け又は仮の差止めに関する事項について準用する。

⑤前項において準用する第25条第7項の即時抗告についての裁判又は前項において準用する第26条第1項の決定により仮の義務付けの決定が取り消されたときは、当該行政庁は、当該仮の義務付けの決定に基づいてした処分又は裁決を取り消さなければならない。

第38条（取消訴訟に関する規定の準用）

①第11条から第13条まで、第16条から第19条まで、第21条から第23条まで、第24条、第33条及び第35条の規定は、取消訴訟以外の抗告訴訟について準用する。

②第10条第2項の規定は、処分の無効等確認の訴えとその処分についての審査請求を棄却した裁決に係る抗告訴訟とを提起することができる場合に、第20条の規定は、処分の無効等確認の訴えをその処分についての審査請求を棄却した裁決に係る抗告訴訟に併合して提起する場合に準用する。

③第23条の2、第25条から第29条まで及び第32条第2項の規定は、無効等確認の訴えについて準用する。

④第8条及び第10条第2項の規定は、不作為の違法確認の訴えに準用する。

第3章　当事者訴訟

第39条（出訴の通知）

当事者間の法律関係を確認し又は形成する処分又は裁決に関する訴訟で、法令の規定によりその法律関係の当事者の一方を被告とするものが提起されたときは、裁判所は、当該処分又は裁決をした行政庁にその旨を通知するものとする。

　＊争点訴訟に準用（45条1項）、民衆訴訟・機関訴訟に適用除外（43条3項）

第40条（出訴期間の定めがある当事者訴訟）

①法令に出訴期間の定めがある当事者訴訟は、その法令に別段の定めがある場合を除き、正当な理由があるときは、その期間を経過した後であっても、これを提起することができる。

②第15条の規定は、法令に出訴期間の定めがある当事者訴訟について準用する。

　＊民衆訴訟・機関訴訟に適用除外（43条3項：40条1項のみ適用除外）

第41条（抗告訴訟に関する規定の準用）

①第23条、第24条、第33条第1項及び第35条の規定は当事者訴訟について、第23条の2の規定は当事者訴訟における処分又は裁決の理由を明らかにする資料の提出について準用する。

②第13条の規定は、当事者訴訟とその目的たる請求と関連請求の関係にある請求に係る訴訟とが各

行政法編

別の裁判所に係属する場合における移送に、第16条から第19条までの規定は、これらの訴えの併合について準用する。

第4章　民衆訴訟及び機関訴訟

第42条（訴えの提起）

民衆訴訟及び機関訴訟は、法律に定める場合において、法律に定める者に限り、提起することができる。

Q1 民衆訴訟は法律の規定がなければ訴訟を提起できないのか。

A 法律の規定がなければ訴訟を提起できない。　民衆訴訟は、選挙に関する法規の違法な適用があることを主張して、これを是正し法規を維持するため、上告人が住民にして選挙民たる資格において提起する訴訟であって、当事者間に具体的な権利義務その他の法律関係についての争いがあり個人の権利を保護するための訴訟ではないから、かかる訴訟は、法律の規定をまってはじめて提起しうるものであり、法律の規定のない限り訴訟を提起することはできない（最判昭32・3・19）。　[出題] [国税−平成8]

Q2 住民は選挙期日の告示を法律の規定がなくても取消しの対象とできるのか。

A 取消しの対象とできない（最判昭32・3・19）。⇨ 1

Q3 国民健康保険事業の保険者は、国民健康保険審査会のした裁決の取消訴訟を提起する適格を有するか。

A 裁決の取消訴訟を提起する適格を有しない。保険者のした保険給付等に関する処分の審査に関する限り、審査会と保険者とは、一般的な上級行政庁とその指揮監督に服する下級行政庁の場合と同様の関係に立ち、当該処分の適否については審査会の裁決に優越的効力が認められ、保険者はこれによって拘束されるべきことが制度上予定されており、その裁決により保険者の事業主体としての権利義務に影響が及ぶことを理由として保険者が当該裁決を争うことは、法の認めていないところである。したがって、国民健康保険の保険者は、保険給付等に関する保険者の処分について審査会のした裁決につき、その取消訴訟を提起する適格を有しない（最判昭49・5・30）。

[出題] [国Ⅰ−平成20、地方上級−平成7、国税−平成14]

Q4 衆議院小選挙区選出議員の選挙において公職選挙法95条2項の規定の適用を受けた得票者で当選人とならなかったものがあり、同法112条1項の規定による繰上補充として新たに当選人が定められることになる場合においては、選挙訴訟の訴えの利益は失われるのか。

A 選挙訴訟の訴えの利益は失われない。　公職選挙法204条の規定による選挙訴訟は、選挙の規定に違反して執行された選挙を無効とすることにより（同法205条）、その効果を将来に向かって失わせ、再選挙を行わせること（同法109条）を目的とするものである。衆議院小選挙区選出議員の選挙につき選挙訴訟が提起されている場合において、その選挙において当選人となった議員が辞職したときに当該選挙訴訟の訴えの利益が消滅するかどうかについては、次のとおり解するのが相当である。まず、当該選挙において公職選挙法95条2項の規定の適用を受けた得票者で当選人とならなかったものがあり、同法112条1項の規定による繰上補充として新たに当選人が定められることになる場合においては、選挙訴訟の訴えの利益が失われない。また、辞職した議員の当選の効力に関し同法208条1項の規定による当選訴訟が係属しているか、又はその出訴期間が経過しておらず、その訴訟の結果いかんによって、同法96条の規定による当選人の更正決定により新たに当選人が定められる可能性がある場合においても、選挙訴訟の訴えの利益は失われない（最判平17・7・19）。　[出題] [予想]

Q5 衆議院小選挙区選出議員の辞職により選挙訴訟の訴えの利益は消滅するのか。

A 訴えの利益は消滅する。　公職選挙法33条の2第7項は、衆議院議員および参議院議員の再選挙又は補欠選挙は、その選挙を必要とするに至った選挙についての選挙訴訟もしくは当選訴訟（以下、併せて「選挙訴訟等」という。）の出訴期間内又は選挙訴訟等が係属している間は、これを行うことができない旨規定している。同項は、選挙訴訟等の出訴期間内又は選挙訴訟等が係属している間に再選挙又は補欠選挙を行ったとしても、選挙訴訟等の結果いかんによっては、元の選挙の効力の全部もしくは一部が失われ、又は当選人に異動が生じて、再選挙又は補欠選挙の前提が変わってしまい、再選挙又は補欠選挙がむだになったり、解決困難な問題が生ずるおそれがあるので、そのような事態を避けるために設けられているものである。しかしながら、同項の趣旨は上記のところに尽きるのであって、元の選挙についての選挙訴訟等が提起されることなくその出訴期間が経過するか、又は、その出訴期間が経過するとともに、係属した選挙訴訟等が訴えの却下により係属しなくなったときは、同項の適用の余地はなくなるのである。同項は、選挙訴訟等の訴えの利益を基礎づけるものではなく、前記のとおり一定の場合に衆議院小選挙区選出議員の辞職により選挙訴訟の訴えの利益が消滅すると解することの妨げとなるものではない（最判平17・7・19）。

[出題] [予想]

第43条（抗告訴訟又は当事者訴訟に関する規定の準用）

①民衆訴訟又は機関訴訟で、処分又は裁決の取消しを求めるものについては、第9条及び第10条第1項の規定を除き、取消訴訟に関する規定を準用する。

②民衆訴訟又は機関訴訟で、処分又は裁決の無効の確認を求めるものについては、第36条の規定を除き、無効等確認の訴えに関する規定を準用する。

③民衆訴訟又は機関訴訟で、前2項に規定する訴訟以外のものについては、第39条及び第40条第1項の規定を除き、当事者訴訟に関する規定を準用する。

第5章　補則

第44条（仮処分の排除）

　行政庁の処分その他公権力の行使に当たる行為については、民事保全法（平成元年法律第91号）に規定する仮処分をすることができない。

第45条（処分の効力等を争点とする訴訟）

①私法上の法律関係に関する訴訟において、処分若しくは裁決の存否又はその効力の有無が争われている場合には、第23条第1項及び第2項並びに第39条の規定を準用する。

②前項の規定により行政庁が訴訟に参加した場合には、民事訴訟法第45条第1項及び第2項の規定を準用する。ただし、攻撃又は防御の方法は、当該処分若しくは裁決の存否又はその効力の有無に関するものに限り、提出することができる。

③第1項の規定により行政庁が訴訟に参加した後において、処分若しくは裁決の存否又はその効力の有無に関する争いがなくなったときは、裁判所は、参加の決定を取り消すことができる。

④第1項の場合には、当該争点について第23条の2及び第24条の規定を、訴訟費用の裁判について第35条の規定を準用する。

〔参考〕民事訴訟法第45条

①補助参加人は、訴訟について、攻撃又は防御の方法の提出、異議の申立て、上訴の提起、再審の訴えの提起その他一切の訴訟行為をすることができる。ただし、補助参加の時における訴訟の程度に従いすることができないものは、この限りでない。

②補助参加人の訴訟行為は、被参加人の訴訟行為と抵触するときは、その効力を有しない。

第46条（取消訴訟等の提起に関する事項の教示）

①行政庁は、取消訴訟を提起することができる処分又は裁決をする場合には、当該処分又は裁決の相手方に対し、次に掲げる事項を書面で教示しなければならない。ただし、当該処分を口頭でする場合は、この限りでない。

　1　当該処分又は裁決に係る取消訴訟の被告とすべき者

　2　当該処分又は裁決に係る取消訴訟の出訴期間

　3　法律に当該処分についての審査請求に対する裁決を経た後でなければ処分の取消しの訴えを提起することができない旨の定めがあるときは、その旨

②行政庁は、法律に処分についての審査請求に対する裁決に対してのみ取消訴訟を提起することができる旨の定めがある場合において、当該処分をするときは、当該処分の相手方に対し、法律にその定めがある旨を書面で教示しなければならない。ただし、当該処分を口頭でする場合は、この限りでない。

③行政庁は、当事者間の法律関係を確認し又は形成する処分又は裁決に関する訴訟で法令の規定によりその法律関係の当事者の一方を被告とするものを提起することができる処分又は裁決をする場合には、当該処分又は裁決の相手方に対し、次に掲げる事項を書面で教示しなければならない。ただし、当該処分を口頭でする場合は、この限りでない。

　1　当該訴訟の被告とすべき者

　2　当該訴訟の出訴期間

国家賠償法

（昭和 22 年 10 月 27 日／法律第 125 号）

第 1 条 ［公務員の不法行為と賠償責任、求償権］
①国又は公共団体の公権力の行使に当る公務員が、その職務を行うについて、故意又は過失によって違法に他人に損害を加えたときは、国又は公共団体が、これを賠償する責に任ずる。
②前項の場合において、公務員に故意又は重大な過失があったときは、国又は公共団体は、その公務員に対して求償権を有する。

(1)公務員

Q1 公務員が一連の職務上の行為の過程で他人に被害を与えたが、具体的に加害行為者および加害行為を特定できない場合、国または公共団体は賠償責任を免れるか。

A 国または公共団体は一定の要件の下で賠償責任を免れない。　国または公共団体の公務員による一連の職務上の行為の過程において他人に被害を生じさせた場合において、それが具体的にどの公務員のどのような違法行為によるものであるかを特定することができなくても、(1) その一連の行為のうちのいずれかに行為者の故意または過失による違法行為があったのでなければ被害が生ずることはなかったと認められ、かつ、(2) それがどの行為であるにせよこれによる被害につき行為者の属する国または公共団体が法律上賠償の責任を負うべき関係が存在するときは、国または公共団体は、加害行為不特定の故をもって国家賠償法または民法上の損害賠償責任を免れない（最判昭 57・4・1）。

出題 国 I－平成 22・20・11・8・2・昭和 63・61・59・57、地方上級－平成 6（市共通）・2（市共通）、特別区 I－平成 24、国家一般－令和 1、国 II－平成 20・11、国税・財務・労基－令和 3・2・平成 28・25、国税・労基－平成 23・21、国税－平成 30・8

(2)公権力の行使

◇意義

Q2 公権力の行使とは何か。

A 純粋な私経済作用と国家賠償法 2 条の対象となるもの以外のものを指す。　公権力の行使とは、国または公共団体の作用のうち純粋な私経済作用と国家賠償法 2 条によって救済される営造物の設置または管理作用を除くすべての作用を意味する（東京高判昭 56・11・13）。

出題 国 I－平成 2、地方上級－昭和 58、市役所上・中級－昭和 61、国税－昭和 58

◇作為

Q3 公権力の行使には、行政権の行使のみならず、司法権の行使をも含むのか。

A 司法権の行使をも含む。　裁判官のなす職務上の行為には一般に国家賠償法の適用があり、裁判官の行う裁判についても、その本質に由来する制約はあるものの、同法の適用が当然に排除されるわけではない（最判昭 43・3・15）。

出題 国 I－昭和 61・52、地方上級－昭和 62、市役所上・中級－平成 1、国 II－昭和 63、国税・労基－平成 18、国税－平成 6

Q4 民事執行法に基づく代替執行は、国家賠償法 1 条の国の「公権力の行使」に該当するのか。

A 国家賠償法 1 条の国の「公権力の行使」に該当する。　民事執行法に基づく代替執行は、債務者のなすべき作業の内容を代って行う者が債権者自身であると債権者の委託した第三者であるとあるいは債権者の委託した執行吏であるとを問わず、ひとしく債務者の意思を排除して国家の強制執行権を実現する行為であるから、国の公権力の行使である（最判昭 41・9・22）。

出題 国 I－昭和 61・52、地方上級－昭和 62

Q5 公権力の行使には、公立学校における教師の教育活動も含まれるのか。

A 公立学校における教師の教育活動も含まれる。　公立学校における教師の教育活動も国家賠償法 1 条 1 項にいう公権力の行使に含まれる〈横浜市立中学校プール事故訴訟〉（最判昭 62・2・6）。

出題 国家総合－令和 2、国 I－平成 22、地方上級－平成 5、市役所上・中級－平成 11、特別区 I－平成 24、国家一般－平成 29、国税・財務・労基－平成 28・25、国税・労基－平成 19、国税－平成 11・6

Q6 国の嘱託の保健所勤務の医師（県の職員）が、国家公務員の定期健康診断の一環として行った検査により、受診者が損害を受けた場合、国は国家賠償責任を負うか。

A 当該検診行為は公権力の行使にあたらず、国は国家賠償責任を負わない。　本件における検診等の行為が上告人の職員である医師によって行われたものであれば、同人の違法な検診行為につき上告人に対して民法 715 条の損害賠償責任を問疑すべき余地があるが、仮に上告人の主張するように、上記検診等の行為が林野税務署長の保健所への嘱託に基づき訴外岡山県の職員である同保健所勤務の医師によって行われたものであるとすれば、当該医師の検診等の行為は保健所の業務としてされたものであって、たとえそれが林野税務署長の嘱託に基づいてされたものとしても、そのために上記検診等の行為が上告人国の事務の処理となり、当該医師があたかも上告人国の機関ないしその補助者として検診等の行為をしたものと解さなければならない理由はないから、当該医師の検診等の行為に不法行為を成

立せしめるような違法があっても、そのために上告人が民法715条による損害賠償責任を負わなければならない理由はない（最判昭57・4・1）。

出題 国家総合－平成26、国Ⅰ－昭和59、地方上級－平成20、国家一般－令和4・平成30・26

Q7 再審によりそれまでの有罪判決が取り消されて無罪判決が確定した場合、有罪判決を下した裁判官の裁判行為は、国家賠償法上当然に違法となるのか。

A 国家賠償法上当然に違法とならない。　再審により有罪判決が取り消され、無罪判決が確定した場合であっても、裁判官がした争訟の裁判につき国家賠償法1条1項にいう違法な行為があったものとして国の損害賠償責任が認められるためには、当該裁判官が、違法または不当な目的で裁判をしたなど、裁判官がその付与された権限の趣旨に明らかに背いてこれを行使したものと認めうるような特別の事情が必要である（最判平2・7・20）。

出題 地方上級－平成9、国税－平成10

Q8 行政指導は、国家賠償法1条の「公権力の行使」にあたるか。

A 「公権力の行使」にあたる。　指導要綱は、法令の根拠に基づくものではなく、武蔵野市において、事業主に対する行政指導を行うための内部基準であるにもかかわらず、水道の給水契約の締結の拒否等の制裁措置を背景として、事業主に一定の手続が設けられている。そして、教育施設負担金についても、その金額は選択の余地のないほど具体的に定められており、事業主の義務の一部として寄付金を割り当て、その納付を命ずるような文言となっているから、当該負担金が事業主の任意の寄附金の趣旨で規定されていると認めるのは困難である。したがって、武蔵野市が事業主に対し指導要綱に基づいて教育施設負担金の納付を求めた行為は、本来任意に寄附金の納付を求めるべき行政指導の限界を超えるものであり、違法な公権力の行使である〈武蔵野市教育施設負担金事件〉（最判平5・2・18）。⇨行政手続法33条5

出題 国家総合－平成27、国Ⅰ－平成20・19・15・13・12・11・9・7、地方上級－平成20、市役所上・中級－平成11、国家一般－令和3、国税・財務・労基－平成25、国税・労基－平成22・18、国税－平成30

Q9 住宅建築や宅地開発の適正化を図るにあたって、現行法令に基づく規制では十分でない場合には、地方公共団体は行政指導に頼ることで、指導要綱と呼ばれる基準を定立する際に、その要綱から逸脱した行政指導が違法であるとして損害賠償を求めることはできるのか。

A 損害賠償を求めることはできる〈武蔵野市教育施設負担金事件〉（最判平5・2・18）。⇨8

◇不作為

Q10 土地区画整理事業の施行者が仮換地上の建物の移転除却の権限を有するにもかかわらず、これを行使しなかった場合、国家賠償による損害賠償責任を負うか。

A 国家賠償法による損害賠償責任を負う。　施行者としては、事業の施行にあたり、一般に、関係人に不当な不利益や損害を及ぼすことのないよう配慮すべき義務を負い、換地予定地の使用を妨げるような事態は、これを施行者の責任において解消し、土地所有者に損害の生ずることを防止すべきものであって、それは、施行者が建築物等の移転または除却をする権限を適切に行使することによって実現することができる。したがって、建築物等の存在によって換地予定地の使用収益が妨げられているときは、施行者において当該権限を行使し、建築物等の移転または除却をして当該土地の使用収益に妨げないようにすることは、その職務上の義務でもあって、施行者が過失により当該義務を怠って土地所有者に損害を及ぼしたときは、これを賠償する責に任ずべきである（最判昭46・11・30）。

出題 国Ⅰ－昭和57

Q11 警察官がナイフを携帯する個人を帰宅させる際には、ナイフを提出させるべきであったにもかかわらず、それを怠ったがために当該個人が傷害事件をおこした場合、傷害結果と警察官の当該懈怠行為との間には相当因果関係があるのか。

A 相当因果関係がある。　警察官はナイフを携帯する個人に帰宅を許す以上、少なくとも銃砲刀剣類所持等取締法24条の2第2項の規定によりナイフを提出させて一時保管の措置をとるべき義務があったのであり、警察官が、かかる措置をとらなかったことは、その職務上の義務に違背し違法である。したがって、警察官の上記懈怠行為と当該個人が引き起こした傷害結果との間には相当因果関係がある（最判昭57・1・19）。

出題 国家総合－令和3、地方上級－平成8・2（市共通）、市役所上・中級－平成8、国税・財務・労務－平成27、国税－平成14

Q12 警察官が職務上有する作為義務の不履行に基づいて発生した損害について、国または公共団体が賠償責任を負う余地はあるのか。

A 国または公共団体が賠償責任を負う余地はある。　海底にある砲弾類が毎年のように海浜に打ち上げられ、島民は絶えずその危険に曝され、これを放置するときは、島民の生命、身体の安全が確保されないことが相当の蓋然性をもって予測されうる状況のもとにおいて、かかる状況を警察官が容易に知りうる場合には、警察官がその権限を適切に行使して、積極的に砲弾類を回収するなどの措置を講じて、砲弾類の爆発による人身事故等の発生を未然に防止することは、その職務上の義務でもある。したがって、砲弾類の爆発により人身事故が発生した本件では、国または公共団体は賠償責任を負わなければならない（最判昭59・3・23）。

出題 国Ⅰ－平成14、国Ⅱ－平成12・昭和63、国税－平成14

Q13 一般公衆に利用されている海浜やその付近の海底に砲弾類が投棄されたまま放置されている場合には、現実に人身事故等の発生する危険があるか否かにかかわらず、警察官が警察官職務執行法第4条に基づいて積極的に砲弾類を回収するなどの措置を

行政法編

とらないことは、国家賠償法1条1項の適用上違法となるのか。

A 現実に人身事故等の発生する危険がなければ、違法とはならない（最判昭59・3・23）。⇨*12*

Q14 宅建業者の不正な行為により個々の取引関係者が損害を被った場合、当該業者の業務停止ないし免許の取消しを行わなかった知事等の権限不行使は、国家賠償法1条の違法な行為にあたるのか。

A 違法な行為にあたらない。　宅地建物取引業法が免許制度を設けた趣旨は、直接的には、宅地建物取引の安全を害するおそれのある宅建業者の関与を未然に排除することにより取引の公正を確保し、宅地建物の円滑な流通を図るところにあり、免許制度および法が定める各種規制の実効を確保する趣旨に出たものにほかならない。もっとも、宅地建物取引業法は、上記のような趣旨のものであることを超え、免許を付与した宅建業者の人格・資質等を一般的に保証し、ひいては当該業者の不正な行為により個々の取引関係者が被る具体的な損害の防止、救済を制度の直接的な目的とするものとはにわかに解しがたく、かかる損害の救済は一般の不法行為規範等にゆだねられているというべきであるから、知事等による免許の付与ないし更新それ自体は、法所定の免許基準に適合しない場合であっても、当該業者との個々の取引関係者に対する関係において直ちに国家賠償法1条1項にいう違法な行為にあたるものではない。したがって、当該業者の不正な行為により個々の取引関係者が損害を被った場合であっても、具体的事情の下において、知事等に監督処分権限が付与された趣旨・目的に照らし、その不行使が著しく不合理と認められるときでない限り、上記権限の不行使は、当該取引関係者に対する関係で国家賠償法1条1項の適用上違法の評価を受けるものではない（最判平1・11・24）。

出題 国家総合－令和3・2・平成29・27・25、国Ⅰ－平成20・14・8・5、地方上級－平成9、国家一般－平成28、国Ⅱ－平成17、国税・財務・労基－令和3・平成26・25、国税・労基－平成22、国税－平成10

Q15 処分庁が申請に対して客観的に処分のために手続上必要と考えられる期間内に処分しなければ、申請者の不安感等が生じる結果を回避すべき作為義務に違反したことになるのか。

A 必ずしも作為義務に違反するわけではない。一般に、処分庁が認定申請を相当期間内に処分すべきは当然であり、これにつき不当に長期間にわたって処分がされない場合には、早期の処分を期待していた申請者が不安感、焦燥感を抱かされ内心の静穏な感情を害されるに至ることは容易に予測できるから、処分庁には、こうした結果を回避すべき条理上の作為義務がある。そして、処分庁がその意味における作為義務に違反したといえるためには、(1)客観的に処分庁がその処分のために手続上必要と考えられる期間内に処分できなかったことだけでは足りず、(2)その期間内に比してさらに長期間にわたり遅延が続き、かつ、(3)その間、処分庁として通常期待される努力によって遅延を解消できたの

に、これを回避するための努力を尽くさなかったことが必要である〈水俣病認定遅延国家賠償訴訟〉（最判平3・4・26）。

出題 国家総合－平成28・26、国Ⅰ－平成23・15・11・8、国家一般－平成25、国税・労基－平成17

Q16 水俣病認定申請に対する処理の遅延を理由とする精神的損害の賠償請求がされた場合、客観的に処分庁がその処分のために手続上必要と考えられる期間内に処分することができなければ、当該処分の遅延は国家賠償法上違法と評価されるのか。

A 期間内に処分できないことだけで、違法と評価されるわけではない〈水俣病認定遅延国家賠償訴訟〉（最判平3・4・26）。⇨*15*

Q17 不作為の違法確認判決は、行政庁の行政手続上の作為義務違反を確認するものであると同時に不法行為上の違反をも確認するものであり、これによって行政庁は、処分の遅延により、当然に申請者に生じた損害の賠償責任を負うのか。

A 処分の遅延により、当然に申請者に生じた損害の賠償責任を負うわけではない。　不作為の違法確認判決は口頭弁論終結時点において知事が処分すべき行政手続上の作為義務に違反することを確認するものであるが、それは直ちに認定申請者の内心の静穏な感情を害されないという法的利益に向けた作為義務を認定し、その利益侵害という意味での不作為の違法を確認するものではない〈水俣病認定遅延国家賠償訴訟〉（最判平3・4・26）。

出題 国Ⅰ－平成17、国Ⅱ－平成8

Q18 申請処理の遅延による精神的損害の賠償請求が問題となった事例において、不作為の違法確認訴訟上の不作為の違法の要件と、国家賠償法上の違法の要件とは一致するのか。

A 必ずしも一致しない〈水俣病認定遅延国家賠償訴訟〉（最判平3・4・26）。⇨*17*

Q19 医薬品の副作用による被害が発生した場合に、厚生大臣がその発生を防止するために製造承認の取消し、または医薬品製造業者に対する指導勧告等の行政指導の各権限を行使しなければ、直ちに国家賠償法1条1項の適用があるのか。

A 直ちに国家賠償法1条1項の適用があるわけではない。　医薬品の副作用による被害が発生した場合であっても、厚生大臣が当該医薬品の副作用による被害の発生を防止するために、その製造の承認を取り消したり、医薬品製造業者等に対して指導勧告等の行政指導を行う等の各権限を行使しなかったことが直ちに国家賠償法1条1項の適用上違法と評価されるものではなく、副作用を含めた当該医薬品に関するその時点における医学的、薬学的知見の下において、薬事法の目的および厚生大臣に付与された権限の性質等に照らし、当該権限の不行使がその許容される限度を逸脱して著しく合理性を欠くと認められるときは、その不行使は、副作用による被害を受けた者との関係において同項の適用上違法となる〈クロロキン薬害訴訟〉（最判平7・6・23）。

出題 国家総合－令和3・平成25・24、国Ⅰ－平成22・20・14、国Ⅱ－平成9、国税・財務・労基－

行政法編

令和1・平成29

Q20 本来行使すべき権限を行使しなかったことにより損害が発生した場合には、その不行使が著しく合理性を欠くものであっても、公権力の行使とはいえず、国家賠償法1条の対象とならないのか。

A 国家賠償法1条の対象となる〈クロロキン薬害訴訟〉（最判平7・6・23）。⇨19

Q21 通商産業大臣が石炭鉱山におけるじん肺発生防止のための鉱山保安法上の保安規制権限を行使しなかったことは、国家賠償法1条1項の適用上違法となるのか。

A 国家賠償法1条1項の適用上違法となる。　通商産業大臣は、遅くとも、昭和35年3月31日のじん肺法成立の時までに、じん肺に関する医学的知見およびこれに基づくじん肺法制定の趣旨に沿った石炭鉱山保安規則の内容の見直しをして、石炭鉱山においても、衝撃式さく岩機の湿式型化やせん孔前の散水の実施等の有効な粉じん発生防止策を一般的に義務付ける等の新たな保安規制措置を執ったうえで、上記粉じん発生防止策の速やかな普及、実施を図るべき状況にあった。そして、上記の時点までに、上記の保安規制の権限（省令改正権限等）が適切に行使されていれば、それ以降の炭坑労働者のじん肺の被害拡大を相当程度防ぐことができたはずである。本件における以上の事情を総合すると、昭和35年4月以降、鉱山保安法に基づく上記の保安規制の権限を直ちに行使しなかったことは、その趣旨、目的に照らし、著しく合理性を欠くものであって、国家賠償法1条1項の適用上違法である〈筑豊じん肺訴訟〉（最判平16・4・27）。

出題 特別区Ⅰ-平成28

Q22 通商産業大臣が、規制権限を行使して、チッソに対し水俣工場のアセトアルデヒド製造施設からの工場排水についての処理方法の改善、当該施設の使用の一時停止その他必要な措置をとることを命ずることが可能であったにもかかわらず、直ちにこの権限を行使しなかった点において、国家賠償法1条1項の適用上違法となるのか。

A 国家賠償法1条1項の適用上違法となる。　昭和34年11月末の時点において、水俣湾およびその周辺海域を指定水域に指定すること、当該指定水域に排出される工場排水から水銀又はその化合物が検出されないという水質基準を定めること、アセトアルデヒド製造施設を特定施設に定めることという規制権限を行使するために必要な水質二法所定の手続を直ちにとることが可能であり、また、そうすべき状況にあったものといわなければならない。そして、この手続に要する期間を考慮に入れても、同年12月末には、主務大臣として定められるべき通商産業大臣において、上記規制権限を行使して、チッソに対し水俣工場のアセトアルデヒド製造施設からの工場排水についての処理方法の改善、当該施設の使用の一時停止その他必要な措置をとることを命ずることが可能であり、しかも、水俣病による健康被害の深刻さにかんがみると、直ちにこの権限を行使すべき状況にあったと認めるのが相当である。ま

た、この時点で上記規制権限が行使されていれば、それ以降の水俣病の被害拡大を防ぐことができたこと、ところが、実際には、その行使がされなかったために、被害が拡大する結果となったことも明らかである。本件における以上の諸事情を総合すると、昭和35年1月以降、水質二法に基づく上記規制権限を行使しなかったことは、上記規制権限を定めた水質二法の趣旨、目的や、その権限の性質等に照らし、著しく合理性を欠くものであって、国家賠償法1条1項の適用上違法というべきである〈熊本水俣病関西訴訟〉（最判平16・10・15）。

出題 国家総合-令和3・平成30

Q23 水俣病の発生および被害拡大の防止のために規制権限の行使を怠ったことにつき、県は、その規制権限の根拠となる漁業調整規則の趣旨が漁業資源として水産動植物の繁殖保護を図ることにあり、住民の生命・健康の保護を直接の目的としていないことから、国家賠償責任を負わないのか。

A 住民の生命・健康の保護を究極の目的としているから、国家賠償責任を負う。　熊本県知事は、水俣病にかかわる諸事情について国と同様の認識を有し、又は有しうる状況にあったのであり、同知事には、昭和34年12月末までに県漁業調整規則32条に基づく規制権限を行使すべき作為義務があり、昭和35年1月以降、この権限を行使しなかったことは著しく合理性を欠くものであり、県は国家賠償法1条1項による損害賠償責任を負う。原審の判断は、同規則が、水産動植物の繁殖保護等を直接の目的とするものではあるが、それを摂取する者の健康の保持等をもその究極の目的とするものであると解されることからすれば、是認することができる〈熊本水俣病関西訴訟〉（最判平16・10・15）。

出題 国家総合-平成30

Q24 国民に憲法上保障されている権利行使の機会を確保するために国会において所要の立法措置をとることが必要不可欠であり、それが明白であるにもかかわらず、国会が正当な理由なく長期にわたりこれを怠った場合、当該立法不作為は国家賠償法1条1項の規定の適用上違法の評価を受けるのか。

A 違法の評価を受ける〈在外日本人選挙権剥奪事件〉（最大判平17・9・14）。

在外国民であった上告人らも国政選挙において投票をする機会を与えられることを憲法上保障されていたのであり、この権利行使の機会を確保するためには、在外選挙制度を設けるなどの立法措置をとることが必要不可欠であったにもかかわらず、事実関係によれば、昭和59年に在外国民の投票を可能にするための法律案が閣議決定されて国会に提出されたものの、同法律案が廃案となった後本件選挙の実施に至るまで10年以上の長きにわたって何らの立法措置もとられなかったのであるから、このような著しい不作為は上記の例外的な場合（立法の内容又は立法不作為が国民に憲法上保障されている権利を違法に侵害するものであることが明白な場合や、国民に憲法上保障されている権利行使の機会を確保するために所要の立法措置をとることが必要不可欠であり、それが明白であるにもかかわらず、国会が正当

な理由なく長期にわたってこれを怠る場合）にあたり、このような場合においては、過失の存在を否定することはできない。このような立法不作為の結果、上告人らは本件選挙において投票をすることができず、これによる精神的苦痛を被ったものというべきである。したがって、本件においては、上記の違法な立法不作為を理由とする国家賠償請求はこれを認容すべきである。そこで、上告人らの被った精神的損害の程度について検討すると、本件訴訟において在外国民の選挙権の行使を制限すること（小選挙区選挙）が違憲であると判断され、それによって、本件選挙において投票をすることができなかったことによって上告人らが被った精神的損害は相当程度回復されるものと考えられることなどの事情を総合勘案すると、損害賠償として各人に対し慰謝料5,000円の支払を命ずるのが相当である〈在外日本人選挙権剥奪事件〉（最大判平17・9・14）。

出題 国家総合－令和4・2、国Ⅰ－平成22・19、国家一般－平成26・25、裁判所Ⅰ・Ⅱ－平成19（憲法での出題）、国税・労基－平成22

Q25 平成8年10月20日に実施された衆議院議員の総選挙までに在外国民に国政選挙における選挙権の行使を認めるための立法措置がとられなかったこと（小選挙区選挙）について、国家賠償請求は認容されるのか。

A 国家賠償請求は認容される。⇨24

Q26 精神的原因による投票困難者の選挙権行使の機会を確保するための立法措置を講じないこと（本件立法不作為）は、国家賠償法1条1項の適用上、違法の評価を受けるのか。

A 違法の評価を受けない。　精神的原因による投票困難者は、身体に障害がある者のように、既存の公的な制度によって投票所に行くことの困難性に結びつくような判定を受けているものではない。しかも、事実関係等によれば、身体に障害がある者の選挙権の行使については長期にわたって国会で議論が続けられてきたが、精神的原因による投票困難者の選挙権の行使については、本件各選挙までにおいて、国会でほとんど議論されたことはなかったのであるから、少なくとも本件各選挙以前に、精神的原因による投票困難者に係る投票制度の拡充が国会で立法課題として取り上げられる契機があったとは認められない。以上によれば、本件立法不作為について、国民に憲法上保障されている権利行使の機会を確保するために所要の立法措置をとることが必要不可欠であり、それが明白であるにもかかわらず、国会が正当な理由なく長期にわたってこれを怠る場合などにあたるとはいえないから、本件立法不作為は、国家賠償法1条1項の適用上、違法の評価を受けるものではない（最判平18・7・13）。**出題** **予想**

Q27 国会が女性の再婚禁止期間を定めた民法733条1項を改廃する立法措置をとらなかったこと（立法の不作為）は、国家賠償法1条1項の適用上違法の評価を受けるのか。

A 違法の評価を受けない。　平成20年当時において国会が民法733条1項の規定を改廃する立法措置をとらなかったことは、(1)民法733条1項

の規定のうち100日を超えて再婚禁止期間を設ける部分が合理性を欠くに至ったのが、昭和22年民法改正後の医療や科学技術の発達および社会状況の変化等によるものであり、(2)平成7年には国会が同条を改廃しなかったことにつき直ちにその立法不作為が違法となる例外的な場合にあたると解する余地のないことは明らかであるとの最高裁判所の判断（最大判平7・12・5）が示され、(3)その後も上記部分について違憲の問題が生ずるとの司法判断がされてこなかったなど判示の事情の下では、上記当時においては本件規定のうち100日超過部分が憲法に違反するものとなってはいたものの、これを国家賠償法1条1項の適用の観点からみた場合には、憲法上保障され又は保護されている権利利益を合理的な理由なく制約するものとして憲法の規定に違反することが明白であるにもかかわらず国会が正当な理由なく長期にわたって改廃等の立法措置を怠っていたと評価することはできない。したがって、本件立法不作為は、国家賠償法1条1項の適用上違法の評価を受けるものではない〈女子再婚禁止期間事件〉（最大判平27・12・16）。**出題** **予想**

Q28 拘置所長が死刑確定者から発信を申請された信書を返戻した行為は、国家賠償法1条1項の適用上違法であるといえるのか。

A 本件の事情の下では、違法であるとはいえない。刑事収容施設法139条2項は、同条1項各号に掲げる信書以外の信書の発受について、その発受の相手方との交友関係の維持その他その発受を必要とする事情があり、かつ、その発受により刑事施設の規律および秩序を害するおそれがあると認めるときは、刑事施設の長は、死刑確定者に対し、これを許すことができる旨を定めている。しかし、本件において、大阪拘置所長が、死刑確定者から再審請求の弁護人宛ての信書の発信を申請されたのに対し、刑事収容施設法139条2項の規定により発信を許すことができないものとして当該信書を返戻した行為は、国家賠償法1条1項の適用上違法であるとはいえない。なぜなら、本件においては、便箋7枚からなる当該信書の1枚目に支援者ら4名の氏名、住所等が記載され、2枚目以降にもっぱら当該支援者らに対する連絡事項等が支援者らごとに便箋を分けて記載されていたものであり、当該死刑確定者がその全部を当該弁護人宛ての信書として発信しようとしたことに拘置所の規律および秩序の維持の観点から問題があったことなどの事情等があるためである（最判平28・4・12）。**出題** **予想**

Q29 国が、津波による原子力発電所の事故を防ぐために電気事業法（平成24年法律第47号による改正前のもの）40条に基づく規制権限を行使しなかったことを理由に国家賠償法1条1項に基づく損害賠償責任を負うのか。

A 国家賠償法1条1項に基づく損害賠償責任を負わない。電力会社が設置し運営する原子力発電所の原子炉に係る建屋の敷地に地震に伴う津波が到来し、上記建屋の中に海水が浸入して上記原子炉に係る原子炉施設が電源喪失の事態に陥った結果、上記原子炉施設から放射性物質が大量に放出される原子

力事故が発生した場合において、(1) 上記原子力事故以前の我が国における原子炉施設の津波対策は、津波により安全設備等が設置された原子炉施設の敷地が浸水することが想定される場合、防潮堤、防波堤等の構造物を設置することにより上記敷地への海水の浸入を防止することを基本とするものであったこと、(2) 上記原子力事故以前に、津波により上記敷地が浸水することが想定される場合に、想定される津波による上記敷地の浸水を防ぐことができるように設計された防潮堤、防波堤等の構造物を設置するという措置を講ずるだけでは対策として不十分であるとの考え方が有力であったことはうかがわれないこと、(3) 上記文書が今後発生する可能性があるとした地震の規模は、津波マグニチュード 8.2 前後であったのに対し、現実に発生した地震の規模は、津波マグニチュード 9.1 であったこと、(4) 上記の試算された津波による上記建屋付近の浸水深は、約 2.6 m 又はそれ以下とされたのに対し、現実に到来した津波による上記建屋付近の浸水深は、最大で約 5.5m に及んだこと等から、経済産業大臣が上記発電所の沖を含む海域の地震活動の長期評価に関する文書を前提に電気事業法(平成 24 年法律第 47 号による改正前のもの) 40 条に基づく規制権限を行使して津波による上記発電所の事故を防ぐための適切な措置を講ずることを上記電力会社に義務付けていれば上記原子力事故又はこれと同様の事故が発生しなかったであろうという関係を認めることはできず、国が、経済産業大臣が上記の規制権限を行使しなかったことを理由として、上記原子力事故により放出された放射性物質によってその当時の居住地が汚染された者に対し、国家賠償法 1 条 1 項に基づく損害賠償責任を負うということはできない(最判令 4・6・17)。 出題 予想

(3)「職務を行う」についての意義(職務行為の範囲)

Q30 公務員が主観的に権限行使の意思(私利を図る目的)をもつ場合でも、その行為が外形からみて職務執行といえる場合、職務執行に該当するのか。

A 国家賠償法 1 条の職務執行に該当する。 公務員が主観的に権限行使の意思をもってする場合に限らず自己の利を図る意図をもってする場合でも、客観的に職務執行の外形をそなえる行為をしてこれによって、他人に損害を加えた場合には、国または公共団体に損害賠償の責めを負わせ、ひろく国民の権益を擁護することを、その立法の趣旨とする(最判昭 31・11・30)。

出題 国家総合 - 令和 2・平成 30・28・26・25、国Ⅰ - 平成 22・20・13・5・2・昭和 61・57・52・51、地方上級 - 昭和 62・61・58・56、東京Ⅰ - 平成 14、市役所上・中級 - 平成 10・昭和 63、特別区Ⅰ - 平成 24、国家一般 - 令和 4・1・平成 28、国Ⅱ - 平成 20・12・11・7・4・昭和 63・57・51、国税・労基 - 平成 21・18、国税 - 平成 30・14・13・8

Q31 警察官が非番の日に制服で私人に対して不法行為を行った場合、国または公共団体は、私人に対

して国家賠償責任を負うのか。

A 国または公共団体は、私人に対して国家賠償責任を負う(最判昭 31・11・30)。 ⇨ 30

Q32 都道府県による入所措置に基づき社会福祉法人の設置運営する児童養護施設に入所した児童に対する当該施設の職員等による養育監護行為は、都道府県の公権力の行使にあたる公務員の職務行為となるのか。

A 公務員の職務行為となる。 児童福祉法は、保護者による児童の養育監護について、国又は地方公共団体が後見的な責任を負うことを前提に、要保護児童に対して都道府県が有する権限および責務を具体的に規定する一方で、児童養護施設の長が入所児童に対して監護、教育および懲戒に関しその児童の福祉のため必要な措置をとることを認めている。上記のような法の規定および趣旨に照らせば、3 号措置(母親が病気療養のため家庭での養育が困難になったことから、県による法 27 条 1 項 3 号に基づく入所措置)に基づき児童養護施設に入所した児童に対する関係では、入所後の施設における養育監護は本来都道府県が行うべき事務であり、このような児童の養育監護にあたる児童養護施設の長は、3 号措置に伴い、本来都道府県が有する公的な権限を委譲されてこれを都道府県のために行使するものと解される。したがって、都道府県による 3 号措置に基づき社会福祉法人の設置運営する児童養護施設に入所した児童に対する当該施設の職員等による養育監護行為は、都道府県の公権力の行使にあたる公務員の職務行為と解する(最判平 19・1・25)。

出題 国家総合 - 平成 27・25・24、国家一般 - 令和 1・平成 25、特別区Ⅰ - 平成 28、国税・労基 - 平成 23

Q33 国等以外の者に使用される者が第三者に損害を加えた場合で、当該行為が国等の公権力の行使にあたるとして国等が被害者に対して同項に基づく損害賠償責任を負うときは、国等以外の使用者が民法 715 条に基づく損害賠償責任を負うものの、被用者個人は民法 709 条に基づく損害賠償責任を負わないのか。

A 使用者も被用者も損害賠償責任を負わない。 国家賠償法 1 条 1 項は、国又は公共団体の公権力の行使にあたる公務員が、その職務を行うについて、故意又は過失によって違法に他人に損害を与えた場合には、国又は公共団体がその被害者に対して賠償の責めに任ずることとし、公務員個人は民事上の損害賠償責任を負わないことと解される(最判昭 30・4・19、最判昭 53・10・20)。この趣旨からすれば、国又は公共団体以外の者の被用者が第三者に損害を加えた場合であっても、当該被用者の行為が国又は公共団体の公権力の行使にあたるとして国又は公共団体が被害者に対して同項に基づく損害賠償責任を負う場合には、被用者個人が民法 709 条に基づく損害賠償責任を負わないのみならず、使用者も同法 715 条に基づく損害賠償責任を負わないものと解する。これを本件についてみるに、3 号措置に基づき入所した児童に対する A 学園の職員等による養育監護行為が被告県の公権力

の行使にあたり、本件職員の養育監護上の過失によって原告が被った損害につき被告県が国家賠償法1条1項に基づく損害賠償責任を負うことは前記判示のとおりであるから、本件職員の使用者である被告Ｙは、原告に対し、民法715条に基づく損害賠償責任を負わない（最判平19・1・25）。

出題 国家総合－令和4・平成24、国Ⅰ－平成21、特別区Ⅰ－令和2、国家一般－平成30・26、国税・財務・労基－平成25、国税・労基－平成23

Q34 都道府県による入所措置に基づき入所した児童に対するＡ学園の職員等による養育監護行為が被告県の公権力の行使にあたる場合、本件職員の使用者である被告Ｙは、原告に対し、民法715条に基づく損害賠償責任を負うのか。

A 民法715条に基づく損害賠償責任を負わない（最判平19・1・25）。⇨33

(4)故意・過失・違法性

◇故意または過失

Q35 国家賠償法1条に基づく責任は、国または公共団体の自己責任を定めたものなのか。

A 代位責任を定めた規定である。　国または公共団体は、公務員がその職務を行うについて、故意または過失によって違法に損害を加えた場合にその責任を代位するものであり、民法715条のような免責の規定がないことから、直ちに国または公共団体の自己責任を国家賠償法1条が定めたものではない（最判昭44・2・18）。

出題 国Ⅰ－平成4・昭和57、特別区Ⅰ－平成20、国Ⅱ－平成16・昭和51、国Ⅱ－平成11

Q36 第二審裁判所によって、勾留状記載の公訴事実と起訴状記載の公訴事実とが相類似はするが、刑事訴訟法上相違すると判断され、勾留決定が取り消された場合、勾留した裁判官に故意または過失があったといえるか。

A 故意または過失があったとはいえない。　本件のような相類似する記載事実が刑事訴訟法上同一の事実と認むべきかどうかは、記載事実に関する法律上の価値判断であって、関係検察官または裁判官が各自の有する識見信念によってその判断を行った以上、結果がいずれであろうとも、これによって故意または過失の問題は生ずる余地がない。したがって、本件関係官の間に事案に関する見解が異なり、第二審裁判所が同一事実にあらずと判断し勾留取消決定をしたからといって、その以前の検察官または裁判官の判断に故意または過失による誤りがあるということはできず、国家賠償法1条に基づく損害賠償責任を負わない（最判昭28・11・10）。

出題 国Ⅰ－昭和59

Q37 法律解釈につき異なる見解が対立し、実務上の取扱いも分かれていて、そのいずれについても一応の論拠が認められる場合に、公務員がその一方の解釈に立脚して公務を執行し、後にその執行が違法と判断された場合、当該公務員に過失が認められるのか。

A 当該公務員に過失は認められない。　法律解釈につき異なる見解が対立して疑義が生じ、拠るべき明確な判例、学説がなく、実務上の取扱いも分かれていて、そのいずれについても一応の論拠が認められる場合に、公務員がその一方の解釈に立脚して公務を執行したときは、後にその執行が違法と判断されたからといって、直ちに当該公務員に過失があったものとすることは相当ではない（最判昭49・12・12）。

出題 国家総合－平成29、国家一般－平成30・25

Q38 公立学校における課外クラブ活動において、生徒が乱闘により負傷した場合、当該学校を設置している地方公共団体は、負傷した生徒に対し国家賠償法1条による賠償責任を負うのか。

A 必ずしも賠償責任を負わない。　公立学校における課外クラブ活動であっても、それが学校の教育活動の一環として行われるものである以上、その実施について、顧問の教諭をはじめ学校側に、生徒を指導監督し事故の発生を未然に防止すべき一般的な注意義務のあることを否定することはできない。しかし、課外のクラブ活動が本来生徒の自主性を尊重すべきものであることにかんがみれば、何らかの事故の発生する危険性を具体的に予見することが可能であるような特段の事情のある場合は格別、そうでない限り、顧問の教諭としては、個々の活動に常時立会い、監視指導すべき義務までを負うものではない（最判昭58・2・18）。

出題 国Ⅰ－平成16・昭和59、特別区Ⅰ－令和2、国Ⅱ－平成12

Q39 公立学校での課外のクラブ活動の際には、教師をはじめ学校が、生徒を指導監督し、事故の発生を未然に防止すべき一般的な注意義務は存在するものの、学校内の個別の教育活動に応じて教師等が負うべき注意義務の具体的な内容は異なり、事故発生の予見可能性や回避可能性等に基づき、その具体的な注意義務についての違反を判断しなければならないのか。

A その具体的な注意義務についての違反を判断しなければならない（最判昭58・2・18）。⇨38

Q40 教師は、学校における教育活動中に、事故の発生を防止するために十分な措置を講じるべき注意義務がある以上、体育の授業中に、プールへの飛び込みについて未熟な者の多い生徒に対して、適切な措置、配慮をせずに助走を伴う危険な方法で飛び込みをさせたことは、教師に注意義務違反があったといえ、国家賠償責任が認められるのか。

A 教師に注意義務違反があったといえ、国家賠償責任が認められる。　学校の教師は、学校における教育活動により生ずるおそれのある危険から生徒を保護すべき義務を負っており、危険を伴う技術を指導する場合には、事故の発生を防止するために十分な措置を講じるべき注意義務がある。本件についてこれをみると、Ｄ教諭は、中学校3年生の体育の授業として、プールにおいて飛び込みの指導をしていた際、未熟な生徒が多いのに、助走して飛び込む方法、ことに助走してスタート台に上がって行う方法は、踏み切りに際してのタイミングの取り方および踏み切る位置の設定が難しく、踏み切る角度を誤った場合には、極端に高く上がって身体の平衡

を失い、空中での身体の制御が不可能となり、水中深く進入しやすくなるのであって、このことは、飛び込みの指導にあたるD教諭にとって十分予見しうるところであったのであるから、スタート台上に静止した状態で飛び込む方法についてさえ未熟な者の多い生徒に対して上記の飛び込み方法をさせることは、きわめて危険であるから、これに対応すべき措置、配慮をすべきであったのに、それをしなかった点において、D教諭には注意義務違反があったといわなければならない〈横浜市立中学校プール事故訴訟〉（最判昭62・2・6）。**出題 国家総合－平成30**

Q41 予防接種により重篤な後遺症が発生した場合、接種実施者に過失があるか否かの認定に関して、被接種者は法定の禁忌者に該当していたと推定できるのか。

A 被接種者は法定の禁忌者に該当していたと推定できる。　予防接種によって重篤な後遺障害が発生する原因としては、被接種者が禁忌者に該当していたことまたは被接種者が後遺障害を発生しやすい個人的素因を有していたことが考えられるが、禁忌者として掲げられた事由は一般通常人がなりうる病的状態、比較的多くみられる疾患またはアレルギー体質等であり、ある個人が禁忌者に該当する可能性は個人的素因を有する可能性よりもはるかに大きいのであるから、予防接種によって後遺障害が発生した場合には、当該被接種者が禁忌者に該当していたことによって後遺障害が発生した高度の蓋然性があると考えられる。したがって、予防接種によって後遺障害が発生した場合には、禁忌者に該当すると認められる事由を発見することができなかった等、被接種者が個人的素因を有していたこと等の特段の事情が認められない限り、被接種者は禁忌者に該当していたと推定するのが相当である〈小樽種痘損害賠償請求訴訟〉（最判平3・4・19）。

出題 国Ⅰ－平成16、国Ⅱ－平成17、国税・労基－平成22

Q42 市立中学校の生徒が課外クラブ活動の柔道部の回し乱取り中に負傷した事故について、顧問教諭に指導上の過失があるのか。

A 十分な基礎練習と相当な練習期間後に回し乱取りが行われた等の事情があれば、顧問教諭に指導上の過失はない。　本件において、教諭は、その指導の下に受け身の基礎練習を行い、その後の練習においても毎日受け身の練習をし、本件事故までに、約3か月の受け身の練習期間を経ており、Aがすでに回し乱取り練習においてBの練習相手をして特に危険が生じていなかった等の事実にかんがみると、指導にあたった教諭が、本件事故当時、Aが、回し乱取り練習でBの相手をするのに必要な受け身を習得し、これを確実に行う技能を有していたと判断したことに、安全面の配慮に欠けるところがあったとはいえない。したがって、本件事故は、柔道の練習における一連の攻撃、防御の動作の過程で起きた偶発的な事故といわざるをえず、これを教諭の指導上の責任に帰することはできない（最判平9・9・4）。

出題 予想

Q43 国会議員の立法行為が国家賠償法1条1項の

適用上違法となる場合においては、個々の国会議員の故意・過失を論ずることは必要とせず、国会自体の故意・過失を論じれば足りるのか。

A 個々の国会議員の故意・過失を論じる必要がある。　憲法51条は、「両議院の議員は、議院で行った演説、討論又は表決について、院外で責任を問われない。」と規定し、国会議員の発言、表決につきその法的責任を免除しているが、このことも、一面では国会議員の職務行為についての広い裁量の必要性を裏付けているといえる。もっとも、国会議員に上記のような広範な裁量が認められるのは、その職権の行使を十全ならしめるという要請に基づくものであるから、職務とは無関係に個別の国民の権利を侵害することを目的とするような行為が許されないことはもちろんであり、また、あえて虚偽の事実を摘示して個別の国民の名誉を毀損するような行為は、国会議員の裁量に属する正当な職務行為とはいえない。以上によれば、国会議員が国会で行った質疑等において、個別の国民の名誉や信用を低下させる発言があったとしても、これによって当然に国家賠償法1条1項の規定にいう違法な行為があったものとして国の損害賠償責任が生ずるものではなく、上記責任が肯定されるためには、当該国会議員が、その職務とはかかわりなく違法又は不当な目的をもって事実を摘示し、あるいは、虚偽であることを知りながらあえてその事実を摘示するなど、国会議員がその付与された権限の趣旨に明らかに背いてこれを行使したものと認めうるような特別の事情があることを必要とする（最判平9・9・9）。

出題 国家総合－平成19・11、国家一般－令和1、国Ⅱ－平成18

Q44 在留外国人に対する被保険者証交付拒否処分が違法である場合でも、在留外国人が国民健康保険の適用対象となるかどうかについて定説がない状況で、当該拒否処分をした市の公務員には過失が認められるのか。

A 過失は認められない。　①上告人は、寄港地上陸許可を得て上陸し、上陸期間経過後もわが国に残留している外国人であるが、②いわゆる在外華僑として大韓民国で出生し、同国での永住資格を喪失し、台湾でも国籍が確認されないという特殊な境遇にあったため、やむなくわが国に残留し続け、この間、不法滞在状態を解消するため、2度にわたり、自ら入国管理局に出頭したものの、上記事情から不法滞在状態を解消することができず、その後入国管理局からは何の連絡もなかったのであり、③本件処分までの滞在期間は約22年間もの長期に及び、本件処分当時の居住地である横浜市では、調理師として稼働しながら、約13年間にわたって妻とわが国で生まれた2人の子と共に定住して家庭生活を営んできたのであって、④本件請求時には、横浜市を居住地とする外国人登録をして、在留特別許可を求めており、その約半年後には、在留資格を定住者とする在留特別許可を受けたというのである。これらの事情に照らせば、上告人は、被上告人横浜市の区域内で家族と共に安定した生活を継続的に営んでおり、将来にわたってこれを維持し続ける蓋然性が高

いものと認められ、国民健康保険法5条にいう「住所を有する者」に該当するというべきである。そうすると、本件被保険者証交付拒否処分は違法である。しかしながら、在留資格を有しない外国人が国民健康保険の適用対象となるかどうかについては、定説がなく、下級裁判例の判断も分かれているうえ、本件処分当時には、これを否定する判断を示した下級審裁判があっただけで、国民健康保険法5条の解釈につき本件各通知と異なる見解に立つ裁判例はなかったのであるから、本件処分をした横浜市の担当者および本件各通知を発した国の担当者に過失があったとはいえない。そうすると、被上告人らの国家賠償責任は認められない（最判平16・1・15）。

Q45 国の担当者が、原爆医療法および原爆特別措置法の解釈を誤り、被爆者が国外に居住地を移した場合に、健康管理手当等の受給権は失権の取扱いとなる旨定めた通達を作成、発出し、これに従った取扱いを継続したことは、国家賠償法1条1項の適用上違法か、当該担当者には過失があるのか。

A 国家賠償法1条1項の適用上違法であり、当該担当者には過失がある。　国の担当者が、原爆医療法および原爆特別措置法の解釈を誤り、原爆医療法に基づき被爆者健康手帳の交付を受けた被爆者が国外に居住地を移した場合には、原爆特別措置法は適用されず、同法に基づく健康管理手当等の受給権は失権の取扱いとなる旨定めた通達（各都道府県知事並びに広島市長及び長崎市長あて厚生省公衆衛生局長通達）を作成、発出し、その後、上記2法を統合する形で被爆者援護法が制定された後も、平成15年3月まで上記通達に従った取扱いを継続したことは、公務員の職務上通常尽くすべき注意義務に違反するものとして、国家賠償法1条1項の適用上違法なものであり、当該担当者には過失がある（最判平19・11・1）。

Q46 公立小学校3年の児童が、朝自習の時間帯に離席して、落ちていたベストのほこりを払おうとして同ベストを頭上で振り回すという突発的な行動をしたため、これが別の児童の右眼に当たり当該児童が負傷した事故につき、担任教諭に児童の安全確保等についての過失は認められるのか。

A 過失は認められない。　児童Aは、離席した後にロッカーから落ちていたベストを拾うため教室後方に移動し、ほこりを払うためベストを上下に振るなどした後、さらに移動してベストを頭上で振り回したのであり、その間、担任教諭は、教室入口付近の自席に座り、他の児童らから忘れ物の申告等を受けてこれに応対していて、Aの動静を注視していなかったのであるが、ベストを頭上で振り回す直前までのAの行動は自然なものであり、特段危険なものでもなかったから、他の児童らに応対していた担任教諭において、Aの動静を注視し、その行動を制止するなどの注意義務があったとはいえず、Aがベストを頭上で振り回すというような危険性を有する行為に出ることを予見すべき注意義務があったともいえない。したがって、担任教諭が、ベストを頭

上で振り回すという突発的なAの行動に気付かず、本件事故の発生を未然に防止することができなかったとしても、担任教諭に児童の安全確保又は児童に対する指導監督についての過失があるとはいえない（最判平20・4・18）。

Q47 教師らが、各自が自主的に職務に関連する事務等に従事していた状況の下で、強度のストレスが健康状態の悪化につながった場合、勤務校の上司である各校長が、教師らの職務の負担を軽減させるための特段の措置をとらなかったことは、教師らの心身の健康を損なうことがないよう注意すべき義務に違反し、過失があるのか。

A 過失はない。　教師らは、時間外勤務命令に基づくものではなく、強制によらずに各自が職務の性質や状況に応じて自主的に上記事務等に従事していたのであるし、その中には自宅を含め勤務校以外の場所で行っていたものも少なくない。他方、仮に原審のいう強度のストレスが健康状態の悪化につながりうるものであったとしても、勤務校の各校長が教師らについてそのようなストレスによる健康状態の変化を認識又は予見することは困難な状況にあったというほかない。これらの事情にかんがみると、本件期間中、教師らの勤務校の上司である各校長において、被上告人らの職務の負担を軽減させるための特段の措置をとらなかったとしても、被上告人らの心身の健康を損なうことがないよう注意すべき上記の義務に違反した過失があるとはいえない（最判平23・7・12）。

◇違法性・法律上保護される利益

Q48 刑事事件において無罪の判決が確定した場合、公訴の提起をした検察官の行為には、違法性があるのか。

A 直ちに公訴の提起は違法性を帯びない。　無罪の判決が確定したというだけで直ちに公訴の提起が違法性を帯びるわけではなく、逮捕・勾留はその時点において犯罪の嫌疑について相当な理由があり、かつ、必要性が認められる限りは適法であり、公訴の提起は、検察官が裁判所に対して犯罪の成否、刑罰権の存否につき審判を求める意思表示にほかならないから、起訴時あるいは公訴追行時における検察官の心証は、その性質上、判決時における裁判官の心証と異なり、起訴時あるいは公訴追行時における各種の証拠資料を総合勘案して合理的な判断過程により有罪と認められる嫌疑があれば足りる（最判昭53・10・20）。

Q49 検察官が公訴を提起したが裁判において無罪が確定した場合であっても、当該公訴の提起が国家賠償法上違法となるのは、検察官が、論告において被告人や第三者の名誉又は信用を害することを意図するなど、不当な目的をもって公訴を提起したという場合に限られるのか。

A 論告時ではなく、各種の証拠資料を総合勘案し

て合理的な判断過程により有罪と認められる嫌疑があれば足りる（最判昭53・10・20）。⇨**48**

Q50 弁護士法23条の2に基づき前科および犯罪経歴の照会を受けた区長が、漫然と照会に応じて、犯罪の種類、軽重を問わず、前科等のすべてを報告することは、公権力の違法な行使にあたるのか。

A 公権力の違法な行使にあたる。　前科および犯罪経歴は人の名誉、信用に直接にかかわる事項であり、前科等のある者もこれをみだりに公開されないという法律上の保護に値する利益を有するのであって、市区町村長は、本来選挙資格の調査のために作成保管する犯罪人名簿に記載されている前科等をみだりに漏えいしてはならない。前科等の有無の取扱いには格別の慎重さが要求される。本件において、原審の適法に確定したところによれば、京都弁護士会が訴外A弁護士の申出により京都市伏見区役所に照会し、同市中京区長に回付された被上告人の前科等の照会文書には、照会を必要とする事由としては、右照会文書に添付されていたA弁護士の照会申出書に「中央労働委員会、京都地方裁判所に提出するため」とあったにすぎない場合に、このような場合に、市区町村長が漫然と弁護士会の照会に応じ、犯罪の種類、軽重を問わず、前科等のすべてを報告することは、公権力の違法な行使にあたる〈前科照会事件〉（最判昭56・4・14）。

出題 国Ⅰ－平成18、国Ⅱ－平成18

Q51 裁判官がした争訟の裁判に上訴等の訴訟法上の救済方法によって是正されるべき瑕疵が存在する場合、当然に国家賠償法1条1項の違法な行為に該当し、国の損害賠償責任が生じるのか。

A 当然には国の損害賠償責任は生じない。　裁判官がした争訟の裁判に上訴等の訴訟法上の救済方法によって是正されるべき瑕疵が存在したとしても、これによって当然に国家賠償法1条1項の規定にいう違法な行為があったとして国の損害賠償責任の問題が生ずるわけではなく、上記責任が肯定されるためには、当該裁判官が違法又は不当な目的で裁判をしたなど、裁判官がその付与された権限の趣旨に明らかに背いてこれを行使したものと認めうるような特別の事情のあることを必要とする（最判昭57・3・12）。

出題 国家総合－令和4、国Ⅰ－平成18・5・昭和63・59、地方上級－平成11・3、市役所上・中級－平成11、特別区Ⅰ－平成24、国家一般－平成29・26、国Ⅱ－平成20・7・昭和63、国税・財務・労基－平成26、国税・労基－平成23、国税－平成10

Q52 裁判所の裁判については、国家賠償の適用があるのか。

A 国家賠償の適用がある（最判昭57・3・12）。⇨**51**

Q53 仮に当該立法の内容が憲法の規定に違反するおそれがある場合、国会議員の立法行為は直ちに違法の評価を受けるのか。

A 国会議員の立法行為は直ちに違法の評価を受けない。　国会議員の立法行為（立法不作為を含む）が国家賠償法1条1項の適用上違法となるかどうか

は、国会議員の立法過程における行動が個別の国民に対して負う職務上の法的義務に違背したかどうかの問題であって、当該立法の内容の違憲性の問題とは区別されるべきであり、仮に当該立法の内容が憲法の規定に違反するおそれがあるとしても、そのゆえに国会議員の立法行為が直ちに違法の評価を受けるものではない〈在宅投票制廃止違憲訴訟〉（最判昭60・11・21）。 出題 国家総合－平成26・25

Q54 国会議員の制定した立法の内容が憲法の規定に違反する場合、国家賠償法上も当然に違法となるのか。

A 国家賠償法上、当然に違法とならない。　国会議員は、立法に関しては、原則として、国民全体に対する関係で政治的責任を負うにとどまり、個別の国民の権利に対応した関係での法的義務を負うものではなく、国会議員の立法行為は、立法の内容が憲法の一義的な文言に違反しているにもかかわらず国会があえて当該立法を行うというごとき、容易に想定しがたい例外的な場合でない限り、国家賠償法1条1項の規定の適用上、違法な評価を受けない〈在宅投票制廃止違憲訴訟〉（最判昭60・11・21）。

出題 国家総合－平成26、国Ⅰ－平成19・13・昭和63、地方上級－平成9、市役所上・中級－平成11、特別区Ⅰ－平成20、国家一般－平成29、国Ⅱ－平成20・昭和63、国税・財務・労基－令和3、国税－平成8

Q55 憲法違反の内容を有する法律の制定・改廃によって国民に損害が加えられれば、国会議員による当該立法行為は当然に違法となるのか。

A 立法内容が憲法の一義的文言に違反しているにもかかわらず、あえて当該立法を行ったような例外的な場合に限って国家賠償法上違法となる〈在宅投票制廃止違憲訴訟〉（最判昭60・11・21）。⇨**54**

Q56 警察官がパトカーで現行犯人を追跡中、第三者に損害を与えた場合、当該追跡行為は違法となるのか。

A 原則として違法性はない。　およそ警察官は、異常な挙動その他周囲の事情から合理的に判断して何らかの犯罪を犯したと疑うに足りる相当な理由のある者を停止させて質問し、また、現行犯人を現認した場合には速やかにその検挙又は逮捕にあたる職責を負うものであって（警察法2条、65条、警察官職務執行法2条1項）、当該職責を遂行する目的のために被疑者を追跡することははしなうるのであるから、警察官がかかる目的のために交通法規等に違反して車両で逃走する者をパトカーで追跡する職務の執行中に、逃走車両の走行により第三者が損害を被った場合において、追跡行為が違法であるというためには、（1）その追跡が当該職務目的を遂行するうえで不必要であるか、又は（2）逃走車両の逃走の態様および道路交通状況等から予測される被害発生の具体的危険性の有無および内容に照らし、追跡の開始・継続もしくは追跡の方法が不相当であることを要する（最判昭61・2・27）。

出題 国家総合－平成24、国Ⅰ－平成20・15、地方上級－平成9、特別区Ⅰ－平成26、国家一般－

平成30、国Ⅱ-平成12・7、国税・財務・労基-令和3・1、国税・労基-平成22・17

Q57 交通違反を現認され警察車両に追跡されて逃走中の車両が交通事故を起こし、第三者に対して損害を生じさせた場合、当該追跡行為が警察官の職務目的を遂行するうえで必要であり、かつ、逃走車両の逃走の態様等に照らし追跡の方法が相当なものであったとしても、被害者たる第三者との関係では、当該追跡行為を国家賠償法上違法と評価することができるのか。

A 違法と評価できない（最判昭61・2・27）。⇨56

Q58 交通違反を現認され警察車両に追跡されて逃走中の車両が交通事故を起こし、第三者に対して損害を生じさせた場合、当該追跡行為が警察官の正当な職務行為と評価される以上、逃走車両の逃走の態様等に照らし追跡の方法が不相当であったとしても、当該追跡行為をもって国家賠償法上違法と評価することはできないのか。

A 追跡の方法が不相当であれば、違法と評価できる（最判昭61・2・27）。⇨56

Q59 警察官がパトカーで不審車を追跡中に第三者に対して生じた事故について、その追跡行為が違法であって国又は公共団体が損害賠償責任を負うかどうかの判断にあたっては、道路交通状況等から予測される具体的危険性の有無のみならず、その追跡行為の職務目的遂行上の必要性についても考慮しなければならないのか。

A その追跡行為の職務目的遂行上の必要性についても考慮しなければならない（最判昭61・2・27）。⇨56

Q60 立法について固有の権限を有する国会の立法不作為につき国家賠償法1条1項にいう違法性がないとされた場合、内閣が法律案を提出しなかったことが同項の規定の適用上違法と評価される余地はないのか。

A 違法と評価される余地はない。　立法について固有の権限を有する国会ないし国会議員の立法不作為につき、国家賠償法1条1項の適用上違法性を肯定することができないものである以上、国会に対して法律案の提出権を有するにとどまる内閣の法律案不提出についても、同項の適用上違法性を観念する余地はない（最判昭62・6・26）。

Q61 法廷警察権に基づく裁判長の措置は、法廷警察権を行使する目的、範囲とその行使する手段との間に一般人を基準とした合理的関連性がない場合にはじめて、国家賠償法1条1項の規定にいう違法な公権力の行使にあたるのか。

A それが法廷警察権の目的、範囲を著しく逸脱し、又はその方法がはなはだしく不当であるなどの特段の事情のある場合に限り、違法な公権力の行使にあたる。　法廷警察権は、裁判所法71条、刑事訴訟法288条2項の各規定に従って行使されなければならないことはいうまでもないが、法廷警察権の趣旨、目的、さらに遡って法の支配の精神に照らせば、その行使にあたっての裁判長の判断は、最大限

に尊重されなければならない。したがって、それに基づく裁判長の措置は、それが法廷警察権の目的、範囲を著しく逸脱し、又はその方法がはなはだしく不当であるなどの特段の事情のない限り、国家賠償法1条1項の規定にいう違法な公権力の行使ということはできない。このことは、法廷における傍聴人の立場にかんがみるとき、傍聴人のメモを取る行為に対する法廷警察権の行使についても妥当するものといわなければならない〈レペタ訴訟〉（最大判平1・3・8）。

Q62 犯罪の被害者ないし告訴人は、捜査機関の捜査が適正を欠くこと又は検察官の不起訴処分の違法を理由として、国家賠償法の規定に基づく損害賠償請求ができるのか。

A 損害賠償請求はできない。　犯罪の捜査および検察官による公訴権の行使は、国家および社会の秩序維持という公益を図るために行われるものであって、犯罪の被害者の被侵害利益ないし損害の回復を目的とするものではなく、また、告訴は、捜査機関に犯罪捜査の端緒を与え、検察官の職権発動を促すものにすぎないから、被害者又は告訴人が捜査又は公訴提起によって受ける利益は、公益上の見地に立って行われる捜査又は公訴の提起によって反射的にもたらされる事実上の利益にすぎず、法律上保護された利益ではないというべきである。したがって、被害者ないし告訴人は、捜査機関による捜査が適正を欠くこと又は検察官の不起訴処分の違法を理由として、国家賠償法の規定に基づく損害賠償請求をすることはできない（最判平2・2・20）。

Q63 税務署長のする所得税の更正が、所得金額を過大に認定していた場合、国家賠償法1条1項にいう違法があるのか。

A 直ちに違法があるとはいえない。　税務署長のする所得税の更正は、所得金額を過大に認定していたとしても、そのことから直ちに国家賠償法1条1項にいう違法があったとの評価を受けるものではなく、税務署長が資料を収集し、これに基づき課税要件事実を認定、判断するうえにおいて、職務上通常尽くすべき注意義務を尽くすことなく漫然と更正をしたと認めうるような事情がある場合に限り、上記の評価を受けるものである。ところで、所得税法は、納税義務者が自ら納付すべき所得税の課税標準および税額を計算し、自己の納税義務の具体的内容を確認したうえで、その結果を申告して、これを納税するという申告納税制度を採用し、納税義務者に課税標準である所得金額の基礎を正確に申告することを義務づけており（所得税法120条参照）、本件のような事業所得についていえば、納税義務者はその収入金額および必要経費を正確に申告することが義務づけられているのである。それらの具体的内容は、納税義務者自身の最もよく知るところであるからである。そして、納税義務者において売上原価その他の必要経費に係る資料を整えておくことはさして困難ではなく、資料等によって必要経費を明らかにすることも容易であり、しかも、必要経費は所得算定のうえでの減算要素であって納税義務者に有利

な課税要件事実である。そうしてみれば、税務署長がその把握した収入金額に基づき更正をしようとする場合、客観的資料等により申告書記載の必要経費の金額を上回る金額を具体的に把握しうるなどの特段の事情がなく、また、納税義務者において税務署長の行う調査に協力せず、資料等によって申告書記載の必要経費が過少であることを明らかにしない以上、申告書記載の金額を採用して必要経費を認定することは何ら違法ではない（最判平5・3・11）。

出題 国家総合－令和4、国Ⅰ－平成20・18・15、国家一般－平成29、国Ⅱ－平成23・20・17、国税・財務・労基－令和3・平成25・24、国税・労基－平成22、国税－平成13

Q64 税務署長による所得税更正処分の違法を理由とする国家賠償請求がされた場合、当該更正処分が所得金額を過大に認定していたとしても、当該所得税更正処分をするにあたり、税務署長に職務上通常尽くすべき注意義務の違反を認めうるような事情がある場合に限り、当該所得税更正処分が国家賠償法上違法となるのか。

A 違法と評価される（最判平5・3・11）。⇨ 63

Q65 税務署長が行った課税処分が、その金額に誤りがあるとして取消判決により取り消された場合には、当該処分を行うにあたって税務署長が職務上尽くすべき注意義務を尽くしていたときであっても、国家賠償法上違法の評価を受けるのか。

A 直ちには、国家賠償法上違法の評価を受けない（最判平5・3・11）。⇨ 63

Q66 司法警察官による被疑者の留置について、国家賠償法上の違法性がある場合とはどのような場合か。

A 留置の必要性を判断するうえで、合理的根拠が客観的に欠如しているのに、あえて留置した場合である。　司法警察員による被疑者の留置については、司法警察員が、留置時において、捜査により収集した証拠資料を総合勘案して刑事訴訟法203条1項所定の留置の必要性を判断するうえにおいて、合理的根拠が客観的に欠如していることが明らかであるにもかかわらず、あえて留置したと認めうるような事情がある場合に限り、当該留置について国家賠償法1条1項の適用上違法の評価を受けるのである。ここにいう「留置の必要性」は、犯罪の嫌疑のほか、「逃亡のおそれ」または「罪証隠滅のおそれ」等からなるものである（最判平8・3・8）。

出題 国Ⅰ－平成18、国Ⅱ－平成18

Q67 世帯主と嫡出子との続柄は、「長男（長女）、二男（二女）」と記載するのに対し、非嫡出子との続柄を「子」と記載する行為は、国家賠償法1条1項にいう違法があるのか。

A 違法はない。　市町村長が住民票に法定の事項を記載する行為は、たとえ記載の内容に当該記載に係る住民等の権利ないし利益を害するところがあったとしても、そのことから直ちに国家賠償法1条1項にいう違法があったとの評価を受けるものではなく、市町村長が職務上通常尽くすべき注意義務を尽くすことなく漫然と当該行為をしたと認めうるような事情がある場合に限り、違法の評価を受けるも

のである。各市町村長は、その「要領」の定めが明らかに法令の解釈を誤っているなど特段の事情がない限り、これにより事務処理を行うことを法律上求められていたということができる。これに従わない市町村もなかったわけではないが、一般的にはこれに従って続柄の記載がされていたものと認められ、当該市長も、その定めに従って本件の続柄の記載をしたのである。憲法14条等の規定を考慮に入れるとしても、その定めが明らかに住民基本台帳法の解釈を誤ったものということはできない。以上によれば、当該市長は、職務上通常尽くすべき注意義務を尽くさず漫然と本件の続柄の記載をしたということはできない。したがって、当該市長の行為には、国家賠償法1条1項にいう違法があるとはいえない〈非嫡出子住民票続柄記載事件〉（最判平11・1・21）。

出題 予想

Q68 犯罪の被害者が司法警察職員に対して証拠物を任意提出したうえ、その所有権を放棄する旨の意思表示をした場合、犯人がいまだ逮捕されない間に司法警察職員が当該証拠物を廃棄することは、損害賠償請求の対象となるのか。

A 損害賠償請求の対象とならない。　本件証拠物の廃棄処分は、本件犯罪の発生時からわずか約6か月後のまだ捜査の継続中に、本件証拠物についての鑑定が終了したことのみを理由にされたものであり、適正な措置であったとはいいがたい。しかしながら、犯罪の捜査は、直接的には、国家および社会の秩序維持という公益を図るために行われるものであって、犯罪の被害者の被侵害利益ないし損害の回復を目的とするものではなく、被害者が捜査によって受ける利益自体は、公益上の見地に立って行われる捜査によって反射的にもたらされる事実上の利益にすぎず、法律上保護される利益ではないというべきであるから、犯罪の被害者は、証拠物を司法警察職員に対して任意提出したうえ、その所有権を放棄する旨の意思表示をした場合、当該証拠物の廃棄処分が単に適正を欠くというだけでは国家賠償法の規定に基づく損害賠償請求をすることはできない（最判平17・4・21）。

出題 国Ⅱ－平成18

Q69 公立図書館の職員が、「教科書を考える会」やその賛同者等の著書に対する否定的評価と反感から、閲覧に供されている図書を廃棄した行為は、当該図書の著作者の人格的利益を侵害する、国家賠償法上違法な行為となるのか。

A 国家賠償法上違法な行為となる。　公立図書館の図書館職員は、独断的な評価や個人的な好みにとらわれることなく、公正に図書館資料を取り扱うべき職務上の義務を負うのであり、閲覧に供されている図書について、独断的な評価や個人的な好みによってこれを廃棄することは、図書館職員としての基本的な職務上の義務に反する。他方、公立図書館が、住民に図書館資料を提供するための公的な場であるということは、そこで閲覧に供された図書の著作者にとって、その思想、意見等を公衆に伝達する公的な場でもある。したがって、公立図書館の図書館職員が閲覧に供されている図書を著作者の思想や信条を理由とするなど不公正な取扱いによって廃

棄することは、当該著作者が著作物によってその思想、意見等を公衆に伝達する利益を不当に損なうものである。そして、著作者の思想の自由、表現の自由が憲法により保障された基本的人権であることにもかんがみると、公立図書館において、その著作物が閲覧に供されている著作者が有する上記利益は、法的保護に値する人格的利益を有するのであり、公立図書館の図書館職員である公務員が、図書の廃棄について、基本的な職務上の義務に反し、著作者又は著作物に対する独断的な評価や個人的な好みによって不公正な取扱いをしたときは、当該図書の著作者の上記人格的利益を侵害するものとして国家賠償法上違法となる（最判平 17・7・14）。

出題 予想➡特別区Ⅰ‐令和2

Q70 本件信書が、国会議員に対して送付済みの本件請願書等の取材、調査および報道を求める旨の内容を記載したＣ新聞社あてのものであった場合、刑務所長の本件信書の発信の不許可は、旧監獄法46条2項の規定の適用上違法であるとともに、国家賠償法1条1項の規定の適用上も違法となるのか。

A ともに違法である。　　熊本刑務所長が、上告人の性向、行状、熊本刑務所内の管理、保安の状況、本件信書の内容その他の具体的事情の下で、上告人の本件信書の発信を許すことにより、同刑務所内の規律および秩序の維持、上告人を含めた受刑者の身柄の確保、上告人を含めた受刑者の改善、更生の点において放置することのできない程度の障害が生ずる相当のがい然性があるかどうかについて考慮しないで、本件信書の発信を不許可としたことは明らかである。しかも、事実関係によれば、本件信書は、国会議員に対して送付済み（「受刑者処遇の在り方の改善のための獄中からの請願書」）の本件請願書等の取材、調査および報道を求める旨の内容を記載したＣ新聞社あてのものであったのであるから、本件信書の発信を許すことによって熊本刑務所内に上記の障害が生ずる相当のがい然性があるということができない。そうすると、熊本刑務所長の本件信書の発信の不許可は、裁量権の範囲を逸脱し、又は裁量権を濫用したものとして（旧）監獄法46条2項の規定の適用上違法であるのみならず、国家賠償法1条1項の規定の適用上も違法というべきである。そして、熊本刑務所長は、前記のとおり、本件信書の発信によって生ずる障害の有無を何ら考慮することなく本件信書の発信を不許可としたのであるから、熊本刑務所長に過失があることも明らかである（最判平 18・3・23）。

出題 予想

Q71 税関支署長が関税定率法に基づいてした、ある写真集が輸入禁制品に該当する旨の通知処分が、違法として取消しを免れない場合には、国家賠償法1条1項の適用上、違法の評価を受けるのか。

A 違法の評価を受けない。　　写真集が輸入禁制品に該当する旨の通知処分が、違法として取消しを免れない場合でも、税関支署長において、本件写真集が本件通知処分当時の社会通念に照らして「風俗を害すべき書籍、図画」等に該当すると判断したことにも相応の理由がないとまではいいがたく、本件通

知処分をしたことが職務上通常尽くすべき注意義務を怠ったものということはできないから、本件通知処分をしたことは、国家賠償法1条1項の適用上、違法の評価を受けるものではない〈メイプルソープ事件〉（最判平 20・2・19）。

出題 国家総合‐平成29

Q72 弁護士会の設置する人権擁護委員会が受刑者から人権救済の申立てを受け、同委員会所属の弁護士が調査の一環として他の受刑者との接見を申し入れた場合において、これを許さなかった刑務所長の措置に、国家賠償法1条1項にいう違法性は認められるのか。

A 違法性は認められない。　　受刑者との接見を求める者が、接見の対象となる受刑者の利益を離れて当該受刑者との接見について固有の利益を有している場合があることは否定しえないが、旧監獄法45条2項の規定が、このような受刑者との接見を求める者の固有の利益と規律および秩序の確保等の要請との調整を図る趣旨を含むものと解することはできない。したがって、旧監獄法45条2項は、親族以外の者から受刑者との接見の申入れを受けた刑務所長に対し、接見の許否を判断するにあたり接見を求める者の固有の利益に配慮すべき法的義務を課するものではない。また、弁護士および弁護士会が行う基本的人権の擁護活動が弁護士法1条1項ないし弁護士法全体に根拠を有するものであり、その意味で人権擁護委員会の調査活動が法的正当性を保障されたものであるとしても、法律上、人権擁護委員会に強制的な調査権限が付与されているわけではなく、この意味においても広島刑務所長は人権擁護委員会の調査活動の一環として行われる受刑者との接見の申入れに応ずべき法的義務は存在しない。以上によれば、広島刑務所長の本件各措置について、国家賠償法1条1項にいう違法があったとはいえない（最判平 20・4・15）。

出題 国家一般‐平成25

Q73 母がその戸籍に入る子につき適法な出生届を提出していない場合において、特別区の区長が住民である当該子につき母の世帯に属する者として住民票の記載をしていないことは、違法となるのか。

A 違法とならない。　　母がその戸籍に入る子につき適法な出生届を提出していない場合において、特別区の区長が住民である当該子につき上記母の世帯に属する者として住民票の記載をしていないことは、(1)上記母が出生届を提出することにやむをえない合理的な理由があるとはいえないこと、(2)住民票の記載がされないことにより当該子に看過しがたい不利益が生じているとはうかがわれないことなどの事情の下では、住民基本台帳法上違法ということはできず、国家賠償法上も違法ではない（最判平 21・4・17）。

出題 予想

Q74 各校長が、教諭らに対して時間外勤務を命じていないにもかかわらず、教諭らが時間外勤務をしたために、心身の健康を損なった場合、各校長の行為には、国家賠償法1条1項にいう違法の評価を受けるのか。

A 違法の評価は受けない。　　本件期間中、教諭ら

はいずれも勤務時間外に職務に関連する事務等に従事していたが、勤務校における上司である各校長は、教諭らに対して時間外勤務を命じたことはないうえ、教諭らの授業の内容や進め方、学級の運営等を含めて個別の事柄について具体的な指示をしたこともなかった。そうすると、勤務校の各校長が教諭らに対して明示的に時間外勤務を命じてはいないことは明らかであるし、また、黙示的に時間外勤務を命じたと認めることもできず、他にこれを認めるに足りる事情もうかがわれない。したがって、勤務校の各校長は、本件期間中、教育職員に原則として時間外勤務をさせないものとしている給特法および給与条例に違反して教諭らに時間外勤務をさせたとはいえないから、上記各校長の行為が、国家賠償法1条1項の適用上、給特法および給与条例との関係で違法の評価を受けるものではない（最判平23・7・12）。
【出題】予想

Q75 建築士の設計に係る建築物の計画についての建築主事による建築確認が国家賠償法1条1項の適用上違法となる場合とは、どのような場合か。

A 職務上通常払うべき注意を怠って漫然とその不適合を看過した結果、当該確認を行ったと認められる場合である。　建築士の設計に係る建築物の計画についての建築主事による建築確認は、当該計画の内容が建築基準関係規定に明示的に定められた要件に適合しないものであるときに、申請書類の記載事項における誤りが明らかで、当該事項の審査を担当する者として他の記載内容や資料と符合するか否かを当然に照合すべきであったにもかかわらずその照合がされなかったなど、建築主事が職務上通常払うべき注意をもって申請書類の記載を確認していればその記載から当該計画の建築基準関係規定への不適合を発見することができたにもかかわらずその注意を怠って漫然とその不適合を看過した結果、当該確認を行ったと認められる場合に、国家賠償法1条1項の適用上違法となる（最判平25・3・26）。
【出題】予想

Q76 死刑確定者又はその再審請求のために選任された弁護人が、再審請求に向けた打合せをするために、刑事施設の職員の立会いのない面会の申出をした場合、これを許さない刑事施設の長の措置は、国家賠償法1条1項の適用上違法となるのか。

A 国家賠償法1条1項の適用上違法となる。　死刑確定者又はその再審請求のために選任された弁護人が再審請求に向けた打合せをするために刑事施設の職員の立会いのない面会の申出をした場合に、これを許さない刑事施設の長の措置は、上記面会により刑事施設の規律および秩序を害する結果を生ずるおそれがあると認められ、又は死刑確定者の面会についての意向を踏まえその心情の安定を把握する必要性が高いと認められるなど特段の事情がない限り、裁量権の範囲を逸脱し又はこれを濫用して死刑確定者の上記面会をする利益を侵害するだけではなく、上記弁護人の固有の上記面会をする利益も侵害するものとして、国家賠償法1条1項の適用上違法となる（最判平25・12・10）。
【出題】予想

Q77 労働大臣が石綿製品の製造等を行う工場又は

作業場における石綿関連疾患の発生防止のために、労働基準法（改正前）に基づく省令制定権限を行使しなかったこと（不作為）は、国家賠償法1条1項の適用上違法となるのか。

A 国家賠償法1条1項の適用上違法となる。　石綿製品の製造等を行う工場又は作業場の労働者が石綿の粉じんにばく露したことにより石綿肺等の石綿関連疾患に罹患した場合において、昭和33年当時、(1)石綿肺に関する医学的知見が確立し、国も石綿の粉じんによる被害の深刻さを認識していたこと、(2)上記の工場等における石綿の粉じん防止策として最も有効な局所排気装置の設置を義務付けるために必要な技術的知見が存在していたこと、(3)従前からの行政指導によっても局所排気装置の設置が進んでいなかったことなど判示の事情の下では、労働大臣は、昭和33年5月26日には、旧労基法に基づく省令制定権限を行使して、罰則をもって石綿工場に局所排気装置を設置することを義務付けるべきであったのであり、旧特化則が制定された昭和46年4月28日まで、労働大臣が旧労基法に基づく上記省令制定権限を行使しなかったことは、旧労基法の趣旨、目的や、その権限の性質等に照らし、著しく合理性を欠くものであって、国家賠償法1条1項の適用上違法であるというべきである（最判平26・10・9）。
【出題】国家総合－令和3・平成29

Q78 刑事施設の長が、保護室に収容されている未決拘禁者との面会の申出が弁護人等からあった場合、その旨を未決拘禁者に告げないまま、保護室収容を理由に面会を認めない措置は、国家賠償法上違法となるのか。

A 特段の事情がない限り、国家賠償法上違法となる。　刑事収容施設法79条1項2号に該当するとして保護室に収容されている未決拘禁者との面会の申出が弁護人等からあった場合に、その申出があった事実を未決拘禁者に告げないまま、保護室に収容中であることを理由として面会を許さない刑事施設の長の措置は、未決拘禁者が精神的に著しく不安定であることなどにより同事実を告げられても依然として同号に該当することとなることが明らかであるといえる特段の事情がない限り、未決拘禁者および弁護人等の接見交通権を侵害するものとして、国家賠償法1条1項の適用上違法となると解するのが相当である（最判平30・10・25）。
【出題】予想

Q79 国会において在外国民に最高裁判所の裁判官の任命に関する国民の審査に係る審査権の行使を認める制度を創設する立法措置がとられなかったことが国家賠償法1条1項の適用上違法の評価を受けるのか。

A 国家賠償法1条1項の適用上違法の評価を受ける。　国会において在外国民（国外に居住していて国内の市町村の区域内に住所を有していない日本国民）に最高裁判所の裁判官の任命に関する国民の審査に係る審査権の行使を認める制度を創設する立法措置がとられなかったことは、(1)国会においては、平成10年、在外国民に国政選挙の選挙権の行使を認める制度を創設する法律案に関連して、在外

国民に審査権の行使を認める制度についての質疑がされたこと、(2) 平成17年、最高裁判所大法廷判決により在外国民に対する選挙権の制約に係る憲法適合性について判断が示され、これを受けて、同18年の法改正により在外国民に国政選挙の選挙権の行使を認める制度が広げられ、同19年、在外国民に憲法改正についての国民の承認に係る投票の投票権の行使を認める法律も制定されたこと、(3) 在外国民に審査権の行使を認める制度の創設に当たり検討すべき課題があったものの、その課題は運用上の技術的な困難にとどまり、これを解決することが事実上不可能ないし著しく困難であったとまでは考え難いことから、平成29年10月22日に施行された上記審査の当時において、国家賠償法1条1項の適用上違法の評価を受けるものと解する（最大判令4・5・25）。　[出題]予想

(5)損害

[Q80] 上告人が本件課税処分の審査請求をし、本件課税処分の取消しの訴えを提起することができるという事実関係の下では、違法な課税処分に基づいて徴収金を納付したことによる損失の補てんは、過誤納金の還付や還付加算金の制度によるべきか。

[A] 国家賠償請求訴訟によるべきである（支出された弁護士費用は、課税処分の違法を理由とする国家賠償請求訴訟における当該処分と相当因果関係のある損害にあたる）。　上告人は、被上告人に対し、本件課税処分が違法であるとして、国家賠償法1条1項に基づき、損害賠償の支払いを求める本件訴訟を提起した。ほどなく、被上告人は、本件訴訟係属中に本件課税処分を取り消し、上告人に対し過誤納額392万6,900円及び還付加算金額24万7,500円を支払った。このような事情の下、上告人が本件訴訟を提起することが妨げられる理由はなく、本件訴訟の提起および追行があったことによって本件課税処分が取り消され、過誤納金の還付等が行われて支払額の限度で上告人の損害が回復されたのであるから、本件訴訟の提起および追行に係る弁護士費用のうち相当と認められる額の範囲内のものは、本件課税処分と相当因果関係のある損害と解すべきである（最判平16・12・17）。　[出題]予想

[Q81] 土地の所有者（X）が市への土地の売却に係る長期譲渡所得について、租税特別措置法33条の4第1項1号所定の特別控除額の特例（改正前）の適用がある旨の市の職員（Y）の誤った教示および指導に従い所得税の申告をしたため、過少申告加算税の賦課決定等を受けた場合、Xに損害の発生があったのか。

[A] 損害の発生があったといえる。　Yは、的確な法的根拠もないまま、長年にわたり組織的かつ主導的に、都市計画法および租税特別措置法の趣旨、目的に反する本件運用にのっとって都市計画施設の区域内の土地の買取りを進めていたのであって、Xに対しても、本件土地の売却に係る長期譲渡所得につき本件特例の適用がある旨の教示をしただけでなく、本件特例の適用を受けられるようにするために、本件共有者の1人に建築図面の交付までして

外形的に都市計画法56条1項の規定による土地の買取りであるかのような形式を整えさせ、本件申告をするように指導したのである。そして、本件土地の売却に係る長期譲渡所得については本件特例の適用はないのであるから、Xが本件特例の適用がないことを前提とする税額を納付していなかったからといって、直ちにXに上記本税の額に相当する損害が発生したとはいえないが、Yの担当職員の上記の教示や指導がなければ、Xが本件特例の適用があることを前提として本件申告をすることはなかったのであるから、Xにも安易に上記の教示や指導に従った点で過失があることは否めないとしても、違法な公権力の行使にあたる本件行為により、Xに過少申告加算税相当額の損害が発生したことは明らかである（最判平22・4・20）。　[出題]予想

[Q82] 飛行場において離着陸する航空機の発する騒音等により、周辺住民らが精神的又は身体的被害等を被っていることを理由とする継続的不法行為に基づく損害賠償請求権のうち、事実審の口頭弁論終結の日の翌日以降の分は、将来の給付の訴えを提起することのできる請求権としての適格を有するのか。

[A] 適格を有しない。　継続的不法行為に基づき将来発生すべき損害賠償請求権については、たとえ同一態様の行為が将来も継続されることが予測される場合であっても、損害賠償請求権の成否およびその額をあらかじめ一義的に明確に認定することができない場合等は、将来の給付の訴えを提起することのできる請求権としての適格を有しない。つまり、飛行場等において離着陸する航空機の発する騒音等により周辺住民らが精神的又は身体的被害を被っていることを理由とする損害賠償請求権のうち事実審の口頭弁論終結の日の翌日以降の分については、将来それが具体的に成立したとされる時点の事実関係に基づきその成立の有無および内容を判断すべきであり、かつ、その成立要件の具備については請求者においてその立証の責任を負うべき性質のものであって、このような請求権が将来の給付の訴えを提起することのできる請求権としての適格を有しないものである（最判平28・12・8）。　[出題]予想

(6)公務員の個人責任

[Q83] 公務員個人は、被害者に対して直接責任を負うのか。

[A] 直接責任を負わない。　被害者の損害賠償請求に対しては、国または公共団体が賠償の責に任ずるのであって、公務員が行政機関としての地位において賠償の責任を負うものではなく、また公務員個人もその責任を負わない（最判昭30・4・19、最判昭46・9・3、最判昭47・3・21）。

行政法編

平成 13・11・8・1・昭和 62

(7)責任の主体（国又は公共団体）

Q84 都道府県警察の警察官がいわゆる交通犯罪の捜査を行うにつき、故意又は過失によって違法に他人に損害を加えた場合、原則として国が国家賠償法 1 条 1 項により損害賠償責任を負うのか。

A 原則として当該都道府県が損害賠償責任を負う。都道府県警察の警察官がいわゆる交通犯罪の捜査を行うにつき、故意又は過失によって違法に他人に損害を加えた場合において国家賠償法 1 条 1 項によりその損害の賠償の責めに任ずるのは、原則として当該都道府県であり、国は原則としてその責めを負うものではない。なぜなら、警察法および地方自治法は、都道府県に都道府県警察を置き、警察の管理および運営に関することを都道府県の処理すべき事務と定めている（警察法 36 条 1 項、地方自治法 2 条 6 項 2 号等参照）から、都道府県警察の警察官が警察の責務の範囲に属する交通犯罪の捜査を行うこと（警察法 2 条 1 項参照）は、当該都道府県の公権力の行使にほかならないからである。したがって、都道府県の処理すべき事務にかかる警察の事務を都道府県警察の警察官において執行すること（警察法 63 条参照）自体までが国の公権力の行使にあたるものではない（最判昭 54・7・10）。

出題 国家総合 – 平成 30、国 I – 平成 23・18

(8)抗告訴訟との関係

Q85 行政処分が違法であることを理由として国家賠償を請求するにあたっては、あらかじめ行政処分の取消または無効確認の判決を得なければならないのか。

A 行政処分の取消しまたは無効確認の判決を得ておく必要はない（最判昭 36・4・21）。⇨行政法総論 *141*

出題 国家総合 – 平成 26

Q86 行政処分が金銭を納付させることを直接の目的としている場合には、その違法を理由とする国家賠償請求を認容したとすれば、結果的に当該行政処分を取り消した場合と同様の経済的効果が得られるときであっても、取消訴訟等の手続を経ることなく国家賠償請求をすることはできないのか。

A 取消訴訟等の手続を経ることなく国家賠償請求をすることはできる。　地方税法は、固定資産評価審査委員会に審査を申し出ることができる事項について不服がある固定資産税等の納税者は、同委員会に対する審査の申出およびその決定に対する取消しの訴えによってのみ争うことができる旨を規定するが、同規定は、固定資産課税台帳に登録された価格自体の修正を求める手続に関するものであって（同法 435 条 1 項参照）、当該価格の決定が公務員の職務上の法的義務に違背してされた場合における国家賠償責任を否定する根拠となるものではない。原審は、国家賠償法に基づく固定資産税等の過納金相当額に係る損害賠償請求を許容することは課税処分の公定力を実質的に否定することになり妥当ではないともいうが、行政処分が違法であることを理由として国家賠償請求をするについては、あらかじめ

当該行政処分について取消し又は無効確認の判決を得なければならないものではない（最判昭 36・4・21 参照）。このことは、当該行政処分が金銭を納付させることを直接の目的としており、その違法を理由とする国家賠償請求を認容したとすれば、結果的に当該行政処分を取り消した場合と同様の経済的効果が得られるという場合であっても異ならないというべきである。そして、他に、違法な固定資産の価格の決定等によって損害を受けた納税者が国家賠償請求を行うことを否定する根拠となる規定等はみいだしがたい。したがって、たとえ固定資産の価格の決定および基づく固定資産税等の賦課決定に無効事由が認められない場合であっても、公務員が納税者に対する職務上の法的義務に違背して当該固定資産の価格ないし固定資産税等の税額を過大に決定したときは、これによって損害を被った当該納税者は、地方税法 432 条 1 項本文に基づく審査の申出および同法 434 条 1 項に基づく取消訴訟等の手続を経るまでもなく、国家賠償請求を行いうるものと解すべきである（最判平 22・6・3）。

出題 国家総合 – 平成 30・26、国家一般 – 平成 26

Q87 固定資産の価格の決定およびこれに基づく固定資産税等の賦課決定に無効事由が認められない場合であっても、公務員が納税者に対する職務上の法的義務に違背して当該固定資産の価格ないし固定資産税等の税額を過大に決定したときは、これによって損害を被った当該納税者は、取消訴訟等の手続を経ずに、国家賠償請求を行うことができるのか。

A 国家賠償請求を行うことができる（最判平 22・6・3）。⇨ 86

(9)強制執行法上の救済手続の懈怠

Q88 不動産の強制競売事件における執行裁判所の処分について、実体的権利関係との不整合が生じ、その結果権利者に被害が発生したが、権利者が当該執行手続に定める救済を求めなかった場合、国家賠償を請求できるか。

A 国家賠償を請求できない。　不動産の強制競売事件における執行裁判所の処分は、債権者の主張、登記簿の記載その他記録にあらわれた権利関係の外形に依拠して行われるものであり、その結果関係人間の実体的権利関係との不整合が生じうることがありうるが、これについては執行手続の性質上、強制執行法に定める救済の手続により是正することが予定されている。したがって、執行裁判所自らその処分を是正すべき場合等特別の事情がある場合は格別、そうでない場合には権利者がこの手続による救済を求めることを怠ったため損害が発生しても、その損害を国に対して請求することはできない（最判昭 57・2・23）。

出題 国 II – 昭和 63

(10)求償権の行使

Q89 県が公立学校教員の採用選考の重大な不正に関与した職員に対する求償を怠っているとした住民訴訟において、県の当該職員に対する国家賠償法第 1 条第 2 項による求償権の行使について、教員の選考に関する考え方に対して県教育委員会が確固とし

た方針を示してこなかったことや、当該退職手当の返納命令に基づく返納の実現が必ずしも確実ではなかったこと等の事情があった場合には、過失相殺又は信義則により、県による求償権の行使が制限されるのか。

Ａ 設問のような抽象的な事情のみから直ちに、過失相殺又は信義則により、県による求償権の行使が制限されるわけではない。　本件不正は、教育審議監その他の教員採用試験の事務に携わった県教委の職員らが、現職の教員を含む者から依頼を受けて受験者の得点を操作するなどして行われたものであったところ、その態様は幹部職員が組織的に関与し、一部は賄賂の授受を伴うなど悪質なものであって、その結果も本来合格していたはずの多数の受験者が不合格となるなど極めて重大であったものである。そうすると、平成19年度試験の当時教育審議監であったＡに対する本件返納命令や本件不正に関与したその他の職員に対する退職手当の不支給は正当なものであったということができ、県が本件不正に関与した者に対して求償すべき金額から本件返納額を当然に控除することはできない。また、教員の選考に試験の総合点以外の要素を加味すべきであるとの考え方に対して県教委が確固とした方針を示してこなかったことや、本件返納命令に基づく返納の実現が必ずしも確実ではなかったこと等の事情があったとしても、このような抽象的な事情のみから直ちに、過失相殺又は信義則により、県による求償権の行使が制限されることはない（最判平29・9・15）。　出題 国家総合 − 令和2

第2条 ［営造物の設置管理の瑕疵と賠償責任、求償権］

①道路、河川その他の公の営造物の設置又は管理に瑕疵があったために他人に損害を生じたときは、国又は公共団体は、これを賠償する責に任ずる。
②前項の場合において、他に損害の原因について責に任ずべき者があるときは、国又は公共団体は、これに対して求償権を有する。

(1)管理権者

Q1 国家賠償法2条にいう公の営造物の管理者には、法律上の管理権、所有権、賃借権等の権原を有している者に限られるのか。

Ａ 事実上の管理者も含まれる。　国家賠償法2条にいう公の営造物の管理者は、必ずしも当該営造物について法律上の管理権ないしは所有権、賃借権等の権原を有している者に限られず、事実上の管理をしているにすぎない国または公共団体も管理者に含まれる（最判昭59・11・29）。
出題 国家総合 − 令和2・平成30・29・27・26、国Ⅰ−平成21・12・3・昭和62、地方上級−平成8、東京Ⅰ−平成14、市役所上・中級−平成11、特別区Ⅰ−令和4・平成25・22、国家一般 − 令和3、国Ⅱ−平成22、国税・財務・労基−平成28、国税−平成13・11

(2)設置・管理の瑕疵
◇一般論

Q2 営造物の設置・管理に瑕疵がある場合の国および公共団体の賠償責任は、過失責任か、無過失責任か。

Ａ 無過失責任である。　国家賠償法2条1項の営造物の設置・管理の瑕疵とは、営造物が通常有すべき安全性を欠いていることをいい、これに基づく国および公共団体の賠償責任については、その過失の存在を必要としない〈高知落石事件〉（最判昭45・8・20）。
出題 国家総合 − 平成27・26・24、国Ⅰ−平成16・6・5・1・昭和63・52・51、地方上級−平成10・8・7（市共通）・昭和59・58・56・55、東京Ⅰ−平成15、市役所上・中級−平成11・9・8・6・昭和62・61、特別区Ⅰ−平成22、国Ⅱ−平成6・4・2・昭和53・51、国税・財務・労基−平成27・24、国税・労基−平成19、国税−平成14・10・6・昭和58

Q3 営造物の設置・管理に瑕疵があるか否かはどのように判断すべきか。

Ａ 通常有すべき安全性を欠いているか否かによって判断すべきである〈高知落石事件〉（最判昭45・8・20）。⇨2

Q4 公の営造物の設置・管理の瑕疵とは、当該営造物を構成する物的施設の物理的・外形的な欠陥によって利用者に危害を及ぼす危険性がある場合をいうのか。

Ａ 営造物が通常有すべき安全性を欠いていることをいう〈高知落石事件〉（最判昭45・8・20）。⇨2

Q5 道路における防護柵を設置することが予算上困難である場合、道路の管理の瑕疵によって損害が発生しても、国または公共団体は賠償責任を免れるのか。

Ａ 予算を理由として賠償責任を免れない。　道路における防護柵を設置するとした場合、その費用の額が相当の多額にのぼり、県としてその予算措置に困却することは推察できるが、それにより直ちに道路の管理の瑕疵によって生じた損害に対する賠償責任を免れうるものと考えることはできない〈高知落石事件〉（最判昭45・8・20）。
出題 国家総合 − 令和1・平成26、国Ⅰ−平成16・6・5・1・昭和56・52、地方上級−昭和56、市役所上・中級−昭和63・62、特別区Ⅰ−平成19・16、国Ⅱ−平成19・6・4・2・昭和51、国税・財務・労基−平成27、国税・労基−平成16、国税−平成11・8・6・昭和58

Q6 公の営造物の通常の用法に即しない行動の結果生じた事故が、通常予測することのできない行動に起因するものであった場合、国または公共団体は損害賠償責任を負うのか。

Ａ 国または公共団体は損害賠償責任を負わない。
本件防護柵は、本件道路を通行する人や車が誤って転落するのを防止するために国又は公共団体によって設置されたものであり、その材質、高さその他そ

の構造に徴し、通行時における転落防止の目的からみればその安全性に欠けるところがなく、上告人の転落事故は、同人が当時危険性の判断能力に乏しい6歳の幼児であったとしても、本件道路および防護柵の設置管理者である国又は公共団体において通常予測することのできない行動に起因するものであったのである。したがって、当該営造物につき本来それが具有すべき安全性に欠けるところがあったとはいえず、上告人のしたような通常の用法に即しない行動の結果生じた事故につき、国又は公共団体はその設置管理者としての責任を負うべき理由はない（最判昭53・7・4）。

出題 国家総合－平成29・28・27、国Ⅰ－平成21・17・昭和60、地方上級－平成14（市共通）・昭和58、特別区Ⅰ－平成16、国Ⅱ－平成17、国税・労基－平成19、国税－平成30

Q7 公の営造物が通常有すべき安全性を欠いているか否かの判断は、どのようにすべきか。

A 当該営造物の構造、本来の用法、場所的環境および利用状況等、諸般の事情を総合考慮して具体的、個別的に判断すべきである（最判昭53・7・4）。⇒6

Q8 公の営造物の設置または管理には、営造物の利用に付随する事故の発生を未然に防止するための安全施設の設置も含まれるのか。

A 安全施設の設置も含まれる。　国家賠償法2条1項にいう公の営造物の設置または管理の瑕疵とは、営造物が通常有すべき安全性を欠くことをいうのであるが、当該営造物が本来の用法に付随して死傷等の事故の発生する危険性が客観的に存在し、かつ、それが通常の予測の範囲を超えているものでない限り、管理者としては、事故の発生を未然に防止するための安全施設を設置する必要がある（最判昭55・9・11）。

出題 国Ⅰ－平成5

Q9 本件道路には有刺鉄線の柵と金網の柵が設置されているが、有刺鉄線の柵には鉄線相互間に20cmの間隔があり、金網の柵と地面との間には約10cmの透き間があったため、キツネ等の小動物が本件道路に侵入することを防止する対策を講じなかったことは、本件道路が通常有すべき安全性を欠いていたといえるのか。

A 通常有すべき安全性を欠いていたとはいえない。本件道路には有刺鉄線の柵と金網の柵が設置されているものの、有刺鉄線の柵には鉄線相互間に20cmの間隔があり、金網の柵と地面との間には約10cmの透き間があったため、このような柵を通り抜けることができるキツネ等の小動物が本件道路に侵入することを防止することはできなかったのである。しかし、キツネ等の小動物が本件道路に侵入したとしても、走行中の自動車がキツネ等の小動物と接触すること自体により自動車の運転者等が死傷するような事故が発生する危険性は高いものではなく、通常は、自動車の運転者が適切な運転操作を行うことにより死傷事故を回避することを期待することができるのである。さらに、本件事故以前に、本件区間においては、道路に侵入したキツネが走行中の自動車に接触して死ぬ事故が年間数十件も発生してい

ながら、その事故に起因して自動車の運転者等が死傷するような事故が発生していたことはうかがわれなかったのである。これに対し、そのような対策を講ずるためには多額の費用を要することは明らかであり、加えて、本件道路には、動物注意の標識が設置されていたのであって、自動車の運転者に対しては、道路に侵入した動物についての適切な注意喚起がされていたといえる。これらの事情を総合すると、上記のような対策が講じられていなかったからといって、本件道路が通常有すべき安全性を欠いていたとはいえず、本件道路に設置又は管理の瑕疵があったとみることはできない（最判平22・3・2）。

出題 予想

◇機能的瑕疵―付近住民等

Q10 公の営造物の設置または管理の瑕疵により他人に損害を生じた場合、損害を受けた当該営造物の利用者だけでなく、損害を受けた付近住民も損害賠償を請求できるのか。

A 付近住民も損害賠償を請求できる。　国家賠償法2条1項の営造物の設置または管理の瑕疵とは、営造物が有すべき安全性を欠いている状態をいうのであるが、そこにいう安全性の欠如、すなわち、他人に危害を及ぼす危険性のある状態とは、ひとり当該営造物を構成する物的施設自体に存する物理的、外形的な欠陥ないし不備によって危害を生ぜしめる危険性がある場合のみならず、その営造物が供用目的に沿って利用されることとの関連において危害を生ぜしめる危険性がある場合をも含み、また、その危害は、営造物の利用者に対してのみならず、利用者以外の第三者に対するそれをも含むものと解すべきである。すなわち、当該営造物の利用の態様および程度が一定の限度にとどまる限りにおいてはその施設に危害を生ぜしめる危険性がなくても、これを超える利用によって危害を生ぜしめる危険性がある状況にある場合には、そのような利用に供される限りにおいて当該営造物の設置、管理には瑕疵があることを妨げず、したがって、当該営造物の設置・管理者においてかかる危険性があるにもかかわらず、これにつき特段の措置を講ずることなく、また、適切な制限を加えないままこれを利用に供し、その結果利用者又は第三者に対して現実に危害を生ぜしめたときは、それが当該設置・管理者の予測しえない事由によるものでない限り、国家賠償法2条1項の適用上免れることはできないと解されるのである〈大阪国際空港公害訴訟〉（最大判昭56・12・16）。

出題 国家総合－令和2・平成30・27・24、国Ⅰ－平成21、特別区Ⅰ－令和4・平成19、国家一般－令和4・平成28、国Ⅱ－平成22、国税・財務・労基－平成29・26、国税・労基－平成23、国税－平成30

Q11 安全性の欠如とは、営造物の利用の態様および程度が一定の限度を超えたために危害を生ぜしめる危険性がある状況にある場合まで含むのか。

A 含む〈大阪国際空港公害訴訟〉（最大判昭56・12・16）。⇒10

行政法編

出題 国Ⅰ-平成 17・15・10・9・3、特別区Ⅰ-平成 19・16、国税・労基-平成 16

Q12 国営空港の存在によって国民全体の受ける利益とこれによって地域住民が被る不利益とを比較考量するならば、地域住民には不公平が存するとまではいえないのか。

A 地域住民には不公平が存するといえる。　本件において主張されている公共性ないし公益上の必要性の内容は、航空機による迅速な公共輸送の必要性をいうものであるところ、現代社会、特にその経済活動の分野における行動の迅速性へのますます増大する要求に照らしてそれが公共的重要性をもつものであることは自明であり、また、本件空港が国内・国際航空路線上に占める地位からいって、その供用に対する公共的要請が相当高度のものであることも明らかである。しかし、これによる便益は、国民の日常生活の維持存続に不可欠な役務の提供のように絶対的ともいうべき優先順位を主張しうるものとは必ずしもいえないものであるのに対し、本件空港の供用によって被害を受ける地域住民はかなりの多数にのぼり、その被害内容も広範かつ重大なものであり、しかも、これら住民が空港の存在によって受ける利益とこれによって被る被害との間には、後者の増大に必然的に前者の増大が伴うというような彼此相補の関係が成り立たないことも明らかで、結局、公共的利益の実現は、原告らを含む周辺住民という限られた一部少数者の特別の犠牲のうえでのみ可能であって、そこに看過することのできない不公平が存することを否定できないのである〈大阪国際空港公害訴訟〉（最大判昭 56・12・16）。

出題 国Ⅰ-平成 15

Q13 営造物が有すべき安全性を欠いている状態（営造物の設置または管理の瑕疵）は道路施設と河川管理のための施設とで特に異なるのか。

A 特に異ならない。　国家賠償法 2 条 1 項の営造物の設置または管理の瑕疵とは、営造物が通常有すべき安全性を欠き、他人に危害を及ぼす危険性のある状態をいい、かかる瑕疵の存否については、当該営造物の構造、用法、場所的環境および利用状況等諸般の事情を考慮して具体的個別的に判断すべきものである〈大東水害訴訟〉（最判昭 59・1・26）、〈大阪国際空港公害訴訟〉（最大判昭 56・12・16 を引用）。

出題 国Ⅰ-平成 3

Q14 自衛隊機の運航に関する防衛庁長官の権限の行使は、騒音等により影響を受ける周辺住民との関係において、公権力の行使にあたる行為か。

A 公権力の行使にあたる行為である。　防衛庁長官は、自衛隊に課せられたわが国の防衛等の任務の遂行のため自衛隊機の運航を統括し、その航行の安全および航行に起因する障害の防止を図るため必要な規制を行う権限を有するものとされているのであって、自衛隊機の運航は、このような防衛庁長官の権限の下に行われるものである。そして、自衛隊機の運航にはその性質上必然的に騒音等の発生を伴うものであり、防衛庁長官は、騒音等による周辺住民への影響にも配慮して自衛隊機の運航を規制し、統括すべきものである。しかし、自衛隊機の

運航に伴う騒音等の影響は飛行場周辺に広く及ぶことが不可避であるから、自衛隊機の運航に関する防衛庁長官の権限の行使は、その運航に必然的に伴う騒音等について周辺住民の受忍を義務づけるものといわなければならない。そうすると、上記権限の行使は、騒音等により影響を受ける周辺住民との関係において、公権力の行使にあたる行為というべきである。そして、上告人ら（付近住民）の本件自衛隊機の差止請求は、防衛庁長官に対し、本件飛行場における一定の時間帯（毎日午後 8 時から翌日午前 8 時まで）における自衛隊機の離着陸等の差止めおよびその他の時間帯（毎日午前 8 時から午後 8 時まで）における航空機騒音を民事上の請求として求めるものである。しかしながら、このような請求は、必然的に防衛庁長官にゆだねられた自衛隊機の運航に関する権限の行使の取消変更ないしその発動を求める請求を包含することになるから、行政訴訟としてどのような要件の下にどのような請求をすることができるかはともかくとして、当該差止請求は不適法というべきである〈厚木基地差止請求訴訟〉（最判平 5・2・25）。

出題 国Ⅰ-平成 15・10

Q15 基地飛行場が、一般の飛行場の有する航空機による迅速な公共輸送の必要性とは異なる高度の公共性を有するのに対し、飛行場周辺の住民らの被害が、情緒的被害、睡眠被害ないし生活妨害である場合、原則としてかかる被害は受忍限度内にあるのか。

A 受忍限度内にあるとはいえない〈厚木基地差止請求訴訟〉（最判平 5・2・25）。➡ 14

Q16 道路の騒音が道路利用者による瑕疵が原因でなければ、騒音等の被害が沿道住民に生じても、国家賠償法 2 条の問題は生じないのか。

A 国家賠償法 2 条の問題は生じる。　沿道住民が、騒音がほぼ一日中生活空間に流入するという侵害行為により、睡眠妨害等による精神的苦痛を受けており、本件道路が幹線道路であるが地域住民の日常生活の維持存続に不可欠とまではいえず、住民にとって道路の存在によって被る被害の増大に利益の増大が伴うはいえない彼此相補の関係にあるはいえず、予測された騒音に対する対策が講じられないまま本件道路が開設され、その後に実施された環境対策が十分効果をあげていない状況では、本件道路の公共性ないし公益上の必要性故に、沿道住民が受けた被害が社会生活上受忍すべき範囲内のものであるとはいえず、本件道路の供用が違法な法益侵害にあたり、国と公団側は損害賠償責任を負うべきである〈国道 43 号線訴訟〉（最判平 7・7・7）。

出題 国家総合-平成 24、国Ⅰ-平成 22・15・14・10、地方上級-平成 14（市共通）・8、国税・財務・労基-平成 29

Q17 道路からの騒音、排気ガス等が道路周辺住民に対して現実に社会通念上受忍すべき限度を超える被害をもたらした場合は、当該道路を利用に供した道路管理者は、原則として、国家賠償法 2 条 1 項に基づく責任を免れないのか。

A 責任を免れない〈国道 43 号線訴訟〉（最判平 7・7・7）。➡ 16

Q18 産業政策の要請に基づき設置された幹線道路

国家賠償法

は、周辺住民が当該道路の存在によって受ける利益とこれにより被る損害との間には、後者の増大には前者の増大が伴うという関係が認められる以上、地域住民が受けた被害は社会生活上受忍すべき範囲内にとどまるのか。

A 後者の増大には前者の増大が伴うという関係は認められず、受忍すべき範囲を超える〈国道43号線訴訟〉（最判平7・7・7）。⇨16

Q19 道路等の施設の周辺住民からその供用の差止めが求められた場合、差止請求を認容すべき違法性と周辺住民からの損害賠償請求を認容すべき違法性の両場合の違法性の有無の判断に差異が生じることは不合理となるのか。

A 不合理とはいえない。　道路等の施設の周辺住民からその供用の差止めが求められた場合に差止請求を認容すべき違法性があるかどうかを判断するにつき考慮すべき要素は、周辺住民から損害の賠償が求められた場合に賠償請求を認容すべき違法性があるかどうかを判断するにつき考慮すべき要素とほぼ共通するのであるが、施設の供用の差止めと金銭による賠償という請求内容の相違に対応して、違法性の判断において各要素の重要性をどの程度のものとして考慮するかにはおのずから相違があるから、上記両場合の違法性の有無の判断に差異が生じることがあっても不合理とはいえない〈国道43号線訴訟〉（最判平7・7・7）。

Q20 横田飛行場において離着陸する米軍の航空機の発する騒音等により付近住民が精神的又は身体的被害を被っていることを理由に、損害賠償請求権のうち事実審の口頭弁論終結の日の翌日以降の分について、将来の給付の訴えを提起することができるのか。

A 将来の給付の訴えを提起することはできない。
継続的不法行為に基づき将来発生すべき損害賠償請求権については、たとえ同一態様の行為が将来も継続されることが予測される場合であっても、損害賠償請求権の成否およびその額をあらかじめ一義的に明確に認定することができない。そして、飛行場において離着陸する航空機の発する騒音等により周辺住民らが精神的又は身体的被害等を被っていることを理由とする損害賠償請求権のうち事実審の口頭弁論終結の日の翌日以降の分については、将来それが具体的に成立したとされる時点の事実関係に基づきその成立の有無および内容を判断すべく、かつ、その成立要件の具備は請求者においてその立証の責任を負うべき性質のものであって、このような請求権が将来の給付の訴えを提起することのできる請求権としての適格を有しないものであることは、当裁判所の判例とするところである〈大阪国際空港公害訴訟〉（最大判昭56・12・16）〈厚木基地差止請求訴訟〉（最判平5・2・25）。したがって、横田飛行場において離着陸する米軍の航空機の発する騒音等により精神的又は身体的被害を被っていることを理由とする付近住民の上告人に対する損害賠償請求権のうち事実審の口頭弁論終結の日の翌日以降の分については、その性質上、将来の給付の訴

えを提起することのできる請求権としての適格を有しないのであるから、これを認容する余地はない〈横田基地訴訟〉（最判平19・5・29）。**出題** 予想

◇道路の場合

Q21 道路管理の瑕疵の有無はどのように判断すべきか。

A 事故発生地点だけに局限せず、道路全般について判断しなければならない。　道路管理の瑕疵の有無は、事故発生地点だけに局限せず、道路全般についての危険状況および管理状況を考慮にいれて決するのが相当である〈高知落石事件〉（最判昭45・8・20）。

Q22 道路管理者の設置した赤色灯が他車によって倒された直後に、夜間の道路工事現場で交通事故が発生した場合、道路管理に瑕疵はあるのか。

A 道路管理に瑕疵はない。　本件事故発生当時、道路管理者において設置した工事標識板、バリケードおよび赤色灯標柱が道路に倒れたまま放置されていたのであるから、道路の安全性に欠如があったといわざるをえないが、それは夜間、しかも事故発生の直前に先行した他車によって惹起されたものであり、時間的に道路管理者において遅滞なくこれを原状に復し道路を安全良好な状態に保つことは不可能であったというべく、このような状況のもとにおいては、道路管理者に瑕疵はなかったと認めるのが相当である〈奈良赤色灯事件〉（最判昭50・6・26）。

Q23 大型貨物自動車が長時間にわたり放置され、道路の安全性を著しく欠如する状態に対処する体制を土木出張所がとらなかったため事故が発生した場合、道路管理に瑕疵はあるのか。

A 道路管理に瑕疵がある。　道路管理者は、道路を常時良好な状態に保つように維持し、修繕し、もって一般交通に支障を及ぼさないように努める義務を負うところ（道路法42条）、国道の本件事故現場付近は、幅員7.5メートルの道路中央付近に故障した大型貨物自動車が87時間にわたって放置され、道路の安全性を著しく欠如する状態であったにもかかわらず、当時その管理事務を担当する土木出張所は、道路を常時巡視して応急の事態に対処しうる監視体制をとっていなかったために、本件事故が発生するまでその故障車が道路上に長時間放置されていることすら知らず、まして故障車のあることを知らせるためバリケードを設けるとか、道路の安全性を保持するために必要とされる措置を全く講じていなかったことは明らかであるから、道路交通法上、警察官が違法駐車に対して駐車の方法の変更・場所の移動などの規制を行うべきものとされていること（道路交通法1条、51条）を理由に、国家賠償法2条1項の損害賠償責任を免れることはできない（最判昭50・7・25）。

出題 国家総合－令和2・平成29、国Ⅰ－平成14・6・昭和63・56、東京Ⅰ－平成15、市役所上・中級－平成8、特別区Ⅰ－平成30・25・16、国Ⅱ－平成19・6、国税・財務・労基－令和1、国税・労基－平成16

◇河川の場合

Q24 河川の管理についての瑕疵の有無は、道路その他の人工公物の管理の場合と同じか。

A 異なる。　河川は、本来自然発生的な公共用物であって、管理者による公共開始のための特別の行為を要することなく自然の状態において公共の用に供される物であるから、通常は当初から人工的に安全性を備えた物として設置され管理者の公共開始行為によって公共の用に供される道路その他の営造物とは性質を異にし、もともと洪水等の自然的原因による災害をもたらす危険性を内包しているものである。したがって、河川の管理は、道路の管理等とは異なり、本来的にかかる災害発生の危険性をはらむ河川を対象として開始されるのが通常であって、河川の通常備えるべき安全性の確保は、管理開始後において、予想される洪水等による災害に対処すべく、治水事業を行うことによって達成されていくことが当初から予定されていたものである〈大東水害訴訟〉（最判昭59・1・26）。

出題 国家総合－令和1・平成27、国Ⅰ－平成7・昭和62、市役所上・中級－平成8、国税・財務・労基－平成28、国税－平成14

Q25 河川の管理は、道路等の管理とは異なり、本来的に災害発生の危険性をはらむ河川を対象としているから、道路その他の営造物の管理の場合とはその管理の瑕疵の有無についての判断の基準も異なったものとなるのか。

A その管理の瑕疵の有無についての判断の基準も異なったものとなる〈大東水害訴訟〉（最判昭59・1・26）。⇨24

Q26 河川管理の瑕疵の有無の判断にあたっては、河川管理には財政的、技術的、社会的制約が大きいことから、道路管理の瑕疵の場合と比較して、国又は公共団体の責任の範囲は狭く判断されるのか。

A 責任の範囲は狭く判断される〈大東水害訴訟〉（最判昭59・1・26）。⇨24

Q27 未改修河川（改修不十分な河川）の安全性とは何か。

A 過渡的な安全性をいう。　治水事業は、もとより一朝一夕にして成るものではなく、しかも全国に多数存在する未改修河川および改修の不十分な河川についてこれを実施するには莫大な費用を必要とするものであるから、結局、原則として、議会が国民生活上の他の諸要求との調整を図りつつその配分を決定する予算の下で、各河川につき過去に発生した水害の規模、頻度、発生原因、被害の性質等のほか、降雨状況、流域の自然的条件および開発その他土地利用の状況、各河川の安全度の均衡等の諸事情を総合勘案し、それぞれの河川についての改修等の必要性・緊急性を比較しつつ、その程度の高いものから逐次これを実施していくほかはない。しかも、

河川の管理においては、道路の管理における危険な区間の一時閉鎖等のような簡易、臨機的な危険回避の手段をとることもできないのである。河川の管理には、以上のような諸制約が内在するため、すべての河川について通常予測し、かつ、回避しうるあらゆる水害を未然に防止するに足りる治水施設を完備するには、相応の期間を必要とし、未改修河川又は改修の不十分な河川の安全性としては、上記諸制約の下で一般に施行されてきた治水事業による河川の改修、整備の過程に対応するいわば過渡的な安全性をもって足りるものとせざるをえないのであって、当初から通常予測される災害に対応する安全性を備えたものとして設置され公共開始される道路その他の営造物の管理の場合とは、その管理の瑕疵の有無についての判断の基準もおのずから異なったものとならざるをえないのである。この意味で、道路の管理者において災害等の防止施設の設置のための予算措置に困却するからといってそのことにより直ちに道路の管理の瑕疵によって生じた損害の賠償責任を免れうるものではないとする当裁判所の判例〈高知落石事件〉（最判昭45・8・20）も、河川管理の瑕疵については当然には妥当しないものというべきである〈大東水害訴訟〉（最判昭59・1・26）。

出題 国家総合－令和1・平成24、国Ⅰ－平成13・7、特別区Ⅰ－令和4・平成25・22・19

Q28 河川管理についての瑕疵の有無は、河川管理の特質に由来する財政的、技術的および社会的諸制約等を総合的に考慮しなければ判断すべきか。

A 諸制約等を総合的に考慮しながら判断すべきである。　わが国における治水事業の進展等により河川管理の特質に由来する財政的、技術的および社会的諸制約が解消した段階においてはともかく、これらの諸制約によっていまだ通常予測される災害に対応する安全性を備えるに至っていない現段階においては、当該河川の管理についての瑕疵の有無は、過去に発生した水害の規模、発生の頻度、発生原因、被害の性質、降雨状況、流域の地形その他の自然的条件、土地の利用状況その他の社会的条件、改修を要する緊急性の有無およびその程度等諸般の事情を総合的に考慮し、同種・同規模の河川の管理の一般水準および社会通念に照らして是認しうる安全性を備えていると認められるかどうかを基準として判断すべきである〈大東水害訴訟〉（最判昭59・1・26）。出題 国Ⅰ－昭和62、国Ⅰ－平成15

Q29 すでに改修計画が定められ、これに基づいて現に改修中である河川について該当部分の改修が行われていない場合、河川管理に瑕疵があるのか。

A 原則として河川管理に瑕疵はない。　すでに改修計画が定められ、これに基づいて現に改修中である河川については、その計画が全体として格別不合理なものと認められないときは、その後の事情の変動により当該河川の未改修部分につき水害発生の危険性が特に顕著となり、当初の計画の時期を繰り上げ、または工事の順序を変更するなどして早期の改修工事を施行しなければならないと認めるべき特段の事情が生じない限り、該当部分につき改修がいま

行政法編

だ行われていないとの一言をもって河川管理に瑕疵があるとはいえない。そして、上記の理は、人口密集地域を流域とするいわゆる都市河川の管理についても、前記の特質および諸制約が存すること自体には異なるところがないのであるから一般的にはひとしく妥当するものというべきである〈大東水害訴訟〉（最判昭59・1・26）。

出題 国家総合 – 平成24、国Ⅰ – 平成18・9・7、国税 – 平成10

Q30 改修済み河川の安全性とは何か。

A 河川の改修、整備の段階に対応する安全性をいう（当時の防災技術の水準に照らして）。　河川は、当初から通常有すべき安全性を有するものとして管理が開始されるものではなく、治水作業を経て、逐次その安全性を高めてゆくものであるから、河川が通常予測し、かつ、回避しうる水害を未然に防止するに足りる安全性を備えるに至っていないとしても、直ちに河川管理に瑕疵があるとはいえず、河川の備えるべき安全性としては、一般に施行されてきた治水事業の過程における河川の改修、整備の段階に対応する安全性をもって足りるのである。そして、河川の管理についての瑕疵の有無は、諸般の事情を総合的に考慮し、河川管理における財政的、技術的および社会的諸制約のもとでの同種・同規模の河川の管理の一般的水準および社会通念に照らして是認しうる安全性を備えていると認められるかどうかを基準として判断すべきである。したがって、本件において、工事実施基本計画による改修、整備がされ、あるいは新規の改修、整備の必要がないとされた河川の改修、整備の段階に対応する安全性とは、同計画に定める規模の洪水における流水の通常の作用から予測される災害の発生を防止するに足りる安全性をいう〈多摩川水害訴訟〉（最判平2・12・13）。

出題 国家総合 – 令和2・1、国Ⅰ – 平成22・11・7、東京Ⅰ – 平成15、特別区Ⅰ – 平成30、国Ⅱ – 平成19

Q31 改修完了河川について、改修段階で予測できなかった危険があった場合には、それを除去又は減殺する措置をとらなかったからといって、河川管理の瑕疵がなかったといえるのか。

A 河川管理の瑕疵があった否かは、諸般の事情を総合考慮して決すべきである〈多摩川水害訴訟〉（最判平2・12・13）。⇨30

Q32 工事実施基本計画が策定され、同計画に準拠して改修、整備され、また、同計画に準拠して新規の改修、整備の必要がない河川の改修、整備の段階に対応する安全性とは何か。

A 同計画に定める規模の洪水における流水の通常の作用から予測される災害の発生を防止するに足りる安全性をいう。　工事実施基本計画が策定され、当該計画に準拠して改修、整備がされ、あるいはその計画に準拠して新規の改修、整備の必要がないものとされた河川の改修、整備の段階に対応する安全性とは、同計画に定める規模の洪水における流水の通常の作用から予測される災害の発生を防止するに足りる安全性をいう。また、水害発生当時において

その発生の危険を通常予測することができたとしても、その危険が改修、整備がされた段階においては予測することができなかったものであって、当該改修、整備の後に生じた河川および流域の環境の変化、河川工学の知見の拡大又は防災技術の向上等によってその予測が可能となったものである場合には、直ちに、河川管理の瑕疵があるとはいえない〈多摩川水害訴訟〉（最判平2・12・13）。

出題 国家総合 – 令和2、国Ⅰ – 平成18・13

Q33 工事実施基本計画の策定前から許可工作物が河道内に存在する場合の河川管理の瑕疵の有無は、まず、当該河川部分の管理から当該工作物の管理を切り離したうえで、当該工作物についての改修の要否のみに基づいて判断しなければならないのか。

A 当該河川部分全体について、安全性を備えていると認められるか否かによって判断すべきである。　許可工作物の存在する河川部分における河川管理の瑕疵の有無は、当該河川部分の全体について、判断基準の示す安全性を備えていると認められるかどうかによって判断すべきであり、全体としての当該河川部分の管理から当該工作物の管理を切り離して、工作物についての改修の要否のみに基づいて、これを判断すべきではない。なぜなら、河川内に河川管理施設以外の許可工作物が存在する場合においては、河川管理者としては、当該工作物そのものの管理権を有しないとしても、工作物が存在することを所与の条件として、当該工作物に関する監督処分権の行使又は自己の管理する河川施設の改修、整備により、河川の安全性を確保する責務があるのであって、当該工作物に存在する欠陥により当該河川部分についてその備えるべき安全性が損なわれるに至り、他の要件が具備するときは、当該工作物が存在する河川部分について河川管理の瑕疵があることになるからである〈多摩川水害訴訟〉（最判平2・12・13）。

出題 国Ⅰ – 平成18

Q34 許可工作物が存在する河川部分における河川管理の瑕疵の有無については、河川管理者が当該工作物の所有権を有する場合に限り、河川の安全性を管理する責務があるのか。

A 当該工作物の所有権（管理権）を有しなくても、河川の安全性を確保する責務がある〈多摩川水害訴訟〉（最判平2・12・13）。⇨30・32・33

Q35 すでに改修計画が定められ、これに基づいて現に改修中である河川について、その後の事情の変動で未改修部分の改修が行われていない場合、河川管理に瑕疵があるのか。

A 改修がいまだ行われていないだけで河川管理に瑕疵があるとはいえない。　すでに改修計画が定められ、これに基づいて現に改修中である河川については、その計画が全体としての見地からみて格別不合理なものと認められないときは、その後の事情の変動により当該河川の未改修部分につき水害発生の危険性が特に顕著となり、当初の計画の時期を繰り上げ、または工事の順序を変更するなどして早期の改修工事を施行しなければならない特段の事由が生じない限り、当該部分につき改修がいまだ行われていないとの一事をもって河川管理に瑕疵があるとす

ることはできない〈志登川水害訴訟〉（最判平5・3・26）。

Q36 工事実施計画が策定され、当該計画に準拠して改修、整備が実施されている堤防が、河川の計画高水位以下の流水により決壊した場合、基礎地盤を除く堤体部分には欠陥が存在しなくても、河川管理に瑕疵があったといえるのか。

A 河川管理に瑕疵があったとはいえない。　本件破堤は浸潤線が上昇して生じた浸潤破堤であり、本件堤防の堤体部分には欠陥はなく、仮に堤防の基礎地盤に特異な地質条件があり、それが浸潤破堤の要因となった可能性があるとしても、国がその管理する多数の河川の堤防の基礎地盤のすべてについてあらかじめ安全性の有無を調査し所要の対策をとるなどの措置を講じなければならないものではなく、そうしなかったからといって河川管理に瑕疵があるとはいえず、国に賠償責任を負わせることはできない〈長良川水害訴訟〉（最判平6・10・27）。

◇その他

Q37 国道管理の瑕疵に基づき発生した事故の損害の賠償債務は、何時から遅滞に陥るのか。

A 損害発生と同時に遅滞に陥る。　国道管理の瑕疵に基づき発生した事故の損害の賠償債務は、事故の発生と同時に何らの催告を要することなく遅滞に陥る（最判昭37・9・4）。　

Q38 点字ブロックが駅に存在しなかったために事故が発生した場合、当該駅ホームの設置管理に瑕疵はあるのか。

A 瑕疵があるか否かは、諸般の事情を総合考慮して判断しなければならない。　点字ブロック等のように、新たに開発された視力障害者用の安全設備を駅のホームに設置しなかったことをもって当該駅のホームが通常有すべき安全性を欠くか否かを判断するにあたっては、その安全設備が、視力障害者の事故防止に有効なものとして、その素材、形状および敷設方法等において相当程度標準化されて全国ないし当該地域における道路および駅のホーム等に普及しているかどうか、当該駅のホームにおける構造または視力障害者の利用度との関係から予測される視力障害者の事故の発生の危険性の程度、当該事故を未然に防止するため上記安全設備を設置する必要性の程度および安全設備の設置の困難性の有無等の諸般の事情を総合考慮することを要する（最判昭61・3・25）。

Q39 点字ブロック等のように、新たに開発された視力障害者用の安全設備を駅のホームに設置しなかったことをもって当該駅のホームが通常有すべき安全性を欠くか否かを判断するにあたっては、管理者の財政的制約にかかわらず、当時の技術水準に照らして、社会通念上その導入を義務付けることが相当であったか否かを重視すべきか。

A 通常有すべき安全性を欠くか否かを判断するに

あたっては、諸般の事情を総合考慮して判断しなければならない（最判昭61・3・25）。⇨38

Q40 当時5歳10か月の幼児AがN中学校校庭内のテニスコート横の審判台に登り、その座席部分の背もたれを構成する左右の鉄パイプを両手で握り、その後部から降りようとしたため、審判台が倒れAが下敷きとなり死亡した場合、国家賠償法2条にもとづき、設置管理者たるYは損害賠償責任を負うのか。

A 損害賠償責任を負わない。　国家賠償法2条1項にいう「公の営造物の設置又は管理に瑕疵」があるとは、公の営造物が通常有すべき安全性を欠いていることをいい、この安全性を欠くか否かの判断は、当該営造物の構造、本来の用法、場所的環境および利用状況等諸般の事情を総合考慮して具体的、個別的に判断すべきである。審判台は、審判者がコート面より高い位置から競技を見守るための設備であり、通常有すべき安全性の有無は、この本来の用法に従った使用を前提としたうえで、何らかの危険発生の可能性があるか否かによって決せられる。審判台は、本来の用法に従ってこれを使用する限り転倒の危険を有する構造のものでなかったのであり、N中学校の校庭において生徒らがこれを使用し、20年余の間まったく事故がなかったのである。また、幼児がいかなる行動に出ても不測の結果が生じないようにせよというのは、設置管理者に不能を強いるものといわなければならず、通常予測しえない異常な方法で使用しないという注意義務は、利用者である一般市民の側が負うのが当然であり、幼児について第一次的にその保護者にある。本件事故時のAの行動はきわめて異常なもので、本件審判台の本来の用法と異なることはもちろん、設置管理者の通常予測しえないものである（最判平5・3・30）。

第3条〔賠償責任者、求償権〕
①前2条の規定によって国又は公共団体が損害を賠償する責に任ずる場合において、公務員の選任若しくは監督又は公の営造物の設置若しくは管理に当る者と公務員の俸給、給与その他の費用又は公の営造物の設置若しくは管理の費用を負担する者とが異なるときは、費用を負担する者もまた、その損害を賠償する責に任ずる。
②前項の場合において、損害を賠償した者は、内部関係でその損害を賠償する責任ある者に対して求償権を有する。

Q1 国家賠償法3条1項所定の設置費用の負担者は、当該営造物の設置費用を法律上負担する者に限られるのか。

A 当該営造物の瑕疵による危険を効果的に防止しうる者も含まれる。　国家賠償法3条1項が、同法2条1項と相まって、公の営造物の設置もしくは管理にあたる者とその設置もしくは管理の費用の負担者とが異なるときは、その双方が損害賠償の責に任ずべきであるとしているのは、もしそのいずれかのみが損害賠償の責任を負うとしたとすれば、被

害者たる国民が、そのいずれに賠償責任を求めるべきであるかを必ずしも明確にしえないため、賠償の責に任ずべき者の選択に困難を来すことがありうるので、対外的には双方に損害賠償の責任を負わせることによって上記のような困難を除去しようとすることにあるのみでなく、危険責任の法理に基づく同法2条の責任につき、同一の法理に立って、被害者の救済を全うしようとするものである。したがって、同法3条1項所定の設置費用の負担者には、当該営造物の設置費用につき法律上負担義務を負う者のほか、この者と同等もしくはこれに近い設置費用を負担し、実質的にはこの者と当該営造物による事業を共同して執行していると認められる者であって、当該営造物の瑕疵による危険を効果的に防止しうる者も含まれる〈鬼ヶ城転落事件〉（最判昭50・11・28）。

出題　国家総合－令和4・平成30・26、国Ⅰ－平成21・20・11・8・4・昭和62、国家一般－平成28・24、国税・財務・労基－令和2・1・平成26、国税－平成14・6

Q2　国が、地方公共団体に対し、国立公園に関する公園事業の一部の執行として周回路の設置を承認し、その設置費用の半額相当の補助金を交付し、また、その後の改修にも補助金を交付して、当該周回路に関する設置費用の2分の1近くを負担しているときには、国は、当該周回路については、国家賠償法3条1項所定の公の営造物の設置費用の負担者にあたるのか。

A　営造物の設置費用の負担者にあたる。　自然公園法に基づく、国から地方公共団体への補助金交付の趣旨・目的は、国が、執行すべきものとされている国立公園事業につき、一般的に地方公共団体に対しその一部の執行を勧奨し、自然公園法の見地から助成の目的たりうると認められる国立公園事業の一部につき、その執行を予定又は執行している地方公共団体と補助金交付契約を締結し、これを通じて地方公共団体に対し、その執行を義務づけ、かつ、その執行が国立公園事業としての一定水準に適合すべきものであることの義務を課すとともに、当該事業の実施によって地方公共団体が被る財政的な負担の軽減を図ることにある。したがって、上記国立公園事業としての一定の水準には、国立公園事業が国民の利用する道路、施設等に関するものであるときには、その利用者の事故防止に資するに足るものであることが含まれるべきである。そして、国の本件周回路に関する設置費用の負担の割合は2分の1近くにも達しているのであるから、国は、国家賠償法3条1項の適用に関しては、本件周回路の設置費用の負担者である〈鬼ヶ城転落事件〉（最判昭50・11・28）。

出題　国家総合－令和4、国Ⅰ－平成16、国Ⅱ－平成22、国税・財務・労基－平成26、国税・労基－平成19

Q3　市町村が設置する中学校の教諭がその職務を行うについて故意又は過失によって違法に生徒に損害を与えた場合、当該教諭の給料その他の給与を負担する都道府県が国家賠償法1条1項、3条1項に

従い上記生徒に対して損害を賠償したときは、当該都道府県は、同条2項に基づき、賠償した損害の全額を当該中学校を設置する市町村に対して求償することができるのか。

A　求償することができる。　市町村が設置する中学校の教諭がその職務を行うについて故意又は過失によって違法に生徒に損害を与えた場合において、当該教諭の給料その他の給与を負担する都道府県が国家賠償法1条1項、3条1項に従い上記生徒に対して損害を賠償したときは、当該都道府県は、同条2項に基づき、賠償した損害の全額を当該中学校を設置する市町村に対して求償することができるものと解する。その理由は、次のとおりである。国又は公共団体がその事務を行うについて国家賠償法に基づき損害を賠償する責めに任ずる場合における損害を賠償するための費用も国又は公共団体の事務を行うために要する経費に含まれるというべきであるから、上記経費の負担について定める法令は、上記費用の負担についても定めていると解される。同法3条2項に基づく求償についても、上記経費の負担について定める法令の規定に従うべきであり、法令上、上記損害を賠償するための費用をその事務を行うための経費として負担すべきものとされている者が、同項にいう内部関係でその損害を賠償する責任ある者にあたると解するのが相当であるからである（最判平21・10・23）。

出題　国家総合－令和4・平成27、特別区Ⅰ－平成28、国家一般－令和3

第4条［民法の適用］
国又は公共団体の損害賠償の責任については、前3条の規定によるの外、民法の規定による。

Q1　時効について民法の規定が適用されるのか。
A　民法の規定が適用される。　国家賠償法4条にいわゆる「民法の規定による」とは、損害賠償の範囲、過失相殺、時効等につき民法の規定によるとの意味である（最判昭34・1・22）。

出題　国Ⅱ－昭和57

Q2　国家賠償に基づく普通地方公共団体に対する損害賠償請求権の消滅時効期間は、当事者の援用がなくても裁判所は時効による消滅の判断をすることができるか。

A　当事者の援用がなければ、裁判所は時効による消滅の判断ができない。　地方公共団体が負う損害賠償責任は、実質上民法の不法行為責任と同じ性質のものである以上、国家賠償法に基づく損害賠償請求権は私法上の金銭債権であって公法上の金銭債権ではないから、地方自治法236条2項の「法律に特別の定めがある場合」に該当し、民法145条の規定が適用されるため、時効消滅を主張するには、当事者の援用が必要である（最判昭46・11・30）。

出題　国Ⅰ－平成4・昭和57、地方上級－昭和59、国Ⅱ－平成3

Q3　公権力の行使にあたる公務員の失火について、当該公務員に重大な過失があれば、国または公共団体は損害賠償責任を負うのか。

A　当該公務員に重大な過失があれば、国または公共団体は損害賠償責任を負う。　国または公共団体

の損害賠償責任について、国家賠償法4条は、同法1条1項の規定が適用される場合においても、民法の規定が補充的に適用されることを明らかにしているところ、失火責任法は、失火者の責任条件について民法709条の特則を規定したものであるから、公権力の行使にあたる公務員の失火による国または公共団体の損害賠償責任についてのみ同法の適用を排除すべき合理的理由も存しない。したがって、公権力の行使にあたる公務員の失火による国または公共団体の損害賠償責任については、国家賠償法4条により失火責任法が適用され、当該公務員に重大な過失のあることを必要とする（最判昭53・7・17）。

出題 国家総合－令和4・平成26、国Ⅰ－平成20・4・昭和56、地方上級－平成3、特別区Ⅰ－平成28、国家一般－令和3・平成24、国Ⅱ－平成9

〔参考〕失火の責任に関する法律　民法第709条の規定は失火の場合には之を適用せず。但し失火者に重大なる過失ありたるときは此の限に在らず。

Q4 国家賠償法4条が規定する「民法」には民法709条の特則である失火責任法も含まれるから、公権力の行使にあたる公務員の失火による国または地方公共団体の損害賠償責任が成立するには、当該公務員に重大な過失を要するのか。

A 当該公務員に重大な過失を要する（最判昭53・7・17）。⇒3

Q5 不法行為により発生する損害の性質上、加害行為が終了してから相当の期間が経過した後に損害が発生する場合、民法724条2号所定の消滅時効期間は、何時から発生するのか。

A 当該損害の全部又は一部が発生した時から進行する。　民法724条2号所定の消滅時効期間の起算点は、「不法行為の時」と規定されており、加害行為が行われた時に損害が発生する不法行為の場合には、加害行為の時がその起算点となると考えられる。しかし、身体に蓄積した場合に人の健康を害することとなる物質による損害や、一定の潜伏期間が経過した後に症状が現れる損害のように、当該不法行為により発生する損害の性質上、加害行為が終了してから相当の期間が経過した後に損害が発生する場合には、当該損害の全部又は一部が発生した時が消滅時効期間の起算点となる。なぜなら、このような場合に損害の発生を待たずに消滅時効期間の進

行を認めることは、被害者にとって著しく酷であるし、また、加害者としても、自己の行為により生じうる損害の性質からみて、相当の期間が経過した後に被害者が現れて、損害賠償の請求を受けることを予期すべきであるからである。これを本件についてみるに、じん肺は、肺胞内に取り込まれた粉じんが、長期間にわたり線維増殖性変化を進行させ、じん肺結節等の病変を生じさせるものであって、粉じんへの暴露が終わった後、相当長期間経過後に発症することも少なくないのであるから、じん肺被害を理由とする損害賠償請求権については、その損害発生の時が消滅時効期間の起算点となる〈筑豊じん肺訴訟〉（最判平16・4・27）。　出題 予想

第5条［他の法律の適用］
国又は公共団体の損害賠償の責任について民法以外の他の法律に別段の定があるときは、その定めるところによる。

Q1 書留郵便物について、郵便業務従事者の故意又は重大な過失による不法行為についてまで国の損害賠償責任を免除又は制限を認める郵便法68条、73条の規定部分は、憲法17条に違反するのか。

A 憲法17条に違反する。　書留郵便物について、郵便業務従事者の故意又は重大な過失による不法行為に基づき損害が生ずるようなことは、通常の職務規範に従って業務執行がされている限り、ごく例外的な場合にとどまるはずであって、このような事態は、書留の制度に対する信頼を著しく損なうものといわなければならない。そうすると、このような例外的な場合にまで国の損害賠償責任を免除し、又は制限しなければ郵便法1条に定める目的を達成することができないとはとうてい考えられず、郵便業務従事者の故意又は重大な過失による不法行為についてまで免責又は責任制限を認める規定に合理性があるとは認めがたい。以上によれば、郵便法68条、73条の規定のうち、書留郵便物について、郵便業務従事者の故意又は重大な過失によって損害が生じた場合に、不法行為に基づく国の損害賠償責任を免除し、又は制限している部分は、憲法17条が立法府に付与した裁量の範囲を逸脱したものであるといわざるをえず、同条に違反し、無効である（最大判平14・9・11）。

出題 国家総合－令和4・平成28

第6条［相互保証］
この法律は、外国人が被害者である場合には、相互の保証があるときに限り、これを適用する。

損失補償

（憲法 29 条 3 項参照）

(1)損失補償の有無

Q1 財産権の行使について条例で規制することは許されるか。

A 条例で規制することは許される〈奈良県ため池条例事件〉（最大判昭 38・6・26）。⇨憲法 29 条 8

(2)正当な補償の意味

Q2 憲法 29 条 3 項の「正当な補償」は、相当な補償で足りるか、それとも完全な補償を要するか。

A 相当な補償で足りる。　憲法 29 条 3 項にいう財産権を公共の用に供する場合の正当な補償とは、その当時の経済状態において成立することを考えられる価格に基づき、合理的に算出された相当な額をいうのであって、必ずしもつねにかかる価格と完全に一致することを要するものでない〈農地改革事件〉（最大判昭 28・12・23）。

出題 国Ⅰ－平成 23・19・昭和 61・53、地方上級－平成 3・昭和 63、特別区Ⅰ－令和 3・平成 29・23、国税・労基－平成 15、国税－昭和 60・58

Q3 自作農創設特別措置法 6 条 3 項本文の農地買収対価は、憲法 29 条 3 項にいわゆる「正当な補償」にあたるか。

A 「正当な補償」にあたる〈農地改革事件〉（最大判昭 28・12・23）。⇨2

Q4 土地収用法における損失の補償は、相当な補償で足りるか、それとも完全な補償を要するか。

A 完全な補償を要する。　土地収用法における損失の補償は、特定の公益上必要な事業のために土地が収用される場合であっても、その収用によって当該土地の所有者等が被る特別な犠牲の回復を図ることを目的とするものであるから、完全な補償、すなわち、収用の前後を通じて被収用者の財産価値を等しくさせるような補償をなすべきであり、金銭をもって補償する場合には、被収用者が近傍において被収用地と同等の代替地等を取得することをうるに足りる金額の補償を要する。そして、この理は、土地が都市計画事業のために収用される場合であっても、何ら異なるものではなく、この場合、被収用地については、土地収用法における損失補償の趣旨からすれば、被収用者に対し土地収用法 72 条によって補償すべき相当な価格とは、被収用地が建築制限を受けていないとすれば、裁決時において有する価格をいう（最判昭 48・10・18）。

出題 国Ⅰ－平成 23・19・5・昭和 55、地方上級－平成 9・昭和 57、東京Ⅰ－平成 16、特別区Ⅰ－令和 3・平成 27、国Ⅱ－平成 13・5・昭和 53

Q5 土地収用法における損失を補償すべき相当な価格とは、被収用地が建築基準法による制限を受け

ていないとすれば収用の裁決の時において有すると認められる価格をいうのか。

A 収用の裁決の時において有すると認められる価格をいう（最判昭 48・10・18）。⇨4

Q6 火災が発生しようとし、又は発生した消防対象物及びこれらのもののある土地について、消防吏員又は消防団員が、消火若しくは延焼の防止又は人命の救助のために必要がある場合において、これを使用し、処分し又はその使用を制限したときは、そのために損害を受けた者は、その損失を補償することを要するのか。

A その損失を補償することを要しない（最判昭 48・10・18）。⇨4

Q7 火災の際の消防活動により損害を受けた場合において、客観的に延焼のおそれがなかったと認められるときは、たとえ消防署長が延焼のおそれがあると判断して破壊した場合であっても、損害を受けた者は、消防法 29 条 3 項に基づいて損失補償を請求することができるのか。

A 損失補償を請求することができる。（最判昭 47・5・30）。

出題 国Ⅰ－平成 19、特別区Ⅰ－令和 1、国家一般－令和 2、国Ⅱ－平成 21

Q8 土地収用法 71 条の規定に基づく補償金の額の決定方法は、地価変動率を考慮していない点で合理的な算出方法とはいえず、同条は憲法 29 条 3 項に違反するのか。

A 憲法 29 条 3 項に違反しない。　土地の収用に伴う補償金の額は、同裁決の時を基準にして算定されるべきである。その具体的方法として、土地収用法 71 条は、事業の認定の告示の時における相当な価格を近傍類地の取引価格等を考慮して算定したうえで、権利取得裁決の時までの物価の変動に応ずる修正率を乗じて、権利取得裁決の時における補償金の額を決定することとしている。事業認定の告示の時から権利取得裁決の時までには、近傍類地の取引価格に変動が生ずることがあり、その変動率は必ずしも上記の修正率と一致するとはいえない。以上のとおりであるから、土地収用法 71 条の規定は憲法 29 条 3 項に違反するものではない〈土地収用法 71 条事件〉（最判平 14・6・11）。

出題 国家総合－平成 28

(3)「正当な補償」の時期

Q9 憲法 29 条 3 項の「正当な補償」をする時期は、財産の供与と交換的に同時に履行されなければならないのか。

A 憲法は補償の同時履行までをも保障していない。憲法は「正当な補償」と規定しているだけであって、補償の時期についてはすこしも言明していないので

行政法編

あるから、補償が財産の供与と交換的に同時に履行さるべきことについては、憲法の保障するところではない。もっとも、補償が財産の供与よりはなはだしく遅れた場合には、遅延による損害をも塡補する問題を生ずるであろうが、だからといって、憲法は補償の同時履行までをも保障したものではない（最大判昭24・7・13）。

(4)損失補償の対象

Q10 道路工事の施行の結果、警察法規違反の状態を生じたため、この状態を回避するため危険物（ガソリンタンク）保有者が工作物の移転等をした結果、損失を被った場合、補償の対象となるのか。

A 補償の対象とならない。　警察法規が一定の危険物（ガソリンタンク）の保管場所等につき保安物件との間に一定の離隔距離を保持すべきことなどを内容とする技術上の基準を定めている場合において、道路工事の施行の結果、警察違反の状態を生じ、危険物（ガソリンタンク）保有者が技術上の基準に適合するように工作物の移転等を余儀なくされ、これによって損失を被ったとしても、それは道路工事の施行によって警察規制に基づく損失がたまたま現実化するに至ったものにすぎず、このような損失は、道路法70条1項の定める補償の対象には属しない〈モービル石油事件〉（最判昭58・2・18）。

Q11 道路法70条1項は、道路工事により間接的に不利益を被る第三者に対する補償を認めるいわゆる「みぞ・かき補償」を定めたものであり、道路工事の結果、警察法規違反の状態を生じ、危険物（ガソリンタンク）保有者が当該法規の基準に適合するように工作物の移転等を余儀なくされ、損失を被った場合、この損失は同条の定める補償の対象に含まれるのか。

A 補償の対象に含まれない〈モービル石油事件〉（最判昭58・2・18）。⇨ *10*

Q12 土地収用法88条にいう「通常受ける損失」には、経済的価値でない特殊な価値についてまでも補償の対象となるのか。

A 補償の対象とならない。　土地収用法88条にいう「通常受ける損失」とは、客観的社会的にみて収用に基づき被収用者が当然に受けるであろうと考えられる経済的・財産的損失をいうと解するのが相当であって、経済的価値でない特殊な価値についてまで補償の対象とする趣旨ではない。たとえば、貝塚、古戦場、関跡などにみられるような、主として史跡によって国の歴史を理解し往時の生活・文化等を知りうるという意味での歴史的・学術的な価値は、特段の事情のない限り、当

該土地の不動産としての経済的・財産的価値を何ら高めるものではなく、その市場価格の形成に影響を与えることはないのであって、このような意味での文化財的価値なるものは、それ自体経済的評価になじまないものとして、土地収用法上損失補償の対象とはなりえない〈福原輪中堤事件〉（最判昭63・1・21）。

Q13 土地収用法における損失補償の対象として、収用の対象となった土地の有する文化財的価値は損失補償の対象となるのか。

A 損失補償の対象とならない〈福原輪中堤事件〉（最判昭63・1・21）。⇨ *12*

(5)特別犠牲

Q14 行政財産である市営屠畜場が廃止された場合であっても、市と当該屠畜場を利用していた業者との間に委託契約等の継続的契約関係がなく、当該屠畜場を事実上独占的に使用する状況が継続していたにとどまるときには、行政財産の使用許可を撤回した場合の損失補償については、国有財産法の規定を類推適用すべき継続的使用関係と同視することはできるか。

また、当該利用業者が当該屠畜場を利用し得なくなったという不利益は、憲法第29条第3項の規定による損失補償を必要とする特別の犠牲にはあたるのか。

A 国有財産法の規定を類推適用すべき継続的使用関係と同視することはできない。また、憲法第29条第3項の規定による損失補償を必要とする特別の犠牲にはあたらない。　国有財産法は、普通財産を貸し付け、その貸付期間中に契約を解除した場合の損失補償を規定し（同法24条2項）、これを行政財産に準用しているところ（同法19条）、同規定は地方公共団体の行政財産の使用許可の場合に類推適用されることがあるとしても（最判昭49・2・5参照）、本件事実関係等によれば、行政財産である本件と畜場の利用資格に制限はなく、利用業者又はと殺業務従事者らと市との間に委託契約、雇用契約等の継続的契約関係はないのであるから、単に利用業者等が本件と畜場を事実上、独占的に使用する状況が継続していたという事情をもって、その使用関係を国有財産法19条、24条2項を類推適用すべき継続的な使用関係と同視することはできない。また、上記のとおり、利用業者等は、市と継続的契約関係になく、本件と畜場を事実上独占的に使用していたにとどまるのであるから、利用業者等がこれにより享受してきた利益は、基本的には本件と畜場が公共の用に供されたことの反射的利益にとどまるものと考えられる。そして、上記事実関係等によれば、本件と畜場は、と畜場法施行令の改正等に伴い必要となる施設の新築が実現困難であるためにやむなく廃止されたのであり、そのことによる不利益は住民が

等しく受忍すべきものであるから、利用業者等が本件と畜場を利用し得なくなったという不利益は、憲法29条3項による損失補償を要する特別の犠牲にはあたらない（最判平22・2・23）。

出題 国家総合 - 令和3

(6)憲法29条3項との関係

Q15 当該法令に損失補償に関する規定が存在しない場合、憲法29条を直接根拠として補償を請求できるか。

A 憲法29条を直接根拠として補償を請求できる余地がある。　河川附近制限令4条2号による制限について同条に損失補償に関する規定がないからといって、同条があらゆる場合について一切の損失補償を全く否定する趣旨とまでは解されず、その損失を具体的に主張立証して、別途、直接憲法29条3項を根拠にして、補償請求をする余地が全くないわけではない〈河川付近地制限令事件〉（最大判昭43・11・27）。

出題 国Ⅰ - 平成23・17・13・1・昭和61・53、地方上級 - 平成11・3・昭和58、東京Ⅰ - 平成16、市役所上・中級 - 平成8・昭和61、特別区Ⅰ - 平成27・23、国家一般 - 令和2、国Ⅱ - 平成5・4、国税・財務・労基 - 令和4、国税・労基 - 平成17・15、国税 - 平成30

Q16 鉱業権設定後に中学校が建設されたため、鉱業権者が鉱業権を侵害されたとして、憲法29条3項を根拠としてその損失の補償を請求することができるか。

A 請求することはできない。　鉱業法64条の定める制限は、鉄道、河川、公園、学校、病院、図書館等の公共施設および建物の管理運営上支障ある事態の発生を未然に防止するため、これらの近傍において鉱物を掘採する場合には管理庁又は管理人の承諾を得ることが必要であることを定めたものにすぎず、この種の制限は、公共の福祉のためにする一般的な最小限度の制限であり、何人もこれをやむをえないものとして当然受忍しなければならないものであって、特定の人に対し特別の財産上の犠牲を強いるものとはいえないから、同条の規定によって損失を被ったとしても、憲法29条3項を根拠にして補償請求をすることはできない（最判昭57・2・5）。 出題 特別区Ⅰ - 平成29

Q17 対日平和条約による在外資産の喪失のような戦争損害については、損失補償の対象となるのか。

A 損失補償の対象とならない。　戦争中から戦後占領時代にかけての非常事態下における国民の多くの犠牲は、戦争犠牲または戦争損害として国民のひとしく受忍しなければならなかったもので、在外資産の賠償への充当による損害も一種の戦争損害として、これに対する補償は、憲法のまったく予想しないところである。したがって、憲法29条3項の適用の余地のない問題であるから、その適用により補償を求める主張は前提を欠く（最大判昭43・11・27）。

出題 国家総合 - 令和1、国Ⅰ - 平成21、地方上級 - 平成11、特別区Ⅰ - 令和3・1

Q18 都市計画法等に基づく60年を超えて、都市計画に係る計画道路の区域内にその一部が含まれる土地に建築物の建築の制限が課せられることによる損失について、憲法29条3項に基づく補償請求をすることができるか。

A 憲法29条3項に基づく補償請求をすることはできない。　昭和13年に旧都市計画法（廃止前のもの）3条に基づき決定された都市計画に係る計画道路の区域内にその一部が含まれる土地が、当初は市街地建築物法の規定に基づき、後に建築基準法（昭和43年法律第101号による改正前のもの）44条2項に基づいて建築物の建築の制限を課せられ、現に都市計画法53条に基づく建築物の建築の制限を受けているが、同法54条の基準による都道府県知事の許可を得て建築物を建築することや土地を処分することは可能であることなどの事情の下においては、これらの制限を超える建築物の建築をして上記土地を含む一団の土地を使用することができないことによる損失について、その共有持分権者が直接憲法29条3項を根拠として補償請求をすることはできない（最判平17・11・1）。

出題 国家総合 - 令和1、国Ⅰ - 平成23、特別区Ⅰ - 令和3、国家一般 - 平成27、国税・財務・労基 - 令和4

(7)国家賠償請求との関係

Q19 国家賠償請求に損失補償請求を併合することは許されるか。

A 両者を併合することは許される。　損失補償請求は、主位的請求である国家賠償法1条1項等に基づく損害賠償請求と被告を同じくするうえ、いずれも対等の当事者間で金銭給付を求めるもので、その主張する経済的不利益の内容が同一で請求額もこれに見合うものであり、同一の行為に起因するものとして発生原因が実質的に共通するなど、相互に密接な関連性を有するものであるから、請求の基礎を同一にするものとして民事訴訟法143条の規定による訴えの追加的変更に準じて当該損害賠償請求に損失補償請求を追加することができる。もっとも、損失補償請求が公法上の請求として行政訴訟手続によって審理されるべきものであることなどを考慮すれば、相手方の審級の利益に配慮する必要があるから、控訴審における当該訴えの変更には相手方の同意を要する（最判平5・7・20）。

出題 国Ⅰ - 平成10・7、国Ⅱ - 平成13

Q20 国家賠償請求からこれに損失補償請求をも併せた訴えの変更をするには、訴えの相手方（被告人）の同意を必要とするのか。

A 訴えの相手方（被告人）の同意が必要である（最判平5・7・20）。⇨ 19

❖国家補償

Q1 原爆医療法（原子爆弾被爆者の医療等に関する法律）は、不法入国者である被爆者に適用されるのか。

A 適用される。　不法入国者の取締りとその者に

対する原爆医療法の適用の有無とは別個の問題として考えるべきものであり、同法を外国人被爆者に適用するにあたり、不法入国者を特に除外しなければならない特段の実質的・合理的理由はなく、その適用を認めることがよりよく同法の趣旨・目的にそうものであり、同法は不法入国した被爆者についても適用される（最判昭53・3・30）。

出題 国Ⅰ－平成23・9

行政機関の保有する情報の公開に関する法律

（平成11年5月14日／法律第42号）

第1章　総則

第1条（目的）

　この法律は、国民主権の理念にのっとり、行政文書の開示を請求する権利につき定めること等により、行政機関の保有する情報の一層の公開を図り、もって政府の有するその諸活動を国民に説明する責務が全うされるようにするとともに、国民の的確な理解と批判の下にある公正で民主的な行政の推進に資することを目的とする。

第2条（定義）

①この法律において「行政機関」とは、次に掲げる機関をいう。

1　法律の規定に基づき内閣に置かれる機関（内閣府を除く。）及び内閣の所轄の下に置かれる機関

2　内閣府、宮内庁並びに内閣府設置法（平成11年法律第89号）第49条第1項及び第2項に規定する機関（これらの機関のうち第4号の政令で定める機関が置かれる機関にあっては、当該政令で定める機関を除く。）

3　国家行政組織法（昭和23年法律第120号）第3条第2項に規定する機関（第5号の政令で定める機関が置かれる機関にあっては、当該政令で定める機関を除く。）

4　内閣府設置法第39条及び第55条並びに宮内庁法（昭和22年法律第70号）第16条第2項の機関並びに内閣府設置法第40条及び第56条（宮内庁法第18条第1項において準用する場合を含む。）の特別の機関で、政令で定めるもの

5　国家行政組織法第8条の2の施設等機関及び同法第8条の3の特別の機関で、政令で定めるもの

6　会計検査院

②この法律において「行政文書」とは、行政機関の職員が職務上作成し、又は取得した文書、図画及び電磁的記録（電子的方式、磁気的方式その他人の知覚によっては認識することができない方式で作られた記録をいう。以下同じ。）であって、当該行政機関の職員が組織的に用いるものとして、当該行政機関が保有しているものをいう。ただし、次に掲げるものを除く。

1　官報、白書、新聞、雑誌、書籍その他不特定多数の者に販売することを目的として発行されるもの

2　公文書等の管理に関する法律（平成21年法律第66号）第2条第7項に規定する特定歴史公文書等

3　政令で定める研究所その他の施設において、政令で定めるところにより、歴史的若しくは文化的な資料又は学術研究用の資料として特別の管理がされているもの（前号に掲げるものを除く。）

第2章　行政文書の開示

第3条（開示請求権）

　何人も、この法律の定めるところにより、行政機関の長（前条第1項第4号及び第5号の政令で定める機関にあっては、その機関ごとに政令で定める者をいう。以下同じ。）に対し、当該行政機関の保有する行政文書の開示を請求することができる。

第4条（開示請求の手続）

①前条の規定による開示の請求（以下「開示請求」という。）は、次に掲げる事項を記載した書面（以下「開示請求書」という。）を行政機関の長に提出してしなければならない。

1　開示請求をする者の氏名又は名称及び住所又は居所並びに法人その他の団体にあっては代表者の氏名

2　行政文書の名称その他の開示請求に係る行政文書を特定するに足りる事項

②行政機関の長は、開示請求書に形式上の不備があると認めるときは、開示請求をした者（以下「開示請求者」という。）に対し、相当の期間を定めて、その補正を求めることができる。この場合において、行政機関の長は、開示請求者に対し、補正の参考となる情報を提供するよう努めなければならない。

第5条（行政文書の開示義務）

　行政機関の長は、開示請求があったときは、開示請求に係る行政文書に次の各号に掲げる情報（以下「不開示情報」という。）のいずれかが記録されている場合を除き、開示請求者に対し、当該行政文書を開示しなければならない。

1　個人に関する情報（事業を営む個人の当該事業に関する情報を除く。）であって、当該情報に含まれる氏名、生年月日その他の記述等（文書、図画若しくは電磁的記録に記載され、若しくは記録され、又は音声、動作その他の方法を用いて表された一切の事項をいう。次条第2項において同じ。）により特定の個人を識別することができるもの（他の情報と照合することにより、特定の個人を識別することができることとなるものを含む。）又は特定の個人を識別することはできないが、公にすることにより、なお個人の権利利益を害するおそれがあるもの。ただし、次に掲げる情報を除く。

イ　法令の規定により又は慣行として公にさ

れ、又は公にすることが予定されている情報
ロ　人の生命、健康、生活又は財産を保護するため、公にすることが必要であると認められる情報
ハ　当該個人が公務員等（国家公務員法（昭和22年法律第120号）第2条第1項に規定する国家公務員（独立行政法人通則法（平成11年法律第103号）第2条第4項に規定する行政執行法人の役員及び職員を除く。）、独立行政法人等（独立行政法人等の保有する情報の公開に関する法律（平成13年法律第140号。以下「独立行政法人等情報公開法」という。）第2条第1項に規定する独立行政法人等をいう。以下同じ。）の役員及び職員、地方公務員法（昭和25年法律第261号）第2条に規定する地方公務員並びに地方独立行政法人（地方独立行政法人法（平成15年法律第118号）第2条第1項に規定する地方独立行政法人をいう。以下同じ。）の役員及び職員をいう。）である場合において、当該情報がその職務の遂行に係る情報であるときは、当該情報のうち、当該公務員等の職及び当該職務遂行の内容に係る部分
1の2　行政機関の保有する個人情報の保護に関する法律（平成15年法律第58号）第2条第9項に規定する行政機関非識別加工情報（同条第10項に規定する行政機関非識別加工情報ファイルを構成するものに限る。以下この号において「行政機関非識別加工情報」という。）若しくは行政機関非識別加工情報の作成に用いた同条第5項に規定する保有個人情報（他の情報と照合することができ、それにより特定の個人を識別することができることとなるもの（他の情報と容易に照合することができ、それにより特定の個人を識別することができることとなるものを除く。）を除く。）から削除した同条第2項第1号に規定する記述等若しくは同条第3項に規定する個人識別符号又は独立行政法人等の保有する個人情報の保護に関する法律（平成15年法律第59号）第2条第9項に規定する独立行政法人等非識別加工情報（同条第10項に規定する独立行政法人等非識別加工情報ファイルを構成するものに限る。以下この号において「独立行政法人等非識別加工情報」という。）若しくは独立行政法人等非識別加工情報の作成に用いた同条第5項に規定する保有個人情報（他の情報と照合することができ、それにより特定の個人を識別することができることとなるもの（他の情報と容易に照合することができ、それにより特定の個人を識別することができることとなるものを除く。）を除く。）から削除した同条第2項第1号に規定する記述等若しくは同条第3項に規定する個人識別符号
2　法人その他の団体（国、独立行政法人等、地方公共団体及び地方独立行政法人を除く。以下「法人等」という。）に関する情報又は事

業を営む個人の当該事業に関する情報であって、次に掲げるもの。ただし、人の生命、健康、生活又は財産を保護するため、公にすることが必要であると認められる情報を除く。
イ　公にすることにより、当該法人等又は当該個人の権利、競争上の地位その他正当な利益を害するおそれがあるもの
ロ　行政機関の要請を受けて、公にしないとの条件で任意に提供されたものであって、法人等又は個人における通例として公にしないこととされているものその他の当該条件を付することが当該情報の性質、当時の状況等に照らして合理的であると認められるもの
3　公にすることにより、国の安全が害されるおそれ、他国若しくは国際機関との信頼関係が損なわれるおそれ又は他国若しくは国際機関との交渉上不利益を被るおそれがあると行政機関の長が認めることにつき相当の理由がある情報
4　公にすることにより、犯罪の予防、鎮圧又は捜査、公訴の維持、刑の執行その他の公共の安全と秩序の維持に支障を及ぼすおそれがあると行政機関の長が認めることにつき相当の理由がある情報
5　国の機関、独立行政法人等、地方公共団体及び地方独立行政法人の内部又は相互間における審議、検討又は協議に関する情報であって、公にすることにより、率直な意見の交換若しくは意思決定の中立性が不当に損なわれるおそれ、不当に国民の間に混乱を生じさせるおそれ又は特定の者に不当に利益を与え若しくは不利益を及ぼすおそれがあるもの
6　国の機関、独立行政法人等、地方公共団体又は地方独立行政法人が行う事務又は事業に関する情報であって、公にすることにより、次に掲げるおそれその他当該事務又は事業の性質上、当該事務又は事業の適正な遂行に支障を及ぼすおそれがあるもの
イ　監査、検査、取締り、試験又は租税の賦課若しくは徴収に係る事務に関し、正確な事実の把握を困難にするおそれ又は違法若しくは不当な行為を容易にし、若しくはその発見を困難にするおそれ
ロ　契約、交渉又は争訟に係る事務に関し、国、独立行政法人等、地方公共団体又は地方独立行政法人の財産上の利益又は当事者としての地位を不当に害するおそれ
ハ　調査研究に係る事務に関し、その公正かつ能率的な遂行を不当に阻害するおそれ
ニ　人事管理に係る事務に関し、公正かつ円滑な人事の確保に支障を及ぼすおそれ
ホ　独立行政法人等、地方公共団体が経営する企業又は地方独立行政法人に係る事業に関し、その企業経営上の正当な利益を害するおそれ

Q1 エネルギーの使用の合理化に関する法律（改正前のもの）11条の規定により製造業の事業者が経

済産業局長に提出した定期報告書に記載された工場単位の各種の燃料等および電気の使用量等の各数値を示す情報は、情報公開法5条2号イ所定の不開示情報にあたるのか。

Ａ 不開示情報にあたる。　エネルギーの使用の合理化に関する法律（平成17年法律第93号による改正前のもの）11条の規定により製造業の事業者が経済産業局長に提出した定期報告書に記載された工場単位の各種の燃料等および電気の使用量等の各数値を示す情報が、⑴当該事業者の内部において管理される情報としての性質を有し、製造業者としての事業活動に係る技術上又は営業上の事項等と密接に関係すること、⑵総合的に分析することによって、当該工場におけるエネルギーコスト、製造原価および省エネルギーの技術水準並びにこれらの経年的推移等についてより精度の高い推計を行うことが可能となり、当該事業者の競業者は自らの設備や技術の改善計画等に、当該工場の製品の需要者又は燃料等の供給者は価格交渉の材料等に、それぞれ有益な情報として用いることができるという事実関係の下では、当該情報は、情報公開法5条2号イ所定の不開示情報にあたる（最判平23・10・14）。

出題 予想

Ｑ２ 内閣官房報償費の支出に関する報償費支払明細書に記録された調査情報対策費および活動関係費の各支払年月日、支払金額等を示す情報は、情報公開法5条3号又は6号所定の不開示情報に該当するのか。

Ａ 情報公開法5条3号又は6号所定の不開示情報に該当する。　内閣官房報償費の支出に関する報償費支払明細書に記録された調査情報対策費および活動関係費の各支払年月日、支払金額等を示す情報は、これが明らかになると、当該時期の国内外の政治情勢や政策課題、内閣官房において対応するものと推測される重要な出来事、内閣官房長官の行動等の内容いかんによっては、これらに関する情報との照合や分析等を通じて、その支払相手方や具体的使途についても相当程度の確実さをもって特定することが可能になる場合があるなど判示の事情の下においては、情報公開法5条3号又は6号所定の不開示情報に該当する（最判平30・1・19）。

出題 予想

Ｑ３ 内閣官房報償費の支出に関する政策推進費受払簿、出納管理簿および報償費支払明細書に記録された政策推進費の繰入れの時期および金額、一定期間における政策推進費又は内閣官房報償費全体の支払合計額等を示す情報は、情報公開法5条3号又は6号所定の不開示情報に該当するのか。

Ａ 情報公開法5条3号又は6号所定の不開示情報に該当しない。　内閣官房報償費の支出に関する政策推進費受払簿、出納管理簿および報償費支払明細書に記録された政策推進費の繰入れの時期および金額、一定期間における政策推進費又は内閣官房報償費全体の支払合計額等を示す情報は、これが明らかになっても、政策推進費の個々の支払の日付や金額等が直ちに明らかになるものではなく、また、政策推進費又は内閣官房報償費の支払が1度にまとめ

て行われたのか複数回に分けて行われたのか、支払相手方が1名か複数名かなどについては明らかにならないなどの事情の下においては、情報公開法5条3号又は6号所定の不開示情報に該当しない（最判平30・1・19）。

出題 予想

Ｑ４ 預託法違反及び景表法違反に係る調査の結果に関する情報は、情報公開法5条6号イ所定の不開示情報に該当しないのか。

Ａ 情報公開法5条6号イ所定の不開示情報に該当する。　預託法（平成21年法律第49号による改正前のもの）違反及び景表法（平成26年法律第71号による改正前のもの）違反に係る調査の結果に関する情報について、当該情報を公にすることにより、消費者庁長官等が上記各法律の執行に係る判断をするに当たり、いかなる事実関係をいかなる手法により調査し、調査により把握した事実関係のうちいかなる点を重視するかなどの着眼点や手法等を推知され、将来の調査に係る事務に関し、正確な事実の把握を困難にするおそれ又は違法若しくは不当な行為を容易にし、若しくはその発見を困難にするおそれがあるといえるか否かという観点から審理を尽くすことなく、当該情報が上記各違反に係る調査の結果に関するものであることから直ちに情報公開法（平成26年法律第67号による改正前のもの）5条6号イ所定の不開示情報に該当しないとした原審の判断には、違法がある（最判令4・5・17）。

出題 予想

第6条（部分開示）

①行政機関の長は、開示請求に係る行政文書の一部に不開示情報が記録されている場合において、不開示情報が記録されている部分を容易に区分して除くことができるときは、開示請求者に対し、当該部分を除いた部分につき開示しなければならない。ただし、当該部分を除いた部分に有意の情報が記録されていないと認められるときは、この限りでない。

②開示請求に係る行政文書に前条第1号の情報（特定の個人を識別することができるものに限る。）が記録されている場合において、当該情報のうち、氏名、生年月日その他の特定の個人を識別することができることとなる記述等の部分を除くことにより、公にしても、個人の権利利益が害されるおそれがないと認められるときは、当該部分を除いた部分は、同号の情報に含まれないものとみなして、前項の規定を適用する。

第7条（公益上の理由による裁量的開示）

行政機関の長は、開示請求に係る行政文書に不開示情報（第5条第1号の2に掲げる情報を除く。）が記録されている場合であっても、公益上特に必要があると認めるときは、開示請求者に対し、当該行政文書を開示することができる。

第8条（行政文書の存否に関する情報）

開示請求に対し、当該開示請求に係る行政文書が存在しているか否かを答えるだけで、不開示情報を開示することとなるときは、行政機関の長は、当該行政文書の存否を明らかにしないで、当該開示請求を拒否することができる。

第9条（開示請求に対する措置）

①行政機関の長は、開示請求に係る行政文書の全部又は一部を開示するときは、その旨の決定をし、開示請求者に対し、その旨及び開示の実施に関し政令で定める事項を書面により通知しなければならない。

②行政機関の長は、開示請求に係る行政文書の全部を開示しないとき（前条の規定により開示請求を拒否するとき及び開示請求に係る行政文書を保有していないときを含む。）は、開示をしない旨の決定をし、開示請求者に対し、その旨を書面により通知しなければならない。

第10条（開示決定等の期限）

①前条各項の決定（以下「開示決定等」という。）は、開示請求があった日から30日以内にしなければならない。ただし、第4条第2項の規定により補正を求めた場合にあっては、当該補正に要した日数は、当該期間に算入しない。

②前項の規定にかかわらず、行政機関の長は、事務処理上の困難その他正当な理由があるときは、同項に規定する期間を30日以内に限り延長することができる。この場合において、行政機関の長は、開示請求者に対し、遅滞なく、延長後の期間及び延長の理由を書面により通知しなければならない。

第11条（開示決定等の期限の特例）

開示請求に係る行政文書が著しく大量であるため、開示請求があった日から60日以内にそのすべてについて開示決定等をすることにより事務の遂行に著しい支障が生ずるおそれがある場合には、前条の規定にかかわらず、行政機関の長は、開示請求に係る行政文書のうちの相当の部分につき当該期間内に開示決定等をし、残りの行政文書については相当の期間内に開示決定等をすれば足りる。この場合において、行政機関の長は、同条第1項に規定する期間内に、開示請求者に対し、次に掲げる事項を書面により通知しなければならない。

1　本条を適用する旨及びその理由

2　残りの行政文書について開示決定等をする期限

第12条（事案の移送）

①行政機関の長は、開示請求に係る行政文書が他の行政機関により作成されたものであるときその他他の行政機関の長において開示決定等をすることにつき正当な理由があるときは、当該他の行政機関の長と協議の上、当該他の行政機関の長に対し、事案を移送することができる。この場合においては、移送をした行政機関の長は、開示請求者に対し、事案を移送した旨を書面により通知しなければならない。

②前項の規定により事案が移送されたときは、移送を受けた行政機関の長において、当該開示請求についての開示決定等をしなければならない。この場合において、移送をした行政機関の長が移送前にした行為は、移送を受けた行政機関の長がしたものとみなす。

③前項の場合において、移送を受けた行政機関の長が第9条第1項の決定（以下「開示決定」という。）をしたときは、当該行政機関の長は、開示の実施をしなければならない。この場合において、移送をした行政機関の長は、当該開示の実施に必要な協力をしなければならない。

第12条の2（独立行政法人等への事案の移送）

①行政機関の長は、開示請求に係る行政文書が独立行政法人等により作成されたものであるときその他独立行政法人等において独立行政法人等情報公開法第10条第1項に規定する開示決定等をすることにつき正当な理由があるときは、当該独立行政法人等と協議の上、当該独立行政法人等に対し、事案を移送することができる。この場合においては、移送をした行政機関の長は、開示請求者に対し、事案を移送した旨を書面により通知しなければならない。

②前項の規定により事案が移送されたときは、当該事案については、行政文書を移送を受けた独立行政法人等が保有する独立行政法人等情報公開法第2条第2項に規定する法人文書と、開示請求を移送を受けた独立行政法人等に対する独立行政法人等情報公開法第4条第1項に規定する開示請求とみなして、独立行政法人等情報公開法の規定を適用する。この場合において、独立行政法人等情報公開法第10条第1項中「第4条第2項」とあるのは「行政機関の保有する情報の公開に関する法律（平成11年法律第42号）第4条第2項」と、独立行政法人等情報公開法第17条第1項中「開示請求をする者又は法人文書」とあるのは「法人文書」と、「により、それぞれ」とあるのは「により」と、「開示請求に係る手数料又は開示」とあるのは「開示」とする。

③第1項の規定により事案が移送された場合において、移送を受けた独立行政法人等が開示の実施をするときは、移送をした行政機関の長は、当該開示の実施に必要な協力をしなければならない。

第13条（第三者に対する意見書提出の機会の付与等）

①開示請求に係る行政文書に国、独立行政法人等、地方公共団体、地方独立行政法人及び開示請求者以外の者（以下この条、第19条第2項及び第20条第1項において「第三者」という。）に関する情報が記録されているときは、行政機関の長は、開示決定等をするに当たって、当該情報に係る第三者に対し、開示請求に係る行政文書の表示その他政令で定める事項を通知して、意見書を提出する機会を与えることができる。

②行政機関の長は、次の各号のいずれかに該当するときは、開示決定に先立ち、当該第三者に対し、開示請求に係る行政文書の表示その他政令で定める事項を書面により通知して、意見書を提出する機会を与えなければならない。ただし、当該第三者の所在が判明しない場合は、この限りでない。

1　第三者に関する情報が記録されている行政文書を開示しようとする場合であって、当該情報が第5条第1号ロ又は同条第2号ただし書に規定する情報に該当すると認められるとき。

　2　第三者に関する情報が記録されている行政文書を第7条の規定により開示しようとするとき。

③行政機関の長は、前2項の規定により意見書の提出の機会を与えられた第三者が当該行政文書の開示に反対の意思を表示した意見書を提出した場合において、開示決定をするときは、開示決定の日と開示を実施する日との間に少なくとも2週間を置かなければならない。この場合において、行政機関の長は、開示決定後直ちに、当該意見書（第19条において「反対意見書」という。）を提出した第三者に対し、開示決定をした旨及びその理由並びに開示を実施する日を書面により通知しなければならない。

＊第三者からの不服申立てを棄却する場合等における手続に準用（20条：13条3項のみ準用）

第14条　（開示の実施）

①行政文書の開示は、文書又は図画については閲覧又は写しの交付により、電磁的記録についてはその種別、情報化の進展状況等を勘案して政令で定める方法により行う。ただし、閲覧の方法による行政文書の開示にあっては、行政機関の長は、当該行政文書の保存に支障を生ずるおそれがあると認めるときその他正当な理由があるときは、その写しにより、これを行うことができる。

②開示決定に基づき行政文書の開示を受ける者は、政令で定めるところにより、当該開示決定をした行政機関の長に対し、その求める開示の実施の方法その他の政令で定める事項を申し出なければならない。

③前項の規定による申出は、第9条第1項に規定する通知があった日から30日以内にしなければならない。ただし、当該期間内に当該申出をすることができないことにつき正当な理由があるときは、この限りでない。

④開示決定に基づき行政文書の開示を受けた者は、最初に開示を受けた日から30日以内に限り、行政機関の長に対し、更に開示を受ける旨を申し出ることができる。この場合において、前項ただし書の規定を準用する。

第15条　（他の法令による開示の実施との調整）

①行政機関の長は、他の法令の規定により、何人にも開示請求に係る行政文書が前条第1項本文に規定する方法と同一の方法で開示することとされている場合（開示の期間が定められている場合にあっては、当該期間内に限る。）には、同項本文の規定にかかわらず、当該行政文書については、当該同一の方法による開示を行わない。ただし、当該他の法令の規定に一定の場合には開示をしない旨の定めがあるときは、この限りでない。

②他の法令の規定に定める開示の方法が縦覧であるときは、当該縦覧を前条第1項本文の閲覧とみなして、前項の規定を適用する。

第16条　（手数料）

①開示請求をする者又は行政文書の開示を受ける者は、政令で定めるところにより、それぞれ、実費の範囲内において政令で定める額の開示請求に係

る手数料又は開示の実施に係る手数料を納めなければならない。

②前項の手数料の額を定めるに当たっては、できる限り利用しやすい額とするよう配慮しなければならない。

③行政機関の長は、経済的困難その他特別の理由があると認めるときは、政令で定めるところにより、第1項の手数料を減額し、又は免除することができる。

第17条　（権限又は事務の委任）

　行政機関の長は、政令（内閣の所轄の下に置かれる機関及び会計検査院にあっては、当該機関の命令）で定めるところにより、この章に定める権限又は事務を当該行政機関の職員に委任することができる。

第3章　審査請求等

第18条　（審理員による審理手続に関する規定の適用除外等）

①開示決定等又は開示請求に係る不作為に係る審査請求については、行政不服審査法（平成26年法律第68号）第9条、第17条、第24条、第2章第3節及び第4節並びに第50条第2項の規定は、適用しない。

②開示決定等又は開示請求に係る不作為に係る審査請求についての行政不服審査法第2章の規定の適用については、同法第11条第2項中「第9条第1項の規定により指名された者（以下「審理員」という。）」とあるのは「第4条（行政機関の保有する情報の公開に関する法律（平成11年法律第42号）第20条第2項の規定に基づく政令を含む。）の規定により審査請求がされた行政庁（第14条の規定により引継ぎを受けた行政庁を含む。以下「審査庁」という。）」と、同法第13条第1項及び第2項中「審理員」とあるのは「審査庁」と、同法第25条第7項中「あったとき、又は審理員から第40条に規定する執行停止をすべき旨の意見書が提出されたとき」とあるのは「あったとき」と、同法第44条中「行政不服審査会等」とあるのは「情報公開・個人情報保護審査会（審査庁が会計検査院の長である場合にあっては、別に法律で定める審査会。第50条第1項第4号において同じ。）」と、「受けたとき（前条第1項の規定による諮問を要しない場合（同項第2号又は第3号に該当する場合を除く。）にあっては審理員意見書が提出されたとき、同項第2号又は第3号に該当する場合にあっては同項第2号又は第3号に規定する議を経たとき）」とあるのは「受けたとき」と、同法第50条第1項第4号中「審理員意見書又は行政不服審査会等若しくは審議会等」とあるのは「情報公開・個人情報保護審査会」とする。

第19条　（審査会への諮問）

①開示決定等又は開示請求に係る不作為について審査請求があったときは、当該審査請求に対する裁決をすべき行政機関の長は、次の各号のいずれかに該当する場合を除き、情報公開・個人情報保護審査会（審査請求に対する裁決をすべき行政機関

の長が会計検査院の長である場合にあっては、別に法律で定める審査会）に諮問しなければならない。

1　審査請求が不適法であり、却下する場合

2　裁決で、審査請求の全部を認容し、当該審査請求に係る行政文書の全部を開示することとする場合（当該行政文書の開示について反対意見書が提出されている場合を除く。）

②前項の規定により諮問をした行政機関の長は、次に掲げる者に対し、諮問をした旨を通知しなければならない。

1　審査請求人及び参加人（行政不服審査法第13条第4項に規定する参加人をいう。以下この項及び次条第1項第2号において同じ。）

2　開示請求者（開示請求者が審査請求人又は参加人である場合を除く。）

3　当該審査請求に係る行政文書の開示について反対意見書を提出した第三者（当該第三者が審査請求人又は参加人である場合を除く。）

第 20 条　（第三者からの審査請求を棄却する場合等における手続等）

①第 13 条第3項の規定は、次の各号のいずれかに該当する裁決をする場合について準用する。

1　開示決定に対する第三者からの審査請求を却下し、又は棄却する裁決

2　審査請求に係る開示決定等（開示請求に係る行政文書の全部を開示する旨の決定を除く。）を変更し、当該審査請求に係る行政文書を開示する旨の裁決（第三者である参加人が当該行政文書の開示に反対の意思を表示している場合に限る。）

②開示決定等又は開示請求に係る不作為についての審査請求については、政令で定めるところにより、行政不服審査法第4条の規定の特例を設けることができる。

第 21 条　（訴訟の移送の特例）

①行政事件訴訟法（昭和 37 年法律第 139 号）第 12条第4項の規定により同項に規定する特定管轄裁判所に開示決定等の取消しを求める訴訟又は開示決定等若しくは開示請求に係る不作為に係る審査請求に対する裁決の取消しを求める訴訟（次項及び附則第2項において「情報公開訴訟」という。）が提起された場合においては、同法第 12 条第5項の規定にかかわらず、他の裁判所に同一又は同種若しくは類似の行政文書に係る開示決定等又は開示決定等若しくは開示請求に係る不作為に係る審査請求に対する裁決に係る抗告訴訟（同法第3条第1項に規定する抗告訴訟をいう。次項において同じ。）が係属しているときは、当該特定管轄裁判所は、当事者の住所又は所在地、尋問を受けるべき証人の住所、争点又は証拠の共通性その他の事情を考慮して、相当と認めるときは、申立てにより又は職権で、訴訟の全部又は一部について、当該他の裁判所又は同法第 12 条第1項から第3項までに定める裁判所に移送することができる。

②前項の規定は、行政事件訴訟法第 12 条第4項の規定により同項に規定する特定管轄裁判所に開示決定等又は開示決定等若しくは開示請求に係る不作為に係る審査請求に対する裁決に係る抗告訴訟で情報公開訴訟以外のものが提起された場合について準用する。

第 4 章　補則

第 22 条　（開示請求をしようとする者に対する情報の提供等）

①行政機関の長は、開示請求をしようとする者が容易かつ的確に開示請求をすることができるよう、公文書等の管理に関する法律第7条第2項に規定するもののほか、当該行政機関が保有する行政文書の特定に資する情報の提供その他開示請求をしようとする者の利便を考慮した適切な措置を講ずるものとする。

②総務大臣は、この法律の円滑な運用を確保するため、開示請求に関する総合的な案内所を整備するものとする。

第 23 条　（施行の状況の公表）

①総務大臣は、行政機関の長に対し、この法律の施行の状況について報告を求めることができる。

②総務大臣は、毎年度、前項の報告を取りまとめ、その概要を公表するものとする。

第 24 条　（行政機関の保有する情報の提供に関する施策の充実）

政府は、その保有する情報の公開の総合的な推進を図るため、行政機関の保有する情報が適時に、かつ、適切な方法で国民に明らかにされるよう、行政機関の保有する情報の提供に関する施策の充実に努めるものとする。

第 25 条　（地方公共団体の情報公開）

地方公共団体は、この法律の趣旨にのっとり、その保有する情報の公開に関し必要な施策を策定し、及びこれを実施するよう努めなければならない。

第 26 条　（政令への委任）

この法律に定めるもののほか、この法律の実施のため必要な事項は、政令で定める。

❖情報公開訴訟

Q1 情報公開法に基づく行政文書の開示請求に対する不開示決定の取消訴訟において、不開示とされた文書を検証の目的として被告にその提示を命ずることは許されるのか。

A 許されない。　情報公開法に基づく行政文書の開示請求に対する不開示決定の取消しを求める訴訟（「情報公開訴訟」）において、不開示とされた文書を対象とする検証を被告に受忍させることは、それにより当該文書の不開示決定を取り消して当該文書が開示されたのと実質的に同じ事態を生じさせ、訴訟の目的を達成させてしまうこととなるところ、このような結果は、情報公開法による情報公開制度の趣旨に照らして不合理といわざるをえない。したがって、被告に当該文書の検証を受忍すべき義務を負わせて検証を行うことは許されず、上記のような検証を行うために被告に当該文書の提示を命ずることも許されないものというべきである。立会権の放棄等を前提とした本件検証の申出等は、上記のよう

な結果が生ずることを回避するため、事実上のインカメラ審理を行うことを求めるものにほかならない（最判平21・1・15）。　出題 予想

Q2 情報公開訴訟において証拠調べとしてのインカメラ審理を行うことは、許されるのか。

A 明文の規定がない限り、許されない。　訴訟で用いられる証拠は当事者の吟味、弾劾の機会を経たものに限られるということは、民事訴訟の基本原則であるところ、情報公開訴訟において裁判所が不開示事由該当性を判断するために証拠調べとしてのインカメラ審理を行った場合、裁判所は不開示とされた文書を直接見分して本案の判断をするにもかかわらず、原告は、当該文書の内容を確認したうえで弁論を行うことができず、被告も、当該文書の具体的内容を援用しながら弁論を行うことができない。また、裁判所がインカメラ審理の結果に基づき判決をした場合、当事者が上訴理由を的確に主張することが困難となるうえ、上級審も原審の判断の根拠を直接確認することができないまま原判決の審査をしなければならないことになる。このように、情報公開訴訟において証拠調べとしてのインカメラ審理を行うことは、民事訴訟の基本原則に反するから、明文の規定がない限り、許されないものといわざるをえない（最判平21・1・15）。　出題 予想

❖情報公開条例

Q1 知事の職務として行われる交際費は、「公開しないことのできる文書」（大阪府公文書公開等条例8条4号・5号）に該当するのか。

A 該当する。　知事の交際事務は、相手方との間の信頼関係ないし友好関係の維持増進を目的として行われるものである。そして、相手方の氏名等の公表、披露が当然予定されているような場合等は別として、相手方を識別しうるような文書の公開によって相手方の氏名等が明らかにされることになれば、懇談については、相手方に不快・不信の感情を抱かせ、今後府のこの種の会合への出席を避けるなどの事態が生ずることも考えられ、また、一般に、交際費の支出の要否、内容等は、府の相手方とのかかわり等を斟酌して個別に決定されるという性質を有するものであることから、不満や不快の念を抱く者が出ることが容易に予想される。そのような事態は、交際の相手方との間の信頼関係あるいは友好関係を損なうおそれがあり、交際それ自体の目的に反し、ひいては交際事務の目的が達成できなくなるおそれがあるというべきである。さらに、これらの交際費の支出の要否やその内容等は、支出権者である知事自身が、個別、具体的な事例ごとに、裁量によって決定すべきものであるところ、交際の相手方や内容等が逐一公開されることとなった場合には、知事においても前記のような事態が生ずることを懸念して、必要な交際費の支出を差し控え、あるいはその支出を画一的にすることを余儀なくされることも考えられ、知事の交際事務を適切に行うことに著しい支障を及ぼすおそれがある。また、知事の交際の相手方となった私人としては、懇談の場合であると、慶弔等の場合であるとを問わず、その具体

的な費用、金額等までは一般に他人に知られたくないと望むものであり、そのことは正当であると認められる。そうすると、このような交際に関する情報は、その交際の性質、内容等からして交際内容等が一般に公表、披露されることがもともと予定されているものを除いては、同号の「公開しないことのできる文書」に該当する〈大阪府知事交際費公開請求訴訟〉（最判平6・1・27）。　出題 国Ⅰ-平成10

Q2 懇談会等に関する文書を公開することにより、事務の公正かつ適切な執行に著しい支障を及ぼすおそれがあることの主張・立証責任は、大阪府水道企業管理者の側にあるのか。

A 大阪府水道企業管理者の側にある。　懇談会等に関する文書を公開することにより、事務の公正かつ適切な執行に著しい支障を及ぼすおそれがある（大阪府公文書公開等条例8条4号・5号）というためには、Ｙ（大阪府水道企業管理者）の側で、当該懇談会等が企画調整等事務または交渉等事務に当たり、しかも、それが事業の施行のために必要な事項についての関係者との内密の協議を目的として行われたものであり、かつ、本件文書に記録された情報について、その記録内容自体から、あるいは他の関連情報と照合することにより、懇談会等の相手方等が了知される可能性があることを主張、立証する必要がある〈大阪府水道部接待費訴訟〉（最判平6・2・8）。　出題 国Ⅰ-平成10

Q3 公立学校の教員採用選考の筆記審査の問題とその解答は、高知県情報公開条例所定の非開示事由に該当するのか。

A 非開示事由に該当しない。　(1)教職教養筆記審査の択一式問題の出題範囲および傾向が予測されやすいのは、その解答形式等からある程度やむをえないことであり、受審者の間では、従来から、過去の教職教養筆記審査の出題例を編集した市販の問題集等を用いた受審準備が行われているのであるから、教職教養筆記審査の択一式問題とその解答が開示されたからといって、受審者の受審準備状況が変わり、教員にふさわしい受審者を採用することが困難になるとはいい難いこと、(2)過去に出題された問題との重複を避け、審査にふさわしい問題を作成するという問題作成者の負担は、問題および解答の開示の有無によって変化が生ずるものではないから、問題とその解答の開示により問題作成者の負担が増大し、問題作成者の確保が困難になるということはできないこと、(3)本件条例には公文書の開示を受けた者に対して当該公文書に記録された情報の利用を具体的に制限する規定はなく、前記(1)の受審準備の状況等に照らせば、県内受審者と県外受審者との間に本件条例に基づく公文書の開示請求権の有無に差異があるからといって、これにより教員採用選考の公正又は円滑な執行に著しい支障を生ずるということはできないことという状況にあり、これらに鑑みれば、高知県公立学校教員採用候補者選考審査のうちの教職教養筆記審査（県立学校用）大問2（教育心理）の問題および解答が記録された文書が本件条例6条8号に該当する情報が記録されているものとはいえない（最判平14・10・11）。　出題 予想

情報公開・個人情報保護審査会設置法

（平成 15 年 5 月 30 日／法律第 60 号）

第 1 章　総則

第 1 条（趣旨）

　この法律は、情報公開・個人情報保護審査会の設置及び組織並びに調査審議の手続等について定めるものとする。

第 2 章　設置及び組織

第 2 条（設置）

　次に掲げる法律の規定による諮問に応じ審査請求について調査審議するため、総務省に、情報公開・個人情報保護審査会（以下「審査会」という。）を置く。

1　行政機関の保有する情報の公開に関する法律（平成 11 年法律第 42 号）第 19 条第 1 項
2　独立行政法人等の保有する情報の公開に関する法律（平成 13 年法律第 140 号）第 19 条第 1 項
3　行政機関の保有する個人情報の保護に関する法律（平成 15 年法律第 58 号）第 43 条第 1 項
4　独立行政法人等の保有する個人情報の保護に関する法律（平成 15 年法律第 59 号）第 43 条第 1 項

第 3 条（組織）

①審査会は、委員 15 人をもって組織する。
②委員は、非常勤とする。ただし、そのうち 5 人以内は、常勤とすることができる。

第 4 条（委員）

①委員は、優れた識見を有する者のうちから、両議院の同意を得て、内閣総理大臣が任命する。
②委員の任期が満了し、又は欠員を生じた場合において、国会の閉会又は衆議院の解散のために両議院の同意を得ることができないときは、内閣総理大臣は、前項の規定にかかわらず、同項に定める資格を有する者のうちから、委員を任命することができる。
③前項の場合においては、任命後最初の国会で両議院の事後の承認を得なければならない。この場合において、両議院の事後の承認が得られないときは、内閣総理大臣は、直ちにその委員を罷免しなければならない。
④委員の任期は、3 年とする。ただし、補欠の委員の任期は、前任者の残任期間とする。
⑤委員は、再任されることができる。
⑥委員の任期が満了したときは、当該委員は、後任者が任命されるまで引き続きその職務を行うものとする。
⑦内閣総理大臣は、委員が心身の故障のため職務の執行ができないと認めるとき、又は委員に職務上

の義務違反その他委員たるに適しない非行があると認めるときは、両議院の同意を得て、その委員を罷免することができる。
⑧委員は、職務上知ることができた秘密を漏らしてはならない。その職を退いた後も同様とする。
⑨委員は、在任中、政党その他の政治的団体の役員となり、又は積極的に政治運動をしてはならない。
⑩常勤の委員は、在任中、内閣総理大臣の許可がある場合を除き、報酬を得て他の職務に従事し、又は営利事業を営み、その他金銭上の利益を目的とする業務を行ってはならない。
⑪委員の給与は、別に法律で定める。

第 5 条（会長）

①審査会に、会長を置き、委員の互選によりこれを定める。
②会長は、会務を総理し、審査会を代表する。
③会長に事故があるときは、あらかじめその指名する委員が、その職務を代理する。

第 6 条（合議体）

①審査会は、その指名する委員 3 人をもって構成する合議体で、審査請求に係る事件について調査審議する。
②前項の規定にかかわらず、審査会が定める場合においては、委員の全員をもって構成する合議体で、審査請求に係る事件について調査審議する。

第 7 条（事務局）

①審査会の事務を処理させるため、審査会に事務局を置く。
②事務局に、事務局長のほか、所要の職員を置く。
③事務局長は、会長の命を受けて、局務を掌理する。

第 3 章　審査会の調査審議の手続

第 8 条（定義）

①この章において「諮問庁」とは、次に掲げる者をいう。

1　行政機関の保有する情報の公開に関する法律第 19 条第 1 項の規定により審査会に諮問をした行政機関の長
2　独立行政法人等の保有する情報の公開に関する法律第 19 条第 1 項の規定により審査会に諮問をした独立行政法人等
3　行政機関の保有する個人情報の保護に関する法律第 43 条第 1 項の規定により審査会に諮問をした行政機関の長
4　独立行政法人等の保有する個人情報の保護に関する法律第 43 条第 1 項の規定により審査会に諮問をした独立行政法人等

②この章において「行政文書等」とは、次に掲げるものをいう。

1　行政機関の保有する情報の公開に関する法律

情報公開・個人情報保護審査会設置法

第10条第1項に規定する開示決定等に係る行政文書（同法第2条第2項に規定する行政文書をいう。以下この項において同じ。）（独立行政法人等の保有する情報の公開に関する法律第13条第2項の規定により行政文書とみなされる法人文書（同法第2条第2項に規定する法人文書をいう。次号において同じ。）を含む。）

2　独立行政法人等の保有する情報の公開に関する法律第10条第1項に規定する開示決定等に係る法人文書（行政機関の保有する情報の公開に関する法律第12条の2第2項の規定により法人文書とみなされる行政文書を含む。）

③この章において「保有個人情報」とは、次に掲げるものをいう。

1　行政機関の保有する個人情報の保護に関する法律第19条第1項、第31条第1項又は第40条第1項に規定する開示決定等、訂正決定等又は利用停止決定等に係る行政保有個人情報（同法第2条第5項に規定する保有個人情報をいう。以下同じ。）（独立行政法人等の保有する個人情報の保護に関する法律第22条第2項又は第34条第2項の規定により行政保有個人情報とみなされる法人保有個人情報（同法第2条第5項に規定する保有個人情報をいう。次号において同じ。）を含む。）

2　独立行政法人等の保有する個人情報の保護に関する法律第19条第1項、第31条第1項又は第40条第1項に規定する開示決定等、訂正決定等又は利用停止決定等に係る法人保有個人情報（行政機関の保有する個人情報の保護に関する法律第22条第2項又は第34条第2項の規定により法人保有個人情報とみなされる行政保有個人情報を含む。）

第9条（審査会の調査権限）

①審査会は、必要があると認めるときは、諮問庁に対し、行政文書等又は保有個人情報の提示を求めることができる。この場合においては、何人も、審査会に対し、その提示された行政文書等又は保有個人情報の開示を求めることができない。

②諮問庁は、審査会から前項の規定による求めがあったときは、これを拒んではならない。

③審査会は、必要があると認めるときは、諮問庁に対し、行政文書等に記録されている情報又は保有個人情報に含まれている情報の内容を審査会の指定する方法により分類又は整理した資料を作成し、審査会に提出するよう求めることができる。

④第1項及び前項に定めるもののほか、審査会は、審査請求に係る事件に関し、審査請求人、参加人（行政不服審査法（平成26年法律第68号）第13条第4項に規定する参加人をいう。次条第2項及び第16条において同じ。）又は諮問庁（以下「審査請求人等」という。）に意見書又は資料の提出を求めること、適当と認める者にその知っている事実を陳述させ又は鑑定を求めることその他必要

な調査をすることができる。

第10条（意見の陳述）

①審査会は、審査請求人等から申立てがあったときは、当該審査請求人等に口頭で意見を述べる機会を与えなければならない。ただし、審査会が、その必要がないと認めるときは、この限りでない。

②前項本文の場合においては、審査請求人又は参加人は、審査会の許可を得て、補佐人とともに出頭することができる。

第11条（意見書等の提出）

審査請求人等は、審査会に対し、意見書又は資料を提出することができる。ただし、審査会が意見書又は資料を提出すべき相当の期間を定めたときは、その期間内にこれを提出しなければならない。

第12条（委員による調査手続）

審査会は、必要があると認めるときは、その指名する委員に、第9条第1項の規定により提示された行政文書等若しくは保有個人情報を閲覧させ、同条第4項の規定による調査をさせ、又は第10条第1項本文の規定による審査請求人等の意見の陳述を聴かせることができる。

第13条（提出資料の写しの送付等）

①審査会は、第9条第3項若しくは第4項又は第11条の規定による意見書又は資料の提出があったときは、当該意見書又は資料の写し（電磁的記録（電子的方式、磁気的方式その他人の知覚によっては認識することができない方式で作られる記録であって、電子計算機による情報処理の用に供されるものをいう。以下この項及び次項において同じ。）にあっては、当該電磁的記録に記録された事項を記載した書面）を当該意見書又は資料を提出した審査請求人等以外の審査請求人等に送付するものとする。ただし、第三者の利益を害するおそれがあると認められるとき、その他正当な理由があるときは、この限りでない。

②審査請求人等は、審査会に対し、審査会に提出された意見書又は資料の閲覧（電磁的記録にあっては、記録された事項を審査会が定める方法により表示したものの閲覧）を求めることができる。この場合において、審査会は、第三者の利益を害するおそれがあると認めるとき、その他正当な理由があるときでなければ、その閲覧を拒むことができない。

③審査会は、第1項の規定による送付をし、又は前項の規定による閲覧をさせようとするときは、当該送付又は閲覧に係る意見書又は資料を提出した審査請求人等の意見を聴かなければならない。ただし、審査会が、その必要がないと認めるときは、この限りでない。

④審査会は、第2項の規定による閲覧について、日時及び場所を指定することができる。

第14条（調査審議手続の非公開）

審査会の行う調査審議の手続は、公開しない。

第15条（審査請求の制限）

この法律の規定による審査会又は委員の処分又はその不作為については、審査請求をすることができない。

第16条（答申書の送付等）

　審査会は、諮問に対する答申をしたときは、答申書の写しを審査請求人及び参加人に送付するとともに、答申の内容を公表するものとする。

第4章　雑則

第17条（政令への委任）

　この法律に定めるもののほか、審査会に関し必要な事項は、政令で定める。

第18条（罰則）

　第4条第8項の規定に違反して秘密を漏らした者は、1年以下の懲役又は50万円以下の罰金に処する。

内閣法

（昭和22年1月16日／法律第5号）

第1条［職権］

①内閣は、国民主権の理念にのつとり、日本国憲法第73条その他日本国憲法に定める職権を行う。

②内閣は、行政権の行使について、全国民を代表する議員からなる国会に対し連帯して責任を負う。

第2条［組織］

①内閣は、国会の指名に基づいて任命された首長たる内閣総理大臣及び内閣総理大臣により任命された国務大臣をもって、これを組織する。

②前項の国務大臣の数は、14人以内とする。ただし、特別に必要がある場合においては、3人を限度にその数を増加し、17人以内とすることができる。

第3条［各大臣の行政事務分担管理］

①各大臣は、別に法律の定めるところにより、主任の大臣として、行政事務を分担管理する。

②前項の規定は、行政事務を分担管理しない大臣の存することを妨げるものではない。

第4条［閣議］

①内閣がその職権を行うのは、閣議によるものとする。

②閣議は、内閣総理大臣がこれを主宰する。この場合において、内閣総理大臣は、内閣の重要政策に関する基本的な方針その他の案件を発議することができる。

③各大臣は、案件の如何を問わず、内閣総理大臣に提出して、閣議を求めることができる。

第5条［内閣の代表］

内閣総理大臣は、内閣を代表して内閣提出の法律案、予算その他の議案を国会に提出し、一般国務及び外交関係について国会に報告する。

第6条［行政各部の指揮監督］

内閣総理大臣は、閣議にかけて決定した方針に基いて、行政各部を指揮監督する。

第7条［大臣間の権限の疑義の裁定］

主任の大臣の間における権限についての疑義は、内閣総理大臣が、閣議にかけて、これを裁定する。

第8条［中止権］

内閣総理大臣は、行政各部の処分又は命令を中止せしめ、内閣の処置を待つことができる。

第9条［内閣総理大臣の臨時代理］

内閣総理大臣に事故のあるとき、又は内閣総理大臣が欠けたときは、その予め指定する国務大臣が、臨時に、内閣総理大臣の職務を行う。

第10条［主任国務大臣の臨時代理］

主任の国務大臣に事故のあるとき、又は主任の国務大臣が欠けたときは、内閣総理大臣又はその指定する国務大臣が、臨時に、その主任の国務大臣の職務を行う。

第11条［政令の限界］

政令には、法律の委任がなければ、義務を課し、又は権利を制限する規定を設けることができない。

第12条［内閣官房］

①内閣に、内閣官房を置く。

②内閣官房は、次に掲げる事務をつかさどる。

1　閣議事項の整理その他内閣の庶務

2　内閣の重要政策に関する基本的な方針に関する企画及び立案並びに総合調整に関する事務

3　閣議に係る重要事項に関する企画及び立案並びに総合調整に関する事務

4　行政各部の施策の統一を図るために必要となる企画及び立案並びに総合調整に関する事務

5　前3号に掲げるもののほか、行政各部の施策に関するその統一保持上必要な企画及び立案並びに総合調整に関する事務

6　内閣の重要政策に関する情報の収集調査に関する事務

7　国家公務員に関する制度の企画及び立案に関する事務

8　国家公務員法（昭和22年法律第120号）第18条の2（独立行政法人通則法（平成11年法律第103号）第54条第1項において準用する場合を含む。）に規定する事務に関する事務

9　国家公務員の退職手当制度に関する事務

10　特別職の国家公務員の給与制度に関する事務

11　国家公務員の総人件費の基本方針及び人件費予算の配分の方針の企画及び立案並びに調整に関する事務

12　第7号から前号までに掲げるもののほか、国家公務員の人事行政に関する事務（他の行政機関の所掌に属するものを除く。）

13　行政機関の機構及び定員に関する企画及び立案並びに調整に関する事務

14　各行政機関の機構の新設、改正及び廃止並びに定員の設置、増減及び廃止に関する審査を行う事務

③前項の外、内閣官房は、政令の定めるところにより、内閣の事務を助ける。

④内閣官房の外、内閣に、別に法律の定めるところにより、必要な機関を置き、内閣の事務を助けしめることができる。

第13条［内閣官房長官］

①内閣官房に内閣官房長官1人を置く。

②内閣官房長官は、国務大臣をもって充てる。

③内閣官房長官は、内閣官房の事務を統轄し、所部の職員の服務につき、これを統督する。

第14条［内閣官房副長官］

①内閣官房に、内閣官房副長官3人を置く。

②内閣官房副長官の任免は、天皇がこれを認証する。
③内閣官房副長官は、内閣官房長官の職務を助け、命を受けて内閣官房の事務（内閣人事局の所掌に属するものを除く。）をつかさどり、及びあらかじめ内閣官房長官の定めるところにより内閣官房長官不在の場合の職務を代行する。

第15条［内閣危機管理監］

①内閣官房に、内閣危機管理監１人を置く。
②内閣危機管理監は、内閣官房長官及び内閣官房副長官を助け、命を受けて第12条第２項第１号から第６号までに掲げる事務のうち危機管理（国民の生命、身体又は財産に重大な被害が生じ、又は生じるおそれがある緊急の事態への対処及び当該事態の発生の防止をいう。第17条第２項第１号において同じ。）に関するもの（国の防衛に関するものを除く。）を統理する。
③内閣危機管理監の任免は、内閣総理大臣の申出により、内閣において行う。
④国家公務員法第96条第１項、第98条第１項、第99条並びに第100条第１項及び第２項の規定は、内閣危機管理監の服務について準用する。
⑤内閣危機管理監は、在任中、内閣総理大臣の許可がある場合を除き、報酬を得て他の職務に従事し、又は営利事業を営み、その他金銭上の利益を目的とする業務を行ってはならない。

第16条［内閣情報通信政策監］

①内閣官房に、内閣情報通信政策監１人を置く。
②内閣情報通信政策監は、内閣官房長官及び内閣官房副長官を助け、命を受けて第12条第２項第１号から第６号までに掲げる事務のうち情報通信技術の活用による国民の利便性の向上及び行政運営の改善に関するものを統理する。
③前条第３項から第５項までの規定は、内閣情報通信政策監について準用する。

第17条［国家安全保障局］

①内閣官房に、国家安全保障局を置く。
②国家安全保障局は、次に掲げる事務をつかさどる。
　1　第12条第２項第２号から第５号までに掲げる事務のうち我が国の安全保障（第22条第３項において「国家安全保障」という。）に関する外交政策及び防衛政策の基本方針並びにこれらの政策に関する重要事項に関するもの（危機管理に関するもの並びに内閣広報官及び内閣情報官の所掌に属するものを除く。）
　2　国家安全保障会議設置法（昭和61年法律第71号）第12条の規定により国家安全保障局が処理することとされた国家安全保障会議の事務
　3　国家安全保障会議設置法第６条の規定により国家安全保障会議に提供された資料又は情報その他の前２号に掲げる事務に係る資料又は情報を総合して整理する事務
③国家安全保障局に、国家安全保障局長を置く。
④国家安全保障局長は、内閣官房長官及び内閣官房副長官を助け、命を受けて局務を掌理する。
⑤第15条第３項から第５項までの規定は、国家安

全保障局長について準用する。
⑥国家安全保障局に、国家安全保障局次長２人を置く。
⑦国家安全保障局次長は、国家安全保障局長を助け、局務を整理するものとし、内閣総理大臣が内閣官房副長官補の中から指名する者をもって充てる。

第18条［内閣官房副長官補］

①内閣官房に、内閣官房副長官補３人を置く。
②内閣官房副長官補は、内閣官房長官、内閣官房副長官、内閣危機管理監及び内閣情報通信政策監を助け、命を受けて内閣官房の事務（第12条第２項第１号に掲げるもの並びに国家安全保障局、内閣広報官、内閣情報官及び内閣人事局の所掌に属するものを除く。）を掌理する。
③第15条第３項から第５項までの規定は、内閣官房副長官補について準用する。

第19条［内閣広報官］

①内閣官房に、内閣広報官１人を置く。
②内閣広報官は、内閣官房長官、内閣官房副長官、内閣危機管理監及び内閣情報通信政策監を助け、第12条第２項第２号から第５号までに掲げる事務について必要な広報に関することを処理するほか、同項第２号から第５号までに掲げる事務のうち広報に関するものを掌理する。
③第15条第３項から第５項までの規定は、内閣広報官について準用する。

第20条［内閣情報官］

①内閣官房に、内閣情報官１人を置く。
②内閣情報官は、内閣官房長官、内閣官房副長官、内閣危機管理監及び内閣情報通信政策監を助け、第12条第２項第２号から第５号までに掲げる事務のうち特定秘密（特定秘密の保護に関する法律（平成25年法律第108号）第３条第１項に規定する特定秘密をいう。）の保護に関するもの（内閣広報官の所掌に属するものを除く。）及び第12条第２項第６号に掲げる事務を掌理する。
③第15条第３項から第５項までの規定は、内閣情報官について準用する。

第21条［内閣人事局］

①内閣官房に、内閣人事局を置く。
②内閣人事局は、第12条第２項第７号から第14号までに掲げる事務をつかさどる。
③内閣人事局に、内閣人事局長を置く。
④内閣人事局長は、内閣官房長官を助け、命を受けて局務を掌理するものとし、内閣総理大臣が内閣官房副長官の中から指名する者をもって充てる。

第22条［内閣総理大臣補佐官］

①内閣官房に、内閣総理大臣補佐官５人以内を置く。
②内閣総理大臣補佐官は、内閣総理大臣の命を受け、国家として戦略的に推進すべき基本的な施策その他の内閣の重要政策のうち特定のものに係る内閣総理大臣の行う企画及び立案について、内閣総理大臣を補佐する。
③内閣総理大臣は、内閣総理大臣補佐官の中から、国家安全保障に関する重要政策を担当する者を指定するものとする。

④内閣総理大臣補佐官は、非常勤とすることができる。

⑤第15条第3項及び第4項の規定は内閣総理大臣補佐官について、同条第5項の規定は常勤の内閣総理大臣補佐官について準用する。

第23条［秘書官］

①内閣官房に、内閣総理大臣に附属する秘書官並びに内閣総理大臣及び各省大臣以外の各国務大臣に附属する秘書官を置く。

②前項の秘書官の定数は、政令で定める。

③第1項の秘書官で、内閣総理大臣に附属する秘書官は、内閣総理大臣の、国務大臣に附属する秘書官は、国務大臣の命を受け、機密に関する事務をつかさどり、又は臨時に命を受け内閣官房その他関係各部局の事務を助ける。

第24条［内閣事務官等］

①内閣官房に、内閣事務官その他所要の職員を置く。

②内閣事務官は、命を受けて内閣官房の事務を整理する。

第25条［内閣官房の内部組織］

この法律に定めるもののほか、内閣官房の所掌事務を遂行するため必要な内部組織については、政令で定める。

第26条［内閣官房の主任大臣］

①内閣官房に係る事項については、この法律にいう主任の大臣は、内閣総理大臣とする。

②内閣総理大臣は、内閣官房に係る主任の行政事務について、法律又は政令の制定、改正又は廃止を必要と認めるときは、案をそなえて、閣議を求めなければならない。

③内閣総理大臣は、内閣官房に係る主任の行政事務について、法律若しくは政令を施行するため、又は法律若しくは政令の特別の委任に基づいて、内閣官房の命令として内閣官房令を発することができる。

④内閣官房令には、法律の委任がなければ、罰則を設け、又は義務を課し、若しくは国民の権利を制限する規定を設けることができない。

⑤内閣総理大臣は、内閣官房の所掌事務について、公示を必要とする場合においては、告示を発することができる。

⑥内閣総理大臣は、内閣官房の所掌事務について、命令又は示達をするため、所管の諸機関及び職員に対し、訓令又は通達を発することができる。

第27条［内閣官房の事務の分掌］

内閣総理大臣は、管区行政評価局及び沖縄行政評価事務所に、内閣官房の所掌事務のうち、第12条第2項第13号及び第14号に掲げる事務に関する調査並びに資料の収集及び整理に関する事務を分掌させることができる。

国家行政組織法

（昭和 23 年 7 月 10 日／法律第 120 号）

第1条（目的）

　この法律は、内閣の統轄の下における行政機関で内閣府以外のもの（以下「国の行政機関」という。）の組織の基準を定め、もって国の行政事務の能率的な遂行のために必要な国家行政組織を整えることを目的とする。

第2条（組織の構成）

①国家行政組織は、内閣の統轄の下に、内閣府の組織とともに、任務及びこれを達成するため必要となる明確な範囲の所掌事務を有する行政機関の全体によって、系統的に構成されなければならない。

②国の行政機関は、内閣の統轄の下に、その政策について、自ら評価し、企画及び立案を行い、並びに国の行政機関相互の調整を図るとともに、その相互の連絡を図り、すべて、一体として、行政機能を発揮するようにしなければならない。内閣府との政策についての調整及び連絡についても、同様とする。

第3条（行政機関の設置、廃止、任務及び所掌事務）

①国の行政機関の組織は、この法律でこれを定めるものとする。

②行政組織のため置かれる国の行政機関は、省、委員会及び庁とし、その設置及び廃止は、別に法律の定めるところによる。

③省は、内閣の統轄の下に第5条第1項の規定により各省大臣の分担管理する行政事務及び同条第2項の規定により当該大臣が掌理する行政事務をつかさどる機関として置かれるものとし、委員会及び庁は、省に、その外局として置かれるものとする。

④第2項の国の行政機関として置かれるものは、別表第1にこれを掲げる。

第4条

　前条の国の行政機関の任務及びこれを達成するため必要となる所掌事務の範囲は、別に法律でこれを定める。

第5条（行政機関の長）

①各省の長は、それぞれ各省大臣とし、内閣法（昭和22年法律第5号）にいう主任の大臣として、それぞれ行政事務を分担管理する。

②各省大臣は、前項の規定により行政事務を分担管理するほか、それぞれ、その分担管理する行政事務に係る各省の任務に関連する特定の内閣の重要政策について、当該重要政策に関して閣議において決定された基本的な方針に基づいて、行政各部の施策の統一を図るために必要となる企画及び立案並びに総合調整に関する事務を掌理する。

③各省大臣は、国務大臣のうちから、内閣総理大臣が命ずる。ただし、内閣総理大臣が自ら当たることを妨げない。

第6条

　委員会の長は、委員長とし、庁の長は、長官とする。

第7条（内部部局）

①省には、その所掌事務を遂行するため、官房及び局を置く。

②前項の官房又は局には、特に必要がある場合においては、部を置くことができる。

③庁には、その所掌事務を遂行するため、官房及び部を置くことができる。

④官房、局及び部の設置及び所掌事務の範囲は、政令でこれを定める。

⑤庁、官房、局及び部（その所掌事務が主として政策の実施に係るものである庁として別表第2に掲げるもの（以下「実施庁」という。）並びにこれに置かれる官房及び部を除く。）には、課及びこれに準ずる室を置くことができるものとし、これらの設置及び所掌事務の範囲は、政令でこれを定める。

⑥実施庁並びにこれに置かれる官房及び部には、政令の定める数の範囲内において、課及びこれに準ずる室を置くことができるものとし、これらの設置及び所掌事務の範囲は、省令でこれを定める。

⑦委員会には、法律の定めるところにより、事務局を置くことができる。第3項から第5項までの規定は、事務局の内部組織について、これを準用する。

⑧委員会には、特に必要がある場合においては、法律の定めるところにより、事務総局を置くことができる。

第8条（審議会等）

　第3条の国の行政機関には、法律の定める所掌事務の範囲内で、法律又は政令の定めるところにより、重要事項に関する調査審議、不服審査その他学識経験を有する者等の合議により処理することが適当な事務をつかさどらせるための合議制の機関を置くことができる。

第8条の2（施設等機関）

　第3条の国の行政機関には、法律の定める所掌事務の範囲内で、法律又は政令の定めるところにより、試験研究機関、検査検定機関、文教研修施設（これらに類する機関及び施設を含む。）、医療更生施設、矯正収容施設及び作業施設を置くことができる。

第8条の3（特別の機関）

　第3条の国の行政機関には、特に必要がある場合においては、前2条に規定するもののほか、法律の定める所掌事務の範囲内で、法律の定めるところにより、特別の機関を置くことができる。

第9条（地方支分部局）

　第3条の国の行政機関には、その所掌事務を分掌させる必要がある場合においては、法律の定めるところにより、地方支分部局を置くことができる。

第10条（行政機関の長の権限）

　各省大臣、各委員会の委員長及び各庁の長官は、その機関の事務を統括し、職員の服務について、これを統督する。

第11条

　各省大臣は、主任の行政事務について、法律又は政令の制定、改正又は廃止を必要と認めるときは、案をそなえて、内閣総理大臣に提出して、閣議を求めなければならない。

第12条

①各省大臣は、主任の行政事務について、法律若しくは政令を施行するため、又は法律若しくは政令の特別の委任に基づいて、それぞれその機関の命令として省令を発することができる。

②各外局の長は、その機関の所掌事務について、それぞれ主任の各省大臣に対し、案をそなえて、省令を発することを求めることができる。

③省令には、法律の委任がなければ、罰則を設け、又は義務を課し、若しくは国民の権利を制限する規定を設けることができない。

第13条

①各委員会及び各庁の長官は、別に法律の定めるところにより、政令及び省令以外の規則その他の特別の命令を自ら発することができる。

②前条第3項の規定は、前項の命令に、これを準用する。

第14条

①各省大臣、各委員会及び各庁の長官は、その機関の所掌事務について、公示を必要とする場合においては、告示を発することができる。

②各省大臣、各委員会及び各庁の長官は、その機関の所掌事務について、命令又は示達をするため、所管の諸機関及び職員に対し、訓令又は通達を発することができる。

第15条

　各省大臣、各委員会及び各庁の長官は、その機関の任務（各省にあっては、各省大臣が主任の大臣として分担管理する行政事務に係るものに限る。）を遂行するため政策について行政機関相互の調整を図る必要があると認めるときは、その必要性を明らかにした上で、関係行政機関の長に対し、必要な資料の提出及び説明を求め、並びに当該関係行政機関の政策に関し意見を述べることができる。

第15条の2

①各省大臣は、第5条第2項に規定する事務の遂行のため必要があると認めるときは、関係行政機関の長に対し、必要な資料の提出及び説明を求めることができる。

②各省大臣は、第5条第2項に規定する事務の遂行のため特に必要があると認めるときは、関係行政機関の長に対し、勧告することができる。

③各省大臣は、前項の規定により関係行政機関の長に対し勧告したときは、当該関係行政機関の長に

対し、その勧告に基づいてとった措置について報告を求めることができる。

④各省大臣は、第2項の規定により勧告した事項に関し特に必要があると認めるときは、内閣総理大臣に対し、当該事項について内閣法第6条の規定による措置がとられるよう意見を具申することができる。

第16条（副大臣）

①各省に副大臣を置く。

②副大臣の定数は、それぞれ別表第3の副大臣の定数の欄に定めるところによる。

③副大臣は、その省の長である大臣の命を受け、政策及び企画をつかさどり、政務を処理し、並びにあらかじめその省の長である大臣の命を受けて大臣不在の場合その職務を代行する。

④副大臣が2人置かれた省においては、各副大臣の行う前項の職務の範囲及び職務代行の順序については、その省の長である大臣の定めるところによる。

⑤副大臣の任免は、その省の長である大臣の申出により内閣が行い、天皇がこれを認証する。

⑥副大臣は、内閣総辞職の場合においては、内閣総理大臣その他の国務大臣がすべてその地位を失ったときに、これと同時にその地位を失う。

第17条（大臣政務官）

①各省に大臣政務官を置く。

②大臣政務官の定数は、それぞれ別表第3の大臣政務官の定数の欄に定めるところによる。

③大臣政務官は、その省の長である大臣を助け、特定の政策及び企画に参画し、政務を処理する。

④各大臣政務官の行う前項の職務の範囲については、その省の長である大臣の定めるところによる。

⑤大臣政務官の任免は、その省の長である大臣の申出により、内閣がこれを行う。

⑥前条第6項の規定は、大臣政務官について、これを準用する。

第17条の2（大臣補佐官）

①各省に、特に必要がある場合においては、大臣補佐官1人を置くことができる。

②大臣補佐官は、その省の長である大臣の命を受け、特定の政策に係るその省の長である大臣の行う企画及び立案並びに政務に関し、その省の長である大臣を補佐する。

③大臣補佐官の任免は、その省の長である大臣の申出により、内閣がこれを行う。

④大臣補佐官は、非常勤とすることができる。

⑤国家公務員法（昭和22年法律第120号）第96条第1項、第98条第1項、第99条並びに第100条第1項及び第2項の規定は、大臣補佐官の服務について準用する。

⑥常勤の大臣補佐官は、在任中、その省の長である大臣の許可がある場合を除き、報酬を得て他の職務に従事し、又は営利事業を営み、その他金銭上の利益を目的とする業務を行ってはならない。

第18条（事務次官及び庁の次長等）

①各省には、事務次官1人を置く。

②事務次官は、その省の長である大臣を助け、省務を整理し、各部局及び機関の事務を監督する。

③各庁には、特に必要がある場合においては、長官を助け、庁務を整理する職として次長を置くことができるものとし、その設置及び定数は、政令でこれを定める。

④各省及び各庁には、特に必要がある場合においては、その所掌事務の一部を総括整理する職を置くことができるものとし、その設置、職務及び定数は、法律（庁にあっては、政令）でこれを定める。

第19条（秘書官）

①各省に秘書官を置く。

②秘書官の定数は、政令でこれを定める。

③秘書官は、それぞれ各省大臣の命を受け、機密に関する事務を掌り、又は臨時命を受け各部局の事務を助ける。

第20条（官房及び局の所掌に属しない事務をつかさどる職等）

①各省には、特に必要がある場合においては、官房及び局の所掌に属しない事務の能率的な遂行のためこれを所掌する職で局長に準ずるものを置くことができるものとし、その設置、職務及び定数は、政令でこれを定める。

②各庁には、特に必要がある場合においては、官房及び部の所掌に属しない事務の能率的な遂行のためこれを所掌する職で部長に準ずるものを置くことができるものとし、その設置、職務及び定数は、政令でこれを定める。

③各省及び各庁（実施庁を除く。）には、特に必要がある場合においては、前2項の職のつかさどる職務の全部又は一部を助ける職で課長に準ずるものを置くことができるものとし、その設置、職務及び定数は、政令でこれを定める。

④実施庁には、特に必要がある場合においては、政令の定める数の範囲内において、第2項の職のつかさどる職務の全部又は一部を助ける職で課長に準ずるものを置くことができるものとし、その設置、職務及び定数は、省令でこれを定める。

第21条（内部部局の職）

①委員会の事務局並びに局、部、課及び課に準ずる室に、それぞれ事務局長並びに局長、部長、課長及び室長を置く。

②官房には、長を置くことができるものとし、その設置及び職務は、政令でこれを定める。

③局、部又は委員会の事務局には、次長を置くことができるものとし、その設置、職務及び定数は、政令でこれを定める。

④官房、局若しくは部（実施庁に置かれる官房及び部を除く。）又は委員会の事務局には、その所掌事務の一部を総括整理する職又は課（課に準ずる室を含む。）の所掌に属しない事務の能率的な遂行のためこれを所掌する職で課長に準ずるものを置くことができるものとし、これらの設置、職務及び定数は、政令でこれを定める。官房又は部を置かない庁（実施庁を除く。）にこれらの職に相当する職を置くときも、同様とする。

⑤実施庁に置かれる官房又は部には、政令の定める数の範囲内において、その所掌事務の一部を総括整理する職又は課（課に準ずる室を含む。）の所掌に属しない事務の能率的な遂行のためこれを所掌する職で課長に準ずるものを置くことができるものとし、これらの設置、職務及び定数は、省令でこれを定める。官房又は部を置かない実施庁にこれらの職に相当する職を置くときも、同様とする。

第22条　削除

第23条（官房及び局の数）

第7条第1項の規定に基づき置かれる官房及び局の数は、内閣府設置法（平成11年法律第89号）第17条第1項の規定に基づき置かれる官房及び局の数と合わせて、97以内とする。

第24条　削除

第25条（国会への報告等）

①政府は、第7条第4項（同条第7項において準用する場合を含む。）、第8条、第8条の2、第18条第3項若しくは第4項、第20条第1項若しくは第2項又は第21条第2項若しくは第3項の規定により政令で設置される組織その他これらに準ずる主要な組織につき、その新設、改正及び廃止をしたときは、その状況を次の国会に報告しなければならない。

②政府は、少なくとも毎年1回国の行政機関の組織の一覧表を官報で公示するものとする。

国家公務員法〔抄〕

(昭和22年10月21日／法律第120号)

第1章 総則

第1条（この法律の目的及び効力）

①この法律は、国家公務員たる職員について適用すべき各般の根本基準（職員の福祉及び利益を保護するための適切な措置を含む。）を確立し、職員がその職務の遂行に当り、最大の能率を発揮し得るように、民主的な方法で、選択され、且つ、指導さるべきことを定め、以て国民に対し、公務の民主的且つ能率的な運営を保障することを目的とする。

②この法律は、もっぱら日本国憲法第73条にいう官吏に関する事務を掌理する基準を定めるものである。

③何人も、故意に、この法律又はこの法律に基づく命令に違反し、又は違反を企て若しくは共謀してはならない。又、何人も、故意に、この法律又はこの法律に基づく命令の施行に関し、虚偽行為をなし、若しくはなそうと企て、又はその施行を妨げてはならない。

④この法律のある規定が、効力を失い、又はその適用が無効とされても、この法律の他の規定又は他の関係における適用は、その影響を受けることがない。

⑤この法律の規定が、従前の法律又はこれに基く法令と矛盾又はてい触する場合には、この法律の規定が、優先する。

第2条（一般職及び特別職）

①国家公務員の職は、これを一般職と特別職とに分つ。

②一般職は、特別職に属する職以外の国家公務員の一切の職を包含する。

③特別職は、次に掲げる職員の職とする。

1　内閣総理大臣
2　国務大臣
3　人事官及び検査官
4　内閣法制局長官
5　内閣官房副長官
5の2　内閣危機管理監及び内閣情報通信政策監
5の3　国家安全保障局長
5の4　内閣官房副長官補、内閣広報官及び内閣情報官
6　内閣総理大臣補佐官
7　副大臣
7の2　大臣政務官
7の3　大臣補佐官
8　内閣総理大臣秘書官及び国務大臣秘書官並びに特別職たる機関の長の秘書官のうち人事院規則で指定するもの
9　就任について選挙によることを必要とし、あるいは国会の両院又は一院の議決又は同意によることを必要とする職員

10　宮内庁長官、侍従長、東宮大夫、式部官長及び侍従次長並びに法律又は人事院規則で指定する宮内庁のその他の職員

11　特命全権大使、特命全権公使、特派大使、政府代表、全権委員、政府代表又は全権委員の代理並びに特派大使、政府代表又は全権委員の顧問及び随員

11の2　日本ユネスコ国内委員会の委員

12　日本学士院会員

12の2　日本学術会議会員

13　裁判官及びその他の裁判所職員

14　国会職員

15　国会議員の秘書

16　防衛省の職員（防衛省に置かれる合議制の機関で防衛省設置法（昭和29年法律第164号）第41条の政令で定めるものの委員及び同法第4条第1項第24号又は第25号に掲げる事務に従事する職員で同法第41条の政令で定めるもののうち人事院規則で指定するものを除く。）

17　独立行政法人通則法（平成11年法律第103号）第2条第4項に規定する行政執行法人（以下「行政執行法人」という。）の役員

④この法律の規定は、一般職に属するすべての職（以下その職を官職といい、その職を占める者を職員という。）に、これを適用する。人事院は、ある職が、国家公務員の職に属するかどうか及び本条に規定する一般職に属するか特別職に属するかを決定する権限を有する。

⑤この法律の規定は、この法律の改正法律により、別段の定がなされない限り、特別職に属する職には、これを適用しない。

⑥政府は、一般職又は特別職以外の勤務者を置いてその勤務に対し俸給、給料その他の給与を支払ってはならない。

⑦前項の規定は、政府又はその機関と外国人の間に、個人的基礎においてなされる勤務の契約には適用されない。

第2章 中央人事行政機関

第3条（人事院）

①内閣の所轄の下に人事院を置く。人事院は、この法律に定める基準に従って、内閣に報告しなければならない。

②人事院は、法律の定めるところに従い、給与その他の勤務条件の改善及び人事行政の改善に関する勧告、採用試験（採用試験の対象官職及び種類並びに採用試験により確保すべき人材に関する事項

を除く。）、任免（標準職務遂行能力、採用昇任等基本方針、幹部職員の任用等に係る特例及び幹部候補育成課程に関する事項（第33条第1項に規定する根本基準の実施につき必要な事項であって、行政需要の変化に対応するために行う優れた人材の養成及び活用の確保に関するものを含む。）を除く。）、給与（一般職の職員の給与に関する法律（昭和25年法律第95号）第6条の2第1項の規定による指定職俸給表の適用を受ける職員の号俸の決定の方法並びに同法第8条第1項の規定による職務の級の定数の設定及び改定に関する事項を除く。）、研修（第70条の6第1項第1号に掲げる観点に係るものに限る。）の計画の樹立及び実施並びに当該研修に係る調査研究、分限、懲戒、苦情の処理、職務に係る倫理の保持その他職員に関する人事行政の公正の確保及び職員の利益の保護等に関する事務をつかさどる。

③法律により、人事院が処置する権限を与えられている部門においては、人事院の決定及び処分は、人事院によってのみ審査される。

④前項の規定は、法律問題につき裁判所に出訴する権利に影響を及ぼすものではない。

第3条の2（国家公務員倫理審査会）

①前条第2項の所掌事務のうち職務に係る倫理の保持に関する事務を所掌させるため、人事院に国家公務員倫理審査会を置く。

②国家公務員倫理審査会に関しては、この法律に定めるもののほか、国家公務員倫理法（平成11年法律第129号）の定めるところによる。

第4条（職員）

①人事院は、人事官3人をもって、これを組織する。

②人事官のうち1人は、総裁として命ぜられる。

③人事院は、事務総長及び予算の範囲内においてその職務を適切に行うため必要とする職員を任命する。

④人事院は、その内部機構を管理する。国家行政組織法（昭和23年法律第120号）は、人事院には適用されない。

第5条（人事官）

①人事官は、人格が高潔で、民主的な統治組織と成績本位の原則による能率的な事務の処理に理解があり、かつ、人事行政に関し識見を有する年齢35年以上の者のうちから、両議院の同意を経て、内閣が任命する。

②人事官の任免は、天皇が認証する。

③次の各号のいずれかに該当する者は、人事官となることができない。

1　破産手続開始の決定を受けて復権を得ない者
2　禁錮以上の刑に処せられた者又は第4章に規定する罪を犯し、刑に処せられた者
3　第38条第2号又は第4号に該当する者

④任命の日以前5年間において、政党の役員、政治的顧問その他これらと同様な政治的影響力を有する政党員であった者は任命の日以前5年間において、公選による国若しくは都道府県の公職の候補者となった者は、人事院規則で定めるところにより、人事官となることができない。

⑤人事官の任命については、そのうちの2人が、同一の政党に属し、又は同一の大学学部を卒業した者となることとなってはならない。

第6条（宣誓及び服務）

①人事官は、任命後、人事院規則の定めるところにより、最高裁判所長官の面前において、宣誓書に署名してからでなければ、その職務を行ってはならない。

②第3章第7節の規定は、人事官にこれを準用する。

第7条（任期）

①人事官の任期は、4年とする。但し、補欠の人事官は、前任者の残任期間在任する。

②人事官は、これを再任することができる。但し、引き続き12年を超えて在任することはできない。

③人事官であった者は、退職後1年間は、人事院の官職以外の官職に、これを任命することができない。

第8条（退職及び罷免）

①人事官は、左の各号の一に該当する場合を除く外、その意に反して罷免されることがない。

1　第5条第3項各号の一に該当するに至った場合
2　国会の訴追に基き、公開の弾劾手続により罷免を可とすると決定された場合
3　任期が満了して、再任されず又は人事官として引き続き12年在任するに至った場合

②前項第2号の規定による弾劾の事由は、左に掲げるものとする。

1　心身の故障のため、職務の遂行に堪えないこと
2　職務上の義務に違反し、その他人事官たるに適しない非行があること

③人事官の中、2人以上が同一の政党に属することとなった場合においては、これらの者の中1人以外の者は、内閣が両議院の同意を経て、これを罷免するものとする。

④前項の規定は、政党所属関係について異動のなかった人事官の地位に、影響を及ぼすものではない。

第9条（人事官の弾劾）

①人事官の弾劾の裁判は、最高裁判所においてこれを行う。

②国会は、人事官の弾劾の訴追をしようとするときは、訴追の事由を記載した書面を最高裁判所に提出しなければならない。

③国会は、前項の場合においては、同項に規定する書面の写を訴追に係る人事官に送付しなければならない。

④最高裁判所は、第2項の書面を受理した日から30日以上90日以内の間において裁判開始の日を定め、その日の30日以前までに、国会及び訴追に係る人事官に、これを通知しなければならない。

⑤最高裁判所は、裁判開始の日から100日以内に判決を与えなければならない。

⑥人事官の弾劾の裁判の手続は、裁判所規則でこれを定める。

⑦裁判に要する費用は、国庫の負担とする。

第10条（人事官の給与）

人事官の給与は、別に法律で定める。

第11条（総裁）

①人事院総裁は、人事官の中から、内閣が、これを命ずる。

②人事院総裁は、院務を総理し、人事院を代表する。

③人事院総裁に事故のあるとき、又は人事院総裁が欠けたときは、先任の人事官が、その職務を代行する。

第15条（人事院の職員の兼職禁止）

人事官及び事務総長は、他の官職を兼ねてはならない。

第16条（人事院規則及び人事院指令）

①人事院は、その所掌事務について、法律を実施するため、又は法律の委任に基づいて、人事院規則を制定し、人事院指令を発し、及び手続を定める。人事院は、いつでも、適宜に、人事院規則を改廃することができる。

②人事院規則及びその改廃は、官報をもって、これを公布する。

③人事院は、この法律に基いて人事院規則を実施し又はその他の措置を行うため、人事院指令を発することができる。

第17条（人事院の調査）

①人事院又はその指名する者は、人事院の所掌する人事行政に関する事項に関し調査することができる。

②人事院又は前項の規定により指名された者は、同項の調査に関し必要があるときは、証人を喚問し、又は調査すべき事項に関係があると認められる書類若しくはその写の提出を求めることができる。

③人事院は、第1項の調査（職員の職務に係る倫理の保持に関して行われるものに限る。）に関し必要があると認めるときは、当該調査の対象である職員に出頭を求めて質問し、又は同項の規定により指名された者に、当該職員の勤務する場所（職員として勤務していた場所を含む。）に立ち入らせ、帳簿書類その他必要な物件を検査させ、又は関係者に質問させることができる。

④前項の規定により立入検査をする者は、その身分を示す証明書を携帯し、関係者の請求があったときは、これを提示しなければならない。

⑤第3項の規定による立入検査の権限は、犯罪捜査のために認められたものと解してはならない。

第17条の2（国家公務員倫理審査会への権限の委任）

人事院は、前条の規定による権限（職員の職務に係る倫理の保持に関して行われるものに限り、かつ、第90条第1項に規定する審査請求に係るものを除く。）を国家公務員倫理審査会に委任する。

第18条（給与の支払の監理）

①人事院は、職員に対する給与の支払を監理する。

②職員に対する給与の支払は、人事院規則又は人事院指令に反してこれを行ってはならない。

第18条の2（内閣総理大臣）

①内閣総理大臣は、法律の定めるところに従い、採用試験の対象官職及び種類並びに採用試験により確保すべき人材に関する事務、標準職務遂行能力、採用昇任等基本方針、幹部職員の任用等に係る特例及び幹部候補育成課程に関する事務（第33条第1項に規定する根本基準の実施につき必要な事務であって、行政需要の変化に対応するために行う優れた人材の養成及び活用の確保に関するものを含む。）、一般職の職員の給与に関する法律第6条の2第1項の規定による指定職俸給表の適用を受ける職員の号俸の決定の方法並びに同法第8条第1項の規定による職務の級の定数の設定及び改定に関する事務並びに職員の人事評価（任用、給与、分限その他の人事管理の基礎とするために、給与、分限その他の人事管理の基礎とするために、職員が発揮した能力及び挙げた業績を把握した上で行われる勤務成績の評価をいう。以下同じ。）、研修、能率、厚生、服務、退職管理等に関する事務（第3条第2項の規定により人事院の所掌に属するものを除く。）をつかさどる。

②内閣総理大臣は、前項に規定するもののほか、各行政機関がその職員について行なう人事管理に関する方針、計画等に関し、その統一保持上必要な総合調整に関する事務をつかさどる。

第21条（権限の委任）

人事院又は内閣総理大臣は、それぞれ人事院規則又は政令の定めるところにより、この法律に基づく権限の一部を他の機関をして行なわせることができる。この場合においては、人事院又は内閣総理大臣は、当該事務に関し、他の機関の長を指揮監督することができる。

第22条（人事行政改善の勧告）

①人事院は、人事行政の改善に関し、関係大臣その他の機関の長に勧告することができる。

②前項の場合においては、人事院は、その旨を内閣に報告しなければならない。

第23条（法令の制定改廃に関する意見の申出）

人事院は、この法律の目的達成上、法令の制定又は改廃に関し意見があるときは、その意見を国会及び内閣に同時に申し出なければならない。

第23条の2（人事院規則の制定改廃に関する内閣総理大臣からの要請）

①内閣総理大臣は、この法律の目的達成上必要があると認めるときは、人事院に対し、人事院規則を制定し、又は改廃することを要請することができる。

②内閣総理大臣は、前項の規定による要請をしたときは、速やかに、その内容を公表するものとする。

第24条（業務の報告）

①人事院は、毎年、国会及び内閣に対し、業務の状況を報告しなければならない。

②内閣は、前項の報告を公表しなければならない。

第25条（人事管理官）

①内閣府及び各省並びに政令で指定するその他の機関には、人事管理官を置かなければならない。

②人事管理官は、人事に関する部局の長となり、前項の機関の長を助け、人事に関する事務を掌る。

この場合において、人事管理官は中央人事行政機関との密接な連絡及びこれに対する協力につとめなければならない。

第3章　職員に適用される基準

第1節　通則

第27条（平等取扱いの原則）

全て国民は、この法律の適用について、平等に取り扱われ、人種、信条、性別、社会的身分、門地又は第38条第4号に該当する場合を除くほか政治的意見若しくは政治的所属関係によって、差別されてはならない。

第27条の2（人事管理の原則）

職員の採用後の任用、給与その他の人事管理は、職員の採用年次、合格した採用試験の種類及び第61条の9第2項第2号に規定する課程対象者であるか否か又は同号に規定する課程対象者であったか否かにとらわれてはならず、この法律に特段の定めがある場合を除くほか、人事評価に基づいて適切に行われなければならない。

第28条（情勢適応の原則）

①この法律及び他の法律に基づいて定められる職員の給与、勤務時間その他勤務条件に関する基礎事項は、国会により社会一般の情勢に適応するように、随時これを変更することができる。その変更に関しては、人事院においてこれを勧告することを怠ってはならない。

②人事院は、毎年、少なくとも1回、俸給表が適当であるかどうかについて国会及び内閣に同時に報告しなければならない。給与を決定する諸条件の変化により、俸給表に定める給与を100分の5以上増減する必要が生じたと認められるときは、人事院は、その報告にあわせて、国会及び内閣に適当な勧告をしなければならない。

第2節　採用試験及び任免

第33条（任免の根本基準）

①職員の任用は、この法律の定めるところにより、その者の受験成績、人事評価又はその他の能力の実証に基づいて行わなければならない。

②前項に規定する根本基準の実施に当たっては、次に掲げる事項が確保されなければならない。

1　職員の公正な任用

2　行政需要の変化に対応するために行う優れた人材の養成及び活用

③職員の免職は、法律に定める事由に基づいてこれを行わなければならない。

④第1項に規定する根本基準の実施につき必要な事項であって第2項第1号に掲げる事項の確保に関するもの及び前項に規定する根本基準の実施につき必要な事項は、この法律に定めのあるものを除いては、人事院規則でこれを定める。

第33条の2

第54条第1項に規定する採用昇任等基本方針には、前条第1項に規定する根本基準の実施につき必要な事項であって同条第2項第2号に掲げる事項の確保に関するものとして、職員の採用、昇任、降任

及び転任に関する制度の適切かつ効果的な運用の確保に資する基本的事項を定めるものとする。

第1款　通則

第36条（採用の方法）

職員の採用は、競争試験によるものとする。ただし、係員の官職（第34条第2項に規定する標準的な官職が係員である職制上の段階に属する官職その他これに準ずる官職として人事院規則で定めるものをいう。第45条の2第1項において同じ。）以外の官職に採用しようとする場合又は人事院規則で定める場合には、競争試験以外の能力の実証に基づく試験（以下「選考」という。）の方法によることを妨げない。

第38条（欠格条項）

次の各号のいずれかに該当する者は、人事院規則で定める場合を除くほか、官職に就く能力を有しない。

1　禁錮以上の刑に処せられ、その執行を終わるまで又はその執行を受けることがなくなるまでの者

2　懲戒免職の処分を受け、当該処分の日から2年を経過しない者

3　人事院の人事官又は事務総長の職にあって、第109条から第112条までに規定する罪を犯し、刑に処せられた者

4　日本国憲法施行の日以後において、日本国憲法又はその下に成立した政府を暴力で破壊することを主張する政党その他の団体を結成し、又はこれに加入した者

第39条（人事に関する不法行為の禁止）

何人も、次の各号のいずれかに該当する事項を実現するために、金銭その他の利益を授受し、提供し、要求し、若しくは授受を約束したり、脅迫、強制その他これに類する方法を用いたり、直接たると間接たるとを問わず、公の地位を利用し、又はその利用を提供し、要求し、若しくは約束したり、あるいはこれらの行為に関与してはならない。

1　退職若しくは休職又は任用の不承諾

2　採用のための競争試験（以下「採用試験」という。）若しくは任用の志望の撤回又は任用に対する競争の中止

3　任用、昇給、留職その他官職における利益の実現又はこれらのことの推薦

第2款　採用試験

第45条の2（採用試験における対象官職及び種類並びに採用試験により確保すべき人材）

①採用試験は、次に掲げる官職を対象として行うものとする。

1　係員の官職のうち、政策の企画及び立案又は調査及び研究に関する事務をその職務とする官職その他これらに類する官職であって政令で定めるもの（第3号に掲げるものを除く。）

2　定型的な事務をその職務とする係員の官職その他の係員の官職（前号及び次号に掲げるものを除く。）

3　係員の官職のうち、特定の行政分野に係る専門的な知識を必要とする事務をその職務とする官職として政令で定めるもの

4　係員の官職より上位の職制上の段階に属する官職のうち、民間企業における実務の経験その他これに類する経験を有する者を採用することが適当なものとして政令で定めるもの

②採用試験の種類は、次に掲げるとおりとする。

1　総合職試験（前項第1号に掲げる官職への採用を目的とした競争試験をいう。）であって、一定の範囲の知識、技術その他の能力（以下この項において「知識等」という。）を有する者として政令で定めるものごとに、受験者が同号に掲げる官職の属する職制上の段階の標準的な官職に係る標準職務遂行能力及び同号に掲げる官職についての適性を有するかどうかを判定することを目的として行うそれぞれの採用試験

2　一般職試験（前項第2号に掲げる官職への採用を目的とした競争試験をいう。）であって、一定の範囲の知識を有する者として政令で定めるものごとに、受験者が同号に掲げる官職の属する職制上の段階の標準的な官職に係る標準職務遂行能力及び同号に掲げる官職についての適性を有するかどうかを判定することを目的として行うそれぞれの採用試験

3　専門職試験（前項第3号に掲げる官職への採用を目的とした競争試験をいう。）であって、同号に規定する特定の行政分野に応じて一定の範囲の知識等を有する者として政令で定めるものごとに、受験者が同号に掲げる官職の属する職制上の段階の標準的な官職に係る標準職務遂行能力及び同号に掲げる官職についての適性を有するかどうかを判定することを目的として行うそれぞれの採用試験

4　経験者採用試験（前項第4号に掲げる官職への採用を目的とした競争試験をいう。）であって、同号に規定する職制上の段階その他の官職に係る分類に応じて一定の範囲の知識等を有する者として政令で定めるものごとに、受験者が同号に掲げる官職の属する職制上の段階の標準的な官職に係る標準職務遂行能力及び同号に掲げる官職についての適性を有するかどうかを判定することを目的として行うそれぞれの採用試験

③採用試験により確保すべき人材に関する事項は、前項各号に掲げる採用試験の種類ごとに、政令で定める。

④前3項の政令は、人事院の意見を聴いて定めるものとする。

第45条の3　（採用試験の方法等）

採用試験の方法、試験科目、合格者の決定の方法その他採用試験に関する事項については、この法律に定めのあるものを除いては、前条第2項各号に掲げる採用試験の種類に応じ、人事院規則で定める。

第46条　（採用試験の公開平等）

採用試験は、人事院規則の定める受験の資格を有するすべての国民に対して、平等の条件で公開されなければならない。

第3款　採用候補者名簿

第50条　（名簿の作成）

採用試験による職員の採用については、人事院規則の定めるところにより、採用候補者名簿を作成するものとする。

第51条　（採用候補者名簿に記載される者）

採用候補者名簿には、当該官職に採用することができる者として、採用試験において合格点以上を得た者の氏名及び得点を記載するものとする。

第52条　（名簿の閲覧）

採用候補者名簿は、受験者、任命権者その他関係者の請求に応じて、常に閲覧に供されなければならない。

第53条　（名簿の失効）

採用候補者名簿が、その作成後1年以上を経過したとき、又は人事院の定める事由に該当するときは、いつでも、人事院は、任意に、これを失効させることができる。

第4款　任用

第55条　（任命権者）

①任命権は、法律に別段の定めのある場合を除いては、内閣、各大臣（内閣総理大臣及び各省大臣をいう。以下同じ。）、会計検査院長及び人事院総裁並びに宮内庁長官及び各外局の長に属するものとする。これらの機関の長の有する任命権は、その部内の機関に属する官職に限られ、内閣の有する任命権は、その直属する機関（内閣府を除く。）に属する官職に限られる。ただし、外局の長（国家行政組織法第7条第5項に規定する実施庁以外の庁にあっては、外局の幹部職）に対する任命権は、各大臣に属する。

②前項に規定する機関の長たる任命権者は、幹部職以外の官職（内閣が任命権を有する場合における幹部職を含む。）の任命権を、その部内の上級の国家公務員（内閣が任命権を有する幹部職にあっては、内閣総理大臣又は国務大臣）に限り委任することができる。この委任は、その効力が発生する日の前に、書面をもって、これを人事院に提示しなければならない。

③この法律、人事院規則及び人事院指令に規定する要件を備えない者は、これを任命し、雇用し、昇任させ若しくは転任させてはならず、又はいかなる官職にも配置してはならない。

第56条　（採用候補者名簿による採用）

採用候補者名簿による職員の採用は、任命権者が、当該採用候補者名簿に記載された者の中から、面接を行い、その結果を考慮して行うものとする。

第57条　（選考による採用）

選考による職員の採用（職員の幹部職への任命に該当するものを除く。）は、任命権者が、任命しようとする官職の属する職制上の段階の標準的な官職に係る標準職務遂行能力及び当該任命しようとする官職についての適性を有すると認められる者の中か

行政法編

ら行うものとする。

第58条（昇任、降任及び転任）

①職員の昇任及び転任（職員の幹部職への任命に該当するものを除く。）は、任命権者が、職員の人事評価に基づき、任命しようとする官職の属する職制上の段階の標準的な官職に係る標準職務遂行能力及び当該任命しようとする官職についての適性を有すると認められる者の中から行うものとする。

②任命権者は、職員を降任させる場合（職員の幹部職への任命に該当する場合を除く。）には、当該職員の人事評価に基づき、任命しようとする官職の属する職制上の段階の標準的な官職に係る標準職務遂行能力及び当該任命しようとする官職についての適性を有すると認められる官職に任命するものとする。

③国際機関又は民間企業に派遣されていたこと等の事情により、人事評価が行われていない職員の昇任、降任及び転任（職員の幹部職への任命に該当するものを除く。）については、前2項の規定にかかわらず、任命権者が、人事評価以外の能力の実証に基づき、任命しようとする官職の属する職制上の段階の標準的な官職に係る標準職務遂行能力及び当該任命しようとする官職についての適性を判断して行うことができる。

第59条（条件附任用期間）

①一般職に属するすべての官職に対する職員の採用又は昇任は、すべて条件附のものとし、その職員が、その官職において6月を下らない期間を勤務し、その間その職務を良好な成績で遂行したときに、正式のものとなるものとする。

②条件附採用に関し必要な事項又は条件附採用期間であって6月をこえる期間を要するものについては、人事院規則でこれを定める。

第60条（臨時的任用）

①任命権者は、人事院規則の定めるところにより、緊急の場合、臨時の官職に関する場合又は採用候補者名簿がない場合には、人事院の承認を得て、6月を超えない任期で、臨時的任用を行うことができる。この場合において、その任用は、人事院規則の定めるところにより人事院の承認を得て、6月の期間で、これを更新することができるが、再度更新することはできない。

②人事院は、臨時的任用につき、その員数を制限し、又は、任用される者の資格要件を定めることができる。

③人事院は、前2項の規定又は人事院規則に違反する臨時的任用を取り消すことができる。

④臨時的任用は、任用に際して、いかなる優先権をも与えるものではない。

⑤前各項に定めるもののほか、臨時的に任用された者に対しては、この法律及び人事院規則を適用する。

第5款 休職、復職、退職及び免職

第61条（休職、復職、退職及び免職）

職員の休職、復職、退職及び免職は任命権者が、

この法律及び人事院規則に従い、これを行う。

第6款 幹部職員の任用等に係る特例

第61条の2（適格性審査及び幹部候補者名簿）

①内閣総理大臣は、次に掲げる者について、政令で定めるところにより、幹部職（自衛隊法（昭和29年法律第165号）第30条の2第1項第6号に規定する幹部職を含む。以下この条において同じ。）に属する官職（同項第2号に規定する自衛官以外の隊員が占める職を含む。次項及び第61条の11において同じ。）に係る標準職務遂行能力（同法第30条の2第1項第5号に規定する標準職務遂行能力を含む。次項において同じ。）を有することを確認するための審査（以下「適格性審査」という。）を公正に行うものとする。

1 幹部職員（自衛隊法第30条の2第1項第6号に規定する幹部隊員を含む。以下この項及び第61条の9第1項において同じ。）

2 幹部職員以外の者であって、幹部職の職責を担うにふさわしい能力を有すると見込まれる者として任命権者（自衛隊法第31条第1項の規定により同法第2条第5項に規定する隊員（以下「自衛隊員」という。）の任免について権限を有する者を含む。第3項及び第4項、第61条の6並びに第61条の11において同じ。）が内閣総理大臣に推薦した者

3 前2号に掲げる者に準ずる者として政令で定める者

②内閣総理大臣は、適格性審査の結果、幹部職に属する官職に係る標準職務遂行能力を有することを確認した者について、政令で定めるところにより、氏名その他政令で定める事項を記載した名簿（以下「幹部候補者名簿」という。）を作成するものとする。

③内閣総理大臣は、任命権者の求めがある場合には、政令で定めるところにより、当該任命権者に対し、幹部候補者名簿を提示するものとする。

④内閣総理大臣は、政令で定めるところにより、定期的に、及び任命権者の求めがある場合その他必要があると認める場合には随時、適格性審査を行い、幹部候補者名簿を更新するものとする。

⑤内閣総理大臣は、前各項の規定による権限を内閣官房長官に委任する。

⑥第1項各号列記以外の部分及び第2項から第4項までの政令は、人事院の意見を聴いて定めるものとする。

第61条の3（幹部候補者名簿に記載されている者の中からの任用）

①選考による職員の採用であって、幹部職への任命に該当するものは、任命権者が、幹部候補者名簿に記載されている者であって、当該任命しようとする幹部職についての適性を有すると認められる者の中から行うものとする。

②職員の昇任及び転任であって、幹部職への任命に該当するものは、任命権者が、幹部候補者名簿に記載されている者であって、職員の人事評価に基づき、当該任命しようとする幹部職についての適

性を有すると認められる者の中から行うものとする。

③任命権者は、幹部候補者名簿に記載されている職員の降任であって、幹部職への任命に該当するものを行う場合には、当該職員の人事評価に基づき、当該任命しようとする幹部職についての適性を有すると認められる幹部職に任命するものとする。

④国際機関又は民間企業に派遣されていたこと等の事情により人事評価が行われていない職員のうち、幹部候補者名簿に記載されている者の昇任、降任又は転任であって、幹部職への任命に該当するものについては、任命権者が、前2項の規定にかかわらず、人事評価以外の能力の実証に基づき、当該任命しようとする幹部職についての適性を判断して行うことができる。

第61条の4（内閣総理大臣及び内閣官房長官との協議に基づく任用等）

①任命権者は、職員の選考による採用、昇任、転任及び降任であって幹部職への任命に該当するもの、幹部職員の幹部職以外の官職への昇任、転任及び降任並びに幹部職員の退職（政令で定めるものに限る。第4項において同じ。）及び免職（以下この条において「採用等」という。）を行う場合には、政令で定めるところにより、あらかじめ内閣総理大臣及び内閣官房長官に協議した上で、当該協議に基づいて行うものとする。

②前項の場合において、災害その他緊急やむを得ない理由により、あらかじめ内閣総理大臣及び内閣官房長官に協議する時間的余裕がないときは、任命権者は、同項の規定にかかわらず、当該協議を行うことなく、職員の採用等を行うことができる。

③任命権者は、前項の規定により職員の採用等を行った場合には、内閣総理大臣及び内閣官房長官に通知するとともに、遅滞なく、当該採用等について、政令で定めるところにより、内閣総理大臣及び内閣官房長官に協議し、当該協議に基づいて必要な措置を講じなければならない。

④内閣総理大臣又は内閣官房長官は、幹部職員について適切な人事管理を確保するために必要があると認めるときは、任命権者に対し、幹部職員の昇任、転任、降任、退職及び免職（以下この項において「昇任等」という。）について協議を求めることができる。この場合において、協議が調ったときは、任命権者は、当該協議に基づいて昇任等を行うものとする。

第61条の5（管理職への任用に関する運用の管理）

①任命権者は、政令で定めるところにより、定期的に、及び内閣総理大臣の求めがある場合には随時、管理職への任用の状況を内閣総理大臣に報告するものとする。

②内閣総理大臣は、第54条第2項第4号の基準に照らして必要があると認める場合には、任命権者に対し、管理職への任用に関する運用の改善その他の必要な措置をとることを求めることができる。

第61条の6（任命権者を異にする管理職への任用に係る調整）

内閣総理大臣は、任命権者を異にする管理職（自衛隊法第30条の2第1項第7号に規定する管理職を含む。）への任用の円滑な実施に資するよう、任命権者に対する情報提供、任命権者相互間の情報交換の促進その他の必要な調整を行うものとする。

第61条の7（人事に関する情報の管理）

①内閣総理大臣は、この款及び次款の規定の円滑な運用を図るため、内閣府、各省その他の機関に対し、政令で定めるところにより、当該機関の幹部職員、管理職員、第61条の9第2項に規定する課程対象者その他これらに準ずる職員として政令で定めるものの人事に関する情報の提供を求めることができる。

②内閣総理大臣は、政令で定めるところにより、前項の規定により提出された情報を適正に管理するものとする。

第61条の8（特殊性を有する幹部職等の特例）

①法律の規定に基づき内閣に置かれる機関（内閣法制局及び内閣府を除く。以下この項において「内閣の直属機関」という。）、人事院、検察庁及び会計検査院の官職（当該官職が内閣の直属機関に属するものであって、その任命権者が内閣の委任を受けて任命権を行う者であるものを除く。）については、第61条の2から第61条の5までの規定は適用せず、第57条、第58条及び前条第1項の規定の適用については、第57条中「採用（職員の幹部職への任命に該当するものを除く。）」とあるのは「採用」と、第58条第1項中「転任（職員の幹部職への任命に該当するものを除く。）」とあるのは「転任」と、同条第2項中「降任させる場合（職員の幹部職への任命に該当する場合を除く。）」とあるのは「降任させる場合」と、同条第3項中「転任（職員の幹部職への任命に該当するものを除く。）」とあるのは「転任」と、前条第1項中「、政令」とあるのは「、当該機関の職員が適格性審査を受ける場合その他の必要がある場合として政令で定める場合に限り、政令」とする。

②内閣法制局、宮内庁、外局として置かれる委員会（政令で定めるものを除く。）及び国家行政組織法第7条第5項に規定する実施庁の幹部職（これらの機関の長を除く。）については、第61条の4第4項の規定は適用せず、同条第1項及び第3項の規定の適用については、同条第1項中「内閣総理大臣」とあるのは「任命権者の属する機関に係る事項についての内閣法（昭和22年法律第5号）にいう主任の大臣（第3項において単に「主任の大臣」という。）を通じて内閣総理大臣」と、同条第3項中「内閣総理大臣」とあるのは「主任の大臣を通じて内閣総理大臣」とする。

第7款　幹部候補育成課程

第61条の9（運用の基準）

①内閣総理大臣、各省大臣（自衛隊法第31条第1項の規定により自衛隊員の任免について権限を有する防衛大臣を含む。）、会計検査院長、人事院総

行政法編

裁その他機関の長であって政令で定めるもの（以下この条及び次条において「各大臣等」という。）は、幹部職員の候補となり得る管理職員（同法第30条の2第1項第7号に規定する管理隊員を含む。次項において同じ。）としてその職責を担うにふさわしい能力及び経験を有する職員（自衛隊員（自衛官を除く。）を含む。同項において同じ。）を育成するための課程（以下「幹部候補育成課程」という。）を設け、内閣総理大臣の定める基準に従い、運用するものとする。

②前項の基準においては、次に掲げる事項を定めるものとする。

1　各大臣等が、その職員であって、採用後、一定期間勤務した経験を有するものの中から、本人の希望及び人事評価（自衛隊法第31条第3項に規定する人事評価を含む。次号において同じ。）に基づいて、幹部候補育成課程における育成の対象となるべき者を随時選定すること。

2　各大臣等が、前号の規定により選定した者（以下「課程対象者」という。）について、人事評価に基づいて、引き続き課程対象者とするかどうかを定期的に判定すること。

3　各大臣等が、課程対象者に対し、管理職員に求められる政策の企画立案及び業務の管理に係る能力の育成を目的とした研修（政府全体を通ずるものを除く。）を実施すること。

4　各大臣等が、課程対象者に対し、管理職員に求められる政策の企画立案及び業務の管理に係る能力の育成を目的とした研修であって、政府全体を通ずるものとして内閣総理大臣が企画立案し、実施するものを受講させること。

5　各大臣等が、課程対象者に対し、国の複数の行政機関又は国以外の法人において勤務させることにより、多様な勤務を経験する機会を付与すること。

6　第3号の研修の実施及び前号の機会の付与に当たっては、次に掲げる事項を行うよう努めること。

イ　民間企業その他の法人における勤務の機会を付与すること。

ロ　国際機関、在外公館その他の外国に所在する機関における勤務又は海外への留学の機会を付与すること。

ハ　所掌事務に係る専門性の向上を目的とした研修を実施し、又はその向上に資する勤務の機会を付与すること。

7　前各号に掲げるもののほか、幹部候補育成課程に関する政府全体としての統一性を確保するために必要な事項

第61条の10（運用の管理）

①各大臣等（会計検査院長及び人事院総裁を除く。次項において同じ。）は、政令で定めるところにより、定期的に、及び内閣総理大臣の求めがある場合には随時、幹部候補育成課程の運用の状況を内閣総理大臣に報告するものとする。

②内閣総理大臣は、前条第1項の基準に照らして必要があると認める場合には、各大臣等に対し、幹部候補育成課程の運用の改善その他の必要な措置をとることを求めることができる。

第61条の11（任命権者を異にする任用に係る調整）

第61条の6の規定は、任命権者を異にする官職への課程対象者の任用について準用する。

第4節の2　研修

第70条の5（研修の根本基準）

①研修は、職員に現在就いている官職又は将来就くことが見込まれる官職の職務の遂行に必要な知識及び技能を習得させ、並びに職員の能力及び資質を向上させることを目的とするものでなければならない。

②前項の根本基準の実施につき必要な事項は、この法律に定めのあるものを除いては、人事院の意見を聴いて政令で定める。

③人事院及び内閣総理大臣は、それぞれの所掌事務に係る研修による職員の育成について調査研究を行い、その結果に基づいて、それぞれの所掌事務に係る研修について適切な方策を講じなければならない。

第70条の6（研修計画）

①人事院、内閣総理大臣及び関係庁の長は、前条第1項に規定する根本基準を達成するため、職員の研修（人事院にあっては第1号に掲げる観点から行う研修とし、内閣総理大臣にあっては第2号に掲げる観点から行う研修とし、関係庁の長にあっては第3号に掲げる観点から行う研修とする。）について計画を樹立し、その実施に努めなければならない。

1　国民全体の奉仕者としての使命の自覚及び多角的な視点等を有する職員の育成並びに研修の方法に関する専門的知見を活用して行う職員の効果的な育成

2　各行政機関の課程対象者の政府全体を通じた育成又は内閣の重要政策に関する理解を深めることを通じた行政各部の施策の統一性の確保

3　行政機関が行うその職員の育成又は行政機関がその所掌事務について行うその職員及び他の行政機関の職員に対する知識及び技能の付与

②前項の計画は、同項の目的を達成するために必要かつ適切な職員の研修の機会が確保されるものでなければならない。

③内閣総理大臣は、第1項の規定により内閣総理大臣及び関係庁の長が行う研修についての計画の樹立及び実施に関し、その総合的な企画及び関係各庁に対する調整を行う。

④内閣総理大臣は、前項の総合的企画に関連して、人事院に対し、必要な協力を要請することができる。

⑤人事院は、第1項の計画の樹立及び実施に関し、その監視を行う。

第70条の7（研修に関する報告要求等）

①人事院は、内閣総理大臣又は関係庁の長に対し、

人事院規則の定めるところにより、前条第1項の計画に基づく研修の実施状況について報告を求めることができる。

②人事院は、内閣総理大臣又は関係庁の長が法令に違反して前条第1項の計画に基づく研修を行った場合には、その是正のため必要な指示を行うことができる。

第5節　能率

第73条の2（能率の増進に関する要請）

内閣総理大臣は、職員の能率の増進を図るため必要があると認めるときは、関係庁の長に対し、国家公務員宿舎法（昭和24年法律第117号）又は国家公務員等の旅費に関する法律（昭和25年法律第114号）の執行に関し必要な要請をすることができる。

第6節　分限、懲戒及び保障

第74条（分限、懲戒及び保障の根本基準）

①すべて職員の分限、懲戒及び保障については、公正でなければならない。

②前項に規定する根本基準の実施につき必要な事項は、この法律に定めるものを除いては、人事院規則でこれを定める。

第1款　分限

第1目　降任、休職、免職等

第75条（身分保障）

①職員は、法律又は人事院規則に定める事由による場合でなければ、その意に反して、降任され、休職され、又は免職されることはない。

②職員は、人事院規則の定める事由に該当するときは、降給されるものとする。

第76条（欠格による失職）

職員が第38条各号（第2号を除く。）のいずれかに該当するに至ったときは、人事院規則で定める場合を除くほか、当然失職する。

第77条（離職）

職員の離職に関する規定は、この法律及び人事院規則でこれを定める。

第78条（本人の意に反する降任及び免職の場合）

職員が、次の各号に掲げる場合のいずれかに該当するときは、人事院規則の定めるところにより、その意に反して、これを降任し、又は免職することができる。

1　人事評価又は勤務の状況を示す事実に照らして、勤務実績がよくない場合

2　心身の故障のため、職務の遂行に支障があり、又はこれに堪えない場合

3　その他その官職に必要な適格性を欠く場合

4　官制若しくは定員の改廃又は予算の減少により廃職又は過員を生じた場合

第78条の2（幹部職員の降任に関する特例）

任命権者は、幹部職員（幹部職のうち職制上の段階が最下位の段階のものを占める幹部職員を除く。以下この条において同じ。）について、次の各号に掲げる場合のいずれにも該当するときは、人事院規則の定めるところにより、当該幹部職員が前条各号に掲げる場合のいずれにも該当しない場合においても、その意に反して降任（直近下位の職制上の段階に属する幹部職への降任に限る。）を行うことができる。

1　当該幹部職員が、人事評価又は勤務の状況を示す事実に照らして、他の官職（同じ職制上の段階に属する他の官職であって、当該官職に対する任命権が当該幹部職員の任命権者に属するものをいう。第3号において「他の官職」という。）を占める他の幹部職員に比して勤務実績が劣っているものとして人事院規則で定める要件に該当する場合

2　当該幹部職員が現に任命されている官職に幹部職員となり得る他の特定の者を任命すると仮定した場合において、当該他の特定の者が、人事評価又は勤務の状況を示す事実その他の客観的な事実及び当該官職についての適性に照らして、当該幹部職員より優れた業績を挙げることが十分見込まれる場合として人事院規則で定める要件に該当する場合

3　当該幹部職員について、欠員を生じ、若しくは生ずると見込まれる他の官職についての適性が他の候補者と比較して十分でない場合として人事院規則で定める要件に該当すること若しくは他の官職の職務を行うと仮定した場合において当該幹部職員が当該他の官職に現に就いている他の職員より優れた業績を挙げることが十分見込まれる場合として人事院規則で定める要件に該当しないことにより、転任させるべき適当な官職がないと認められる場合又は幹部職員の任用を適切に行うため当該幹部職員を降任させる必要がある場合として人事院規則で定めるその他の場合

第79条（本人の意に反する休職の場合）

職員が、左の各号の一に該当する場合又は人事院規則で定めるその他の場合においては、その意に反して、これを休職することができる。

1　心身の故障のため、長期の休養を要する場合

2　刑事事件に関し起訴された場合

第80条（休職の効果）

①前条第1号の規定による休職の期間は、人事院規則でこれを定める。休職期間中その事故の消滅したときは、休職は当然終了したものとし、すみやかに復職を命じなければならない。

②前条第2号の規定による休職の期間は、その事件が裁判所に係属する間とする。

③いかなる休職も、その事由が消滅したときは、当然に終了したものとみなされる。

④休職者は、職員としての身分を保有するが、職務に従事しない。休職者は、その休職の期間中、給与に関する法律で別段の定めをしない限り、何らの給与を受けてはならない。

第81条（適用除外）

①次に掲げる職員の分限（定年に係るものを除く。次項において同じ。）については、第75条、第78条から前条まで及び第89条並びに行政不服審

査法（平成26年法律第68号）の規定は、適用しない。

1 臨時的職員

2 条件付採用期間中の職員

②前各号に掲げる職員の分限については、人事院規則で必要な事項を定めることができる。

第2款 懲戒

第82条（懲戒の場合）

①職員が、左の各号の一に該当する場合においては、これに対し懲戒処分として、免職、停職、減給又は戒告の処分をすることができる。

1 この法律若しくは国家公務員倫理法又はこれらの法律に基づく命令（国家公務員倫理法第5条第3項の規定に基づく訓令及び同条第4項の規定に基づく規則を含む。）に違反した場合

2 職務上の義務に違反し、又は職務を怠った場合

3 国民全体の奉仕者たるにふさわしくない非行のあった場合

Q1 機械的労務を提供するにすぎない非管理職の現業公務員は、職務と関連性のない時間外の政治的行為も禁止されるのか。

A 職務と関連性のない時間外の政治的行為も禁止される。　公務員の政治的行為のすべてが自由に放任された場合の弊害の発生を防止し、行政の中立的運営とこれに対する国民の信頼を確保するための措置の目的は正当であり、このような弊害の発生を防止するため、公務員の政治的中立性を損なうおそれのある政治的行為を禁止することは、禁止目的との間に合理的な関連性があるから、公務員の政治的行為を禁止する国家公務員法102条1項および人事院規則14-7（第5項3号・第6項13号）は、憲法21条に反しない〈猿払事件〉（最大判昭49・11・6）。　**出題**国Ⅰ-昭和60

第83条（懲戒の効果）

①停職の期間は、1年をこえない範囲内において、人事院規則でこれを定める。

②停職者は、職員としての身分を保有するが、その職務に従事しない。停職者は、第92条の規定による場合の外、停職の期間中給与を受けることができない。

第84条（懲戒権者）

①懲戒処分は、任命権者が、これを行う。

②人事院は、この法律に規定された調査を経て職員を懲戒手続に付することができる。

第84条の2（国家公務員倫理審査会への権限の委任）

人事院は、前条第2項の規定による権限（国家公務員倫理法又はこれに基づく命令（同法第5条第3項の規定に基づく訓令及び同条第4項の規定に基づく規則を含む。）に違反する行為について行われるものに限る。）を国家公務員倫理審査会に委任する。

第85条（刑事裁判との関係）

懲戒に付せらるべき事件が、刑事裁判所に係属する間においても、人事院又は人事院の承認を経て任命権者は、同一事件について、適宜に、懲戒手続を進めることができる。この法律による懲戒処分は、当該職員が、同一又は関連の事件に関し、重ねて刑事上の訴追を受けることを妨げない。

第3款　保障

第2目　職員の意に反する不利益な処分に関する審査

第89条（職員の意に反する降給等の処分に関する説明書の交付）

①職員に対し、その意に反して、降給し、降任し、休職し、免職し、その他これに対しいちじるしく不利益な処分を行い、又は懲戒処分を行おうとするときは、その処分を行う者は、その職員に対し、その処分の際、処分の事由を記載した説明書を交付しなければならない。

②職員が前項に規定するいちじるしく不利益な処分を受けたと思料する場合には、同項の説明書の交付を請求することができる。

③第1項の説明書には、当該処分につき、人事院に対して審査請求をすることができる旨及び審査請求をすることができる期間を記載しなければならない。

第90条（審査請求）

①前条第1項に規定する処分を受けた職員は、人事院に対してのみ審査請求をすることができる。

②前条第1項に規定する処分及び法律に特別の定めがある処分を除くほか、職員に対する処分については、審査請求をすることができない。職員がした申請に対する不作為についても、同様とする。

③第1項に規定する審査請求については、行政不服審査法第2章の規定を適用しない。

第90条の2（審査請求期間）

前条第1項に規定する審査請求は、処分説明書を受領した日の翌日から起算して3月以内にしなければならず、処分があった日の翌日から起算して1年を経過したときは、することができない。

第91条（調査）

①第90条第1項に規定する審査請求を受理したときは、人事院又はその定める機関は、直ちにその事案を調査しなければならない。

②前項に規定する場合において、処分を受けた職員から請求があったときは、口頭審理を行わなければならない。口頭審理は、その職員から請求があったときは、公開して行わなければならない。

③処分を行った者又はその代理者及び処分を受けた職員は、すべての口頭審理に出席し、自己の代理人として弁護人を選任し、陳述を行い、証人を出席せしめ、並びに書類、記録その他のあらゆる適切な事実及び資料を提出することができる。

④前項に掲げる者以外の者は、当該事案に関し、人事院に対し、あらゆる事実及び資料を提出することができる。

第92条（調査の結果採るべき措置）

①前条に規定する調査の結果、処分を行うべき事由のあることが判明したときは、人事院は、その処分を承認し、又はその裁量により修正しなければならない。

②前条に規定する調査の結果、その職員に処分を受けるべき事由のないことが判明したときは、人事院は、その処分を取り消し、職員としての権利を回復するために必要で、且つ、適切な処置をなし、及びその職員がその処分によって受けた不当な処置を是正しなければならない。人事院は、職員がその処分によって失った俸給の弁済を受けるように指示しなければならない。

③前2項の判定は、最終のものであって、人事院規則の定めるところにより、人事院によってのみ審査される。

第92条の2 (審査請求と訴訟との関係)

第89条第1項に規定する処分であって人事院に対して審査請求をすることができるものの取消しの訴えは、審査請求に対する人事院の裁決を経た後でなければ、提起することができない。

第7節 服務

第96条 (服務の根本基準)

①すべて職員は、国民全体の奉仕者として、公共の利益のために勤務し、且つ、職務の遂行に当っては、全力を挙げてこれに専念しなければならない。

②前項に規定する根本基準の実施に関し必要な事項は、この法律又は国家公務員倫理法に定めるものを除いては、人事院規則でこれを定める。

第97条 (服務の宣誓)

職員は、政令の定めるところにより、服務の宣誓をしなければならない。

第98条 (法令及び上司の命令に従う義務並びに争議行為等の禁止)

①職員は、その職務を遂行するについて、法令に従い、且つ、上司の職務上の命令に忠実に従わなければならない。

②職員は、政府が代表する使用者としての公衆に対して同盟罷業、怠業その他の争議行為をなし、又は政府の活動能率を低下させる怠業的行為をしてはならない。又、何人も、このような違法な行為を企て、又はその遂行を共謀し、そそのかし、若しくはあおってはならない。

③職員で同盟罷業その他前項の規定に違反する行為をした者は、その行為の開始とともに、国に対し、法令に基いて保有する任命又は雇用上の権利をもって、対抗することができない。

第99条 (信用失墜行為の禁止)

職員は、その官職の信用を傷つけ、又は官職全体の不名誉となるような行為をしてはならない。

第100条 (秘密を守る義務)

①職員は、職務上知ることのできた秘密を漏らしてはならない。その職を退いた後といえども同様とする。

②法令による証人、鑑定人等となり、職務上の秘密に属する事項を発表するには、所轄庁の長(退職者については、その退職した官職又はこれに相当する官職の所轄庁の長)の許可を要する。

③前項の許可は、法律又は政令の定める条件及び手続に係る場合を除いては、これを拒むことができ

ない。

④前3項の規定は、人事院で扱われる調査又は審理の際人事院から求められる情報に関しては、これを適用しない。何人も、人事院の権限によって行われる調査又は審理に際して、秘密の又は公表を制限された情報を陳述し又は証言することを人事院から求められた場合には、何人からも許可を受ける必要がない。人事院が正式に要求した情報について、人事院に対して、陳述及び証言を行わなかった者は、この法律の罰則の適用を受けなければならない。

⑤前項の規定は、第18条の4の規定により権限の委任を受けた再就職等監視委員会が行う調査について準用する。この場合において、同項中「人事院」とあるのは「再就職等監視委員会」と、「調査又は審理」とあるのは「調査」と読み替えるものとする。

Q1 一般職の国家公務員は職務中のみならず退職後も、職務上知りえた秘密を漏らしてはならないが、この秘密とは何か。

A 秘密とは、非公知の事項であって、実質的にもそれを秘密として保護するに価すると認められるものをいう。 国家公務員法100条の秘密といえるためには、国家機関が単にある事項につき形式的に秘扱の指定をしただけでは足りず、ここに秘密とは、非公知の事項であって、実質的にもそれを秘密として保護するに価するものをいうのであって、本件の当該表は本件当時いまだ一般に了知されてはおらず、これを公表すると、青色申告を中心とする申告納税制度の健全な発展を阻害し、脱税を誘発するおそれがあるなど税務行政上弊害が生ずるので一般から秘匿されるのであるから、同条第1項の秘密にあたる(最判昭52・12・19)。

出題 国Ⅰ−昭和60

第101条 (職務に専念する義務)

①職員は、法律又は命令の定める場合を除いては、その勤務時間及び職務上の注意力のすべてをその職責遂行のために用い、政府がなすべき責を有する職務にのみ従事しなければならない。職員は、法律又は命令の定める場合を除いては、官職を兼ねてはならない。職員は、官職を兼ねる場合においても、それに対して給与を受けてはならない。

②前項の規定は、地震、火災、水害その他重大な災害に際し、当該官庁が職員を本職以外の業務に従事させることを妨げない。

第102条 (政治的行為の制限)

①職員は、政党又は政治的目的のために、寄附金その他の利益を求め、若しくは受領し、又は何らの方法を以てするを問わず、これらの行為に関与し、あるいは選挙権の行使を除く外、人事院規則で定める政治的行為をしてはならない。

②職員は、公選による公職の候補者となることができない。

③職員は、政党その他の政治的団体の役員、政治的顧問、その他これらと同様な役割をもつ構成員となることができない。

第103条（私企業からの隔離）

①職員は、商業、工業又は金融業その他営利を目的とする私企業（以下営利企業という。）を営むことを目的とする会社その他の団体の役員、顧問若しくは評議員の職を兼ね、又は自ら営利企業を営んではならない。

②前項の規定は、人事院規則の定めるところにより、所轄庁の長の申出により人事院の承認を得た場合には、これを適用しない。

③営利企業について、株式所有の関係その他の関係により、当該企業の経営に参加し得る地位にある職員に対し、人事院は、人事院規則の定めるところにより、株式所有の関係その他の関係について報告を徴することができる。

④人事院は、人事院規則の定めるところにより、前項の報告に基き、企業に対する関係の全部又は一部の存続が、その職員の職務遂行上適当でないと認めるときは、その旨を当該職員に通知することができる。

⑤前項の通知を受けた職員は、その通知の内容について不服があるときは、その通知を受領した日の翌日から起算して３月以内に、人事院に審査請求をすることができる。

⑥第90条第３項並びに第91条第２項及び第３項の規定は前項の審査請求のあった場合について、第92条の２の規定は第４項の通知の取消しの訴えについて、それぞれ準用する。

⑦第５項の審査請求をしなかった職員及び人事院が同項の審査請求について調査した結果、通知の内容が正当であると裁決された職員は、人事院規則の定めるところにより、人事院規則の定める期間内に、その企業に対する関係の全部若しくは一部を絶つか、又はその官職を退かなければならない。

第104条（他の事業又は事務の関与制限）

職員が報酬を得て、営利企業以外の事業の団体の役員、顧問若しくは評議員の職を兼ね、その他いかなる事業に従事し、若しくは事務を行うにも、内閣総理大臣及びその職員の所轄庁の長の許可を要する。

第105条（職員の職務の範囲）

職員は、職員としては、法律、命令、規則又は指令による職務を担当する以外の義務を負わない。

第106条（勤務条件）

①職員の勤務条件その他職員の服務に関し必要な事項は、人事院規則でこれを定めることができる。

②前項の人事院規則は、この法律の規定の趣旨に沿うものでなければならない。

第10節　職員団体

第108条の2（職員団体）

①この法律において「職員団体」とは、職員がその勤務条件の維持改善を図ることを目的として組織する団体又はその連合体をいう。

②前項の「職員」とは、第５項に規定する職員以外の職員をいう。

③職員は、職員団体を結成し、若しくは結成せず、又はこれに加入し、若しくは加入しないことができる。ただし、重要な行政上の決定を行う職員、重要な行政上の決定に参画する管理的地位にある職員、職員の任免に関して直接の権限を持つ監督的地位にある職員、職員の任免、分限、懲戒若しくは服務、職員の給与その他の勤務条件又は職員団体との関係についての当局の計画及び方針に関する機密の事項に接し、そのためにその職務上の義務と責任とが職員団体の構成員としての誠意と責任とに直接に抵触すると認められる監督的地位にある職員その他職員団体との関係において当局の立場に立って遂行すべき職務を担当する職員（以下「管理職員等」という。）と管理職員等以外の職員とは、同一の職員団体を組織することができず、管理職員等と管理職員等以外の職員とが組織する団体は、この法律にいう「職員団体」ではない。

④前項ただし書に規定する管理職員等の範囲は、人事院規則で定める。

⑤警察職員及び海上保安庁又は刑事施設において勤務する職員は、職員の勤務条件の維持改善を図ることを目的とし、かつ、当局と交渉する団体を結成し、又はこれに加入してはならない。

第108条の5（交渉）

①当局は、登録された職員団体から、職員の給与、勤務時間その他の勤務条件に関し、及びこれに附帯して、社交的又は厚生的活動を含む適法な活動に係る事項に関し、適法な交渉の申入れがあった場合においては、その申入れに応ずべき地位に立つものとする。

②職員団体と当局との交渉は、団体協約を締結する権利を含まないものとする。

③国の事務の管理及び運営に関する事項は、交渉の対象とすることができない。

④職員団体が交渉することのできる当局は、交渉事項について適法に管理し、又は決定することのできる当局とする。

⑤交渉は、職員団体と当局があらかじめ取り決めた員数の範囲内で、職員団体がその役員の中から指名する者と当局の指名する者との間において行なわなければならない。交渉に当たっては、職員団体と当局との間において、議題、時間、場所その他必要な事項をあらかじめ取り決めて行なうものとする。

⑥前項の場合において、特別の事情があるときは、職員団体は、役員以外の者を指名することができるものとする。ただし、その指名する者は、当該交渉の対象である特定の事項について交渉する適法な委任を当該職員団体の執行機関から受けたことを文書によって証明できる者でなければならない。

⑦交渉は、前２項の規定に適合しないこととなったとき、又は他の職員の職務の遂行を妨げ、若しくは国の事務の正常な運営を阻害することとなったときは、これを打ち切ることができる。

⑧本条に規定する適法な交渉は、勤務時間中においても行なうことができるものとする。

⑨職員は、職員団体に属していないという理由で、第 1 項に規定する事項に関し、不満を表明し、又は意見を申し出る自由を否定されてはならない。

第 108 条の 5 の 2（人事院規則の制定改廃に関する職員団体からの要請）

①登録された職員団体は、人事院規則の定めるところにより、職員の勤務条件について必要があると認めるときは、人事院に対し、人事院規則を制定し、又は改廃することを要請することができる。

②人事院は、前項の規定による要請を受けたときは、速やかに、その内容を公表するものとする。

第 108 条の 6（職員団体のための職員の行為の制限）

①職員は、職員団体の業務にもっぱら従事することができない。ただし、所轄庁の長の許可を受けて、登録された職員団体の役員としてもっぱら従事する場合は、この限りでない。

②前項ただし書の許可は、所轄庁の長が相当と認める場合に与えることができるものとし、これを与える場合においては、所轄庁の長は、その許可の有効期間を定めるものとする。

③第 1 項ただし書の規定により登録された職員団体の役員として専ら従事する期間は、職員としての在職期間を通じて 5 年（行政執行法人の労働関係に関する法律（昭和 23 年法律第 257 号）第 2 条第 2 号の職員として同法第 7 条第 1 項ただし書の規定により労働組合の業務に専ら従事したことがある職員については、5 年からその専ら従事した期間を控除した期間）を超えることができない。

④第 1 項ただし書の許可は、当該許可を受けた職員が登録された職員団体の役員として当該職員団体の業務にもっぱら従事する者でなくなったときは、取り消されるものとする。

⑤第 1 項ただし書の許可を受けた職員は、その許可が効力を有する間は、休職者とする。

⑥職員は、人事院規則で定める場合を除き、給与を受けながら、職員団体のためその業務を行ない、又は活動してはならない。

第 108 条の 7（不利益取扱いの禁止）

職員は、職員団体の構成員であること、これを結成しようとしたこと、若しくはこれに加入しようとしたこと、又はその職員団体における正当な行為をしたことのために不利益な取扱いを受けない。

第 4 章 罰則

第 109 条

次の各号のいずれかに該当する者は、1 年以下の懲役又は 50 万円以下の罰金に処する。

1 第 7 条第 3 項の規定に違反して任命を受諾した者

2 第 8 条第 3 項の規定に違反して故意に人事官を罷免しなかった閣員

3 人事官の欠員を生じた後 60 日以内に人事官を任命しなかった閣員（此の期間内に両議院の同意を経なかった場合には此の限りでない。）

4 第 15 条の規定に違反して官職を兼ねた者

5 第 16 条第 2 項の規定に違反して故意に人事院規則及びその改廃を官報に掲載することを怠った者

6 第 19 条の規定に違反して故意に人事記録の作成、保管又は改訂をしなかった者

7 第 20 条の規定に違反して故意に報告しなかった者

8 第 27 条の規定に違反して差別をした者

9 第 47 条第 3 項の規定に違反して採用試験の公告を怠り又はこれを抑止した職員

10 第 83 条第 1 項の規定に違反して停職を命じた者

11 第 92 条の規定によってなされる人事院の判定、処置又は指示に故意に従わなかった者

12 第 100 条第 1 項若しくは第 2 項又は第 106 条の 12 第 1 項の規定に違反して秘密を漏らした者

13 第 103 条の規定に違反して営利企業の地位についた者

14 離職後 2 年を経過するまでの間に、離職前 5 年間に在職していた局等組織に属する役職員又はこれに類する者として政令で定めるものに対し、契約等事務であって離職前 5 年間の職務に属するものに関し、職務上不正な行為をするように、又は相当の行為をしないように要求し、又は依頼した再就職者

15 国家行政組織法第 21 条第 1 項に規定する部長若しくは課長の職又はこれらに準ずる職であって政令で定めるものに離職した日の 5 年前の日より前に就いていた者であって、離職後 2 年を経過するまでの間に、当該職に就いていた時に在職していた局等組織に属する役職員又はこれに類する者として政令で定めるものに対し、契約等事務であって離職した日の 5 年前の日より前の職務（当該職に就いていたときの職務に限る。）に属するものに関し、職務上不正な行為をするように、又は相当の行為をしないように要求し、又は依頼した再就職者

16 国家行政組織法第 6 条に規定する長官、同法第 18 条第 1 項に規定する事務次官、同法第 21 条第 1 項に規定する事務局長若しくは局長の職又はこれらに準ずる職であって政令で定めるものに就いていた者であって、離職後 2 年を経過するまでの間に、局長等としての在職機関に属する役職員又はこれに類する者として政令で定めるものに対し、契約等事務であって局長等としての在職機関の所掌に属するものに関し、職務上不正な行為をするように、又は相当の行為をしないように要求し、又は依頼した再就職者

17 在職していた府省その他の政令で定める国の機関、行政執行法人若しくは都道府県警察（以下この号において「行政機関等」という。）に属する役職員又はこれに類する者として政令で定めるものに対し、国、行政執行法人若しくは都道府県と営利企業等（再就職

者が現にその地位に就いているものに限る。）若しくはその子法人との間の契約であって当該行政機関等においてその締結について自らが決定したもの又は当該行政機関等による当該営利企業等若しくはその子法人に対する行政手続法第2条第2号に規定する処分であって自らが決定したものに関し、職務上不正な行為をするように、又は相当の行為をしないように要求し、又は依頼した再就職者

18 第14号から前号までに掲げる再就職者から要求又は依頼（独立行政法人通則法第54条第1項において準用する第14号から前号までに掲げる要求又は依頼を含む。）を受けた職員であって、当該要求又は依頼を受けたことを理由として、職務上不正な行為をし、又は相当の行為をしなかった者

第110条
①次の各号のいずれかに該当する者は、3年以下の懲役又は100万円以下の罰金に処する。

1 第2条第6項の規定に違反した者

2 削除

3 第17条第2項（第18条の3第2項において準用する場合を含む。次号及び第5号において同じ。）の規定による証人として喚問を受け虚偽の陳述をした者

4 第17条第2項の規定により証人として喚問を受け正当の理由がなくてこれに応ぜず、又は同項の規定により書類又はその写の提出を求められ正当の理由がなくてこれに応じなかった者

5 第17条第2項の規定により書類又はその写の提出を求められ、虚偽の事項を記載した書類又は写を提出した者

5の2 第17条第3項（第18条の3第2項において準用する場合を含む。）の規定による検査を拒み、妨げ、若しくは忌避し、又は質問に対して陳述をせず、若しくは虚偽の陳述をした者（第17条第1項の調査の対象である職員（第18条の3第2項において準用する場合にあっては、同条第1項の調査の対象である職員又は職員であった者）を除く。）

6 第18条の規定に違反して給与を支払った者

7 第33条第1項の規定に違反して任命をした者

8 第39条の規定による禁止に違反した者

9 第40条の規定に違反して虚偽行為を行った者

10 第41条の規定に違反して受験若しくは任用を阻害し又は情報を提供した者

11 第63条の規定に違反して給与を支給した者

12 第68条の規定に違反して給与の支払をした者

13 第70条の規定に違反して給与の支払について故意に適当な措置をとらなかった人事官

14 第83条第2項の規定に違反して停職者に俸給を支給した者

15 第86条の規定に違反して故意に勤務条件に関する行政措置の要求の申出を妨げた者

16 削除

17 何人たるを問わず第98条第2項前段に規定する違法な行為の遂行を共謀し、そそのかし、若しくはあおり、又はこれらの行為を企てた者

18 第100条第4項（同条第5項において準用する場合を含む。）の規定に違反して陳述及び証言を行わなかった者

19 第102条第1項に規定する政治的行為の制限に違反した者

20 第108条の2第5項の規定に違反して団体を結成した者

②前項第8号に該当する者の収受した金銭その他の利益は、これを没収する。その全部又は一部を没収することができないときは、その価額を追徴する。

第111条
第109条第2号より第4号まで及び第12号又は前条第1項第1号、第3号から第7号まで、第9号から第15号まで、第18号及び第20号に掲げる行為を企て、命じ、故意にこれを容認し、そそのかし又はそのほう助をした者は、それぞれ各本条の刑に処する。

地方自治法〔抄〕

（昭和22年4月17日／法律第67号）

第1編　総則

第1条〔この法律の目的〕

　この法律は、地方自治の本旨に基いて、地方公共団体の区分並びに地方公共団体の組織及び運営に関する事項の大綱を定め、併せて国と地方公共団体との間の基本的関係を確立することにより、地方公共団体における民主的にして能率的な行政の確保を図るとともに、地方公共団体の健全な発達を保障することを目的とする。

第1条の2

①地方公共団体は、住民の福祉の増進を図ることを基本として、地域における行政を自主的かつ総合的に実施する役割を広く担うものとする。

②国は、前項の規定の趣旨を達成するため、国においては国際社会における国家としての存立にかかわる事務、全国的に統一して定めることが望ましい国民の諸活動若しくは地方自治に関する基本的な準則に関する事務又は全国的な規模で若しくは全国的な視点に立って行わなければならない施策及び事業の実施その他の国が本来果たすべき役割を重点的に担い、住民に身近な行政はできる限り地方公共団体にゆだねることを基本として、地方公共団体との間で適切に役割を分担するとともに、地方公共団体に関する制度の策定及び施策の実施に当たって、地方公共団体の自主性及び自立性が十分に発揮されるようにしなければならない。

第1条の3〔地方公共団体の種類〕

①地方公共団体は、普通地方公共団体及び特別地方公共団体とする。

②普通地方公共団体は、都道府県及び市町村とする。

③特別地方公共団体は、特別区、地方公共団体の組合及び財産区とする。

第2条〔地方公共団体の法人格、事務の範囲、自治行政の基本原則〕

①地方公共団体は、法人とする。

②普通地方公共団体は、地域における事務及びその他の事務で法律又はこれに基づく政令により処理することとされるものを処理する。

③市町村は、基礎的な地方公共団体として、第5項において都道府県が処理するものとされているものを除き、一般的に、前項の事務を処理するものとする。

④市町村は、前項の規定にかかわらず、次項に規定する事務のうち、その規模又は性質において一般の市町村が処理することが適当でないと認められるものについては、当該市町村の規模及び能力に応じて、これを処理することができる。

⑤都道府県は、市町村を包括する広域の地方公共団体として、第2項の事務で、広域にわたるもの、市町村に関する連絡調整に関するもの及びその規模又は性質において一般の市町村が処理することが適当でないと認められるものを処理するものとする。

⑥都道府県及び市町村は、その事務を処理するに当っては、相互に競合しないようにしなければならない。

⑦特別地方公共団体は、この法律の定めるところにより、その事務を処理する。

⑧この法律において「自治事務」とは、地方公共団体が処理する事務のうち、法定受託事務以外のものをいう。

⑨この法律において「法定受託事務」とは、次に掲げる事務をいう。

　1　法律又はこれに基づく政令により都道府県、市町村又は特別区が処理することとされる事務のうち、国が本来果たすべき役割に係るものであって、国においてその適正な処理を特に確保する必要があるものとして法律又はこれに基づく政令に特に定めるもの（以下「第1号法定受託事務」という。）

　2　法律又はこれに基づく政令により市町村又は特別区が処理することとされる事務のうち、都道府県が本来果たすべき役割に係るものであって、都道府県においてその適正な処理を特に確保する必要があるものとして法律又はこれに基づく政令に特に定めるもの（以下「第2号法定受託事務」という。）

⑩この法律又はこれに基づく政令に規定するもののほか、法律に定める法定受託事務は第1号法定受託事務にあっては別表第1の上欄に掲げる法律についてそれぞれ同表の下欄に、第2号法定受託事務にあっては別表第2の上欄に掲げる法律についてそれぞれ同表の下欄に掲げるとおりであり、政令に定める法定受託事務はこの法律に基づく政令に示すとおりである。

⑪地方公共団体に関する法令の規定は、地方自治の本旨に基づき、かつ、国と地方公共団体との適切な役割分担を踏まえたものでなければならない。

⑫地方公共団体に関する法令の規定は、地方自治の本旨に基づいて、かつ、国と地方公共団体との適切な役割分担を踏まえて、これを解釈し、及び運用するようにしなければならない。この場合において、特別地方公共団体に関する法令の規定は、この法律に定める特別地方公共団体の特性にも照応するように、これを解釈し、及び運用しなければならない。

⑬法律又はこれに基づく政令により地方公共団体が

処理することとされる事務が自治事務である場合においては、国は、地方公共団体が地域の特性に応じて当該事務を処理することができるよう特に配慮しなければならない。

⑭地方公共団体は、その事務を処理するに当っては、住民の福祉の増進に努めるとともに、最少の経費で最大の効果を挙げるようにしなければならない。

⑮地方公共団体は、常にその組織及び運営の合理化に努めるとともに、他の地方公共団体に協力を求めてその規模の適正化を図らなければならない。

⑯地方公共団体は、法令に違反してその事務を処理してはならない。なお、市町村及び特別区は、当該都道府県の条例に違反してその事務を処理してはならない。

⑰前項の規定に違反して行った地方公共団体の行為は、これを無効とする。

第3条［地方公共団体の名称］

①地方公共団体の名称は、従来の名称による。

②都道府県の名称を変更しようとするときは、法律でこれを定める。

③都道府県以外の地方公共団体の名称を変更しようとするときは、この法律に特別の定めのあるものを除くほか、条例でこれを定める。

④地方公共団体の長は、前項の規定により当該地方公共団体の名称を変更しようとするときは、あらかじめ都道府県知事に協議しなければならない。

⑤地方公共団体は、第3項の規定により条例を制定し又は改廃したときは、直ちに都道府県知事に当該地方公共団体の変更後の名称及び名称を変更する日を報告しなければならない。

⑥都道府県知事は、前項の規定による報告があったときは、直ちにその旨を総務大臣に通知しなければならない。

⑦前項の規定による通知を受けたときは、総務大臣は、直ちにその旨を告示するとともに、これを国の関係行政機関の長に通知しなければならない。

第2編　普通地方公共団体

第1章　通則

第5条［普通地方公共団体の区域］

①普通地方公共団体の区域は、従来の区域による。

②都道府県は、市町村を包括する。

第6条［都道府県の廃置分合および境界変更］

①都道府県の廃置分合又は境界変更をしようとするときは、法律でこれを定める。

②都道府県の境界にわたって市町村の設置又は境界の変更があったときは、都道府県の境界も、また、自ら変更する。従来地方公共団体の区域に属しなかった地域を市町村の区域に編入したときも、また、同様とする。

③前2項の場合において財産処分を必要とするときは、関係地方公共団体が協議してこれを定める。但し、法律に特別の定があるときは、この限りでない。

④前項の協議については、関係地方公共団体の議会の議決を経なければならない。

第6条の2［都道府県の区域への編入等］

①前条第1項の規定によるほか、2以上の都道府県の廃止及びそれらの区域の全部による1の都道府県の設置又は都道府県の廃止及びその区域の全部の他の1の都道府県の区域への編入は、関係都道府県の申請に基づき、内閣が国会の承認を経てこれを定めることができる。

②前項の申請については、関係都道府県の議会の議決を経なければならない。

③第1項の申請は、総務大臣を経由して行うものとする。

④第1項の規定による処分があったときは、総務大臣は、直ちにその旨を告示しなければならない。

⑤第1項の規定による処分は、前項の規定による告示によりその効力を生ずる。

第7条［市町村の廃置分合および境界変更］

①市町村の廃置分合又は市町村の境界変更は、関係市町村の申請に基き、都道府県知事が当該都道府県の議会の議決を経てこれを定め、直ちにその旨を総務大臣に届け出なければならない。

②前項の規定による市の廃置分合をしようとするときは、都道府県知事は、あらかじめ総務大臣に協議し、その同意を得なければならない。

③都道府県の境界にわたる市町村の設置を伴う市町村の廃置分合又は市町村の境界の変更は、関係のある普通地方公共団体の申請に基づき、総務大臣がこれを定める。

④前項の規定により都道府県の境界にわたる市町村の設置の処分を行う場合においては、当該市町村の属すべき都道府県について、関係のある普通地方公共団体の申請に基づき、総務大臣が当該処分と併せてこれを定める。

⑤第1項及び第3項の場合において財産処分を必要とするときは、関係市町村が協議してこれを定める。

⑥第1項及び前3項の申請又は協議については、関係のある普通地方公共団体の議会の議決を経なければならない。

⑦第1項の規定による届出を受理したとき、又は第3項若しくは第4項の規定による処分をしたときは、総務大臣は、直ちにその旨を告示するとともに、これを国の関係行政機関の長に通知しなければならない。

⑧第1項、第3項又は第4項の規定による処分は、前項の規定による告示によりその効力を生ずる。

第7条の2［未所属地域の編入］

①法律で別に定めるものを除く外、従来地方公共団体の区域に属しなかった地域を都道府県又は市町村の区域に編入する必要があると認めるときは、内閣がこれを定める。この場合において、利害関係があると認められる都道府県又は市町村があるときは、予めその意見を聴かなければならない。

②前項の意見については、関係のある普通地方公共団体の議会の議決を経なければならない。

③第1項の規定による処分があったときは、総務大臣は、直ちにその旨を告示しなければならない。前条第8項の規定は、この場合にこれを準用する。

第8条〔市および町となる要件、市町村相互間の変更〕

①市となるべき普通地方公共団体は、左に掲げる要件を具えていなければならない。

1　人口5万以上を有すること。

2　当該普通地方公共団体の中心の市街地を形成している区域内に在る戸数が、全戸数の6割以上であること。

3　商工業その他の都市的業態に従事する者及びその者と同一世帯に属する者の数が、全人口の6割以上であること。

4　前各号に定めるものの外、当該都道府県の条例で定める都市的施設その他の都市としての要件を具えていること。

②町となるべき普通地方公共団体は、当該都道府県の条例で定める町としての要件を具えていなければならない。

③町村を市とし又は市を町村とする処分は第7条第1項、第2項及び第6項から第8項までの例により、村を町とし又は町を村とする処分は同条第1項及び第6項から第8項までの例により、これを行うものとする。

第8条の2〔市町村の廃置分合・境界変更の勧告〕

①都道府県知事は、市町村が第2条第15項の規定によりその規模の適正化を図るのを援助するため、市町村の廃置分合又は市町村の境界変更の計画を定め、これを関係市町村に勧告することができる。

②前項の計画を定め又はこれを変更しようとするときは、都道府県知事は、関係市町村、当該都道府県の議会、当該都道府県の区域内の市町村の議会又は長の連合組織その他の関係のある機関及び学識経験を有する者等の意見を聴かなければならない。

③前項の関係市町村の意見については、当該市町村の議会の議決を経なければならない。

④都道府県知事は、第1項の規定により勧告をしたときは、直ちにその旨を公表するとともに、総務大臣に報告しなければならない。

⑤総務大臣は、前項の規定による報告を受けたときは、国の関係行政機関の長に対し直ちにその旨を通知するものとする。

⑥第1項の規定による勧告に基く市町村の廃置分合又は市町村の境界変更については、国の関係行政機関は、これを促進するため必要な措置を講じなければならない。

第9条〔市町村境界争論の調停・裁定・訴訟〕

①市町村の境界に関し争論があるときは、都道府県知事は、関係市町村の申請に基づき、これを第251条の2の規定による調停に付することができる。

②前項の規定によりすべての関係市町村の申請に基いてなされた調停により市町村の境界が確定しないとき、又は市町村の境界に関し争論がある場合においてすべての関係市町村から裁定を求める旨の申請があるときは、都道府県知事は、関係市町村の境界について裁定することができる。

③前項の規定による裁定は、文書を以てこれをし、その理由を附けてこれを関係市町村に交付しなければならない。

④第1項又は第2項の申請については、関係市町村の議会の議決を経なければならない。

⑤第1項の規定による調停又は第2項の規定による裁定により市町村の境界が確定したときは、都道府県知事は、直ちにその旨を総務大臣に届け出なければならない。

⑥前項の規定による届出を受理したとき、又は第10項の規定による通知があったときは、総務大臣は、直ちにその旨を告示するとともに、これを国の関係行政機関の長に通知しなければならない。

⑦前項の規定による告示があったときは、関係市町村の境界について第7条第1項又は第3項及び第7項の規定による処分があったものとみなし、これらの処分の効力は、当該告示により生ずる。

⑧第2項の規定による都道府県知事の裁定に不服があるときは、関係市町村は、裁定書の交付を受けた日から30日以内に裁判所に出訴することができる。

⑨市町村の境界に関し争論がある場合において、都道府県知事が第1項の規定による調停又は第2項の規定による裁定に適しないと認めてその旨を通知したときは、関係市町村は、裁判所に市町村の境界の確定の訴を提起することができる。第1項又は第2項の規定による申請をした日から90日以内に、第1項の規定による調停に付されないとき、若しくは同項の規定による調停により市町村の境界が確定しないとき、又は第2項の規定による裁定がないときも、また、同様とする。

⑩前項の規定による訴訟の判決が確定したときは、当該裁判所は、直ちに判決書の写を添えてその旨を総務大臣及び関係のある都道府県知事に通知しなければならない。

⑪前10項の規定は、政令の定めるところにより、市町村の境界の変更に関し争論がある場合にこれを準用する。

第9条の2〔争論のない場合の市町村の境界の決定〕

①市町村の境界が判明でない場合において、その境界に関し争論がないときは、都道府県知事は、関係市町村の意見を聴いてこれを決定することができる。

②前項の規定による決定は、文書を以てこれをし、その理由を附けてこれを関係市町村に交付しなければならない。

③第1項の意見については、関係市町村の議会の議決を経なければならない。

④第1項の規定による都道府県知事の決定に不服があるときは、関係市町村は、決定書の交付を受けた日から30日以内に裁判所に出訴することができる。

⑤第1項の規定による決定が確定したときは、都道府県知事は、直ちにその旨を総務大臣に届け出なければならない。

⑥前条第6項及び第7項の規定は、前項の規定によ

行政法編

る届出があった市町村の境界の決定にこれを準用する。

第2章 住民

第10条［住民の意義とその権利義務］
①市町村の区域内に住所を有する者は、当該市町村及びこれを包括する都道府県の住民とする。
②住民は、法律の定めるところにより、その属する普通地方公共団体の役務の提供をひとしく受ける権利を有し、その負担を分任する義務を負う。

第11条［住民の選挙権］
日本国民たる普通地方公共団体の住民は、この法律の定めるところにより、その属する普通地方公共団体の選挙に参与する権利を有する。

第12条［条例の制定改廃請求権、事務の監査請求権］
①日本国民たる普通地方公共団体の住民は、この法律の定めるところにより、その属する普通地方公共団体の条例（地方税の賦課徴収並びに分担金、使用料及び手数料の徴収に関するものを除く。）の制定又は改廃を請求する権利を有する。
②日本国民たる普通地方公共団体の住民は、この法律の定めるところにより、その属する普通地方公共団体の事務の監査を請求する権利を有する。

第13条［議会の解散請求権、解職請求権］
①日本国民たる普通地方公共団体の住民は、この法律の定めるところにより、その属する普通地方公共団体の議会の解散を請求する権利を有する。
②日本国民たる普通地方公共団体の住民は、この法律の定めるところにより、その属する普通地方公共団体の議会の議員、長、副知事若しくは副市町村長、第252条の19第1項に規定する指定都市の総合区長、選挙管理委員若しくは監査委員又は公安委員会の委員の解職を請求する権利を有する。
③日本国民たる普通地方公共団体の住民は、法律の定めるところにより、その属する普通地方公共団体の教育委員会の教育長又は委員の解職を請求する権利を有する。

第13条の2［住民に関する記録］
市町村は、別に法律の定めるところにより、その住民につき、住民たる地位に関する正確な記録を常に整備しておかなければならない。

第3章 条例及び規則

第14条［条例の制定および罰則の委任］
①普通地方公共団体は、法令に違反しない限りにおいて第2条第2項の事務に関し、条例を制定することができる。
②普通地方公共団体は、義務を課し、又は権利を制限するには、法令に特別の定めがある場合を除くほか、条例によらなければならない。
③普通地方公共団体は、法令に特別の定めがあるものを除くほか、その条例中に、条例に違反した者に対し、2年以下の懲役若しくは禁錮、100万円以下の罰金、拘留、科料若しくは没収の刑又は5万円以下の過料を科する旨の規定を設けることが

できる。

Q1 財産権の行使について条例で規制することは許されるか。

A 条例で規制することは許される〈奈良県ため池条例事件〉（最大判昭38・6・26）。⇨憲法29条8

出題 国Ⅰ－平成3、地方上級－平成3・昭和58、市役所上・中級－平成11・9、国Ⅱ－平成7・5

Q2 ため池の破損、決潰を未然に防止するため、ため池の堤塘を耕作地として使用することを全面的に禁止する場合には、損失補償が必要か。

A 損失補償は不要である〈奈良県ため池条例事件〉（最大判昭38・6・26）。⇨憲法29条14

Q3 条例が国の法令に違反するか否かの判断はどのようにすべきか。

A 両者の対象事項と規定文言を対比するのみでなく、それぞれの趣旨・目的・内容および効果を比較し、両者の間に矛盾抵触があるかどうかによって判断する〈徳島市公安条例事件〉（最大判昭50・9・10）。⇨憲法94条2

出題 国Ⅰ－平成8・2、地方上級－平成3（市共通）、国Ⅱ－平成7

Q4 条例が法律の定める基準よりも厳しい基準を設定することは許されるか。

A 法律と条例の間に矛盾抵触がなければ許される〈徳島市公安条例事件〉（最大判昭50・9・10）。⇨憲法94条3

出題 国Ⅰ－平成2、地方上級－平成3（市共通）、市役所上・中級－平成11・9、国Ⅱ－平成7

Q5 条例で罰則を定めるためには、地方自治法14条5項以外の個々の法律による個別的・具体的な委任が必要か。

A 法律の授権が相当な程度に具体的であり、限定されていれば、個別的な委任は必要ない（最大判昭37・5・30）。⇨憲法94条5・6

出題 国Ⅰ－平成3、市役所上・中級－平成11・9

Q6 地方公共団体が集団行動による表現の自由に対して、公安条例をもって事前に制約することは許されるか。

A 必要かつ最小限度の措置を事前に講ずることは許される〈東京都公安条例事件〉（最大判昭35・7・20）。⇨憲法21条93・94 出題 国Ⅰ－昭和51

Q7 条例に基づき指定された水源保護地域内に設置予定の地下水を利用する施設が、設置の禁止される「事業場」にあたるとした町長の認定処分は、設置予定者との協議において町長が予定取水量の適正化を指導しないでした場合には、違法となるのか。

A 違法となる。　本件条例は、水源保護地域内において対象事業を行おうとする事業者にあらかじめ町長との協議を求めるとともに、当該協議の申出がされた場合には、町長は、規制対象事業場と認定する前に審議会の意見を聴くなどして、慎重に判断することとしているところ、規制対象事業場認定処分が事業者の権利に対して重大な制限を課すものであることを考慮すると、上記協議は、本件条例の中で重要な地位を占める手続である。そして、本件条例は、上告人が三重県知事に対してした産業廃棄物処

理施設設置許可の申請に係る事前協議に被上告人が
関係機関として加わったことを契機として、上告人
が町の区域内に本件施設を設置しようとしているこ
とを知った町が制定したものであり、被上告人は、
上告人が本件条例制定の前にすでに産業廃棄物処理
施設設置許可の申請に係る手続を進めていたことを
了知しており、また、同手続を通じて本件施設の設
置の必要性と水源の保護の必要性とを調和させるた
めに町としてどのような措置をとるべきかを検討す
る機会を与えられていたということができる。そう
すると、被上告人としては、上告人に対して本件処
分をするにあたっては、本件条例制定の上記手続に
おいて、上記のような上告人の立場を踏まえて、
上告人と十分な協議を尽くし、上告人に対して地下
水使用量の限定を促すなどして予定取水量を水源保
護の目的にかなう適正なものに改めるよう適切な指
導をし、上告人の地位を不当に害することのないよ
う配慮すべき義務があったというべきであって、本
件処分がそのような義務に違反してされたものであ
る場合には、本件処分は違法となるといわざるを得
ない〈紀伊長島町水道水源保護条例事件〉（最判平
16・12・24）。 **出題**予想

Q8 普通地方公共団体は、地方税に関する条例の制
定や改正にあたっては、地方税法の定める準則に拘
束され、これに従わなければならないのか。

A 地方税法の定める法定普通税についての規定は、
強行規定であるから、地方税法の定める準則に拘束
され、これに従わなければならない。　地方税法が、
法人事業税をはじめとする法定普通税につき、徴収
に要すべき経費が徴収すべき税額に比して多額であ
ると認められるなど特別の事情があるとき以外は、
普通地方公共団体が必ず課税しなければならない租
税としてこれを定めており（4条2項、5条2項）、
税目、課税客体、課税標準およびその算定方法、標
準税率と制限税率、非課税物件、さらにはこれらの
特例についてまで詳細かつ具体的な規定を設けてい
ることからすると、同法の定める法定普通税につい
ての規定は、標準税率に関する規定のようにこれと
異なる条例の定めを許容するものと解される別段の
定めのあるものを除き、任意規定ではなく強行規定
であると解されるから、普通地方公共団体は、地方
税に関する条例の制定や改正にあたっては、同法の
定める準則に拘束され、これに従わなければならな
いというべきである。したがって、法定普通税に関
する条例において、地方税法の定める法定普通税に
ついての強行規定の内容を変更することが同法に違
反して許されないことはもとより、法定外普通税に
関する条例において、同法の定める法定普通税につ
いての強行規定に反する内容の定めを設けることに
よって当該規定の内容を実質的に変更することも、
これと同様に、同法の規定の趣旨、目的に反し、そ
の効果を阻害する内容のものとして許されない（最
判平25・3・21）。 **出題**国家総合−平成27

第15条〔規則〕
①普通地方公共団体の長は、法令に違反しない限り
　において、その権限に属する事務に関し、規則を
　制定することができる。

②普通地方公共団体の長は、法令に特別の定めがあ
　るものを除くほか、普通地方公共団体の規則中
　に、規則に違反した者に対し、5万円以下の過料
　を科する旨の規定を設けることができる。

第16条〔条例・規則等の公布・公表・施行期日〕
①普通地方公共団体の議会の議長は、条例の制定又
　は改廃の議決があったときは、その日から3日以
　内にこれを当該普通地方公共団体の長に送付しな
　ければならない。

②普通地方公共団体の長は、前項の規定により条例
　の送付を受けた場合は、その日から20日以内に
　これを公布しなければならない。ただし、再議そ
　の他の措置を講じた場合は、この限りでない。

③条例は、条例に特別の定があるものを除く外、公
　布の日から起算して10日を経過した日から、こ
　れを施行する。

④当該普通地方公共団体の長の署名、施行期日の特
　例その他条例の公布に関し必要な事項は、条例で
　これを定めなければならない。

⑤前2項の規定は、普通地方公共団体の規則並びに
　その機関の定める規則及びその他の規程で公表を
　要するものにこれを準用する。但し、法令又は条
　例に特別の定があるときは、この限りでない。

第4章　選挙

第17条〔議員および長の選挙〕
　普通地方公共団体の議会の議員及び長は、別に法
律の定めるところにより、選挙人が投票によりこれ
を選挙する。

第18条〔選挙権〕
　日本国民たる年齢満18年以上の者で引き続き3
箇月以上市町村の区域内に住所を有するものは、別
に法律の定めるところにより、その属する普通地方
公共団体の議会の議員及び長の選挙権を有する。

第19条〔議員および長の被選挙権〕
①普通地方公共団体の議会の議員の選挙権を有する
　者で年齢満25年以上のものは、別に法律の定め
　るところにより、普通地方公共団体の議会の議員
　の被選挙権を有する。

②日本国民で年齢満30年以上のものは、別に法律
　の定めるところにより、都道府県知事の被選挙権
　を有する。

③日本国民で年齢満25年以上のものは、別に法律
　の定めるところにより、市町村長の被選挙権を有
　する。

第5章　直接請求

第1節　条例の制定及び監査の請求

第74条〔条例の制定改廃の請求とその処置〕
①普通地方公共団体の議会の議員及び長の選挙権を
　有する者（以下この編において「選挙権を有す
　る者」という。）は、政令で定めるところにより、
　その総数の50分の1以上の者の連署をもって、
　その代表者から、普通地方公共団体の長に対し、
　条例（地方税の賦課徴収並びに分担金、使用料及
　び手数料の徴収に関するものを除く。）の制定又
　は改廃の請求をすることができる。

②前項の請求があったときは、当該普通地方公共団体の長は、直ちに請求の要旨を公表しなければならない。

③普通地方公共団体の長は、第1項の請求を受理した日から20日以内に議会を招集し、意見を付けてこれを議会に付議し、その結果を同項の代表者（以下この条において「代表者」という。）に通知するとともに、これを公表しなければならない。

④議会は、前項の規定により付議された事件の審議を行うに当たっては、政令で定めるところにより、代表者に意見を述べる機会を与えなければならない。

⑤前項の選挙権を有する者とは、公職選挙法（昭和25年法律第100号）第22条第1項又は第3項の規定による選挙人名簿の登録が行われた日において選挙人名簿に登録されている者とし、その総数の50分の1の数は、当該普通地方公共団体の選挙管理委員会において、その登録が行われた日後直ちに告示しなければならない。

⑥選挙権を有する者のうち次に掲げるものは、代表者となり、又は代表者であることができない。

1　公職選挙法第27条第1項又は第2項の規定により選挙人名簿にこれらの項の表示をされている者（都道府県に係る請求にあっては、同法第9条第3項の規定により当該都道府県の議会の議員及び長の選挙権を有するものとされた者（同法第11条第1項若しくは第252条又は政治資金規正法（昭和23年法律第194号）第28条の規定により選挙権を有しなくなった旨の表示をされている者を除く。）を除く。）

2　前項の選挙人名簿の登録が行われた日以後に公職選挙法第28条の規定により選挙人名簿から抹消された者

3　第1項の請求に係る普通地方公共団体（当該普通地方公共団体が、都道府県である場合には当該都道府県の区域内の市町村並びに第252条の19第1項に規定する指定都市（以下この号において「指定都市」という。）の区及び総合区を含み、指定都市である場合には当該市の区及び総合区を含む。）の選挙管理委員会の委員又は職員である者

⑦第1項の場合において、当該地方公共団体の区域内で衆議院議員、参議院議員又は地方公共団体の議会の議員若しくは長の選挙が行われることとなるときは、政令で定める期間、当該選挙が行われる区域内においては請求のための署名を求めることができない。

⑧選挙権を有する者は、心身の故障その他の事由により条例の制定又は改廃の請求者の署名簿に署名することができないときは、その者の属する市町村の選挙権を有する者（代表者及び代表者の委任を受けて当該市町村の選挙権を有する者に対し当該署名簿に署名することを求める者を除く。）に委任して、自己の氏名（以下「請求者の氏名」という。）を当該署名簿に記載させることができる。この場合において、委任を受けた者による当該請求者の氏名の記載は、第1項の規定による請求者の署名とみなす。

⑨前項の規定により委任を受けた者（以下「氏名代筆者」という。）が請求者の氏名を条例の制定又は改廃の請求者の署名簿に記載する場合には、氏名代筆者は、当該署名簿に氏名代筆者としての署名をしなければならない。

第74条の2 [署名の証明、署名簿の縦覧、署名の効力に関する争訟等]

①条例の制定又は改廃の請求者の代表者は、条例の制定又は改廃の請求者の署名簿を市町村の選挙管理委員会に提出してこれに署名し印をおした者が選挙人名簿に登録された者であることの証明を求めなければならない。この場合においては、当該市町村の選挙管理委員会は、その日から20日以内に審査を行い、署名の効力を決定し、その旨を証明しなければならない。

②市町村の選挙管理委員会は、前項の規定による署名簿の署名の証明が終了したときは、その日から7日間、その指定した場所において署名簿を関係人の縦覧に供さなければならない。

③前項の署名簿の縦覧の期間及び場所については、市町村の選挙管理委員会は、予めこれを告示し、且つ、公衆の見易い方法によりこれを公表しなければならない。

④署名簿の署名に関し異議があるときは、関係人は、第2項の規定による縦覧期間内に当該市町村の選挙管理委員会にこれを申し出ることができる。

⑤市町村の選挙管理委員会は、前項の規定による異議の申出を受けた場合においては、その申出を受けた日から14日以内にこれを決定しなければならない。この場合において、その申出を正当であると決定したときは、直ちに第1項の規定による証明を修正し、その旨を申出人及び関係人に通知し、併せてこれを告示し、その申出を正当でないと決定したときは、直ちにその旨を申出人に通知しなければならない。

⑥都道府県の条例の制定又は改廃の請求者の署名簿の署名に関し第5項の規定による決定に不服がある者は、その決定のあった日から10日以内に都道府県の選挙管理委員会に審査を申し立てることができる。

⑧市町村の条例の制定又は改廃の請求者の署名簿の署名に関し第5項の規定による決定に不服がある者は、その決定のあった日から14日以内に地方裁判所に出訴することができる。その判決に不服がある者は、控訴することはできないが最高裁判所に上告することができる。

⑨第7項の規定による審査の申立てに対する裁決に不服がある者は、その裁決書の交付を受けた日から14日以内に高等裁判所に出訴することができる。

⑩審査の申立てに対する裁決又は判決が確定したときは、当該都道府県の選挙管理委員会又は当該裁判所は、直ちに裁決書又は判決書の写を関係市町村の選挙管理委員会に送付しなければならない。この場合においては、送付を受けた当該市町村の

選挙管理委員会は、直ちに条例の制定又は改廃の請求者の代表者にその旨を通知しなければならない。

⑪署名簿の署名に関する争訟については、審査の申立てに対する裁決は審査の申立てを受理した日から20日以内にこれをするものとし、訴訟の判決は事件を受理した日から100日以内にこれをするように努めなければならない。

⑫第8項及び第9項の訴えは、当該決定又は裁決をした選挙管理委員会の所在地を管轄する地方裁判所又は高等裁判所の専属管轄とする。

⑬第8項及び第9項の訴えについては、行政事件訴訟法（昭和37年法律第139号）第43条の規定にかかわらず、同法第13条の規定を準用せず、また、同法第16条から第19条までの規定は、署名簿の署名の効力を争う数個の請求に関してのみ準用する。

第74条の3 〔署名の効力、関係人の出頭証言〕

①条例の制定又は改廃の請求者の署名で左に掲げるものは、これを無効とする。

　1　法令の定める成規の手続によらない署名
　2　何人であるかを確認し難い署名

②前条第4項の規定により詐偽又は強迫に基く旨の異議の申出があった署名で市町村の選挙管理委員会がその申出を正当であると決定したものは、これを無効とする。

③市町村の選挙管理委員会は、署名の効力を決定する場合において必要があると認めるときは、関係人の出頭及び証言を求めることができる。

④第100条第2項、第3項、第7項及び第8項の規定は、前項の規定による関係人の出頭及び証言にこれを準用する。

第74条の4 〔署名運動妨害・違法署名運動の罰則〕

①条例の制定又は改廃の請求者の署名に関し、次の各号に掲げる行為をした者は、4年以下の懲役若しくは禁錮又は100万円以下の罰金に処する。

　1　署名権者又は署名運動者に対し、暴行若しくは威力を加え、又はこれをかどわかしたとき。
　2　交通若しくは集会の便を妨げ、又は演説を妨害し、その他偽計詐術等不正の方法をもって署名の自由を妨害したとき。
　3　署名権者若しくは署名運動者又はその関係のある社寺、学校、会社、組合、市町村等に対する用水、小作、債権、寄附その他特殊の利害関係を利用して署名権者又は署名運動者を威迫したとき。

②条例の制定若しくは改廃の請求者の署名を偽造し若しくはその数を増減した者又は署名簿その他の条例の制定若しくは改廃の請求に必要な関係書類を抑留、毀壊若しくは奪取した者は、3年以下の懲役若しくは禁錮又は50万円以下の罰金に処する。

③条例の制定若しくは改廃の請求者の署名に関し、選挙権を有する者の委任を受けずに選挙権を有する者が心身の故障その他の事由により請求者の署名簿に署名することができないときでないのに、氏名代筆者として請求者の氏名を請求者の署名簿

に記載した者は、3年以下の懲役若しくは禁錮又は50万円以下の罰金に処する。

④選挙権を有する者が心身の故障その他の事由により条例の制定又は改廃の請求者の署名簿に署名することができない場合において、当該選挙権を有する者の委任を受けて請求者の氏名を請求者の署名簿に記載した者が、当該署名簿に氏名代筆者としての署名をせず又は虚偽の署名をしたときは、3年以下の懲役若しくは禁錮又は50万円以下の罰金に処する。

⑤条例の制定又は改廃の請求者の署名に関し、次に掲げる者が、その地位を利用して署名運動をしたときは、2年以下の禁錮又は30万円以下の罰金に処する。

　1　国若しくは地方公共団体の公務員又は行政執行法人（独立行政法人通則法（平成11年法律第103号）第2条第4項に規定する行政執行法人をいう。）若しくは特定地方独立行政法人（地方独立行政法人法（平成15年法律第118号）第2条第2項に規定する特定地方独立行政法人をいう。）の役員若しくは職員
　2　沖縄振興開発金融公庫の役員又は職員

⑥条例の制定又は改廃の請求に関し、政令で定める請求書及び請求代表者証明書を付していない署名簿、政令で定める署名を求めるための請求代表者の委任状を付していない署名簿その他法令の定める所定の手続によらない署名簿を用いて署名を求めた者又は政令で定める署名を求めることができる期間外の時期に署名を求めた者は、10万円以下の罰金に処する。

第75条 〔監査の請求とその処置〕

①選挙権を有する者（道の方面公安委員会については、当該方面公安委員会の管理する方面本部の管轄区域内において選挙権を有する者）は、政令で定めるところにより、その総数の50分の1以上の者の連署をもって、その代表者から、普通地方公共団体の監査委員に対し、当該普通地方公共団体の事務の執行に関し、監査の請求をすることができる。

②前項の請求があったときは、監査委員は、直ちに当該請求の要旨を公表しなければならない。

③監査委員は、第1項の請求に係る事項につき監査し、監査の結果に関する報告を決定し、これを同項の代表者（第5項及び第6項において「代表者」という。）に送付し、かつ、公表するとともに、これを当該普通地方公共団体の議会及び長並びに関係のある教育委員会、選挙管理委員会、人事委員会若しくは公平委員会、公安委員会、労働委員会、農業委員会その他法律に基づく委員会又は委員に提出しなければならない。

④前項の規定による監査の結果に関する報告の決定は、監査委員の合議によるものとする。

⑤監査委員は、第3項の規定による監査の結果に関する報告の決定について、各監査委員の意見が一致しないことにより、前項の合議により決定することができない事項がある場合には、その旨及び当該事項についての各監査委員の意見を代表者に

行政法編

送付し、かつ、公表するとともに、これらを当該普通地方公共団体の議会及び長並びに関係のある教育委員会、選挙管理委員会、人事委員会若しくは公平委員会、公安委員会、労働委員会、農業委員会その他法律に基づく委員会又は委員に提出しなければならない。

⑥第74条第5項の規定は第1項の選挙権を有する者及びその総数の50分の1の数について、同条第6項の規定は代表者について、同条第7項から第9項まで及び第74条の2から前条までの規定は第1項の規定による請求者の署名について、それぞれ準用する。この場合において、第74条第6項第3号中「区域内」とあるのは、「区域内（道の方面公安委員会に係る請求については、当該方面公安委員会の管理する方面本部の管轄区域内）」と読み替えるものとする。

第2節　解散及び解職の請求

第76条 〔議会の解散請求とその処置〕

①選挙権を有する者は、政令の定めるところにより、その総数の3分の1（その総数が40万を超え80万以下の場合にあってはその40万を超える数に6分の1を乗じて得た数と40万に3分の1を乗じて得た数とを合算して得た数、その総数が80万を超える場合にあってはその80万を超える数に8分の1を乗じて得た数と40万に6分の1を乗じて得た数と40万に3分の1を乗じて得た数とを合算して得た数）以上の者の連署をもって、その代表者から、普通地方公共団体の選挙管理委員会に対し、当該普通地方公共団体の議会の解散の請求をすることができる。

②前項の請求があったときは、委員会は、直ちに請求の要旨を公表しなければならない。

③第1項の請求があったとき、委員会は、これを選挙人の投票に付さなければならない。

④第74条第5項の規定は第1項の選挙権を有する者及びその総数の3分の1（その総数が40万を超え80万以下の場合にあってはその40万を超える数に6分の1を乗じて得た数と40万に3分の1を乗じて得た数とを合算して得た数、その総数が80万を超える場合にあってはその80万を超える数に8分の1を乗じて得た数と40万に6分の1を乗じて得た数と40万に3分の1を乗じて得た数とを合算して得た数）の数について、同条第6項の規定は第1項の代表者について、同条第7項から第9項まで及び第74条の2から第74条の4までの規定は第1項の規定による請求者の署名について準用する。

第77条 〔解散投票の結果についての処置〕

解散の投票の結果が判明したときは、選挙管理委員会は、直ちにこれを前条第1項の代表者及び当該普通地方公共団体の議会の議長に通知し、かつ、これを公表するとともに、都道府県にあっては都道府県知事に、市町村にあっては市町村長に報告しなければならない。その投票の結果が確定したときも、また、同様とする。

第78条 〔議会の解散〕

普通地方公共団体の議会は、第76条第3項の規定による解散の投票において過半数の同意があったときは、解散するものとする。

第79条 〔解散請求の制限期間〕

第76条第1項の規定による普通地方公共団体の議会の解散の請求は、その議会の議員の一般選挙のあった日から1年間及び同条第3項の規定による解散の投票のあった日から1年間は、これをすることができない。

第80条 〔議員の解職請求とその処置〕

①選挙権を有する者は、政令の定めるところにより、所属の選挙区におけるその総数の3分の1（その総数が40万を超え80万以下の場合にあってはその40万を超える数に6分の1を乗じて得た数と40万に3分の1を乗じて得た数とを合算して得た数、その総数が80万を超える場合にあってはその80万を超える数に8分の1を乗じて得た数と40万に6分の1を乗じて得た数と40万に3分の1を乗じて得た数とを合算して得た数）以上の者の連署をもって、その代表者から、普通地方公共団体の選挙管理委員会に対し、当該選挙区に属する普通地方公共団体の議会の議員の解職の請求をすることができる。この場合において選挙区がないときは、選挙権を有する者の総数の3分の1（その総数が40万を超え80万以下の場合にあってはその40万を超える数に6分の1を乗じて得た数と40万に3分の1を乗じて得た数とを合算して得た数、その総数が80万を超える場合にあってはその80万を超える数に8分の1を乗じて得た数と40万に6分の1を乗じて得た数と40万に3分の1を乗じて得た数とを合算して得た数）以上の者の連署をもって、議員の解職の請求をすることができる。

②前項の請求があったときは、委員会は、直ちに請求の要旨を関係区域内に公表しなければならない。

③第1項の請求があったときは、委員会は、これを当該選挙区の選挙人の投票に付さなければならない。この場合において選挙区がないときは、すべての選挙人の投票に付さなければならない。

④第74条第5項の規定は第1項の選挙権を有する者及びその総数の3分の1の数（その総数が40万を超え80万以下の場合にあってはその40万を超える数に6分の1を乗じて得た数と40万に3分の1を乗じて得た数とを合算して得た数、その総数が80万を超える場合にあってはその80万を超える数に8分の1を乗じて得た数と40万に6分の1を乗じて得た数と40万に3分の1を乗じて得た数とを合算して得た数）について、同条第6項の規定は第1項の代表者について、同条第7項から第9項まで及び第74条の2から第74条の4までの規定は第1項の規定による請求者の署名について準用する。この場合において、第74条第6項第3号中「都道府県の区域内の」とあり、及び「市の」とあるのは、「選挙区の区域の全部又は一部が含まれる」と読み替えるものとする。

第81条〔長の解職請求とその処置〕

①選挙権を有する者は、政令の定めるところにより、その総数の3分の1（その総数が40万を超え80万以下の場合にあってはその40万を超える数に6分の1を乗じて得た数と40万に3分の1を乗じて得た数とを合算して得た数、その総数が80万を超える場合にあってはその80万を超える数に8分の1を乗じて得た数と40万に6分の1を乗じて得た数と40万に3分の1を乗じて得た数とを合算して得た数）以上の者の連署をもって、その代表者から、普通地方公共団体の選挙管理委員会に対し、当該普通地方公共団体の長の解職の請求をすることができる。

②第74条第5項の規定は前項の選挙権を有する者及びその総数の3分の1の数（その総数が40万を超え80万以下の場合にあってはその40万を超える数に6分の1を乗じて得た数と40万に3分の1を乗じて得た数とを合算して得た数、その総数が80万を超える場合にあってはその80万を超える数に8分の1を乗じて得た数と40万に6分の1を乗じて得た数と40万に3分の1を乗じて得た数とを合算して得た数）について、同条第6項の規定は前項の代表者について、同条第7項から第9項まで及び第74条の2から第74条の4までの規定は前項の規定による請求者の署名について、第76条第2項及び第3項の規定は前項の請求について準用する。

第82条〔解職投票の結果についての処置〕

①第80条第3項の規定による解職の投票の結果が判明したときは、普通地方公共団体の選挙管理委員会は、直ちにこれを同条第1項の代表者並びに当該普通地方公共団体の議会の関係議員及び議長に通知し、かつ、これを公表するとともに、都道府県にあっては都道府県知事に、市町村にあっては市町村長に報告しなければならない。その投票の結果が確定したときも、また、同様とする。

②前条第2項の規定による解職の投票の結果が判明したときは、委員会は、直ちにこれを同条第1項の代表者並びに当該普通地方公共団体の長及び議会の議長に通知し、かつ、これを公表しなければならない。その投票の結果が確定したときも、また、同様とする。

第83条〔議員または長の失職〕

普通地方公共団体の議会の議員又は長は、第80条第3項又は第81条第2項の規定による解職の投票において、過半数の同意があったときは、その職を失う。

第84条〔議員または長の解職請求の制限期間〕

第80条第1項又は第81条第1項の規定による普通地方公共団体の議会の議員又は長の解職の請求は、その就職の日から1年間及び第80条第3項又は第81条第2項の規定による解職の投票の日から1年間は、これをすることができない。ただし、公職選挙法第100条第6項の規定により当選人と定められ普通地方公共団体の議会の議員又は長となった者に対する解職の請求は、その就職の日から1年以内においても、これをすることができる。

第85条〔解散解職投票の手続〕

①政令で特別の定をするものを除く外、公職選挙法中普通地方公共団体の選挙に関する規定は、第76条第3項の規定による解散の投票並びに第80条第3項及び第81条第2項の規定による解職の投票にこれを準用する。

②前項の投票は、政令の定めるところにより、普通地方公共団体の選挙と同時にこれを行うことができる。

第86条〔役員の解職請求とその処置〕

①選挙権を有する者（第252条の19第1項に規定する指定都市（以下この項において「指定都市」という。）の総合区区長については当該総合区の区域内において選挙権を有する者、指定都市の区又は総合区の選挙管理委員については当該区又は総合区の区域内において選挙権を有する者、道の方面公安委員会の委員については当該方面公安委員会の管理する方面本部の管轄区域内において選挙権を有する者）は、政令の定めるところにより、その総数の3分の1（その総数が40万を超え80万以下の場合にあってはその40万を超える数に6分の1を乗じて得た数と40万に3分の1を乗じて得た数とを合算して得た数、その総数が80万を超える場合にあってはその80万を超える数に8分の1を乗じて得た数と40万に6分の1を乗じて得た数と40万に3分の1を乗じて得た数とを合算して得た数）以上の者の連署をもって、その代表者から、普通地方公共団体の長に対し、副知事若しくは副市町村長、指定都市の総合区長、選挙管理委員若しくは監査委員又は公安委員会の委員の解職の請求をすることができる。

②前項の請求があったときは、当該普通地方公共団体の長は、直ちに請求の要旨を公表しなければならない。

③第1項の請求があったときは、当該普通地方公共団体の長は、これを議会に付議し、その結果を同項の代表者及び関係者に通知し、かつ、これを公表しなければならない。

④第74条第5項の規定は第1項の選挙権を有する者及びその総数の3分の1の数（その総数が40万を超え80万以下の場合にあってはその40万を超える数に6分の1を乗じて得た数と40万に3分の1を乗じて得た数とを合算して得た数、その総数が80万を超える場合にあってはその80万を超える数に8分の1を乗じて得た数と40万に6分の1を乗じて得た数と40万に3分の1を乗じて得た数とを合算して得た数）について、同条第6項の規定は第1項の代表者について、同条第7項から第9項まで及び第74条の2から第74条の4までの規定は第1項の規定による請求者の署名について準用する。この場合において、第74条第6項第3号中「区域内」とあるのは「区域内（道の方面公安委員会の委員に係る請求については、当該方面公安委員会の管理する方面本部の管轄区域内）」と、「市の区及び総合区」とあるのは「市の区及び総合区（総合区長に係る請求については当該総合区、区又は総合区の選挙管理委員に係る

請求については当該区又は総合区に限る。）」と読み替えるものとする。

第87条 [役員の失職]

①前条第1項に掲げる職に在る者は、同条第3項の場合において、当該普通地方公共団体の議会の議員の3分の2以上の者が出席し、その4分の3以上の者の同意があったときは、その職を失う。

②第118条第5項の規定は、前条第3項の規定による議決についてこれを準用する。

第88条 [役員の解職請求の制限期間]

①第86条第1項の規定による副知事若しくは副市町村長又は第252条の19第1項に規定する指定都市の総合区長の解職の請求は、その就職の日から1年間及び第86条第3項の規定による会の議決の日から1年間は、これをすることができない。

②第86条第1項の規定による選挙管理委員若しくは監査委員又は公安委員会の委員の解職の請求は、その就職の日から6箇月間及び同条第3項の規定による議会の議決の日から6箇月間は、これをすることができない。

第6章 議会

第1節 組織

第89条 [議会の設置]

普通地方公共団体に議会を置く。

第90条 [都道府県議会の議員の定数]

①都道府県の議会の議員の定数は、条例で定める。

②前項の規定による議員の定数の変更は、一般選挙の場合でなければ、これを行うことができない。

③第6条の2第1項の規定による処分により、著しく人口の増加があった都道府県においては、前項の規定にかかわらず、議員の任期中においても、議員の定数を増加することができる。

④第6条の2第1項の規定により都道府県の設置をしようとする場合において、その区域の全部が当該新たに設置される都道府県の区域の一部となる都道府県（以下本条において「設置関係都道府県」という。）は、その協議により、あらかじめ、新たに設置される都道府県の議会の議員の定数を定めなければならない。

⑤前項の規定により新たに設置される都道府県の議会の議員の定数を定めたときは、設置関係都道府県は、直ちに当該定数を告示しなければならない。

⑥前項の規定により告示された新たに設置される都道府県の議会の定数は、第1項の規定に基づく当該都道府県の条例により定められたものとみなす。

⑦第4項の協議については、設置関係都道府県の議会の議決を経なければならない。

第91条 [市町村議会の議員の定数]

①市町村の議会の議員の定数は、条例で定める。

②前項の規定による議員の定数の変更は、一般選挙の場合でなければ、これを行うことができない。

③第7条第1項又は第3項の規定による処分により、著しく人口の増減があった市町村においては、前項の規定にかかわらず、議員の任期中においても、議員の定数を増減することができる。

④前項の規定により議員の任期中にその定数を減少した場合において当該市町村の議会の議員の職に在る者の数がその減少した定数を超えているときは、当該議員の任期中は、その数を以て定数とする。但し、議員に欠員を生じたときは、これに応じて、その定数は、当該定数に至るまで減少するものとする。

⑤第7条第1項又は第3項の規定により市町村の設置を伴う市町村の廃置分合をしようとする場合において、その区域の全部又は一部が当該廃置分合により新たに設置される市町村の区域の全部又は一部となる市町村（以下本条において「設置関係市町村」という。）は、設置関係市町村が2以上のときは設置関係市町村の協議により、設置関係市町村が1のときは当該設置関係市町村の議会の議決を経て、あらかじめ、新たに設置される市町村の議会の議員の定数を定めなければならない。

⑥前項の規定により新たに設置される市町村の議会の議員の定数を定めたときは、設置関係市町村は、直ちに当該定数を告示しなければならない。

⑦前項の規定により告示された新たに設置される市町村の議会の議員の定数は、第1項の規定に基づく当該市町村の条例により定められたものとみなす。

⑧第5項の協議については、設置関係市町村の議会の議決を経なければならない。

第92条 [議員の兼職禁止]

①普通地方公共団体の議会の議員は、衆議院議員又は参議院議員と兼ねることができない。

②普通地方公共団体の議会の議員は、地方公共団体の議会の議員並びに常勤の職員及び地方公務員法（昭和25年法律第261号）第28条の5第1項に規定する短時間勤務の職を占める職員（以下「短時間勤務職員」という。）と兼ねることができない。

第92条の2 [議員の関係諸企業への関与の禁止]

普通地方公共団体の議会の議員は、当該普通地方公共団体に対し請負をする者及びその支配人又は主として同一の行為をする法人の無限責任社員、取締役、執行役若しくは監査役若しくはこれらに準ずべき者、支配人及び清算人たることができない。

第93条 [任期]

①普通地方公共団体の議会の議員の任期は、4年とする。

②前項の任期の起算、補欠議員の在任期間及び議員の定数に異動を生じたためあらたに選挙された議員の在任期間については、公職選挙法第258条及び第260条の定めるところによる。

第94条 [町村総会]

町村は、条例で、第89条の規定にかかわらず、議会を置かず、選挙権を有する者の総会を設けることができる。

行政法編

第2節　権限

第96条［議決事件］

①普通地方公共団体の議会は、次に掲げる事件を議決しなければならない。

1　条例を設け又は改廃すること。

2　予算を定めること。

3　決算を認定すること。

4　法律又はこれに基づく政令に規定するものを除くほか、地方税の賦課徴収又は分担金、使用料、加入金若しくは手数料の徴収に関すること。

5　その種類及び金額について政令で定める基準に従い条例で定める契約を締結すること。

6　条例で定める場合を除くほか、財産を交換し、出資の目的とし、若しくは支払手段として使用し、又は適正な対価なくしてこれを譲渡し、若しくは貸し付けること。

7　不動産を信託すること。

8　前2号に定めるものを除くほか、その種類及び金額について政令で定める基準に従い条例で定める財産の取得又は処分をすること。

9　負担付きの寄附又は贈与を受けること。

10　法律若しくはこれに基づく政令又は条例に特別の定めがある場合を除くほか、権利を放棄すること。

11　条例で定める重要な公の施設につき条例で定める長期かつ独占的な利用をさせること。

12　普通地方公共団体がその当事者である審査請求その他の不服申立て、訴えの提起（普通地方公共団体の行政庁の処分又は裁決（行政事件訴訟法第3条第2項に規定する処分又は同条第3項に規定する裁決をいう。以下この号、第105条の2、第192条及び第199条の3第3項において同じ。）に係る同法第11条第1項（同法第38条第1項（同法第43条第2項において準用する場合を含む。）又は同法第43条第1項において準用する場合を含む。）の規定による普通地方公共団体を被告とする訴訟（以下この号、第105条の2、第192条及び第199条の3第3項において「普通地方公共団体を被告とする訴訟」という。）に係るものを除く。）、和解（普通地方公共団体の行政庁の処分又は裁決に係る普通地方公共団体を被告とする訴訟に係るものを除く。）、あっせん、調停及び仲裁に関すること。

13　法律上その義務に属する損害賠償の額を定めること。

14　普通地方公共団体の区域内の公共的団体等の活動の総合調整に関すること。

15　その他法律又はこれに基づく政令（これらに基づく条例を含む。）により議会の権限に属する事項

②前項に定めるものを除くほか、普通地方公共団体は、条例で普通地方公共団体に関する事件（法定受託事務に係るものにあっては、国の安全に関することその他の事由により議会の議決すべきものとすることが適当でないものとして政令で定めるものを除く。）につき議会の議決すべきものを定めることができる。

第97条［選挙、予算の増額修正］

①普通地方公共団体の議会は、法律又はこれに基く政令によりその権限に属する選挙を行わなければならない。

②議会は、予算について、増額してこれを議決することを妨げない。但し、普通地方公共団体の長の予算の提出の権限を侵すことはできない。

第98条［検閲および検査、監査の請求］

①普通地方公共団体の議会は、当該普通地方公共団体の事務（自治事務にあっては労働委員会及び収用委員会の権限に属する事務で政令で定めるものを除き、法定受託事務にあっては国の安全を害するおそれがあることその他の事由により議会の検査の対象とすることが適当でないものとして政令で定めるものを除く。）に関する書類及び計算書を検閲し、当該普通地方公共団体の長、教育委員会、選挙管理委員会、人事委員会若しくは公平委員会、公安委員会、労働委員会、農業委員会又は監査委員その他法律に基づく委員会又は委員の報告を請求して、当該事務の管理、議決の執行及び出納を検査することができる。

②議会は、監査委員に対し、当該普通地方公共団体の事務（自治事務にあっては労働委員会及び収用委員会の権限に属する事務で政令で定めるものを除き、法定受託事務にあっては国の安全を害するおそれがあることその他の事由により本項の監査の対象とすることが適当でないものとして政令で定めるものを除く。）に関する監査を求め、監査の結果に関する報告を請求することができる。この場合における監査の実施については、第199条第2項後段の規定を準用する。

第99条［関係行政庁への意見書提出］

普通地方公共団体の議会は、当該普通地方公共団体の公益に関する事件につき意見書を国会又は関係行政庁に提出することができる。

第100条［調査権、政府の刊行物送付義務、図書室附置］

①普通地方公共団体の議会は、当該普通地方公共団体の事務（自治事務にあっては労働委員会及び収用委員会の権限に属する事務で政令で定めるものを除き、法定受託事務にあっては国の安全を害するおそれがあることその他の事由により議会の調査の対象とすることが適当でないものとして政令で定めるものを除く。次項において同じ。）に関する調査を行うことができる。この場合において、当該調査を行うため特に必要があると認めるときは、選挙人その他の関係人の出頭及び証言並びに記録の提出を請求することができる。

②民事訴訟に関する法令の規定証人の訊問に関する規定は、この法律に特別の定めがあるものを除くほか、前項後段の規定により議会が当該普通地方公共団体の事務に関する調査のため選挙人その他の関係人の証言を請求する場合に、これを準用

する。ただし、過料、罰金、拘留又は勾引に関する規定は、この限りでない。

③第1項後段の規定により出頭又は記録の提出の請求を受けた選挙人その他の関係人が、正当の理由がないのに、議会に出頭せず若しくは記録を提出しないとき又は証言を拒んだときは、6箇月以下の禁錮又は10万円以下の罰金に処する。

④議会は、選挙人その他の関係人が公務員たる地位において知り得た事実については、その者から職務上の秘密に属するものである旨の申立を受けたときは、当該官公署の承認がなければ、当該事実に関する証言又は記録の提出を請求することができない。この場合において当該官公署が承認を拒むときは、その理由を疏明しなければならない。

⑤議会が前項の規定による疏明を理由がないと認めるときは、当該官公署に対し、当該証言又は記録の提出が公の利益を害する旨の声明を要求することができる。

⑥当該官公署が前項の規定による要求を受けた日から20日以内に声明をしないときは、選挙人その他の関係人は、証言又は記録の提出をしなければならない。

⑦第2項において準用する民事訴訟に関する法令の規定により宣誓した選挙人その他の関係人が虚偽の陳述をしたときは、これを3箇月以上5年以下の禁錮に処する。

⑧前項の罪を犯した者が議会において調査が終了した旨の議決がある前に自白したときは、その刑を減軽し又は免除することができる。

⑨議会は、選挙人その他の関係人が、第3項又は第7項の罪を犯したものと認めるときは、告発しなければならない。但し、虚偽の陳述をした選挙人その他の関係人が、議会の調査が終了した旨の議決がある前に自白したときは、告発しないことができる。

⑩議会が第1項の規定による調査を行うため当該普通地方公共団体の区域内の団体等に対し照会をし又は記録の送付を求めたときは、当該団体等は、その求めに応じなければならない。

⑪議会は、第1項の規定による調査を行う場合においては、予め、予算の定額の範囲内において、当該調査のため要する経費の額を定めて置かなければならない。その額を超えて経費の支出を必要とするときは、更に議決を経なければならない。

⑫議会は、会議規則の定めるところにより、議案の審査又は議会の運営に関し協議又は調整を行うための場を設けることができる。

⑬議会は、議案の審査又は当該普通地方公共団体の事務に関する調査のためその他議会において必要があると認めるときは、会議規則の定めるところにより、議員を派遣することができる。

⑭普通地方公共団体は、条例の定めるところにより、その議会の議員の調査研究その他の活動に資するため必要な経費の一部として、その議会における会派又は議員に対し、政務活動費を交付することができる。この場合において、当該政務活動費の交付の対象、額及び交付の方法並びに当該政務活動

費を充てることができる経費の範囲は、条例で定めなければならない。

⑮前項の政務活動費の交付を受けた会派又は議員は、条例の定めるところにより、当該政務活動費に係る収入及び支出の報告書を議長に提出するものとする。

⑯議長は、第14項の政務活動費については、その使途の透明性の確保に努めるものとする。

⑰政府は、都道府県の議会に官報及び政府の刊行物を、市町村の議会に官報及び市町村に特に関係があると認める政府の刊行物を送付しなければならない。

⑱都道府県は、当該都道府県の区域内の市町村の議会及び他の都道府県の議会に、公報及び適当と認める刊行物を送付しなければならない。

⑲議会は、議員の調査研究に資するため、図書室を附置し前2項の規定により送付を受けた官報、公報及び刊行物を保管して置かなければならない。

⑳前項の図書室は、一般にこれを利用させることができる。

第100条の2 ［学識経験者による調査］

普通地方公共団体の議会は、議案の審査又は当該普通地方公共団体の事務に関する調査のために必要な専門的事項に係る調査を学識経験を有する者等にさせることができる。

第3節　招集及び会期

第101条 ［招集］

①普通地方公共団体の議会は、普通地方公共団体の長がこれを招集する。

②議長は、議会運営委員会の議決を経て、当該普通地方公共団体の長に対し、会議に付議すべき事件を示して臨時会の招集を請求することができる。

③議員の定数の4分の1以上の者は、当該普通地方公共団体の長に対し、会議に付議すべき事件を示して臨時会の招集を請求することができる。

④前2項の規定による請求があったときは、当該普通地方公共団体の長は、請求のあった日から20日以内に臨時会を招集しなければならない。

⑤第2項の規定による請求のあった日から20日以内に当該普通地方公共団体の長が臨時会を招集しないときは、第1項の規定にかかわらず、議長は、臨時会を招集することができる。

⑥第3項の規定による請求のあった日から20日以内に当該普通地方公共団体の長が臨時会を招集しないときは、第1項の規定にかかわらず、議長は、第3項の規定による請求をした者の申出に基づき、当該申出のあった日から、都道府県及び市にあっては10日以内、町村にあっては6日以内に臨時会を招集しなければならない。

⑦招集は、開会の日前、都道府県及び市にあっては7日、町村にあっては3日までにこれを告示しなければならない。ただし、緊急を要する場合は、この限りでない。

第102条 ［定例会・臨時会・会期］

①普通地方公共団体の議会は、定例会及び臨時会とする。

②定例会は、毎年、条例で定める回数これを招集しなければならない。

③臨時会は、必要がある場合において、その事件に限りこれを招集する。

④臨時会に付議すべき事件は、普通地方公共団体の長があらかじめこれを告示しなければならない。

⑤前条第5項又は第6項の場合においては、前項の規定にかかわらず、議長が、同条第2項又は第3項の規定による請求において示された会議に付議すべき事件を臨時会に付議すべき事件として、あらかじめ告示しなければならない。

⑥臨時会の開会中に緊急を要する事件があるときは、前3項の規定にかかわらず、直ちにこれを会議に付議することができる。

⑦普通地方公共団体の議会の会期及びその延長並びにその開閉に関する事項は、議会がこれを定める。

第102条の2［通年の会期］

①普通地方公共団体の議会は、前条の規定にかかわらず、条例で定めるところにより、定例会及び臨時会とせず、毎年、条例で定める日から翌年の当該日の前日までを会期とすることができる。

②前項の議会は、第4項の規定により招集しなければならないものとされる場合を除き、前項の条例で定める日の到来をもって、普通地方公共団体の長が当該日にこれを招集したものとみなす。

③第1項の会期中において、議員の任期が満了したとき、議会が解散されたとき又は議員が全てなくなったときは、同項の規定にかかわらず、その任期満了の日、その解散の日又はその議員が全てなくなった日をもって、会期は終了するものとする。

④前項の規定により会期が終了した場合には、普通地方公共団体の長は、同項に規定する事由により行われた一般選挙により選出された議員の任期が始まる日から30日以内に議会を招集しなければならない。この場合においては、その招集の日から同日後の最初の第1項の条例で定める日の前日までを会期とするものとする。

⑤第3項の規定は、前項後段に規定する会期について準用する。

⑥第1項の議会は、条例で、定期的に会議を開く日（以下「定例日」という。）を定めなければならない。

⑦普通地方公共団体の長は、第1項の議会の議長に対し、会議に付議すべき事件を示して定例日以外の日において会議を開くことを請求することができる。この場合において、議長は、当該請求のあった日から、都道府県及び市にあっては7日以内に、町村にあっては3日以内に会議を開かなければならない。

⑧第1項の場合における第74条第3項、第121条第1項、第243条の3第2項及び第3項並びに第252条の39第4項の規定の適用については、第74条第3項中「20日以内に議会を招集し、」とあるのは「20日以内に」と、第121条第1項中「議会の審議」とあるのは「定例日に開かれる会議の審議又は議案の審議」と、第243条の3第2項及び第3項中「次の会議」とあるのは「次の定例日に開かれる会議」と、第252条の39第4項中「20日以内に議会を招集し」とあるのは「20日以内に」とする。

第4節　議長及び副議長

第105条の2［議長の訴訟代表権］

普通地方公共団体の議会又は議長の処分又は裁決に係る普通地方公共団体を被告とする訴訟については、議長が当該普通地方公共団体を代表する。

第6節　会議

第112条［議員の議案提出権］

①普通地方公共団体の議会の議員は、議会の議決すべき事件につき、議会に議案を提出することができる。但し、予算については、この限りでない。

②前項の規定により議案を提出するに当たっては、議員の定数の12分の1以上の者の賛成がなければならない。

③第1項の規定による議案の提出は、文書を以てこれをしなければならない。

第113条［定足数］

普通地方公共団体の議会は、議員の定数の半数以上の議員が出席しなければ、会議を開くことができない。但し、第117条の規定による除斥のため半数に達しないとき、同一の事件につき再度招集してもなお半数に達しないとき、又は招集に応じても出席議員が定数を欠き議長において出席を催告してもなお半数に達しないとき若しくは半数に達してもその後半数に達しなくなったときは、この限りでない。

第114条［議員の請求による会議の開催］

①普通地方公共団体の議会の議員の定数の半数以上の者から請求があるときは、議長は、その日の会議を開かなければならない。この場合において議長がなお会議を開かないときは、第106条第1項又は第2項の例による。

②前項の規定により会議を開いたとき、又は議員中に異議があるときは、議長は、会議の議決によらない限り、その日の会議を閉じ又は中止することができない。

第115条［議事公開の原則・秘密会］

①普通地方公共団体の議会の会議は、これを公開する。但し、議長又は議員3人以上の発議により、出席議員の3分の2以上の多数で議決したときは、秘密会を開くことができる。

②前項但書の議長又は議員の発議は、討論を行わないでその可否を決しなければならない。

第115条の2［公聴会の開催、参考人の招致］

①普通地方公共団体の議会は、会議において、予算その他重要な議案、請願等について公聴会を開き、真に利害関係を有する者又は学識経験を有する者等から意見を聴くことができる。

②普通地方公共団体の議会は、会議において、当該普通地方公共団体の事務に関する調査又は審査のため必要があると認めるときは、参考人の出頭を求め、その意見を聴くことができる。

行政法編

第115条の3 [修正の動議]

普通地方公共団体の議会が議案に対する修正の動議を議題とするに当たっては、議員の定数の12分の1以上の者の発議によらなければならない。

第116条 [表決]

① この法律に特別の定がある場合を除く外、普通地方公共団体の議会の議事は、出席議員の過半数でこれを決し、可否同数のときは、議長の決するところによる。

② 前項の場合においては、議長は、議員として議決に加わる権利を有しない。

第117条 [議長および議員の除斥]

普通地方公共団体の議会の議長及び議員は、自己若しくは父母、祖父母、配偶者、子、孫若しくは兄弟姉妹の一身上に関する事件又は自己若しくはこれらの者の従事する業務に直接の利害関係のある事件については、その議事に参与することができない。但し、議会の同意があったときは、会議に出席し、発言することができる。

第118条 [議会における選挙方法－投票・指名推選、投票の効力に関する争訟]

① 法律又はこれに基づく政令により普通地方公共団体の議会において行う選挙については、公職選挙法第46条第1項及び第4項、第47条、第48条、第68条第1項並びに普通地方公共団体の議会の議員の選挙に関する第95条の規定を準用する。その投票の効力に関し異議があるときは、議会がこれを決定する。

② 議会は、議員中に異議がないときは、前項の選挙につき指名推選の方法を用いることができる。

③ 指名推選の方法を用いる場合においては、被指名人を以て当選人と定めるべきかどうかを会議に諮り、議員の全員の同意があった者を以て当選人とする。

④ 一の選挙を以て2人以上を選挙する場合においては、被指名人を区分して前項の規定を適用してはならない。

⑤ 第1項の規定による決定に不服がある者は、決定があった日から21日以内に、都道府県にあっては総務大臣、市町村にあっては都道府県知事に審査を申し立て、その裁決に不服がある者は、裁決のあった日から21日以内に裁判所に出訴することができる。

⑥ 第1項の規定による決定は、文書を以てし、その理由を附けてこれを本人に交付しなければならない。

第119条 [会期不継続]

会期中に議決に至らなかった事件は、後会に継続しない。

第120条 [会議規則]

普通地方公共団体の議会は、会議規則を設けなければならない。

第121条 [長および委員等の議場出席義務]

① 普通地方公共団体の長、教育委員会の教育長、選挙管理委員会の委員長、人事委員会の委員長又は公平委員会の委員長、公安委員会の委員長、労働委員会の委員、農業委員会の会長及び監査委員その他法律に基づく委員会の代表者又は委員並びにその委任又は嘱託を受けた者は、議会の審議に必要な説明のため議長から出席を求められたときは、議場に出席しなければならない。ただし、出席すべき日時に議場に出席できないことについて正当な理由がある場合において、その旨を議長に届け出たときは、この限りでない。

② 第102条の2第1項の議会の議長は、前項本文の規定により議場への出席を求めるに当たっては、普通地方公共団体の執行機関の事務に支障を及ぼすことのないよう配慮しなければならない。

第122条 [長の説明書提出義務]

普通地方公共団体の長は、議会に、第211条第2項に規定する予算に関する説明書その他当該普通地方公共団体の事務に関する説明書を提出しなければならない。

第7節 請願

第124条 [請願書の提出]

普通地方公共団体の議会に請願しようとする者は、議員の紹介により請願書を提出しなければならない。

第125条 [採択請願の送付および報告の請求]

普通地方公共団体の議会は、その採択した請願で当該普通地方公共団体の長、教育委員会、選挙管理委員会、人事委員会若しくは公平委員会、公安委員会、労働委員会、農業委員会又は監査委員その他法律に基づく委員会又は委員において措置することが適当と認めるものは、これらの者にこれを送付し、かつ、その請願の処理の経過及び結果の報告を請求することができる。

第8節 議員の辞職及び資格の決定

第126条 [辞職]

普通地方公共団体の議会の議員は、議会の許可を得て辞職することができる。但し、閉会中においては、議長の許可を得て辞職することができる。

第127条 [失職、資格決定]

① 普通地方公共団体の議会の議員が被選挙権を有しない者であるとき、又は第92条の2（第287条の2第7項において準用する場合を含む。以下この項において同じ。）の規定に該当するときは、その職を失う。その被選挙権の有無又は第92条の2の規定に該当するかどうかは、議員が公職選挙法第11条、第11条の2若しくは同法第252条又は政治資金正正法第28条の規定に該当するため被選挙権を有しない場合を除くほか、議会がこれを決定する。この場合においては、出席議員の3分の2以上の多数によりこれを決定しなければならない。

② 前項の場合においては、議員は、第117条の規定にかかわらず、その会議に出席して自己の資格に関し弁明することはできるが決定に加わることができない。

③ 第118条第5項及び第6項の規定は、第1項の場合について準用する。

第128条〔失職の時期〕

普通地方公共団体の議会の議員は、公職選挙法第202条第1項若しくは第206条第1項の規定による異議の申出、同法第202条第2項若しくは第206条第2項の規定による審査の申立て、同法第203条第1項、第207条第1項、第210条若しくは第211条の訴訟の提起に対する決定、裁決又は判決が確定するまでの間（同法第210条第1項の規定による訴訟を提起することができる場合において、当該訴訟が提起されなかったとき、当該訴訟についての訴えを却下し若しくは訴状を却下する裁判が確定したとき、又は当該訴訟が取り下げられたときは、それぞれ同項に規定する出訴期間が経過するまで、当該裁判が確定するまで又は当該取下げが行われるまでの間）は、その職を失わない。

第9節 紀律

第129条〔議場の秩序保持〕

①普通地方公共団体の議会の会議中この法律又は会議規則に違反しその他議場の秩序を乱す議員があるときは、議長は、これを制止し、又は発言を取り消させ、その命令に従わないときは、その日の会議が終るまで発言を禁止し、又は議場の外に退去させることができる。

②議長は、議場が騒然として整理することが困難であると認めるときは、その日の会議を閉じ、又は中止することができる。

第130条〔傍聴人の取締り〕

①傍聴人が公然と可否を表明し、又は騒ぎ立てる等会議を妨害するときは、普通地方公共団体の議会の議長は、これを制止し、その命令に従わないときは、これを退場させ、必要がある場合においては、これを当該警察官に引き渡すことができる。

②傍聴席が騒がしいときは、議長は、すべての傍聴人を退場させることができる。

③前2項に定めるものを除くほか、議長は、会議の傍聴に関し必要な規則を設けなければならない。

第131条〔議員による議長の注意の喚起〕

議場の秩序を乱し又は会議を妨害するものがあるときは、議員は、議長の注意を喚起することができる。

第132条〔言論の品位の維持〕

普通地方公共団体の議会の会議又は委員会においては、議員は、無礼の言葉を使用し、又は他人の私生活にわたる言論をしてはならない。

第133条〔侮辱に対する処置〕

普通地方公共団体の議会の会議又は委員会において、侮辱を受けた議員は、これを議会に訴えて処分を求めることができる。

第10節 懲罰

第134条〔懲罰事由〕

①普通地方公共団体の議会は、この法律並びに会議規則及び委員会に関する条例に違反した議員に対し、議決により懲罰を科することができる。

②懲罰に関し必要な事項は、会議規則中にこれを定めなければならない。

第135条〔懲罰の種類、懲罰動議、除名の手続〕

①懲罰は、左の通りとする。

  1 公開の議場における戒告

  2 公開の議場における陳謝

  3 一定期間の出席停止

  4 除名

②懲罰の動議を議題とするに当っては、議員の定数の8分の1以上の者の発議によらなければならない。

③第1項第4号の除名については、当該普通地方公共団体の議会の議員の3分の2以上の者が出席し、その4分の3以上の者の同意がなければならない。

第136条〔除名議員の再当選〕

普通地方公共団体の議会は、除名された議員で再び当選した議員を拒むことができない。

第137条〔欠席議員の懲罰〕

普通地方公共団体の議会の議員が正当な理由がなくて招集に応じないため、又は正当な理由がなくて会議に欠席したため、議長が、特に招状を発しても、なお故なく出席しない者は、議長において、議会の議決を経て、これに懲罰を科することができる。

第7章 執行機関

第1節 通則

第138条の2〔執行機関の義務〕

普通地方公共団体の執行機関は、当該普通地方公共団体の条例、予算その他の議会の議決に基づく事務及び法令、規則その他の規程に基づく当該普通地方公共団体の事務を、自らの判断と責任において、誠実に管理し及び執行する義務を負う。

第138条の3〔執行機関の組織〕

①普通地方公共団体の執行機関の組織は、普通地方公共団体の長の所轄の下に、それぞれ明確な範囲の所掌事務と権限を有する執行機関によって、系統的にこれを構成しなければならない。

②普通地方公共団体の執行機関は、普通地方公共団体の長の所轄の下に、執行機関相互の連絡を図り、すべて、一体として、行政機能を発揮するようにしなければならない。

③普通地方公共団体の長は、当該普通地方公共団体の執行機関相互の間にその権限につき疑義が生じたときは、これを調整するように努めなければならない。

第138条の4〔委員会・委員・附属機関〕

①普通地方公共団体にその執行機関として普通地方公共団体の長の外、法律の定めるところにより、委員会又は委員を置く。

②普通地方公共団体の委員会は、法律の定めるところにより、法令又は普通地方公共団体の条例若しくは規則に違反しない限りにおいて、その権限に属する事務に関し、規則その他の規程を定めることができる。

③普通地方公共団体は、法律又は条例の定めるところにより、執行機関の附属機関として自治紛争処理委員、審査会、審議会、調査会その他の調停、審査、諮問又は調査のための機関を置くことができる。ただし、政令で定める執行機関について

行政法編

は、この限りでない。

第2節　普通地方公共団体の長

第1款　地位

第139条［知事、市町村長］

①都道府県に知事を置く。

②市町村に市町村長を置く。

第140条［任期］

①普通地方公共団体の長の任期は、4年とする。

②前項の任期の起算については、公職選挙法第259条及び第259条の2の定めるところによる。

第141条［兼職の禁止］

①普通地方公共団体の長は、衆議院議員又は参議院議員と兼ねることができない。

②普通地方公共団体の長は、地方公共団体の議会の議員並びに常勤の職員及び短時間勤務職員と兼ねることができない。

第142条［長の関係企業への関与禁止］

普通地方公共団体の長は、当該普通地方公共団体に対し請負をする者及びその支配人又は主として同一の行為をする法人（当該普通地方公共団体が出資している法人で政令で定めるものを除く。）の無限責任社員、取締役、執行役若しくは監査役若しくはこれらに準ずべき者、支配人及び清算人たることができない。

第143条［失職、資格決定］

①普通地方公共団体の長が、被選挙権を有しなくなったとき又は前条の規定に該当するときは、その職を失う。その被選挙権の有無又は前条の規定に該当するかどうかは、普通地方公共団体の長が公職選挙法第11条、第11条の2若しくは同法第252条又は政治資金規正法第28条の規定に該当するため被選挙権を有しない場合を除くほか、当該普通地方公共団体の選挙管理委員会がこれを決定しなければならない。

②前項の規定による決定は、文書をもってし、その理由をつけてこれを本人に交付しなければならない。

③第1項の規定による決定についての審査請求は、都道府県にあっては総務大臣、市町村にあっては都道府県知事に対してするものとする。

④前項の審査請求に関する行政不服審査法（平成26年法律第68号）第18条第1項本文の期間は、第1項の決定があった日の翌日から起算して21日とする。

第144条［失職の時期］

普通地方公共団体の長は、公職選挙法第202条第1項若しくは第206条第1項の規定による異議の申出、同法第202条第2項若しくは第206条第2項の規定による審査の申立て、同法第203条第1項、第207条第1項、第210条若しくは第211条の訴訟の提起に対する決定、裁決又は判決が確定するまでの間（同法第210条第1項の規定による訴訟を提起することができる場合において、当該訴訟が提起されなかったとき、当該訴訟についての訴えを却下し若しくは訴状を却下する裁判が確定したとき、又は当該訴訟が取り下げられたときは、それぞれ同項に規

定する出訴期間が経過するまで、当該裁判が確定するまで又は当該取下げが行われるまでの間）は、その職を失わない。

第145条［退職］

普通地方公共団体の長は、退職しようとするときは、その退職しようとする日前、都道府県知事にあっては30日、市町村長にあっては20日までに、当該普通地方公共団体の議会の議長に申し出なければならない。但し、議会の同意を得たときは、その期日前に退職することができる。

第2款　権限

第147条［地方公共団体の統轄および代表］

普通地方公共団体の長は、当該普通地方公共団体を統轄し、これを代表する。

第148条［事務の管理および執行］

普通地方公共団体の長は、当該普通地方公共団体の事務を管理し及びこれを執行する。

第149条［担任事務］

普通地方公共団体の長は、概ね左に掲げる事務を担任する。

1　普通地方公共団体の議会の議決を経べき事件につきその議案を提出すること。

2　予算を調製し、及びこれを執行すること。

3　地方税を賦課徴収し、分担金、使用料、加入金又は手数料を徴収し、及び過料を科すること。

4　決算を普通地方公共団体の議会の認定に付すること。

5　会計を監督すること。

6　財産を取得し、管理し、及び処分すること。

7　公の施設を設置し、管理し、及び廃止すること。

8　証書及び公文書類を保管すること。

9　前各号に定めるものを除く外、当該普通地方公共団体の事務を執行すること。

第152条［長の職務の代理］

①普通地方公共団体の長に事故があるとき、又は長が欠けたときは、副知事又は副市町村長がその職務を代理する。この場合において副知事又は副市町村長が2人以上あるときは、あらかじめ当該普通地方公共団体の長が定めた順序、又はその定めがないときは席次の上下により、席次の上下が明らかでないときは年齢の多少により、年齢が同じであるときはくじにより定めた順序で、その職務を代理する。

②副知事若しくは副市町村長にも事故があるとき若しくは副知事若しくは副市町村長も欠けたとき又は副知事若しくは副市町村長を置かない普通地方公共団体において当該普通地方公共団体の長に事故があるとき若しくは当該普通地方公共団体の長が欠けたときは、その補助機関である職員のうちから当該普通地方公共団体の長の指定する職員がその職務を代理する。

③前項の場合において、同項の規定により普通地方公共団体の長の職務を代理する者がないときは、その補助機関である職員のうちから当該普通地

公共団体の規則で定めた上席の職員がその職務を代理する。

第153条［長の事務の委任・臨時代理］

①普通地方公共団体の長は、その権限に属する事務の一部をその補助機関である職員に委任し、又はこれに臨時に代理させることができる。

②普通地方公共団体の長は、その権限に属する事務の一部をその管理に属する行政庁に委任することができる。

第154条［職員の指揮監督］

普通地方公共団体の長は、その補助機関である職員を指揮監督する。

第154条の2［処分の取消し等］

普通地方公共団体の長は、その管理に属する行政庁の処分が法令、条例又は規則に違反すると認めるときは、その処分を取り消し、又は停止することができる。

第157条［公共的団体等の指揮監督］

①普通地方公共団体の長は、当該普通地方公共団体の区域内の公共的団体等の活動の綜合調整を図るため、これを指揮監督することができる。

②前項の場合において必要があるときは、普通地方公共団体の長は、当該普通地方公共団体の区域内の公共的団体等をして事務の報告をさせ、書類及び帳簿を提出させ及び実地について事務を視察することができる。

③普通地方公共団体の長は、当該普通地方公共団体の区域内の公共的団体等の監督上必要な処分をし又は当該公共的団体等の監督官庁の措置を申請することができる。

④前項の監督官庁は、普通地方公共団体の長の処分を取り消すことができる。

第158条［内部組織の設置］

①普通地方公共団体の長は、その権限に属する事務を分掌させるため、必要な内部組織を設けることができる。この場合において、当該普通地方公共団体の長の直近下位の内部組織の設置及びその分掌する事務については、条例で定めるものとする。

②普通地方公共団体の長は、前項の内部組織の編成に当たっては、当該普通地方公共団体の事務及び事業の運営が簡素かつ効率的なものとなるよう十分配慮しなければならない。

第3款　補助機関

第170条［出納長・収入役の職務権限］

①法律又はこれに基づく政令に特別の定めがあるものを除くほか、会計管理者は、当該普通地方公共団体の会計事務をつかさどる。

②前項の会計事務を例示すると、おおむね次のとおりである。

 1 現金（現金に代えて納付される証券及び基金に属する現金を含む。）の出納及び保管を行うこと。

 2 小切手を振り出すこと。

 3 有価証券（公有財産又は基金に属するものを含む。）の出納及び保管を行うこと。

 4 物品（基金に属する動産を含む。）の出納及び保管（使用中の物品に係る保管を除く。）を行うこと。

 5 現金及び財産の記録管理を行うこと。

 6 支出負担行為に関する確認を行うこと。

 7 決算を調製し、これを普通地方公共団体の長に提出すること。

③普通地方公共団体の長は、会計管理者に事故がある場合において必要があるときは、当該普通地方公共団体の長の補助機関である職員にその事務を代理させることができる。

第4款　議会との関係

第176条［議会の瑕疵ある議決または選挙に対する長の処置—付再議権等］

①普通地方公共団体の議会の議決について異議があるときは、当該普通地方公共団体の長は、この法律に特別の定めがあるものを除くほか、その議決の日（条例の制定若しくは改廃又は予算に関する議決については、その送付を受けた日）から10日以内に理由を示してこれを再議に付することができる。

②前項の規定による議会の議決が再議に付された議決と同じ議決であるときは、その議決は、確定する。

③前項の規定による議決のうち条例の制定若しくは改廃又は予算に関するものについては、出席議員の3分の2以上の者の同意がなければならない。

④普通地方公共団体の議会の議決又は選挙がその権限を超え又は法令若しくは会議規則に違反すると認めるときは、当該普通地方公共団体の長は、理由を示してこれを再議に付し又は再選挙を行わせなければならない。

⑤前項の規定による議会の議決又は選挙がなおその権限を超え又は法令若しくは会議規則に違反すると認めるときは、都道府県知事にあっては総務大臣、市町村長にあっては都道府県知事に対し、当該議決又は選挙があった日から21日以内に、審査を申し立てることができる。

⑥前項の規定による申立てがあった場合において、総務大臣又は都道府県知事は、審査の結果、議会の議決又は選挙がその権限を超え又は法令若しくは会議規則に違反すると認めるときは、当該議決又は選挙を取り消す旨の裁定をすることができる。

⑦前項の裁定に不服があるときは、普通地方公共団体の議会又は長は、裁定のあった日から60日以内に、裁判所に出訴することができる。

⑧前項の訴えのうち第4項の規定による議会の議決又は選挙の取消しを求めるものは、当該議会を被告として提起しなければならない。

第177条［収入・支出に関する議決に対する長の処置—付再議権・原案執行権等］

①普通地方公共団体の議会において次に掲げる経費を削除し又は減額する議決をしたときは、その経費及びこれに伴う収入について、当該普通地方公共団体の長は、理由を示してこれを再議に付さな

ければならない。

1　法令により負担する経費、法律の規定に基づき当該行政庁の職権により命ずる経費その他の普通地方公共団体の義務に属する経費

2　非常の災害による応急若しくは復旧の施設のために必要な経費又は感染症予防のために必要な経費

②前項第1号の場合において、議会の議決がなお同号に掲げる経費を削除し又は減額したときは、当該普通地方公共団体の長は、その経費及びこれに伴う収入を予算に計上してその経費を支出することができる。

③第1項第2号の場合において、議会の議決がなお同号に掲げる経費を削除し又は減額したときは、当該普通地方公共団体の長は、その議決を不信任の議決とみなすことができる。

第178条 〔長に対する議会の不信任議決と長の処置〕

①普通地方公共団体の議会において、当該普通地方公共団体の長の不信任の議決をしたときは、直ちに議長からその旨を当該普通地方公共団体の長に通知しなければならない。この場合においては、普通地方公共団体の長は、その通知を受けた日から10日以内に議会を解散することができる。

②議会において当該普通地方公共団体の長の不信任の議決をした場合において、前項の期間内に議会を解散しないとき、又はその解散後初めて招集された議会において再び不信任の議決があり、議長から当該普通地方公共団体の長に対しその旨の通知があったときは、普通地方公共団体の長は、同項の期間が経過した日又は議長から通知があった日においてその職を失う。

③前2項の規定による不信任の議決については、議員数の3分の2以上の者が出席し、第1項の場合においてはその4分の3以上の者の、前項の場合においてはその過半数の者の同意がなければならない。

第179条 〔長の専決処分〕

①普通地方公共団体の議会が成立しないとき、第113条ただし書の場合においてなお会議を開くことができないとき、普通地方公共団体の長において議会の議決すべき事件について特に緊急を要するため議会を招集する時間的余裕がないことが明らかであると認めるとき、又は議会において議決すべき事件を議決しないときは、当該普通地方公共団体の長は、その議決すべき事件を処分することができる。ただし、第162条の規定による副知事又は副市町村長の選任の同意及び第252条の20の2第4項の規定による第252条の19第1項に規定する指定都市の総合区長の選任の同意については、この限りでない。

②議会の決定すべき事件に関しては、前項の例による。

③前2項の規定による処置については、普通地方公共団体の長は、次の会議においてこれを議会に報告し、その承認を求めなければならない。

④前項の場合において、条例の制定若しくは改廃又は予算に関する処置について承認を求める議案が否決されたときは、普通地方公共団体の長は、速やかに、当該処置に関して必要と認める措置を講ずるとともに、その旨を議会に報告しなければならない。

第180条 〔議会の委任による専決処分〕

①普通地方公共団体の議会の権限に属する軽易な事項で、その議決により特に指定したものは、普通地方公共団体の長において、これを専決処分にすることができる。

②前項の規定により専決処分をしたときは、普通地方公共団体の長は、これを議会に報告しなければならない。

第3節　委員会及び委員

第1款　通則

第180条の5 〔委員会および委員の種類〕

①執行機関として法律の定めるところにより普通地方公共団体に置かなければならない委員会及び委員は、左の通りである。

1　教育委員会
2　選挙管理委員会
3　人事委員会又は人事委員会を置かない普通地方公共団体にあっては公平委員会
4　監査委員

②前項に掲げるもののほか、執行機関として法律の定めるところにより都道府県に置かなければならない委員会は、次のとおりである。

1　公安委員会
2　労働委員会
3　収用委員会
4　海区漁業調整委員会
5　内水面漁場管理委員会

③第1項に掲げるものの外、執行機関として法律の定めるところにより市町村に置かなければならない委員会は、左の通りである。

1　農業委員会
2　固定資産評価審査委員会

④前3項の委員会若しくは委員の事務局又は委員会の管理に属する事務を掌る機関で法律により設けられなければならないものとされているものの組織を定めるに当たっては、当該普通地方公共団体の長が第158条第1項の規定により設けるその内部組織との間に権衡を失しないようにしなければならない。

第2款　教育委員会

第180条の8 〔教育委員会の事務等〕

教育委員会は、別に法律の定めるところにより、学校その他の教育機関を管理し、学校の組織編制、教育課程、教科書その他の教材の取扱及び教育職員の身分取扱に関する事務を行い、並びに社会教育その他教育、学術及び文化に関する事務を管理し及びこれを執行する。

第3款　公安委員会

第180条の9［公安委員会の事務等］

①公安委員会は、別に法律の定めるところにより、都道府県警察を管理する。

②都道府県警察に、別に法律の定めるところにより、地方警務官、地方警務官以外の警察官その他の職員を置く。

第4款　選挙管理委員会

第186条［選挙管理委員会の事務］

選挙管理委員会は、法律又はこれに基づく政令の定めるところにより、当該普通地方公共団体が処理する選挙に関する事務及びこれに関係のある事務を管理する。

第4節　地域自治区

第202条の4（地域自治区の設置）

①市町村は、市町村長の権限に属する事務を分掌させ、及び地域の住民の意見を反映させつつこれを処理させるため、条例で、その区域を分けて定める区域ごとに地域自治区を設けることができる。

②地域自治区に事務所を置くものとし、事務所の位置、名称及び所管区域は、条例で定める。

③地域自治区の事務所の長は、当該普通地方公共団体の長の補助機関である職員をもって充てる。

④第4条第2項の規定は第2項の地域自治区の事務所の位置及び所管区域について、第175条第2項の規定は前項の事務所の長について準用する。

第202条の5（地域協議会の設置及び構成員）

①地域自治区に、地域協議会を置く。

②地域協議会の構成員は、地域自治区の区域内に住所を有する者のうちから、市町村長が選任する。

③市町村長は、前項の規定による地域協議会の構成員の選任に当たっては、地域協議会の構成員の構成が、地域自治区の区域内に住所を有する者の多様な意見が適切に反映されるものとなるよう配慮しなければならない。

④地域協議会の構成員の任期は、4年以内において条例で定める期間とする。

⑤第203条の2第1項の規定にかかわらず、地域協議会の構成員には報酬を支給しないこととすることができる。

第202条の7（地域協議会の権限）

①地域協議会は、次に掲げる事項のうち、市町村長その他の市町村の機関により諮問されたもの又は必要と認めるものについて、審議し、市町村長その他の市町村の機関に意見を述べることができる。

1　地域自治区の事務所が所掌する事務に関する事項

2　前号に掲げるもののほか、市町村が処理する地域自治区の区域に係る事務に関する事項

3　市町村の事務処理に当たっての地域自治区の区域内に住所を有する者との連携の強化に関する事項

②市町村長は、条例で定める市町村の施策に関する重要事項であって地域自治区の区域に係るものを決定し、又は変更しようとする場合においては、あらかじめ、地域協議会の意見を聴かなければならない。

③市町村長その他の市町村の機関は、前2項の意見を勘案し、必要があると認めるときは、適切な措置を講じなければならない。

第202条の8（地域協議会の組織及び運営）

この法律に定めるもののほか、地域協議会の構成員の定数その他の地域協議会の組織及び運営に関し必要な事項は、条例で定める。

第202条の9（政令への委任）

この法律に規定するものを除くほか、地域自治区に関し必要な事項は、政令で定める。

第8章　給与その他の給付

第203条［議員報酬、費用弁償等］

①普通地方公共団体は、その議会の議員に対し、議員報酬を支給しなければならない。

②普通地方公共団体の議会の議員は、職務を行うため要する費用の弁償を受けることができる。

③普通地方公共団体は、条例で、その議会の議員に対し、期末手当を支給することができる。

④議員報酬、費用弁償及び期末手当の額並びにその支給方法は、条例でこれを定めなければならない。

第203条の2［報酬、費用弁償等］

①普通地方公共団体は、その委員会の非常勤の委員、非常勤の監査委員、自治紛争処理委員、審査会、審査会及び調査会等の委員その他の構成員、専門委員、監査専門委員、投票管理者、開票管理者、選挙長、投票立会人、開票立会人及び選挙立会人その他普通地方公共団体の非常勤の職員（短時間勤務職員及び地方公務員法第22条の2第1項第2号に掲げる職員を除く。）に対し、報酬を支給しなければならない。

②前項の者に対する報酬は、その勤務日数に応じてこれを支給する。ただし、条例で特別の定めをした場合は、この限りでない。

③第1項の者は、職務を行うため要する費用の弁償を受けることができる。

④普通地方公共団体は、条例で、第1項の者のうち地方公務員法第22条の2第1項第1号に掲げる職員に対し、期末手当を支給することができる。

⑤報酬、費用弁償及び期末手当の額並びにその支給方法は、条例でこれを定めなければならない。

第204条［給料、手当、旅費］

①普通地方公共団体は、普通地方公共団体の長及びその補助機関たる常勤の職員、委員会の常勤の委員（教育委員会にあっては、教育長）、常勤の監査委員、議会の事務局長又は書記長、書記その他の常勤の職員、委員会の事務局長若しくは書記長、委員の事務局長又は委員会若しくは委員の事務を補助する書記その他の常勤の職員その他普通地方公共団体の常勤の職員並びに短時間勤務職員及び地方公務員法第22条の2第1項第2号に掲げる職員に対し、給料及び旅費を支給しなければ

ならない。

②普通地方公共団体は、条例で、前項の者に対し、扶養手当、地域手当、住居手当、初任給調整手当、通勤手当、単身赴任手当、特殊勤務手当、特地勤務手当（これに準ずる手当を含む。）、へき地手当（これに準ずる手当を含む。）、時間外勤務手当、宿日直手当、管理職員特別勤務手当、夜間勤務手当、休日勤務手当、管理職手当、期末手当、勤勉手当、寒冷地手当、特定任期付職員業績手当、義務教育等教員特別手当、定時制通信教育手当、産業教育手当、農林漁業普及指導手当、災害派遣手当（武力攻撃災害等派遣手当及び新型インフルエンザ等緊急事態派遣手当を含む。）又は退職手当を支給することができる。

③給料、手当及び旅費の額並びにその支給方法は、条例でこれを定めなければならない。

第204条の2［法律・条例に基づかない支給の禁止］

普通地方公共団体は、いかなる給与その他の給付も法律又はこれに基づく条例に基づかずには、これをその議会の議員、第203条の2第1項の者及び前条第1項の者に支給することができない。

第205条［退職年金・退職一時金］

第204条第1項の者は、退職年金又は退職一時金を受けることができる。

第206条［給与・給付に対する審査請求］

①普通地方公共団体の長以外の機関がした第203条から第204条まで又は前条の規定による給与その他の給付に関する処分についての審査請求は、法律に特別の定めがある場合を除くほか、普通地方公共団体の長が当該機関の最上級行政庁でない場合においても、当該普通地方公共団体の長に対してするものとする。

②普通地方公共団体の長は、第203条から第204条まで又は前条の規定による給与その他の給付に関する処分についての審査請求がされた場合には、当該審査請求が不適法であり、却下するときを除き、議会に諮問した上、当該審査請求に対する裁決をしなければならない。

③議会は、前項の規定による諮問を受けた日から20日以内に意見を述べなければならない。

④普通地方公共団体の長は、第2項の規定による諮問をしないで同項の審査請求を却下したときは、その旨を議会に報告しなければならない。

第9章　財務

第1節　会計年度及び会計の区分

第208条（会計年度及びその独立の原則）

①普通地方公共団体の会計年度は、毎年4月1日に始まり、翌年3月31日に終わるものとする。

②各会計年度における歳出は、その年度の歳入をもって、これに充てなければならない。

第209条（会計の区分）

①普通地方公共団体の会計は、一般会計及び特別会計とする。

②特別会計は、普通地方公共団体が特定の事業を行なう場合その他特定の歳入をもって特定の歳出に充て一般の歳入歳出と区分して経理する必要があ

る場合において、条例でこれを設置することができる。

第2節　予算

第210条（総計予算主義の原則）

一会計年度における一切の収入及び支出は、すべてこれを歳入歳出予算に編入しなければならない。

第211条（予算の調製及び議決）

①普通地方公共団体の長は、毎会計年度予算を調製し、年度開始前に、議会の議決を経なければならない。この場合において、普通地方公共団体の長は、遅くとも年度開始前、都道府県及び第252条の19第1項に規定する指定都市にあっては30日、その他の市及び町村にあっては20日までに当該予算を議会に提出するようにしなければならない。

②普通地方公共団体の長は、予算を議会に提出するときは、政令で定める予算に関する説明書をあわせて提出しなければならない。

第212条（継続費）

①普通地方公共団体の経費をもって支弁する事件でその履行に数年度を要するものについては、予算の定めるところにより、その経費の総額及び年割額を定め、数年度にわたって支出することができる。

②前項の規定により支出することができる経費は、これを継続費という。

第215条（予算の内容）

予算は、次の各号に掲げる事項に関する定めから成るものとする。

1　歳入歳出予算
2　継続費
3　繰越明許費
4　債務負担行為
5　地方債
6　一時借入金
7　歳出予算の各項の経費の金額の流用

第222条（予算を伴う条例、規則等についての制限）

①普通地方公共団体の長は、条例その他議会の議決を要すべき案件があらたに予算を伴うこととなるものであるときは、必要な予算上の措置が適確に講ぜられる見込みが得られるまでの間は、これを議会に提出してはならない。

②普通地方公共団体の長、委員会若しくは委員又はこれらの管理に属する機関は、その権限に属する事務に関する規則その他の規程の制定又は改正があらたに予算を伴うこととなるものであるときは、必要な予算上の措置が適確に講ぜられることとなるまでの間は、これを制定し、又は改正してはならない。

第3節　収入

第223条（地方税）

普通地方公共団体は、法律の定めるところにより、地方税を賦課徴収することができる。

第224条（分担金）

普通地方公共団体は、政令で定める場合を除くほか、数人又は普通地方公共団体の一部に対し利益のある事件に関し、その必要な費用に充てるため、当該事件により特に利益を受ける者から、その受益の限度において、分担金を徴収することができる。

第225条（使用料）

普通地方公共団体は、第238条の4第7項の規定による許可を受けてする行政財産の使用又は公の施設の利用につき使用料を徴収することができる。

第226条（旧慣使用の使用料及び加入金）

市町村は、第238条の6の規定による公有財産の使用につき使用料を徴収することができるほか、同条第2項の規定により使用の許可を受けた者から加入金を徴収することができる。

第227条（手数料）

普通地方公共団体は、当該普通地方公共団体の事務で特定の者のためにするものにつき、手数料を徴収することができる。

第228条（分担金等に関する規制及び罰則）

①分担金、使用料、加入金及び手数料に関する事項については、条例でこれを定めなければならない。この場合において、手数料について全国的に統一して定めることが特に必要と認められるものとして政令で定める事務（以下本項において「標準事務」という。）について手数料を徴収する場合においては、当該標準事務に係る事務のうち政令で定めるものにつき、政令で定める金額の手数料を徴収することを標準として条例を定めなければならない。

②分担金、使用料、加入金及び手数料の徴収に関しては、次項に定めるものを除くほか、条例で5万円以下の過料を科する規定を設けることができる。

③詐欺その他不正の行為により、分担金、使用料、加入金又は手数料の徴収を免れた者については、条例でその徴収を免れた金額の5倍に相当する金額（当該5倍に相当する金額が5万円を超えないときは、5万円とする。）以下の過料を科する規定を設けることができる。

第229条（分担金等の徴収に関する処分についての審査請求）

①普通地方公共団体の長以外の機関がした分担金、使用料、加入金又は手数料の徴収に関する処分についての審査請求は、普通地方公共団体の長が当該機関の最上級行政庁でない場合においても、当該普通地方公共団体の長に対してするものとする。

②普通地方公共団体の長は、分担金、使用料、加入金又は手数料の徴収に関する処分についての審査請求がされた場合には、当該審査請求が不適法であり、却下するときを除き、議会に諮問した上、当該審査請求に対する裁決をしなければならない。

③議会は、前項の規定による諮問を受けた日から20日以内に意見を述べなければならない。

④普通地方公共団体の長は、第2項の規定による諮問をしないで同項の審査請求を却下したときは、その旨を議会に報告しなければならない。

⑤第2項の審査請求に対する裁決を経た後でなければ、同項の処分については、裁判所に出訴することができない。

第230条（地方債）

①普通地方公共団体は、別に法律で定める場合において、予算の定めるところにより、地方債を起こすことができる。

②前項の場合において、地方債の起債の目的、限度額、起債の方法、利率及び償還の方法は、予算でこれを定めなければならない。

第4節　支出

第232条（経費の支弁等）

①普通地方公共団体は、当該普通地方公共団体の事務を処理するために必要な経費その他法律又はこれに基づく政令により当該普通地方公共団体の負担に属する経費を支弁するものとする。

②法律又はこれに基づく政令により普通地方公共団体に対し事務の処理を義務付ける場合においては、国は、そのために要する経費の財源につき必要な措置を講じなければならない。

第232条の2（寄附又は補助）

普通地方公共団体は、その公益上必要がある場合においては、寄附又は補助をすることができる。

第232条の3（支出負担行為）

普通地方公共団体の支出の原因となるべき契約その他の行為（これを支出負担行為という。）は、法令又は予算の定めるところに従い、これをしなければならない。

第232条の4（支出の方法）

①会計管理者は、普通地方公共団体の長の政令で定めるところによる命令がなければ、支出をすることができない。

②会計管理者は、前項の命令を受けた場合においても、当該支出負担行為が法令又は予算に違反していないこと及び当該支出負担行為に係る債務が確定していることを確認したうえでなければ、支出をすることができない。

第232条の5

①普通地方公共団体の支出は、債権者のためでなければ、これをすることができない。

②普通地方公共団体の支出は、政令の定めるところにより、資金前渡、概算払、前金払、繰替払、隔地払又は口座振替の方法によってこれをすることができる。

第5節　決算

第233条（決算）

①会計管理者は、毎会計年度、政令で定めるところにより、決算を調製し、出納の閉鎖後3箇月以内に、証書類その他政令で定める書類と併せて、普通地方公共団体の長に提出しなければならない。

②普通地方公共団体の長は、決算及び前項の書類を監査委員の審査に付さなければならない。

③普通地方公共団体の長は、前項の規定により監査

委員の審査に付した決算を監査委員の意見を付けて次の通常予算を議する会議までに議会の認定に付さなければならない。

④前項の規定による意見の決定は、監査委員の合議によるものとする。

⑤普通地方公共団体の長は、第3項の規定により決算を議会の認定に付するに当たっては、当該決算に係る会計年度における主要な施策の成果を説明する書類その他政令で定める書類を併せて提出しなければならない。

⑥普通地方公共団体の長は、第3項の規定により議会の認定に付した決算の要領を住民に公表しなければならない。

⑦普通地方公共団体の長は、第3項の規定による決算の認定に関する議案が否決された場合において、当該議決を踏まえて必要と認める措置を講じたときは、速やかに、当該措置の内容を議会に報告するとともに、これを公表しなければならない。

第233条の2（歳計剰余金の処分）

各会計年度において決算上剰余金を生じたときは、翌年度の歳入に編入しなければならない。ただし、条例の定めるところにより、又は普通地方公共団体の議会の議決により、剰余金の全部又は一部を翌年度に繰り越さないで基金に編入することができる。

第6節　契約

第234条（契約の締結）

①売買、貸借、請負その他の契約は、一般競争入札、指名競争入札、随意契約又はせり売りの方法により締結するものとする。

②前項の指名競争入札、随意契約又はせり売りは、政令で定める場合に該当するときに限り、これによることができる。

③普通地方公共団体は、一般競争入札又は指名競争入札（以下この条において「競争入札」という。）に付する場合においては、政令の定めるところにより、契約の目的に応じ、予定価格の制限の範囲内で最高又は最低の価格をもって申込みをした者を契約の相手方とするものとする。ただし、普通地方公共団体の支出の原因となる契約については、政令の定めるところにより、予定価格の制限の範囲内の価格をもって申込みをした者のうち最低の価格をもって申込みをした者以外の者を契約の相手方とすることができる。

④普通地方公共団体が競争入札につき入札保証金を納付させた場合において、落札者が契約を締結しないときは、その者の納付に係る入札保証金（政令の定めるところによりその納付に代えて提供された担保を含む。）は、当該普通地方公共団体に帰属するものとする。

⑤普通地方公共団体が契約につき契約書又は契約内容を記録した電磁的記録を作成する場合においては、当該普通地方公共団体の長又はその委任を受けた者が契約の相手方とともに、契約書に記名押印し、又は契約内容を記録した電磁的記録に当該

普通地方公共団体の長若しくはその委任を受けた者及び契約の相手方の作成に係るものであることを示すために講ずる措置であって、当該電磁的記録が改変されているかどうかを確認することができる等これらの者の作成に係るものであることを確実に示すことができるものとして総務省令で定めるものを講じなければ、当該契約は、確定しないものとする。

⑥競争入札に加わろうとする者に必要な資格、競争入札における公告又は指名の方法、随意契約及びせり売りの手続その他契約の締結の方法に関し必要な事項は、政令でこれを定める。

Q1 地方公共団体が収入の原因となる契約を締結する場合において、最低制限価格のほか最高制限価格をも設定し、一般競争入札を行うことは許されるか。

A 最高制限価格をも設定し、一般競争入札を行うことは違法であり許されない。　地方自治法234条3項に定める一般競争入札の性質からして、競争入札の方法としては、普通地方公共団体の収入の原因となる契約については、最低制限価格を定めてそれ以上の範囲内で最高の価格をもって申込みをした者を契約の相手方とし、普通地方公共団体の支出の原因となる契約については、最高制限価格を定めてそれ以下の範囲内で最低の価格をもって申込みをした者を契約の相手方とすることを定めたものである。また、同項但書の趣旨からすると、同法は、前者の契約について、一般競争入札において最高制限価格を設けて入札を実施することを認めていない。そうすると、普通地方公共団体が、収入の原因となる契約を締結するため一般競争入札を行う場合、最低制限価格のほか最高制限価格をも設定し、最低制限価格以上最高制限価格以下の範囲の価格をもって申込みをした者のうち最高の価格の申込者を落札者とする方法をとることは許されず、このような方法による売却の実施は違法というべきである（最判平6・12・22）。

出題 予想

第234条の2（契約の履行の確保）

①普通地方公共団体が工事若しくは製造その他についての請負契約又は物件の買入れその他の契約を締結した場合においては、当該普通地方公共団体の職員は、政令の定めるところにより、契約の適正な履行を確保するため又はその受ける給付の完了の確認（給付の完了前に代価の一部を支払う必要がある場合において行なう工事若しくは製造の既済部分又は物件の既納部分の確認を含む。）をするため必要な監督又は検査をしなければならない。

②普通地方公共団体が契約の相手方をして契約保証金を納付させた場合において、契約の相手方が契約上の義務を履行しないときは、その契約保証金（政令の定めるところによりその納付に代えて提供された担保を含む。）は、当該普通地方公共団体に帰属するものとする。ただし、損害の賠償又は違約金について契約で別段の定めをしたときは、その定めたところによるものとする。

地方自治法〔抄〕

第234条の3（長期継続契約）

普通地方公共団体は、第214条の規定にかかわらず、翌年度以降にわたり、電気、ガス若しくは水の供給若しくは電気通信役務の提供を受ける契約又は不動産を借りる契約その他政令で定める契約を締結することができる。この場合においては、各年度におけるこれらの経費の予算の範囲内においてその給付を受けなければならない。

第8節　時効

第236条（金銭債権の消滅時効）

① 金銭の給付を目的とする普通地方公共団体の権利は、時効に関し他の法律に定めがあるものを除くほか、これを行使することができる時から5年間行使しないときは、時効によって消滅する。普通地方公共団体に対する権利で、金銭の給付を目的とするものについても、また同様とする。

② 金銭の給付を目的とする普通地方公共団体の権利の時効による消滅については、法律に特別の定めがある場合を除くほか、時効の援用を要せず、また、その利益を放棄することができないものとする。普通地方公共団体に対する権利で、金銭の給付を目的とするものについても、また同様とする。

③ 金銭の給付を目的とする普通地方公共団体の権利について、消滅時効の完成猶予、更新その他の事項（前項に規定する事項を除く。）に関し、適用すべき法律の規定がないときは、民法（明治29年法律第89号）の規定を準用する。普通地方公共団体に対する権利で、金銭の給付を目的とするものについても、また同様とする。

④ 法令の規定により普通地方公共団体がする納入の通知及び督促は、時効の更新の効力を有する。

第9節　財産

第1款　公有財産

第238条（公有財産の範囲及び分類）

① この法律において「公有財産」とは、普通地方公共団体の所有に属する財産のうち次に掲げるもの（基金に属するものを除く。）をいう。
1 不動産
2 船舶、浮標、浮桟橋及び浮ドック並びに航空機
3 前2号に掲げる不動産及び動産の従物
4 地上権、地役権、鉱業権その他これらに準ずる権利
5 特許権、著作権、商標権、実用新案権その他これらに準ずる権利
6 株式、社債（特別の法律により設立された法人の発行する債券に表示されるべき権利を含み、短期社債等を除く。）、地方債及び国債その他これらに準ずる権利
7 出資による権利
8 財産の信託の受益権

③ 公有財産は、これを行政財産と普通財産とに分類する。

④ 行政財産とは、普通地方公共団体において公用又は公共用に供し、又は供することと決定した財産をいい、普通財産とは、行政財産以外の一切の公有財産をいう。

第238条の2（公有財産に関する長の総合調整権）

① 普通地方公共団体の長は、公有財産の効率的運用を図るため必要があると認めるときは、委員会若しくは委員又はこれらの管理に属する機関で権限を有するものに対し、公有財産の取得又は管理について、報告を求め、実地について調査し、又はその結果に基づいて必要な措置を講ずべきことを求めることができる。

② 普通地方公共団体の委員会若しくは委員又はこれらの管理に属する機関で権限を有するものは、公有財産を取得し、又は行政財産の用途を変更し、若しくは第238条の4第2項若しくは第3項（同条第4項において準用する場合を含む。）の規定による行政財産である土地の貸付け若しくはこれに対する地上権若しくは地役権の設定若しくは同条第7項の規定による行政財産の使用の許可で当該普通地方公共団体の長が指定するものをしようとするときは、あらかじめ当該普通地方公共団体の長に協議しなければならない。

③ 普通地方公共団体の委員会若しくは委員又はこれらの管理に属する機関で権限を有するものは、その管理に属する行政財産の用途を廃止したときは、直ちにこれを当該普通地方公共団体の長に引き継がなければならない。

第238条の3（職員の行為の制限）

① 公有財産に関する事務に従事する職員は、その取扱いに係る公有財産を譲り受け、又は自己の所有物と交換することができない。

② 前項の規定に違反する行為は、これを無効とする。

第238条の4（行政財産の管理及び処分）

① 行政財産は、次項から第4項までに定めるものを除くほか、これを貸し付け、交換し、売り払い、譲与し、出資の目的とし、若しくは信託し、又はこれに私権を設定することができない。

② 行政財産は、次に掲げる場合には、その用途又は目的を妨げない限度において、貸し付け、又は私権を設定することができる。
1 当該普通地方公共団体以外の者が行政財産である土地の上に政令で定める堅固な建物その他の土地に定着する工作物であって当該行政財産である土地の供用の目的を効果的に達成することに資すると認められるものを所有し、又は所有しようとする場合（当該普通地方公共団体と一棟の建物を区分して所有する場合を除く。）において、その者（当該行政財産を管理する普通地方公共団体が当該行政財産の適切な方法による管理を行う上で適当と認める者に限る。）に当該土地を貸し付けるとき。
2 普通地方公共団体が国、他の地方公共団体又は政令で定める法人と行政財産である土地の上に一棟の建物を区分して所有するためその者に当該土地を貸し付ける場合
3 普通地方公共団体が行政財産である土地及び

その隣接地の上に当該普通地方公共団体以外の者と一棟の建物を区分して所有するためその者（当該建物のうち行政財産である部分を管理する普通地方公共団体が当該行政財産の適正な方法による管理を行う上で適当と認める者に限る。）に当該土地を貸し付ける場合

4 行政財産のうち庁舎その他の建物及びその附帯施設並びにこれらの敷地（以下この号において「庁舎等」という。）についてその床面積又は敷地に余裕がある場合として政令で定める場合において、当該普通地方公共団体以外の者（当該庁舎等を管理する普通地方公共団体が当該庁舎等の適正な方法による管理を行う上で適当と認める者に限る。）に当該余裕がある部分を貸し付けるとき（前3号に掲げる場合に該当する場合を除く。）。

5 行政財産である土地を国、他の地方公共団体又は政令で定める法人の経営する鉄道、道路その他政令で定める施設の用に供する場合において、その者のために当該土地に地上権を設定するとき。

6 行政財産である土地を国、他の地方公共団体又は政令で定める法人の使用する電線路その他政令で定める施設の用に供する場合において、その者のために当該土地に地役権を設定するとき。

③前項第2号に掲げる場合において、当該行政財産である土地の貸付けを受けた者が当該土地の上に所有する一棟の建物の一部（以下この項及び次項において「特定施設」という。）を当該普通地方公共団体以外の者に譲渡しようとするときは、当該特定施設を譲り受けようとする者（当該行政財産を管理する普通地方公共団体が当該行政財産の適正な方法による管理を行う上で適当と認める者に限る。）に当該土地を貸し付けることができる。

④前項の規定は、同項（この項において準用する場合を含む。）の規定により行政財産である土地の貸付けを受けた者が当該特定施設を譲渡しようとする場合について準用する。

⑤前3項の場合においては、次条第4項及び第5項の規定を準用する。

⑥第1項の規定に違反する行為は、これを無効とする。

⑦行政財産は、その用途又は目的を妨げない限度においてその使用を許可することができる。

⑧前項の規定による許可を受けてする行政財産の使用については、借地借家法（平成3年法律第90号）の規定は、これを適用しない。

⑨第7項の規定により行政財産の使用を許可した場合において、公用若しくは公共用に供するため必要を生じたとき、又は許可の条件に違反する行為があると認めるときは、普通地方公共団体の長又は委員会は、その許可を取り消すことができる。

第238条の5（普通財産の管理及び処分）

①普通財産は、これを貸し付け、交換し、売り払い、譲与し、若しくは出資の目的とし、又はこれに私権を設定することができる。

②普通財産である土地（その土地の定着物を含む。）は、当該普通地方公共団体を受益者として政令で定める信託の目的により、これを信託することができる。

③普通財産のうち国債その他の政令で定める有価証券（以下この項において「国債等」という。）は当該普通地方公共団体を受益者として、指定金融機関その他の確実な金融機関に国債等をその価額に相当する担保の提供を受けて貸し付ける方法により当該国債等を運用することを信託の目的とする場合に限り、信託することができる。

④普通財産を貸し付けた場合において、その貸付期間中に国、地方公共団体その他公共団体において公用又は公共用に供するため必要を生じたときは、普通地方公共団体の長は、その契約を解除することができる。

⑤前項の規定により契約を解除した場合においては、借受人は、これによって生じた損失につきその補償を求めることができる。

⑥普通地方公共団体の長が一定の用途並びにその用途に供しなければならない期日及び期間を指定して普通財産を貸し付けた場合において、借受人が指定された期日を経過してもなおこれをその用途に供せず、又はこれをその用途に供した後指定された期間内にその用途を廃止したときは、当該普通地方公共団体の長は、その契約を解除することができる。

⑦第4項及び第5項の規定は貸付け以外の方法により普通財産を使用させる場合に、前項の規定は普通財産を売り払い、又は譲与する場合に準用する。

⑧第4項から第6項までの規定は、普通財産である土地（その土地の定着物を含む。）を信託する場合に準用する。

⑨第7項に定めるもののほか普通財産の売払いに関し必要な事項及び普通財産の交換に関し必要な事項は、政令でこれを定める。

第238条の7（行政財産を使用する権利に関する処分についての審査請求）

①第238条の4の規定により普通地方公共団体の長以外の機関がした行政財産を使用する権利に関する処分についての審査請求は、普通地方公共団体の長が当該機関の最上級行政庁でない場合においても、当該普通地方公共団体の長に対してするものとする。

②普通地方公共団体の長は、行政財産を使用する権利に関する処分についての審査請求がされた場合には、当該審査請求が不適法であり、却下するときを除き、議会に諮問した上、当該審査請求に対する裁決をしなければならない。

③議会は、前項の規定による諮問を受けた日から20日以内に意見を述べなければならない。

④普通地方公共団体の長は、第2項の規定による諮問をしないで同項の審査請求を却下したときは、その旨を議会に報告しなければならない。

第10節　住民による監査請求及び訴訟

第242条（住民監査請求）

①普通地方公共団体の住民は、当該普通地方公共団体の長若しくは委員会若しくは委員又は当該普通地方公共団体の職員について、違法若しくは不当な公金の支出、財産の取得、管理若しくは処分、契約の締結若しくは履行若しくは債務その他の義務の負担がある（当該行為がなされることが相当の確実さをもって予測される場合を含む。）と認めるとき、又は違法若しくは不当に公金の賦課若しくは徴収若しくは財産の管理を怠る事実（以下「怠る事実」という。）があると認めるときは、これらを証する書面を添え、監査委員に対し、監査を求め、当該行為を防止し、若しくは是正し、若しくは当該怠る事実を改め、又は当該行為若しくは怠る事実によって当該普通地方公共団体の被った損害を補塡するために必要な措置を講ずべきことを請求することができる。

②前項の規定による請求は、当該行為のあった日又は終わった日から1年を経過したときは、これをすることができない。ただし、正当な理由があるときは、この限りでない。

③第1項の規定による請求があったときは、監査委員は、直ちに当該請求の要旨を当該普通地方公共団体の議会及び長に通知しなければならない。

④第1項の規定による請求があった場合において、当該行為が違法であると思料するに足りる相当な理由があり、当該行為により当該普通地方公共団体に生ずる回復の困難な損害を避けるため緊急の必要があり、かつ、当該行為を停止することによって人の生命又は身体に対する重大な危害の発生の防止その他公共の福祉を著しく阻害するおそれがないと認めるときは、監査委員は、当該普通地方公共団体の長その他の執行機関又は職員に対し、理由を付して次項の手続が終了するまでの間当該行為を停止すべきことを勧告することができる。この場合において、監査委員は、当該勧告の内容を第1項の規定による請求人（以下この条において「請求人」という。）に通知するとともに、これを公表しなければならない。

⑤第1項の規定による請求があった場合には、監査委員は、監査を行い、当該請求に理由がないと認めるときは、理由を付してその旨を書面により請求人に通知するとともに、これを公表し、当該請求に理由があると認めるときは、当該普通地方公共団体の議会、長その他の執行機関又は職員に対し期間を示して必要な措置を講ずべきことを勧告するとともに、当該勧告の内容を請求人に通知し、かつ、これを公表しなければならない。

⑥前項の規定による監査委員の監査及び勧告は、第1項の規定による請求があった日から60日以内に行わなければならない。

⑦監査委員は、第5項の規定による監査を行うに当たっては、請求人に証拠の提出及び陳述の機会を与えなければならない。

⑧監査委員は、前項の規定による陳述の聴取を行う場合又は関係のある当該普通地方公共団体の長その他の執行機関若しくは職員の陳述の聴取を行う場合において、必要があると認めるときは、関係のある当該普通地方公共団体の長その他の執行機関若しくは職員又は請求人を立ち会わせることができる。

⑨第5項の規定による監査委員の勧告があったときは、当該勧告を受けた議会、長その他の執行機関又は職員は、当該勧告に示された期間内に必要な措置を講ずるとともに、その旨を監査委員に通知しなければならない。この場合において、監査委員は、当該通知に係る事項を請求人に通知するとともに、これを公表しなければならない。

⑩普通地方公共団体の議会は、第1項の規定による請求があった後に、当該請求に係る行為又は怠る事実に関する損害賠償又は不当利得返還の請求権その他の権利の放棄に関する議決をしようとするときは、あらかじめ監査委員の意見を聴かなければならない。

⑪第4項の規定による勧告、第5項の規定による監査及び勧告並びに前項の規定による意見についての決定は、監査委員の合議によるものとする。

Q1 地方自治法242条1項の規定は、一定の期間にわたる財務会計上の行為または怠る事実を包括して、これを具体的に特定することなく、監査委員に監査を求める権能を認めているのか。

A 認めていない。　地方自治法242条1項の規定は、住民に対し、当該普通地方公共団体の執行機関または職員による一定の具体的な財務会計上の行為または怠る事実（以下、「当該行為等」という）に限って、その監査と非違の防止、是正の措置と監査委員に請求する権能を認めたものであって、それ以上に、一定の期間にわたる当該行為等を包括して、これを具体的に特定することなく、監査委員に監査を求めるなどの権能を認めたものではない（最判平2・6・5）。　**出題** 予想

Q2 住民監査請求の段階においては、対象とする財務会計上の行為または怠る事実を他の事項から区別して特定認識できるように個別的、具体的に摘示することを要するのか。

A 個別的、具体的に摘示することを要する。　住民監査請求においては、対象とする財務会計上の行為または怠る事実（以下、財務会計上の行為または怠る事実を「当該行為等」という）を監査委員が行うべき監査の端緒を与える程度に特定すれば足りるのではなく、当該行為等を他の事項から区別して特定認識できるように個別的、具体的に摘示することを要し、また、当該行為等が複数である場合には、当該行為等の性質、目的等に照らしてこれを一体とみてその違法または不当性を判断するのを相当とする場合を除き、各行為等を他の行為等と区別して特定認識できるように個別的、具体的に摘示することを要するのであり、その程度に具体的に摘示されていなければ、当該監査請求は、請求の特定を欠くものとして不適法であり、監査委員は当該請求について監査する義務を負わない（最判平2・6・5）。

出題 国Ⅰ‐平成12・9

Q3 地方自治法242条2項本文は、財務会計上の行為のあった日又は終わった日から1年を経過したときは監査請求をすることができない旨定めるが、当該行為が外部に対して認識可能となるか否かは、当該監査請求期間の起算日の決定に影響を及ぼすのか。

A 何ら影響を及ぼさない。 地方自治法242条2項本文は、財務会計上の行為のあった日又は終わった日から1年を経過したときは監査請求をすることができない旨を定めるところ、上記行為のあった日とは一時的行為のあった日を、上記行為の終わった日とは継続的行為についてその行為が終わった日を、それぞれ意味するものと解するのが相当であり、当該行為が外部に対して認識可能となるか否かは、同項本文所定の監査請求期間の起算日の決定に何ら影響を及ぼさないというべきである（最判平14・9・12）。 出題 予想

Q4 財務会計上の行為が秘密裡にされた場合には、地方自治法242条2項但書にいう「正当な理由」の有無は、どのように判断すべきか。

A 普通地方公共団体の住民が相当の注意力をもって調査すれば客観的にみて財務会計上の行為を知ることができたかどうか、また当該行為の存在および内容を知ることができた時から相当の期間内に監査請求をしたかどうかによって判断すべきである。
普通地方公共団体の執行機関、職員の財務会計上の行為が秘密裡にされた場合には、地方自治法242条2項但書にいう「正当な理由」の有無は、特段の事情のない限り、普通地方公共団体の住民が相当の注意力をもって調査したときに客観的にみて当該行為を知ることができたかどうか、また、当該行為を知ることができた時から相当な期間内に監査請求をしたかどうかによって判断すべきである（最判昭63・4・22）。そして、このことは、当該行為が秘密裡にされた場合に限らず、普通地方公共団体の住民が相当の注意力をもって調査を尽くしても客観的にみて監査請求をするに足りる程度に当該行為の存在又は内容を知ることができなかった場合にも同様である。したがって、そのような場合には、上記正当な理由の有無は、特段の事情のない限り、普通地方公共団体の住民が相当の注意力をもって調査すれば客観的にみて上記の程度に当該行為の存在および内容を知ることができた時から相当な期間内に監査請求をしたかどうかによって判断すべきである（最判平14・9・12、最判平14・9・17）。 出題 予想

Q5 監査委員が怠る事実の監査をするにあたり、当該行為が財務会計法規に違反して違法であるか否かの判断をしなければならない関係にない場合には、当該怠る事実を対象としてされた監査請求に地方自治法242条2項の期間制限は及ばないのか。

A 期間制限は及ばない。 地方自治法242条2項は、監査請求の対象事項のうち財務会計上の行為については、当該行為があった日又は終わった日から1年を経過したときは監査請求をすることができないものと規定しているが、上記の対象事項のうち法242条1項にいう怠る事実については、この

ような期間制限は規定されておらず、怠る事実が存在する限りはこれを制限しないこととするものと解される。もっとも、特定の財務会計上の行為が財務会計法規に違反して違法であるか又はこれが違法であって無効であるからこそ発生する実体法上の請求権の行使を怠る事実を対象として監査請求がされた場合には、これについて上記の期間制限が及ばないとすれば、本件規定の趣旨を没却することとなる。したがって、このような場合には、当該行為のあった日又は終わった日を基準として本件規定を適用すべきものである。しかし、怠る事実については監査請求期間の制限がないのが原則であることに鑑みれば、監査委員が怠る事実の監査をするにあたり、当該行為が財務会計法規に違反して違法であるか否かの判断をしなければならない関係にない場合には、当該怠る事実を対象としてされた監査請求に上記の期間制限が及ばないものとすべきであり、そのように解しても、本件規定の趣旨を没却することにはならない（最判平14・7・2、最判平14・10・3）。 出題 予想

Q6 特定の財務会計上の行為が行われた場合において、これにつき権限を有する職員又はその前任者が行ったその準備行為が、財務会計上の行為と一体としてとらえられ、準備行為の違法が財務会計上の行為の違法を構成する関係にあるときは、監査請求は地方自治法242条2項の定める監査請求期間の制限を受けるのか。

A 監査請求期間の制限を受ける。 特定の財務会計上の行為が行われた場合において、これにつき権限を有する職員又はその前任者が行ったその準備行為（これにつき権限を有する職員を補助する職員が行ったその補助行為）は、財務会計上の行為と一体としてとらえられるべきものであり、準備行為の違法が財務会計上の行為の違法を構成する関係にあるときは、準備行為が違法であるとし、これに基づいて発生する損害賠償請求権の行使を怠る事実を対象としてされた監査請求は、実質的には財務会計上の行為を違法と主張してその是正を求める趣旨のものにほかならないと解される。したがって、上記のような監査請求が地方自治法242条2項の定める監査請求期間の制限を受けないとすれば、法が本件規定により監査請求に期間制限を設けた趣旨が没却されるといわざるをえないから、上記監査請求には当該財務会計上の行為のあった日又は終わった日を基準として地方自治法242条2項を適用すべきである（最判平14・10・3）。 出題 予想

Q7 住民監査請求においては、監査請求書およびこれに添付された事実を証する書面の各記載、監査請求人が提出したその他の資料等を総合して、住民監査請求の対象が特定の当該行為等であることを監査委員が認識することができる程度に摘示されているだけで足りるのか。

A 足りる。 住民監査請求においては、対象とする財務会計上の行為又は怠る事実（以下「当該行為等」という。）を、他の事項から区別し特定して認識することができるように、個別的、具体的に摘示することを要するが、監査請求書およびこれに添付

された事実を証する書面の各記載、監査請求人が提出したその他の資料等を総合して、住民監査請求の対象が特定の当該行為等であることを監査委員が認識することができる程度に摘示されているのであれば、これをもって足りるのであり、上記の程度を超えてまで当該行為等を個別的、具体的に摘示することを要するものではないというべきである。そして、この理は、当該行為等が複数である場合であっても異なるものではない（最判平16・11・25）。

出題 国Ⅰ-平成18

Q8 住民監査請求の対象が特定の当該行為であることを監査委員が認識することができる程度に摘示されているだけでは足りず、この程度を超えてまで当該行為を個別的、具体的に摘示することを要するのか。

A 個別的、具体的に摘示することを要しない。

住民監査請求においては、その対象が特定されていること、すなわち、対象とする財務会計上の行為又は怠る事実（以下「当該行為」という。）が他の事項から区別し特定して認識することができるように個別的、具体的に摘示されていることを要する。しかし、その特定の程度としては、監査請求書およびこれに添付された事実を証する書面の各記載、監査請求人が提出したその他の資料等を総合して、住民監査請求の対象が特定の当該行為であることを監査委員が認識することができる程度に摘示されているのであれば、これをもって足り、上記の程度を超えてまで当該行為を個別的、具体的に摘示することを要するものではない。そして、地方公共団体が特定の事業（計画段階であっても、具体的な計画が企画立案され、一つの特定の事業として準備が進められているものを含む。）を実施する場合に、当該事業の実施が違法又は不当であり、これにかかわる経費の支出全体が違法又は不当であるとして住民監査請求をするときは、通常、当該事業を特定することにより、これにかかわる複数の経費の支出を個別に摘示しなくても、対象となる当該行為とそうでない行為との識別は可能であるし、当該事業にかかわる経費の支出がすべて違法又は不当であるという以上、これらを一体として違法性又は不当性を判断することが可能かつ相当である。また、当該行為を防止するために必要な措置を求める場合には、これに加えて、当該行為が行われることが相当の確実さをもって予測されるか否かの点についての判断が可能である程度に特定されていることも必要になるが、上記のような事案においては、当該事業を特定することによって、この点を判断することも可能である場合が多い。したがって、そのような場合に、当該事業にかかわる個々の支出を一つ一つ個別具体的に摘示しなくても、住民監査請求の対象の特定が欠けることにはならない（最判平18・4・25）。

出題 予想

第242条の2（住民訴訟）

①普通地方公共団体の住民は、前条第1項の規定による請求をした場合において、同条第5項の規定による監査委員の監査の結果若しくは勧告若しくは同条第9項の規定による普通地方公共団体の議会、長その他の執行機関若しくは職員の措置に不服があるとき、又は監査委員が同条第5項の規定による監査若しくは勧告を同条第6項の期間内に行わないとき、若しくは議会、長その他の執行機関若しくは職員が同条第9項の規定による措置を講じないときは、裁判所に対し、同条第1項の請求に係る違法な行為又は怠る事実につき、訴えをもって次に掲げる請求をすることができる。

1 当該執行機関又は職員に対する当該行為の全部又は一部の差止めの請求

2 行政処分たる当該行為の取消し又は無効確認の請求

3 当該執行機関又は職員に対する当該怠る事実の違法確認の請求

4 当該職員又は当該行為若しくは怠る事実に係る相手方に損害賠償又は不当利得返還の請求をすることを当該普通地方公共団体の執行機関又は職員に対して求める請求。ただし、当該職員又は当該行為若しくは怠る事実に係る相手方が第243条の2の2第3項の規定による賠償の命令の対象となる者である場合には、当該賠償の命令をすることを求める請求

②前項の規定による訴訟は、次の各号に掲げる場合の区分に応じ、当該各号に定める期間内に提起しなければならない。

1 監査委員の監査の結果又は勧告に不服がある場合　当該監査の結果又は当該勧告の内容の通知があった日から30日以内

2 監査委員の勧告を受けた議会、長その他の執行機関又は職員の措置に不服がある場合　当該措置に係る監査委員の通知があった日から30日以内

3 監査委員が請求をした日から60日を経過しても監査又は勧告を行わない場合　当該60日を経過した日から30日以内

4 監査委員の勧告を受けた議会、長その他の執行機関又は職員が措置を講じない場合　当該勧告に示された期間を経過した日から30日以内

③前項の期間は、不変期間とする。

④第1項の規定による訴訟が係属しているときは、当該普通地方公共団体の他の住民は、別訴をもって同一の請求をすることができない。

⑤第1項の規定による訴訟は、当該普通地方公共団体の事務所の所在地を管轄する地方裁判所の管轄に専属する。

⑥第1項第1号の規定による請求に基づく差止めは、当該行為を差し止めることによって人の生命又は身体に対する重大な危害の発生の防止その他公共の福祉を著しく阻害するおそれがあるときは、することができない。

⑦第1項第4号の規定による訴訟が提起された場合には、当該職員又は当該行為若しくは怠る事実の相手方に対して、当該普通地方公共団体の執行機関又は職員は、遅滞なく、その訴訟の告知をしなければならない。

⑧前項の訴訟告知があったときは、第1項第4号の

行政法編

規定による訴訟が終了した日から6月を経過するまでの間は、当該訴訟に係る損害賠償又は不当利得返還の請求権の時効は、完成しない。

⑨民法第153条第2項の規定は、前項の規定による時効の完成猶予について準用する。

⑩第1項に規定する違法な行為又は怠る事実については、民事保全法（平成元年法律第91号）に規定する仮処分をすることができない。

⑪第2項から前項までに定めるもののほか、第1項の規定による訴訟については、行政事件訴訟法第43条の規定の適用があるものとする。

⑫第1項の規定による訴訟を提起した者が勝訴（一部勝訴を含む。）した場合において、弁護士に報酬を支払うべきときは、当該普通地方公共団体に対し、その報酬額の範囲内で相当と認められる額の支払を請求することができる。

◇住民訴訟制度

Q1 住民訴訟はどのような制度か。

A 普通地方公共団体の財務会計上の違法な行為等を防止するため、住民参政の一環として住民に出訴を認めた制度である。　地方自治法242条の2の定める住民訴訟は、普通地方公共団体の執行機関または職員による同法242条1項所定の財務関係上の違法な行為または怠る事実が究極的には当該地方公共団体の構成員である住民全体の利益を害するものであるところから、これを防止するため、地方自治の本旨に基づく住民参政の一環として住民に対しその予防または是正を裁判所に請求する権能を与え、もって地方財政行政の適正な運営を確保することを目的としたものであって、執行機関またはその財務関係上の行為または怠る事実の適否ないしその是正の要否について地方公共団体の判断と住民の判断とが相反し対立する場合に、住民が自らの手により違法の防止または是正を図ることができる点に、制度の本来の意義がある（最判昭53・3・30）。

〔出題〕国Ⅰ-平成4

◇本条の各規定

Q2 保安林内の市有地に市道を建設するに際し、市建設局長らが請負人に道路建設工事をさせる旨の工事施行決定書に決裁をして、これに関与した行為は、道路建設行政の見地からする道路行政担当者としての行為であるが、住民訴訟の対象として認められるのか。

A 住民訴訟の対象として認められない。　保安林内の市有地に市道を建設する際に、市建設局長らが請負人に建設工事をさせる旨の工事施行決定書を決済して、これに関与した行為は、道路建設行政の見地からする道路行政担当者としての行為であり、住民訴訟の対象として認められない（最判平2・4・12）。

〔出題〕国Ⅰ-平成12

Q3 地方公共団体の内部において特定の事務を専決処理することを任された職員が、違法な財務会計上の行為をして当該地方公共団体に損害を及ぼした場合、当該地方公共団体に対して責任を負う者は誰か。

A 専決者と場合により管理者が責任を負う。　地方公営企業の管理者は、訓令等の事務処理上の明確な定めにより、その権限に属する一定の範囲の財務会計上の行為をあらかじめ特定の補助職員に専決させることとしている場合であっても、地方公営企業法上、上記財務会計上の行為を行う権限を法令上本来的に有するものとされている以上、上記財務会計上の行為の適否が問題とされている当該代位請求住民訴訟において、地方自治法242条の2第1項4号にいう「当該職員」に該当する。そして、上記専決を任された補助職員が管理者の権限に属する当該財務会計上の行為を専決により処理した場合は、管理者は、上記補助職員が財務会計上の違法行為をすることを阻止すべき指揮監督上の義務に違反し、故意または過失により上記補助職員が財務会計上の違法行為をすることを阻止しなかったときに限り、普通地方公共団体に対し、上記補助職員がした財務会計上の違法行為により当該普通地方公共団体が被った損害につき賠償責任を負う〈大阪府水道部会議接待費返還訴訟〉（最判平3・12・20）。

〔出題〕予想

Q4 専決を任された補助職員が管理者の権限に属する財務会計上の行為を専決により処理した場合は、管理者は、当該補助職員が財務会計上の違法行為をすることを阻止すべき指揮監督上の義務に違反し、故意又は過失により当該補助職員が財務会計上の違法行為をすることを阻止しなかったときに限り、普通地方公共団体に対し、当該補助職員の違法行為により当該普通地方公共団体が被った損害につき賠償責任を負うのか。

A 賠償責任を負う（最判平3・12・20）。

〔出題〕予想➡国家総合-令和2

Q5 地方自治法242条の2第1項1号の規定による事前の差止請求において、複数の行為を包括的にとらえて差止請求の対象とする場合、その一つ一つの行為を他の行為と区別して特定し認識することができるよう個別、具体的に摘示することをつねに必要とするのか。

A つねに必要としない。　地方自治法242条の2第1項1号の規定による事前の差止請求において、複数の行為を包括的にとらえて差止請求の対象とする場合、その一つひとつの行為を他の行為と区別して特定し認識することができるように個別、具体的に摘示することまでがつねに必要とされるものではない。この場合においては、差止請求の対象となる行為とそうでない行為とが識別できる程度に特定されていることが必要であることはいうまでもないが、事前の差止請求にあっては、当該行為の適否の判断のほか、さらに、当該行為が行われることが相当の確実さをもって予測されるか否かの点および当該行為により当該普通地方公共団体に回復困難な損害を生ずるおそれがあるか否かの点に対する判断が必要となることからすれば、これらの点について判断することが可能な程度に、その対象となる行為の範囲等が特定されていることが必要であり、かつこれをもって足りる。このような観点からすると、例えば、特定の工事の完成に向けて行われる一連の

財務会計上の行為についてその差止めを求めるような場合には、通常は、その工事自体を特定することにより、差止請求の対象となる行為の範囲を識別することができ、また、その特定の工事自体が違法であることを当該行為の違法性としているときは、当該行為を全体として一体とみてその適否等を判断することができるのであるから、その工事にかかわる個々の行為の一つ一つを個別、具体的に摘示しなくても、差止請求の対象は特定されていることになる（最判平5・9・7）。（注：「回復困難な損害を生じるおそれ」という要件は地方自治法の改正により削除）

出題 予想

Q6 埋立免許およびそれに基づく埋立てが違法であることを理由とし、埋立て等に関する一切の公金の支出の包括的な差止めを求める住民訴訟は、請求の趣旨の特定を欠き、不適法として却下を免れないのか。

A 請求の趣旨の特定を欠かない。 地方自治法242条の2第1項1号の規定による事前の差止請求は、本件埋立て等に関して市長のする一切の公金の支出の包括的な差止めをその趣旨とするものであり、もっぱら本件埋立免許およびそれに基づく本件埋立てが違法であることを理由とし、そのため本件埋立免許を前提として今後当該市長のする本件埋立ての完成に向けての一連の経費の支出も包括的に違法なものになるとして、その差止めを求めていることが明らかである。そうすると、本件訴えにおいては、差止請求の対象となる本件公金支出の範囲を識別することができ、また、これを全体として一体とみてその適否を判断することが可能であり、さらに、これが行われることが相当の確実さをもって予測されるか否か、回復困難な損害が生ずるか否かの点をも判断することが可能であるから、請求の趣旨の特定として欠けるところはない（最判平5・9・7）。（注：「回復困難な損害を生じるおそれ」という要件は地方自治法の改正により削除。）

出題 国Ⅰ-平成12・18・9

Q7 住民訴訟において、埋立免許およびそれに基づく埋立てが違法であることを理由とし、そのため埋立免許を前提として行われる埋立ての完成に向けての一連の経費の支出も包括的に違法なものになるとして、その公金の支出の包括的な差止めを求めることは認められるのか。

A 公金の支出の包括的な差止めを求めることは認められる（最判平5・9・7）。★6

Q8 監査委員が、適法な住民監査請求であるにもかかわらず、これを不適法であるとして却下した場合には、当該請求をした住民は、適法な住民監査請求を経たものとして、直ちに住民訴訟を提起することができるのみならず、当該請求の対象とされた財務会計上の行為又は怠る事実を対象として再度の住民監査請求も許されるのか。

A 直ちに住民訴訟を提起することができるとともに、再度の住民監査請求も許される。 監査委員が適法な住民監査請求を不適法であるとして却下した場合、当該請求をした住民は、適法な住民監査請求を経たものとして、直ちに住民訴訟を提起すること

ができるのみならず、当該請求の対象とされた財務会計上の行為または怠る事実と同一の財務会計上の行為または怠る事実を対象として再度の住民監査請求をすることも許される。また、監査委員が適法な住民監査請求を不適法であるとして却下した場合、当該請求をした住民が提起する住民訴訟の出訴期間は、法242条の2第2項1号に準じ、却下の通知があった日から30日以内と解する（最判平10・12・18）。

出題 国Ⅰ-平成18、国Ⅱ-平成12

Q9 住民訴訟の対象とされている損害賠償請求権又は不当利得返還請求権を放棄する旨の議決がされた場合、当該議決につき司法審査は及ばないのか。

A 当該議決につき司法審査は及ぶ。 住民訴訟の対象とされている普通地方公共団体の不当利得返還請求権を放棄する旨の議会の議決がされた場合において、当該請求権の発生原因である公金の支出等の財務会計行為等の性質、内容、原因、経緯および影響（その違法事由の性格や当該支出等を受けた者の帰責性等を含む）、当該議決の趣旨および経緯、当該請求権の放棄又は行使の影響、住民訴訟の係属の有無および経緯、事後の状況その他の諸般の事情を総合考慮して、これを放棄することが普通地方公共団体の民主的かつ実効的な行政運営の確保を旨とする地方自治法の趣旨等に照らして不合理であってその裁量権の範囲の逸脱又はその濫用にあたると認められるときは、その議決は違法となり、当該放棄は無効となる（最判平24・4・20）。

出題 国家総合-平成26

◇訴えの変更

Q10 法令上権限を有する者からあらかじめ専決することを任され、その権限行使についての意思決定を行うとされている者として「当該職員」には該当するものの、現実に専決するなどの財務会計上の行為をしたと認められない者を誤って被告とした場合、行政事件訴訟法15条を準用して、被告を変更することは許されるのか。

A 被告を変更することは許される。 財務会計上の行為を行う権限の所在およびその委任関係等に関する法令、条例、規則、訓令等の定めや普通地方公共団体内部の行政組織が複雑であるため「当該職員」に対する訴えを提起しようとする住民において、財務会計上の行為につき、誰がそのような権限を有する地位ないし職にある者として「当該職員」に該当するのか、また、誰が現実に専決するなどの財務会計上の行為をしたのかの判定がかならずしも容易でない場合も多い。他方、当該訴えは地方自治法242条の2第2項1号ないし4号に掲げる期間内に提起しなければならないため、当該住民がおよそ上記のような権限を有する地位ないし職にあると認められない者または現実に専決するなどの財務会計上の行為をしたと認められない者を被告として訴えを提起した場合には、改めて正当な被告に対して訴えを提起しようとしても、出訴期間の経過により許されないことがある。以上の事情は、取消訴訟において原告が被告とすべき者を誤った場合と異な

るところはなく、行政事件訴訟法15条は、このような場合に、被告の変更を許すことにより原告の救済を図ることとしているのであるから、前記のように被告とすべき「当該職員」を誤った場合についても、地方自治法242条の2第6項、行政事件訴訟法43条3項、40条2項により同法15条の規定を準用して被告の変更を許すことにより、原告の救済を図るのが相当である。そうすると、「当該職員」に対する損害賠償請求に係る訴えにおいて、原告が「当該職員」とすべき者を誤ったときは、裁判所は行政事件訴訟法15条を準用して、被告を変更することが許される（最判平11・4・22）。

出題 予想

第242条の3（訴訟の提起）

①前条第1項第4号本文の規定による訴訟について、損害賠償又は不当利得返還の請求を命ずる判決が確定した場合においては、普通地方公共団体の長は、当該判決が確定した日から60日以内の日を期限として、当該請求に係る損害賠償金又は不当利得の返還金の支払を請求しなければならない。

②前項に規定する場合において、当該判決が確定した日から60日以内に当該請求に係る損害賠償金又は不当利得による返還金が支払われないときは、当該普通地方公共団体は、当該損害賠償又は不当利得返還の請求を目的とする訴訟を提起しなければならない。

③前項の訴訟の提起については、第96条第1項第12号の規定にかかわらず、当該普通地方公共団体の議会の議決を要しない。

④前条第1項第4号本文の規定による訴訟の裁判が同条第7項の訴訟告知を受けた者に対してもその効力を有するときは、当該訴訟の裁判は、当該普通地方公共団体と当該訴訟告知を受けた者との間においてもその効力を有する。

⑤前条第1項第4号本文の規定による訴訟について、普通地方公共団体の執行機関又は職員に損害賠償又は不当利得返還の請求を命ずる判決が確定した場合において、当該普通地方公共団体がその長に対し当該損害賠償又は不当利得返還の請求を目的とする訴訟を提起するときは、当該訴訟については、代表監査委員が当該普通地方公共団体を代表する。

第11節　雑則

第243条（私人の公金取扱いの制限）

普通地方公共団体は、法律又はこれに基づく政令に特別の定めがある場合を除くほか、公金の徴収若しくは収納又は支出の権限を私人に委任し、又は私人をして行なわせてはならない。

第243条の2（普通地方公共団体の長等の損害賠償責任の一部免責）

①普通地方公共団体は、条例で、当該普通地方公共団体の長若しくは委員会の委員若しくは委員又は当該普通地方公共団体の職員（次条第3項の規定による賠償の命令の対象となる者を除く。以下この項において「普通地方公共団体の長等」という。）の当該普通地方公共団体に対する損害を賠償する責任を、普通地方公共団体の長等が職務を行うにつき善意でかつ重大な過失がないときは、普通地方公共団体の長等が賠償の責任を負う額から、普通地方公共団体の長等の職責その他の事情を考慮して政令で定める基準を参酌して、政令で定める額以上で当該条例で定める額を控除して得た額について免れさせる旨を定めることができる。

②普通地方公共団体の議会は、前項の条例の制定又は改廃に関する議決をしようとするときは、あらかじめ監査委員の意見を聴かなければならない。

③前項の規定による意見の決定は、監査委員の合議によるものとする。

第243条の2の2（職員の賠償責任）

①会計管理者若しくは会計管理者の事務を補助する職員、資金前渡を受けた職員、占有動産を保管している職員又は物品を使用している職員が故意又は重大な過失（現金については、故意又は過失）により、その保管に係る現金、有価証券、物品（基金に属する動産を含む。）若しくは占有動産又はその使用に係る物品を亡失し、又は損傷したときは、これによって生じた損害を賠償しなければならない。次に掲げる行為をする権限を有する職員又はその権限に属する事務を直接補助する職員で普通地方公共団体の規則で指定したものが故意又は重大な過失により法令の規定に違反して当該行為をしたこと又は怠ったことにより普通地方公共団体に損害を与えたときも、同様とする。

　1　支出負担行為
　2　第232条の4第1項の命令又は同条第2項の確認
　3　支出又は支払
　4　第234条の2第1項の監督又は検査

②前項の場合において、その損害が2人以上の職員の行為により生じたものであるときは、当該職員は、それぞれの職分に応じ、かつ、当該行為が当該損害の発生の原因となった程度に応じて賠償の責めに任ずるものとする。

③普通地方公共団体の長は、第1項の職員が同項に規定する行為により当該普通地方公共団体に損害を与えたと認めるときは、監査委員に対し、その事実があるかどうかを監査し、賠償責任の有無及び賠償額を決定することを求め、その決定に基づき、期限を定めて賠償を命じなければならない。

④第242条の2第1項第4号ただし書の規定による訴訟について、賠償の命令を命ずる判決が確定した場合には、普通地方公共団体の長は、当該判決が確定した日から60日以内の日を期限として、賠償を命じなければならない。この場合において、前項の規定による監査委員の監査及び決定を求めることを要しない。

⑤前項の規定により賠償を命じた場合において、当該判決が確定した日から60日以内に当該賠償の命令に係る損害賠償金が支払われないときは、当該普通地方公共団体は、当該損害賠償の請求を目的とする訴訟を提起しなければならない。

⑥前項の訴訟の提起については、第96条第1項第

12号の規定にかかわらず、当該普通地方公共団体の議会の議決を要しない。

⑦第242条の2第1項第4号ただし書の規定による訴訟の判決に従いなされた賠償の命令について取消訴訟が提起されているときは、裁判所は、当該取消訴訟の判決が確定するまで、当該賠償の命令に係る損害賠償の請求を目的とする訴訟の訴訟手続を中止しなければならない。

⑧第3項本文の規定により監査委員が賠償責任があると決定した場合において、普通地方公共団体の長は、当該職員からなされた当該損害が避けることのできない事故その他やむを得ない事情によるものであることの証明を相当と認めるときは、議会の同意を得て、賠償責任の全部又は一部を免除することができる。この場合においては、あらかじめ監査委員の意見を聴き、その意見を付して議会に付議しなければならない。

⑨第3項の規定による決定又は前項後段の規定による意見の決定は、監査委員の合議によるものとする。

⑩第242条の2第1項第4号ただし書の規定による訴訟の判決に従い第3項の規定による処分がなされた場合には、当該処分については、審査請求をすることができない。

⑪普通地方公共団体の長は、第3項の規定による処分についての審査請求がされた場合には、当該審査請求が不適法であり、却下するときを除き、議会に諮問した上、当該審査請求に対する裁決をしなければならない。

⑫議会は、前項の規定による諮問を受けた日から20日以内に意見を述べなければならない。

⑬普通地方公共団体の長は、第11項の規定による諮問をしないで同項の審査請求を却下したときは、その旨を議会に報告しなければならない。

⑭第1項の規定により損害を賠償しなければならない場合には、同項の職員の賠償責任については、賠償責任に関する民法の規定は、適用しない。

第243条の3（財政状況の公表等）

①普通地方公共団体の長は、条例の定めるところにより、毎年2回以上歳入歳出予算の執行状況並びに財産、地方債及び一時借入金の現在高その他財政に関する事項を住民に公表しなければならない。

②普通地方公共団体の長は、第221条第3項の法人について、毎事業年度、政令で定めるその経営状況を説明する書類を作成し、これを次の議会に提出しなければならない。

③普通地方公共団体の長は、第221条第3項の信託について、信託契約に定める計算期ごとに、当該信託に係る事務の処理状況を説明する政令で定める書類を作成し、これを次の議会に提出しなければならない。

第243条の4（普通地方公共団体の財政の運営に関する事項等）

普通地方公共団体の財政の運営、普通地方公共団体の財政と国の財政との関係等に関する基本原則については、この法律に定めるもののほか、別に法律

でこれを定める。

第243条の5（政令への委任）

歳入及び歳出の会計年度所属区分、予算及び決算の調製の様式、過年度収入及び過年度支出並びに翌年度歳入の繰上充用その他財務に関し必要な事項は、この法律に定めるもののほか、政令でこれを定める。

第10章 公の施設

第244条（公の施設）

①普通地方公共団体は、住民の福祉を増進する目的をもってその利用に供するための施設（これを公の施設という。）を設けるものとする。

②普通地方公共団体（次条第3項に規定する指定管理者を含む。次項において同じ。）は、正当な理由がない限り、住民が公の施設を利用することを拒んではならない。

③普通地方公共団体は、住民が公の施設を利用することについて、不当な差別的取扱いをしてはならない。

Q1 当該普通地方公共団体の住民ではないが、住民に準ずる地位にある者による公の施設の利用関係について、不当な差別的取扱いは許されるのか。

A 許されない。 普通地方公共団体が設置する公の施設を利用する者の中には、当該普通地方公共団体の住民ではないが、その区域内に事務所、事業所、家屋敷、寮等を有し、その普通地方公共団体に対し地方税を納付する義務を負う者など住民に準ずる地位にある者が存在することは当然に想定される。そして、同442が憲法14条1項が保障する法の下の平等の原則を公の施設の利用関係につき具体的に規定したものであることを考えれば、上記のような住民に準ずる地位にある者による公の施設の利用関係に地方自治法244条3項の規律（普通地方公共団体は住民が公の施設を利用することについて不当な差別的取扱いをしてはならない旨）が及ばないと解するのは相当でなく、これらの者が公の施設を利用することについて、当該公の施設の性質やこれらの者と当該普通地方公共団体との結びつきの程度等に照らし合理的な理由なく差別的取扱いをすることは、同項に違反する（最判平18・7・14）。

出題 国家総合－平成24

Q2 本件改正条例による別荘給水契約者の基本料金の改定が地方自治法244条3項にいう不当な差別的取扱いにあたるのか。

A 不当な差別的取扱いにあたる。 本件事実関係等によれば、旧高根町の簡易水道事業においては、平成8年度において、水道料金を年間50万円以上支払っている大口需要者が29件あり（記録によれば、これらの大口需要者はいずれも別荘以外の給水契約者であることがうかがわれる。）、その年間水道使用量は同町の簡易水道事業における総水道使用量の約20.3％にあたり、一方、別荘給水契約者の件数は1,324件であり、その年間水道使用量は同町の簡易水道事業における総水道使用量の約4.7％を占めるにすぎないというのである。このように給水契約者の水道使用量に大きな格差がある。公営企

業として営まれる水道事業において水道使用の対価である水道料金は原則として当該給水に要する個別原価に基づいて設定されるべきものであり、このような原則に照らせば、上告人の主張に係る本件改正条例における水道料金の設定方法は、本件別表における別荘給水契約者と別荘以外の給水契約者との間の基本料金の大きな格差を正当化するに足りる合理性を有するものではない。そうすると、本件改正条例による別荘給水契約者の基本料金の改定は、地方自治法244条3項にいう不当な差別的取扱いにあたるというほかはない。以上によれば、本件改正条例のうち別荘給水契約者の基本料金を改定した部分は、地方自治法244条3項に違反するものとして無効というべきである（最判平18・7・14）。

出題 国家総合－平成24

第244条の2（公の施設の設置、管理及び廃止）

①普通地方公共団体は、法律又はこれに基づく政令に特別の定めがあるものを除くほか、公の施設の設置及びその管理に関する事項は、条例でこれを定めなければならない。

②普通地方公共団体は、条例で定める重要な公の施設のうち条例で定める特に重要なものについて、これを廃止し、又は条例で定める長期かつ独占的な利用をさせようとするときは、議会において出席議員の3分の2以上の者の同意を得なければならない。

③普通地方公共団体は、公の施設の設置の目的を効果的に達成するため必要があると認めるときは、条例の定めるところにより、法人その他の団体であって当該普通地方公共団体が指定するもの（以下本条及び第244条の4において「指定管理者」という。）に、当該公の施設の管理を行わせることができる。

④前項の条例には、指定管理者の指定の手続、指定管理者が行う管理の基準及び業務の範囲その他必要な事項を定めるものとする。

⑤指定管理者の指定は、期間を定めて行うものとする。

⑥普通地方公共団体は、指定管理者の指定をしようとするときは、あらかじめ、当該普通地方公共団体の議会の議決を経なければならない。

⑦指定管理者は、毎年度終了後、その管理する公の施設の管理の業務に関し事業報告書を作成し、当該公の施設を設置する普通地方公共団体に提出しなければならない。

⑧普通地方公共団体は、適当と認めるときは、指定管理者にその管理する公の施設の利用に係る料金（次項において「利用料金」という。）を当該指定管理者の収入として収受させることができる。

⑨前項の場合における利用料金は、公益上必要があると認める場合を除くほか、条例の定めるところにより、指定管理者が定めるものとする。この場合において、指定管理者は、あらかじめ当該利用料金について当該普通地方公共団体の承認を受けなければならない。

⑩普通地方公共団体の長又は委員会は、指定管理者の管理する公の施設の管理の適正を期するため、指定管理者に対して、当該管理の業務又は経理の状況に関し報告を求め、実地について調査し、又は必要な指示をすることができる。

⑪普通地方公共団体は、指定管理者が前項の指示に従わないときその他当該指定管理者による管理を継続することが適当でないと認めるときは、その指定を取り消し、又は期間を定めて管理の業務の全部又は一部の停止を命ずることができる。

第244条の3（公の施設の区域外設置及び他の団体の公の施設の利用）

①普通地方公共団体は、その区域外においても、また、関係普通地方公共団体との協議により、公の施設を設けることができる。

②普通地方公共団体は、他の普通地方公共団体との協議により、当該他の普通地方公共団体の公の施設を自己の住民の利用に供させることができる。

③前2項の協議については、関係普通地方公共団体の議会の議決を経なければならない。

第244条の4（公の施設を利用する権利に関する処分についての審査請求）

①普通地方公共団体の長以外の機関（指定管理者を含む。）がした公の施設を利用する権利に関する処分についての審査請求は、普通地方公共団体の長が当該機関の最上級行政庁でない場合においても、当該普通地方公共団体の長に対してするものとする。

②普通地方公共団体の長は、公の施設を利用する権利に関する処分についての審査請求がされた場合には、当該審査請求が不適法であり、却下するときを除き、議会に諮問した上、当該審査請求に対する裁決をしなければならない。

③議会は、前項の規定による諮問を受けた日から20日以内に意見を述べなければならない。

④普通地方公共団体の長は、第2項の規定による諮問をしないで同項の審査請求を却下したときは、その旨を議会に報告しなければならない。

第11章　国と普通地方公共団体との関係及び普通地方公共団体相互間の関係

第1節　普通地方公共団体に対する国又は都道府県の関与等

第1款　普通地方公共団体に対する国又は都道府県の関与等

第245条（関与の意義）

本章において「普通地方公共団体に対する国又は都道府県の関与」とは、普通地方公共団体の事務の処理に関し、国の行政機関（内閣府設置法（平成11年法律第89号）第4条第3項に規定する事務をつかさどる機関たる内閣府、宮内庁、同法第49条第1項若しくは第2項に規定する機関、国家行政組織法（昭和23年法律第120号）第3条第2項に規定する機関、法律の規定に基づき内閣の所轄の下に置かれる機関又は国家行政組織法第3条第2項に規定する機関若しくはこれらに置かれる機関をいう。以下本章において同じ。）又は都道府県の機関が行う次に掲げる行為（普通地方公共団体がその固有の資格において当該行為の名あて人となるものに限り、

国又は都道府県の普通地方公共団体に対する支出金の交付及び返還に係るものを除く。）をいう。

1 普通地方公共団体に対する次に掲げる行為
　イ 助言又は勧告
　ロ 資料の提出の要求
　ハ 是正の要求（普通地方公共団体の事務の処理が法令の規定に違反しているとき又は著しく適正を欠き、かつ、明らかに公益を害しているときに当該普通地方公共団体に対して行われる当該違反の是正又は改善のため必要な措置を講ずべきことの求めであって、当該求めを受けた普通地方公共団体がその違反の是正又は改善のため必要な措置を講じなければならないものをいう。）
　ニ 同意
　ホ 許可、認可又は承認
　ヘ 指示
　ト 代執行（普通地方公共団体の事務の処理が法令の規定に違反しているとき又は当該普通地方公共団体がその義務の処理を怠っているときに、その是正のための措置を当該普通地方公共団体に代わって行うことをいう。）

2 普通地方公共団体との協議

3 前2号に掲げる行為のほか、一定の行政目的を実現するため普通地方公共団体に対して具体的かつ個別的に関わる行為（相反する利害を有する者の間の利害の調整を目的としてされる裁定その他の行為（その双方を名あて人とするものに限る。）及び審査請求その他の不服申立てに対する裁決、決定その他の行為を除く。）

第245条の2（関与の法定主義）

普通地方公共団体は、その事務の処理に関し、法律又はこれに基づく政令によらなければ、普通地方公共団体に対する国又は都道府県の関与を受け、又は要することとされることはない。

第245条の3（関与の基本原則）

①国は、普通地方公共団体が、その事務の処理に関し、普通地方公共団体に対する国又は都道府県の関与を受け、又は要することとする場合には、その目的を達成するために必要な最小限度のものとするとともに、普通地方公共団体の自主性及び自立性に配慮しなければならない。

②国は、できる限り、普通地方公共団体が、自治事務の処理に関しては普通地方公共団体に対する国又は都道府県の関与のうち第245条第1号ト及び第3号に規定する行為を、法定受託事務の処理に関しては普通地方公共団体に対する国又は都道府県の関与のうち同号に規定する行為を受け、又は要することとすることのないようにしなければならない。

③国は国又は都道府県の計画と普通地方公共団体の計画との調和を保つ必要がある場合等国又は都道府県の施策と普通地方公共団体の施策との間の調整が必要な場合を除き、普通地方公共団体の事務の処理に関し、普通地方公共団体が、普通地方公共団体に対する国又は都道府県の関与のうち第

245条第2号に規定する行為を要することとすることのないようにしなければならない。

④国は、法令に基づき国がその内容について財政上又は税制上の特例措置を講ずるものとされている計画を普通地方公共団体が作成する場合等国又は都道府県の施策と普通地方公共団体の施策との整合性を確保しなければこれらの施策の実施に著しく支障が生ずると認められる場合を除き、自治事務の処理に関し、普通地方公共団体が、普通地方公共団体に対する国又は都道府県の関与のうち第245条第1号ニに規定する行為を要することとすることのないようにしなければならない。

⑤国は、普通地方公共団体が特別の法律により法人を設立する場合等自治事務の処理について国の行政機関又は都道府県の機関の許可、認可又は承認を要することとすること以外の方法によってその処理の適正を確保することが困難であると認められる場合を除き、自治事務の処理に関し、普通地方公共団体が、普通地方公共団体に対する国又は都道府県の関与のうち第245条第1号ホに規定する行為を要することとすることのないようにしなければならない。

⑥国は、国民の生命、身体又は財産の保護のため緊急に自治事務の的確な処理を確保する必要がある場合等特に必要と認められる場合を除き、自治事務の処理に関し、普通地方公共団体が、普通地方公共団体に対する国又は都道府県の関与のうち第245条第1号ヘに規定する行為に従わなければならないこととすることのないようにしなければならない。

第245条の4（技術的な助言及び勧告並びに資料の提出の要求）

①各省大臣（内閣府設置法第4条第3項に規定する事務を分担管理する大臣たる内閣総理大臣又は国家行政組織法第5条第1項に規定する各省大臣をいう。以下本章、次章及び第14章において同じ。）又は都道府県知事その他の都道府県の執行機関は、その担任する事務に関し、普通地方公共団体に対し、普通地方公共団体の事務の運営その他の事項について適切と認める技術的な助言若しくは勧告をし、又は当該助言若しくは勧告をするため若しくは普通地方公共団体の事務の適正な処理に関する情報を提供するため必要な資料の提出を求めることができる。

②各大臣は、その担任する事務に関し、都道府県知事その他の都道府県の執行機関に対し、前項の規定による市町村に対する助言若しくは勧告又は資料の提出の求めに関し、必要な指示をすることができる。

③普通地方公共団体の長その他の執行機関は、各大臣又は都道府県知事その他の都道府県の執行機関に対し、その担任する事務の管理及び執行について技術的な助言若しくは勧告又は必要な情報の提供を求めることができる。

第245条の5（是正の要求）

①各大臣は、その担任する事務に関し、都道府県の自治事務の処理が法令の規定に違反していると認

めるとき、又は著しく適正を欠き、かつ、明らか
に公益を害していると認めるときは、当該都道府
県に対し、当該自治事務の処理について違反の是
正又は改善のため必要な措置を講ずべきことを求
めることができる。
②各大臣は、その担任する事務に関し、市町村の次
の各号に掲げる事務の処理が法令の規定に違反し
ていると認めるとき、又は著しく適正を欠き、か
つ、明らかに公益を害していると認めるときは、
当該各号に定める都道府県の執行機関に対し、当
該事務の処理について違反の是正又は改善のため
必要な措置を講ずべきことを当該市町村に求める
よう指示をすることができる。
　1　市町村長その他の市町村の執行機関（教育委
　　員会及び選挙管理委員会を除く。）の担任する
　　事務（第1号法定受託事務を除く。次号及
　　び第3号において同じ。）都道府県知事
　2　市町村教育委員会の担任する事務　都道府県
　　教育委員会
　3　市町村選挙管理委員会の担任する事務都道府
　　県選挙管理委員会
③前項の指示を受けた都道府県の執行機関は、当該
市町村に対し、当該事務の処理について違反の是
正又は改善のため必要な措置を講ずべきことを求
めなければならない。
④各大臣は、第2項の規定によるほか、その担任す
る事務に関し、市町村の事務（第1号法定受託事
務を除く。）の処理が法令の規定に違反している
と認める場合、又は著しく適正を欠き、かつ、明
らかに公益を害していると認める場合において、
緊急を要するときその他特に必要があると認める
ときは、自ら当該市町村に対し、当該事務の処理
について違反の是正又は改善のため必要な措置を
講ずべきことを求めることができる。
⑤普通地方公共団体は、第1項、第3項又は前項の
規定による求めを受けたときは、当該事務の処理
について違反の是正又は改善のための必要な措置
を講じなければならない。

第245条の6（是正の勧告）
　次の各号に掲げる都道府県の執行機関は、市町
村の当該各号に定める自治事務の処理が法令の規定
に違反していると認めるとき、又は著しく適正を欠
き、かつ、明らかに公益を害していると認めるとき
は、当該市町村に対し、当該自治事務の処理につい
て違反の是正又は改善のため必要な措置を講ずべき
ことを勧告することができる。
　1　都道府県知事　市町村長その他の市町村の執
　　行機関（教育委員会及び選挙管理委員会を除
　　く。）の担任する自治事務
　2　都道府県教育委員会　市町村教育委員会の担
　　任する自治事務
　3　都道府県選挙管理委員会　市町村選挙管理委
　　員会の担任する自治事務

第245条の7（是正の指示）
①各大臣は、その所管する法律又はこれに基づく政
令に係る都道府県の法定受託事務の処理が法令の
規定に違反していると認めるとき、又は著しく適

正を欠き、かつ、明らかに公益を害していると認
めるときは、当該都道府県に対し、当該法定受託
事務の処理について違反の是正又は改善のため講
ずべき措置に関し、必要な指示をすることができ
る。
②次の各号に掲げる都道府県の執行機関は、市町村
の当該各号に定める法定受託事務の処理が法令の
規定に違反していると認めるとき、又は著しく適
正を欠き、かつ、明らかに公益を害していると認
めるときは、当該市町村に対し、当該法定受託事
務の処理について違反の是正又は改善のため講
ずべき措置に関し、必要な指示をすることができ
る。
　1　都道府県知事　市町村長その他の市町村の執
　　行機関（教育委員会及び選挙管理委員会を除
　　く。）の担任する法定受託事務
　2　都道府県教育委員会　市町村教育委員会の担
　　任する法定受託事務
　3　都道府県選挙管理委員会　市町村選挙管理委
　　員会の担任する法定受託事務
③各大臣は、その所管する法律又はこれに基づく政
令に係る市町村の第1号法定受託事務の処理に
ついて、前項各号に掲げる都道府県の執行機関に対
し、同項の規定による市町村に対する指示に関
し、必要な指示をすることができる。
④各大臣は、前項の規定によるほか、その所管する
法律又はこれに基づく政令に係る市町村の第1号
法定受託事務の処理が法令の規定に違反している
と認める場合、又は著しく適正を欠き、かつ、明
らかに公益を害していると認める場合において、
緊急を要するときその他特に必要があると認める
ときは、自ら当該市町村に対し、当該第1号法定
受託事務の処理について違反の是正又は改善のた
め講ずべき措置に関し、必要な指示をすることが
できる。

第245条の8（代執行等）
①各大臣は、その所管する法律若しくはこれに基づ
く政令に係る都道府県知事の法定受託事務の管
理若しくは執行が法令の規定若しくは当該各大
臣の処分に違反するものがある場合又は当該法定
受託事務の管理若しくは執行を怠るものがある場
合において、本項から第8項までに規定する措置
以外の方法によってその是正を図ることが困難で
あり、かつ、それを放置することにより著しく公
益を害することが明らかであるときは、文書によ
り、当該都道府県知事に対し、その旨を指摘し、
期限を定めて、当該違反を是正し、又は当該怠る
法定受託事務の管理若しくは執行を改めるべきこ
とを勧告することができる。
②各大臣は、都道府県知事が前項の期限までに同項
の規定による勧告に係る事項を行わないときは、
文書により、当該都道府県知事に対し、期限を定
めて当該事項を行うべきことを指示することがで
きる。
③各大臣は、都道府県知事が前項の期限までに当該
事項を行わないときは、高等裁判所に対し、訴え
をもって、当該事項を行うべきことを命ずる旨の

341

裁判を請求することができる。

④各大臣は、高等裁判所に対し前項の規定により訴えを提起したときは、直ちに、文書により、その旨を当該都道府県知事に通告するとともに、当該高等裁判所に対し、その通告をした日時、場所及び方法を通知しなければならない。

⑤当該高等裁判所は、第3項の規定により訴えが提起されたときは、速やかに口頭弁論の期日を定め、当事者を呼び出さなければならない。その期日は、同項の訴えの提起があった日から 15 日以内の日とする。

⑥当該高等裁判所は、各大臣の請求に理由があると認めるときは、当該都道府県知事に対し、期限を定めて当該事項を行うべきことを命ずる旨の裁判をしなければならない。

⑦第3項の訴えは、当該都道府県の区域を管轄する高等裁判所の専属管轄とする。

⑧各大臣は、都道府県知事が第6項の裁判に従い同項の期限までに、なお、当該事項を行わないときは、当該都道府県知事に代わって当該事項を行うことができる。この場合においては、各大臣は、あらかじめ当該都道府県知事に対し、当該事項を行う日時、場所及び方法を通知しなければならない。

⑨第3項の訴えに係る高等裁判所の判決に対する上告の期間は、1週間とする。

⑩前項の上告は、執行停止の効力を有しない。

⑪各大臣の請求に理由がない旨の判決が確定した場合において、既に第8項の規定に基づき第2項の規定による指示に係る事項が行われているときは、都道府県知事は、当該判決の確定後3月以内にその処分を取り消し、又は原状の回復その他必要な措置を執ることができる。

⑫前各項の規定は、市町村長の法定受託事務の管理若しくは執行が法令の規定若しくは各大臣若しくは都道府県知事の処分に違反するものがある場合又は当該法定受託事務の管理若しくは執行を怠るものがある場合において、本項に規定する措置以外の方法によってその是正を図ることが困難であり、かつ、それを放置することにより著しく公益を害することが明らかであるときについて準用する。この場合においては、前各項の規定中「各大臣」とあるのは「都道府県知事」と、「都道府県知事」とあるのは「市町村長」と、「当該都道府県の区域」とあるのは「当該市町村の区域」と読み替えるものとする。

⑬各大臣は、その所管する法律又はこれに基づく政令に係る市町村長の第1号法定受託事務の管理又は執行について、都道府県知事に対し、前項において準用する第1項から第8項までの規定による措置に関し、必要な指示をすることができる。

⑭第3項（第12項において準用する場合を含む。次項において同じ。）の訴えについては、行政事件訴訟法第43条第3項の規定にかかわらず、同法第41条第2項の規定は、準用しない。

⑮前各項に定めるもののほか、第3項の訴えについては、主張及び証拠の申出の時期の制限その他審

理の促進に関し必要な事項は、最高裁判所規則で定める。

第 245 条の 9 （処理基準）

①各大臣は、その所管する法律又はこれに基づく政令に係る都道府県の法定受託事務の処理について、都道府県が当該法定受託事務を処理するに当たりよるべき基準を定めることができる。

②次の各号に掲げる都道府県の執行機関は、市町村の当該各号に定める法定受託事務の処理について、市町村が当該法定受託事務を処理するに当たりよるべき基準を定めることができる。この場合において、都道府県の執行機関の定める基準は、次項の規定により各大臣の定める基準に抵触するものであってはならない。

  1　都道府県知事　市町村長その他の市町村の執行機関（教育委員会及び選挙管理委員会を除く。）の担任する法定受託事務

  2　都道府県教育委員会　市町村教育委員会の担任する法定受託事務

  3　都道府県選挙管理委員会　市町村選挙管理委員会の担任する法定受託事務

③各大臣は、特に必要があると認めるときは、その所管する法律又はこれに基づく政令に係る市町村の第1号法定受託事務の処理について、市町村が当該第1号法定受託事務を処理するに当たりよるべき基準を定めることができる。

④各大臣は、その所管する法律又はこれに基づく政令に係る市町村の第1号法定受託事務の処理について、第2項各号に掲げる都道府県の執行機関に対し、同項の規定により定める基準に関し、必要な指示をすることができる。

⑤第1項から第3項までの規定により定める基準は、その目的を達成するために必要な最小限度のものでなければならない。

第 2 款　普通地方公共団体に対する国又は都道府県の関与等の手続

第 246 条（普通地方公共団体に対する国又は都道府県の関与の手続の適用）

次条から第 250 条の 5 までの規定は、普通地方公共団体に対する国又は都道府県の関与について適用する。ただし、他の法律に特別の定めがある場合は、この限りでない。

第 247 条（助言等の方式等）

①国の行政機関又は都道府県の機関は、普通地方公共団体に対し、助言、勧告その他これらに類する行為（以下本条及び第 252 条の 17 の 3 第 2 項において「助言等」という。）を書面によらないで行った場合において、当該普通地方公共団体から当該助言等の趣旨及び内容を記載した書面の交付を求められたときは、これを交付しなければならない。

②前項の規定は、次に掲げる助言等については、適用しない。

  1　普通地方公共団体に対しその場において完了する行為を求めるもの

  2　既に書面により当該普通地方公共団体に通知

されている事項と同一の内容であるもの

③国又は都道府県の職員は、普通地方公共団体が国の行政機関又は都道府県の機関が行った助言等に従わなかったことを理由として、不利益な取扱いをしてはならない。

第248条（資料の提出の要求等の方式）

国の行政機関又は都道府県の機関は、普通地方公共団体に対し、資料の提出の要求その他これに類する行為（以下本条及び第252条の17の3第2項において「資料の提出の要求等」という。）を書面によらないで行った場合において、当該普通地方公共団体から当該資料の提出の要求等の趣旨及び内容を記載した書面の交付を求められたときは、これを交付しなければならない。

第249条（是正の要求等の方式）

①国の行政機関又は都道府県の機関は、普通地方公共団体に対し、是正の要求、指示その他これらに類する行為（以下本条及び第252条の17の3第2項において「是正の要求等」という。）をするときは、同時に、当該是正の要求等の内容及び理由を記載した書面を交付しなければならない。ただし、当該書面を交付しないで是正の要求等をすべき差し迫った必要がある場合は、この限りでない。

②前項ただし書の場合においては、国の行政機関又は都道府県の機関は、是正の要求等をした後相当の期間内に、同項の書面を交付しなければならない。

第250条（協議の方式）

①普通地方公共団体から国の行政機関又は都道府県の機関に対して協議の申出があったときは、国の行政機関又は都道府県の機関及び普通地方公共団体は、誠実に協議を行うとともに、相当の期間内に当該協議が調うよう努めなければならない。

②国の行政機関又は都道府県の機関は、普通地方公共団体の申出に基づく協議について意見を述べた場合において、当該普通地方公共団体から当該協議に関する意見の趣旨及び内容を記載した書面の交付を求められたときは、これを交付しなければならない。

第250条の2（許認可等の基準）

①国の行政機関又は都道府県の機関は、普通地方公共団体からの法令に基づく申請又は協議の申出（以下この款、第250条の13第2項、第251条の3第2項、第251条の5第1項、第251条の6第1項及び第252条の17の3第3項において「申請等」という。）があった場合において、許可、認可、承認、同意その他これらに類する行為（以下この款及び第252条の17の3第3項において「許認可等」という。）をするかどうかを法令の定めに従って判断するために必要とされる基準を定め、かつ、行政上特別の支障があるときを除き、これを公表しなければならない。

②国の行政機関又は都道府県の機関は、普通地方公共団体に対し、許認可等の取消しその他これに類する行為（以下本条及び第250条の4において「許認可等の取消し等」という。）をするかどうかを

法令の定めに従って判断するために必要とされる基準を定め、かつ、これを公表するよう努めなければならない。

③国の行政機関又は都道府県の機関は、第1項又は前項に規定する基準を定めるに当たっては、当該許認可等又は許認可等の取消し等の性質に照らしてできる限り具体的なものとしなければならない。

第250条の3（許認可等の標準処理期間）

①国の行政機関又は都道府県の機関は、申請等が当該国の行政機関又は都道府県の機関の事務所に到達してから当該申請等に係る許認可等をするまでに通常要すべき標準的な期間（法令により当該国の行政機関又は都道府県の機関と異なる機関が当該申請書の提出先とされている場合は、併せて、当該申請等が当該提出先とされている機関の事務所に到達してから当該国の行政機関又は都道府県の機関の事務所に到達するまでに通常要すべき標準的な期間）を定め、かつ、これを公表するよう努めなければならない。

②国の行政機関又は都道府県の機関は、申請等が法令により当該申請等の提出先とされている機関の事務所に到達したときは、遅滞なく当該申請等に係る許認可等をするための事務を開始しなければならない。

第250条の4（許認可等の取消し等の方式）

国の行政機関又は都道府県の機関は、普通地方公共団体に対し、申請等に係る許認可等を拒否する処分又は許認可等の取消し等をするときは、当該許認可等を拒否する処分又は許認可等の取消し等の内容及び理由を記載した書面を交付しなければならない。

第250条の5（届出）

普通地方公共団体から国の行政機関又は都道府県の機関への届出が届出書の記載事項に不備がないこと、届出書に必要な書類が添付されていることその他の法令に定められた届出の形式上の要件に適合している場合は、当該届出が法令により当該届出の提出先とされている機関の事務所に到達したときに、当該届出をすべき手続上の義務が履行されたものとする。

第250条の6（国の行政機関が自治事務と同一の事務を自らの権限に属する事務として処理する場合の方式）

①国の行政機関は、自治事務として普通地方公共団体が処理している事務と同一の内容の事務を法令の定めるところにより自らの権限に属する事務として処理するときは、あらかじめ当該普通地方公共団体に対し、当該事務の処理の内容及び理由を記載した書面により通知しなければならない。ただし、当該通知をしないで当該事務を処理すべき差し迫った必要がある場合は、この限りでない。

②前項ただし書の場合においては、国の行政機関は、自ら当該事務を処理した後相当の期間内に、同項の通知をしなければならない。

第2節 国の普通地方公共団体との間並びに普通地方公共団体相互間及び普通地方公共団体の機関相互間の紛争処理

第1款 国地方係争処理委員会

第250条の7 (設置及び権限)

①総務省に、国地方係争処理委員会（以下本節において「委員会」という。）を置く。

②委員会は、普通地方公共団体に対する国又は都道府県の関与のうち国の行政機関が行うもの（以下本節において「国の関与」という。）に関する審査の申出につき、この法律の規定によりその権限に属させられた事項を処理する。

第250条の8 (組織)

①委員会は、委員5人をもって組織する。

②委員は、非常勤とする。ただし、そのうち2人以内は、常勤とすることができる。

第250条の9 (委員)

①委員は、優れた識見を有する者のうちから、両議院の同意を得て、総務大臣が任命する。

②委員の任命については、そのうち3人以上が同一の政党その他の政治団体に属することとなってはならない。

③委員の任期が満了し、又は欠員を生じた場合において、国会の閉会又は衆議院の解散のために両議院の同意を得ることができないときは、総務大臣は、第1項の規定にかかわらず、同項に定める資格を有する者のうちから、委員を任命することができる。

④前項の場合においては、任命後最初の国会において両議院の事後の承認を得なければならない。この場合において、両議院の事後の承認が得られないときは、総務大臣は、直ちにその委員を罷免しなければならない。

⑤委員の任期は、3年とする。ただし、補欠の委員の任期は、前任者の残任期間とする。

⑥委員は、再任されることができる。

⑦委員の任期が満了したときは、当該委員は、後任者が任命されるまで引き続きその職務を行うものとする。

⑧総務大臣は、委員が破産手続開始の決定を受け、又は禁錮以上の刑に処せられたときは、その委員を罷免しなければならない。

⑨総務大臣は、両議院の同意を得て、次に掲げる委員を罷免するものとする。

　1　委員のうち何人も属していなかった同一の政党その他の政治団体に新たに3人以上の委員が属するに至った場合においては、これらの者のうち2人を超える員数の委員

　2　委員のうち1人が既に属している政党その他の政治団体に新たに2人以上の委員が属するに至った場合においては、これらの者のうち1人を超える員数の委員

⑩総務大臣は、委員のうち2人が既に属している政党その他の政治団体に新たに属するに至った委員を直ちに罷免するものとする。

⑪総務大臣は、委員が心身の故障のため職務の執行ができないと認めるとき、又は委員に職務上の義務違反その他委員たるに適しない非行があると認めるときは、両議院の同意を得て、その委員を罷免することができる。

⑫委員は、第4項後段及び第8項から前項までの規定による場合を除くほか、その意に反して罷免されることがない。

⑬委員は、職務上知り得た秘密を漏らしてはならない。その職を退いた後も、同様とする。

⑭委員は、在任中、政党その他の政治団体の役員となり、又は積極的に政治運動をしてはならない。

⑮常勤の委員は、在任中、総務大臣の許可がある場合を除き、報酬を得て他の職務に従事し、又は営利事業を営み、その他金銭上の利益を目的とする業務を行ってはならない。

⑯委員は、自己に直接利害関係のある事件については、その議事に参与することができない。

⑰委員の給与は、別に法律で定める。

第250条の10 (委員長)

①委員会に、委員長を置き、委員の互選によりこれを定める。

②委員長は、会務を総理し、委員会を代表する。

③委員長に事故があるときは、あらかじめその指名する委員が、その職務を代理する。

第250条の11 (会議)

①委員会は、委員長が招集する。

②委員会は、委員長及び2人以上の委員の出席がなければ、会議を開き、議決をすることができない。

③委員会の議事は、出席者の過半数でこれを決し、可否同数のときは、委員長の決するところによる。

④委員長に事故がある場合の第2項の規定の適用については、前条第3項に規定する委員は、委員長とみなす。

第250条の12 (政令への委任)

この法律に規定するもののほか、委員会に関し必要な事項は、政令で定める。

第2款 国地方係争処理委員会による審査の手続

第250条の13 (国の関与に関する審査の申出)

①普通地方公共団体の長その他の執行機関は、その担任する事務に関する国の関与のうち是正の要求、許可の拒否その他の処分その他公権力の行使に当たるもの（次に掲げるものを除く。）に不服があるときは、委員会に対し、当該国の関与を行った国の行政庁を相手方として、文書で、審査の申出をすることができる。

　1　第245条の8第2項及び第13項の規定による指示

　2　第245条の8第8項の規定に基づき都道府県知事に代わって同条第2項の規定による指示に係る事項を行うこと。

　3　第252条の17の4第2項の規定により読み替えて適用する第245条の8第12項において準用する同条第2項の規定による指示

　4　第252条の17の4第2項の規定により読み

替えて適用する第245条の8第12項において準用する同条第8項の規定に基づき市町村長に代わって前号の指示に係る事項を行うこと。

② 普通地方公共団体の長その他の執行機関は、その担任する事務に関する国の不作為（国の行政庁が、申請等が行われた場合において、相当の期間内に何らかの国の関与のうち許可その他の処分その他公権力の行使に当たるものをすべきにかかわらず、これをしないことをいう。以下本節において同じ。）に不服があるときは、委員会に対し、当該国の不作為に係る国の行政庁を相手方として、文書で、審査の申出をすることができる。

③ 普通地方公共団体の長その他の執行機関は、その担任する事務に関する当該普通地方公共団体の法令に基づく協議の申出が国の行政庁に対して行われた場合において、当該協議に係る当該普通地方公共団体の義務を果たしたと認めるにもかかわらず当該協議が調わないときは、委員会に対し、当該協議の相手方である国の行政庁を相手方として、文書で、審査の申出をすることができる。

④ 第1項の規定による審査の申出は、当該国の関与があった日から30日以内にしなければならない。ただし、天災その他同項の規定による審査の申出をしなかったことについてやむを得ない理由があるときは、この限りでない。

⑤ 前項ただし書の場合における第1項の規定による審査の申出は、その理由がやんだ日から1週間以内にしなければならない。

⑥ 第1項の規定による審査の申出に係る文書を郵便又は民間事業者による信書の送達に関する法律（平成14年法律第99号）第2条第6項に規定する一般信書便事業者若しくは同条第9項に規定する特定信書便事業者による同条第2項に規定する信書便（第260条の2第12項において「信書便」という。）で提出した場合における前2項の期間の計算については、送付に要した日数は、算入しない。

⑦ 普通地方公共団体の長その他の執行機関は、第1項から第3項までの規定による審査の申出（以下本款において「国の関与に関する審査の申出」という。）をしようとするときは、相手方となるべき国の行政庁に対し、その旨をあらかじめ通知しなければならない。

第250条の14（審査及び勧告）

① 委員会は、自治事務に関する国の関与について前条第1項の規定による審査の申出があった場合においては、審査を行い、相手方である国の行政庁の行った国の関与が違法でなく、かつ、普通地方公共団体の自主性及び自立性を尊重する観点から不当でないと認めるときは、理由を付してその旨を当該審査の申出をした普通地方公共団体の長その他の執行機関及び当該国の行政庁に通知するとともに、これを公表し、当該国の行政庁の行った国の関与が違法又は普通地方公共団体の自主性及び自立性を尊重する観点から不当であると認めるときは、当該国の行政庁に対し、理由を付し、か

つ、期間を示して、必要な措置を講ずべきことを勧告するとともに、当該勧告の内容を当該普通地方公共団体の長その他の執行機関に通知し、かつ、これを公表しなければならない。

② 委員会は、法定受託事務に関する国の関与について前条第1項の規定による審査の申出があった場合においては、審査を行い、相手方である国の行政庁の行った国の関与が違法でないと認めるときは、理由を付してその旨を当該審査の申出をした普通地方公共団体の長その他の執行機関及び当該国の行政庁に通知するとともに、これを公表し、当該国の行政庁の行った国の関与が違法であると認めるときは、当該国の行政庁に対し、理由を付し、かつ、期間を示して、必要な措置を講ずべきことを勧告するとともに、当該勧告の内容を当該普通地方公共団体の長その他の執行機関に通知し、かつ、これを公表しなければならない。

③ 委員会は、前条第2項の規定による審査の申出があった場合においては、審査を行い、当該審査の申出に理由がないと認めるときは、理由を付してその旨を当該審査の申出をした普通地方公共団体の長その他の執行機関及び相手方である国の行政庁に通知するとともに、これを公表し、当該審査の申出に理由があると認めるときは、当該国の行政庁に対し、理由を付し、かつ、期間を示して、必要な措置を講ずべきことを勧告するとともに、当該勧告の内容を当該普通地方公共団体の長その他の執行機関に通知し、かつ、これを公表しなければならない。

④ 委員会は、前条第3項の規定による審査の申出があったときは、当該審査の申出に係る協議について当該協議に係る普通地方公共団体がその義務を果たしているかどうかを審査し、理由を付してその結果を当該審査の申出をした普通地方公共団体の長その他の執行機関及び相手方である国の行政庁に通知するとともに、これを公表しなければならない。

⑤ 前各項の規定による審査及び勧告は、審査の申出があった日から90日以内に行わなければならない。

第250条の15（関係行政機関の参加）

① 委員会は、関係行政機関を審査の手続に参加させる必要があると認めるときは、国の関与に関する審査の申出をした普通地方公共団体の長その他の執行機関、相手方である国の行政庁若しくは当該関係行政機関の申立てにより又は職権で、当該関係行政機関を審査の手続に参加させることができる。

② 委員会は、前項の規定により関係行政機関を審査の手続に参加させるときは、あらかじめ、当該国の関与に関する審査の申出をした普通地方公共団体の長その他の執行機関及び相手方である国の行政庁並びに当該関係行政機関の意見を聴かなければならない。

第250条の16（証拠調べ）

① 委員会は、審査を行うため必要があると認めるときは、国の関与に関する審査の申出をした普通地

方公共団体の長その他の執行機関、相手方である国の行政庁若しくは前条第1項の規定により当該審査の手続に参加した関係行政機関（以下本条において「参加行政機関」という。）の申立てにより又は職権で、次に掲げる証拠調べをすることができる。

1　適当と認める者に、参考人としてその知っている事実を陳述させ、又は鑑定を求めること。

2　書類その他の物件の所持人に対し、その物件の提出を求め、又はその提出された物件を留め置くこと。

3　必要な場所につき検証をすること。

4　国の関与に関する審査の申出をした普通地方公共団体の長その他の執行機関、相手方である国の行政庁若しくは参加行政機関又はこれらの職員を審尋すること。

②委員会は、審査を行うに当たっては、国の関与に関する審査の申出をした普通地方公共団体の長その他の執行機関、相手方である国の行政庁及び参加行政機関に証拠の提出及び陳述の機会を与えなければならない。

第250条の17（国の関与に関する審査の申出の取下げ）

①国の関与に関する審査の申出をした普通地方公共団体の長その他の執行機関は、第250条の14第1項から第4項までの規定による審査の結果の通知若しくは勧告があるまで又は第250条の19第2項の規定により調停が成立するまでは、いつでも当該国の関与に関する審査の申出を取り下げることができる。

②国の関与に関する審査の申出の取下げは、文書でしなければならない。

第250条の18（国の行政庁の措置等）

①第250条の14第1項から第3項までの規定による委員会の勧告があったときは、当該勧告を受けた国の行政庁は、当該勧告に示された期間内に、当該勧告に即して必要な措置を講ずるとともに、その旨を委員会に通知しなければならない。この場合においては、委員会は、当該通知に係る事項を当該勧告に係る審査の申出をした普通地方公共団体の長その他の執行機関に通知し、かつ、これを公表しなければならない。

②委員会は、前項の勧告を受けた国の行政庁に対し、同項の規定により講じた措置についての説明を求めることができる。

第250条の19（調停）

①委員会は、国の関与に関する審査の申出があった場合において、相当であると認めるときは、職権により、調停案を作成して、これを当該国の関与に関する審査の申出をした普通地方公共団体の長その他の執行機関及び相手方である国の行政庁に示し、その受諾を勧告するとともに、理由を付してその要旨を公表することができる。

②前項の調停案に係る調停は、調停案を示された普通地方公共団体の長その他の執行機関及び国の行政庁から、これを受諾した旨を記載した文書が委員会に提出されたときに成立するものとする。この場合においては、委員会は、直ちにその旨及び調停の要旨を公表するとともに、当該普通地方公共団体の長その他の執行機関及び国の行政庁にその旨を通知しなければならない。

第250条の20（政令への委任）

この法律に規定するもののほか、委員会の審査及び勧告並びに調停に関し必要な事項は、政令で定める。

第3款　自治紛争処理委員

第251条（自治紛争処理委員）

①自治紛争処理委員は、この法律の定めるところにより、普通地方公共団体相互の間又は普通地方公共団体の機関相互の間の紛争の調停、普通地方公共団体に対する国又は都道府県の関与のうち都道府県の機関が行うもの（以下この節において「都道府県の関与」という。）に関する審査、第252条の2第1項に規定する連携協約に係る紛争を処理するための方策の提示及び第143条第3項（第180条の5第8項及び第184条の2第2項において準用する場合を含む。）の審査請求又はこの法律の規定による審査の申立て若しくは審決の申請に係る審理を処理する。

②自治紛争処理委員は、3人とし、事件ごとに、優れた識見を有する者のうちから、総務大臣又は都道府県知事がそれぞれ任命する。この場合においては、総務大臣又は都道府県知事は、あらかじめ当該事件に関係のある事務を担任する各大臣又は都道府県の委員会若しくは委員に協議するものとする。

③自治紛争処理委員は、非常勤とする。

④自治紛争処理委員は、次の各号のいずれかに該当するときは、その職を失う。

1　当事者が次条第2項の規定により調停の申請を取り下げたとき。

2　自治紛争処理委員が次条第6項の規定により当事者に調停を打ち切った旨を通知したとき。

3　総務大臣又は都道府県知事が次条第7項又は第251条の3第13項の規定により調停が成立した旨を当事者に通知したとき。

4　市町村長その他の市町村の執行機関が第251条の3第5項から第7項までにおいて準用する第250条の17の規定により自治紛争処理委員の審査に付することを求める旨の申出を取り下げたとき。

5　自治紛争処理委員が第251条の3第5項において準用する第250条の14第1項若しくは第2項若しくは第251条の3第6項において準用する第250条の14第3項の規定による審査の結果の通知若しくは勧告及び勧告の内容の通知又は第251条の3第7項において準用する第250条の14第4項の規定による審査の結果の通知をし、かつ、これらを公表したとき。

6　普通地方公共団体が第251条の3の2第2項

の規定により同条第1項の処理方策の提示を求める旨の申請を取り下げたとき。

7　自治紛争処理委員が第251条の3の2第3項の規定により当事者である普通地方公共団体に同条第1項に規定する処理方策を提示するとともに、総務大臣又は都道府県知事にその旨及び当該処理方策を通知し、かつ、公表したとき。

8　第255条の5第1項の規定による審理に係る審査請求、審査の申立て又は審決の申請をした者が、当該審査請求、再審査請求、審査の申立て又は審決の申請を取り下げたとき。

9　第255条の5第1項の規定による審理を経て、総務大臣又は都道府県知事が審査請求に対する裁決をし、審査の申立てに対する裁決若しくは裁定をし、又は審決をしたとき。

⑤総務大臣又は都道府県知事は、自治紛争処理委員が当該事件に直接利害関係を有することとなったときは、当該自治紛争処理委員を罷免しなければならない。

⑥第250条の9第2項、第8項、第9項（第2号を除く。）及び第10項から第14項までの規定は、自治紛争処理委員に準用する。この場合において、同条第2項中「3人以上」とあるのは「2人以上」と、同条第8項中「総務大臣」とあるのは「総務大臣又は都道府県知事」と、同条第9項中「総務大臣は、両議院の同意を得て」とあるのは「総務大臣又は都道府県知事は」と、「3人以上」とあるのは「2人以上」と、「2人」とあるのは「1人」と、同条第10項中「総務大臣」とあるのは「総務大臣又は都道府県知事」と、「2人」とあるのは「1人」と、同条第11項中「総務大臣」とあるのは「総務大臣又は都道府県知事」と、「両議院の同意を得て、その委員を」とあるのは「その自治紛争処理委員を」と、同条第12項中「第4項後段及び第8項から前項まで」とあるのは「第8項、第9項（第2号を除く。）、第10項及び前項並びに第251条第5項」と読み替えるものとする。

第4款　自治紛争処理委員による調停、審査及び処理方策の提示の手続

第251条の2（調停）

①普通地方公共団体相互の間又は普通地方公共団体の機関相互の間に紛争があるときは、この法律に特別の定めがあるものを除くほか、都道府県又は都道府県の機関が当事者となるものにあっては総務大臣、その他のものにあっては都道府県知事は、当事者の文書による申請に基づき又は職権により、紛争の解決のため、前条第2項の規定により自治紛争処理委員を任命し、その調停に付することができる。

②当事者の申請に基づき開始された調停においては、当事者は、総務大臣又は都道府県知事の同意を得て、当該申請を取り下げることができる。

③自治紛争処理委員は、調停案を作成して、これを当事者に示し、その受諾を勧告するとともに、理

由を付してその要旨を公表することができる。

④自治紛争処理委員は、前項の規定により調停案を当事者に示し、その受諾を勧告したときは、直ちに調停案の写しを添えてその旨及び調停の経過を総務大臣又は都道府県知事に報告しなければならない。

⑤自治紛争処理委員は、調停による解決の見込みがないと認めるときは、総務大臣又は都道府県知事の同意を得て、調停を打ち切り、事件の要点及び調停の経過を公表することができる。

⑥自治紛争処理委員は、前項の規定により調停を打ち切ったときは、その旨を当事者に通知しなければならない。

⑦第1項の調停は、当事者のすべてから、調停案を受諾した旨を記載した文書が総務大臣又は都道府県知事に提出されたときに成立するものとする。この場合において、総務大臣又は都道府県知事は、直ちにその旨及び調停の要旨を公表するとともに、当事者に調停が成立した旨を通知しなければならない。

⑧総務大臣又は都道府県知事は、前項の規定により当事者から文書の提出があったときは、その旨を自治紛争処理委員に通知するものとする。

⑨自治紛争処理委員は、第3項に規定する調停案を作成するため必要があると認めるときは、当事者及び関係人の出頭及び陳述を求め、又は当事者及び関係人並びに紛争に係る事件に関係のある者に対し、紛争の調停のため必要な記録の提出を求めることができる。

⑩第3項の規定による調停案の作成及びその要旨の公表についての決定、第5項の規定による調停の打切りについての決定並びに事件の要点及び調停の経過の公表についての決定並びに前項の規定による出頭、陳述及び記録の提出の求めについての決定は、自治紛争処理委員の合議によるものとする。

第251条の3（審査及び勧告）

①総務大臣は、市町村その他の市町村の執行機関が、その担任する事務に関する都道府県の関与のうち是正の要求、許可の拒否その他の処分その他公権力の行使に当たるもの（次に掲げるものを除く。）に不服があり、文書により、自治紛争処理委員の審査に付することを求める旨の申出をしたときは、速やかに、第251条第2項の規定により自治紛争処理委員を任命し、当該申出に係る事件をその審査に付さなければならない。

1　第245条の8第12項において準用する同条第2項の規定による指示

2　第245条の8第12項において準用する同条第8項の規定に基づき市町村長に代わって前号の指示に係る事項を行うこと。

②総務大臣は、市町村長その他の市町村の執行機関が、その担任する事務に関する都道府県の不作為（都道府県の行政庁が、申請等が行われた場合において、相当の期間内に何らかの都道府県の関与のうち許可その他の処分その他公権力の行使に当たるものをすべきにかかわらず、これをしない

ことをいう。以下本節において同じ。）に不服があり、文書により、自治紛争処理委員の審査に付することを求める旨の申出をしたときは、速やかに、第251条第2項の規定により自治紛争処理委員を任命し、当該申出に係る事件をその審査に付さなければならない。

③総務大臣は、市町村長その他の市町村の執行機関が、その担任する事務に関する当該市町村の法令に基づく協議の申出が都道府県の行政庁に対して行われた場合において、当該協議に係る当該市町村の義務を果たしたと認めるにもかかわらず当該協議が調わないことについて、文書により、自治紛争処理委員の審査に付することを求める旨の申出をしたときは、速やかに、第251第2項の規定により自治紛争処理委員を任命し、当該申出に係る事件をその審査に付さなければならない。

④前3項の規定による申出においては、次に掲げる者を相手方としなければならない。
　1　第1項の規定による申出の場合は、当該申出に係る都道府県の関与を行った都道府県の行政庁
　2　第2項の規定による申出の場合は、当該申出に係る都道府県の不作為に係る都道府県の行政庁
　3　前項の規定による申出の場合は、当該申出に係る協議の相手方である都道府県の行政庁

⑤第250条の13第4項から第7項まで、第250条の14第1項、第4項第5項並びに第250条の15から第250条の17までの規定は、第1項の規定による申出について準用する。この場合において、これらの規定中「普通地方公共団体の長その他の執行機関」とあるのは「市町村長その他の市町村の執行機関」と、「国の行政庁」とあるのは「都道府県の行政庁」と、「委員会」とあるのは「自治紛争処理委員」と、第250条の13第4項並びに第250条の14第1項及び第2項中「国の関与」とあるのは「都道府県の関与」と、第250条の17第1項中「第250条の19第2項」とあるのは「第251条の3第13項」と読み替えるものとする。

⑥第250条の13第7項、第250条の14第3項及び第5項並びに第250条の15から第250条の17までの規定は、第2項の規定による申出について準用する。この場合において、これらの規定中「普通地方公共団体の長その他の執行機関」とあるのは「市町村長その他の市町村の執行機関」と、「国の行政庁」とあるのは「都道府県の行政庁」と、「委員会」とあるのは「自治紛争処理委員」と、第250条の17第1項中「第250条の19第2項」とあるのは「第251条の3第13項」と読み替えるものとする。

⑦第250条の13第7項、第250条の14第4項及び第5項並びに第250条の15から第250条の17までの規定は、第3項の規定による申出について準用する。この場合において、これらの規定中「普通地方公共団体の長その他の執行機関」とあるのは「市町村長その他の市町村の執行機関」と、「

国の行政庁」とあるのは「都道府県の行政庁」と、「委員会」とあるのは「自治紛争処理委員」と、第250条の14第4項中「当該協議に係る普通地方公共団体」とあるのは「当該協議に係る市町村」と、第250条の17第1項中「第250条の19第2項」とあるのは「第251条の3第13項」と読み替えるものとする。

⑧自治紛争処理委員は、第5項において準用する第250条の14第1項若しくは第2項若しくは第6項において準用する第250条の14第3項の規定による審査の結果の通知若しくは勧告及び勧告の内容の通知又は前項において準用する第250条の14第4項の規定による審査の結果の通知をしたときは、直ちにその旨及び審査の結果又は勧告の内容を総務大臣に報告しなければならない。

⑨第5項において準用する第250条の14第1項若しくは第2項又は第6項において準用する第250条の14第3項の規定による自治紛争処理委員の勧告があったときは、当該勧告を受けた都道府県の行政庁は、当該勧告に示された期間内に、当該勧告に即して必要な措置を講ずるとともに、その旨を総務大臣に通知しなければならない。この場合においては、総務大臣は、当該通知に係る事項を当該勧告に係る第1項又は第2項の規定による申出をした市町村長その他の市町村の執行機関に通知し、かつ、これを公表しなければならない。

⑩総務大臣は、前項の勧告を受けた都道府県の行政庁に対し、同項の規定により講じた措置についての説明を求めることができる。

⑪自治紛争処理委員は、第5項において準用する第250条の14第1項若しくは第2項、第6項において準用する第250条の14第3項又は第7項において準用する第250条の14第4項の規定により審査をする場合において、相当であると認めるときは、職権により、調停案を作成して、これを第1項から第3項までの規定による申出をした市町村長その他の市町村の執行機関及び相手方である都道府県の行政庁に示し、その受諾を勧告するとともに、理由を付してその旨の要旨を公表することができる。

⑫自治紛争処理委員は、前項の規定により調停案を第1項から第3項までの規定による申出をした市町村長その他の市町村の執行機関及び相手方である都道府県の行政庁に示し、その受諾を勧告したときは、直ちに調停案の写しを添えてその旨及び調停の経過を総務大臣に報告しなければならない。

⑬第11項の調停案に係る調停は、調停案を示された市町村長その他の市町村の執行機関及び都道府県の行政庁から、これを受諾した旨を記載した文書が総務大臣に提出されたときに成立するものとする。この場合においては、総務大臣は、直ちにその旨及び調停の要旨を公表するとともに、当該市町村長その他の市町村の執行機関及び都道府県の行政庁にその旨を通知しなければならない。

⑭総務大臣は、前項の規定により市町村長その他の市町村の執行機関及び都道府県の行政庁から文書

の提出があったときは、その旨を自治紛争処理委員に通知するものとする。

⑮次に掲げる事項は、自治紛争処理委員の合議によるものとする。

1 第5項において準用する第250条の14第1項の規定による都道府県の関与が違法又は普通地方公共団体の自主性及び自立性を尊重する観点から不当であるかどうかについての決定及び同項の規定による勧告の決定

2 第5項において準用する第250条の14第2項の規定による都道府県の関与が違法であるかどうかについての決定及び同項の規定による勧告の決定

3 第6項において準用する第250条の14第3項の規定による第2項の申出に理由があるかどうかについての決定及び第6項において準用する第250条の14第3項の規定による勧告の決定

4 第7項において準用する第250条の14第4項の規定による第3項の申出に係る協議について当該協議に係る市町村がその義務を果たしているかどうかについての決定

5 第5項から第7項までにおいて準用する第250条の15第1項の規定による関係行政機関の参加についての決定

6 第5項から第7項までにおいて準用する第250条の16第1項の規定による証拠調べの実施についての決定

7 第11項の規定による調停案の作成及びその要旨の公表についての決定

第251条の3の2（処理方策の提示）

①総務大臣又は都道府県知事は、第252条の2第7項の規定により普通地方公共団体から自治紛争処理委員による同条第1項に規定する連携協約に係る紛争を処理するための方策（以下この条において「処理方策」という。）の提示を求める旨の申請があったときは、第251条第2項の規定により自治紛争処理委員を任命し、処理方策を定めさせなければならない。

②前項の申請をした普通地方公共団体は、総務大臣又は都道府県知事の同意を得て、当該申請を取り下げることができる。

③自治紛争処理委員は、処理方策を定めたときは、これを当事者である普通地方公共団体に提示するとともに、その旨及び当該処理方策を総務大臣又は都道府県知事に通知し、かつ、これらを公表しなければならない。

④自治紛争処理委員は、処理方策を定めるため必要があると認めるときは、当事者及び関係人の出頭及び陳述を求め、又は当事者及び関係人並びに紛争に係る事件に関係のある者に対し、処理方策を定めるため必要な記録の提出を求めることができる。

⑤第3項の規定による処理方策の決定並びに前項の規定による出頭、陳述及び記録の提出の求めについての決定は、自治紛争処理委員の合議によるものとする。

⑥第3項の規定により処理方策の提示を受けたときは、当事者である普通地方公共団体は、これを尊重して必要な措置を執るようにしなければならない。

第251条の4（政令への委任）

この法律に規定するもののほか、自治紛争処理委員の調停、審査及び勧告並びに処理方策の提示に関し必要な事項は、政令で定める。

第5款 普通地方公共団体に対する国又は都道府県の関与に関する訴え

第251条の5（国の関与に関する訴えの提起）

①第250条の13第1項又は第2項の規定による審査の申出をした普通地方公共団体の長その他の執行機関は、次の各号のいずれかに該当するときは、高等裁判所に対し、当該審査の申出の相手方となった国の行政庁（国の関与があった後又は申請等が行われた後に当該行政庁の権限が他の行政庁に承継されたときは、当該他の行政庁）を被告として、訴えをもって当該審査の申出に係る違法な国の関与の取消し又は当該審査の申出に係る国の不作為の違法の確認を求めることができる。ただし、違法な国の関与の取消しを求める訴えを提起する場合において、被告とすべき行政庁がないときは、当該訴えは、国を被告として提起しなければならない。

1 第250条の14第1項から第3項までの規定による委員会の審査の結果又は勧告に不服があるとき。

2 第250条の18第1項の規定による国の行政庁の措置に不服があるとき。

3 当該審査の申出をした日から90日を経過しても、委員会が第250条の14第1項から第3項までの規定による審査又は勧告を行わないとき。

4 国の行政庁が第250条の18第1項の規定による措置を講じないとき。

②前項の訴えは、次に掲げる期間内に提起しなければならない。

1 前項第1号の場合は、第250条の14第1項から第3項までの規定による委員会の審査の結果又は勧告の内容の通知があった日から30日以内

2 前項第2号の場合は、第250条の18第1項の規定による委員会の通知があった日から30日以内

3 前項第3号の場合は、当該審査の申出をした日から90日を経過した日から30日以内

4 前項第4号の場合は、第250条の14第1項から第3項までの規定による委員会の勧告に示された期間を経過した日から30日以内

③第1項の訴えは、当該普通地方公共団体の区域を管轄する高等裁判所の管轄に専属する。

④原告は、第1項の訴えを提起したときは、直ちに、文書により、その旨を被告に通知するとともに、当該高等裁判所に対し、その通知をした日時、場所及び方法を通知しなければならない。

⑤当該高等裁判所は、第1項の訴えが提起されたときは、速やかに口頭弁論の期日を指定し、当事者を呼び出さなければならない。その期日は、同項の訴えの提起があった日から15日以内の日とする。

⑥第1項の訴えに係る高等裁判所の判決に対する上告の期間は、1週間とする。

⑦国の関与を取り消す判決は、関係行政機関に対しても効力を有する。

⑧第1項の訴えのうち違法な国の関与の取消しを求めるものについては、行政事件訴訟法第43条第1項の規定にかかわらず、同法第8条第2項、第11条から第22条まで、第25条から第29条まで、第31条、第32条及び第34条の規定は、準用しない。

⑨第1項の訴えのうち国の不作為の違法の確認を求めるものについては、行政事件訴訟法第43条第3項の規定にかかわらず、同法第40条第2項及び第41条第2項の規定は、準用しない。

⑩前各項に定めるもののほか、第1項の訴えについては、主張及び証拠の申出の時期の制限その他審理の促進に関し必要な事項は、最高裁判所規則で定める。

第251条の6（都道府県の関与に関する訴えの提起）

①第251条の3第1項又は第2項の規定による申出をした市町村長その他の市町村の執行機関は、次の各号のいずれかに該当するときは、高等裁判所に対し、当該申出の相手方となった都道府県の行政庁（都道府県の関与があった後は当該行政庁、当該申出があった後に当該行政庁の権限が他の行政庁に承継されたときは、当該他の行政庁）を被告として、訴えをもって当該申出に係る違法な都道府県の関与の取消し又は当該申出に係る都道府県の不作為の違法の確認を求めることができる。ただし、違法な都道府県の関与の取消しを求める訴えを提起する場合において、被告とすべき行政庁がないときは、当該訴えは、当該都道府県を被告として提起しなければならない。

1 第251条の3第5項において準用する第250条の14第1項若しくは第2項又は第251条の3第6項において準用する第250条の14第3項の規定による自治紛争処理委員の審査の結果又は勧告に不服があるとき。

2 第251条の3第9項の規定による都道府県の行政庁の措置に不服があるとき。

3 当該申出をした日から90日を経過しても、自治紛争処理委員が第251条の3第5項において準用する第250条の14第1項若しくは第2項又は第251条の3第6項において準用する第250条の14第3項の規定による審査又は勧告を行わないとき。

4 都道府県の行政庁が第251条の3第9項の規定による措置を講じないとき。

②前項の訴えは、次に掲げる期間内に提起しなければならない。

1 前項第1号の場合は、第251条の3第5項において準用する第250条の14第1項若し

くは第2項又は第251条の3第6項において準用する第250条の14第3項の規定による自治紛争処理委員の審査の結果又は勧告の内容の通知があった日から30日以内

2 前項第2号の場合は、第251条の3第9項の規定による総務大臣の通知があった日から30日以内

3 前項第3号の場合は、当該申出をした日から90日を経過した日から30日以内

4 前項第4号の場合は、第251条の3第5項において準用する第250条の14第1項若しくは第2項又は第251条の3第6項において準用する第250条の14第3項の規定による自治紛争処理委員の勧告に示された期間を経過した日から30日以内

③前条第3項から第7項までの規定は、第1項の訴えに準用する。この場合において、同条第3項中「当該普通地方公共団体の区域」とあるのは「当該市町村の区域」と、同条第7項中「国の関与」とあるのは「都道府県の関与」と読み替えるものとする。

④第1項の訴えのうち違法な都道府県の関与の取消しを求めるものについては、行政事件訴訟法第43条第1項の規定にかかわらず、同法第8条第2項、第11条から第22条まで、第25条から第29条まで、第31条、第32条及び第34条の規定は、準用しない。

⑤第1項の訴えのうち都道府県の不作為の違法の確認を求めるものについては、行政事件訴訟法第43条第3項の規定にかかわらず、同法第40条第2項及び第41条第2項の規定は、準用しない。

⑥前各項に定めるもののほか、第1項の訴えについては、主張及び証拠の申出の時期の制限その他審理の促進に関し必要な事項は、最高裁判所規則で定める。

第3節 普通地方公共団体相互間の協力

第1款 連携協約

第252条の2（連携協約）

①普通地方公共団体は、当該普通地方公共団体及び他の普通地方公共団体の区域における当該普通地方公共団体及び当該他の普通地方公共団体の事務の処理に当たっての当該他の普通地方公共団体との連携を図るため、協議により、当該普通地方公共団体及び当該他の普通地方公共団体が連携して事務を処理するに当たっての基本的な方針及び役割分担を定める協約（以下「連携協約」という。）を当該他の普通地方公共団体と締結することができる。

②普通地方公共団体は、連携協約を締結したときは、その旨及び当該連携協約を告示するとともに、都道府県が締結したものにあっては総務大臣、その他のものにあっては都道府県知事に届け出なければならない。

③第1項の協議については、関係普通地方公共団体の議会の議決を経なければならない。

④普通地方公共団体は、連携協約を変更し、又は連

携協約を廃止しようとするときは、前3項の例によりこれを行わなければならない。

⑤公益上必要がある場合においては、都道府県が締結するものについては総務大臣、その他のものについては都道府県知事は、関係のある普通地方公共団体に対し、連携協約を締結すべきことを勧告することができる。

⑥連携協約を締結した普通地方公共団体は、当該連携協約に基づいて、当該連携協約を締結した他の普通地方公共団体と連携して事務を処理するに当たって当該普通地方公共団体が分担すべき役割を果たすため必要な措置を執るようにしなければならない。

⑦連携協約を締結した普通地方公共団体相互の間に連携協約に係る紛争があるときは、当事者である普通地方公共団体は、都道府県が当事者となる紛争にあっては総務大臣、その他の紛争にあっては都道府県知事に対し、文書により、自治紛争処理委員による当該紛争を処理するための方策の提示を求める旨の申請をすることができる。

第4款 事務の委託

第252条の14 (事務の委託)

①普通地方公共団体は、協議により規約を定め、普通地方公共団体の事務の一部を、他の普通地方公共団体に委託して、当該他の普通地方公共団体の長又は同種の委員会若しくは委員をして管理及び執行させることができる。

②前項の規定により委託した事務を変更し、又はその事務の委託を廃止しようとするときは、関係普通地方公共団体は、同項の例により、協議してこれを行わなければならない。

③第252条の2の2第2項及び第3項本文の規定は前2項の規定により普通地方公共団体の事務を委託し、又は委託した事務を変更し、若しくはその事務の委託を廃止する場合に、同条第4項の規定は第1項の場合にこれを準用する。

第5款 事務の代替執行

第252条の16の2 (事務の代替執行)

①普通地方公共団体は、他の普通地方公共団体の求めに応じて、協議により規約を定め、当該他の普通地方公共団体の事務の一部を、当該他の普通地方公共団体又は当該他の普通地方公共団体の長若しくは同種の委員会若しくは委員の名において管理し及び執行すること(以下この款及び次条において「事務の代替執行」という。)ができる。

②前項の規定により事務の代替執行をする事務(以下この款において「代替執行事務」という。)を変更し、又は事務の代替執行を廃止しようとするときは、関係普通地方公共団体は、同項の例により、協議してこれを行わなければならない。

③第252条の2の2第2項及び第3項本文の規定は前2項の規定により事務の代替執行をし、又は代替執行事務を変更し、若しくは事務の代替執行を廃止する場合に、同条第4項の規定は第1項の場合に準用する。

第252条の16の3 (事務の代替執行の規約)

事務の代替執行に関する規約には、次に掲げる事項につき規定を設けなければならない。

1 事務の代替執行をする普通地方公共団体及びその相手方となる普通地方公共団体
2 代替執行事務の範囲並びに代替執行事務の管理及び執行の方法
3 代替執行事務に要する経費の支弁の方法
4 前3号に掲げるもののほか、事務の代替執行に関し必要な事項

第252条の16の4 (代替執行事務の管理及び執行の効力)

第252条の16の2の規定により普通地方公共団体が他の普通地方公共団体又は他の普通地方公共団体の長若しくは同種の委員会若しくは委員の名において管理し及び執行した事務の管理及び執行は、当該他の普通地方公共団体の長又は同種の委員会若しくは委員が管理し及び執行したものとしての効力を有する。

第4節 条例による事務処理の特例

第252条の17の2 (条例による事務処理の特例)

①都道府県は、都道府県知事の権限に属する事務の一部を、条例の定めるところにより、市町村が処理することとすることができる。この場合においては、当該市町村が処理することとされた事務は、当該市町村の長が管理し及び執行するものとする。

②前項の条例(同項の規定により都道府県の規則に基づく事務を市町村が処理することとする場合で、同項の条例の定めるところにより、規則に委任して当該事務の範囲を定めるときは、当該規則を含む。以下本節において同じ。)を制定し又は改廃する場合においては、都道府県知事は、あらかじめ、その権限に属する事務の一部を処理し又は処理することとなる市町村の長に協議しなければならない。

③市町村の長は、その議会の議決を経て、都道府県知事に対し、第1項の規定によりその権限に属する事務の一部を当該市町村が処理することとするよう要請することができる。

④前項の規定による要請があったときは、都道府県知事は、速やかに、当該市町村の長と協議しなければならない。

第252条の17の3 (条例による事務処理の特例の効果)

①前条第1項の条例の定めるところにより、都道府県知事の権限に属する事務の一部を市町村が処理する場合においては、当該条例の定めるところにより市町村が処理することとされた事務について規定する法令、条例又は規則中都道府県に関する規定は、当該事務の範囲内において、当該市町村に関する規定として当該市町村に適用があるものとする。

②前項の規定により市町村に適用があるものとされる法令の規定により国の行政機関が市町村に対して行うものとなる助言等、資料の提出の要求等又

は是正の要求等は、都道府県知事を通じて行うことができるものとする。

③第1項の規定により市町村に適用があるものとされる法令の規定により市町村が国の行政機関と行うものとなる協議は、都道府県知事を通じて行うものとし、当該法令の規定により国の行政機関が市町村に対して行うものとなる許認可等に係る申請等は、都道府県知事を経由して行うものとする。

第252条の17の4（是正の要求等の特則）

①都道府県知事は、第252条の17の2第1項の条例の定めるところにより市町村が処理することとされた事務のうち自治事務の処理が法令の規定に違反していると認めるとき、又は著しく適正を欠き、かつ、明らかに公益を害していると認めるときは、当該市町村に対し、第245条の5第2項に規定する各大臣の指示がない場合であっても、同条第3項の規定により、当該自治事務の処理について違反の是正又は改善のため必要な措置を講ずべきことを求めることができる。

②第252条の17の2第1項の条例の定めるところにより市町村が処理することとされた事務のうち法定受託事務に対する第245条の8第12項において準用する同条第1項から第11項までの規定の適用については、同条第12項において読み替えて準用する同条第2項から第4項まで、第6項、第8項及び第11項中「都道府県知事」とあるのは、「各大臣」とする。この場合において、同条第13項の規定は適用しない。

③第252条の17の2第1項の条例の定めるところにより市町村が処理することとされた事務のうち自治事務の処理について第245条の5第3項の規定による是正の要求（第1項の規定による是正の要求を含む。）を行った都道府県知事は、第252条第1項各号のいずれかに該当するときは、同項に規定する各大臣の指示がない場合であっても、同条第2項の規定により、訴えをもって当該是正の要求を受けた市町村の不作為の違法の確認を求めることができる。

④第252条の17の2第1項の条例の定めるところにより市町村が処理することとされた事務のうち法定受託事務に係る市町村長の処分についての第255条の2第1項の審査請求の裁決に不服がある者は、当該処分に係る事務を規定する法律又はこれに基づく政令を所管する各大臣に対して再審査請求をすることができる。

⑤市町村長が第252条の17の2第1項の条例の定めるところにより市町村が処理することとされた事務のうち法定受託事務に係る処分をする権限をその補助機関である職員又はその管理に属する行政機関の長に委任した場合において、委任を受けた職員又は行政機関の長がその委任に基づいてした処分につき、第255条の2第2項の再審査請求の裁決があったときは、当該裁決に不服がある者は、再々審査請求をすることができる。この場合において、再々審査請求は、当該処分に係る再審査請求若しくは審査請求の裁決又は当該処分を対

象として、当該処分に係る事務を規定する法律又はこれに基づく政令を所管する各大臣に対してするものとする。

⑥前項の再々審査請求については、行政不服審査法第4章の規定を準用する。

⑦前項において準用する行政不服審査法の規定に基づく処分及びその不作為については、行政不服審査法第2条及び第3条の規定は、適用しない。

第5節　雑則

第252条の17の5（組織及び運営の合理化に係る助言及び勧告並びに資料の提出の要求）

①総務大臣又は都道府県知事は、普通地方公共団体の組織及び運営の合理化に資するため、普通地方公共団体に対し、適切と認める技術的な助言若しくは勧告をし、又は当該助言若しくは勧告をするため若しくは普通地方公共団体の組織及び運営の合理化に関する情報を提供するため必要な資料の提出を求めることができる。

②総務大臣は、都道府県知事に対し、前項の規定による市町村に対する助言若しくは勧告又は資料の提出の求めに関し、必要な指示をすることができる。

③普通地方公共団体の長は、第2項第14項及び第15項の規定の趣旨を達成するため必要があると認めるときは、総務大臣又は都道府県知事に対し、当該普通地方公共団体の組織及び運営の合理化に関する技術的な助言若しくは勧告又は必要な情報の提供を求めることができる。

第14章　補則

第255条の2〔審査請求〕

①法定受託事務に係る次の各号に掲げる処分及びその不作為についての審査請求は、他の法律に特別の定めがある場合を除くほか、当該各号に定める者に対して、するものとする。この場合において、不作為についての審査請求は、他の法律に特別の定めがある場合を除くほか、当該各号に定める者に代えて、当該不作為に係る執行機関に対してすることもできる。

1　都道府県知事その他の都道府県の執行機関の処分　当該処分に係る事務を規定する法律又はこれに基づく政令を所管する各大臣

2　市町村長その他の市町村の執行機関（教育委員会及び選挙管理委員会を除く。）の処分　都道府県知事

3　市町村教育委員会の処分　都道府県教育委員会

4　市町村選挙管理委員会の処分　都道府県選挙管理委員会

②普通地方公共団体の長その他の執行機関が法定受託事務に係る処分をする権限を当該執行機関の事務を補助する職員若しくは当該執行機関の管理に属する機関の職員又は当該執行機関の管理に属する行政機関の長に委任した場合において、委任を受けた職員又は行政機関の長がその委任に基づいてした処分に係る審査請求につき、当該委任をし

行政法編

た執行機関が裁決をしたときは、他の法律に特別の定めがある場合を除くほか、当該裁決に不服がある者は、再審査請求をすることができる。この場合において、当該再審査請求は、当該委任をした執行機関が自ら当該処分をしたものとした場合におけるその処分に係る審査請求をすべき者に対してするものとする。

第255条の3〔過料の処分〕
普通地方公共団体の長が過料の処分をしようとする場合においては、過料の処分を受ける者に対し、あらかじめその旨を告知するとともに、弁明の機会を与えなければならない。

第255条の4〔審決の申請〕
法律の定めるところにより異議の申出、審査請求、再審査請求又は審査の申立てをすることができる場合を除くほか、普通地方公共団体の事務についてこの法律の規定により普通地方公共団体の機関がした処分により違法に権利を侵害されたとする者は、その処分があった日から21日以内に、都道府県の機関がした処分については総務大臣、市町村の機関がした処分については都道府県知事に審決の申請をすることができる。

第260条の38〔登記簿上の権利者所在不明時の認可地縁団体名義による所有権保存・移転登記手続〕
①認可地縁団体が所有する不動産であって表題部所有者（不動産登記法（平成16年法律第123号）第2条第10号に規定する表題部所有者をいう。以下この項において同じ。）又は所有権の登記名義人の全てが当該認可地縁団体の構成員又はかつて当該認可地縁団体の構成員であった者であるもの（当該認可地縁団体によって、10年以上所有の意思をもって平穏かつ公然と占有されているものに限る。）について、当該不動産の表題部所有者若しくは所有権の登記名義人又はこれらの相続人（以下この条において「登記関係者」という。）の全部又は一部の所在が知れない場合において、当該認可地縁団体が当該認可地縁団体を登記名義人とする当該不動産の所有権の保存又は移転の登記をしようとするときは、当該認可地縁団体は、総務省令で定めるところにより、当該不動産に係る次項の公告を求める旨を市町村長に申請することができる。この場合において、当該申請を行う認可地縁団体は、次の各号に掲げる事項を疎明するに足りる資料を添付しなければならない。
1 当該認可地縁団体が当該不動産を所有していること。
2 当該認可地縁団体が当該不動産を10年以上所有の意思をもって平穏かつ公然と占有していること。
3 当該不動産の表題部所有者又は所有権の登記名義人の全てが当該認可地縁団体の構成員又はかつて当該認可地縁団体の構成員であった者であること。
4 当該不動産の登記関係者の全部又は一部の所在が知れないこと。
②市町村長は、前項の申請を受けた場合において、当該申請を相当と認めるときは、総務省令で定め

るところにより、当該申請を行った認可地縁団体が同項に規定する不動産の所有権の保存又は移転の登記をすることについて異議のある当該不動産の登記関係者又は当該不動産の所有権を有することを疎明する者（次項から第5項までにおいて「登記関係者等」という。）は、当該市町村長に対し異議を述べるべき旨を公告するものとする。この場合において、公告の期間は、3月を下ってはならない。
③前項の公告に係る登記関係者等が同項の期間内に同項の異議を述べなかったときは、第1項に規定する不動産の所有権の保存又は移転の登記をすることについて当該公告に係る登記関係者の承諾があったものとみなす。
④市町村長は、前項の規定により第1項に規定する不動産の所有権の保存又は移転の登記をすることについて登記関係者の承諾があったものとみなされた場合には、総務省令で定めるところにより、当該市町村長が第2項の規定による公告をしたこと及び登記関係者等が同項の期間内に異議を述べなかったことを証する情報を第1項の規定により申請を行った認可地縁団体に提供するものとする。
⑤第2項の公告に係る登記関係者等が同項の期間内に同項の異議を述べたときは、市町村長は、総務省令で定めるところにより、その旨及びその内容を第1項の規定により申請を行った認可地縁団体に通知するものとする。

第260条の39〔認可地縁団体による所有権保存・移転登記の申請〕
①不動産登記法第74条第1項の規定にかかわらず、前条第4項に規定する証する情報を提供された認可地縁団体が申請情報（同法第18条に規定する申請情報をいう。次項において同じ。）と併せて当該証する情報を登記所に提供するときは、当該認可地縁団体が当該証する情報に係る前条第1項に規定する不動産の所有権の保存の登記を申請することができる。
②不動産登記法第60条の規定にかかわらず、前条第4項に規定する証する情報を提供された認可地縁団体が申請情報と併せて当該証する情報を登記所に提供するときは、当該認可地縁団体のみで当該証する情報に係る同条第1項に規定する不動産の所有権の移転の登記を申請することができる。

第3編 特別地方公共団体
第2章 特別区
第281条（特別区）
①都の区は、これを特別区という。
②特別区は、法律又はこれに基づく政令により都が処理することとされているものを除き、地域における事務並びにその他の事務で法律又はこれに基づく政令により市が処理することとされるもの及び法律又はこれに基づく政令により特別区が処理することとされるものを処理する。
第281条の2（都と特別区との役割分担の原則）
①都は、特別区の存する区域において、特別区を包

括する広域の地方公共団体として、第 2 条第 5 項において都道府県が処理するものとされている事務及び特別区に関する連絡調整に関する事務のほか、同条第 3 項において市町村が処理するものとされている事務のうち、人口が高度に集中する大都市地域における行政の一体性及び統一性の確保の観点から当該区域を通じて都が一体的に処理することが必要であると認められる事務を処理するものとする。

②特別区は、基礎的な地方公共団体として、前項において特別区の存する区域を通じて都が一体的に処理するものとされているものを除き、一般的に、第 2 条第 3 項において市町村が処理するものとされている事務を処理するものとする。

③都及び特別区は、その事務を処理するに当たっては、相互に競合しないようにしなければならない。

民法編

◆ 試 験 種 別 出 題 数 ◆

試 験 種 別		第1次試験日	出題数
国家公務員	国家総合職（法律）	4月第2週	*12*
	国家総合職（政治・国際）		*3*※1
	国家総合職（経済）		*3*※1
	裁判所事務官総合・一般職	5月第2週（土）	*13*※2
	国税専門官	6月第1週	*6*
	財務専門官		*5*
	労働基準監督官A		*5*
	国家一般職	6月第2週	*10*
地方公務員	特別区（東京23区）Ⅰ類	4月第4週	*10*
	地方上級［全国型］	6月第3週	*4*
	地方上級［関東型］		*6*
	地方上級［中部・北陸型］※		*7*
	地方上級［法律専門型］		*12*
	地方上級［経済専門型］		*3*
	市役所A日程（一部）		*5*

※1　担保物権、親族・相続は出題範囲外（人事院による受験案内から）

※2　親族・相続は出題範囲外（例年の出題傾向から）

※名古屋市：4月第4週／愛知県：5月第3週

民法〔抄〕

(明治29年4月27日／法律第89号)

第1編　総則

第1章　通則

第1条（基本原則）

①私権は、公共の福祉に適合しなければならない。

②権利の行使及び義務の履行は、信義に従い誠実に行わなければならない。

③権利の濫用は、これを許さない。

◇信義則（1条2項）

Q1 契約締結時に当事者が予測しえなかった事情の変化が生じたとしても、新たな事情に適合した内容に契約を改訂すべきであり、当事者に帰責事由がない限り契約の解除は認められないのか。

A 契約の解除は認められる。　契約締結後、履行期までの間に、統制法令の施行等により、契約所定の代金額では、所定の履行期に契約の履行をすることができず、その後相当長期にわたり履行を延期せざるをえないだけでなく、契約が結局失効してしまうかもしれない事態が生じている場合に、当事者がなお長期にわたる不安定な契約の拘束から免れることができないとするならば、信義則に反することとなるから、このような場合には、当事者はその一方的意思表示によって契約を解除することができる（大判昭19·12·6）。

出題 国II－平成12、国税－平成12

Q2 契約締結後、その基礎となった事情が当事者の予見しえない事実の発生によって変更し、また、その変更が当事者の責めに帰しえない事由によって生じ、契約の文言どおりの拘束力を認めると信義に反する結果になる場合、契約の解除は認められるのか。

A 契約の解除は認められる（大判昭19·12·6）。⇨1

Q3 解除権は消滅時効にかからない限り、解除権そのものが失効することはないのか。

A 解除権そのものが失効する場合がある。　権利の行使は、信義誠実にこれをなすことを要し、その濫用の許されないことはいうまでもないので、解除権を有する者が、久しきにわたりこれを行使せず、相手方においてその権利はもはや行使されないものと信頼すべき正当の事由を有するに至ったため、その後にこれを行使することが信義誠実に反すると認められるような特段の事由がある場合には、もはや当該解除は許されない（最判昭30·11·22）。

出題 国II－平成6

Q4 貸金業者は、債務者から取引履歴の開示を求められた場合には、信義則上開示すべき義務を負うのか。

A 特段の事情のない限り、信義則上開示すべき義務を負う。　貸金業者が保存している業務帳簿に基づいて債務内容を開示することは容易であり、貸金業者に特段の負担は生じないことにかんがみると、貸金業者は、債務者から取引履歴の開示を求められた場合には、その開示要求が濫用にわたると認められるなど特段の事情のない限り、貸金業法の適用を受ける金銭消費貸借契約の付随義務として、信義則上、保存している業務帳簿（保存期間を経過して保存しているものを含む。）に基づいて取引履歴を開示すべき義務を負うものと解すべきである。そして、貸金業者がこの義務に違反して取引履歴の開示を拒絶したときは、その行為は、違法性を有し、不法行為を構成する（最判平17·7·19）。

出題 予想

Q5 Yは、Xに本件商品の開発等を継続させるため、Aから本件商品の具体的な発注を受けていないのに、Xに対し、本件装置200台を発注することを提案し、Xが、商品を製造し、これをYに対して納入した後、Xに損害が生じた場合、Yは、Xに生じた損害を賠償すべき責任を負うのか。

A Yは、契約準備段階における信義則上の注意義務違反があり、Xに生じた損害を賠償すべき責任を負う（最判平19·2·27）。

出題 予想

Q6 賃貸住宅に係る賃料債務等の保証委託及び連帯保証に関する契約書中に、賃料等の不払があるときには、連帯保証人が無催告にて賃貸借契約を解除することができる旨を定める本件契約書13条1項前段の規定は、消費者契約法10条（消費者の権利を制限し又は消費者の義務を加重する消費者契約の条項であって、民法第1条第2項に規定する基本原則に反して消費者の利益を一方的に害するものは、無効とする。）に違反し、無効となるのか。

A 消費者契約法10条に違反し、無効となる。　消費者契約法10条は、消費者契約の条項が、民法1条2項に規定する基本原則、すなわち信義則に反して消費者の利益を一方的に害するものであることを要件としている。原契約は、当事者間の信頼関係を基礎とする継続的契約であるところ、その解除は、賃借人の生活の基盤を失わせるという重大な事態を招来し得るものであるから、契約関係の解消に先立ち、賃借人に賃料債務等の履行について最終的な考慮の機会を与えるため、その催告を行う必要性は大きいということができる。ところが、本件契約書13条1項前段は、所定の賃料等の支払の遅滞が生じた場合、原契約の当事者でもない連帯保証人がその一存で何らの限定なく原契約につき無催告で解除権を行使することができるとするものであるから、賃借人が重大な不利益を被るおそれがあるということができる。したがって、本件契約書13条1項前段は、消費者である賃借人と事業者である連帯保証人の各利益の間に看過し得ない不均衡をもたらし、当事者間の衡平を害するものであるから、信

義則に反して消費者の利益を一方的に害するものであるというべきである。よって、本件契約書13条1項前段は、消費者契約法10条に規定する消費者契約の条項に当たるというべきである（最判令4・12・12）。 出題 予想

Q7 賃貸住宅に係る賃料債務等の保証委託及び連帯保証に関する契約書中の、賃料等の不払等の事情が存するときに連帯保証人が賃貸住宅の明渡しがあったものとみなすことができる旨を定める本条項は、消費者契約法10条に規定する消費者契約の条項に該当し、無効となるのか。

A 消費者契約法10条に規定する消費者契約の条項に該当し、無効となる。　連帯保証人が、原契約が終了していない場合において、本件契約書18条2項2号に基づいて本件建物の明渡しがあったものとみなしたときは、賃借人は、本件建物に対する使用収益権が消滅していないのに、原契約の当事者でもない連帯保証人の一存で、その使用収益権が制限されることとなる。そのため、本件契約書18条2項2号は、この点において、任意規定の適用による場合に比し、消費者である賃借人の権利を制限するものというべきである。そして、このようなときには、賃借人は、本件建物に対する使用収益権が一方的に制限されることになる上、本件建物の明渡義務を負っていないにもかかわらず、賃貸人が賃借人に対して本件建物の明渡請求権を有し、これが法律に定める手続によることなく実現されたのと同様の状態に置かれるのであって、著しく不当というべきである。また、本件4要件のうち、本件建物を再び占有使用しない賃借人の意思が客観的に看取できる事情が存することという要件は、その内容が一義的に明らかでないため、賃借人は、いかなる場合に本件契約書18条2項2号の適用があるのかを的確に判断することができず、不利益を被るおそれがある。以上によれば、本件契約書18条2項2号は、消費者である賃借人と事業者である連帯保証人の各利益の間に看過し得ない不均衡をもたらし、当事者間の衡平を害するものであるから、信義則に反して消費者の利益を一方的に害するものであるというべきである。よって、本件契約書18条2項2号は、法10条に規定する消費者契約の条項に当たり無効というべきである（最判令4・12・12）。 出題 予想

◇**権利の濫用（1条3項）**

Q8 権利の行使が不法行為となる場合があるのか。

A 社会観念上被害者が認容できないときは、不法行為となる。　権利の行使といえども、法律で認められた適当な範囲内ですることを要するから、権利を行使する場合において、故意または過失により適当な範囲を超え、失当な方法で行ったために他人の権利を侵害したときは、侵害の程度において、不法行為が成立する。そして、ここに適当な範囲とは、社会的共同生活をする者の間において、1人の行為が他人に不利益を及ぼすことは免れないのであり、この場合において、つねに権利の侵害があるのではなく、他人は共同生活の必要上、これを認容しなけ

ればならないが、その行為が社会観念上、被害者において認容することができる程度を超えたときは、権利行使が適当な範囲にあるものとはいえず、不法行為になる〈信玄公旗掛松事件〉（大判大8・3・3）。 出題 地方上級－昭和58

Q9 自己の所有権を侵害された場合、その排除を請求することが権利の濫用とみられるときにも、その侵害を排除できるか。

A 侵害を排除できない。　所有権が侵害されてもこれによる損失が軽微であり、しかもこれを除去することが著しく困難で莫大な費用を要するような場合に、不当な利益を獲得する目的で、その除去を求めるのは、社会通念上所有権の目的に違背しその機能として許される範囲を超えるものとして、権利の濫用にほかならないので、この侵害を排除することはできない〈宇奈月温泉事件〉（大判昭10・10・5）。 出題 地方上級－昭和58、国Ⅱ－平成6

Q10 確定判決により損害賠償請求権が認められた場合に、当該判決に基づく執行が権利の濫用となる場合はあるのか。

A 権利の濫用となる場合がある。　自動車事故により傷害を受けた者が、将来営業活動不能による損害賠償を命ずる確定判決を得た後、負傷が快癒し、電話を引くなどして堂々と営業している反面、加害者がその賠償債務の負担を苦にして自殺するなどの事故があったにもかかわらず、当該判決確定後5年を経て、加害者の相続人である父母に対し強制執行する等の事情があったとすれば、当該強制執行は権利の濫用にあたる（最判昭37・5・24）。 出題 国Ⅱ－平成6

Q11 自己の所有権を侵害された場合に、所有権に基づく妨害排除請求が権利の濫用となる場合にも、その侵害を排除できないことにより被る損害の賠償請求はできるのか。

A 賠償を請求できる。　借地借家法10条の要件が存在しないため対抗力のない土地賃借権者に対して、土地所有権の取得者が建物収去土地明渡請求をすることが権利の濫用となる場合でも、当該土地所有権の取得者は、土地の違法占有を理由に土地賃借権者に対し、損害賠償を請求することができる（最判昭43・9・3）。 出題 国Ⅱ－平成6

Q12 建築基準法違反の建築によって隣家の居宅の日照、通風を妨害するに至った場合、当該建築行為は権利の濫用として違法性を帯び、不法行為責任を負うのか。

A 不法行為責任を負う。　南側家屋の建築が北側家屋の日照、通風を妨げた場合は、それだけで直ちに不法行為は成立しない。しかし、全ての権利の行使は、その態様ないし結果において、社会観念上妥当と認められる範囲内でのみこれをなすことを要するのであって、権利者の行為が社会的妥当性を欠き、これによって生じた損害が、社会生活上一般的に被害者において認容するを相当とする程度を超えたと認められるときは、その権利の行使は、社会観念上妥当な範囲を逸脱したものというべく、いわゆる権利の濫用にわたるものであって、違法性を帯び、不法行為の責任を生じさせる（最判昭47・6・

27)。

出題 国Ⅱ-平成6

Q13 建物の地下1階部分を賃借して店舗を営む者が建物の所有者の承諾の下に1階部分の外壁等に看板等を設置していた場合において、建物の譲受人が賃借人に対して当該看板等の撤去を求めることは権利の濫用にあたるのか。

A 一定の要件の下で、権利の濫用にあたる。　繁華街に位置する建物の地下1階部分を賃借して店舗を営む者が建物の所有者の承諾の下に1階部分の外壁等に看板等を設置していた場合において、建物の譲受人が賃借人に対して当該看板等の撤去を求めることは、(1)上記看板等は、上記店舗の営業の用に供されており、建物の地下1階部分と社会通念上一体のものとして利用されてきたこと、(2)賃借人において上記看板等を撤去せざるをえないこととなると、建物周辺の通行人らに対し建物の地下1階部分で上記店舗を営業していることを示す手段はほぼ失われ、その営業の継続は著しく困難となること、(3)上記看板等の設置が建物の所有者の承諾を得たものであることは、譲受人において十分知りえたものであること、(4)譲受人に上記看板等の設置箇所の利用について特に具体的な目的があることも、上記看板等が存在することにより譲受人の建物の所有に具体的な支障が生じていることもうかがわれないこと、などの事情の下においては、権利の濫用にあたる（最判平25・4・9）。

出題 予想

◇自力救済

Q14 自力救済はいかなる場合にも認められないのか。

A 例外的に認められる場合がある。　自力の行使は、原則として法の禁止するところであるが、法律の定める手続によったのでは、権利に対する違法な侵害に対抗して現状を維持することが不可能または著しく困難と認められる緊急やむをえない特別の事情が存する場合においてのみ、その必要の限度を超えない範囲内で、例外的に許される（最判昭40・12・7）。

出題 国Ⅱ-平成3

第2条（解釈の基準）

この法律は、個人の尊厳と両性の本質的平等を旨として、解釈しなければならない。

第2章　人

第1節　権利能力

第3条

①私権の享有は、出生に始まる。

②外国人は、法令又は条約の規定により禁止される場合を除き、私権を享有する。

Q1 胎児に法定代理人を置くことができるか。

A 法定代理人を置くことはできない。　胎児は、祖父が会社と和解交渉をした際には、いまだ出生しておらず、母親の胎内にいたのであり、民法は胎児は損害賠償請求権につきすでに生まれたものとみなすが、これは胎児が不法行為が生まれた後に生きて生まれた場合に、不法行為による損害賠償請求権の取得については、出生の時に遡って権利能力があったものとみなすにとどまり、胎児に対し当該請求を

出生前に処分することのできる能力を与える趣旨ではないから、祖父の和解交渉が、胎児を代理した有効な処分であると認めることはできない〈阪神電鉄事件〉（大判昭7・10・6）。

出題 国家総合-令和1・平成25、国Ⅰ-平成1、地方上級-平成9・5・昭和62、市役所上・中級-平成1、国Ⅱ-昭和51、裁判所総合・一般-平成30・25、裁判所Ⅰ・Ⅱ-平成15、国税・労基-平成20

第2節　意思能力

第3条の2

法律行為の当事者が意思表示をした時に意思能力を有しなかったときは、その法律行為は、無効とする。

〔判例法理の条文化〕

Q1 意思無能力者に、納付すべき相続税額がある場合、法定代理人又は後見人がないときでも、申告書の提出義務は発生し、その期限は到来しているのか。

A 申告書の提出義務は発生しているが、法定代理人又は後見人がないときは、その期限は到来しない。相続税法27条1項は、相続又は遺贈により財産を取得した者について、納付すべき相続税額があるときに相続税の申告書の提出義務が発生することを前提として、その申告書の提出期限を「その相続の開始があったことを知った日の翌日から6月以内」と定めているものと解する。上記の「その相続の開始があったことを知った日」とは、自己のために相続の開始があったことを知った日を意味し、意思無能力者については、法定代理人がその相続の開始のあったことを知った日がこれに当たり、相続開始の時に法定代理人がないときは後見人の選任された日がこれに当たると解すべきであるが（相続税法基本通達27-4(7)参照）、意思無能力者であっても、納付すべき相続税額がある以上、法定代理人又は後見人の有無にかかわらず、申告書の提出義務は発生しているというべきであって、法定代理人又は後見人がないときは、その期限が到来しないというにすぎない（最判平18・7・14）。

出題 予想

第3節　行為能力

第4条（成年）

年齢18歳をもって、成年とする。

第5条（未成年者の法律行為）

①未成年者が法律行為をするには、その法定代理人の同意を得なければならない。ただし、単に権利を得、又は義務を免れる法律行為については、この限りでない。

②前項の規定に反する法律行為は、取り消すことができる。

③第1項の規定にかかわらず、法定代理人が目的を定めて処分を許した財産は、その目的の範囲内において、未成年者が自由に処分することができる。目的を定めないで処分を許した財産を処分するときも、同様とする。

＊遺言については適用除外（962条）

第6条（未成年者の営業の許可）

①一種又は数種の営業を許された未成年者は、その

営業に関しては、成年者と同一の行為能力を有する。

②前項の場合において、未成年者がその営業に堪えることができない事由があるときは、その法定代理人は、第4編（親族）の規定に従い、その許可を取り消し、又はこれを制限することができる。

第7条（後見開始の審判）

精神上の障害により事理を弁識する能力を欠く常況にある者については、家庭裁判所は、本人、配偶者、4親等内の親族、未成年後見人、未成年後見監督人、保佐人、保佐監督人、補助人、補助監督人又は検察官の請求により、後見開始の審判をすることができる。

第8条（成年被後見人及び成年後見人）

後見開始の審判を受けた者は、成年被後見人とし、これに成年後見人を付する。

第9条（成年被後見人の法律行為）

成年被後見人の法律行為は、取り消すことができる。ただし、日用品の購入その他日常生活に関する行為については、この限りでない。

＊被保佐人に準用（13条2項但書：9条但書のみ準用）、遺言については適用除外（962条）

Q1 成年被後見人等の制限行為能力者の法律行為は取り消すだけではなく、無効にできるのか。

A 意思無能力であれば無効にできる。　法律が成年被後見人等や制限能力者を特定し、その行為の取消しを許したのは、制限行為能力者の利益を保護するために意思の欠缺の事実を証明せずに、取り消すことができるものとしたのであって、これら制限行為能力者でない者の行為が絶対にその効力を有する趣旨ではない。それ故、たとえば、前の行為であっても、事実上意思能力を有しないときは、その行為は無効であり、また、これと同様に後見開始の審判中になした行為であっても、全く意思能力を有していない事実があるときには、取消しの意思表示をすることなく、当然無効である（大判明38・5・11）。

出題 市役所上・中級 − 平成1、裁判所Ⅰ・Ⅱ−平成14

第10条（後見開始の審判の取消し）

第7条に規定する原因が消滅したときは、家庭裁判所は、本人、配偶者、4親等内の親族、後見人（未成年後見人及び成年後見人をいう。以下同じ。）、後見監督人（未成年後見監督人及び成年後見監督人をいう。以下同じ。）又は検察官の請求により、後見開始の審判を取り消さなければならない。

第11条（保佐開始の審判）

精神上の障害により事理を弁識する能力が著しく不十分である者については、家庭裁判所は、本人、配偶者、4親等内の親族、後見人、後見監督人、補助人、補助監督人又は検察官の請求により、保佐開始の審判をすることができる。ただし、第7条に規定する原因がある者については、この限りでない。

Q1 精神上の障害により事理を弁識する能力が著しく不十分である者であれば必ず家庭裁判所は保佐開始の審判をしなければならないのか。

A 必ず保佐開始の審判をしなければならない。　精神上の障害により事理を弁識する能力が著しく不

十分である者は、精神の力が薄弱で、利害の判断をする能力に欠けるところがあるため、法律で被保佐人として保護する必要がある。したがって、精神上の障害により事理を弁識する能力が著しく不十分である者に対しては、弁識する能力が著しく不十分である場合、必ず家庭裁判所が保佐開始の審判をすることが当然である（大判大11・8・4）。

出題 国Ⅰ−昭和62、地方上級−昭和55

第12条（被保佐人及び保佐人）

保佐開始の審判を受けた者は、被保佐人とし、これに保佐人を付する。

第13条（保佐人の同意を要する行為等）

①被保佐人が次に掲げる行為をするには、その保佐人の同意を得なければならない。ただし、第9条ただし書に規定する行為については、この限りでない。

1　元本を領収し、又は利用すること。

2　借財又は保証をすること。

3　不動産その他重要な財産に関する権利の得喪を目的とする行為をすること。

4　訴訟行為をすること。

5　贈与、和解又は仲裁合意（仲裁法（平成15年法律第138号）第2条第1項に規定する仲裁合意をいう。）をすること。

6　相続の承認若しくは放棄又は遺産の分割をすること。

7　贈与の申込みを拒絶し、遺贈を放棄し、負担付贈与の申込みを承諾し、又は負担付遺贈を承認すること。

8　新築、改築、増築又は大修繕をすること。

9　第602条に定める期間を超える賃貸借をすること。

10　前各号に掲げる行為を制限行為能力者（未成年者、成年被後見人、被保佐人及び第17条第1項の審判を受けた被補助人をいう。以下同じ。）の法定代理人としてすること。

②家庭裁判所は、第11条本文に規定する者又は保佐人若しくは保佐監督人の請求により、被保佐人が前項各号に掲げる行為以外の行為をする場合であってもその保佐人の同意を得なければならない旨の審判をすることができる。ただし、第9条ただし書に規定する行為については、この限りでない。

③保佐人の同意を得なければならない行為について、保佐人が被保佐人の利益を害するおそれがないにもかかわらず同意をしないときは、家庭裁判所は、被保佐人の請求により、保佐人の同意に代わる許可を与えることができる。

④保佐人の同意を得なければならない行為であって、その同意又はこれに代わる許可を得ないでしたものは、取り消すことができる。

Q1 被保佐人が法律行為を行うにあたっては、保佐人の事前の同意が必ず必要か。

A 事後の同意でもよい。　被保佐人がその保佐開始の審判の取消し以前に取り消すべき法律行為の追認をするにあたり、保佐人の同意を必要とするのは、制限行為能力者保護の精神にあるのであって、

民法

必ずしも追認前もしくはこれと同時にその同意を得なければならないわけではなく、追認の後に保佐人が同意を与えても害はなく、十分制限行為能力者保護の目的を達成することができる（大判大5・2・2）。

Q2 保佐人は事後においても同意を与えることができるか。

A 事後においても同意を与えることができる。
保佐人は被保佐人の行為については、事後においても同意を与えることができる（大判昭6・12・22）。

Q3 電話加入権の譲渡は、重要な財産に関する権利の喪失を目的とする行為にあたるのか。

A 重要な財産に関する権利の喪失を目的とする行為にあたる。　民法13条1項3号所掲の「重要な財産に関する権利」とは、動産を目的とする権利のみならず、動産の取得を目的とする権利をも包含する。したがって、電話利用権（電話加入権）のように1つの債権で財産的価値のあるものについても、「重要な財産に関する権利」に包含される（大判昭9・5・5）。

第14条（保佐開始の審判等の取消し）

①第11条本文に規定する原因が消滅したときは、家庭裁判所は、本人、配偶者、4親等内の親族、未成年後見人、未成年後見監督人、保佐人、保佐監督人又は検察官の請求により、保佐開始の審判を取り消さなければならない。

②家庭裁判所は、前項に規定する者の請求により、前条第2項の審判の全部又は一部を取り消すことができる。

第15条（補助開始の審判）

①精神上の障害により事理を弁識する能力が不十分である者については、家庭裁判所は、本人、配偶者、4親等内の親族、後見人、後見監督人、保佐人、保佐監督人又は検察官の請求により、補助開始の審判をすることができる。ただし、第7条又は第11条本文に規定する原因がある者については、この限りでない。

②本人以外の者の請求により補助開始の審判をするには、本人の同意がなければならない。

③補助開始の審判は、第17条第1項の審判又は第876条の9第1項の審判とともにしなければならない。

第16条（被補助人及び補助人）

補助開始の審判を受けた者は、被補助人とし、これに補助人を付する。

第17条（補助人の同意を要する旨の審判等）

①家庭裁判所は、第15条第1項本文に規定する者又は補助人若しくは補助監督人の請求により、被補助人が特定の法律行為をするにはその補助人の同意を得なければならない旨の審判をすることができる。ただし、その審判によりその同意を得なければならないものとすることができる行為は、第13条第1項に規定する行為の一部に限る。

②本人以外の者の請求により前項の審判をするには、本人の同意がなければならない。

③補助人の同意を得なければならない行為について、補助人が被補助人の利益を害するおそれがないにもかかわらず同意をしないときは、家庭裁判所は、被補助人の請求により、補助人の同意に代わる許可を与えることができる。

④補助人の同意を得なければならない行為であって、その同意又はこれに代わる許可を得ないでしたものは、取り消すことができる。

＊遺言については適用除外（962条）

第18条（補助開始の審判等の取消し）

①第15条第1項本文に規定する原因が消滅したときは、家庭裁判所は、本人、配偶者、4親等内の親族、未成年後見人、未成年後見監督人、補助人、補助監督人又は検察官の請求により、補助開始の審判を取り消さなければならない。

②家庭裁判所は、前項に規定する者の請求により、前条第1項の審判の全部又は一部を取り消すことができる。

③前条第1項の審判及び第876条の9第1項の審判をすべて取り消す場合には、家庭裁判所は、補助開始の審判を取り消さなければならない。

第19条（審判相互の関係）

①後見開始の審判をする場合において、本人が被保佐人又は被補助人であるときは、家庭裁判所は、その本人に係る保佐開始又は補助開始の審判を取り消さなければならない。

②前項の規定は、保佐開始の審判をする場合において本人が成年被後見人若しくは被補助人であるとき、又は補助開始の審判をする場合において本人が成年被後見人若しくは被保佐人であるときについて準用する。

第20条（制限行為能力者の相手方の催告権）

①制限行為能力者の相手方は、その制限行為能力者が行為能力者（行為能力の制限を受けない者をいう。以下同じ。）となった後、その者に対し、1箇月以上の期間を定めて、その期間内にその取り消すことができる行為を追認するかどうかを確答すべき旨の催告をすることができる。この場合において、その者がその期間内に確答を発しないときは、その行為を追認したものとみなす。

②制限行為能力者の相手方が、制限行為能力者が行為能力者とならない間に、その法定代理人、保佐人又は補助人に対し、その権限内の行為について前項に規定する催告をした場合において、これらの者が同項の期間内に確答を発しないときも、同項後段と同様とする。

③特別の方式を要する行為については、前2項の期間内にその方式を具備した旨の通知を発しないときは、その行為を取り消したものとみなす。

④制限行為能力者の相手方は、被保佐人又は第17条第1項の審判を受けた被補助人に対しては、第1項の期間内にその保佐人又は補助人の追認を得るべき旨の催告をすることができる。この場合において、その被保佐人又は被補助人がその期間内にその追認を得た旨の通知を発しないときは、そ

の行為を取り消したものとみなす。

＊後見人が後見監督人の同意等を得ずに行った行為等に準用（865条1項）、被後見人の財産等の譲受けの取消しに準用（866条1項）、未成年被後見人に代わる親権の行使に準用（867条2項）、未成年被後見人と未成年後見人等との間の契約等の取消しに準用（872条2項）

第21条（制限行為能力者の詐術）

制限行為能力者が行為能力者であることを信じさせるため詐術を用いたときは、その行為を取り消すことができない。

Q1 制限行為能力者が仲介人に詐術を用いたが、その効果が相手方に及ばなかった場合、民法21条の適用はあるのか。

A 民法21条の適用はない。　制限行為能力者が仲介人に対して自己が能力者であると信じさせるため詐術を用いたが、その詐術の効果が当該仲介人を通して法律行為の相手方に及ばない場合には、民法21条の適用はない（大判昭2・5・24）。

出題 国Ⅰ－昭和62

Q2 自らが制限行為能力者であることを黙秘していた場合、民法21条の詐術に該当するのか。

A 単に黙秘していただけでは、詐術に該当しない。　自らが制限行為能力者であることを黙秘していた場合でも、それが、制限行為能力者の他の言動などと相俟って、相手方を誤信させ、または誤信を強めたものと認められるときは、なお詐術にあたるが、単に制限行為能力者であることを黙秘していただけでは、民法21条にいう詐術にあたらない。そして、詐術にあたるとするためには、制限行為能力者が能力者であることを信じさせる目的をもってしたことを要する（最判昭44・2・13）。

出題 国家総合－令和1・平成28、国Ⅰ－平成23・18・12・昭和57・55、国Ⅱ－平成19、裁判所Ⅰ・Ⅱ－平成18、裁判所総合職・一般職－令和4、国税・財務・労基－平成28、国税・労基－平成19、国税－平成14・5

第4節　住所

第22条（住所）

各人の生活の本拠をその者の住所とする。

Q1 国が郷里から仕送りを受けている学生の公職選挙法上の住所を学生の下宿などの住所地ではなく、一律に親の住所とする取扱いをしても違法とはいえないのか。

A 一律に親の住所とする取扱いをすることは、違法である（最大判昭29・10・20）。⇨憲法15条16

出題 国Ⅱ－平成9

Q2 公職選挙法が住所を選挙権の要件とする場合の住所は、私生活面の住所、事業活動面の住所などとは分離して考えるべきか。

A 分離して考えるべきではない（最判昭35・3・22）。

出題 国Ⅱ－平成9

第23条（居所）

①住所が知れない場合には、居所を住所とみなす。

②日本に住所を有しない者は、その者が日本人又は外国人のいずれであるかを問わず、日本における居所をその者の住所とみなす。ただし、準拠法を定める法律に従いその者の住所地法によるべき場合は、この限りでない。

第24条（仮住所）

ある行為について仮住所を選定したときは、その行為に関しては、その仮住所を住所とみなす。

第5節　不在者の財産の管理及び失踪の宣告

第25条（不在者の財産の管理）

①従来の住所又は居所を去った者（以下「不在者」という。）がその財産の管理人（以下この節において単に「管理人」という。）を置かなかったときは、家庭裁判所は、利害関係人又は検察官の請求により、その財産の管理について必要な処分を命ずることができる。本人の不在中に管理人の権限が消滅したときも、同様とする。

②前項の規定による命令後、本人が管理人を置いたときは、家庭裁判所は、その管理人、利害関係人又は検察官の請求により、その命令を取り消さなければならない。

第30条（失踪の宣告）

①不在者の生死が7年間明らかでないときは、家庭裁判所は、利害関係人の請求により、失踪の宣告をすることができる。

②戦地に臨んだ者、沈没した船舶の中に在った者その他死亡の原因となるべき危難に遭遇した者の生死が、それぞれ、戦争が止んだ後、船舶が沈没した後又はその他の危難が去った後1年間明らかでないときも、前項と同様とする。

第31条（失踪の宣告の効力）

前条第1項の規定により失踪の宣告を受けた者は同項の期間が満了した時に、同条第2項の規定により失踪の宣告を受けた者はその危難が去った時に、死亡したものとみなす。

第32条（失踪の宣告の取消し）

①失踪者が生存すること又は前条に規定する時と異なる時に死亡したことの証明があったときは、家庭裁判所は、本人又は利害関係人の請求により、失踪の宣告を取り消さなければならない。この場合において、その取消しは、失踪の宣告後その取消し前に善意でした行為の効力に影響を及ぼさない。

②失踪の宣告によって財産を得た者は、その取消しによって権利を失う。ただし、現に利益を受けている限度においてのみ、その財産を返還する義務を負う。

Q1 失踪宣告後その取消し前になされた行為が、契約当事者の一方の善意によるものであれば、失踪宣告の取消しによってもその効力を失わないのか。

A 契約当事者の双方が善意である場合に限り、当該行為の効力は失われない。　民法32条1項後段が失踪宣告後その取消し前に善意でなされた行為の効力を認めたのは、善意の行為者の保護を目的とするのであるが、その行為が契約である場合には当事者双方が善意である場合に限り、その効力を認める趣旨である（大判昭13・2・7）。

出題 国家総合－令和4、国Ⅰ－平成15・8・昭和

第6節　同時死亡の推定

第32条の2

　数人の者が死亡した場合において、そのうちの1人が他の者の死亡後になお生存していたことが明らかでないときは、これらの者は、同時に死亡したものと推定する。

第3章　法人

◇法人格否認の法理

Q1 法人の代表者・構成員が法人自身と実質的・経済的に同一とみられる場合にも、両者は別個の法主体として権利義務の帰属主体を考えなければならないのか。

A 法人格を否定して同一の法主体として考えるべきである。　社団法人において法人とその構成員たる社員とが法律上別個の人格であることはいうまでもなく、このことは社員が1人である場合も同様である。しかし、およそ法人格の付与は社会的に存在する団体についてその価値を評価してなされる立法政策によるものであって、これを権利主体として表現させるに値すると認めるときに、法的技術に基づいて行われうるものである。したがって、法人格が全く形骸にすぎない場合、またはそれが法律の適用を回避するために濫用される場合においては、法人格を認めることは、法人格なるものの本来の目的に照らして許すことができず、法人格を否認すべきことが要請される場合を生じる（最判昭44・2・27）。　　出題 国Ⅰ – 平成17・2、国家一般 – 令和1

Q2 法人格が全くの形骸にすぎない場合、又は法人格が法律の適用を回避するために濫用されている場合には、法人格を否認できるのか。

A 法人格を否認できる（最判昭44・2・27）。⇨ 1

第33条（法人の成立等）

①法人は、この法律その他の法律の規定によらなければ、成立しない。

②学術、技芸、慈善、祭祀、宗教その他の公益を目的とする法人、営利事業を営むことを目的とする法人その他の法人の設立、組織、運営及び管理については、この法律その他の法律の定めるところによる。

第34条（法人の能力）

　法人は、法令の規定に従い、定款その他の基本約款で定められた目的の範囲内において、権利を有し、義務を負う。

1　法人の目的の範囲

Q1 農業協同組合の組合員以外への貸付は、組合の目的の範囲内に属し、保証人は返還義務について責任を負うのか。

A 当該貸付が定款に違反することを双方が承知している場合には、目的の範囲外であり、保証人は返還義務について責任を負わない。　当該組合員の貸付が組合員でない者になされただけではなく、組合代表理事であった者もその貸付が組合の目的事業とは全

く関係のないものであり、したがって、その貸付が組合定款に違反することを承知して貸し付け、また相手方もその事情を承知してこれを借り受けたものである以上、その貸付が組合の目的の範囲内に属しないことが明らかであるから、その貸付は無効であるから、保証人は返還義務について責任を負わない（最判昭41・4・26）。　　出題 国家総合 – 平成30

Q2 政治資金の寄附は、会社の目的の範囲内の行為か。

A 目的の範囲内の行為である。　会社は定款に定められた目的の範囲内において権利能力を有するが、目的の範囲内の行為とは、定款に明示された目的自体に限局されるものではなく、その目的を遂行するうえに直接または間接に必要な行為であれば、全てこれに包含される。したがって、会社による政治資金の寄附は、客観的、抽象的に観察して、会社の社会的役割を果たすためになされたものと認められる限りにおいては、会社の定款所定の目的の範囲内の行為であるとするに妨げない〈八幡製鉄事件〉（最大判昭45・6・24）。

出題 国Ⅰ – 平成2、国家一般 – 令和1

Q3 強制加入団体である税理士会が、税理士法を業界に有利な方向に改正するための工作資金として会員から特別会費を徴収し、それを特定の政治団体に寄付する行為は、法人の「目的の範囲内」の行為にあたるのか。

A 法人の「目的の範囲内」の行為にあたらない。公的な性格を有する税理士会が、特定の政治団体に対して金員の寄付をするかどうかを多数決原理によって団体の意思として決定し、構成員にその協力を義務づけることはできないのであり、税理士会が特定の政治団体に寄付する行為は、たとえ税理士に係る法令の制定改廃に関する要求を実現するためであっても、税理士法49条2項所定の税理士会の目的の範囲外の行為であり、無効である〈税理士会政治献金事件〉（最判平8・3・19）。

出題 国家一般 – 令和1

2　法人と理事の責任（不法行為責任を含む）

〔参考〕一般社団法人及び一般財団法人に関する法律第77条

④代表理事は、一般社団法人の業務に関する一切の裁判上又は裁判外の行為をする権限を有する。

⑤前項の権限に加えた制限は、善意の第三者に対抗することができない。

第82条　一般社団法人は、代表理事以外の理事に理事長その他一般社団法人を代表する権限を有するものと認められる名称を付した場合には、当該理事がした行為について、善意の第三者に対してその責任を負う。

Q4 法人の理事が行った不法行為につき法人が民法旧44条1項の不法行為責任を負う場合、当該理事は個人としての不法行為責任を免れるのか。

A 個人としての不法行為責任を免れず、法人と連帯して賠償責任を負う。　何人といえども現に他人の権利を侵害して損害を加えた事実があれば、これ

により当然に自己の不法行為は成立するのであり、その法人の理事として職務を行うにつきなされたために個人としてその責めを免れるべき旨の規定が存在しない以上、理事は一般の規定に従い個人として法人とともに等しく損害賠償責任を負う〈ああ玉杯に花うけて事件〉（大判昭7・5・27）。

出題 国Ⅰ－平成11、国Ⅱ－平成8、国税－平成13

〔参考〕一般社団法人及び一般財団法人に関する法律第118条　役員等が一般社団法人又は第三者に生じた損害を賠償する責任を負う場合において、他の役員等も当該損害を賠償する責任を負うときは、これらの者は、連帯債務者とする。

Q5 法人の不法行為責任が認められるためには、理事等の職務行為により他人に損害を加え、当該行為が、その外形上理事等の職務行為とみられる行為であり、かつ、法人の有効または適法な行為であることを要するのか。

A 法人の有効または適法な行為であることを要しない。　手形振出行為が村議会の議決がないため、または地方自治法（170条2項1号等）に違反するため、無効または違法であるとしても、村長が村を代表して手形の振出しをなすこと自体は、外見上村長の職務行為とみられるから、民法旧44条の適用がある。したがって、一般社団法人及び一般財団法人に関する法律117条1項における「職務を行うにつき」とは、当該行為の外見上法定代理人または代表者の職務行為とみられる行為であれば足り、その行為が法人の有効または適法な行為であることを要しない（最判昭37・9・7）。

出題 国Ⅱ－平成8、国税・労基－平成18

Q6 法人の理事が私利を図る目的で自己の権限を超えて代表行為を行った場合、法人は民法旧44条1項の不法行為責任を負うか。

A 不法行為責任を負う。　約束手形は一定金額を一定期間後支払うことを約束するものであるから、その振出しは、現金の支払い自体ではなく、出納官吏の権限に属するものとはいえず、その現金支払いの原因たるべき行為として、地方公共団体の長の権限に属するものである。そして特に市長が法定の制限のもとに、市を代表して約束手形を振り出す抽象的権限を有し、かつ、市においては市議会の議決に基づき市長名義の約束手形により金融機関から一時借入れをしていた等の事実関係のもとでは、市長のした本件約束手形の振出行為は、同市長が職務の執行についてしたものであり、市は一般社団法人及び一般財団法人に関する法律117条1項の適用により不法行為責任を負う（最判昭41・6・21）。

出題 国Ⅱ－平成8

〔参考〕一般社団法人及び一般財団法人に関する法律第117条　①役員等がその職務を行うについて悪意又は重大な過失があったときは、当該役員等は、これによって第三者に生じた損害を賠償する責任を負う。

Q7 法人の理事が外形上その職務に属する行為により他人に損害を加えた場合、法人は必ず損害賠償責任を負うのか。

A 相手方が当該行為が職務行為に属さない点につ

き、悪意または重過失であれば賠償責任を負わない。　地方公共団体の長のした行為が、その外形からみてその職務行為に属するものと認められる場合には、一般社団法人及び一般財団法人に関する法律117条1項の類推適用により、当該地方公共団体はその行為により相手方の被った損害の賠償責任を負うものというべきところ、地方公共団体の長のした行為が、その行為の外形からみてその職務行為に属するものと認められる場合であっても、相手方において、その行為がその職務行為に属さないことを知っていたか、またはこれを知らないことにつき重大な過失のあったときは、当該地方公共団体は相手方に対して損害賠償の責任を負わない（最判昭50・7・14）。

出題 国Ⅰ－平成11・2・昭和51、特別区Ⅰ－平成16、国Ⅱ－平成17、国税－平成13

〔参考〕一般社団法人及び一般財団法人に関する法律第78条　一般社団法人は、代表理事その他の代表者がその職務を行うについて第三者に加えた損害を賠償する責任を負う。

3　権利能力なき社団・財団

〔参考〕民事訴訟法第29条　法人でない社団又は財団で代表者又は管理人の定めがあるものは、その名において訴え、又は訴えられることができる。

◇権利能力なき社団

Q8 権利能力なき社団の財産は、社団自体に帰属するのか。

A 社団の構成員である社員に総有的に帰属する。　権利能力なき社団の財産は、実質的には社団を構成する総社員の総有に属するものであるから、総社員の同意をもって、総有の廃止その他当該財産の処分に関する定めのなされない限り、現社員及び元社員は、当然には、当該財産に関し、共有の持分権または分割請求権を有しない〈品川白煉瓦事件〉（最判昭32・11・14）。

出題 地方上級－昭和54、市役所上・中級－平成7、特別区Ⅰ－平成30・25・14、国Ⅱ－平成6、裁判所総合・一般－平成30、国税・労基－平成18

Q9 権利能力なき社団の財産は、当該社団の構成員全員の総有に属するが、当該社団の構成員は、総有の廃止や財産の処分に関する定めがなくても、当然に自らの持分権や脱退に際しての財産分割請求権を有するのか。

A 財産分割請求権を有しない〈品川白煉瓦事件〉（最判昭32・11・14）。⇨8

Q10 権利能力なき社団は、これを認定する基準として、団体としての組織、代表の方法、総会の運営など社団としての実体を備える必要があるが、社団はその構成員の変動から独立して存在しうる一体性をもっている必要はないのか。

A 必要がある。　法人格を有しない社団すなわち権利能力のない社団については、民事訴訟法29条がこれについて規定するほか実定法上何ら明文がないが、権利能力のない社団というためには、団

体としての組織をそなえ、そこには多数決の原則が行われ、構成員の変更にもかかわらず団体そのものが存続し、しかしてその組織によって代表の方法、総会の運営、財産の管理その他団体としての主要な点が確定しているものでなければならない。しかして、このような権利能力のない社団の資産は構成員に総有的に帰属する。そして権利能力のない社団でありながら、その代表者によってその社団の名において構成員全体のため権利を取得し、義務を負担するのであるが、社団の名において行われるのは、いちいち全ての構成員の氏名を列挙することの煩を避けるためである（最判昭 39・10・15）。

出題 国家総合 － 平成 24、国Ⅰ － 平成 21・17・8・昭和 59・53、特別区Ⅰ － 平成 30・25・14、裁判所総合・一般 － 平成 30、裁判所Ⅰ・Ⅱ － 平成 19、国税・労基 － 平成 23・18、国税 － 平成 10

Q11 権利能力なき社団が借地契約を締結するには、当該契約書に社団の代表者だけでなく、社団に属する者全ての氏名を列挙しなければならないのか。

A 社団に属する者全ての氏名を列挙する必要はない。（最判昭 39・10・15）。⇨ 10

Q12 権利能力なき社団の財産の共同所有は合有か。

A 総有である（最判昭 39・10・15）。⇨ 10

Q13 権利能力なき社団の資産たる不動産は、誰名義で所有権の登記をすべきか。

A 社団の代表者個人の名義で登記しなければならない。　権利能力なき社団の構成員全員の総有に属する社団の資産たる不動産については、その公示方法として、社団の代表者個人の名義で所有権の登記をすることが行われている。これは、不動産登記法が社団自身を当事者とする登記を許さないこと、社団構成員全員の名において登記をすることは、構成員の変動が予想される場合に常時真実の権利関係を公示することが困難であることなどの事情に由来する（最判昭 47・6・2）。

出題 国家総合 － 平成 24、国Ⅰ － 平成 21・8・昭和 59、地方上級 － 昭和 54、市役所上・中級 － 平成 7、特別区Ⅰ － 平成 30・25・14、裁判所Ⅰ・Ⅱ － 平成 19、国税・労基 － 平成 23・18

Q14 権利能力なき社団は、当該社団の不動産について、当該社団を権利者とする登記をすることができず、また、当該社団の代表者である旨の肩書を付した代表者個人名義で登記をすることができないのか。

A 当該社団および代表者個人名義で登記をすることはできない（最判昭 47・6・2）。⇨ 13

Q15 権利能力なき社団の債務については、構成員各自も直接個人的債務ないし責任を負うのか。

A 社団の総有財産だけがその責任財産となる。権利能力なき社団の代表者が社団の名においてした取引の債務は、その社団の構成員全員に、1 個の義務として総有的に帰属するとともに、社団の総有財産だけがその責任財産となり、構成員各自は、取引の相手方に対し、直接には個人的債務ないし責任を負わない（最判昭 48・10・9）。

出題 国家総合 － 平成 24、国Ⅰ － 平成 21・17・8・2・昭和 59・55・53、市役所上・中級 － 平成 7、特別区Ⅰ － 平成 30・25・14、国Ⅱ － 平成 6、裁判

所Ⅰ・Ⅱ － 平成 19、国税・労基 － 平成 23・18

Q16 権利能力のない社団である県営住宅の自治会の会員は、いつでも自治会に対する一方的意思表示により、当該自治会を退会できるのか。

A いつでも退会できる。　県営住宅の自治会は、権利能力のない社団であり、いわゆる強制加入団体でもなく、その規約において会員の退会を制限する規定を設けていないのであるから、当該自治会の会員は、いつでも当該自治会に対する一方的意思表示により当該自治会を退会することができ、本件退会の申入れは有効である。当該自治会の設立の趣旨、目的（団地の入居者が、共用施設を共同して使用し、地域住民としての環境の維持管理、防犯等に共通の利害関係を有しており、かつ、地域的な結び付きを基盤として、入居者全員の協力によって解決すべき問題に対処する必要があることから、これらの公共の利害にかかわる事項等の適切な処理を図ること）、団体としての性格等は、この結論を左右しない（最判平 17・4・26）。　　出題 予想

Q17 権利能力のない社団を債務者とする金銭債権を有する債権者が、当該社団の構成員全員に総有的に帰属し、当該社団のために第三者が登記名義人とされている不動産に対し仮差押えをする場合、仮差押命令の申立書に、当該不動産が当該社団の構成員全員の総有に属する事実を証する書面を必ず添付しなければならないのか。

A 必ず添付しなければならない。　権利能力のない社団を債務者とする金銭債権を有する債権者が、当該社団の構成員全員に総有的に帰属する、当該社団のために登記名義人とされる不動産に対し、仮差押えをする場合、同不動産につき、当該社団のために第三者がその登記名義人とされているときは、同債権者は、仮差押命令の申立書に、同不動産が当該社団の構成員全員の総有に属する事実を証する書面を添付して、当該社団を債務者とする仮差押命令の申立てをすることができる（最決平 23・2・9）。　　出題 特別区Ⅰ － 平成 30

◇権利能力なき財団

Q18 設立準備中の財団法人について、その基本財産が個人財産から分離独立しており、かつ、その運営のための組織が存在している場合、権利能力なき財団の成立を認めることができるか。

A 認めることができる。　いまだ財団法人の設立許可を受けていなくても、個人財産から分離独立した基本財産を有し、かつ、その運営のための組織を有していたものといえるのであれば、いわゆる権利能力なき財団として、社会生活において独立した実体を有しているということができる。したがって、本件手形も、上告人が権利能力なき財団である D 財団の代表者として振り出したものと解するのが相当である。そうであれば、その代表者にすぎない上告人において、個人として、当然に振出人としての責任を負うものではない（最判昭 44・11・4）。

出題 国Ⅰ － 平成 6、国税・労基 － 平成 23

民法編

第4章　物

第85条（定義）

この法律において「物」とは、有体物をいう。

Q1 電気の供給契約は民法上の契約か。

A 民法上の契約である。　電気の供給が財産権の移転ではないとしても、対価を得てこれを供給する以上、生産者が対価を得て産物を供給するのと同じく、その供給契約は産物の売却すなわち売買契約に類する有償契約と解すべきである（大判昭12・6・29）。

出題 地方上級－平成7（市共通）、特別区Ⅰ－令和2

第86条（不動産及び動産）

①土地及びその定着物は、不動産とする。

②不動産以外の物は、すべて動産とする。

〔参考〕立木に関する法律第1条

①本法に於て立木と称するは一筆の土地又は一筆の土地の一部に生立する樹木の集団にして其の所有者か本法に依り所有権保存の登記を受けたるものを謂ふ。

②前項の樹木の集団の範囲は勅令を以て之を定む。

第2条

①立木は之を不動産と看做す。

②立木の所有者は土地と分離して立木を譲渡し又は之を以て抵当権の目的と為すことを得。

③土地所有権又は地上権の処分の効力は立木に及ほす。

◇一筆の土地

Q1 一筆の土地の一部も独立の客体となるのか（抵当権の目的となるのか）。

A 独立の客体となる（抵当権の目的となる）。　土地は所有者の行為により独立した数個の土地に区分し分割することができるので、いかなる範囲の土地が各個に分割されるかは、所有者の行う区分方法により定まる。したがって、所有者は一筆の土地となる自己の所有地内に一線を画しあるいは標識を設けるなどして、任意にこれを数個に分割しその各個を譲渡の目的とすることができる（大連判大13・10・7）。

出題 国Ⅰ－平成6・4、地方上級－平成7（市共通）、市役所上・中級－平成9、国Ⅱ－昭和60

Q2 一筆の土地の一部を時効取得できるのか。

A 時効取得できる。　法律が一定の場合に土地の一部を区分してこれを1個の土地とすることを妨げることなく、民法162条は土地のようにこれを区分して数個とすることのできる物については、その一部の占有がある場合に時効の完成と同時に法律上その占有部分を区分して1個の物として占有者にその所有権を賦与する趣旨と解する（大連判大13・10・7）。

出題 国Ⅰ－平成4、地方上級－平成7（市共通）、市役所上・中級－平成9、国税－平成6・昭和61

Q3 一筆の土地の一部を売買契約の目的とできるのか。

A 当事者間において契約当時その範囲が特定されていれば、売買契約の目的とできる。　一筆の土地の一部についても、当事者間において契約当時その範囲が十分特定していたものと認めることができれば、これを売買契約の目的とすることができる（最判昭40・2・23）。

出題 地方上級－平成7（市共通）

◇その他

Q4 未分離のみかんは、伐採・収穫の前であっても独立した取引の客体となるのか。

A 明認方法を施せば、独立した取引の客体となる（大判大5・9・20）。

出題 市役所上・中級－平成9

Q5 建築中の建物はどの程度に達すれば建物といえるか。

A 独立に風雨をしのげる程度に達すれば建物といえる。　木材を組み立てて屋根をふいただけではまだ建物といえないが、独立に風雨をしのげる程度、すなわち屋根瓦がふかれて周壁として荒壁がぬられた程度に達していれば建物といえる（大判大15・2・22、大判昭10・10・1）。

出題 市役所上・中級－平成9、国Ⅱ－昭和60、国税－平成6・昭和61

Q6 立木は伐採しなければ取引の対象とできないのか。

A 立木は伐採しなくとも取引の対象となる。　立木に関する法律による所有権保存登記を経ていない立木であっても、その生立する土地と独立して取引の目的とされ、その権利変動は明認方法により公示されうるのであるから、これを土地と別個に強制執行の対象とすることを妨げないのであり、このことは、立木が独立の取引価値を有するものである限り、すでに明認方法が施されているか否か、あるいは土地と立木とが所有者を異にするか否かにかかわりない（最判昭46・6・24）。**出題** 国税－平成6

第87条（主物及び従物）

①物の所有者が、その物の常用に供するため、自己の所有に属する他の物をこれに附属させたときは、その附属させた物を従物とする。

②従物は、主物の処分に従う。

第88条（天然果実及び法定果実）

①物の用法に従い収取する産出物を天然果実とする。

②物の使用の対価として受けるべき金銭その他の物を法定果実とする。

Q1 桑葉、みかんなどは、樹木と未分離の状態で、その所有権を他人に移転できるか。

A 未分離の状態で、所有権を移転できる。　いまだ土地から分離していなくてもすでに成熟期に達した稲毛のようなものは、一種の動産として取り扱われ、取引の目的となることができるのであるから、本来は不動産の一部をなす分離前の果実についても、取引の目的となり、民法192条の適用がある（大判昭3・8・8）。**出題** 国税－昭和60

第89条（果実の帰属）

①天然果実は、その元物から分離する時に、これを収取する権利を有する者に帰属する。

②法定果実は、これを収取する権利の存続期間に応

じて、日割計算によりこれを取得する。

第5章　法律行為

第1節　総則

第90条（公序良俗）

公の秩序又は善良の風俗に反する法律行為は、無効とする。

Q1 犯罪を行わないことを条件として対価を与える契約は有効か。

A 公序良俗に反し無効である。　不法な行為を行わない対価として金銭を授受する行為は、取消しをまたずに法律上無効であるから、これにより当該金銭の所有権移転がなされないことは当然である（大判明45・3・14）。　　出題 地方上級 - 平成8

Q2 将来不和を生じて離婚する場合には、配偶者に対して金銭を交付するという契約は有効か。

A 有効である。　夫婦関係の継続中、夫が妻に対し自分から不和をかもして妻と離婚する際に、一定の金銭を交付すべき旨の契約をしたときは、当事者はこれにより、夫が理由なく妻と離婚しないことを期して、婚姻関係の継続を図ったのであるから、何ら善良の風俗に反しない（大判大6・9・6）。　　出題 地方上級 - 平成8

Q3 著しく不相当な財産的給付を約束させる行為は、行為者が相手方の窮迫、軽率もしくは無経験を利用する意図がなかった場合には、客観的に見て明らかに公序良俗に反して無効となるのか。

A 設問のような意図がなかった場合には、無効とならない。　行為者が相手方の窮迫、軽率もしくは無経験を利用し、著しく過当な利益の獲得を目的とする行為は、善良な風俗に反する事項を目的とするものであり、無効である（大判昭9・5・1）。　　出題 国家総合 - 平成30

Q4 配偶者のある者が不倫の関係を絶つことを目的として、慰謝料として金品を贈与することは有効か。

A 有効である。　私通関係のある男女が将来その情交をやめることを互いに決意した際に、男から女にその精神上の苦痛を慰謝する目的で金員の贈与を約することは、私通関係をやめることを当該契約の内容とするものではなく、また、もとより私通奨励の結果を招来するおそれがなく、公の秩序はもちろんのこと善良の風俗にも反しない（大判昭12・4・20）。　　出題 地方上級 - 平成8

Q5 賭博に敗れたため負担した債務の弁済を目的とする資金の貸付けは、公序良俗に反し無効となるのか。

A 公序良俗に反し無効となる。　賭博により負担した債務の弁済のために締結した資金の貸付け契約は、賭博をするために貸金契約を締結する場合と異なり、公序良俗に違反しないような外観があるとしても、賭博後の債務の弁済に供するために貸金を行うことは、これによって借主に賭博をさせることを容易にさせ、将来またまた賭博をするための資金の融通を受けることができることを信頼して賭博を反復させるような弊害が生ずるおそれがないとはいえないから、賭博のための借入れは、賭博行為の前後を問わず、公序良俗に反し無効となる（大判昭13・3・30）。　　出題 国家総合 - 平成30

Q6 芸娼妓契約とそれに伴う前借金契約（消費貸借契約）は有効か。

A 当該契約は全て無効である。　甲は、娘乙に酌婦業をさせる対価として、丙先代から消費貸借名義で前借金を受領したのであり、丙先代も乙の酌婦としての稼働の結果を目当てとし、これがあるために金員を貸与したのである。しからば甲の金員受領と乙の酌婦としての稼働とは、密接に関連して互いに不可分の関係にあるから、本件において契約の一部たる稼働契約の無効は、契約全部の無効をきたすのである（最判昭30・10・7）。　　出題 国 I - 平成16、地方上級 - 昭和56

Q7 食品衛生法による食肉販売業の営業許可を得ていない者が行った食肉の売買契約は無効か。

A 食肉の売買契約は有効である（最判昭35・3・18）。⇨行政法総論 *79*　　出題 国 I - 平成1、国税・財務・労基 - 令和4

Q8 アラレ菓子の製造販売業者が、硼砂が有毒性物質であることを知り、これを混入して製造したアラレ菓子の販売を食品衛生法が禁止していることを知りながら、あえてこれを製造のうえ、その販売業者に継続的に売り渡す契約は、民法90条により無効となるのか。

A 民法90条により無効となる。　食品衛生法に違反して有毒物質を含むアラレ菓子を販売しても、それだけで当該アラレ菓子の販売が無効となるものではないが、その販売が食品衛生法違反であることを知りながらあえて製造のうえ、同じ販売業者に継続的に売り渡した場合には、一般大衆の購買のルートに乗せたものといえ、その販売は、公序良俗に反して無効である（最判昭39・1・23）。　　出題 国家総合 - 平成30

Q9 男女間で定年に差別を設けた就業規則は合理的な差別として有効か。

A 民法90条（公序良俗）の規定により無効である〈日産自動車女子定年制事件〉（最判昭56・3・24、東京高判昭54・3・12）。⇨憲法11条 *37*　　出題 地方上級 - 平成8

Q10 賭博の用に供されることを知って行う金銭消費貸借契約は有効か。

A 公序良俗に反し無効である。　貸与される金銭が賭博の用に供されるものであることを知ってする金銭消費貸借契約は公序良俗に違反し無効である（最判昭47・4・25、最判昭61・9・4）。　　出題 地方上級 - 平成8

Q11 妻子ある男性が半同棲の関係にある女性に対し遺産の3分の1を包括遺贈した場合、当該遺贈が不倫な関係の維持継続を目的とせず、もっぱら同女の生活を保全するためにされたものである場合には、当該遺贈は、公序良俗に反して無効となるのか。

A 原則として、当該遺贈は公序良俗に反して無効となるものではない。　妻子のある男性が、いわば半同棲の関係にある女性に対し、遺産の3分の1を包括遺贈した場合であっても、その遺贈が、妻と

の婚姻の実体をある程度失った状態の下で上記の関係が約6年間継続した後に、不倫な関係の維持継続を目的とせず、もっぱら同女の生活を保全するためにされたものであり、当該遺言において相続人である妻子も遺産の各3分の1を取得するものとされていて、その遺贈により相続人の生活の基盤が脅かされるものとはいえないなどの事情があるときは、当該遺贈は公序良俗に反するものとはいえない（最判昭61・11・20）。

出題 国家総合－平成30、国税・財務・労基－令和4

Q12 衣料品の卸売業者と小売業者との間における周知性のある他人の商品等表示と同一または類似のものを使用した商品の売買契約は有効か。

A 民法90条により無効である。　本件商品の取引は、衣料品の卸売業者である被上告人と小売業者である上告人との間において、本件商品が周知性のある米国ポロ社の商品等表示と同一または類似のものを使用したものであることを互いに十分に認識しながら、あえてこれを消費者の購買のルートに乗せ、米国ポロ社の真正な商品であると誤信させるなどして大量に販売して利益をあげようと企てたものである。本件のように、不正の目的をもって周知性のある他人の商品等表示と同一または類似のものを使用した商品を販売して、他人の商品と混同を生じさせる不正競争を行い、商標権を侵害した者は、不正競争防止法および商標法により処罰を免れないところ、本件商品の取引は、単に上記各法律に違反するというだけでなく、経済取引における商品の信用の保持と公正な経済秩序の確保を害する著しく反社会性の強い行為であるといわなければならず、そのような取引を内容とする本件商品の売買契約は民法90条により無効である（最判平13・6・11）。

出題 予想

Q13 法律行為が公序に反することを目的とするものであるとして無効になるかどうかは、どの時点で判断すべきか。

A 法律行為がされた時点の公序に照らして判断すべきである。　法律行為が公序に反することを目的とするものであるとして無効になるかどうかは、法律行為がされた時点の公序に照らして判断すべきである。なぜなら、法律行為の後の経緯によって公序の内容が変化した場合であっても、行為時に有効であった法律行為が無効になったり、無効であった法律行為が有効になったりすることは相当でないからである（最判平15・4・18）。

出題 国家総合－平成30

Q14 個品割賦購入あっせんにおいて、購入者と販売業者との間の売買契約が公序良俗に反し無効であることにより、購入者とあっせん業者との間の立替払契約は無効となるのか。

A 特段の事情がない限り、無効とならない。　個品割賦購入あっせんにおいて、購入者と販売業者との間の売買契約が公序良俗に反し無効とされる場合であっても、販売業者とあっせん業者との関係、販売業者の立替払契約締結手続への関与の内容および程度、販売業者の公序良俗に反する行為について

のあっせん業者の認識の有無および程度等に照らし、販売業者による公序良俗に反する行為の結果をあっせん業者に帰せしめ、売買契約と一体的に立替払契約についてもその効力を否定することを信義則上相当とする特段の事情があるときでない限り、売買契約と別個の契約である購入者とあっせん業者との間の立替払契約が無効となる余地はない（最判平23・10・25）。

出題 予想

Q15 建築基準法等の法令の規定に適合しない建物の建築を目的とする公序良俗違反の請負契約に基づく本工事の施工が開始された後に、施工された追加変更工事の施工の合意は公序良俗に反するのか。

A 一定の事情の下では、公序に反しない。　建築基準法等の法令の規定に適合しない建物の建築を目的とする公序良俗違反の請負契約に基づく本工事の施工が開始された後に、施工された追加変更工事は、同工事が区役所の是正指示や近隣住民からの苦情などさまざまな事情を受けて別途合意の上施工されたものであり、その中には上記本工事の施工によってすでに生じていた違法建築部分を是正する工事も含まれていたという事情の下では、上記追加変更工事の中に上記本工事で計画されていた違法建築部分につきその違法を是正することなくこれを一部変更する部分があるのであれば、その部分は別の評価を受けることになるが、そうでなければ、その施工の合意が公序良俗に反するものということはできない（最判平23・12・16）。

出題 予想

Q16 認定司法書士が委任者を代理して裁判外の和解契約を締結することが弁護士法72条に違反する場合、当該和解契約は無効となるのか。

A 公序良俗違反の性質を帯びるにいたるような特段の事情がない限り、無効とはならない。　認定司法書士による裁判外の和解契約の締結が弁護士法72条に違反する場合には、司法書士の品位を害するものとして、司法書士法2条違反を理由とする懲戒の対象になる（同法47条）うえ、弁護士法72条に違反して締結された委任契約は無効となると解されるから、当該認定司法書士は委任者から報酬を得ることもできないこととなる。しかし、当該和解契約の当事者の利益保護の見地からも、当該和解契約の内容およびその締結にいたる経緯等に特に問題となる事情がないのであれば、当該和解契約の効力を否定する必要はなく、かえって、弁護士法72条に違反することから直ちに当該和解契約の効力を否定するとすれば、紛争が解決されたものと理解している当事者の利益を害するおそれがあり、相当ではないというべきである。以上によれば、認定司法書士が委任者を代理して裁判外の和解契約を締結することが弁護士法72条に違反する場合であっても、当該和解契約は、その内容および締結にいたる経緯等に照らし、公序良俗違反の性質を帯びるにいたるような特段の事情がない限り、無効とはならない（最判平29・7・24）。

出題 予想

第91条（任意規定と異なる意思表示）

　法律行為の当事者が法令中の公の秩序に関しない規定と異なる意思を表示したときは、その意思に従う。

第92条（任意規定と異なる慣習）

法令中の公の秩序に関しない規定と異なる慣習がある場合において、法律行為の当事者がその慣習による意思を有しているものと認められるときは、その慣習に従う。

Q1 契約の解釈にあたって慣習が考慮されるためには、慣習による意思の存在を立証する必要があるのか。

A 立証の必要はない。　意思解釈の資料たるべき事実上の慣習が存する場合においては、法律行為の当事者がその慣習の存在を知りながら、特に反対の意思表示をしないときは、慣習による意思を有するものと推定する。したがって、その慣習による意思の存在を主張する者は特にこれを立証する必要はない〈塩釜レール入事件〉（大判大10・6・2）。

出題 国Ⅰ-平成6・1

第2節　意思表示

第93条（心裡留保）

①意思表示は、表意者がその真意ではないことを知ってしたときであっても、そのためにその効力を妨げられない。ただし、相手方がその意思表示が表意者の真意ではないことを知り、又は知ることができたときは、その意思表示は、無効とする。

②前項ただし書の規定による意思表示の無効は、善意の第三者に対抗することができない。

Q1 身分関係上の行為に関する心裡留保は、相手方が表示行為に内心的効果意思が伴っていないことを知った場合に限り無効となるのか。

A 身分関係上の行為については、民法93条但書は適用されず、相手方の知・不知に左右されない。養親子関係の設定を欲する効果意思のないことによる養子縁組の無効は、絶対的なものであって、民法93条但書の適用をまってはじめて無効となるのではない（最判昭23・12・23）。

出題 国税-昭和58

第94条（虚偽表示）

①相手方と通じてした虚偽の意思表示は、無効とする。

②前項の規定による意思表示の無効は、善意の第三者に対抗することができない。

◇虚偽表示の成立要件

Q1 通謀による虚偽の離婚の無効を善意の第三者に対抗できるのか。

A 善意の第三者に対抗できる。　婚姻の無効原因を民法742条の特別規定で制限した法意よりみれば、意思表示の無効に関する民法総則の規定が、婚姻に適用されないことは明らかであり、したがって、これと同一の性質を有する離婚についても適用されない。すなわち、民法94条の規定は離婚に適用されないのであるから、当事者が離婚の意思なく相通じて仮装の離婚届をしたときは、これを民法94条の無効と論じて、善意の第三者に対抗することができる（大判大11・2・25）。

出題 国Ⅱ-平成3

Q2 通謀による虚偽表示は単独行為（契約解除）に

ついても成立するのか。

A 契約解除については成立する。　単独行為であっても、契約解除のような相手方のある単独行為であれば通謀が可能であるから、民法94条が適用される（最判昭31・12・28）。

出題 国Ⅰ-平成19・6、地方上級-昭和61、国Ⅱ-平成3

Q3 通謀による虚偽表示は単独行為（共有持分権の放棄）についても成立するのか。

A 共有持分権の放棄については成立する。　共有持分権の放棄は単独行為であるが、その放棄により利益を受ける他の共有者に対する意思表示によってなすことができ、この場合、その放棄について相手方である共有者との通謀によって虚偽の意思表示がなされた場合には、民法94条1項を類推適用して当該意思表示を無効とすべきである（最判昭42・6・22）。

出題 国Ⅰ-平成19・6

Q4 通謀して財団法人設立のため、寄附行為の形式を整える目的で財産を出捐する旨仮装して寄附行為をした場合、当該寄附行為は無効となるのか。

A 民法94条1項の類推適用により当該寄附行為は無効となる。　財団法人を設立するためにされる寄附行為は、相手方を必要としない単独行為であるが、その一環をなす財産出捐行為が、現実には財団法人設立関係者の通謀に基づき出捐者において真実財産を出捐する意思がなく単に寄附行為の形式を整える目的で一定の財産を出捐する旨を仮装したにすぎない場合においては、この事実関係を実質的に考察し、当該寄附行為について民法94条の規定を類推適用してこれを無効と解する（最判昭56・4・28）。

出題 国Ⅰ-昭和58

◇民法94条2項の適用

Q5 善意の第三者に対して無効を主張することは、当事者ばかりでなく他の第三者も許されないのか。

A 他の第三者も許されない。　虚偽表示による売買が当事者間で無効であることを権利の転得者に対して主張できないのは、民法94条2項の規定より明らかであるが、その無効を主張できない者は、虚偽の売買の当事者にとどまらず、その売買の債権者も含まれる（大判明37・12・26）。

出題 国Ⅱ-平成9

Q6 AはBのために仮装の債務に基づき不動産質権を設定し登記をしたが、いまだ目的不動産の引渡しをしていない場合、当該質権を善意で譲り受けた第三者は保護されるのか。

A 民法94条2項の適用により、善意の第三者は保護される。　質権設定契約の成立には、合意のほか目的物の引渡しを要することは民法344条より明らかである（要物契約）。したがって、当事者が質権設定契約につき、相通じて虚偽の合意をし、物の引渡しを仮装した場合は無効であるが、その無効は同法94条2項により善意の第三者に対抗することはできない（大判昭6・6・9）。

出題 国Ⅰ-平成6、地方上級-昭和61

◇民法94条2項の「善意」

Q7 民法94条2項の第三者として保護されるためには、「善意」に無過失も要するのか。

A「善意」のみで足りる。　民法94条2項の適用を受けるために、第三者が保護されるためには、「善意」であれば足り、無過失も要するものではない（大判昭12・8・10）。

出題 国家総合－平成29・27

Q8 甲は不動産の取得当時、それが虚偽表示によることを知らなかったが、登記を得るまでにその事実を知った場合、善意の第三者として保護されるのか。

A 民法94条2項の善意の第三者として保護される。　民法94条2項のいわゆる善意の第三者は、虚偽の意思表示の目的につき、その表示が虚偽であることを知らずに法律上利害関係を有するに至った第三者にほかならず、本件においても当該不動産の権利を取得する行為をした当時、その意思表示が虚偽であることを知らないときは、その当時すでに虚偽の意思表示に関する登記が抹消されていた場合でも、民法94条2項のいわゆる善意の第三者として保護を受ける（大判大5・11・17）。

出題 国Ⅰ－昭和57、地方上級－平成9・昭和61、国Ⅱ－平成3、裁判所総合・一般－令和1、裁判所Ⅰ・Ⅱ－平成23、国税・財務・労基－平成25

Q9 民法94条2項の「善意」の主張および立証責任は誰にあるのか。

A 第三者にある。　第三者が民法94条2項の保護を受けるためには、自己が善意であったことを立証しなければならない（最判昭35・2・2、最判昭41・12・22）。

出題 国Ⅰ－平成6・昭和57、地方上級－平成9、特別区Ⅰ－平成17、国Ⅱ－平成3

◇民法94条2項の「第三者」

Q10 民法94条2項の第三者とは何か。

A 虚偽の意思表示の当事者又はその一般承継人以外の者であって、その表示の目的につき法律上利害関係を有するに至った者をいう。　民法94条2項にいわゆる第三者とは、虚偽の意思表示の当事者又はその一般承継人（たとえば、相続人）以外の者であって、その表示の目的につき法律上利害関係を有するに至った者をいうと解すべきである（最判昭42・6・29）。

出題 国Ⅰ－平成19、裁判所総合・一般－令和1、国税・財務・労基－平成25

Q11 通謀虚偽表示により不動産を譲り受けた者の善意の包括承継人（相続人）は、民法94条2項の第三者に含まれるか。

A 民法94条2項の第三者に含まれない（最判昭42・6・29）。⇨ *10*

Q12 AはBと通謀してA所有の甲土地をBに仮装譲渡し、所有権移転登記を了した。この事情を知らないBの一般債権者であるCは、甲土地について差押えをしていなくても、法律上の利害関係を有するものといえるのか。

A 差押えをしなければ、法律上の利害関係を有するものとはいえない。　仮装譲渡された土地に譲受人が所有権移転登記を了したが、この事情を知らない一般債権者は、当該土地について差押え（差押債権者）をしていなければ、法律上の利害関係を有する者といえない（大判昭12・2・9）。

出題 裁判所総合・一般職－令和2、裁判所Ⅰ・Ⅱ－平成21

Q13 債権の発生が仮装された場合において、その仮装された債権を譲り受けた者は、民法94条2項にいう第三者に含まれるのか。

A 第三者に含まれる。　預金債権の譲受人Yはその仮装の事実を知らずに、本件預金債権を譲り受けた場合、その仮装行為をしたXが、善意の第三者である預金債権の譲受人Yに対し、真の預金債権者はAであってBは単に表面上の債権者にすぎないという内部の隠れた事実を対抗し、不測の損害を被らせることができるとすると、民法94条2項を設けた立法の精神に照らし反することになり、許されるものではない（大判昭13・12・17）。

出題 国Ⅰ－平成19

Q14 債権譲渡が仮装された場合における債務者は、民法94条2項にいう第三者に含まれるのか。

A 第三者に含まれない。　債権譲渡が仮装された場合の債務者は、民法94条2項の「善意の第三者」にはあたらない。なぜなら、債権の譲渡行為が虚偽の法律行為である以上、その譲渡の対抗要件としてなされた行為が譲渡の通知であると、債務者の承諾であるとを問わず、債権移転の効果を生じるものでないのみならず、債務者がその譲渡が虚偽であることを知らない場合であっても、その譲受人に対し債務を負担するものではなく、債務者が譲渡行為の目的について法律上の利害関係を有する者とはいえないからである（大判昭8・6・16）。

出題 国Ⅰ－平成19

Q15 虚偽表示による譲受人からその目的物について抵当権の設定を受けた者は「第三者」に含まれるか。

A「第三者」に含まれる。　虚偽の意思表示による不動産の譲渡契約があった場合に、その事情を知らない第三者が当該譲渡契約をした者から抵当権の設定を受けたときは、当該譲渡契約の無効を当該第三者に対抗することができないのは、民法94条2項の規定より明らかであるから、第三者からこれをみれば、不動産の所有者から抵当権の設定を受けたのであり、有効に当該権利を取得するものである（大判昭6・10・24）。

出題 国Ⅱ－平成9

Q16 通謀虚偽の意思表示により不動産につき譲渡契約が結ばれ、その買主から抵当権の設定を受けた第三者が通謀虚偽表示につき善意であるときは、その競落人も虚偽表示を理由とする無効の主張に対抗できるか。

A 対抗できる。　不動産の仮装売買の買主Aから抵当権の設定を受けた第三者Bが、仮装売買について善意であるときは、民法94条2項により、Bからみれば不動産の真実の所有者から抵当権の設定を受けたということができるので、Bは有効に抵当

民法

権の実行として競売の申立をすることができ、したがって、競売手続の結果、競落人となったＹは不動産の所有権を取得することになる。このことは、抵当権の設定登記後、ＸがＡを相手に所有権移転登記抹消手続を求める訴えを提起し、その抹消登記について仮登記を受け、また、受訴裁判所が予告登記をしても変わりはない（大判昭6・10・24）。

出題 国税・労基 – 平成16

Q17 甲と乙との通謀により甲から乙に対し抵当権を設定したものと仮装した抵当権設定登記が経由された後、乙が善意の丙に対し転抵当権を設定し、丙を権利者とする転抵当権設定登記が経由された場合、丙は、民法376条所定の対抗要件を具備していなくても、原抵当権の設定の無効を理由とする原抵当権設定登記の抹消について、甲に対し承諾の義務を負うのか。

A 甲に対し承諾の義務を負わない。　原抵当権が虚偽仮装のものであることにつき善意で転抵当権の設定を受けた者は、たとえ転抵当権の取得につき民法376条1項所定の要件を未だ具備しておらず、したがって、上記権利そのものを行使し、又は権利取得の効果を原抵当権設定者に主張することができない場合であっても、民法94条2項の関係では、すでに有効な転抵当権設定契約に基づき一定の法律上の地位を取得した者として同条項にいう善意の第三者に該当するものであるから、原抵当権設定者は、これに対する関係では、原抵当権が虚偽仮装のものであることを主張することができない（最判昭55・9・11）。

出題 裁判所Ⅰ・Ⅱ – 平成23

Q18 直接の第三者が善意で転得者が悪意である場合、転得者は保護されるのか。

A 転得者は保護される。　売買契約の当事者が虚偽表示により不動産所有権の移転登記をなし、次にその登記名義人がこれを善意の第三者に譲渡した後、その第三者から所有権を転得した者が転得の当時最初の契約当事者がなした売買が虚偽表示であることを了知していても、その者は善意の第三者の権利を承継するのであって、最初の虚偽表示における売主は自己の行った意思表示の無効を転得者に対抗することができない（大判大3・7・9）。

出題 地方上級 – 平成9、国Ⅱ – 平成22・9、裁判所総合・一般 – 令和1、裁判所Ⅰ・Ⅱ – 平成15

Q19 直接の第三者が悪意で転得者が善意である場合、転得者は保護されるのか。

A 転得者は保護される。　民法94条2項にいう第三者とは、虚偽の意思表示の当事者またはその一般承継人以外の者であって、その表示の目的につき法律上利害関係を有するに至った者をいい、虚偽表示の相手方との間でその表示の目的につき直接取引関係に立った者のみならず、その者からの転得者もまた、民法94条2項にいう第三者にあたる。そして同条項を類推適用する場合においても、これと解釈を異にすべき理由はなく、転得者に対する所有権帰属の判断は、直接の第三者が悪意であったことによって左右されない（最判昭45・7・24）。

出題 国Ⅰ – 平成19・16・12・10・6、昭和57、地方上級 – 平成9、東京Ⅰ – 平成14、国Ⅱ – 平成

18・9、裁判所Ⅰ・Ⅱ – 平成21、国税・労基 – 平成16

Q20 土地の賃借人が地上建物を他に仮装譲渡した場合、土地賃貸人は「第三者」に含まれるのか。

A 「第三者」に含まれない。　土地の賃借人が、同人所有の地上建物につき通謀虚偽表示により所有権譲渡および登記をした場合、土地賃貸人は当該譲渡につき民法94条2項の第三者にあたらない（最判昭38・11・28）。

出題 国税 – 平成16

Q21 土地の仮装譲受人が、その土地上に建物を建築してこれを他人に賃貸した場合、建物の賃借人は、民法94条2項の第三者にあたるのか。

A 第三者にあたらない。　土地の仮装譲受人が、土地上に建物を建築してこれを他人に賃貸した場合、当該建物の賃借人は、仮装譲渡された土地については法律上の利害関係を有するものとは認められないから、民法94条2項所定の第三者にあたらない（最判昭57・6・8）。

出題 国家総合 – 令和2、国Ⅰ – 平成19、裁判所総合・一般 – 令和1

◇善意の第三者の対抗要件の有無

Q22 ＡとＢが不動産の仮装売買を行った場合、第三者Ｃが善意でＢからこれを買い受けたとき、Ｃが登記する前に、Ａからの譲受人Ｄが登記名義人であるＢを債務者とする処分禁止の仮処分登記を経たとしても、Ｃはその所有権をＤに対抗できるのか。

A Ｃはその所有権をＤに対抗できない。　仮装譲渡された土地を仮装譲受人から善意で譲り受けても、所有権取得登記をする前に所有者から譲り受けた第三者が仮装譲受人に対する仮処分決定を得て登記をしたときは、善意の譲受人はその第三者に対して所有権取得を対抗できない（最判昭42・10・31）。

出題 国家総合 – 平成27、国税・労基 – 平成16

Q23 甲が乙に対し通謀虚偽表示により不動産を譲渡した後、乙から不動産を善意で譲り受けた丙は、登記なくして甲に当該不動産の所有権を対抗できるのか。

A 丙は登記なくして対抗できる。　自ら仮装行為をした者が、外形を除去しない間に、善意の第三者がその外形を信じて取引関係に入った場合においては、その取引から生ずる物権変動について、登記が第三者に対する対抗要件とされているときでも、仮装行為者としては、第三者の登記の欠缺を主張して、当該物権変動の効果を否定することはできない。この理は、民法94条2項を類推適用すべき場合においても同様であって、他人の承諾を得て他人名義で不動産を競落した者は、名義人が所有者であると信じてこれを譲り受けた者に対し、その登記の欠缺を主張することができない（最判昭44・5・27）。

出題 国家総合 – 令和2・平成24、国Ⅰ – 平成13・7・昭和57・56、国家一般 – 平成25、国Ⅱ – 平成15・9・3、裁判所総合・一般 – 令和1、裁判所Ⅰ・Ⅱ – 平成21、国税・労基 – 平成20・16、国税 – 平成7

◇民法 94 条 2 項の類推適用

Q24 未記の建物の所有者 A が、B にその所有権を移動する意思がないのに、B の承諾を得て、建物について B 名義の所有権保存登記を経由したときは、善意の第三者に対抗することができるのか。

A 善意の第三者に対抗することができない。　未登記の建物の所有者が、他人に所有権を移転する意思がないのに、他人の承諾を得たうえ、建物について他人名義の所有権保存登記を経由したときは、実質において、建物の所有者が、いったん自己名義の所有権保存登記を経由した後、所有権移転の意思がないのに、他人と通謀して所有権を移転したかのような虚偽仮装の行為をし、これに基づいて虚偽仮装の所有権移転登記を経由した場合と何ら異ならないから、民法 94 条 2 項を類推適用して、建物の所有者は、他人が実体上記建物の所有権を取得しなかったことをもって、善意の第三者に対抗することができない（最判昭 41・3・18）。

出題 国 II − 平成 22

Q25 不動産の所有者甲は、不動産を乙の承諾なく乙名義の登記にしたところ、乙が当該不動産を善意の第三者丙に売却した場合、甲は丙に当該不動産の返還を求めることができるか。

A 甲は丙に当該不動産の返還を求めることはできない。　不動産の所有者が、他人にその所有権を帰せしめる意思がないのに、その承諾を得て、自己の意思に基づき、当該不動産につき他人の所有名義の登記を経由したときは、所有者は、民法 94 条 2 項の類推適用により、登記名義人に不動産の所有権が移転していないことをもって、善意の第三者に対抗することができないが、登記について登記名義人の承諾のない場合においても、不実の登記の存在が真実の所有者の意思に基づくものである以上、民法 94 条 2 項の法意に照らし、同条項を類推適用すべきである。（最判昭 45・7・24）。

出題 国 I − 昭和 58、地方上級 − 昭和 56

Q26 甲は自己の土地が乙名義で登記されていることを知りつつこれを放置し、後に乙がこの土地を善意の丙に売却した場合、甲は丙に対抗できるのか。

A 甲は丙に対抗できない。　不実の所有権移転登記の経由が所有者の不知の間に他人の専断によってなされた場合でも、所有者がその不実の登記のされていることを知りながら、これを存続させることを明示または黙示に承認していたときは、民法 94 条 2 項を類推適用し、所有者は、その後当該不動産について法律上利害関係を有するに至った善意の第三者に対して、登記名義人が所有権を取得していないことをもって対抗することができない（最判昭 45・9・22）。

出題 国家総合 − 令和 2、国 I − 昭和 58、国家一般 − 令和 2、東京 I − 平成 14、国 II − 平成 22、国税 − 平成 10

Q27 A は自己所有の土地が B 名義で登記されていることを知りながら放置していたところ、B はその土地を事情の知らない C に売却し、C への移転登記がなされた場合、C は保護されるのか。

A C は保護される（最判昭 45・9・22）。⇨ **26**

Q28 虚偽表示の目的物を差し押さえた相手方の一般債権者は、民法 94 条 2 項の「第三者」に該当するのか。

A「第三者」に該当する。　A は、その所有の未登記建物である本件建物が固定資産課税台帳に A の夫 B の所有名義で登録されていたのを知りながら、長年これを黙認していたところ、C はその所有名義により本件建物が B の所有に属するものと信じて、B に対する債権に基づきこれを差し押さえたのである。ところで、未登記建物の所有者が旧家屋台帳法による家屋台帳にその建物が他人の所有名義で登録されていることを知りながら、これを明示又は黙示に承認していた場合には、民法 94 条 2 項の類推適用により、所有者（A）は、上記台帳上の名義人（B）から権利の設定を受けた善意の第三者（C）に対し、名義人（B）が所有権を有しないことをもって対抗することができないと解すべきである。そして固定資産課税台帳は、本来課税のために作成されるものではあるが、未登記建物についての同台帳上の所有名義は、建物の所有権帰属の表示の役割をはたすものとなっているのであるから、この外形を信頼した善意の第三者（C）は上記と同様の法理によって保護されるべきものと解する（最判昭 48・6・28）。

出題 国家総合 − 平成 27

◇民法 94 条 2 項、110 条による第三者保護

Q29 不動産売買の予約を相通じて、仮装して所有権移転請求権保全の仮登記手続をした後に、外観上の仮登記権利者が本登記手続をしたときは、外観上の仮登記義務者は、本登記の無効を善意無過失の第三者に対抗できるか。

A 善意無過失の第三者に対抗できない。　本件第 1、第 2 の不動産は X 被上告人の所有であったところ、X 被上告人は、昭和 30 年 11 月 15 日、訴外 A から、個人名義の財産をもっていないと取引先の信用を得られないなどの理由で、第 1、第 2 の不動産の所有名義だけでも貸してほしい旨申し込まれ、同訴外人と合意のうえ、当該不動産につき売買予約をしたと仮装し、A のため所有権移転請求権保全の仮登記手続をした。ところが、A は真正に成立したものでない委任状によって、上記不動産につき、ほしいままに自己に対し所有権取得の本登記手続を経由したのである。思うに、不動産について売買の予約がされていないにもかかわらず、その予約を仮装して所有権移転請求権保全の仮登記手続をした場合、外観上の仮登記権利者がこのような仮登記があるのを奇貨として、ほしいままに売買を原因とする所有権移転の本登記手続をしたとしても、この外観上の仮登記義務者は、その本登記の無効をもって善意無過失の第三者に対抗できない。なぜなら、このような場合、仮登記の外観を仮装した者がその外観に基づいてされた本登記を信頼した善意無過失の第三者に対して、責に任ずべきことは、民法 94 条 2 項、同法 110 条の法意に照らし、外観尊重および取引保護の要請というべきだからである。今叙上の見地に立って本件をみるに、A がほしいま

まに仮登記に基づく本登記をなした後、本件第1、第2の不動産は登記簿上、AよりYに、さらに本件第2の不動産はYよりZに移転している以上、XはYに対抗することができない（最判昭43・10・17）。

出題 国家総合 - 令和2、国Ⅱ - 平成22、裁判所Ⅰ・Ⅱ - 平成21

Q30 YがA所有の甲土地を買受けた後、Aはひそかに抵当権設定証書と停止条件付代物弁済契約書を作成してYに署名を求め、Yが知らずにこれに署名したため、AY間の譲渡に担保権としての登記がなされた。その後、Aは甲土地をさらにBに譲渡し、BはこれをXに譲渡した。この場合、Xが善意無過失であれば、XはYに登記の抹消を請求できるのか。

A XはYに登記の抹消を請求できる。　Yは、登記の記載上は抵当権設定登記および所有権移転請求権保全の仮登記を有する者であるが、真実はAから所有権を取得した所有者であり、その所有権の保全のために仮登記手続をすべきところ、登記手続を委任された司法書士が抵当権設定登記および停止条件付代物弁済契約に基づく所有権移転請求権保全の仮登記手続をしたのである。したがって、当該抵当権設定登記および停止条件付代物弁済契約に基づく所有権移転請求権保全の仮登記はYの意思に基づくものである。そうとすれば、Yは、善意無過失の第三者（X）に対し、当該登記が実体上の権利関係と相違し、Yが仮登記を経た所有権者であり、抵当権者ないし停止条件付代物弁済契約上の権利者ではないと主張しえない（最判昭45・11・19）。

出題 国Ⅰ - 平成9

Q31 Xの不注意により、Aが本件不動産の登記済証、Xの印鑑登録証明書およびXを申請者とする登記申請書を用いて本件登記手続をしたことについては、Xの帰責性の程度が重く、Yは、Aが所有者であるとの外観を信じ、また、そのように信ずることについて過失がなかった場合には、Xは、Aが本件不動産の所有権を取得していないことをYに主張することができるのか。

A Xは、民法94条2項、110条の類推適用により、Yに主張することができない。　Xは、Aに対し、本件不動産の賃貸に係る事務および7371番4の土地についての所有権移転登記等の手続を任せていたのであるが、そのために必要であるとは考えられない本件不動産の登記済証を合理的な理由もないのにAに預けて数か月間にわたってこれを放置し、Aから7371番4の土地の登記手続に必要といわれて2回にわたって印鑑登録証明書4通をAに交付し、本件不動産を売却する意思がないのにAのいうままに本件売買契約書に署名押印するなど、Aによって本件不動産がほしいままに処分されかねない状況を生じさせていたにもかかわらず、これを顧みることなく、さらに、本件登記がされた平成12年2月1日には、Aのいうままに実印を渡し、AがXの面前でこれを本件不動産の登記申請書に押捺したのに、その内容を確認したり使途を問いただしたりすることもなく漫然とこれを見ていたのである。

そうすると、Aが本件不動産の登記済証、Xの印鑑登録証明書およびXを申請者とする登記申請書を用いて本件登記手続をすることができたのは、上記のようなXのあまりにも不注意な行為によるものであり、Aによって虚偽の外観（不実の登記）が作出されたことについてのXの帰責性の程度は、自ら外観の作出に積極的に関与した場合やこれを知りながらあえて放置した場合と同視しうるほど重いものである。そして、Yは、Aが所有者であるとの外観を信じ、また、そのように信ずることについて過失がなかったのであるから、民法94条2項、110条の類推適用により、Xは、Aが本件不動産の所有権を取得していないことをYに対し主張することはできない（最判平18・2・23）。

出題 国家総合 - 平成27、国Ⅱ - 平成22

第95条〔錯誤〕

①意思表示は、次に掲げる錯誤に基づくものであって、その錯誤が法律行為の目的及び取引上の社会通念に照らして重要なものであるときは、取り消すことができる。

　　1　意思表示に対応する意思を欠く錯誤

　　2　表意者が法律行為の基礎とした事情についてのその認識が真実に反する錯誤

②前項第2号の規定による意思表示の取消しは、その事情が法律行為の基礎とされていることが表示されていたときに限り、することができる。

③錯誤が表意者の重大な過失によるものであった場合には、次に掲げる場合を除き、第1項の規定による意思表示の取消しをすることができない。

　　1　相手方が表意者に錯誤があることを知り、又は重大な過失によって知らなかったとき。

　　2　相手方が表意者と同一の錯誤に陥っていたとき。

④第1項の規定による意思表示の取消しは、善意でかつ過失がない第三者に対抗することができない。

◇意思表示の解釈（内心の意思の不一致）

Q1 売買契約において、契約書に記された代金の中に政府から目的物の所有者に与えられる補償金が含まれるか否かについて売主と買主との間に争いがある場合、契約は成立するのか。

A 契約は成立しない。　本件契約においては、Xは生糸製造の権利を譲渡し、Yはその代金として10,290円を支払うべき旨を定めただけであり、生糸繰糸釜に関する権利ならびに補償金については何ら意思表示をしていない。ところが、本件契約にあたり、Xは、契約の文言通り生糸製造の権利のみを譲渡しその代金としてYから10,290円全額の支払いを受ける意思で当該契約をしたのに反し、Yは生糸製造の権利とともに繰糸釜に関する権利もともに譲渡を受け、これに対して代金として10,290円の中から補償金（全国蚕糸業組合連合会から）を控除した残額のみを支払うべき意思で当該契約をしたことは明らかであるから、本件契約の文言については当事者双方において互いに解釈を異にし、双方相異なる趣旨で当該文言の意思表示を

民法編

したのであり、両者は契約の要素とされるべき点について合致を欠き、契約は成立していない（大判昭19・6・28）。　　　　　　出題 国Ⅰ－平成6

◇動機の錯誤

Q2 動機が明示又は黙示に表示されると法律行為の内容となり、それが法律行為の目的及び取引上の社会通念に照らして重要な錯誤にあたれば取り消すことができるのか。

A 取り消すことができる。　意思表示における錯誤とは、内心的効果意思と意思表示の内容たる表示的効果意思との間における不慮の不一致であるから、民法95条にいわゆる法律行為の目的及び取引上の社会通念に照らして重要な錯誤もまた意思表示の内容に存するものであることは当然である。しかし、意思表示の内容は、抽象的で一定のものではないので、各個の具体的表示によりそれぞれ定められるものであるから、同一の事実は、具体的表示の有無により、意思表示の内容となったり、あるいは、意思表示の内容とならないこともある。したがって、通常、意思表示の縁由に属すべき事実といっても、表意者が、意思表示の内容に加える意思を明示又は黙示したときは、意思表示の内容を構成する（大判大3・12・15）。

出題 国家総合－平成24、裁判所総合・一般－平成30

Q3 動機の錯誤は法律行為の目的及び取引上の社会通念に照らして重要な錯誤になる場合があるのか。

A 相手方に表示された場合に法律行為の目的及び取引上の社会通念に照らして重要な錯誤となる。意思表示をなすについての動機は表意者が当該意思表示の内容としてこれを相手方に表示した場合でない限り法律行為の目的及び取引上の社会通念に照らして重要な錯誤とはならない（最判昭29・11・26）。

出題 国Ⅰ－平成16・2・昭和58、国Ⅱ－平成4、裁判所Ⅰ・Ⅱ－平成14、国税・労基－平成20・15、国税－平成10

Q4 信用保証協会（C）と金融機関（B）との間で保証契約が締結され融資が実行された後に、主債務者（A）が反社会的勢力であることが判明した場合、Aは反社会的勢力でないというCの動機は、法律行為の目的及び取引上の社会通念に照らして重要な錯誤にあたるのか。

A 法律行為の目的及び取引上の社会通念に照らして重要な錯誤にあたらない。　CおよびBは、本件各保証契約の締結当時、本件指針等により、反社会的勢力との関係を遮断すべき社会的責任を負っており、本件各保証契約の締結前にAが反社会的勢力である暴力団員であることが判明していた場合には、これらが締結されることはなかったと考えられる。しかし、保証契約は、主債務者がその債務を履行しない場合に保証人が保証債務を履行することを内容とするものであり、主債務者が誰であるかは同契約の内容である保証債務の一要素となるものであるが、主債務者が反社会的勢力でないことはその

主債務者に関する事情の1つであって、これが当然に同契約の内容となっているということはできない。また、保証契約が締結され融資が実行された後に初めてAが反社会的勢力であることが判明した場合には、すでにAが融資金を取得している以上、上記社会的責任の見地から、債権者と保証人において、できる限り上記融資金相当額の回収に努めて反社会的勢力との関係の解消を図るべきであるとはいえても、両者間の保証契約について、主債務者が反社会的勢力でないということがその契約の前提又は内容になっているとして当然にその効力が否定されるべきものともいえない。そうすると、Aが反社会的勢力でないことというCの動機は、それが明示又は黙示に表示されていたとしても、当事者の意思解釈上、これが本件各保証契約の内容となっていたとは認められず、Cの本件各保証契約の意思表示に法律行為の目的及び取引上の社会通念に照らして重要な錯誤はないというべきである（最判平28・1・12）。　　　　　　　　　　　　　出題 予想

Q5 信用保証協会と金融機関との間で保証契約が締結され融資が実行された後に主債務者が中小企業者の実体を有しないことが判明した場合において、主債務者が中小企業者の実体を有することという信用保証協会の動機が表示されていた場合には、法律行為の目的及び取引上の社会通念に照らして重要な錯誤が認められるのか。

A 法律行為の目的及び取引上の社会通念に照らして重要な錯誤は認められない。　信用保証協会と金融機関との間で保証契約が締結され融資が実行された後に主債務者が中小企業者の実体を有しないことが判明した場合において、上記保証契約の当事者がそれぞれの業務に照らし、上記の場合が生じうることを想定でき、その場合に信用保証協会が保証債務を履行しない旨をあらかじめ定めるなどの対応をとることも可能であったにもかかわらず、上記当事者間の信用保証に関する基本契約および上記保証契約等にその場合の取扱いについての定めが置かれていないなどの事情の下では、主債務者が中小企業者の実体を有することという信用保証協会の動機は、それが表示されていたとしても、当事者の意思解釈上、上記保証契約の内容となっていたとは認められず、信用保証協会の上記保証契約の意思表示に法律行為の目的及び取引上の社会通念に照らして重要な錯誤はない（最判平28・12・19）。　　出題 予想

◇法律行為の目的及び取引上の社会通念に照らして重要な錯誤（要素の錯誤）

Q6 法律行為の目的及び取引上の社会通念に照らして重要な錯誤とは、この点につき錯誤がなかったならば意思表示をしなかったであろうという因果関係のある場合を意味し、表示しないことが通常人にとって重要であるか否かを問わないのか。

A 表示しないことが通常人にとって重要であるか否かを問うものである。　法律行為の目的及び取引上の社会通念に照らして重要なものというのは、法律行為の主要部分であって、主要部分というのは、各法律行為において表意者が意思表示の内容部分と

なし、この点につき錯誤がなかったならば意思表示をしなかったであろうと考えられ、かつ、表示しないことが一般取引の通念に照らし妥当と認められるものをいう（大判大7・10・3）。

出題 国Ⅱ-平成1、国税・財務・労基-平成26、国税・労基-平成15

Q7 他に連帯保証人がある旨の債務者の虚言を信じて保証契約を締結した場合、法律行為の目的及び取引上の社会通念に照らして重要な錯誤があるとして保証契約の取消しを主張できるのか。

A 保証契約の取消しを主張できない。　保証契約は、保証人と債権者との間に成立する契約であって、他に連帯保証人があるかどうかは、通常は保証契約をなす単なる縁由にすぎず、当然にはその保証契約の内容となるものではない（最判昭32・12・19）。

出題 地方上級-平成14（市共通）、市役所上・中級-平成10、裁判所総合・一般-平成29・24、国税-昭和56

Q8 A2が、Bから代物弁済により甲土地を取得したと主張し、Bは代物弁済の効力を争っていたところ、A1とBとの間で、Bが A1 に甲土地の所有権があることを認め、A1が Bに対し甲土地の明渡しを猶予する旨の和解が成立した。その後、代物弁済が無効であることが判明した場合、Bは、その前提である代物弁済の効力について、錯誤による取消しを主張することができるのか。

A 錯誤による取消しを主張することはできない。本件和解契約は、株式会社 A2 が本件土地建物（甲）をBから代物弁済によってその所有権を取得したかどうか、換言すれば、Bと株式会社 A2 との間に本件土地建物の所有権の帰属について争いがあり、その結果、この争いを止めるため、Bが本件土地建物の所有権が A1 にあることを認めるとともに、A1 は Bに対し明渡しを猶予することとして成立したというのである。したがって、Bと株式会社 A2 との間でされた本件代物弁済契約の効力に関する争いは、本件和解によってこれを止めることを約したものであり、本件代物弁済契約の効力自体が争いの目的たる事項に該当するといえるから、この点について和解当事者（A1・B）は錯誤を理由としてその取消しを主張しえない（最判昭43・7・9）。

出題 裁判所総合・一般-平成27

Q9 動機が黙示的に表示されているときであっても、法律行為の目的及び取引上の社会通念に照らして重要な錯誤にあたる場合があるのか。

A 法律行為の目的及び取引上の社会通念に照らして重要な錯誤にあたる場合がある。　意思表示の動機の錯誤が法律行為の目的及び取引上の社会通念に照らして重要な錯誤としてその取消しをきたすためには、その動機が相手方に表示されて法律行為の内容となり、もし錯誤がなかったならば表意者がその意思表示をしなかったであろうと認められる場合であることを要するところ（最判昭29・11・26、最判昭45・5・29参照）、動機が黙示的に表示されているときであっても、これが法律行為の内容となることを妨げるものではない（最判平1・9・14）。

出題 国家総合-平成29

Q10 商品代金の立替払契約がいわゆる空クレジット契約であることを知らずに、同契約上の債務の保証契約を締結することは、保証人の意思表示に法律行為の目的及び取引上の社会通念に照らして重要な錯誤があるのか。

A 保証人の意思表示に法律行為の目的及び取引上の社会通念に照らして重要な錯誤がある。　主たる債務が実体のある正規のクレジット契約によるものである場合と、空クレジットを利用することによって不正常な形で金融の便益を得るものである場合とで、主債務者の信用に実際上差があることは否定できず、保証人にとって、主債務がどちらの態様のものであるかにより、その負うべきリスクが異なってくるはずであり、看過しえない重要な相違がある。まして、1通の本件契約書上に本件立替払契約と本件保証契約が併せ記載されている本件においては、連帯保証人は、主債務者が本件機械を買い受けて被上告人に対し分割金を支払う態様の正規の立替払契約であることを当然の前提とし、これを本件保証契約の内容として意思表示をしたものであることは、いっそう明確である。連帯保証人は、本件保証契約を締結した際、本件立替払契約が空クレジット契約であることを知らなかったのであるから、本件保証契約における連帯保証人の意思表示は法律行為の目的及び取引上の社会通念に照らして重要な錯誤があったものといえる（最判平14・7・11）。

出題 国家総合-平成29

Q11 金融機関と交渉して当該金融機関に対する連帯保証人の保証債務を免れさせるという債務を履行する力量についての誤信は、民法95条1項にいう法律行為の目的及び取引上の社会通念に照らして重要な錯誤にあたるのか。

A 法律行為の目的及び取引上の社会通念に照らして重要な錯誤にあたらない。　金融機関と交渉して当該金融機関に対する連帯保証人の保証債務を免れさせるという債務を履行する力量についての誤信は、ただ単に、債務者にその債務を履行する能力があると信頼していたにもかかわらず、実際にはその能力がなく、その債務を履行することができなかったというだけでは、民法95条1項にいう法律行為の目的及び取引上の社会通念に照らして重要な錯誤とするに足りず、債務者自身の資力、他からの資金調達の見込み等、債務の履行可能性を左右すべき重要な具体的事実に関する認識に誤りがあり、それが表示されていた場合に初めて、法律行為の目的及び取引上の社会通念に照らして重要な錯誤となりうるというべきである（最判平22・3・18）。

出題 予想

◇取消し主張者の範囲

Q12 錯誤による取消しを主張できるのは誰か。

A 原則として表意者である。　民法95条の律意は、瑕疵ある意思表示をした当事者を保護しようとするにあるから、表意者自身において、その意思表示に何らの瑕疵も認めず、錯誤を理由として意思表示の取消しを主張する意思がないにもかかわら

ず、第三者において錯誤に基づく意思表示の取消しを主張することは、原則として許されない（最判昭40・9・10）。

出題 国Ⅰ－平成21・16・13・12・昭和56・52、国Ⅱ－平成21、国税・労基－平成15、国税－平成10・4・昭和59

Q13 第三者は錯誤による取消しを主張できるのか。
A 原則としてできないが、例外的に主張できる場合がある。　意思表示の法律行為の目的及び取引上の社会通念に照らして重要な錯誤については、表意者自身において、その意思表示に瑕疵を認めず、錯誤を理由として意思表示の取消しを主張する意思がないときは、原則として、第三者が意思表示の取消しを主張することは許されないが、当該第三者において表意者に対する債権を保全するため必要がある場合において、表意者が意思表示の瑕疵を認めているときは、表意者自らは当該意思表示の取消しを主張する意思がなくても、第三者たる債権者は表意者の意思表示の錯誤による取消しを主張することが許される（最判昭45・3・26）。

出題 国家総合－平成29、国Ⅰ－平成21・16・14・昭和60・58、特別区Ⅰ－平成17、裁判所総合・一般－平成29・27・24、裁判所Ⅰ・Ⅱ－平成19、国税・財務・労基－平成27、国税・労基－平成20・15

Q14 第三者において表意者に対する債権保全の必要性があり、表意者が意思表示に関し瑕疵があったことを認めている場合には、当該第三者は表意者の意思表示の錯誤による取消しを主張できるのか。
A 当該第三者は表意者の意思表示の錯誤による取消しを主張できる（最判昭45・3・26）。⇨13

Q15 民法95条3項により表意者に重大な過失があるため自ら取消しを主張しえない場合、相手方および第三者は取消しを主張しうるか。
A 相手方および第三者は取消しを主張しえない。
民法95条は、法律行為の目的及び取引上の社会通念に照らして重要な錯誤があった場合に、その表意者を保護するために取消しを主張することができるとしているが、表意者に重過失ある場合は、もはや表意者を保護する必要がないから、同条3項によって、表意者は取消しを主張できない。その法意によれば、表意者が取消しを主張することが許されない以上、表意者でない相手方または第三者は、取消しを主張することを許さるべき理由がないから、この取消しの主張はできない（最判昭40・6・4）。

出題 国Ⅰ－平成21・5・昭和54・51、国家一般－平成25、裁判所Ⅰ・Ⅱ－平成21

◇主張・立証責任

Q16 表意者に重大な過失のあることについて、誰が主張・立証責任を負うのか。
A 相手方が、主張・立証責任を負う。　表意者に重大な過失のあることについては、相手方が、主張・立証責任を負う（大判大7・12・3）。

出題 国Ⅰ－平成13

第96条（詐欺又は強迫）

①詐欺又は強迫による意思表示は、取り消すことができる。
②相手方に対する意思表示について第三者が詐欺を行った場合においては、相手方がその事実を知り、又は知ることができたときに限り、その意思表示を取り消すことができる。
③前2項の規定による詐欺による意思表示の取消しは、善意でかつ過失がない第三者に対抗することができない。

◇1項関係

Q1 相手を錯誤に陥れる点に故意があれば、錯誤による意思表示をさせる点に故意がなくても、詐欺は成立するのか。
A 錯誤による意思表示をさせる点にも故意がなければ詐欺は成立しない。　詐欺とは他人を錯誤によりある意思を決定・表示させるために、故意に事実を隠蔽もしくは虚構して表示することをいい、たとえば、被保険者が既往症を告げず、既往症がない旨の告知をしたために保険者がこれを信じて契約締結の意思表示をしたとしても、被保険者が保険者を錯誤によって契約締結の意思を決定・表示させる意思で、その告知をしたのでない限り、詐欺を行ったものとはいえない（大判大6・9・6）。

出題 地方上級－平成6（市共通）

Q2 民法上の詐欺における欺罔行為は、積極的なものであることを要し、沈黙がこれに含まれることはないのか。
A 沈黙も欺罔行為にあたる場合がある。　信義則上告知すべき義務があるにもかかわらず、これを黙秘して善意の相手方と契約を締結すれば、その契約は詐欺による契約となる（大判昭16・11・18）。

出題 国家一般－令和2、地方上級－昭和62

Q3 強迫による意思表示があるといえるためには、相手方が選択の自由を失うことを要するのか。
A 相手方が選択の自由を失うことを要しない。
民法96条にいう「強迫による意思表示」の要件たる強迫ないし畏怖については、明示もしくは暗黙に告知される害悪が客観的に重大なると軽微なるとを問わず、これにより表意者が畏怖した事実がありかつその畏怖の結果、意思表示をしたという関係が主観的に存すれば足りるのであり、また、強迫の結果選択の自由を失わなくても強迫による意思表示があるといえるのであり、完全に意思の自由を失った場合はむしろその意思表示は当然無効であり、民法96条適用の余地はない（最判昭33・7・1）。

出題 国Ⅰ－平成16、国家一般－平成25、裁判所総合・一般－令和2・平成26

Q4 強迫による意思表示というためには、強迫の内容たる害悪が客観的に重大なると軽微なるとを問わず、これを畏怖した結果、意思表示をしたという関係が主観的に存すれば足り、完全に意思の自由を失ったことまで要しないのか。
A 要しない（最判昭33・7・1）。⇨3

民法

◇3項関係

Q5 強迫を受けた者は、取消前に出現した善意の第三者にも対抗することができるのか。

A 対抗することができる。　強迫による意思表示の取消しは、詐欺による意思表示の取消しの場合と異なり、取消前に出現した第三者が善意であっても、その取消しを対抗することができる（大判明39・12・13）。

> 出題 特別区Ⅰ－平成30・27、国税・財務・労基－平成27

Q6 民法96条3項の「善意・無過失の第三者」とは、だれを意味するのか。

A 詐欺による意思表示の有効なことを過失なく信頼して新たに利害関係を有するに至った者をいう。民法96条1項、3項は、詐欺による意思表示をした者に対し、その意思表示の取消権を与えることによって詐欺被害者の救済を図るとともに、他方その取消しの効果を「善意・無過失の第三者」との関係において制限することにより、当該意思表示の有効なことを信頼して新たに利害関係を有するに至った者の地位を保護しようとする趣旨の規定である（最判昭49・9・26）。

> 出題 国Ⅰ－平成22・14、国家一般－平成26、裁判所総合・一般－平成26、国税・財務・労基－平成26

Q7 96条3項の「第三者」は、取消前に利害関係を有するに至った第三者を指すのか。

A 取消前に利害関係を有するに至った第三者を指す（最判昭49・9・26）。⇨6

Q8 民法96条3項によって保護される善意・無過失の第三者は、登記を必要とするのか。

A 登記を必要としない（仮登記の事案）（最判昭49・9・26）。⇨177条4

Q9 一番抵当権者は、一番抵当権を詐欺によって放棄した場合、順位の上昇した後順位抵当権者に対して、その抵当権放棄の取消の効果を主張することができるのか。

A 主張することができる。　債務者B所有の不動産にAの一番抵当権、Cの二番抵当権があり、Bの詐欺で一番抵当権者Aがその抵当権を放棄したが（その結果、Cの二番抵当権が一番抵当権に昇格する）、後にAが詐欺を理由に放棄を取り消した場合、Cは自然に一番抵当権の順位を得たにすぎず、民法96条3項の第三者に該当しない（大判明33・5・7）。

Q10 連帯債務者の1人が詐欺によって代物弁済をした場合、他の連帯債務者は第三者にはあたらないのか。

A 第三者にはあたらない。　連帯債務者の1人が詐欺によって代物弁済をした場合、他の連帯債務者は96条3項の第三者にはあたらない（大判昭7・8・9）。

> 出題 国Ⅰ－平成12

第97条（意思表示の効力発生時期等）

①意思表示は、その通知が相手方に到達した時からその効力を生ずる。

②相手方が正当な理由なく意思表示の通知が到達することを妨げたときは、その通知は、通常到達すべきであった時に到達したものとみなす。

③意思表示は、表意者が通知を発した後に死亡し、意思能力を喪失し、又は行為能力の制限を受けたときであっても、そのためにその効力を妨げられない。

Q1 意思表示が相手方に到達したと認められるためには、相手方が現実にこれを了知していることが必要か。

A 相手方が現実に了知していることは必要でない。隔地者間の意思表示に準ずべき催告は民法97条により相手方に到達することによってその効力を生ずべきものであり、ここに到達とは相手方ないし同人から受領の権限を付与されていた者によって受領されあるいは了知されることを要するのではなく、それらの者にとって了知可能の状態におかれたことを意味し、換言すれば意思表示の書面がそれらの者のいわゆる勢力範囲（支配圏）内におかれることで足りる（最判昭36・4・20）。

> 出題 国Ⅰ－平成12、地方上級－平成10（市共通）、国Ⅱ－昭和57、裁判所Ⅰ・Ⅱ－平成14、国税－平成3・7

Q2 相手方が不在のため、意思表示を記載した内容証明郵便が配達されず、留置期間が満了して差出人に還付された場合、遅くとも留置期間満了時には、相手方に到達したと認められるのか。

A 不在配達通知書の記載その他の事情から相手方が郵便内容を十分に推知でき、相手方に受領の意思があれば容易に受領できた事情があるときは、遅くとも留置期間満了時には、相手方に到達したと認められる。　遺留分侵害額請求の意思表示が記載された内容証明郵便が留置期間の経過により差出人に還付された場合において、受取人が、不在配達通知書の記載その他の事情から、その内容が遺留分侵害額請求の意思表示又は少なくともこれを含む遺産分割協議の申入れであることを十分に推知することができ、また、受取人に受領の意思があれば、郵便物の受取方法を指定することによって、さしたる労力困難を伴うことなく内容証明郵便を受領することができたなどの事情の下においては、遺留分侵害額請求の意思表示は、社会通念上、受取人の了知可能な状態に置かれ、遅くとも留置期間が満了した時点で受取人に到達したものと認められる（最判平10・6・11）。　　　　　　　出題 国家一般－令和2・平成25

第98条（公示による意思表示）

①意思表示は、表意者が相手方を知ることができず、又はその所在を知ることができないときは、公示の方法によってすることができる。

③公示による意思表示は、最後に官報に掲載した日又はその掲載に代わる掲示を始めた日から2週間を経過した時に、相手方に到達したものとみなす。ただし、表意者が相手方を知らないこと又はその所在を知らないことについて過失があったときは、到達の効力を生じない。

第98条の2（意思表示の受領能力）

意思表示の相手方がその意思表示を受けた時に意思能力を有しなかったとき又は未成年者若しくは成

民法編

年被後見人であったときは、その意思表示をもって
その相手方に対抗することができない。ただし、次
に掲げる者がその意思表示を知った後は、この限り
でない。
　　1　相手方の法定代理人
　　2　意思能力を回復し、又は行為能力者となった
　　　　相手方

第3節　代理

第99条（代理行為の要件及び効果）

①代理人がその権限内において本人のためにするこ
とを示してした意思表示は、本人に対して直接に
その効力を生ずる。

②前項の規定は、第三者が代理人に対してした意思
表示について準用する。

Q1 法定代理人が未成年者を代表して行為する際
に行った不法行為責任は、未成年者本人に帰属する
のか。

A 未成年者本人に帰属しない。　法定代理人が未
成年者を代表して行為する際に不法行為を行った場
合には、代理はそれ自体、意思表示についてのみ生
ずるものであって、不法行為について成立するもの
ではないのであって、未成年者に対して損害賠償を請求す
ることはできない（大判昭15・10・10）。

出題 国Ⅱ-平成4

第100条（本人のためにすることを示さない意思表示）

　代理人が本人のためにすることを示さないでした
意思表示は、自己のためにしたものとみなす。ただ
し、相手方が、代理人が本人のためにすることを知
り、又は知ることができたときは、前条第1項の規
定を準用する。

第101条（代理行為の瑕疵）

①代理人が相手方に対してした意思表示の効力が意
思の不存在、錯誤、詐欺、強迫又はある事情を
知っていたこと若しくは知らなかったことにつき
過失があったことによって影響を受けるべき場合
には、その事実の有無は、代理人について決する
ものとする。

②相手方が代理人に対してした意思表示の効力が意
思表示を受けた者がある事情を知っていたこと又
は知らなかったことにつき過失があったことに
よって影響を受けるべき場合には、その事実の有
無は、代理人について決するものとする。

③特定の法律行為をすることを委託された代理人が
その行為をしたときは、本人は、自ら知っていた
事情について代理人が知らなかったことを主張す
ることができない。本人が過失によって知らな
かった事情についても、同様とする。

Q1 代理人が代理行為の相手方を欺罔した場合、本
人がその欺罔の事実を知っているときに限り、相手
方は当該行為を取り消すことができるのか。

A 本人のその欺罔の事実の知・不知を問わず、相
手方は取り消すことができる。　「意思表示の効力
が詐欺によって影響を受けるべき場合には、その事
実の有無は、代理人について決するものとする」こ
とは、民法101条1項が規定するところであるか

ら、代理人が相手方を欺罔し、手形を騙取した事実
があれば、本人がその事実を知るか否かは、相手方
の取消権には何の影響を及ぼさない（大判明39・
3・31）。

出題 国Ⅰ-平成20・昭和55、裁判所Ⅰ・Ⅱ-平成
23

Q2 民法192条における善意・無過失の有無は、
法人については、第一次的にはその代表機関につい
て決すべきであるが、その代表機関が代理人により
取引をしたときは、その代理人について判断すべき
か。

A その代表機関が代理人により取引をしたとき
は、その代理人について判断すべきである。　民法
192条の即時取得における善意・無過失は、法人
については、第一次的には、その代表機関について
決すべきであるが、民法101条1項が、意思表示
の効力が悪意又は有過失によって影響を受けるとき
は、その事実の有無は、代理人を基準とすべきであ
ると規定するので、その代表機関が代理人により取
引をしたときは、当該代理人について決すべきであ
る（最判昭47・11・21）。

出題 国税・労基-平成17

第102条（代理人の行為能力）

　制限行為能力者が代理人としてした行為は、行為
能力の制限によっては取り消すことができない。た
だし、制限行為能力者が他の制限行為能力者の法定
代理人としてした行為については、この限りでな
い。

第103条（権限の定めのない代理人の権限）

　権限の定めのない代理人は、次に掲げる行為のみ
をする権限を有する。
　　1　保存行為
　　2　代理の目的である物又は権利の性質を変えな
　　　　い範囲内において、その利用又は改良を目的
　　　　とする行為

第104条（任意代理人による復代理人の選任）

　委任による代理人は、本人の許諾を得たとき、又
はやむを得ない事由があるときでなければ、復代理
人を選任することができない。

第105条（法定代理人による復代理人の選任）

　法定代理人は、自己の責任で復代理人を選任する
ことができる。この場合において、やむを得ない事
由があるときは、本人に対してその選任及び監督に
ついての責任のみを負う。

第106条（復代理人の権限等）

①復代理人は、その権限内の行為について、本人を
代表する。

②復代理人は、本人及び第三者に対して、その権限
の範囲内において、代理人と同一の権利を有し、
義務を負う。

Q1 代理人が復代理人を選任した場合、代理人は代
理権を失うのか。

A 代理人は代理権を失わない。　訴訟代理人が適
法に復代理人を選任して訴訟行為を行わせても、
これにより自己の代理権に消長をきたすものではな
く、訴訟代理人自身はその本来の代理関係を離脱す
ることなく、依然として代理人のままでいるのであ

る。そして、復代理人は本代理人が授与した権限内の行為について、本人を代表するにとどまり、本来の代理権の移転を受けるものではない（大判明44・4・28）。

出題 地方上級 − 昭和62、市役所上・中級 − 平成11・7

Q2 復代理人が相手方から受領した物を代理人に引き渡したときは、本人に対する受領物引渡義務は消滅するのか。

A 本人に対する受領物引渡義務は消滅する。　復代理人が委任事務を処理するにあたり金銭等を受領したときは、復代理人は、特別の事情がない限り、本人に対して受領物を引き渡す義務を負うほか、代理人に対してもこれを引き渡す義務を負い、もし復代理人において代理人にこれを引き渡したときは、代理人に対する受領物引渡義務は消滅するとともに、本人に対する受領物引渡義務も消滅する（最判昭51・4・9）。

出題 国Ⅰ − 平成20・8・5・昭和62、裁判所Ⅰ・Ⅱ − 平成20、国税・財務・労基 − 令和1、国税 − 平成11

第107条（代理権の濫用）
　代理人が自己又は第三者の利益を図る目的で代理権の範囲内の行為をした場合において、相手方がその目的を知り、又は知ることができたときは、その行為は、代理権を有しない者がした行為とみなす。〔新設条文〕

◇**参考判例**

Q1 株式会社の代表取締役が、自己の利益のため会社の代表者として法律行為を行った場合、当該法律行為は必ずその効力を生じるのか。

A 相手方が代表取締役の真意を知りまたは知りうべき場合には、効力を生じない。　株式会社の代表取締役が、自己の利益のため表面上会社の代表者として法律行為をなした場合において、相手方が代表取締役の真意を知りまたは知りうべきであったときは、民法93条但書の規定を類推し、当該法律行為はその効力を生じない（最判昭38・9・5）。

出題 国Ⅰ − 平成11・昭和61、国Ⅱ − 平成13、国税 − 平成13

Q2 代理人が権限濫用の行為を行った場合、本人はいかなる場合にもその責任を負わなければならないのか。

A 代理人の権限濫用行為につき、相手方が悪意または有過失であった場合には、本人は責任を負わない。　代理人が自己または第三者の利益を図るため権限内の行為をしたときは、相手方が代理人のその意図を知りまたは知ることをうべかりし場合に限り、民法93条但書の規定を類推して、本人はその行為につき責めに任じない（最判昭42・4・20）。

出題 国家総合 − 令和1・平成28、国Ⅰ − 平成23・20・7・4・平成18・昭和58・55、地方上級 − 平成8・2（市共通）、東京Ⅰ − 平成20・14、国Ⅱ − 平成7、裁判所総合・一般 − 平成30、裁判所Ⅰ・Ⅱ − 平成23・20、国税・労基 − 平成17、国税 − 平成13

Q3 親権者がその法定代理権を濫用して法律行為をした場合、その行為の効果は子に及ぶのか。

A 行為の相手方がその濫用の事実を知りまたは知りうべかりしときには、その行為の効果は子に及ばない。　親権者は、原則として、子の財産上の地位に変動を及ぼす一切の法律行為につき子を代理する権限を有する（民法824条）ところ、親権者が当該権限を濫用して法律行為をした場合において、その行為の相手方がその濫用の事実を知りまたは知りうべかりしときは、民法93条但書の規定を類推適用して、その行為の効果は子には及ばない（最判平4・12・10）。

出題 国家一般 − 平成25

第108条（自己契約及び双方代理等）
①同一の法律行為について、相手方の代理人として、又は当事者双方の代理人としてした行為は、代理権を有しない者がした行為とみなす。ただし、債務の履行及び本人があらかじめ許諾した行為については、この限りでない。

②前項本文に規定するもののほか、代理人と本人との利益が相反する行為については、代理権を有しない者がした行為とみなす。ただし、本人があらかじめ許諾した行為については、この限りでない。

Q1 代理人の双方代理行為につき、本人が事後に追認した場合、その効果は本人に帰属するのか。

A 本人が事後に追認した場合には、その効果は本人に帰属する。　民法108条は双方代理を禁止しているが、この規定は一方の当事者が相手方の代理人となることにより、相手方に損害を及ぼすことを恐れ、相手方の利益を保護するために代理権を制限した趣旨であるから、その代理人が行った法律行為は無権代理人の行為にほかならず、したがって、その行為は絶対に無効なものではなく、本人の追認により効力を生じる（大判大12・5・24）。

出題 国税 − 平成4

Q2 同一の法律行為についてその相手方の代理人となることや当事者双方の代理人となることについて、本人が事前に同意を与えることは許されるのか。

A 本人が事前に同意を与えることは許される。　民法108条は本人の利益保護を目的とする任意規定にすぎないから、1人が当事者双方を代理して法律行為をしたときでも、双方の本人が同条の保護を受けることを欲せず、あらかじめその者に相手方の代理人となることを許容して代理権を授与した場合には、当該法律行為は直接本人に対してその効力を及ぼす（大判大12・11・26）。

出題 国Ⅰ − 昭和55

Q3 すでに合意されている契約条項に基づいて、代理人が双方の当事者を代理して公正証書を作成する場合、双方代理の禁止に関する規定の法意に違反するのか。

A 双方代理の禁止に関する規定の法意に違反しない。　いわゆる執行証書であって、当然にはこれに対して、民法108条の適用があるものではないが、同条の法意はこの場合にも適用がないものとはいえない。し

かし、本件においては、執行約款を含めて契約条項はすでに当事者間において取り決められてあり、公正証書作成の代理人は、単に契約条項を公正証書に作成するためのみの代理人であって新に契約条項を決定するものではないのであるから、かかる代理関係については、被上告人が上告人の委任に基づき、上告人のために代理人を選任し代理人との間に本件のごとき執行約款附公正証書を作成しても何ら民法108 条の法意に反するものではない（最判昭 26・6・1）。　　　　　　出題裁判所総合・一般 - 令和 3

Q4 **登記申請について同一人が登記権利者、登記義務者の双方の代理人となることができるか。**

A **双方の代理人となることができる。**　　登記申請行為は、国家機関たる登記所に対し一定内容の登記を要求する公法上の行為であって、民法にいわゆる法律行為ではなく、また、すでに効力を発生した権利変動につき法定の公示を申請する行為であり、登記義務者にとっては義務の履行にすぎず、登記申請が代理人によってなされる場合にも代理人によって新たな利害関係が創造されるものではないから、登記申請について、同一人が登記権利者、登記義務者双方の代理人となったとしても、民法 108 条本文ならびにその法意に違反するものではなく、双方代理の故をもって無効となるものではない（最判昭 43・3・8、大判昭 19・2・4）。

出題地方上級 - 平成 7、東京Ⅰ- 平成 20、市役所上・中級 - 平成 8、国Ⅱ- 平成 29・20・4

Q5 **普通地方公共団体の長が当該普通地方公共団体を代表して行う契約の締結には民法 108 条が類推適用され、長が同条に違反して双方代理行為をした場合には、議会は、同法 116 条の類推適用により上記双方代理行為を追認できるのか。**

A **議会は、民法 116 条の類推適用により当該双方代理行為を追認できる。**　　普通地方公共団体の長が当該普通地方公共団体を代表して行う契約締結行為であっても、長が相手方を代表又は代理することにより、私人間における双方代理行為等による契約と同様に、当該普通地方公共団体の利益が害されるおそれがある場合がある。そうすると、普通地方公共団体の長が当該普通地方公共団体を代表して行う契約の締結には、民法 108 条が類推適用される。そして、普通地方公共団体の長が当該普通地方公共団体を代表するとともに相手方を代理ないし代表して契約を締結した場合であっても同法 116 条が類推適用され、議会が長による上記双方代理行為を追認したときには、同条の類推適用により、議会の意思に沿って本人である普通地方公共団体に法律効果が帰属する（最判平 16・7・13）。　　　出題予想

第 109 条（代理権授与の表示による表見代理等）

①第三者に対して他人に代理権を与えた旨を表示した者は、その代理権の範囲内においてその他人が第三者との間でした行為について、その責任を負う。ただし、第三者が、その他人が代理権を与えられていないことを知り、又は過失によって知らなかったときは、この限りでない。

②第三者に対して他人に代理権を与えた旨を表示した者は、その代理権の範囲内においてその他人が第三者との間で行為をしたとすれば前項の規定によりその責任を負うべき場合において、その他人が第三者との間でその代理権の範囲外の行為をしたときは、第三者が、その行為についてその他人の代理権があると信ずべき正当な理由があるときに限り、その行為についての責任を負う。

〔判例法理の条文化〕

Q1 **自己の氏名、商号の使用を許した旨を第三者に表示しただけでも、民法 109 条の適用は認められるのか。**

A **民法 109 条の適用は認められる。**　　A 商店の店で行っていた営業を B に譲渡した A が、引き続き B に A 商店の名で営業することを承諾した場合に、取引相手 C に対する A の責任を民法 109 条によって肯定することができる（大判昭 15・4・24）。

出題国Ⅰ- 昭和 56、裁判所総合・一般 - 令和 1

Q2 **東京地方裁判所が裁判所職員の福利厚生を図る互助団体に、東京地方裁判所「厚生部」の名称を付与して第三者と取引を行わせた場合、同裁判所は第三者に対し責任を負うのか。**

A **第三者が善意無過失でその外形を信頼すれば、同裁判所は第三者に対し責任を負う。**　　東京地方裁判所が裁判所職員の福利厚生を図るための互助団体に、東京地方裁判所「厚生部」の名称を付与して他と取引を行わせた場合、一般人は法令によりそのような部局が定められたものと考えるのがむしろ当然であるから、「厚生部」は、東京地方裁判所の一部局としての表示力を有するものと認められる。したがって、東京地方裁判所は、「厚生部」のする取引が自己の取引のごとくみえる外形を作り出したものと認めるべきであり、もし、「厚生部」の取引の相手方が善意無過失でその外形を信頼したものとすれば、同裁判所は取引の相手方に対し本件取引につき自ら責めに任ずべきものと解する（最判昭 35・10・21）。　　　　出題国Ⅱ- 昭和 56・54

Q3 **民法 109 条の適用にあたって、代理行為の相手方は自己の善意無過失を立証しなければならないのか。**

A **代理権授与表示者が相手方の悪意有過失を立証しなければならない。**　　民法 109 条にいう代理権授与表示者は、代理行為の相手方の悪意または過失を主張、立証することにより、同条所定の責任を免れることができる（最判昭 41・4・22）。

出題国Ⅰ- 平成 18・4・1・昭和 54、国Ⅱ- 平成 22、裁判所総合・一般 - 平成 29、国税 - 平成 4・昭和 62

◇白紙委任状等の交付

※委任事項濫用型

Q4 **不動産所有者がその所有不動産に抵当権を設定するため、必要な書類を特定第三者に交付した場合に、その第三者がさらにこの書類を第三者に交付し、その第三者がそれを利用し、不動産所有者の代理人として他の第三者と不動産処分に関する契約を締結したときは、民法 109 条の適用が認められるのか。**

民法

A 民法109条の適用は認められない。　不動産所有者（A）がその所有不動産の所有権移転、抵当権設定等の登記手続に必要な権利証、白紙委任状、印鑑証明書を特定人（B）に交付した場合においても、その者が上記書類を利用し、自ら不動産所有者の代理人として任意の第三者とその不動産処分に関する契約を締結したときと異なり、本件の場合のように、登記書類の交付を受けた者（B）がさらにこれを第三者（C）に交付し、その第三者（C）において登記書類を利用し、不動産所有者の代理人として他の第三者（D）と不動産処分に関する契約を締結したときに、必ずしも民法109条の要件事実が具備するとはいえない。なぜなら、不動産登記手続に要する前記の書類は、これを交付した者よりさらに第三者に交付され、転輾流通することを常態とするものではないから、不動産所有者は、前記の書類を直接交付を受けた者において濫用した場合や、特に前記の書類を何人において行使しても差し支えない趣旨で交付した場合は格別、書類中の委任状の受任者名義が白地であるからといって当然にその者よりさらに交付を受けた第三者がこれを濫用した場合にまで民法109条に該当するものとして、濫用者による契約の効果を甘受しなければならないものではないからである（最判昭39・5・23）。

出題 予想

※非委任事項濫用型

Q5 甲が、乙の消費貸借債務を保証するため、丙又はその委任する第三者に保証契約締結の代理権を与える目的で、自己の白紙委任状および印鑑証明書などを丙に交付した場合において、乙が丙から白紙委任状などの交付を受けてこれを利用し、自ら甲の代理人として貸主と連帯保証契約を締結したときは、甲は民法109条の適用が認められるのか。

A 民法109条の適用が認められる。　甲は訴外乙から、同人が訴外丙を通じて他から融資を得るにつき保証してほしい旨依頼されてこれを承諾したこと、そこで甲は、保証人となることなどについて、丙又は同人の委任する第三者に代理権を与える目的で、自己の白紙委任状（内容が記載されていないもの）および印鑑証明書などを丙に交付したこと、しかし、丙を通じての融資が不成功に終わったので、乙が、丙から委任状などの返還を受け、丁との間に本件消費貸借契約を締結するにあたり、丁に対し甲の白紙委任状、印鑑証明書などを交付し、自ら甲の代理人として本件連帯保証契約を締結したことを適法に確定しているのであり、この事実関係によれば、甲は丁に対し、乙に代理権を与えた旨を表示したものと解するのが相当である（最判昭42・11・10）。

出題 予想

◇2項関係

Q6 土地の所有権移転登記手続のために関係書類の交付を受けたにすぎず代理権を何ら与えられていない者が、それらを濫用し、さらに第三者との売買契約を締結した場合において、相手方に代理権があ

ると信じ、そのように信ずべき正当の事由があるときは、民法109条2項の規定により、当該第三者は保護されるのか。

A 民法109条2項の規定により、当該第三者は保護される。　Yは、本件山林の所有権移転登記手続のため各書類をAの代理人Bに交付し、Bは、これをAに交付したが、Aは、ふたたびBを代理人とし、同人に各書類を交付して同人をしてX1・X2両名との間に本件山林とX1・X2両名共有の山林の交換にあたらせ、Bは、X1・X2両名の代理人Cに対し、Yから何ら代理権を授与されていないにもかかわらず、各書類を示してYの代理人のごとく装い、契約の相手方としてCと誤信したCとの間に本件交換契約を締結するに至ったというのであって、なるほど、各書類はYからBに、BからAに、そしてさらに、AからBに順次交付されてはいるが、Bは、Yから各書類を直接交付され、また、Aは、Bから各書類の交付を受けることを予定されていたもので、いずれもYから信頼を受けた特定他人であって、たとえ各書類がAからさらにBに交付されても、各書類の授受は、Yにとって特定他人である同人ら間で前記のような経緯のもとになされたものにすぎないのであるから、Bにおいて、各書類をCに示してYの代理人として本件交換契約を締結した以上、Yは、Cに対しBに本件山林売渡の代理権を与えた旨を表示したものというべきであって、X1・X2側においてBに本件交換契約につき代理権があると信じ、かく信ずべき正当の事由があるならば、民法109条2項によって本件交換契約につきその責めに任ずべきものである（最判昭45・7・28）。

出題 国I-平成18・12、国税-平成12

Q7 AがBに土地を売り渡し、Bの代理人Cに対して白紙委任状、名あて人白地の売渡証書などの書類を交付したところ、Cが、Bからその土地をD所有の土地と交換することを委任されながら、当該書類を冒用し、自らAの代理人と称してDとの間で交換契約を締結した場合には、Dに対してCにその権限ありと信ずべき正当の理由があった場合でも、Aは、当該交換契約上の責任を負わないのか。

A Aは、当該交換契約上の責任を負う（最判昭45・7・28）。⇨6

第110条（権限外の行為の表見代理）

前条第1項本文の規定は、代理人がその権限外の行為をした場合において、第三者が代理人の権限があると信ずべき正当な理由があるときについて準用する。

⑴基本代理権の存在－本人の帰責事由

◇総論

Q1 基本代理権に基づく行為と同一性質の行為に限らず、全然別個の行為をした場合にも、民法110条の適用があるのか。

A 民法110条の適用がある。　他の土地に勤務・居住する本人のために家事を処理している者が、本人が譲渡担保に入れていた不動産を債権者が処分することを承認する場合にも、民法110条の適用を

肯定することができる（大判昭5・2・12）。

出題 国Ⅰ-昭和56

◇基本代理権の有無

Q2 甲会社の経理担当者Ａらが、同会社取締役たるＢから同人名義のゴム印およびもっぱら取締役として使用するため届け出てあった印章を預り、Ｂの不在中これに代わり会社のためＢの職務を行うことを認められていた場合には、Ｂ個人に法律効果の及ぶような行為につきこれを代理する権限をかつて与えられたことがないときでも、Ｂに対する関係では民法110条にいう「代理人」にあたるのか。

Ａ 民法110条にいう「代理人」にあたらない。原審の確定した事実によると、食品工業株式会社の資金、経理担当者であるＡらは、以前から会社取締役であるＢが出張その他不在中その取締役として担当する職務処理の必要上Ｂ名義のゴム印およびＢがもっぱら取締役として使用するため届け出てあった印章を預り会社のためその職務を行うことを認められていたけれども、Ｂ個人に法律効果の及ぶような行為についてこれを代理する権限はＢから与えられたことはなかった、というのである。されば、ＡはＢの代理人であったことはなく、したがって、ＡらがＢから預っていたゴム印および印章を使用してＢ名義で本件保証契約を締結しても、これにつきいわゆる民法110条の表見代理の成立する余地は存しないのである（最判昭34・7・24）。　出題 国家総合-平成26、国Ⅱ-平成22

◇事実行為

Q3 勧誘外交員であるＹが長男Ｂに勧誘行為を行わせた場合、民法110条を適用して、Ｙの保証契約上の責任を肯定できるのか。

Ａ 民法110条の適用はなく、Ｙに責任はない。本件において、民法110条を適用し、Ｙの保証契約上の責任を肯定するためには、Ｙの長男ＢがＹを代理して少なくとも何らかの法律行為をなす権限を有していなければならない。ところが、本件では、Ｙは長男Ｂに勧誘行為を行わせただけであって、それは事実行為であって法律行為ではないから、他に特段の事由の認められない限り、その事実をもって直ちにＢがＹを代理する権限を有していたものとはいえない（最判昭35・2・19）。

出題 国Ⅰ-昭和62、地方上級-平成4、国Ⅱ-平成22

◇公法上の行為

Q4 公法上の行為についての代理権は、民法110条の表見代理の成立要件たる基本代理権にあたるのか。

Ａ 基本代理権にあたらない。　取引の安全を目的とする表見代理制度の本旨に照らせば、民法110条の権限踰越による表見代理が成立するために必要とされる基本代理権は、私法上の行為についての代理権であることを要し、公法上の行為についての代理権はこれにあたらない。したがって、乙が甲より依頼されて甲のために処理した行為は印鑑証明書下付申請行為という公法上の行為であるから、表見代理の問題を生ずる余地はない（最判昭39・4・2）。

出題 国家総合-平成25、国Ⅰ-平成4

Q5 登記申請行為の代理権は民法110条の表見代理の成立要件たる基本代理権に該当するのか。

Ａ 基本代理権に該当する。　単なる公法上の行為についての代理権は民法110条の規定による表見代理の成立の要件たる基本代理権にあたらないとしても、その行為が特定の私法上の取引行為の一環としてなされるものであるときは、民法110条の適用に関しても、その行為の私法上の作用を看過することはできない。したがって、本人が登記申請行為を他人に委任してこれにその権限を与え、その他人が当該権限を超えて第三者との間に行為をした場合において、その登記申請行為が私法上の契約による義務の履行のためになされるものであるときは、その権限を基本代理権として第三者との間の行為につき民法110条を適用し、表見代理の成立を認めることを妨げない（最判昭46・6・3）。

出題 国家総合-平成25・12、国Ⅰ-平成18・12・4・昭和59・58、裁判所総合・一般-令和1、裁判所Ⅰ・Ⅱ-平成20

◇過失の存在の有無

Q6 民法110条により本人に責任を負わせるためには、本人に過失が必要か。

Ａ 本人の過失は不要である。　民法110条による本人の責任は本人に過失あることを要件とするものではないから、無過失であったからといってその責めを免れない（最判昭34・2・5）。

出題 国家総合-平成25、国Ⅰ-平成4・昭和59・56、国Ⅱ-平成4

(2)第三者の範囲

Q7 民法110条にいう相手方は直接の相手方に限られるのか。

Ａ 直接の相手方に限られる。　約束手形が代理人によりその権限を踰越して振り出された場合、民法110条によりこれを有効とするには、受取人がその代理人に振出しの権限あるものと信ずべき正当の理由あるときに限り、かかる事由のないときは、仮にその後の手形所持人が、その代理人にかかる権限あるものと信ずべき正当の理由を有していたとしても、同条を適用して、当該所持人に対し振出人に手形上の責任を負担させられない（大判大14・3・12、最判昭36・12・12）。

出題 国家総合-平成26・25、国Ⅰ-平成7、国Ⅱ-平成18、裁判所総合・一般-平成26、裁判所Ⅰ・Ⅱ-平成23

Q8 手形行為の表見代理における第三者とは、代理人と法律行為をした相手方に限られるのか。

Ａ 代理人と法律行為をした相手方に限られる。民法110条に第三者とあるのは代理人と法律行為をした直接の相手方をいい、権限のない者の振り出した約束手形につき、本人が民法110条に基づき振出人としての責任を負うべきときは、受取人からその手形の裏書譲渡を受けた者に対しても、その者

の善意悪意を問わず、振出人としての責任を免れえない（最判昭52・12・9）。　出題 国Ⅰ-昭和59

(3)民法110条の類推適用

Q9 普通地方公共団体の長が金銭受領の権限がないにもかかわらず、他より借入金を現実に受領し、自己のために費消した場合、相手方は普通地方公共団体に対し弁済を求めることができるか。

A 相手方に正当な理由があれば、弁済を求めることができる。　普通地方公共団体の現金の出納事務は当該普通地方公共団体の収入役の専権に属し、普通地方公共団体の長は収入および支出を命令しならびに会計を監督する権限を有しても、現金を出納する権限は有しない（改正前地方自治法の規定に照らしても）。そしてまた、普通地方公共団体の長自身が他よりの借入金を現実に受領した場合は、民法110条所定の「代理人がその権限外の行為をした場合」に該当し、同条の類推適用が認められる（最判昭34・7・14）。

出題 国Ⅰ-昭和59、国Ⅱ-平成13

Q10 法人の理事が法令によってその権限を制限されていたとしても、この制限に反する取引において、相手方が理事の権限外の行為であることを知らなかった場合には、当該取引は民法旧54条により有効になるのか。

A 民法旧54条ではなく、110条の類推適用により、当該取引は有効になる（最判昭34・7・14）。⇨9

Q11 村長が、村の上席書記を帯同のうえ、貸主に村議会の全員借入決議書抄本を呈示したという事情があるときは、貸主において村長に借入金受領の権限ありと信ずべき正当の理由の存在が認められ、表見代理の成立が認められるのか。

A 表見代理の成立は認められない。　村の現金の出納事務は当該村収入役の専権に属し、村長はその権限を有しないことが法令の規定上明らかである以上、上席書記の帯同、決議書抄本の提示だけで、なんら特殊の事情の存在を明示できない場合には、たやすく、X組合の前主組合は、Y町の前主村の村長が金員を受領する権限ありと信じたことにつき正当な理由があると判断することはできず、民法110条を類推適用してY町の前主村の責任を認めることはできない（最判昭34・7・14）。

出題 国Ⅰ-平成12

Q12 夫婦の一方が日常の家事に関する代理権の範囲を越えて第三者と法律行為をした場合、民法110条は適用されるのか。

A 民法110条が直接適用されるのではなく、第三者に夫婦の日常家事に属すると信ずべき正当の理由があれば、類推適用が認められる。　民法761条は、その明文上は、単に夫婦の日常の家事に関する法律行為の効果、特にその責任のみについて規定しているにすぎないが、同条は、その実質においては、さらに、そのような効果の生じる前提として、夫婦は相互に日常の家事に関する法律行為につき他方を代理する権限を有することをも規定している。しかし、夫婦の一方が日常の家事に関する代理権の

範囲を超えて第三者と法律行為をした場合においては、その代理権の存在を基礎として広く一般的に民法110条所定の表見代理の成立を肯定することは、夫婦の財産的独立をそこなうおそれがあって、相当でないから、夫婦の一方が他の一方に対しその他の何らかの代理権を授与している以上、当該越権行為の相手方である第三者においてその行為が当該夫婦の日常の家事に関する法律行為の範囲内に属すると信ずるにつき正当の理由のあるときに限り、民法110条の趣旨を類推適用して、その第三者の保護を図れば足りる（最判昭44・12・18）。

出題 国家総合-令和4・平成28、国Ⅰ-平成18・12・9・4・昭和59・56・51、市役所Ⅰ・中級-平成10、国家一般-平成13・国Ⅱ-平成22、裁判所総合・一般-平成30、国税・財務・労基-平成27、国税-平成13

Q13 夫Bが、自己の債務を返済するため、妻Aに無断でA名義の土地をCに売却し、その売却代金で当該債務を弁済した場合において、夫婦間の日常家事代理権を基本代理権として、CがBに売却権限があると信じることにつき正当な理由があるときは、Bの行為については表見代理が成立し、AC間に土地売却の効果が生じるとするのか。

A Cがその行為が当該夫婦の日常の家事に関する法律行為の範囲内に属すると信ずるにつき正当の理由のあるときに限り、AC間に土地売却の効果が生じる（最判昭44・12・18）。⇨12

Q14 代理人が直接本人の名において権限外の行為をした場合において、相手方がその行為を本人自身の行為と信じたときは、そのように信じたことについて正当な理由がある限り、本人はその責めに任ずるのか。

A 民法110条の規定を類推適用して、本人はその責めに任ずる。　代理人が直接本人の名において権限外の行為をした場合において、相手方がその行為を本人自身の行為と信じたときは、相手方は代理人の代理権を信頼したものではないが、その信頼は取引上保護に値するし、本人も不誠実な代理人を選任した落度があることから、そのように信じたことについて正当な理由がある限り、民法110条の表見代理の規定を類推して、本人はその責めに任ずるものと解する（最判昭44・12・19）。

出題 国家総合-平成26、国税・労基-平成17

Q15 法人の理事が、定款によって理事会の承認が必要であるとされる取引を、その承認なくして行った場合において、取引の相手方が、理事の代表権に定款による制限が加えられていることを知っていたが、理事会の承認があるものと過失なく誤信していたときは、当該取引は民法旧54条により有効になるのか。

A 当該取引は民法旧54条ではなく、110条の類推適用により、有効になる。　民法旧54条にいう善意とは、理事の代表権に制限が加えられていることを知らないことをいい、また、この善意についての主張・立証責任は第三者にある。そして、第三者が上記にいう善意であるといえない場合であっても、第三者において、理事が当該具体的行為につき理事

会の決議等を得て適法に漁業協同組合を代表する権限を有するものと信じ、かつ、このように信じるにつき正当の理由があるときは、民法110条を類推適用し、漁業協同組合は当該行為につき責任を負う（最判昭60・11・29）。

出題 国Ⅰ-平成11、市役所上・中級-平成8、特別区Ⅰ-平成16、国Ⅱ-平成13

Q16 公益法人の理事が定款の定めに違反して理事会の決議を経ないで当該法人所有の土地を売却した場合、買主が当該定款の規定の存在を知っており、民法旧54条にいう善意であるとはいえない場合、当該法人は責任を負わないのか。

A 民法110条の類推適用により責任を負う場合がある。（最判昭60・11・29）。⇨ 15

Q17 法人Xの理事Aの代表権の制限についての善意の立証を第三者ができない場合、Aが偽造の社員総会の議事録を示す等、Aが法人を代表していると第三者が信じるにつき正当の理由があるときは、民法110条が類推適用され、Xが責任を負うのか。

A Xが責任を負う（最判昭60・11・29）。⇨ 15

第111条（代理権の消滅事由）
①代理権は、次に掲げる事由によって消滅する。
　1　本人の死亡
　2　代理人の死亡又は代理人が破産手続開始の決定若しくは後見開始の審判を受けたこと。
②委任による代理権は、前項各号に掲げる事由のほか、委任の終了によって消滅する。

Q1 本人の死亡によっても代理権は消滅しない旨の合意があった場合、当該合意は無効となるのか。

A 当該合意は無効とならない。　民法111条1項1号は、代理権は本人の死亡によって消滅する旨を規定しているけれども、同条項はこれと異なる合意の効力を否定する趣旨ではないと解すべきである（最判昭31・6・1）。 出題 国家一般-平成25

第112条（代理権消滅後の表見代理等）
①他人に代理権を与えた者は、代理権の消滅後にその代理権の範囲内においてその他人が第三者との間でした行為について、代理権の消滅の事実を知らなかった第三者に対してその責任を負う。ただし、第三者が過失によってその事実を知らなかったときは、この限りでない。
②他人に代理権を与えた者は、代理権の消滅後に、その代理権の範囲内においてその他人が第三者との間で行為をしたとすれば前項の規定によりその責任を負うべき場合において、その他人が第三者との間でその代理権の範囲外の行為をしたときは、第三者がその行為についてその他人の代理権があると信ずべき正当な理由があるときに限り、その行為についての責任を負う。

〔判例法理の条文化〕

◇第112条第1項

Q1 民法112条の表見代理が成立するためには、相手方が、代理権の消滅する前に代理人と取引をしたことが必要か。

A 必要ではない。　民法112条の表見代理が成

立するためには、相手方が代理権の消滅する前に、代理人と取引したことがあることを要するものではなく、それは、相手方の善意・無過失を認定する一資料にすぎない（最判昭44・7・25）。

出題 国Ⅰ-平成18

◇第112条第2項

Q2 Aは、B所有の建物を賃貸する代理権を有していたが、その代理権が消滅した後、Bの代理人としてB所有の土地をCに売却した。この場合、表見代理は成立しないのか。

A 相手方が一定の要件を充たせば表見代理は成立する。　代理権の消滅後従前の代理人がなお代理人と称して従前の代理権の範囲に属しない行為をなした場合に、上記代理権の消滅につき善意無過失の相手方が自称代理人の行為につきその権限があると信ずべき正当の理由を有するときは、当該の代理人と相手方との間になした行為につき、本人をしてその責めに任ぜしめるのを相当とする（最判昭32・11・29）。 出題 国家総合-平成26

Q3 無権代理人甲が行った相手方丙との契約を本人乙が追認した後に、甲が第三者丁との間で乙の代理人として再び契約を行った場合、本人乙は第三者丁に対して責任を負うのか。

A 民法112条2項の規定により、乙は責任を負う場合がある。　無権代理人甲が乙の代理人と称して丙と締結した抵当権設定契約を乙が追認した後、甲が乙の代理人と称して丁と抵当権設定契約を締結した場合において、丁が甲に乙を代理して当該抵当権設定契約を締結する権限があると信ずべき正当の事由を有するときは、乙は民法112条2項の規定により、甲のした抵当権設定契約につき責めに任じなければならない（最判昭45・12・24）。

出題 国Ⅰ-平成12・1、国税・労基-平成17

Q4 社会福祉法人の理事が退任登記後にその法人の代表者として第三者と取引をした場合、民法112条2項の適用はあるのか。

A 民法112条2項の適用はない。　社会福祉法人の理事の退任登記すなわち代表権の喪失は、登記しなければならない事項（社会福祉事業法27条等）とされているから、これらの規定の趣旨に照らせば、社会福祉法人が理事の退任につき登記をしたときは、当該理事の退任すなわち代表権の喪失を第三者に対抗することができ、その後その者が法人の代表者として第三者とした取引については、交通・通信の途絶、登記簿の滅失など登記簿の閲覧につき客観的障害があり、第三者が登記簿を閲覧することが不可能ないし著しく困難であるような特段の事情があった場合を除いて、民法112条2項の規定を適用する余地はない（最判平6・4・19）。

出題 国家総合-平成25

◇表見代理と無権代理の関係

Q5 無権代理人の責任の要件と表見代理の要件とが存在する場合、相手方は、表見代理の主張をせずに、無権代理人の責任を追及できるのか。

A 相手方は、表見代理の主張をせずに無権代理人

の責任を追及できる。　表見代理の成立が認められ、代理行為の法律効果が本人に及ぶことが裁判上確定された場合には、無権代理人の責任を認める余地がないことは明らかであるが、無権代理人の責任をもって表見代理が成立しない場合における補充的な責任すなわち表見代理によっては保護を受けることのできない相手方を救済するための制度であると解すべき根拠はなく、両者は、互いに独立した制度である。したがって、無権代理人の責任の要件と表見代理の要件とがともに存在する場合においても、表見代理の主張をすると否とは、相手方の自由であるから、相手方は、表見代理の主張をしないで、直ちに無権代理人に対し同法117条の責任を問うことができる。そして、表見代理は本来相手方保護のための制度であるから、無権代理人が表見代理の成立要件を主張立証して自己の責任を免れることは、制度本来の趣旨に反するというべきであり、したがって、上記の場合、無権代理人は、表見代理が成立することを抗弁として主張することはできない（最判昭62・7・7）。

出題 国Ⅰ-平成19・5、国Ⅱ-平成22・20、裁判所総合・一般-令和3・1・平成28、裁判所Ⅰ・Ⅱ-平成17

Q6 無権代理人は表見代理の成立要件を主張立証して自己の責任を免れることができるか。

A 自己の責任を免れることはできない（最判昭62・7・7）。⇨5

第113条（無権代理）

①代理権を有しない者が他人の代理人としてした契約は、本人がその追認をしなければ、本人に対してその効力を生じない。

②追認又はその拒絶は、相手方に対してしなければ、その相手方に対抗することができない。ただし、相手方がその事実を知ったときは、この限りでない。

◇無権代理人の本人相続

Q1 無権代理人が本人を相続し本人と代理人との資格が同一人に帰した場合、無権代理行為は有効となるのか。

A 無権代理行為は有効となる。　無権代理人が本人を相続し本人と代理人との資格が同一人に帰するに至った場合においては、本人が自ら法律行為をしたのと同様な法律上の地位を生じたものであり、この理は、無権代理人が本人の共同相続人の1人であって他の相続人の相続放棄により単独で本人を相続した場合においても妥当する（最判昭40・6・18）。

出題 国家総合-令和1、国Ⅰ-平成19・14・昭和63・52、地方上級-昭和55、国Ⅱ-平成20・18、裁判所Ⅰ・Ⅱ-平成19、国税・労基-平成16、国税-平成10

Q2 無権代理人が本人を他の相続人と共同相続した場合、その無権代理行為は、無権代理人の相続分に相当する部分について、当然に有効となるのか。

A 他の共同相続人全員の追認がない限り、当然に有効とならない。　無権代理人が本人を他の相続人

とともに共同相続した場合において、無権代理行為を追認する権利は、その性質上相続人全員に不可分に帰属するところ、無権代理行為の追認は、本人に対して効力を生じていなかった法律行為を本人に対する関係において有効なものにするという効果を生じさせるものであるから、共同相続人全員が共同してこれを行使しない限り、無権代理行為は有効とならない。そうすると、他の共同相続人全員が無権代理行為の追認をしている場合に無権代理人が追認を拒絶することは信義則上許されないとしても、他の共同相続人全員の追認がない限り、無権代理行為は、無権代理人の相続分に相当する部分においても、当然に有効とならない（最判平5・1・21）。

出題 国家総合-令和3・平成28、国Ⅰ-平成23・20・19・14・7、地方上級-平成10、国家一般-平成24、国Ⅱ-平成18・12、裁判所総合・一般職-令和2、裁判所Ⅰ・Ⅱ-平成19、国税・財務・労基-平成29

Q3 成年被後見人の後見人が、その就職前に成年被後見人の無権代理人として締結された契約の追認を拒絶することは信義則に反するのか。

A 信義則に反するか否かは諸事情を判断して決しなければならない。　成年被後見人の後見人が、その就職前に成年被後見人の無権代理人によって締結された契約の追認を拒絶することが信義則に反するか否かは、(1)当該契約の締結に至るまでの無権代理人と相手方との交渉経緯および無権代理人が当該契約の締結前に相手方との間でした法律行為の内容と性質、(2)当該契約を追認することによって成年被後見人（禁治産者）が被る経済的不利益と追認を拒絶することによって相手方が被る経済的不利益、(3)当該契約の締結から成年後見人が就職するまでの間に当該契約の履行等をめぐってされた交渉経緯、(4)無権代理人と後見人がその就職前に当該契約の締結に関与した行為の程度、(5)本人の意思能力について相手方が認識しまたは認識しえた事実、など諸般の事情を勘案し、上記のような例外的な場合にあたるか否かを判断して、決しなければならない（最判平6・9・13）。　　出題 国Ⅱ-平成12

Q4 本人が無権代理行為の追認を拒絶した場合でも、その後に無権代理人が本人を相続すれば、無権代理行為は有効となるのか。

A 無権代理行為は有効とならない。　本人が無権代理行為の追認を拒絶した場合には、その後に無権代理人が本人を相続したとしても、無権代理行為は有効にならない。なぜなら、無権代理人がした行為は、本人がその追認をしなければ本人に対してその効力を生ぜず（民法113条1項）、本人が追認を拒絶すれば無権代理行為の効力が本人に及ばないことが確定し、追認拒絶の後は本人であっても追認によって無権代理行為を有効とすることができず、その追認拒絶の後に無権代理人が本人を相続したとしても、その追認拒絶の効果に何ら影響を及ぼすものではないからである（最判平10・7・17）。

出題 国家総合-平成28、国Ⅰ-平成19・14、国家一般-平成24、国Ⅱ-平成18・12、裁判所総合・一般-令和2・平成29、裁判所Ⅰ・Ⅱ-平成22・

16、国税・労基－平成16

◇**本人の無権代理人相続**

Q5 本人が無権代理人を相続した場合、被相続人の無権代理行為は当然有効となるか。

A 当然有効とならない。　無権代理人が本人を相続した場合においては、自らした無権代理行為につき本人の資格において追認を拒絶する余地を認めるのは信義則に反するから、当該無権代理行為は相続とともに当然有効となるが、本人が無権代理人を相続した場合は、これと同様に論ずることはできない。後者の場合においては、相続人たる本人が被相続人の無権代理行為の追認を拒絶しても、何ら信義に反しないから、被相続人の無権代理行為は一般に本人の相続により当然有効とならない（最判昭37・4・20）。

出題 国家総合－令和3・2・1・平成28、国Ⅰ－平成19・14・7・昭和63、地方上級－平成8、国Ⅱ－平成20・18、裁判所Ⅰ・Ⅱ－平成19・15、国税・財務・労基－平成24、国税－平成7

Q6 本人が無権代理人を相続した場合、本人は相手方からの請求を拒否できるか。

A 拒否できる（最判昭37・4・20）。⇨5

◇**本人とともに無権代理人を相続した後その本人を相続した場合**

Q7 無権代理人を本人とともに相続した者がその後さらに本人を相続した場合、当該相続人は本人の資格で無権代理行為の追認を拒絶できるのか。

A 無権代理行為の追認を拒絶できない。　無権代理人を本人とともに相続した者がその後さらに本人を相続した場合においては、当該相続人は本人の資格で無権代理行為の追認を拒絶する余地はなく、本人が自ら法律行為をしたと同様の法律上の地位ないし効果を生ずる。なぜなら、無権代理人が本人を相続した場合においては、本人の資格で無権代理行為の追認を拒絶する余地はなく、このことは、信義則の見地からみても是認すべきであり、無権代理人を相続した者は無権代理人の法律上の地位を包括的に承継する以上、一旦無権代理人を相続した者が、その後本人を相続した場合においても、この理は同様と解すべきであり、自らが無権代理行為をしていないからといって、これを別異に解すべき根拠はないからである（最判昭63・3・1）。

出題 国家総合－令和3、国Ⅰ－平成19・14、国Ⅱ－平成18・12、裁判所Ⅰ・Ⅱ－平成19、国税・財務・労基－平成24

Q8 Aは、父Bから代理権を授与されていないにもかかわらず、Cの金銭債務について、Bを代理してBを連帯保証人とする契約を債権者と締結した。その後、AをBとともに相続したDが、さらにBを単独相続した場合においては、当該無権代理行為は相続により当然有効になるのか。

A 当然有効になる（最判昭63・3・1）。⇨7

第114条（無権代理の相手方の催告権）

前条の場合において、相手方は、本人に対し、相当の期間を定めて、その期間内に追認をするかどうかを確答すべき旨の催告をすることができる。この場合において、本人がその期間内に確答をしないときは、追認を拒絶したものとみなす。

第115条（無権代理の相手方の取消権）

代理権を有しない者がした契約は、本人が追認をしない間は、相手方が取り消すことができる。ただし、契約の時において代理権を有しないことを相手方が知っていたときは、この限りでない。

第116条（無権代理行為の追認）

追認は、別段の意思表示がないときは、契約の時にさかのぼってその効力を生ずる。ただし、第三者の権利を害することはできない。

Q1 ある物件について権利を有しない者が、これを自己の権利に属するものとして処分し、これを真実の権利者が追認した場合、当該行為は処分の時に遡って有効となるのか。

A 処分の時に遡って有効となる。　ある物件につき、何ら権利を有しない者が、これを自己の権利に属するものとして処分した場合において真実の権利者が後日これを追認したときは、無権代理行為の追認に関する民法116条の類推適用により、処分の時に遡って効力を生ずる（最判昭37・8・10）。

出題 国Ⅰ－平成7

Q2 親権者が民法の規定に違反して親権者と子の利益相反行為につき法定代理人として行った行為は、無権代理行為となり、子が成年に達した後、その追認がなければ本人に効力は及ばないのか。

A 子が成年に達した後、その追認がなければ本人に効力は及ばない。　親権者が民法826条に違反して、自己の債務の担保のために子の共有不動産の売買予約を締結するという、親権者と子の利益相反行為につき法定代理人としてなした行為は、民法113条所定の無権代理行為にあたり、成年に達した子の追認によってその成立の時に遡って効力を生ずる（最判昭46・4・20）。出題 国Ⅱ－平成8

Q3 甲が丙に対して有する売買代金債権について、甲の無権代理人乙が丙から弁済を受けた後、甲の債権者戊が当該代金債権を差し押さえた場合、差押え後に甲が乙の弁済受領行為を追認しても、戊は民法116条但書の第三者に該当し、保護されるのか。

A 戊は民法116条但書の第三者に該当し、保護される。　追認は別段の意思表示なきときは契約のはじめに遡ってその効力を生ずるが、第三者の権利を害することができないことは、民法116条の規定するところであり、その第三者の権利とは、追認の遡及効によって侵害される全ての第三者を包含する。そして、これを本件についてみると、乙は本件売買代金の受領権限がないにもかかわらず、代金を受領したが、戊は当該代金債権について差押命令ならびに転付命令を申請し、当該命令は債務者ならびに第三債務者に送達され、その後乙の代金受領行為が甲によって追認されても、その追認が遡及効を有するとすると、転付命令の送達により本件代金債権を取得した戊の権利を侵害することは明らかである以上、転付を受けた債権者もまた民法116条但書の第三者に該当する（大判昭5・3・4）。

出題 国Ⅰ－昭和62

民法

Q4 無権利者を委託者とする物の販売委託契約が締結された場合に、当該物の所有者が、自己と同契約の受託者との間に同契約に基づく債権債務を発生させる趣旨でこれを追認した場合、その所有者は同契約に基づく販売代金の引渡請求権を取得するのか。

A 取得しない。　なぜなら、この場合においても、販売委託契約は、無権利者と受託者との間に有効に成立しているのであり、当該物の所有者が同契約を事後的に追認したとしても、同契約に基づく契約当事者の地位が所有者に移転し、同契約に基づく債権債務が所有者に帰属するに至ると解する理由はないからである。仮に、上記の追認により、同契約に基づく債権債務が所有者に帰属するに至ると解するならば、上記受託者が無権利者に対して有していた抗弁を主張することができなくなるなど、受託者に不測の不利益を与えることになり、相当ではない（最判平23・10・18）。　　　　**出題** 予想

第117条（無権代理人の責任）
① 他人の代理人として契約をした者は、自己の代理権を証明したとき、又は本人の追認を得たときを除き、相手方の選択に従い、相手方に対して履行又は損害賠償の責任を負う。
② 前項の規定は、次に掲げる場合には、適用しない。
1　他人の代理人として契約をした者が代理権を有しないことを相手方が知っていたとき。
2　他人の代理人として契約をした者が代理権を有しないことを相手方が過失によって知らなかったとき。ただし、他人の代理人として契約をした者が自己に代理権がないことを知っていたときは、この限りでない。
3　他人の代理人として契約をした者が行為能力の制限を受けていたとき。

Q1 相手方の無権代理人に対する損害賠償請求の範囲は、信頼利益か。

A 履行利益である。　　無権代理行為による損害を受けた相手方が、損害賠償請求を選択した場合、相手方は無権代理人に対して、履行利益（契約の履行によって得られたであろう利益（転売利益も含む））の賠償を請求することができる（最判昭32・12・5）。　　　　**出題** 国家総合 − 令和3

Q2 AがBの無権代理人としてB所有の不動産をCに売り渡す契約を締結した後、Bから当該不動産の譲渡を受けてその所有権を取得するにいたった場合において、Cが民法117条にいう履行を選択したときは、前記売買契約は、AとCの間に成立したのと同様の効果を生ずるのか。

A AとCとの間に成立したのと同様の効果を生ずる。　　本件売買契約は、Aの無権代理行為に基づくもので無効であるが、無権代理人たるAは、民法117条の定めるところにより、相手方たるCの選択に従い履行又は損害賠償の責に任ずべく、相手方Cが履行を選択し無権代理人Aが前記不動産の所有権を取得するにいたった場合においては、前記売買契約が無権代理人A自身と、相手方Cとの間に成立したと同様の効果を生ずると解するのが相当である（最判昭41・4・26）。　　**出題** 国家一般 − 平成30

Q3 本人が無権代理人を相続した場合、民法117条による無権代理人の相手方に対する履行または損害賠償の債務を免れることができるか。

A 相手方が善意・無過失である場合には、無権代理人の債務を免れない。　　民法117条による無権代理人の債務が相続の対象となることは明らかであって、このことは本人が無権代理人を相続した場合でも異ならないから、本人は相続により無権代理人の債務を承継するのであり、本人として無権代理行為の追認を拒絶できる地位にあったからといって当該債務を免れることはできない。まして、無権代理人を相続した共同相続人のうちの1人が本人であるからといって、本人以外の相続人が無権代理人の債務を相続しないとか債務を免れうる理由はない（最判昭48・7・3）。

出題 国家総合 − 令和3・平成28、国Ⅰ − 平成23・19・14・5・昭和55、国Ⅱ − 平成12、裁判所総合・一般 − 平成30、裁判所Ⅰ・Ⅱ − 平成19、国税 − 平成12

Q4 無権代理人の責任は、過失責任か。

A 無過失責任である。　　民法117条による無権代理人の責任は、無権代理人が相手方に対し代理権がある旨を表示し又は自己を代理人であると信じさせるような行為をした事実を責任の根拠として、相手方の保護と取引の安全ならびに代理制度の信用保持のために、法律が特別に認めた無過失責任である（最判昭62・7・7）。

出題 特別区Ⅰ − 平成20、国家一般 − 平成30・24、裁判所総合・一般 − 平成30・26

第118条（単独行為の無権代理）
　単独行為については、その行為の時において、相手方が、代理人と称する者が代理権を有しないで行為をすることに同意し、又はその代理権を争わなかったときに限り、第113条から前条までの規定を準用する。代理権を有しない者に対しその同意を得て単独行為をしたときも、同様とする。

第4節　無効及び取消し

第119条（無効な行為の追認）
　無効な行為は、追認によっても、その効力を生じない。ただし、当事者がその行為の無効であることを知って追認をしたときは、新たな行為をしたものとみなす。

第120条（取消権者）
① 行為能力の制限によって取り消すことができる行為は、制限行為能力者（他の制限行為能力者の法定代理人としてした行為にあっては、当該他の制限行為能力者を含む。）又はその代理人、承継人若しくは同意をすることができる者に限り、取り消すことができる。
② 錯誤、詐欺又は強迫によって取り消すことができる行為は、瑕疵ある意思表示をした者又はその代理人若しくは承継人に限り、取り消すことができる。

民法編

第121条（取消しの効果）

取り消された行為は、初めから無効であったものとみなす。

＊後見人が後見監督人の同意等を得ないで行った行為等に適用（865条2項）、被後見人の財産等の譲受けの取消しに適用（866条2項）、未成年被後見人に代わる親権の行使に適用（867条2項）、未成年被後見人と未成年後見人等との間の契約取消しに準用（872条2項）

Q1 双務契約が取り消された場合に発生する両当事者の不当利得返還請求権につき、双方の返還義務は相互に同時履行の関係に立つのか。

A 相互に同時履行の関係に立つ。　取消による原状回復につき同時履行の抗弁が有効に主張することができるか否かは問題であるが、未成年者の取消しについては契約解除による原状回復義務に関する民法546条に準じ同法533条の準用あるものと解する。なぜなら、公平の観念上、解除の場合と区別すべき理由がないからである。すなわち、未成年者は随意に一方的に取り消しうるのであり、しかも現存利益だけの返還をすればいいのであるから、これによって十分の保護を受けているのである。これに反し、相手方は取り消されるか否か全く未成年者の意思に任されており非常に不利益な地位にあるから、それ以上さらに先履行の不利益を与えてまで未成年者に不公平な利益を与える必要はないからである（最判昭28・6・16）。　**出題** 国Ⅱ－平成7

第121条の2（原状回復の義務）

①無効な行為に基づく債務の履行として給付を受けた者は、相手方を原状に復させる義務を負う。

②前項の規定にかかわらず、無効な無償行為に基づく債務の履行として給付を受けた者は、給付を受けた当時その行為が無効であること（給付を受けた後に前条の規定により初めから無効であったものとみなされた行為にあっては、給付を受けた当時その行為が取り消すことができるものであること）を知らなかったときは、その行為によって現に利益を受けている限度において、返還の義務を負う。

③第1項の規定にかかわらず、行為の時に意思能力を有しなかった者は、その行為によって現に利益を受けている限度において、返還の義務を負う。行為の時に制限行為能力者であった者についても、同様とする。

Q1 制限行為能力者が相手方から受領した金員を生活費に費消した場合、現存利益はないか。

A 生活費に費消した場合にも、現存利益はある。制限行為能力者が取り消しうべき法律行為によって相手方から受領した金員で自己の他人に対する債務を弁済または必要な生活費を支弁したときは、制限行為能力者はその法律行為により現に利益を受けたものであって、当該法律行為を取り消した以上、民法121条の2によりその弁済または支弁した金員を相手方に償還する義務を有する（大判昭7・10・26）。

出題 国家総合－平成30、国Ⅰ－平成4、市役所上・中級－平成8、国Ⅱ－平成7、国税－平成14・8・5

Q2 Aの制限行為能力を理由に土地の売買契約が取り消された場合、Aがその譲渡代金を第三者に対する債務の弁済に充てていたときには、Aはその弁済に充てた金額について返還義務を負うのか。

A 返還義務を負う（大判昭7・10・26）。　⇨1

Q3 制限行為能力者が相手方から受領した金員を遊興費に費消した場合、現に利益を受ける限度で金銭を返還しなければならないか。

A 現存利益はなく金銭を返還する必要はない。浪費者は財産を無益なことに消費する性癖を有する者であるから、浪費者である被保佐人が受領した金員は、反証のない限り、無益なことに消費し現存利益はないと推測するのが常理に適する（大判昭14・10・26）。

出題 東京Ⅰ－平成19、市役所上・中級－平成8、国Ⅱ－平成7

Q4 被保佐人が借り入れた利益を賭博に浪費したときは、その返還義務を負うのか。

A その返還義務を負わない。　金銭消費貸借が借主Aの意思無能力を理由に無効とされたことによってAが負う不当利得返還義務について、民法121条の2第3項が適用されるが、貸金の当時、Aは貸金の法的・経済的意味を理解せず、貸付けを受けた金額が贈与を受けたものではなく、これを保管するか有益に費消・運用するかしていずれ返済すべきものであることについて十分な認識を有していなかったことをうかがい知ることができることから、経験則上、Aには現存利益は存在しないと認定でき、Aには不当利得の返還義務が認められない（最判昭50・6・27）。

出題 国Ⅰ－平成17、国税・財務・労基－令和1

第122条（取り消すことができる行為の追認）

取り消すことができる行為は、第120条に規定する者が追認したときは、以後、取り消すことができない。

＊後見人が後見監督人の同意等を得ないで行った行為等に適用（865条2項）、被後見人の財産等の譲受けの取消しに適用（866条2項）、未成年被後見人に代わる親権の行使に適用（867条2項）、未成年被後見人と未成年後見人等との間の契約取消しに準用（872条2項）

第123条（取消し及び追認の方法）

取り消すことができる行為の相手方が確定している場合には、その取消し又は追認は、相手方に対する意思表示によってする。

＊後見人が後見監督人の同意等を得ないで行った行為等に適用（865条2項）、被後見人の財産等の譲受けの取消しに適用（866条2項）、未成年者被後見人に代わる親権の行使に適用（867条2項）、未成年被後見人と未成年後見人等との間の契約取消しに準用（872条2項）

Q1 未成年者Aが消費貸借契約により貸主Bから借金をし、Bが当該債権を第三者Cに譲渡し、当該譲渡通知がなされ、CがAに支払請求をした場合、これに対するAの契約の取消しの意思表示は、BとCのいずれに対して行うべきか。

A Aは債権の譲渡人Bに対して行うべきである。

未成年者が法定代理人の同意を得ずに金銭を借り入れたときは、これを理由として取消しの意思表示をなすべき相手方は金銭の貸主であり、この原則は、貸主がその債権を第三者に譲渡した場合にも適用される。すなわち、その取消しの意思表示は当該債権の譲受人に対してすべきではなく、譲渡人である当初の貸主に対してすべきである。それ故、譲受人に対して取消しの意思表示をしてもその効力はない（大判昭6・6・22）。

出題 国Ⅰ－昭和59、国税－平成8

第124条（追認の要件）

①取り消すことができる行為の追認は、取消しの原因となっていた状況が消滅し、かつ、取消権を有することを知った後にしなければ、その効力を生じない。

②次に掲げる場合には、前項の追認は、取消しの原因となっていた状況が消滅した後にすることを要しない。

　1　法定代理人又は制限行為能力者の保佐人若しくは補助人が追認をするとき。

　2　制限行為能力者（成年被後見人を除く。）が法定代理人、保佐人又は補助人の同意を得て追認をするとき。

＊後見人が後見監督人の同意等を得ずに行った行為等に適用（865条2項）、被後見人の財産等の譲受けの取消しに適用（866条2項）、未成年者被後見人に代わる親権の行使に適用（867条2項）、未成年被後見人と未成年後見人等との間の契約取消しに準用（872条2項）

第125条（法定追認）

追認をすることができる時以後に、取り消すことができる行為について次に掲げる事実があったときは、追認をしたものとみなす。ただし、異議をとどめたときは、この限りでない。

　1　全部又は一部の履行

　2　履行の請求

　3　更改

　4　担保の供与

　5　取り消すことができる行為によって取得した権利の全部又は一部の譲渡

　6　強制執行

＊後見人が後見監督人の同意等を得ずに行った行為等に適用（865条2項）、被後見人の財産等の譲受けの取消しに適用（866条2項）、未成年者被後見人に代わる親権の行使に適用（867条2項）、未成年被後見人と未成年後見人等との間の契約取消しに準用（872条2項）

Q1 取り消しうべき行為について、取消権者が履行の請求をする際には、当該行為が取り消しうるものであることを知る必要があるのか。

A 当該行為が取り消しうるものであることを知る必要はない。　民法125条の「追認をしたものとみなす」とは、取り消しうべき行為について、法律上、取消権の放棄があったものとみなし、取消権が存することを知ると否とを問わない趣旨である。なぜなら、民法125条記の事実は、通常その取り消しうべき行為の効力を有効に確定する意思がなく

ては存在しないものであるため、同条列記の事実があったときには、行為者は追認をしたものとみなすべきだからである（大判大12・6・11）。

出題 国Ⅰ－平成10、国Ⅱ－平成7

Q2 相手方から代金を受領したときは、「全部又は一部の履行」に該当し、売買行為を追認したものとみなされるのか。

A 「全部又は一部の履行」に該当し、売買行為を追認したものとみなされる。　民法125条2号の「全部又は一部の履行」とは、取消権者が債務者として履行をした場合はもちろん、債権者として履行を受けた場合をも指称する法意である。なぜなら、債権者が債務者に対して債務の履行を請求すると、その履行を受けることは、これによりその債権発生の発生原因である行為の効果を自認することになるからである（大判昭8・4・28）。出題 国Ⅰ－平成17

第126条（取消権の期間の制限）

取消権は、追認をすることができる時から5年間行使しないときは、時効によって消滅する。行為の時から20年を経過したときも、同様とする。

＊後見人が後見監督人の同意等を得ずに行った行為等に適用（865条2項）、被後見人の財産等の譲受けの取消しに適用（866条2項）、未成年者被後見人に代わる親権の行使に適用（867条2項）、未成年被後見人と未成年後見人等との間の契約取消しに準用（872条2項）

第5節　条件及び期限

第127条（条件が成就した場合の効果）

①停止条件付法律行為は、停止条件が成就した時からその効力を生ずる。

②解除条件付法律行為は、解除条件が成就した時からその効力を失う。

③当事者が条件が成就した場合の効果をその成就した時以前にさかのぼらせる意思を表示したときは、その意思に従う。

第128条（条件の成否未定の間における相手方の利益の侵害の禁止）

条件付法律行為の各当事者は、条件の成否が未定である間は、条件が成就した場合にその法律行為から生ずべき相手方の利益を害することができない。

第129条（条件の成否未定の間における権利の処分等）

条件の成否が未定である間における当事者の権利義務は、一般の規定に従い、処分し、相続し、若しくは保存し、又はそのために担保を供することができる。

第130条（条件の成就の妨害等）

①条件が成就することによって不利益を受ける当事者が故意にその条件の成就を妨げたときは、相手方は、その条件が成就したものとみなすことができる。

②条件が成就することによって利益を受ける当事者が不正にその条件を成就させたときは、相手方は、その条件が成就しなかったものとみなすことができる。

民法編

〔判例法理の条文化〕

Q1 条件の成就により利益を受ける者が故意に条件を成就させた場合、相手方は条件不成就とみなすことができるか。

A 民法130条2項の規定により、相手方は条件不成就とみなすことができる。　X が A に櫛歯ピン付き部分かつらを販売した行為が本件和解項第1項（X は櫛歯ピンを付着させた部分かつらの製造販売をしない）に違反する行為にあたることは否定できないが、Y は、単に本件和解項違反行為の有無を調査ないし確認する範囲を超えて、A を介して積極的に X を本件和解項第1項に違反する行為をするように誘引したものであって、これは、条件の成就によって利益を受ける当事者である Y が故意に条件を成就させたものであるから、民法130条2項の規定により、X らは、本件和解項第2項（X らが第1項に違反した場合には連帯して Y に対し違約金1,000万円を支払う）の条件が成就していないものとみなすことができる〈アデランス・アートネイチャー事件〉（最判平6・5・31）。

出題 国 I – 平成8、国 II – 平成20、国税 – 平成12、裁判所総合職・一般職 – 令和4

第131条（既成条件）
①条件が法律行為の時に既に成就していた場合において、その条件が停止条件であるときはその法律行為は無条件とし、その条件が解除条件であるときはその法律行為は無効とする。
②条件が成就しないことが法律行為の時に既に確定していた場合において、その条件が停止条件であるときはその法律行為は無効とし、その条件が解除条件であるときはその法律行為は無条件とする。
③前2項に規定する場合において、当事者が条件が成就したこと又は成就しなかったことを知らない間は、第128条及び第129条の規定を準用する。

第132条（不法条件）
不法な条件を付した法律行為は、無効とする。不法な行為をしないことを条件とするものも、同様とする。

第133条（不能条件）
①不能の停止条件を付した法律行為は、無効とする。
②不能の解除条件を付した法律行為は、無条件とする。

第134条（随意条件）
停止条件付法律行為は、その条件が単に債務者の意思のみに係るときは、無効とする。

Q1 債務者の意思のみに係る停止条件が付された法律行為は無効となるが、買主が品質良好と認めたときは代金を支払う売買契約は、これにあたり無効となるのか。

A このような条件は随意条件ではなく、売買契約は無効とならない。　鉱業権の売買契約において、買主が排水探鉱の結果、品質良好と認めたときは代金を支払い、品質不良と認めたときは代金を支払わない旨を約しても、当該売買契約は民法134条にいわゆる条件が単に債務者の意思のみにかかる停止

条件付法律行為とはいえ、無効とはならない（最判昭31・4・6）。

出題 国 I – 平成8

第135条（期限の到来の効果）
①法律行為に始期を付したときは、その法律行為の履行は、期限が到来するまで、これを請求することができない。
②法律行為に終期を付したときは、その法律行為の効力は、期限が到来した時に消滅する。

Q1 消費貸借において、債務者が出世した時に履行をする旨の約定は、不確定期限を付したものかそれとも、停止条件付債務か。

A 不確定期限を付したものである。　いわゆる出世払い契約は、出世しなければ返済しなくてもよいものではなく、出世したかまたは出世しないことが確定した時は返済するという不確定の期限である（大判大4・3・24）。

出題 裁判所総合・一般 – 平成27、国税 – 昭和61

第136条（期限の利益及びその放棄）
①期限は、債務者の利益のために定めたものと推定する。
②期限の利益は、放棄することができる。ただし、これによって相手方の利益を害することはできない。

Q1 定期預金契約の利益は、銀行と預金者双方にあるので、銀行が利息をつけても期限前弁済はできないのか。

A 銀行は利息をつければ期限前弁済ができる。　定期預金の返還時期が当事者双方の利益のために定められた場合には、債務者である銀行は、その返還時期までの約定利息を支払うなど預金者の利益喪失を塡補すれば、期限の利益を一方的に放棄することができる（大判昭9・9・15）。

出題 国 II – 平成20、裁判所総合・一般 – 平成27

第137条（期限の利益の喪失）
次に掲げる場合には、債務者は、期限の利益を主張することができない。
1　債務者が破産手続開始の決定を受けたとき。
2　債務者が担保を滅失させ、損傷させ、又は減少させたとき。
3　債務者が担保を供する義務を負う場合において、これを供しないとき。

第6章　期間の計算

第140条
日、週、月又は年によって期間を定めたときは、期間の初日は、算入しない。ただし、その期間が午前零時から始まるときは、この限りでない。

第141条（期間の満了）
前条の場合には、期間は、その末日の終了をもって満了する。

第143条（暦による期間の計算）
①週、月又は年によって期間を定めたときは、その期間は、暦に従って計算する。
②週、月又は年の初めから期間を起算しないときは、その期間は、最後の週、月又は年においてその起算日に応当する日の前日に満了する。ただし、月又は年によって期間を定めた場合におい

民法

て、最後の月に応当する日がないときは、その月の末日に満了する。

第7章　時効

第1節　総則

第144条（時効の効力）

時効の効力は、その起算日にさかのぼる。

第145条（時効の援用）

時効は、当事者（消滅時効にあっては、保証人、物上保証人、第三取得者その他権利の消滅について正当な利益を有する者を含む。）が援用しなければ、裁判所がこれによって裁判をすることができない。〔判例法理の一部条文化〕

◇権利の得喪の効果の発生時期

Q1 時効による権利の得喪の効果は、何時生じるのか。

A 時効が援用された時にはじめて確定的に生ずる。民法166条1項・2項は、5年間、10年間、20年間行使しないときは、「時効によって消滅する」と規定しているが、他方、同法145条および146条は、時効による権利消滅の効果は当事者の意思をも顧慮して生じさせることとしていることが明らかであるから、時効による債権消滅の効果は、時効期間の経過とともに確定的に生ずるものではなく、時効が援用されたときにはじめて確定的に生ずる（最判昭61・3・17）。

出題 国Ⅰ-平成20、国Ⅱ-平成23・2、裁判所Ⅰ・Ⅱ-平成14

◇消滅時効の援用権者（肯定）

Q2 連帯保証人は、消滅時効の援用権者に含まれるのか。

A 消滅時効の援用権者に含まれる。　連帯保証人は、自己の債務につき時効の完成猶予があったとき、または時効の利益を放棄したときであっても、主たる債務の消滅時効を援用することができる（大判昭7・6・21）。

出題 市役所上・中級-平成11、国税-平成14・1

Q3 保証人は主たる債務の時効を援用できるのか。

A 主たる債務の時効を援用できる。　保証人は主たる債務に関する消滅時効を援用することにより、直接その債務を免れることができるから、民法145条のいわゆる当事者に該当し、主たる債務の消滅時効を援用することができる（大判昭8・10・13）。

出題 国家総合-平成30、国Ⅰ-平成22・12、地方上級-平成5（市共通）、裁判所総合・一般-令和2、裁判所Ⅰ・Ⅱ-平成21、国税-平成9・1・昭和61・59

Q4 物上保証人は、消滅時効の援用権者に含まれるか。

A 消滅時効の援用権者に含まれる。　時効は当事者でなければこれを援用しえないことは、民法145条の規定により明らかであるが、この規定の趣旨は、消滅時効についていえば、時効を援用しうる者を権利の時効消滅により直接利益を受ける者に

限定したものであるところ、他人の債務のために自己の所有物件につき質権または抵当権を設定したいわゆる物上保証人も被担保債権の消滅によって直接利益を受ける者であるから、同条にいう当事者にあたる（最判昭42・10・27）。

出題 国Ⅰ-平成3、国家一般-平成26、国Ⅱ-平成16、裁判所総合・一般-令和2・平成28・27、裁判所Ⅰ・Ⅱ-平成23・22・21・14、国税-平成21・昭和59

Q5 譲渡担保権設定者は、消滅時効の援用権者に含まれるか。

A 消滅時効の援用権者に含まれる。　他人の債務のためその所有の土地建物をいわゆる弱い譲渡担保に供した者は、被担保債権の消滅によって利益を受けるものである点において、物上保証人と何ら異ならないから、同様に当事者として被担保債権の消滅時効を援用しうる（最判昭42・10・27）。

出題 国税-平成5・昭和59

Q6 抵当不動産の第三取得者は、消滅時効の援用権者に含まれるか。

A 消滅時効の援用権者に含まれる。　民法145条の規定により消滅時効を援用しうる者は、権利の消滅により直接利益を受ける者に限定されるところ、抵当権が設定され、かつその登記の存する不動産の譲渡を受けた第三者は、当該抵当権の被担保債権が消滅すれば抵当権の消滅を主張しうる関係にあるから、抵当債権の消滅により直接利益を受ける者にあたる（最判昭48・12・14）。

出題 国家総合-平成26、国Ⅰ-平成20・3・2・昭和55、地方上級-昭和56、特別区Ⅰ-平成23、国家一般-平成26、国Ⅱ-平成16、裁判所総合・一般-令和1・平成30、裁判所Ⅰ・Ⅱ-平成21・16・15、国税-平成8・5・昭和59

Q7 売買予約に基づく所有権移転登記請求権保全仮登記の経由された不動産につき抵当権の設定を受け、その登記を経由した者は、消滅時効を援用できるのか。

A 消滅時効を援用できる。　売買予約に基づく所有権移転登記請求権保全仮登記の経由された不動産につき抵当権の設定を受け、その登記を経由した者は、予約完結権が行使されると、いわゆる仮登記の順位保全効により、仮登記に基づく所有権移転の本登記手続につき承諾義務を負い、結局は抵当権設定登記を抹消される関係にあり（不動産登記法105条、146条1項）、その反面、予約完結権が消滅すれば抵当権を全うする地位にあるから、予約完結権の消滅によって直接利益を受ける者にあたり、その消滅時効を援用することができる（最判平2・6・5）。

出題 予想

Q8 売買予約に基づく所有権移転請求権保全の仮登記のある不動産につき、当該不動産の所有権を取得して登記を経由した第三取得者は、予約完結権の消滅時効を援用できるのか。

A 予約完結権の消滅時効を援用できる。　民法145条にいう当事者として消滅時効を援用しうる者は、権利の消滅により直接利益を受ける者に限定されるところ、売買予約に基づく所有権移転請求権

保全仮登記の経由された不動産につき所有権を取得してその旨の所有権移転登記を経由した者は、予約完結権が行使されると、いわゆる仮登記の順位保全効により、仮登記に基づく所有権移転の本登記手続につき承諾義務を負い、結局は所有権移転登記を抹消される関係にあり、その反面、予約完結権が消滅すれば所有権をまっとうすることができる地位にあるから、予約完結権の消滅によって直接利益を受ける者にあたり、その消滅時効を援用することができる（最判平 4・3・19）。 出題 国Ⅰ-平成 7

Q9 詐害行為の受益者は、債権者の有する債権につき消滅時効を援用できるのか。

A 消滅時効を援用できる。　詐害行為の受益者は、詐害行為取消請求の直接の相手方とされているうえ、これが行使されると債権者との間で詐害行為が取り消され、同行為によって得ていた利益を失う関係にあり、その反面、詐害行為取消請求をする債権者の債権が消滅すればその利益喪失を免れることができる地位にあるから、当該債権者の債権の消滅によって正当な利益を受ける者に当たり、その債権について消滅時効を援用することができるものと解する。これと見解を異にする大審院の判例（大判昭3・11・8）は、変更される（最判平 10・6・22）。 出題 国家一般-平成 26、国Ⅱ-平成 21・16、裁判所総合・一般-平成 27、国税-平成 14

◇消滅時効の援用権者（否定）

Q10 後順位抵当権者は、先順位抵当権の被担保債権の消滅時効の援用権者に含まれるのか。

A 消滅時効の援用権者に含まれない。　先順位抵当権の被担保債権が消滅すると、後順位抵当権者の順位が上昇し、これによって被担保債権に対する配当額が増加することがありうるが、この配当額の増加に対する期待は、抵当権の順位の上昇によってもたらされる反射的な利益にすぎない。そうすると、後順位抵当権者は、先順位抵当権の被担保債権の消滅により直接利益を受ける者に該当するのではなく、先順位抵当権の被担保債権の消滅時効を援用することができない（最判平 11・10・21）。 出題 国Ⅰ-平成 20・15・13、国家一般-令和 3・平成 26、国Ⅱ-平成 23・16、裁判所総合・一般-令和 2・平成 29・28、国税・財務・労基-令和 2

Q11 破産者が免責決定を受けた場合には、その免責決定の効力の及ぶ債務の保証人は、その債権についての消滅時効の援用権者に含まれるのか。

A 消滅時効の援用権者に含まれない。　免責決定の効力を受ける債権は、債権者において訴えをもって履行を請求しその強制的実現を図ることができなくなり、その債権については、もはや民法 166 条1 項に定める「権利を行使することができる」時を起算点とする消滅時効の進行を観念することができないのであるから、破産者が免責決定を受けた場合には、その免責決定の効力の及ぶ債務の保証人は、その債権についての消滅時効を援用することができない（最判平 11・11・9）。 出題 予想

Q12 破産終結決定がされて消滅した会社を主債務者とする保証人は、主債務についての消滅時効が会

社の法人格の消滅後に完成したことを主張して時効を援用できるのか。

A 時効を援用できない。　会社が破産宣告を受けた後破産終結決定がされて会社の法人格が消滅した場合には、これにより会社の負担していた債務も消滅するのであり、この場合、もはや存在しない債務について時効による消滅を観念する余地はない。この理は、同債務について保証人のある場合においても変わらない。したがって、破産終結決定がされて消滅した会社を主債務者とする保証人は、主債務についての消滅時効が会社の法人格の消滅後に完成したことを主張して時効の援用をすることはできない（最判平 15・3・14）。 出題 予想

◇取得時効の援用権者（否定）

Q13 建物賃借人は、建物賃貸人による敷地所有権の取得時効を援用できるのか。

A 敷地所有権の取得時効を援用できない。　建物賃借人は、土地の取得時効の完成によって直接利益を受ける者ではないから、当該土地の所有権の取得時効を援用することはできない（最判昭 44・7・15）。 出題 国Ⅰ-昭和 57、国Ⅱ-平成 16、国税-平成 5、裁判所総合職・一般職-令和 4

◇代位による消滅時効の援用

Q14 物上保証人の債権者は、物上保証人に代位して消滅時効を援用できるか。

A 当該債権者は、物上保証人に代位して、消滅時効を援用できる。　金銭債権の債権者は、その債務者が、他の債権者に対して負担する債務、または他人の債務のために物上保証人となっている場合にその被担保債権について、その消滅時効を援用しうる地位にあるのにこれを援用しないときは、債務者の資力が自己の債権の弁済を受けるについて十分でない事情にある限り、その債権を保全するに必要な限度で、民法 423 条 1 項本文の規定により、債務者に代位して他の債権者に対する債務の消滅時効を援用することが許される（最判昭 43・9・26）。 出題 国家総合-平成 27、国Ⅰ-昭和 63・56、国家一般-令和 3・平成 26、国Ⅱ-平成 17、裁判所総合・一般-平成 30・29、国税-昭和 59

Q15 債務者が他の債権者に対して負担する債務の消滅時効の援用権は、債権者代位権の対象となるのか。

A 債権者代位権の対象となる（最判昭 43・9・26）。 ⇨ 14

◇時効の援用の効果

Q16 時効の援用の効果は他の援用権者に及ぶのか。

A 他の援用権者に及ばない。　各当事者は各自独立して時効を援用することができるのと同時に、裁判所はその援用した当事者の直接に受ける利益の存する部分に限り、時効により裁判をすることができ、援用のない他の当事者に関する部分に及ぼすことはできない（大判大 8・6・24）。 出題 国Ⅰ-平成 10、地方上級-昭和 57、東京Ⅰ-

平成 18、裁判所総合・一般職 − 令和 4・2

Q17 主たる債務者が消滅時効を援用せず、保証人がその主たる債務の時効を援用した場合、債権者は、主たる債務者に対し、その債務の履行を請求できるのか。

A その債務の履行を請求できる（大判大 8・6・24）。⇨ 16

Q18 被相続人の占有により取得時効が完成した場合、その共同相続人の一人は、自己の相続分のみ取得時効を援用できるのか。

A 自己の相続分のみ取得時効を援用できる。　時効の完成により利益を受ける者は自己が直接に受ける利益の存する限度で時効を援用することができると解すべきであるから、被相続人が長期間占有し取得時効が完成した後、被相続人が死亡した場合において、その共同相続人の一人は、自己の相続分の限度においてのみ取得時効を援用することができるにすぎない（最判平 13・7・10）。

出題 国家総合 − 平成 27、裁判所総合・一般 − 平成 29

◇援用の時期

Q19 時効の援用が許されるのは、第一審の口頭弁論終結までで、それ以後は許されないのか。

A 第二審の口頭弁論終結まで許される。　時効の援用は訴訟当事者の攻撃防御の方法である訴訟行為の一種に属し、下級審ですべきものであり、法律の適用の当否を審査する上告審ですることはできない（大判大 12・3・26）。　出題 国税 − 昭和56

第 146 条（時効の利益の放棄）
　時効の利益は、あらかじめ放棄することができない。

Q1 主たる債務者が債務の消滅時効を放棄した場合、保証人は当該債務の消滅時効を援用できないのか。

A 保証人は当該債務の消滅時効を援用できる。主たる債務者に対する履行の請求その他時効の完成猶予が、保証人に対してもその効力が生じるのは、特別の規定があるためである。しかし、主たる債務者の行った時効の利益の放棄については、保証人に対しその効力が生じる旨の規定がないだけでなく、時効の利益の放棄は、抗弁権を放棄するものにほかならないから、放棄者およびその承継人以外の者に対しその効力が生ずるものとすることはできない（大判大 5・12・25）。

出題 市役所上・中級 − 平成11、国家一般 − 令和1、国Ⅱ−平成3、裁判所総合・一般 − 平成29、裁判所Ⅰ・Ⅱ−平成21・14、国税 − 平成9

Q2 時効の利益の放棄は絶対的効力を有するのか。
A 相対的効力を有するにすぎない（大判大 5・12・25）。⇨ 1

Q3 単に債務を承認して支払いの意思を表明したのみでは、時効の利益の放棄にあたらないのか。
A 時効の利益の放棄にあたる。　A が B に対し係争債務につき、時効完成後その支払いをなすべき旨の言明した事実がある以上、A は時効完成の事実を知って当該債務を承認し、時効の利益を暗黙に放棄

したものと推定されるから、当該係争債務はなお存在する（大判昭 6・4・14）。　出題 国税 − 平成8

Q4 債務者が時効完成の事実を知らずに、債権者に対して債務の承認をした場合、債務者は消滅時効を援用できるか。

A 信義則上、消滅時効を援用できない。　債務者は、消滅時効が完成した後に債務の承認をする場合には、その時効完成の事実を知っているのはむしろ異例で、知らないのが通常であるといえるから、債務者が商人の場合でも、消滅時効完成後に当該債務の承認をした事実から上記承認は時効が完成したことを知ってされたものであると推定することは許されない。しかし、債務者が、消滅時効完成後に債務の承認をした事実から上記承認は時効が完成したことを知ってされたものであると推定することは許されない。しかし、債務者が、自己の負担する債務について時効が完成した後に、債権者に対し債務の承認をした以上、時効完成の事実を知らなかったときでも、爾後その債務についてその完成した消滅時効の援用をすることは許されない。なぜなら、時効の完成後、債務者が債務の承認をすることは、時効による債務消滅の主張と相容れない行為であり、相手方においても債務者はもはや時効の援用をしない趣旨であると考えるであろうから、その後においては債務者に時効の援用を認めないものと解するのが、信義則に照らし、相当であるからである。また、このように解しても、永続した社会秩序の維持を目的とする時効制度の存在理由に反するものでもない（最大判昭 41・4・20）。

出題 国家総合 − 令和2・平成26、国Ⅰ−平成15・3・2・昭和63・56・55、地方上級 − 平成2、市役所上・中級 − 平成11、国家一般 − 令和3・21、裁判所総合・一般 − 令和2・平成29・28・27、裁判所Ⅰ・Ⅱ−平成23・22・21・20・18、国税・財務・労基 − 令和2、国税 − 平成14

Q5 主債務の消滅時効完成後に、主債務者が当該債務を承認し、保証人が、主債務者の債務承認を知って保証債務を承認した場合には、保証人がその後、主債務の消滅時効を援用することは許されるのか。

A 保証人がその後、主債務の消滅時効を援用することは許されない。　主債務の消滅時効完成後に、主債務者が当該債務を承認し、保証人が、主債務者の債務承認を知って、保証債務を承認した場合には、保証人がその後、主債務の消滅時効を援用することは信義則に照らして許されないものと解すべきである（最判昭 44・3・20）。出題 国家総合 − 平成30

Q6 消滅時効の完成後に債務を承認した債務者は、その承認以後再び時効期間が徒過すれば、再度完成した時効を援用できるのか。

A 再度完成した時効を援用できる。　債務者が消滅時効の完成後に債権者に対し当該債務を承認した場合には、時効完成の事実を知らなかったときでも、その後その時効を援用することは許されないが、それはすでに経過した時効期間について消滅時効を援用しえないというにとどまり、その承認以後再び時効期間の進行することをも否定するものではない（最判昭 45・5・21）。

出題 特別区Ⅰ−平成23、国Ⅱ−平成21、裁判所総合・一般 − 令和1、国税 − 平成14・8・5

第 147 条（裁判上の請求等による時効の完成猶予

民法編

及び更新）

①次に掲げる事由がある場合には、その事由が終了する（確定判決又は確定判決と同一の効力を有するものによって権利が確定することなくその事由が終了した場合にあっては、その終了の時から6箇月を経過する）までの間は、時効は、完成しない。

1　裁判上の請求
2　支払督促
3　民事訴訟法第275条第1項の和解又は民事調停法（昭和26年法律第222号）若しくは家事事件手続法（平成23年法律第52号）による調停
4　破産手続参加、再生手続参加又は更生手続参加

②前項の場合において、確定判決又は確定判決と同一の効力を有するものによって権利が確定したときは、時効は、同項各号に掲げる事由が終了した時から新たにその進行を始める。

Q1 債務者からの債務不存在確認訴訟に応訴した債権者が勝訴した場合、その債権の消滅時効の完成は猶予されるのか。

A 時効の完成は猶予される。　債務者の提起した債権不存在確認の訴えに対して債権者が請求棄却の判決を求め、これに勝訴した場合には、裁判上の請求としてその債権の消滅時効の完成猶予の効力が生じる（大連判昭14・3・22）。

出題 国Ⅰ－昭和56、国税・財務・労基－平成30

Q2 債権の一部についてのみ裁判上の請求をした場合、債権の残部についても時効完成猶予の効果は生じるのか。

A 債権の残部については時効完成猶予の効果は生じない。　一個の債権の数量的な一部についてのみ判決を求める旨を明示して訴えが提起された場合、原告が裁判所に対し主文において判断すべきことを求めているのは債権の一部の存否であって全部の存否でないことが明らかであるから、訴訟物となるのは上記債権の一部であって全部ではない。それ故、債権の一部についてのみ判決を求める旨明示した訴えの提起があった場合、訴え提起による消滅時効の完成猶予の効力は、その一部の範囲においてのみ生じる（最判昭34・2・20）。

出題 国Ⅰ－平成16・3・2・昭和61・58、国Ⅱ－平成23・5、国税－平成8

Q3 債務者が債権者を詐害する意思で全財産を第三者に贈与した場合、債権者は詐害行為取消請求により当該贈与契約の取消しの訴えの提起をすれば、債権者の当該債権の消滅時効の完成は猶予されるのか。

A 債権者の当該債権の消滅時効の完成は猶予されない。　債権者は、当該訴訟において、単に詐害行為取消しの先決問題たる関係において、本件売掛代金債権を主張するにとどまり、直接、債務者に対し裁判上の請求をするものではないから、詐害行為取消訴訟の提起をもって、債務者に対する前示債権の時効の完成猶予がされたものと解することはできない（最判昭37・10・12）。　出題 国Ⅰ－昭和56

Q4 白地手形の受取人が振出人に対して白地部分を補充せずに手形金請求の訴えを提起した場合でも、手形債権の消滅時効の完成は猶予されるのか。

A 手形債権の消滅時効の完成は猶予される。　手形法77条、70条、78条は、満期の記載のある約束手形の所持人の振出人に対する権利は、満期の日から3年をもって時効により消滅する旨規定しているから、受取人白地の手形についても、白地部分である受取人の補充がなくても、未完成手形のままの状態で時効は進行する。このように、一方で、未完成手形のままの状態で、手形上の権利について、時効が進行するものとすれば、このこととの比較均衡からいって、他方で、白地手形の所持人は、白地部分である受取人の補充をすることなく、未完成手形のままの状態で、時効の進行に対応し、法律の定めるところにより、時効の完成を猶予するための措置をとりうる（最大判昭41・11・2）。

出題 国Ⅰ－昭和61

Q5 所有権に基づく登記手続請求の訴訟において、被告が自己に所有権があることを主張して請求棄却の判決を求め、これが認められた場合、原告のための取得時効の完成を猶予する効力を生ずるのか。

A 取得時効の完成を猶予する効力を生ずる。　所有権に基づく登記手続請求の訴訟において、被告が自己に所有権があることを主張して請求棄却の判決を求め、その主張が判決によって認められた場合には、その所有権の主張は、裁判上の請求に準ずるものとして、民法147条1項1号の規定により、原告のための取得時効の完成を猶予する効力を生ずるものと解すべきである（最大判昭43・11・13）。　出題 裁判所Ⅰ・Ⅱ－平成20

Q6 一個の債権の一部についてのみ判決を求める趣旨が明示されていないときは、訴え提起により、債権の同一性の範囲内において、その全部につき時効完成猶予の効力を生ずるのか。

A その全部につき時効完成猶予の効力を生ずる。　一個の債権の一部についてのみ判決を求める趣旨を明らかにして訴えを提起した場合、訴え提起による消滅時効完成猶予の効力は、その一部についてのみ生じ、残部には及ばないが、その趣旨が明示されていないときは、請求額を訴訟物たる債権の全部として訴求したものと解すべく、この場合には、訴えの提起により上記債権の同一性の範囲内において、その全部につき時効完成猶予の効力を生ずるものと解する（最判昭45・7・24）。　出題 国Ⅰ－平成16

Q7 金銭債権の消滅時効について動産執行による消滅時効の完成猶予の効力は、何時から生じるのか。

A 債権者が執行官に対し当該債権について動産執行の申立てをした時である。　民事執行法122条にいう動産執行による金銭債権についての消滅時効の完成猶予の効力は、債権者が執行官に対し当該金銭債権について動産執行の申立てをした時に生ずる。なぜなら、民法147条1項が裁判上の請求等を時効の完成猶予事由として定めるのは、それにより権利者が権利の行使をしたといえることにあり、したがって、時効の完成猶予の効力が

生ずる時期は、権利者が法定の手続に基づく権利の行使にあたる行為に出たと認められる時期、すなわち、裁判上の請求については権利者が裁判所に対し訴状を提出した時であるからである（最判昭 59・4・24）。**出題**国Ⅰ-平成 7

Q8 連帯保証債務の物上保証人に対する抵当権の実行によって、主たる債務の消滅時効の完成は猶予されるのか。

A 主たる債務の消滅時効の完成は猶予されない。債権者甲が乙の主債務についての丙の連帯保証債務を担保するために抵当権を設定した物上保証人丁に対する競売を申し立て、その手続が進行することは、乙の主債務の消滅時効の完成猶予事由に該当しない（最判平 8・9・27）。**出題**予想

Q9 主たる債務者の破産手続において債権全額を代位弁済した保証人が債権の届出名義の変更の申出を破産裁判所にすれば、求償権自体について届出をしなくとも、求償権の消滅時効の完成は猶予されるのか。

A 求償権の消滅時効の完成は猶予される。　債権者が主たる債務者の破産手続において債権全額の届出をし、その後、債権者に債権全額を代位弁済した保証人が、破産裁判所に当該債権の届出をした者の地位を承継した旨の届出名義の変更の申出をしたときは、その代位弁済により保証人が破産者に対して取得する求償権の消滅時効は、求償権自体について届出をしなくとも、当該求償権の全部につきその届出名義の変更の申出の時から破産手続の終了に至るまでに時効の完成は猶予される（最判平 9・9・9）。**出題**予想

Q10 「明示的一部請求の訴え」に係る訴訟において、弁済、相殺等により債権の一部が消滅している旨の抗弁が提出され、これに理由があると判断されたため、判決において上記債権の総額の認定がされた場合、残部について裁判上の請求に準ずるものとして消滅時効の完成猶予の効力を生ずるのか。

A 消滅時効の完成猶予の効力は生じない。　数量的に可分な債権の一部についてのみ判決を求める旨を明示して訴えが提起された場合、当該訴えの提起による裁判上の請求としての消滅時効の完成猶予の効力は、その一部についてのみ生ずるのであって、当該訴えの提起は、残部について、裁判上の請求に準ずるものとして消滅時効の完成猶予の効力を生ずるものではない（最判昭 34・2・20 参照）。そして、この理は、「明示的一部請求の訴え」に係る訴訟において、弁済、相殺等により債権の一部が消滅している旨の抗弁が提出され、これに理由があると判断されたため、判決において上記債権の総額の認定がされたとしても、異なるものではないというべきである。なぜなら、当該認定は判決理由中の判断にすぎないのであって、残部のうち消滅していないと判断された部分については、その存在が確定していないのはもちろん、確定したのと同視することができるともいえないからである。したがって、明示的一部請求の訴えである別件訴えの提起が、請求の対象となっていなかった本件残部についても、裁判上の請求に準ずるものとして消滅時効の完成猶予の

効力を生ずるものではない（最判平 25・6・6）。**出題**予想

Q11 保証人が主たる債務を相続したことを知りながら保証債務の弁済をした場合、主たる債務の消滅時効の完成は猶予されるのか。

A 主たる債務の消滅時効の完成は猶予される。主たる債務を相続した保証人は、従前の保証人としての地位に併せて、包括的に承継した主たる債務者としての地位をも兼ねるものであるから、相続した主たる債務について債務者としてその承認をしうる立場にある。そして、保証債務の附従性に照らすと、保証債務の弁済は、通常、主たる債務が消滅せずに存在していることを当然の前提とするものである。しかも、債務の弁済が、債務の承認を表示するものにほかならないことからすれば、主たる債務者兼保証人の地位にある者が主たる債務を相続したことを知りながらした弁済は、これが保証債務の弁済であっても、債権者に対し、併せて負担している主たる債務の承認を表示することを包含するものといえる。これは、主たる債務者兼保証人の地位にある個人が、主たる債務者としての地位と保証人としての地位により異なる行動をすることは、想定しがたいからである。したがって、保証人が主たる債務を相続したことを知りながら保証債務の弁済をした場合、当該弁済は、特段の事情のない限り、主たる債務者による承認として当該主たる債務の消滅時効の完成を猶予する効力を有すると解するのが相当である（最判平 25・9・13）。**出題**予想

Q12 Ａの Ｘ に対する貸金債務について Ｙ と Ｘ との間で保証契約を締結した場合において、Ｙ が Ｘ から金員を借り受けた旨が記載された公正証書が上記保証契約の締結の趣旨で作成され、上記公正証書に記載されたとおり Ｙ が金員を借り受けたとして Ｘ が Ｙ に対して貸金の支払いを求める旨の支払督促の申立てをしたとの事情があった場合、上記支払督促は、保証契約に基づく保証債務履行請求権について消滅時効の完成猶予の効力を生ずるのか。

A 保証契約に基づく保証債務履行請求権について消滅時効の完成猶予の効力を生じない。　本件公正証書には、Ｙ が Ｘ から 1 億 1,000 万円を借り受けた旨が記載されているものの、本件公正証書は、上記の借受けを証するために作成されたのではなく、本件保証契約の締結の趣旨で作成されたというのである。しかるに、Ｘ は、本件支払督促の申立てにおいて、本件保証契約の履行ではなく、本件公正証書に記載されたとおり Ｙ が Ｘ から金員を借り受けたとして貸金の返還を求めたものである。上記の貸金返還請求権の根拠となる事実は、本件保証契約に基づく保証債務履行請求権の根拠となる事実と重なるものですらなく、むしろ、本件保証契約の成立を否定するものにほかならず、上記貸金返還請求権の行使は、本件保証契約に基づく保証債務履行請求権を行使することとは相容れないものである。そうすると、本件支払督促において貸金債権が行使されたことにより、これとは別個の権利である本件保証契約に基づく保証債務履行請求権についても行使されたことになると評価することは

民法編

できない。したがって、本件支払督促は、上記保証債務履行請求権について消滅時効の完成猶予の効力を生ずるものではない（最判平29・3・13）。

出題 予想

第148条（強制執行等による時効の完成猶予及び更新）

①次に掲げる事由がある場合には、その事由が終了する（申立ての取下げ又は法律の規定に従わないことによる取消しによってその事由が終了した場合にあっては、その終了の時から6箇月を経過する）までの間は、時効は、完成しない。

　1　強制執行
　2　担保権の実行
　3　民事執行法（昭和54年法律第4号）第195条に規定する担保権の実行としての競売の例による競売
　4　民事執行法第196条に規定する財産開示手続又は同法第204条に規定する第三者からの情報取得手続

②前項の場合には、時効は、同項各号に掲げる事由が終了した時から新たにその進行を始める。ただし、申立ての取下げ又は法律の規定に従わないことによる取消しによってその事由が終了した場合は、この限りでない。

Q1 債権者が債務者の第三債務者に対する債権を差し押さえると、被差押債権の消滅時効の完成は猶予・更新されるのか。

A 被差押債権の消滅時効の完成は猶予・更新されない。　債権者が債務者の第三債務者に対する債権を差し押さえても、被差押債権の消滅時効の完成は猶予・更新しない。このような場合にも、債務者（被差押債権の債権者）は独立に確認訴訟を提起して時効完成の猶予・更新することができる（大判大10・1・26）。

出題 国Ⅱ-昭和58

Q2 債権者が物上保証人に対して差押えを行い、その旨の通知を債権者が主たる債務者にしたときは、当該債権の消滅時効の完成は猶予・更新されるのか。

A 当該債権の消滅時効の完成は猶予・更新される。債権者より物上保証人に対し、その被担保債権の実行として任意競売の申立てがされ、競売裁判所がその競売開始決定をしたうえ、競売手続の利害関係人である債務者に対する告知方法として同決定正本を当該債務者に送達した場合には、債務者は、民法148条により、当該被担保債権の消滅時効の完成猶予・更新の効果を受ける（最判昭50・11・21）。

出題 国Ⅰ-昭和61

第149条（仮差押え等による時効の完成猶予）

次に掲げる事由がある場合には、その事由が終了した時から6箇月を経過するまでの間は、時効は、完成しない。

　1　仮差押え
　2　仮処分

第150条（催告による時効の完成猶予）

①催告があったときは、その時から6箇月を経過するまでの間は、時効は、完成しない。

②催告によって時効の完成が猶予されている間にされた再度の催告は、前項の規定による時効の完成

猶予の効力を有しない。

Q1 手形の呈示を伴わない催告には、手形債権の時効完成を猶予する効力がないのか。

A 手形債権の時効完成を猶予する効力がある。手形は流通証券であるから手形債権につき債務者を遅滞に付するための請求には手形の呈示を伴うことが必要であるが、単に時効完成猶予のための催告については、必ずしも手形の呈示を伴う請求であることを必要としない（最大判昭38・1・30）。

出題 国Ⅰ-昭和58、地方上級-昭和60、国税-昭和56

Q2 「明示的一部請求の訴え」の提起は、残部について裁判上の催告として消滅時効の完成猶予の効力を生ずるのか。

A 残部につき権利行使の意思が継続的に表示されているとはいえない特段の事情のない限り、残部について裁判上の催告として消滅時効の完成猶予の効力を生ずる。「明示的一部請求の訴え」において請求された部分と請求されていない残部とは、請求原因事実を異にすること、明示的一部請求の訴えを提起する債権者としては、将来にわたって残部をおよそ請求しないという意思の下に請求を一部にとどめているわけではないのが通常であると解される。したがって、明示的一部請求の訴えが提起された場合、債権者が将来にわたって残部をおよそ請求しない旨の意思を明らかにしているなど、残部につき権利行使の意思が継続的に表示されているとはいえない特段の事情のない限り、当該訴えの提起は、残部について、裁判上の催告として消滅時効の完成猶予の効力を生ずるというべきであり、債権者は、当該訴えに係る訴訟の終了後6箇月以内に民法150条所定の措置を講ずることにより、残部について消滅時効を確定的に完成猶予することができる（最判平25・6・6）。

出題 予想

第151条（協議を行う旨の合意による時効の完成猶予）

①権利についての協議を行う旨の合意が書面でされたときは、次に掲げる時のいずれか早い時までの間は、時効は、完成しない。

　1　その合意があった時から1年を経過した時
　2　その合意において当事者が協議を行う期間（1年に満たないものに限る。）を定めたときは、その期間を経過した時
　3　当事者の一方から相手方に対して協議の続行を拒絶する旨の通知が書面でされたときは、その通知の時から6箇月を経過した時

②前項の規定により時効の完成が猶予されている間にされた再度の同項の合意は、同項の規定による時効の完成猶予の効力を有する。ただし、その効力は、時効の完成が猶予されなかったとすれば時効が完成すべき時から通じて5年を超えることができない。

③催告によって時効の完成が猶予されている間にされた第1項の合意は、同項の規定による時効の完成猶予の効力を有しない。同項の規定により時効の完成が猶予されている間にされた催告についても、同様とする。

④第1項の合意がその内容を記録した電磁的記録（電子的方式、磁気的方式その他人の知覚によっては認識することができない方式で作られる記録であって、電子計算機による情報処理の用に供されるものをいう。以下同じ。）によってされたときは、その合意は、書面によってされたものとみなして、前3項の規定を適用する。

⑤前項の規定は、第1項第3号の通知について準用する。

第152条（承認による時効の更新）

①時効は、権利の承認があったときは、その時から新たにその進行を始める。

②前項の承認をするには、相手方の権利についての処分につき行為能力の制限を受けていないこと又は権限があることを要しない。

Q1 物上保証人の債権者に対する被担保債権の存在の承認は、被担保債権の消滅時効について、152条の承認にあたるのか。

A 承認にあたらない。　物上保証人が債権者に対し当該物上保証人および被担保債権の存在を承認しても、その承認は、被担保債権の消滅時効については、民法152条1項にいう承認にあたるとはいえず、当該物上保証人に対する関係においても、時効の完成の更新の効力を生ずる余地はない（最判昭62・9・3）。

出題 国Ⅰ－平成15

Q2 債務者が債務の一部を弁済した場合、残債務についても時効完成猶予の効力は生じるのか。

A 残債務についても時効完成の更新の効力が生じる。債務者が債務の一部を弁済した場合、その弁済は債務の承認を表白するものであるから、残債務について時効完成の更新の効力が生じる（大判大8・12・26）。

出題 地方上級－昭和60、国Ⅱ－平成5

Q3 同一の当事者間に数個の金銭消費貸借契約に基づく各元本債務が存在する場合において、借主が弁済を充当すべき債務を指定することなく全債務を完済するのに足りない額の弁済をしたときは、当該弁済は、消滅時効の更新の効力を有するのか。

A 当該弁済は、特段の事情のない限り、上記各元本債務（権利）の承認（民法152条1項）として消滅時効の更新の効力を有する。　同一の当事者間に数個の金銭消費貸借契約に基づく各元本債務が存在する場合において、借主が弁済を充当すべき債務を指定することなく全債務を完済するのに足りない額の弁済をしたときは、当該弁済は、特段の事情のない限り、上記各元本債務（民法147条3号）として消滅時効の完成猶予の効力を有すると解するのが相当である（大判昭13・6・25）。なぜなら、上記の場合、借主は、自らが契約当事者となっている数個の金銭消費貸借契約に基づく各元本債務が存在することを認識しているのが通常であり、弁済の際にその弁済を充当すべき債務を指定することができるのであって、借主が弁済を充当すべき債務を指定することなく弁済をすることは、特段の事情のない限り、上記各元本債務の全てについて、その存在を知っている旨を表示するものと解されるからである（最判令2・12・15）。

出題 予想

第153条（時効の完成猶予又は更新の効力が及ぶ者の範囲）

①第147条又は第148条の規定による時効の完成猶予又は更新は、完成猶予又は更新の事由が生じた当事者及びその承継人の間においてのみ、その効力を有する。

②第149条から第151条までの規定による時効の完成猶予は、完成猶予の事由が生じた当事者及びその承継人の間においてのみ、その効力を有する。

③前条の規定による時効の更新は、更新の事由が生じた当事者及びその承継人の間においてのみ、その効力を有する。

Q1 AとBが共有する不動産についてCが占有を継続しており、時効期間が経過する前にAだけが時効完成猶予のために訴訟を提起した場合、時効期間が経過したときは、Cは占有する不動産のうちBの持分を時効取得できるのか。

A Bの持分を時効取得できる。　共有者が他人に対し共有物の全体につき提起する共有権確認の訴えは、民法252条の保存行為に属するものであるが、各共有者がその持分を主張することができる以上、各自その持分について裁判上の主張をして自己の持分に関する時効の完成猶予をすることができる（大判大8・5・31）。　**出題** 地方上級－平成2

Q2 物上保証人が、債務者の承認により生じた時効完成猶予の効力を否定することは、許されるか。

A 許されない。　他人の債務のために自己の所有物件につき根抵当権等を設定したいわゆる物上保証人が、債務者の承認により被担保債権について生じた消滅時効の効力を否定することは、担保権の付従性に抵触し、民法396条の趣旨にも反し、許されない（最判平7・3・10）。

出題 国家総合－平成26、国Ⅰ－平成15

第154条

第148条第1項各号又は第149条各号に掲げる事由に係る手続は、時効の利益を受ける者に対してしないときは、その者に通知をした後でなければ、第148条又は第149条の規定による時効の完成猶予又は更新の効力を生じない。

第158条（未成年者又は成年被後見人と時効の完成猶予）

①時効の期間の満了前6箇月以内の間に未成年者又は成年被後見人に法定代理人がないときは、その未成年者若しくは成年被後見人が行為能力者となった時又は法定代理人が就職した時から6箇月を経過するまでの間は、その未成年者又は成年被後見人に対して、時効は、完成しない。

②未成年者又は成年被後見人がその財産を管理する父、母又は後見人に対して権利を有するときは、その未成年者若しくは成年被後見人が行為能力者となった時又は後任の法定代理人が就職した時から6箇月を経過するまでの間は、その権利について、時効は、完成しない。

〔判例法理の条文化〕

Q1 時効の期間の満了前6箇月以内の間に精神上の障害により事理を弁識する能力を欠く常況にある者に法定代理人がない場合において、時効の期間の

民法編

満了前の申立てに基づき後見開始の審判がされたときは、その者に対して時効は完成するのか。

A 民法158条1項の規定により、法定代理人が就職した時から6箇月を経過するまでの間は、その者に対して時効は完成しない。　精神上の障害により事理を弁識する能力を欠く常況にあるものの、まだ後見開始の審判を受けていない者については、すでにその申立てがされていたとしても、もとより民法158条1項にいう成年被後見人に該当するものではない。しかし、上記の者についても、法定代理人を有しない場合には時効完成猶予の措置をとることができないのであるから、成年被後見人と同様に保護する必要性があるといえる。また、上記の者についてその後に後見開始の審判がされた場合において、民法158条1項の規定の適用を認めたとしても、時効を援用しようとする者の予見可能性を不当に奪うものとはいえないときもありうるところであり、申立てがされた時期、状況等によっては、同項の類推適用を認める余地があるというべきである。そうすると、時効の期間の満了前6箇月以内の間に精神上の障害により事理を弁識する能力を欠く常況にある者に法定代理人がない場合において、少なくとも、時効の期間の満了前の申立てに基づき後見開始の審判がされたときは、民法158条1項の規定の適用により、法定代理人が就職した時から6箇月を経過するまでの間は、その者に対して時効は完成しないと解するのが相当である（最判平26・3・14）。　　　　　　　【出題】予想

第159条（夫婦間の権利の時効の完成猶予）
夫婦の一方が他の一方に対して有する権利については、婚姻の解消の時から6箇月を経過するまでの間は、時効は、完成しない。

第160条（相続財産に関する時効の完成猶予）
相続財産に関しては、相続人が確定した時、管理人が選任された時又は破産手続開始の決定があった時から6箇月を経過するまでの間は、時効は、完成しない。

第161条（天災等による時効の完成猶予）
時効の期間の満了の時に当たり、天災その他避けることのできない事変のため第147条第1項各号又は第148条第1項各号に掲げる事由に係る手続を行うことができないときは、その障害が消滅した時から3箇月を経過するまでの間は、時効は、完成しない。

第2節　取得時効

第162条（所有権の取得時効）
① 20年間、所有の意思をもって、平穏に、かつ、公然と他人の物を占有した者は、その所有権を取得する。
② 10年間、所有の意思をもって、平穏に、かつ、公然と他人の物を占有した者は、その占有の開始の時に、善意であり、かつ、過失がなかったときは、その所有権を取得する。

Q1 一筆の土地の一部を時効取得できるのか。
A 時効取得できる（大連判大13・10・7）。⇨86条2

Q2 自己の物を時効取得できるのか。

A 時効取得できる。　民法162条所定の占有者には、権利なくして占有をした者のほか、所有権に基づいて占有をした者をも包含する。すなわち、所有権に基づいて不動産を占有する者についても、民法162条の適用がある（最判昭42・7・21）。
【出題】国Ⅰ-平成21・19、国家一般-平成30、国Ⅱ-平成15、裁判所総合・一般-令和4・3・平成29・25、国税・財務・労基-令和2・平成30、国税・労基-平成19、国税-平成8・3

Q3 賃貸借により取得した占有は自主占有か。
A 他主占有である。　占有における所有の意思の有無は、占有取得の原因たる事実によって外形的客観的に定められるべきものであるから、賃貸借が法律上効力を生じない場合にあっても、賃貸借により取得した占有は他主占有というべきである（最判昭45・6・18）。
【出題】裁判所総合・一般-令和4・3

Q4 民法162条2項の10年の取得時効の要件については、占有者が所有の意思をもって、平穏かつ公然に、善意・無過失で占有していることが推定されるのか。
A 無過失は推定されない。　民法162条2項の10年の取得時効を主張するものは、その不動産を自己の所有と信じたことにつき無過失であったことの立証責任を負うものである（最判昭43・12・19、最判昭46・11・11）。
【出題】国Ⅰ-平成21、裁判所総合・一般-令和1、国税・財務・労基-令和2、国税-平成27

Q5 公共用財産につき、行政主体の明示の意思表示による公用廃止がなければ、取得時効の成立は認められないのか。
A 一定の要件の下で、黙示的に公用が廃止されたものとして、取得時効の成立が認められる。　公共用財産が、(1)長年の間事実上公の目的に供用されることなく放置され、(2)公共用財産としての形態、機能を全く喪失し、(3)その物のうえに他人の平穏かつ公然の占有が継続したが、そのため実際上公の目的が害されるようなこともなく、もはやその物を公共用財産として維持すべき理由がなくなった場合には、上記公共用財産については、黙示的に公用が廃止されたものとして、これについて取得時効の成立を妨げないものと解する（最判昭51・12・24）。
【出題】特別区Ⅰ-令和2

Q6 取得時効の成立要件である所有の意思は占有者の内心の意思により判断すべきか。
A 占有者の内心の意思ではなく、占有取得の原因である権原または占有に関する事情により外形的・客観的に判断すべきである。　取得時効の成立要件の1つである所有の意思（自主占有にあたる意思）は、占有者の内心の意思によってではなく、占有取得の原因である権原または占有に関する事情により外形的・客観的に定められるのであるから、占有者の内心のいかんを問わず、占有者がその性質上所有の意思のないものとされる権原に基づき占有を取得した事実が証明されるか、または占有者が占有中、真の所有者であれば通常はとらない態度を示し、もしくは所有者であれば当然とるべき行動に出なかっ

たなど、外形的客観的にみて占有者が他人の所有権を排除して占有する意思を有していなかったものと解される事情（他主占有事情）が証明されてはじめて、その所有の意思を否定することができる（最判昭58・3・24、最判平7・12・15）。☞186条参照

【出題】国Ⅰ−平成21、国家一般−平成28・25、国Ⅱ−平成19、裁判所Ⅰ・Ⅱ−平成16

Q7 占有者は、所有の意思で占有するものと推定されるから、占有者の占有が自主占有にあたらないことを理由として取得時効の成立を争う者は、当該占有が他主占有にあたることについての立証責任を負うのか。

A 立証責任を負う（最判昭58・3・24）。⇨6

Q8 Xは、⑴土地の所有名義がAにあることを知りながら、長年にわたって移転登記を求めることなく放置し、⑵固定資産税を負担しなかった場合、本件土地を占有する意思がなかったといえるのか。

A 本件土地を占有する意思（自主占有）がなかったとは必ずしもいえない。　設問の⑴の事実は、基本的には占有者の悪意を推認させる事情として考慮されるものであり、他主占有事情として考慮される場合においても、占有者と登記簿上の所有名義人との間の人的関係によっては、所有者として異常な態度とはいえないこともあり、また、⑵の事実も、当該不動産に賦課される税額等によっては、所有者として異常な態度とはいえないこともある。すなわち、これらの事実は、他主占有事情の存否の判断において占有に関する外形的客観的な事実の1つとして意味のある場合もあるが、つねに決定的な事実ではない（最判平7・12・15）。☞186条参照

【出題】裁判所Ⅰ・Ⅱ−平成16

Q9 農地を農地以外のものにするために買い受けた者は、農地法所定の許可手続未了段階でも、当該土地の取得時効は進行するのか。

A 進行する。　農地を農地以外のものにするために買い受けた者は、農地法5条所定の許可を得るための手続が執られなかったとしても、特段の事情のない限り、代金を支払い当該農地の引渡しを受けた時に、所有の意思をもって同農地の占有を始めたものと解する（最判平13・10・26）。

【出題】予想

第163条（所有権以外の財産権の取得時効）

所有権以外の財産権を、自己のためにする意思をもって、平穏に、かつ、公然と行使する者は、前条の区別に従い20年又は10年を経過した後、その権利を取得する。

Q1 土地賃借権を時効取得することは可能か。

A 可能である。　土地賃借権の時効取得については、土地の継続的な用益という外形的事実が存在し、かつ、それが賃借の意思に基づくことが客観的に表現されているときは、民法163条に従い土地賃借権の時効取得が可能である（最判昭43・10・8、最判昭62・6・5）。

【出題】国家総合−令和3、国Ⅰ−平成7・3・2、裁判所総合・一般−令和4・平成30・29、裁判所Ⅰ・Ⅱ−平成14

第164条（占有の中止等による取得時効の中断）

第162条の規定による時効は、占有者が任意にその占有を中止し、又は他人によってその占有を奪われたときは、中断する。

第165条

前条の規定は、第163条の場合について準用する。

第3節　消滅時効

第166条（債権等の消滅時効）

①債権は、次に掲げる場合には、時効によって消滅する。

　1　債権者が権利を行使することができることを知った時から5年間行使しないとき。

　2　権利を行使することができる時から10年間行使しないとき。

②債権又は所有権以外の財産権は、権利を行使することができる時から20年間行使しないときは、時効によって消滅する。

③前2項の規定は、始期付権利又は停止条件付権利の目的物を占有する第三者のために、その占有の開始の時から取得時効が進行することを妨げない。ただし、権利者は、その時効を更新するため、いつでも占有者の承認を求めることができる。

Q1 金融機関Aが預金者Bとの間で、払戻請求の通知があれば3か月後に支払う旨の預金契約を締結したが、Bが何ら通知せずに放置していた場合、消滅時効はBがAに払戻請求をした日から進行するのか。

A 消滅時効は契約成立から3か月経過した時より進行する。　債権者が履行の請求をした後、一定期間内に債務を履行すべき特約のある債権関係においては、債権者は債権成立後いつでも任意に履行請求権を行使し、履行期を到達させることができるのであるから、このような債権関係については、その成立後契約期間が経過した時から債権の消滅時効の期間を起算すべきである。そして、本件のような債権の場合には、債権成立の時から起算して3か月を経過した時より時効の進行が始まる（大判大3・3・12）。　【出題】地方上級−平成5（市共通）

Q2 不確定期限付債務の消滅時効は、債務者が期限到来を知った時から進行するのか。

A 債務者の知・不知を問わず、期限到来の時から進行する。　債権の消滅時効は、債権者が権利を行使することができる時からその進行を始めるものであり、不確定期限の債務といえども、その到来の時から債権者は弁済を請求することができ、これと同時に消滅時効は当然進行するものであり、債権者が期限の到来を知ると否とを問わず、またその過失の有無を要しない（大判大4・3・24）。

【出題】国Ⅰ−平成8、裁判所総合・一般−令和1

Q3 非債弁済による不当利得返還請求権の消滅時効は、何時から発生するのか。

A 権利発生の時から発生する。　非債弁済については、弁済をした者が債務の存在しないことを知らない場合に限り給付したものの返還を請求することができるのであるから、返還請求権発生時において

民法編

は、権利者はこの権利の発生を了知できずにこれを行使することはできないが、これは事実上権利行使ができないにとどまるのであって、法律上権利行使ができないわけではない。民法166条1項2号の「権利を行使することができる時」とは法律上これを行使しうべき時を意味し、事実上これを行使できるか否かは何ら関係ない以上、この場合にも、権利発生の時から時効期間が進行するのである（大判昭12・9・17）。出題 地方上級 − 平成9

Q4 1回でも支払を怠れば直ちに、残代金の支払いを求める旨の特約が付された割賦払契約が締結された場合、債務者が1回支払を怠ったときは、その不払いの時から全額について直ちに時効は進行するのか。

A 債権者がとくに残債務全額の弁済を求める旨の意思表示をした場合に限り、その時から全額について消滅時効が進行する。　割賦金弁済契約において、割賦払の約定に違反したときは債務者は債権者の請求により償還期限にかかわらず直ちに残債務全額を弁済すべき旨の約定が存する場合には、1回の不履行があっても、各割賦金額につき約定弁済期の到来ごとに順次消滅時効が進行し、債権者が特に残債務全額の弁済を求める旨の意思表示をした場合に限り、その時から全額について消滅時効が進行する（最判昭42・6・23）。

出題 国家総合 − 平成26、地方上級 − 平成5（市共通）、裁判所総合・一般 − 平成26、国税 − 平成10

Q5 委託を受けた保証人の主たる債務者に対する求償権の消滅時効は、何時から進行するのか。

A 主たる債務を消滅させるべき行為（免責行為）をした時から起算する（弁済行為前に事前求償権を取得した場合も同じである）。　主たる債務者から委託を受けて保証をした保証人（委託を受けた保証人）が、弁済その他自己の出捐をもって主たる債務を消滅させるべき行為（免責行為）をしたことにより、民法459条1項後段の規定に基づき主たる債務者に対して取得する求償権（事後求償権）は、免責行為をした時に発生し、かつ、その行使が可能となるものであるから、その消滅時効は、委託を受けた保証人が免責行為をした時から進行するものであり、このことは、委託を受けた保証人が、同項前段所定の事由、もしくは同法460条各号所定の事由、または主たる債務者との合意により定めた事由が発生したことに基づき、主たる債務者に対して免責行為前に求償をしうる権利（事前求償権）を取得したときであっても異ならない（最判昭60・2・12）。

出題 国Ⅰ − 平成7

Q6 ある土地の賃借人が賃貸人に無断で当該土地を転貸した場合、賃貸人の無断転貸を理由とする土地賃貸借契約の解除権は、何時から消滅時効にかかるのか。

A 転貸借契約により土地の使用収益を開始した時から10年の消滅時効にかかる。　賃貸土地の無断転貸を理由とする賃貸借契約の解除権は、賃借人の無断転貸という契約義務違反事由の発生を原因として、賃貸人の一方的な意思表示により賃貸借契約関係を終了させることができる形成権であるから、そ

の消滅時効については、債権に準じて民法166条1項2号が適用され、その権利を行使できる時から10年を経過したときは時効によって消滅する。そして、当該解除権は、転借人が、賃借人（転貸人）との間で締結した賃貸借契約に基づき、当該土地について使用収益を開始した時から、その権利行使が可能になったものであるから、その消滅時効は、その使用収益開始時から進行する（最判昭62・10・8）。出題 国Ⅰ − 平成7

Q7 雇用契約上の付随義務としての安全配慮義務の不履行に基づく損害賠償請求権の消滅時効は、何時から進行するのか。

A 損害が発生した時から進行する。　雇用契約上の付随義務としての安全配慮義務の不履行に基づく損害賠償請求権の消滅時効期間は、民法166条1項2号により10年と解され、その10年の消滅時効は、その損害賠償請求権を行使しうる時から進行する。そして、一般に、安全配慮義務違反による損害賠償請求権は、その損害が発生した時に成立し、同時にその権利を行使することが法律上可能となる〈長崎じん肺訴訟〉（最判平6・2・22）。出題 予想

Q8 雇用者の安全配慮義務違反によりじん肺が疾患し、これを理由とする損害賠償請求権の消滅時効は何時から進行するのか。

A 最終の行政上の決定を受けた時から進行する。　じん肺に疾患した患者の病状が進行し、より重い行政上の決定を受けた場合においても、重い決定に相当する病状に基づく損害を含む全損害が、最初の行政上の決定を受けた時点で発生していたものとみることはできない。なぜなら、じん肺は肺内に粉じんが存在する限り進行するが、それは肺内の粉じんの量に対応する進行であるという特異な進行性の疾病であり、その病変の特質からすると、それぞれの各行政上の決定に相当する病状に基づく損害には、質的には異なるものがあるからである。したがって、重い行政上の決定に相当する病状に基づく損害は、その決定を受けた時に発生し、その時点から損害賠償請求権を行使することが法律上可能となるのであり、最初の軽い行政上の決定を受けた時点で、その後の重い決定に相当する病状に基づく損害を含む全損害が発生していたとみることは、じん肺という疾病の実態に反する。要するに、雇用者の安全配慮義務違反によりじん肺に疾患したことを理由とする損害賠償請求権の消滅時効は、最終の行政上の決定を受けた時から進行する〈長崎じん肺訴訟〉（最判平6・2・22）。出題 予想

Q9 債務不履行に基づく損害賠償請求権の消滅時効は、債務不履行の時から進行するのか。

A 本来の債務の履行を請求しうる時から進行する。債務者の責めに帰すべき債務の履行不能によって生ずる損害賠償請求権の消滅時効は、本来の債務の履行を請求しうる時からその進行を開始する。なぜなら、契約に基づく債務について不履行があったことによる損害賠償請求権は、本来の履行請求権の拡張ないし内容の変更であって、本来の履行請求権と法的に同一性を有するからである（最判平10・4・

民法編

24）。

出題 国家総合 - 平成 29・26、国Ⅰ - 平成 23・20・15、国家一般 - 平成 25、国Ⅱ - 平成 14、裁判所総合・一般 - 平成 26、裁判所Ⅰ・Ⅱ - 平成 16、国税・労基 - 平成 22

Q10 生命保険契約の保険契約が被保険者の死亡の日の翌日を死亡保険金請求権の消滅時効の起算点とする旨を定めている場合、上記消滅時効は、被保険者の遺体が発見されるまでの間は進行しないのか。

A 進行しない。　本件約款が本件消滅時効の起算点について定めている（保険金請求権の時効による消滅について、保険金を請求する権利は、支払事由が生じた日からその日を含めて３年間請求がない場合には消滅する旨の定め）のは、本件各保険契約に基づく保険金請求権は、支払事由（被保険者の死亡）が発生すれば、通常、その時からの権利行使が期待できるのであって、当時の客観的状況等に照らし、その時からの権利行使が現実に期待できないような特段の事情の存する場合についてまでも、上記支払事由発生の時をもって本件消滅時効の起算点とする趣旨ではない。したがって、被上告人の本件各保険契約に基づく保険金請求権については、本件約款所定の支払事由（Ａの死亡）が発生した時からＡの遺体が発見されるまでの間は、当時の客観的な状況等に照らし、その権利行使が現実に期待できないような特段の事情が存したものであり、その間は、消滅時効は進行しない。そうすると、本件消滅時効については、Ａの死亡が確認され、その権利行使が現実に期待できるようになった時点以降において消滅時効が進行する（最判平 15・12・11）。　　　　　　　　　　出題 予想

Q11 雇用者の安全配慮義務違反により罹患したじん肺によって死亡したことを理由とする損害賠償請求権の消滅時効は、何時から進行するのか。

A 死亡の時から進行する。　雇用者の安全配慮義務違反によりじん肺にかかったことを理由とする損害賠償請求権の消滅時効は、じん肺法所定の管理区分についての行政上の決定を受けた時から進行すると解すべきであるが（最判平 6・2・22 参照）、じん肺によって死亡した場合の損害については、死亡の時から損害賠償請求権の消滅時効が進行すると解する。なぜなら、その者が、じん肺法所定の管理区分についての行政上の決定を受けている場合であっても、その後、じん肺を原因として死亡するか否か、その蓋然性は医学的にみて不明であるからである〈筑豊じん肺訴訟〉（最判平 16・4・27）。　　　　　　　　　　　　出題 予想

Q12 自動継続定期預金契約における預金払戻請求権の消滅時効は、初回満期日から進行するのか。

A 預金者による解約の申入れがされたことなどにより、それ以降自動継続の取扱いがされることのなくなった満期日が到来した時から進行する。　自動継続定期預金契約は、預金契約の当事者双方が、満期日が自動的に更新されることに意義を認めて締結するものであることは、その内容に照らして明らかであり、預金者が継続停止の申出をするか否かは、預金契約上、預金者の自由にゆだねられた行為とい

うべきである。したがって、預金者が初回満期日前にこのような行為をして初回満期日に預金の払戻しを請求することを前提に、消滅時効に関し、初回満期日から預金払戻請求権を行使することができると解することは、預金者に対し契約上その自由にゆだねられた行為を事実上行うよう要求するに等しいものであり、自動継続定期預金契約の趣旨に反する。そうすると、初回満期日前の継続停止の申出が可能であるからといって、預金払戻請求権の消滅時効が初回満期日から進行すると解することはできない。以上によれば、自動継続定期預金契約における預金払戻請求権の消滅時効は、預金者による解約の申入れがされたことなどにより、それ以降自動継続のことのなくなった満期日が到来した時から進行するものと解する（最判平 19・4・24、最判平 19・6・7）。　　　　　　　　　　出題 予想

Q13 過払金充当合意を含む基本契約に基づく継続的な金銭消費貸借取引においては、同取引により発生した過払金返還請求権の消滅時効は、原則として、何時から進行するのか。

A 原則として、同取引が終了した時点から進行する。　借主は、基本契約に基づく借入れを継続する義務を負うものではないので、一方的に基本契約に基づく継続的な金銭消費貸借取引を終了させ、その時点において存在する過払金を請求することができるが、それをもって過払金発生時からその返還請求権の消滅時効が進行すると解することは、借主に対し、過払金が発生すればその返還請求権の消滅時効期間経過前に貸主との間の継続的な金銭消費貸借取引を終了させることを求めるに等しく、過払金充当合意を含む基本契約の趣旨に反することとなるから、そのように解することはできない（最判平 19・4・24、最判平 19・6・7 参照）。したがって、過払金充当合意を含む基本契約に基づく継続的な金銭消費貸借取引においては、同取引により発生した過払金返還請求権の消滅時効は、過払金返還請求権の行使について上記内容と異なる合意が存在する等特段の事情のない限り、同取引が終了した時点から進行するものと解するのが相当である（最判平 21・1・22、最判平 21・3・6）。　　出題 予想

Q14 受信契約に基づき発生する受信設備（テレビジョン）の設置の月以降の分の受信料債権の消滅時効は、いつから進行するのか。

A 受信契約成立時から進行する。　受信料債権は受信契約に基づき発生するものであるから、受信契約が成立する前においては、原告（日本放送協会）は、受信料債権を行使することができない。この点、原告は、受信契約を締結していない受信設備設置者に対し、受信契約を締結するよう求めるとともに、これにより成立する受信契約に基づく受信料を請求することができることからすると、受信設備を設置しながら受信料を支払っていない者のうち、受信契約を締結している者については受信料債権が時効消滅する余地があり、受信契約を締結していない者についてはその余地がないということになるのは、不均衡であるようにもみえる。しかし、通常は、受信設備設置者が原告（日本放送協会）に対し

受信設備を設置した旨を通知しない限り、原告（日本放送協会）が受信設備設置者の存在を速やかに把握することは困難であると考えられ、他方、受信設備設置者は放送法64条1項により受信契約を締結する義務を負うのであるから、受信契約を締結していない者について、これを締結した者と異なり、受信料債権が時効消滅する余地がないのもやむをえないというべきである。したがって、受信契約に基づき発生する受信設備の設置の月以降の分の受信料債権（受信契約成立後に履行期が到来するものを除く）の消滅時効は、受信契約成立時から進行する〈NHK受信契約締結承諾等請求事件〉（最大判平29・12・6）。 **出題** **予想**

Q15 抵当権の被担保債権が免責許可の決定の効力を受ける場合、当該抵当権自体の消滅時効は何年か。

A 民法396条は適用されず、債務者および抵当権設定者に対する関係においても、当該抵当権自体が、同法166条2項所定の20年の消滅時効にかかる。　民法396条は、抵当権は、債務者および抵当権設定者に対しては、被担保債権と同時でなければ、時効によって消滅しない旨を規定しているところ、この規定は、その文理に照らすと、被担保債権が時効により消滅する余地があることを前提としている。そのように解さないと、いかに長期間権利が行使されない状態が継続しても消滅することのない抵当権が存在することとなるが、民法が、そのような抵当権の存在を予定しているものとは考えがたい。そして、抵当権は、民法166条2項の「債権又は所有権以外の財産権」であるというべきである。したがって、抵当権の被担保債権が免責許可の決定の効力を受ける場合には、民法396条は適用されず、債務者および抵当権設定者に対する関係においても、当該抵当権自体が、民法166条2項所定の20年の消滅時効にかかると解する（最判平30・2・23）。 **出題** **予想**

第167条（人の生命又は身体の侵害による損害賠償請求権の消滅時効）
　人の生命又は身体の侵害による損害賠償請求権の消滅時効についての前条第1項第2号の規定の適用については、同号中「10年間」とあるのは、「20年間」とする。

第168条（定期金債権の消滅時効）
①定期金の債権は、次に掲げる場合には、時効によって消滅する。
　1　債権者が定期金の債権から生ずる金銭その他の物の給付を目的とする各債権を行使することができることを知った時から10年間行使しないとき。
　2　前号に規定する各債権を行使することができる時から20年間行使しないとき。
②定期金の債権者は、時効の更新の証拠を得るため、いつでも、その債務者に対して承認書の交付を求めることができる。

Q1 日本放送協会の放送の受信についての契約に基づく受信料債権には、民法168条1項の規定は適用されるのか。

A 民法168条1項の規定は適用されない。　受信契約に基づく受信料債権は、一定の金銭を定期に給付させることを目的とする債権であり、定期金債権にあたるといえる。しかし、放送法は、公共放送事業者である被上告人の事業運営の財源を、被上告人の放送を受信することのできる受信設備を設置した者に広く公平に受信料を負担させることによって賄うこととし、上記の者に対し受信契約の締結を強制する旨を定めた規定を置いているのであり（最大判平29・12・6）、受信料債権は、このような規律の下で締結される受信契約に基づき発生するものである。受信契約に基づく受信料債権について民法168条1項の規定の適用があるとすれば、受信契約を締結している者が将来生ずべき受信料の支払義務についてまでこれを免れうることとなり、上記規律の下で受信料債権を発生させることとした放送法の趣旨に反するものと解される。したがって、受信契約に基づく受信料債権には、民法168条1項の規定は適用されないと解する（最判平30・7・17）。 **出題** **予想**

第169条（判決で確定した権利の消滅時効）
①確定判決又は確定判決と同一の効力を有するものによって確定した権利については、10年より短い時効期間の定めがあるものであっても、その時効期間は、10年とする。
②前項の規定は、確定の時に弁済期の到来していない債権については、適用しない。

第2編　物権

第1章　総則

◇物権的請求権

Q1 Bが無権限でA所有の土地上に建物を建築し、当該建物をCに売却したが、登記名義はBに残っている場合、Aは土地所有権に基づき、Bに対し当該建物の収去と土地の明渡請求ができるのか。

A AはCに対して当該建物の収去と土地の明渡請求をしなければならない。　物権的請求権の相手方は、現に他人の物権を客観的に侵害し、または侵害の危険を生じさせている者であるから、本件のようにAの土地所有権がBの建物により侵害されている場合でも、当該建物がBからCに譲渡されれば、Aの物権的請求権の相手方はCになる（大判昭7・11・9）。 **出題** **国Ⅰ-平成5**

Q2 土地の所有権に基づく妨害排除請求権は、無断で建築した家屋を所有することによって現実にその土地を占拠して土地の所有権を侵害している者を被告としなければならないのか。

A 現実にその土地を占拠して土地の所有権を侵害している者を被告としなければならない。　本訴は、土地の所有者たるAは、BがA所有の地上に家屋を所有して、何等の権限なく不法にAの土地を占拠し、Aの土地所有権を侵害しているとして、Aの土地所有権に基づき、その妨害排除を求める物上請求権の行使ならびに所有権侵害を原因とする損害賠償の訴訟である。上記のような土地の所有権に基づく物上請求権の訴訟においては、現実に家屋を所有すること

によって現実にその土地を占拠して土地の所有権を侵害している者を被告としなければならない（最判昭35・6・17）。

出題 国家総合－令和3、裁判所総合・一般－平成29

Q3 建物の登記簿上の所有名義人にすぎない者は、たとえ、所有者との合意により名義人となった場合でも、建物の敷地所有者に対して建物収去義務を負わないのか。

A 建物収去義務を負わない。　建物の所有権を有しない者は、たとえ、所有者との合意により、建物につき自己のための所有権保存登記をしていたとしても、建物を収去する権能を有しないから、建物の敷地所有者の所有権に基づく請求に対し、建物収去義務を負うものではない（最判昭47・12・7）。

出題 裁判所総合・一般－平成29

Q4 土地所有者が建物収去・土地明渡しを請求するには、原則として誰を相手方とすべきか。

A 現実に建物を所有することでその土地を占拠し、土地所有権を侵害している者を相手方とすべきである。　土地所有権に基づく物上請求権を行使して建物収去・土地明渡しを請求するには、現実に建物を所有することによってその土地を占拠し、土地所有権を侵害している者を相手方とすべきである。したがって、未登記建物の所有者が未登記のままこれを第三者に譲渡した場合には、これにより確定的に所有権を失うことになるから、その後、その意思に基づかずに譲渡人名義に所有権取得の登記がなされても、その譲渡人は、土地所有者による建物収去・土地明渡しの請求につき、建物の所有権の喪失により土地を占有していないことを主張することができ、また、建物の所有名義人が実際には建物を所有したことがなく、単に自己名義の所有権取得の登記をするにすぎない場合も、土地所有者に対し、建物収去・土地明渡しの義務を負わない（最判平6・2・8）。

出題 国家総合－平成27、国Ⅱ－平成19・10、裁判所Ⅰ・Ⅱ－平成23

Q5 建物所有者Aが自らの意思に基づいて所有権取得の登記を経由した後に、所有権移転登記をせずに権原のない建物（競売等により）をBに譲渡した場合、B（実質的所有者）は土地所有者による建物収去・土地明渡しの義務を負うのか。

A A（登記名義人）が建物収去・土地明渡しの義務を負う。　他人の土地上の建物の所有権を取得した者が自らの意思に基づいて所有権取得の登記を経由した場合には、たとえ建物を他に譲渡したとしても、引き続きその登記名義を保有する限り、土地所有者に対し、上記譲渡による建物所有権の喪失を主張して建物収去・土地明渡しの義務を免れることはできない。もし、登記にかかわりなく建物の「実質的所有者」をもって建物収去・土地明渡しの義務者を決すべきものとするならば、土地所有者は、その探求の困難を強いられることになり、また、相手方において、たやすく建物の移転を主張して明渡しの義務を免れることが可能になるという不合理を生ずるおそれがある。他方、建物所有者が真実その所有権を他に譲渡したのであれば、その旨の

登記を行うことは通常はさほど困難なこととはいえず、不動産取引に関する社会の慣行にも合致するから、登記を自己名義にしておきながら自らの所有権の喪失を主張し、その建物の収去義務を否定することは、信義にもとり、公平の見地に照らして許されないものといわなければならない（最判平6・2・8）。

出題 国家総合－令和2、国家一般－平成28、国Ⅱ－平成19・10、裁判所総合・一般－令和1、裁判所Ⅰ・Ⅱ－平成22

第175条（物権の創設）

物権は、この法律その他の法律に定めるもののほか、創設することができない。

第176条（物権の設定及び移転）

物権の設定及び移転は、当事者の意思表示のみによって、その効力を生ずる。

Q1 売主の所有に属する特定物を目的とする売買の所有権の移転時期は何時か。

A 契約をすれば直ちに買主に対し所有権が移転する。　売主の所有に属する特定物を目的とする売買においては、特にその所有権の移転が将来なされるべき約旨に出たものでない限り、買主に対し直ちに所有権移転の効力を生ずる（大判大2・10・25、最判昭33・6・20）。

出題 国家総合－平成30、裁判所総合・一般職－令和2

Q2 不特定物の売買における所有権の移転時期は何時か。

A 特約がない限り、目的物が特定した時である。　不特定物の売買においては原則として目的物が特定した時（民法401条2項参照）に所有権は当然に買主に移転する（最判昭35・6・24）。

出題 国Ⅰ－平成2、裁判所総合・一般－令和4

第177条（不動産に関する物権の変動の対抗要件）

不動産に関する物権の得喪及び変更は、不動産登記法（平成16年法律第123号）その他の登記に関する法律の定めるところに従いその登記をしなければ、第三者に対抗することができない。

◇総説

〔参考〕不動産登記法第3条　登記は、不動産の表示又は不動産についての次に掲げる権利の保存等（保存、設定、移転、変更、処分の制限又は消滅をいう。次条第2項及び第105条第1号において同じ。）についてする。
1　所有権
2　地上権
3　永小作権
4　地役権
5　先取特権
6　質権
7　抵当権
8　賃借権
9　配偶者居住権
10　採石権〔後略〕

Q1 不動産の物権変動には原則として登記が必要か。

A 原則として登記が必要である。　民法177条

民法編

の規定すなわち物権の得喪および変更についての対抗要件の規定が、民法176条の規定の次条にあることだけで、177条の規定が176条の意思表示による物権の設定および移転の場合に限り適用すべきもので、その他の場合、すなわち意思表示によらずに物権を移転する場合にこれを適用しないものとすべきではない（大連判明41・12・15）。

◇登記を要しない物権

Q2 入会権は登記なくして第三者に対抗できるのか。
A 登記なくして第三者に対抗できる。　不動産登記法には、入会権について共有の性質を有すると地役の性質を有するとを問わず、登記をもって対抗要件とする規定が存しないため、入会権は登記することを要せずして第三者に対抗することができる（大判大10・11・28）。出題 国Ⅱ－平成4

◇登記を要するもの

Q3 共有者の一員の持分譲渡を受けた譲受人が、その持分変更を他の共有者に対抗するためには登記を要するのか。
A 他の共有者に対抗するためには登記を要する。
不動産の共有者の一員が自己の持分を譲渡した場合における譲受人以外の他の共有者は民法177条にいう「第三者」に該当するから、当該譲渡につき登記が存しないときには、譲受人は、その持分の取得をもって他の共有者に対抗することができない（最判昭46・6・18）。出題 市役所上・中級－平成6

◇取消しと登記

Q4 詐欺による取消し前に出現した第三者は登記がなければ、不動産所有権を対抗できないのか（第三者が仮登記の附記登記を済ませている事案）。
A 登記なくして不動産の所有権を対抗できる。
民法96条1項、3項は、詐欺による意思表示をした者に対し、その意思表示の取消権を与えることによって詐欺被害者の救済を図るとともに、他方その取消しの効果を「善意無過失の第三者」との関係において制限することにより、当該意思表示の有効なことを信頼して新たに利害関係を有するに至った者の地位を保護しようとする趣旨の規定であるから、この第三者の範囲は、同条のかような立法趣旨に照らして合理的に画定されるべきであって、必ずしも、所有権その他の物権の取得者で、かつ、これにつき対抗要件（登記等）を備えた者に限定しなければならない理由はない（最判昭49・9・26）。

Q5 詐欺を理由に契約を取り消した者は、取消し後の第三者に対して、登記なくして不動産所有権を対抗できるのか。
A 登記なくして不動産の所有権を対抗できない。
民法96条3項にいう第三者とは、取消しの遡及効により影響を受くべき第三者すなわち、取消し前よりすでに当該行為の効力につき利害関係を有する第三者に限定して解すべきであり、取消し後においてはじめて利害関係を有するに至った者は、た

とえ、その利害関係発生当時に詐欺および取消しの事実を知らなかったときでも、民法96条3項の適用を受けない。しかし、民法96条3項の適用がないことから直ちに取消し後の第三者に対して、取消しの結果を無条件に対抗することができると解すべきではなく、民法177条により登記しなければ、取消し後の第三者に対抗することができない（大判昭17・9・30）。

◇解除と登記

Q6 解除前に権利を取得した第三者は、登記なくして解除権者に対抗できるのか。
A 登記がなければ対抗できない。　遡及効を有する契約の解除が第三者の権利を害することを得ないことは民法545条1項但書の明定するところである。この場合においてはその第三者が不動産の所有権を取得した場合はその所有権について不動産登記の経由されていることを必要とし、登記を経由していないときは第三者として保護することはできない。しかしながら、この場合においてもその第三者が不動産の所有権を取得した場合はその所有権について不動産登記の経由されていることを必要とするものであって、もし登記を経由していないときは第三者として保護することはできない（最判昭33・6・14）。

Q7 当事者の一方がその解除権を行使した場合、各当事者は、その相手方を原状に復させる義務を負い、解除前に解除原因を知っている第三者にも、原状回復請求はできるのか。
A 解除前の第三者は、登記を備えていれば、解除原因を知っていると否とを問わず、原状回復請求は受けない（最判昭33・6・14）。⇒6

Q8 Aは自己所有の土地をBに譲り渡し、Bはその土地をさらにCに譲り渡したが、移転登記がいずれもなされていない間に、AとBはその土地所有権譲渡に関する契約を合意解除した。この場合、AはCがBに代位して行う移転登記請求を拒むことができるのか。
A 拒むことができる（最判昭33・6・14）。⇒6

Q9 解除権者は、解除後に権利を取得した第三者に登記なくして対抗できるのか。
A 登記がなければ対抗できない。　不動産を目的とする売買契約に基づき、買主のため所有権移転登記があった後、売買契約が解除され、不動産の所有権が売主に復帰した場合でも、売主は、その所有権取得の登記を了しなければ、契約解除後において買主から不動産を取得した第三者に対し、所有権の復

帰をもって対抗しえないのであって、その場合、第三者が善意であると否と、当該不動産につき予告登記がなされていたと否とにかかわらない（最判昭35・11・29）。

出題 国家総合 - 令和2、国I - 平成18・7・昭和57、特別区I - 令和2・平成28、国家一般 - 令和1、国II - 平成18・昭和58、裁判所総合・一般 - 令和3・平成30・27、裁判所I・II - 平成22、国税・財務・労基 - 令和4・平成26、国税 - 平成11・昭和62

◇相続と登記

Q10 甲と乙が不動産を共同相続し、乙が甲に無断ですべて相続したように登記し、当該不動産を丙に譲渡した場合、甲は登記なくして所有権を対抗できるのか。

A 甲は、自己の持分を登記なくして対抗できる。
相続財産に属する不動産につき単独所有権移転の登記をした共同相続人中の乙ならびに乙から単独所有権移転の登記を受けた第三取得者丙に対し、他の共同相続人甲は自己の持分を登記なくして対抗しうる。なぜなら乙の登記は甲の持分に関する限り無権利の登記であり、登記に公信力なき結果、丙も甲の持分に関する限りその権利を取得するに由ないからである。そして、この場合に甲がその共有権に対する妨害排除として登記を実体的権利に合致させるため乙、丙に対し請求できるのは、各所有権取得登記の全部抹消登記手続ではなくして、甲の持分についてのみの一部抹消（更正）登記手続でなければならない。なぜなら、各移転登記は乙の持分に関する限り実体関係に符合しており、また甲は自己の持分についてのみ妨害排除の請求権を有するに過ぎないからである。（最判昭38・2・22）。

出題 国家総合 - 令和2・平成29・28・25、国I - 平成21・18・10・7・5・昭和63・58・52、東京I - 平成14、特別区I - 平成28、国家一般 - 令和3、国II - 平成21・16・12・昭和60、裁判所総合・一般 - 平成28、裁判所I・II - 平成23・16、国税・財務・労基 - 平成28、国税 - 平成9

Q11 不動産の共有者の一人が無断で単独所有名義の登記をし、当該不動産を第三者に譲渡して所有権移転登記を行ったときは、他の共有者は所有権取得登記の全部抹消登記を請求することができるのか。

A 自己の持分についてのみの一部抹消（更正）登記手続の請求しかできない（最判昭38・2・22）。
⇨ 10

◇相続放棄と登記

Q12 相続放棄をしたが未登記の間に、第三者が相続放棄者の持分を差し押さえた場合、他の相続人は相続放棄者の持分を登記なくして、第三者に対抗できるのか。

A 第三者に対抗できる。　民法が承認、放棄をなすべき期間（相続の開始があったことを知った時から3箇月以内）（民法915条）を定めたのは、相続人に権利義務を無条件に承継することを強制しないこととして、相続人の利益を保護しようとしたも

のであり、同条所定の期間内に家庭裁判所に放棄の申述をすると（同法938条）、相続人は相続開始時に遡って相続開始がなかったと同じ地位におかれることとなり、この効力は絶対的で、何人に対しても、登記等なくしてその効力を生ずると解すべきであって、放棄した相続人の債権者が、相続の放棄後に、相続財産たる未登記の不動産について、上記相続人も共同相続したものとして、代位による所有権保存登記をした上で、持分に対する仮差押登記をしても、その仮差押登記は無効である。（最判昭42・1・20）。

出題 国家総合 - 平成29・24、国I - 平成10・5、地方上級 - 平成2、市役所上・中級 - 平成6、特別区I - 令和2、国II - 平成21・16・昭和60、国税・財務・労基 - 平成30・28

◇遺産分割と登記

Q13 遺産分割後、その登記前に当該不動産の権利を取得した第三者に対して、相続人は登記なくして対抗できるのか。

A 登記なくして対抗できない。　遺産の分割は、相続開始の時に遡ってその効力を生ずるものではあるが、第三者に対する関係においては、相続人が相続によりいったん取得した権利につき分割時に新たな変更を生ずるのと実質上異ならないのであるから、不動産に対する相続人の共有持分の遺産分割による得喪変更については、民法177条の適用があり、分割により相続分と異なる権利を取得した相続人は、その旨の登記を経なければ、分割後に当該不動産につき権利を取得した第三者に対し、自己の権利の取得を対抗することができない。そして、遺産分割後において、分割前の状態における共同相続の外観を信頼して、相続人の持分につき第三者が権利を取得することは、相続放棄の場合に比して、多く予想され、このような第三者をも保護すべき要請は、分割前に利害関係を有するにいたった第三者を保護すべき要請と同様に認められる。したがって、分割後の第三者に対する関係においては、分割により新たな物権変動を生じたものと同視して、分割につき対抗要件を必要とするものと解する理由があるといわなくてはならない。（最判昭46・1・26）。

出題 国家総合 - 平成28、国I - 平成19・7・5・昭和57、市役所上・中級 - 平成6・1、国家一般 - 平成26、国II - 平成21・16・昭和60、国税・財務・労基 - 平成29・24、国税 - 平成11

◇遺贈、遺言と登記

Q14 特定不動産の遺贈を受けた受遺者が、遺贈の所有権移転登記をしないでいる間に、相続人の債権者が当該不動産を差し押さえた場合、受遺者は債権者に対して、登記なくして対抗できるのか。

A 登記なくして対抗できない。　遺贈は遺言によって受遺者に財産権を与える遺言者の意思表示にほかならず、遺言者の死亡を不確定期限とするものではあるが、意思表示によって物権変動の効果を生ずる点においては贈与と異なるところはないから、遺贈が効力を生じた場合においても、遺贈を原因とする

所有権移転登記のなされない間は、完全に排他的な権利変動を生じない。そして、民法177条が広く物権の得喪変更について登記をもって対抗要件としているところからみれば、遺贈をもってその例外とする理由はないから、遺贈の場合においても不動産の二重譲渡等における場合と同様、登記をもって物権変動の対抗要件とする（最判昭39・3・6）。

出題 国Ⅰ-昭和60、地方上級-昭和55・53、市役所上・中級-平成4、国Ⅱ-平成16、国税・財務・労基-平成30、国税-平成9

◇時効取得と登記

Q15 時効により不動産の所有権を取得した者は、その時効完成前に当該不動産を旧所有者から取得し登記を経た第三者に対して、登記なくして時効による所有権の取得を対抗することができるのか。

A 登記なくして時効による所有権の取得を対抗することができる。　物権変動の当事者間では登記なくして所有権取得を主張しうるから、取得時効の場合にも、時効完成時の登記名義人との関係では、占有者は登記なくして時効による所有権の取得を主張することができる（大判大7・3・2、最判昭41・11・22、最判昭42・7・21）。

出題 国家総合-令和1、国Ⅰ-平成19・13・12・3・昭和59・56・51、国Ⅱ-平成23・18・15・12・昭和60、裁判所総合・一般-令和3・1・平成27、裁判所Ⅰ・Ⅱ-平成21・19・16、国税・財務・労基-令和4・平成30・26・25・24、国税・労基-平成19、国税-平成11・5

Q16 時効により不動産の所有権を取得した者は、その時効完成直後に当該不動産を旧所有者から取得し登記を経た第三者に対して、登記なくして時効による所有権の取得を対抗することができるのか。

A 対抗することはできない。　時効により不動産の所有権を取得しても、その所有権取得につき登記を経ていなければ、第三者に対抗することができない。Xが時効取得の登記を受けていない場合に、AからYが売買による所有権移転の登記を受けることは、二重売買があった場合に後の買主が前の買主に先んじて登記を受け、さらに他人に登記手続をした場合と同一に論じることができる（最判昭36・7・20、最判昭33・8・28、大連判大14・7・8）。

出題 国家総合-令和1・平成28・27・24、国Ⅰ-平成21・13・12・7・3・2・昭和60・58・57・51、地方上級-平成11・昭和55、東京Ⅰ-平成19、市役所上・中級-平成4、国Ⅱ-平成23・15・12、裁判所総合・一般-令和4・3・平成28・27、裁判所Ⅰ・Ⅱ-平成20・19・15・14、国税・財務・労基-平成25、国税・労基-平成19、国税-平成9・昭和62・61

Q17 時効の援用権者は時効取得の起算点を任意に選択できるのか。

A 任意に選択できない。　取得時効完成の時期を定めるにあたっては、取得時効の基礎たる事実が法律に定めた時効期間以上に継続した場合においても、必ず時効の基礎たる事実の開始した時を

起算点として時効完成の時期を決定すべきものであって、取得時効を援用する者において任意にその起算点を選択し、時効完成の時期をあるいは早めあるいは遅らせることはできない（最判昭35・7・27）。

出題 国家総合-令和1・平成27、国Ⅰ-平成19・12・昭和51、特別区Ⅰ-令和2、国Ⅱ-平成21、裁判所総合・一般-令和1・平成29・26、裁判所Ⅰ・Ⅱ-平成19、国税・財務・労基-平成25、国税・労基-平成19

Q18 第三者Cが土地の占有者Bの時効完成後に出現した場合、BはCの登記後、さらに時効取得に必要な期間占有を継続すれば、当該土地を時効取得できるのか。

A 当該土地を時効取得できる。　不動産が売主から第二の買主に二重に売却され、第二の買主に対し所有権移転登記がなされたときは、第二の買主は登記の欠缺を主張するにつき正当の利益を有する第三者であるから、登記の時に第二の買主において完全に所有権を取得するわけであるが、その所有権は、売主から第二の買主に直接移転するのであり、売主からいったん第一の買主に移転し、第一の買主から第二の買主に移転するものではなく、第一の買主は当初から全く所有権を所得しなかったことになる。したがって、第一の買主がその買受後不動産の占有を取得し、その時から民法162条に定める時効期間を経過したときは、同法条により当該不動産を時効によって取得しうる（最判昭46・11・5）。

出題 国Ⅰ-平成19・12、特別区Ⅰ-平成28、裁判所Ⅰ・Ⅱ-平成19、国税・財務・労基-平成25

Q19 不動産の二重売買において、第二の買主が所有権移転登記を経由した場合において、第一の買主が時効取得するための起算点は何時からか。

A 第一の買主がその不動産の占有を取得した時である（最判昭46・11・5）。⇨18

Q20 取得時効の援用により不動産の所有権を取得してその旨の登記を有する者は、当該取得時効の完成後に設定された抵当権に対抗するため、その設定登記時を起算点とする再度の取得時効の完成を主張し、援用をすることはできるのか。

A できない。　Xは、時効の援用により、占有開始時にさかのぼって本件土地を原始取得し、その旨の登記を有している。Xは、上記時効の援用により確定的に本件土地の所有権を取得したのであるから、このような場合に、起算点を後の時点にずらせて、再度、取得時効の完成を主張し、これを援用することはできない。そうすると、Xは、上記時効の完成後に設定された本件抵当権を譲り受けたYに対し、本件抵当権の設定登記の抹消登記手続を請求することはできない（最判平15・10・31）。

出題 予想

Q21 不動産の取得時効の完成後、所有権移転登記がされることのないまま、第三者が原所有者から抵当権の設定を受けて抵当権設定登記を了した場合において、上記不動産の時効取得者である占有者が、その後引き続き時効取得に必要な期間占有を継続し、その期間の経過後に取得時効を援用したときは、

抵当権は消滅するのか。

A 特段の事情がない限り、抵当権は消滅する。
不動産の取得時効の完成後、所有権移転登記がされることのないまま、第三者が原所有者から抵当権の設定を受けて抵当権設定登記を了した場合において、上記不動産の時効取得者である占有者が、その後引き続き時効取得に必要な期間占有を継続したときは、上記占有者が上記抵当権の存在を容認していたなど抵当権の消滅を妨げる特段の事情がない限り、上記占有者は、上記不動産を時効取得し、その結果、上記抵当権は消滅すると解する。その理由は、以下のとおりである。取得時効の完成後、所有権移転登記がされないうちに、第三者が原所有者から抵当権の設定を受けて抵当権設定登記を了したならば、占有者がその後にいかに長期間占有を継続しても抵当権の負担のない所有権を取得することができないと解することは、長期間にわたる継続的な占有を占有の態様に応じて保護すべきものとする時効制度の趣旨にかんがみれば、是認しがたいというべきであるからである（最判平 24・3・16）。

国家総合：令和3、国家一般－令和1、特別区Ⅰ－令和2、国税・財務・労基－平成25

◇取得時効と背信的悪意者

Q22 不動産の取得時効完成後に当該不動産の譲渡を受けて所有権移転登記を了した者が背信的悪意者にあたる場合、当該背信的悪意者は、不動産の時効取得者に対し所有権の取得を対抗できるか。

A 所有権の取得を対抗できない。　甲が時効取得した不動産について、その取得時効完成後に乙が当該不動産の譲渡を受けて所有権移転登記を了した場合において、乙が、当該不動産の譲渡を受けた時点において、甲が多年にわたり当該不動産を占有している事実を認識しており、甲の登記の欠缺を主張することが信義に反するものと認められる事情が存在するときは、乙は背信的悪意者にあたる。取得時効の成否については、その要件の充足の有無が容易に認識・判断することができないものであることにかんがみると、乙において、甲が取得時効の成立要件を充足していることをすべて具体的に認識していなくても、背信的悪意者と認められる場合があるというべきであるが、その場合であっても、少なくとも、乙が甲による多年にわたる占有継続の事実を認識している必要があると解すべきであるからである。以上によれば、乙らが甲による本件通路部分Aの時効取得について背信的悪意者にあたるというためには、まず、乙らにおいて、本件土地等の購入時、甲が多年にわたり本件通路部分Aを継続して占有している事実を認識していたことが必要である（最判平 18・1・17）。

国家総合－平成27、国Ⅰ－平成19、国Ⅱ－平成22、裁判所Ⅰ・Ⅱ－平成19

Q23 乙らが甲による本件通路部分Aの時効取得について背信的悪意者にあたるというためには、どの程度の事実の認識を必要とするのか。

A 乙らにおいて、本件土地等の購入時、甲が多年にわたり本件通路部分Aを継続して占有してい

る事実を認識していたことが必要である（最判平 18・1・17）。⇨22

◇公用徴収

Q24 自作農創設特別措置法3条に基づく買収処分により国が農地の所有権を取得した場合、その所有権を第三者に対抗するためには登記が必要か。

A 登記が必要である。　自作農創設特別措置法3条に基づく買収処分により国が農地の所有権を取得した場合において、登記の欠缺を主張するうえで、その所有権の取得を主張し対抗するためには、民法177条の規定により、その旨の登記を経ることを要する（最判昭39・11・19）。

市役所上・中級－平成1

◇国税滞納処分

Q25 国税滞納処分における滞納者の不動産の公売が取り消された場合、当該滞納者は落札者から取消し後にその不動産を買い受け登記を経た第三者に対して、登記なくしてその返還を請求できるか。

A 登記なくしてその返還を請求できない。　国税滞納処分における公売による不動産所有権の移転に関しても民法177条の適用がある（最判昭31・4・24）。しかし、たとえ前記公売処分の取消しにより、遡及的に本件不動産の所有権がYからXに復帰したと仮定しても、その所有権の回復について登記を経由しなかったXは、当該公売処分取消しの後に、本件不動産の所有権を譲り受けたZ等に対抗しえない。なぜなら、本件不動産が、前示公売により、いったんYの所有に帰した事実がある以上、Yにおいて、公売処分の取消しによりXに所有権が復帰した後、さらに、Zに譲渡したのは、民法177条の関係では、あたかもYがこれをXとZに対し、いわゆる二重譲渡をした場合と異ならないからである（最判昭32・6・7）。

国税－平成9

◇民法177条の「第三者」──総説

Q26 民法177条の第三者とは誰を指すのか。

A 不動産に関する物権の得喪・変更が意思表示によって生じた者だけでなく、法律の規定によって生じた者も含む。　第三者とは当事者もしくはその包括承継人ではなく、不動産に関する物権の得喪および変更の登記の欠缺を主張する正当の利益を有する者を指称する。すなわち、同一の不動産に関する所有権、抵当権等の物権または賃貸借を正当な権原によって取得した者または同一の不動産を差し押さえた債権者もしくはその差押えについて配当加入を申し立てた債権者は第三者にあたる（大連判明41・12・15）。

国Ⅰ－平成21・15、地方上級－昭和53、特別区Ⅰ－平成22、国Ⅱ－平成22、裁判所総合・一般－令和3・平成26、裁判所Ⅰ・Ⅱ－平成23、国税－平成9・3

Q27 民法177条にいう登記なくして不動産に関する物権の得喪変更を対抗できない「第三者」とは誰か。

A 当事者またはその包括承継人以外の不動産に関する物権の得喪変更の登記の欠缺を主張する正当の利益を有する者をいう（大連判明41・12・15）。⇨26

Q28 民法177条は第三者の善意を要求しているのか。

A 第三者の善意を要求していない。　民法177条は第三者が善意であることを要求していない（最判昭32・9・19）。

出題 地方上級－平成11・昭和59・53、国税・財務・労基－令和4

◇民法177条の「第三者」─実質的無権利者

〔参考〕不動産登記法第5条
①詐欺又は強迫によって登記の申請を妨げた第三者は、その登記がないことを主張することができない。
②他人のために登記を申請する義務を負う第三者は、その登記がないことを主張することができない。ただし、その登記原因（登記の原因となる事実又は法律行為をいう。）が自己の登記の登記原因の後に生じたときは、この限りでない。

Q29 不法行為者は、民法177条の第三者にあたるか。

A 民法177条の第三者にあたらない。　同一の不動産に関し正当な権原によらずに権利を主張し、あるいは不法行為により損害を加えた者は、民法177条の第三者にあたらない（大連判明41・12・15）。

出題 国Ⅰ－昭和57、地方上級－昭和54

Q30 不法占拠者は、民法177条の第三者にあたるか。

A 民法177条の第三者にあたらない。　不法占拠者は、民法177条にいう「第三者」に該当せず、これに対しては登記がなくても所有権の取得を対抗しうる（最判昭25・12・19）。

出題 地方上級－平成8、国Ⅱ－平成22・4、裁判所総合・一般－令和4、裁判所Ⅰ・Ⅱ－平成22・14、国税・財務・労基－令和4、国税－平成10・昭和56

Q31 不動産の二重売買における第二の買主が登記を備え、さらに第三者に転売し、移転登記を経由した場合、第二の買主は第一の買主に対して不法行為責任を負うのか。

A 不法行為責任を負わない。　Yは不動産の、いわゆる二重売買における第二の買主であって、しかも第一の売買の事実を知りながら（悪意）買い受けたが、一般に不動産の二重売買における第二の買主は、たとえ悪意であっても、登記をなすときは完全に所有権を取得し、第一の買主はその所有権取得をもって第二の買主に対抗することができないから、本件建物の第二の買主で登記を経たYは、たとえ悪意ではなっても、完全に右建物の所有権を取得し、第一の買主たる被上告人Xはその所有権取得をもってYおよびYからさらに所有権の移転を受けその登記を経たCに対抗することはできない。したがって、Yが悪意で本件建物を買い受けその登記を経由しこれをさらにCに売り渡してその登記

をなしただけでは、たとえこれがためXがその所有権取得をCに対抗することができなくなっても、いまだもってYに不法行為責任を認めることはできない（最判昭30・5・31）。

出題 国Ⅰ－平成13、国Ⅱ－平成18

Q32 民法177条の「第三者」には、不動産がXからY、YからZへと譲渡された場合のXのような転々譲渡の前主も含むのか。

A 転々譲渡の前主は「第三者」に含まれない。不動産がXYZと順次譲渡された場合、現在の登記名義人たるXがZから直接転移登記手続を求められるにあたって、Xは民法177条にいう第三者として、Zに対しその物権取得を否認できる関係にはない（最判昭39・2・13）。

出題 国家総合－平成26、裁判所総合・一般－令和3

Q33 差押債権者は、177条の「第三者」に該当するのか。

A 「第三者」に該当する。　甲からその所有不動産の遺贈を受けた乙がその旨の所有権移転登記をしない間に、甲の相続人の1人である丙に対する債権者丁が、丙に代位して同人のために前記不動産につき相続による持分取得の登記をなし、ついでこれに対し強制競売の申立てをなし、当該申立てが登記簿に記入された場合（差押え）においては、丁（差押債権者）は、民法177条にいう第三者に該当する（最判昭39・3・6）。

出題 裁判所総合・一般－平成30・26

Q34 いわゆる背信的悪意者は、民法177条の第三者にあたるか。

A 民法177条の第三者にあたらない。　実体上物権変動があった事実を知る者において当該物権変動についての登記の欠缺を主張することが信義に反するものと認められる事情がある場合には、かかる背信的悪意者は、登記の欠缺を主張するについて正当な利益を有しないものであって、民法177条にいう第三者にあたらない（最判昭43・8・2）。

出題 国家総合－令和2・平成26、地方上級－平成7・昭和61、国Ⅱ－平成12、裁判所Ⅰ・Ⅱ－平成19・15・14、国税・財務・労基－令和4、国税－昭和56

Q35 背信的悪意者からの転得者は、背信的悪意者でなくても保護されないのか。

A 背信的悪意者でなければ（善意者ないし単純悪意者であれば）保護される。　所有者甲から乙が不動産を買い受け、その登記が未了の間に、丙が当該不動産を甲から二重に買い受け、さらに丙から転得者丁が買い受けて登記を完了した場合に、たとい丙が背信的悪意者にあたるとしても、丁は、乙に対する関係で丁自身が背信的悪意者と評価されるのでない限り、当該不動産の所有権取得をもって乙に対抗することができる。なぜなら、(1)丙が背信的悪意者であるがゆえに登記の欠缺を主張する正当な利益を有する第三者にあたらないとされる場合であっても、乙は、丙が登記を経由した権利を乙に対抗することができないことの反面として、登記なくして所有権取得を丙に対抗することができるというにと

民法

どまり、甲丙間の売買自体の無効を来すものではなく、したがって、丁は無権利者から当該不動産を買い受けたことにはならないのであって、また、(2)背信的悪意者が正当な利益を有する第三者にあたらないとして民法 177 条の「第三者」から排除される所以は、第 1 譲受人の売買等に遅れて不動産を取得し登記を経由した者が登記を経ていない第 1 譲受人に対してその登記の欠缺を主張することがその取得の経緯等に照らし信義則に反して許されないということにあるのであって、登記を経由した者がこの法理によって「第三者」から排除されるかどうかは、その者と第 1 譲受人との間で相対的に判断されるべき事柄であるからである（最判平 8・10・29）。

出題 国家総合－令和 2・平成 28・26・25・24、国Ⅰ－平成 18、特別区Ⅰ－平成 22、国家一般－令和 3・平成 30・26、国Ⅱ－平成 18、裁判所総合・一般－令和 4・3・1・平成 30・28、裁判所Ⅰ・Ⅱ－平成 23・19、国税・財務・労基－令和 4・1・平成 28・26・24

Q36 所有者甲から乙が不動産を買い受け、その登記が未了の間に、丙が当該不動産を甲から二重に買い受け、さらに丙から転得者丁が買い受けて登記を完了した場合、丙が背信的悪意者にあたると、丁自身が背信的悪意者でなくても、当該不動産の所有権取得を乙に対抗できないのか。

A 丁自身が背信的悪意者でない限り、乙に対抗できる。（最判平 8・10・29）⇨ 35

Q37 通行地役権の設定登記が欠缺している場合、通行地役権の存在につき善意の承役地の譲受人は当該欠缺を主張するについて正当な利益を有する第三者にあたるのか。

A 原則として、正当な利益を有する第三者にあたらない。　通行地役権（通行を目的とする地役権）の承役地が譲渡された場合において、譲渡の時に、当該承役地が要役地の所有者によって継続的に通路として使用されていることがその位置、形状、構造等の物理的状況から客観的に明らかであり、かつ、譲受人がそのことを認識していたかまたは認識することが可能であったときは、譲受人は、通行地役権が設定されていることを知らなかったとしても、特段の事情がない限り、地役権設定登記の欠缺を主張するについて正当な利益を有する第三者にあたらない（最判平 10・2・13）。

出題 国家総合－平成 28・26・24、特別区Ⅰ－令和 3、国Ⅱ－平成 22・12

Q38 通行地役権者は承役地の担保不動産競売による買受人に対し、地役権設定登記がなくとも通行地役権を主張することができるのか。

A 当然に、通行地役権を主張することができるわけではない。　抵当権者が通行地役権者に対して地役権設定登記の欠缺を主張することは信義に反するものであって、抵当権者は地役権設定登記の欠缺を主張するについて正当な利益を有する第三者にあたらず、通行地役権者は、抵当権者に対して、登記なくして通行地役権を対抗することができると解するのが相当であり（最判平 10・2・13 参照）、担保

不動産競売により承役地が売却されたとしても、通行地役権は消滅しない。これに対し、担保不動産競売による土地の売却時において、同土地を承役地とする通行地役権が設定されており、かつ、同土地が要役地の所有者によって継続的に通路として使用され、そのことを買受人が認識していたとしても、通行地役権者が承役地の買受人に対して通行地役権を主張することができるか否かは、最先順位の抵当権の設定時の事情によって判断されるべきものであるから、担保不動産競売による土地の売却時における上記の事情から、当然に、通行地役権者が、上記の買受人に対し、通行地役権を主張することができると解することは相当ではない。（最判平 25・2・26）。　　　　　　　　　　出題 予想

◇登記請求権

Q39 不動産の買主甲が、売主乙から所有権移転登記をしないうちに当該不動産を甲が第三者丙に転売しその所有権を喪失した場合、甲は自己の登記請求権を有するか。

A 甲は自己の登記請求権を有する。　売買による所有権移転の登記請求権は、売買による所有権移転の事実に伴い必ず存する義務であるから、買主は不動産を転売してその所有権を喪失しても、まず自己の所有権取得の登記をしてその取得を完全にした後で、転得者に対して転売による所有権移転登記の義務を尽くすべきものであるから、転売により自己の登記請求権を失わない（大判大 5・4・1）。

出題 地方上級－昭和 59、裁判所総合・一般－平成 25

Q40 不動産の実質的所有権を有せず、登記簿上所有者として表示されているにすぎない者に対して、真正な所有者は登記なくして対抗できるのか。

A 真正な所有者は、登記なくして対抗できる。不動産の登記簿上の所有名義人は、真正の所有者に対し、その所有権の公示に協力すべき義務を有するから、真正の所有者は、所有権に基づき所有名義人に対し所有権移転登記の請求をなしうる（最判昭 34・2・12）。

出題 国Ⅰ－昭和 56、裁判所総合・一般－令和 4・2

◇登記と実体的権利関係

Q41 乙を不動産の真実の所有者であると誤信して、当該不動産に抵当権の設定を受けた丙は、真実の所有者甲に対して抵当権を取得できるか。

A 丙は、真実の所有者甲に対して抵当権を取得できない。　民法 177 条にいわゆる第三者とは、適法に不動産に関する物権を取得した者からさらに不動産に関する物権を取得した者のほか登記の欠缺を主張するにつき正当な利益を有する者を指称する。したがって、本件のように、乙が係争家屋を横領してこれに保存登記をしても、もとよりその効力は生じない。それ故、丙が登記簿上の記載を信頼して、当該不動産を乙の所有家屋と確信して適式に抵当権の設定を受けても、真正の所有者である甲に対する関係においては、民法 177 条の第三者と認めることはできない（大判大 3・10・2）。

Q42 登記が登記官吏の過誤その他の事由によって不当に抹消された場合、当事者は第三者に対抗できるのか。

A 当事者は第三者に対抗できる。　登記が登記官吏の過誤その他の事由によって不当に抹消された場合、登記抹消の事実は否定することができないが、その不当抹消の事実をもって対抗力消滅の事由と認めた法文は存在しないため、当事者は抹消登記が存在するにかかわらず、自己の有する物権を抹消登記が存在しない場合と同じく第三者に対抗することができるだけでなく、抹消された登記の回復に必要な手続を請求することができる（大連判大12·7·7）。

Q43 甲から不動産を買い受けた乙が、将来これを丙に贈与することを予定し、所有権移転登記を丙名義でなし、後日丙に贈与した場合、丙は当該登記をもって第三者に対抗できるのか。

A 第三者に対抗できる。　他から不動産を買い受けた者が、不動産の贈与を予定し、受贈者たるべき者の関与なくして当該不動産について同人名義の所有権取得登記手続がなされた場合でも、後日当該不動産の贈与が行われたときは、受贈者は、当該不動産所有権の取得をもって第三者に対抗することができる（最判昭41·1·13）。

Q44 登記が有効なものとして対抗力を認められるためには、登記内容が実体的権利関係と一致しているという実質的要件と、その登記が不動産登記法の定める手続に従ってなされたという形式的要件とが備わっていることが必要であり、形式的要件を欠く登記には対抗力は認められないのか。

A 形式的要件を欠く（瑕疵）場合でも、それが軽微なものであれば、有効な登記として対抗力を有する。　本件登記のなされた当時すでに甲の買取請求権の行使によって本件建物の所有権が乙に移転していたのであるから、本件登記をもって登記原因を欠くということはできない。さらに、甲に対して当該建物につき所有権移転登記手続をなすべき旨命じたのではなくて、単に建物の明渡を命じた判決に基づき乙の単独申請によりなされた所有権移転登記は、甲の意思を全く無視してなされたものであって、その手続は違法であることを免れない。しかし、本件登記が実体的権利関係に合致しているのみならず、乙において買収代金をすでに適法に供託したことが認められる以上、甲が所有権移転登記義務履行の同時履行の抗弁権も消滅し、しかも本件登記当時本件建物の帰属につき利害関係を有する第三者が存在したことは認められず、そして、本件登記が登記義務者（甲）の意思に基づかないでなされたという事情があっても、登記義務者（甲）にはその抹消を求める利益はない（最判昭42·9·14）。

◇中間省略登記

Q45 甲·乙·丙三者の合意の下に登記が直接甲→丙に移転された場合、当該中間省略登記は無効か。

A 当該中間省略登記は有効である。　所有者乙から丙に不動産を譲渡したが、登記名義人は旧所有者の甲である場合、当事者間の特約に基づいて甲から直接丙に不動産を譲渡した旨の所有権移転の登記をすれば、当該登記が真実の事実に適合しない登記として無効とすることはできない（大判大5·9·12）。

Q46 中間者乙の同意を得て登記が直接甲→丙に移転された場合、当該中間省略登記は無効か。

A 当該中間省略登記は有効である。　所有者甲から乙に不動産を譲渡したが、その登記名義は依然甲にある場合に、乙がさらに当該不動産を丙に譲渡したときは、甲乙丙の3名の合意のうえ甲から直接丙に不動産を譲渡した旨の所有権移転の登記をしても、当該登記は不動産に関する現在の真実の権利状態を公示し登記の目的を達しているから、無効ではない（大判大11·3·25）。

Q47 甲→乙→丙と順次に所有権が移転したのに登記名義は依然として甲にある場合、丙から甲に対する中間省略登記請求は当然に認められるのか。

A 登記名義人甲および中間者乙の同意があれば認められる。　実体的な権利変動の過程と異なる移転登記を請求する権利は、当然には発生しないから、甲乙丙と順次に所有権が移転したのに登記名義は依然として甲にあるような場合に、現に所有権を有する丙は、甲に対し直接自己に移転登記すべき旨を請求することは許されない。ただし、中間省略登記をするについて登記名義人および中間者の同意ある場合は許される（最判昭40·9·21）。

Q48 甲→乙→丙と所有権が移転し、甲から丙に中間省略登記がなされた場合、その中間省略登記の抹消は誰でもできるのか。

A 正当な利益を有する中間者以外の者は抹消できない。　中間省略登記がなされた場合、中間者が当該中間省略登記の抹消登記を求める正当な利益を有するときに限り、同人においてその登記の抹消を求めることができるにとどまり、中間取得者にあたらない者が当該中間省略登記の無効を主張してこの抹消登記を求めることはできない（最判昭44·5·2、最判昭35·4·21）。

Q49 甲乙丙三者間において中間省略登記の合意が成立した場合には、中間者乙の甲に対する移転登記請求権は失われるのか。

A 中間者乙の甲に対する移転登記請求権は失われない。　甲から乙、乙から丙へと順次移転登記を経由すべき場合に、中間省略登記への合意を経由し、甲から直接丙に対して移転登記を経由すべき旨を三者間において合意するのは、丙に登記を得させる便宜のためのものであって、この合意があったからと

いって、当然に中間者乙の甲に対する移転登記請求権が失われるものではない（最判昭46・11・30）。　出題 国Ⅰ−平成14、地方上級−平成9

Q50 不動産の所有権がA→B（中間者）→Cに順次移転したが、登記名義がAに残っている場合、CがAに対し真正な登記名義の回復を原因とする所有権移転登記手続を請求することは許されるのか。

A 許されない。　不動産の所有権が、元の所有者から中間者に、次いで中間者から現在の所有者に、順次移転したにもかかわらず、登記名義がなお元の所有者の下に残っている場合において、現在の所有者が元の所有者に対し、元の所有者から現在の所有者に対する真正な登記名義の回復を原因とする所有権移転登記手続を請求することは、物権変動の過程を忠実に登記記録に反映させようとする不動産登記法の原則に照らし、許されない（最判平22・12・16）。　出題 予想

◇借地借家法10条による対抗要件

Q51 借地人が土地の賃借権について登記をしていない場合、借地上に自己名義の表示登記のある建物を所有していても、当該賃借権をもって第三者に対抗できないのか。

A 第三者に対抗できる。　借地借家法10条1項が借地権者を保護しているのは、当該土地の取引をなす者は、地上建物の登記名義により、その名義者が地上に建物を所有する権原として借地権を有することを推知しうるからであり、この点において、借地権者の土地利用の保護の要請と、第三者の取引安全の保護の要請との調和を図ろうとするものである。この法意に照らせば、借地権のある土地の上の建物についてなされるべき登記は権利の登記に限られることなく、借地権者が自己を所有者と記載した表示の登記のある建物を所有する場合もまた借地借家法10条1項にいう「登記されている建物を所有するとき」にあたり、当該借地権は対抗力を有する（最判昭50・2・13）。　出題 国Ⅰ−昭和63、国Ⅱ−平成4

◇登記の推定力

Q52 建物の登記簿上の所有者Yは建物の占有者Xの占有が不当であることを立証しない限り、正当な権原に基づいて占有していると推定されないか。

A 登記簿上の所有者Yが当該建物の所有者であると推定される。　登記簿上の所有名義人は反証のない限り、当該不動産を所有するものと推定すべきである（最判昭34・1・8）。　出題 国税−平成6・昭和56

Q53 登記簿上の記載を信頼した者は、善意であることにつき無過失であると推定されるのか。

A 善意であることにつき無過失であると推定される。　登記上所有者と表示された者を、真の所有者と信じることは、特別の事情がない限り、何ら過失があるものとはいえない（大判大15・12・25）。　出題 国税−昭和56

◇登記の流用

Q54 建物の保存登記について、旧建物の滅失後に同じ構造・床面積の建物を建築した場合、第三者の権利を害しなければ、登記の流用は認められるのか。

A 登記の流用は認められない。　建物が滅失した後、その跡地に同様の建物が新築された場合には、旧建物の登記簿は滅失登記により閉鎖され、新建物についてその所有者から新たな所有権保存登記がなされるのであって、旧建物の既存の登記を新建物の当該保存登記に流用することは許されず、かかる流用された登記は、新建物の登記としては無効である。なぜなら、旧建物が滅失した以上、その後の登記は真実に符合しないだけでなく、新建物についてその後新たな保存登記がなされて、一個の不動産に二重の登記が存在するに至るとか、その他登記簿上の権利関係の錯雑・不明確をきたす等不動産登記の公示性をみだすおそれがあり、制度の本質に反するからである（最判昭40・5・4）。　出題 国Ⅰ−平成8

◇仮登記

〔参考〕不動産登記法第112条　保全仮登記に基づいて本登記をした場合は、当該本登記の順位は、当該保全仮登記の順位による。

Q55 仮登記に基づく本登記がなされたときは、本登記の順位は仮登記の順位により、本登記の内容の実現と相容れない中間処分の効力は否定され、また、仮登記がされた時点に遡って本登記の対抗力が生じるのか。

A 中間処分の効力は否定されるが、仮登記がされた時点に遡って本登記の対抗力は生じない。　所有権移転の本登記によって、仮登記の時以後における、これと相容れない中間処分の効力が否定されることは、決して仮登記時に所有権の移転があったという事実を擬制するものではないから、賃貸借が仮登記後の中間処分として本登記名義人に対抗できない場合でも、特段の事情のない限り、本登記名義人が現実に所有権を取得するまでは賃借人の占有は不法占拠とはならない（最判昭36・6・29）。　出題 国Ⅰ−平成8

Q56 AがBに土地を譲渡し、その旨の仮登記をした後、当該土地をAがCに譲渡し、移転登記を行った場合、当該土地の所有権移転に関しては、Bが優先するのか。

A Cが優先する。　仮登記は本登記の順位を保全する効力を有するにとどまり、仮登記の権利者は仮登記に係る権利を第三者に対抗することができず、所有権に関する仮登記の権利者には、本登記を経由するまでの手続として、仮登記のままでその権利を主張することが認められる場合があるが、この場合であっても、当該手続を離れて仮登記の権利者が本登記を経由したのと同一の効力又は法的利益の帰属を主張することが認められるものではないので、所有権に関する仮登記の権利者は、仮登記の後に登記を経由した者に対して優先して権利を主張すること

はできない（最判昭 63・12・1）。
出題 国家総合 − 平成 25

◇明認方法

Q57 立木については、登記が対抗要件であり、木を削って名前を書いたり、立て札を立てるなどの明認方法は対抗要件とならないのか。

A 明認方法は対抗要件となる。　立木の譲受人は、その権利の取得について、明認行為という公示方法を施せば、第三者に対し、所有権を対抗することができる。つまり、土地および立木の前所有者から土地および立木を買い受けた者がその土地に所有権取得の登記をし、あるいは、立木について明認行為をした場合でも、これらの公示方法がすでにその他の権利取得者のために明認行為をした後に施されたときは、土地および立木の買受人は、その立木の所有権をもってすでに明認行為をした権利取得者に対抗することができない（大判大 10・4・14）。
出題 特別区Ⅰ − 令和2、裁判所Ⅰ・Ⅱ − 平成 22

Q58 A から山林の地盤所有権を譲り受けた Y が所有権取得の登記をしないまま、そこに立木を植栽した場合、当該立木所有権につき後に A から地盤所有権を二重に譲り受け、移転登記も得た X に Y は対抗できるか。

A Y は X に対抗できない。　Y が A から本件山林を買い受け、地盤所有者として本件立木を植栽した後、A はこの山林を別に B に売り渡して登記を得させ、X はさらに B から買い受けて移転登記を経たのであり、Y はこの山林所有権につき X に対抗できない（最判昭 35・3・1）。
出題 予想

Q59 明認方法は物権変動の際に行われれば、第三者が利害関係を取得する当時に存在しなくても、対抗要件としての効力を有するのか。

A 対抗要件としての効力を有しない。　明認方法は、立木に関する法律の適用を受けない立木の物権変動の公示方法として是認されているから、それは登記に代わるものとして第三者が容易に所有権を認識することができる手段で、しかも、第三者が利害関係を取得する当時にもそれだけの効果が存在しなければならず、したがって、たとい権利の変動の際いったん明認方法が行われたとしても問題の生じた当時消失その他の事由で公示として働きをなさなくなっているとすれば明認方法があるとして当該第三者に対抗することはできない（最判昭 36・5・4）。
出題 予想

第 178 条（動産に関する物権の譲渡の対抗要件）
　動産に関する物権の譲渡は、その動産の引渡しがなければ、第三者に対抗することができない。

Q1 A の所有する絵画を B が賃借していたところ、A は、絵画を C に譲渡する旨の売買契約を C との間に締結した。この場合には、絵画の所有権の移転につき、C は、対抗要件を具備せずとも、B に対し絵画の所有権を主張することができるのか。

A C は、対抗要件を具備しなければ、B に対し絵画の所有権を主張することができない。　動産の賃借人は、新たな所有権の譲受人に対して引渡しの欠缺を主張する正当な利益を有する民法 178 条の第三者

に該当するので、動産の引渡しがあれば、新たな所有権の譲受人に対し、所有権の主張をすることができる（大判大 4・2・2）。出題 国家総合 − 平成 25

Q2 A が B に賃貸している動産を C に譲渡した場合、C が当該動産の権利取得を主張するためには、C は指図による占有移転を受ける必要があるのか。

A 指図による占有移転を受ける必要がある。　賃貸されている動産を譲り受けた者は、引渡しを受けないかぎり、賃借人に所有権取得を対抗できないことになるが、引渡しは指図による占有移転でよいのだから、譲渡人の賃借人に対する指図があれば、譲受人は賃借人に対抗できる（大判大 4・4・27）。
出題 予想

Q3 物の寄託を受けこれを寄託者のために保管する者は、受寄物の所有権を取得した者に対し、その引渡しの欠缺を主張する利益のある第三者にあたるか。

A 引渡しの欠缺を主張する利益のある第三者にあたらない。　単に物の寄託を受けこれを寄託者のために保管する者は、返還の時期を定めると否とを問わず、請求次第、いつでもこれを返還すべき義務を負担するため、受寄物の所有権を取得した者に対し、その引渡しの欠缺を主張する利益を有する者ではないから、民法 178 条のいわゆる第三者に該当しない（大判昭 13・7・9）。出題 国Ⅰ − 昭和 63

Q4 民法 178 条の「引渡」に占有改定は含まれるのか。

A 占有改定は含まれる。　売渡担保契約がなされ債務者が引き続き担保物件を占有している場合には、債務者は占有の改定により爾後債権者のために占有するものであり、したがって、債権者はこれによって占有権を取得する（最判昭 30・6・2）。
出題 東京Ⅰ − 平成 19、市役所上・中級 − 平成 11、国家一般 − 令和2、国Ⅱ − 平成 16、裁判所Ⅰ・Ⅱ − 平成 22、国税・財務・労基 − 令和 1

第 179 条（混同）
①同一物について所有権及び他の物権が同一人に帰属したときは、当該他の物権は、消滅する。ただし、その物又は当該他の物権が第三者の権利の目的であるときは、この限りでない。
②所有権以外の物権及びこれを目的とする他の権利が同一人に帰属したときは、当該他の権利は、消滅する。この場合においては、前項ただし書の規定を準用する。
③前2項の規定は、占有権については、適用しない。

Q1 甲の所有地に乙が一番抵当権を、丙が二番抵当権を有する場合に、乙が土地の所有権を甲から譲り受けたときは、乙の一番抵当権は混同により消滅するのか。

A 乙の一番抵当権は混同により消滅しない。　一番抵当権者が抵当不動産の所有権を取得しても、その物に二番抵当権が存在するときは、一番抵当権は消滅しない。この場合には、所有者は一番抵当権者として優先弁済を受けることもできるし、抵当不動産の第三取得者として抵当権の消滅請求をすることもできる（大判昭 8・3・18）。出題 国Ⅰ − 昭和 63

民法

Q2 対抗要件を具備した賃借権の存する土地に抵当権が設定された後に、その土地の所有権と賃借権とが同一人に帰属するに至った場合、その賃借権は消滅するのか。

A 民法179条1項但書の準用により賃借権は消滅しない。　特定の土地につき所有権と賃借権とが同一人に帰属するに至った場合であっても、その賃借権が対抗要件を具備したものであり、かつ、その対抗要件を具備した後に土地に抵当権が設定されていたときは、民法179条1項但書の準用により賃借権は消滅しない。そして、これは、賃借権の対抗要件が現借地借家法10条によるべきものであっても同様である（最判昭46・10・14）。
出題 国Ⅰ-昭和63、裁判所Ⅰ・Ⅱ-平成20

第2章　占有権

第1節　占有権の取得

第180条（占有権の取得）

占有権は、自己のためにする意思をもって物を所持することによって取得する。

Q1 B株式会社の代表取締役Aが会社の代表者として土地を占有している場合、Aは当該土地につき個人としての占有権を有するのか。

A Aは個人としての占有権を有しない。　AはB株式会社の代表取締役であってB会社の代表機関として本件土地を占有しているのである。そうすると、本件土地の占有者はB株式会社であって、Aはその機関としてこれを所持するにとどまり、したがってこの関係においては本件土地の直接占有者はB株式会社であってAは直接占有者ではない（最判昭32・2・15）。
出題 地方上級-平成8

Q2 他人の使用人として家屋に居住するにすぎない者に対しては、特段の事情のないかぎり、その不法占有を理由として家屋の明渡ならびに賃料相当の損害金の支払を請求することはできるのか。

A 家屋の明渡ならびに賃料相当の損害金の支払を請求することはできない。　使用人が雇主と対等の地位において、共同してその居住家屋を占有しているものというには、他に特段の事情があることを要し、ただ単に使用人としてその家屋に居住するに過ぎない場合においては、その占有は雇主の占有の範囲内で行われているものと解するのが相当であり、反証がないからといって、雇主と共同し、独立の占有をなすものと解すべきではない。したがって、たやすく使用人の不法占有を認め、家屋明渡のほかに賃料相当の損害金支払の義務までも認めた原判決は、他人の使用人の占有および不法行為に関する法の解釈を誤ったもので妥当ではない（最判昭35・4・7）。
出題 裁判所総合・一般-令和4

Q3 別居中の相続人が被相続人の死亡の事実を知らない場合、相続人は被相続人の占有に属していた相続財産に関する占有を承継するのか。

A 相続人は当然、相続財産に関する占有を承継する。　被相続人の事実的支配の中にあった物は、原則として、当然に、相続人の支配の中に承継されるとみるべきであるから、その結果として、占有権も承継され、被相続人が死亡して相続が開始するとき

は、特別の事情のない限り、従前その占有に属したものは、当然相続人の占有に移る（最判昭44・10・30）。
出題 国Ⅰ-昭和62、国Ⅱ-平成19・16・昭和52

Q4 社会通念上、当該道路が当該地方公共団体の事実的支配に属する客観的関係にあると認められる場合でも、地方公共団体が、道路法上の道路管理権を有していない場合には、当該道路を構成する敷地について占有権を有しないのか。

A 占有権を有する。　占有権の取得原因事実は、自己のためにする意思をもって物を所持することであるところ（民法180条）、ここでいう所持とは、社会通念上、その物がその人の事実的支配に属する客観的関係にあることを指す（大判昭15・10・24）。そうすると、地方公共団体が、道路を一般交通の用に供するために管理しており、その管理の内容、態様によれば、社会通念上、当該道路が当該地方公共団体の事実的支配に属する客観的関係にあると認められる場合には、当該地方公共団体は、道路法上の道路管理権を有するか否かにかかわらず、自己のためにする意思をもって当該道路を所持するものであるから、当該道路を構成する敷地について占有権を有する（最判平18・2・21）。
出題 予想

第181条（代理占有）

占有権は、代理人によって取得することができる。

第182条（現実の引渡し及び簡易の引渡し）

①占有権の譲渡は、占有物の引渡しによってする。

②譲受人又はその代理人が現に占有物を所持する場合には、占有権の譲渡は、当事者の意思表示のみによってすることができる。

第183条（占有改定）

代理人が自己の占有物を以後本人のために占有する意思を表示したときは、本人は、これによって占有権を取得する。

第184条（指図による占有移転）

代理人によって占有をする場合において、本人がその代理人に対して以後第三者のためにその物を占有することを命じ、その第三者がこれを承諾したときは、その第三者は、占有権を取得する。

Q1 指図による占有移転の方法により、質権の設定は認められるか。

A 質権の設定は認められる。　質権の目的である不動産が質権設定以前にすでに他人に賃貸している場合には、質権設定者である賃貸人が賃借人に対して爾後質権者のために当該不動産を占有すべき旨を命じ、賃借人がこれを承諾することにより、質権が適法に設定され、かつ反対の意思表示がない限り、爾後賃貸借は質権者との間にその効力が生じ、質権者においてその賃金を収取する権利を取得する（大判昭9・6・2）。
出題 国家総合-令和1、地方上級-平成5（市共通）・昭和62

第185条（占有の性質の変更）

権原の性質上占有者に所有の意思がないものとされる場合には、その占有者が、自己に占有をさせた

者に対して所有の意思があることを表示し、又は新たな権原により更に所有の意思をもって占有を始めるのでなければ、占有の性質は、変わらない。

Q1 相続は民法185条の「新たな権原」に含まれるか。

A 相続人に所有の意思があるとみられる場合には、含まれる。　　相続人は、被相続人の死亡により、土地建物に対する同人の占有を相続により承継したばかりでなく、新たに土地建物を事実上支配することによりこれに対する占有を開始したものであり、したがって、仮に相続人に所有の意思があるとみられる場合においては、相続人は、被相続人の死亡後、民法185条にいう「新たな権原により」土地建物の自主占有をするに至ったものである（最判昭46・11・30）。

[出題] 国家総合 – 平成26、国 I – 昭和62、国家一般 – 令和 1・平成28、国税・労基 – 平成17

Q2 共同相続人の一人が単独に相続したものと信じて疑わず、所有者として行動してきた等の事情のある場合には、その相続の時から自主占有を取得したものと解されるのか。

A その相続の時から自主占有を取得したものと解される。　　共同相続人の一人が、単独に相続したものと信じて疑わず、相続開始とともに相続財産を現実に占有し、その管理、使用を専行してその収益を独占し、公租公課も自己の名でその負担において納付してきており、これについて他の相続人が何ら関心をもたず、もとより異議を述べた事実もなかったような場合には、相続人はその相続の時から自主占有を取得したものと解する（最判昭47・9・8）。

[出題] 特別 I – 令和2、国家一般 – 平成28、国税・労基 – 平成17

Q3 他主占有者の相続人が独自の占有を主張する場合、所有の意思のあったことを自ら立証しなければならないのか。

A 自ら立証しなければならない。　　他主占有者の相続人が独自の占有に基づく取得時効の成立を主張する場合において、その占有が所有の意思に基づくものであるというためには、取得時効の成立を争う相手方ではなく、占有者である当該相続人において、その事実的支配が外形的客観的にみて独自の所有の意思に基づくものと解される事情を自ら証明しなければならない。なぜなら、この場合には、相続人が新たな事実的支配を開始したことによって、従来の占有の性質が変更されたのであるから、当該変更の事実は取得時効の成立を主張する者の立証を要するのであり、また、この場合には、相続人の所有の意思の有無を相続という占有取得原因事実によって決することはできないからである（最判平8・11・12）。

[出題] 国家総合 – 令和3・2、国 I – 平成18、裁判所総合・一般 – 平成28、裁判所 I・II – 平成19

第186条（占有の態様等に関する推定）
①占有者は、所有の意思をもって、善意で、平穏に、かつ、公然と占有をするものと推定する。
②前後の両時点において占有をした証拠があるときは、占有は、その間継続したものと推定する。

Q1 占有者の占有が自主占有にあたらないことを理由に取得時効の成立を争う者は、占有が他主占有にあたることについての立証責任を負うのか。

A 立証責任を負う。　　占有者は所有の意思で占有するものと推定されるのであるから（民法186条1項）、占有者の占有が自主占有にあたらないことを理由に取得時効の成立を争う者は、占有が他主占有にあたることについての立証責任を負うのであり、占有が自主占有であるかどうかは占有開始原因たる事実によって外的客観的に定められるものであって、賃貸借によって開始された占有は他主占有とみられるのであるから、取得時効の効果を主張する者がその取得原因となる占有が賃貸借によって開始された事実を主張する場合において、相手方が上記主張を援用したときは、取得時効の原因となる占有が他主占有であることについて自白があったものというべきである（最判昭54・7・31）。

[出題] 国 II – 平成23

Q2 解除条件付売買契約に基づいて開始される占有について、解除条件が成就して当該契約が失効した場合、自主占有でなくなるのか。

A 自主占有でなくなるわけではない。　　売買契約に基づいて開始される占有は、当該売買契約に、残代金を約定期限までに支払わないときは契約は、当然に解除されたものとする旨の解除条件が付されている場合であっても、民法162条にいう所有の意思をもってする占有であるというを妨げない。したがって、この解除条件が成就して当該売買契約が失効しても、それだけでは、その占有が同条にいう所有の意思をもってする占有でなくなるものではない（最判昭60・3・28）。　　[出題] 国 I – 昭和62

第187条（占有の承継）
①占有者の承継人は、その選択に従い、自己の占有のみを主張し、又は自己の占有に前の占有者の占有を併せて主張することができる。
②前の占有者の占有を併せて主張する場合には、その瑕疵をも承継する。

Q1 相続の場合、相続人は前主の占有と併せずに自己の善意・無過失の占有のみの主張を選択することができるのか。

A 自己の善意・無過失の占有のみの主張を選択することができる（最判昭37・5・18）。

Q2 相続人は民法187条1項の承継人にあたるのか。

A 民法187条1項の承継人にあたる。　　民法187条1項は相続のごとき包括承継の場合にも適用され、相続人は必ずしも被相続人の占有についての善意・悪意の地位をそのまま承継するものではなく、その選択に従い自己の占有のみを主張しまたは被相続人の占有に自己の占有を併せて主張することができる（最判昭37・5・18）。⇨ 1

[出題] 国家総合 – 令和3・平成24、国 I – 昭和57、国 II – 平成22・19、裁判所総合・一般 – 令和4・平成30、裁判所 I・II – 平成21、国税・財務・労基 – 平成24、国税・労基 – 平成15

Q3 不動産の占有主体に変更があって承継された

2個以上の占有が併せて主張された場合、民法162条にいう占有者の善意・無過失は、何時の時点で判定すべきか。

A 最初の占有者の占有開始の時に判定すればよい。10年の取得時効の要件としての占有者の善意・無過失の存否については占有開始の時点においてこれを判定すべきものとする民法162条2項の規定は、時効期間を通じて占有主体に変更がなく同一人により継続された占有が主張される場合について適用されるだけではなく、占有主体に変更があって承継された2個以上の占有が併せて主張された場合についてもまた適用されるものであり、後の場合にはその主張にかかる最初の占有者につきその占有開始の時点においてこれを判定すれば足りる（最判昭53・3・6）。

Q4 他人の不動産を所有の意思をもって平穏かつ公然に占有した者が、占有のはじめに善意・無過失であった場合、占有の途中で悪意となっても、当該不動産の取得時効の時効期間は10年か。

A 10年である（最判昭53・3・6）。⇨3

第2節　占有権の効力

第188条（占有物について行使する権利の適法の推定）

占有者が占有物について行使する権利は、適法に有するものと推定する。

Q1 他人の所有地上の建物に居住している者が、その敷地を占有する正権原を主張する場合には、民法188条（占有物について行使する権利の適法の推定）を援用して自己の権原を所有者に対抗することができるのか。

A 対抗することはできない。不動産明渡請求訴訟の被告たる不動産の占有者が、原告所有者に対し、占有する正権原を（当該土地の使用貸借人が建築した建物を、その者から賃借した）主張する場合、占有者自ら正権原を立証すべき責任があり、占有者の権利推定を定めた民法188条を援用して自己の正権原を土地所有者に対抗することはできない（最判昭35・3・1）。

第189条（善意の占有者による果実の取得等）

①善意の占有者は、占有物から生ずる果実を取得する。
②善意の占有者が本権の訴えにおいて敗訴したときは、その訴えの提起の時から悪意の占有者とみなす。

Q1 占有者が本権の存在について疑いはもっているが、本権のないことを確定的に知っていたわけではない場合には、悪意占有にならないのか。

A 悪意占有になる。民法162条2項の「過失」とは、占有者が注意を尽くせば自己が所有権を有しないことを知ることができたのに不注意で所有権を

有すると誤信した場合をいうのであり、「善意」とは単に自己が所有権を有すると確信することをいうのであるから、無過失と善意とは同一の意義ではない。また、186条1項の「善意」とは、占有者が占有を正当とする本権があると確信する場合をいい、過失の有無に関しないものであるから、無過失と同義ではない。それ故、186条1項の規定は無過失の場合を包含するものではない（大判大8・10・13）。

第190条（悪意の占有者による果実の返還等）

①悪意の占有者は、果実を返還し、かつ、既に消費し、過失によって損傷し、又は収取を怠った果実の代価を償還する義務を負う。
②前項の規定は、暴行若しくは強迫又は隠匿によって占有をしている者について準用する。

第191条（占有者による損害賠償）

占有物が占有者の責めに帰すべき事由によって滅失し、又は損傷したときは、その回復者に対し、悪意の占有者はその損害の全部の賠償をする義務を負い、善意の占有者はその滅失又は損傷によって現に利益を受けている限度において賠償をする義務を負う。ただし、所有の意思のない占有者は、善意であっても、全部の賠償をしなければならない。

第192条（即時取得）

取引行為によって、平穏に、かつ、公然と動産の占有を始めた者は、善意であり、かつ、過失がないときは、即時にその動産について行使する権利を取得する。

◇動産であること

Q1 当初は不動産であった立木を伐採した場合、民法192条は適用されるのか。

A 適用されない。民法192条は目的物が当初から動産であった場合に適用される規定であって、当初は不動産であった立木を伐採したような場合には、適用されない（大判明35・10・14）。

Q2 自動車について民法192条の適用はあるのか。

A 未登録または抹消登録を受けた自動車については、民法192条の適用はあるが、登録自動車については適用がない。未登録または抹消登録を受けた自動車については、所有権の得喪について登録を要件とせず、質権設定も禁じられていない点では普通の動産と異ならないので民法192条の適用が認められる（最判昭45・12・4）。しかし、道路運送車両法による登録を受けている自動車については、登録が所有権の得喪ならびに抵当権の得喪および変更の公示方法とされているから、民法192条の適用はない（最判昭62・4・24）。

地方上級－平成4、東京Ⅰ－平成20、特別区Ⅰ－令和1・平成24・14、国家一般－平成30、国Ⅱ－平成17、裁判所総合・一般－令和3・平成28、裁判所Ⅰ・Ⅱ－平成14、国税・財務・労基－令和2（以上すべて最判昭62・4・24）

◇取引行為の存在

Q3 強制競売に付された動産について、即時取得は認められるのか。

A 即時取得は認められる。　執行債務者の所有に属さない動産が強制競売に付された場合であっても、競落人は、民法192条の要件を具備するときには、同条によって当該動産の所有権を取得できる（最判昭42・5・30）。

出題 国Ⅰ－平成20・6・昭和63・54、地方上級－昭和61・57・53、特別区Ⅰ－令和1・平成14、国家一般－平成27

◇占有の信頼

Q4 即時取得の成立要件としての「無過失」は推定されるのか。

A 「無過失」は推定される。　民法192条にいう「過失がないとき」とは、物の譲渡人である占有者が権利者たる外観を有しているため、その譲受人が譲渡人にこの外観に対応する権利があるものと誤信し、かつこのように信じるについて過失のないことを意味するものであるが、およそ占有者が占有物のうえに行使する権利はこれを適法に有するものと推定される以上（民法188条）、譲受人たる占有取得者がこのように信じるについては過失のないものと推定され、占有取得者自身において過失のないことを立証することを要しない（最判昭41・6・9）。

出題 国家総合－令和4、国Ⅰ－平成6・昭和63・59、東京Ⅰ－平成20・19、特別区Ⅰ－令和1・平成29・24・14、国家一般－平成30、裁判所総合・一般－平成28、裁判所Ⅰ・Ⅱ－平成22・16、国税・財務・労基－令和2・1、国税－平成7

◇占有改定による即時取得

Q5 占有改定による即時取得は認められるか。

A 認められない。　無権利者から動産の譲渡を受けた場合において、譲受人が民法192条によりその所有権を取得しうるためには、一般外観上従来の占有状態に変更を生ずるがごとき占有を取得することを要し、かかる状態に一般外観上変更をきたさないいわゆる占有改定の方法による取得をもっては足らない（最判昭35・2・11、最判昭32・12・27）。

出題 国家総合－平成25、国Ⅰ－平成23・20・18・13・6・3・昭和63・59、地方上級－平成3（市共通）・昭和57、東京Ⅰ－平成20、特別区Ⅰ－平成24・14、市役所上・中級－平成11、国家一般－平成27・24、国Ⅱ－平成21・17、裁判所総合・一般－令和4・3・平成28・24、裁判所Ⅰ・Ⅱ－平成19・14、国税－平成10・7・昭和60

◇指図による占有移転と即時取得

Q6 指図による占有移転を受けた場合、即時取得は認められるのか。

A 即時取得は認められる。　寄託者が倉庫業者に対して発行した荷渡指図書に基づき、倉庫業者が寄託者台帳上の寄託者名義を変更して当該寄託の目的物の譲受人が指図による占有移転を受けた場合には、民法192条の適用がある（最判昭57・9・7）。

出題 国家総合－令和1・平成25、東京Ⅰ－平成20、特別区Ⅰ－令和1・平成29・14、裁判所総合・一般－平成28、裁判所Ⅰ・Ⅱ－平成21・19

◇金銭の特殊性

Q7 金銭は即時取得の対象となるのか。

A 対象とならない。　金銭は、特別の場合を除いては、物としての個性を有せず、単なる価値そのものと考えるべきであり、価値は金銭の所在に随伴するものであるから、金銭の所有権は、特段の事情のない限り、その占有者と一致し、また金銭を現実に支配して占有する者は、それをいかなる理由によって取得したか、またその占有を正当づける権利を有するか否かにかかわりなく、価値の帰属者すなわち金銭の所有者とみるべきである。したがって、金銭は即時取得の対象とならない（最判昭39・1・24）。

出題 国家総合－令和4、国Ⅰ－平成4、地方上級－平成17、特別区Ⅰ－令和1・平成24、国Ⅱ－平成17、裁判所Ⅰ・Ⅱ－平成16

第193条（盗品又は遺失物の回復）

前条の場合において、占有物が盗品又は遺失物であるときは、被害者又は遺失者は、盗難又は遺失の時から2年間、占有者に対してその物の回復を請求することができる。

Q1 占有物が盗品又は遺失物であるときは、その被害者・遺失主は、盗難・遺失の時から2年間、占有者に対してその物の回復請求ができるが、このとき、所有権は占有者に移転しているか。

A 所有権は現所有者にとどまる。　民法193条は、占有者が盗難又は遺失の時から2年内に被害者又は遺失主より回復の請求を受けないときに限って初めてその物の上に行使する権利を取得する趣旨であって、回復というのは占有者がいったんその物につき即時取得した所有権その他の本権を回復することではない（大判大10・7・8）。

出題 国家総合－令和1、裁判所Ⅰ・Ⅱ－平成19

第194条

占有者が、盗品又は遺失物を、競売若しくは公の市場において、又はその物と同種の物を販売する商人から、善意で買い受けたときは、被害者又は遺失者は、占有者が支払った代価を弁償しなければ、その物を回復することができない。

Q1 盗品または遺失物の被害者または遺失主が盗品等の占有者に対してその物の回復を求めたのに対し、占有者が民法194条に基づき支払った代価の弁償があるまで盗品等の引渡しを拒んだ場合、占有者は、その弁償の提供があるまで盗品等の使用収益

を行う権限を有するのか。

A 権限を有する。　　「盗品又は遺失物」（以下「盗品等」という。）の被害者または遺失主（以下「被害者等」という。）が盗品等の占有者に対してその物の回復を求めたのに対し、占有者が民法194条に基づき支払った代価の弁償があるまで盗品等の引渡しを拒むことができる場合には、占有者は、その弁償の提供があるまで盗品等の使用収益を行う権限を有する。なぜなら、占有者と被害者等との保護の均衡を図った規定であるところ、被害者等の回復請求に対し占有者が民法194条に基づき盗品等の引渡しを拒む場合には、被害者等は、代価を弁償して盗品等を回復するか、盗品等の回復をあきらめるかを選択することになるのに対し、占有者は、被害者等が盗品等の回復をあきらめた場合には盗品等の所有者として占有取得後の使用利益を享受しうると解されるのに、被害者等が代価の弁償を選択した場合には代価弁償以前の使用利益を喪失するというのでは、占有者の地位が不安定になること甚だしく、両者の保護の均衡を図った同条の趣旨に反する結果となるからである（最判平12・6・27）。

出題 国家総合 − 令和1、国Ⅰ − 平成18、国税・財務・労基 − 令和2・平成29、国税・労基 − 平成17

第195条（動物の占有による権利の取得）
家畜以外の動物で他人が飼育していたものを占有する者は、その占有の開始の時に善意であり、かつ、その動物が飼主の占有を離れた時から1箇月以内に飼主から回復の請求を受けなかったときは、その動物について行使する権利を取得する。

Q1 九官鳥は民法195条の家畜外の動物に含まれるのか。

A 家畜外の動物に含まれない。　　民法195条にいわゆる家畜外の動物とは、人の支配に服せずに生活することを通常の状態とする動物を指称する。ところが、九官鳥はわが国においては、人に飼養されその支配に服して生活することを通常の状態とすることは一般に顕著な事実であるから、同条のいわゆる家畜外の動物には該当しない（大判昭7・2・16）。

出題 国Ⅱ − 昭和55

第196条（占有者による費用の償還請求）
①占有者が占有物を返還する場合には、その物の保存のために支出した金額その他の必要費を回復者から償還させることができる。ただし、占有者が果実を取得したときは、通常の必要費は、占有者の負担に帰する。
②占有者が占有物の改良のために支出した金額その他の有益費については、その価格の増加が現存する場合に限り、回復者の選択に従い、その支出した金額又は増価額を償還させることができる。ただし、悪意の占有者に対しては、裁判所は、回復者の請求により、その償還について相当の期限を許与することができる。

＊抵当不動産の第三取得者による費用の償還請求に適用（391条）、買戻しの実行に適用（583条2項）、賃借人による費用償還請求に適用（608条2項：196条2項のみ）

第197条（占有の訴え）
占有者は、次条から第202条までの規定に従い、占有の訴えを提起することができる。他人のために占有をする者も、同様とする。

第198条（占有保持の訴え）
占有者がその占有を妨害されたときは、占有保持の訴えにより、その妨害の停止及び損害の賠償を請求することができる。

Q1 占有保持の訴えにおける損害賠償請求は、故意または過失があることを要件とするのか。

A 故意または過失を要件とする。　　占有者はその占有を妨害されたときは、占有保持の訴えによりその妨害の停止および損害賠償を請求できるのは、民法198条が明定するところであるが、いわゆる損害賠償請求は、一般不法行為の原則に従い、故意または過失の要件を必要とする（大判昭9・10・19）。　　　出題 国Ⅰ − 平成22・昭和58

第199条（占有保全の訴え）
占有者がその占有を妨害されるおそれがあるときは、占有保全の訴えにより、その妨害の予防又は損害賠償の担保を請求することができる。

第200条（占有回収の訴え）
①占有者がその占有を奪われたときは、占有回収の訴えにより、その物の返還及び損害の賠償を請求することができる。
②占有回収の訴えは、占有を侵奪した者の特定承継人に対して提起することができない。ただし、その承継人が侵奪の事実を知っていたときは、この限りでない。

＊質物の占有の回復（353条）

Q1 賃借物を詐取された場合、賃借人は占有回収の訴えにより当該賃借物の回収を求めることができるか。

A 当該賃借物の回収を求めることはできない。
占有侵奪の事実があるためには、占有者自ら占有の意思を失った場合でないことが必要である。故に、占有者が他人に任意に物の占有を移転したときは、たとえその移転の意思が他人の欺罔によって生じた場合でも、占有侵奪の事実があったとはいえない。したがって、賃借人が他人に賃借物の占有を任意に移転した場合、賃借人は占有回収の訴えにより当該賃借物の回収を求めることができない（大判大11・11・27）。

出題 国家総合 − 令和3・平成26、国Ⅰ − 平成22・7・昭和58、国家一般 − 平成28

Q2 悪意の占有者は占有侵奪者に対して、占有回収の訴えにより損害賠償を請求できるのか。

A 損害賠償を請求できる。　　民法200条1項の規定によれば、占有者がその占有を奪われたときは、占有回収の訴えによってその物の返還および損害賠償を請求することができ、その占有者の善意・悪意を問わないのであるから、悪意の占有者といえども、占有回収の訴えによって占有侵奪者に対し、占有侵奪によって生じた損害賠償を請求することができる（大判大13・5・22）。

出題 国Ⅰ − 昭和58、特別区Ⅰ − 平成23、国税 − 平成6

民法編

Q3 占有を侵奪した者の特定承継人が善意であっても、転得者が悪意である場合には、占有回収の訴えはできるのか。

A 占有回収の訴えはできない。　民法200条2項の規定の趣旨は、侵奪物がいったん善意の特定承継人の占有に帰するときは、占有侵奪の瑕疵は消滅し、新たに完全な支配状態を生じたものとしてこれを保護するのであって、それが事実状態の保護を目的とする占有制度の本旨に合致するものであると捉えられている。したがって、善意の特定承継人からその後さらに占有を承継した場合、当初の占有侵奪の事実を知っていたとしても、その者は完全な占有の承継人であって、占有回収の訴えを提起することはできない（大判昭13・12・26）。

　　　　　　　　　　　　　出題 裁判所Ⅰ・Ⅱ－平成19

Q4 被侵奪者は侵奪者から善意で物を賃借した者に対して、占有回収の訴えを提起できるのか。

A 善意の賃借人に対して、占有回収の訴えを提起できない。　民法200条2項の例外規定は、善意の占有取得を害しない範囲で被侵奪者の占有回収を容易にさせる趣旨であるから、その立法理由より推考すれば、同条但書の承継人とは特定承継人のために代理占有をする者をも包含する（大判昭19・2・18）。　　　　　　　**出題** 国Ⅰ－平成7

Q5 民法200条2項但書にいう「承継人が侵奪の事実を知っていたとき」とは、承継人が占有の侵奪を単なる可能性のある事実として認識していただけで足りるのか。

A 足りない。　占有者がその占有の侵奪者の特定承継人に対して占有回収の訴えを提起することができるのは、その者がその侵奪の事実を知って占有を承継した場合に限られるが、この場合侵奪を知って占有を承継したということができるためには、その承継人が少なくとも何らかの形での侵奪があったことについての認識を有していたことが必要であり、単に前主の占有取得が何らかの犯罪行為ないし不法行為によるものであって、これによっては前主が正当な権利取得者とはなりえないものであることを知っていただけでは足りないことはもちろん、占有侵奪の事実があったかもしれないと考えていた場合でも、それが単に一つの可能性についての認識にとどまる限りは、未だ侵奪の事実を知っていたものということはできない（最判昭56・3・19）。

　　出題 国家総合－令和3、国Ⅰ－平成22・昭和57

第201条（占有の訴えの提起期間）

①占有保持の訴えは、妨害の存する間又はその消滅した後1年以内に提起しなければならない。ただし、工事により占有物に損害を生じた場合において、その工事に着手した時から1年を経過し、又はその工事が完成したときは、これを提起することができない。

②占有保全の訴えは、妨害の危険の存する間は、提起することができる。この場合において、工事により占有物に損害を生ずるおそれがあるときは、前項ただし書の規定を準用する。

③占有回収の訴えは、占有を奪われた時から1年以内に提起しなければならない。

第202条（本権の訴えとの関係）

①占有の訴えは本権の訴えを妨げず、また、本権の訴えは占有の訴えを妨げない。

②占有の訴えについては、本権に関する理由に基づいて裁判をすることができない。

Q1 本権に基づく反訴を提起することは民法202条2項に反するか。

A 反しない。　民法202条2項は、占有の訴えにおいて本権に関する理由に基づいて裁判することを禁ずるものであり、したがって、占有の訴えに対し防御方法としての本権の主張をなすことは許されないが、これに対し本権に基づく反訴を提起することは、民法202条2項の禁ずるところではない（最判昭40・3・4）。

出題 国家総合－平成26、国Ⅰ－平成18・7・5、国家一般－令和1、裁判所Ⅰ・Ⅱ－平成19

第3節　占有権の消滅

第203条（占有権の消滅事由）

占有権は、占有者が占有の意思を放棄し、又は占有物の所持を失うことによって消滅する。ただし、占有者が占有回収の訴えを提起したときは、この限りでない。

Q1 占有物の所持の喪失により消滅した占有権を回復するためには、占有回収の訴えを提起して勝訴すればよいのか。

A 占有回収の訴えを提起して勝訴するだけでなく、現実にそのものを回復する必要がある。　民法203条本文によれば、占有権は占有者が占有物の所持を失うことによって消滅するのであり、ただ、占有者は、同条但書により、占有回収の訴えを提起して勝訴し、現実にその物の占有を回復したときは、現実に占有しなかった間も占有を失わず占有が継続していたものと擬制される（最判昭44・12・2）。

出題 国家総合－令和3、国家一般－令和1、国Ⅱ－平成6、国税・財務・労基－平成30

第204条（代理占有権の消滅事由）

①代理人によって占有をする場合には、占有権は、次に掲げる事由によって消滅する。

1　本人が代理人に占有をさせる意思を放棄したこと。

2　代理人が本人に対して以後自己又は第三者のために占有物を所持する意思を表示したこと。

3　代理人が占有物の所持を失ったこと。

②占有権は、代理権の消滅のみによっては、消滅しない。

第4節　準占有

第205条

この章の規定は、自己のためにする意思をもって財産権の行使をする場合について準用する。

第3章　所有権

第1節　所有権の限界

第1款　所有権の内容及び範囲

第206条（所有権の内容）

　所有者は、法令の制限内において、自由にその所有物の使用、収益及び処分をする権利を有する。

Q1 土地の所有者はその所有に係る土地の現状に基づき隣地所有者の権利を侵害しまたは侵害の危険を発生させた場合には、その侵害を除去しまたは侵害の危険を防止する義務を負うのか。

A 原則としてその義務を負う。　土地の所有者はその所有に係る土地の現状に基づき隣地所有者の権利を侵害しまたは侵害の危険を発生させた場合には、その侵害または危険が不可抗力に基因する場合または被害者自らその侵害を容認すべき義務を負う場合以外は、その侵害または危険が自己の行為に基づくと否とを問わず、また自己の故意・過失の有無を問わず、その侵害を除去しまたは侵害の危険を防止する義務を負担する（大判昭12・11・19）。

出題 予想

第207条（土地所有権の範囲）

　土地の所有権は、法令の制限内において、その土地の上下に及ぶ。

第2款　相隣関係

第209条（隣地の使用）

①土地の所有者は、次に掲げる目的のため必要な範囲内で、隣地を使用することができる。ただし、住家については、その居住者の承諾がなければ、立ち入ることはできない。②前項の場合において、隣人が損害を受けたときは、その償金を請求することができる。
1　境界又はその付近における障壁、建物その他の工作物の築造、収去又は修繕
2　境界標の調査又は境界に関する測量
3　第233条第3項の規定による枝の切取り

②前項の場合には、使用の日時、場所及び方法は、隣地の所有者及び隣地を現に使用している者（以下この条において「隣地使用者」という。）のために損害が最も少ないものを選ばなければならない。

③第1項の規定により隣地を使用する者は、あらかじめ、その目的、日時、場所及び方法を隣地の所有者及び隣地使用者に通知しなければならない。ただし、あらかじめ通知することが困難なときは、使用を開始した後、遅滞なく、通知することをもって足りる。

④第1項の場合において、隣地の所有者又は隣地使用者が損害を受けたときは、その償金を請求することができる。

第210条（公道に至るための他の土地の通行権）

①他の土地に囲まれて公道に通じない土地の所有者は、公道に至るため、その土地を囲んでいる他の土地を通行することができる。

②池沼、河川、水路若しくは海を通らなければ公道に至ることができないとき、又は崖があって土地と公道とに著しい高低差があるときも、前項と同様とする。

Q1 土地が路地状部分で公路に通じており、既存建物所有により土地の利用に支障がない状況で、建築安全条例上、増築のために必要とする通路の拡張のため、囲繞地通行権を認めることができるか。

A 囲繞地通行権を認めることはできない。　土地利用についての往来通行に必要不可欠であるからではなく、増築をするについて、建築安全条例上、通路を必要とするにすぎない場合には、本件土地を、民法210条にいわゆる公路に通じることのできない袋地であるとして囲繞地通行権の主張をすることはできない（最判昭37・3・15）。　**出題** 予想

Q2 袋地の所有権を取得した者は、所有権取得登記を経由しなくても、囲繞地の所有者ないし利用者に対し、囲繞地通行権を主張できるか。

A 囲繞地通行権を主張できる。　袋地の所有権を取得した者は、所有権取得登記を経由していなくても、囲繞地の所有者ないし利用者を有する者に対して、囲繞地通行権を主張することができる。なぜなら、民法209条ないし238条は、いずれも、相隣接する不動産相互間の利用の調整を目的とする規定であって、同法210条において袋地の所有者が囲繞地を通行することができるとされているのも、相隣関係にある所有権共存の一態様として、囲繞地の所有者に一定の範囲の通行受忍義務を課し、袋地の効用を完全ならしめるためであるからである。このような趣旨に照らすと、袋地の所有者が囲繞地の所有者らに対して囲繞地通行権を主張する場合は、不動産取引の安全保護を図るための公示制度とは関係がないと解すべきである（最判昭47・4・14）。　**出題** 特別区Ⅰ-令和1

Q3 他の土地に囲まれて公道に通じない土地の所有者は、公道に至るため、その土地を囲んでいる他の土地を通行するために、自動車の通行を前提とする民法210条の通行権を有するか。

A 通行権を有するか否かは、諸事情を総合考慮して判断しなければならない。　現代社会においては、自動車による通行を必要とすべき状況が多くみうけられる反面、自動車による通行を認めると、一般に、他の土地から通路としてより多くの土地を割く必要があるうえ、自動車事故が発生する危険性が生ずることなども否定することができない。したがって、自動車による通行を前提とする民法210条通行権の成否およびその具体的内容は、他の土地について自動車による通行を認める必要性、周辺の土地の状況、自動車による通行を前提とする民法210条通行権が認められることにより他の土地の所有者が被る不利益等の諸事情を総合考慮して判断すべきである（最判平18・3・16）。　**出題** 予想

第211条

①前条の場合には、通行の場所及び方法は、同条の規定による通行権を有する者のために必要であり、かつ、他の土地のために損害が最も少ないものを選ばなければならない。

②前条の規定による通行権を有する者は、必要があ

るときは、通路を開設することができる。

第212条

　第210条の規定による通行権を有する者は、その通行する他の土地の損害に対して償金を支払わなければならない。ただし、通路の開設のために生じた損害に対するものを除き、1年ごとにその償金を支払うことができる。

第213条

①分割によって公道に通じない土地が生じたときは、その土地の所有者は、公道に至るため、他の分割者の所有地のみを通行することができる。この場合においては、償金を支払うことを要しない。

②前項の規定は、土地の所有者がその土地の一部を譲り渡した場合について準用する。

Q1 袋地の所有者は、その袋地が土地の全部を同時に数人に譲渡することによって生じた場合には、隣地の通行に際して償金を支払わなければならないのか。

A 償金を支払う必要はない。　民法213条2項は、土地の所有者がその土地の一部を譲渡し残存部分をなお留保する場合に生ずる袋地についてのみ適用があるものと解すべきではなく、土地の所有者が一筆の土地を分筆のうえ、そのそれぞれを全部同時に数人に譲渡し、これにより袋地を生じた場合にも、同条項の趣旨に徴し、袋地の取得者は、その分筆前一筆であった残余の土地についてのみ囲繞地通行権を有するにすぎない（最判昭37・10・30）。

出題 国Ⅱ-平成8

Q2 囲繞地（残余地）に対する囲繞地通行権は、残余地の所有者が売買等により第三者に譲渡した場合には消滅するのか。

A 囲繞地通行権は消滅しない。　共有物の分割または土地の一部譲渡によって公路に通じない土地（袋地）を生じた場合には、袋地の所有者は、民法213条に基づき、その囲繞する土地のうち、他の分割者の所有地または土地の一部の譲渡人もしくは譲受人の所有地（以下、これらの囲繞地を「残余地」という）についてのみ通行権を有するが、同条の規定する囲繞地通行権は残余地について特定承継が生じた場合にも消滅するものではなく、袋地所有者は、民法210条に基づき残余地以外の囲繞地を通行しうるものではない（最判平2・11・20）。

出題 特別区Ⅰ-令和1

第213条の2（継続的給付を受けるための設備の設置権等）

①土地の所有者は、他の土地に設備を設置し、又は他人が所有する設備を使用しなければ電気、ガス又は水道水の供給その他これらに類する継続的給付（以下この項及び次条第1項において「継続的給付」という。）を受けることができないときは、継続的給付を受けるため必要な範囲内で、他の土地に設備を設置し、又は他人が所有する設備を使用することができる。

②前項の場合には、設備の設置又は使用の場所及び方法は、他の土地又は他人が所有する設備（次項において「他の土地等」という。）のために損害

が最も少ないものを選ばなければならない。

③第1項の規定により他の土地に設備を設置し、又は他人が所有する設備を使用する者は、あらかじめ、その目的、場所及び方法を他の土地の所有者及び他の土地を現に使用している者に通知しなければならない。

④第1項の規定による権利を有する者は、同項の規定により他の土地に設備を設置し、又は他人が所有する設備を使用するために当該他の土地又は当該他人が所有する設備がある土地を使用することができる。この場合においては、第209条第1項ただし書及び第2項から第四項までの規定を準用する。

⑤第1項の規定により他の土地に設備を設置する者は、その土地の損害（前項において準用する第209条第4項に規定する損害を除く。）に対して償金を支払わなければならない。ただし、1年ごとにその償金を支払うことができる。

⑥第1項の規定により他人が所有する設備を使用する者は、その設備の使用を開始するために生じた損害に対して償金を支払わなければならない。

⑦第1項の規定により他人が所有する設備を使用する者は、その利益を受ける割合に応じて、その設置、改築、修繕及び維持に要する費用を負担しなければならない。

第213条の3

①分割によって他の土地に設備を設置しなければ継続的給付を受けることができない土地が生じたときは、その土地の所有者は、継続的給付を受けるため、他の分割者の所有地のみに設備を設置することができる。この場合においては、前条第5項の規定は、適用しない。

②前項の規定は、土地の所有者がその土地の一部を譲り渡した場合について準用する。

第233条（竹木の枝の切除及び根の切取り）

①土地の所有者は、隣地の竹木の枝が境界線を越えるときは、その竹木の所有者に、その枝を切除させることができる。

②前項の場合において、竹木が数人の共有に属するときは、各共有者は、その枝を切り取ることができる。

③第1項の場合において、次に掲げるときは、土地の所有者は、その枝を切り取ることができる。

　1　竹木の所有者に枝を切除するよう催告したにもかかわらず、竹木の所有者が相当の期間内に切除しないとき。

　2　竹木の所有者を知ることができず、又はその所在を知ることができないとき。

　3　急迫の事情があるとき。

④隣地の竹木の根が境界線を越えるときは、その根を切り取ることができる。

第234条（境界線付近の建築の制限）

①建物を築造するには、境界線から50センチメートル以上の距離を保たなければならない。

②前項の規定に違反して建築をしようとする者があるときは、隣地の所有者は、その建築を中止させ、又は変更させることができる。ただし、建築

に着手した時から1年を経過し、又はその建物が完成した後は、損害賠償の請求のみをすることができる。

Q1 建築基準法65条の規定が適用されるときは、民法の相隣関係の規定は排除され、防火地域又は準防火地域内にある建物で外壁が耐火構造のものは、敷地の境界線に接して建てることができるのか。

A 建てることができる。　建築基準法65条は、防火地域又は準防火地域内にある外壁が耐火構造の建築物について、その外壁を隣地境界線に接して設けることができる旨規定しているが、これは、同条所定の建築物に限り、その建築については民法234条1項の規定の適用が排除される旨を定めたものと解する。なぜなら、建築基準法65条は、耐火構造の外壁を設けることが防火上望ましいという見地や、防火地域又は準防火地域における土地の合理的ないし効率的な利用を図るという見地に基づき、相隣関係を規律する趣旨で、上記各地域内にある建物で外壁が耐火構造のものについては、その外壁を隣地境界線に接して設けることができることを規定したものであるからである（最判平1・9・19）。

出題 東京I - 平成18

第235条
①境界線から1メートル未満の距離において他人の宅地を見通すことのできる窓又は縁側（ベランダを含む。次項において同じ。）を設ける者は、目隠しを付けなければならない。
②前項の距離は、窓又は縁側の最も隣地に近い点から垂直線によって境界線に至るまでを測定して算出する。

第236条（境界線付近の建築に関する慣習）
前2条の規定と異なる慣習があるときは、その慣習に従う。

第237条（境界線付近の掘削の制限）
①井戸、用水だめ、下水だめ又は肥料だめを掘るには境界線から2メートル以上、池、穴蔵又はし尿だめを掘るには境界線から1メートル以上の距離を保たなければならない。
②導水管を埋め、又は溝若しくは堀を掘るには、境界線からその深さの2分の1以上の距離を保たなければならない。ただし、1メートルを超えることを要しない。

第238条（境界線付近の掘削に関する注意義務）
境界線の付近において前条の工事をするときは、土砂の崩壊又は水若しくは汚液の漏出を防ぐため必要な注意をしなければならない。

❖境界確定

Q1 隣接する土地の境界について争いがある場合には、隣接する土地の所有者どうしの合意によって確定することができないときに限り、境界確定の訴えに基づき、判決によって境界を決定することになるのか。

A 隣接する土地の所有者どうしの合意のみによっては確定できない。　相隣者間において境界を定めた事実があっても、これによって、その一筆の土地

の境界自体は変動しない。したがって、その合意の事実を境界確定のための一資料にすることは、もとより差し支えないが、これのみにより確定することは許されない（最判昭42・12・26）。

出題 国II - 平成8

第2節　所有権の取得

第239条（無主物の帰属）
①所有者のない動産は、所有の意思をもって占有することによって、その所有権を取得する。
②所有者のない不動産は、国庫に帰属する。

Q1 ゴルファーが誤ってゴルフ場内の人工池に打ち込み放置したいわゆるロストボールも、ゴルフ場側が早晩その回収、再利用を予定しているときは、窃盗罪の客体になるのか。

A 窃盗罪の客体になる。　被告人らが本件各ゴルフ場内にある人工池の底から領得したゴルフボールは、いずれも、ゴルファーが誤って同所に打ち込み放置したいわゆるロストボールであるが、ゴルフ場側においては、早晩その回収、再利用を予定していたというのである。上記事実関係の下においては、本件ゴルフボールは、無主物先占によるか権利の承継的な取得によるかは別として、いずれにせよゴルフ場側の所有に帰していたのであって無主物ではなく、かつ、ゴルフ場の管理者においてこれを占有していたものというべきであるから、窃盗罪の客体になる（最決昭62・4・10）。

出題 特別区I - 平成26

第240条（遺失物の拾得）
遺失物は、遺失物法（平成18年法律第73号）の定めるところに従い公告をした後3箇月以内にその所有者が判明しないときは、これを拾得した者がその所有権を取得する。

第241条（埋蔵物の発見）
埋蔵物は、遺失物法の定めるところに従い公告をした後6箇月以内にその所有者が判明しないときは、これを発見した者がその所有権を取得する。ただし、他人の所有する物の中から発見された埋蔵物については、これを発見した者及びその他人が等しい割合でその所有権を取得する。

第242条（不動産の付合）
不動産の所有者は、その不動産に従として付合した物の所有権を取得する。ただし、権原によってその物を附属させた他人の権利を妨げない。

Q1 播かれた種から生育した苗の所有権は、播種が土地使用の権原のない者によってなされた場合は、土地所有者に属するのか。

A 土地所有者に属する。　他人の土地を使用収益する権原のない者がその土地に稲の苗を植えた場合、当該土地の所有者は、苗の所有権を取得するので、その苗を掘り起こしたとしても当該無権原者に対して損害賠償義務を負うものではない（最判昭31・6・19）。

出題 国家総合 - 平成30

Q2 2階建アパートの階下の一画の区分所有権者が、これを賃貸の目的で改造するために取り壊し、柱および基礎工事等を残すだけの工作物としたうえで、当該工作物を、賃借人の負担で改造する約束で

賃貸し、賃借人において約旨に従い建物として完成させた場合には、賃借人の工事により付加された物の付合により、当該建物は工作物所有者の所有に帰したものと解すべきか。

Ⓐ 当該建物は工作物所有者の所有に帰したものと解すべきである（最判昭34・2・5）。

出題 特別区Ⅰ－平成26
Q3 増築部分が建物と別個独立の存在を有せずその構成部分となっている場合には、増築部分は誰の所有に属するのか。

Ⓐ 増築部分は建物所有者に属する。　増築部分が甲建物と別個独立の存在を有せず、その構成部分となっている場合には、その増築部分は民法242条により甲建物の所有者の所有に属し、増築した者はその増築部分の所有権を保有することはできない（最判昭38・5・31）。

出題 地方上級－平成7（市共通）、市役所上・中級－平成9、特別区Ⅰ－平成26
Q4 賃借人が賃貸人の同意を得て建物の増改築を行った場合、その部分が区分所有権の目的となる程度に独立していない限り、建物に附合し、民法242条但書の適用はないのか。

Ⓐ 民法242条但書の適用はない。　本件第三建物は、第二建物の一部の賃借人Bが昭和33年以前に自己の費用で第二建物の屋上に構築したもので、その構造は、四畳半の部屋と押入各1箇からなり、外部への出入りは、第二建物内の六畳間の中にある梯子段を使用するほか方法がないものである。そうとすれば、第三建物は、既存の第二建物の上に増築された2階部分であり、その構造の一部を成すもので、それ自体では取引上の独立性を有せず、建物の区分所有権の対象たる部分にはあたらず、たとえBが第三建物を構築するについて第二建物の一部の賃貸人Aの承諾を受けたとしても、民法242条但書の適用はないのであり、その所有権は構築当初から第二建物の所有者Aに属したものといわなければばらない（最判昭44・7・25）。

出題 国Ⅰ－平成10、地方上級－平成10
Q5 公有水面を埋め立てるのに投入された土砂は、公有水面の地盤に附合して国の所有になるのか。

Ⓐ 公有水面の地盤に附合して国の所有になるわけではない。　公有水面を埋め立てるために投入された土砂は、その投入によって直ちに公有水面の地盤に附合して国の所有となることはなく、原則として、埋立権者が当該土砂を利用して埋立工事を完成し竣工認可を得た時に公有水面埋立法24条の規定により埋立地の所有権を取得するに伴い、本条の規定によって直接当該土砂の所有権をも取得するのである（最判昭57・6・17）。

出題 市役所上・中級－平成9、特別区Ⅰ－平成26
第243条（動産の付合）
　所有者を異にする数個の動産が、付合により、損傷しなければ分離することができなくなったときは、その合成物の所有権は、主たる動産の所有者に帰属する。分離するのに過分の費用を要するときも、同様とする。

第244条
　付合した動産について主従の区別をすることができないときは、各動産の所有者は、その付合の時における価格の割合に応じてその合成物を共有する。

第245条（混和）
　前2条の規定は、所有者を異にする物が混和して識別することができなくなった場合について準用する。

第246条（加工）
① 他人の動産に工作を加えた者（以下この条において「加工者」という。）があるときは、その加工物の所有権は、材料の所有者に帰属する。ただし、工作によって生じた価格が材料の価格を著しく超えるときは、加工者がその加工物の所有権を取得する。
② 前項に規定する場合において、加工者が材料の一部を供したときは、その価格に工作によって生じた価格を加えたものが他人の材料の価格を超えるときに限り、加工者がその加工物の所有権を取得する。

Q1 建物の建築工事請負人が建築途上においていまだ独立の不動産に至らないままの状態で放置していた築造物に、第三者が自らの材料を用いて工事を施し、独立の不動産である建物として完成させた場合、当該建物の所有権は、つねに当該建物の主たる部分である築造物の所有者に帰属するのか。

Ⓐ いまだ独立の不動産に至らない、いわゆる建前の状態の価格よりも、第三者の工作によって生じた価格のほうが高い場合には、第三者に所有権が移転する。　建物の建築工事請負人が建築途上においていまだ独立の不動産に至らない建前を築造したままの状態で放置していたのに、第三者がこれに材料を供して工事を施し、独立の不動産である建物に仕上げた場合においての当該建物の所有権が何人に帰属するかは、民法243条の規定によるのではなく、むしろ、同法246条2項の規定に基づいて決定すべきである。なぜなら、このような場合には、動産に動産を単純に附合させるだけでそこに施される工作の価格を無視してもよい場合とは異なり、当該建物の建築のように、材料に対して施される工作が特段の価値を有し、仕上げられた建物の価格が原材料のそれよりも相当程度増加するような場合には、むしろ民法の加工の規定に基づいて所有権の帰属を決定するのが相当であるからである（最判昭54・1・25）。

出題 国家総合－平成30、特別区Ⅰ－平成26、国家一般－平成28、国Ⅱ－平成8
第247条（付合、混和又は加工の効果）
① 第242条から前条までの規定により物の所有権が消滅したときは、その物について存する他の権利も、消滅する。
② 前項に規定する場合において、物の所有者が、合成物、混和物又は加工物（以下この項において「合成物等」という。）の単独所有者となったときは、その物について存する他の権利は以後その合成物等について存し、物の所有者が合成物等の共有者となったときは、その物について存する他の

権利は以後その持分について存する。

第248条（付合、混和又は加工に伴う償金の請求）

　第242条から前条までの規定の適用によって損失を受けた者は、第703条及び第704条の規定に従い、その償金を請求することができる。

第3節　共有

第249条（共有物の使用）

①各共有者は、共有物の全部について、その持分に応じた使用をすることができる。

②共有物を使用する共有者は、別段の合意がある場合を除き、他の共有者に対し、自己の持分を超える使用の対価を償還する義務を負う。

③共有者は、善良な管理者の注意をもって、共有物の使用をしなければならない。

Q1 共有物について所有権確認の訴えを提起する場合、各所有者は単独ですることができるか。

A 共有者全員でしなければならない。　共有物の所有権は総共有者に属するから、その確認の訴えを提起するは共有者全員ですることを要し、各共有者は単独でこれをすることができない（大判大5・6・13）。　出題 国Ⅰ－平成9・2

Q2 各共有者は第三者に不法に占有されて自己の持分権が侵害されている場合、単独で第三者に対して持分権に基づく妨害排除請求権を行使できるか。

A 単独で第三者に対して、持分権に基づく妨害排除請求権を行使できる。　共有権に妨害を加える者がいる場合には、各共有者はこの排除を求めることができ、共有者全員でこれを求める必要はない。なぜなら、その妨害の排除を求めることは、保存行為に該当するからである（大判大10・7・18、大判大7・4・19）。

出題 国Ⅰ－平成9、裁判所総合職・一般職－令和2、裁判所Ⅰ・Ⅱ－平成21

Q3 各共有者は共有物が他の共有者に独占的に使用されている場合、単独で他の共有者に対して持分権に基づく妨害排除請求権を行使できるか。

A 持分権に基づく妨害排除請求権を行使できる。　立木の所有者の1人が他の共有者の同意を得ずに立木の伐採をすることは、他の共有者の所有権を侵害することになるので、他の共有者は自己の権利に基づいて伐採者に対して伐採禁止の請求をすることができる（大判大8・9・27）。　出題 国Ⅰ－平成9

Q4 ある土地の共有者の1人は、当該土地について単独名義の登記を有している無権利者に対して、不実の登記全部の抹消を請求することができるのか。

A 不実の登記全部の抹消を請求することができる。　ある土地の共有者の1人は、当該土地について単独名義の登記を有している無権利者に対して、自己の持ち分のみならず、不実の登記全部の抹消を請求することができる（大判昭15・5・14）。

出題 裁判所Ⅰ・Ⅱ－平成21

Q5 共有者の一部の者の名義に所有権移転登記又は所有権移転請求権仮登記がされている場合に、他の共有者が妨害排除として一部の者に対して請求することができる登記手続は、全部の抹消を求めるこ

とができるのか。

A 自己の持分についての一部抹消（更正）登記手続に限られる。　数名の者の共有に属する不動産につき共有者のうちの一部の者が勝手に自己名義で所有権移転登記又は所有権移転請求権仮登記を経由した場合に、共有者の1人がその共有持分に対する妨害排除として登記を実体的権利に合致させるため、上記の名義人に対し請求することができるのは、自己の持分についてのみの一部抹消（更正）登記手続であると解する（最判昭38・2・22、最判昭59・4・24）。

出題 国Ⅰ－平成5、国家一般－令和4、国Ⅱ－平成21・18

Q6 共有持分の過半数を有する者は、共有物を単独で占有する他の共有者に対し、当然にその占有する共有物の明渡しを請求することができ、その明渡しを求める理由を主張し立証する必要はないのか。

A 当然にその占有する共有物の明渡しを請求することはできず、その明渡しを求める理由を主張し立証しなければならない。　共同相続に基づく共有者の1人であって、その持分の価格が共有者の過半数に満たない者（少数持分権者）は、他の共有者の協議を経ないで当然に共有物を単独で占有する権限を有するものでないが、他方、他のすべての相続人らがその共有持分を合計すると、その価格が共有物の過半数を超えるからといって（多数持分権者）、共有物を現に占有する少数持分権者に対し、当然にその明渡しを請求することはできない。なぜなら、このような場合、少数持分権者は自己の持分割合によって、共有物を使用収益する権限を有し、これに基づいて共有物を占有するからである。したがって、この場合、多数持分権者が少数持分権者に対して共有物の明渡しを求めることができるためには、その明渡しを求める理由を主張し立証しなければならないのである（最判昭41・5・19）。

出題 国家総合－平成29、国Ⅰ－平成5、地方上級－平成9、特別区Ⅰ－令和4、国Ⅱ－平成16、国家一般－令和4、裁判所総合－一般－令和2・平成26

Q7 共有者の1人が、権限なく共有物を自己の単独所有に属するものとして売り渡した場合、当該売買契約は有効か。

A 売買契約は有効であり、他人の持分については他人の権利の売買となる。　共有者の1人が、権限なく、共有物を自己の単独所有に属するものとして売り渡した場合においても、その売買契約は有効に成立し、自己の持分を超える部分については、他人の権利の売買としての法律関係を生ずるとともに、自己の持分の範囲内では約旨に従った履行義務を負う（最判昭43・4・4）。　出題 国Ⅰ－平成6

Q8 共有物の全体について、各共有者は単独で共有物所有権の確認を求める訴えを提起できるのか。

A 各共有者は単独で訴えの提起はできない。　1個の物を共有する数名の者全員が、共同原告となり、いわゆる共有権（数人が共同して有する1個の所有権）に基づき、その共有権を争う第三者を相手方として、共有権の確認を求めているときは、その訴訟の形態はいわゆる固有必要的共同訴訟と解

する。また、これと同様に、1 個の不動産を共有する数名の者全員が、共同原告となって、共有権に基づき所有権移転登記手続を求めているときは、その訴訟形態も固有必要的共同訴訟と解する（最判昭 46・10・7）。 出題 国Ⅰ-昭和 61・54

Q9 共有物に対する不法行為による損害賠償請求権は、各共有者が自己の持分のみならず、他人の持分についても有するのか。

A 自己の持分についてのみ有する。　共有にかかる土地が不法に占有されたことを理由として、共有者の全員またはその一部の者から不法占有者に対してその損害賠償を求める場合には、共有者は、それぞれその共有持分の割合に応じて請求をすべきものであり、その割合を超えて請求をすることは許されない（最判昭 51・9・7）。

出題 国Ⅰ-平成 6・1・昭和 61、地方上級-平成 9、特別区Ⅰ-平成 29、国Ⅱ-平成 20、裁判所総合・一般-平成 26、裁判所Ⅰ・Ⅱ-平成 21

Q10 共有者の協議に基づかないで一部の共有者から共有物の占有使用を承認された第三者に対し、他の共有者は当然に共有物の明渡しを請求できるのか。

A 他の共有者は当然に共有物の明渡しを請求できない。　共有者の一部の者から共有者の協議に基づかないで共有物を占有使用することを承認された第三者は、その物の占有使用を承認しなかった共有者に対して共有物を排他的に占有する権原を主張することはできないが、現にする占有がこれを承認した共有者の持分に基づくものと認められる限度で共有物を占有使用する権原を有するので、第三者の占有使用を承認しなかった共有者は明渡しを請求することはできない（最判昭 63・5・20）。 出題 予想

Q11 共有に属する要役地のために地役権設定登記手続を求める訴えは、固有必要的共同訴訟にあたるのか。

A 固有必要的共同訴訟にあたらない。　要役地の共有持分のために地役権を設定することはできないが、Ｘらの予備的請求は、その原因として主張するところに照らせば、上記のような不可能な権利の設定登記手続を求めているのではなく、Ｘらがその共有持分権に基づいて、共有者全員のため本件要役地のために地役権設定登記手続を求めるものと解すべきである。そして、要役地が数人の共有に属する場合、各共有者は、単独で共有者全員のため共有物の保存行為として、要役地のために地役権設定登記手続を求める訴えを提起することができるというべきであって、上記訴えは固有必要的共同訴訟にはあたらない（最判平 7・7・18）。

出題 特別区Ⅰ-令和 3

Q12 内縁の夫婦がその共有する不動産を居住または共同事業のために共同で使用してきたときは、両者の間でその一方が死亡した後は他方が当該不動産を単独で使用する旨の合意が成立していたものと推認されるのか。

A 推認される。　内縁の夫婦がその共有する不動産を居住または共同事業のために共同で使用してきたときは、特段の事情のない限り、両者の間において

て、その一方が死亡した後は他方が当該不動産を単独で使用する旨の合意が成立していたものと推認される。なぜなら、このような両者の関係および共有不動産の使用状況からすると、一方が死亡した場合に残された内縁の配偶者に共有不動産の全面的な使用権を与えて従前と同一の目的、態様の不動産の無償使用を継続させることが両者の通常の意思に合致するといえるからである（最判平 10・2・26）。 出題 予想

Q13 不動産の持分（4 分の 1）を有する戊（共同相続人の 1 人）からＸがその持分の譲渡を受けたが、その譲渡が無効であったとき（Ｘは無権利者）に、自己の持分権を侵害されている（4 分の 1 の持分を有する）甲（共同相続人の 1 人）は、Ｘの持分移転登記の抹消を請求することができるのか。

A 甲は、Ｘの持分移転登記の抹消を請求することができる。　不動産の共有者の 1 人は、その持分権に基づき、共有不動産に対して加えられた妨害を排除することができるところ、不実の持分移転登記がされている場合には、その登記によって共有不動産に対する妨害状態が生じているということができるから、共有不動産について全く実体上の権利を有しないのに持分移転登記を経由している者に対し、単独でその持分移転登記の抹消登記手続を請求することができる（最判平 15・7・11）。 ⇨ 13

出題 国家総合-平成 29、国Ⅰ-平成 19、国家一般-令和 4、裁判所総合・一般-令和 4・平成 26、裁判所Ⅰ・Ⅱ-平成 23

Q14 不動産の共有者の 1 人であるＢ所有の不動産について不実の持分移転登記がされている場合には、全く実体上の権利を有しないのに持分移転登記を経由している者Ｅに対し、他の不動産の共有者の 1 人であるＡは、単独でその持分移転登記の抹消登記手続を請求することができるのか。

A 単独でその持分移転登記の抹消登記手続を請求することができる（最判平 15・7・11）。⇨ 13

Q15 Ａ名義の不動産につき、Ｙが順次相続したことを原因として直接Ｙに対して所有権移転登記がされている場合に、Ａの共同相続人であるＸは、Ｙが上記不動産につき共有持分権を有しているとしても、上記登記の全部抹消を求めることはできるのか。

A 全部抹消を求めることができる。　事実関係によれば、原判決が判示する更正登記手続は、登記名義人を被上告人（Ｙ）とする本件登記を、⑴登記名義人を被上告人（Ｙ）が含まれないＡの相続人とする登記と、⑵登記名義人をＢの相続人とする登記に更正するというものである。しかし、この方法によると、上記⑴の登記は本件登記と登記名義人が異なることになるし、更正によって登記の個数が増えることにもなるから、本件登記と更正後の登記とは同一性を欠くものといわざるを得ない。したがって、上記更正登記手続をすることはできない。そして、被上告人（Ｙ）の主張する遺産分割協議の成立が認められない限り、本件登記は実体関係と異なる登記であり、これを是正する方法として更正登記手続によることができないのであるから、上告人（Ｘ）

は、被上告人（Y）に対し、本件各土地の共有持分権に基づき本件登記の抹消登記手続をすることを求めることができ、被上告人（Y）が本件各土地に共有持分権を有するということは、上記請求を妨げる事由にはならない（最判平17・12・15）。

第250条（共有持分の割合の推定）
各共有者の持分は、相等しいものと推定する。

第251条（共有物の変更）
①各共有者は、他の共有者の同意を得なければ、共有物に変更（その形状又は効用の著しい変更を伴わないものを除く。次項において同じ。）を加えることができない。

②共有者が他の共有者を知ることができず、又はその所在を知ることができないときは、裁判所は、共有者の請求により、当該他の共有者以外の他の共有者の同意を得て共有物に変更を加えることができる旨の裁判をすることができる。

Q1 共有者の1人が他の共有者の同意を得ることなく、農地を造成して宅地にした場合であっても、他の共有者は、各自の共有持分権に基づき、工事の差止めや原状回復を求めることはできないのか。

A 工事の差止めや原状回復を求めることはできる。 共有者の一部が他の共有者の同意を得ずに共有物を物理的に損傷したり改変するなど共有物に変更を加える行為をしている場合、他の共有者は、各自の共有持分権に基づいて、行為の全部の禁止を求めることだけでなく、特段の事情のある場合を除き、行為により生じた結果を除去して共有物を原状に復させることも求めることもできる（最判平10・3・24）。

第252条（共有物の管理）
①共有物の管理に関する事項（次条第1項に規定する共有物の管理者の選任及び解任を含み、共有物に前条第1項に規定する変更を加えるものを除く。次項において同じ。）は、各共有者の持分の価格に従い、その過半数で決する。共有物を使用する共有者があるときも、同様とする。

②裁判所は、次の各号に掲げるときは、当該各号に規定する他の共有者以外の共有者の請求により、当該他の共有者以外の共有者の持分の価格に従い、その過半数で共有物の管理に関する事項を決することができる旨の裁判をすることができる。

1 共有者が他の共有者を知ることができず、又はその所在を知ることができないとき。

2 共有者が他の共有者に対し相当の期間を定めて共有物の管理に関する事項を決することについて賛否を明らかにすべき旨を催告した場合において、当該他の共有者がその期間内に賛否を明らかにしないとき。

③前2項の規定による決定が、共有者間の決定に基づいて共有物を使用する共有者に特別の影響を及ぼすべきときは、その承諾を得なければならない。

④共有者は、前3項の規定により、共有物に、次の各号に掲げる賃借権その他の使用及び収益を目的とする権利（以下この項において「賃借権等」という。）であって、当該各号に定める期間を超えないものを設定することができる。

1 樹木の栽植又は伐採を目的とする山林の賃借権等 10年

2 前号に掲げる賃借権等以外の土地の賃借権等 5年

3 建物の賃借権等 3年

4 動産の賃借権等 6箇月

⑤各共有者は、前各項の規定にかかわらず、保存行為をすることができる。

Q1 不動産の共有者の1人が、その持分に基づき、仮装して当該不動産の登記簿上の所有名義者となっている者に対して、単独で所有権移転登記の全部抹消を請求できるのか。

A 保存行為に属し、全部抹消を請求できる。 不動産の共有権者の1人がその持分に基づき、当該不動産につき登記簿上所有名義者（仮装して当該不動産の登記簿上の所有名義者となっている者）に対してその登記の抹消を求めることは、妨害排除請求であって、いわゆる保存行為に属し、したがって、共同相続人の1人が単独で本件不動産に対する所有権移転登記の全部の抹消を求めることができる（最判昭31・5・10）。

Q2 共有物を目的とする賃貸借契約を解除する場合、共有者全員で解除の意思表示をしなければならないのか。

A 共有者全員で解除の意思表示をする必要はない。 共有物を目的とする賃貸借契約の解除は、共有者によってされる場合は、民法252条本文にいう「共有物の管理に関する事項」に該当し、その解除については、民法544条1項の規定は適用されない（最判昭39・2・25）。

第252条の2（共有物の管理者）
①共有物の管理者は、共有物の管理に関する行為をすることができる。ただし、共有者の全員の同意を得なければ、共有物に変更（その形状又は効用の著しい変更を伴わないものを除く。次項において同じ。）を加えることができない。

②共有物の管理者が共有者を知ることができず、又はその所在を知ることができないときは、裁判所は、共有物の管理者の請求により、当該共有者以外の共有者の同意を得て共有物に変更を加えることができる旨の裁判をすることができる。

③共有物の管理者は、共有者が共有物の管理に関する事項を決した場合には、これに従ってその職務を行わなければならない。

④前項の規定に違反して行った共有物の管理者の行為は、共有者に対してその効力を生じない。ただし、共有者は、これをもって善意の第三者に対抗することができない。

第253条（共有物に関する負担）

①各共有者は、その持分に応じ、管理の費用を支払い、その他共有物に関する負担を負う。

②共有者が1年以内に前項の義務を履行しないときは、他の共有者は、相当の償金を支払ってその者の持分を取得することができる。

第254条（共有物についての債権）

共有者の1人が共有物について他の共有者に対して有する債権は、その特定承継人に対しても行使することができる。

Q1 共有者の1人が他の共有者との間で、共有土地の分割に関する特約をしたとしても、他の共有者の特定承継人に対してその特約は主張できないのか。

A その特約は主張できる。　土地の共有持分の一部を譲り受けた者が、他の共有者と、共有者間の内部において、その土地の一部を分割し、その部分を譲受人の単独所有として独占的に使用しうることおよび後に分筆登記が可能となったときは直ちにその登記をなすことを約した場合、その後同土地につき共有持分を譲り受けた者に対して上記契約上の債権を行使することができる（最判昭34・11・26）。

出題 特別区Ⅰ－平成24

Q2 一部の区分所有者が共用部分を第三者に賃貸して得た賃料のうち、各区分所有者の持分割合に相当する部分につき生ずる不当利得返還請求権を、各区分所有者が行使することができるのか。

A 各区分所有者が行使することはできない。　区分所有建物の管理規約に、管理者が共用部分の管理を行い、共用部分を特定の区分所有者に無償で使用させることができる旨の定めがあるときは、この定めは、一部の区分所有者が共用部分を第三者に賃貸して得た賃料のうち他の区分所有者の持分割合に相当する部分につき生ずる不当利得返還請求権を区分所有者の団体のみが行使することができる旨を含むものと解すべきであり、当該他の区分所有者は上記請求権を行使することができない（最判平27・9・18）。**出題** 予想

第255条（持分の放棄及び共有者の死亡）

共有者の1人が、その持分を放棄したとき、又は死亡して相続人がないときは、その持分は、他の共有者に帰属する。

Q1 共有者の1人が相続人なくして死亡したが、特別縁故者がいる場合、その共有持分は、他の共有者に帰属するのか。

A 特別縁故者に帰属する。　共有者の1人が死亡し、相続人の不存在が確定し、相続債権者や受遺者に対する清算手続が終了したときは、その共有持分は、他の相続財産とともに、民法958条の3の規定に基づく特別縁故者に対する財産分与の対象となり、財産分与がされず、当該共有持分が承継すべき者のないまま相続財産として残存することが確定したときにはじめて、民法255条により他の共有者に帰属することになる（最判平1・11・24）。

出題 国家総合－平成29、国Ⅰ－平成9・6、地方上級－平成9、東京Ⅰ－平成14、特別区Ⅰ－平成24、国Ⅱ－平成18

Q2 共有者の1人が相続人なくして死亡した場合、当該持分が他の共有者に帰属するのはどのような場合か。

A 相続債権者や受遺者への清算手続終了後、特別縁故者への財産分与がされず、その持分が承継すべき者のないまま相続財産として残存することが確定した場合である（最判平1・11・24）。⇨1

第256条（共有物の分割請求）

①各共有者は、いつでも共有物の分割を請求することができる。ただし、5年を超えない期間内は分割をしない旨の契約をすることを妨げない。

②前項ただし書の契約は、更新することができる。ただし、その期間は、更新の時から5年を超えることができない。

第257条

前条の規定は、第229条に規定する共有物については、適用しない。

第258条（裁判による共有物の分割）

①共有物の分割について共有者間に協議が調わないとき、又は協議をすることができないときは、その分割を裁判所に請求することができる。

②裁判所は、次に掲げる方法により、共有物の分割を命ずることができる。

1　共有物の現物を分割する方法

2　共有者に債務を負担させて、他の共有者の持分の全部又は一部を取得させる方法

③前項に規定する方法により共有物を分割することができないとき、又は分割によってその価格を著しく減少させるおそれがあるときは、裁判所は、その競売を命ずることができる。

④裁判所は、共有物の分割の裁判において、当事者に対して、金銭の支払、物の引渡し、登記義務の履行その他の給付を命ずることができる。

Q1 分割の対象となる共有物が多数の不動産である場合には、これらの不動産が外形上一団とみられるときにのみ、それを一括して分割し、分割後のそれぞれの部分を各共有者の単独所有とすることができるのか。

A 外形上一団とみられない場合でも、各共有者の単独所有とすることができる。　分割の対象となる共有物が多数の不動産である場合には、これらの不動産が外形上一団とみられるときはもとより、数か所に分かれて存在するときでも、当該不動産を一括して分割の対象とし、分割後のそれぞれの部分を各共有者の単独所有とすることも、現物分割の方法として許される〈森林法共有林事件〉（最大判昭62・4・22）。

出題 国Ⅰ－平成12、国Ⅱ－平成18、裁判所Ⅰ・Ⅱ－平成18

Q2 共有者が多数である場合、その中の1人でも分割請求をしたときは、直ちにその全部の共有関係が解消され、当該請求者に対してのみ持分の限度で現物を分割し、その余りをほかの者の共有として残すことは許されないのか。

A その余りをほかの者の共有として残すことは許される。　共有者が多数である場合、その中のただ1人でも分割請求するときは、直ちにその全部の共

有関係が解消されるものと解すべきではなく、当該請求者に対してのみ持分の限度で現物を分割し、その余りは他の者の共有として残すことも許される〈森林法共有林事件〉（最大判昭62・4・22）。

出題国Ⅰ－平成12、裁判所Ⅰ・Ⅱ－平成18

Q3 共有者が複数（5名）である場合に、分割請求をする原告が多数（4名）であるときは、被告（1名）の持分の限度で現物を分割し、その余は原告らの共有として残す方法も許されるのか。

A 許される。　多数の共有不動産について、民法258条により現物分割をする場合には、これらを一括して分割の対象とすることも許されること、また、共有者が多数である場合には、分割請求者の持分の限度で現物を分割し、その余は他の者の共有として残す方法によることも許され、その趣旨に徴すれば、分割請求をする原告が多数である場合においては、被告の持分の限度で現物を分割し、その余は原告らの共有として残す方法によることも許される（最判平4・1・24）。　　　　　**出題**予想

Q4 共有物分割の申立てを受けた裁判所は、現物分割の際に、共有物を共有者の1人の単独所有または数人の共有とし、これらの者から他の共有者に持分の価格を賠償させる方法（全面的価格賠償の方法）による分割も許されるのか。

A 一定の要件の下で許される。　　共有物分割の申立てを受けた裁判所は、現物分割をするにあたって、持分の価格以上の現物を取得する共有者に当該超過分の対価を支払わせ、過不足の調整をすることができる（最大判昭62・4・22）だけでなく、当該共有物の性質および形状、共有関係の発生原因、共有者の数および持分の割合、共有物の利用状況および分割された場合の経済的価値、分割方法についての共有者の希望およびその合理性の有無等の事情を総合的に考慮し、当該共有物を共有者のうちの特定の者に取得させるのが相当であると認められ、かつ、その価格が適正に評価され、当該共有物を取得する者に支払能力があって、他の共有者にはその持分の価格を取得させることとしても共有者間の実質的公平を害しないと認められる特段の事情が存するときは、共有物を共有者のうちの1人の単独所有または数人の共有とし、これらの者から他の共有者に対して持分の価格を賠償させる方法、すなわち全面的価格賠償の方法による分割をすることも許される（最判平8・10・31）。

出題国家総合－平成29、国Ⅰ－平成19、東京Ⅰ－平成14、特別区Ⅰ－平成29、裁判所総合職・一般職－令和2、裁判所Ⅰ・Ⅱ－平成21・18

Q5 共有物を裁判によって分割する場合は、現物分割が原則であるが、特段の事情があるときには、共有者の1人が単独所有し他の共有者は持分の価格の賠償を受ける方法によることが、許されるのか。

A 許される（最判平8・10・31）。⇨4

第258条の2

①共有物の全部又はその持分が相続財産に属する場合において、共同相続人間で当該共有物の全部又はその持分について遺産の分割をすべきときは、当該共有物又はその持分について前条の規定による

る分割をすることができない。

②共有物の持分が相続財産に属する場合において、相続開始の時から10年を経過したときは、前項の規定にかかわらず、相続財産に属する共有物の持分について前条の規定による分割をすることができる。ただし、当該共有物の持分について遺産の分割の請求があった場合において、相続人が当該共有物の持分について同条の規定による分割をすることに異議の申出をしたときは、この限りでない。

③相続人が前項ただし書の申出をする場合には、当該申出は、当該相続人が前条第1項の規定による請求を受けた裁判所から当該請求があった旨の通知を受けた日から2箇月以内に当該裁判所にしなければならない。

Q1 共有物について、遺産共有持分と他の共有持分とが併存する場合、共有者が遺産共有持分と他の共有持分との間の共有関係の解消を求めるための裁判上とるべき手続には、どのような方法があるのか。

A 民法258条に基づく共有物分割訴訟によるべきである。　　共有物について、遺産共有持分と他の共有持分とが併存する場合、共有者が遺産共有持分と他の共有持分との間の共有関係の解消を求める方法として裁判上とるべき手続は民法258条に基づく共有物分割訴訟であり、共有物分割の判決によって遺産共有持分を有していた者に分与された財産は遺産分割の対象となり、この財産の共有関係の解消については同法907条に基づく遺産分割によるべきである（最判平25・11・29）。　　　　**出題**予想

Q2 遺産共有持分の価格を賠償させる方法による共有物分割の判決がされた場合、賠償金の支払いを受けた者は保管義務を負うのか。

A 賠償金は、遺産分割によりその帰属が確定され、賠償金の支払いを受けた者は、遺産分割がされるまでの間これを保管する義務を負う。　遺産共有持分と他の共有持分とが併存する共有物について、遺産共有持分を他の共有持分を有する者に取得させ、その価格を賠償させる方法による分割の判決がされた場合には、遺産共有持分を有していた者に支払われる賠償金は、遺産分割によりその帰属が確定されるべきものであり、賠償金の支払いを受けた者は、遺産分割がされるまでの間これを保管する義務を負う（最判平25・11・29）。　　　　**出題**予想

第259条（共有に関する債権の弁済）

①共有者の1人が他の共有者に対して共有に関する債権を有するときは、分割に際し、債務者に帰属すべき共有物の部分をもって、その弁済に充てることができる。

②債権者は、前項の弁済を受けるため債務者に帰属すべき共有物の部分を売却する必要があるときは、その売却を請求することができる。

第260条（共有物の分割への参加）

①共有物について権利を有する者及び各共有者の債権者は、自己の費用で、分割に参加することができる。

②前項の規定による参加の請求があったにもかかわ

らず、その請求をした者を参加させないで分割を
したときは、その分割は、その請求をした者に対
抗することができない。

第261条（分割における共有者の担保責任）
　各共有者は、他の共有者が分割によって取得した
物について、売主と同じく、その持分に応じて担保
の責任を負う。

Q1 共有者の1人が共有地につき自己の持分権上
に抵当権を設定した後、共有地が現物分割された場
合、当該抵当権は共有物全部のうえに存続するのか。

A 共有物分割後にも、抵当権は共有物全部のうえ
に存続する。　民法261条の法意に徴すれば、共
有物分割の効力として各共有者は自己の取得した部
分につき、他の共有者の持分を譲り受け、その時に
完全な所有権を取得するものであり、しかも、民法
1012条のような明文がないため、その効果を遡
及させることができないことは明らかであるから、
分割前に共有者の1人がその持分について設定し
た抵当権は依然として持分の割合において共有物全
部のうえに存在するのであって、抵当権者が共有物
の分割に参加したとしても、これによって直ちに当
該抵当権は共有地抵当権設定者が分割によって取得した部
分にのみ集中するものではない（大判昭17・4・
24）。　**出題** 国Ⅰ－平成9・2・昭和61

Q2 共有物の現物分割により共有者が共有地の一
部分を取得した場合、抵当権者の承認の有無にかか
わらず、抵当権は取得部分についてのみ存続するの
か。

A 抵当権は共有物全部のうえに存続する（大判昭
17・4・24）。⇨ 1

第262条（共有物に関する証書）
①分割が完了したときは、各分割者は、その取得し
た物に関する証書を保存しなければならない。
②共有者の全員又はそのうちの数人に分割した物に
関する証書は、その物の最大の部分を取得した者
が保存しなければならない。
③前項の場合において、最大の部分を取得した者が
ないときは、分割者間の協議で証書の保存者を定
める。協議が調わないときは、裁判所が、これを
指定する。
④証書の保存者は、他の分割者の請求に応じて、そ
の証書を使用させなければならない。

第262条の2（所在等不明共有者の持分の取得）
①不動産が数人の共有に属する場合において、共有
者が他の共有者を知ることができず、又はその所
在を知ることができないときは、裁判所は、共有
者の請求により、その共有者に、当該他の共有者
（以下この条において「所在等不明共有者」とい
う。）の持分を取得させる旨の裁判をすることが
できる。この場合において、請求をした共有者が
2人以上あるときは、請求をした各共有者に、所
在等不明共有者の持分を、請求をした各共有者の
持分の割合で按分してそれぞれ取得させる。
②前項の請求があった持分に係る不動産について
第258条第1項の規定による請求又は遺産の分割
の請求があり、かつ、所在等不明共有者以外の共
有者が前項の請求を受けた裁判所に同項の裁判を

することについて異議がある旨の届出をしたとき
は、裁判所は、同項の裁判をすることができない。
③所在等不明共有者の持分が相続財産に属する場
合（共同相続人間で遺産の分割をすべき場合に限
る。）において、相続開始の時から10年を経過し
ていないときは、裁判所は、第1項の裁判をする
ことができない。
④第1項の規定により共有者が所在等不明共有者の
持分を取得したときは、所在等不明共有者は、当
該共有者に対し、当該共有者が取得した持分の時
価相当額の支払を請求することができる。
⑤前各項の規定は、不動産の使用又は収益をする権
利（所有権を除く。）が数人の共有に属する場合
について準用する。

第262条の3（所在等不明共有者の持分の譲渡）
①不動産が数人の共有に属する場合において、共有
者が他の共有者を知ることができず、又はその所
在を知ることができないときは、裁判所は、共有
者の請求により、その共有者に、当該他の共有者
（以下この条において「所在等不明共有者」とい
う。）以外の共有者の全員が特定の者に対してその
有する持分の全部を譲渡することを停止条件とし
て所在等不明共有者の持分を当該特定の者に譲渡
する権限を付与する旨の裁判をすることができる。
②所在等不明共有者の持分が相続財産に属する場合
（共同相続人間で遺産の分割をすべき場合に限
る。）において、相続開始の時から10年を経過し
ていないときは、裁判所は、前項の裁判をするこ
とができない。
③第1項の裁判により付与された権限に基づき共有
者が所在等不明共有者の持分を第三者に譲渡した
ときは、所在等不明共有者は、当該譲渡をした共
有者に対し、不動産の時価相当額を所在等不明共
有者の持分に応じて按分して得た額の支払を請求
することができる。
④前三項の規定は、不動産の使用又は収益をする権
利（所有権を除く。）が数人の共有に属する場合
について準用する。

第263条（共有の性質を有する入会権）
　共有の性質を有する入会権については、各地方の
慣習に従うほか、この節の規定を適用する。

第264条（準共有）
　この節（第262条の2及び第262条の3を除く。）
の規定は、数人で所有権以外の財産権を有する場合
について準用する。ただし、法令に特別の定めがあ
るときは、この限りでない。

**第4節　所有者不明土地管理命令及び所有者不明建
物管理命令**

第264条の2（所有者不明土地管理命令）
①裁判所は、所有者を知ることができず、又はその
所在を知ることができない土地（土地が数人の共
有に属する場合にあっては、共有者を知ることが
でき、又はその所在を知ることができない土地
の共有持分）について、必要があると認めるとき
は、利害関係人の請求により、その請求に係る土
地又は共有持分を対象として、所有者不明土地管

理人（第四項に規定する所有者不明土地管理人をいう。以下同じ。）による管理を命ずる処分（以下「所有者不明土地管理命令」という。）をすることができる。

②所有者不明土地管理命令の効力は、当該所有者不明土地管理命令の対象とされた土地（共有持分を対象として所有者不明土地管理命令が発せられた場合にあっては、共有物である土地）にある動産（当該所有者不明土地管理命令の対象とされた土地の所有者又は共有持分を有する者が所有するものに限る。）に及ぶ。

③所有者不明土地管理命令は、所有者不明土地管理命令が発せられた後に当該所有者不明土地管理命令が取り消された場合において、当該所有者不明土地管理命令の対象とされた土地又は共有持分及び当該所有者不明土地管理命令の効力が及ぶ動産の管理、処分その他の事由により所有者不明土地管理人が得た財産について、必要があると認めるときも、することができる。

④裁判所は、所有者不明土地管理命令をする場合には、当該所有者不明土地管理命令において、所有者不明土地管理人を選任しなければならない。

第264条の3（所有者不明土地管理人の権限）

①前条第4項の規定により所有者不明土地管理人が選任された場合には、所有者不明土地管理命令の対象とされた土地又は共有持分及び所有者不明土地管理命令の効力が及ぶ動産並びにその管理、処分その他の事由により所有者不明土地管理人が得た財産（以下「所有者不明土地等」という。）の管理及び処分をする権利は、所有者不明土地管理人に専属する。

②所有者不明土地管理人が次に掲げる行為の範囲を超える行為をするには、裁判所の許可を得なければならない。ただし、この許可がないことをもって善意の第三者に対抗することはできない。

1　保存行為

2　所有者不明土地等の性質を変えない範囲内において、その利用又は改良を目的とする行為

第264条の4（所有者不明土地等に関する訴えの取扱い）

所有者不明土地管理命令が発せられた場合には、所有者不明土地等に関する訴えについては、所有者不明土地管理人を原告又は被告とする。

第264条の5（所有者不明土地管理人の義務）

①所有者不明土地管理人は、所有者不明土地等の所有者（その共有持分を有する者を含む。）のために、善良な管理者の注意をもって、その権限を行使しなければならない。

②数人の者の共有持分を対象として所有者不明土地管理命令が発せられたときは、所有者不明土地管理人は、当該所有者不明土地管理命令の対象とされた共有持分を有する者全員のために、誠実かつ公平にその権限を行使しなければならない。

第264条の8（所有者不明建物管理命令）

①裁判所は、所有者を知ることができず、又はその所在を知ることができない建物（建物が数人の共有に属する場合にあっては、共有者を知ることが

できず、又はその所在を知ることができない建物の共有持分）について、必要があると認めるときは、利害関係人の請求により、その請求に係る建物又は共有持分を対象として、所有者不明建物管理人（第四項に規定する所有者不明建物管理人をいう。以下この条において同じ。）による管理を命ずる処分（以下この条において「所有者不明建物管理命令」という。）をすることができる。

②所有者不明建物管理命令の効力は、当該所有者不明建物管理命令の対象とされた建物（共有持分を対象として所有者不明建物管理命令が発せられた場合にあっては、共有物である建物）にある動産（当該所有者不明建物管理命令の対象とされた建物の所有者又は共有持分を有する者が所有するものに限る。）及び当該建物を所有し、又は当該建物の共有持分を有するための建物の敷地に関する権利（賃借権その他の使用及び収益を目的とする権利（所有権を除く。）であって、当該所有者不明建物管理命令の対象とされた建物の所有者又は共有持分を有する者が有するものに限る。）に及ぶ。

③所有者不明建物管理命令は、所有者不明建物管理命令が発せられた後に当該所有者不明建物管理命令が取り消された場合において、当該所有者不明建物管理命令の対象とされた建物又は共有持分並びに当該所有者不明建物管理命令の効力が及ぶ動産及び建物の敷地に関する権利の管理、処分その他の事由により所有者不明建物管理人が得た財産について、必要があると認めるときも、することができる。

第5節　管理不全土地管理命令及び管理不全建物管理命令

第264条の9（管理不全土地管理命令）

①裁判所は、所有者による土地の管理が不適当であることによって他人の権利又は法律上保護される利益が侵害され、又は侵害されるおそれがある場合において、必要があると認めるときは、利害関係人の請求により、当該土地を対象として、管理不全土地管理人（第三項に規定する管理不全土地管理人をいう。以下同じ。）による管理を命ずる処分（以下「管理不全土地管理命令」という。）をすることができる。

②管理不全土地管理命令の効力は、当該管理不全土地管理命令の対象とされた土地にある動産（当該管理不全土地管理命令の対象とされた土地の所有者又はその共有持分を有する者が所有するものに限る。）に及ぶ。

第264条の10（管理不全土地管理人の権限）

①管理不全土地管理人は、管理不全土地管理命令の対象とされた土地及び管理不全土地管理命令の効力が及ぶ動産並びにその管理、処分その他の事由により管理不全土地管理人が得た財産（以下「管理不全土地等」という。）の管理及び処分をする権限を有する。

②管理不全土地管理人が次に掲げる行為の範囲を超える行為をするには、裁判所の許可を得なければならない。ただし、この許可がないことをもって

民法編

善意でかつ過失がない第三者に対抗することはできない。

1　保存行為

2　管理不全土地等の性質を変えない範囲内において、その利用又は改良を目的とする行為

③管理不全土地管理命令の対象とされた土地の処分についての前項の許可をするには、その所有者の同意がなければならない。

第264条の11 （管理不全土地管理人の義務）

①管理不全土地管理人は、管理不全土地等の所有者のために、善良な管理者の注意をもって、その権限を行使しなければならない。

②管理不全土地管理人が数人の共有に属する場合には、管理不全土地管理人は、その共有持分を有する者全員のために、誠実かつ公平にその権限を行使しなければならない。

第264条の14 （管理不全建物管理命令）

①裁判所は、所有者による建物の管理が不適当であることによって他人の権利又は法律上保護される利益が侵害され、又は侵害されるおそれがある場合において、必要があると認めるときは、利害関係人の請求により、当該建物を対象として、管理不全建物管理人（第3項に規定する管理不全建物管理人をいう。第4項において同じ。）による管理を命ずる処分（以下この条において「管理不全建物管理命令」という。）をすることができる。

②管理不全建物管理命令は、当該管理不全建物管理命令の対象とされた建物にある動産（当該管理不全建物管理命令の対象とされた建物の所有者又はその共有持分を有する者が所有するものに限る。）及び当該建物を所有するための建物の敷地に関する権利（賃借権その他の使用及び収益を目的とする権利（所有権を除く。）であって、当該管理不全建物管理命令の対象とされた建物の所有者又はその共有持分を有する者が有するものに限る。）に及ぶ。

③裁判所は、管理不全建物管理命令をする場合には、当該管理不全建物管理命令において、管理不全建物管理人を選任しなければならない。

第4章　地上権

第265条 （地上権の内容）

地上権者は、他人の土地において工作物又は竹木を所有するため、その土地を使用する権利を有する。

Q1 地上権の時効取得が成立するためには、土地の継続的な使用という外形的事実が存在すればよいのか。

A 土地の継続的な使用という外形的事実が存在するほかに、その使用が地上権行使の意思にもとづくものであることが、客観的に表現されていることを要する。　地上権の時効取得が成立するためには、土地の継続的な使用という外形的事実が存在するほかに、その使用が地上権行使の意思にもとづくものであることが客観的に表現されていることを要し、そして、上記成立要件が存在することの立証責任は地上権の時効取得の成立を主張する者の側にあると

解するのが相当である（最判昭45・5・28）。

出題 特別区Ⅰ－令和4

第266条 （地代）

①第274条から第276条までの規定は、地上権者が土地の所有者に定期の地代を支払わなければならない場合について準用する。

②地代については、前項に規定するもののほか、その性質に反しない限り、賃貸借に関する規定を準用する。

第267条 （相隣関係の規定の準用）

前章第1節第2款（相隣関係）の規定は、地上権者間又は地上権者と土地の所有者との間について準用する。ただし、第229条の規定は、境界線上の工作物が地上権の設定後に設けられた場合に限り、地上権者について準用する。

第268条 （地上権の存続期間）

①設定行為で地上権の存続期間を定めなかった場合において、別段の慣習がないときは、地上権者は、いつでもその権利を放棄することができる。ただし、地代を支払うべきときは、1年前に予告をし、又は期限の到来していない1年分の地代を支払わなければならない。

②地上権者が前項の規定によりその権利を放棄しないときは、裁判所は、当事者の請求により、20年以上50年以下の範囲内において、工作物又は竹木の種類及び状況その他地上権の設定当時の事情を考慮して、その存続期間を定める。

Q1 地上権の存続期間に制限はあるのか。

A 存続期間に制限はなく、永久地上権の存在も認められる。　当事者間の設定行為で地上権の存続期間を定めることについては、短期および長期ともにその制限がなく、さらに、永小作権のような期間を制限する規定もないことから、地上権の存続期間は当事者の設定行為に一任し、一切制限しない趣旨のものである（大判明36・11・16）。

出題 国Ⅰ－昭和63

第269条 （工作物等の収去等）

①地上権者は、その権利が消滅した時に、土地を原状に復してその工作物及び竹木を収去することができる。ただし、土地の所有者が時価相当額を提供してこれを買い取る旨を通知したときは、地上権者は、正当な理由がなければ、これを拒むことができない。

②前項の規定と異なる慣習があるときは、その慣習に従う。

第269条の2 （地下又は空間を目的とする地上権）

①地下又は空間は、工作物を所有するため、上下の範囲を定めて地上権の目的とすることができる。この場合においては、設定行為で、地上権の行使のためにその土地の使用に制限を加えることができる。

②前項の地上権は、第三者がその土地の使用又は収益をする権利を有する場合においても、その権利又はこれを目的とする権利を有するすべての者の承諾があるときは、設定することができる。この場合において、土地の使用又は収益をする権利を有する者は、その地上権の行使を妨げることが

きない。

第5章 永小作権

第270条 (永小作権の内容)

永小作人は、小作料を支払って他人の土地において耕作又は牧畜をする権利を有する。

第6章 地役権

第280条 (地役権の内容)

地役権者は、設定行為で定めた目的に従い、他人の土地を自己の土地の便益に供する権利を有する。ただし、第3章第1節(所有権の限界)の規定(公の秩序に関するものに限る。)に違反しないものでなければならない。

Q1 通行地役権者は、承役地に車両を恒常的に駐車させている者に対し車両の通行を妨害することの禁止を求めることができるか。

A 禁止を求めることができる。 本件通路土地が、宅地の分譲が行われた際に分譲業者が公道から各分譲地に至る通路として開設したものであること、本件地役権が、本件通路土地の幅員全部につき、上記分譲業者と宅地の分譲を受けた者との間の合意に基づいて設定された通行地役権であることに加え、分譲完了後、本件通路土地の所有権が、同土地を利用する地域住民の自治会に移転されたという経緯や、同土地の現況が舗装された位置指定道路であり、通路以外の利用が考えられないこと等にもかんがみると、本件通路土地の内容は、通行の目的の限度において、本件通路土地全体を自由に使用できると解する。そうすると、本件車両を本件通路土地に恒常的に駐車させることによって同土地の一部を独占的に使用することは、この部分を上告人が通行することを妨げ、本件地役権を侵害するものであって、上告人は、地役権に基づく妨害排除ないし妨害予防請求権に基づき、被上告人に対し、このような行為の禁止を求めることができる。そして、通行地役権は、承役地を通行の目的の範囲内において使用することのできる権利にすぎないから、通行地役権に基づき、通行妨害行為の禁止を超えて、承役地の目的外使用一般の禁止を求めることはできない(最判平17・3・29)。

出題 予想

第281条 (地役権の付従性)

①地役権は、要役地(地役権者の土地であって、他人の土地から便益を受けるものをいう。以下同じ。)の所有権に従たるものとして、その所有権とともに移転し、又は要役地について存する他の権利の目的となるものとする。ただし、設定行為に別段の定めがあるときは、この限りでない。

②地役権は、要役地から分離して譲り渡し、又は他の権利の目的とすることができない。

Q1 地役権の設定に際して、要役地を譲り受けた者は、所有権の移転登記があれば、地役権の登記がなくても、承役地の所有者に地役権を主張することができるのか。

A 主張することができる。 地役権の取得時効が完成した後に要役地の所有権が他に移転した場合においては、地役権は所有権の従として移転するが、

承役地の所有者であった者およびその一般承継人に対し要役地の所有権移転を対抗しうるときには、地役権の移転も登記なくして対抗することができる(大判大13・3・17)。

出題 東京Ⅰ-平成15、特別区Ⅰ-平成25

第282条 (地役権の不可分性)

①土地の共有者の1人は、その持分につき、その土地のために又はその土地について存する地役権を消滅させることができない。

②土地の分割又はその一部の譲渡の場合には、地役権は、その各部のために又はその各部について存する。ただし、地役権がその性質により土地の一部のみに関するときは、この限りでない。

第283条 (地役権の時効取得)

地役権は、継続的に行使され、かつ、外形上認識することができるものに限り、時効によって取得することができる。

Q1 他人の土地を長年通行していたという事実だけで、通行地役権を時効取得できるのか。

A 長年通行しただけでは、通行地役権を時効取得できない。 民法283条による通行地役権の時効取得については、いわゆる「継続」の要件として、承役地たるべき他人所有の土地のうえに通路の開設を要し、その開設は要役地所有者によってなされることを要する(最判昭30・12・26)。

出題 国家総合-平成30、国Ⅰ-昭和61、東京Ⅰ-平成15、特別区Ⅰ-令和2

第284条

①土地の共有者の1人が時効によって地役権を取得したときは、他の共有者も、これを取得する。

②共有者に対する時効の更新は、地役権を行使する各共有者に対してしなければ、その効力を生じない。

③地役権を行使する共有者が数人ある場合には、その1人について時効の完成猶予の事由があっても、時効は、各共有者のために進行する。

第285条 (用水地役権)

①用水地役権の承役地(地役権者以外の者の土地であって、要役地の便益に供されるものをいう。以下同じ。)において、水が要役地及び承役地の需要に比して不足するときは、その各土地の需要に応じて、まずこれを生活用に供し、その残余を他の用途に供するものとする。ただし、設定行為に別段の定めがあるときは、この限りでない。

②同一の承役地について数個の用水地役権を設定したときは、後の地役権者は、前の地役権者の水の使用を妨げてはならない。

第286条 (承役地の所有者の工作物の設置義務等)

設定行為又は設定後の契約により、承役地の所有者が自己の費用で地役権の行使のために工作物を設け、又はその修繕をする義務を負担したときは、承役地の所有者の特定承継人も、その義務を負担する。

第287条

承役地の所有者は、いつでも、地役権に必要な土地の部分の所有権を放棄して地役権者に移転し、これにより前条の義務を免れることができる。

第288条（承役地の所有者の工作物の使用）
①承役地の所有者は、地役権の行使を妨げない範囲内において、その行使のために承役地の上に設けられた工作物を使用することができる。
②前項の場合には、承役地の所有者は、その利益を受ける割合に応じて、工作物の設置及び保存の費用を分担しなければならない。

第289条（承役地の時効取得による地役権の消滅）
承役地の占有者が取得時効に必要な要件を具備する占有をしたときは、地役権は、これによって消滅する。

第290条
前条の規定による地役権の消滅時効は、地役権者がその権利を行使することによって中断する。

第291条（地役権の消滅時効）
第166条第2項に規定する消滅時効の期間は、継続的でなく行使される地役権については最後の行使の時から起算し、継続的に行使される地役権についてはその行使を妨げる事実が生じた時から起算する。

第292条
要役地が数人の共有に属する場合において、その1人のために時効の完成猶予又は更新があるときは、その完成猶予又は更新は、他の共有者のためにも、その効力を生ずる。

第293条
地役権者がその権利の一部を行使しないときは、その部分のみが時効によって消滅する。

第7章　留置権

第295条（留置権の内容）
①他人の物の占有者は、その物に関して生じた債権を有するときは、その債権の弁済を受けるまで、その物を留置することができる。ただし、その債権が弁済期にないときは、この限りでない。
②前項の規定は、占有が不法行為によって始まった場合には、適用しない。

◇**物と債権との牽連性**

Q1 賃借人は前賃貸人（旧所有者）との土地賃貸借契約の債務不履行に基づく損害賠償請求権を被担保債権として、現所有者に対し当該土地の留置を主張できるか。

A 当該土地の留置を主張できない。　現所有者は前賃貸人（旧所有者）から係争土地の所有権を取得し、賃借人に対し当該土地の引渡しを求めたところ、賃借人が主張する契約不履行による損害賠償請求権は前賃貸人（旧所有者）に対して有する債権にすぎず、これをもって、現所有者に対抗することはできないのであるから、民法295条のいわゆる「その物に関して生じた債権」ではなく、賃借人は係争地について留置権を有しない（大判大9・10・16）。**出題** 国Ⅰ－昭和62

Q2 建物の賃借人が賃借中に有益費を支出した場合、有益費償還請求権を担保するために建物の留置権は成立するのか。

A 建物の留置権は成立する。　家屋の賃借人がその賃借中支出した必要費もしくは有益費のために留

置権を行使し、その償還を受けるまで、従前のように当該家屋に居住することは、他に特殊の事情がない限り、民法298条2項但書のいわゆる留置物の保存に必要なものにあたる。なぜなら、家屋の留置権者はその家屋を空き家とし、あるいは他人に保管させなければならず、そのための保管費等を必要とし、所有者の負担が増加する等の不利益が発生することとなるからである（大判昭10・5・13）。

出題 国Ⅰ－平成23、特別区Ⅰ－令和1、国家一般－平成30、国税・労基－平成18

Q3 借地権の期間満了に伴い、借地権者は、借地権設定者に対して有する建物買取請求権を被担保債権として、建物買取請求権の目的である建物のみならず、その敷地についても留置権を主張できるのか。

A 留置権を主張できる。　借地上の建物の第三取得者が借地借家法14条により賃貸人に対し当該建物の買取を請求したときは、その意思表示とともに第三取得者と賃貸人との間には、当該建物につき売買契約を締結したのと同一の法律上の効果を生じ、建物の所有権は賃貸人に移転し、賃貸人が引渡義務を負担するのと同時に、賃貸人は第三取得者に対し同人が買取請求をした時の建物の価格に相当する金員の支払義務を負担するのであって、その結果第三取得者はその金員の支払があるまで建物の引渡を拒絶することができ、特定物の買主と同様の地位に立って、同時履行の抗弁権もしくは留置権を有することにより、建物とその敷地を占有することは違法性を阻却し不法行為を構成しない（大判昭14・8・24）。**出題** 国税－平成14

Q4 造作買取請求権に基づく代金債権を根拠として建物を留置できるか。

A 建物を留置できない。　造作買取代金債権は造作に関して生じた債権で、建物に関して生じた債権ではないから、建物に対する留置権は認められない（最判昭29・1・14）。

出題 国家総合－平成27、国Ⅰ－平成11・昭和57、地方上級－昭和57、国Ⅱ－平成20・10、裁判所Ⅰ・Ⅱ－平成18・15、国税・財務・労基－令和3、国税・労基－平成18、国税－平成5

Q5 原告から被告に対する物の引渡請求訴訟において、被告の留置権の抗弁を認める場合、その物に関して生じた債務の支払義務を負う者が、原告ではなく第三者であるときは、原告の被告に対する物の引渡請求は、棄却されるのか。

A 認容される。　留置権は、物の占有者がその物に関して生じた債権の弁済を受けるまでその物を留置することを得るに過ぎないものであって、物に関して生じた債権を他の債権に優先して弁済を受けしめることを趣旨とするものではない。したがって、裁判所は、物の引渡請求に対する留置権の抗弁を理由ありと認めるときは、その引渡請求を棄却することなく、その物に関して生じた債権の弁済と引換に物の引渡を命ずべきである。したがって、有益費の支払と引換にする本件明渡請求は認容される（最判昭33・3・13）。　**出題** 裁判所Ⅰ・Ⅱ－平成18

Q6 甲は自己所有の不動産を乙に売渡担保に供したところ、乙はこれを約定に反し丙に売却した場

合、甲は乙の履行不能による損害賠償債権により丙に対し当該不動産を留置できるのか。

A 留置できない。　　不動産を売渡担保に供した者は、担保権者が約定に反して担保不動産を他に譲渡したことにより、担保権者に対して取得した担保物返還義務不履行による損害賠償債権をもって、譲受人からの転々譲渡により当該不動産の所有権を取得した者の明渡請求に対し、留置権を主張することは許されない（最判昭34・9・3）。

出題 国Ⅰ-昭和62

Q7 甲が不動産を乙と丙に二重譲渡し、丙に登記名義を移転し、丙が乙に引渡しを請求した場合、乙は甲に対する損害賠償請求権を保全するため丙に対して留置権を主張できるのか。

A 乙は留置権を主張できない。　　乙の甲に対する損害賠償請求権は、その物自体を目的とする債権がその態様を変じたものであり、このような債権はその物に関し生じた債権とはいえないから、乙は甲に対する損害賠償請求権を保全するために丙に対して留置権を主張することができない（最判昭43・11・21）。

出題 国家総合-平成27、国Ⅰ-平成23・7・昭和62、特別区Ⅰ-令和1、国家一般-令和4・平成30、国Ⅱ-平成20、裁判所総合・一般-平成24、裁判所Ⅰ・Ⅱ-平成20・18、国税・財務・労基-令和3、国税-平成14

Q8 Ｘは、建物をＡとＢに二重譲渡し、Ａが建物の引渡しを受けたが、Ｂは登記を経たうえで、Ａに対してその建物の引渡しを求めた。これに対して、Ａは、Ｘに対して有する履行不能を理由とする損害賠償請求権を被担保債権として、Ｂに対してその建物の留置権を主張することができるか。

A 留置権を主張することはできない（最判昭43・11・21）。⇨7

Q9 ＡはＢから賃借した土地上に建物を所有し、当該建物を賃借したＣが建物に保存費用を支出した後、ＡＢ間の土地賃貸借契約がＡの債務不履行により解除された場合、Ｃは保存費用を担保するため土地を留置する権利を有するのか。

A Ｃは土地を留置する権利を有しない。　　借地上にある家屋の賃借人がその家屋について工事を施したことに基づくその費用の償還請求権は、借地自体に関して生じた債権でもなければ、借地の所有者に対して取得した債権でもないから、借地の賃貸借契約が有効に解除された後、その借地の所有者が借地人に対して当該家屋からの退去およびその敷地部分の明渡しを求めた場合においては、その借地人には当該費用の償還を受けるまでその家屋の敷地部分を留置しうる権利は認められない（最判昭44・11・6）。　　　　出題 国家総合-平成27、国Ⅰ-平成7

Q10 土地建物の売主が残代金債権を有する場合、当該建物の買主の譲受人に対し残代金債権に基づき、土地建物に留置権を行使して明渡しを拒絶できるのか。

A 留置権を行使して明渡しを拒絶できる。　　土地建物の売主が残代金債権を有する場合、この残代金債権は本件土地建物の明渡請求権と同一の売買契約

によって生じた債権であるから、民法295条の規定により、売主は買主に対し、残代金の弁済を受けるまで、本件土地建物につき留置権を行使してその明渡しを拒絶することができる。そして、留置権が成立した後債務者からその目的物を譲り受けた者に対しても、債権者がその留置権を主張しうることは、留置権が物権であることに照らして明らかであるから、売主は買主から本件建物を譲り受けた者に対して、当該留置権を行使することができる（最判昭47・11・16）。

出題 国Ⅰ-平成7・昭和62、特別区Ⅰ-令和1、国家一般-令和4・平成30・24、国Ⅱ-平成20、裁判所Ⅰ・Ⅱ-平成20・18

Q11 他人物売買における買主は、所有者の目的物返還請求に対し、所有権を移転すべき売主の履行不能による損害賠償債権により留置権を主張できるのか。

A 留置権を主張できない。　　他人の物の売買における買主は、その所有権を移転すべき売主の債務の履行不能による損害賠償債権をもって、所有者の目的物返還請求に対し、留置権を主張することは許されない。なぜなら、他人の物の売主は、その所有権移転債務が履行不能となっても、目的物の返還を買主に請求しうる関係になく、したがって、買主が目的物の返還を拒絶することによって損害賠償債務の履行を強制する関係は生じないため、損害賠償債権について目的物の留置権を成立させるために必要な物と債権との牽連関係が当事者間に存在するとはいえないからである（最判昭51・6・17）。

出題 国Ⅰ-平成7・昭和62

◇民法295条2項の類推適用

Q12 賃料不払いを理由に賃貸借契約を解除された建物賃借人が、契約解除後に支出した有益費に基づいて留置権を行使できるのか。

A 留置権を行使できない。　　民法295条2項が不法行為によってはじまった占有の場合に、占有者に留置権を与えない理由は、この占有者はその占有が不法であるためこれを保護するに値しないからである。したがって、占有が不法行為によってはじまった場合でなくとも、占有すべき権利がないことを知りながら、他人の物を占有する者にあっては、その占有は同じく不法であるから、類推解釈上かかる占有者も民法295条2項によって留置権を有しない（大判大10・12・23）。

出題 国Ⅰ-平成23・1、裁判所総合・一般-平成24、裁判所Ⅰ・Ⅱ-平成20・16、国税・財務・労基-令和3

Q13 建物賃借人が代金不払いのために契約を解除された後、有益費を支出した場合、賃借人は民法196条2項の費用償還請求権に基づき当該建物を留置できるのか。

A 賃借人は当該建物を留置できない。　　本件建物の賃貸借契約が解除された後は、当該建物を占有すべき権原のないことを知りながら不法にこれを占有していたのであるから、このような状況のもとに本件建物につき支出した有益費の償還請求権について

は、民法295条2項の類推適用により、賃借人は本件建物につき、有益費の償還請求権に基づく留置権を主張することができない（最判昭46・7・16）。

出題 国Ⅰ-昭和57、特別区Ⅰ-平成26、国家一般-平成30、国Ⅱ-平成20、国税・労基-平成18、国税-平成14

Q14 建物の賃借人は、賃料不払を理由に賃貸人から賃貸借契約を解除されたが、その後も、その建物を占有する権原のないことを知りながら建物を占有し続け、その間に支出した有益費を被担保債権として、賃貸人に対してその建物の留置権を主張することができるか。

A 留置権を主張することはできない（最判昭46・7・16）。⇨13

Q15 占有権原のない土地占有者が土地に盛土をし耕作をはじめたが、真の所有者が土地の返還請求を求めた場合、土地占有者は有益費償還請求権により土地の留置権を主張できるのか。

A 占有権原を有しないことに過失があるときは、土地の留置権を主張できない。　土地占有者が所有者から所有権に基づく土地返還請求訴訟を提起され、結局その占有権原を立証できなかったときは、特段の事情のない限り、土地占有が権原に基づかないことまたは権原に基づかないものに帰することを疑わなかったことについて過失があると推認するのが相当である場合には、土地占有者は、民法295条2項の類推適用により、有益費償還請求権に基づき土地の留置権を主張することは許されない（最判昭51・6・17）。

出題 国Ⅰ-平成11・7、特別区Ⅰ-平成26、国税-平成18

Q16 占有を開始した者が、その後権原を占有開始時点にさかのぼって喪失した場合、その権原喪失の原因が存することを知らなかったとしても、民法295条2項の適用はなく、留置権が発生するのか。

A 民法295条2項の類推適用により、留置権は発生しない（最判昭51・6・17）。⇨15

第296条（留置権の不可分性）
　留置権者は、債権の全部の弁済を受けるまでは、留置物の全部についてその権利を行使することができる。

＊先取特権に準用（305条）、質権に準用（350条）、抵当権に準用（372条）

Q1 留置権者は、留置物の一部を債務者に引き渡した場合においても、債権の全部の弁済を受けるまで、留置物の残部につき留置権を行使できるのか。

A 留置物の残部につき留置権を行使できる。　民法296条は、留置権者は債権の全部の弁済を受けるまで留置物の全部につきその権利を行使しうる旨を規定しているが、留置権者が留置物の一部の占有を喪失した場合においてもなお同条の適用があるのであって、この場合、留置権者は、占有喪失部分につき留置権を失うのは格別として、その債権の全部の弁済を受けるまで留置物の残部につき留置権を行使しうる（最判平3・7・16）。

出題 国Ⅰ-平成17、国家一般-平成30、裁判所

第297条（留置権者による果実の収取）
①留置権者は、留置物から生ずる果実を収取し、他の債権者に先立って、これを自己の債権の弁済に充当することができる。
②前項の果実は、まず債権の利息に充当し、なお残余があるときは元本に充当しなければならない。

＊質権に準用（350条）

第298条（留置権者による留置物の保管等）
①留置権者は、善良な管理者の注意をもって、留置物を占有しなければならない。
②留置権者は、債務者の承諾を得なければ、留置物を使用し、賃貸し、又は担保に供することができない。ただし、その物の保存に必要な使用をすることは、この限りでない。
③留置権者が前2項の規定に違反したときは、債務者は、留置権の消滅を請求することができる。

＊質権に準用（350条）

Q1 留置物の第三取得者は、民法298条3項により、留置権の消滅を請求することができるか。

A 留置権の消滅を請求することができる。　留置権者が民法298条1項および2項の規定に違反したとき、その留置物の第三取得者がいる場合には、第三取得者である所有者も同条3項により留置権の消滅請求権を行使しうる（最判昭40・7・15）。

出題 裁判所Ⅰ・Ⅱ-平成20

Q2 留置権者が留置物の使用等の承諾を受けた後に、留置物の所有権を取得した者は、留置物の使用等を理由とする留置権の消滅請求ができるか。

A 新所有者は留置権者に対して、留置権の消滅請求はできない。　留置物の所有権が譲渡等により第三者に移転した場合において、これにつき対抗要件を具備するよりも前に留置権者が民法298条2項所定の留置物の使用または賃貸についての承諾を受けていたときには、留置権者はその承諾の効果を新所有者に対し対抗することができ、新所有者はこの使用等を理由に同条3項による留置権の消滅請求をすることができない（最判平9・7・3）。

出題 国Ⅰ-平成17、特別区Ⅰ-令和1

Q3 留置物の所有権が譲渡等により第三者に移転した場合において、第三者が対抗要件を具備するよりも前に留置権者が民法298条2項所定の留置物の使用又は賃貸についての承諾を受けていた場合、新所有者は、留置権者に対し無断使用を理由に同条3項による留置権の消滅請求ができるのか。

A 留置権の消滅請求はできない（最判平9・7・3）。⇨2

第299条（留置権者による費用の償還請求）
①留置権者は、留置物について必要費を支出したときは、所有者にその償還をさせることができる。
②留置権者は、留置物について有益費を支出したときは、これによる価格の増加が現存する場合に限り、所有者の選択に従い、その支出した金額又は増価額を償還させることができる。ただし、裁判所は、所有者の請求により、その償還について相当の期限を許与することができる。

＊質権に準用（350条）

第300条（留置権の行使と債権の消滅時効）

留置権の行使は、債権の消滅時効の進行を妨げない。

＊質権に準用（350条）

Q1 訴訟において留置権者が留置権の抗弁を裁判所に提出した場合、被担保債権の時効の完成は猶予されるのか。

A 被担保債権の時効の完成は猶予される。　単に留置物を占有するにとどまらず、留置権に基づいて被担保債権の債務者に対して目的物の引渡しを拒絶するにあたり、被担保債権の存在を主張し、これが権利の主張をなす意思が明らかである場合には、留置権行使と別個なものとしての被担保債権行使ありとして民法147条1項1号の時効完成猶予の事由があるものと認めても、民法300条に反するものとはいえない。したがって、被担保債権の債務者を相手方とする訴訟における留置権の抗弁は被担保債権につき消滅時効の完成猶予の効力がある（最大判昭38・10・30）。

出題 国Ⅰ－平成18・1・昭和57、特別区Ⅰ－令和1

第301条（担保の供与による留置権の消滅）

債務者は、相当の担保を供して、留置権の消滅を請求することができる。

第302条（占有の喪失による留置権の消滅）

留置権は、留置権者が留置物の占有を失うことによって、消滅する。ただし、第298条第2項の規定により留置物を賃貸し、又は質権の目的としたときは、この限りでない。

第8章　先取特権

第1節　総則

第303条（先取特権の内容）

先取特権者は、この法律その他の法律の規定に従い、その債務者の財産について、他の債権者に先立って自己の債権の弁済を受ける権利を有する。

第304条（物上代位）

①先取特権は、その目的物の売却、賃貸、滅失又は損傷によって債務者が受けるべき金銭その他の物に対しても、行使することができる。ただし、先取特権者は、その払渡し又は引渡しの前に差押えをしなければならない。

②債務者が先取特権の目的物につき設定した物権の対価についても、前項と同様とする。

＊質権に準用（350条）、抵当権に準用（372条）、財産分離に準用（946条）、相続人の債権者の請求による財産分離に準用（950条2項）

Q1 動産売買の先取特権を有する者が物上代位権を行使しようとする場合において、目的債権が第三者に譲渡されたときは、その後に先取特権者が目的債権に対して物上代位権を行使することは許されないのか。

A 物上代位権を行使することは許されない。　民法304条1項但書において、先取特権者が物上代位権を行使するためには金銭その他の「払渡し又は引渡し前に差押えをしなければならない」ものと規定されている趣旨は、先取特権者のする差押えによって、第三債務者が金銭その他の目的物を債務者

に払い渡し又は引き渡すことが禁止され、他方、債務者が第三債務者から債権を取立て又はこれを第三者に譲渡することを禁止される結果、物上代位の対象である債権の特定性が保持され、これにより物上代位権の効力を保全せしめるとともに、他面第三者が不測の損害を被ることを防止しようとすることにあるから、第三債務者による弁済又は債務者による債権の第三者への譲渡の場合とは異なり、単に一般債権者が債務者に対する債務名義をもって目的債権につき差押命令を取得したにとどまる場合には、これによりもはや先取特権者が物上代位権を行使することを妨げられるとすべき理由はない（最判昭59・2・2）。

Q2 先取特権による物上代位の目的となる債権について、一般債権者が差押えまたは仮差押えをしても、先取特権者は物上代位権を行使できるのか。

A 先取特権者は物上代位権を行使できる。　物上代位の目的となる債権について一般債権者が差押えまたは仮差押えの執行をしたにすぎないときは、その後に先取特権者が目的債権に対し物上代位権を行使することを妨げられない（最判平10・7・19）。

出題 国Ⅱ－平成15、国税・財務・労基－平成29

Q3 動産売買の先取特権者は、物上代位の目的債権が譲渡され第三者に対する対抗要件が備えられた後においても、目的債権を差し押さえて物上代位権を行使できるのか。

A 物上代位権を行使できない。　民法304条1項ただし書は、先取特権者が物上代位権を行使するには払渡しの前に差押えをすることを要する旨を規定しているところ、この規定は、抵当権とは異なり公示方法が存在しない動産売買の先取特権については、物上代位の目的債権の譲受人等の第三者の利益を保護する趣旨を含むものである。そうすると、動産売買の先取特権者は、物上代位の目的債権が譲渡され、第三者に対する対抗要件が備えられた後においては、目的債権を差し押さえて物上代位権を行使することはできない（最判平17・2・22）。

出題 国Ⅰ－平成20、国家一般－令和4・平成25

第305条（先取特権の不可分性）

第296条の規定は、先取特権について準用する。

第2節　先取特権の種類

第1款　一般の先取特権

第306条（一般の先取特権）

次に掲げる原因によって生じた債権を有する者は、債務者の総財産について先取特権を有する。

1　共益の費用
2　雇用関係
3　葬式の費用
4　日用品の供給

第307条（共益費用の先取特権）

①共益の費用の先取特権は、各債権者の共同の利益のためにされた債務者の財産の保存、清算又は配当に関する費用について存在する。

②前項の費用のうちすべての債権者に有益でなかったものについては、先取特権は、その費用によっ

民法編

て利益を受けた債権者に対してのみ存在する。

第308条（雇用関係の先取特権）

雇用関係の先取特権は、給料その他債務者と使用人との間の雇用関係に基づいて生じた債権について存在する。

第309条（葬式費用の先取特権）

①葬式の費用の先取特権は、債務者のためにされた葬式の費用のうち相当な額について存在する。

②前項の先取特権は、債務者がその扶養すべき親族のためにした葬式の費用のうち相当な額についても存在する。

第310条（日用品供給の先取特権）

日用品の供給の先取特権は、債務者又はその扶養すべき同居の親族及びその家事使用人の生活に必要な最後の6箇月間の飲食料品、燃料及び電気の供給について存在する。

Q1 法人は民法310条にいう「債務者」に含まれるのか。

A 「債務者」に含まれない。　民法310条の立法趣旨は、多額の債務を負っている者でも日用品を入手できるようにして、その者の生活を保護しようとする社会政策的配慮に基づく点にあるから、民法310条にいう「債務者」は自然人に限られ、法人は含まれない（最判昭46・10・21）。

出題 東京Ⅰ-平成16、特別区Ⅰ-平成25

第2款　動産の先取特権

第311条（動産の先取特権）

次に掲げる原因によって生じた債権を有する者は、債務者の特定の動産について先取特権を有する。

1　不動産の賃貸借
2　旅館の宿泊
3　旅客又は荷物の運輸
4　動産の保存
5　動産の売買
6　種苗又は肥料（蚕種又は蚕の飼養に供した桑葉を含む。以下同じ。）の供給
7　農業の労務
8　工業の労務

第312条（不動産賃貸の先取特権）

不動産の賃貸の先取特権は、その不動産の賃料その他の賃貸借関係から生じた賃借人の債務に関し、賃借人の動産について存在する。

第313条（不動産賃貸の先取特権の目的物の範囲）

①土地の賃貸人の先取特権は、その土地又はその利用のための建物に備え付けられた動産、その土地の利用に供された動産及び賃借人が占有するその土地の果実について存在する。

②建物の賃貸人の先取特権は、賃借人がその建物に備え付けた動産について存在する。

Q1 不動産の賃貸人の先取特権は、賃借人が建物内に持ち込んだ金銭、有価証券、宝石類など必ずしも建物に常置されるものではない物も、目的物となるのか。

A 目的物となる。　民法313条2項の「建物に備え付けた動産」とは、賃貸人がその建物内にある

期間継続して存置するために持ち込まれた動産を意味するのであって、建物内に持ち込んだ金銭、有価証券、宝石類など必ずしも建物に常置されるものではない物のうえにも先取特権は及ぶ（大判大3・7・4）。

出題 国家一般-平成28

第314条

賃借権の譲渡又は転貸の場合には、賃貸人の先取特権は、譲受人又は転借人の動産にも及ぶ。譲渡人又は転貸人が受けるべき金銭についても、同様とする。

第315条（不動産賃貸の先取特権の被担保債権の範囲）

賃借人の財産のすべてを清算する場合には、賃貸人の先取特権は、前期、当期及び次期の賃料その他の債務並びに前期及び当期に生じた損害の賠償債務についてのみ存在する。

第316条

賃貸人は、第622条の2第1項に規定する敷金を受け取っている場合には、その敷金で弁済を受けない債権の部分についてのみ先取特権を有する。

第317条（旅館宿泊の先取特権）

旅館の宿泊の先取特権は、宿泊客が負担すべき宿泊料及び飲食料に関し、その旅館に在るその宿泊客の手荷物について存在する。

第318条（運輸の先取特権）

運輸の先取特権は、旅客又は荷物の運送賃及び付随の費用に関し、運送人の占有する荷物について存在する。

第319条（即時取得の規定の準用）

第192条から第195条までの規定は、第312条から前条までの規定による先取特権について準用する。

第320条（動産保存の先取特権）

動産の保存の先取特権は、動産の保存のために要した費用又は動産に関する権利の保存、承認若しくは実行のために要した費用に関し、その動産について存在する。

第321条（動産売買の先取特権）

動産の売買の先取特権は、動産の代価及びその利息に関し、その動産について存在する。

Q1 請負工事に用いられた動産の売主は、請負人が注文者に対して有する請負代金債権に対して、動産売買の先取特権に基づく物上代位権を行使できるのか。

A 原則できないが、特段の事情がある場合には、物上代位権の行使はできる。　動産の買主がこれを他に転売することによって取得した売買代金債権は、当該動産に代わるものとして動産売買の先取特権に基づく物上代位権の行使の対象となる（民法304条）。これに対し、動産の買主がこれを用いて請負工事を行ったことによって取得する請負代金債権は、仕事の完成のために用いられた材料や労力等に対する対価をすべて包含するから、当然にはその一部が当該動産の転売による代金債権に相当するとはいえない。したがって、請負工事に用いられた動産の売主は、原則として、請負人が注文者に対して有する請負代金債権に対して動産売買の先取特権に

基づく物上代位権を行使することができないが、請負代金全体に占める当該動産の価額の割合や請負契約における請負人の債務の内容等に照らして請負代金債権の全部又は一部を上記動産の転売による代金債権と同視するに足りる特段の事情がある場合には、当該部分の請負代金債権に対して物上代位権を行使することができる（最決平10・12・18）。

出題 国Ⅰ-平成16、国家一般-令和4

第322条（種苗又は肥料の供給の先取特権）

　種苗又は肥料の供給の先取特権は、種苗又は肥料の代価及びその利息に関し、その種苗又は肥料を用いた後1年以内にこれを用いた土地から生じた果実（蚕種又は蚕の飼養に供した桑葉の使用によって生じた物を含む。）について存在する。

第323条（農業労務の先取特権）

　農業の労務の先取特権は、その労務に従事する者の最後の1年間の賃金に関し、その労務によって生じた果実について存在する。

第324条（工業労務の先取特権）

　工業の労務の先取特権は、その労務に従事する者の最後の3箇月間の賃金に関し、その労務によって生じた製作物について存在する。

第3款　不動産の先取特権

第325条（不動産の先取特権）

　次に掲げる原因によって生じた債権を有する者は、債務者の特定の不動産について先取特権を有する。

　1　不動産の保存
　2　不動産の工事
　3　不動産の売買

第326条（不動産保存の先取特権）

　不動産の保存の先取特権は、不動産の保存のために要した費用又は不動産に関する権利の保存、承認若しくは実行のために要した費用に関し、その不動産について存在する。

第327条（不動産工事の先取特権）

①不動産の工事の先取特権は、工事の設計、施工又は監理をする者が債務者の不動産に関してした工事の費用に関し、その不動産について存在する。

②前項の先取特権は、工事によって生じた不動産の価格の増加が現存する場合に限り、その増価額についてのみ存在する。

第328条（不動産売買の先取特権）

　不動産の売買の先取特権は、不動産の代価及びその利息に関し、その不動産について存在する。

第3節　先取特権の順位

第329条（一般の先取特権の順位）

①一般の先取特権が互いに競合する場合には、その優先権の順位は、第306条各号に掲げる順序に従う。

②一般の先取特権と特別の先取特権とが競合する場合には、特別の先取特権は、一般の先取特権に優先する。ただし、共益の費用の先取特権は、その利益を受けたすべての債権者に対して優先する効力を有する。

第330条（動産の先取特権の順位）

①同一の動産について特別の先取特権が互いに競合する場合には、その優先権の順位は、次に掲げる順序に従う。この場合において、第2号に掲げる動産の保存の先取特権について数人の保存者があるときは、後の保存者が前の保存者に優先する。

　1　不動産の賃貸、旅館の宿泊及び運輸の先取特権
　2　動産の保存の先取特権
　3　動産の売買、種苗又は肥料の供給、農業の労務及び工業の労務の先取特権

②前項の場合において、第1順位の先取特権者は、その債権取得の時において第2順位又は第3順位の先取特権者があることを知っていたときは、これらの者に対して優先権を行使することができない。第1順位の先取特権者のために物を保存した者に対しても、同様とする。

③果実に関しては、第1の順位は農業の労務に従事する者に、第2の順位は種苗又は肥料の供給者に、第3の順位は土地の賃貸人に属する。

第331条（不動産の先取特権の順位）

①同一の不動産について特別の先取特権が互いに競合する場合には、その優先権の順位は、第325条各号に掲げる順序に従う。

②同一の不動産について売買が順次された場合には、売主相互間における不動産売買の先取特権の優先権の順位は、売買の前後による。

第332条（同一順位の先取特権）

　同一の目的物について同一順位の先取特権者が数人あるときは、各先取特権者は、その債権額の割合に応じて弁済を受ける。

第4節　先取特権の効力

第333条（先取特権と第三取得者）

　先取特権は、債務者がその目的である動産をその第三取得者に引き渡した後は、その動産について行使することができない。

第334条（先取特権と動産質権との競合）

　先取特権と動産質権とが競合する場合には、動産質権者は、第330条の規定による第1順位の先取特権者と同一の権利を有する。

第335条（一般の先取特権の効力）

①一般の先取特権者は、まず不動産以外の財産から弁済を受け、なお不足があるのでなければ、不動産から弁済を受けることができない。

②一般の先取特権者は、不動産については、まず特別担保の目的とされていないものから弁済を受けなければならない。

③一般の先取特権者は、前2項の規定に従って配当に加入することを怠ったときは、その配当加入をしたならば弁済を受けることができた額については、登記をした第三者に対してその先取特権を行使することができない。

④前3項の規定は、不動産以外の財産の代価に先立って不動産の代価を配当し、又は他の不動産の代価に先立って特別担保の目的である不動産の代

価を配当する場合には、適用しない。

第336条（一般の先取特権の対抗力）

一般の先取特権は、不動産について登記をしなくても、特別担保を有しない債権者に対抗することができる。ただし、登記をした第三者に対しては、この限りでない。

第337条（不動産保存の先取特権の登記）

不動産の保存の先取特権の効力を保存するためには、保存行為が完了した後直ちに登記をしなければならない。

第338条（不動産工事の先取特権の登記）

①不動産の工事の先取特権の効力を保存するためには、工事を始める前にその費用の予算額を登記しなければならない。この場合において、工事の費用が予算額を超えるときは、先取特権は、その超過額については存在しない。

②工事によって生じた不動産の増価額は、配当加入の時に、裁判所が選任した鑑定人に評価させなければならない。

第339条（登記をした不動産保存又は不動産工事の先取特権）

前2条の規定に従って登記をした先取特権は、抵当権に先立って行使することができる。

第340条（不動産売買の先取特権の登記）

不動産の売買の先取特権の効力を保存するためには、売買契約と同時に、不動産の代価又はその利息の弁済がされていない旨を登記しなければならない。

第341条（抵当権に関する規定の準用）

先取特権の効力については、この節に定めるもののほか、その性質に反しない限り、抵当権に関する規定を準用する。

＊抵当権の効力の及ぶ範囲（370条・371条）、抵当権の被担保債権の範囲（375条）、代価弁済（378条）、抵当権消滅請求（379条・380条・381条）、抵当権消滅請求の時期（382条）、抵当権消滅請求の手続（383条）、債権者のみなし承諾（384条）、競売の申立ての通知（385条）、抵当権消滅請求の効果（386条）、抵当不動産の第三取得者による費用の償還請求（391条）、抵当不動産以外の財産からの弁済（394条）、抵当建物使用者の引渡しの猶予（395条）等

第9章　質権

第1節　総則

第342条（質権の内容）

質権者は、その債権の担保として債務者又は第三者から受け取った物を占有し、かつ、その物について他の債権者に先立って自己の債権の弁済を受ける権利を有する。

第343条（質権の目的）

質権は、譲り渡すことができない物をその目的とすることができない。

第344条（質権の設定）

質権の設定は、債権者にその目的物を引き渡すことによって、その効力を生ずる。

第345条（質権設定者による代理占有の禁止）

質権者は、質権設定者に、自己に代わって質物の占有をさせることができない。

Q1 質権者がいったん有効に質権を設定した後に、質物を質権設定者に返還した場合、質権は消滅するのか。

A 質権は消滅しない。　民法345条には、単に質権者は質権設定者に自己に代わって質物を占有させることができない旨の規定があるにすぎないのであって、質権者がいったん有効に質権を設定した後、同条に違背し質権設定者に質物を占有させても、その占有が法律上代理占有の効力を生じないにとどまり、これによって質権が消滅するものではない（大判大5・12・25）。

出題 国Ⅰ－平成4・昭和63・58、地方上級－平成10（市共通）、特別区Ⅰ－平成23

Q2 不動産質権がいったん有効に設定された後に質権者が質権設定者にその不動産を返還した場合には、質物を質権設定者に引き渡しても、そのことは質権そのものの効力に影響がないのか。

A 質権そのものの効力に影響はない。　質権者が有効に質権を設定した後、占有を失った場合、動産質では質権を第三者に対抗することができないが、不動産質では質物の占有は第三者に対する対抗要件ではなく、質権者が質物を現実に引渡しを受けた後、質権設定者に引き渡した事実があっても、質権の効力には影響を及ぼすものではない（大判大5・12・25）。　出題 国Ⅰ－昭和62

第346条（質権の被担保債権の範囲）

質権は、元本、利息、違約金、質権の実行の費用、質物の保存の費用及び債務の不履行又は質物の隠れた瑕疵によって生じた損害の賠償を担保する。ただし、設定行為に別段の定めがあるときは、この限りでない。

第347条（質物の留置）

質権者は、前条に規定する債権の弁済を受けるまでは、質物を留置することができる。ただし、この権利は、自己に対して優先権を有する債権者に対抗することができない。

Q1 被担保債権の弁済等によって質権が消滅する前に、質権設定者から質物の返還を請求する訴えが提起された場合には、弁済と引換えに返還せよという判決（引換給付判決）がなされるべきか。

A 請求棄却判決（原告敗訴）の判決がなされるべきである。　被担保債権の弁済等によって質権が消滅する前に、所有者である質権設定者が質物の返還を請求する訴えが提起された場合には、引換給付判決ではなく、請求棄却判決（原告敗訴の判決）が下されるべきである（大判大9・3・29）。

出題 国Ⅰ－昭和62

第348条（転質）

質権者は、その権利の存続期間内において、自己の責任で、質物について、転質をすることができる。この場合において、転質をしたことによって生じた損失については、不可抗力によるものであっても、その責任を負う。

Q1 質権者は質入主の承諾を得ずに無断で質物の

うえに新たな質権を設定できるのか。

A 質権者の権利の範囲内であれば、新たな質権を設定できる。　質権者は、その権利の範囲内において自己の責任で質物を転質とすることができるのは、民法348条の規定に照らして明らかである。それ故、質権者の新たな質権設定行為は民法上許容された権利の行使にほかならないから、これを不法領得の意思をもった実行であるとして横領罪にあたるとすることはできない（大連決大14・7・14）。

出題 国Ⅰ-平成4・昭和58

第349条（契約による質物の処分の禁止）

質権設定者は、設定行為又は債務の弁済期前の契約において、質権者に弁済として質物の所有権を取得させ、その他法律に定める方法によらないで質物を処分させることを約することができない。

Q1 質権設定者が弁済に代えて任意に質物の所有権を質権者に移転する契約は、流質契約として禁止されるのか。

A 流質契約として禁止されない。　債権者が債務者の差し迫った必要に乗じて債権額に比べて不相当に高価な質物を取得することを防ぐために、民法349条は流質契約を禁止しているが、質権設定者が弁済に代えて任意に質物の所有権を質権者に移転する契約の場合には、その弊害のおそれがないので、流質契約として禁止されない（大判明37・4・5）。

出題 国Ⅰ-平成4・昭和62

第350条（留置権及び先取特権の規定の準用）

第296条から第300条まで及び第304条の規定は、質権について準用する。

第351条（物上保証人の求償権）

他人の債務を担保するため質権を設定した者は、その債務を弁済し、又は質権の実行によって質物の所有権を失ったときは、保証債務に関する規定に従い、債務者に対して求償権を有する。

＊抵当権に準用（372条）

第2節　動産質

第352条（動産質の対抗要件）

動産質権者は、継続して質物を占有しなければ、その質権をもって第三者に対抗することができない。

第353条（質物の占有の回復）

動産質権者は、質物の占有を奪われたときは、占有回収の訴えによってのみ、その質物を回復することができる。

第354条（動産質の実行）

動産質権者は、その債権の弁済を受けないときは、正当な理由がある場合に限り、鑑定人の評価に従い質物をもって直ちに弁済に充てることを裁判所に請求することができる。この場合において、動産質権者は、あらかじめ、その請求をする旨を債務者に通知しなければならない。

第355条（動産質権の順位）

同一の動産について数個の質権が設定されたときは、その質権の順位は、設定の前後による。

第3節　不動産質

第356条（不動産質権者による使用及び収益）

不動産質権者は、質権の目的である不動産の用法に従い、その使用及び収益をすることができる。

第357条（不動産質権者による管理の費用等の負担）

不動産質権者は、管理の費用を支払い、その他不動産に関する負担を負う。

第358条（不動産質権者による利息の請求の禁止）

不動産質権者は、その債権の利息を請求することができない。

第359条（設定行為に別段の定めがある場合等）

前3条の規定は、設定行為に別段の定めがあるとき、又は担保不動産収益執行（民事執行法第180条第2号に規定する担保不動産収益執行をいう。以下同じ。）の開始があったときは、適用しない。

第360条（不動産質権の存続期間）

①不動産質権の存続期間は、10年を超えることができない。設定行為でこれより長い期間を定めたときであっても、その期間は、10年とする。

②不動産質権の設定は、更新することができる。ただし、その存続期間は、更新の時から10年を超えることができない。

第361条（抵当権の規定の準用）

不動産質権については、この節に定めるもののほか、その性質に反しない限り、次章（抵当権）の規定を準用する。

第4節　権利質

第362条（権利質の目的等）

①質権は、財産権をその目的とすることができる。

②前項の質権については、この節に定めるもののほか、その性質に反しない限り、前3節（総則、動産質及び不動産質）の規定を準用する。

第364条（債権を目的とする質権の対抗要件）

債権を目的とする質権の設定（現に発生していない債権を目的とするものを含む。）は、第467条の規定に従い、第三債務者にその質権の設定を通知し、又は第三債務者がこれを承諾しなければ、これをもって第三債務者その他の第三者に対抗することができない。

Q1 第三債務者は通知・承諾後に取得した質権設定者に対する債権をもって、質権者に対抗できるのか。

A 質権者に対抗できない。　債権を目的とした質権の効力として質権者は目的とする債権を直接に取り立てることができるのは、民法467条によって明らかである。それ故、質権設定者はもちろん第三債務者もまた、これに対する対抗要件が具備された以上は、質権者の取立権能を害する行為をすることはできない。この時以降において、第三債務者が質権設定者に対する債権を取得し、これをもって質権者に相殺をもって対抗することは質権者の取立権能を害する。それ故、第三債務者は質権設定の通知を受けまたはこれを承諾した時以降に取得した質権設定者に対する債権をもって質権者に対抗することができない（大判大5・9・5）。出題 国Ⅰ-平成4

民法編

第366条（質権者による債権の取立て等）

①質権者は、債権の目的である債権を直接に取り立てることができる。

②債権の目的物が金銭であるときは、質権者は、自己の債権額に対応する部分に限り、これを取り立てることができる。

③前項の債権の弁済期が質権者の債権の弁済期前に到来したときは、質権者は、第三債務者にその弁済をすべき金額を供託させることができる。この場合において、質権は、その供託金について存在する。

④債権の目的物が金銭でないときは、質権者は、弁済として受けた物について質権を有する。

第10章　抵当権

第1節　総則

第369条（抵当権の内容）

①抵当権者は、債務者又は第三者が占有を移転しないで債務の担保に供した不動産について、他の債権者に先立って自己の債権の弁済を受ける権利を有する。

②地上権及び永小作権も、抵当権の目的とすることができる。この場合においては、この章の規定を準用する。

◇**抵当権の目的物**

Q1 A建物について、滅失の事実がないのにその旨の登記がされて登記用紙が閉鎖され、さらに、別のB建物として表示の登記および所有権保存登記がされた場合、抵当権者は、A建物の所有名義人であった者に対しA建物の滅失の登記の抹消登記手続を、B建物の所有名義人に対しB建物の表示の登記および所有権保存登記の抹消登記手続を、それぞれ請求することはできないのか。

A それぞれ請求することができる。　登記された甲建物について、滅失の事実がないのにその旨の登記がされて登記用紙が閉鎖された場合には、甲建物に設定され、その旨の登記を経由していた根抵当権が登記簿上公示されないこととなるから、当該滅失の登記は根抵当権に対する妨害となっている。そして、さらに当該建物につき別の乙建物として表示の登記および所有権保存登記がされている場合には、直ちに滅失の登記の抹消登記の申請をしても、その抹消登記によって甲建物の表示の登記および所有権保存登記が回復すれば、それらの登記と乙建物としてされた表示の登記および所有権保存登記とが併存することとなっていわゆる二重登記となるため、上記の申請は却下されることとなるから、乙建物の表示の登記および所有権保存登記も、根抵当権に対する妨害となっている。したがって、登記された甲建物について、滅失の事実がないのにその旨の登記がされて登記用紙が閉鎖された結果、甲建物に設定されていた根抵当権設定登記が登記簿上公示されないこととなり、さらに当該建物につき別の乙建物として表示の登記および所有権保存登記がされている場合には、根抵当権者は、根抵当権に基づく妨害排

除請求として、乙建物の所有名義人に対し、乙建物の表示の登記および所有権保存登記の抹消登記手続を、甲建物の所有名義人であった者に対し、甲建物の滅失の登記の抹消登記手続をそれぞれ請求することができる（最判平6・5・12）。

出題 国Ⅰ－平成13

◇**附従性**

Q2 将来発生する債権のために、現在において抵当権を設定する余地は認められるのか。

A 認められる。　金銭の交付が抵当権設定日よりも遅れた場合、抵当権設定手続と債務の発生とは必ずしも同時であることを要せず、抵当権を設定する余地は認められる（大判明38・12・6）。

出題 国Ⅱ－平成1、裁判所総合・一般－平成28、国税・財務・労基－平成25

◇**消滅に関する附従性**

Q3 被担保債権の一部が弁済された場合、抵当権の担保の範囲はその限度で縮減するのか。

A 抵当権の担保の範囲はその限度で当然縮減する。担保物権は主たる債権を担保する従たる権利であるから、主たる権利の全部または一部が弁済その他の事由によって消滅するときは、従たる担保権の担保の範囲もまたその限度において当然消滅し、担保物権の登記の抹消または変更をまってはじめて効力を生ずるものではない。したがって、主たる債権額の一部が債権譲受前に債権者と示談により消滅したにもかかわらず、いまだその減額について変更登記手続を完了していなくとも、抵当権の担保金額は当然その減額の程度において減少する（大判大9・1・29）。

出題 国Ⅱ－平成7

◇**抵当目的物の侵害の排除**

Q4 債務者が滅失、毀損等事実上の行為で抵当物を侵害する場合に、抵当権に基づく妨害排除請求をするためには、抵当権の実行に着手した後である必要はないが、侵害行為が抵当権者の被担保債権の弁済期後であることは必要とされるのか。

A 抵当権の被担保債権が弁済期にあるか否か、また、抵当権の実行に着手したか否かを問わない。債務者が滅失、毀損等事実上の行為で抵当権の目的物に対する侵害をしようとする場合に、抵当権者が物権たる抵当権の効力としてその妨害排除を訴求しうるためには、抵当権の被担保債権が弁済期にあると否とを問わず、また、抵当権の実行に着手したかどうかにかかわりなく、抵当権者は物権たる抵当権の効力として、その妨害の排除を求めることができる（大判昭6・10・21）。　**出題** 国Ⅰ－平成16

Q5 抵当権侵害を理由として損害賠償の請求をなしうる時期は、抵当権を実行し損害額が確定した後でなければならないのか。

A 抵当権を実行し損害額が確定した後である必要はない。　抵当権侵害による損害額は、抵当権実行の時または抵当債権の弁済期後抵当権実行前における賠償請求権行使の時を標準とすべきであり、訴訟手続により権利を行使する場合には、事実審口頭弁

論終結時において算定すべきである（大判昭7・5・27）。

Q6 抵当不動産が第三者により滅失させられた場合、競売以前においても抵当権者は抵当権侵害による損害賠償請求が認められるのか。

A 損害賠償請求が認められる。　抵当権の実行が不法に阻害されたため、被担保債権の完済の見込みがなくなった場合には、競売以前においても抵当権者は損害を蒙ったものとして、損害賠償を請求しうる（大判昭11・4・13）。　出題 国Ⅰ-平成16

Q7 工場抵当法2条の規定により工場に属する土地又は建物と共に抵当権の目的とされた動産が、当該工場から抵当権者の同意を得ないで搬出された場合、抵当権者は、搬出された目的動産を元の備付場所である工場に戻すことを請求できるのか。

A 第三者が即時取得をしない限り、工場に戻すことを請求できる。　工場抵当法2条の規定により工場に属する土地又は建物と共に抵当権の目的とされた動産が、当該工場から抵当権者の同意を得ないで搬出された場合には、第三者が即時取得をしない限り、抵当権者は、搬出された目的動産を元の備付場所である工場に戻すことを請求できる（最判昭57・3・12）。

Q8 第三者が抵当不動産を不法占有することにより、競売手続の進行が害され適正な価額よりも売却価額が下落するおそれがあるなど、抵当不動産の交換価値の実現が妨げられ抵当権者の優先弁済請求権の行使が困難となるような状態があるときは、所有者の不法占有者に対する妨害排除請求権を代位行使できるのか。

A 民法423条の法意に従い、代位行使できる。第三者が抵当不動産を不法占有することにより、競売手続の進行が害され適正な価額よりも売却価額が下落するおそれがあるなど、抵当不動産の交換価値の実現が妨げられ抵当権者の優先弁済請求権の行使が困難となるような状態があるときは、これを抵当権に対する侵害と評価することを妨げるものではない。そして、抵当不動産の所有者は、抵当権に対する侵害が生じないよう抵当不動産を適切に維持管理することが予定されている。したがって、そのような状態があるときは、抵当権の効力として、抵当権者は、抵当不動産の所有者に対し、その有する権利を適切に行使するなどして上記状態を是正し抵当不動産を適切に維持または保存するよう求める請求権を有するのである。そうすると、抵当権者は、当該請求権を保全する必要があるときは、民法423条の法意に従い、所有者の不法占有者に対する妨害排除請求権を代位行使することができる。なお、第三者が抵当不動産を不法占有することにより抵当不動産の交換価値の実現が妨げられ抵当権者の優先弁済請求権の行使が困難となるような状態があるときは、抵当権に基づく妨害排除請求として、抵当権者がその状態の排除を求めることも許される。最判平3・3・22は、以上と抵触する限度において、これを変更すべきである（最大判平11・11・24）。

Q9 第三者が抵当不動産を不法占有することにより抵当不動産の交換価値の実現が妨げられ抵当権者の優先弁済請求権の行使が困難となるような状態があるときは、抵当権に基づく妨害排除請求として、抵当権者がその状態の排除を求めることが許されるか。

A 抵当権者がその状態の排除を求めることが許される（最大判平11・11・24）。⇨8

Q10 抵当権設定後に抵当不動産の所有者と賃貸借契約を締結して、占有権原の設定を受け、占有した者に対し、抵当権者は、抵当権に基づく妨害排除請求を求めることができるか。

A 一定の要件の下で妨害排除請求を求めることができる。　抵当権設定登記後に抵当不動産の所有者から占有権原の設定を受けてこれを占有する者についても、その占有権原の設定に抵当権の実行としての競売手続を妨害する目的が認められ、その占有により抵当不動産の交換価値の実現が妨げられて抵当権者の優先弁済請求権の行使が困難となるような状態があるときは、抵当権者は、当該占有者に対し、抵当権に基づく妨害排除請求として、上記状態の排除を求めることができる。なぜなら、抵当不動産の所有者は、抵当不動産を使用又は収益するにあたり、抵当不動産を適切に維持管理することが予定されており、抵当権の実行としての競売手続を妨害するような占有権原を設定することは許されないからである（最判平17・3・10）。

Q11 抵当権に基づく妨害排除請求権の行使にあたり抵当権者が直接自己への抵当不動産の明渡しを請求することはできるか。

A 抵当不動産を適切に維持管理することが期待できない場合には、請求することができる。　抵当権に基づく妨害排除請求権の行使にあたり、抵当不動産の所有者において抵当権に対する侵害が生じないように抵当不動産を適切に維持管理することが期待できない場合には、抵当権者は、占有者に対し、直接自己への抵当不動産の明渡しを求めることができる（最判平17・3・10）。

Q12 抵当権者は、抵当不動産に対する第三者の占有により賃料額相当の損害を被り、損害賠償請求ができるのか。

A 賃料額相当の損害を被らず、損害賠償請求はできない。　抵当権者は、抵当不動産に対する第三者の占有により賃料額相当の損害を被るものではない。なぜなら、抵当権者は、抵当不動産を自ら使用することはできず、民事執行法上の手続等によらずにその使用による利益を取得することもできな

民法編

いし、また、抵当権者が抵当権に基づく妨害排除請求により取得する占有は、抵当不動産の所有者に代わり抵当不動産を維持管理することを目的とするものであって、抵当不動産の使用およびその使用による利益の取得を目的とするものではないからである（最判平17・3・10）。

第370条（抵当権の効力の及ぶ範囲）

抵当権は、抵当地の上に存する建物を除き、その目的である不動産（以下「抵当不動産」という。）に付加して一体となっている物に及ぶ。ただし、設定行為に別段の定めがある場合及び債務者の行為について第424条第3項に規定する詐害行為取消請求をすることができる場合は、この限りでない。

Q1 未登記立木のある自己の土地に抵当権を設定した後に、抵当権の実行・競売開始決定がされたが、洪水により山林上の立木が流出した場合、当該抵当権の効力は動産となった立木に及ぶのか。

A 動産となった立木に及ぶ。　立木が抵当権の実行に先立ち土地と分離して動産となった場合には、抵当権者は動産を抵当権の直接の目的として権利を行うことができない（大判明26・11・13）が、本件のように抵当権者が抵当権の目的である山林に対してすでに権利の実行に着手し、競売が開始された場合には、民事執行法による競売においては、土地およびこれと一体をなす立木に対し差押えの効力が生じるのであるから、不動産所有者は爾後この処分を制限され、したがって、所有者から立木のみを買い受けた第三者も抵当権を無視してその目的物の価格を減少する行為をすることはできない。抵当権者はその第三者に対し立木の伐採を差し止めることができ、すでに伐採したが、なおその地上に存する木材はたとえ性質を変えて動産となっても、この搬出を拒むことができる（大判大5・5・31）。

Q2 抵当不動産である山林の立木を使用収益の範囲を超えて伐採した場合、抵当権の効力により伐採した立木の搬出の差止めを請求できるのか。

A 抵当権の効力が及び、搬出の差止めを請求できる場合がある。　動産に対する抵当権はもとより成立しないが、いったん抵当権が不動産に対して設定された以上、その後不動産の一部が元物より分離され一つの動産となった場合においても抵当権の効力は及び（さらに抵当権は絶対権であるから抵当物に対し（したがって抵当権そのものに対し）危害を加えようとする者がある場合には、その所有者であると第三者であるとを問わず、これらの者に対して不作為の請求権を有する（大判昭7・4・20）。

Q3 山林の抵当権者は、山林から樹木を不法に伐採して搬出しようとしている者に対して、抵当権に基づき、伐採、搬出をしないように請求することができるのか。

A 抵当権に基づき、伐採、搬出をしないように請求することができる（大判昭7・4・20）。⇨2

Q4 抵当権の効力は、抵当権設定当時に抵当不動産の従物であった動産にも及ぶのか。

A 反対の意思表示がない限り、民法87条2項の規定に照らし及ぶ。　建物につき抵当権を設定したときは、反対の意思表示がない限り、当該抵当権の効力は抵当権設定当時建物の常用のためにこれに附属させた債務者所有の動産にも及び、これらの物は建物とともに抵当権の目的の範囲に属することは、民法87条2項の規定に照らしても疑いはない（大連判大8・3・15）。

Q5 抵当権設定前に目的物に附加された従物に抵当権の効力は及ぶのか。

A 抵当権の効力は及ぶ。　石灯篭および取り外しのできる庭石等は根抵当権の目的たる宅地の従物であり、植木および取り外しの困難な庭石等は当該宅地の構成部分であるが、従物は根抵当権設定当時宅地の常用のためにこれに付属されていたものである。そして、宅地の根抵当権の効力は、構成部分に及ぶことはもちろん、従物にも及び、この場合根抵当権は宅地に対する抵当権設定登記をもって、その構成部分たる当該物件についてはもちろん、抵当権の効力から除外する等特段の事情のない限り、民法370条により従物たる当該物件についても対抗力を有する（最判昭44・3・28）。

Q6 宅地に対する根抵当権設定登記があれば、その構成部分である物件と従物たる物件についても対抗力を有するのか。

A 対抗力を有する（最判昭44・3・28）。⇨5

Q7 建物に抵当権が設定された後に、雨戸・建物入口の扉その他建物の内外を遮断する建具類が取り付けられた場合、これらの物に抵当権の効力は及ぶのか。

A 抵当権の効力は及ぶ。　畳・建具の類はその建物に備え付けられていても、一般に独立の動産としての性質を失うことはないが、雨戸・建物入口の扉その他建物の内外を遮断する建具類は、いったん建物に備え付けられると、建物の一部を構成することになり、建物からの取り外しが容易であるか否かを問わず、独立の動産としての性質を有しない（大判昭5・12・18）。

Q8 土地の賃借人が当該土地上に所有する建物に抵当権を設定し、登記を経由すれば、土地の賃借権にも対抗力を生じるのか。

A 土地の賃借権にも対抗力を生じる。　建物を所有するために必要な敷地の賃借権は、建物所有権に付随し、これと一体となって一つの財産的価値を形成しているのであるから、建物に抵当権が設定されたときは、敷地の賃借権も原則としてその効力の及ぶ目的物に包含される（最判昭40・5・4、最判昭52・3・11）。

Q9 借地人が所有するガソリンスタンド用店舗建

物に抵当権を設定した場合、抵当権の効力は、その建物の従物である地下タンク、ノンスペース型計量機、洗車機などに及ぶのか。

A 及ぶ。　本件建物は当初からガソリンスタンド店舗として設計、建築されているところ、Aは、本件建物およびその敷地上又は地下に設置されたガソリンスタンド営業のための地下タンク3基、固定式W型計量器1基、オイル用タンクなどの諸設備を買い受け、あわせて当該敷地を建物所有の目的をもって賃借する旨の契約を結んだ。Aはその後、地下タンク1基、洗車機1基、ノンスペース型計量機3基などの諸設備を追加して設置した。以上の本件諸設備はすべて賃借地上又は地下に近接して設置されて本件建物内の設備と一部管によって連通し、本件建物を店舗とし、これに本件諸設備が付属してガソリンスタンドとして使用され、経済的に一体をなしていた。Aは、本件建物につきその後根抵当権を設定した場合、地下タンク、ノンスペース型計量機、洗車機などの諸設備は、本件根抵当権設定当時、借地上の本件建物の従物であり、その効力はこれらの物にも及ぶ（最判平2・4・19）。

出題　国Ⅰ−平成16、東京Ⅰ−平成19

Q10 甲乙2つの建物が丙建物として合体したとき、旧建物（甲乙）の上に存した抵当権は丙建物に及ぶのか。

A 抵当権は、丙建物のうちの甲建物または乙建物の価格の割合に応じた持分を目的として存続する。　互いに主従の関係にない甲、乙2棟の建物が、その間の隔壁を除去する等の工事により1棟の丙建物となった場合においても、これをもって、甲建物あるいは乙建物を目的として設定されていた抵当権が消滅することはなく、当該抵当権は、丙建物のうちの甲建物または乙建物の価格の割合に応じた持分を目的とするものとして存続する（最判平6・1・25）。

出題　国税−平成12

Q11 互いに主従の関係のない甲、乙2棟の建物が、その間の隔壁を除去する等の工事により1棟の建物になった場合には、甲又は乙建物に設定されていた抵当権は、別の建物になったことにより消滅するのか。

A 各建物の価格の割合に応じた持分の上に存続する（最判平6・1・25）。⇨ 10

第371条

抵当権は、その担保する債権について不履行があったときは、その後に生じた抵当不動産の果実に及ぶ。

第372条（留置権等の規定の準用）

第296条、第304条及び第351条の規定は、抵当権について準用する。

Q1 物上代位のために必要な差押えは何時、誰が行わなければならないのか。

A 物上代位権を行使するためには、金銭払渡し前に抵当権者自身が行わなければならない。　民法304条1項および372条によれば、抵当権はその目的物の滅失により債務者が受けるべき金銭に対して行うことができるのであるが、これを行うにはその金銭払渡し前に抵当権者が差押えをすることが

必要であって、その差押えは抵当権者自身がこれをする必要があり、他の債権者がその債権保全のためにした差押えは抵当権者の権利を保全する効力はない（大連判大12・4・7）。

出題　国Ⅰ−平成15・6・昭和61・57、国Ⅱ−平成11、裁判所Ⅰ・Ⅱ−平成19・18

Q2 抵当不動産の焼失による火災保険金請求権は、物上代位の目的となるのか。

A 物上代位の目的となる（大連判大12・4・7）。⇨ 1

Q3 抵当権者が抵当不動産の仮差押えをしたのに対し、仮差押債権者が仮差押解放金を供託し、仮差押執行の取消しを得た場合、仮差押解放金の取戻請求権に対する物上代位は認められるか。

A 物上代位は認められる。　抵当権者が被担保債権を被保全債権として抵当不動産の仮差押えをした場合において、仮差押債務者が仮差押解放金を供託して仮差押執行の取消しを得たときには、抵当権の効力は、物上代位の規定の趣旨により、その仮差押解放金の取戻請求権に及ぶ（最判昭45・7・16）。

出題　国Ⅰ−平成6

Q4 抵当権者には抵当不動産の賃料債権について物上代位が認められるのか。

A 物上代位が認められる。　抵当権の目的不動産が賃貸された場合においては、抵当権者は、民法372条、304条の規定の趣旨に従い、目的不動産の賃借人が供託した賃料の還付請求権についても抵当権を行使することができる。さらに、目的不動産について抵当権を実行しうる場合であっても、物上代位の目的となる金銭その他の物について抵当権を行使することができる以上、目的不動産に対して抵当権が実行されている場合でも、その実行の結果、抵当権が消滅するまでは、賃料債権ないしこれに代わる供託金還付請求権に対しても抵当権を行使することができる（最判平1・10・27）。

出題　国家総合−令和4・平成25、国Ⅰ−平成22・15・6、国家一般−令和4・平成27、国Ⅱ−平成15・11

Q5 賃料が供託された場合の供託金還付請求権に対して、物上代位は認められるか。

A 物上代位は認められる（最判平1・10・27）。⇨ 4

Q6 抵当権者は、抵当不動産の賃料債権が第三者に譲渡され、かつ、その対抗要件が具備された後においては、当該賃料債権に対して物上代位権を行使することはできないのか。

A 物上代位権を行使することができる。　民法304条1項の「払渡又は引渡」には債権譲渡は含まれず、抵当権者は、物上代位の目的債権が譲渡された第三者に対する対抗要件が備えられた後においても、自ら目的債権を差し押さえて物上代位権を行使することができる。なぜなら、抵当権の効力が物上代位の目的債権についても及ぶことは抵当権設定登記により公示されているとみることができ、対抗要件を備えた債権譲渡が物上代位に優先すると解するならば、抵当権設定者は、抵当権者からの差押えの前に債権譲渡をすることによって容易に物上代

位権の行使を免れることができるが、このことは抵当権者の利益を不当に害するからである（最判平10・1・30、最判平10・2・10）。

出題　国Ⅰ－平成22・15・13、国家一般－平成25、国Ⅱ－平成22・15、裁判所Ⅰ・Ⅱ－平成20、国税・財務・労基－令和1・平成29

Q7 債権について一般債権者の差押えと抵当権者の物上代位権に基づく差押えが競合した場合、両者の優劣は、一般債権者の申立てによる差押命令の第三債務者への送達と抵当権設定登記の先後によって決するのか。

A 先後によって決する。　一般債権者による債権の差押えの処分禁止効は差押命令の第三債務者への送達によって生ずるものであり、他方、抵当権者が抵当権を第三者に対抗するには抵当権設定登記を経由することが必要であるから、債権について一般債権者の差押えと抵当権者の物上代位権に基づく差押えが競合した場合には、両者の優劣は一般債権者の申立てによる差押命令の第三債務者への送達と抵当権設定登記の先後によって決せられ、上記の差押命令の第三債務者への送達が抵当権者の抵当権設定登記より先であれば、抵当権者は配当を受けることができない（最判平10・3・26）。

出題　国Ⅰ－平成22、国家一般－令和4、国Ⅱ－平成20、国税・労基－平成16

Q8 買戻特約付売買の買主から目的不動産につき抵当権の設定を受けた者は、抵当権に基づく物上代位権の行使として、買戻権の行使により買主が取得した買戻代金債権を差し押さえることができるのか。

A 差し押さえることができる。　買戻特約付売買の買主から目的不動産につき抵当権の設定を受けた者は、抵当権に基づく物上代位権の行使として、買戻権の行使により買主が取得した買戻代金債権を差し押さえることができる。なぜなら、買戻特約の登記に後れて目的不動産に設定された抵当権は、買戻しによる目的不動産の所有権の買戻権者への復帰に伴って消滅するが、抵当権設定者である買主やその債権者等との関係においては、買戻権行使時まで抵当権が有効に存在していたことによって生じた法的効果までが買戻しによって覆滅されることはないと解すべきであり、また、買戻代金は、実質的には買戻権の行使による目的不動産の所有権の復帰についての対価と見ることができ、目的不動産の価値変形物として、民法372条により準用される304条にいう目的物の売却または滅失によって債務者が受けるべき金銭に当たるといって差し支えないからである（最判平11・11・30）。

出題　国Ⅰ－平成22、国税・労基－平成16

Q9 抵当権者には抵当不動産の転貸料債権について物上代位が認められるのか。

A 物上代位は認められない。　民法372条によって抵当権に準用される同法304条1項に規定する「債務者」には、原則として、抵当不動産の賃借人（転貸人）は含まれない。なぜなら、所有者（賃借人）は被担保債権の履行について抵当不動産をもって物的責任を負担するものであるのに対し、抵当不動産の賃借人（転貸人）は、このような責任を負担

するものではなく、自己に属する債権を被担保債権の弁済に供されるべき立場にはないからである。同項の文言に照らしても、これを「債務者」に含めることはできない。また、転貸賃料債権を物上代位の目的とすることができるとすると、正常な取引により成立した抵当不動産の転貸借関係における賃借人（転貸人）の利益を不当に害することにもなるからである（最判平12・4・14）。

出題　国Ⅰ－平成21・15、特別区Ⅰ－平成28、国家一般－令和1・平成25、裁判所総合・一般－平成28、国税・財務・労基－平成29

Q10 「債務者」（民法372条によって抵当権に準用される304条1項に規定する）の中に、原則として、抵当不動産の賃借人（転貸人）は含まれるのか。

A 原則として、抵当不動産の賃借人（転貸人）は含まれない（最判平12・4・14）。⇨9

Q11 抵当権の物上代位の目的となる債権に対する転付命令は、これが第三債務者に送達される時までに抵当権者により当該債権の差押えがなされなかったときは、その効力を妨げられるのか。

A その効力を妨げられない。　転付命令に係る金銭債権（以下「被転付債権」という）が抵当権の物上代位の目的となりうる場合においても、転付命令が第三債務者に送達される時までに抵当権者が被転付債権の差押えをしなかったときは、転付命令の効力を妨げることはできず、差押命令および転付命令が確定したときには、転付命令が第三債務者に送達された時に被転付債権は差押債権者の債権および執行費用の弁済に充当されたものとみなされ、抵当権者が被転付債権について抵当権の効力を主張することはできない（最判平14・3・12）。

出題　国税－平成29

Q12 敷金が授受された賃貸借契約に係る賃料債権につき、抵当権者が物上代位権を行使してこれを差し押さえた場合に、当該賃貸借契約が終了し、目的物が明け渡されたときは、賃料債権は、敷金の充当によりその限度で消滅するのか。

A 賃料債権は、敷金の充当によりその限度で消滅する。　敷金の充当による未払賃料等の消滅は、敷金契約から発生する効果であって、相殺のように当事者の意思表示を必要とするのではないから、民法511条によって上記当然消滅の効果が妨げられないことは明らかである。また、抵当権者は、物上代位権を行使して賃料債権を差し押さえる前は、原則として抵当不動産の用益関係に介入できないのであるから、抵当不動産の所有者等は、賃貸借契約に付随する契約として敷金契約を締結するか否かを自由に決定することができる。したがって、敷金契約が締結された場合は、賃料債権は敷金の充当を予定した債権になり、このことを抵当権者に主張することができる。以上によれば、敷金が授受された賃貸借契約に係る賃料債権につき抵当権者が物上代位権を行使してこれを差し押さえた場合においても当該賃貸借契約が終了し、目的物が明け渡されたときは、賃料債権は、敷金の充当によりその限度で消滅する（最判平14・3・28）。

出題　国家総合－令和2、国家一般－平成25、国Ⅱ

民法

－平成18、裁判所総合・一般－平成30、国税・財務・労基－令和1

第2節　抵当権の効力

第373条（抵当権の順位）
　同一の不動産について数個の抵当権が設定されたときは、その抵当権の順位は、登記の前後による。

第374条（抵当権の順位の変更）
①抵当権の順位は、各抵当権者の合意によって変更することができる。ただし、利害関係を有する者があるときは、その承諾を得なければならない。
②前項の規定による順位の変更は、その登記をしなければ、その効力を生じない。

第375条（抵当権の被担保債権の範囲）
①抵当権者は、利息その他の定期金を請求する権利を有するときは、その満期となった最後の2年分についてのみ、その抵当権を行使することができる。ただし、それ以前の定期金についても、満期後に特別の登記をしたときは、その登記の時からその抵当権を行使することを妨げない。
②前項の規定は、抵当権者が債務の不履行によって生じた損害の賠償を請求する権利を有する場合におけるその最後の2年分についても適用する。ただし、利息その他の定期金と通算して2年分を超えることができない。

第376条（抵当権の処分）
①抵当権者は、その抵当権を他の債権の担保とし、又は同一の債務者に対する他の債権者の利益のためにその抵当権若しくはその順位を譲渡し、若しくは放棄することができる。
②前項の場合において、抵当権者が数人のためにその抵当権の処分をしたときは、その処分の利益を受ける者の権利の順位は、抵当権の登記にした付記の前後による。

第377条（抵当権の処分の対抗要件）
①前条の場合には、第467条の規定に従い、主たる債務者に抵当権の処分を通知し、又は主たる債務者がこれを承諾しなければ、これをもって主たる債務者、保証人、抵当権設定者及びこれらの者の承継人に対抗することができない。
②主たる債務者が前項の規定により通知を受け、又は承諾をしたときは、抵当権の処分の利益を受ける者の承諾を得ないでした弁済は、その受益者に対抗することができない。

第378条（代価弁済）
　抵当不動産について所有権又は地上権を買い受けた第三者が、抵当権者の請求に応じてその抵当権者にその代価を弁済したときは、抵当権は、その第三者のために消滅する。

第379条（抵当権消滅請求）
　抵当不動産の第三取得者は、第383条の定めるところにより、抵当権消滅請求をすることができる。

Q1 譲渡担保権者は民法379条の抵当権の消滅請求権者である第三取得者に該当するのか。

A 原則として該当しない。　譲渡担保権者は担保権を実行して確定的に抵当不動産の所有権を取得しない限り、民法379条所定の抵当権の消滅請求権

者たる第三取得者には該当せず、抵当権の消滅請求をすることができない（最判平7・11・10）。

出題 予想

Q2 1個の不動産の全体を目的とする抵当権が設定されている場合、抵当不動産の共有持分の第三取得者は抵当権の消滅請求をすることができるか。

A 抵当権の消滅請求はできない。　なぜなら、抵当権の消滅請求は、抵当権者に対して抵当不動産の適正な交換価値に相当する金員の取得を確保させつつ、抵当不動産の第三取得者に対して抵当権を消滅させる権能を与えることにより、両者の利害の調和を図ろうとする制度であるが、この場合に共有持分の第三取得者による抵当権の消滅請求が許されるとすれば、抵当権者が1個の不動産の全体について一体として把握している交換価値が分断され、分断された交換価値を合算しても一体として把握された交換価値には及ばず、抵当権者を害するのが通常であって、抵当権の消滅請求制度の趣旨に反する結果をもたらすからである（最判平9・6・5）。

出題 予想

第380条
　主たる債務者、保証人及びこれらの者の承継人は、抵当権消滅請求をすることができない。
＊根抵当権の消滅請求に準用（398条の22第3項）

第381条
　抵当不動産の停止条件付第三取得者は、その停止条件の成否が未定である間は、抵当権消滅請求をすることができない。
＊根抵当権の消滅請求に準用（398条の22第3項）

第382条（抵当権消滅請求の時期）
　抵当不動産の第三取得者は、抵当権の実行としての競売による差押えの効力が発生する前に、抵当権消滅請求をしなければならない。

第383条（抵当権消滅請求の手続）
　抵当不動産の第三取得者は、抵当権消滅請求をするときは、登記をした各債権者に対し、次に掲げる書面を送付しなければならない。
　1　取得の原因及び年月日、譲渡人及び取得者の氏名及び住所並びに抵当不動産の性質、所在及び代価その他取得者の負担を記載した書面
　2　抵当不動産に関する登記事項証明書（現に効力を有する登記事項のすべてを証明したものに限る。）
　3　債権者が2箇月以内に抵当権を実行して競売の申立てをしないときは、抵当不動産の第三取得者が第1号に規定する代価又は特に指定した金額を債権の順位に従って弁済し又は供託すべき旨を記載した書面

第384条（債権者のみなし承諾）
　次に掲げる場合には、前条各号に掲げる書面の送付を受けた債権者は、抵当不動産の第三取得者が同条第3号に掲げる書面に記載したところにより提供した同号の代価又は金額を承諾したものとみなす。
　1　その債権者が前条各号に掲げる書面の送付を受けた後2箇月以内に抵当権を実行して競売の申立てをしないとき。
　2　その債権者が前号の申立てを取り下げたと

民法編

き。

3　第1号の申立てを却下する旨の決定が確定したとき。

4　第1号の申立てに基づく競売の手続を取り消す旨の決定（民事執行法第188条において準用する同法第63条第3項若しくは第68条の3第3項の規定又は同法第183条第1項第5号の謄本が提出された場合における同条第2項の規定による決定を除く。）が確定したとき。

第385条（競売の申立ての通知）

第383条各号に掲げる書面の送付を受けた債権者は、前条の期間内に、債務者及び抵当不動産の譲渡人にその旨を通知しなければならない。

第386条（抵当権消滅請求の効果）

登記をしたすべての債権者が抵当不動産の第三取得者の提供した代価又は金額を承諾し、かつ、抵当不動産の第三取得者がその承諾を得た代価又は金額を払い渡し又は供託したときは、抵当権は、消滅する。

第387条（抵当権者の同意の登記がある場合の賃貸借の対抗力）

①登記をした賃貸借は、その登記前に登記をした抵当権を有するすべての者が同意をし、かつ、その同意の登記があるときは、その同意をした抵当権者に対抗することができる。

②抵当権者が前項の同意をするには、その抵当権を目的とする権利を有する者その他抵当権者の同意によって不利益を受けるべき者の承諾を得なければならない。

第388条（法定地上権）

土地及びその上に存する建物が同一の所有者に属する場合において、その土地又は建物につき抵当権が設定され、その実行により所有者を異にするに至ったときは、その建物について、地上権が設定されたものとみなす。この場合において、地代は、当事者の請求により、裁判所が定める。

(1)抵当権設定当時、土地と建物が同一の所有者に帰属すること

◇設定時所有者を異にするが、競売時あるいは二番抵当権設定時には同一人である場合

Q1 抵当権設定当時、土地と建物の所有者を異にしたが、抵当権実行の際に同一人に帰した場合、法定地上権は成立するか。

A 法定地上権は成立しない。　抵当権設定当時において土地および建物の所有者が各別である以上、その土地または建物に対する抵当権の実行による競落の際、たまたま、当該土地および建物の所有者が同一の者に帰していたとしても、民法388条の規定が適用または準用されない（最判昭44・2・14）。

出題 国Ⅰ-平成12・昭和52、特別区Ⅰ-平成28、裁判所総合・一般-平成25、国税・労基-平成17、国税-平成4

Q2 建物に対する一番抵当権設定時には土地と建

物が別の所有者に帰属していたが、二番抵当権設定時には土地と建物が同一所有者に帰属していた場合、法定地上権の成立は認められるか。

A 法定地上権の成立は認められる。　A所有の土地上にB所有の建物が存在した場合において、当該建物にCのために先順位の甲抵当権が設定され、その後Aが建物の所有権をBから取得し同一所有者となった後、当該建物にDのために後順位の乙抵当権が設定された。その後、当該建物が競売され、土地と建物の所有者が異なることになった場合、法定地上権の成立は認められる。なぜなら、建物について抵当権を設定しても、先順位抵当権者は、把握した担保価値を損なうことにはならず、むしろ法定地上権が成立すれば有利であるし、後順位抵当権者は、建物について法定地上権の成立を前提として抵当権を設定したのであり、その期待は保護に値するからである（大判昭14・7・26）。

出題 国家総合-平成24

Q3 土地について一番抵当権が設定された当時、土地と地上建物の所有者が異なっていた場合には、土地と地上建物を同一人が所有するに至った後に後順位抵当権が設定されたとしても、その後に抵当権が実行され、土地が競落されたことにより一番抵当権が消滅するときには、当該地上建物のための法定地上権は成立しないのか。

A 法定地上権は成立しない。　土地について一番抵当権が設定された当時土地と地上建物の所有者が異なり、法定地上権成立の要件が充足されていなかった場合には、土地と地上建物を同一人が所有するに至った後に後順位抵当権が設定されたとしても、その後に抵当権が実行され、土地が競落されたことにより一番抵当権が消滅するときは、地上建物のための法定地上権は成立しない（最判平2・1・22）。

出題 国家総合-平成24、国Ⅰ-平成18・12・8、国家一般-令和1、国Ⅱ-平成19・14、国税・労基-平成17・16

Q4 甲は土地を所有し、乙は同土地上に建物を所有していたが、甲が同土地上に一番抵当権を設定した後、甲は乙から当該建物を買い受け、さらに当該土地に二番抵当権を設定したが、まもなく一番抵当権が実行され、競落人丙が当該土地を取得した場合、当該建物について法定地上権は成立するのか。

A 法定地上権は成立しない（最判平2・1・22）。⇒3

Q5 土地を目的とする先順位の甲抵当権と後順位の乙抵当権が設定された後、甲抵当権が設定契約の解除により消滅し、その後、乙抵当権の実行により土地と地上建物の所有者を異にするに至り、当該土地と建物が、甲抵当権の設定時には同一の所有者に属していなかった場合、乙抵当権の設定時に同一の所有者に属していたときは、法定地上権は成立しないのか。

A 法定地上権は成立する。　土地を目的とする先順位の甲抵当権と後順位の乙抵当権が設定された後、甲抵当権が設定契約の解除により消滅し、その後、乙抵当権の実行により土地と地上建物の所有者

民法編

を異にするに至った場合において、当該土地と建物が、甲抵当権の設定時には同一の所有者に属していなかったとしても、乙抵当権の設定時に同一の所有者に属していたときは、法定地上権は成立する。その理由は、次のとおりである。上記のような場合、乙抵当権者の抵当権設定時における認識としては、仮に、甲抵当権が存続したままの状態で目的土地が競売されたとすれば、法定地上権は成立しない結果となる（最判平2・1・22参照）ものと予測していたということはできる。しかし、抵当権は、被担保債権の担保という目的の存する限度でのみ存続が予定されているものであって、甲抵当権が被担保債権の弁済、設定契約の解除等により消滅することもあることは抵当権の性質上当然のことであるから、乙抵当権者としては、そのことを予測したうえ、その場合における順位上昇の利益と法定地上権成立の不利益とを考慮して担保余力を把握すべきものであったといえるからである（最判平19・7・6）。

出題 国家総合－令和4・平成29・24、国家一般－平成28、裁判所Ⅰ・Ⅱ－平成20

Q6 地上建物に対する仮差押えが本執行に移行して強制競売手続がされた場合において、土地および地上建物が当該仮差押えの時点で同一の所有者に属していたが、その後に土地が第三者に譲渡された結果、当該強制競売手続における差押えの時点では同一の所有者に属していなかったときには、法定地上権は成立しないのか。

A 法定地上権は成立する。　地上建物に仮差押えがされ、その後、当該仮差押えが本執行に移行された強制競売手続における売却により買受人がその所有権を取得した場合において、土地および地上建物が当該仮差押えの時点で同一の所有者に属していたときは、その後に土地が第三者に譲渡された結果、当該強制競売手続における差押えの時点では土地および地上建物が同一の所有者に属していなかったとしても、法定地上権が成立するというべきである（最判平28・12・1）。

出題 予想

◇土地または建物に共有関係が存在する場合

Q7 甲は乙と土地を共有し、同土地上に建物を所有していたが、その土地の自己の持分に抵当権を設定し、その後抵当権が実行され丙が甲の持分を取得した場合、当該建物につき法定地上権は成立するのか。

A 法定地上権は成立しない。　共有者中一部の者だけがその共有地につき地上権設定行為をしたとしても、これに同意しなかった他の共有者の持分は、これによりその処分に服すべきいわれはないのであり、結局他の共有者の同意を欠く場合には、当該共有地について何ら地上権を発生する理由はない。そして、この理は民法388条のいわゆる法定地上権についても同様であり、当該法条により地上権を設定したものとみなすべき事由が単に土地所有者の1人だけについて発生したという点にあるにしても、そのために他の共有者の意思にかかわらずそのものの持分までが無視されるべきではなく、当該共有地については地上権を設定したとみなすべきでない（最判昭29・12・23）。

出題 国家総合－平成29、国Ⅰ－平成8、国家一般－令和1、裁判所総合・一般－平成27

Q8 建物共有者の1人が建物の敷地を単独所有し、その後敷地に抵当権を設定し、抵当権の実行により土地と建物の所有者が異なった場合、当該土地に法定地上権は成立するか。

A 法定地上権は成立する。　建物の共有者の1人がその建物の敷地たる土地を単独で所有する場合においては、同人は、自己のみならず他の建物共有者のためにも当該土地の利用を認めているのであるから、同人が当該土地に抵当権を設定し、この抵当権の実行により、第三者が当該土地を競落したときは、民法388条の趣旨により、抵当権設定当時に同人が土地および建物を単独で所有していた場合と同様、当該土地に法定地上権が成立する（最判昭46・12・21）。

出題 国家総合－平成29、国Ⅰ－平成12・昭和58、国家一般－平成28、国Ⅱ－平成19、国税－平成4

Q9 甲および乙は、土地および土地上の建物を共有していたが、甲が自己の債務を履行しなかったために、当該土地の甲の自己の持分の差押えを受け、強制競売の結果、競落人丙が当該土地の持分を取得した場合、当該建物について法定地上権は成立するのか。

A 法定地上権は成立しない。　土地およびその上にある建物がいずれも甲、乙両名の共有に属する場合において、土地の甲の持分の差押えがあり、その売却によって第三者が当該持分を取得するに至ったとしても、民事執行法81条の規定に基づく地上権が成立することはない（最判平6・4・7）。

出題 国Ⅰ－平成8

〔参考〕民事執行法第81条　土地及びその上にある建物が債務者の所有に属する場合において、その土地又は建物の差押えがあり、その売却により所有者を異にするに至ったときは、その建物について、地上権が設定されたものとみなす。〔後略〕

Q10 甲は乙（甲の妻）と土地を共有し、また同様に丙と土地上の建物を共有していたが、甲および乙は、甲の債務を担保するために、共同して自己の各持分に抵当権を設定した後、抵当権が実行され、競落人戊が当該土地の所有権を取得した場合、当該建物について法定地上権は成立するのか。

A 法定地上権は成立しない。　本件土地の共有者らは、共同して、土地の各持分について甲を債務者とする抵当権を設定しているのであり、甲以外の共有者らは甲の妻子乙であるから、同人（甲・乙）らは、法定地上権の発生をあらかじめ容認していたとも考えられる。しかし、土地共有者間の人的関係のような事情は、登記簿の記載等によって客観的かつ明確に外部に公示されるものではなく、第三者にはうかがい知ることのできないものであるから、法定地上権発生の有無が、他の土地共有者らのみならず、当該土地の競落人ら第三者の利害に影響することが大きいことにかんがみれば、そのような事情の存否によって法定地上権の成否を決することは相当でない。そうすると、本件の客観的事情としては、土地共有者らが共同して土地の各持分について建物の

共有者のうちの1名である甲を債務者とする抵当権を設定しているという事実のみから、甲以外の土地の共有者らが法定地上権の発生をあらかじめ容認していたとみることはできない（最判平6・12・20）。　出題 国Ⅰ－平成8、国Ⅱ－平成19

◇抵当権設定後、土地・建物が異なる所有者に属する場合

Q11 抵当権設定当時、土地と建物が同一の所有者に帰属していたが、抵当権の目的である土地または建物の競売まで同一の所有者に属せず、建物が第三者に譲渡された場合、法定地上権は成立するか。

A 法定地上権は成立する。　土地およびそのうえに存する建物の所有者が土地または建物のみを抵当として、その一方が抵当権に基づいて競売され土地と建物の所有者を異にするに至った場合に、建物の所有者は土地使用の権利がないために建物を収去しなければならないとすると、建物の利用を害し一般経済上不利である。民法388条はこの不利な状況を避けるため、建物所有者に地上権を付与したのであるから、土地のみを抵当とした場合においても、同条により地上権を有するは競売の時に建物所有者でなければならないわけではなく、抵当権設定者であるか否かを問うものではない（大連判大12・12・14）。

　出題 国Ⅰ－平成3・昭和58・55、国税－平成4

Q12 土地に抵当権を設定した当時に建物に移転登記がなされておらず、後に当該土地が競落された場合、法定地上権は成立するか。

A 真実土地と建物が同一の所有者に属していれば、法定地上権は成立する。　土地とその地上建物が同一所有者に属する場合において、土地のみにつき抵当権が設定されてその抵当権が実行されたときは、たとえ建物所有権の取得原因が譲渡であり、建物につき前主その他の者の所有名義の登記がなされているままで、土地抵当権設定当時建物についての所有権移転登記が経由されていなくとも、土地競落人は、これを理由として法定地上権の成立を否定することはできない（最判昭48・9・18）。

　出題 国家総合－平成29、国Ⅰ－平成18・12・7、国Ⅱ－平成14、裁判所総合・一般－平成27、国税・財務・労基－平成25

Q13 建物所有者は、法定地上権を取得するにあたり、対抗力のある所有権を有している必要はあるのか。

A 対抗力のある所有権を有している必要はない（最判昭48・9・18）。⇨ 12

Q14 建物に抵当権を設定した当時に土地に移転登記がなされていない場合、法定地上権は成立するか。

A 真実土地と建物が同一の所有者に属していれば、法定地上権は成立する。　甲が建物につき丙のために抵当権を設定した当時、当該建物およびその敷地である本件土地が、ともに甲の所有に属していたが、本件土地については所有権移転登記を乙から経由していなかった場合でも、抵当権の実行により本件建物を競落した戊は法定地上権を取得する（最判昭53・9・29）。

　出題 国Ⅰ－平成8・7、裁判所Ⅰ・Ⅱ－平成23、国税・労基－平成17

◇土地と建物の所有者が親族関係にある場合

Q15 土地について抵当権を設定した当時、土地と地上建物の所有者が異なるとしても、それぞれの所有者間に親子や夫婦などの親族関係があり、かつ、同居している場合には、当該地上建物のための法定地上権は成立するのか。

A 法定地上権は成立しない。　土地について抵当権を設定した当時、土地と地上建物の所有者が異なる場合、それぞれの所有者間に親子や夫婦などの親族関係があり、かつ、同居していた事情があったとしても、当該地上建物のために法定地上権は成立しない（最判昭51・10・8）。　出題 国Ⅱ－平成14

⑵抵当権設定当時の建物の存在

◇更地に抵当権が設定された場合

Q16 更地に抵当権を設定した後に建物を築造した場合、法定地上権は成立するか。

A 法定地上権は成立しない。　民法388条は抵当権設定前において、建物が土地のうえに存する場合に関する規定であって、抵当権設定後建物を建設した場合に関する規定でないことは民法388条の明文上、あるいは389条の規定と対照考察しても疑いの余地がない（大判大4・7・1）。

　出題 国Ⅰ－昭和58、国家一般－令和1、国税・労基－平成17

Q17 土地に対する先順位抵当権設定時は更地であったが、先順位抵当権者が後順位抵当権設定前に建物の建築を承認して所有者が建物を築造し、後順位抵当権が実行されると、当該建物に法定地上権は成立するのか。

A 法定地上権は成立しない。　土地の抵当権設定当時、その地上に建物が存在しなかったときは、民法388条の規定の適用はないものと解すべきところ、土地に対する先順位抵当権の設定当時、その地上に建物がなく、後順位抵当権設定当時には建物が建築されていた場合に、後順位抵当権者の申立てにより土地の競売がなされるときであっても、その土地は先順位抵当権設定当時の状態において競売されるべきものであるから、当該建物のため法定地上権は成立しない。また、この場合において、先順位抵当権者が建物の建築を承認した事実があっても、そのような当事者の個別的意思によって競売の効果を直ちに左右しうるものではなく、土地の競落人に対抗しうる土地利用の権原を建物所有者に取得させることはできないのであって、その事実によって、抵当権設定後に建築された建物のため法定地上権の成立を認めることはできない（最判昭47・11・2）。

　出題 国家総合－平成29・24、国Ⅰ－平成3

◇建物が建築中（建築予定）の場合

Q18 建物が土地に対する抵当権設定後に完成した場合、法定地上権は成立するか。

A 法定地上権は成立しない。　抵当権設定後土地

のうえに建物が築造された場合は、たとえ建物の築造をあらかじめ抵当権者が承認した事実があっても、抵当権の設定された土地が更地として評価されたことが明らかである以上、法定地上権の成立は認められない（最判昭36・2・10）。

出題 国Ⅰ−平成12・昭和63・58、国家一般−平成26、国Ⅱ−平成19・14、国税・労基−平成17、国税−平成4

Q19 土地に対する抵当権設定当時、建物が完成しておらず、また、抵当権者が建物の築造をあらかじめ承認した事実があれば、法定地上権の成立は認められるのか。

A 法定地上権の成立は認められない（最判昭36・2・10）。⇨18

Q20 土地に対する抵当権設定当時、地上にあった非堅固な旧建物を取り壊して、堅固な新築の建物を建築する予定のもので、それが行われた場合、当該建物に法定地上権は認められるか。

A 新築建物所有のための法定地上権は認められる。同一の所有者に属する土地と地上建物のうち土地のみについて抵当権が設定され、その後当該建物が滅失して新建物が再築された場合であっても、抵当権の実行により土地が競売されたときは、法定地上権の成立を妨げないのであり（大判昭10・8・10）、上記法定地上権の存続期間等の内容は、原則として、取壊し前の旧建物が残存する場合と同一の範囲にとどまる。しかし、このように旧建物を基準として法定地上権の内容を決するのは、抵当権設定の際、旧建物の存在を前提とし、旧建物のための法定地上権が成立することを予定して土地の担保価値を算定した抵当権者に不測の損害を被らせないためであるから、上記抵当権者の利益を害しないと認められる特段の事情がある場合には、再築後の新建物を基準として法定地上権の内容を定めて妨げない（最判昭52・10・11）。

出題 国Ⅰ−平成7・3、国家一般−平成26、国税−平成4（以上すべて大判昭10・8・10）、国Ⅰ−平成18、国Ⅱ−平成14、国税−昭和58（以上すべて最判昭52・10・11）

〔参考〕借地借家法第7条　①借地権の存続期間が満了する前に建物の滅失（借地権者又は転借地権者による取壊しを含む。以下同じ。）があった場合において、借地権者が残存期間を超えて存続すべき建物を築造したときは、その建物を築造するにつき借地権設定者の承諾がある場合に限り、借地権は、承諾があった日又は建物が築造された日のいずれか早い日から20年間存続する。〔後略〕

Q21 土地およびその地上の非堅固建物の所有者が、土地につき抵当権を設定した後、地上建物を取り壊して堅固建物を建築した場合において、抵当権者が、抵当権設定当時、近い将来に地上建物が取り壊され、堅固建物が建築されることを予定して土地の担保価値を算定していた場合、当該堅固建物の所有を目的とする法定地上権は成立するのか。

A 法定地上権は成立する（最判昭52・10・11）。⇨20

◇建物が建て替えられた場合

Q22 同一所有者に属する土地建物に共同抵当権が設定された後、建物が建て替えられた場合、新建物のために法定地上権は成立するのか。

A 原則として法定地上権は成立しない。所有者が土地および地上建物に共同抵当権を設定した後、建物が取り壊され、土地上に新たに建物が建築された場合には、(1)新建物の所有者が土地の所有者と同一であり、かつ、(2)新建物が建築された時点での土地の抵当権者が新建物について土地の抵当権と同順位の共同抵当権の設定を受けたとき等特段の事情のない限り、新建物のために法定地上権は成立しない（最判平9・2・14）。

出題 国Ⅰ−平成18、国家一般−平成28・26、国Ⅱ−平成19、裁判所総合・一般−平成27、国税・財務・労基−平成28・25、国税−平成12

Q23 土地とその地上建物に共同抵当権が設定された後、建物が取り壊され、新建物が建築された場合には、新建物について土地抵当権と同順位の共同抵当権が設定された等の特段の事情がない限り、新建物のための法定地上権は成立しないのか。

A 法定地上権は成立しない（最判平9・2・14）。⇨22

(3)土地・建物の一方または双方に抵当権が存在すること

Q24 土地と建物が同時に抵当権の目的となった場合に民法388条の適用はあるのか。

A 民法388条の適用がある。同一の所有者に属する土地およびそのうえに存する建物が同時に抵当権の目的となった場合においても、民法388条の適用がある（最判昭37・9・4）。

出題 地方上級−昭和58、国家一般−令和1、国税・労基−平成17

(4)競売が行われること

Q25 法定地上権は、抵当権者自身が抵当権に基づいて競売を行った場合に限り認められ、他の債権者が競売した場合には認められないのか。

A 他の債権者が競売した場合にも認められる。民法388条にいわゆる競売の場合とは、抵当権実行のために民事執行法により行われる競売の場合だけではなく、抵当権に関係なく債務名義に基づいて行われる強制競売をも包含するが、同条は建物および土地の所有者が建物または土地のみを抵当することを前提とし、競売の場合につき建物所有者のため地上権の設定があるとみなすが故に、競売の実施が上記のいずれの手続によるかを問わず、同条の適用があるためには、当該不動産について抵当権の設定があることのほかに、競売のときに抵当権が存在することを要する（大判大3・4・14、大判昭9・2・28）。

出題 国Ⅰ−昭和58、地方上級−昭和58

(5)法定地上権と登記

Q26 抵当権設定当時、建物に保存登記または所有

権移転登記がなされていなかった場合にも、土地の抵当権が実行され競落されると法定地上権は成立するのか。

A 法定地上権は成立する。　土地の抵当権者もしくは抵当権の譲受人は、地上にある建物のあることはこれを了知することを通例とするから、競売の場合に建物を所有する何人かが地上権を取得すべきことは当然予期すべきであって、競落人も同様で、建物に保存登記があると否とは地上権の取得とは別個の問題であり、土地の抵当権者または競落人は保存登記の欠缺を主張するにつき正当の利益を有しない（大判昭14・12・19）。

出題 国Ⅰ−平成3・昭和55、国家一般−令和1

第389条（抵当地の上の建物の競売）
①抵当権の設定後に抵当地に建物が築造されたときは、抵当権者は、土地とともにその建物を競売することができる。ただし、その優先権は、土地の代価についてのみ行使することができる。
②前項の規定は、その建物の所有者が抵当地を占有するについて抵当権者に対抗することができる権利を有する場合には、適用しない。

第390条（抵当不動産の第三取得者による買受け）
抵当不動産の第三取得者は、その競売において買受人となることができる。

第391条（抵当不動産の第三取得者による費用の償還請求）
抵当不動産の第三取得者は、抵当不動産について必要費又は有益費を支出したときは、第196条の区別に従い、抵当不動産の代価から、他の債権者より先にその償還を受けることができる。

Q1 抵当不動産の第三取得者が、抵当不動産について支出した必要費又は有益費の優先償還請求権を有しているにもかかわらず、抵当不動産の競売代金が抵当権者に交付されたため、優先償還を受けられなかったときは、第三取得者は当該抵当権者に対し、不当利得返還請求権を有するのか。

A 不当利得返還請求権を有する。　抵当不動産の第三取得者が、抵当不動産につき必要費または有益費を支出して民法391条にもとづく優先償還請求権を有しているにもかかわらず、抵当不動産の競売代金が抵当権者に交付されたため、第三取得者が優先償還を受けられなかったときは、第三取得者は上記抵当権者に対し民法703条にもとづく不当利得返還請求権を有する。なぜなら、抵当不動産の第三取得者が抵当不動産につき支出した必要費または有益費の優先償還を受けうるのは、その必要費または有益費が不動産の価値の維持・増加のために支出された一種の共益費であることによるものであって、上記償還請求権は当然に最先順位の抵当権にも優先するものであるからである（最判昭48・7・12）。

出題 国家総合−令和2

第392条（共同抵当における代価の配当）
①債権者が同一の債権の担保として数個の不動産につき抵当権を有する場合において、同時にその代価を配当すべきときは、その各不動産の価額に応じて、その債権の負担を按分する。
②債権者が同一の債権の担保として数個の不動産に

つき抵当権を有する場合において、ある不動産の代価のみを配当すべきときは、抵当権者は、その代価から債権の全部の弁済を受けることができる。この場合において、次順位の抵当権者は、その弁済を受ける抵当権者が前項の規定に従い他の不動産の代価から弁済を受けるべき金額を限度として、その抵当権者に代位して抵当権を行使することができる。

Q1 甲乙不動産の先順位共同抵当権者が、甲不動産には次順位の抵当権が設定されているのに、乙不動産の抵当権を放棄し、甲不動産の抵当権を実行した場合であっても、乙不動産が物上保証人の所有であるときは、先順位抵当権者は、甲不動産の代価から自己の債権の全額について満足を受けることができるのか。

A 先順位抵当権者は、甲不動産の代価から自己の債権の全額について満足を受けることができる。　まず、第二順位の抵当権者と第一順位の共同抵当権者との関係についてみるに、たとえば、債権者が債務者所有の甲、乙二個の不動産に第一順位の共同抵当権を有し、その後、後順位の抵当権が乙不動産に設定された場合、共同抵当権者が甲不動産についてのみ抵当権を実行したときは、上記共同抵当権者は、甲不動産の代価から債権全額の弁済を受けることができるが（民法392条2項前段）、これに対応して、第二順位の抵当権者は、共同抵当権者に代位して乙不動産につき抵当権を行うことができるものとされている（同条同項後段）。したがって、共同抵当権者が、抵当権の実行より前に乙不動産上の抵当権を放棄し、これを消滅させた場合には、放棄がなかったならば第二順位の抵当権者が乙不動産上の抵当権に代位できた限度で、第二順位の抵当権者に優先することができない（大判昭11・7・14）。つぎに、第二順位の抵当権者と物上保証人との関係についてみるに、上記の例で乙不動産が第三者の所有であった場合に、たとえば、共同抵当権者が乙不動産のみについて抵当権を実行し、債権の満足を得たときは、物上保証人は、民法499条により、共同抵当権者が甲不動産に有した抵当権の全部について代位するものと解する。これを要するに、第二順位の抵当権者のする代位と物上保証人のする代位とが衝突する場合には、後者が保護されるのであって、甲不動産について競売がされたときは、もともと第二順位の抵当権者は、乙不動産について代位することができないものであり、乙不動産の抵当権を放棄しても、なんら不利益を被る地位にはないのである。したがって、かような場合には、共同抵当権者は、乙不動産の抵当権を放棄した後に甲不動産の抵当権を実行したときであっても、その代価から自己の債権の全額について満足を受けることができるというべきであり、このことは、保証人などのように弁済により当然甲不動産の抵当権に代位できる者が抵当権を実行した場合でも、同様である（最判昭44・7・3）。

出題 国家総合−平成28

Q2 債務者と物上保証人の不動産が共同抵当とされ、物上保証人所有の不動産が先に競売された場

合、物上保証人と後順位抵当権者のいずれが優先弁済権を有するか。

A 後順位抵当権者が優先弁済権を有する。　債務者所有の不動産と物上保証人所有の不動産とを共同抵当の目的として順位を異にする数個の抵当権が設定されている場合において、物上保証人所有の不動産について先に競売がされ、その競落代金の交付により一番抵当権者が弁済を受けたときは、物上保証人は債務者に対して求償権を取得するとともに代位により債務者所有の不動産に対する一番抵当権を取得するが、後順位抵当権者は物上保証人に移転した当該抵当権から優先して弁済を受けることができる（最判昭53・7・4）。　**出題** 国Ⅰ-昭和62

Q3 債務者所有不動産の抵当権が実行された際、物上保証人と債務者との間で代位権不行使の特約があった場合、その特約は後順位抵当権者の優先弁済権を妨げるか。

A その特約は後順位抵当権者の優先弁済権を妨げない。　債務者所有の不動産と物上保証人所有の不動産について共同根抵当権を有する債権者が物上保証人と根抵当権設定契約を締結するにあたり、物上保証人が弁済等によって取得する権利は、債権者と債務者との取引が継続している限り債権者の同意がなければ行使しない旨の特約をしても、かかる特約は、後順位抵当権者が物上保証人の取得した抵当権から優先弁済を受ける権利を左右するものではない（最判昭60・5・23）。　**出題** 国Ⅰ-平成15

Q4 物上保証人所有の甲・乙両不動産上に、Yが第一の共同抵当権を設定し、次いでXが甲不動産上に第二抵当権を設定したが、Yが乙不動産上の抵当権を放棄した後で甲不動産上の抵当権を実行した場合に、民法392条2項後段（Xの代位権）の適用はあるのか。

A 民法392条2項後段（Xの代位権）の適用はある。　共同抵当権の目的たる甲・乙不動産が同一の物上保証人の所有に属し、甲不動産に後順位の抵当権が設定されている場合において、甲不動産の代価のみを配当するときは、後順位抵当権者（X）は、民法392条2項後段の規定に基づき、先順位の共同抵当権者（Y）が同条1項の規定に従い乙不動産から弁済を受けることができた金額に満つるまで、先順位の共同抵当権者（Y）に代位して乙不動産に対する抵当権を行使することができる（最判平4・11・6）。　**出題** 予想

Q5 共同抵当の目的となった数個の不動産の代価の同時配当にあたり1個の不動産上にその共同抵当に係る抵当権と同順位の抵当権が存する場合の配当額の計算はどのように行うべきか。

A まず、当該1個の不動産の不動産価額を同順位の各抵当権の被担保債権額の割合に従って案分し、各抵当権により優先弁済請求権を主張することのできる不動産の価額を算定し、次に、民法392条1項に従い、共同抵当権者への案分額およびその余の不動産の価額に準じて共同抵当の被担保債権の負担を分ける。　共同抵当とは債権者が同一の債権の担保として数個の不動産の上に抵当権を有する場合をいい（民法392条1項）、各不動産上の抵当権は

それぞれ債権の全額を担保するものであるから、共同抵当権者は一部の不動産上の同順位抵当権者に対しても、その被担保権全額を主張することができる。もっとも、債権者が任意の不動産の価額から被担保債権の全部又は一部の回収を図ることを許し、何らの調整を施さないときは、共同抵当の関係にある各抵当不動産上の後順位債権者等に不公平な結果をもたらすことになる。そこで、民法392条1項は、共同抵当の目的である複数の不動産の代価を同時に配当する場合には、共同抵当権者が優先弁済請求権を主張することのできる各不動産の価額（当該共同抵当権者が把握した担保価値）に準じて被担保債権の負担を分けることとしたものであり、この負担を分ける前提となる不動産の価額中には他の債権者が共同抵当権者に対し優先弁済請求権を主張することのできる不動産の価額（他の債権者が把握した担保価値）を含むものではない。そうすると、共同抵当の目的となった数個の不動産の代価を同時に配当すべき場合に、1個の不動産上にその共同抵当に係る抵当権と同順位の他の抵当権が存するときは、まず、当該1個の不動産の不動産価額を同順位の各抵当権の被担保権額の割合に従って案分し、各抵当権により優先弁済請求権を主張することのできる不動産の価額（各抵当権者が把握した担保価値）を算定し、次に、民法392条1項に従い、共同抵当権者への案分額およびその余の不動産の価額に準じて共同抵当の被担保債権の負担を分けるべきである（最判平14・10・22）。　**出題** 予想

第393条（共同抵当における代位の付記登記）
前条第2項後段の規定により代位によって抵当権を行使する者は、その抵当権の登記にその代位を付記することができる。

第394条（抵当不動産以外の財産からの弁済）
① 抵当権者は、抵当不動産の代価から弁済を受けない債権の部分についてのみ、他の財産から弁済を受けることができる。
② 前項の規定は、抵当不動産の代価に先立って他の財産の代価を配当すべき場合には、適用しない。この場合において、他の各債権者は、抵当権者に同項の規定による弁済を受けさせるため、抵当権者に配当すべき金額の供託を請求することができる。

第395条（抵当建物使用者の引渡しの猶予）
① 抵当権に対抗することができない賃貸借により抵当権の目的である建物の使用又は収益をする者であって次に掲げるもの（次項において「抵当建物使用者」という。）は、その建物の競売における買受人の買受けの時から6箇月を経過するまでは、その建物を買受人に引き渡すことを要しない。
　1　競売手続の開始前から使用又は収益をする者
　2　強制管理又は担保不動産収益執行の管理人が競売手続の開始後にした賃貸借により使用又は収益をする者
② 前項の規定は、買受人の買受けの時より後に同項の建物の使用をしたことの対価について、買受人が抵当建物使用者に対し相当の期間を定めてその1箇月分以上の支払の催告をし、その相当の期間

内に履行がない場合には、適用しない。

Q1 抵当権者に対抗することができない賃借権が設定された建物が、担保不動産競売により売却された場合において、その競売手続の開始前から当該賃借権により建物の使用又は収益をする者は、当該賃借権が滞納処分による差押えがされた後に設定されたときであっても、民法 395 条 1 項 1 号に掲げる「競売手続の開始前から使用又は収益をする者」にあたるのか。

A 「競売手続の開始前から使用又は収益をする者」にあたる。　なぜなら、民法 395 条 1 項 1 号は、抵当権者に対抗することができない賃借権は民事執行法に基づく競売手続におけるその効力を失い（民事執行法 59 条 2 項）、当該賃借権により建物の使用又は収益をする占有者は当該競売における買受人に対し当該建物の引渡義務を負うことを前提として、即時の建物の引渡しを求められる占有者の不利益を緩和するとともに占有者と買受人との利害の調整を図るため、一定の明確な要件を満たす占有者に限り、その買受けの時から 6 か月を経過するまでは、その引渡義務の履行を猶予するものであるところ、この場合において、滞納処分手続は民事執行法に基づく競売手続と同視することができるものではなく、民法 395 条 1 項 1 号の文言に照らしても、同号に規定する「競売手続の開始」は滞納処分による差押えを含むと解することができないからである（最決平 30・4・17）。

出題 予想

第 3 節　抵当権の消滅

第 396 条（抵当権の消滅時効）

抵当権は、債務者及び抵当権設定者に対しては、その担保する債権と同時でなければ、時効によって消滅しない。

Q1 抵当権は後順位抵当権者または抵当物件の第三取得者との関係で消滅時効にかかるのか。

A 20 年の消滅時効にかかる。　抵当権は債務者および抵当権設定者に対しては、その担保する債権と同時でなければ時効により消滅することはないが、それ以外の後順位抵当権者または抵当物件の第三取得者に対しては、被担保債権と離れて民法 166 条 2 項により、20 年の消滅時効により単独で消滅する（大判明 15・11・26）。

出題 国 I - 平成 21・昭和 60・59、地方上級 - 平成 9、国家一般 - 令和 1、国 II - 平成 14

❖抵当直流

Q1 抵当権につき債務者が期限に弁済しない場合、直ちに目的物を抵当権者の所有に帰させる抵当直流の特約は有効か。

A 抵当直流の特約は有効である。　民法 372 条が抵当権の総則として質権に関する 351 条の規定を準用しながら、同じく質権に関する 349 条の規定を準用せず、その他、抵当権に関して禁止の明文を欠くところをみると、抵当権設定者は質権設定者と異にして、設定行為または債務の弁済期前の契約により抵当権者に弁済として抵当不動産の所有

権を取得させることを約することができる（大判明 41・3・20）。

出題 国 II - 昭和 54、国税 - 昭和 57

第 397 条（抵当不動産の時効取得による抵当権の消滅）

債務者又は抵当権設定者でない者が抵当不動産について取得時効に必要な要件を具備する占有をしたときは、抵当権は、これによって消滅する。

第 398 条（抵当権の目的である地上権等の放棄）

地上権又は永小作権を抵当権の目的とした地上権者又は永小作人は、その権利を放棄しても、これをもって抵当権者に対抗することができない。

第 4 節　根抵当

第 398 条の 2（根抵当権）

①抵当権は、設定行為で定めるところにより、一定の範囲に属する不特定の債権を極度額の限度において担保するためにも設定することができる。

②前項の規定による抵当権（以下「根抵当権」という。）の担保すべき不特定の債権の範囲は、債務者との特定の継続的取引契約によって生ずるものその他債務者との一定の種類の取引によって生ずるものに限定して、定めなければならない。

③特定の原因に基づいて債務者との間に継続して生ずる債権、手形上若しくは小切手上の請求権又は電子記録債権（電子記録債権法（平成 19 年法律第 102 号）第 2 条第 1 項に規定する電子記録債権をいう。次条第 2 項において同じ。）は、前項の規定にかかわらず、根抵当権の担保すべき債権とすることができる。

第 398 条の 3（根抵当権の被担保債権の範囲）

①根抵当権者は、確定した元本並びに利息その他の定期金及び債務の不履行によって生じた損害の賠償の全部について、極度額を限度として、その根抵当権を行使することができる。

②債務者との取引によらないで取得する手形上若しくは小切手上の請求権又は電子記録債権を根抵当権の担保すべき債権とした場合において、次に掲げる事由があったときは、その前に取得したものについてのみ、その根抵当権を行使することができる。ただし、その後に取得したものであっても、その事由を知らないで取得したものについては、これを行使することを妨げない。

　1　債務者の支払の停止

　2　債務者についての破産手続開始、再生手続開始、更生手続開始又は特別清算開始の申立て

　3　抵当不動産に対する競売の申立て又は滞納処分による差押え

第 398 条の 4（根抵当権の被担保債権の範囲及び債務者の変更）

①元本の確定前においては、根抵当権の担保すべき債権の範囲の変更をすることができる。債務者の変更についても、同様とする。

②前項の変更をするには、後順位の抵当権者その他の第三者の承諾を得ることを要しない。

③第 1 項の変更について元本の確定前に登記をしな

かったときは、その変更をしなかったものとみなす。

第398条の5（根抵当権の極度額の変更）

　根抵当権の極度額の変更は、利害関係を有する者の承諾を得なければ、することができない。

第398条の6（根抵当権の元本確定期日の定め）

①根抵当権の担保すべき元本については、その確定すべき期日を定め又は変更することができる。

②第398条の4第2項の規定は、前項の場合について準用する。

③第1項の期日は、これを定め又は変更した日から5年以内でなければならない。

④第1項の期日の変更についてその変更前の期日より前に登記をしなかったときは、担保すべき元本は、その変更前の期日に確定する。

第398条の7（根抵当権の被担保債権の譲渡等）

①元本の確定前に根抵当権者から債権を取得した者は、その債権について根抵当権を行使することができない。元本の確定前に債務者のために又は債務者に代わって弁済をした者も、同様とする。

②元本の確定前に債務の引受けがあったときは、根抵当権者は、引受人の債務について、その根抵当権を行使することができない。

③元本の確定前に免責的債務引受があった場合における債権者は、第472条の4第1項の規定にかかわらず、根抵当権を引受人が負担する債務に移すことができない。

④元本の確定前に債権者の交替による更改があった場合における更改前の債権者は、第518条第1項の規定にかかわらず、根抵当権を更改後の債務に移すことができない。元本の確定前に債務者の交替による更改があった場合における債権者も、同様とする。

第398条の8（根抵当権者又は債務者の相続）

①元本の確定前に根抵当権者について相続が開始したときは、根抵当権は、相続開始の時に存する債権のほか、相続人と根抵当権設定者との合意により定めた相続人が相続の開始後に取得する債権を担保する。

②元本の確定前にその債務者について相続が開始したときは、根抵当権は、相続開始の時に存する債務のほか、根抵当権者と根抵当権設定者との合意により定めた相続人が相続の開始後に負担する債務を担保する。

③第398条の4第2項の規定は、前2項の合意をする場合について準用する。

④第1項及び第2項の合意について相続の開始後6箇月以内に登記をしないときは、担保すべき元本は、相続開始の時に確定したものとみなす。

第398条の9（根抵当権者又は債務者の合併）

①元本の確定前に根抵当権者について合併があったときは、根抵当権は、合併の時に存する債権のほか、合併後存続する法人又は合併によって設立された法人が合併後に取得する債権を担保する。

②元本の確定前にその債務者について合併があったときは、根抵当権は、合併の時に存する債務のほ

か、合併後存続する法人又は合併によって設立された法人が合併後に負担する債務を担保する。

③前2項の場合には、根抵当権設定者は、担保すべき元本の確定を請求することができる。ただし、前項の場合において、その債務者が根抵当権設定者であるときは、この限りでない。

④前項の規定による請求があったときは、担保すべき元本は、合併の時に確定したものとみなす。

⑤第3項の規定による請求は、根抵当権設定者が合併のあったことを知った日から2週間を経過したときは、することができない。合併の日から1箇月を経過したときも、同様とする。

第398条の10（根抵当権者又は債務者の会社分割）

①元本の確定前に根抵当権者を分割をする会社とする分割があったときは、根抵当権は、分割の時に存する債権のほか、分割をした会社及び分割により設立された会社又は当該分割をした会社がその事業に関して有する権利義務の全部又は一部を当該会社から承継した会社が分割後に取得する債権を担保する。

②元本の確定前にその債務者を分割をする会社とする分割があったときは、根抵当権は、分割の時に存する債務のほか、分割をした会社及び分割により設立された会社又は当該分割をした会社がその事業に関して有する権利義務の全部又は一部を当該会社から承継した会社が分割後に負担する債務を担保する。

③前条第3項から第5項までの規定は、前2項の場合について準用する。

第398条の11（根抵当権の処分）

①元本の確定前においては、根抵当権者は、第376条第1項の規定による根抵当権の処分をすることができない。ただし、その根抵当権を他の債権の担保とすることを妨げない。

②第377条第2項の規定は、前項ただし書の場合において元本の確定前にした弁済については、適用しない。

第398条の12（根抵当権の譲渡）

①元本の確定前においては、根抵当権者は、根抵当権設定者の承諾を得て、その根抵当権を譲り渡すことができる。

②根抵当権者は、その根抵当権を2個の根抵当権に分割して、その一方を前項の規定により譲り渡すことができる。この場合において、その根抵当権を目的とする権利は、譲り渡した根抵当権について消滅する。

③前項の規定による譲渡をするには、その根抵当権を目的とする権利を有する者の承諾を得なければならない。

第398条の13（根抵当権の一部譲渡）

　元本の確定前においては、根抵当権者は、根抵当権設定者の承諾を得て、その根抵当権の一部譲渡（譲渡人が譲受人と根抵当権を共有するため、これを分割しないで譲り渡すことをいう。以下この節において同じ。）をすることができる。

第398条の14（根抵当権の共有）

①根抵当権の共有者は、それぞれその債権額の割合

に応じて弁済を受ける。ただし、元本の確定前に、これと異なる割合を定め、又はある者が他の者に先立って弁済を受けるべきことを定めたときは、その定めに従う。

②根抵当権の共有者は、他の共有者の同意を得て、第398条の12第1項の規定によりその権利を譲り渡すことができる。

第398条の15（抵当権の順位の譲渡又は放棄と根抵当権の譲渡又は一部譲渡）

抵当権の順位の譲渡又は放棄を受けた根抵当権者が、その根抵当権の譲渡又は一部譲渡をしたときは、譲受人は、その順位の譲渡又は放棄の利益を受ける。

第398条の16（共同根抵当）

第392条及び第393条の規定は、根抵当権については、その設定と同時に同一の債権の担保として数個の不動産につき根抵当権が設定された旨の登記をした場合に限り、適用する。

第398条の17（共同根抵当の変更等）

①前条の登記がされている根抵当権の担保すべき債権の範囲、債務者若しくは極度額の変更又はその譲渡若しくは一部譲渡は、その根抵当権が設定されているすべての不動産について登記をしなければ、その効力を生じない。

②前条の登記がされている根抵当権の担保すべき元本は、1個の不動産についてのみ確定すべき事由が生じた場合においても、確定する。

第398条の18（累積根抵当）

数個の不動産につき根抵当権を有する者は、第398条の16の場合を除き、各不動産の代価について、各極度額に至るまで優先権を行使することができる。

第398条の19（根抵当権の元本の確定請求）

①根抵当権設定者は、根抵当権の設定の時から3年を経過したときは、担保すべき元本の確定を請求することができる。この場合において、担保すべき元本は、その請求の時から2週間を経過することによって確定する。

②根抵当権者は、いつでも、担保すべき元本の確定を請求することができる。この場合において、担保すべき元本は、その請求の時に確定する。

③前2項の規定は、担保すべき元本の確定すべき期日の定めがあるときは、適用しない。

第398条の20（根抵当権の元本の確定事由）

①次に掲げる場合には、根抵当権の担保すべき元本は、確定する。

1　根抵当権者が抵当不動産について競売若しくは担保不動産収益執行又は第372条において準用する第304条の規定による差押えを申し立てたとき。ただし、競売手続若しくは担保不動産収益執行手続の開始又は差押えがあったときに限る。

2　根抵当権者が抵当不動産に対して滞納処分による差押えをしたとき。

3　根抵当権者が抵当不動産に対する競売手続の開始又は滞納処分による差押えがあったことを知った時から2週間を経過したとき。

4　債務者又は根抵当権設定者が破産手続開始の決定を受けたとき。

②前項第3号の競売手続の開始若しくは同項第4号の破産手続開始の決定の効力が消滅したときは、担保すべき元本は、確定しなかったものとみなす。ただし、元本が確定したものとしてその根抵当権又はこれを目的とする権利を取得した者があるときは、この限りでない。

第398条の21（根抵当権の極度額の減額請求）

①元本の確定後においては、根抵当権設定者は、その根抵当権の極度額を、現に存する債務の額と以後2年間に生ずべき利息その他の定期金及び債務の不履行による損害賠償の額とを加えた額に減額することを請求することができる。

②第398条の16の登記がされている根抵当権の極度額の減額については、前項の規定による請求は、そのうちの1個の不動産についてすれば足りる。

第398条の22（根抵当権の消滅請求）

①元本の確定後において現に存する債務の額が根抵当権の極度額を超えるときは、他人の債務を担保するためその根抵当権を設定した者又は抵当不動産について所有権、地上権、永小作権若しくは第三者に対抗することができる賃借権を取得した第三者は、その極度額に相当する金額を払い渡し又は供託して、その根抵当権の消滅請求をすることができる。この場合において、その払渡し又は供託は、弁済の効力を有する。

②第398条の16の登記がされている根抵当権は、1個の不動産について前項の消滅請求があったときは、消滅する。

③第380条及び第381条の規定は、第1項の消滅請求について準用する。

❖譲渡担保

〔参考〕民事執行法第38条　①強制執行の目的物について所有権その他目的物の譲渡又は引渡しを妨げる権利を有する第三者は、債権者に対し、その強制執行の不許を求めるために、第三者異議の訴えを提起することができる。

Q1 譲渡担保の目的物である動産を譲渡担保設定者の一般債権者が差し押さえた場合、譲渡担保権者は、第三者異議の訴えを提起できるのか。

A 第三者異議の訴えを提起できる。譲渡担保設定者の一般債権者が強制執行として差し押さえた本訴の目的物は、譲渡担保設定者が所有していたものであったが、譲渡担保設定者が譲渡担保権者から金銭を借り入れるにあたり、譲渡担保権者の債権を担保するためにこれを譲渡担保権者に売渡し、それと同時に当事者間で賃貸借契約を締結し、占有改定を行い、譲渡担保設定者が引続きこれを占有したものであり、当事者間においては売渡抵当である信託的売買がなされたのである。この売渡行為は法律上有効で、目的物の所有権は当該行為の当事者の内部関係においては、譲渡担保設定者にあるが、外部関係すなわち、第三者である一般債権者との関係では、譲渡担保権者に移転している。したがって、譲渡担

民法

保の目的物である動産を一般債権者が差し押さえた場合には、譲渡担保権者は、自己の所有権に基づき、第三者異議の訴えを提起することができる（大判大3・11・2）。

Q2 債権者甲と債務者乙の間で動産について譲渡担保設定契約が締結され、乙が引続き担保物件を占有している場合、甲は乙とその後乙から譲渡を受けた第三者丙に対しても当該物件の所有権を主張できるのか。

A 甲は乙と第三者丙に対しても当該物件の所有権を主張できる。　売渡担保契約がなされ債務者が引続き担保物件を占有している場合には、債務者は占有の改定により爾後債権者のためにも占有するものであり、したがって債権者はこれによって占有権を取得するから、本件において、債権者甲は売渡担保契約により本件物件につき所有権とともに間接占有権を取得しその引渡しを受けたことによりその所有権の取得を以て第三者である丙に対抗することができる（最判昭30・6・2）。

Q3 動産譲渡担保の対抗要件たる引渡しには、占有改定が含まれるのか。

A 占有改定が含まれる（最判昭30・6・2）。⇨2

Q4 弁済期に債務者が債務を弁済しない場合、譲渡担保権者は目的物を換価処分し、その超過額を清算しなければならないのか。また、当該清算金の支払いと目的不動産の引渡しとは同時履行の関係にあるのか。

A 譲渡担保権者は目的物の超過額について清算義務があり、清算金の支払いと目的不動産の引渡しとは同時履行の関係にある。　貸金債権担保のため債務者所有の不動産につき譲渡担保形式の契約を締結し、債務者が弁済期に債務を弁済すれば不動産は債務者に返還するが、弁済をしないときは当該不動産を債務の弁済の代わりに確定的に自己の所有に帰せしめるとの合意のもとに、自己のため所有権移転登記を経由した債権者は、債務者が弁済期に債務の弁済をしない場合においては、目的不動産を換価処分し、またはこれを適正に評価することにより具体化する当該物件の価額から、自己の債権額を差し引き、なお残額があるときは、これに相当する金銭を清算金として債務者に支払うことを要する。そして、この担保目的実現の手段として、債務者に対し当該不動産の引渡しないし明渡しを求める訴えを提起した場合に、債務者がその清算金の支払いと引換えにその履行をなすべき旨を主張したときは、特段の事情のある場合を除き、債権者の請求は、債務者への清算金の支払いと引換えにのみ認容される（最判昭46・3・25）。

Q5 債権者Aは、債務者Yとの間でY所有の不動産を目的とする譲渡担保契約を締結したが、Yが債務の支払を怠ったため、目的不動産をXに贈与した場合、Yは債務を弁済して目的不動産を受け戻すことができるか。

A 受け戻すことはできない（最判昭46・3・25）。⇨4

Q6 構成部分の変動する集合動産を、1個の集合物として譲渡担保の目的とすることができるか。

A 目的物の範囲が特定されれば、譲渡担保の目的とすることができる。　構成部分の変動する集合動産についても、その種類、所在場所および量的範囲を指定するなど何らかの方法で目的物の範囲が特定される場合には、1個の集合物として譲渡担保の目的となりうる（最判昭54・2・15）。

Q7 譲渡担保権者が、目的物件につき自己の債権者のためにさらに譲渡担保権を設定した後においては、第三者異議の訴えによって、目的物件に対し原譲渡担保権設定者の一般債権者がした強制執行の排除を求めることができなくなるのか。

A 強制執行の排除を求めることができる。　譲渡担保権者は、特段の事情がない限り、譲渡担保権者たる地位に基づいて目的物件に対し譲渡担保権設定者の一般債権者がした強制執行の排除を求めることができ、さらに、譲渡担保権者がその目的物件につき自己の債権者のためにさらに譲渡担保権を設定した後においても、譲渡担保権者は、自己の有する担保権自体を失うものではなく、自己の債務を弁済してこれを取り戻し、これから自己の債権の満足を得る等担保権の実行について固有の利益を有しているから、上記の強制執行の排除を求め得る地位に基づいてその排除を求める権利も依然としてこれを保有しているものと解する（最判昭56・12・17）。

Q8 譲渡担保権者は、特段の事情がない限り、第三者異議の訴えによって目的物件に対し譲渡担保設定者の一般債権者がした強制執行の排除を求めることができるか。

A 強制執行の排除を求めることができる。　譲渡担保権者は、特段の事情がない限り、目的物件に対し民事執行法122条の規定により譲渡担保権設定者の一般債権者がした強制執行につき、第三者異議の訴えによってその排除を求めることができる。譲渡担保権者は、特段の事情がない限り、譲渡担保権者たる地位に基づいて目的物件に対し譲渡担保権設定者の一般債権者がした民事執行法122条の規定による強制執行の排除を求めることができる（最判昭58・2・24）。　　　　

Q9 債務者の債務を担保するために譲渡担保契約が締結された場合において、債務者は、債務の弁済期が到来し、債務の履行を遅滞した場合には、債務を弁済して目的物を取り戻すことはできないのか。

A 債務の弁済期の到来後も、債権者による換価処分が完結するに至るまでは、債務を弁済して目的物を取り戻すことができる。　不動産を目的とする譲渡担保契約において、債務者が債務の履行を遅滞したときは、債権者は、目的不動産を処分する権能を取得し、この権能に基づいて、当該不動産を適正に評価された価額で自己の所有に帰せしめること、又は相当の価格で第三者に売却等をすることによって、これを換価処分し、その評価額又は売却代金等をもって自己の債権の弁済にあてることができるが、他方、債務者は、債務の弁済期の到来後も、債権者による換価処分が完結するに至るまでは、債務を弁済して目的物を取り戻すことができる。そうすると、債務者によるいわゆる受戻しの請求は、債務の弁済により債務者の回復した所有権に基づく物権的返還請求権ないし契約に基づく債権的返還請求権、又はこれに由来する抹消ないし移転登記請求権の行使として行われるものというべきである（最判昭57・1・22、最判昭57・9・28）。

出題 国Ⅰ-平成22、裁判所総合・一般-平成26
Q10 債務者が所有不動産に譲渡担保権を設定した場合に、弁済期の経過後、債務者が債務の履行を遅滞したときであっても、債権者が担保権の実行を完了するまでの間、債務者は、債務の全額を弁済して譲渡担保を消滅させ、目的不動産の所有権を回復すること（受戻権）ができるか。

A 目的不動産の所有権を回復することができる。
債務者が所有不動産に譲渡担保権を設定した場合において、弁済期の経過後、債務者が債務の履行を遅滞したときであっても、債権者が担保権の実行を完了するまでの間、すなわち、(1)債権者が目的不動産を適正に評価してその所有権を自己に帰属させる帰属清算型の譲渡担保においては、債権者が債務者に対し、目的不動産の適正評価額が債務の額を上回る場合にあっては清算金の支払又はその提供をするまでの間、目的不動産の適正評価額が債務の額を上回らない旨の通知をするまでの間、(2)目的不動産を相当の価格で第三者に売却等をする処分清算型の譲渡担保においては、その処分の時までの間は、債務者は、債務の全額を弁済して譲渡担保を消滅させ、目的不動産の所有権を回復すること（受戻権）ができる（最大判昭49・10・23、最判昭57・1・22、最判昭62・2・12）。

出題 予想
Q11 譲渡担保権によって担保される債権の範囲については、第三者に対する関係においては、抵当権の被担保債権の範囲と同様の制約を受けるのか。
A 制約は受けない。　不動産の譲渡担保権者がその不動産に設定された先順位の抵当権又は根抵当権の被担保債権を代位弁済したことによって取得する求償債権は、譲渡担保設定契約に特段の定めのない限り、譲渡担保によって担保されるべき債権の範囲に含まれないものと解する。なぜなら、譲渡担保権によって担保されるべき債権の範囲については、強行法規又は公序良俗に反しない限り、その設定契約の当事者間において自由にこれを定めることができるからである（最判昭61・7・15）。

出題 国家総合：令和3、国Ⅰ-平成22・21
Q12 帰属清算型の譲渡担保においては、債務者が債務の履行を遅滞し、債権者が債務者に対し目的不動産を確定的に自己の所有に帰せしめる旨の意思表示をするだけで、債務の全額を弁済して譲渡担保権を消滅させることができるか。

A 譲渡担保権を消滅させることはできない。　帰属清算型の譲渡担保においては、債務者が債務の履行を遅滞し、債権者が債務者に対し目的不動産を確定的に自己の所有に帰せしめる旨の意思表示をしても、債権者が債務者に対して清算金の支払いもしくはその提供又は目的不動産の適正評価額が債務の額を上回らない旨の通知をしない限り、債務者は受戻権を有し、債務の全額を弁済して譲渡担保権を消滅させることができるから、債権者が単に上記の意思表示をしただけでは、いまだ債務消滅の効果を生ぜず、したがって清算金の有無およびその額が確定しないため、債権者の清算義務は具体的に確定しない（最判昭62・2・12）。

出題 予想
Q13 集合動産譲渡担保の場合に占有改定の方法により対抗要件を具備できるのか。
A 占有改定の方法により対抗要件を具備できる。
債権者と債務者との間に、集合物を目的とする譲渡担保権設定契約が締結され、債務者がその構成部分である動産の占有を取得したときは債権者が占有改定の方法によってその占有権を取得する旨の合意に基づき、債務者がその集合物の構成部分として現に存在する動産の占有を取得した場合には、債権者は、当該集合物を目的とする譲渡担保につき対抗要件を具備するに至ったものということができ、この対抗要件具備の効力は、その後構成部分が変動したとしても、集合物としての同一性が損なわれない限り、新たにその構成部分となった動産を包含する集合物についても及ぶ。したがって、動産売買の先取特権の存在する動産が当該譲渡担保の目的である集合物の構成部分となった場合には、債権者は、当該動産についても引渡しを受けたものとして譲渡担保権を主張することができ、当該先取特権者がその先取特権に基づいて動産競売の申立てをしたときは、特段の事情のない限り、民法333条所定の第三取得者に該当するものとして、訴えをもって、当該動産競売の不許を求めることができる（最判昭62・11・10）。

出題 国家総合-平成28、国Ⅰ-平成14、地方上級-平成9
Q14 動産売買の先取特権の存在する動産が当該譲渡担保権の目的である集合物の構成部分となった場合、譲渡担保権者（債権者）は、民法333条所定の第三取得者に該当し、第三者異議の訴えができるのか。
A 譲渡担保権者（債権者）は、民法333条所定の第三取得者に該当し、第三者異議の訴えができる（最判昭62・11・10）。⇨ 13

Q15 不動産を譲渡担保の目的とした債務者甲が債務の弁済により譲渡担保権を消滅させた後、目的不動産が譲渡担保権者乙から第三者丙に譲渡された場合、甲は登記なくして不動産の所有権を丙に対抗で

民
法

きるのか。

A 丙が背信的悪意者でない限り対抗できない。

不動産が譲渡担保の目的とされ、設定者から譲渡担保権者への所有権移転登記が経由された場合において、被担保債務の弁済等により譲渡担保権が消滅した後に目的不動産が譲渡担保権者から第三者に譲渡されたときは、当該第三者がいわゆる背信的悪意者にあたる場合は格別、そうでない限り、譲渡担保設定者は、登記がなければ、その所有権を当該第三者に対抗することができない（最判昭62・11・12）。

出題 国Ⅰ-平成22、国Ⅱ-平成5、国税・財務・労基-平成24

Q16 不動産を目的とする譲渡担保契約において、債務者が弁済期に債務の弁済をしない場合に、債権者が背信的悪意者である譲受人（第三者）に目的物を譲渡した場合、債務者は債務を弁済して第三者から目的物を受け戻すことができるか。

A 債務者は第三者から目的物を受け戻すことはできない。　不動産を目的とする譲渡担保契約において、債務者が弁済期に債務の弁済をしない場合には、債権者は、当該譲渡担保契約がいわゆる帰属清算型であると処分清算型であるとを問わず、目的物を処分する権能を取得するから、債権者がこの権能に基づいて目的物を第三者に譲渡したときは、原則として、譲受人は目的物の所有権を確定的に取得し、債務者は、清算金がある場合に債権者に対してその支払を求めることができるにとどまり、残債務を弁済して目的物を受け戻すことはできなくなる。この理は、譲渡を受けた第三者がいわゆる背信的悪意者にあたる場合であっても異ならない。なぜなら、そのように解さないと、権利関係の確定しない状態が続くばかりでなく、譲受人が背信的悪意者に当たるかどうかを確知し得る立場にあるとは限らない債権者に、不測の損害を被らせるおそれを生ずるからである（最判平6・2・22）。

出題 国家総合-令和3、東京Ⅰ-平成16、特別区Ⅰ-平成27、国Ⅱ-平成21・12、裁判所総合・一般-平成26、国税・財務・労基-平成24

Q17 目的不動産を相当の価格で第三者に売却する等をする処分清算型の譲渡担保においては、その処分の時までの間は、債務者は、債務の全額を弁済して譲渡担保権を消滅させ、目的不動産の所有権を回復することができるのか。

A 目的不動産の所有権を回復することができる（最判平6・2・22）。⇨ 16

Q18 譲渡担保の目的物が担保権者の占有にあるときは、債務者の債務の弁済は、債権者の目的物返還義務と同時履行の関係にあるのか。

A 債務者の債務弁済は、先履行の関係にある。

株式を譲渡担保に供し株券を債権者に交付した場合において、債務の弁済と譲渡担保の目的物の返還との関係については、債務の弁済と抵当権設定登記の抹消登記手続との関係などと同じく、同時履行の関係に立つのではなく、債務の弁済が先履行の関係になる（最判平6・9・8）。

出題 国家総合-令和3、裁判所総合・一般-平成

24、裁判所Ⅰ・Ⅱ-平成17、国税・財務・労基-平成24

Q19 譲渡担保権設定者は、譲渡担保権者が清算金の支払い又は提供をせず、清算金がない旨の通知もしない間に譲渡担保の目的物の受戻権を放棄すれば、譲渡担保権者に対して清算金の支払いを請求することはできるのか。

A 清算金の支払いを請求することはできない。

なぜなら、譲渡担保権設定者の清算金支払請求権は、譲渡担保権者が譲渡担保権の実行として目的物を自己に帰属させ又は換価処分する場合において、その価額から被担保債権額を控除した残額の支払いを請求する権利であり、他方、譲渡担保権設定者の受戻権は、譲渡担保権者において譲渡担保権の実行を完結するまでの間に、弁済等によって被担保債務を消滅させることにより譲渡担保の目的物の所有権等を回復する権利であって、両者はその発生原因を異にする別個の権利であるから、譲渡担保権設定者において受戻権を放棄したとしても、その効果は受戻権が放棄されたという状況を現出するにとどまり、上記受戻権の放棄により譲渡担保権設定者が清算金支払請求権を取得することとなると解することはできないからである。また、このように解さないと、譲渡担保権設定者が、受戻権を放棄することにより、本来譲渡担保権者が有している譲渡担保権の実行の時期を自ら決定する自由を制約しうることとなり、相当でないことは明らかであるからである（最判平8・11・22）。

出題 国家総合-令和3・平成28、裁判所総合・一般-平成28、裁判所Ⅰ・Ⅱ-平成17

Q20 譲渡担保権設定者（A）は、譲渡担保権の実行として譲渡された不動産を取得した者（C）からの明渡請求に対し、譲渡担保権者（B）に対する清算金支払請求権を被担保債権として、留置権を主張することができるのか。

A 留置権を主張することができる。　不動産を目的とする譲渡担保が設定されている場合において、譲渡担保権設定者（A）が、被担保債権の弁済期までに弁済ができなかったために、譲渡担保権者（B）が譲渡担保権の実行として目的不動産を第三者（C）に譲渡したときは、譲渡担保権設定者（A）は、第三者（C）又は同人（C）からさらに当該不動産の譲渡を受けた者（D）からの明渡請求に対し、譲渡担保権者（B）に対する清算金支払請求権を被担保債権とする留置権を主張することができる（最判平9・4・11）。　　　　　出題 国家総合-平成27

Q21 譲渡担保権者から被担保債権の弁済期後に目的物を譲り受けた第三者（設定者の受戻権は消滅しており所有者である）は、譲渡担保権設定者が譲渡担保権者に対して有する清算金支払請求権の消滅時効を援用できるのか。

A 消滅時効を援用できる。　譲渡担保権者から被担保債権の弁済期後に目的物を譲り受けた第三者（設定者の受戻権は消滅しており所有者である）は、譲渡担保権設定者が譲渡担保権者に対して有する清算金支払請求権の消滅時効を援用することができる。なぜなら、この第三者は、設定者が譲渡担保権

者に対する清算金支払請求権を被担保債権とする留置権を主張したときには、無条件では目的物の引渡しを受けることができず、また、留置権に基づく競売がされたときにはこれにより目的物の所有権を失うことがあるという制約を受けており、清算金支払請求権が消滅することにより目的物の所有権についての制約を免れることができる地位にあり、清算金支払請求権の消滅によって直接利益を受ける者にあたるということができるからである。この場合、設定者は、債務者である譲渡担保権者に対してその消滅時効の完成を猶予する措置を講ずればよい（最判平11・2・26）。

出題国Ⅱ-平成12

Q22 債権者Aは、債務者Yとの間でY所有の不動産を目的とする譲渡担保契約を締結したが、Yが債務の支払いを怠ったため、目的不動産をXに贈与した。この場合、Xは、YのAに対する清算金支払請求権が時効により消滅していた場合、消滅時効を援用できるのか。

A 消滅時効を援用できる（最判平11・2・26）。⇨21

Q23 債権者Aは、債務者Yとの間でY所有の不動産を目的とする譲渡担保契約を締結したが、Yが債務の支払を怠ったため、目的不動産をXに贈与した。この場合、Xからの不動産明渡請求に対して、Yは、Aに対する清算金支払請求権を被担保債権として、留置権を主張できるのか。

A 留置権を主張できる（最判平11・2・26）。⇨21

Q24 譲渡担保権に基づく物上代位権の行使は認められるのか。

A 認められる。　信用状発行銀行であるYは、輸入商品に対する譲渡担保権に基づく物上代位権の行使として、転売された輸入商品の売買代金債権を差し押さえることができ、このことは債務者であるAが破産宣告を受けた後に差押えがされる場合であっても異なるところはない（最決平11・5・17）。

出題国家総合-平成28、国Ⅰ-平成19・14、国Ⅱ-平成21・15、国税・財務・労基-令和4・平成24

Q25 集合債権譲渡担保の第三者対抗要件は何か。

A 債権譲渡の対抗要件である。　甲が乙に対する金銭債務の担保として、発生原因となる取引の種類、発生期間等で特定される甲の丙に対する債権がすでに生じ、または将来生ずべき債権を一括して乙に譲渡することとし、乙が丙に対し担保権実行として取立ての通知をするまでは、甲が取り立てた金銭について乙への引渡しを要しないこととした甲、乙間の債権譲渡契約は、いわゆる集合債権を対象とした譲渡担保契約といわれるものの一つと解される。この場合は、すでに生じ、または将来生ずべき債権は、甲から乙に確定的に譲渡されており、ただ、甲、乙間において、乙に帰属した債権の一部について、甲に取立権限を付与し、取り立てた金銭の乙への引渡しを要しないとの合意が付加されているものと解すべきである。したがって、上記債権譲渡について第三者対抗要件を具備するためには、債権譲渡の対抗要件（民

467条2項）の方法によることができるのである〈供託金還付請求権確認請求事件〉（最判平13・11・22）。

出題国Ⅱ-平成21

Q26 動産譲渡担保が同一の目的物に重複して設定されている場合、後順位譲渡担保権者は私的実行をすることができるか。

A 後順位譲渡担保権者は私的実行をすることができない。　本件契約1に先立って、A、B及びCのために本件各譲渡担保が設定され、占有改定の方法による引渡しをもってその対抗要件が具備されているのであるから、これに劣後する譲渡担保が、被上告人のために重複して設定されたということになる。このように重複して譲渡担保を設定すること自体は許されるとしても、劣後する譲渡担保に独自の私的実行の権限を認めた場合、配当の手続が整備されている民事執行法上の執行手続が行われる場合と異なり、先行する譲渡担保権者には優先権を行使する機会が与えられず、その譲渡担保は有名無実のものとなりかねない。このような結果を招来する後順位譲渡担保権者による私的実行を認めることはできない。また、被上告人は、本件契約1により本件物件1につき占有改定による引渡しを受けた旨の主張をするにすぎないところ、占有改定による引渡しを受けたにとどまる者に即時取得を認めることはできないから、被上告人が即時取得により完全な譲渡担保を取得したということもできない（最判平18・7・20）。

出題国家総合-令和3

Q27 不動産譲渡担保において、被担保債権の弁済期後に譲渡担保権者の債権者が目的不動産を差し押さえ、その旨の登記がなされたときは、設定者は、差押登記後に債務の全額を弁済すれば、第三者異議の訴えにより強制執行の不許を求めることはできるのか。

A 第三者異議の訴えにより強制執行の不許を求めることはできない。　なぜなら、設定者が債務の履行を遅滞したときは、譲渡担保権者は目的不動産を処分する権能を取得するから（最判昭57・1・22参照）、被担保債権の弁済期後は、設定者としては、目的不動産が換価処分されることを受忍すべき立場にあるというべきところ、譲渡担保権者の債権者による目的不動産の強制競売による換価も、譲渡担保権者による換価処分と同様に受忍すべきものということができるのであって、目的不動産を差し押さえた譲渡担保権者の債権者との関係では、差押え後の受戻権行使による目的不動産の所有権の回復を主張することができなくてもやむをえないからである（最判平18・10・20）。

出題予想

Q28 構成部分の変動する集合動産を目的とする集合物譲渡担保権は、目的動産が滅失したが、譲渡担保権設定者が通常の営業を継続している場合、設定者に対して支払われる損害保険金にも及ぶのか。

A 損害保険金には及ばない。　構成部分の変動する集合動産を目的とする集合物譲渡担保権は、譲渡担保権者において譲渡担保の目的である集合動産を構成するに至った動産（以下「目的動産」という）の価値を担保として把握するものであるから、その効力は、目的動産が滅失した場合にその損害を填補

民法

するために譲渡担保権設定者に対して支払われる損害保険金に係る請求権に及ぶ。もっとも、構成部分の変動する集合動産を目的とする集合物譲渡担保契約は、譲渡担保権設定者が目的動産を販売して営業を継続することを前提とするものであるから、譲渡担保権設定者が通常の営業を継続している場合には、目的動産の滅失により上記請求権が発生したとしても、これに対して直ちに物上代位権を行使することができる旨が合意されているなどの特段の事情がない限り、譲渡担保権者が当該請求権に対して物上代位権を行使することは許されない（最判平22・12・2）。 **出題 予想**

Q29 銀行が、輸入業者の輸入する商品に関して信用状を発行し、当該商品につき譲渡担保権の設定を受けた場合において、上記輸入業者が当該商品を直接占有したことがなくても、上記輸入業者から占有改定の方法によりその引渡しを受けたものといえるのか。

A 占有改定の方法によりその引渡しを受けたものといえる。　(1)ＸとＹとの間においては、輸入業者から委託を受けた海運貨物取扱業者によって輸入商品の受領等が行われ、輸入業者が目的物を直接占有することなく転売することが一般的であるという輸入取引の実情の下、上記譲渡担保権の設定にあたり、ＸがＹに対し輸入商品の貸渡しを行ってその受領等の権限を与える旨の合意がされていたこと、(2)海運貨物取扱業者は、金融機関が譲渡担保権者として当該商品の引渡しを占有改定の方法により受けることとされていることを当然の前提として、Ｙから当該商品の受領等の委託を受け、当該商品を受領するなどした事情の下では、銀行であるＸが、輸入業者であるＹの輸入する商品に関して信用状を発行し、これによってＹが負担する償還債務等に係る債権の担保として当該商品につき譲渡担保権の設定を受けた場合においては、Ｙが当該商品を直接占有したことがなくても、Ｘは、Ｙから占有改定の方法により当該商品の引渡しを受けたものといえる（最決平29・5・10）。 **出題 予想**

❖**所有権留保**

Q1 動産の割賦払約款付売買契約において、所有権を留保した売主は、買主の債権者が目的物に対して強制執行をしたときは、所有権に基づいて第三者異議の訴えを提起し、その執行の排除を求めることができるのか。

A その執行の排除を求めることができる。　動産の割賦払約款付売買契約において、代金完済に至るまで目的物の所有権が売主に留保され、買主に対する所有権の移転は上記代金完済を停止条件とする旨の合意がなされているときは、代金完済に至るまでの間に、買主の債権者が目的物に対して強制執行に及んだとしても、売主あるいは売主から目的物を買い受けた第三者は、所有権に基づいて第三者異議の訴えを提起し、その執行の排除を求めることができる（最判昭49・7・18）。 **出題 国家総合－令和4、東京Ⅰ－平成18**

Q2 自動車のサブディーラーから自動車を買い受

けたユーザーに対しディーラーがそのサブディーラーとの間の自動車売買契約に付した所有権留保特約に基づきその自動車の引渡を請求することは、権利の濫用になるのか。

A 権利の濫用になる。　自動車の販売につき、サブディーラーが、まずディーラー所有の自動車をユーザーに売却し、その後当該売買を完成するためディーラーからその自動車を買い受けるという方法がとられていた場合において、ディーラーが、サブディーラーとユーザーとの自動車売買契約の履行に協力しておきながら、その後サブディーラーにその自動車を売却するにあたって所有権留保特約を付し、サブディーラーの代金不払を理由に同人との売買契約を解除したうえ、留保された所有権に基づき、既にサブディーラーに代金を完済して自動車の引渡を受けているユーザーにその返還を請求することは、権利の濫用として許されない（最判昭50・2・28）。 **出題 国家総合－令和4**

Q3 動産の購入代金を立替払し立替金債務の担保として当該動産の所有権を留保した者は、第三者の土地上に存在しその土地所有権の行使を妨害している当該動産について、その所有権が担保権の性質を有することを理由として撤去義務や不法行為責任を免れるか。

A 撤去義務や不法行為責任を免れることはない。　動産の購入代金を立替払した者が、立替金債務の担保として当該動産の所有権を留保する場合において、買主との契約上、期限の利益喪失による残債務全額の弁済期の到来前は当該動産を占有、使用する権原を有せず、その経過後は買主から当該動産の引渡しを受け、これを売却してその代金を残債務の弁済に充当することができるとされているときは、所有権を留保した者は、第三者の土地上に存在してその土地所有権の行使を妨害している当該動産について、上記弁済期が到来するまでは、特段の事情がない限り、撤去義務や不法行為責任を負うことはないが、上記弁済期が経過した後は、留保された所有権が担保権の性質を有するからといって撤去義務や不法行為責任を免れることはない（最判平21・3・10）。 **出題 国家総合－令和4**

Q4 金属スクラップ等の継続的な売買契約において目的物の所有権が売買代金の完済まで売主に留保される旨が定められた場合に、買主が保管する金属スクラップ等を含む在庫製品等につき集合動産譲渡担保権の設定を受けた者が、売買代金が完済されていない金属スクラップ等につき売主に上記譲渡担保権を主張することができるのか。

A 売主に譲渡担保権を主張することができない。　金属スクラップ等の継続的な売買契約において目的物の所有権が売買代金の完済まで売主に留保される旨が定められた場合に、上記契約では、毎月21日から翌月20日までを一つの期間として、期間ごとに納品された金属スクラップ等の売買代金の額が算定され、一つの期間に納品された金属スクラップ等の所有権は、当該期間の売買代金の完済まで売主に留保されることが定められ、これと異なる期間の売買代金の支払を確保するために売主に留保されるも

のではないこと、売主は買主に金属スクラップ等の転売を包括的に承諾していたが、これは売主が買主に上記契約の売買代金を支払うための資金を確保させる趣旨であると解されることなどの事情の下においては、買主が保管する金属スクラップ等を含む在庫製品等につき集合動産譲渡担保権の設定を受けた者は、売買代金が完済されていない金属スクラップ等につき売主に上記譲渡担保権を主張することができない（最判平 30・12・7）。

出題 国家総合 – 令和 4

❖**代理受領**

Q1 債権者が自己の債権を担保するため債務者の有する債権について代理受領の委任を受け、第三債務者がその事実を知って代理受領を承認していたとしても、第三債務者が債務者に直接弁済することは不法行為を構成しないのか。

A 第三債務者が債務者に直接弁済することは不法行為を構成する。　本件請負代金債権は、XのA（航空測量株式会社）に対する手形金債権の担保となっており、北海道開発局函館開発建設部は、本件代理受領の委任状が提出された当時、当該担保の事実を知ってその代理受領を承認したのであり、Xは、B が同建設部から当該請負代金を受領すれば、手形金債権の満足が得られるという利益を有するが、また、その承認は、単に代理受領を承認するにとどまらず、代理受領によって得られるXの当該利益を承認し、正当な理由なく当該利益を侵害しない趣旨をも当然包含するのであり、したがって、同建設部としては、その承認の趣旨に反し、Xの当該利益を害することのないようにすべき義務がある。しかるに、同建設部長 D は、当該義務に違背し、過失により、本件請負代金を A に支払い、B がその支払いを受けることができないようにしたのであるから、D の行為は違法であり、したがって、結局 Y（国）に不法行為責任が認められる（最判昭 44・3・4）。

出題 国Ⅰ–平成 9

第3編　債権

第1章　総則

第1節　債権の目的

第 399 条（債権の目的）

債権は、金銭に見積もることができないものであっても、その目的とすることができる。

第 400 条（特定物の引渡しの場合の注意義務）

債権の目的が特定物の引渡しであるときは、債務者は、その引渡しをするまで、契約その他の債権の発生原因及び取引上の社会通念に照らして定まる善良な管理者の注意をもって、その物を保存しなければならない。

第 401 条（種類債権）

①債権の目的物を種類のみで指定した場合において、法律行為の性質又は当事者の意思によってその品質を定めることができないときは、債務者は、中等の品質を有する物を給付しなければならない。

②前項の場合において、債務者が物の給付をするのに必要な行為を完了し、又は債権者の同意を得てその給付すべき物を指定したときは、以後その物を債権の目的物とする。

Q1 種類債権が特定すると、債務者は、特定した物を変更することはできなくなるのか。

A 債務者は、取引上相当と認めるときは、特定した物を変更することができる。　株式の売買において、買主の委託により買主名義に書換え手続をするにあたっては、とくに当該株式の番号に重きを置くべき事情がないときは、売主は、当該株式に代える番号の異なる同種の他の株式をもってする自由変更権を有するものと解する（大判昭 12・7・7）。

出題 国Ⅰ–平成 20

第 402 条（金銭債権）

①債権の目的物が金銭であるときは、債務者は、その選択に従い、各種の通貨で弁済をすることができる。ただし、特定の種類の通貨の給付を債権の目的としたときは、この限りでない。

②債権の目的物である特定の種類の通貨が弁済期に強制通用の効力を失っているときは、債務者は、他の通貨で弁済をしなければならない。

③前2項の規定は、外国の通貨の給付を債権の目的とした場合について準用する。

第 403 条

外国の通貨で債権額を指定したときは、債務者は、履行地における為替相場により、日本の通貨で弁済をすることができる。

第 404 条（法定利率）

①利息を生ずべき債権について別段の意思表示がないときは、その利率は、その利息が生じた最初の時点における法定利率による。

②法定利率は、年3パーセントとする。

③前項の規定にかかわらず、法定利率は、法務省令で定めるところにより、3年を1期とし、1期ごとに、次項の規定により変動するものとする。

④各期における法定利率は、この項の規定により法定利率に変動があった期のうち直近のもの（以下この項において「直近変動期」という。）における基準割合と当期における基準割合との差に相当する割合（その割合に1パーセント未満の端数があるときは、これを切り捨てる。）を直近変動期における法定利率に加算し、又は減算した割合とする。

⑤前項に規定する「基準割合」とは、法務省令で定めるところにより、各期の初日の属する年の6年前の年の1月から前々年の12月までの各月における短期貸付けの平均利率（当該各月において銀行が新たに行った貸付け（貸付期間が1年未満のものに限る。）に係る利率の平均をいう。）の合計を 60 で除して計算した割合（その割合に 0.1 パーセント未満の端数があるときは、これを切り捨てる。）として法務大臣が告示するものをいう。

第 405 条（利息の元本への組入れ）

利息の支払が1年分以上延滞した場合において、債権者が催告をしても、債務者がその利息を支払わないときは、債権者は、これを元本に組み入れるこ

とができる。

Q1 不法行為に基づく損害賠償債務の遅延損害金を民法405条の適用又は類推適用により元本に組み入れることはできるか。

A 元本に組み入れることはできない。　不法行為に基づく損害賠償債務は、貸金債務とは異なり、債務者にとって履行すべき債務の額が定かではないことが少なくないから、債務者がその履行遅延により生ずる遅延損害金を支払わなかったからといって、一概に債務者を責めることはできない。また、不法行為に基づく損害賠償債務については、何らの催告を要することなく不法行為の時から遅延損害金が発生すると解されており（最判昭37・9・4参照）、上記遅延損害金の元本への組入れを認めてまで債権者の保護を図る必要性も乏しい。そうすると、不法行為に基づく損害賠償債務の遅延損害金については、民法405条の趣旨は妥当しないというべきである。したがって、不法行為に基づく損害賠償債務の遅延損害金は、民法405条の適用又は類推適用により元本に組み入れることはできないと解するのが相当である（最判令4・1・18）。 出題 予想

第406条（選択債権における選択権の帰属）
　債権の目的が数個の給付の中から選択によって定まるときは、その選択権は、債務者に属する。

第407条（選択権の行使）
①前条の選択権は、相手方に対する意思表示によって行使する。
②前項の意思表示は、相手方の承諾を得なければ、撤回することができない。

第408条（選択権の移転）
　債権が弁済期にある場合において、相手方から相当の期間を定めて催告をしても、選択権を有する当事者がその期間内に選択をしないときは、その選択権は、相手方に移転する。

第409条（第三者の選択権）
①第三者が選択をすべき場合には、その選択は、債権者又は債務者に対する意思表示によってする。
②前項に規定する場合において、第三者が選択をすることができず、又は選択をする意思を有しないときは、選択権は、債務者に移転する。

第410条（不能による選択債権の特定）
　債権の目的である給付の中に不能のものがある場合において、その不能が選択権を有する者の過失によるものであるときは、債権は、その残存するものについて存在する。

第411条（選択の効力）
　選択は、債権の発生の時にさかのぼってその効力を生ずる。ただし、第三者の権利を害することはできない。

第2節　債権の効力

第1款　債務不履行の責任等

第412条（履行期と履行遅滞）
①債務の履行について確定期限があるときは、債務者は、その期限の到来した時から遅滞の責任を負う。
②債務の履行について不確定期限があるときは、債

務者は、その期限の到来した後に履行の請求を受けた時又はその期限の到来したことを知った時のいずれか早い時から遅滞の責任を負う。
③債務の履行について期限を定めなかったときは、債務者は、履行の請求を受けた時から遅滞の責任を負う。

Q1 貸金債権について期間の定めのない場合、借主が遅滞の責めを負うのは何時からか。

A 貸主が相当の期間を定めて返還の催告をした時からである。　弁済期の定めのない貸金債権は、債権者がいつでもその弁済を請求することができ、その意味において債権の成立と同時に弁済期にある。しかし、借主に履行遅滞の責任を負わせるためには、貸主が相当の期間を定めて返還の催告をし、当該期間内に弁済がないことを要するのであり、この意味で返還の催告（弁済の請求）がなければ、遅滞の責めが生じる弁済期は到来しない（大判昭17・11・19）。

出題 地方上級－平成6、東京Ⅰ－平成20、裁判所総合・一般－平成25、裁判所Ⅰ・Ⅱ－平成14

Q2 弁済期の定めのない消費貸借契約に基づく借主の返還義務は、貸主が期間を定めずに催告した場合、催告後相当期間を経過した時に遅滞となるのか。

A 催告後相当期間を経過した時に遅滞となる（大判昭17・11・19）。⇨7

Q3 不法行為に基づく損害賠償債務は、催告を受けた時から遅滞に陥るのか。

A 損害の発生と同時に遅滞に陥る。　不法行為に基づく損害賠償債務は、何らの催告を要することなく、損害の発生と同時に遅滞に陥る（最判昭37・9・4）。

出題 国家総合－平成29、国Ⅰ－平成19・18・16・9・昭和51、国家一般－平成30、国Ⅱ－平成19、裁判所総合・一般－令和4・1、裁判所Ⅰ・Ⅱ－平成14

Q4 不法行為に関する弁護士費用の賠償債務は、被害者が弁護士に訴訟代理権を授与して訴訟の追行を委託し、その費用が発生すると同時に遅滞に陥るのか。

A 不法行為時に発生し、かつ、遅滞に陥る。　不法行為に基づく損害賠償債務は、何らの催告を要することなく、損害の発生と同時に遅滞に陥るものと解すべきところ、弁護士費用に関する損害は、被害者が当該不法行為に基づくその余の費目の損害の賠償を求めるについて弁護士に訴訟の追行を委任し、かつ、相手方に対して勝訴した場合に限って、弁護士費用の全部又は一部が損害と認められるという性質のものであるが、その余の費目の損害と同一の不法行為による身体傷害など同一利益の侵害に基づいて生じたものである場合には一個の損害賠償債務の一部を構成するから、上記弁護士費用につき不法行為の加害者が負担すべき損害賠償債務も、当該不法行為の時に発生し、かつ、遅滞に陥るものと解する（最判昭58・9・6）。 出題 国Ⅰ－平成19

Q5 離婚に伴う慰謝料として夫婦の一方が負担すべき損害賠償債務が履行遅滞となる時期は何時か。

民法編

A 離婚の成立時に遅滞に陥る。　離婚に伴う慰謝料請求は、夫婦の一方が、他方に対し、その有責行為により離婚をやむなくされ精神的苦痛を被ったことを理由として損害の賠償を求めるものであり、このような損害は、離婚が成立して初めて評価されるものであるから、その請求権は、当該夫婦の離婚の成立により発生するものと解すべきである。そして、不法行為による損害賠償債務は、損害の発生と同時に、何らの催告を要することなく、遅滞に陥るものである（最判昭37・9・4参照）。したがって、離婚に伴う慰謝料として夫婦の一方が負担すべき損害賠償債務は、離婚の成立時に遅滞に陥ると解するのが相当である。以上によれば、離婚に伴う慰謝料として上告人が負担すべき損害賠償債務は、離婚の成立時である本判決確定の時に遅滞に陥るというべきである。したがって、改正法の施行日前に上告人が遅滞の責任を負ったということはできず、上記債務の遅延損害金の利率は、改正法による改正後の民法404条2項所定の年3パーセントである（最判令4・1・28）。　　　　　　　**出題** 予想

Q6 高齢者の医療の確保に関する法律による後期高齢者医療広域連合が行った後期高齢者医療給付により代位取得した不法行為に基づく損害賠償請求権に係る債務についての遅延損害金の起算日はいつか。

A 当該後期高齢者医療給付が行われた日の翌日が、遅延損害金の起算日である。　高齢者の医療の確保に関する法律による後期高齢者医療給付を行った後期高齢者医療広域連合は、その給付事由が第三者の不法行為によって生じた場合、当該第三者に対し、当該後期高齢者医療給付により代位取得した当該不法行為に基づく損害賠償請求権に係る債務について、当該後期高齢者医療給付が行われた日の翌日からの遅延損害金の支払を求めることができる（最判令1・9・6）。　　　　**出題** 予想

Q7 使用者が労働者に対して負担する雇用契約上の信義則から生ずる安全保証義務に基づく損害賠償債務は、いつから遅滞に陥るのか。

A 期限の定めのない債務であり、債務者は催告の時から遅滞に陥る。　雇用契約上の安全保証義務違背を理由とする債務不履行に基づく損害賠償債務は、期限の定めのない債務であり、民法412条3項によりその債務者は債権者からの履行の請求を受けた時にはじめて履行遅滞に陥る（最判昭55・12・18）。

Q8 就業中に被用者Aが死亡し、その原因が職場の施設や器具の管理等に適切な配慮を欠く使用者Yの注意義務違反による場合、損害賠償債務については、安全配慮義務違反によれば、Aの死亡の時からYは遅延損害金を支払う必要があるのか。

A 期限の定めのない債務であり、債務者Yは催告の時（412条3項）から遅延損害金を支払う必要がある（最判昭55・12・18）。⇨7

第412条の2（履行不能）
①債務の履行が契約その他の債務の発生原因及び取引上の社会通念に照らして不能であるときは、債権者は、その債務の履行を請求することができない。
②契約に基づく債務の履行がその契約の成立の時に不能であったことは、第415条の規定によりその履行の不能によって生じた損害の賠償を請求することを妨げない。

第413条（受領遅滞）
①債権者が債務の履行を受けることを拒み、又は受けることができない場合において、その債務の目的が特定物の引渡しであるときは、債務者は、履行の提供をした時からその引渡しをするまで、自己の財産に対するのと同一の注意をもって、その物を保存すれば足りる。
②債権者が債務の履行を受けることを拒み、又は受けることができないことによって、その履行の費用が増加したときは、その増加額は、債権者の負担とする。

Q1 債務者は債権者の受領遅滞を理由として契約を解除および損害賠償請求できるのか。

A 契約を解除および損害賠償請求できない。　債務者の債務不履行と債権者の受領遅滞とは、その性質が異なるのであるから、一般に後者に前者と全く同一の効果を認めることは民法の予想していないところである。民法414条、415条、541条等は、いずれも債務者の債務不履行のみを想定した規定であること明文上明らかであり、受領遅滞に対し債務者のとりうる措置としては、供託・自助売却等の規定を設けているのである。されば、特段の事由の認められない場合には、受領遅滞を理由として債務者は契約を解除することができない（最判昭40・12・3）。

Q2 AB間の鉱石の売買契約において、契約の存続期間を通じてAが採掘した鉱石の全量をBが買い取るものと定められている場合、信義則上、Bには、Aがその期間内に採掘した鉱石を引き取り、代金を支払うべき義務があるから、Bがその引取りを拒絶することは債務不履行にあたるのか。

A Bがその引取りを拒絶することは債務不履行にあたる。　本件鉱石売買契約においては、Aが契約期間を通じて採掘する鉱石の全量が売買されるべきものと定められており、AはBに対し鉱石を継続的に供給すべきものなのであるから、信義則に照らして考察するときは、Aは、約旨に基づいて、その採掘した鉱石全部を順次Bに出荷すべく、Bはこれを引き取り、かつ、その代金を支払うべき法律関係が存在していたものと解するのが相当である。したがって、Bには、Aが採掘し、提供した鉱石を引き取るべき義務があったものというべきであり、Bの引取りの拒絶は、債務不履行の効果を生ずるものといわなければならない（最判昭46・12・16）。

第413条の2（履行遅滞中又は受領遅滞中の履行不能と帰責事由）

①債務者がその債務について遅滞の責任を負っている間に当事者双方の責めに帰することができない事由によってその債務の履行が不能となったときは、その履行の不能は、債務者の責めに帰すべき事由によるものとみなす。

②債権者が債務の履行を受けることを拒み、又は受けることができない場合において、履行の提供があった時以後に当事者双方の責めに帰することができない事由によってその債務の履行が不能となったときは、その履行の不能は、債権者の責めに帰すべき事由によるものとみなす。

〔判例法理の条文化〕

Q1 債務者は、履行遅滞後はその責めに帰することのできない事由による履行不能については、責任を免れるのか。

A 責任を免れない。　物の引渡義務を負う債務者は、その履行遅滞後に引渡義務が履行不能となった場合には、履行不能が債務者の責めに帰することのできない事由によるものであっても、債務不履行責任を免れることはできない（大判明39・10・29）。

出題 国家総合－平成25、国Ⅰ－平成19、裁判所総合・一般－令和1・平成24、国税・財務・労基－令和1

第414条（履行の強制）

①債務者が任意に債務の履行をしないときは、債権者は、民事執行法その他強制執行の手続に関する法令の規定に従い、直接強制、代替執行、間接強制その他の方法による履行の強制を裁判所に請求することができる。ただし、債務の性質がこれを許さないときは、この限りでない。

②前項の規定は、損害賠償の請求を妨げない。

Q1 不作為を目的とする債務の強制執行として間接強制決定をするには、債権者において、債務者がその不作為義務に違反するおそれがあることを立証するだけでは足りず、債務者が現にその不作為義務に違反していることを立証する必要はあるのか。

A 債務者が現にその不作為義務に違反していることを立証する必要はない（最決平17・12・9）。

出題 予想

第415条（債務不履行による損害賠償）

①債務者がその債務の本旨に従った履行をしないとき又は債務の履行が不能であるときは、債権者は、これによって生じた損害の賠償を請求することができる。ただし、その債務の不履行が契約その他の債務の発生原因及び取引上の社会通念に照らして債務者の責めに帰することができない事由によるものであるときは、この限りでない。

②前項の規定により損害賠償の請求をすることができる場合において、債権者は、次に掲げるときは、債務の履行に代わる損害賠償の請求をすることができる。

1　債務の履行が不能であるとき。

2　債務者がその債務の履行を拒絶する意思を明確に表示したとき。

3　債務が契約によって生じたものである場合において、その契約が解除され、又は債務の不履行による契約の解除権が発生したとき。

Q1 債務者は、損害賠償義務を免れるために、履行不能が自己の責めに帰すべからざる事由によることを自ら主張・立証しなければならないのか。

A 債務者は、自ら主張・立証しなければならない。債務者が履行遅滞の責めに任ずるには、その不履行につき、債務者に過失があることを必要とし、この場合には、民法419条2項において金銭債務の履行遅滞については、特に不可抗力の抗弁をすることができない旨を規定しているため、金銭債務以外の債務の履行遅滞には、不可抗力の抗弁をすることができる。したがって、債権者が履行遅滞による損害賠償請求をするには、履行遅滞が債務者の過失に基づくことを証明することを必要としないが、債務者が義務を免れようとすれば、不可抗力に基づく旨の証拠を挙げることを必要とする（大判大14・2・27、最判昭34・9・17）。

出題 国家総合－平成29、国Ⅰ－平成16、国家一般－平成25、国Ⅱ－平成19、裁判所総合・一般－平成24

Q2 使用者たる債務者は、被用者の不注意から生じた結果に対して、被用者の選任監督につき過失がなければ、債務不履行責任を免れるのか。

A 債務不履行責任を免れない。債務者が債務の履行のため、他人を使用する場合においては、債務者は自らその被用者の選任監督につき過失のないことを要するのはもちろんのこと、他人を使用して債務の履行をさせる範囲においては、被用者を使ってなされる履行に伴い、必要な注意を尽くすことを免れないのであり、使用者である債務者はその履行について被用者の不注意から生じた結果に対し、債務の履行に関する一切の責任を回避することができない（大判昭4・3・30）。

出題 国Ⅰ－平成4、国家一般－平成26、国Ⅱ－平成23・昭和57

Q3 AがBに建物を賃貸し、その後、賃借人Bが適法にCに当該建物を転貸した。その後、転借人Cが過失により当該建物を滅失させた場合、Aは、Bに対し、債務不履行に基づく損害賠償を請求できるのか。

A 債務不履行に基づく損害賠償を請求できる。転借人の故意又は過失により賃借物を滅失・毀損したときは、転貸借につき、賃貸人の承諾が有り、かつ、転貸人（賃借人）自身において責めに帰すべき事情のない場合でも、転貸人は、賃貸人に対してその責めに任じなければならない（大判昭4・6・19）。

出題 国家総合－平成25、裁判所総合・一般－平成28・26

Q4 家屋の賃借人の同居家族の過失により賃借家屋を焼失させた場合には、賃借人は、火災原因について自らの過失がなくても、当該家屋の焼失に対して債務不履行責任を負うのか。

A 債務不履行責任を負う。家屋の賃借人の妻の過失により賃借家屋を焼失させた場合には、賃借人は、火災原因について自らの過失がなくても、当該家屋の焼失に対して債務不履行責任を負う（最判昭

Q5 契約上の債務の履行遅滞において、填補賠償については、相当の期間を定めた催告をした後に契約を解除しなければ、その請求はできないのか。

A 相当の期間を定めて催告すれば、その期間内に履行がなければ解除がなくてもできる。　債務者の責めに帰すべき事由により履行遅滞が生じた場合、債権者は相当の期間を定めて催告すれば、その期間内に履行がなければ解除をしなくても填補賠償請求ができる（大判昭8・6・13）。

Q6 債務不履行による損害賠償請求には、重過失を要件とする失火責任法の適用はあるのか。

A 失火責任法の適用はない。　「失火ノ責任ニ関スル法律」は「民法第709条ノ規定ハ失火ノ場合ニハ之ヲ適用セス」と規定している以上、債務不履行による損害賠償請求の場合に適用のないことは明らかである（最判昭30・3・25）。

Q7 家屋の賃借人Aの失火により、賃貸家屋が滅失したことから、賃貸人Bが債務不履行を理由にAに損害賠償請求を行ったが、Aには失火責任法に規定されている「重大ナル過失」が認められない場合には、Aは損害賠償責任を負わないのか。

A Aは損害賠償責任を負う（最判昭30・3・25）。
⇨6

Q8 不動産の二重売買において、一方の買主に対する売主の債務は、何時の段階で履行不能となるのか。

A 売主が他の買主に対して所有権移転登記を完了した時である。　不動産の二重売買において、売主の一方の買主に対する債務は、特段の事情のない限り、他の買主に対する所有権移転登記が完了した時に履行不能になる。そして、一方の買主が売主に対して請求しうる損害賠償額はその履行不能時の不動産の価格を基準として算定すべきである（最判昭35・4・21）。

Q9 土地の売買契約の買主は、当該売買契約において売主が負う土地の引渡しや所有権移転登記手続をすべき債務の履行を求めるための訴訟の提起・追行又は保全命令もしくは強制執行の申立てに関する事務を弁護士に委任した場合、売主に対し、これらの事務に係る弁護士報酬を債務不履行に基づく損害賠償として請求することはできるか。

A 債務不履行に基づく損害賠償として請求することはできない。　契約当事者の一方が他方に対して契約上の債務の履行を求めることは、不法行為に基づく損害賠償を請求するなどの場合とは異なり、侵害された権利利益の回復を求めるものではなく、契約の目的を実現して履行による利益を得ようとするものである。また、契約を締結しようとする者は、任意の履行がされない場合があることを考慮して、契約の内容を検討したり、契約を締結するかどうかを決定したりすることができる。加えて、土地の売買契約において売主が負う土地の引渡しや所有権移転登記手続をすべき債務は、同契約から一義的に確定するものであって、上記債務の履行を求める請求権は、上記契約の成立という客観的な事実によって基礎付けられるものである。そうすると、土地の売買契約の買主は、上記債務の履行を求めるための訴訟の提起・追行又は保全命令もしくは強制執行の申立てに関する事務を弁護士に委任した場合であっても、売主に対し、これらの事務に係る弁護士報酬を債務不履行に基づく損害賠償として請求することはできないというべきである（最判令3・1・22）。

◇付随義務違反（安全配慮義務違反）

Q10 安全配慮義務違反は、使用者に成文法により具体的に定められた義務の違反があった場合に限られるのか。

A 限られない。　国は、公務員に対し、国が公務遂行のために設置すべき場所、施設もしくは器具等の設置管理または公務員が国もしくは上司の指示のもとに遂行する公務の管理にあたって、公務員の生命および健康等を危険から保護するよう配慮すべき義務（「安全配慮義務」）を負っている。国が、不法行為規範のもとにおいて私人に対しその生命、健康等を保護すべき義務を負っているほかは、いかなる場合においても公務員に対し安全配慮義務を負うものではないと解することはできない。なぜなら、このような安全配慮義務は、ある法律関係に基づいて特別な社会的接触の関係に入った当事者間において、当該法律関係の付随義務として当事者の一方または双方が相手方に対して信義則上負う義務として一般的に認められるべきものであって、国と公務員との間においても別異に解すべき論拠はないからである。上記義務違反による損害賠償請求権の消滅時効期間は、会計法30条所定の5年と解すべきではなく、民法166条1項2号により10年と解すべきである〈陸上自衛隊八戸事件〉（最判昭50・2・25）。

Q11 債務不履行による損害賠償請求権の消滅時効期間は、何年か。

A 民法166条1項2号により10年である〈陸上自衛隊八戸事件〉（最判昭50・2・25）。⇨10

Q12 債務不履行責任では、債権者でない第三者たる遺族は、自己固有の慰謝料を請求することができるのか。

A 自己固有の慰謝料は請求できない。　下請会社の被用者たる塗装工が転落死した事故について、安全保証義務違背を理由とする損害賠償債務は、期限の定めのない債務であって、債権者が履行の請求を受けた時に履行遅滞となり、債務者は、元請会社及び下請会社双方に損害賠償請求ができる。しかし、死亡した被用者と使用者たる下請会社との雇用契約ないしこれに準ずる法律関係の当事者ではない被用者の両親は、使用者の債務不履行を理由に、固有の慰謝料請求権を取得できない（最判昭55・12・18）。

Q13 就業中に被用者Aが死亡し、その原因が職場

の施設や器具の管理等に適切な配慮を欠く使用者Yの注意義務違反による場合、安全配慮義務違反に基づけば、安全配慮義務の内容およびその義務の履行を果たしたことについてAの相続人XとYのいずれに立証責任があるのか。

🅐立証責任は原告（Aの相続人X）にある。　国が国家公務員に対して負担する安全配慮義務に違反し、その公務員の生命、健康等を侵害し、同人に損害を与えたことを理由として損害賠償を請求する訴訟において、当該義務の内容を特定し、かつ、義務違反に該当する事実を主張・立証する責任は、国の義務違反を主張する原告にある（最判昭56・2・16）。

出題 国家総合－令和1（労働法で出題）・平成24、国Ⅰ－平成15・9

Q14 自衛隊の会計隊長が、路面が雨で濡れ、かつ、アスファルトが付着してきわめて滑走しやすい状況にあることを看過し、急に加速した等運転者として道路交通法上当然に負うべき通常の注意義務を怠ったことにより、対向車に衝突し、その衝撃によって自衛隊の自動車に同乗を命ぜられた者を死亡させた場合、国に同乗者に対する安全配慮義務違反があるのか。

🅐国に同乗者に対する安全配慮義務違反はない。　国は、自衛隊員を自衛隊車両に公務の遂行として乗車させる場合には、自衛隊員に対する安全配慮義務として、車両の整備を十全ならしめて車両自体から生ずべき危険を防止し、車両の運転者としてその任に適する技能を有する者を選任し、かつ、当該車両を運転するうえで特に必要な安全上の注意を与えて車両の運行から生ずる危険を防止すべき義務を負うが、運転者において道路交通法その他の法令に基づいて当然に負うべきものとされる通常の注意義務は、上記安全配慮義務の内容に含まれるものではなく、また、安全配慮義務の履行補助者が当該車両に自ら運転者として乗車する場合であっても、履行補助者に運転者としての上記のような運転上の注意義務違反があったからといって、国の安全配慮義務違反があったものとすることはできない（最判昭58・5・27）。　出題 国家総合－平成24

Q15 国は、拘置所に収容された被勾留者に対して、当該診療行為に関し、被勾留者の生命および身体の安全を確保し、危険から保護する必要とともに、その不履行が損害賠償責任を生じさせることとなる信義則上の安全配慮義務を負うのか。

🅐信義則上の安全配慮義務を負わない。　未決勾留は、刑事訴訟法の規定に基づき、逃亡又は罪証隠滅の防止を目的として、被疑者又は被告人の居住を刑事施設内に限定するものであって、このような未決勾留による拘禁関係は、勾留の裁判に基づき被勾留者の意思にかかわらず形成され、法令等の規定に従って規律されるものである。そうすると、未決勾留による拘禁関係は、当事者の一方又は双方が相手方に対して信義則上の安全配慮義務を負うべき特別な社会的接触の関係とはいえない。したがって、国は、拘置所に収容された被勾留者に対して、当該診療行為に関し、被勾留者の生命および身体の安全

を確保し、危険から保護する必要とともに、その不履行が損害賠償責任を生じさせることとなる信義則上の安全配慮義務を負うものではない（最判平28・4・21）。　出題 国家総合－令和3

Q16 下請企業の労働者が元請企業の作業場で労務の提供をするにあたり、元請企業の管理する設備工具等を用い、事実上元請企業の指揮監督を受けて稼働し、その作業内容も元請企業の従業員とほとんど同じであった場合、元請企業は、信義則上、労働者に対し安全配慮義務を負うのか。

🅐労働者に対し安全配慮義務を負う。　下請企業の労働者が元請企業のD造船所で労務の提供をするにあたって、いわゆる社外工として、元請企業の管理する設備、工具等を用い、事実上、元請企業の指揮、監督を受けて稼働し、その作業内容も元請企業の従業員であるいわゆる本工とほとんど同じであったという事実関係の下においては、元請企業は、下請企業の労働者との間に特別な社会的接触の関係に入ったもので、信義則上、労働者に対し安全配慮義務を負う（最判平3・4・11）。　出題 国家総合－平成24

◇説明義務

Q17 患者が末期的疾患にり患し、余命が限られている旨の診断をした医師は、診療契約に付随する義務として、告知が適当であると判断できたときには、その診断結果等を説明すべき義務を負うのか。

🅐診断結果等を説明すべき義務を負う。　医師は、診療契約上の義務として、患者に対し診断結果、治療方針等の説明義務を負担する。そして、患者が末期的疾患にり患し余命が限られている旨の診断をした医師が患者本人にはその旨を告知すべきではないと判断した場合には、患者本人やその家族にとってのその診断結果の重大性に照らすと、当該医師は、診療契約に付随する義務として、少なくとも、患者の家族等のうち連絡が容易な者に対しては接触し、同人又は同人を介してさらに接触できた家族等に対する告知の適否を検討し、告知が適当であると判断できたときには、その診断結果等を説明すべき義務を負うものといわなければならない。なぜならば、このようにして告知を受けた家族等の側では、医師側の治療方針を理解したうえで、物心両面において患者の治療を支え、また、患者の余命がより安らかで充実したものとなるように家族等としてのできる限りの手厚い配慮をすることができることになり、適時の告知によって行われるであろうこのような家族等の協力と配慮は、患者本人にとって法的保護に値する利益であるというべきであるからである（最判平14・9・24）。　出題 予想

Q18 契約の一方当事者が、当該契約の締結に先立ち、信義則上の説明義務に違反して、当該契約を締結するか否かに関する判断に影響を及ぼすべき情報を相手方に提供しなかった場合、上記一方当事者は、相手方が当該契約を締結したことにより被った損害につき、当該契約上の債務不履行責任を負うのか。

🅐不法行為責任を負っても、当該契約上の債務不

履行責任は負わない。　契約の一方当事者が、当該契約の締結に先立ち、信義則上の説明義務に違反して、当該契約を締結するか否かに関する判断に影響を及ぼすべき情報を相手方に提供しなかった場合には、上記一方当事者は、相手方が当該契約を締結したことにより被った損害につき、不法行為による賠償責任を負うことがあるのは格別、当該契約上の債務の不履行による賠償責任を負うことはない。なぜなら、上記のように、一方当事者が信義則上の説明義務に違反したために、相手方が本来であれば締結しなかったはずの契約を締結するに至り、損害を被った場合には、後に締結された契約は、上記説明義務の違反によって生じた結果と位置付けられるのであって、上記説明義務をもって上記契約に基づいて生じた義務であるということは、それを契約上の本来的な債務というか付随義務というかにかかわらず、一種の背理であるといわざるをえないからである。契約締結の準備段階においても、信義則が当事者間の法律関係を規律し、信義則上の義務が発生するからといって、その義務が当然にその後に締結された契約に基づくものであるということにならない（最判平 23・4・22）。

出題 国家総合 – 令和 3、国家一般 – 令和 2・平成 30

第 416 条（損害賠償の範囲）
①債務の不履行に対する損害賠償の請求は、これによって通常生ずべき損害の賠償をさせることをその目的とする。
②特別の事情によって生じた損害であっても、当事者がその事情を予見すべきであったときは、債権者は、その賠償を請求することができる。

Q1 売主が売買の目的物を引き渡さないため、買主が契約を解除した場合の損害額の算定時期は何時か。

A 解除当時における目的物の時価を標準とする。
売主が売買の目的物を給付しないため売買契約が解除された場合においては、買主は解除の時までは目的物の給付請求権を有し解除によりはじめてこれを失うとともに当該請求権に代えて履行に代わる損害賠償請求権を取得し、一方売主は解除の時までは目的物を給付すべき義務を負い、解除によってはじめてその義務を免れるとともにその義務に代えて履行に代わる損害賠償義務を負うに至るから、この場合において買主が受くべき履行に代わる損害賠償の額は、解除当時における目的物の時価を標準として定むべきで、履行期における時価を標準とすべきではない（最判昭 28・12・18）。 出題 国 I – 平成 4

Q2 ビルの店舗部分を賃借してカラオケ店を営業していた賃借人が、同店舗部分に発生した浸水事故に係る賃貸人の修繕義務の不履行により、同店舗部分で営業することができず、営業利益相当の損害を被った場合、損害のすべてが、民法 416 条 1 項にいう「通常生ずべき損害」にあたるのか。

A 損害のすべてが、民法 416 条 1 項にいう「通常生ずべき損害」にあたるとはいえない。　ビルの店舗部分を賃借してカラオケ店を営業していた賃借人が、同店舗部分に発生した浸水事故に係る賃貸人の修繕義務の不履行により、同店舗部分で営業するこ

とができず、営業利益相当の損害を被った場合において、(1)賃貸人が上記修繕義務を履行したとしても、上記ビルは、上記浸水事故時において建築から約 30 年が経過し、老朽化して大規模な改修を必要としており、賃借人が賃貸借契約をそのまま長期にわたって継続しえたとは必ずしも考えがたいこと、(2)賃貸人は、上記浸水事故の直後に上記ビルの老朽化を理由に賃貸借契約を解除する旨の意思表示をしており、同事故から約 1 年 7 か月が経過して本件訴えが提起された時点では、上記店舗部分における営業の再開は、実現可能性の乏しいものとなっていたことなどの事情の下では、遅くとも賃借人に対し損害賠償を求める本件訴えが提起された時点においては、賃借人がカラオケ店の営業を別の場所で再開する等の損害を回避又は減少させる措置をとることなく発生する損害のすべてについての賠償を賃貸人に請求することは条理上認められず、賃借人が上記措置をとることができたと解される時期以降における損害のすべてが民法 416 条 1 項にいう通常生ずべき損害にあたるとはいえない（最判平 21・1・19）。 出題 予想

第 417 条（損害賠償の方法）
　損害賠償は、別段の意思表示がないときは、金銭をもってその額を定める。
＊不法行為の損害賠償に準用（722 条 1 項）

第 417 条の 2（中間利息の控除）
①将来において取得すべき利益についての損害賠償の額を定める場合において、その利益を取得する時までの利息相当額を控除するときは、その損害賠償の請求権が生じた時点における法定利率により、これをする。
②将来において負担すべき費用についての損害賠償の額を定める場合において、その費用を負担すべき時までの利息相当額を控除するときも、前項と同様とする。

第 418 条（過失相殺）
　債務の不履行又はこれによる損害の発生若しくは拡大に関して債権者に過失があったときは、裁判所は、これを考慮して、損害賠償の責任及びその額を定める。

Q1 民法 418 条による過失相殺は、裁判所が職権ですることができるか。また、債権者の過失となるべき事実については、債権者において立証責任を負うのか。

A 裁判所が職権ですることができる。また、債権者の過失については、債務者において立証責任を負う。　民法 418 条による過失相殺は、債務者の主張がなくても、裁判所が職権ですることができるが、債権者の過失となるべき事実については、債務者において立証責任を負う（最判昭 43・12・24）。 出題 予想

Q2 労働者に過重な業務によって鬱病が発症し増悪した場合において、使用者の安全配慮義務違反等に基づく損害賠償の額を定めるにあたり、当該労働者が自らの精神的健康に関する一定の情報を使用者に申告しなかったことを理由に、過失相殺をすることができるのか。

A**過失相殺をすることはできない。**　労働者に過重な業務によって鬱病が発症し増悪した場合において、(1)当該労働者は、鬱病発症以前の数か月に休日や深夜を含む相応の時間外労働を行い、その間、最先端の製品の製造に係るプロジェクトの工程で初めて技術担当者のリーダーになってその職責を担う中で、業務の期限や日程を短縮されて督促等を受け、上記工程の技術担当者を理由の説明なく減員されたうえ、過去に経験のない異種の製品の開発等の業務も新たに命ぜられるなど、その業務の負担は相当過重であった。(2)上記情報は、神経科の医院への通院、その診断に係る病名、神経症に適応のある薬剤の処方等を内容とし、労働者のプライバシーに属する情報であり、人事考課等に影響しうる事柄として通常は職場において知られることなく就労を継続しようとすることが想定される性質の情報であった。このような事情の下では、使用者の安全配慮義務違反等に基づく損害賠償の額を定めるにあたり、当該労働者が自らの精神的健康に関する一定の情報を使用者に申告しなかったことをもって過失相殺をすることはできない〈東芝解雇無効確認等請求事件〉（最判平26・3・24）。

出題 国家総合 - 令和1（労働法で出題）

第419条（金銭債務の特則）

①金銭の給付を目的とする債務の不履行については、その損害賠償の額は、債務者が遅滞の責任を負った最初の時点における法定利率によって定める。ただし、約定利率が法定利率を超えるときは、約定利率による。

②前項の損害賠償については、債権者は、損害の証明をすることを要しない。

③第1項の損害賠償については、債務者は、不可抗力をもって抗弁とすることができない。

Q1**金銭を目的とする債務の履行遅滞による損害賠償については、債権者は、約定又は法定の利率以上の損害が生じたことを立証すれば、その賠償を請求することができるのか。**

A**その賠償を請求することはできない。**　民法419条によれば、金銭を目的とする債務の履行遅滞による損害賠償の額は、法律に別段の定めがある場合を除き、約定又は法定の利率により、債権者はその損害の証明をする必要がないとされているが、その反面として、たとえそれ以上の損害が生じたことを立証しても、その賠償を請求することはできないものというべく、したがって、債権者は、金銭債務の不履行による損害賠償として、債務者に対し弁護士費用その他の取立費用を請求することはできない（最判昭48・10・11）。

出題 国家一般 - 平成30

第420条（賠償額の予定）

①当事者は、債務の不履行について損害賠償の額を予定することができる。

②賠償額の予定は、履行の請求又は解除権の行使を妨げない。

③違約金は、賠償額の予定と推定する。

第421条

前条の規定は、当事者が金銭でないものを損害の賠償に充てるべき旨を予定した場合について準用する。

第422条（損害賠償による代位）

債権者が、損害賠償として、その債権の目的である物又は権利の価額の全部の支払を受けたときは、債務者は、その物又は権利について当然に債権者に代位する。

第422条の2（代償請求権）

債務者が、その債務の履行が不能となったのと同一の原因により債務の目的物の代償である権利又は利益を取得したときは、債権者は、その受けた損害の額の限度において、債務者に対し、その権利の移転又はその利益の償還を請求することができる。

Q1**従業員が第三者の不法行為により死亡し、会社が当該従業員の遺族に対し労働基準法に基づく遺族補償をした場合、会社は遺族に支払った金額について会社独自の損害賠償請求が認められるのか。**

A**会社は、遺族に代位して第三者に対し賠償請求権を取得する。**　労働者の死亡について第三者が不法行為に基づく損害賠償責任を負う場合には、労働基準法79条に基づく補償義務を履行した使用者は、民法422条の類推により、その履行した時期および程度で遺族に代位して第三者に対し賠償請求権を取得する（最判昭36・1・24）。

出題 国Ⅰ- 平成17

Q2**履行不能が生じたのと同一の原因によって、債務者が履行の目的物の代償と考えられる利益を取得した場合には、債権者は、当該履行不能により受けた損害を限度として、債務者に対し、当該利益の償還を求めることができるのか。**

A**当該利益の償還を求めることができる。**　一般に履行不能を生ぜしめたと同一の原因によって、債務者が履行の目的物の代償と考えられる利益を取得した場合には、公平の観念に基づき、債権者において債務者に対し、当該履行不能により債権者が被った損害の限度において、その利益の償還を請求する権利を認めるのが相当であり、民法536条2項後段の規定は、この法理のあらわれである（最判昭41・12・23）。　出題 国家総合 - 令和3・平成29

第2款　債権者代位権

第423条（債権者代位権の要件）

①債権者は、自己の債権を保全するため必要があるときは、債務者に属する権利（以下「被代位権利」という。）を行使することができる。ただし、債務者の一身に専属する権利及び差押えを禁じられた権利は、この限りでない。

②債権者は、その債権の期限が到来しない間は、被代位権利を行使することができない。ただし、保存行為は、この限りでない。

③債権者は、その債権が強制執行により実現することのできないものであるときは、被代位権利を行使することができない。

(1)債権者代位権の要件

◇債務者が無資力であること

Q1**金銭債権保全のために債権者代位権を行使す**

民法編

るためには、債務者は無資力でなければならないのか。

A 債務者は無資力でなければならない。　債権者は、債務者の資力が当該債権を弁済するについて十分でない場合に限り、自己の金銭債権を保全するため、民法423条1項本文の規定により当該債務者に属する権利を行使しうる（最判昭40・10・12）。　出題 国Ⅰ－平成21・7、国税－平成5

Q2 自動車事故の被害者が損害賠償請求権を保全するため、加害者が保険会社に対して有する任意保険の保険金請求権を代位行使する場合には債務者が無資力であることを要するか。

A 債務者が無資力であることを要する。　金銭債権を有する者は、債務者の資力がその債権を弁済するについて十分でないときに限り、民法423条1項本文により、債務者の有する権利を行使することができるが、交通事故による損害賠償債権も金銭債権にほかならないから、債権者がその債権を保全するため民法423条1項本文により債務者の有する自動車対人賠償責任保険の保険金請求権を行使するには、債務者の資力が債権を弁済するについて十分でないときであることを要する（最判昭49・11・29）。　出題 国家総合－平成24、国Ⅰ－平成16

◇債権の成立時期

Q3 代位債権者の被保全債権は、代位行使される債権よりも先に成立している必要があるのか。

A 先に成立している必要はない。　代位債権者の債権は債務者の権利より前に成立したことを必要としない。また、代位債権者の債権に抵当権の存することは代位権行使の妨げとならない（最判昭33・7・15）。

出題 特別区Ⅰ－平成29、裁判所総合・一般－令和1・平成26

◇債務者による権利の不行使

Q4 債権者が代位権を行使するためには、債務者の承諾が必要か。

A 債務者の承諾は不要である。　債権者が代位権の行使をするためには、債務者に対しその権利行使を催告し、債務者がこれに応じないことを要しない（大判明7・7・7）。　出題 国Ⅰ－昭和51

Q5 債務者が自ら権利を行使している場合にも、債権者は債権者代位権を行使できるか。

A 債権者代位権を行使できない。　債権者代位権の行使は、債務者が自ら権利を行使していない場合に限り許されるのであって、債務者が自ら権利を行使した場合には、行使の方法または結果の良否を問わず、債権者は代位権を行使することができない（最判昭28・12・14）。

出題 国Ⅰ－平成5、地方上級－平成7・昭和56・54、東京Ⅰ－平成14、市役所上・中級－平成4、特別区Ⅰ－平成29・25・22・16、国Ⅱ－平成4、裁判所Ⅰ・Ⅱ－平成22、国税・労基－平成17、国税－平成14・5

(2)債権者代位権の客体

Q6 協議離婚に伴う財産分与請求権を保全するために、債権者代位権を行使できるか。

A 原則として、債権者代位権を行使できない。　離婚によって生ずることのある財産分与請求権は、1個の私権たる性格を有するが、協議あるいは審判等によって具体的内容が形成されるまでは、その範囲および内容が不確定・不明確であるから、かかる財産分与請求権を保全するために債権者代位権を行使することはできない（最判昭55・7・11）。

出題 国Ⅰ－平成7・6、国Ⅱ－平成17・12・9

Q7 名誉の侵害を理由とする被害者の加害者に対する慰謝料請求権は、その具体的な金額が確定した場合には、債権者代位権の対象となるのか。

A 債権者代位権の対象となる。　被害者が、名誉を侵害されたことを理由とする加害者に対する慰籍料請求権を行使する意思を表示しただけで、いまだその具体的な金額が当事者間において客観的に確定しない間は、被害者がなおその請求意思を貫くかどうかをその自律的判断に委ねるのが相当であるから、上記権利はなお一身専属性を有するのであって、被害者の債権者は、これを差押えの対象としたり、債権者代位の目的とすることはできない。しかし、他方、具体的な金額の慰謝料請求権が当事者間において客観的に確定したときは、上記請求権についてはもはや単に加害者の現実の履行を残すだけであって、その受領についてまで被害者の自律的判断に委ねるべき特段の理由はないし、また、被害者がそれ以前の段階において死亡したときも、慰籍料請求権の承継取得者についてまで、行使上の一身専属性を認めるべき理由がないことが明らかであるから、このような場合、慰籍料請求権は、被害者の主観的意思から独立した客観的存在としての金銭債権となり、被害者の債権者においてこれを差し押さえることができるし、また、債権者代位の目的とすることができる（最判昭58・10・6）。

出題 国家総合－令和2・平成24、国Ⅰ－平成21、特別区Ⅰ－平成22、国Ⅱ－平成17・12、裁判所総合・一般－令和3、裁判所Ⅰ・Ⅱ－平成19・16、国税・労基－平成17

Q8 遺留分侵害額請求権は、債権者代位の目的となるのか。

A 原則として、代位の目的とならない。　遺留分侵害額請求権は、遺留分権利者が、これを第三者に譲渡するなど、権利行使の確定的意思を有することを外部に表明したと認められる特段の事情がある場合を除き、債権者代位の目的とすることができない。なぜなら遺留分を回復するかどうかを、もっぱら遺留分権利者の自律的決定にゆだねたものであるからである（1046条、1049条参照）。そうすると、遺留分侵害額請求権は、前記特段の事情がある場合を除き、行使上の一身専属性を有し、民法423条1項ただし書にいう「債務者の一身に専属する権利」にあたるのであって、遺留分権利者以外の者が、遺留分権利者の侵害額請求権行使の意思決定に介入することは許されない。民法1031条が、

民法

遺留分権利者の承継人にも遺留分侵害額請求権を認めていることは、この権利がいわゆる帰属上の一身専属性を有しないことを示すものにすぎず、上記のように解する妨げとはならない（最判平13・11・22）。

出題 国家総合－平成27、国Ⅰ－平成16、国家一般－平成25、国Ⅱ－平成22・17、裁判所総合・一般－平成26、国税・労基－平成17

Q9 A、B両名の実父Dは、その所有する宅地をAに相続させる旨の公正証書遺言をした。その後、Bは、Cから金員を借り受けたが、その返済をする前にDが死亡し、A、Bの両名がDを共同相続した。Dの上記遺言がBの遺留分を侵害するものであった場合、Cは、Bが無資力であれば、Bに対する貸金債権を保全するため、原則としてBのAに対する遺留分減殺請求権を代位行使することができるか。

A 原則として、代位行使できない（最判平13・11・22）。⇨8

（3）債権者代位権行使の効果

Q10 債権者代位訴訟における判決の既判力は、訴訟に参加していない債務者にも及ぶか。

A 訴訟に参加していない債務者にも及ぶ。　債権者が民法423条の規定によってその債務者に属する権利の行使として第三債務者に対し訴訟を提起し判決を受けた場合には、同判決は債務者が当該訴訟に参加したか否かにかかわらず、つねに民事訴訟法115条2号の規定によって債務者に対してもその効力を有する（大判昭15・3・15）。

出題 国Ⅰ－昭和61・56、国税・労基－平成17

〔参考〕民事訴訟法第115条　確定判決は、次に掲げる者に対してその効力を有する。
2　当事者が他人のために原告又は被告となった場合のその他人

Q11 債権者が代位権の行使として提起した訴訟によって得た判決の効力は債務者にも及び、債務者の第三債務者に対する債権の消滅時効の完成は猶予されるのか。

A 判決の効力は債務者にも及び、債務者の第三債務者に対する債権の消滅時効の完成は猶予される（大判昭15・3・15）。⇨10

（4）債権者代位権の転用

Q12 賃借権が第三者によって妨害されている場合、賃借人は、賃貸人の有する所有権に基づく妨害排除請求権を代位行使できるか。

A 代位行使できる。　土地の賃借人が賃貸人に対し当該土地の使用収益ができる債権を有する場合において、第三者がその土地を不法に占拠して使用収益を妨げているときは、土地の賃借人は当該債権を保全するため、民法423条により賃貸人が有する土地の妨害排除請求権を行使することができる（大判昭4・12・16）。

出題 国家総合－平成27、国Ⅰ－平成21・16・7・4・昭和54、地方上級－平成8・昭和55、東京Ⅰ－平成14、国家一般－平成25、国Ⅱ－平成17・4、裁判所総合・一般－平成26、国税・財務・労基－平成28、国税－平成10・5

Q13 自分の特定債権を保全するために債務者の第三者に対する特定の債権を代位行使する場合でも、債務者は無資力であることを要するのか。

A 債務者は無資力であることを要しない（最判昭29・9・24）。

Q14 建物賃借人は賃貸人に代位して建物の不法占拠者に対して、直接自己に明渡しを請求できるのか。

A 明渡し請求ができる。　建物の賃借人が、その賃借権を保全するため賃貸人たる建物所有者に代位して建物不法占拠者に対しその明渡しを請求する場合においては、直接自己にその明渡しをなすべきことを請求することができる（最判昭29・9・24）。

出題 国Ⅰ－平成11・5・昭和54、地方上級－昭和56・54、東京Ⅰ－平成14、特別区Ⅰ－平成16、国Ⅱ－平成12・4、裁判所総合・一般－平成30、国税－平成11

第423条の2（代位行使の範囲）

　債権者は、被代位権利を行使する場合において、被代位権利の目的が可分であるときは、自己の債権の額の限度においてのみ、被代位権利を行使することができる。

〔判例法理の条文化〕

Q1 債権者はどの程度の範囲で債務者に対する金銭債権に基づき債務者の第三債務者に対する金銭債権を代位行使できるのか。

A 自己の債権額の範囲内に限られる。　債権者代位権は、債権者の債権を保全するために認められた制度であるから、これを行使しうる範囲は、当該債権の保全に必要な限度に限られ、債権者が債務者に対する金銭債権に基づいて債務者の第三債務者に対する金銭債権を代位行使する場合においては、債権者は自己の債権額の範囲においてのみ債務者の債権を行使しうる（最判昭44・6・24）。

出題 国家総合－平成24、国Ⅰ－平成21・11、地方上級－平成6、特別区Ⅰ－平成25・22・16、国家一般－平成25、国Ⅱ－平成12・4、裁判所総合・一般－平成30、裁判所Ⅰ・Ⅱ－平成16、国税・財務・労基－平成28、国税・労基－平成22・17

第423条の3（債権者への支払又は引渡し）

　債権者は、被代位権利を行使する場合において、被代位権利が金銭の支払又は動産の引渡しを目的とするものであるときは、相手方に対し、その支払又は引渡しを自己に対してすることを求めることができる。この場合において、相手方が債権者に対してその支払又は引渡しをしたときは、被代位権利は、これによって消滅する。

〔判例法理の条文化〕

Q1 債権者が金銭債権につき第三債務者に対して債権者代位権を行使した場合、直接自己に金銭の支払いを請求できるのか。

A 直接自己に金銭の支払いを請求できる。　債権者が債務者に対して有する金銭債権に基づき、債務者の第三債務者に対する金銭債権を代位行使した場合、債権者は第三債務者に直接自己に金銭の支払い

を請求することができる（大判昭10・3・12）。

第423条の4（相手方の抗弁）

　債権者が被代位権利を行使したときは、相手方
は、債務者に対して主張することができる抗弁を
もって、債権者に対抗することができる。

〔判例法理の条文化〕

Q1 第三債務者は、代位債権者に対し、債務者に対
して有するすべての抗弁権を行使することができる
一方、代位債権者は、第三債務者の提出した抗弁に
対して、債務者が第三債務者に対して有する抗弁だ
けでなく、第三債務者に対して有する代位債権者独
自の事情に基づく自己自身の抗弁も行使できるの
か。

A 第三債務者に対して有する代位債権者独自の事
情に基づく自己自身の抗弁の行使はできない。　債
権者代位訴訟における原告は、その債務者に対する
自己の債権を保全するため債務者の第三債務者に対
する権利について管理権を取得し、その管理権の行
使として債務者が自己の名において債務者に
属する権利を行使するものであるから、その地位
はあたかも債務者になり代わるものであって、債
務者自身が原告になった場合と同様の地位を有する
に至るものというべく、したがって、被告となった
第三債務者は、債務者が自ら原告になった場合に比
べて、より不利益な地位に立たされることがないと
ともに、原告となった債権者もまた、その債務者が
現に有する法律上の地位に比べて、より有利な地位
を享受しうるものではない。そうであるとするなら
ば、第三債務者である被告が提出した債務者に対す
る債権を自動債権とする相殺の抗弁に対し、代位債
権者たる原告の提出することのできる再抗弁は、債
務者自身が主張することのできる再抗弁事由に限定
されるべきであって、債務者と関係のない、原告の
独自の事情に基づく抗弁を提出することはできない
（大判昭11・3・23、最判昭54・3・16）。

**第423条の5（債務者の取立てその他の処分の権限
等）**

　債権者が被代位権利を行使した場合であっても、
債務者は、被代位権利について、自ら取立てその他
の処分をすることを妨げられない。この場合におい
ては、相手方も、被代位権利について、債務者に対
して履行をすることを妨げられない。

〔判例法理の否定〕

**第423条の6（被代位権利の行使に係る訴えを提起
した場合の訴訟告知）**

　債権者は、被代位権利の行使に係る訴えを提起し
たときは、遅滞なく、債務者に対し、訴訟告知をし
なければならない。

**第423条の7（登記又は登録の請求権を保全するた
めの債権者代位権）**

　登記又は登録をしなければ権利の得喪及び変更を
第三者に対抗することができない財産を譲り受けた
者は、その譲渡人が第三者に対して有する登記手続
又は登録手続をすべきことを請求する権利を行使し
ないときは、その権利を行使することができる。
この場合においては、前3条の規定を準用する。

〔判例法理の条文化〕

Q1 土地がY→A、A→Xに順次譲渡されたが、登
記名義が依然としてYにある場合、Xは、Aに対す
る所有権移転登記手続請求権を保全するためどのよ
うな方法をとることができるか。

A Xは資力の有無を問わず、Aに代位してYに
対する所有権移転登記手続請求権を行使できる。
本件においては、AのYに対する登記手続の請求を
行使するのでなければ、XのAに対する登記手続の
請求権はAの資力の有無にかかわらず、その目的
を達することはできず、前者の請求権の行使は後者
の請求権を保全するために適切で必要なことは明ら
かである。したがって、Xが本訴の請求において保
全しようとする権利はAに対し売買による所有権移
転登記手続を請求する権利であり、すなわち、一定
の人に対し一定の行為の要求を目的とする一種の債
権である（大判明43・7・6）。

Q2 不動産がAからB、BからCへと順次譲渡され、
いずれの売買についても移転登記がなされていない
場合には、CがBのAに対する移転登記請求権を
代位行使することは許されるのか。

A 許される（大判明43・7・6）。⇨ 1

Q3 土地の売主である共同相続人が所有権移転登
記義務を負担しているのに、そのうちの1人が所有
権移転登記手続に応じない場合、他の共同相続人は
いかなる権利を行使できるか。

A 共同相続人の1人に対する買主の移転登記手続
請求権を代位行使できる。　共同相続人の1人が
当該登記義務の履行を拒絶しているときは、買主
は、登記義務の履行を提供して自己の相続した代金
債権の弁済を求める他の相続人に対しても代金支払
いを拒絶することができる。そして、この場合、相
続人は、その同時履行の抗弁権を失わせて買主に対
する自己の代金債権を保全するため、債務者たる買
主の資力の有無を問わず、民法423条1項本文によ
り、買主に代位して、登記手続に応じない相続人
に対する買主の所有権移転登記手続請求権を行使す
ることができる（最判昭50・3・6）。

第3款　詐害行為取消権

第1目　詐害行為取消権の要件

第424条（詐害行為取消請求）

①債権者は、債務者が債権者を害することを知って
　した行為の取消しを裁判所に請求することができ

る。ただし、その行為によって利益を受けた者（以下この款において「受益者」という。）がその行為の時において債権者を害することを知らなかったときは、この限りでない。

②前項の規定は、財産権を目的としない行為については、適用しない。

③債権者は、その債権が第1項に規定する行為の前の原因に基づいて生じたものである場合に限り、同項の規定による請求（以下「詐害行為取消請求」という。）をすることができる。

④債権者は、その債権が強制執行により実現することのできないものであるときは、詐害行為取消請求をすることができない。

1　詐害行為取消権の法的性質等

Q1 詐害行為取消しは、債務者を被告として訴えなければならないのか。

A 受益者または転得者を被告とすべきであり、債務者を被告としてはならない（大連判明44・3・24）。

出題 国Ⅰ－平成23・6・昭和62、地方上級－平成9、国Ⅱ－平成11、裁判所総合・一般－平成28

Q2 当該法律行為が詐害行為として取り消された場合、債務者は、受益者に対して、当該法律行為によって目的財産が受益者に移転していることを否定できるのか。

A 否定できない。　詐害行為の取消しの効果は相対的であり、取消訴訟の当事者である債権者と受益者との間における当該法律行為を無効とするにとどまり、債務者との関係では当該法律行為は依然として有効に存在するのであって、当該法律行為が詐害行為として取り消された場合であっても、債務者は、受益者に対して、当該法律行為によって目的財産が受益者に移転していることを否定することはできない（最判平13・11・16）。　出題 予想

Q3 債務者の財産が転得者にある場合、詐害行為取消しの被告は受益者か転得者か。

A 取消権者の自由である。　債務者の財産が転得者のところにある場合に、債権者が受益者に対して詐害行為取消権を行使し、法律行為を取り消して賠償を求めようと、転得者に対して同一の訴権を行使し、直接にその財産を回復しようとすることは債権者の自由である（大連判明44・3・24）。

出題 国Ⅰ－平成23・13・昭和58

2　詐害行為取消権の客観的要件

⑴債務者の法律行為

Q4 AがBに不動産を譲渡した後、移転登記をしない間に、AがCと通謀してBを害する意思でCに当該不動産を譲渡し、移転登記をした場合、A・C間の不動産譲渡行為は詐害行為となるのか。

A A・C間の不動産譲渡行為は詐害行為とならない。　詐害行為取消権は、債務者のした行為の取消しを請求する権利であり、債務者が債権者を害する

ことを知ってその行為をした場合に発生するのであるが、当該行為が仮装で真に成立しない場合には発生しない。したがって、たとえば、Aが不動産（抵当権）の譲渡を仮装し登記をしたために、Bの権利が害されたとしてもBのために民法424条の詐害行為取消権は発生しない（大判明41・6・20）。

出題 国Ⅰ－昭和55

Q5 詐害行為取消請求の被保全債権が成立する以前に不動産譲渡行為がなされ、その成立後に登記が移転された場合、当該譲渡行為について取消請求は認められるか。

A 詐害行為取消請求は認められない。　債務者の行為が詐害行為として債権者による取消しの対象となるためには、その行為が債権者の債権の発生後にされたものであることを必要とするから、詐害行為と主張される不動産物権の譲渡行為が債権者の債権成立前にされたものである場合には、たといその登記が当該債権成立後にされたときでも、債権者は取消請求ができない（最判昭55・1・24、最判昭33・2・21）。

出題 国家総合－令和1、国Ⅰ－平成3、地方上級－昭和61、東京Ⅰ－平成19、特別区Ⅰ－平成29・23、国家一般－令和2、国Ⅱ－平成21・11・6、裁判所総合・一般－令和1、裁判所Ⅰ・Ⅱ－平成20・19・14、国税・労基－平成21

Q6 債務者が自己の第三者に対する債権を譲渡し、その後に債権者が被保全債権を取得した場合に、債務者がした確定日付のある債権譲渡の通知は、詐害行為取消請求の対象となるのか。

A 詐害行為取消請求の対象とならない。　債務者が自己の第三者に対する債権を譲渡した場合において、債務者がこれについてした確定日付のある債権譲渡の通知は、詐害行為取消請求の対象とならない。なぜなら、詐害行為取消請求の対象となるのは、債務者の財産の減少を目的とする行為そのものであるところ、債権の譲渡行為とこれについての譲渡通知とはもとより別個の行為であって、後者はたんにその時から初めて債権の移転を債務者その他の第三者に対抗しうる効果を生じさせるにすぎず、譲渡通知の時にその債権移転行為がされたこととなったり、債権移転の効果が生じたりするわけではなく、債権譲渡行為自体が詐害行為を構成しない場合には、これについてされた譲渡通知のみを切り離して詐害行為として取り扱い、これに対する詐害行為取消請求を認めることは相当とはいいがたいからである（最判平10・6・12）。

出題 国Ⅰ－平成19、国家一般－平成24、裁判所総合・一般－平成24

Q7 債権者の被保全債権は、詐害行為よりも前に発生していることが必要か。

A 前に発生していることが必要である（最判昭55・1・24、最判昭33・2・21）。⇒5

Q8 詐害行為の前に成立した債権であれば、詐害行為の時までに弁済期が到来しなくても、債権者はその債権に基づいて詐害行為取消請求ができるのか。

A 詐害行為取消請求ができる。　調停によって毎月一定額を支払うことと定められた将来の婚姻費用

の分担に関する債権は、詐害行為当時いまだその支払期日が到来しない場合であっても、詐害行為取消権の成否を判断するにあたっては、すでに発生した債権であることを妨げず、詐害行為当時、当事者間の婚姻関係その他の事情から、その調停の前提たる事実関係の存続がかなりの蓋然性をもって予測される限度において、これを被保全債権として詐害行為取消権が成立する（最判昭46・9・21）。

出題 国Ⅰ－昭和62、裁判所総合・一般－平成28、国税－平成5

Q9 詐害行為の前に成立した債権であれば、詐害行為の後に当該債権を譲り受けた者も詐害行為取消請求ができるのか。

A 詐害行為取消請求ができる。　詐害行為取消請求をする者は、債権が行為当時すでに成立していることを要するが、当該債権がその当時からすでにその者に帰属していることは要件としない。したがって、債務者の詐害行為の当時、すでに成立していた債権が、その後譲渡されても、譲受人は、詐害行為取消請求をすることができる（大判大12・7・10）。

出題 国Ⅰ－昭和62

(2)債権者を害する法律行為

◇債務者の資力の算定時期

Q10 詐害行為が成立した後に、弁済資力の増加により債権者を害する事情がなくなった場合でも、債権者は詐害行為取消請求ができるか。

A 詐害行為取消請求ができない。　債務者が乙物件の売渡し当時には、債権者を害するいわゆる詐害状態から脱却し、詐害状態がもはや治癒されたことは明らかであるから、その前の甲物件の売渡し当時には詐害状態にあったとしても、その後においては、もはや当該売渡行為を詐害行為として取消請求することはできない（大判昭12・2・18）。

出題 市役所上・中級－平成4、特別区Ⅰ－平成29、国Ⅱ－平成6

◇弁済

Q11 債務者が一部の債権者に弁済することは、詐害行為にあたるのか。

A 原則として詐害行為にあたらない。　債権者が、弁済期の到来した債務の弁済を求めることは、債権者の当然の権利行使であって、他に債権者がいてもその権利行使は阻害されない。また債務者も債務の本旨に従い履行をなすべき義務を負うから、他に債権者がいるために弁済を拒絶することはできない。そして債権者平等の原則は、破産宣告をまってはじめて生ずるものであるから、債務超過の状況にあって一債権者に弁済することが他の債権者の共同担保を減少する場合においても、その弁済は、原則として詐害行為とならず、ただ、債務者が一債権者と通謀し、他の債権者を害する意思をもって弁済したような場合にのみ詐害行為になるにすぎない（最判昭33・9・26、大判大6・6・7）。

出題 裁判所Ⅰ・Ⅱ－平成20、国税－昭和58

Q12 特定の債権者と通謀し、他の債権者を害する意図をもって一部の債権者にのみ弁済をした場合は、詐害行為となるのか。

A 詐害行為となる（最判昭33・9・26、大判大6・6・7）。⇨11

◇自己破産による破産免責

Q13 債務者が自己破産をして破産免責を受けた後に、債権者が当該免責の効力を受ける債権に基づいて、債務者が自己破産の申立て前にした財産処分行為につき、詐害行為取消請求をすることができるのか。

A 詐害行為取消請求をすることはできない。　XがYに対する本件連帯保証債務につき（旧）破産法第3編第1章の規定による免責決定を受けてこれが確定したことにより、YのXに対する連帯保証債務履行請求権は、訴えをもって履行を請求しその強制的実現を図ることができなくなったのであり〔破産法253条1項参照〕、その結果詐害行為取消権行使の前提を欠くに至ったのであるから、Yにおいて、Xが自己破産の申立て前にした財産処分行為につき、当該債権に基づき詐害行為取消請求をすることは許されない（最判平9・2・25）。

出題 予想

〔参考〕破産法第253条　①免責許可の決定が確定したときは、破産者は、破産手続による配当を除き、破産債権について、その責任を免れる。〔後略〕

(3)直接に財産権を目的としない行為

Q14 相続放棄という身分行為で、債務者の財産状況を悪化させる場合には、当該行為は詐害行為取消しの対象となるのか。

A 詐害行為取消しの対象とならない。　相続の放棄のような身分行為は、民法424条の詐害行為取消請求の対象とならない。なぜなら、当該取消請求の対象となる行為は、積極的に債務者の財産を減少させる行為であることを要し、消極的にその増加を妨げるにすぎないものを包含しないところ、相続の放棄は、相続人の意思からいっても、また法律上の効果からいっても、これを既得財産を積極的に減少させる行為というよりはむしろ消極的にその増加を妨げる行為にすぎないからである。また、もし相続の放棄を詐害行為として取り消しうるものとすれば、相続人に対し相続の承認を強制することと同じ結果となるからである（最判昭49・9・20）。

出題 国Ⅰ－平成20・昭和55、地方上級－昭和54、東京Ⅰ－平成19、裁判所Ⅰ・Ⅱ－平成19、国税・労基－平成21・19

Q15 債務者本人が債務超過の状態で妻と離婚し財産を分与した場合、当該財産分与は詐害行為取消しの対象となるか。

A 財産分与として相当なものであれば、詐害行為取消しの対象とならない。　財産分与者がすでに債務超過の状態にあって当該財産分与によって一般債権者に対する共同担保を減少させる結果になるとしても、それが民法768条3項の規定の趣旨に反して不相当に過大であり、財産分与に仮託してされた財産処分であると認めるに足りるような特段の事情のない限り、詐害行為として、債権者による詐害

行為取消しの対象となりえない（最判昭58・12・19）。

出題 国家総合 − 令和1、国Ⅰ − 平成6、地方上級 − 平成9、東京Ⅰ − 平成19、特別区Ⅰ − 平成23、国Ⅱ − 平成16・11、裁判所Ⅰ・Ⅱ − 平成19、国税・財務・労基 − 平成28、国税・労基 − 平成21、国税 − 平成14・1

Q16 離婚に伴う慰謝料を支払う旨の合意は、詐害行為となるのか。

A 原則として、詐害行為とならない。　離婚に伴う慰謝料を支払う旨の合意は、配偶者の一方が、その有責行為およびこれによって離婚のやむなきに至ったことを理由として発生した損害賠償債務の存在を確認し、賠償額を確定してその支払を約する行為であって、新たに創設的に債務を負担するものとはいえないから、詐害行為とはならない。しかしながら、当該配偶者が負担すべき損害賠償債務の額を超えた金額の慰謝料を支払う旨の合意がされたときは、その合意のうちその損害賠償債務の額を超えた部分については、慰謝料支払いの名を借りた金銭の贈与契約ないし対価を欠いた新たな債務負担行為というべきであるから、詐害行為取消請求の対象となりうる（最判平12・3・9）。　　　　　**出題** 予想

Q17 共同相続人の間で成立した遺産分割協議は、詐害行為取消請求の対象となるのか。

A 詐害行為取消請求の対象となる。　共同相続人の間で成立した遺産分割協議は、詐害行為取消請求の対象となりうる。なぜなら、遺産分割協議は、相続の開始によって共同相続人の共有となった相続財産について、その全部または一部を、各相続人の単独所有とし、または新たな共有関係に移行させることによって、相続財産の帰属を確定させるものであり、その性質上、財産権を目的とする法律行為であるといえるからである（最判平11・6・11）。

出題 国家総合 − 令和1、国Ⅰ − 平成19、裁判所総合・一般 − 平成24、国税・労基 − 平成19

(4)特定債権の保全

Q18 特定物債権保全のために詐害行為取消請求ができるか。

A 損害賠償債権に変じれば、詐害行為取消請求ができる。　民法424条の詐害行為取消権は、総債権者の共同担保の保全を目的とする制度であるが、特定物引渡請求権（特定物債権）といえどもその目的物を債務者が処分することにより無資力となった場合には、その特定物債権者は当該処分行為を詐害行為として取り消すことができる。なぜなら、かかる債権も、究極において損害賠償債権に変じうるのであるから、債務者の一般財産により担保されなければならないことは、金銭債権と同様だからである（最大判昭36・7・19）。

出題 地方上級 − 昭和60、東京Ⅰ − 平成19、国Ⅱ − 平成21・6、裁判所総合・一般 − 令和1、裁判所Ⅰ・Ⅱ − 平成20・19・14、国税・労基 − 平成19、国税 − 昭和58

Q19 詐害行為取消請求の被保全債権は金銭債権に限定されるのか。

A 金銭債権に限定される（最大判昭36・7・19）。⇨ 18

Q20 AがBに不動産を売却した後、さらにAが当該不動産をCに贈与し、Cが先に登記を備えAが当該贈与により無資力になった場合、Bは詐害行為取消請求ができるのか。

A Bは詐害行為取消請求ができる（最大判昭36・7・19）。⇨ 18

3　詐害行為取消権の主観的要件

Q21 詐害行為の成立のためには、債権者を害することを意図しもしくは欲していたことを要するのか。

A 債権者を害することを知っていればよい。　詐害行為の成立には債務者がその債権者を害することを知って法律行為をしたことを要するが、必ずしも害することを意図しもしくは欲してこれをしたことを要しない（最判昭35・4・26）。

出題 国家総合 − 令和1、国Ⅰ − 昭和55、地方上級 − 昭和62、市役所上・中級 − 平成4、国Ⅱ − 平成6、国税・財務・労基 − 平成25

Q22 債務者が他の債権者を害することを知りながら特定の債権者と通謀して、優先的に債権の満足を得させる意図で債権を代物弁済として譲渡した場合、詐害行為として取消しの対象となるのか。

A 詐害行為として取消しの対象となる。　債務超過の状態にある債務者が、他の債権者を害することを知りながら特定の債権者と通謀し、当該債権者だけに優先的に債権の満足を得させる意図で、債権の弁済に代えて第三者に対する自己の債権を譲渡（代物弁済）したときは、たとえ譲渡された債権の額が当該債権者に対する債務の額を超えない場合であっても、詐害行為として取消しの対象になる（最判昭48・11・30）。

出題 国Ⅰ − 平成10、国Ⅱ − 平成11

4　価格賠償

Q23 共同抵当権の設定されている不動産が、抵当権者以外の複数の第三者に譲渡され、その行為が詐害行為にあたり、詐害行為後に弁済により抵当権が抹消された場合、抵当権の被担保債権の額はどのように決定されるのか。

A 共同抵当の目的とされた各不動産の価額に応じて抵当権の被担保債権の額を案分した額による。　共同抵当の目的とされた数個の不動産の全部または一部の売買契約が詐害行為に該当する場合において、当該詐害行為の後に弁済によって抵当権が消滅したときは、売買の目的とされた不動産の価額から不動産が負担すべき抵当権の被担保債権の額を控除した残額の限度で当該売買契約を取り消し、その価格による賠償を命ずるべきであり、一部の不動産自体の回復を認めるべきではない。そして、この場合において、詐害行為の目的不動産の価額から控除すべき不動産が負担すべき抵当権の被担保債権の額は、民法392条の趣旨に照らし、共同抵当の目的

とされた各不動産の価額に応じて抵当権の被担保債権の額を案分した額による（最判平4・2・27）。

出題 国Ⅰ-平成10

5　裁判の方法

Q24 詐害行為取消請求は、抗弁の方法によることは許されるのか。

A 訴えの方法によるべきであって、抗弁の方法によることは許されない。　民法424条の詐害行為の取消しは訴えの方法によるべきものであって、抗弁の方法によることは許されない。なぜなら、詐害行為の取消しについては、民法424条に「裁判所に請求することができる」と規定しているから、訴えの方法によるべく、抗弁の方法によることは許されないからである（最判昭39・6・12）。

出題 国Ⅰ-平成23、裁判所総合・一般-平成24

第424条の2（相当の対価を得てした財産の処分行為の特則）

債務者が、その有する財産を処分する行為をした場合において、受益者から相当の対価を取得しているときは、債権者は、次に掲げる要件のいずれにも該当する場合に限り、その行為について、詐害行為取消請求をすることができる。

1　その行為が、不動産の金銭への換価その他の当該処分による財産の種類の変更により、債務者において隠匿、無償の供与その他の債権者を害することとなる処分（以下この条において「隠匿等の処分」という。）をするおそれを現に生じさせるものであること。

2　債務者が、その行為の当時、対価として取得した金銭その他の財産について、隠匿等の処分をする意思を有していたこと。

3　受益者が、その行為の当時、債務者が隠匿等の処分をする意思を有していたことを知っていたこと。

〔判例法理の条文化〕

Q1 債務者が自己所有の不動産を売却して金銭に代えた場合、当該売却行為は詐害行為取消請求の対象となるか。

A 原則として詐害行為取消しの対象となるが、例外的にならない場合がある。　債務者が自己の有する不動産のほかに債務を弁済すべき資力を有しない場合に、その不動産を売却して消費しやすい金銭に代えることは債権担保の効力を削減することになる。それ故、その対価が相当であるか否かを問わず、その売買は債権者を害する行為である。しかし、それが他の債権者に対する弁済その他有用の資にあてるため相当の対価でこれを売却して、その資にあてる場合は、債務者の正当な処分権行使であるから、債務者がその売却代金を有用の資にあてた事実があれば、その代価が不相当でない限り、その売買が債権者を害する行為として取消しを請求することはできない（大判明44・10・3）。

出題 国Ⅰ-平成6・昭和62、地方上級-平成9・1（市共通）・昭和61、国Ⅱ-平成16、裁判所Ⅰ・Ⅱ-平成19、国税-平成8・昭和58

第424条の3（特定の債権者に対する担保の供与等の特則）

①債務者がした既存の債務についての担保の供与又は債務の消滅に関する行為について、債権者は、次に掲げる要件のいずれにも該当する場合に限り、詐害行為取消請求をすることができる。

1　その行為が、債務者が支払不能（債務者が、支払能力を欠くために、その債務のうち弁済期にあるものにつき、一般的かつ継続的に弁済することができない状態をいう。次項第1号において同じ。）の時に行われたものであること。

2　その行為が、債務者と受益者とが通謀して他の債権者を害する意図をもって行われたものであること。

②前項に規定する行為が、債務者の義務に属せず、又はその時期が債務者の義務に属しないものである場合において、次に掲げる要件のいずれにも該当するときは、債権者は、同項の規定にかかわらず、その行為について、詐害行為取消請求をすることができる。

1　その行為が、債務者が支払不能になる前30日以内に行われたものであること。

2　その行為が、債務者と受益者とが通謀して他の債権者を害する意図をもって行われたものであること。

〔判例法理の条文化〕

Q1 債務者が一部の債権者のために根抵当権を設定する行為は、詐害行為にあたるか。

A 原則として詐害行為にあたる。　債務者がある債権者のために根抵当権を設定するときは、当該債権者は、担保の目的物につき他の債権者に優先して、被担保債権の弁済を受けられることになるので、それだけ他の債権者の共同担保は減少する。その結果、債務者の残余の財産では、他の債権者に対し十分な弁済をなしえないときは、当該債権者は従前より不利益な地位に立つこととなりその利益を害せられることになるので、債務者が知りながらあえて根抵当権を設定した場合は、他の債権者は民法424条の詐害行為取消権を有する（最判昭32・11・1）。

出題 地方上級-昭和61・54、裁判所総合・一般-令和1、裁判所Ⅰ・Ⅱ-平成19

Q2 他に資力のない債務者が、生計費および子女の教育費にあてるためになした譲渡担保行為は、詐害行為取消しの対象となるのか。

A 詐害行為取消しの対象とならない。　他に資力のない債務者が、生計費および子女の大学進学に必要な費用を借用するために、その所有の家財衣料等を担保に供することは、その担保供与行為が、担保物の価格が借入額を超過したり、借財が目的以外の不必要な目的のためにする等特別の事情のない限り、詐害行為は成立しない（最判昭42・11・9）。

出題 国Ⅰ-昭和62、国家一般-平成24、裁判所Ⅰ・Ⅱ-平成19

第424条の4（過大な代物弁済等の特則）

　債務者がした債務の消滅に関する行為であって、受益者の受けた給付の価額がその行為によって消滅した債務の額より過大であるものについて、第424条に規定する要件に該当するときは、債権者は、前条第1項の規定にかかわらず、その消滅した債務の額に相当する部分以外の部分については、詐害行為取消請求をすることができる。

〔判例法理の条文化〕

Q1 債務者が目的物を代物弁済として提供した場合、詐害行為となるのか。

A 目的物をその価格以下として提供し、債権者の共同担保を不足させた場合には、詐害行為となる。　債務者が目的物をその価格以下の債務の代物弁済として提供し、その結果債権者の共同担保に不足を生じさせた場合は、詐害行為を構成するが、詐害行為取消権は債権者の共同担保を保全するため、債務者の一般財産減少行為を取り消し、これを返還させることを目的とするから、その取消しは債務者の詐害行為により減少された財産の範囲にとどまる（最大判昭36・7・19）。　　**出題** 国Ⅰ-平成10・昭和51

第424条の5（転得者に対する詐害行為取消請求）

　債権者は、受益者に対して詐害行為取消請求をすることができる場合において、受益者に移転した財産を転得した者があるときは、次の各号に掲げる区分に応じ、それぞれ当該各号に定める場合に限り、その転得者に対しても、詐害行為取消請求をすることができる。

　　1　その転得者が受益者から転得した者である場合　その転得者が、転得の当時、債務者がした行為が債権者を害することを知っていたとき。

　　2　その転得者が他の転得者から転得した者である場合　その転得者及びその前に転得した全ての転得者が、それぞれの転得の当時、債務者がした行為が債権者を害することを知っていたとき。

〔判例法理の否定〕

Q1 受益者が善意で、転得者が悪意である場合に、債権者は転得者を相手に詐害行為取消請求ができるか。

A 転得者を相手に詐害行為取消請求ができない。
　　　　出題 地方上級-昭和62、国税・労基-平成19

第2目　詐害行為取消権の行使の方法等

第424条の6（財産の返還又は価額の償還の請求）

①債権者は、受益者に対する詐害行為取消請求において、債務者がした行為の取消しとともに、その行為によって受益者に移転した財産の返還を請求することができる。受益者がその財産の返還をすることが困難であるときは、債権者は、その価額の償還を請求することができる。

②債権者は、転得者に対する詐害行為取消請求において、債務者がした行為の取消しとともに、転得者が転得した財産の返還を請求することができる。転得者がその財産の返還をすることが困難であるときは、債権者は、その価額の償還を請求す

ることができる。

〔判例法理の条文化〕

Q1 不動産の譲渡が詐害行為になる場合、受益者が現物返還に代わる価格賠償をするときの価格は、何時を基準にして算定すべきか。

A 詐害行為取消訴訟の事実審口頭弁論終結時を基準にして算定すべきである。　不動産の譲渡が詐害行為として取消しを免れず受益者において現物返還に代わる価格賠償をすべきときの価格の算定は、特別の事情がない限り、当該詐害行為取消訴訟の事実審口頭弁論終結時を基準にして算定すべきである（最判昭50・12・1）。　　**出題** 国Ⅰ-平成19

Q2 譲渡担保としてされた土地の譲渡に対する詐害行為の取消しが認められる場合に、当該土地自体の返還請求ができるか。

A 返還請求ができる。　譲渡担保としてされた本件土地の譲渡に対しXによる詐害行為の取消しが認められる場合において、その結果として本件土地自体の返還を請求することができるかどうかについて、詐害行為取消権の制度は、詐害行為により逸出した財産を取り戻して債務者の一般財産の原状に回復させるものであるから、逸出した財産自体の回復が可能である場合には、できるだけこれを認めるべきである。それ故、逸出した財産自体の回復が可能である以上、本件土地全部についての譲渡担保契約を取り消して当該土地自体の回復を肯定することができる（最判昭54・1・25）。

出題 国家総合-令和1、国Ⅰ-平成10

第424条の7（被告及び訴訟告知）

①詐害行為取消請求に係る訴えについては、次の各号に掲げる区分に応じ、それぞれ当該各号に定める者を被告とする。

　　1　受益者に対する詐害行為取消請求に係る訴え　受益者

　　2　転得者に対する詐害行為取消請求に係る訴え　その詐害行為取消請求の相手方である転得者

②債権者は、詐害行為取消請求に係る訴えを提起したときは、遅滞なく、債務者に対し、訴訟告知をしなければならない。

第424条の8（詐害行為の取消しの範囲）

①債権者は、詐害行為取消請求をする場合において、債務者がした行為の目的が可分であるときは、自己の債権の額の限度においてのみ、その行為の取消しを請求することができる。

②債権者が第424条の6第1項後段又は第2項後段の規定により価額の償還を請求する場合についても、前項と同様とする。

〔判例法理の条文化〕

Q1 Aは、Bに対し3,000万円の債権を有していたが、Bは銀行預金5,000万円全額を銀行から引き出し、懇意にしているCにすべて贈与した場合、Aは、債権者取消権を行使して5,000万円の贈与を全体として取り消し、Cに5,000万円全額の返還を求めることができるか。

A 取消債権者の債権額の範囲でしか取消権の行使を認めない。　詐害行為の取消しは、総債権者の利益のためにその効力を生じるものであるが、複数の

その他の債権者が存在するというだけで、取消債権者の債権額を超えて取り消す必要があるとはいえない（大判大9・12・24）。

出題 国Ⅰ-平成10、国税・財務・労基-令和3・平成25

Q2 詐害行為となる債務者の行為の目的物が、不可分の1棟の建物であるときは、たとえその価額が債権額を超える場合でも、債権者は、当該行為の全部を取り消すことができるのか。

A 当該行為の全部を取り消すことができる。　民法424条による詐害行為取消権は、債権者の債権を保全するためその債権を害すべき債務者の法律行為を取り消す権利であるから、債権者はゆえなく自己の債権の数額を超過して取消権を行使することはできない。しかし、債務者のなした行為の目的物が不可分のものであるときは、たとえその価額が債権額を超過する場合であっても行為の全部について取り消すことはできる（大判大9・12・24参照）（最判昭30・10・11）。

出題 特別区Ⅰ-平成29、国家一般-平成24、裁判所総合・一般-令和3

Q3 詐害行為後に発生した遅延損害金は詐害行為取消権によって保全される債権の額に含まれるのか。

A 含まれる。　詐害行為取消権によって保全される債権の額には、詐害行為後に発生した遅延損害金も含まれる（最判平8・2・8）。　出題 予想

第424条の9（債権者への支払又は引渡し）
①債権者は、第424条の6第1項前段又は第2項前段の規定により受益者又は転得者に対して財産の返還を請求する場合において、その返還の請求が金銭の支払又は動産の引渡しを求めるものであるときは、受益者に対してその支払又は引渡しを、転得者に対してその引渡しを、自己に対してすることを求めることができる。この場合において、受益者又は転得者は、債権者に対してその支払又は引渡しをしたときは、債務者に対してその支払又は引渡しをすることを要しない。
②債権者が第424条の6第1項後段又は第2項後段の規定により受益者又は転得者に対して価額の償還を請求する場合についても、前項と同様とする。

〔判例法理の条文化〕

Q1 債権者が詐害行為取消請求をして、受益者に土地の返還に代わる価格賠償の支払請求をする場合、直接自己に引き渡す旨の請求ができるか。

A 直接自己に引き渡す旨の請求ができる。　詐害行為取消しの効力は、総債権者の利益のために生ずるもので、取消債権者は詐害行為取消しの結果として、受益者または転得者の受けた利益または財産を自分だけが弁済を受けるために、直接請求できないが、他の債権者とともに弁済を受けるために、受益者または転得者に対しその受けた利益または財産を、自己に直接支払いまたは引渡しをすることを請求することはできる（大判大10・6・18）。

出題 国家総合-令和1、国Ⅰ-昭和58、国家一般-令和2、国Ⅱ-平成16、裁判所総合・一般-平成28、裁判所Ⅰ・Ⅱ-平成19・14、国税・労基-

平成19

Q2 詐害行為取消訴訟における取消債権者は、受益者、転得者に対し、直接にその受けた財産の引渡しを求める請求権を有するのか。

A 有する。　詐害行為取消訴訟の場合において、取消債権者は、他の債権者とともに弁済を受けるため、受益者、転得者に対し、直接にその受けた財産の引渡しをなすべきことを請求しうる（大判大10・6・18、最判昭39・1・23）。

出題 国税・労基-平成19

第3目　詐害行為取消権の行使の効果

Q1 不動産の引渡請求権者が債務者による目的不動産の処分行為を詐害行為として取り消す場合、直接自己に所有権移転登記を求めることができるか。

A 直接自己に所有権移転登記を求めることはできない。　民法424条の債権者取消権は、究極的には債務者の一般財産による価格的満足を受けるため、総債権者の共同担保の保全を目的とするものであるから、このような制度の趣旨に照らし、特定物債権者は目的物自体を自己の債権の弁済にあてることはできず、特定物の引渡請求権に基づいて直接自己に所有権移転登記を求めることは許されない（最判昭53・10・5）。

出題 国Ⅰ-平成19・10・6・3、地方上級-平成9・1（市共通）・昭和61、特別区Ⅰ-平成23、国家一般-平成24、国Ⅱ-平成16・11・6、裁判所総合・一般-平成28、裁判所Ⅰ・Ⅱ-平成20、国税・労基-平成19、国税-平成10

第425条（認容判決の効力が及ぶ者の範囲）
詐害行為取消請求を認容する確定判決は、債務者及びその全ての債権者に対してもその効力を有する。

◇参考判例

Q1 詐害行為取消債権者は受益者より引渡しを受けた価格賠償金を他の債権者に分配する義務を負うのか。

A 分配する義務を負わない。　詐害行為取消権の行使により、受益者又は転得者から取り戻された財産又はこれに代わる価格賠償は、債務者の一般財産に回復されたものとして、総債権者において平等の割合で弁済を受けうるものとなるのであり、取消債権者がこれにつき優先弁済を受ける権利を取得するものではない。このことは取消債権者の取消権行使により財産又は価格賠償を自己に引き渡すべきことを請求し、よってその引渡しを受けた場合においても変わることはない。しかしながら、債権者が債務者の一般財産から平等の割合で弁済を受けうるというのは、そのための法律上の手続がとられた場合においてであるにすぎない。したがって、取消債権者が自己に価格賠償の引渡しを受けた場合、他の債権者は取消債権者の手中に入った取戻物の上に当然に総債権者と平等の割合による現実の権利を取得するものではない。また、取消債権者は自己に引渡しを受けた取戻物を債務者の一般財産に回復されたものとして取り扱うべきことは当然であるが、それ以上

に、自己が分配者となって他の債権者の請求に応じ平等の割合による分配をすべき義務を負うものではない（最判昭37・10・9）。

出題 国家総合 - 令和1、国Ⅰ - 平成19、国家一般 - 平成24、裁判所Ⅰ・Ⅱ - 平成19、国税・財務・労基 - 平成28

Q2 受益者は取消債権者に対して債権按分額の支払いを拒絶できるのか。

A 債権按分額の支払いを拒絶できない。　詐害行為取消権は債務者の一般財産を保全するため、特に取消債権者において、債務者受益者間の詐害行為を取り消したうえ、債務者の一般財産から逸出したものを、受益者または転得者から取り戻すことができるものとした制度である。したがって、もし、弁済行為についての詐害行為取消訴訟において、受益者が、自己の債務者に対する債権をもって、受益者のいわゆる配当要求をなし、取消しにかかる弁済額のうち、当該債権に対する按分額の支払いを拒むことができるとするときは、いちはやく自己の債権につき弁済を受けた受益者を保護し、総債権者の利益を無視するわけであるから、上記制度の趣旨に反することになる（最判昭46・11・19）。

出題 国家総合 - 令和1、国Ⅰ - 昭和58

Q3 詐害行為取消訴訟の訴訟物である詐害行為取消権は、取消債権者が有する個々の被保全債権に対応して複数発生するものか。

A 複数発生するものではない。　詐害行為取消権の行使により、取り戻された財産又はこれに代わる価格賠償は、債務者の一般財産に回復されたものとして、総債権者において平等の割合で弁済を受けうるものとなるのであり、取消債権者の個々の債権の満足を直接予定しているものではない。上記制度の趣旨にかんがみると、詐害行為取消訴訟の訴訟物である詐害行為取消権は、取消債権者が有する個々の被保全債権に対応して複数発生するものではない（最判平22・10・19）。 出題 予想

第425条の2（債務者の受けた反対給付に関する受益者の権利）

　債務者がした財産の処分に関する行為（債務の消滅に関する行為を除く。）が取り消されたときは、受益者は、債務者に対し、その財産を取得するためにした反対給付の返還を請求することができる。債務者がその反対給付の返還をすることが困難であるときは、受益者は、その価額の償還を請求することができる。

第425条の3（受益者の債権の回復）

　債務者がした債務の消滅に関する行為が取り消された場合（第424条の4の規定により取り消された場合を除く。）において、受益者が債務者から受けた給付を返還し、又はその価額を償還したときは、受益者の債務者に対する債権は、これによって原状に復する。

第425条の4（詐害行為取消請求を受けた転得者の権利）

　債務者がした行為が転得者に対する詐害行為取消請求によって取り消されたときは、その転得者は、次の各号に掲げる区分に応じ、それぞれ当該各号に定める権利を行使することができる。ただし、その転得者がその前者から財産を取得するためにした反対給付又はその前者から財産を取得することによって消滅した債権の価額を限度とする。

1　第425条の2に規定する行為が取り消された場合　その行為が受益者に対する詐害行為取消請求によって取り消されたとすれば同条の規定により生ずべき受益者の債務者に対する反対給付の返還請求権又はその価額の償還請求権

2　前条に規定する行為が取り消された場合（第424条の4の規定により取り消された場合を除く。）　その行為が受益者に対する詐害行為取消請求によって取り消されたとすれば前条の規定により回復すべき受益者の債務者に対する債権

第4目　詐害行為取消権の期間の制限

第426条

　詐害行為取消請求に係る訴えは、債務者が債権者を害することを知って行為をしたことを債権者が知った時から2年を経過したときは、提起することができない。行為の時から10年を経過したときも、同様とする。

Q1 民法426条にいう債権者が知った時とは、取消権者が詐害の客観的事実を知るだけで足りるのか。

A 詐害の客観的事実を知るだけでは足りず、債務者に詐害の意思のあることをも知ることを要する。民法426条にいう債権者が知った時とは、債務者が債権者を害することを知って当該法律行為をした事実を取消権者において知ることを意味し、単に取消権者が詐害の客観的事実を知るだけでは足りず、債務者に詐害の意思のあることをも知ることを要する（最判昭47・4・13）。

出題 裁判所総合・一般 - 平成24

第3節　多数当事者の債権及び債務

第1款　総則

第427条（分割債権及び分割債務）

　数人の債権者又は債務者がある場合において、別段の意思表示がないときは、各債権者又は各債務者は、それぞれ等しい割合で権利を有し、又は義務を負う。

Q1 共有地が収用された場合の補償金請求権は、分割債権となるのか。

A 分割債権となる。　収用地の共有者はその収用によって収用者が支払うべき対価金につき、収用者に対して債権を有しその債権の目的物が可分であるため、各共有者はその持分に応じた金額の請求権を有することは、民法427条の法意に照らして明らかである（大連判大3・3・10）。

出題 国税 - 平成2

第2款　不可分債権及び不可分債務

第428条（不可分債権）

　次款（連帯債権）の規定（第433条及び第435条

の規定を除く。）は、債権の目的がその性質上不可分である場合において、数人の債権者があるときについて準用する。

第429条（不可分債権者の1人との間の更改又は免除）

不可分債権者の1人と債務者との間に更改又は免除があった場合においても、他の不可分債権者は、債務の全部の履行を請求することができる。この場合においては、その1人の不可分債権者がその権利を失わなければ分与されるべき利益を債務者に償還しなければならない。

第430条（不可分債務）

第4款（連帯債務）の規定（第440条の規定を除く。）は、債務の目的がその性質上不可分である場合において、数人の債務者があるときについて準用する。

第431条（可分債権又は可分債務への変更）

不可分債権が可分債権となったときは、各債権者は自己が権利を有する部分についてのみ履行を請求することができ、不可分債務が可分債務となったときは、各債務者はその負担部分についてのみ履行の責任を負う。

第3款　連帯債権

第432条（連帯債権者による履行の請求等）

債権の目的がその性質上可分である場合において、法令の規定又は当事者の意思表示によって数人が連帯して債権を有するときは、各債権者は、全ての債権者のために全部又は一部の履行を請求することができ、債務者は、全ての債権者のために各債権者に対して履行をすることができる。

第433条（連帯債権者の1人との間の更改又は免除）

連帯債権者の1人と債務者との間に更改又は免除があったときは、その連帯債権者がその権利を失わなければ分与されるべき利益に係る部分については、他の連帯債権者は、履行を請求することができない。

第434条（連帯債権者の1人との間の相殺）

債務者が連帯債権者の1人に対して債権を有する場合において、その債務者が相殺を援用したときは、その相殺は、他の連帯債権者に対しても、その効力を生ずる。

＊連帯保証人について生じた事由の効力に適用（458条）

第435条（連帯債権者の1人との間の混同）

連帯債権者の1人と債務者との間に混同があったときは、債務者は、弁済をしたものとみなす。

第435条の2（相対的効力の原則）

第432条から前条までに規定する場合を除き、連帯債権者の1人の行為又は1人について生じた事由は、他の連帯債権者に対してその効力を生じない。ただし、他の連帯債権者の1人及び債務者が別段の意思を表示したときは、当該他の連帯債権者に対する効力は、その意思に従う。

第4款　連帯債務

第436条（連帯債務者に対する履行の請求）

債務の目的がその性質上可分である場合において、法令の規定又は当事者の意思表示によって数人が連帯して債務を負担するときは、債権者は、その連帯債務者の1人に対し、又は同時に若しくは順次に全ての連帯債務者に対し、全部又は一部の履行を請求することができる。

Q1 債権者は、連帯債務者の1人に対する債権のみを、他の債務者に対する債権と分離して譲渡することはできるのか。

A 分離して譲渡することはできる。　債権者は、連帯債務者の1人に対する債権のみを、他の債務者に対する債権と分離して譲渡することができる（大判昭13・12・22）。 出題 国Ⅰ－平成21

Q2 連帯債務者の1人が死亡し、その相続人が数人ある場合の法律関係はどうなるか。

A 相続人らは、被相続人の債務の分割されたものを承継し、各自その承継した範囲において、本来の債務者とともに連帯債務者となる。　債務者が死亡し、相続人が数人ある場合に、被相続人の金銭債務その他の可分債務は、法律上当然分割され、各共同相続人がその相続分に応じてこれを承継するのであるから、連帯債務者の1人が死亡した場合においても、その相続人らは、被相続人の債務の分割されたものを承継し、各自その承継した範囲において、本来の債務者とともに連帯債務者となる（最判昭34・6・19）。

出題 国家総合－令和4、国Ⅰ－昭和63、国Ⅱ－昭和61、国税－昭和62

第437条（連帯債務者の1人についての法律行為の無効等）

連帯債務者の1人について法律行為の無効又は取消しの原因があっても、他の連帯債務者の債務は、その効力を妨げられない。

第438条（連帯債務者の1人との間の更改）

連帯債務者の1人と債権者との間に更改があったときは、債権は、全ての連帯債務者の利益のために消滅する。

＊連帯保証人について生じた事由の効力に適用（458条）

第439条（連帯債務者の1人による相殺等）

①連帯債務者の1人が債権者に対して債権を有する場合において、その連帯債務者が相殺を援用したときは、債権は、全ての連帯債務者の利益のために消滅する。

②前項の債権を有する連帯債務者が相殺を援用しない間は、その連帯債務者の負担部分の限度において、他の連帯債務者は、債権者に対して債務の履行を拒むことができる。

＊連帯保証人について生じた事由の効力に適用（458条）

第440条（連帯債務者の1人との間の混同）

連帯債務者の1人と債権者との間に混同があったときは、その連帯債務者は、弁済をしたものとみなす。

＊連帯保証人について生じた事由の効力に適用（458条）、不可分債務については適用除外（430条）

第441条（相対的効力の原則）

第438条、第439条第1項及び前条に規定する場合を除き、連帯債務者の1人について生じた事由は、他の連帯債務者に対してその効力を生じない。ただし、債権者及び他の連帯債務者の1人が別段の意思を表示したときは、当該他の連帯債務者に対する効力は、その意思に従う。

＊連帯保証人について生じた事由の効力に適用（458条）

第442条（連帯債務者間の求償権）

①連帯債務者の1人が弁済をし、その他自己の財産をもって共同の免責を得たときは、その連帯債務者は、その免責を得た額が自己の負担部分を超えるかどうかにかかわらず、他の連帯債務者に対し、その免責を得るために支出した財産の額（その財産の額が共同の免責を得た額を超える場合にあっては、その免責を得た額）のうち各自の負担部分に応じた額の求償権を有する。

②前項の規定による求償は、弁済その他免責があった日以後の法定利息及び避けることができなかった費用その他の損害の賠償を包含する。

〔判例法理の条文化〕

＊委託を受けた保証人の求償権に準用（459条2項：442条2項のみ準用）、共同保証人間の求償権に準用（465条1項）

Q1 連帯債務者の1人が一部弁済をした場合、他の債務者に対してどの程度求償できるのか。

A 弁済額にその負担部分を乗じた額について求償できる。　連帯債務者の1人が一部の弁済をすれば、その弁済額が自己の負担部分を超えないときでも、他の連帯債務者に対して、その負担部分の割合に応じた額について求償することができる（大判大6・5・3）。

出題 国Ⅰ-平成16・12・昭和57、地方上級-平成8・昭和57、国Ⅱ-平成20・9

Q2 連帯債務者の1人が弁済した額が、債務の一部であって自己の負担部分に達していないときでも、ほかの債務者に対し負担部分の割合に応じて求償することができるのか。

A 求償することができる（大判大6・5・3）。⇨1

第443条（通知を怠った連帯債務者の求償の制限）

①他の連帯債務者があることを知りながら、連帯債務者の1人が共同の免責を得ることを他の連帯債務者に通知しないで弁済をし、その他自己の財産をもって共同の免責を得た場合において、他の連帯債務者は、債権者に対抗することができる事由を有していたときは、その負担部分について、その事由をもってその免責を得た連帯債務者に対抗することができる。この場合において、相殺をもってその免責を得た連帯債務者に対抗したときは、その連帯債務者は、債権者に対し、相殺によって消滅すべきであった債務の履行を請求することができる。

②弁済をし、その他自己の財産をもって共同の免責を得た連帯債務者が、他の連帯債務者があることを知りながらその免責を得たことを他の連帯債務者に通知することを怠ったため、他の連帯債務者が善意で弁済その他自己の財産をもって免責を得るための行為をしたときは、当該他の連帯債務者は、その免責を得るための行為を有効であったものとみなすことができる。

＊共同保証人間の求償権に準用（465条1項）

Q1 連帯債務者の1人Aが債権者Dの請求に応じて債務総額1億5,000万円を弁済し、他の連帯債務者B・Cに事後の通知をしない間に、BがA・Cに通知せずにDの請求に応じて1億5,000万円を弁済した場合、Aは自己の弁済を有効なものとみなすことができるか。

A Aは自己の弁済を有効なものとみなすことができる。　連帯債務者の1人が弁済その他の免責の行為をするに先立ち、他の連帯債務者に通知することを怠った場合は、すでに弁済しその他共同の免責を得ていた他の連帯債務者に対し、民法443条2項の規定により自己の免責行為を有効であるとみなすことはできない。なぜなら、同項の規定は、同条1項の規定を前提とするものであって、同条1項の事前の通知につき過失のある連帯債務者までを保護する趣旨ではないからである（最判昭57・12・17）。

出題 地方上級-平成8、特別区Ⅰ-平成28、国Ⅱ-平成20・9、国税・財務・労基-平成29

Q2 連帯債務者の1人が債務を全額弁済した旨を他の債務者に通知しなかったところ、他の債務者の1人が通知しないまま二重に弁済した場合、第二の弁済が有効なものとみなされるのか。

A 第一の弁済が有効なものとみなされる（最判昭57・12・17）。⇨1

第444条（償還をする資力のない者の負担部分の分担）

①連帯債務者の中に償還をする資力のない者があるときは、その償還をすることができない部分は、求償者及び他の資力のある者の間で、各自の負担部分に応じて分割して負担する。

②前項に規定する場合において、求償者及び他の資力のある者がいずれも負担部分を有しない者であるときは、その償還をすることができない部分は、求償者及び他の資力のある者の間で、等しい割合で分割して負担する。

③前2項の規定にかかわらず、償還を受けることができないことについて求償者に過失があるときは、他の連帯債務者に対して分担を請求することができない。

＊共同保証人間の求償権に準用（465条1項）

第445条（連帯債務者の1人との間の免除等と求償権）

連帯債務者の1人に対して債務の免除がされ、又は連帯債務者の1人のために時効が完成した場合においても、他の連帯債務者は、その1人の連帯債務者に対し、第442条第1項の求償権を行使することができる。

◇連帯債務

Q1 連帯債務者の１人の債務について和解が行われれば、他の連帯債務者の負う債務に影響を及ぼすのか。

A 現実の弁済がない限り、他の連帯債務者の負う債務に影響を及ぼさない。　被用者の責任と使用者の責任とは、いわゆる連帯債務と解すべきであり、連帯債務の場合には債務は別々に存在するから、その１人の債務について和解等がなされても、現実の弁済がない限り、他の債務については影響がない（最判昭 45・4・21）。**出題 予想**

Q2 被用者の民法 709 条による不法行為責任と使用者の民法 715 条による責任とは、いわゆる連帯債務であり、一方の債務について和解により債務が免除されれば、ほかの債務にも効力が及ぶのか。

A 被害者が、訴訟上の和解に際し、他方の残債務をも免除する意思を有している場合でなければ、ほかの債務には効力が及ばない。　甲と乙との共同不法行為による損害賠償債務であるから、甲と被害者との間で訴訟上の和解が成立し、請求額の一部につき和解金が支払われるとともに、「……その余の請求を放棄する」旨の条項が設けられ、被害者が甲に対し残債務を免除したと解しうるときでも、連帯債務における免除の絶対的効力を定めた民法 437 条の規定は適用されず、乙に対して当然に免除の効力が及ぶものではない。しかし、被害者が、その訴訟上の和解に際し、乙の残債務をも免除する意思を有していると認められるときは、乙に対しても残債務の免除の効力が及ぶ。そして、この場合には、乙はもはや被害者から残債務を訴求される可能性はないのであるから、甲の乙に対する求償金額は、確定した損害額である訴訟上の和解における甲の支払額を基準とし、双方の責任割合に従いその負担部分を定めて、これを算定するのが相当である（最判平 10・9・10）。**出題 国Ⅰ−平成 16・14・12、特別区Ⅰ−平成 28**

第５款　保証債務
第１目　総則
第 446 条（保証人の責任等）
①保証人は、主たる債務者がその債務を履行しないときに、その履行をする責任を負う。
②保証契約は、書面でしなければ、その効力を生じない。
③保証契約がその内容を記録した電磁的記録によってされたときは、その保証契約は、書面によってされたものとみなして、前項の規定を適用する。
＊貸金等根保証契約の保証人の責任等に準用（465条の２第３項）、貸金等根保証契約の元本確定期日に準用（465 条の３第４項）

Q1 保証人に対して指名債権の譲渡を対抗するには、主たる債務者に対するだけでなく、保証人に対しても当該債権の譲渡を通知する必要があるのか。

A 保証人に対して当該債権の譲渡を通知する必要はない。　債権の譲渡人が主たる債権の譲渡を債務者に通知した以上、特に保証人に通知をしなくても

主たる債権譲渡の効力として保証人に対し債権譲渡を主張することができる（大判大 6・7・2）。**出題 国Ⅱ−平成 3、裁判所総合・一般−平成 25**

Q2 解除によって主たる債務が消滅した後に、債権者と主たる債務者とが解除をなかったことにする旨の合意をしても、保証債務は復活しないのか。

A 保証債務は復活しない。　解除によって主たる債務が消滅すれば、保証債務も付従性により消滅する。その後に、債権者と主たる債務者とが解除をなかったことにする旨の合意をしても、保証人を不利益な立場に置くことはできないから、保証債務は復活しない（大判昭 4・3・16）。**出題 裁判所総合・一般−平成 25**

Q3 期間の定めのある建物の賃貸借において、賃借人のために保証人が賃貸人と保証契約を締結した場合には、保証人が更新後の賃貸借から生ずる賃借人の債務についても保証の責めを負う趣旨で合意がされたものと解すべきか。

A 反対の趣旨をうかがわせる特段の事情のない限り、合意がされたものと解すべきである。　期間の定めのある建物の賃貸借において、賃借人のために保証人が賃貸人との間で保証契約を締結した場合には、反対の趣旨をうかがわせるような特段の事情のない限り、保証人が更新後の賃貸借から生ずる賃借人の債務についても保証の責めを負う趣旨で合意がされたものと解するのが相当であり、保証人は、賃貸人において保証債務の履行を請求することが信義則に反すると認められる場合を除き、更新後の賃貸借から生ずる賃借人の債務についても保証の責めを免れない（最判平 9・11・13）。**出題 国家総合−平成 29**

第 447 条（保証債務の範囲）
①保証債務は、主たる債務に関する利息、違約金、損害賠償その他その債務に従たるすべてのものを包含する。
②保証人は、その保証債務についてのみ、違約金又は損害賠償の額を約定することができる。

Q1 不動産売買における売主のための保証人が、その後当該不動産の所有権を取得した場合、保証人は買主に対して所有権移転の義務が生じるのか。

A 所有権移転の義務が生じる。　保証人は主債務の履行という結果を現出させる義務を自ら負担するものであって、その自ら弁済する債務はすなわち主債務者の債務である。つまり、不動産の売渡しは主債務者だけが行うことのできる性質のものではなく、保証人がその間何らかの事由によって当該不動産の所有権を取得して、自ら本旨に従う履行を行うことは可能である。したがって、不動産の売買に際し、売主の保証をした保証人に対して買主が当該所有権移転の請求権を有することは、反証のない限り保証契約の内容上明らかである（大決大 13・1・30）。**出題 国Ⅱ−平成 3**

Q2 特定物売買における売主のための保証において、保証人は売主の債務不履行により契約が解除された場合の原状回復義務についても保証の責めを負うのか。

A 保証人は原状回復義務についても保証の責めを

負う。　特定物の売買における売主のための保証においては、通常、その契約から直接に生ずる売主の債務につき保証人が自ら履行の責めに任ずるというよりも、むしろ、売主の債務不履行に基因して売主が買主に対し負担することあるべき債務につき責めに任ずる趣旨でなされるから、保証人は、債務不履行により売主が買主に対し負担する損害賠償義務についてはもちろん、特に反対の意思表示のない限り、売主の債務不履行により契約が解除された場合における原状回復義務についても保証の責めに任ずる（最大判昭40・6・30）。

出題 国家総合－平成30・26、国Ⅰ－平成16・12・8・4・昭和59・54、特別区Ⅰ－令和2、国家一般－平成27、国Ⅱ－平成3・昭和62、裁判所総合・一般－令和3・2、裁判所Ⅰ・Ⅱ－平成14、国税・財務・労基－平成29、国税・労基－平成15、国税－昭和62

Q3 請負人の保証人は、請負契約が請負人の債務不履行に起因して合意解除され請負人に前払金返還債務が生じた場合、当該債務についても保証責任を負担するのか。

A 当該債務が法定解除権の行使の結果生じる前払金返還債務より重くなければ、当該債務についても保証責任を負担する。　工事金代の前払いを受ける請負人のための保証は、特段の事情の存しない限り、請負人の債務不履行に基づき請負契約が解除権の行使によって解除された結果、請負人の負担することあるべき前払金返還債務についても、少なくとも請負契約上前払いすべきものと定められた金額の限度においては、保証する趣旨でなされるものであるから、請負契約が合意解除され、その際請負人が注文主に対し、請負契約上前払いすべきものと定められた金額の範囲内において、前払金返還債務を負担することを約した場合でも、上記合意解除が請負人の債務不履行に基づくものであり、かつ、その約定の債務が実質的にみて解除権の行使による解除によって負担すべき請負人の前払金返還債務より重いものではないときは、請負人の保証人は、特段の事情の存しない限り、その約定の債務についても、その責めに任ずべきである（最判昭47・3・23）。

出題 国家総合－平成29、国Ⅰ－平成4・昭和62

第448条（保証人の負担と主たる債務の目的又は態様）

①保証人の負担が債務の目的又は態様において主たる債務より重いときは、これを主たる債務の限度に減縮する。

②主たる債務の目的又は態様が保証契約の締結後に加重されたときであっても、保証人の負担は加重されない。

第449条（取り消すことができる債務の保証）

行為能力の制限によって取り消すことができる債務を保証した者は、保証契約の時にその取消しの原因を知っていたときは、主たる債務の不履行の場合又はその債務の取消しの場合においてこれと同一の目的を有する独立の債務を負担したものと推定する。

第450条（保証人の要件）

①債務者が保証人を立てる義務を負う場合には、その保証人は、次に掲げる要件を具備する者でなければならない。

1　行為能力者であること。

2　弁済をする資力を有すること。

②保証人が前項第2号に掲げる要件を欠くに至ったときは、債権者は、同項各号に掲げる要件を具備する者をもってこれに代えることを請求することができる。

③前2項の規定は、債権者が保証人を指名した場合には、適用しない。

第451条（他の担保の供与）

債務者は、前条第1項各号に掲げる要件を具備する保証人を立てることができないときは、他の担保を供してこれに代えることができる。

第452条（催告の抗弁）

債権者が保証人に債務の履行を請求したときは、保証人は、まず主たる債務者に催告をすべき旨を請求することができる。ただし、主たる債務者が破産手続開始の決定を受けたとき、又はその行方が知れないときは、この限りでない。

第453条（検索の抗弁）

債権者が前条の規定に従い主たる債務者に催告をした後であっても、保証人が主たる債務者に弁済をする資力があり、かつ、執行が容易であることを証明したときは、債権者は、まず主たる債務者の財産について執行をしなければならない。

第454条（連帯保証の場合の特則）

保証人は、主たる債務者と連帯して債務を負担したときは、前2条の権利を有しない。

第455条（催告の抗弁及び検索の抗弁の効果）

第452条又は第453条の規定により保証人の請求又は証明があったにもかかわらず、債権者が催告又は執行をすることを怠ったために主たる債務者から全部の弁済を得られなかったときは、保証人は、債権者が直ちに催告又は執行をすれば弁済を得ることができた限度において、その義務を免れる。

第456条（数人の保証人がある場合）

数人の保証人がある場合には、それらの保証人が各別の行為により債務を負担したときであっても、第427条の規定を適用する。

第457条（主たる債務者について生じた事由の効力）

①主たる債務者に対する履行の請求その他の事由による時効の完成猶予及び更新は、保証人に対しても、その効力を生ずる。

②保証人は、主たる債務者が主張することができる抗弁をもって債権者に対抗することができる。

③主たる債務者が債権者に対して相殺権、取消権又は解除権を有するときは、これらの権利の行使によって主たる債務者がその債務を免れるべき限度において、保証人は、債権者に対して債務の履行を拒むことができる。

第458条（連帯保証人について生じた事由の効力）

第438条、第439条第1項、第440条及び第441条の規定は、主たる債務者と連帯して債務を負担する保証人について生じた事由について準用する。

第 458 条の 2（主たる債務の履行状況に関する情報の提供義務）

保証人が主たる債務者の委託を受けて保証をした場合において、保証人の請求があったときは、債権者は、保証人に対し、遅滞なく、主たる債務の元本及び主たる債務に関する利息、違約金、損害賠償その他その債務に従たる全てのものについての不履行の有無並びにこれらの残額及びそのうち弁済期が到来しているものの額に関する情報を提供しなければならない。

第 458 条の 3（主たる債務者が期限の利益を喪失した場合における情報の提供義務）

①主たる債務者が期限の利益を有する場合において、その利益を喪失したときは、債権者は、保証人に対し、その利益の喪失を知った時から 2 箇月以内に、その旨を通知しなければならない。

②前項の期間内に同項の通知をしなかったときは、債権者は、保証人に対し、主たる債務者が期限の利益を喪失した時から同項の通知を現にするまでに生じた遅延損害金（期限の利益を喪失しなかったとしても生ずべきものを除く。）に係る保証債務の履行を請求することができない。

③前二項の規定は、保証人が法人である場合には、適用しない。

第 459 条（委託を受けた保証人の求償権）

①保証人が主たる債務者の委託を受けて保証をした場合において、主たる債務者に代わって弁済その他自己の財産をもって債務を消滅させる行為（以下「債務の消滅行為」という。）をしたときは、その保証人は、主たる債務者に対し、そのために支出した財産の額（その財産の額がその債務の消滅行為によって消滅した主たる債務の額を超える場合にあっては、その消滅した額）の求償権を有する。

②第 442 条第 2 項の規定は、前項の場合について準用する。

第 459 条の 2（委託を受けた保証人が弁済期前に弁済をした場合の求償権）

①保証人が主たる債務者の委託を受けて保証をした場合において、主たる債務の弁済期前に債務の消滅行為をしたときは、その保証人は、主たる債務者に対し、主たる債務者がその当時利益を受けた限度において求償権を有する。この場合において、主たる債務者が債務の消滅行為の日以前に相殺の原因を有していたことを主張するときは、保証人は、債権者に対し、その相殺によって消滅すべきであった債務の履行を請求することができる。

②前項の規定による求償は、主たる債務の弁済期以後の法定利息及びその弁済期以後に債務の消滅行為をしたとしても避けることができなかった費用その他の損害の賠償を包含する。

③第 1 項の求償権は、主たる債務の弁済期以後でなければ、これを行使することができない。

第 460 条（委託を受けた保証人の事前の求償権）

保証人は、主たる債務者の委託を受けて保証をした場合において、次に掲げるときは、主たる債務者に対して、あらかじめ、求償権を行使することができる。

1 主たる債務者が破産手続開始の決定を受け、かつ、債権者がその破産財団の配当に加入しないとき。
2 債務が弁済期にあるとき。ただし、保証契約の後に債権者が主たる債務者に許与した期限は、保証人に対抗することができない。
3 保証人が過失なく債権者に弁済をすべき旨の裁判の言渡しを受けたとき。

Q1 物上保証人は債権者に対して事前求償権を有するのか。

A 事前求償権を有しない。　物上保証の委託は、物権設定行為の委任にすぎず、債務負担行為の委任ではないから、受託者がその委任に従って抵当権を設定したとしても、受託者は抵当不動産の価額の限度で責任を負担するにすぎず、抵当不動産の売却代金による被担保債権の消滅の有無およびその範囲は、抵当不動産の売却代金の配当等によって確定するものであるから、求償権の範囲は、もちろんその存在すらあらかじめ確定することはできず、また抵当不動産の売却代金の配当等による被担保債権の消滅は受託者のする被担保債権の弁済をもって委任事務の処理と解することもできないから、委託を受けた保証人の事前求償権に関する民法 460 条の規定を委託を受けた物上保証人に類推適用することはできない（最判平 2・12・18）。

出題 裁判所総合・一般 - 令和 3・平成 25、裁判所Ⅰ・Ⅱ - 平成 22

Q2 事前求償権を被保全債権とする仮差押えは、事後求償権の消滅時効の完成を猶予する効力をも有するのか。

A 事後求償権の消滅時効の完成を猶予する効力をも有する。　事前求償権を被保全債権とする仮差押えは、事後求償権の消滅時効の完成を猶予する効力をも有するものと解するのが相当である。その理由は、次のとおりである。事前求償権は、事後求償権と別個の権利ではあるものの、事後求償権を保全するために認められた権利であるという関係にあるから、委託を受けた保証人が事前求償権を被保全債権とする仮差押えをすれば、事後求償権についても権利を行使しているのと同等のものとして評価することができる（最判平 27・2・17）。　**出題** 予想

第 461 条（主たる債務者が保証人に対して償還をする場合）

①前条の規定により主たる債務者が保証人に対して償還をする場合において、債権者が全部の弁済を受けない間は、主たる債務者は、保証人に担保を供させ、又は保証人に対して自己に免責を得させることを請求することができる。

②前項に規定する場合において、主たる債務者は、供託をし、担保を供し、又は保証人に免責を得させて、その償還の義務を免れることができる。

第 462 条（委託を受けない保証人の求償権）

①第 459 条の 2 第 1 項の規定は、主たる債務者の委託を受けないで保証をした者が債務の消滅行為をした場合について準用する。

民法

②主たる債務者の意思に反して保証をした者は、主たる債務者が現に利益を受けている限度においてのみ求償権を有する。この場合において、主たる債務者が求償の日以前に相殺の原因を有していたことを主張するときは、保証人は、債権者に対し、その相殺によって消滅すべきであった債務の履行を請求することができる。

③第459条の2第3項の規定は、前2項に規定する保証人が主たる債務の弁済期に債務の消滅行為をした場合における求償権の行使について準用する。

＊共同保証人間の求償権に準用（465条2項）（465条1項を除く）

Q1 無委託保証人が、主たる債務者の破産手続開始前に締結した保証契約に基づき、同手続開始後に弁済をした場合、保証人が主たる債務者である破産者に対して取得する求償権は、破産債権か。

A 求償権は、破産債権である。　保証人は、弁済をした場合、民法の規定に従って主たる債務者に対する求償権を取得するのであり（民法459条、462条）、このことは、保証が主たる債務者の委託を受けてされた場合と受けないでされた場合とで異なるところはない（以下、主たる債務者の委託を受けないで保証契約を締結した保証人を「無委託保証人」という）。このように、無委託保証人が弁済をすれば、法律の規定に従って求償権が発生する以上、保証人の弁済が破産手続開始後にされても、保証契約が主たる債務者の破産手続開始前に締結されていれば、当該求償権の発生の基礎となる保証関係は、その破産手続開始前に発生しているといえるから、当該求償権は、「破産手続開始前の原因に基づいて生じた財産上の請求権」（破産法2条5項）にあたる。したがって、無委託保証人が主たる債務者の破産手続開始前に締結した保証契約に基づき同手続開始後に弁済をした場合において、保証人が主たる債務者である破産者に対して取得する求償権は、破産債権であると解する（最判平24・5・28）。

出題 予想

Q2 保証人が主たる債務者の破産手続開始前に、その委託を受けないで締結した保証契約に基づき同手続開始後に弁済をした場合、保証人が取得する求償権を自働債権とし、主たる債務者である破産者が保証人に対して有する債権を受働債権とする相殺は、認められるのか。

A 認められない。　無委託保証人が破産者の破産手続開始前に締結した保証契約に基づき同手続開始後に弁済をして求償権を取得した場合についてみると、この求償権を自働債権とする相殺を認めることは、破産者の意思や法定の原因とは無関係に破産手続において優先的に取り扱われる債権が作出されることを認めるに等しいものということができ、この場合における相殺に対する期待を、委託を受けて保証契約を締結した場合と同様に解することは困難である。そして、無委託保証人が上記の求償権を自働債権としてする相殺は、破産手続開始後に、破産者の意思に基づくことなく破産手続上破産債権を行使する者が入れ替わった結果相殺適状が生ずる点にお

いて、破産者に対して債務を負担する者が、破産手続開始後に他人の債権を譲り受けて相殺適状を作出したうえ同債権を自働債権としてする相殺に類似し、破産債権についての債権者の公平・平等な扱いを基本原則とする破産手続上許容し難い点において、破産法72条1項1号が禁ずる相殺と異なるところはない。そうすると、無委託保証人が主たる債務者の破産手続開始前に締結した保証契約に基づき同手続開始後に弁済をした場合において、保証人が取得する求償権を自働債権とし、主たる債務者である破産者が保証人に対して有する債権を受働債権とする相殺は、破産法72条1項1号の類推適用により許されない（最判平24・5・28）。

出題 予想

第463条（通知を怠った保証人の求償の制限等）

①保証人が主たる債務者の委託を受けて保証をした場合において、主たる債務者にあらかじめ通知しないで債務の消滅行為をしたときは、主たる債務者は、債権者に対抗することができた事由をもってその保証人に対抗することができる。この場合において、相殺をもってその保証人に対抗したときは、その保証人は、債権者に対し、相殺によって消滅すべきであった債務の履行を請求することができる。

②保証人が主たる債務者の委託を受けて保証をした場合において、主たる債務者が債務の消滅行為をしたことを保証人に通知することを怠ったため、その保証人が善意で債務の消滅行為をしたときは、その保証人は、その債務の消滅行為を有効であったものとみなすことができる。

③保証人が債務の消滅行為をした後に主たる債務者が債務の消滅行為をした場合においては、保証人が主たる債務者の意思に反して保証をしたときのほか、保証人が債務の消滅行為をしたことを主たる債務者に通知することを怠ったため、主たる債務者が善意で債務の消滅行為をしたときも、主たる債務者は、その債務の消滅行為を有効であったものとみなすことができる。

第464条（連帯債務又は不可分債務の保証人の求償権）

連帯債務者又は不可分債務者の1人のために保証をした者は、他の債務者に対し、その負担部分のみについて求償権を有する。

第465条（共同保証人間の求償権）

①第442条から第444条までの規定は、数人の保証人がある場合において、そのうちの1人の保証人が、主たる債務が不可分であるため又は各保証人が全額を弁済すべき旨の特約があるため、その全額又は自己の負担部分を超える額を弁済したときについて準用する。

②第462条の規定は、前項に規定する場合を除き、互いに連帯しない保証人の1人が全額又は自己の負担部分を超える額を弁済したときについて準用する。

Q1 共同保証人の1人が、主たる債務者の借入金債務を代位弁済した場合、他の共同保証人に対し、民法465条1項、442条に基づき、求償金残元金

と遅延損害金の支払いを求めた際に、主たる債務者に対して取得した求償権の消滅時効の完成の猶予により共同保証人間の求償権についても消滅時効の完成猶予の効力は生じるのか。

A 求償権の消滅時効の完成猶予の効力は生じず、時効消滅は成立する。　民法465条に規定する共同保証人間の求償権は、主たる債務者の資力が不十分な場合に、弁済をした保証人のみが損失を負担しなければならないとすると共同保証人間の公平に反することから、共同保証人間の負担を最終的に調整するためのものであり、保証人が主たる債務者に対して取得した求償権を担保するためのものではないと解される。したがって、保証人が主たる債務者に対して取得した求償権の消滅時効の完成猶予事由がある場合であっても、共同保証人間の求償権について消滅時効の完成猶予の効力は生じないものと解する（最判平27・11・19）。　　　　　　出題 予想

❖ 身元保証

Q1 保証人の相続人は、相続開始後に生じた賃料債務について、保証債務を負担するのか。

A 保証債務を負担する。　建物賃貸借契約に関して賃借人が賃貸人に対して負担すべき債務の保証契約においては、期間と保証限度額の定めがない場合であっても、保証人が死亡したときには、保証人としての地位は相続人に承継される（大判昭9・1・30）。　　　　　　出題 国Ⅰ-平成14

Q2 身元保証については、一身専属性はあるものの、身元保証債務も財産上の債務であることから、身元保証人の死亡によっては消滅せず、相続されるのか。

A 身元保証人の死亡によっては消滅し、相続しない。　身元保証契約は保証人と身元本人との相互の信用を基礎として成立し存続するものであるから、特別の事情がない限り当該契約は当事者に終始すべき専属的性質を有する。したがって、保証人の死亡により相続を開始するも、その相続人が契約上の義務を承継し相続開始後に生じた保証契約上の事故について、その責任を負うものではない（大判昭18・9・10）。　　出題 国Ⅰ-平成16・14・12

第2目　個人根保証契約

第465条の2（個人根保証契約の保証人の責任等）

① 一定の範囲に属する不特定の債務を主たる債務とする保証契約（以下「根保証契約」という。）であって保証人が法人でないもの（以下「個人根保証契約」という。）の保証人は、主たる債務の元本、主たる債務に関する利息、違約金、損害賠償その他その債務に従たる全てのもの及びその保証債務について約定された違約金又は損害賠償の額について、その全部に係る極度額を限度として、その履行をする責任を負う。

② 個人根保証契約は、前項に規定する極度額を定めなければ、その効力を生じない。

③ 第446条第2項及び第3項の規定は、個人根保証契約における第1項に規定する極度額の定めについて準用する。

Q1 期間の定めのない根保証契約においては、保証人は、いつでも告知期間をおくことなく保証契約を解除できるのか。

A 解除できない。　手形割引契約に基づく期間の定めのない根保証契約においては、保証人は、契約後相当期間が経過したときは、一定の予告期間を置いて債権者に対し、将来に向かって解約の意思表示をすることができる（大判昭7・12・17）。　　　　　　出題 国Ⅰ-平成14

Q2 期間と保証限度額の定めのない根保証契約において、保証人が死亡した場合、相続人は、相続後に生じた債務はもちろん、相続前にすでに発生していた債務についても、その責任を免れるのか。

A 相続後に生じた債務のみ、その責任を免れる。継続的取引について将来負担することあるべき債務についてした責任の限度額ならびに期間について定めのない連帯保証契約においては、特定の債務についてした通常の連帯保証の場合と異なり、その責任の及ぶ範囲がきわめて広汎となり、契約締結の当事者の人的信用関係を基礎とするから、かかる保証たる地位は、特段の事由のない限り、当事者その人と終始するものであって、連帯保証人の死亡後生じた主債務については、その相続人が保証債務を承継負担するものではない（最判昭37・11・9）。

出題 国家総合-平成26、国Ⅰ-平成14、特別区 Ⅰ-令和2、国Ⅱ-平成16

Q3 期間の定めのない根保証（継続的保証）契約においては、保証人の主たる債務者に対する信頼関係が害されるに至ったなど、保証人として解約申入れをするにつき相当の理由があったとしても、原則として、保証人から一方的に解約することは認められないのか。

A 認められる。　期間の定めのない根保証（継続的保証）契約は保証人の主債務者に対する信頼関係が害されるに至った等保証人として解約申入れをするにつき相当の理由がある場合においては、当該解約により相手方が信義則上看過しえない損害をこうむるとかの特段の事情àる場合を除き、一方的にこれを解約しうるものと解する（最判昭39・12・18）。　　　　　　出題 国Ⅰ-平成16・12

第465条の3（個人貸金等根保証契約の元本確定期日）

① 個人根保証契約であってその主たる債務の範囲に金銭の貸渡し又は手形の割引を受けることによって負担する債務（以下「貸金等債務」という。）が含まれるもの（以下「個人貸金等根保証契約」という。）において主たる債務の元本の確定すべき期日（以下「元本確定期日」という。）の定めがある場合において、その元本確定期日がその個人貸金等根保証契約の締結の日から5年を経過する日より後の日と定められているときは、その元本確定期日の定めは、その効力を生じない。

② 個人貸金等根保証契約において元本確定期日の定めがない場合（前項の規定によりその定めがその効力を生じない場合を含む。）には、その元本確定期日は、その個人貸金等根保証契約の締結の日から3年を経過する日とする。

③個人貸金等根保証契約における元本確定期日の変更をする場合において、変更後の元本確定期日がその変更をした日から5年を経過する日より後の日となるときは、その元本確定期日の変更は、その効力を生じない。ただし、元本確定期日の前2箇月以内に元本確定期日の変更をする場合において、変更後の元本確定期日が変更前の元本確定期日から5年以内の日となるときは、この限りでない。

④第446条第2項及び第3項の規定は、個人貸金等根保証契約における元本確定期日の定め及びその変更（その個人貸金等根保証契約の締結の日から3年以内の日を元本確定期日とする旨の定め及び元本確定期日より前の日を変更後の元本確定期日とする変更を除く。）について準用する。

Q1 根保証契約の主たる債務の範囲に含まれる債務に係る債権の譲渡が元本確定期日前にされた場合、譲受人は保証債務の履行を求めることができるか。

A 保証債務の履行を求めることができる。　根保証契約を締結した当事者は、通常、主たる債務の範囲に含まれる個別の債務が発生すれば保証人がこれをそのつど保証し、当該債務の弁済期が到来すれば、当該根保証契約に定める元本確定期日（本件根保証契約のように保証期間の定めがある場合には、保証期間の満了日の翌日を元本確定期日とする定めをしたものと解することができる）前であっても、保証人に対してその保証債務の履行を求めることができるものとして契約を締結し、被保証債権が譲渡された場合には保証債権もこれに随伴して移転することを前提としているものと解するのが合理的である。そうすると、被保証債権を譲り受けた者は、その譲渡が当該根保証契約に定める元本確定期日前にされた場合であっても、当該根保証契約の当事者間において被保証債権の譲受人の請求を妨げるような別段の合意がない限り、保証人に対し、保証債務の履行を求めることができる（最判平24・12・14）。**出題** 国家総合 - 平成29

第465条の4（個人根保証契約の元本の確定事由）

①次に掲げる場合には、個人根保証契約における主たる債務の元本は、確定する。ただし、第1号に掲げる場合にあっては、強制執行又は担保権の実行の手続の開始があったときに限る。

1　債権者が、保証人の財産について、金銭の支払を目的とする債権についての強制執行又は担保権の実行を申し立てたとき。

2　保証人が破産手続開始の決定を受けたとき。

3　主たる債務者又は保証人が死亡したとき。

②前項に規定する場合のほか、個人貸金等根保証契約における主たる債務の元本は、次に掲げる場合にも確定する。ただし、第1号に掲げる場合にあっては、強制執行又は担保権の実行の手続の開始があったときに限る。

1　債権者が、主たる債務者の財産について、金銭の支払を目的とする債権についての強制執行又は担保権の実行を申し立てたとき。

2　主たる債務者が破産手続開始の決定を受けたとき。

第465条の5（保証人が法人である根保証契約の求償権）

①保証人が法人である根保証契約において、第465条の2第1項に規定する極度額の定めがないときは、その根保証契約の保証人の主たる債務者に対する求償権に係る債務を主たる債務とする保証契約は、その効力を生じない。

②保証人が法人である根保証契約であってその主たる債務の範囲に貸金等債務が含まれるものにおいて、元本確定期日の定めがないとき、又は元本確定期日の定め若しくはその変更が第465条の3第1項若しくは第3項の規定を適用するとすればその効力を生じないものであるときは、その根保証契約の保証人の主たる債務者に対する求償権に係る債務を主たる債務とする保証契約は、その効力を生じない。主たる債務の範囲にその求償権に係る債務が含まれる根保証契約も、同様とする。

③前2項の規定は、求償権に係る債務を主たる債務とする保証契約又は主たる債務の範囲に求償権に係る債務が含まれる根保証契約の保証人が法人である場合には、適用しない。

第3目　事業に係る債務についての保証契約の特則

第465条の6（公正証書の作成と保証の効力）

①事業のために負担した貸金等債務を主たる債務とする保証契約又は主たる債務の範囲に事業のために負担する貸金等債務が含まれる根保証契約は、その契約の締結に先立ち、その締結の日前1箇月以内に作成された公正証書で保証人になろうとする者が保証債務を履行する意思を表示していなければ、その効力を生じない。

②前項の公正証書を作成するには、次に掲げる方式に従わなければならない。

1　保証人になろうとする者が、次のイ又はロに掲げる契約の区分に応じ、それぞれ当該イ又はロに定める事項を公証人に口授すること。

イ　保証契約（ロに掲げるものを除く。）　主たる債務の債権者及び債務者、主たる債務の元本、主たる債務に関する利息、違約金、損害賠償その他その債務に従たる全てのものの定めの有無及びその内容並びに主たる債務者がその債務を履行しないときには、その債務の全額について履行する意思（保証人になろうとする者が主たる債務者と連帯して債務を負担しようとする場合には、債権者が主たる債務者に対して催告をしたかどうか、主たる債務者がその債務を履行することができるかどうか、又は他に保証人があるかどうかにかかわらず、その全額について履行する意思）を有していること。

ロ　根保証契約　主たる債務の債権者及び債務者、主たる債務の範囲、根保証契約における極度額、元本確定期日の定めの有無及びその内容並びに主たる債務者がその債務を履行しないときには、極度額の限度にお

いて元本確定期日又は第465条の4第1項各号若しくは第2項各号に掲げる事由その他の元本を確定すべき事由が生ずる時までに生ずべき主たる債務の元本及び主たる債務に関する利息、違約金、損害賠償その他その債務に従たる全てのものの全額について履行する意思（保証人になろうとする者が主たる債務者と連帯して債務を負担しようとするものである場合には、債権者が主たる債務者に対して催告をしたかどうか、主たる債務者がその債務を履行することができるかどうか、又は他に保証人があるかどうかにかかわらず、その全額について履行する意思）を有していること。

2　公証人が、保証人になろうとする者の口述を筆記し、これを保証人になろうとする者に読み聞かせ、又は閲覧させること。

3　保証人になろうとする者が、筆記の正確なことを承認した後、署名し、印を押すこと。ただし、保証人になろうとする者が署名することができない場合は、公証人がその事由を付記して、署名に代えることができる。

4　公証人が、その証書は前3号に掲げる方式に従って作ったものである旨を付記して、これに署名し、印を押すこと。

③前2項の規定は、保証人になろうとする者が法人である場合には、適用しない。

第465条の7（保証に係る公正証書の方式の特則）

①前条第1項の保証契約又は根保証契約の保証人になろうとする者が口がきけない者である場合には、公証人の前で、同条第2項第1号イ又はロに掲げる契約の区分に応じ、それぞれ当該イ又はロに定める事項を通訳人の通訳により申述し、又は自書して、同号の口授に代えなければならない。この場合における同項第2号の規定の適用については、同号中「口述」とあるのは、「通訳人の通訳による申述又は自書」とする。

②前条第1項の保証契約又は根保証契約の保証人になろうとする者が耳が聞こえない者である場合には、公証人は、同条第2項第2号に規定する筆記した内容を通訳人の通訳により保証人になろうとする者に伝えて、同号の読み聞かせに代えることができる。

③公証人は、前2項に定める方式に従って公正証書を作ったときは、その旨をその証書に付記しなければならない。

第465条の8（公正証書の作成と求償権についての保証の効力）

①第465条の6第1項及び第2項並びに前条の規定は、事業のために負担した貸金等債務を主たる債務とする保証契約又は主たる債務の範囲に事業のために負担する貸金等債務が含まれる根保証契約の保証人の主たる債務者に対する求償権に係る債務を主たる債務とする保証契約について準用する。主たる債務の範囲にその求償権に係る債務が含まれる根保証契約も、同様とする。

②前項の規定は、保証人になろうとする者が法人で

ある場合には、適用しない。

第465条の9（公正証書の作成と保証の効力に関する規定の適用除外）

前3条の規定は、保証人になろうとする者が次に掲げる者である保証契約については、適用しない。

1　主たる債務者が法人である場合のその理事、取締役、執行役又はこれらに準ずる者

2　主たる債務者が法人である場合の次に掲げる者

イ　主たる債務者の総株主の議決権（株主総会において決議をすることができる事項の全部につき議決権を行使することができない株式についての議決権を除く。以下この号において同じ。）の過半数を有する者

ロ　主たる債務者の総株主の議決権の過半数を他の株式会社が有する場合における当該他の株式会社の総株主の議決権の過半数を有する者

ハ　主たる債務者の総株主の議決権の過半数を他の株式会社及び当該他の株式会社の総株主の議決権の過半数を有する者が有する場合における当該他の株式会社の総株主の議決権の過半数を有する者

ニ　株式会社以外の法人が主たる債務者である場合におけるイ、ロ又はハに掲げる者に準ずる者

3　主たる債務者（法人であるものを除く。以下この号において同じ。）と共同して事業を行う者又は主たる債務者が行う事業に現に従事している主たる債務者の配偶者

第465条の10（契約締結時の情報の提供義務）

①主たる債務者は、事業のために負担する債務を主たる債務とする保証又は主たる債務の範囲に事業のために負担する債務が含まれる根保証の委託をするときは、委託を受ける者に対し、次に掲げる事項に関する情報を提供しなければならない。

1　財産及び収支の状況

2　主たる債務以外に負担している債務の有無並びにその額及び履行状況

3　主たる債務の担保として他に提供し、又は提供しようとするものがあるときは、その旨及びその内容

②主たる債務者が前項各号に掲げる事項に関して情報を提供せず、又は事実と異なる情報を提供したために委託を受けた者がその事項について誤認をし、それによって保証契約の申込み又はその承諾の意思表示をした場合において、主たる債務者がその事項に関して情報を提供せず又は事実と異なる情報を提供したことを債権者が知り又は知ることができたときは、保証人は、保証契約を取り消すことができる。

③前2項の規定は、保証をする者が法人である場合には、適用しない。

第4節　債権の譲渡

第466条（債権の譲渡性）

①債権は、譲り渡すことができる。ただし、その性

質がこれを許さないときは、この限りでない。

②当事者が債権の譲渡を禁止し、又は制限する旨の意思表示（以下「譲渡制限の意思表示」という。）をしたときであっても、債権の譲渡は、その効力を妨げられない。

③前項に規定する場合には、譲渡制限の意思表示がされたことを知り、又は重大な過失によって知らなかった譲受人その他の第三者に対しては、債務者は、その債務の履行を拒むことができ、かつ、譲渡人に対する弁済その他の債務を消滅させる事由をもってその第三者に対抗することができる。

④前項の規定は、債務者が債務を履行しない場合において、同項に規定する第三者が相当の期間を定めて譲渡人への履行の催告をし、その期間内に履行がないときは、その債務者については、適用しない。

Q1 債権譲渡禁止又は制限特約の存在につき悪意の譲受人から譲受した善意の転得者に対して、債務者は譲渡禁止特約の存在を対抗できるのか。

A 譲渡禁止又は制限特約の存在を対抗できない。
譲渡禁止又は制限特約の存在を知りながら債権を譲り受けた者からさらに当該債権を譲り受けた転得者が、譲渡禁止又は制限の特約につき善意であるときは、債務者は転得者に対して、譲渡禁止又は制限特約の存在を対抗することができない（大判昭13・5・14）。

出題 国Ⅰ-平成11・6・昭和55、国Ⅱ-平成15

Q2 譲渡禁止又は制限特約のある債権をその特約があることを知りながら、その債権につき転付命令を得た場合、当該債権は転付命令により移転しないのか。

A 特約の有無について善意・悪意を問わず、当該債権は転付命令により移転する。　譲渡禁止又は制限の特約のある債権に対して発せられた転付命令について、同法466条3項の準用があると解すると、民事訴訟法が明文をもって差押禁止財産を法定している法意に反し、私人が2年の意思表示によって、債権から強制執行の客体たる性質を奪い、あるいはそれを制限できることを認めることになるし、一般債権者は、担保となる債務者の財産のうち、債務者の債権が、債務者、第三債務者の譲渡禁止又は制限の特約により担保力を失う不利益をも受け入れなければならないことになり、法の予想しない不当な結果を生むことになる（最判昭45・4・10）。

出題 国家総合-平成27、国Ⅰ-平成21・11・昭和62、地方上級-平成11、特別区Ⅰ-平成24、国家一般-平成26、国Ⅱ-平成19、裁判所Ⅰ・Ⅱ-平成20・14、国税・労基-平成20

Q3 賃貸借の目的となっている土地の所有者が、その所有権とともに賃貸人の地位を譲渡する場合、賃借人の承諾を必要とするのか。

A 賃借人の承諾を必要としない。　土地の賃貸借契約における賃貸人の地位の譲渡は、賃貸人の義務の移転を伴うものではあるが、賃貸人の義務は賃貸人が何人であるかによって履行方法が特に異なるわけではなく、また、土地所有権の移転があったときに新所有者にその義務の承継を認めることがむしろ

賃借人にとって有利であるから、一般の債務の引受けの場合と異なり、特段の事情のある場合を除き、新所有者が旧所有者の賃貸人としての権利義務を承継するには、賃借人の承諾を必要とせず、旧所有者と新所有者の契約をもってなすことができる（最判昭46・4・23）。

出題 国Ⅰ-平成6・昭和57、裁判所総合・一般-平成24

Q4 債権譲渡の禁止又は制限特約のある債権を譲り受けた者がその特約の存在につき善意・重過失であった場合、譲受人は当該債権を取得できるか。

A 譲受人は当該債権を取得できない。　民法466条2項は債権の譲渡を禁止する特約は善意の第三者に対抗することができない旨規定し、その文言上は第三者の過失の有無を問わないかのようであるが、重大な過失は悪意と同様に取り扱うべきであるから、譲渡禁止又は制限の特約の存在を知らずに債権を譲り受けた場合であっても、これにつき譲受人に重大な過失があるときは、悪意の譲受人と同様、譲渡によってその債権を取得しえない（最判昭48・7・19）。

出題 国家総合-平成27、国Ⅰ-昭和58・55、地方上級-平成11・昭和62、特別区Ⅰ-平成24、裁判所総合・一般-平成30・27、裁判所Ⅰ・Ⅱ-平成20・14

◇参考判例

Q5 譲渡禁止又は制限特約付債権が悪意の譲受人に譲渡された後に債務者がこれに承諾を与えた場合、その効力はどうなるのか。

A 当該債権譲渡は譲渡の時に遡って有効となる。譲渡禁止又は制限の特約のある指名債権をその譲受人が特約の存在を知って譲り受けた場合でも、その後、債務者が当該債権の譲渡について承諾を与えたときは、当該債権譲渡は譲渡の時に遡って有効となり、譲渡に際し債権者から債務者に対して確定日付のある譲渡通知がなされている限り、債務者は、その承諾以後において債権を差し押さえ転付命令を受けた第三者に対しても、当該債権譲渡が有効であることをもって対抗することができる（最判昭52・3・17）。

出題 国家総合-平成28、国Ⅰ-平成6・昭和63・62、地方上級-昭和62、国Ⅱ-平成19、裁判所総合・一般-平成30

Q6 譲渡禁止又は制限特約付きの債権が譲渡された場合、譲受人が悪意であっても、債務者が追認すれば遡ってその譲渡は有効になり、譲受人は、当該追認までに当該債権を差し押さえた者に対しても、債権譲渡の効力を主張できるのか。

A 債権譲渡の効力を主張できない。　譲渡禁止又は制限の特約のある債権について、譲受人がその特約の存在を知り、または重大な過失によりその特約の存在を知らないでこれを譲り受けた場合でも、その後、債務者が当該債権の譲渡について承諾を与えたときは、債権譲渡の時にさかのぼって有効となるが、民法116条の法意に照らし、第三者の権利を害することはできない（最判平9・6・5）。

出題 国家総合 – 平成 25、国Ⅰ – 平成 14・11、国Ⅱ – 平成 19

Q7 譲渡禁止又は制限特約付き指名債権について、譲受人がその特約の存在につき悪意または重過失でこれを譲り受け、他方、国が滞納処分により当該債権の差押えをしていた状況のもとで、その後、債務者が当該債権譲渡につき承諾を与えた場合、これにより第三者（国）の権利を害することは許されるのか。

A 第三者の権利を害することは許されない（最判平 9・6・5）。⇨6

Q8 譲渡禁止又は制限の特約に反して債権を譲渡した債権者は、その無効を主張できるのか。

A 特段の事情がない限り、その無効を主張できない。　民法は、原則として債権の譲渡性を認め（466 条 1 項）、当事者が債権の譲渡を禁止し、又は制限する旨の意思表示をしたときであっても、債権の譲渡はその効力を妨げられない旨定めている（同条 2 項）。ところで、債権の譲渡性を否定する意思を表示した譲渡禁止又は制限の特約は、債務者の利益を保護するために付されるものである。そうすると、譲渡禁止又は制限の特約に反して債権を譲渡した債権者は、同特約の存在を理由に譲渡の無効を主張する独自の利益を有しないのであって、債務者に譲渡の無効を主張する意思があることが明らかであるなどの特段の事情がない限り、その無効を主張することは許されない（最判平 21・3・27）。　**出題 予想**

第 466 条の 2（譲渡制限の意思表示がされた債権に係る債務者の供託）
①債務者は、譲渡制限の意思表示がされた金銭の給付を目的とする債権が譲渡されたときは、その債権の全額に相当する金銭を債務の履行地（債務の履行地が債権者の現在の住所により定まる場合にあっては、譲渡人の現在の住所を含む。次条において同じ。）の供託所に供託することができる。
②前項の規定により供託をした債務者は、遅滞なく、譲渡人及び譲受人に供託の通知をしなければならない。
③第 1 項の規定により供託をした金銭は、譲受人に限り、還付を請求することができる。

第 466 条の 3
　前条第 1 項に規定する場合において、譲渡人について破産手続開始の決定があったときは、譲受人（同項の債権の全額を譲り受けた者であって、その債権の譲渡を債務者その他の第三者に対抗することができるものに限る。）は、譲渡制限の意思表示がされたことを知り、又は重大な過失によって知らなかったときであっても、債務者にその債権の全額に相当する金銭を債務の履行地の供託所に供託させることができる。この場合においては、同条第 2 項及び第 3 項の規定を準用する。

第 466 条の 4（譲渡制限の意思表示がされた債権の差押え）
①第 466 条第 3 項の規定は、譲渡制限の意思表示がされた債権に対する強制執行をした差押債権者に対しては、適用しない。
②前項の規定にかかわらず、譲受人その他の第三者

が譲渡制限の意思表示がされたことを知り、又は重大な過失によって知らなかった場合において、その債権者が同項の債権に対する強制執行をしたときは、債務者は、その債務の履行を拒むことができ、かつ、譲渡人に対する弁済その他の債務を消滅させる事由をもって差押債権者に対抗することができる。

第 466 条の 5（預金債権又は貯金債権に係る譲渡制限の意思表示の効力）
①預金口座又は貯金口座に係る預金又は貯金に係る債権（以下「預貯金債権」という。）について当事者がした譲渡制限の意思表示は、第 466 条第 2 項の規定にかかわらず、その譲渡制限の意思表示がされたことを知り、又は重大な過失によって知らなかった譲受人その他の第三者に対抗することができる。
②前項の規定は、譲渡制限の意思表示がされた預貯金債権に対する強制執行をした差押債権者に対しては、適用しない。

第 466 条の 6（将来債権の譲渡性）
①債権の譲渡は、その意思表示の時に債権が現に発生していることを要しない。
②債権が譲渡された場合において、その意思表示の時に債権が現に発生していないときは、譲受人は、発生した債権を当然に取得する。
③前項に規定する場合において、譲渡人が次条の規定による通知をし、又は債務者が同条の規定による承諾をした時（以下「対抗要件具備時」という。）までに譲渡制限の意思表示がされたときは、譲受人その他の第三者がそのことを知っていたものとみなして、第 466 条第 3 項（譲渡制限の意思表示がされた債権が預貯金債権の場合にあっては、前条第 1 項）の規定を適用する。

〔判例法理の条文化〕
Q1 将来発生する債権を目的とする債権譲渡契約は、同契約締結時において目的となる債権の発生可能性が低い場合には、無効となるのか。

A 原則として、有効である。　原判決は、将来発生すべき診療報酬債権を目的とする債権譲渡契約について、一定額以上が安定して発生することが確実に期待されるそれほど遠い将来のものではないものを目的とする限りにおいて有効とすべきものとしている。しかしながら、将来発生すべき債権を目的とする債権譲渡契約にあっては、契約当事者は、譲渡の目的とされる債権の発生の基礎を成す事情を斟酌し、その事情の下における債権発生の可能性の程度を考慮したうえ、当該債権が見込みどおり発生しなかった場合に譲受人に生ずる不利益については譲渡人の契約上の責任の追及により清算することとして、契約を締結するものとみるべきであるから、当該契約の締結時において当該債権発生の可能性が低かったことは、当該契約の効力を当然に左右するものではない（最判平 11・1・29）。

出題 国家総合 – 平成 28、国Ⅰ – 平成 21、裁判所総合・一般 – 平成 27、国税・労基 – 平成 23

Q2 融資を受ける医師の側が、債務の弁済のために、債権者と協議のうえ、同人に対して以後の収支

見込みに基づき将来発生すべき診療報酬債権を一定の範囲で譲渡することは有効か。

A 有効である。　診療所等の開設や診療用機器の設置等に際して医師が相当の額の債務を負担することがあるのは周知のところであり、この際にその医師が担保として提供するのに適した不動産等を有していないことも十分に考えられる。このような場合に、医師に融資する側からすれば、現に担保物件が存在しなくても、この融資により整備される診療施設によって医師が将来にわたり診療による収益を上げる見込みが高ければ、これを担保として上記融資を実行することには十分な合理性があり、融資を受ける医師の側においても、債務の弁済のために、債権者と協議のうえ、同人に対して以後の収支見込みに基づき将来発生すべき診療報酬債権を一定の範囲で譲渡することは、それなりに合理的な行為として選択の対象に含まれている（最判平11・1・29）。

〔出題〕予想➡国家一般‐令和2

Q3 将来発生すべき債権が譲渡予約の目的とされている場合、予約完結時において譲渡の目的となるべき債権は譲渡人が有する他の債権から識別することができる程度に特定されていれば足りるのか。

A 足りる（最判平12・4・21）。

〔出題〕裁判所総合・一般‐平成30

Q4 将来の債権を譲渡担保の対象とする場合、対象とする債権は1年以内に発生する債権に限られるのか。

A 限られない。　将来発生すべき債権を目的とする譲渡担保契約が締結された場合には、債権譲渡の効果の発生を留保する特段の付款のない限り、譲渡担保の目的とされた債権は譲渡担保契約によって譲渡担保設定者から譲渡担保権者に確定的に譲渡されているのであり、この場合において、譲渡担保の目的とされた債権が将来発生したときには、譲渡担保権者は、譲渡担保設定者の特段の行為を要することなく当然に、当該債権を担保の目的で取得することができるものである。そして、前記の場合において、譲渡担保契約に係る債権の譲渡については、債権譲渡の対抗要件（民法467条2項）の方法により第三者に対する対抗要件を具備することができるのである（最判平13・11・22参照）。以上のような将来発生すべき債権に係る譲渡担保権者の法的地位にかんがみれば、国税の法定納期限等以前に、将来発生すべき債権を目的として、債権譲渡の効果の発生を留保する特段の付款のない譲渡担保契約が締結され、その債権譲渡につき第三者に対する対抗要件が具備されていた場合には、譲渡担保の目的とされた債権が国税の法定納期限等の到来後に発生したとしても、当該債権は「国税の法定納期限等以前に譲渡担保財産となっている」ものに該当する（最判平19・2・15）。

〔出題〕国Ⅱ‐平成21

Q5 国税の法定納期限等以前に、将来発生すべき債権を目的として、譲渡担保契約が締結され、その債権譲渡につき第三者に対する対抗要件が具備されていた場合、譲渡担保の目的とされた債権が国税の法定納期限等の到来後に発生したとしても、当該債権

は「国税の法定納期限等以前に譲渡担保財産となっている」ものに該当するのか。

A 該当する（最判平19・2・15）。➪4

第467条（債権の譲渡の対抗要件）

①債権の譲渡（現に発生していない債権の譲渡を含む。）は、譲渡人が債務者に通知をし、又は債務者が承諾をしなければ、債務者その他の第三者に対抗することができない。

②前項の通知又は承諾は、確定日付のある証書によってしなければ、債務者以外の第三者に対抗することができない。

＊任意代位に準用（499条2項）

Q1 債権の二重譲渡につき、第一の単なる通知の後に、第二の確定日付ある通知がされた場合、第一譲受人は、その債権を債務者に対抗することができるのか。

A 第一譲受人は、その債権を債務者に対抗できず、第二の譲受人が唯一の債権者となる。　第一の債権譲渡については、単なる通知がなされ、その後、さらに同一の債権につき第二の譲渡が行われ、第二の譲渡について確定日付のある証書によって通知がなされたときは、第一の譲受人は、その債権を債務者に対抗することはできず、第二の譲受人が唯一の債権者になる（大連判大8・3・28）。

〔出題〕国家総合‐令和1、国Ⅱ‐平成22、裁判所Ⅰ・Ⅱ‐平成17

Q2 譲渡人による通知又は債務者の承諾がなくても債権譲渡を債務者に対抗できる旨の特約は有効か。

A 無効である。　民法467条1項の規定は強行規定なので、譲渡人による通知又は債務者の承諾がなくても債権譲渡を債務者に対抗できる旨の特約は無効である（大判大10・2・9）。

〔出題〕裁判所総合・一般‐平成27

Q3 債権の譲受人は譲渡人を代位して債務者に対して債権譲渡の通知ができるのか。

A 譲受人は譲渡人を代位して通知はできない。　民法423条により債権の譲受人が譲渡人を代位して債務者に対して債権譲渡の通知をしても、通知の効力は生じない（大判昭5・10・10）。

〔出題〕国家総合‐平成28・27、国Ⅰ‐平成20・昭和63・58・55、裁判所総合・一般‐令和3・平成29、裁判所Ⅰ・Ⅱ‐平成20・19・16・14、国税‐平成20・4・昭和57

Q4 確定日付ある証書によらない通知後に債務者が弁済し、その後、債権が譲渡され確定日付ある通知がされた場合、対抗問題となるのか。

A 債権はすでに弁済により消滅し、対抗問題にならない。　第一の債権譲渡の後、債権が弁済その他の事由によって消滅しさらに当該債権について第二の譲渡が行われたとき、第二の譲渡行為について確定日付のある証書によってなされても、第二の譲受人は、すでに消滅した債権を譲り受けたに過ぎず、債権を取得することはできない（大判昭7・12・6）。

〔出題〕予想

Q5 第一の債権譲渡に関する譲渡通知が、普通郵便で行われ、債務者が第一譲受人に弁済した後に、第

二の債権譲渡に関する譲渡通知が、内容証明郵便で行われた場合、第二譲受人による支払請求を債務者は拒むことができるか。

A 債務者は拒むことができる。（大判昭 7・12・6）。
⇨ 4

出題 国Ⅰ－平成 20
Q6 債権の譲受人が、譲渡人の代理人として債務者に対して行った債権譲渡の通知は、有効か。

A 有効である。　債権の譲受人が、譲渡人の代理人として、債務者に対して、債権譲渡の通知をすることは有効である。なぜなら、代理の場合は、通知が本人である譲渡人の名で行われるため、債権譲渡の真実性が担保されるからである（大判昭 4・2・23）。

出題 裁判所総合・一般－令和 3
Q7 債務者があらかじめ譲受人が特定している特定の債権譲渡について同意を与えていた場合でも、当該債権譲渡の後あらためて譲渡人は債権譲渡の通知が必要か。

A あらためて債権譲渡の通知をする必要はない。
債権譲渡の目的たる債権およびその譲受人がいずれも特定している場合に、債務者があらかじめその譲渡に同意したときは、その後あらためて民法 467 条 1 項所定の通知または承諾がなされなくても、当該債務者に対しては債権譲渡をもって対抗しうる（最判昭 28・5・29）。

出題 裁判所Ⅰ・Ⅱ－平成 21、国税－平成 4
Q8 債権譲渡の譲受人が譲渡人の代理人として行った債権譲渡の通知は有効か。

A 債権譲渡の通知は有効である。　民法 467 条にいう債権譲渡の通知は、それが債権譲渡の対抗要件であることにかんがみ、特定の債権が特定の譲受人に譲渡されたことを明確にしてなされることを必要とし、たまたま債務者が債権譲渡の事実について知っている場合にも、上記通知を不要とするものではなく、その通知は債権の譲渡人、その包括承継人又はそれらから委任を受けた者がなすべきで、委任を受けない者等が事務管理としてなすことをえないものと解すべきである（最判昭 46・3・25）。

出題 国家総合－平成 28
Q9 債権が二重に譲渡された場合、譲受人相互の間の優劣は何によって決すべきか。

A 確定日付のある通知が債務者に到達した日時の先後によって決すべきである。　債権が二重に譲渡された場合、譲受人相互の間の優劣は、通知または承諾に付された確定日付の先後によって定めるべきではなく、確定日付のある通知が債務者に到達した日時または確定日付のある債務者の承諾の日時の先後によって決すべきであり、また、確定日付は通知または承諾そのものにつき必要である（最判昭 49・3・7）。

出題 国家総合－令和 1・平成 28・25、国Ⅰ－平成 21・20・14・1・昭和 63、地方上級－平成 11・昭和 62、特別区Ⅰ－平成 24、国家一般－令和 2・平成 26、国Ⅱ－平成 11、裁判所総合・一般－令和 4・平成 27、裁判所Ⅰ・Ⅱ－平成 18・15、国税・労基－平成 23・20
Q10 債権が特定遺贈された場合、債務者に対する対抗要件としての譲渡人の通知または債務者の承諾は必要か。

A 譲渡人の通知または債務者の承諾が必要である。特定債権が遺贈された場合、債務者に対する通知または承諾がなければ、受遺者は、遺贈による債権の取得を債務者に対抗することができない。そして債務者に対する通知は、遺贈義務者からすべきであって、受遺者が遺贈により債権を取得したことを債務者に通知したのみでは、受遺者はこれを債務者に対抗することができない（最判昭 49・4・26）。

出題 国Ⅰ－昭和 62
Q11 債権譲渡の予約につき確定日付のある証書により債務者に対する通知またはその承諾がされた場合、予約の完結による債権譲渡の効力は第三者に対抗することができるか。

A 第三者に対抗することはできない。　民法 467 条の規定する債権譲渡についての債務者以外の第三者に対する対抗要件の制度は、債務者が債権譲渡により債権の帰属に変更が生じた事実を認識することを通じ、これが債務者によって第三者に表示されうるものであることを根幹として成立しているところ、債権譲渡の予約につき確定日付のある証書により債務者に対する通知またはその承諾がされても、債務者は、これによって予約完結権の行使により当該債権の帰属が将来変更される可能性を了知するにとどまり、当該債権の帰属に変更が生じた事実を認識するものではないから、上記予約の完結による債権譲渡の効力は、当該予約についてされた上記の通知または承諾をもって、第三者に対抗することはできない（最判平 13・11・27）。

出題 予想
Q12 債権が二重に譲渡されて、確定日付のある各譲渡通知が同時に第三債務者に到達した場合、各譲受人と第三債務者はそれぞれどのように対処すべきか。

A 各譲受人が譲受債権の全額を請求でき、第三債務者はそれを拒めない。　債権が二重に譲渡され、確定日付のある各譲渡通知が同時に第三債務者に到達したときは、各譲受人は、第三債務者に対しそれぞれの譲受債権についてその全額の弁済を請求することができ、譲受人の 1 人から弁済の請求を受けた第三債務者は、他の譲受人に対する弁済その他の債務消滅事由がない限り、単に同順位の譲受人が他に存在することを理由として弁済の責めを免れることはできない（最判昭 55・1・11）。

出題 国Ⅰ－平成 21・6・昭和 58、国Ⅱ－平成 15・11、裁判所総合・一般－平成 29、裁判所Ⅰ・Ⅱ－平成 15、国税－平成 4
Q13 同一債権について差押通知と確定日付のある譲渡通知との第三債務者への到達の先後関係が不明である場合、差押債権者と債権譲受人とは、互いに自己が優先的地位にあることを主張できるか。

A 互いに自己が優先的地位にあることを主張できない。　国税徴収法に基づく滞納処分としての債権の差押えをした者と同一債権の譲受人との間の優劣は、債権差押えの通知が第三債務者に送達された日時と確定日付のある債権譲渡の通知が当該第三債務者に到達した日時または確定日付のある第三債務者の承諾の日時との先後によって決すべきであるから、当該各通知が第三債務者に到達したが、その到

達の先後関係が不明であるために、その相互間の優劣関係を決することができない場合には、各通知が同時に第三債務者に到達した場合と同様に、差押債権者と債権譲受人との間では、互いに相手方に対して自己が優先的地位にある債権者であると主張することは許されない（最判平5・3・30）。

Q14 同一債権について差押通知と確定日付のある譲渡通知との第三債務者への到達の先後関係が不明である場合、差押債権者と債権譲受人とは、第三債務者に対し債権全額の弁済を請求できるのか。

A 第三債務者に対し債権全額の弁済を請求できる。各通知の先後関係が不明であるためにその相互間の優劣を決することができない場合であっても、それぞれの立場において取得した第三債務者に対する法的地位が変容を受けるわけではないから、国税の徴収職員は、国税徴収法67条1項に基づき差し押さえた当該債権の取立権を取得し、また、債権譲受人も、当該債権差押えの存在にかかわらず、第三債務者に対して当該債権の給付を求める訴えを提起し、勝訴判決を得ることができる（最判昭55・1・11参照）。

Q15 同一債権について差押通知と確定日付のある譲渡通知との第三債務者への到達の先後関係が不明であるため、第三債務者が債権に相当する金額を供託したが、被差押債権額と譲受債権額の合計額が供託金額を超過する場合、差押債権者と債権譲受人との関係はどうなるのか。

A 被差押債権額と譲受債権額に応じて供託金額を按分した額の供託金還付請求権をそれぞれ分割取得する。滞納処分としての債権差押えの通知と確定日付のある債権譲渡の通知の第三債務者への到達の先後関係が不明であるために、第三債務者が債権者を確知することができないことを原因として当該債権額に相当する金員を供託した場合において、被差押債権額と譲受債権額との合計額が供託金額を超過するときは、差押債権者と債権譲受人は、公平の原則に照らし、被差押債権額と譲受債権額に応じて供託金額を按分した額の供託金還付請求権をそれぞれ分割取得する（最判平5・3・30）。

Q16 預託金会員制ゴルフクラブの会員権の譲渡を第三者に対抗するためには、いかなる要件を必要とするのか。

A 譲渡人が確定日付のある証書によりゴルフ場経営会社に通知し、又はゴルフ場経営会社が確定日付のある証書によりこれを承諾する必要がある。預託金会員制ゴルフクラブの会員権の譲渡をゴルフ場経営会社以外の第三者に対抗するには、債権の譲渡の場合に準じて、譲渡人が確定日付のある証書によりこれをゴルフ場経営会社に通知し、又はゴルフ場経営会社が確定日付のある証書によりこれを承諾することを要し、かつ、そのことをもって足りる（最判平8・7・12）。

Q17 債権譲渡登記に譲渡債権の発生年月日として

民法編

始期のみが記録されている場合には、他に始期以外の日に発生した債権も譲渡の目的である旨の記録がない限り、債権譲受人は、始期以外の日に発生した債権の譲受けを第三者に対抗できないのか。

A 第三者に対抗できない。債権譲渡登記に譲渡に係る債権の発生年月日の始期は記録されているがその終期が記録されていない場合には、その債権譲渡登記に係る債権譲渡が数日にわたって発生した債権を目的とするものであったとしても、他にその債権譲渡登記中に始期当日以外の日に発生した債権も譲渡の目的である旨の記録がない限り、債権の譲受人は、その債権譲渡登記をもって、始期当日以外の日に発生した債権の譲受けを債務者以外の第三者に対抗することはできない。なぜなら、上記のような債権譲渡登記によっては、第三者は始期当日以外の日に発生した債権が譲渡されたことを認識することができず、その公示があるとみることはできないからである（最判平14・10・10）。

第468条（債権の譲渡における債務者の抗弁）

①債務者は、対抗要件備時までに譲渡人に対して生じた事由をもって譲受人に対抗することができる。

②第466条第4項の場合における前項の規定の適用については、同項中「対抗要件具備時」とあるのは、「第466条第4項の相当の期間を経過した時」とし、第466条の3の場合における同項の規定の適用については、同項中「対抗要件具備時」とあるのは、「第466条の3の規定により同条の譲受人から供託の請求を受けた時」とする。

第469条（債権の譲渡における相殺権）

①債務者は、対抗要件具備時より前に取得した譲渡人に対する債権による相殺をもって譲受人に対抗することができる。

②債務者が対抗要件具備時より後に取得した譲渡人に対する債権であっても、その債権が次に掲げるものであるときは、前項と同様とする。ただし、債務者が対抗要件具備時より後に他人の債権を取得したときは、この限りでない。

　1　対抗要件具備時より前の原因に基づいて生じた債権

　2　前号に掲げるもののほか、譲受人の取得した債権の発生原因である契約に基づいて生じた債権

③第466条第4項の場合における前2項の規定の適用については、これらの規定中「対抗要件具備時」とあるのは、「第466条第4項の相当の期間を経過した時」とし、第466条の3の場合におけるこれらの規定の適用については、これらの規定中「対抗要件具備時」とあるのは、「第466条の3の規定により同条の譲受人から供託の請求を受けた時」とする。

Q1 債権譲渡以前から債務者が債権者に対して反対債権を有する場合、当該反対債権を自働債権とし、被譲渡債権を受働債権とする相殺は許されるか。

A 譲受人が譲渡人である会社の取締役であるときには、両債権の弁済期の前後を問わず、弁済期が到

来すれば相殺は許される。　債権が譲渡され、その債務者が、譲渡通知を受けたにとどまり、かつ、その通知を受ける前に譲渡人に対して反対債権を取得していた場合において、譲受人が譲渡人である会社の取締役である等の事実関係があるときには、被譲渡債権および反対債権の弁済期の前後を問わず、両者の弁済期が到来すれば、被譲渡債権の債務者は、譲受人に対し、当該反対債権を自働債権として被譲渡債権と相殺することができる（最判昭50・12・8）。

出題 国家総合－平成24、国Ⅰ－平成14・昭和62、特別区Ⅰ－平成24、国家一般－令和2、国Ⅱ－平成19

Q2 債権譲渡がなされ譲渡通知を債務者が受けた後、債務者が譲渡人に対する債権による相殺を譲受人に対抗するためには、債権譲渡の通知を受けた時点で相殺適状にあったことが必要か。

A 債権譲渡の通知を受けた時点で相殺適状にあったことは不要で、債権譲渡通知以前に、債務者が譲渡人に対する債権を取得していれば、譲受人に対抗できる（最判昭50・12・8）。⇨ *1*

第5節　債務の引受け

第1款　併存的債務引受

第470条（併存的債務引受の要件及び効果）

①併存的債務引受の引受人は、債務者と連帯して、債務者が債権者に対して負担する債務と同一の内容の債務を負担する。

②併存的債務引受は、債権者と引受人となる者との契約によってすることができる。

③併存的債務引受は、債務者と引受人となる者との契約によってもすることができる。この場合において、併存的債務引受は、債権者が引受人となる者に対して承諾をした時に、その効力を生ずる。

④前項の規定によってする併存的債務引受は、第三者のためにする契約に関する規定に従う。

〔判例法理の条文化〕

Q1 併存（重層）的債務引受は、債務者の意思に反してすることができるか。

A 債務者の意思に反してすることができる。　併存（重層）的債務引受は、債務者の意思に反しても、債権者と引受人との間の契約によってすることができる（大判大15・3・25）。

出題 国Ⅰ－平成22、裁判所総合・一般－平成30

Q2 併存（重層）的債務引受がなされた場合、旧債務者の債務の時効消滅の効果は、その負担部分について新債務者に及ぶのか。

A 旧債務者の負担部分について新債務者に及ぶ。重層的債務引受がなされた場合には、反対に解釈すべき特段の事情のない限り、原債務者と引受人との関係について連帯債務関係が生ずる。したがって、原債務者の債務の時効消滅による効果は、原債務者の負担部分について債務引受人にも及ぶ（最判昭41・12・20）。

出題 国Ⅰ－平成22・昭和57、国Ⅱ－平成7

第471条（併存的債務引受における引受人の抗弁等）

①引受人は、併存的債務引受により負担した自己の債務について、その効力が生じた時に債務者が主張することができた抗弁をもって債権者に対抗することができる。

②債務者が債権者に対して取消権又は解除権を有するときは、引受人は、これらの権利の行使によって債務者がその債務を免れるべき限度において、債権者に対して債務の履行を拒むことができる。

第2款　免責的債務引受

第472条（免責的債務引受の要件及び効果）

①免責的債務引受の引受人は債務者が債権者に対して負担する債務と同一の内容の債務を負担し、債務者は自己の債務を免れる。

②免責的債務引受は、債権者と引受人となる者との契約によってすることができる。この場合において、免責的債務引受は、債権者が債務者に対してその契約をした旨を通知した時に、その効力を生ずる。

③免責的債務引受は、債務者と引受人となる者が契約をし、債権者が引受人となる者に対して承諾をすることによってもすることができる。

Q1 第三者が債務者を免責にする免責的債務引受をするには、債権者との契約（債権者の承諾）によってすることができるか。

A することができる。　売買契約に基づく買主の権利が第三者に譲渡された場合でも、その代金支払債務は、第三者が適法な債務引受をしない限り、依然として買主に残存するのであって、買主の権利の譲渡に当然随伴して第三者に移転するものではない。ただし、債務引受は、債務者の意思に反しない限り、債権者と引受人との間ですることができ、第三者が代金支払債務の引受けをするには、債権者である売主との間で契約を締結する必要がある（大判大14・12・15）。　出題 国Ⅰ－平成22

第472条の2（免責的債務引受における引受人の抗弁等）

①引受人は、免責的債務引受により負担した自己の債務について、その効力が生じた時に債務者が主張することができた抗弁をもって債権者に対抗することができる。

②債務者が債権者に対して取消権又は解除権を有するときは、引受人は、免責的債務引受がなければこれらの権利の行使によって債務者がその債務を免れることができた限度において、債権者に対して債務の履行を拒むことができる。

第472条の3（免責的債務引受における引受人の求償権）

免責的債務引受の引受人は、債務者に対して求償権を取得しない。

第472条の4（免責的債務引受による担保の移転）

①債権者は、第472条第1項の規定により債務者が免れる債務の担保として設定された担保権を引受人が負担する債務に移すことができる。ただし、引受人以外の者がこれを設定した場合には、その承諾を得なければならない。

②前項の規定による担保権の移転は、あらかじめ又は同時に引受人に対してする意思表示によってし

なければならない。

③前2項の規定は、第472条第1項の規定により債務者が免れる債務の保証をした者があるときについて準用する。

④前項の場合において、同項において準用する第1項の承諾は、書面でしなければ、その効力を生じない。

⑤前項の承諾がその内容を記録した電磁的記録によってされたときは、その承諾は、書面によってされたものとみなして、同項の規定を適用する。

Q1 債務引受があれば保証人が負担する保証債務も移転するのか。

A あらかじめ保証人の承諾がなければ、保証債務は消滅する。　保証人は債務者その人を信用して保証債務を負担したのであり、特定の債務者以外の者のために保証債務を負担する意思を有しないのが通常であるから、旧債務者の保証人が引受けに同意しまたは新債務者すなわち引受人のために保証人となることを承諾したことの立証がある場合以外は、保証債務は債務の免責的引受契約の成立によって消滅する（大判大11・3・1）。

出題 国Ⅰ－昭和57、国Ⅱ－平成7

Q2 免責的債務引受が行われたとき、債務者の債務を担保していた保証債務その他の担保も当然に、債権者と引受人との間の債務を担保するのか。

A あらかじめ、連帯保証人ないし設定者の承諾がなければ、保証債務その他の担保は、消滅する。　第三者が債務者の債務につき根抵当権を設定したところ、その債務につき免責的債務引受が行われたときは、根抵当権は、設定者の同意がない限り、債務引受をした債務者のための根抵当権とならないのであって、債務引受をした債務者が元の債務者の連帯保証人であってもその結論に影響を及ぼすものではない（最判昭37・7・20）。 出題 国Ⅰ－平成22

◇履行の引受け

Q3 Aに対してBが金銭債務を負っている場合、CがBとの契約により当該債務の履行を引き受ければ、AはCに対して当該債務の履行の請求ができるのか。

A AはCに対して当該債務の履行の請求はできない。　民法537条は、当事者の一方が第三者に対しある給付をなすべきことを相手方と契約した本旨が、第三者にその給付を受ける権利を取得させる意思に出た場合を規定したものである。それ故、契約当事者に全くその意思がなく、単にその一方が相手方の第三者に対する債務を弁済することを約した場合は、ただその相手方のために契約をしたにすぎないのであり、第三者のためにする契約をしたものではないから、同条の規定を適用すべきではない。このような場合においては、契約当事者の一方が相手方のためにその第三者に対する債務を弁済すべき義務を負担するに至っても、その契約は第三者に権利を取得させることを目的としたものではないから、第三者のためにその効力を生ずべき理由はなく、したがって、第三者が契約の利益を享受する意思を表示しても、これによってその第三者が当事者の一方

に対し直接に給付を請求する権利を取得することはできない（大判大4・7・16）。 出題 国Ⅱ－平成7

第6節　債権の消滅

第1款　弁済

第1目　総則

第473条（弁済）

債務者が債権者に対して債務の弁済をしたときは、その債権は、消滅する。

第474条（第三者の弁済）

①債務の弁済は、第三者もすることができる。

②弁済をするについて正当な利益を有する者でない第三者は、債務者の意思に反して弁済をすることができない。ただし、債務者の意思に反することを債権者が知らなかったときは、この限りでない。

③前項に規定する第三者は、債権者の意思に反して弁済をすることができない。ただし、その第三者が債務者の委託を受けて弁済をする場合において、そのことを債権者が知っていたときは、この限りでない。

④前3項の規定は、その債務の性質が第三者の弁済を許さないとき、又は当事者が第三者の弁済を禁止し、若しくは制限する旨の意思表示をしたときは、適用しない。

Q1 債務者の妻と第三者の妻とが姉妹である場合、当該第三者は弁済をするにつき、正当な利益を有する第三者といえるのか。

A 正当な利益を有する第三者とはいえない。　民法474条2項にいう「正当な利益」を有する者とは、物上保証人、担保不動産の第三取得者などのように弁済をすることに法律上の利害関係を有する第三者をいう。したがって、債務者の妻と第三者の妻とが姉妹であっても、その関係は事実上の利害関係を有するにすぎず、正当な利益を有するものとはいえない（最判昭39・4・21）。

出題 国家一般－平成28・25、国Ⅱ－平成13、国税－平成6

Q2 借地上の建物の賃借人はその敷地の地代の弁済について正当な利益を有するのか。

A 正当な利益を有する。　借地上の建物の賃借人はその敷地の地代の弁済について正当な利益を有する。なぜなら、建物賃借人と土地賃貸人との間には直接の契約関係はないが、土地賃借権が消滅するときは、建物賃借人は土地賃貸人に対して、賃借建物から退去して土地を明け渡すべき義務を負う法律関係にあり、建物賃借人は、敷地の地代を弁済し、敷地の賃借権が消滅することを防止することにより正当な利益を有するからである（最判昭63・7・1）。

出題 国Ⅰ－平成11・5、特別区Ⅰ－令和1、国家一般－平成28、国Ⅱ－平成5、裁判所総合・一般－令和1・Ⅰ－平成30、裁判所Ⅰ・Ⅱ－平成23、国税－平成12

第475条（弁済として引き渡した物の取戻し）

弁済をした者が弁済として他人の物を引き渡したときは、その弁済をした者は、更に有効な弁済をし

なければ、その物を取り戻すことができない。

第476条（弁済として引き渡した物の消費又は譲渡がされた場合の弁済の効力等）

前条の場合において、債権者が弁済として受領した物を善意で消費し、又は譲り渡したときは、その弁済は、有効とする。この場合において、債権者が第三者から賠償の請求を受けたときは、弁済をした者に対して求償をすることを妨げない。

第477条（預金又は貯金の口座に対する払込みによる弁済）

債権者の預金又は貯金の口座に対する払込みによってする弁済は、債権者がその預金又は貯金に係る債権の債務者に対してその払込みに係る金額の払戻しを請求する権利を取得した時に、その効力を生ずる。

第478条（受領権者としての外観を有する者に対する弁済）

受領権者（債権者及び法令の規定又は当事者の意思表示によって弁済を受領する権限を付与された第三者をいう。以下同じ。）以外の者であって取引上の社会通念に照らして受領権者としての外観を有するものに対してした弁済は、その弁済をした者が善意であり、かつ、過失がなかったときに限り、その効力を有する。

Q1 債権の代理人と称して債権を行使する者は、債権の受領権者としての外観を有する者に該当するのか。

A 債権の受領権者としての外観を有する者に該当する。　債権の代理人と称して債権を行使する者も民法478条にいわゆる債権の受領権者としての外観を有する者にあたる（最判昭37・8・21）。

出題 国家総合－平成30・25、国Ⅰ－平成20・11・5・昭和59、地方上級－平成4（市共通）、特別区Ⅰ－令和1、裁判所総合・一般－令和2・1・平成29・27、裁判所Ⅰ・Ⅱ－平成15

Q2 債権の受領権者としての外観を有する者への弁済が有効となるためには、弁済者が善意であればよいのか。

A 弁済者は善意・無過失でなければならない（最判昭37・8・21）。

出題 国Ⅰ－平成5・昭和59、特別区Ⅰ－令和1、国Ⅱ－平成5、裁判所Ⅰ・Ⅱ－平成15、国税－昭和59

Q3 定期預金の期限前解約による払戻しを預金者以外の者に行った場合、弁済の具体的内容が契約の成立時にすでに合意によって確定されているときには、当該払戻しは民法478条の弁済にあたり、同条が適用されるのか。

A 民法478条が適用される。　定期預金契約の締結に際し、その預金の期限前払戻の場合における弁済の具体的内容が、契約当事者の合意により確定されているときは、当該預金の期限前の払戻しであっても、その払戻しを預金者以外の者（債権者名義の定期預金証書と偽造された印鑑を持参し、債権者の代理人と称する者）に行った場合でも、民法478条の適用を受ける（最判昭41・10・4）。

出題 国Ⅰ－平成20、国Ⅱ－平成16

Q4 銀行が表見預金者に対する貸付債権と無記名定期預金債務とを相殺しても、真実の預金者に対抗できるか。

A 銀行として尽くすべき相当な注意をすれば、真実の預金者に対抗できる。　無記名定期預金契約において、当該預金の出捐者が、自ら預入行為をした場合はもとより、他の者に金銭を交付し無記名定期預金をすることを依頼し、この者が預入行為をした場合であっても、預入行為者が右金銭を横領し自己の預金とする意図で無記名定期預金をしたなどの特段の事情が認められない限り、出捐者をもって無記名定期預金の預金者と解すべきであることは、当裁判所の確定した判例である（最判昭32・12・19、最判昭35・3・8）。なぜなら、無記名定期預金契約が締結されたにすぎない段階においては、銀行は預金者が何人であるかにつき格別利害関係を有するものではないから、出捐者の利益保護の観点から、上記のような特段の事情のない限り、出捐者を預金者と認めるのが相当であるからである（最判昭48・3・27）。

出題 国Ⅰ－平成18、地方上級－平成4（市共通）

Q5 銀行が定期預金の預金者と誤認した者に対する貸付債権をもってした預金債権との相殺については、民法478条が類推適用されるのか。

A 民法478条が類推適用される。　少なくともその相殺の効力に関する限りは、これを実質的に定期預金の期限前解約による払戻しと同視することができるから、金融機関が当該貸付け等の契約締結にあたり、第三者を預金者本人と認定するにつき、かかる場合に金融機関として負担すべき相当の注意義務を尽くしたと認められるときには、民法478条の規定を類推適用し、第三者に対する貸金債権と担保に供された定期預金債権との相殺をもって真実の預金者に対抗することができる（なお、この場合、当該金融機関が相殺の意思表示をする時点においては、第三者が真実の預金者と同一人でないことを知っていたとしても上記結論に影響はない）（最判昭59・2・23）。

出題 国家総合－平成30・25、国Ⅰ－昭和62、国Ⅱ－平成21・16

Q6 金融機関が第三者に対する貸金債権と担保に供された定期預金債権とを相殺するにあたり、第三者を預金者本人とするにつき、相当の注意義務を尽くしていれば、真実の預金者に対抗できるか。

A 真実の預金者に対抗できる（最判昭59・2・23）。⇨5

Q7 定期預金の預金担保貸付けにおける相殺について、金融機関の注意義務の基準時は、相殺時か。

A 貸付時である（最判昭59・2・23）。⇨5

Q8 二重に譲渡された債権の債務者が、民法467条2項の対抗要件を具備した他の譲受人よりも後にこれを具備した譲受人に対してした弁済については、民法478条が適用されるのか。

A 民法478条が適用される。　民法467条2項の規定は、債権の二重譲渡につき劣後譲受人は同項所定の対抗要件を先に具備した優先譲受人に対抗しえない旨を定めているのであるから、優先譲受人の

債権譲受行為又はその対抗要件に瑕疵があるためその効力を生じない等の場合でない限り、優先譲受人が債権者となるべきものであって、債務者としても優先譲受人に対して弁済すべきであり、また、債務者が、上記譲受人に対して弁済するときは、債務消滅に関する規定に基づきその効果を主張しうるものである。したがって、債務者において、劣後譲受人が真正の債権者であると信じてした弁済につき過失がなかったというためには優先譲受人の債権譲受行為又は対抗要件に瑕疵があるためその効力を生じないと誤信してもやむをえない事情があるなど劣後譲受人を真の債権者であると信ずるにつき相当な理由があることが必要である（最判昭61・4・11）。

出題 国家一般 – 平成28、国Ⅱ – 平成22・16、裁判所総合・一般 – 令和1

Q9 債務者において、劣後譲受人が真正の債権者であると信じてした弁済につき過失がなかったというためには、どのような事情が必要か。

A 優先譲受人の債権譲受行為又は対抗要件に瑕疵があるためその効力を生じないと誤信してもやむをえない事情があるなどの相当な理由が必要である（最判昭61・4・11）。⇨8

Q10 銀行の設置した現金自動支払機を利用して預金者以外の者が預金の払戻しを受けた場合、銀行は預金者に対して責任を負うのか。

A 原則として責任を負わない。　銀行の設置した現金自動支払機を利用して預金者以外の者が預金の払戻しを受けたとしても、銀行が預金者に交付していた真正なキャッシュカードが使用され、正しい暗証番号が入力されていた場合には、銀行による暗証番号の管理が不十分であったなど特段の事情がない限り、銀行は、現金自動支払機によりキャッシュカードと暗証番号を確認して預金の払い戻しをした場合には責任を負わない旨の免責約款により免責される（最判平5・7・19）。〔預金者保護法制定前の判例〕　出題 国家総合 – 平成25、国Ⅱ – 平成13

Q11 銀行の設置した現金自動支払機を利用して預金者以外の者が預金の払戻しを受けたとしても、銀行が預金者に交付していた真正なキャッシュカードが使用され、正しい暗証番号が入力されていた場合には、銀行による暗証番号の管理が不十分であったなど特段の事情がない限り、銀行は免責されるのか。

A 銀行は免責される（最判平5・7・19）。〔預金者保護法制定前の判例〕⇨10

Q12 保険会社が契約者貸付制度に基づいて保険契約者の代理人と称する者の申込みにより貸付けを行った場合、保険会社は保険契約者に対し、当該貸付けの効力を主張できるのか。

A 民法478条の類推適用により、当該貸付けの効力を主張できる。　本件生命保険契約の約款には、保険契約者は保険会社から解約返戻金の9割の範囲内の金額の貸付けを受けることができ、保険金または解約返戻金の支払いの際に貸付金の元利金が差し引かれる旨の定めがあり、本件貸付けは、このようないわゆる契約者貸付制度に基づいて行われたものである。このような貸付けは、約款上の義務の履行として行われるうえ、貸付金額が解約返戻金の範囲内に限定され、保険金等の支払いの際に元利金が差引計算されることにかんがみれば、その経済的実質において保険金または解約返戻金の前払いと同視することができる。そうすると、保険会社が、このような制度に基づいて保険契約者の代理人と称する者の申込みによる貸付けを実行した場合において、その者を保険契約者の代理人と認定するにつき相当の注意義務を尽くしたときは、保険会社は、民法478条の類推適用により、保険契約者に対し、当該貸付けの効力を主張することができる（最判平9・4・24）。　出題 国家総合 – 平成25、国Ⅱ – 平成16

Q13 無権限者に機械払による払戻しがされたことにつき、銀行が無過失であるためには、払戻しの時点において通帳等と暗証番号の確認が機械的に正しく行われていればよいのか。

A 機械的に正しく行われているだけでは足りない。　無権限者のした機械払の方法による預金の払戻しについても、民法478条の適用があるのであって、これが非対面のものであることをもって同条の適用を否定すべきではない。つまり、債権の受領権者としての外観を有する者に対する弁済が民法478条により有効とされるのは弁済者が善意かつ無過失の場合に限られるところ、債権の受領権者としての外観を有する者に対する機械払の方法による預金の払戻しにつき銀行が無過失であるというためには、払戻しの際に機械が正しく作動したことだけでなく、銀行において、預金者による暗証番号等の管理に遺漏がないようにさせるため当該機械払の方法により預金の払戻しが受けられる旨を預金者に明示すること等を含め、機械払システムの設置管理の全体について、可能な限度で無権限者による払戻しを排除しうるよう注意義務を尽くしていたことを要する（最判平15・4・8）。

出題 国家総合 – 平成25、国家一般 – 平成28

Q14 現金自動支払機を利用して預金者以外の者が預金の払戻しを受けた場合、契約の有無及び内容にかかわらず、民法478条は適用されないのか。

A 免責契約を欠いていても、民法478条が適用される場合がある（最判平15・4・8）。⇨13

Q15 通帳機械払のシステムを採用する銀行がシステムの設置管理について注意義務を尽くしたといえるためには、通帳機械払の方法により払戻しが受けられる旨を預金規定等に規定して預金者に明示することを要するのか。

A 要する。　銀行は、通帳機械払のシステムを採用していたにもかかわらず、その旨をカード規定等に規定せず、預金者に対する明示を怠り（なお、記録によれば、被上告人においては、現金自動入出機の設置場所に「ATMご利用のお客様へ」と題する書面を掲示し、「当行の通帳・カードをご利用のお客様」の払戻手数料を表示していたことがうかがわれるが、これでは預金者に対する明示として十分とはいえない。）、上告人は、通帳機械払の方法により預金の払戻しを受けられることを知らなかったのである。無権限者による払戻しを排除するためには、預金者に対し暗証番号、通帳等が機械払に用いられ

るものであることを認識させ、その管理を十分に行わせる必要があることに鑑みると、通帳機械払のシステムを採用する銀行がシステムの設置管理について注意義務を尽くしたというためには、通帳機械払の方法により払戻しが受けられる旨を預金規定等に規定して預金者に明示することを要する。銀行は、通帳機械払のシステムについて無権限者による払戻しを排除しうるよう注意義務を尽くしていたということはできず、本件払戻しについて過失があったというべきである（最判平15・4・8）。

出題 国家総合−平成25、国Ⅱ−平成16

第479条（受領権者以外の者に対する弁済）

前条の場合を除き、受領権者以外の者に対してした弁済は、債権者がこれによって利益を受けた限度においてのみ、その効力を有する。

第481条（差押えを受けた債権の第三債務者の弁済）

①差押えを受けた債権の第三債務者が自己の債権者に弁済をしたときは、差押債権者は、その受けた損害の限度において更に弁済をすべき旨を第三債務者に請求することができる。

②前項の規定は、第三債務者からその債権者に対する求償権の行使を妨げない。

Q1 同一債権の差押えが競合する場合に転付命令が発せられたとき、第三債務者が転付債権者にした弁済の効力を他の差押債権者に対し主張できるか。

A 第三債務者が善意・無過失で弁済しても、その効力は、他の差押債権者に対して主張できない。同一債権の差押えが競合する場合に発せられた転付命令は、転付債権者が優先権を有するほかは、無効であり、転付債権者は当該債権を取得できない。しかし、転付債権者は、転付命令に権利者として表示された者であるから、転付命令に基づき第三債務者に債務の履行を請求するときは、民法478条の債権の準占有者であり、したがって、第三債務者が転付債権者に対し善意・無過失でなした弁済は、自己の債権者に対する関係においては有効である。しかし、その弁済の効力を他の差押債権者に対しても主張することができるか否かは別問題である。そして、第三債務者が転付債権者に対してなした弁済は、民法481条1項にいう「差押えを受けた第三債務者が自己の債権者に弁済をしたとき」と同視すべきであり、したがって、第三債務者は他の差押債権者に対し、被差押債権の消滅を主張することができない（最判昭40・11・19）。 出題 国Ⅰ−昭和59

Q2 取引銀行に対して先日付振込みの依頼をした後にその振込みに係る債権について仮差押命令の送達を受けた第三債務者は、仮差押命令の弁済禁止の効力を免れることができるか。

A 特段の事情がない限り、免れることはできない。取引銀行に対して先日付振込みの依頼をした後にその振込みに係る債権について仮差押命令の送達を受けた第三債務者は、振込依頼を撤回して債務者の預金口座に振入入金されるのを止めることができる限り、弁済をするかどうかについての決定権を依然として有するというべきであり、取引銀行に対して先日付振込みを依頼したというだけでは、仮差押命令の弁済禁止の効力を免れることはできない。そうす

ると、上記第三債務者は、原則として、仮差押命令の送達後にされた債務者の預金口座への振込みをもって仮差押債権者に対抗することはできないというべきであり、上記送達を受けた時点において、その第三債務者に人的又は時間的余裕がなく、振込依頼を撤回することが著しく困難であるなどの特段の事情がある場合に限り、上記振込みによる弁済を仮差押債権者に対抗することができるにすぎない（最判平18・7・20）。 出題 予想

第482条（代物弁済）

弁済をすることができる者（以下「弁済者」という。）が、債権者との間で、債務者の負担した給付に代えて他の給付をすることにより債務を消滅させる旨の契約をした場合において、その弁済者が当該他の給付をしたときは、その給付は、弁済と同一の効力を有する。

Q1 不動産所有権の譲渡をもって代物弁済をする場合の債務消滅の効力は、所有権移転の意思表示をなすのみでは足りるのか。

A 所有権移転の意思表示をなすのみでは足りず、所有権移転登記手続の完了によって生ずる。債務者がその負担した給付に代えて不動産所有権の譲渡をもって代物弁済する場合の債務消滅の効力は、原則として単に所有権移転の意思表示をなすのみでは足りず、所有権移転登記手続の完了によって生ずるものと解すべきである（最判昭40・4・30）。

出題 裁判所総合・一般−令和2

第483条（特定物の現状による引渡し）

債権の目的が特定物の引渡しである場合において、契約その他の債権の発生原因及び取引上の社会通念に照らしてその引渡しをすべき時の品質を定めることができないときは、弁済をする者は、その引渡しをすべき時の現状でその物を引き渡さなければならない。

第484条（弁済の場所及び時間）

①弁済をすべき場所について別段の意思表示がないときは、特定物の引渡しは債権発生の時にその物が存在した場所において、その他の弁済は債権者の現在の住所において、それぞれしなければならない。

②法令又は慣習により取引時間の定めがあるときは、その取引時間内に限り、弁済をし、又は弁済の請求をすることができる。

第485条（弁済の費用）

弁済の費用について別段の意思表示がないときは、その費用は、債務者の負担とする。ただし、債権者が住所の移転その他の行為によって弁済の費用を増加させたときは、その増加額は、債権者の負担とする。

第486条（受取証書の交付請求）

弁済をする者は、弁済と引換えに、弁済を受領する者に対して受取証書の交付を請求することができる。

Q1 弁済者は弁済を終えた後でなければ、弁済受領者に対して受取証書の交付を請求できないのか。

A 弁済と引換えに受取証書の交付を求めることができる。弁済者が弁済に対し、受取証書の交付を

請求する趣旨は、弁済の有無について争いがある場合にその弁済事実の立証に供するものであるため、弁済と引換えにその交付がなければ、受取証書はその効用をまっとうすることができず、請求がある場合には受取証書は弁済と引換えに交付を要する。したがって、弁済者が弁済をするにあたり、受取証書の交付を請求したにもかかわらず、弁済受領者がこれに応諾しないときは、弁済者は弁済のために現実にした提供物を保留することができ、この場合、弁済者は提供物を交付しないことについて正当な理由があり、遅滞の責めを負うことはない（大判昭16・3・1）。

出題 国Ⅰ－平成11、国Ⅱ－平成21、国税－平成6

第487条（債権証書の返還請求）

　債権に関する証書がある場合において、弁済をした者が全部の弁済をしたときは、その証書の返還を請求することができる。

第488条（同種の給付を目的とする数個の債務がある場合の充当）

①債務者が同一の債権者に対して同種の給付を目的とする数個の債務を負担する場合において、弁済として提供した給付が全ての債務を消滅させるのに足りないとき（次条第1項に規定する場合を除く。）は、弁済をする者は、給付の時に、その弁済を充当すべき債務を指定することができる。

②弁済をする者が前項の規定による指定をしないときは、弁済を受領する者は、その受領の時に、その弁済を充当すべき債務を指定することができる。ただし、弁済をする者がその充当に対して直ちに異議を述べたときは、この限りでない。

③前2項の場合における弁済の充当の指定は、相手方に対する意思表示によってする。

④弁済をする者及び弁済を受領する者がいずれも第1項又は第2項の規定による指定をしないときは、次の各号の定めるところに従い、その弁済を充当する。

1　債務の中に弁済期にあるものと弁済期にないものとがあるときは、弁済期にあるものに先に充当する。

2　全ての債務が弁済期にあるとき、又は弁済期にないときは、債務者のために弁済の利益が多いものに先に充当する。

3　債務者のために弁済の利益が相等しいときは、弁済期が先に到来したもの又は先に到来すべきものに先に充当する。

4　前2号に掲げる事項が相等しい債務の弁済は、各債務の額に応じて充当する。

＊相殺に準用（512条）

第489条（元本、利息及び費用を支払うべき場合の充当）

①債務者が1個又は数個の債務について元本のほか利息及び費用を支払うべき場合（債務者が数個の債務を負担する場合にあっては、同一の債権者に対して同種の給付を目的とする数個の債務を負担するときに限る。）において、弁済をする者がその債務の全部を消滅させるのに足りない給付をしたときは、これを順次に費用、利息及び元本に充

当しなければならない。

②前条の規定は、前項の場合において、費用、利息又は元本のいずれかの全てを消滅させるのに足りない給付をしたときについて準用する。

＊相殺に準用（512条）

Q1 基本契約に基づき継続的に貸付けが繰り返される金銭消費貸借取引において、借主が一つの借入金債務につき利息制限法所定の制限を超える利息を任意に支払ったことによって生じた過払金は、弁済当時存在する他の借入金債務の利息および元本に充当されるのか。

A 原則として、元本に充当される。　同一の貸主と借主との間で基本契約に基づき継続的に貸付けが繰り返される金銭消費貸借取引において、借主がそのうちの一つの借入金債務につき法所定の制限を超える利息を任意に支払い、この制限超過部分を残元本に充当してもなお過払金が存する場合、この過払金は、当事者間に充当に関する特約が存在するなど特段の事情のない限り、民法489条および491条の規定に従って、弁済当時存在する他の借入金債務の利息や元本に充当され、当該他の借入金債務の利率が法所定の制限を超える場合には、貸主は充当されるべき元本に対する約定の期限までの利息を取得することはできない（最判平15・9・11、最判平15・9・16）。　出題 予想

第490条（合意による弁済の充当）

　前2条の規定にかかわらず、弁済をする者と弁済を受領する者との間に弁済の充当の順序に関する合意があるときは、その順序に従い、その弁済を充当する。

第491条（数個の給付をすべき場合の充当）

　1個の債務の弁済として数個の給付をすべき場合において、弁済をする者がその債務の全部を消滅させるのに足りない給付をしたときは、前3条の規定を準用する。

第492条（弁済の提供の効果）

　債務者は、弁済の提供の時から、債務を履行しないことによって生ずべき責任を免れる。

第493条（弁済の提供の方法）

　弁済の提供は、債務の本旨に従って現実にしなければならない。ただし、債権者があらかじめその受領を拒み、又は債務の履行について債権者の行為を要するときは、弁済の準備をしたことを通知してその受領の催告をすれば足りる。

Q1 金銭債務の弁済について、現実の提供があったとされるためには、期日に現金を持参して提示しなければならないのか。

A 現金を提示する必要はない。　債務者が弁済のために現金を債権者方に持参してその受領を催告すれば、これを債権者の面前に提示しなくても、現実に弁済の提供をしたものとみるのが相当である（最判昭23・12・14）。　出題 国税－平成6

Q2 消費貸借上の債務弁済のため提供・供託された元利合計金の一部が不足している場合、その不足額がわずかな場合でも弁済提供および供託の効果は否定されるのか。

A 否定されない。　消費貸借上の債務弁済のため

提供・供託された元利合計金 15 万 3,140 円が、正当な元利合計額に金 1,300 余円不足するとしても、この一事により弁済提供および供託の効果を否定することはできない（最判昭 35・12・15）。

出題 国家総合 - 平成 30、裁判所総合・一般 - 平成 29

Q3 銀行の自己宛振出小切手の提供は、債務の本旨に従った弁済の提供といえるのか。

A 債務の本旨に従った弁済の提供である。　金銭債務の弁済のため、取引界において通常現金と同様に取り扱われている銀行の自己宛振出小切手を提供したときは、特段の事情のない限り、債務の本旨に従った弁済の提供があったものと認めるべきである（最判昭 37・9・21）。

出題 国 I - 平成 5、国 II - 平成 13・5

Q4 債務者が賃料を持参して債権者の代理人である弁護士の事務所に赴いたが、当該弁護士が不在のため、現金の呈示ができない場合、弁護士の事務員に対しその受領の催告をしなくても、弁済のための現実の提供があったものと解することができるのか。

A 特段の事情のない限り、現実の提供があったものと解することができる。　債務者が賃料を持参して債権者の代理人である弁護士の事務所に赴いたが、当該弁護士が不在のため、現金の呈示ができない場合には、弁護士の事務員に対しその受領の催告をしなくても、弁済のための現実の提供があったものと解することができる（最判昭 39・10・23）。

出題 国 II - 平成 22

Q5 債務者が口頭の提供をしても、債権者の受領拒絶の意思が明確な場合、債務者はなお口頭の提供をする必要があるのか。

A 口頭の提供をする必要はない。　民法 493 条但書は、債権者においてあらかじめ受領拒絶の意思を表示した場合においても、その後意思を翻して弁済を受領するに至る可能性があるので、債務者に弁済にかかる機会を与えるために債務者が言語上の提供をすることを要するものとしている。しかし、債務者が言語上の提供をしても、債権者が契約そのものの存在を否定する等、弁済を受領しない意思が明確と認められる場合においては、債務者が形式的に弁済の準備をし、かつその旨を通知することを必要とすることは全く無意義であって、法はかかる無意義を要求しない。それ故、かかる場合には、債務者は言語上の提供をしないからといって、債務不履行の責めに任ずることはできない（最大判昭 32・6・5）。

出題 国家総合 - 平成 30、国 I - 平成 20・11・昭和 59、地方上級 - 平成 6、特別区 I - 平成 21、国 II - 平成 5、裁判所総合・一般 - 令和 2・平成 27、裁判所 I・II - 平成 16

第 2 目　弁済の目的物の供託

第 494 条（供託）

①弁済者は、次に掲げる場合には、債権者のために弁済の目的物を供託することができる。この場合においては、弁済者が供託をした時に、その債

権は、消滅する。
　1　弁済の提供をした場合において、債権者がその受領を拒んだとき。
　2　債権者が弁済を受領することができないとき。
②弁済者が債権者を確知することができないときも、前項と同様とする。ただし、弁済者に過失があるときは、この限りでない。

Q1 債権者があらかじめ受領を拒んでも、原則として債務者は口頭の提供をしなければ供託できないのか。

A 口頭の提供をしなければ供託できない。　債権者が弁済の受領を拒んだことを理由として弁済供託を行う場合には、債権者がたんに受領しない意思を表明するだけでなく、債務者が口頭の提供をしなければならない（大判大 10・4・30）。

出題 国 I - 平成 20

Q2 債権者があらかじめ受領しないことが明確であるときであっても、債務者は弁済の準備をして口頭の提供をする必要があるのか。

A 口頭の提供をする必要はなく、直ちに供託することができる。　債権者があらかじめ受領しないことが明確である場合には、債権者の翻意を期待することは困難なので、債務者は弁済の準備をして口頭の提供をする必要はなく、直ちに供託することができる（大判大 11・10・25）。

出題 特別区 I - 平成 24

Q3 債務の一部ずつの弁済供託が、債務全額に達した場合、供託の効力は有効となるのか。

A 有効となる。　債務の一部ずつの弁済供託がなされた場合であっても、各供託金の合計額が債務全額に達したときは、その全額について有効な供託があったものと解するのが相当である（最判昭 46・9・21）。

出題 特別区 I - 平成 24

Q4 不法行為に基づく損害賠償債務につき、債務の一部を弁済提供および供託した場合でも、有効な弁済提供および供託として認めることができるのか。

A 有効な弁済提供および供託として認めることができる。　交通事故によって被った損害の賠償を求める訴訟の控訴審係属中に、加害者が被害者に対し、第一審判決によって支払いを命じられた損害賠償金の全額を任意に弁済のため提供した場合には、その提供額が損害賠償債務の全額に満たないことが控訴審における審理判断の結果判明したときであっても、原則として、その弁済の提供はその範囲において有効なものであり、被害者においてその受領を拒絶したことを理由にされた弁済のための供託もまた有効なものと解する（最判平 6・7・18）。

出題 予想

第 495 条（供託の方法）

①前条の規定による供託は、債務の履行地の供託所にしなければならない。
②供託所について法令に特別の定めがない場合には、裁判所は、弁済者の請求により、供託所の指定及び供託物の保管者の選任をしなければならない。
③前条の規定により供託をした者は、遅滞なく、債

権者に供託の通知をしなければならない。

第496条（供託物の取戻し）

①債権者が供託を受諾せず、又は供託を有効と宣告した判決が確定しない間は、弁済者は、供託物を取り戻すことができる。この場合においては、供託をしなかったものとみなす。

②前項の規定は、供託によって質権又は抵当権が消滅した場合には、適用しない。

Q1 供託物取戻請求権の消滅時効が供託の時から進行するのか。

A 供託者が免責の効果を受ける必要が消滅した時から進行する。　弁済供託は、債務者の便宜を図り、これを保護するため、弁済の目的物を供託所に寄託することによりその債務を免れることができるようにする制度であるところ、供託者が供託物取戻請求権を行使した場合には、供託をしなかったものとみなされるのであるから、供託の基礎となった債務につき免責の効果を受ける必要がある間は、供託者に供託物取戻請求権の行使を期待することはできず、供託物取戻請求権の消滅時効が供託の時から進行すると解することは、上記供託制度の趣旨に反する結果となる。そうすると、弁済供託における供託物の取戻請求権の消滅時効の起算点は、過失なくして債権者を確知することができないことを原因とする弁済供託の場合を含め、供託の基礎となった債務について消滅時効が完成するなど、供託者が免責の効果を受ける必要が消滅した時と解する（最大判昭45・7・15、最判平13・11・27）。

出題 特別区Ⅰ－平成24

第497条（供託に適しない物等）

弁済者は、次に掲げる場合には、裁判所の許可を得て、弁済の目的物を競売に付し、その代金を供託することができる。

1　その物が供託に適しないとき。
2　その物について滅失、損傷その他の事由による価格の低落のおそれがあるとき。
3　その物の保存について過分の費用を要するとき。
4　前3号に掲げる場合のほか、その物を供託することが困難な事情があるとき。

第498条（供託物の還付請求等）

①弁済の目的物又は前条の代金が供託された場合には、債権者は、供託物の還付を請求することができる。

②債務者が債権者の給付に対して弁済をすべき場合には、債権者は、その給付をしなければ、供託物を受け取ることができない。

第3目　弁済による代位

第499条（弁済による代位の要件）

債務者のために弁済をした者は、債権者に代位する。

Q1 物上保証人所有の不動産に抵当権を設定し、その抵当権が実行され、競売代金の配当により債権の一部が消滅した場合、物上保証人は債権者に代位しうるか。

A 民法499条により債権者に代位しうる。　物上

保証人は弁済ない限り担保権の実行によって当該財産を失う地位にある以上、その弁済をするにつき正当な利益を有する者、換言すれば、弁済をすることによって不利益を避けることができる正当な利益を有する者である。したがって、物上保証人所有の不動産の抵当権が実行され、競売代金の配当によって債権者が一部弁済を得た場合には、物上保証人は債務者に対して有する求償権の範囲内において、債権者に代位して、当該債権および債務者所有不動産に対する抵当権を、債権者と共同して行使することができる（大判昭4・1・30）。

出題 国Ⅰ－平成4・昭和61、国Ⅱ－平成20、裁判所総合・一般－令和2、裁判所Ⅰ・Ⅱ－平成20

Q2 債務者Aに対して有する債権について、債権者Bが、A所有の甲不動産と物上保証人C所有の乙不動産に対して第一順位の共同抵当権の設定を受けた後、別の債権者Dが、甲不動産に対して第二順位の抵当権の設定を受けた場合において、Bが乙不動産のみについて抵当権を実行し、債権の満足を得たときは、Cの代位はDに優先し、Bが甲不動産に有した抵当権について代位することができるのか。

A 代位することができる（大判昭4・1・30）。⇨ 1

Q3 連帯保証人は「弁済をするについて正当な利益を有する者」にあたるのか。

A あたる。　弁済によって債権者に代位した連帯保証人が、代位により取得した担保権を放棄した場合にも、他の連帯保証人は500条により保護される（大判昭9・10・16）。

出題 国家総合－平成29、国Ⅱ－平成10

第500条

第467条の規定は、前条の場合（弁済をするについて正当な利益を有する者が債権者に代位する場合を除く。）について準用する。

第501条（弁済による代位の効果）

①前2条の規定により債権者に代位した者は、債権の効力及び担保としてその債権者が有していた一切の権利を行使することができる。

②前項の規定による権利の行使は、債権者に代位した者が自己の権利に基づいて債務者に対して求償をすることができる範囲内（保証人の1人が他の保証人に対して債権者に代位する場合には、自己の権利に基づいて当該他の保証人に対して求償をすることができる範囲内）に限り、することができる。

③第1項の場合には、前項の規定によるほか、次に掲げるところによる。

1　第三取得者（債務者から担保の目的となっている財産を譲り受けた者をいう。以下この項において同じ。）は、保証人及び物上保証人に対して債権者に代位しない。
2　第三取得者の1人は、各財産の価格に応じて、他の第三取得者に対して債権者に代位する。
3　前号の規定は、物上保証人の1人が他の物上保証人に対して債権者に代位する場合について準用する。

4　保証人と物上保証人との間においては、その数に応じて、債権者に代位する。ただし、物上保証人が数人あるときは、保証人の負担部分を除いた残額について、各財産の価格に応じて、債権者に代位する。

5　第三取得者から担保の目的となっている財産を譲り受けた者は、第三取得者とみなして第1号及び第2号の規定を適用し、物上保証人から担保の目的となっている財産を譲り受けた者は、物上保証人とみなして第1号、第3号及び前号の規定を適用する。

Q1　物上保証人が連帯保証人を兼ねている場合、代位弁済をするときは、何人として計算すべきか。

A　1人として計算すべきである。　他人のために連帯保証人となった者が自己の不動産をもって、他人の債務の抵当に供した場合は、連帯保証人と物上保証人の2つの資格を兼ねることはもちろんであるが、その担保に供するものは、唯一の主たる債務者の債務であり、全く同一の目的のために連帯保証債務を負担しかつ物上担保を供したことにほかならない。それ故、代位弁済の場合における他の連帯保証人との関係においては、単一の資格のもとでその間の頭数に応じて債権者に代位する（大判昭9・11・24）。　　　　　出題 国Ⅰ-昭和 61

Q2　複数の保証人および物上保証人の中に二重の資格をもつ者が含まれる場合における代位の割合は、二重資格者も1人と扱い、全員の頭数に応じた平等の割合で考えるべきか。

A　全員の頭数に応じた平等の割合で考えるべきである。　複数の保証人および物上保証人の中に二重の資格をもつ者が含まれる場合における代位の割合は、民法 501 条3項4号の基本的な趣旨・目的である公平の理念にもとづいて、二重の資格をもつ者も1人と扱い、全員の頭数に応じた平等の割合である（最判昭 61・11・27）。

出題 国家総合-平成 29、国Ⅰ-平成 18・10

Q3　代物弁済予約による権利は、民法 501 条の債権者が債権の担保として有する権利にあたるのか。

A　債権者が債権の担保として有する権利にあたる。いわゆる代物弁済予約による権利は、金銭消費貸借契約の当事者間において、債権者が、自己の債権の弁済を確保するため、債務者が期限に債務を履行しないときに債務の弁済に代えて特定物件の所有権を債権者に移転することを債務者と予約するもので、あたかも担保物権を設定したのと同一の機能を営むものであるから、この予約に基づく権利は、先取特権、不動産質権または抵当権と同じく、同条本文にいう債権者が債権の担保として有する権利である（最判昭 41・11・18）。　　出題 国Ⅰ-昭和 59

Q4　代位弁済者が弁済による代位によって取得した担保権を実行する場合、その被担保債権として扱うものは、原債権かそれとも求償権か。

A　債権者の債務者に対する債権（原債権）である。弁済による代位の制度は、代位弁済者が債務者に対して取得する求償権を確保するために、法の規定により弁済により消滅すべきはずの債権者の債務者に対する債権（原債権）およびその担保権を代位弁済

者に移転させ、代位弁済者がその求償権の範囲内で原債権およびその担保権を行使することを認める制度である。したがって、代位弁済者が弁済による代位によって取得した担保権を実行する場合において、その被担保債権として扱うのは、原債権であって、その保証人の債務者に対する求償権ではない（最判昭 59・5・29）。　　出題 国Ⅰ-平成 18・15・6

Q5　物上保証人との間で民法 501 条3項4号の定める割合と異なる特約をした保証人は、後順位抵当権者等の利害関係人に対しても特約の効力を主張することができるのか。

A　特約の効力を主張することができる。　民法 501 条3項4号は、特約その他の特別の事情がない一般的な場合について規定しているにすぎず、同号はいわゆる補充規定である。したがって、物上保証人との間で同号の定める割合と異なる特約をした保証人は、後順位抵当権者等の利害関係人に対しても特約の効力を主張することができ、その求償権の範囲内で上記特約の割合に応じ抵当権等の担保権を行使することができる。このように解すると、後順位抵当権者その他の利害関係人は特約がない場合に比較して不利益な立場におかれることになるが、同号は、共同抵当に関する同法 392 条のように、担保不動産についての後順位抵当権者その他の第三者のためにその権利を積極的に認めたうえで、代位の割合を規定していると解することはできず、また代位弁済をした保証人が行使する根抵当権は、その存在および極度額が登記されているのであり、保証人が行使しうる根抵当権は右の極度額の範囲を超えることはありえないのであって、もともと、後順位の抵当権者その他の利害関係人は、債権者が上記の根抵当権の被担保債権の全部につき極度額の範囲内で優先弁済を主張した場合には、それを承認せざるをえない立場にある（最判昭 59・5・29）。

出題 国Ⅰ-平成 18・15

第 502 条（一部弁済による代位）

①債権の一部について代位弁済があったときは、代位者は、債権者の同意を得て、その弁済をした価額に応じて、債権者とともにその権利を行使することができる。

②前項の場合であっても、債権者は、単独でその権利を行使することができる。

③前2項の場合に債権者が行使する権利は、その債権の担保の目的となっている財産の売却代金その他の当該権利の行使によって得られる金銭について、代位者が行使する権利に優先する。

④第1項の場合において、債務の不履行による契約の解除は、債権者のみがすることができる。この場合においては、代位者に対し、その弁済をした価額及びその利息を償還しなければならない。

〔判例法理の条文化〕

Q1　債権の一部について代位弁済をした者は、つねに債権者とともに権利を行使しなければならないのか。

A　債権者の権利の分割行使が可能であれば、債権者と別個に権利を行使できる。　債権の一部につい

て代位弁済があったときは、代位者はその弁済した価格に応じて債権者とともにその権利を行使することができるが、その権利の分割行使をすることができきれば、その行使を債権者と共同にする必要はなく、別個に行使することができるのは、民法502条1項の規定に照らして明らかである（大決昭6・4・7）。　出題 国家総合－平成29、国Ⅰ－平成6

Q2 債権者が物上保証人の設定した抵当権の実行により一部弁済を得た場合、物上保証人は債権者とともに債務者の設定した抵当権を行使し、それが実行されたときは、代金の配当は債権者と平等になされるのか。

A 代金の配当については債権者に優先される。
債権者が物上保証人の設定した抵当権の実行によって債権の一部の満足を得た場合、物上保証人は、民法502条1項の規定により、債権者とともに債権者の有する抵当権を行使することができるが、この抵当権が実行されたときには、その代金の配当については債権者に優先される（最判昭60・5・23）。

出題 国Ⅰ－平成18・15、国税・労基－平成16

Q3 不動産を目的とする1個の抵当権が数個の債権を担保し、そのうちの1個の債権のみについての保証人が当該債権に係る残債務全額につき代位弁済したが、当該抵当不動産の換価による売却代金が被担保債権のすべてを消滅させるに足りない場合に、保証人の弁済受領額はどうなるのか。

A 債権者と保証人は、売却代金につき、債権者が有する残債権額と保証人が代位によって取得した債権額に応じて按分して弁済を受ける。　不動産を目的とする1個の抵当権が数個の債権を担保し、そのうちの1個の債権のみについての保証人が当該債権に係る残債務全額につき代位弁済した場合は、当該抵当権は債権者と保証人の準共有となり、当該抵当不動産の換価による売却代金が被担保債権のすべてを消滅させるに足りないときには、債権者と保証人は、両者間に上記売却代金からの弁済の受領についての特段の合意がない限り、上記売却代金につき、債権者が有する残債権額と保証人が代位によって取得した債権額に応じて按分して弁済を受ける。なぜなら、この場合は、民法502条1項所定の債権の一部につき代位弁済がされた場合（最判昭60・5・23）とは異なり、債権者は、上記保証人が代位によって取得した債権について、抵当権の設定を受け、かつ、保証人を徴した目的を達して完全な満足を得なければ、保証人が当該債権について債権者に代位して上記売却代金から弁済を受けることによって不利益を被るものとはいえず、また、保証人が自己の保証していない債権についてまで債権者の優先的な満足を受忍しなければならない理由はないからである（最判平17・1・27）。　出題 予想

第503条（債権者による債権証書の交付等）
①代位弁済によって全部の弁済を受けた債権者は、債権に関する証書及び自己の占有する担保物を代位者に交付しなければならない。
②債権の一部について代位弁済があった場合には、債権者は、債権に関する証書にその代位を記入し、かつ、自己の占有する担保物の保存を代位者

に監督させなければならない。

第504条（債権者による担保の喪失等）
①弁済をするについて正当な利益を有する者（以下この項において「代位権者」という。）がある場合において、債権者が故意又は過失によってその担保を喪失し、又は減少させたときは、その代位権者は、代位をするに当たって担保の喪失又は減少によって償還を受けることができなくなる限度において、その責任を免れる。その代位権者が物上保証人である場合において、その代位権者から担保の目的となっている財産を譲り受けた第三者及びその特定承継人についても、同様とする。
②前項の規定は、債権者が担保を喪失し、又は減少させたことについて取引上の社会通念に照らして合理的な理由があると認められるときは、適用しない。

Q1 甲不動産と乙不動産とが共同抵当の関係にある場合に、債権者が甲不動産の担保を故意または懈怠により喪失または減少したときは、第三取得者と乙不動産のその後の譲受人は債権者に対して民法504条に規定する免責の効果を主張できるか。

A 免責の効果を主張できる。　債務者所有の抵当不動産（甲不動産）と債務者から所有権の移転を受けた第三取得者の抵当不動産（乙不動産）とが共同抵当の関係にある場合において、債権者が甲不動産に設定された抵当権を放棄するなど故意または懈怠によりその担保を喪失または減少したときは、当該第三取得者はもとより乙不動産のその後の譲受人も債権者に対して民法504条に規定する免責の効果を主張することができる（最判平3・9・3）。
出題 予想

Q2 保証人等が債権者との間で、あらかじめ民法504条に規定する債権者の担保保存義務を免除し、同条による免責の利益を放棄する旨の特約は有効か。

A 原則として有効であるが、信義則上または権利の濫用上、無効となる場合がある。　債務の保証人、物上保証人等、弁済をするについて正当な利益を有する者（保証人等）が、債権者との間で、あらかじめ民法504条に規定する債権者の担保保存義務を免除し、同条による免責の利益を放棄する旨を定める特約は、原則として有効であるが、債権者がこの特約の効力を主張することが信義則に反し、または権利の濫用にあたるものとして許されない場合がある（最判平7・6・23）。　出題 予想

Q3 債権者と物上保証人との間の担保保存義務免除の特約により、債権者が担保を喪失し、または減少させても、当該特約により民法504条による免責の効果が生じなかった場合でも、担保物件の第三取得者は債権者に対し、同条の免責の効果を主張できるのか。

A 免責の効果を主張できない。　債権者が担保を喪失し、または減少させた後に、物上保証人として代位の正当な利益を有していた者から担保物件を譲り受けた者も、民法504条による免責の効果を主張することができるのが原則である（最判平3・9・3）。しかし、債権者と物上保証人との間に担

民法編

保保存義務免除の特約があるため、債権者が担保を喪失し、または減少させた時に、当該特約により民法504条による免責の効果が生じなかった場合は、担保物件の第三取得者への譲渡によって改めて免責の効果が生ずることはないから、第三取得者は、免責の効果が生じていない状態の担保の負担がある物件を取得したことになり、債権者に対し、民法504条による免責の効果を主張することはできない（最判平7・6・23）。 出題 予想

第2款 相殺

第505条（相殺の要件等）

① 2人が互いに同種の目的を有する債務を負担する場合において、双方の債務が弁済期にあるときは、各債務者は、その対当額について相殺によってその債務を免れることができる。ただし、債務の性質がこれを許さないときは、この限りでない。

② 前項の規定にかかわらず、当事者が相殺を禁止し、又は制限する旨の意思表示をした場合には、その意思表示は、第三者がこれを知り、又は重大な過失によって知らなかったときに限り、その第三者に対抗することができる。

Q1 受働債権の弁済期到来前にした相殺の意思表示には、期限の利益の放棄を含むのか。

A 期限の利益の放棄を含む。 受働債権の弁済期到来前にした相殺の意思表示には、期限の利益の放棄を含むので、相殺の意思表示とともに、受働債権について、期限の放棄の意思表示をする必要はない（大判昭7・4・20）。

出題 国家総合－平成28、裁判所総合・一般－平成25

Q2 自働債権は弁済期に達していなければ相殺できないが、受働債権は弁済期に達していなくても相殺できるのか。

A 受働債権は弁済期に達していなくても相殺できる。 相殺適状にあるためには、反対債権（自働債権）の弁済期は到来していなければならないが、受働債権については、これを必要とせず、債務者は即時にその弁済をする権利がある以上、期限の放棄の意思表示をしなくても、直ちに相殺することができる（大判昭8・5・30）。

出題 国家総合－平成28、地方上級－平成8、特別区Ⅰ－令和2・平成27・23・17、裁判所総合・一般－平成26・25、裁判所Ⅰ・Ⅱ－平成23、国税・財務・労基－平成27

Q3 同時履行の抗弁権の付着している債権を自働債権として相殺することは許されるか。

A 許されない。 借地借家法33条による買取請求権行使の結果成立する造作代金支払債務は、双務契約に基づくものではないが、目的とする造作の移転義務と対価的関係に立つ点では、売買契約による代金支払債務が財産権移転の債務と対価的関係に立つ一つのと同様である。したがって、造作買取義務者である賃貸人は買取請求権者である賃借人から造作の引渡しがあるまでは、その代金の支払を拒むことのできる同時履行の抗弁権を有するのであって、賃貸

人の抗弁権は相手方である賃借人の一方的な相殺の意思表示により消滅させられる理由はない。そのため、賃借人が同条により造作買取請求権を行使する場合でも、その行使によって生じた代金債権で賃貸人が自己に対して有する賃料その他の債権と相殺するためには、造作の引渡義務について履行の提供をしなければならない（大判昭13・3・1）。

出題 裁判所Ⅰ・Ⅱ－平成23・22・14

Q4 期限の定めのない債権は、いつでもこれを自働債権として相殺することができるか。

A 相殺することができる。 弁済期の到来している受働債権に対し、弁済期の定めのない債権を自働債権として相殺することができ、この場合、自働債権について催告がされておらず、債務者が履行遅滞となっていなくても差し支えない（大判昭17・11・19）。

出題 裁判所Ⅰ・Ⅱ－平成14

Q5 抵当不動産の第三取得者が抵当権者に対して有する債権を自働債権とし、抵当権者が抵当債務者に対して有する被担保債権を受働債権として相殺できるのか。

A 相殺できない。 相殺は当事者互いに同種の目的を有する債権を有する場合に、互いに給付をせずしてその対等額において債権を消滅させるものであって、弁済とその性質を異にするため、抵当不動産の所有権を取得した第三者が抵当権者に対して、債権を有する場合においても、当該債権をもって自己の債務に属しない抵当権者の有する債権とを相殺することは法律上許されない（大判昭8・12・5）。

出題 国Ⅰ－平成19・4・昭和57、裁判所総合・一般－平成25

Q6 使用者が賃金過払による不当利得返還請求権を自働債権としてなす相殺は、過払いがあった時期と賃金の清算調整の実を失わない程度に合理的に接着した時点においてなされ、その方法、金額などからして労働者の経済生活の安定を脅かすおそれのない場合には、有効か。

A 有効である。 労働基準法24条1項（賃金直接払いの原則）の法意（労働者の賃金はその生活を支える重要な財源で日常必要とするものであるから、これを労働者に確実に受領させ、その生活に不安のないようにすることが労働政策上からきわめて必要であるとするにある）等を考えれば、適正な賃金の額を支払うための手段たる相殺は、同項但書によって除外される場合にあたらなくても、その行使の時期、方法、金額等からみて労働者の経済生活の安定との関係上不当と認められないものであれば、同項の禁止するところではない。この見地からすれば、許さるべき相殺は、過払いのあった時期と賃金の清算調整の実を失わない程度に合理的に接着した時期においてされ、また、あらかじめ労働者にそのことが予告されるとか、その額が多額にわたらないとか、要は労働者の経済生活の安定をおびやかすおそれのない場合でなければならない〈福島県教組事件〉（最判昭44・12・18）。

出題 国Ⅰ－平成12、特別区Ⅰ－令和2

Q7 債務者に対する清算義務を負っている仮登記担保権者は、目的不動産につき後順位権利者がある

民法

ときは、債務者に対する被担保債権以外の金銭債権をもって、自己の負担する清算金支払債務と相殺することができるのか。

A 相殺することはできない。　仮登記担保権者が仮登記担保によって担保されない別個の債権をもって債務者の清算金債権と相殺することができるかどうかを考えてみると、不動産につき金銭債権担保の目的で締結されるいわゆる仮登記担保契約は、債務者に債務不履行があった場合に、債権者において目的不動産を換価処分し、その換価金から被担保債権の弁済にあてる権能を債権者に与える契約であるから、債権者がその換価金から弁済にあてることができるのは、上記の被担保債権についてだけであって、それ以外の債権の弁済にあてる権能を債権者が当然に有するわけではない。それ故、債権者は、仮登記担保権に基づいて不動産を換価処分した場合、その換価金額が被担保債権額を超えるときは、その差額を債務者に返還すべきであり、このようにして返還されるべきいわゆる清算金は、当該不動産につき仮登記担保権者に劣後する後順位担保権者や差押債権者があるときは、これらの権利者において、上記不動産の有する金銭的価値のうち、仮登記担保権者によって先取された残余価値部分が実現したものとして、その優先順位に従って各自の債権の満足にあてうべき対象をなすものである。仮登記担保権者が債務者に返還すべき清算金が上記のような性質のものであるとすれば、担保権者は、当該債務者に対して被担保債権以外に別の金銭債権を有する場合でも、前述のように清算金から上記債権の弁済を得ることができないのはもちろん、その債権をもって自己の負担する清算金支払債務と対当額において相殺し、清算金から直接上記債権の弁済にあてると同様の効果を生ぜしめることも許されないものと解する（最判昭50・9・9）。出題 国Ⅱ－平成18

Q8 使用者が労働者の同意を得て労働者の退職金債権に対してする相殺は、その同意が労働者の自由意思に基づいてされたものであると認めるに足りる合理的な理由が客観的に存在するときは、労働基準法24条1項本文に違反しないのか。

A 労働基準法24条1項本文に違反しない。　労働基準法24条1項本文の定めるいわゆる賃金全額払いの原則の趣旨とするところは、使用者が一方的に賃金を控除することを禁止し、もって労働者に賃金の全額を確実に受領させ、労働者の経済生活を脅かすことのないようにしてその保護を図ろうとするものであるが、使用者が労働者に対して有する債権をもって労働者の賃金債権と相殺することを禁止する趣旨をも包含するものであるが、労働者がその自由な意思に基づいてされたものであると認めるに足りる合理的な理由が客観的に存在するときは、その同意を得てした相殺は上記規定に違反するものとはいえない（最判昭48・1・19参照）〈日新製鋼事件〉（最判平2・11・26）。出題 国家総合－令和2

Q9 抵当権者が物上代位権を行使して賃料債権の差押えをした後に、抵当不動産の賃借人が、抵当権設定登記の後に賃貸人に対して取得した債権を自動債権とする賃料債権との相殺をもって、抵当権者に対抗することはできるか。

A 抵当権者に対抗することはできない。　抵当権者が物上代位権を行使して賃料債権の差押えをした後は、抵当不動産の賃借人は、抵当権設定登記の後に賃貸人に対して取得した債権を自動債権とする賃料債権との相殺をもって、抵当権者に対抗することはできない。なぜなら、物上代位権の行使としての差押えのされる前においては、賃借人のする相殺は何ら制限されるものではないが、上記の差押えがされた後においては、抵当権の効力が物上代位の目的となった賃料債権にも及ぶところ、物上代位により抵当権の効力が賃料債権に及ぶことは抵当権設定登記により公示されているとみることができるから、抵当権設定登記の後に取得した賃貸人に対する債権と物上代位の目的となった賃料債権とを相殺することに対する賃借人の期待を物上代位権の行使により賃料債権に及んでいる抵当権の効力に優先させる理由はないからである（最判平13・3・13）。出題 国家総合－令和2、国家一般－平成25、国Ⅱ－平成18

Q10 弁済期にある自己の金銭債権を自動債権とし、占有していない有価証券に表章された金銭債権を受働債権とする相殺は許されるか。

A 許される。　有価証券に表章された金銭債権の債務者は、その債権者に対して有する弁済期にある自己の金銭債権を自動債権とし、有価証券に表章された金銭債権を受働債権として相殺をするに当たり、有価証券の占有を取得することを要しない。なぜなら、有価証券に表章された債権の請求に有価証券の呈示を要するのは、債務者に二重払いの危険を免れさせるためであるところ、有価証券に表章された金銭債権の債務者が、自ら二重払いの危険を甘受して上記の相殺をすることは、これを妨げる理由がないからである（最判平13・12・18）。出題 予想

Q11 破産債権者が、破産債権を自動債権とし、破産宣告後に期限が到来した債権又は停止条件が成就した債権を受働債権として相殺できるのか。

A 相殺できる。　旧破産法（廃止前のもの）99条後段は、破産債権者の債務が破産宣告の時において期限付又は停止条件付である場合、破産債権者が相殺をすることは妨げられないと規定している。その趣旨は、破産債権者が上記債務に対応する債権を受働債権とし、破産債権を自働債権とする相殺の担保的機能に対して有する期待を保護しようとする点にあり、相殺権の行使に何らの限定も加えられていない。そして、破産手続においては、破産債権者による相殺権の行使時期について制限が設けられていない。したがって、破産債権者は、その債務が破産宣告の時において期限付である場合には、特段の事情のない限り、期限の利益を放棄したときだけでなく、破産宣告後に期限が到来したときにも、法99条後段の規定により、その債務に対応する債権を受働債権とし、破産債権を自働債権として相殺をすることができる（最判平17・1・17）。出題 予想

民法編

Q12 担保不動産の所有者は、担保不動産収益執行の開始決定の効力が生じた後には、賃料債権等を受働債権とする相殺の意思表示を受領する資格を失うのか。

A 失わない。　管理人が担保不動産の管理収益権を取得するため、担保不動産の収益に係る給付の目的物は、所有者ではなく管理人が受領権限を有することになり、本件のように担保不動産の所有者が賃貸借契約を締結していた場合は、賃借人は、所有者ではなく管理人に対して賃料を支払う義務を負うことになるが（民事執行法188条、93条1項）、このような規律がされたのは、担保不動産から生ずる収益を確実に被担保債権の優先弁済にあてるためであり、管理人に担保不動産の処分権限までを与えるものではない（同法188条、95条2項）。このような担保不動産収益執行の趣旨および管理人の権限にかんがみると、管理人が取得するのは、賃料債権等の担保不動産の収益に係る給付を求める権利（以下「賃料債権等」という）自体ではなく、その権利を行使する権限にとどまり、賃料債権等は、担保不動産収益執行の開始決定が効力を生じた後も、所有者に帰属しているものと解するのが相当であり、このことは、担保不動産収益執行の開始決定が効力を生じた後に弁済期の到来する賃料債権等についても変わるところはない。そうすると、担保不動産収益執行の開始決定の効力が生じた後も、担保不動産の所有者は賃料債権等を受働債権とする相殺の意思表示を受領する資格を失うものではない（最判昭40・7・20参照）（最判平21・7・3）。

出題 予想

Q13 抵当不動産の賃借人が、担保不動産収益執行の開始決定の効力が生じた後に、担保不動産の賃借人が、抵当権設定登記の前に取得した賃貸人に対する債権を自働債権とし、賃料債権を受働債権とする相殺をもって管理人に対抗することができるのか。

A 管理人に対抗することができる。　被担保債権について不履行があったときは抵当権の効力は担保不動産の収益に及ぶが、そのことは抵当権設定登記によって公示されていると解される。そうすると、賃借人が抵当権設定登記の前に取得した賃貸人に対する債権については、賃料債権と相殺することに対する賃借人の期待が抵当権の効力に優先して保護されるべきであるから（最判平13・3・13参照）、担保不動産の賃借人は、抵当権に基づく担保不動産収益執行の開始決定の効力が生じた後においても、抵当権設定登記の前に取得した賃貸人に対する債権を自働債権とし、賃料債権を受働債権とする相殺をもって管理人に対抗することができる（最判平21・7・3）。

出題 予想

Q14 すでに弁済期にある自働債権と弁済期の定めのある受働債権とが、相殺適状にあるためには、受働債権につき、期限の利益を放棄することができるだけで足りるのか。

A それだけでは足りず、期限の利益の放棄又は喪失等により、その弁済期が現実に到来していることを要する。　民法505条1項は、相殺適状につき、「双方の債務が弁済期にあるとき」と規定しているのであるから、その文理に照らせば、自働債権のみならず受働債権についても、弁済期が現実に到来していることが相殺の要件とされていると解される。また、受働債権の債務者がいつでも期限の利益を放棄することができることを理由に両債権が相殺適状にあると解することは、上記債務者がすでに享受した期限の利益を自ら遡及的に消滅させることとなって、相当でない。したがって、すでに弁済期にある自働債権と弁済期の定めのある受働債権とが相殺適状にあるというためには、受働債権につき、期限の利益を放棄することができるというだけではなく、期限の利益の放棄又は喪失等により、その弁済期が現実に到来していることを要する（最判平25・2・28）。

出題 国家一般 – 平成30、裁判所総合・一般 – 令和4・2

Q15 時効によって消滅した債権を自働債権とする相殺をするためには、消滅時効が援用された自働債権は、その消滅時効期間が経過する以前に受働債権と相殺適状にあったことを要するのか。

A 相殺適状にあったことを要する。　当事者の相殺に対する期待を保護するという民法508条の趣旨に照らせば、同条が適用されるためには、消滅時効が援用された自働債権はその消滅時効期間が経過する以前に受働債権と相殺適状にあったことを要すると解される（最判平25・2・28）。

出題 国家総合 – 平成28

Q16 請負契約に基づく請負代金債権と同契約の目的物の瑕疵修補に代わる損害賠償債権の一方を本訴請求債権とし、他方を反訴請求債権とする本訴及び反訴が係属中に、本訴原告が、反訴において、上記本訴請求債権を自働債権とし、上記反訴請求債権を受働債権とする相殺の抗弁を主張することは許されるのか。

A 本訴請求債権を自働債権とし上記反訴請求債権を受働債権とする相殺の抗弁を主張することは許される。　請負代金債権と瑕疵修補に代わる損害賠償債権の関係に鑑みると、上記両債権の一方を本訴請求債権とし、他方を反訴請求債権とする本訴及び反訴が係属している場合に、本訴原告から、反訴において、上記本訴請求債権を自働債権とし、上記反訴請求債権を受働債権とする相殺の抗弁が主張されたときは、上記相殺による清算的調整を図るべき要請が強いものといえる。それにもかかわらず、これらの本訴と反訴の弁論を分離すると、上記本訴請求債権の存否等に係る判断に矛盾抵触が生ずるおそれがあり、また、審理の重複によって訴訟上の不経済が生ずるため、このようなときには、両者の弁論を分離することは許されないというべきである。そして、本訴及び反訴が併合して審理判断される限り、上記相殺の抗弁について判断をしても、上記のおそれ等はないのであるから、上記相殺の抗弁を主張することは、重複起訴を禁じた民訴法142条の趣旨に反するものとはいえない。したがって、請負契約に基づく請負代金債権と同契約の目的物の瑕疵修補に代わる損害賠償債権の一方を本訴請求債権とし、他方を反訴請求債権とする本訴及び反訴が係属中

民法

に、本訴原告が、反訴において、上記本訴請求債権を自働債権とし、上記反訴請求債権を受働債権とする相殺の抗弁を主張することは許されると解するのが相当である（最判令2・9・11）。　**出題** 予想

第506条（相殺の方法及び効力）

①相殺は、当事者の一方から相手方に対する意思表示によってする。この場合において、その意思表示には、条件又は期限を付することができない。

②前項の意思表示は、双方の債務が互いに相殺に適するようになった時にさかのぼってその効力を生ずる。

Q1 賃貸借契約が賃借人の賃料不払いを理由に解除され、その後、賃借人が、賃貸人に対して有していた債権と自らが負担する賃料債務との相殺の意思表示をすると、その賃料債務が遡って消滅し、賃貸人の解除の意思表示も無効となるのか。

A 賃貸人の解除の意思表示には影響はない。　相殺の意思表示は双方の債務が互いに相殺をなすに適したる始めに遡ってその効力を生ずることは、民法506条2項の規定するところであるが、この遡及効は相殺の債権債務それ自体に対してであって、相殺の意思表示以前すでに有効になされた契約解除の効力には何らの影響を与えるものではない。したがって、賃貸借契約が、賃料不払いのため適法に解除された以上、たとえその後、賃借人の相殺の意思表示により賃料債務が遡って消滅しても、解除の効力に影響はなく、このことは、解除の当時、賃借人において自己が反対債権を有する事実を知らなかったため、相殺の時期を失した場合であっても、異なるところはない（最判昭32・3・8）。

出題 国Ⅰ-平成19、特別区Ⅰ-令和2、裁判所総合・一般-令和4・平成25

Q2 ともに相殺適状にある場合、転付債権者のした相殺の意思表示が第三債務者のした相殺の意思表示より先になされた場合、いずれの意思表示が優先するのか。

A 転付債権者の相殺の意思表示が優先する。　債権が差押えられた場合において第三債務者が債務者に対して反対債権を有していたときは、その債権が差押え後に取得されたものでない限り、当該債権および被差押債権の弁済期の前後を問わず、両者が相殺適状になりさえすれば、第三債務者は、差押え後においても、反対債権を自働債権として被差押債権を受働債権として相殺することができるが、そのことによって、第三債務者がその相殺の意思表示をするまでは、転付債権者が転付命令によって委付された債権を自働債権とし、第三債務者に対して負担する債務を受働債権として相殺する権能が妨げられるべきいわれはない（最判昭54・7・10）。

出題 国Ⅰ-平成12・10・昭和62

Q3 同一債権による相殺が競合した場合に、相殺適状が生じていれば、相殺の先後は、相殺適状の先後で決するのか。

A 相殺の意思表示の先後で決する（最判昭54・7・10）。⇨2

第507条（履行地の異なる債務の相殺）

相殺は、双方の債務の履行地が異なるときであっ

ても、することができる。この場合において、相殺をする当事者は、相手方に対し、これによって生じた損害を賠償しなければならない。

第508条（時効により消滅した債権を自働債権とする相殺）

時効によって消滅した債権がその消滅以前に相殺に適するようになっていた場合には、その債権者は、相殺をすることができる。

Q1 債権者が連帯保証人に対し有する債権と連帯保証人が債権者に対し有する反対債権とが相殺適状となった後に、主たる債務者に対する債権が消滅時効にかかった場合、債権者は連帯保証人に対して相殺できるのか。

A 相殺できる。　債権者が連帯保証人に対する債権をもってその連帯保証人に対する債務と相殺をすることができる場合において、その債権の不行使によりまず主たる債務者に対する債権の消滅時効が完成し、このため連帯保証人に対する債権も消滅した場合でも、債権者は民法508条による保護を受けるのは当然であって、この場合に債権者は連帯保証人に対する債権をもってその消滅前において相殺適状にあった連帯保証人に対する債権とを相殺することができる（大判昭8・1・31）。

出題 国Ⅰ-平成4

Q2 消滅時効にかかった他人の債権を譲り受け、これを自働債権として相殺することは許されるのか。

A 相殺することは許されない。　すでに消滅時効にかかった他人の債権を譲り受け、これを自働債権として相殺することは、民法506条、508条の法意に照らし許されない。されば、債務者Aに対する債権を、その消滅時効完成後に債権者Bから譲り受けた第三者Cは、Aに対してその譲受け時点で弁済期にある債務を負っている場合には、Aが時効を援用している以上、譲り受けた債権を自働債権とする相殺の意思表示はその効力を生じない（最判昭36・4・14）。

出題 国Ⅰ-昭和63、特別区Ⅰ-平成27、裁判所総合・一般-平成26・25

Q3 請負契約の目的物の損害賠償請求権が除斥期間（民法637条）を過ぎた場合にも、注文者はこの債権を自働債権とし、請負人の報酬債権を受働債権として相殺できるか。

A 民法508条の類推適用により相殺できる。　注文者が請負人に対して有する仕事の目的物の損害賠償請求権は、注文者が目的物の引渡しを受けた時から1年内にこれを行使することを要することは、民法637条1項の規定するところであり、この除斥期間経過前に請負人の注文者に対する請負代金請求権と損害賠償請求権とが相殺適状に達していたときには、民法508条の類推適用により、当該期間経過後であっても、注文者は、当該損害賠償請求権を自働債権とし請負代金請求権を受働債権として相殺をなしうる（最判昭51・3・4）。

出題 国家総合-平成27、国Ⅰ-平成19・4・昭和62・59・57、国Ⅱ-平成18、裁判所総合・一般-平成24

Q4 本訴において訴訟物となっている債権の全部

又は一部が時効により消滅したと判断されることを条件として、反訴において、当該債権のうち時効により消滅した部分を自動債権として相殺の抗弁を主張することは許されるのか。

A 許される。　時効により消滅し、履行の請求ができなくなった債権であっても、その消滅以前に相殺に適するようになっていた場合には、これを自動債権として相殺をすることができるところ、本訴において訴訟物となっている債権の全部又は一部が時効により消滅したと判断される場合には、その判断を前提に、同時に審判される反訴において、当該債権のうち時効により消滅した部分を自動債権とする相殺の抗弁につき判断をしても、当該債権の存否に係る本訴における判断と矛盾抵触することはなく、審理が重複することもない。したがって、反訴において上記相殺の抗弁を主張することは、重複起訴を禁じた民事訴訟法142条の趣旨に反するものとはいえない（最判平27・12・14）。 **出題** 予想

第509条（不法行為等により生じた債権を受働債権とする相殺の禁止）

次に掲げる債務の債務者は、相殺をもって債権者に対抗することができない。ただし、その債権者がその債務に係る債権を他人から譲り受けたときは、この限りでない。

1　悪意による不法行為に基づく損害賠償の債務
2　人の生命又は身体の侵害による損害賠償の債務（前号に掲げるものを除く。）

〔判例法理の否定〕

Q1 不法行為に基づく損害賠償債権を自動債権とし不法行為以外の債権を受働債権として相殺できるか。

A 相殺できる。　民法509条は、不法行為の被害者に現実の弁済により損害の塡補を受けさせるとともに、不法行為の誘発を防止することを目的とするから、不法行為に基づく損害賠償債権を自動債権として不法行為による損害賠償債権以外の債権を受働債権として相殺をすることまでも禁止する趣旨でない（最判昭42・11・30）。

出題 国家総合 - 令和2・平成24、国Ⅰ - 平成18、地方上級 - 昭和60、市役所上・中級 - 昭和62、特別区Ⅰ - 平成30・17、国家一般 - 平成27、国Ⅱ - 平成19・18・8、裁判所総合・一般 - 令和2・平成26、裁判所Ⅰ・Ⅱ - 平成23・14

第510条（差押禁止債権を受働債権とする相殺の禁止）

債権が差押えを禁じたものであるときは、その債務者は、相殺をもって債権者に対抗することができない。

第511条（差押えを受けた債権を受働債権とする相殺の禁止）

①差押えを受けた債権の第三債務者は、差押え後に取得した債権による相殺をもって差押債権者に対抗することはできないが、差押え前に取得した債権による相殺をもって対抗することができる。
②前項の規定にかかわらず、差押え後に取得した債権が差押え前の原因に基づいて生じたものであるときは、その第三債務者は、その債権による相殺

をもって差押債権者に対抗することができる。ただし、第三債務者が差押え後に他人の債権を取得したときは、この限りでない。

〔判例法理の条文化〕

Q1 債権の差押え以前から債務者に対して反対債権を有していた第三債務者は、当該反対債権を自動債権とし、被差押債権を受働債権とする相殺はできるか。

A 第三債務者は、相殺適状にあれば当該債権を自動債権として相殺できる。　民法511条は、第三債務者が債務者に対して有する債権をもって差押債権者に対し相殺をなしうることを当然の前提としたうえ、差押え後に発生した債権または差押え後に他から取得した債権を自動債権とする相殺のみを例外的に禁止することによって、その限度において、差押債権者と第三債務者の間の利益の調節を図ったものである。したがって、第三債務者は、その債権が差押え後に取得されたものでない限り、自動債権および受働債権の弁済期の前後を問わず、相殺適状に達しさえすれば、差押え後においても、これを自動債権として相殺をなしうる　最大判昭45・6・24）。

出題 国家総合 - 国Ⅰ - 平成22・12・4・昭和58・57、国家一般 - 平成30、国Ⅱ - 平成23、裁判所総合・一般 - 令和4・平成26、国税 - 平成12

Q2 銀行の貸付債権について、債務者の信用を悪化させる一定の客観的事情が発生した場合には、債務者のために存する当該貸付金の期限の利益を喪失させ、当該債務者の預金等の債権につき銀行において期限の利益を放棄して相殺適状を生じさせる旨の合意は、当該預金等の債権を差し押さえた債権者に対しては、有効か。

A 当該貸付債権の本来の弁済期と当該預金等の債権の弁済期の到来の前後を問わず、有効である。
本件特約は、会社（A）又はその保証人（B）について、信用を悪化させる一定の客観的事情が発生した場合においては、銀行（C）の会社（A）に対する貸付金債権については、会社（A）のために存する期限の利益を喪失せしめ、一方、同人（A）らの銀行（C）に対する預金等の債権については、銀行（C）において期限の利益を放棄し、直ちに相殺適状を生ぜしめる旨の合意と解することができるのであって、かかる合意が契約自由の原則上有効であるから、本件各債権は、遅くとも、差押えの時に全部相殺適状が生じたものといわなければならない。そして、差押えの効力に関しては、銀行（C）のした相殺の意思表示は、相殺適状が生じた時に遡って効力を生じ、本件差押えに係る会社（A）の債権は、相殺により、全部消滅に帰したものというべきである（最大判昭45・6・24）。 **出題** 国家総合 - 平成28

Q3 敷金が授受された賃貸借契約に係る賃料債権につき抵当権者が物上代位権を行使してこれを差し押さえた場合において、当該賃貸借契約が終了し、目的物が明け渡されたときは、賃料債権は、敷金の充当によりその限度で消滅するのか。

A 賃料債権は、敷金の充当によりその限度で消滅する（最判平14・3・28）。⇨372条 12

第512条（相殺の充当）

①債権者が債務者に対して有する1個又は数個の債権と、債権者が債務者に対して負担する1個又は数個の債務について、債権者が相殺の意思表示をした場合において、当事者が別段の合意をしなかったときは、債権者の有する債権とその負担する債務は、相殺に適するようになった時期の順序に従って、その対当額について相殺によって消滅する。

②前項の場合において、相殺をする債権者の有する債権がその負担する債務の全部を消滅させるのに足りないときであって、当事者が別段の合意をしなかったときは、次に掲げるところによる。

1　債権者が数個の債務を負担するとき（次号に規定する場合を除く。）は、第488条第4項第2号から第4号までの規定を準用する。

2　債権者が負担する1個又は数個の債務について元本のほか利息及び費用を支払うべきときは、第489条の規定を準用する。この場合において、同条第2項中「前条」とあるのは、「前条第4項第2号から第4号まで」と読み替えるものとする。

③第1項の場合において、相殺をする債権者の負担する債務がその有する債権の全部を消滅させるのに足りないときは、前項の規定を準用する。

第512条の2

債権者が債務者に対して有する債権に、1個の債権の弁済として数個の給付をすべきものがある場合における相殺については、前条の規定を準用する。債権者が債務者に対して負担する債務に、1個の債務の弁済として数個の給付をすべきものがある場合における相殺についても、同様とする。

第3款　更改

第513条（更改）

当事者が従前の債務に代えて、新たな債務であって次に掲げるものを発生させる契約をしたときは、従前の債務は、更改によって消滅する。

1　従前の給付の内容について重要な変更をするもの

2　従前の債務者が第三者と交替するもの

3　従前の債権者が第三者と交替するもの

第514条（債務者の交替による更改）

①債務者の交替による更改は、債権者と更改後に債務者となる者との契約によってすることができる。この場合において、更改は、債権者が更改前の債務者に対してその契約をした旨を通知した時に、その効力を生ずる。

②債務者の交替による更改後の債務者は、更改前の債務者に対して求償権を取得しない。

第515条（債権者の交替による更改）

①債権者の交替による更改は、更改前の債権者、更改後に債権者となる者及び債務者の契約によってすることができる。

②債権者の交替による更改は、確定日付のある証書によってしなければ、第三者に対抗することができない。

第518条（更改後の債務への担保の移転）

①債権者（債権者の交替による更改にあっては、更改前の債権者）は、更改前の債務の目的の限度において、その債務の担保として設定された質権又は抵当権を更改後の債務に移すことができる。ただし、第三者がこれを設定した場合には、その承諾を得なければならない。

②前項の質権又は抵当権の移転は、あらかじめ又は同時に更改の相手方（債権者の交替による更改にあっては、債務者）に対してする意思表示によってしなければならない。

第4款　免除

第519条

債権者が債務者に対して債務を免除する意思を表示したときは、その債権は、消滅する。

Q1 債権者が第三者に債権放棄の意思表示をすれば債務者に対する債権は消滅するか。

A 債務者に対する債権は消滅しない。　債権の放棄は債務者に対してその意思を表示するのでなければ、効力を生じないのであるから、債権者が第三者に対して債権を放棄することを約し、これに対して第三者が債務者の債務と同一内容を有する債務を負担することを約しても、債権者が債務者に対して有する債権は第三者の債務が成立するのと同時に消滅するものではなく、債権者は第三者に対して債務者のために債権を放棄すべき債務を負担し、第三者は債務者に対して債務者の債務と同一の債務を負担する一種の双務契約が成立する（大判大2・7・10）。　　出題 国Ⅱ-平成8

第5款　混同

第520条

債権及び債務が同一人に帰属したときは、その債権は、消滅する。ただし、その債権が第三者の権利の目的であるときは、この限りでない。

Q1 賃貸人の地位と転借人の地位とが同一人に帰するに至った場合、転借権は混同によって消滅するのか。

A 転借権は混同によって消滅しない。　家屋の所有権者たる賃貸人の地位と転借人たる地位とが同一人に帰した場合は、民法613条1項の規定による転借人の賃貸人に対する直接の義務が混同により消滅するは別論として、当事者間に転貸借関係を消滅させる特別の合意が成立しない限りは転貸借関係は当然には消滅しない（最判昭35・6・23）。

出題 国家総合-令和3、国Ⅰ-昭和63、地方上級-昭和62・61、国Ⅱ-平成19、裁判所総合・一般-令和2

第2章　契約

第1節　総則

第1款　契約の成立

第521条（契約の締結及び内容の自由）

①何人も、法令に特別の定めがある場合を除き、契約をするかどうかを自由に決定することができ

る。

②契約の当事者は、法令の制限内において、契約の
内容を自由に決定することができる。

第522条（契約の成立と方式）

①契約は、契約の内容を示してその締結を申し入れ
る意思表示（以下「申込み」という。）に対して
相手方が承諾をしたときに成立する。

②契約の成立には、法令に特別の定めがある場合を
除き、書面の作成その他の方式を具備することを
要しない。

第523条（承諾の期間の定めのある申込み）

①承諾の期間を定めてした申込みは、撤回すること
ができない。ただし、申込者が撤回をする権利を
留保したときは、この限りでない。

②申込者が前項の申込みに対して同項の期間内に承
諾の通知を受けなかったときは、その申込みは、
その効力を失う。

第524条（遅延した承諾の効力）

申込者は、遅延した承諾を新たな申込みとみなす
ことができる。

第525条（承諾の期間の定めのない申込み）

①承諾の期間を定めないでした申込みは、申込者が
承諾の通知を受けるのに相当な期間を経過するま
では、撤回することができない。ただし、申込者
が撤回をする権利を留保したときは、この限りで
ない。

②対話者に対してした前項の申込みは、同項の規定
にかかわらず、その対話が継続している間は、い
つでも撤回することができる。

③対話者に対してした第1項の申込みに対して対話
が継続している間に申込者が承諾の通知を受けな
かったときは、その申込みは、その効力を失う。た
だし、申込者が対話の終了後もその申込みが効力を
失わない旨を表示したときは、この限りでない。

第526条（申込者の死亡等）

申込者が申込みの通知を発した後に死亡し、意思
能力を有しない常況にある者となり、又は行為能力
の制限を受けた場合において、申込者がその事実が
生じたとすればその申込みは効力を有しない旨の意
思を表示していたとき、又はその相手方が承諾の通
知を発するまでにその事実が生じたことを知ったと
きは、その申込みは、その効力を有しない。

第527条（承諾の通知を必要としない場合におけ
る契約の成立時期）

申込者の意思表示又は取引上の慣習により承諾の
通知を必要としない場合には、契約は、承諾の意思
表示と認めるべき事実があった時に成立する。

第528条（申込みに変更を加えた承諾）

承諾者が、申込みに条件を付し、その他変更を加
えてこれを承諾したときは、その申込みの拒絶とと
もに新たな申込みをしたものとみなす。

第2款　契約の効力

第533条（同時履行の抗弁）

双務契約の当事者の一方は、相手方がその債務の
履行（債務の履行に代わる損害賠償の債務の履行を
含む。）を提供するまでは、自己の債務の履行を拒

むことができる。ただし、相手方の債務が弁済期に
ないときは、この限りでない。

＊契約の解除と同時履行に準用（546条）、終身定
期金契約の解除と同時履行に準用（692条）

Q1 不動産の買主が、売主に対し、不動産の登記の
移転を求めて訴訟を提起したところ、売主が、買主
に対し、買主が代金を支払うまで登記の移転を拒絶
する旨の同時履行の抗弁を主張した場合、裁判所は
同時履行の抗弁権が認められると判断するときは、
請求棄却判決をすべきか。

A 請求棄却判決ではなく、引換給付判決をすべき
である。　同時履行の抗弁が提出されたときは、起
訴者は自己の債務の履行と引換でなければ、相
手方の債務の履行を求めることができない以上、自己
の債務の履行と引換に相手方にその債務の履行を
させることは、その請求中に包含されているものと
認めることができる。したがって、裁判所は、起訴
者の請求を全部排斥することなく、双方債務の履行
を引換に相手方にその履行を命じる裁判をすべき
である（大判明44・12・11）。

出題 裁判所総合・一般－平成26、裁判所Ⅰ・Ⅱ－
平成22

Q2 不動産売買における売主の登記協力義務と買
主の代金支払義務とは同時履行の関係にあるのか。

A 同時履行の関係にある。　不動産の売買におい
て登記をすれば、買主はその所有権取得を第三者に
対抗することができ、その不動産の引渡しを受ける
前でもこれを処分することができる以上、売主が不
動産売買の登記をすると同時に買主は代金の支払い
をすべきであって、売主は目的物を引き渡さない
ことを理由として代金の支払いを拒むことはできない
（大判大7・8・14）。

出題 国Ⅰ－平成5、裁判所総合・一般－令和3・
平成26

Q3 同時履行の抗弁権を有する者は、相手方に対し
て履行遅滞としての損害賠償義務を負うのか。

A 損害賠償義務を負わない。　売買の残代金支払
と所有権移転登記・建物明渡し等とが同時履行の関
係にある場合には、反対給付の提供のない残代金支
払の催告は買主を遅滞に陥らせるに足りないから、
損害賠償請求が認められないとともに、この催告に
基づく解除は効力を生じない（大判大14・10・
29）。

出題 国Ⅰ－平成17、裁判所総合・一般－令和3

Q4 建物の所有を目的とする土地の賃貸借契約に
おいて、借地権の存続期間が満了したため、借地権
者によって建物買取請求権が行使された場合には、
借地権者は、代金の提供があるまで、当該建物とと
もに土地の明渡しを拒むことができるのか。

A 建物の引渡しおよび移転登記と代金支払いとが
同時履行の関係に立ち、また、土地の明渡しを拒む
ことができる。　建物買取請求権の行使後の敷地の
占有関係については、買取請求権の行使と同時に地
上物件の所有権は賃貸人に移転し、売主である第三
者は、同時履行の抗弁権によって地上物件の引渡し
を拒絶することができるから、その反射的効力とし
て当然その敷地の引渡しを拒絶する正当な権原を有

民法

民法　522条～533条

507

するものであって、当該敷地を不法に占拠するものではないので、土地所有者である賃貸人に対し不法占拠による損害賠償の義務はない（大判昭7・1・26）。　出題 国Ⅱ-平成14

Q5 未成年者が家屋の売買契約の取消しをした場合、代金と家屋との返還義務は同時履行の関係にあるのか。

A 同時履行の関係にある。　未成年者の取消しについては、契約解除による原状回復義務に関する民法546条に準じ同法533条の準用がある。なぜなら、公平の観念上解除の場合と区別すべき理由がないからである。未成年者は随意に一方的に取り消しうるのであり、しかも現存利益だけの返還をすればいいのであるから、これによって十分保護を受けている。これに反し、相手方は取り消されるか否かは全く未成年者の意思に任されており、非常に不利益な地位にあるため、それ以上にさらに先履行の不利益を与えてまで未成年者に不公平な利益を与える必要はない（最判昭28・6・16）。

出題 国家総合-令和1・平成26、国Ⅰ-昭和52、国Ⅱ-平成23・7、裁判所総合・一般-平成26

Q6 造作買取請求権を行使した家屋の賃借人は、その代金の不払いを理由に同時履行の抗弁権により家屋の明渡しを拒むことができるか。

A 家屋の明渡しを拒むことはできない。　造作買取代金債権は、造作に関して生じた債権であって、建物に関して生じた債権でないから、これをもって、家屋を留置し、または同時履行の抗弁権を行使して家屋の明渡しを拒むことはできない（最判昭29・1・14、最判昭29・7・22）。

出題 裁判所総合・一般-令和3、国税-平成5

Q7 貸金債務の支払い確保のために小切手が交付された場合、小切手の返還と弁済とは同時履行の関係にあるのか。

A 同時履行の関係にある。　貸金債務の支払確保のため、債権者に小切手を交付した債務者は、特段の事由がない限り、その貸金の支払いは、小切手の返還と引換えにすべき旨の同時履行の抗弁をなしうる（最判昭33・6・3）。　出題 国Ⅰ-平成5

Q8 双務契約の当事者の一方は、相手方から履行の提供があっても、その提供が継続されない限り、同時履行の抗弁権を行使することができるのか。

A 同時履行の抗弁権を行使することができる。双務契約の当事者の一方は、相手方の履行の提供があっても、その提供が継続されない限り、同時履行の抗弁権を失うものではない（最判昭34・5・14）。

出題 国家総合-令和1、特別区Ⅰ-平成25、国Ⅱ-平成21、裁判所総合・一般-平成26、裁判所Ⅰ・Ⅱ-平成22

Q9 双務契約の当事者の一方が債務の履行をしない意思を明らかにした場合でも、相手方が自己の債務の弁済の提供をしなければ、当事者の一方は、自己の債務の不履行について履行遅滞の責めを免れるのか。

A 履行遅滞の責めを免れない。　双務契約の当事者の一方が、自己の債務の履行をしない意思を明確

にした場合には、相手方が自己の債務の弁済の提供をしなくても、当事者の一方は、自己の債務の不履行について履行遅滞の責めを免れることをえないものと解するのが相当である（最判昭41・3・22）。

Q10 売買契約が詐欺を理由に取り消された場合、当事者双方の原状回復義務は、同時履行の関係にあるのか。

A 民法533条の類推適用により同時履行の関係にある。　売買契約が詐欺を理由とする取消しの意思表示により有効に取り消された結果、原状回復のため当事者それぞれに生じた義務は、民法533条の類推適用により、同時履行の関係にあり、一方は他方から金銭の支払いを受けるのと引換えに各登記手続をすべき義務がある（最判昭47・9・7）。

出題 国家総合-平成27・26、国Ⅰ-平成5、地方上級-昭和62、東京Ⅰ-平成15、特別区Ⅰ-平成25、国Ⅱ-平成21、裁判所総合・一般-平成25、国税・財務・労基-平成27、国税-平成8

Q11 債務の弁済とその債務の担保のために経由された抵当権設定登記の抹消登記手続とは、同時履行の関係にあるのか。

A 同時履行の関係にない。　債務の弁済と当該債務担保のために経由された抵当権設定登記の抹消登記手続とは、前者が後者に対し先履行の関係にあるものであって、同時履行の関係に立たない（最判昭57・1・19）。

出題 国家総合-平成26、国Ⅰ-平成5、特別区Ⅰ-平成25

Q12 債務者が、その債務を担保するために、自己の有する株式を債権者に譲渡する旨の譲渡担保契約を締結し株券を交付した場合においては、債務の弁済と譲渡担保の目的物である株券の返還とは同時履行の関係に立つのか。

A 同時履行の関係に立たない。　債務者が、その債務を担保するために、自己の有する株式を債権者に譲渡する旨の譲渡担保契約を締結し株券を交付した場合においては、債務の弁済と譲渡担保の目的物である株券の返還とは同時履行の関係に立たず、債務の弁済と抵当権設定登記の抹消登記手続との関係と同様に、債務の弁済が先履行である（最判平6・9・8）。　出題 国Ⅱ-平成14

◇請負関係

Q13 請負人の注文者に対する報酬債権と注文者の請負人に対する目的物の瑕疵修補に代わる損害賠償債権とは、両債権額が異なる場合であっても相殺は許されるのか。

A 相殺は許される。　請負契約における注文者の工事代金支払義務と請負人の目的物引渡義務とは、対価的牽連関係に立つものであり、瑕疵ある目的物の引渡しを受けた注文者が請負人に対し取得する瑕疵修補に代わる損害賠償請求権は、当該法律関係を前提とするものであって、実質的・経済的には、請負代金を減額し、請負契約の当事者が相互に負う義務につきその間に等価関係をもたらす機能を有するのである（最判昭51・3・4参照）。以上のような実質

関係に着目すると、両債権は同時履行の関係にある（民法旧634条2項）とはいえ、相互に現実の履行をさせなければならない特別の利益があるものとは認められず、両債権の間で相殺を認めても、相手方に対し抗弁権の喪失による不利益を与えることにはならない。むしろ、このような場合には、相殺により清算的調整を図ることが当事者双方の便宜と公平にかない、法律関係を簡明ならしめるゆえんでもある。この理は、相殺に供される自働債権と受働債権の金額に差異があることにより異なるものではない。したがって、本件工事代金債権と瑕疵修補に代わる損害賠償債権とは、その対当額による相殺を認めるのが相当である（最判昭53・9・21）。

出題　国家総合－平成24、裁判所総合・一般－平成26

Q14 請負契約における注文者は、損害賠償を受けるまでは報酬全額の支払いを拒むことができるか。

A 報酬全額の支払いを拒むことができる。　請負契約において、仕事の目的物に瑕疵があり、注文者が請負人に対して瑕疵の修補に代わる損害の賠償を求めたが、契約当事者のいずれからも損害賠償債権と報酬債権を相殺する旨の意思表示が行われなかった場合またはその意思表示の効果が生じないとされた場合には、両債権は同時履行の関係に立ち、契約当事者の一方は、相手方から債務の履行を受けるまでは、自己の債務の履行を拒むことができ、履行遅滞による責任も負わない（最判平9・2・14）。

出題　国家総合－平成27、国Ⅰ－平成22、裁判所総合・一般－平成24、裁判所Ⅰ・Ⅱ－平成21・18、国税・労基－平成17・16、国税－平成12

Q15 請負契約の目的物に瑕疵がある場合には、注文主は、瑕疵の程度や各契約当事者の交渉態度等に鑑み信義則に反すると認められるときを除き、請負人から瑕疵の修補に代わる損害の賠償を受けるまでは、報酬全額の支払を拒むことができ、履行遅滞の責任も負わないのか。

A 報酬全額の支払を拒むことができ、履行遅滞の責任も負わない（最判平9・2・14）。⇨14

Q16 請負人の報酬債権と注文者の瑕疵修補に代わる損害賠償債権との相殺がされた後の報酬残債務について、注文者は履行遅滞による責任を何時から負うのか。

A 相殺の意思表示をした日の翌日から履行遅滞による責任を負う。　請負人の報酬債権に対し注文者がこれと同時履行の関係にある目的物の瑕疵修補に代わる損害賠償債権を自働債権とする相殺の意思表示をした場合、注文者は、請負人に対する相殺後の報酬残債務について、相殺の意思表示をした日の翌日から履行遅滞による責任を負う。なぜなら、瑕疵修補に代わる損害賠償債権と報酬債権とは、同時履行の関係に立つから、注文者は、請負人から瑕疵修補に代わる損害賠償債務の履行またはその提供を受けるまで、自己の報酬債務の全額について履行遅滞による責任を負わない（最判平9・2・14）。注文者が瑕疵修補に代わる損害賠償債権を自働債権として請負人に対する報酬債務と相殺する旨の意思表示をしたことにより、注文者の損害賠償債権が相

殺適状時にさかのぼって消滅したとしても、相殺の意思表示をするまで注文者がこれと同時履行の関係にある報酬債務の全額について履行遅滞による責任を負わなかったという効果に影響はないからである（最判平9・7・15）。

出題　裁判所総合・一般－平成28、国税・労基－平成16

第536条（債務者の危険負担等）

①当事者双方の責めに帰することができない事由によって債務を履行することができなくなったときは、債権者は、反対給付の履行を拒むことができる。

②債権者の責めに帰すべき事由によって債務を履行することができなくなったときは、債権者は、反対給付の履行を拒むことができない。この場合において、債務者は、自己の債務を免れたことによって利益を得たときは、これを債権者に償還しなければならない。

Q1 請負契約の目的たる建築中の建物が落雷により滅失し、完成不能となった場合には、請負人は注文者に対して請負代金全額を請求することができるのか。

A 請負代金を請求することはできない。　請負契約の目的たる建築が竣工前に天災で滅失し、完成不能となった場合には、請負人は注文者に対して報酬代金を請求することはできない（大判明35・12・18）。

出題　国Ⅰ－平成21・15、国家一般－平成24、裁判所Ⅰ・Ⅱ－平成18

Q2 請負工事が注文者の責めに帰すべき事由により完成が不能となった場合、請負人は注文者に請負代金の全額を請求し、自己の債務を免れたことによる利益を注文者に償還する必要はないのか。

A 請負人は注文者に請負代金の全額を請求できるが、自己の債務を免れたことによる利益を注文者に償還する必要がある。　請負契約において、仕事が完成しない間に、注文者の責めに帰すべき事由によりその完成が不能となった場合には、請負人は、自己の残債務を免れるが、民法536条2項によって、注文者に請負代金全額を請求することができ、ただ、自己の債務を免れたことによる利益を注文者に償還すべき義務を負うにすぎない（最判昭52・2・22）。

出題　国家総合－平成29、国Ⅰ－平成21・15、国税・労基－平成16

第537条（第三者のためにする契約）

①契約により当事者の一方が第三者に対してある給付をすることを約したときは、その第三者は、債務者に対して直接にその給付を請求する権利を有する。

②前項の契約は、その成立の時に第三者が現に存しない場合又は第三者が特定していない場合であっても、そのためにその効力を妨げられない。

③第1項の場合において、第三者の権利は、その第三者が債務者に対して同項の契約の利益を享受する意思を表示した時に発生する。

民法

第538条（第三者の権利の確定）

①前条の規定により第三者の権利が発生した後は、当事者は、これを変更し、又は消滅させることができない。

②前条の規定により第三者の権利が発生した後に、債務者がその第三者に対する債務を履行しない場合には、同条第1項の契約の相手方は、その第三者の承諾を得なければ、契約を解除することができない。

第539条（債務者の抗弁）

債務者は、第537条第1項の契約に基づく抗弁をもって、その契約の利益を受ける第三者に対抗することができる。

第3款　契約上の地位の移転

第539条の2

契約の当事者の一方が第三者との間で契約上の地位を譲渡する旨の合意をした場合において、その契約の相手方がその譲渡を承諾したときは、契約上の地位は、その第三者に移転する。

第4款　契約の解除

第540条（解除権の行使）

①契約又は法律の規定により当事者の一方が解除権を有するときは、その解除は、相手方に対する意思表示によってする。

②前項の意思表示は、撤回することができない。

第541条（催告による解除）

当事者の一方がその債務を履行しない場合において、相手方が相当の期間を定めてその履行の催告をし、その期間内に履行がないときは、相手方は、契約の解除をすることができる。ただし、その期間を経過した時における債務の不履行がその契約及び取引上の社会通念に照らして軽微であるときは、この限りでない。

Q1 催告と同時に、催告期間内に履行のないことを停止条件とする解除の意思表示をすることは無効か。

A 有効である。　履行期が到来している債務につき、債権者が相当な期間を定めて催告をするとともに当該期間内に履行がないことを停止条件として解除の意思表示をしても、解除は有効である（大判明43・12・9）。

出題 国家一般－令和1、裁判所総合・一般－平成29

Q2 履行期の定めのない債務において、債務者を遅滞に付するための催告をした後、さらに民法541条所定の催告をしなければ、契約を解除できないのか。

A 民法541条所定の催告はなくとも、契約の解除はできる。　期限の定めのない債務の履行について、債務者は催告その他履行の請求を受けた時より遅滞の責めに任ずべきことは、民法412条3項の規定より明白である。しかし、債権者が民法541条により契約の解除権を有するには、債務の不履行すなわち債務者の付遅滞を前提とするが、履行期の定めのない債務については、債務者を遅滞に付するため

の催告をした後、さらに同条所定の催告をすることを必要とせず、債務者が過失によると否とを問わず債務を履行しない場合には、債権者は相当の期間を定めて履行を催告し遅滞に付すると同時にその期間内に履行のないときは、契約を解除することができる（大判大6・6・27、大判大11・11・25）。

出題 国Ⅰ－平成14・3、裁判所総合・一般－平成28・26・24、裁判所Ⅰ・Ⅱ－平成15

Q3 債務者のなすべき給付の内容が数量的に可分であり、債務者がその債務の履行の一部を怠っている場合、債権者はすでに履行された部分を含む契約全部の解除はできないのか。

A 特別の事情がある場合には、契約全部の解除ができる。　商人間で商品の逐次供給契約をした場合に、その目的物を一部ずつ一定の時期に履行することを契約の内容とすることにより、その契約上定められた時期に一定数量の給付が行われたときは、その部分については、契約の本旨に従った履行があったものとしなければならない。したがって、その後になすべき履行を遅滞したときは、債権者はその遅滞にかかわる部分はもちろんいまだ履行期が到来しない部分についても契約を解除することができるが、そのすでに履行が終わった部分については、その一部分だけでは契約をした目的を達することができない等特別の事情が存しない限り、契約を解除することができない（大判大14・2・19）。

出題 国税－平成6

Q4 借家人が借家の建具などを破壊した等の事情のもとで、賃貸人が賃貸借契約を解除するためには、民法541条所定の催告は必要か。

A 民法541条所定の催告は不要である。　賃貸借は、当事者相互の信頼関係を基礎とする継続的契約であるから、賃貸借の継続中に、当事者の一方に、その信頼関係を裏切って、賃貸借関係の継続を著しく困難ならしめるような不信行為があった場合には、相手方は、賃貸借契約を将来に向かって、解除することができる。そして、この場合には、民法541条所定の催告は、これを必要としない（最判昭27・4・25）。

出題 国家総合－平成25、国Ⅰ－昭和56

Q5 契約の一方の当事者が債務を履行しない場合、相手方が契約を解除するためには、期間を定めずに履行の催告をするだけではなく、相当の期間を定めて履行の催告をする必要があるのか。

A 期間を定めない履行の催告でも、催告の時から相当の期間を経過すれば契約を解除できる。　債務者が遅滞に陥ったときは、債権者が期間を定めず履行を催告した場合であっても、その催告の時から相当の期間を経過してなお債務を履行しないときは、契約を解除することができる（最判昭31・12・6）。

出題 国Ⅰ－平成23・昭和56・53、東京Ⅰ－平成17、裁判所総合・一般－令和1、裁判所Ⅰ・Ⅱ－平成15

Q6 約4倍程度の過大催告があれば受領拒絶の意思を推認でき、過大催告が無効となるのか。

A 約4倍程度の過大催告では、無効とならない。延滞賃料額7,353円に対しこれを29,930円と

してなした催告の無効をいうためには、催告にあたり、催告額全額の提供を得なければ債権者がその受領を拒絶する意思を有したことが必要であり、前示過大の程度のみでは、いまだ受領拒絶の意思を推認することはできない（最判昭37・3・9）。

Q7 当事者の一方が契約をなした主たる目的の達成に必須的でない附随的義務の履行を怠ったにすぎないような場合でも、特段の事情がない限り、相手方は、その義務の不履行を理由として当該契約を解除することができるのか。

A 当該契約を解除することはできない。　法律が債務の不履行による契約の解除を認める趣旨は、契約の要素をなす債務の履行がないために、当該契約をなした目的を達することができない場合を救済するためであり、当事者が契約をなした主たる目的の達成に必須的でない附随的義務の履行を怠ったにすぎないような場合には、特段の事情の存しない限り、相手方は当該契約を解除することができないものと解するのが相当である（最判昭38・11・21）。

Q8 賃貸借契約において、無催告解除特約が合意されている場合には、賃借人に債務不履行があれば、直ちに賃貸人は催告することなく契約を解除することができるのか。

A 賃貸人は催告することなく契約を解除することができる。　家屋賃貸借契約において、1か月分の賃料の遅滞を理由に催告なしで契約を解除することができる旨を定めた特約条項は、賃料の遅滞を理由に当該契約を解除するにあたり、催告をしなくても不合理とは認められない事情が存する場合には、催告なしで解除権を行使することが許される旨を定めた約定として有効と解するのが相当である（最判昭43・11・21）。

Q9 債権者が特約に定められた催告期間より短い期間を指定した催告をした場合には、契約を解除できないのか。

A 当該催告の時から特約所定の期間を経過し、かつ、その期間が相当と認められれば契約を解除できる。　債務不履行を理由とする契約解除の前提としての催告に定められた期間が相当でない場合であっても、債務者が催告の時から相当の期間を経過してなお債務を履行しないときには、債権者は契約を解除することができる。そして、この理は、催告期間を定める特約の付された契約にあっても異ならず、債権者が特約に定められた期間より短い期間を指定した催告をした場合でも、催告の時から特約所定の期間を経過しかつその期間が相当と認められるときには、信義則上、催告に応じた債務の履行をしない債務者を保護する必要はなく、債権者は、契約を解除することができる（最判昭44・4・15）。

Q10 請負人が工作物の一部を施工した後、債務不履行が生じた場合、注文者は契約の全部を解除できるのか。

A 工事内容が可分であるときは、既施行部分の契約を解除できない。　建物その他の工作物の工事請負契約につき、工事全体が未完成の間に注文者が請負人の債務不履行を理由に当該契約を解除する場合において、工事内容が可分であり、しかも当事者が既施行部分の給付に関し利益を有するときは、特段の事情のない限り、既施行部分については契約を解除することができず、ただ未施行部分について契約の一部解除をすることができるにすぎない（最判昭56・2・17）。

Q11 同一当事者間の債権債務関係が2個以上の契約からなる場合であっても、それらの目的とするところが相互に密接に関連付けられていて、社会通念上、いずれかが履行されるだけでは契約を締結した目的が全体として達成されないと認められるときは、その債権者は、一方の契約上の債務不履行を理由に法定解除権の行使として併せて他方の契約をも解除できるのか。

A 他方の契約をも解除できる。　Ｙが相当な時期までに屋内プールを完成してＸらの利用に供することは、本件会員権契約においては、単なる付随的義務ではなく、要素たる債務の一部である。また、本件マンションの区分所有権の得喪と本件クラブの会員たる地位の得喪とは密接に関連付けられている。このように、同一当事者間の債権債務関係がその形式は甲契約および乙契約といった2個以上の契約からなる場合であっても、それらの目的とするところが相互に密接に関連付けられていて、社会通念上、甲契約または乙契約のいずれかが履行されるだけでは契約を締結した目的が全体としては達成されないと認められる場合には、甲契約上の債務の不履行を理由に、その債権者が法定解除権の行使として甲契約と併せて乙契約をも解除することができる（最判平8・11・12）。

Q12 リゾートマンションの区分所有権の売買契約と同時に屋内プールを含むスポーツ施設を利用するスポーツクラブ会員権契約が締結されたが、屋内プールの完成が1年近く遅延した場合、両方の契約を解除できるか。

A 両方の契約を解除できる（最判平8・11・12）。⇒11

Q13 マンション駐車場の専用使用権を有する区分所有者が、使用料増額の集会決議の効力を訴訟において争っているときに、当該区分所有者が増額された使用料の支払に応じないことを理由に駐車場使用契約を解除し、その専用使用権を失わせることができるか。

A 駐車場使用契約を解除し、その専用使用権を失わせることはできない。　マンション駐車場の専用使用権を有する区分所有者が、使用料を増額する集会決議の効力を争い、管理組合の主張する増額使用料の支払義務の不存在確認を求める訴訟を提起し、すでに3回の口頭弁論期日が開かれていたにもかかわらず、管理組合が、専用使用権者に対して増額使用料を支払うよう催告し、その支払いに応じないことを理由として駐車場使用契約を解除する旨の意

思表示をしたこと、管理組合の主張する使用料の増額が社会通念上相当なものであることが明白であるとはいいがたいことなどの事情の下においては、管理組合による当該駐車場使用契約の解除は、効力を生じない。（最判平10・10・30）

Q14 ゴルフクラブの入会契約につき、入会の際にパンフレットに記載されていたホテル等の併設施設が完成予定時期に完成していなくても、ゴルフコースが完成していてゴルフプレーが可能であれば、会員は履行遅滞を理由として当該入会契約を解除する余地はないのか。

A 当該入会契約を解除する余地はある。　Ｙが会員の募集のために作成したパンフレットには、本件ゴルフ場に高級ホテルが建設されることが強調されていたのであるから、Ｘが、Ｙとの本件ゴルフ場の入会契約を締結するにあたり、パンフレットの記載を重視した可能性は十分ある。また、本件ゴルフ場の入会金および預託金の額は前記パンフレットに記載された本件ゴルフ場の特徴に相応して高額になっていたが、実際にＹによって提供された施設はその規模や構造等において、パンフレットの記載にはとうてい及ばず、このためにＸが本件入会契約を締結した目的を達成できない可能性のあることがうかがわれる。これらの事実は、Ｙにおいて前記パンフレットに記載されたホテル等の施設を設置して会員の利用に供することが本件入会契約上の債務の重要な部分を構成するか否かを判断するにあたって考慮される必要のある事実である（最判平11・11・30）。 **出題** 国Ⅰ-平成16・14

第542条（催告によらない解除）

①次に掲げる場合には、債権者は、前条の催告をすることなく、直ちに契約の解除をすることができる。
1　債務の全部の履行が不能であるとき。
2　債務者がその債務の全部の履行を拒絶する意思を明確に表示したとき。
3　債務の一部の履行が不能である場合又は債務者がその債務の一部の履行を拒絶する意思を明確に表示した場合において、残存する部分のみでは契約をした目的を達することができないとき。
4　契約の性質又は当事者の意思表示により、特定の日時又は一定の期間内に履行をしなければ契約をした目的を達することができない場合において、債務者が履行をしないでその時期を経過したとき。
5　前各号に掲げる場合のほか、債務者がその債務の履行をせず、債権者が前条の催告をしても契約をした目的を達するのに足りる履行がされる見込みがないことが明らかであるとき。

②次に掲げる場合には、債権者は、前条の催告をすることなく、直ちに契約の一部の解除をすることができる。
1　債務の一部の履行が不能であるとき。
2　債務者がその債務の一部の履行を拒絶する意

思を明確に表示したとき。

第543条（債権者の責めに帰すべき事由による場合）

債務の不履行が債権者の責めに帰すべき事由によるものであるときは、債権者は、前2条の規定による契約の解除をすることができない。

第544条（解除権の不可分性）

①当事者の一方が数人ある場合には、契約の解除は、その全員から又はその全員に対してのみ、することができる。
②前項の場合において、解除権が当事者のうちの1人について消滅したときは、他の者についても消滅する。

第545条（解除の効果）

①当事者の一方がその解除権を行使したときは、各当事者は、その相手方を原状に復させる義務を負う。ただし、第三者の権利を害することはできない。
②前項本文の場合において、金銭を返還するときは、その受領の時から利息を付さなければならない。
③第1項本文の場合において、金銭以外の物を返還するときは、その受領の時以後に生じた果実をも返還しなければならない。
④解除権の行使は、損害賠償の請求を妨げない。
＊手付けによる解除に適用除外（557条2項）

Q1 解除による損害賠償請求の額は履行期における時価を標準として定めるべきか。

A 解除当時における目的物の時価を標準として定めるべきである。　売主が売買の目的物を給付しないため売買契約が解除された場合においては、買主は解除の時までは目的物の給付請求権を有し解除によりはじめてこれを失うとともに、この請求権に代えて履行に代わる損害賠償請求権を取得し、一方売主は解除の時までは目的物を給付すべき義務を負い、解除によってはじめてその義務を免れるとともにその義務に代えて履行に代わる損害賠償義務を負うに至るから、この場合において買主が受くべき履行に代わる損害賠償の額は、解除当時における目的物の時価を標準として定むべきで、履行期における時価を標準とすべきでない（最判昭28・12・18）。 **出題** 国Ⅰ-昭和59

Q2 他人物の売買契約において、売主が目的物の所有権を取得して買主に移転することができなかったために契約が解除された場合、目的物の引渡しを受けていた買主は、解除までの間目的物を使用したことによって得た利益を売主に返還する義務を負うのか。

A 原状回復義務に基づく一種の不当利得返還義務として、売主に償還すべき義務を負う。　特定物売買により買主に移転した所有権は、解除によって当然に遡及的に売主に復帰すると解すべきで、その間買主が所有者としてその物を使用収益して得た利益はこれを売主に償還すべきで、当該償還義務の法的性質は、原状回復義務に基づく一種の不当利得返還義務に他ならず、不法占有に基づく損害賠償義務と解すべきではない（最判昭34・9・22）。

出題 国Ⅰ-平成8、国Ⅱ-平成19、裁判所総合・

Q3 他人物の売買契約によって目的物の引渡しを受けていた買主は、当該契約が解除された場合、売主に対して使用利益の返還義務を負うのか。

A 買主は、売主に対して使用利益の返還義務を負う。　売買契約が解除された場合に、目的物の引渡しを受けていた買主は、原状回復義務の内容として、解除までの間目的物を使用していたことによる利益を売主に返還すべき義務を負うのであり、この理は、他人の権利の売買契約において、売主が目的物の所有権を取得して買主に移転することができず、民法561条の規定により当該契約が解除された場合についても同様である（最判昭51・2・13）。

出題 国Ⅰ－平成12・昭和62、国Ⅱ－平成12、裁判所総合・一般－平成30、国税－平成12・6

Q4 民法561条の売主の担保責任によって契約が解除された場合には、目的物の引渡しを受けていた買主は、その目的物を返却しなければならないが、売主の責任によって契約が解除されたのであるから、解除までの間目的物を使用したことによる利益は返還する必要はないのか。

A 返還する必要はある（最判昭51・2・13）。⇨3

第546条（契約の解除と同時履行）
第533条の規定は、前条の場合について準用する。

第547条（催告による解除権の消滅）
解除権の行使について期間の定めがないときは、相手方は、解除権を有する者に対し、相当の期間を定めて、その期間内に解除をするかどうかを確答すべき旨の催告をすることができる。この場合において、その期間内に解除の通知を受けないときは、解除権は、消滅する。

第548条（解除権者の故意による目的物の損傷等による解除権の消滅）
解除権を有する者が故意若しくは過失によって契約の目的物を著しく損傷し、若しくは返還することができなくなったとき、又は加工若しくは改造によってこれを他の種類の物に変えたときは、解除権は、消滅する。ただし、解除権を有する者がその解除権を有することを知らなかったときは、この限りでない。

第5款　定型約款

第548条の2（定型約款の合意）
①定型取引（ある特定の者が不特定多数の者を相手方として行う取引であって、その内容の全部又は一部が画一的であることがその双方にとって合理的なものをいう。以下同じ。）を行うことの合意（次条において「定型取引合意」という。）をした者は、次に掲げる場合には、定型約款（定型取引において、契約の内容とすることを目的としてその特定の者により準備された条項の総体をいう。以下同じ。）の個別の条項についても合意をしたものとみなす。
　1　定型約款を契約の内容とする旨の合意をしたとき。

　2　定型約款を準備した者（以下「定型約款準備者」という。）があらかじめその定型約款を契約の内容とする旨を相手方に表示していたとき。

②前項の規定にかかわらず、同項の条項のうち、相手方の権利を制限し、又は相手方の義務を加重する条項であって、その定型取引の態様及びその実情並びに取引上の社会通念に照らして第1条第2項に規定する基本原則に反して相手方の利益を一方的に害すると認められるものについては、合意をしなかったものとみなす。

第548条の3（定型約款の内容の表示）
①定型取引を行い、又は行おうとする定型約款準備者は、定型取引合意の前又は定型取引合意の後相当の期間内に相手方から請求があった場合には、遅滞なく、相当な方法でその定型約款の内容を示さなければならない。ただし、定型約款準備者が既に相手方に対して定型約款を記載した書面を交付し、又はこれを記録した電磁的記録を提供していたときは、この限りでない。

②定型約款準備者が定型取引合意の前において前項の請求を拒んだときは、前条の規定は、適用しない。ただし、一時的な通信障害が発生した場合その他正当な事由がある場合は、この限りでない。

第548条の4（定型約款の変更）
①定型約款準備者は、次に掲げる場合には、定型約款の変更をすることにより、変更後の定型約款の条項について合意があったものとみなし、個別に相手方と合意をすることなく契約の内容を変更することができる。

　1　定型約款の変更が、相手方の一般の利益に適合するとき。

　2　定型約款の変更が、契約をした目的に反せず、かつ、変更の必要性、変更後の内容の相当性、この条の規定により定型約款の変更をすることがある旨の定めの有無及びその内容その他の変更に係る事情に照らして合理的なものであるとき。

②定型約款準備者は、前項の規定による定型約款の変更をするときは、その効力発生時期を定め、かつ、定型約款を変更する旨及び変更後の定型約款の内容並びにその効力発生時期をインターネットの利用その他の適切な方法により周知しなければならない。

③第1項第2号の規定による定型約款の変更は、前項の効力発生時期が到来するまでに同項の規定による周知をしなければ、その効力を生じない。

④第548条の2第2項の規定は、第1項の規定による定型約款の変更については、適用しない。

第2節　贈与

第549条（贈与）
贈与は、当事者の一方がある財産を無償で相手方に与える意思を表示し、相手方が受諾することによって、その効力を生ずる。

第550条（書面によらない贈与の解除）

　書面によらない贈与は、各当事者が解除をすることができる。ただし、履行の終わった部分については、この限りでない。

Q1 書面による贈与といえるためには、書面が契約と同時に作成されなければならないのか。

A 贈与契約後に書面を作成してもよい。　贈与契約成立の当時、何の書面を作成しなくても、その後贈与契約につき書面を作成したときは、贈与者が贈与をする意思が明確になったのであり、また、軽率に贈与を約したものでないことも明白になったものである。それ故、書面作成以後においては、贈与契約を取り消すことができない（大判大5・9・22）。　**出題** 国Ⅰ−昭和61

Q2 書面によらない贈与の取消権は消滅時効にかかるのか。

A 消滅時効にかからない。　民法124条および126条の規定は、その内容からみてももっぱら制限行為能力者または瑕疵ある意思表示者がした取り消しうべき法律行為に適用すべきであり、同法550条の書面によらない贈与の取消しに適用される規定ではない（大判大8・6・3）。

出題 国Ⅰ−昭和61

Q3 AはBに自己所有の土地を書面によらないで贈与して引き渡したが、登記名義はAのままにしておいた。AがBに対して当該贈与契約を取り消す旨の意思表示をし、土地の返還を請求した場合、BはAの請求を拒絶できるのか。

A BはAの請求を拒絶できる。　不動産の贈与は、その所有権を移転したのみをもって、民法550条にいわゆる「履行の終わった」ものとすることはできないのであって、「履行の終わった」ものとするには、占有の移転を要する。しかし、原判決は当該贈与契約については上告人Aは出来上りと同時にこれを被上告人に贈与するとともに、「その後1年間は、控訴人（上告人）Aにおいて上記建物を無償で使用し、ビンゴゲーム場を経営して利益をあげ、その1年の期間満了とともに上記建物を被上告人に明渡すことと定めた」こと、ならびに上告人Aが上記契約の趣旨に従って建物建築会これを占有使用していることを認定しているのであって、この事実関係の下においては、上記建物は、出来上りとともにその所有権が被上告人に移転すると同時に、爾後上告人Aは被上告人のために建物を占有する旨の意思を暗黙に表示したものと解すべきであるから、これによって、建物の占有もまた、被上告人に移転したものというべく、したがって、本件贈与は、すでにその履行を終ったものと解する（最判昭31・1・27）。　**出題** 国Ⅰ−平成17

Q4 不動産の贈与契約において当該不動産の所有権移転登記がなされたときは、民法550条但書の履行の終わった部分に該当するのか。

A 履行の終わった部分に該当する。　不動産の贈与契約において、当該不動産の所有権移転登記が経由されたときは、当該不動産の引渡しの有無を問わず、贈与の履行は終わったのであり、この場合、当事者の合意により、この移転登記の原因を形式上売

買契約としたとしても、この登記は実体上の権利関係に符合し無効ではないから、前記履行完了の効果を生ずる妨げとならない（最判昭40・3・26）。

出題 国Ⅰ−昭和56・54・53、特別区Ⅰ−令和1・平成21

Q5 贈与が書面によってされたといえるためには、贈与の意思表示自体が書面によることを必要とするのか。

A 贈与の意思表示自体が書面によることを必要としない。　民法550条が書面によらない贈与を取り消しうるものとした趣旨は、贈与者が軽率に贈与をすることを予防し、かつ、贈与の意思を明確にすることを期するためであるから、贈与が書面によってされたといえるためには、贈与の意思表示自体が書面によっていることを必要としないことはもちろん、書面が贈与の当事者間で作成されたこと、または書面に無償の趣旨の文言が記載されていることも必要とせず、書面に贈与がされたことを確実に看取しうる程度の記載があれば足りる（最判昭60・11・29）。　**出題** 特別区Ⅰ−平成21

Q6 贈与不動産の登記名義が贈与者の前主に残っていた事案で、贈与者が前主に対して、受贈者に移転するよう求める書面は、受贈者に対するものではないため、書面による贈与の書面にあたらないのか。

A 書面による贈与の書面にあたる（最判昭60・11・29）。⇨5

Q7 AはBから買い受けた土地をCに贈与した。Aが司法書士に依頼して作成させたBからCへの中間省略登記を指図するB宛ての内容証明郵便がある場合には、書面によらない贈与であるとして、Aは当該贈与契約を取り消すことができないのか。

A 取り消すことはできない。　上告人ら〔X〕の被相続人である亡Aは、昭和42年4月3日被上告人〔Y〕に○○市××宅地165.60平方メートルを贈与したが、前主であるBからまだ所有権移転登記をしていなかったことから、Yに対し贈与に基づく所有権移転登記をすることができなかったため、同日のうちに、司法書士Cに依頼して、当該土地をYに譲渡したからBからYに対し直接所有権移転登記をするよう求めたB宛ての内容証明郵便による書面を作成し、これを差し出したのであり、当該書面は、単なる第三者に宛てた書面ではなく、贈与の履行を目的として、亡Aに所有権移転登記義務を負うBに対し、中間者である亡Aを省略して直接Yに所有権移転登記をすることについて、同意し、かつ、指図した書面であって、その作成の動機・経緯、方式および記載文言に照らして考えるならば、贈与者である亡Aの慎重な意思決定に基づいて作成され、かつ、贈与の意思を確実に看取しうる書面というのに欠けるところはなく、民法550条にいう書面にあたると解する（最判昭60・11・29）。

出題 国Ⅰ−平成17、特別区Ⅰ−令和1・平成25

第551条（贈与者の引渡義務等）

①贈与者は、贈与の目的である物又は権利を、贈与の目的として特定した時の状態で引き渡し、又は

民法編

移転することを約したものと推定する。

②負担付贈与については、贈与者は、その負担の限度において、売主と同じく担保の責任を負う。

＊使用貸借に準用（596条）

第552条（定期贈与）

定期の給付を目的とする贈与は、贈与者又は受贈者の死亡によって、その効力を失う。

第553条（負担付贈与）

負担付贈与については、この節に定めるもののほか、その性質に反しない限り、双務契約に関する規定を準用する。

Q1 AはBが将来面倒をみてくれるであろうことを期待し、Bもその趣旨を十分に承知したうえで、AはBにその全財産を贈与した。その後、BがAの面倒をみず、Aが生活保護を受けざるをえなくなったような場合、Aは当該贈与契約を解除できるのか。

A 当該贈与契約を解除できる。　養母が、その財産のほとんど全部を養子に贈与したのは、両者の特別の情宜関係および養親子の身分関係に基づき、贈与者たる養母のその後の生活に困難を生ぜしめないことを条件とするものであって、受贈者たる養子もその趣旨は十分承知していたのであるから、本件贈与は、受贈者において、老齢に達した贈与者を扶養し、円満な親子関係を維持し、同人から受けた恩愛に背かないことを受贈者の義務とする、いわゆる負担付贈与であると認めるのが相当である。したがって、負担付贈与においては、受贈者がその負担の義務の履行を怠るときは、民法541条、542条の規定を準用し、贈与者は贈与契約の解除をすることができる（最判昭53・2・17）。

出題 国Ⅰ-平成17

第554条（死因贈与）

贈与者の死亡によって効力を生ずる贈与については、その性質に反しない限り、遺贈に関する規定を準用する。

Q1 死因贈与の方式については、遺贈に関する規定が準用されるのか。

A 遺贈に関する規定が準用されない。　論旨は死因贈与も遺言の方式に関する規定に従うべきものと主張するが、民法554条の規定は、贈与者の死亡によって効力を生ずべき贈与契約（いわゆる死因贈与契約）の効力については遺贈（単独行為）に関する規定に従うべきことを規定しただけで、その契約の方式についても遺言の方式に関する規定に従うべきことを定めたものではないと解すべきである（最判昭32・5・21）。

出題 国家総合-平成29、国Ⅰ-平成22、特別区Ⅰ-平成29・25

Q2 死因贈与については、贈与者による撤回は認められるのか。

A 贈与者による撤回は認められる。　死因贈与については、遺言の取消しに関する民法1022条がその方式に関する部分を除いて準用される。なぜなら、死因贈与は贈与者の死亡によって贈与の効力が生ずるものであるが、かかる贈与者の死後の財産に関する処分については、遺贈と同様、贈与者の最終

意思を尊重し、これによって決するのを相当とするからである（最判昭47・5・25）。

Q3 負担の履行期が贈与者の生前と定められた負担付死因贈与の受贈者が負担の全部またはそれに類する程度の履行をした場合には、民法1022条、1023条の各規定は準用されるのか。

A 特段の事情がない限り、民法1022条、1023条の各規定は準用されない。　負担の履行期が贈与者の生前と定められた負担付死因贈与契約に基づいて受贈者が約旨に従い負担の全部またはそれに類する程度の履行をした場合においては、贈与者の最終意思を尊重して受贈者の利益を犠牲にすることは相当でないから、当該贈与契約締結の動機、負担の価値と贈与財産の価値との相関関係、当該契約上の利害関係者間の身分関係その他の生活関係等に照らし、その負担の履行状況にもかかわらず負担付死因贈与契約の全部または一部の取消しをすることがやむをえないと認められる特段の事情がない限り、遺言の取消しに関する民法1022条、1023条の各規定を準用するのは相当でない（最判昭57・4・30）。

出題 予想

第3節　売買

第1款　総則

第555条（売買）

売買は、当事者の一方がある財産権を相手方に移転することを約し、相手方がこれに対してその代金を支払うことを約することによって、その効力を生ずる。

Q1 Aが自己の所有する土地をBに売り渡し、BがこれをCに転売した場合、BはAに対して登記の移転を請求できるのか。

A BはAに対して登記の移転を請求できる。　不動産の売買契約をすれば、売主は買主に対して完全な所有権を取得させる義務を負担する以上、所有権の取得を完全にする必要のある登記義務は売買契約に伴い当然発生し、特に登記義務について契約をした事実がなくても登記移転の請求をすることができる（大判大9・11・22）。

出題 地方上級-平成9、国家一般-平成26

第556条（売買の一方の予約）

①売買の一方の予約は、相手方が売買を完結する意思を表示した時から、売買の効力を生ずる。

②前項の意思表示について期間を定めなかったときは、予約者は、相手方に対し、相当の期間を定めて、その期間内に売買を完結するかどうかを確答すべき旨の催告をすることができる。この場合において、相手方がその期間内に確答をしないときは、売買の一方の予約は、その効力を失う。

第557条（手付）

①買主が売主に手付を交付したときは、買主はその手付を放棄し、売主はその倍額を現実に提供して、契約の解除をすることができる。ただし、その相手方が契約の履行に着手した後は、この限りでない。

②第545条第4項の規定は、前項の場合には、適用

民法

しない。

〔判例法理の条文化〕

Q1 手付金を交付した者は、相手方に債務不履行があった場合、手付の解除とともに損害賠償請求をすることができるのか。

A 手付の解除とともに損害賠償請求をすることができる。　手付金を交付した者は、相手方に債務不履行があった場合、法定解除の要件が認められ、手付の解除とともに民法545条3項に基づき損害賠償請求をすることができる（大判大7·8·9）。

出題 裁判所総合・一般 - 平成29

Q2 交付された手付が契約の対価額と比較して少額であった場合、民法557条の解約手付としての性質を有しないのか。

A 民法557条の解約手付としての性質を有する。民法557条1項のいわゆる手付は解除権留保の対価として交付されたものであって、その交付されたものが金銭である場合においては、金額について法律上何ら制限はない。したがって、金額の多寡によって手付の有無が決められるわけではない（大判大10·6·21）。

出題 国Ⅰ - 平成5、国Ⅱ - 平成13、裁判所総合・一般 - 平成29

Q3 売買契約が合意解除された場合、手付金を交付した買主は、売主に対して、手付金相当額の返還を求めることができるのか。

A 返還を求めることができる。　売買契約が合意解除された場合、当事者はそれぞれ原状回復義務を負うので、特段の事情がない限り、手付金を交付した買主は、相手方である売主に対して、手付金相当額の返還を求めることができる（大判昭11·8·10）。　出題 裁判所総合・一般 - 平成29

Q4 契約書に違約の場合には手付の没収または倍返しをするという条項がある場合、当該手付は解約手付としての効力を有しないのか。

A 解約手付としての効力を有する。　売買において買主が売主に手付を交付したときは売主は手付の倍額を償還して契約の解除をなしうることは民法557条の明定するところである。もとより、この規定は任意規定であるから、当事者が反対の合意をした時は、その適用がない。しかし、その適用が排除されるためには反対の意思表示がなければならない。民法の規定に対する反対の意思表示とみることができない違約の場合、手付の没収または倍返しをするという約束は民法の規定による解除の留保を妨げない。解除権留保と併せて違約の場合の損害賠償額の予定をなし、その額を手付の額によるものと定めることは差し支えない（最判昭24·10·4）。

出題 国Ⅰ - 平成23·5、国家一般 - 令和4·平成26、裁判所総合・一般 - 令和2

Q5 当事者間に手付が授受された場合、解約手付としての効力を有するのか。

A 特別の意思表示がない限り、解約手付としての効力を有する。　売買の当事者間に手付が授受された場合において、特別の意思表示がない限り、民法557条に定めている効力、すなわちいわゆる解約手付としての効力を有するものと認めるべきである

（最判昭29·1·21）

出題 国家総合 - 令和3、裁判所総合・一般 - 令和2

Q6 557条1項にいう「履行に着手」とは何か。

A 客観的に外部から認識しえるような形で履行行為の一部をなす等の行為をいう。　民法557条1項にいう「履行に着手」とは、債務の内容たる給付の実行に着手すること、すなわち、客観的に外部から認識しうるような形で履行行為の一部をなしまたは履行の提供をするために欠くことのできない前提行為をした場合を指すものであり、第三者所有の土地について売買契約を締結した売主が、当該第三者に代金を支払い、土地を買い受け、自己名義にその所有権移転登記を備える行為は、特定の売買の目的物件の調達行為にあたり、単なる履行の準備行為にとどまらず、履行の着手があったものと解する（最大判昭40·11·24）。

出題 国Ⅰ - 平成23·7、国Ⅱ - 平成20、裁判所総合・一般 - 令和2·平成29、裁判所Ⅰ·Ⅱ - 平成19

Q7 不動産売買契約において、買主が売主に手付を交付したとき、第三者所有の不動産の売主が第三者から当該不動産の所有権を取得し、その所有権移転登記を受けた場合であっても、手付を放棄して契約を解除することができるのか。

A 手付を放棄して契約を解除することはできない（最大判昭40·11·24）。⇨6

Q8 売買契約に際して買主から手付が交付されている場合は、買主が代金を直ちに支払えるように準備をして、売主に履行の催促をしたときでも、売主は、手付の倍額を償還して契約を解除できるのか。

A 売主は、手付の倍額を償還して契約を解除できない（最大判昭40·11·24）。⇨7

Q9 当事者の一方が自ら履行に着手していても、相手方が着手していなければ、解約できるのか。

A 民法557条1項によって解約できる（最大判昭40·11·24）。

出題 国Ⅰ - 平成23·7·6·5、地方上級 - 昭和53、特別区Ⅰ - 平成14、国Ⅱ - 平成12·2、裁判所総合・一般 - 令和1、裁判所Ⅰ·Ⅱ - 平成23·15、国税 - 平成7·昭和61

Q10 民法557条1項にいう「履行に着手」とは、履行期到来後の行為であって、履行期前の行為は、履行の準備にとどまり、履行の着手にはあたらないのか。

A「履行に着手」は、履行期前でも生じる。　民法557条1項にいう「履行に着手」とは、客観的に外部から認識しうるような形で履行行為の一部をなし、または、履行の提供をするために欠くことのできない前提行為をした場合を指すものと解すべく、債務に履行期の約定がある場合であっても、当事者が、債務の履行期前には履行に着手しない旨合意している場合等格別の事情のない限り、直ちに、履行期前には、民法557条1項にいう履行の着手は生じえないと解すべきものではない（最判昭41·1·21）。　出題 国Ⅱ - 平成13

Q11「履行に着手」の判断はどのように行うべきか。

A 当該行為の態様、債務の内容、履行期が定めら

れた趣旨・目的等諸般の事情を総合勘案して決すべきである。　解約手付が交付された場合において、債務者が履行期前に債務の履行のためにした行為が、民法557条1項にいう「履行に着手」にあたるか否かについては、当該行為の態様、債務の内容、履行期が定められた趣旨・目的等諸般の事情を総合勘案して決すべきである。したがって、土地および建物の買主が、履行期前において、土地の測量をし、残代金の準備をして口頭の提供をしたうえで履行の催告をしても、売主が移転先を確保するため履行期が約1年9カ月先に定められ、その測量および催告が履行期までになお相当の期間がある時点でされた等の事実関係の下においては、その測量および催告は履行の着手にあたらない（最判平5・3・16）。　出題 国Ⅰ－平成7

Q12 売主が手付の倍額を償還して契約の解除をするためには、買主に現実の提供をする必要があるのか。

A 買主に現実の提供をする必要がある。　民法557条1項により売主が手付の倍額を償還して契約の解除をするためには、手付の「倍額を償還して」とする同条項の文言からしても、また、買主が同条項によって手付を放棄して契約の解除をする場合との均衡からしても、単に口頭により手付の倍額を償還する旨を告げその受領を催告するのみでは足りず、買主に現実の提供をすることを要する（最判平6・3・22）。

出題 国Ⅰ－平成23、国Ⅱ－平成13、裁判所総合・一般－令和2・平成29、裁判所Ⅰ・Ⅱ－平成23・19

第558条（売買契約に関する費用）
売買契約に関する費用は、当事者双方が等しい割合で負担する。

第559条（有償契約への準用）
この節の規定は、売買以外の有償契約について準用する。ただし、その有償契約の性質がこれを許さないときは、この限りでない。

第2款　売買の効力

第560条（権利移転の対抗要件に係る売主の義務）
売主は、買主に対し、登記、登録その他の売買の目的である権利の移転についての対抗要件を備えさせる義務を負う。

第561条（他人の権利の売買における売主の義務）
他人の権利（権利の一部が他人に属する場合における他人の権利の一部を含む。）を売買の目的としたときは、売主は、その権利を取得して買主に移転する義務を負う。

Q1 他人物売買において、目的物の所有者が売買成立当時から当該目的物を他に譲渡する意思がないため、売主が買主にその所有権を移転できない場合、当該契約は無効となるのか。

A 当該契約は有効である。　一般に契約の履行がその締結の当初において客観的に不能であれば、その契約は不可能な事項を目的とするものとして無効であるが、他人の物の売買にあっては、その目的物の所有者が売買成立当時からその物を他に譲渡する意思がなく、したがって売主においてこれを

取得し買主に移転することができない場合であっても、なおその売買契約は有効に成立する。このことは、民法が他人の権利を目的とする売買についてはその特質にかんがみ同法561条ないし564条において、原始的不能の場合をも包含する特別規定を設け、前示一般原則の適用を排除していることからも明らかである（最判昭25・10・26）。

出題 国Ⅰ－平成19、地方上級－平成10・2（市共通）、国Ⅱ－平成7、裁判所総合・一般－令和1、裁判所Ⅰ・Ⅱ－平成23・14、国税－昭和59

Q2 他人の権利の売主が死亡し、その権利者が売主を相続し債務者としての履行義務を承継した場合、その履行義務を拒否できないのか。

A 信義則に反する特別の事情がない限り、その履行義務を拒否できる。　他人の権利の売主が死亡し、その権利者において売主を相続した場合には、権利者は相続により売主の売買契約上の義務ないし地位を承継するが、そのために権利者自身が売買契約を締結したことになるのではなく、これによって売買の目的とされた権利が当然に買主に移転するものと解すべき根拠もない。また、権利者としてその権利の移転につき諾否の自由を保有しているのであって、それが相続による売主の義務の承継と偶然の事由によって左右されるべき理由はなく、また権利者がその権利の移転を拒否したからといって買主が不測の不利益を受けるというわけでもない。それ故、権利者は、相続によって売主の義務ないし地位を承継しても、相続前と同様その権利の移転につき諾否の自由を保有し、信義則に反すると認められるような特別の事情のない限り、当該売買契約上の売主としての履行義務を拒否することができる（最大判昭49・9・4）。

出題 国家総合－令和3、地方上級－平成9、裁判所Ⅰ・Ⅱ－平成23

Q3 AはBに対し、Cが所有する甲土地を売却するにあたり、Bが甲土地の所有者がAでないことを知っていた場合であっても、Aに甲土地の所有権の移転不能について帰責事由があれば、BはAに対して損害賠償を請求できるか。

A 損害賠償を請求できる。　他人の権利を売買の目的とした場合において、売主がその権利を取得してこれを買主に移転する義務の履行不能を生じたときにあって、その履行不能が売主の責に帰すべき事由によるものであれば、買主は、売主の担保責任に関する民法561条の規定にかかわらず、なお債務不履行一般の規定（民法543条、415条）に従って、契約を解除し損害賠償の請求をすることができる（最判昭41・9・8）。

出題 国家総合－平成26、裁判所Ⅰ・Ⅱ－平成23・14

第562条（買主の追完請求権）
①引き渡された目的物が種類、品質又は数量に関して契約の内容に適合しないものであるときは、買主は、売主に対し、目的物の修補、代替物の引渡し又は不足分の引渡しによる履行の追完を請求することができる。ただし、売主は、買主に不相当な負担を課するものでないときは、買主が請求し

た方法と異なる方法による履行の追完をすることができる。

②前項の不適合が買主の責めに帰すべき事由によるものであるときは、買主は、同項の規定による履行の追完の請求をすることができない。

第563条（買主の代金減額請求権）

①前条第1項本文に規定する場合において、買主が相当の期間を定めて履行の追完の催告をし、その期間内に履行の追完がないときは、買主は、その不適合の程度に応じて代金の減額を請求することができる。

②前項の規定にかかわらず、次に掲げる場合には、買主は、同項の催告をすることなく、直ちに代金の減額を請求することができる。

1　履行の追完が不能であるとき。

2　売主が履行の追完を拒絶する意思を明確に表示したとき。

3　契約の性質又は当事者の意思表示により、特定の日時又は一定の期間内に履行をしなければ契約をした目的を達することができない場合において、売主が履行の追完をしないでその時期を経過したとき。

4　前3号に掲げる場合のほか、買主が前項の催告をしても履行の追完を受ける見込みがないことが明らかであるとき。

③第1項の不適合が買主の責めに帰すべき事由によるものであるときは、買主は、前2項の規定による代金の減額の請求をすることができない。

第564条（買主の損害賠償請求及び解除権の行使）

前2条の規定は、第415条の規定による損害賠償の請求並びに第541条及び第542条の規定による解除権の行使を妨げない。

第565条（移転した権利が契約の内容に適合しない場合における売主の担保責任）

前3条の規定は、売主が買主に移転した権利が契約の内容に適合しないものである場合（権利の一部が他人に属する場合においてその権利の一部を移転しないときを含む。）について準用する。

Q1 売買の目的土地が都市計画街路の境域内に存し、建物を建てても早晩撤去しなければならず、その事実を買主が過失なく知らない場合、売主は、契約の内容に適合しない目的物を買主に引き渡した責任を負うのか。

A 売主は責任を負う。　本件土地がA都市計画事業として施行される道路敷地に該当し、同地上に建物を建築しても、早晩その実施により建物の全部または一部を撤去しなければならない事情があるため、契約の目的を達することができないのであるから、本件土地には瑕疵がある。また、都市計画事業の一環として都市計画街路が公示されたとしても、それが告示の形式でなされ、しかも、その告示が売買成立の十数年以前になされた事情をも考慮するときは、買主が、本件土地の大部分が都市計画街路として告示された境域内にあることを知らなかった一事により過失があるとはいえないから、本件土地の瑕疵は契約の内容に適合しないものである（最判昭41・4・14）。

出題 国Ⅰ−平成11、地方上級−平成9（市共通）、国Ⅱ−平成7、裁判所Ⅰ・Ⅱ−平成23・22

Q2 土地賃借権の売買で、賃貸人が修繕義務を負担すべき敷地の擁壁の構造的欠陥が売買契約当時に存したことがその後判明した場合、当該売買の目的物は契約の内容に適合しない目的物といえるのか。

A 契約の内容に適合しない目的物とはいえない。　建物とその敷地の賃借権とが売買の目的とされた場合において、当該敷地についてその賃貸人において修繕義務を負担すべき欠陥が売買契約当時に存したことがその後に判明したとしても、当該売買の目的物は契約の内容に適合しない目的物とはいえない。そしてこれを本件についてみると、本件土地には、擁壁の構造的欠陥により賃貸借契約上当然に予定された建物敷地としての性能を有しないという点において、賃貸借の目的に契約の内容に適合しない点があったとすることは格別（民法565条）、売買の目的物が契約の内容に適合しない目的物とはいえない（最判平3・4・2）。

出題 国Ⅰ−平成22・11・6、裁判所Ⅰ・Ⅱ−平成22

Q3 契約の内容に適合しない目的物の引渡しによる損害賠償請求権には消滅時効の規定の適用があるのか。

A 適用があり、この消滅時効は、買主が売買の目的物の引渡しを受けた時から進行する。　買主の売主に対する契約不適合による損害賠償請求権は、売買契約に基づき法律上生ずる金銭支払請求権であって、これが民法166条にいう「債権」に当たることは明らかである。この損害賠償請求権については、買主が事実を知った日から1年という除斥期間の定めがあるが（民法旧566条）、これは法律関係の早期安定のために買主が権利を行使すべき期間を特に限定したものであるから、この除斥期間の定めがあることをもって、損害賠償請求権につき同法166条1項の適用が排除されると解することはできない。さらに、買主が売買の目的物の引渡しを受けた後であれば、遅くとも通常の消滅時効期間の満了までの間に契約に適合しない部分を発見して損害賠償請求権を行使することを買主に期待しても不合理でないのに対し、契約の内容に適合しない目的物の引渡しによる損害賠償請求権に消滅時効の規定の適用がないとすると、買主がそのことに気付かない限り、買主の権利が永久に存続することになるが、これは売主に過大な負担を課するものであって、適当といえない。したがって、契約の内容に適合しない目的物の引渡しによる損害賠償請求権には消滅時効の規定の適用があり、この消滅時効は、買主が売買の目的物の引渡しを受けた時から進行すると解するのが相当である（最判平13・11・27）。

出題 国Ⅰ−平成22、裁判所総合・一般−平成26

Q4 本件売買契約締結当時、取引観念上、ふっ素が土壌に含まれることに起因して人の健康に係る被害を生ずるおそれがあるとは認識されておらず、被上告人の担当者もそのような認識を有していなかった場合、当該土地の売買契約について、売主に契約の内容に適合しない目的物の引渡しによる責任は認め

られるのか。

A 売主に契約の内容に適合しない目的物の引渡しによる責任は認められない。　事実関係によれば、本件売買契約締結当時、取引観念上、ふっ素が土壌に含まれることに起因して人の健康に係る被害を生ずるおそれがあるとは認識されておらず、被上告人の担当者もそのような認識を有しておらず、ふっ素が、それが土壌に含まれることに起因して人の健康に係る被害を生ずるおそれがあるなどの有害物質として、法令に基づく規制の対象となったのは、本件売買契約締結後であったというのである。そうすると、本件売買契約締結当時の取引観念上、それが土壌に含まれることに起因して人の健康に係る被害を生ずるおそれがあるとは認識されていなかったふっ素について、本件売買契約の当事者間において、それが人の健康を損なう限度を超えて本件土地の土壌に含まれていないことが予定されていたものとみることはできず、本件土地の土壌に溶出量基準値および含有量基準値のいずれをも超えるふっ素が含まれていたとしても、そのことは、民法565条にいう契約の内容に適合しない目的物にはあたらないというべきである（最判平22・6・1）。　出題 予想

Q5 売買の目的物である新築建物が契約の内容に適合しない目的物（重大な瑕疵）でありこれを建て替えざるをえない場合において、上記建物の買主がこれに居住していたという利益は、損益相殺の対象として、建替えに要する費用相当額の損害額から控除すべきか。

A 控除すべきではない。　売買の目的物である新築建物に重大な瑕疵がありこれを建て替えざるをえない場合において、当該瑕疵が構造耐力上の安全性にかかわるものであるため建物が倒壊する具体的なおそれがあるなど、社会通念上、建物自体が社会経済的な価値を有しないと評価すべきものであるときには、上記建物の買主がこれに居住していたという利益については、当該買主からの工事施工者等に対する建替費用相当額の損害賠償請求において損益相殺ないし損益相殺的な調整の対象として損害額から控除することはできないと解するのが相当である（最判平22・6・17）。　出題 予想

Q6 土地区画整理事業の施行地区内の土地を購入した買主が、売買後に土地区画整理組合から賦課金を課された場合において、上記売買の当時、買主が賦課金を課される可能性が存在していれば、上記土地は民法565条にいう契約の内容に適合しない目的物といえるのか。

A 民法565条にいう契約の内容に適合しない目的物とはいえない。　土地区画整理組合が組合員に賦課金を課する旨決議するに至ったのは、保留地の分譲が芳しくなかったためであるところ、本件各売買の当時は、保留地の分譲はまだ開始されていなかったのであり、土地区画整理組合において組合員に賦課金を課することが具体的に予定されていたことは全くうかがわれない。そうすると、上記決議が本件各売買から数年も経過した後にされたことも併せ考慮すると、本件各売買の当時においては、賦課金を課される可能性が具体性を帯びていたとはいえず、

その可能性はあくまで一般的・抽象的なものにとどまっていたことは明らかである。したがって、本件各売買の当時、被上告人らが賦課金を課される可能性が存在していたことをもって、本件各土地が本件各売買において予定されていた品質・性能を欠いていたということはできず、本件各土地が民法565条にいう契約の内容に適合しない目的物であるということはできない（最判平25・3・22）。　出題 予想

第566条（目的物の種類又は品質に関する担保責任の期間の制限）

売主が種類又は品質に関して契約の内容に適合しない目的物を買主に引き渡した場合において、買主がその不適合を知った時から1年以内にその旨を売主に通知しないときは、買主は、その不適合を理由として、履行の追完の請求、代金の減額の請求、損害賠償の請求及び契約の解除をすることができない。ただし、売主が引渡しの時にその不適合を知り、又は重大な過失によって知らなかったときは、この限りでない。

◇参考判例

Q1 566条の1年の期間制限は除斥期間か。

A 除斥期間である（最判平4・10・20）。
出題 国Ⅰ－平成11、地方上級－平成10、裁判所総合・一般－平成27、裁判所Ⅰ・Ⅱ－平成22

Q2 民法566条における契約の解除または損害賠償の請求は、裁判上の権利行使を要するのか。

A 裁判外で明確に告げればよく、裁判上の権利行使を要しない（最判平4・10・20）。⇨ 1

第567条（目的物の滅失等についての危険の移転）

①売主が買主に目的物（売買の目的として特定したものに限る。以下この条において同じ。）を引き渡した場合において、その引渡しがあった時以後にその目的物が当事者双方の責めに帰することができない事由によって滅失し、又は損傷したときは、買主は、その滅失又は損傷を理由として、履行の追完の請求、代金の減額の請求、損害賠償の請求及び契約の解除をすることができない。この場合において、買主は、代金の支払を拒むことができない。

②売主が契約の内容に適合する目的物をもって、その引渡しの債務の履行を提供したにもかかわらず、買主がその履行を受けることを拒み、又は受けることができない場合において、その履行の提供があった時以後に当事者双方の責めに帰することができない事由によってその目的物が滅失し、又は損傷したときも、前項と同様とする。

第568条（競売における担保責任等）

①民事執行法その他の法律の規定に基づく競売（以下この条において単に「競売」という。）における買受人は、第541条及び第542条の規定並びに第563条（第565条において準用する場合を含む。）の規定により、債務者に対し、契約の解除をし、又は代金の減額を請求することができる。

②前項の場合において、債務者が無資力であるときは、買受人は、代金の配当を受けた債権者に対

し、その代金の全部又は一部の返還を請求することができる。

③前2項の場合において、債務者が物若しくは権利の不存在を知りながら申し出なかったとき、又は債権者がこれを知りながら競売を請求したときは、買受人は、これらの者に対し、損害賠償の請求をすることができる。

④前3項の規定は、競売の目的物の種類又は品質に関する不適合については、適用しない。

Q1 借地権付建物の強制競売がなされたが、当該建物に借地権が存在しなかった場合、建物買受人は、当該売買契約を解除して、売却代金の配当を受けた債権者に代金の返還を請求できるか。

A 売買契約を解除して、売却代金の配当を受けた債権者に代金の返還を請求できる。　建物に対する強制競売の手続において、建物のために借地権が存在することを前提として建物の評価および最低売却価額の決定がされ、売却が実施されたことが明らかであるにもかかわらず、実際には建物の買受人が代金を納付した時点において借地権が存在しなかった場合、買受人は、そのために建物買受けの目的を達することができず、かつ、債務者が無資力であるときは、民法568条1項、2項の適用により、強制競売による建物の売買契約を解除したうえ、売却代金の配当を受けた債権者に対し、その代金の返還を請求することができる（最判平8・1・26）。

出題 **予想**

第569条（債権の売主の担保責任）
①債権の売主が債務者の資力を担保したときは、契約の時における資力を担保したものと推定する。

②弁済期に至らない債権の売主が債務者の将来の資力を担保したときは、弁済期における資力を担保したものと推定する。

第570条（抵当権等がある場合の買主による費用の償還請求）
買い受けた不動産について契約の内容に適合しない先取特権、質権又は抵当権が存していた場合において、買主が費用を支出してその不動産の所有権を保存したときは、買主は、売主に対し、その費用の償還を請求することができる。

第572条（担保責任を負わない旨の特約）
売主は、第562条第1項本文又は第565条に規定する場合における担保の責任を負わない旨の特約をしたときであっても、知りながら告げなかった事実及び自ら第三者のために設定し又は第三者に譲り渡した権利については、その責任を免れることができない。

第573条（代金の支払期限）
売買の目的物の引渡しについて期限があるときは、代金の支払についても同一の期限を付したものと推定する。

第574条（代金の支払場所）
売買の目的物の引渡しと同時に代金を支払うべきときは、その引渡しの場所において代金を支払わなければならない。

第575条（果実の帰属及び代金の利息の支払）
①まだ引き渡されていない売買の目的物が果実を生

じたときは、その果実は、売主に帰属する。

②買主は、引渡しの日から、代金の利息を支払う義務を負う。ただし、代金の支払について期限があるときは、その期限が到来するまでは、利息を支払うことを要しない。

Q1 売主が目的物の引渡しを遅滞している場合、引渡しまでの間この目的物を使用し果実を収取しうるのか。さらに買主はこの場合、目的物の引渡しを受けるまでの期間に対応する代金の利息を支払う必要があるのか。

A 売主は、目的物を使用し果実を収取することができ、買主は、代金の利息を支払う必要はない。民法575条1項は、売買の目的物の引渡しについて期限の定めがあって、売主がその引渡しを遅滞した場合といえども、その引渡しをするまでは、これを使用しかつ果実を収得することができるのと同時に、代金の支払について期限の定めがあって、買主がその支払いを遅滞したときはもちろん、同時履行の場合において、買主が目的物の受領を拒み、遅滞に付せられても、目的物の引渡しを受けるまでは、代金の利息を支払う必要はない（大連判大13・9・24）。

出題 国Ⅰ-平成6、裁判所総合・一般-令和4

Q2 すでに代金を受領しながら、引き渡すべき目的物を占有している売主は、果実を取得できるか。

A 売主は果実を取得できない。　民法575条1項は、本来売買の目的物の引渡し前に売主と買主との間に生ずる、さまざまな錯雑する関係を解消させるために設けられた規定に相違ないが、同条項は衡平の観念を度外視したものではない以上、売主に代金の利用と果実の取得との二重の利益を獲得させるようなことは、その法意に適合しない。したがって、すでに代金の支払いを受けながら、なおかつ引き渡すべき目的物を引き渡さずに占有する売主は、その目的物より生じる果実を取得することはできない（大判昭7・3・3）。　**出題** 国Ⅰ-昭和57

第576条（権利を取得することができない等のおそれがある場合の買主による代金の支払の拒絶）
売買の目的について権利を主張する者があることその他の事由により、買主がその買い受けた権利の全部若しくは一部を取得することができず、又は失うおそれがあるときは、買主は、その危険の程度に応じて、代金の全部又は一部の支払を拒むことができる。ただし、売主が相当の担保を供したときは、この限りでない。

Q1 所有者でない者から不動産を賃借した者が後に真の所有者から明渡しを求められた場合、賃借人は賃貸人に対しそれ以後の賃料の支払を拒むことができるか。

A それ以後の賃料の支払いを拒むことができる。所有権ないし賃貸権限を有しない者から不動産を賃借した者は、その不動産につき権利を有する者から当該権利を主張され不動産の明渡しを求められた場合には、賃借不動産を使用収益する権原を主張できなくなるおそれが生じたものとして、民法559条で準用する同法576条により、その明渡請求を受けた以後は、賃貸人に対する賃料の支払いを拒絶す

民法編

ることができる（最判昭50・4・25）。

出題 国Ⅱ－平成9・5、裁判所総合・一般－平成27

第577条（抵当権等の登記がある場合の買主による代金の支払の拒絶）

①買い受けた不動産について契約の内容に適合しない抵当権の登記があるときは、買主は、抵当権消滅請求の手続が終わるまで、その代金の支払を拒むことができる。この場合において、売主は、買主に対し、遅滞なく抵当権消滅請求をすべき旨を請求することができる。

②前項の規定は、買い受けた不動産について契約の内容に適合しない先取特権又は質権の登記がある場合について準用する。

第578条（売主による代金の供託の請求）

前2条の場合においては、売主は、買主に対して代金の供託を請求することができる。

第3款　買戻し

第579条（買戻しの特約）

不動産の売主は、売買契約と同時にした買戻しの特約により、買主が支払った代金（別段の合意をした場合にあっては、その合意により定めた金額。第583条第1項において同じ。）及び契約の費用を返還して、売買の解除をすることができる。この場合において、当事者が別段の意思を表示しなかったときは、不動産の果実と代金の利息とは相殺したものとみなす。

Q1 買戻し特約の規定を再売買の予約に適用できるのか。

A 当然には適用できない。　再売買の予約と買戻し特約とはその成立要件を異にするだけではなく、効力の点でも異なり、両者の経済上に及ぼす影響が同一の現象を呈することになっても、このために買戻し特約に関する規定を当然に再売買の予約に適用することはできない（大判大9・9・24）。

出題 国Ⅰ－平成4

第580条（買戻しの期間）

①買戻しの期間は、10年を超えることができない。特約でこれより長い期間を定めたときは、その期間は、10年とする。

②買戻しについて期間を定めたときは、その後にこれを伸長することができない。

③買戻しについて期間を定めなかったときは、5年以内に買戻しをしなければならない。

第581条（買戻しの特約の対抗力）

①売買契約と同時に買戻しの特約を登記したときは、買戻しは、第三者に対抗することができる。

②前項の登記がされた後に第605条の2第1項に規定する対抗要件を備えた賃借人の権利は、その残存期間中1年を超えない期間に限り、売主に対抗することができる。ただし、売主を害する目的で賃貸借をしたときは、この限りでない。

Q1 買戻しの特約を登記しなかった場合における不動産買戻権は、売主の地位とともにのみ譲渡でき、これを買主に対抗するためには、移転登記と買主に対する通知またはその承諾のいずれの方法によるべきか。

A 買主に対する通知またはその承諾によるべきである。　不動産の買戻権は、民法上一種の契約解除権の性質を有する。ただ、民法は、不動産買戻権の行使により目的不動産の所有権を取得できる結果に着眼し、登記の途を開いてある程度物権に準ずる取扱いをしているので（同法581条1項参照）、買戻しの特約につき登記がなされた場合には、買戻権の譲渡もまた物権の譲渡と同様に譲渡当事者の意思表示のみによって有効にこれをなしうべく、当事者以外の第三者に譲渡をもって対抗するには譲渡による移転登記を要しかつこれをもって足りるにすぎない。それ故、買戻しの特約を登記しなかった場合における不動産買戻権の譲渡は、契約解除権たる本質にかんがみ、売主の地位とともにのみこれをなしうべく、当該譲渡をもって買主に対抗するには、民法129条、467条に従い買主に対する通知またはその承諾を要しかつこれをもって足りる（最判昭35・4・26）。 出題 国Ⅰ－平成6

第582条（買戻権の代位行使）

売主の債権者が第423条の規定により売主に代わって買戻しをしようとするときは、買主は、裁判所において選任した鑑定人の評価に従い、不動産の現在の価額から売主が返還すべき金額を控除した残額に達するまで売主の債務を弁済し、なお残余があるときはこれを売主に返還して、買戻権を消滅させることができる。

第583条（買戻しの実行）

①売主は、第580条に規定する期間内に代金及び契約の費用を提供しなければ、買戻しをすることができない。

②買主又は転得者が不動産について費用を支出したときは、売主は、第196条の規定に従い、その償還をしなければならない。ただし、有益費については、裁判所は、売主の請求により、その償還について相当の期限を許与することができる。

＊借用物の費用負担に準用（595条2項）

第584条（共有持分の買戻特約付売買）

不動産の共有者の1人が買戻しの特約を付してその持分を売却した後に、その不動産の分割又は競売があったときは、売主は、買主が受け、若しくは受けるべき部分又は代金について、買戻しをすることができる。ただし、売主に通知をしないでした分割及び競売は、売主に対抗することができない。

第585条

①前条の場合において、買主が不動産の競売における買受人となったときは、売主は、競売の代金及び第583条に規定する費用を支払って買戻しをすることができる。この場合において、売主は、その不動産の全部の所有権を取得する。

②他の共有者が分割を請求したことにより買主が競売における買受人となったときは、売主は、その持分のみについて買戻しをすることはできない。

第4節　交換

第586条

①交換は、当事者が互いに金銭の所有権以外の財産権を移転することを約することによって、その効

力を生ずる。

②当事者の一方が他の権利とともに金銭の所有権を移転することを約した場合におけるその金銭については、売買の代金に関する規定を準用する。

第5節　消費貸借

第587条（消費貸借）

消費貸借は、当事者の一方が種類、品質及び数量の同じ物をもって返還をすることを約して相手方から金銭その他の物を受け取ることによって、その効力を生ずる。

第587条の2（書面でする消費貸借等）

①前条の規定にかかわらず、書面でする消費貸借は、当事者の一方が金銭その他の物を引き渡すことを約し、相手方がその受け取った物と種類、品質及び数量の同じ物をもって返還をすることを約することによって、その効力を生ずる。

②書面でする消費貸借の借主は、貸主から金銭その他の物を受け取るまで、契約の解除をすることができる。この場合において、貸主は、その契約の解除によって損害を受けたときは、借主に対し、その賠償を請求することができる。

③書面でする消費貸借は、借主が貸主から金銭その他の物を受け取る前に当事者の一方が破産手続開始の決定を受けたときは、その効力を失う。

④消費貸借がその内容を記録した電磁的記録によってされたときは、その消費貸借は、書面によってされたものとみなして、前3項の規定を適用する。

第588条（準消費貸借）

金銭その他の物を給付する義務を負う者がある場合において、当事者がその物を消費貸借の目的とすることを約したときは、消費貸借は、これによって成立したものとみなす。

Q1 準消費貸借契約は、目的とされた旧債務が存在しない場合には、無効となるのか。

A 無効となる。　準消費貸借契約は、目的とされた旧債務が存在しない以上、その効力を有しないが、旧債務の存否については、準消費貸借契約の効力を主張する者が、旧債務の存在について立証責任を負うものではなく、旧債務の不存在を事由に準消費貸借契約の効力を争う者が、その事実の立証責任を負うものと解する（最判昭43・2・16）。

出題 裁判所総合・一般 – 平成25

第589条（利息）

①貸主は、特約がなければ、借主に対して利息を請求することができない。

②前項の特約があるときは、貸主は、借主が金銭その他の物を受け取った日以後の利息を請求することができる。

第590条（貸主の引渡義務等）

①第551条の規定は、前条第1項の特約のない消費貸借について準用する。

②前条第1項の特約の有無にかかわらず、貸主から引き渡された物が種類又は品質に関して契約の内容に適合しないものであるときは、借主は、その物の価額を返還することができる。

第591条（返還の時期）

①当事者が返還の時期を定めなかったときは、貸主は、相当の期間を定めて返還の催告をすることができる。

②借主は、返還の時期の定めの有無にかかわらず、いつでも返還をすることができる。

③当事者が返還の時期を定めた場合において、貸主は、借主がその時期の前に返還をしたことによって損害を受けたときは、借主に対し、その賠償を請求することができる。

第592条（価額の償還）

借主が貸主から受け取った物と種類、品質及び数量の同じ物をもって返還をすることができなくなったときは、その時における物の価額を償還しなければならない。ただし、第402条第2項に規定する場合は、この限りでない。

第6節　使用貸借

第593条（使用貸借）

使用貸借は、当事者の一方がある物を引き渡すことを約し、相手方がその受け取った物について無償で使用及び収益をして契約が終了したときに返還をすることを約することによって、その効力を生ずる。

Q1 建物の無償の借主がその建物等につき賦課される固定資産税を負担している場合には、賃貸借となるのか。

A 特段の事情のない限り、使用貸借である。　建物の無償の借主がその建物等につき賦課される公租公課を負担しても、それが使用収益に対する対価の意味をもつものと認めるに足りる特別の事情のない限り、この負担は借主の貸主に対する関係を使用貸と認める妨げとなるものではない（最判昭41・10・27）。

出題 裁判所総合・一般 – 平成25

第593条の2（借用物受取り前の貸主による使用貸借の解除）

貸主は、借主が借用物を受け取るまで、契約の解除をすることができる。ただし、書面による使用貸借については、この限りでない。

第594条（借主による使用及び収益）

①借主は、契約又はその目的物の性質によって定まった用法に従い、その物の使用及び収益をしなければならない。

②借主は、貸主の承諾を得なければ、第三者に借用物の使用又は収益をさせることができない。

③借主が前2項の規定に違反して使用又は収益をしたときは、貸主は、契約の解除をすることができる。

＊賃貸借に準用（616条）

第595条（借用物の費用の負担）

①借主は、借用物の通常の必要費を負担する。

②第583条第2項の規定は、前項の通常の必要費以外の費用について準用する。

第596条（貸主の引渡義務等）

第551条の規定は、使用貸借について準用する。

第597条（期間満了等による使用貸借の終了）

①当事者が使用貸借の期間を定めたときは、使用貸

民法編

借は、その期間が満了することによって終了する。

②当事者が使用貸借の期間を定めなかった場合において、使用及び収益の目的を定めたときは、使用貸借は、借主がその目的に従い使用及び収益を終えることによって終了する。

③使用貸借は、借主の死亡によって終了する。

＊賃貸借に準用（616条）

第598条（使用貸借の解除）

①貸主は、前条第2項に規定する場合において、同項の目的に従い借主が使用及び収益をするのに足りる期間を経過したときは、契約の解除をすることができる。

②当事者が使用貸借の期間並びに使用及び収益の目的を定めなかったときは、貸主は、いつでも契約の解除をすることができる。

③借主は、いつでも契約の解除をすることができる。

＊賃貸借に準用（616条）

第599条（借主による収去等）

①借主は、借用物を受け取った後にこれに附属させた物がある場合において、使用貸借が終了したときは、その附属させた物を収去する義務を負う。ただし、借用物から分離することができない物又は分離するのに過分の費用を要する物については、この限りでない。

②借主は、借用物を受け取った後にこれに附属させた物を収去することができる。

③借主は、借用物を受け取った後にこれに生じた損傷がある場合において、使用貸借が終了したときは、その損傷を原状に復する義務を負う。ただし、その損傷が借主の責めに帰することができない事由によるものであるときは、この限りでない。

第600条（損害賠償及び費用の償還の請求権についての期間の制限）

①契約の本旨に反する使用又は収益によって生じた損害の賠償及び借主が支出した費用の償還は、貸主が返還を受けた時から1年以内に請求しなければならない。

②前項の損害賠償の請求権については、貸主が返還を受けた時から1年を経過するまでの間は、時効は、完成しない。

＊賃貸借に準用（616条）

第7節　賃貸借

第1款　総則

第601条（賃貸借）

賃貸借は、当事者の一方がある物の使用及び収益を相手方にさせることを約し、相手方がこれに対してその賃料を支払うこと及び引渡しを受けた物を契約が終了したときに返還することを約することによって、その効力を生ずる。

〔参考〕借地借家法第36条　①居住の用に供する建物の賃借人が相続人なしに死亡した場合において、その当時婚姻又は縁組の届出をしていないが、建物の賃借人と事実上夫婦又は養親子と同様の関係にあった同居者があるときは、その同居者

は、建物の賃借人の権利義務を承継する。ただし、相続人なしに死亡したことを知った後1月以内に建物の賃貸人に反対の意思を表示したときは、この限りでない。

Q1 借家人の事実上の養子は、借家人が死亡して相続人が借家権を承継した場合でも、家主に対して借家人が有した賃借権を援用できるか。

A 借家人の事実上の養子は、賃借権を援用できる。家屋賃借人と同居している事実上の養子が、賃借人の相続人らの了承のもとに賃借人の遺産を承継し、賃借人の祖先の祭祀なども行うことになった場合には、事実上の養子は、賃借人の相続人の賃借権を援用して、居住家屋にそのまま居住する権利を賃貸人に対抗することができる（最判昭37・12・25）。

出題 国Ⅰ-昭和58

Q2 建物賃借人と同居している内縁の妻は、夫が死亡した場合、賃貸人に対し当該建物に居住する権利を主張できるのか。

A 他に居住している相続人が承継した賃借権を援用して、賃貸人に対し当該建物に居住する権利を主張できる。内縁の妻は、亡き夫の相続人ではないから、夫の死亡後はその相続人の賃借権を援用して賃貸人に対し本件家屋に居住する権利を主張することができる。しかし、そうであるからといって、内縁の妻が相続人と並んで本件家屋の共同賃借人となるわけではない（最判昭42・2・21、最判昭42・4・28）。

出題 国家総合-平成28、国Ⅰ-昭和58、裁判所Ⅰ・Ⅱ-平成17、国Ⅱ-平成16、国税・財務・労基-令和2

Q3 家屋賃借人の内縁の妻は、賃借人が死亡した場合、相続人とともに共同賃借人となるのか。

A 共同賃借人とならない（最判昭42・2・21）。⇨2

第602条（短期賃貸借）

処分の権限を有しない者が賃貸借をする場合には、次の各号に掲げる賃貸借は、それぞれ当該各号に定める期間を超えることができない。契約でこれより長い期間を定めたときであっても、その期間は、当該各号に定める期間とする。

1　樹木の栽植又は伐採を目的とする山林の賃貸借　10年
2　前号に掲げる賃貸借以外の土地の賃貸借　5年
3　建物の賃貸借　3年
4　動産の賃貸借　6箇月

＊行為能力の制限を受けた者（被保佐人）に適用（13条1項9号）

第603条（短期賃貸借の更新）

前条に定める期間は、更新することができる。ただし、その期間満了前、土地については1年以内、建物については3箇月以内、動産については1箇月以内に、その更新をしなければならない。

第604条（賃貸借の存続期間）

①賃貸借の存続期間は、50年を超えることができない。契約でこれより長い期間を定めたときであっても、その期間は、50年とする。

②賃貸借の存続期間は、更新することができる。ただし、その期間は、更新の時から50年を超えることができない。

第2款　賃貸借の効力

第605条（不動産賃貸借の対抗力）

不動産の賃貸借は、これを登記したときは、その不動産について物権を取得した者その他の第三者に対抗することができる。

Q1 賃借人は賃貸人に対して賃貸借の登記請求権を有するのか。

A 賃貸借の登記請求権を有しない。　賃借人は賃貸借の登記をすることの特約が存在しない場合には、特別の規定がない限り、賃貸人に対して賃貸借の本登記請求権はもちろん仮登記をする権利をも有しない（大判大10・7・11）。

出題 国Ⅰ－昭和58、東京Ⅰ－平成16、国家一般－平成30、裁判所総合・一般－平成29

第605条の2（不動産の賃貸人たる地位の移転）

①前条、借地借家法第10条又は第31条その他の法令の規定による賃貸借の対抗要件を備えた場合において、その不動産が譲渡されたときは、その不動産の賃貸人たる地位は、その譲受人に移転する。

②前項の規定にかかわらず、不動産の譲渡人及び譲受人が、賃貸人たる地位を譲渡人に留保する旨及びその不動産を譲受人が譲渡人に賃貸する旨の合意をしたときは、賃貸人たる地位は、譲受人に移転しない。この場合において、譲渡人と譲受人又はその承継人との間の賃貸借が終了したときは、譲渡人に留保されていた賃貸人たる地位は、譲受人又はその承継人に移転する。

③第1項又は前項後段の規定による賃貸人たる地位の移転は、賃貸物である不動産について所有権の移転の登記をしなければ、賃借人に対抗することができない。

④第1項又は第2項後段の規定により賃貸人たる地位が譲受人又はその承継人に移転したときは、第608条の規定による費用の償還に係る債務及び第622条の2第1項の規定による同項に規定する敷金の返還に係る債務は、譲受人又はその承継人が承継する。

〔参考〕借地借家法第10条　①借地権は、その登記がなくても、土地の上に借地権者が登記されている建物を所有するときは、これをもって第三者に対抗することができる。

第31条　建物の賃貸借は、その登記がなくても、建物の引渡しがあったときは、その後その建物について物権を取得した者に対し、その効力を生ずる。

Q1 転貸借の目的となっている土地の賃借権の譲渡を受けた者は、転借人に対して転貸人としての地位を主張することはできるのか。

A 転貸人としての地位が認められるためには、賃借権の譲渡人から転借人に対する譲渡の通知又は譲渡についての転借人の承諾が必要である。　転貸借の目的となっている土地の賃借権の譲渡を受けた者は、賃借権の譲渡人から転借人に対する譲渡の通知

又は譲渡についての転借人の承諾がない以上、転借人に対し、その転貸人としての地位を主張することができない（最判昭51・6・21）。

出題 国Ⅰ－平成23

◇民法605条の2第2項

〔判例法理の条文化〕

Q2 自己の所有建物を他に賃貸して引き渡した者が、建物の所有権を第三者に移転した場合に、新旧所有者間において賃貸人の地位を旧所有者に留保する旨を合意すれば、賃貸人の地位の新所有者への移転を妨げるべき特段の事情はあるといえるのか。

A 賃貸人の地位の新所有者への移転を妨げるべき特段の事情があるとはいえない。　自己の所有建物を他に賃貸して引き渡した者が当該建物を第三者に譲渡して所有権を移転した場合には、特段の事情のない限り、賃貸人の地位もこれに伴って当然に第三者に移転し、賃借人から交付されていた敷金に関する権利義務関係も第三者に承継されると解すべきであり、上記の場合に、新旧所有者間において、従前からの賃貸借契約における賃貸人の地位を旧所有者に留保する旨を合意したとしても、これを与もって直ちに賃貸人の地位が新所有者へ移転することを妨げる特段の事情があるものではない。なぜなら、上記の新旧所有者間の合意に従った法律関係が生ずることを認めると、賃借人は、建物所有者との間で賃貸借契約を締結したにもかかわらず、新旧所有者間の合意のみによって、建物所有権を有しない転貸人との間の転貸借契約における転借人と同様の地位に立たされることとなり、旧所有者が自己の責めに帰すべき事由によって当該建物を使用管理する等の権原を失い、建物を賃借人に賃貸することができなくなった場合には、その地位を失うに至ることもありうるなど、不測の損害を被るおそれがあるからである（最判平11・3・25）。

出題 国Ⅰ－平成23

◇民法177条の「第三者」─賃借人の地位

Q3 新所有者が賃借人に対して、賃料請求するためには、旧所有者からの移転登記が必要か。

A 旧所有者からの移転登記が必要である。　宅地の賃借人としてその賃借地上に登記ある建物を所有する者は、宅地の所有権の得喪につき利害関係を有する第三者であるから、民法177条の規定上、土地の譲受人としては宅地の賃借人に対し宅地の所有権の移転につき登記を経由しなければこれを賃借人に対抗することができず、したがって、賃貸人たる地位を主張することができない（最判昭49・3・19）。

出題 国家総合－令和2、国Ⅰ－平成21・15・4・昭和58・57・52、地方上級－平成11・7・2・昭和53、特別区Ⅰ－令和2、国Ⅱ－昭和59、裁判所総合・一般－令和1、裁判所Ⅰ・Ⅱ－平成20・16・14、国税・財務・労進－平成26・24

Q4 宅地の譲受人（賃貸人）は、その所有権の移転につき登記を経由せずに、宅地の賃貸人たる地位を宅地の賃借人に主張できるのか。

A 賃貸人は登記がなければ賃借人に主張できな

民法編

い（最判昭49・3・19、大判昭8・5・9）。⇨
177条*30*

第605条の3（合意による不動産の賃貸人たる地位の移転）

　不動産の譲渡人が賃貸人であるときは、その賃貸人たる地位は、賃借人の承諾を要しないで、譲渡人と譲受人との合意により、譲受人に移転させることができる。この場合においては、前条第3項及び第4項の規定を準用する。

第605条の4（不動産の賃貸人による妨害の停止の請求等）

　不動産の賃借人は、第605条の2第1項に規定する対抗要件を備えた場合において、次の各号に掲げるときは、それぞれ当該各号に定める請求をすることができる。

　　1　その不動産の占有を第三者が妨害しているとき　その第三者に対する妨害の停止の請求
　　2　その不動産を第三者が占有しているとき　その第三者に対する返還の請求

〔判例法理の条文化〕

Q1 土地の賃借人がその土地のうえに登記した建物を有するときは、土地の賃借権自体に基づき第三者に対抗できるか。

A 土地の賃借権自体に基づき第三者に対抗できる。
民法605条は「不動産の賃貸借は、これを登記したときは、その後その不動産について物権を取得した者に対しても、その効力を生ずる」旨を規定し、借地借家法10条1項では建物の所有を目的とする土地の賃借権により土地の賃借人が土地のうえに登記した建物を有するときは土地の賃貸借の登記がなくても賃借権をもって第三者に対抗できる旨を規定しており、これらの規定により土地の賃貸借をもってその土地につき権利を取得した第三者に対抗できる場合にはその賃借権はいわゆる物権的効力を有し、その土地につき物権を取得した第三者に対抗できるのみならずその土地につき賃借権を取得した者にも対抗できる。したがって、第三者に対抗できる賃借権を有する者は爾後その土地につき賃借権を取得しこれにより地上に建物を建てて土地を使用する第三者に対し直接にその建物の収去、土地の明渡しを請求することができる（最判昭28・12・18）。

出題 国Ⅰ−平成4、市役所上・中級−平成7、国Ⅱ−平成16

Q2 賃借権が対抗力を具備していない場合には、無権限の第三者に対して、賃借権に基づく妨害排除請求権は認められないのか。

A 妨害排除請求権は認められない。　土地の賃借人は、賃借地上にバラックを所有する第三者に対し、賃借人であるというだけで何ら特別の事情なく賃借権侵害を理由として土地明渡しを求める権利を有しない（最判昭29・7・20）。　**出題** 国Ⅰ−平成9

Q3 賃借権が対抗力を具備した場合にはその賃借権は物権的効力を有し、目的物につき賃借権を取得した第三者に対抗できるから、当該第三者に対する妨害排除請求権が認められるのか。

A 妨害排除請求権が認められる。　罹災都市借地借家臨時措置法10条により第三者に対抗できる賃借権を有する者は、その土地に建物を有する第三者に対し、当該建物の収去、土地の明渡しを請求することができる（最判昭30・4・5）。

出題 国Ⅰ−平成9、裁判所総合・一般−平成29、裁判所Ⅰ・Ⅱ−平成22

第606条（賃貸人による修繕等）

①賃貸人は、賃貸物の使用及び収益に必要な修繕をする義務を負う。ただし、賃借人の責めに帰すべき事由によってその修繕が必要となったときは、この限りでない。
②賃貸人が賃貸物の保存に必要な行為をしようとするときは、賃借人は、これを拒むことができない。

Q1 賃貸人は賃貸物の使用および収益に必要な修繕をする義務を負うが、特約によって修繕義務を免れることできないのか。

A 特約によって修繕義務を免れることができる。
映画館用建物およびその附属設備の賃貸借における「雨漏等の修繕は賃貸人においてこれをなすも、営業上必要なる修繕は賃借人においてこれをなすものとする」との契約条項は、単に賃貸人の修繕義務の限界を定めただけでなく、賃借人に営業上必要な範囲の修繕の義務を負担させた趣旨と解することができる（最判昭29・6・25）。

出題 特別区Ⅰ−平成28

第607条（賃借人の意思に反する保存行為）

　賃貸人が賃借人の意思に反して保存行為をしようとする場合において、そのために賃借人が賃借をした目的を達することができなくなるときは、賃借人は、契約の解除をすることができる。

第607条の2（賃借人による修繕）

　賃借物の修繕が必要である場合において、次に掲げるときは、賃借人は、その修繕をすることができる。

　　1　賃借人が賃貸人に修繕が必要である旨を通知し、又は賃貸人がその旨を知ったにもかかわらず、賃貸人が相当の期間内に必要な修繕をしないとき。
　　2　急迫の事情があるとき。

第608条（賃借人による費用の償還請求）

①賃借人は、賃借物について賃貸人の負担に属する必要費を支出したときは、賃貸人に対し、直ちにその償還を請求することができる。
②賃借人が賃借物について有益費を支出したときは、賃貸人は、賃貸借の終了の時に、第196条第2項の規定に従い、その償還をしなければならない。ただし、裁判所は、賃貸人の請求により、その償還について相当の期限を許与することができる。

第609条（減収による賃料の減額請求）

　耕作又は牧畜を目的とする土地の賃借人は、不可抗力によって賃料より少ない収益を得たときは、その収益の額に至るまで、賃料の減額を請求することができる。

第610条（減収による解除）

　前条の場合において、同条の賃借人は、不可抗力によって引き続き2年以上賃料より少ない収益を得たときは、契約の解除をすることができる。

民法

第611条（賃借物の一部滅失等による賃料の減額等）

① 賃借物の一部が滅失その他の事由により使用及び収益をすることができなくなった場合において、それが賃借人の責めに帰することができない事由によるものであるときは、賃料は、その使用及び収益をすることができなくなった部分の割合に応じて、減額される。

② 賃借物の一部が滅失その他の事由により使用及び収益をすることができなくなった場合において、残存する部分のみでは賃借人が賃借をした目的を達することができないときは、賃借人は、契約の解除をすることができる。

第612条（賃借権の譲渡及び転貸の制限）

① 賃借人は、賃貸人の承諾を得なければ、その賃借権を譲り渡し、又は賃借物を転貸することができない。

② 賃借人が前項の規定に違反して第三者に賃借物の使用又は収益をさせたときは、賃貸人は、契約の解除をすることができる。

Q1 土地の賃借人が賃借地上に築造した建物を第三者に賃貸することは土地の転貸にあたるのか。

A 土地の転貸にあたらない。　転貸は賃借人が賃借物を第三者に賃貸する関係を指称するのであって、土地の賃借人がその地上に建設した建物を賃貸し、その敷地として土地の利用を許容する場合は、土地の転貸借にあたらない（大判昭8・12・11）。

出題 国Ⅰ-昭和59・55、国Ⅱ-平成9、裁判所総合・一般-平成24

Q2 賃借人が目的物である土地上に建てた建物を第三者に賃貸した場合には、賃貸人は無断転貸を理由に賃貸借契約を解除できるか。

A 賃貸借契約を解除できない（大判昭8・12・11）。⇨7

Q3 賃借人が賃貸人に無断で賃借物を第三者に転貸した場合には、賃貸人は賃借人との賃貸借契約を解除することができるか。

A 賃借人が第三者に使用又は収益をさせた場合でなければ、賃貸借契約を解除することはできない。　賃借人が賃貸人に無断で賃借物を第三者に転貸した場合に、賃貸人は賃借人との賃貸借契約を解除するためには、第三者との転貸借契約があるだけでは足りず、賃借人が第三者に使用又は収益をさせた場合でなければならない（大判昭13・4・16）。

出題 国家一般-平成27

Q4 賃借人による賃借権の譲渡又は転貸を承諾しない家屋の賃貸人は、賃貸借契約を解除せずに譲受人または転借人に対し明渡しを求めることができるか。

A 賃貸借契約を解除せずに譲受人または転借人に対し明渡しを求めることができる。　民法612条2項の法意は、賃借人が賃貸人の承諾なくして賃借権を譲渡または賃借物を転貸し、よって第三者に賃借物の使用または収益をさせた場合には、賃貸人は賃借人に対して基本である賃貸借契約までも解除することができるとしたにすぎず、賃貸人が同条項により賃貸借契約を解除するまでは、賃貸人の承諾を得ずしてなされた賃借権の譲渡または転貸を有効

とする旨を規定したものではない。したがって、賃借権の譲渡または転貸を承諾しない家屋の賃貸人は、賃貸借契約を解除しなくとも、譲受人または転借人に対しその明渡しを求めることができる（最判昭26・5・31）。

出題 国家総合-令和3、国Ⅰ-平成8・昭和58、地方上級-昭和61、国Ⅱ-平成19、裁判所総合・一般-平成26、裁判所Ⅰ・Ⅱ-平成22

Q5 賃借人が賃借物を第三者に無断転貸した場合、賃貸人による民法612条の解除権が直ちに発生するのか。

A 賃借人の無断転貸行為が賃貸人に対する背信的行為と認められない限り、民法612条の解除権は発生しない。　民法612条は、賃貸借が当事者の個人的信頼を基礎とする継続的法律関係であることにかんがみ、賃借人は賃貸人の承諾がなければ第三者に賃借権を譲渡しまたは転貸することができないのと同時に、賃借人がもし賃貸人の承諾なくして第三者に賃借物の使用収益をさせたときは、賃貸借関係を継続するにたえない背信的行為があったものとして、賃貸人が一方的に賃貸借関係を終止することを規定したものである。したがって、賃借人が賃貸人の承諾なく第三者に賃借物の使用収益をさせた場合においても、賃借人の当該行為が賃貸人に対する背信的行為と認めるに足りない特段の事情がある場合においては、同条の解除権は発生しない（最判昭28・9・25）。

出題 国家総合-平成25、国Ⅰ-昭和52、地方上級-昭和62・61、東京Ⅰ-平成14、特別区Ⅰ-平成22、国ⅡⅠ-平成23・19・11・5、裁判所総合・一般-平成26、裁判所Ⅰ・Ⅱ-平成14、国税・財務・労基-平成29、国税-平成10

Q6 甲土地の所有者AはBに対して甲土地を賃貸し、Bは甲土地上に乙建物を建築した。BがAに無断で乙建物をCに売却した場合、Aは、甲土地の賃貸借契約を常に解除することができるのか。

A 特段の意思表示がない限り、解除することはできない。　土地の賃借人がその地上に所有する建物を他人に譲渡した場合であっても、必ずしもそれに伴って当然に土地の賃借権が譲渡されたものと認めなければならないものではなく、具体的な事実関係いかんによっては、建物譲渡人が譲渡後も土地賃借契約上の当事者たる地位を失わず、土地の転貸がなされたにすぎないと認めるのを相当とする場合もある。本件において、Cは、Bの実子であって、同人に協力して、建物を営業の本拠とする同族会社である株式会社E商会の経営に従事していたものであり、Bは、相続財産を生前にその子らに分配する計画の一環として、Cの取得すべき相続分に代える趣旨で、上記建物をCに譲渡したものであるため、土地賃借権譲渡には、賃貸人に対する背信行為と認めるに足りない特段の事情があるものと認められるから、賃貸人が上記無断譲渡を理由として賃貸借契約を解除することができない場合においては、譲受人は、承諾を得た場合と同様に、譲受人は賃借権をもって賃貸人に対抗することができるものと解される（最判昭45・12・11）。

出題 裁判所総合・一般 - 平成27

Q7 家屋の賃貸人が、その家屋の一部の無断転貸を理由に賃貸借契約を解除した後に、当該家屋を無断転借人に譲渡した場合、所有者となった転借人が、賃借権の解除および家屋の明渡しを賃借人（転貸人）に請求することは信義則に反し又は権利の濫用にあたらないのか。

A 信義則に反し又は権利の濫用にあたる場合がある。　家屋賃貸人（甲）が、転貸人（乙）から転借人（丙）への家屋の一部の無断転貸を理由に賃貸借契約を解除し、その後当該家屋を無断転借人（丙）に譲渡した場合、賃貸借契約の解除の意思表示は、丙が本件家屋の所有権を取得する以前に前所有者によってなされたものであっても、丙は、契約解除の理由とされた無断転貸借の当事者であり、その後、転借部分を占有して、転貸借による利益を享受していた者であるから、所有者となった丙が乙に対し、当該賃貸借契約の解除を主張し、家屋所有権に基づき乙の占有部分の明渡しを求めることは、信義則に反し又は権利の濫用にあたるものであって、許されない（最判昭47・6・15）。

出題 国税・労基 - 平成17

Q8 経済的に破綻した土地の賃借人が地上建物に抵当権を設定するとともに、これを自己の債権者に賃貸したまま土地の管理もこの債権者に任せ、所在不明の状態で長期間経過しているという事情の下では、土地の賃貸人は催告なしに当該賃貸借契約を解除できるのか。

A 当該賃貸借契約を解除できる。　賃貸借契約は当事者相互の信頼関係を基礎とする継続的契約であり、賃借人がその信頼関係を裏切って賃貸借関係の継続を著しく困難ならしめるような不信行為をした場合には、民法541条の催告をなさずに直ちに賃貸借契約を解除しうるものであるから、経済的に破綻した土地の賃借人が地上建物に抵当権を設定するとともに、これを自己の債権者に賃貸したまま土地の管理もこの債権者に任せ、所在不明の状態で長期間（8年以上）経過しているという事情があれば、当該賃貸借関係の信頼関係が著しく破壊されたものとして、土地の賃貸人が催告なしに賃貸借契約を解除することができる（最判平3・9・17）。

出題 国I - 平成12

Q9 賃借人である小規模で閉鎖的な有限会社において、持分の譲渡および役員の交代により実質的な経営者が交代した場合、民法612条にいう賃借権の譲渡にあたるのか。

A 賃借権の譲渡にあたらない。　賃借人が法人である場合において、法人の構成員や機関に変動が生じても、法人格の同一性が失われるものではないから、賃借権の譲渡にはあたらないと解すべきである。そして、この理は、特定の個人が経営の実権を握り、社員や役員が右個人およびその家族、知人等によって占められているような小規模で閉鎖的な有限会社が賃借人である場合についても基本的に変わるところはないのであり、このような小規模で閉鎖的な有限会社において、持分の譲渡および役員の交代により実質的な経営者が交代しても、民法612

条にいう賃借権の譲渡にはあたらないと解するのが相当である（最判平8・10・14）。

出題 特別区I - 平成28

Q10 借地上の建物につき借地人から譲渡担保権の設定を受けた者が、建物の引渡しを受けて使用または収益をする場合には、建物の敷地について民法612条にいう賃借権の譲渡または転貸があったといえるのか。

A 民法612条にいう賃借権の譲渡または転貸があったといえる。　借地人が借地上に所有する建物につき譲渡担保権を設定した場合には、建物所有権の移転は債権担保の趣旨でされたものであって、譲渡担保権者によって担保権が実行されるまでの間は、譲渡担保権設定者は受戻権を行使して建物所有権を回復することができるのであり、譲渡担保権設定者が引き続き建物を使用している限り、当該建物の敷地について民法612条にいう賃借権の譲渡または転貸がされたとはいえない。しかし、地上建物につき譲渡担保権が設定された場合であっても、譲渡担保権者が建物の引渡しを受けて使用または収益をするときは、いまだ譲渡担保権が実行されておらず、譲渡担保権設定者による受戻権の行使が可能であるとしても、建物の敷地について民法612条にいう賃借権の譲渡または転貸がされたものと解すべきであり、他に賃貸人に対する信頼関係を破壊すると認めるに足りない特段の事情のない限り、賃貸人は同条2項により土地賃貸借契約を解除することができる（最判平9・7・17）。

出題 国I - 平成13

Q11 賃借人が賃貸人から借りている家屋を無断で同居の親族に転貸した場合、賃貸人は、直ちに賃貸借契約を解除することができるか。

A 賃貸人は、直ちに賃貸借契約を解除することはできない。　賃借人が、借地上の建物を建て替えるにあたり、賃貸人から得た承諾とは異なる持分割合で新築建物を他の者らの共有とすることを容認し、これに伴い共有者の1人において上記承諾を超える持分を取得した限度で借地を無断転貸したとしても、新築建物の共有者は、賃借人の妻および子であって、建替えの前後を通じて借地上の建物において賃借人と同居しており、上記転貸により借地の利用状況に変化は生じていない等の事情の下においては、賃貸人に対する背信行為と認めるに足りない特段の事情があるというべきである（最判平21・11・27）。

出題 国家総合 - 平成25

第613条（転貸の効果）

①賃借人が適法に賃借物を転貸したときは、転借人は、賃貸人と賃借人との間の賃貸借に基づく賃借人の債務の範囲を限度として、賃貸人に対して転貸借に基づく債務を直接履行する義務を負う。この場合においては、賃料の前払をもって賃貸人に対抗することができない。

②前項の規定は、賃貸人が賃借人に対してその権利を行使することを妨げない。

③賃借人が適法に賃借物を転貸した場合には、賃貸人は、賃借人との間の賃貸借を合意により解除したことをもって転借人に対抗することができな

い。ただし、その解除の当時、賃貸人が賃借人の債務不履行による解除権を有していたときは、この限りでない。

〔判例法理の条文化〕

Q1 賃借人と転借人間の転貸借について賃貸人の承諾がある場合に、賃貸人が賃借人から賃料の支払いを受けなかったために、転借人に対し賃料の支払いを請求した場合、転借人は賃借人に賃料をその弁済期に支払ったことを賃貸人に対抗できるか。

A 転借人は賃貸人に対抗できる。　民法613条1項後段に転借人は借賃の前払いをもって賃貸人に対抗することができない旨の規定があるのは、賃借人が賃貸人の承諾を得て適法に賃借物を転貸する場合に、転貸人および転借人が通謀し、転借人が転貸借契約における賃料を当該契約の趣旨によらずに転貸人に弁済しこれにより転借人に対する賃貸人の賃料請求権を消滅させることを防止しようとする趣旨にほかならず、それ故、当該規定にいわゆる借賃の前払いとは、転貸借契約における賃料をその契約に定めた弁済期より前に支払う趣旨と解すべきである（大判昭7・10・8）。

出題 国Ⅰ－平成8

Q2 賃貸人が賃借人の承諾を得て第三者（転借人）に転貸した後に、賃借人の賃料不払い理由に賃貸人が賃貸借契約を解除するためには、転借人の同意が必要か。

A 転借人の同意は不要である。　転貸借ある場合において、賃貸人が賃借人（転貸人）の債務不履行を原因として、適法に賃貸借の解除をした以上、その転貸借の締結について賃貸人の承諾を得ていても、転借人は爾後賃貸人に対して、その転借物の占有を保持する権原を失う（大判昭10・2・23）。

出題 地方上級－昭和61

Q3 適法な転貸借がある場合に、賃貸人が賃借人の賃料延滞を理由に賃貸借を解除するためには、転借人に対して催告する必要があるのか。

A 賃借人に催告すれば足りる。　適法な転貸借がある場合、賃貸人が賃料延滞を理由として賃貸借契約を解除するには、賃借人に対して催告すれば足り、転借人に対して延滞賃料の支払いの機会を与える必要はない（最判昭37・3・29）。

出題 国家総合－平成28、地方上級－昭和56、特別区Ⅰ－平成28、国Ⅱ－平成23・19、裁判所総合・一般－平成29・26、裁判所Ⅰ・Ⅱ－平成20、国税・財務・労基－令和3

Q4 賃貸人が賃借人の承諾を得て第三者に転貸した後に、賃貸人と賃借人が賃貸借契約を合意解除した場合、転借人の権利は消滅するのか。

A 転借人の権利は消滅しない。　賃借人が賃借家屋を第三者に転貸し、賃貸人がこれを承諾した場合、転借人に不信な行為がある等、賃貸人と賃借人間で賃貸借を合意解除することが信義誠実の原則に反しないような特段の事由がある場合以外は、賃貸人と賃借人とが賃貸借契約の合意解除をしても、それにより転借人の権利は消滅しない（最判昭37・2・1）。

出題 国家総合－令和3、国Ⅰ－平成2・昭和58・55、特別区Ⅰ－令和2、国Ⅱ－平成12、裁判所総

合・一般－平成29、裁判所Ⅰ・Ⅱ－平成20・16

Q5 土地借地人（B）と土地賃貸人（A）との間において土地賃貸借契約を合意解除した場合、土地賃貸人（A）は、その効果を地上建物の賃借人（C）に対抗できるのか。

A 土地賃貸人（A）は、特別の事情がない限り、その効果を地上建物の賃借人（C）に対抗できない。土地賃貸人（A）と土地転借人（C）との間には直接に契約上の法律関係がないが、建物所有を目的とする土地の賃貸借においては、土地賃貸人（A）は、土地賃借人（B）が、その借地上に建物を建築所有して自らこれに居住することばかりでなく、反対の特約がない限りは、他に賃貸し、建物賃借人（C）をしてその敷地を占有使用せしめることをも当然に予想し、かつ認容しているものとみるべきであるから、建物賃借人（C）は、当該建物の使用に必要な範囲において、その敷地の使用収益をなす権利を有するとともに、この権利を土地賃貸人（A）に対し主張しうるのであって、上記権利は土地賃借人（B）がその有する借地権を放棄することによって勝手に消滅するものではなく、これにより第三者である転借人に対抗することはできず、このことは民法398条、538条の法理からも推論することができるし、信義誠実の原則に照らしても当然のことである（最判昭38・2・21）。

出題 国家総合－平成25、裁判所総合・一般－平成30

Q6 賃貸人と転借人間の転貸借について賃貸人の承諾がある場合において、賃貸人が賃借人の債務不払いを理由として賃貸借契約を解除し、賃貸借関係が終了した場合、賃借人と転借人間の転貸借契約は当然に終了するのか。

A 転貸借契約は当然に終了する。　賃貸借の終了によって転貸借は当然にその効力を失うものではないが、賃借人の債務不履行により賃貸借が解除された場合には、その結果転貸人としての義務に履行不能を生じ、よって転貸借は当該賃貸借の終了と同時に終了に帰する（最判昭36・12・21、最判昭39・3・31）。

出題 国Ⅰ－平成8、国家一般－平成30

Q7 賃貸人の承諾のある転貸借において、賃貸借契約が賃借人（転貸人）の債務不履行を理由に解除により終了した場合、転貸人の転借人に対する転借権債務は発生するのか。

A 賃貸人が転借人に対して目的物の返還を請求した時に、転貸借は原則として転貸人の転借人に対する債務の不履行により消滅する。　賃貸借契約が転貸人の債務不履行を理由とする解除により終了した場合において、賃貸人が転借人に対して直接目的物の返還を請求したときは、転借人は賃貸人に対し、目的物の返還義務を負うとともに、遅くとも当該返還請求を受けた時点から返還義務を履行するまでの間の目的物の使用収益について、不法行為による損害賠償義務または不当利得返還義務を免れないこととなる。他方、賃貸人が転借人に直接目的物の返還を請求するに至った以上、転貸人が賃貸人との間で再び賃貸借契約を締結するなどして、転借人が賃貸

民法編

人に転借権を対抗しうる状態を回復することは、もはや期待しえず、転貸人の転借人に対する債務は、社会通念および取引観念に照らして履行不能となる。したがって、賃貸借契約が転貸人の債務不履行を理由とする解除により終了した場合、賃貸人の承諾のある転貸借は、原則として、賃貸人が転借人に対して目的物の返還を請求した時に、転貸人の転借人に対する債務の履行不能により終了する（最判平9・2・25）。

[出典]国家総合－令和3、国Ⅰ－平成20・13、国Ⅱ－平成19、裁判所総合・一般－平成24

Q8 賃貸人の承諾のある転貸借において、転貸人が自らの債務不履行により賃貸借契約を解除された場合でも、転借人が事実上目的物の使用収益を続けている限りは当該転貸借契約は終了しないのか。

A 賃貸人が転借人に対して、目的物の返還を請求した時に、当該転貸借契約は終了する（最判平9・2・25）。⇨7

Q9 Aは自己所有の建物をBに賃貸し、Bは当該建物をCに転貸して、Cが当該建物を実際に使用している。この事例に関して、BC間の転貸借契約がAの承諾を得ている場合において、AB間の賃貸借契約が、AがBから安定的に賃料収入を得ることを目的としてCに転貸することを当初から予定して締結され、Cもそのことを認識していた場合には、当該賃貸借契約がBの更新拒絶により終了したときは、Aはその終了を当然にCに対抗することができるのか。

A Aはその終了を当然にCに対抗することができない。（最判平14・3・28）。

[出題]予想➡国家総合－令和3

Q10 ビルの賃貸、管理を業とする会社を賃借人とする事業用ビル1棟の賃貸借契約が賃借人の更新拒絶により終了した場合、賃貸人は、信義則上、賃貸借契約の終了をもって再転借人に対抗することができるか。

A 信義則上、賃貸借契約の終了をもって再転借人に対抗できない場合がある。 ビルの賃貸、管理を業とする会社を賃借人とする事業用ビル1棟の賃貸借契約が賃借人の更新拒絶により終了した場合において、賃貸人が、賃借人にその知識、経験等を活用してビルを第三者に転貸し収益を上げさせることによって、自ら各室を個別に賃貸することに伴う煩わしさを免れるとともに、賃借人から安定的に賃料収入を得ることを目的として賃貸借契約を締結し、賃借人が第三者に転貸することを賃貸借契約締結の当初から承諾していたものであること、当該ビルの貸室の転借人および再転借人が、上記のような目的の下に賃貸借契約が締結され転貸および再転貸の承諾がされることを前提として、転貸借契約および再転貸借契約を締結し、再転借人が現にその貸室を占有していることなどの事実関係があるときは、賃貸人は、信義則上、賃貸借契約の終了をもって再転借人に対抗することができない（最判平14・3・28）。

[出題]予想

第614条（賃料の支払時期）
賃料は、動産、建物及び宅地については毎月末に、

その他の土地については毎年末に、支払わなければならない。ただし、収穫の季節があるものについては、その季節の後に遅滞なく支払わなければならない。

第615条（賃借人の通知義務）
賃借物が修繕を要し、又は賃借物について権利を主張する者があるときは、賃借人は、遅滞なくその旨を賃貸人に通知しなければならない。ただし、賃貸人が既にこれを知っているときは、この限りでない。

第616条（賃借人による使用及び収益）
第594条第1項の規定は、賃貸借について準用する。

Q1 土地の賃借人が、土地を無断で転貸し、転借人が同土地上に産業廃棄物を不法に投棄したという事実関係の下では、賃借人は、賃貸借契約の終了に基づく原状回復義務として、上記産業廃棄物を撤去すべき義務を負うのか。

A 撤去すべき義務を負う。 不動産の賃借人は、賃貸借契約上の義務に違反する行為により生じた賃借目的物の毀損について、賃貸借契約終了時に原状回復義務を負うことは明らかである。賃借人Bは、本件賃貸借契約上の義務に違反して、転借人Cに対し本件土地を無断で転貸し、Cが本件土地に産業廃棄物を不法に投棄したのであるから、Bは、本件土地の原状回復義務として、上記産業廃棄物を撤去すべき義務を免れることはできない（最判平17・3・10）。

[出題]国家総合－平成30

第3款 賃貸借の終了

第616条の2（賃借物の全部滅失等による賃貸借の終了）
賃借物の全部が滅失その他の事由により使用及び収益をすることができなくなった場合には、賃貸借は、これによって終了する。

第617条（期間の定めのない賃貸借の解約の申入れ）
①当事者が賃貸借の期間を定めなかったときは、各当事者は、いつでも解約の申入れをすることができる。この場合においては、次の各号に掲げる賃貸借は、解約の申入れの日からそれぞれ当該各号に定める期間を経過することによって終了する。
1 土地の賃貸借 1年
2 建物の賃貸借 3箇月
3 動産及び貸席の賃貸借 1日
②収穫の季節がある土地の賃貸借については、その季節の後次の耕作に着手する前に、解約の申入れをしなければならない。

第618条（期間の定めのある賃貸借の解約をする権利の留保）
当事者が賃貸借の期間を定めた場合であっても、その一方又は双方がその期間内に解約をする権利を留保したときは、前条の規定を準用する。

〔参考〕借地借家法第13条 ①借地権の存続期間が満了した場合において、契約の更新がないときは、借地権者は、借地権設定者に対し、建物その他借地権者が権原により土地に附属させた物を時価で買い取るべきことを請求することができる。

第33条　①建物の賃貸人の同意を得て建物に付加した畳、建具その他の造作がある場合には、建物の賃借人は、建物の賃貸借が期間の満了又は解約の申入れによって終了するときに、建物の賃貸人に対し、その造作を時価で買い取るべきことを請求することができる。建物の賃貸人から買い受けた造作についても、同様とする。

第619条（賃貸借の更新の推定等）

①賃貸借の期間が満了した後賃借人が賃貸物の使用又は収益を継続する場合において、賃貸人がこれを知りながら異議を述べないときは、従前の賃貸借と同一の条件で更に賃貸借をしたものと推定する。この場合において、各当事者は、第617条の規定により解約の申入れをすることができる。

②従前の賃貸借について当事者が担保を供していたときは、その担保は、期間の満了によって消滅する。ただし、第622条の2第1項に規定する敷金については、この限りでない。

第620条（賃貸借の解除の効力）

賃貸借の解除をした場合には、その解除は、将来に向かってのみその効力を生ずる。この場合においては、損害賠償の請求を妨げない。

＊雇用の解除の効力に準用（630条）、委任の解除の効力に準用（652条）、組合の解除の効力に準用（684条）

第621条（賃借人の原状回復義務）

賃借人は、賃貸物を受け取った後にこれに生じた損傷（通常の使用及び収益によって生じた賃借物の損耗並びに賃借物の経年変化を除く。以下この条において同じ。）がある場合において、賃貸借が終了したときは、その損傷を原状に復する義務を負う。ただし、その損傷が賃借人の責めに帰することができない事由によるものであるときは、この限りでない。

Q1 建物の賃貸人にその賃貸借において生ずる通常損耗について、原状回復義務は認められるか。

A「通常損耗補修特約」が明確に合意されていなければ原状回復義務は認められない。　建物の賃貸借においては、賃借人が社会通念上通常の使用をした場合に生ずる賃借物件の劣化又は価値の減少を意味する通常損耗に係る投下資本の減価の回収は、通常、減価償却費や修繕費等の必要経費分を賃料の中に含ませてその支払を受けることにより行われている。そうすると、建物の賃借人に、賃貸借において生ずる通常損耗についての原状回復義務を負わせるのは、賃借人に予期しない特別の負担を課すことになるから、賃借人に同義務が認められるためには、少なくとも、賃借人が補修費用を負担することになる通常損耗の範囲が賃貸借契約書の条項自体に具体的に明記されているか、仮に賃貸借契約書では明らかでない場合には、賃貸人が口頭により説明し、賃借人がその旨を明確に認識し、それを合意の内容としたものと認められるなど、その旨の特約（以下「通常損耗補修特約」という。）が明確に合意されていることが必要である。したがって、本件における建物賃貸借契約書の原状回復に関する条項に

は、賃借人が補修費用を負担することになる賃貸建物の通常の使用に伴い生ずる損耗の範囲が具体的に明記されておらず、同条項において引用する修繕費負担区分表の賃借人が補修費用を負担する補修対象部分の記載は、上記損耗を含む趣旨であることが一義的に明白であるとはいえず、賃貸人が行った入居説明会における原状回復に関する説明でも、上記の範囲を明らかにする説明はなかったという事情の下においては、賃借人が上記損耗について原状回復義務を負う旨の特約が成立しているとはいえない（最判平17・12・16）。

出題 国家総合－平成27、国Ⅱ－平成23、裁判所Ⅰ・Ⅱ－平成23

1　不動産賃貸借の解除

Q2 借家人の延滞賃料が少額である等の事情がある場合、賃貸人は、賃料不払いを理由に賃貸借契約を解除できるか。

A 賃貸借契約を解除できない。　延滞賃料が少額であり、また、賃貸人からの延滞賃料の支払いの催告に対し借家人が延滞賃料の支払いもしくは修繕費償還請求権をもってなす相殺をする等の措置をとらなかったことも無理からぬ事情の下では、借家人に本件賃貸借の基調である相互の信頼関係を破壊するに至る程度の不誠意があると断定することはできず、賃貸人の本件解除権の行使は信義則に反し許されない（最判昭39・7・28）。

出題 国家総合－平成25、国Ⅰ－昭和58、国税・労基－平成17

Q3 増改築禁止の特約に反し、賃借人が賃貸人に無断で増改築をした場合、賃貸人は当該賃貸借契約を無催告解除できるか。

A 賃借人の増改築が賃貸人に対する信頼関係を破壊するものでない限り、賃貸人は解除できない。　建物所有を目的とする土地の賃貸借中に、賃借人が賃貸人の承諾を得ないで賃借地内の建物を増改築するときは、賃貸人は催告を要しないで、賃貸借契約を解除できる旨の特約があるにもかかわらず、賃借人が賃貸人の承諾を得ないで増改築をした場合において、増改築が借地人の土地の通常の利用上相当であり、土地賃貸人に著しい影響を及ぼさないため、賃貸人に対する信頼関係を破壊するおそれがないときは、賃貸人が当該特約に基づき解除権を行使することは、信義誠実の原則上、許されない（最判昭41・4・21）。

出題 国Ⅰ－平成12・昭和58、国家一般－平成30

Q4 公営住宅の使用関係については、私人間の賃貸借関係において適用される信頼関係破壊の法理は適用されず、公営住宅法と条例による規制に従わなければならないのか。

A 信頼関係破壊の法理の適用がある〈都営住宅明渡し事件〉（最判昭59・12・13）。⇨行政法総論14

出題 国Ⅰ－平成12・8

民法編

2　更新料・有益費

Q5 建物の賃借人が有益費を支出した後、建物の所有権譲渡により賃貸人が交替したときは、新賃貸人において旧賃貸人の権利義務一切を承継するため、新賃貸人は、当該有益費の償還義務を負うのか。

A 新賃貸人は、特段の事情のない限り、当該有益費の償還義務を負う。　建物の賃借人又は占有者が、原則として、賃貸借の終了の時又は占有物を返還する時に、賃貸人又は占有回復者に対し自己の支出した有益費につき償還を請求しうることは、民法608条2項、196条2項の定めるところであるが、有益費支出後、賃貸人が交替したときは特段の事情のない限り、新賃貸人において旧賃貸人の権利義務一切を承継し、新賃貸人は上記償還義務者たる地位をも承継するのであって、そこにいう賃貸人とは賃貸借終了当時の賃貸人を指し、民法196条2項にいう回復者とは占有の回復当時の回復者を指すものと解する（最判昭46・2・19）。

出題　特別区Ⅰ－平成22、国家一般－平成30

Q6 土地の賃貸借契約の存続期間の満了にあたり賃貸人は賃借人に更新料を支払う約定に反し、賃借人がこれを支払わなかった場合、賃貸人は契約を解除できるか。

A 賃貸人は契約を解除できる場合がある。　土地の賃貸借契約の存続期間の満了にあたり賃借人の賃貸人に対する更新料の支払いが、賃料の支払いと同様、更新後の賃貸借契約の重要な要素として組み込まれ、その賃貸借契約の当事者の信頼関係を維持する基盤をなしているものというべき場合には、その不払いは、その基盤を失わせる著しい背信行為として賃貸借契約それ自体の解除原因となりうる（最判昭59・4・20）。

出題　国Ⅰ－平成3、国税－平成12

Q7 更新料の支払が、更新後の賃貸借契約の重要な要素として組み込まれ、その賃貸借契約の当事者の信頼関係を維持する基盤をなしていた場合、その不払は、賃貸借契約の解除原因となるのか。

A 賃貸借契約の解除原因となる（最判昭59・4・20）。⇨6

3　借地借家法関係

〔参考〕借地借家法第3条　借地権の存続期間は、30年とする。ただし、契約でこれより長い期間を定めたときは、その期間とする。
第6条　前条の異議は、借地権設定者及び借地権者（転借地権者を含む。以下この条において同じ。）が土地の使用を必要とする事情のほか、借地に関する従前の経過及び土地の利用状況並びに借地権設定者が土地の明渡しの条件として又は土地の明渡しと引換えに借地権者に対して財産上の給付をする旨の申出をした場合におけるその申出を考慮して、正当の事由があると認められる場合でなければ、述べることができない。
第9条　この節の規定に反する特約で借地権者に不利なものは、無効とする。
第11条　②地代等の増減について当事者間に協議が調わないときは、その請求を受けた者は、増額を正当とする裁判が確定するまでは、相当と認める額の地代等を支払うことをもって足りる。ただし、その裁判が確定した場合において、既に支払った額に不足があるときは、その不足額に年1割の割合による支払後の利息を付してこれを支払わなければならない。
第14条　第三者が賃借権の目的である土地の上の建物その他借地権者が権原によって土地に附属させた物を取得した場合において、借地権設定者が賃借権の譲渡又は転貸を承諾しないときは、その第三者は、借地権設定者に対し、建物その他借地権者が権原によって土地に附属させた物を時価で買い取るべきことを請求することができる。
第28条　建物の賃貸人による第26条第1項の通知又は建物の賃貸借の解約の申入れは、建物の賃貸人及び賃借人（転借人を含む。以下この条において同じ。）が建物の使用を必要とする事情のほか、建物の賃貸借に関する従前の経過、建物の利用状況及び建物の現況並びに建物の賃貸人が建物の明渡しの条件として又は建物の明渡しと引換えに建物の賃借人に対して財産上の給付をする旨の申出をした場合におけるその申出を考慮して、正当の事由があると認められる場合でなければ、することができない。

Q8 当事者が借地権の存続期間（借地借家法3条）より短い存続期間を定めた場合、当該存続期間の約定は有効か。

A 存続期間は定めなかったものとみなされ、その存続期間は30年となる。　建物の所有を目的とする土地の賃貸借契約において、当事者が借地借家法3条所定の期間より短い存続期間を定めたときは、その存続期間の約定は、借地借家法3条の規定に反する契約条件にして借地権者に不利なものに該当し、借地借家法9条により、これを無効とし、存続期間は定めなかったものとみなされ、当該借地権の存続期間は、借地借家法3条所定の法定期間によって律せられることになる。したがって、本件において転貸借は、契約において期間を3年と定めていたのであるから、当該転貸借の存続期間は、契約の時から30年と解する（最大判昭44・11・26）。

出題　国Ⅰ－平成3

Q9 建物所有を目的とする借地契約の更新拒絶の正当事由の有無の判断について、建物賃借人の事情を借地人側の事情として考慮することは許されるか。

A 原則として、考慮することは許されない。　建物所有を目的とする借地契約の更新拒絶につき借地借家法6条所定の正当事由があるかどうかを判断するにあたっては、土地所有者側の事情と借地人側の事情を比較考量して決するものであるが、この判断に際し、借地人側の事情として借地上にある建物賃借人の事情をも考慮することが許されるのは、借地契約が当初から建物賃借人の存在を容認したものであるとかまたは実質上建物賃借人を借地人と同一視

することができるなどの特段の事情の存する場合であり、そのような事情の存しない場合には、借地人側の事情として建物賃借人の事情を考慮することは許されない（最判昭58・1・20）。

Q10 借地権のある土地上の建物の登記が、錯誤または遺漏により建物所在の地番の表示と多少相違している場合にも、当該借地権は対抗力を有するのか。

A 当該借地権は対抗力を有する。　借地権のある土地の上の建物についてなされた登記が、錯誤または遺漏により、建物所在の地番の表示において実際と多少相違していても、建物の種類、構造、床面積等の記載と相まち、その登記の表示全体において、当該建物の同一性を認識しうる程度の軽微な誤りであり、たやすく更正登記ができるような場合には、借地借家法10条1項にいう「登記したる（されている）建物を有する」場合にあたり、当該借地権は対抗力を有する（最大判昭40・3・17）。

〔参考〕借地借家法10条1項 ⇨ 605条の2参照

Q11 地上建物を所有する土地の賃借権者が、他人名義で建物の保存登記をした場合、賃借権者はその賃借権を第三者に対抗できるか。

A 第三者に対抗できない。　地上建物を所有する賃借権者は、自己の名義で登記した建物を有することにより、はじめて賃借権を第三者に対抗することができ、地上建物を所有する賃借権者が、自らの意思に基づき、他人名義で建物の保存登記をした場合には、当該賃借権者はその賃借権を第三者に対抗できない。なぜなら、他人名義の建物の登記によっては、自己の建物の所有権さえ第三者に対抗できないのであり、自己の建物の所有権を対抗しうる登記あることを前提として、これをもって賃借権の登記に代えんとする借地借家法10条の法意に照らし、かかる場合、同法の保護を受けるに値しないからである（最大判昭41・4・27）。

〔参考〕借地借家法10条1項 ⇨ 605条の2参照

Q12 土地の賃借人が自己の妻名義で建物を保存登記した場合、土地の賃借権を第三者に対抗できるか。

A 土地の賃借権を第三者に対抗できない。　借地借家法10条により土地の賃借人がその賃借権を第三者に対抗しうるためには、その賃借人が借地上に自己の名義で所有権保存登記等を経由した建物を所有していることが必要であって、その賃借人が他人の名義で所有権保存登記等を経由した建物を所有しているにすぎない場合には、その賃借権を第三者に対抗することはできず、これはその他人が賃借人の妻であるときでも同様である（最判昭47・6・22）。

〔参考〕借地借家法10条1項 ⇨ 605条の2参照

Q13 借地人が土地の賃借権について未登記であるが、借地上に自己名義の表示登記のある建物を所有する場合、賃借権により第三者に対抗できるか。

A 第三者に対抗できる。　借地権のある土地の上の建物についてなされるべき登記は権利の登記に限られることなく、借地権者が自己を所有者と記載した表示の登記のある建物を所有する場合もまた借地借家法10条1項にいう「登記されている建物を所有するとき」にあたり、当該借地権は対抗力を有する（最判昭50・2・13）。

〔参考〕借地借家法10条1項 ⇨ 605条の2参照

Q14 借地契約において、賃貸人からの賃料増額請求につき当事者間に協議が整わず、賃借人が請求額に満たない額を賃料として支払う場合には、賃借人は、主観的に相当と認める額の賃料を支払えばよいのか。

A 主観的に相当と認める額の賃料の支払いをしても、つねに債務の本旨に従った履行をしたことにはならない。　賃料増額請求につき当事者間に協議が調わず、賃借人が請求額に満たない額を賃料として支払う場合において、賃借人が従前の賃料額を主観的に相当と認めていないときには、従前の賃料額と同額を支払っても、借地借家法11条2項にいう相当と認める地代または借賃を支払ったことにはならない。つまり、賃借人が主観的に相当と認める額の支払いをしたとしても、つねに債務の本旨に従った履行をしたことになるわけではない。すなわち、賃借人の支払額が賃貸人の負担すべき目的物の公租公課の額を下回っていても、賃借人がこのことを知らなかった場合には、公租公課の額を下回る額を支払ったという一事で債務の本旨に従った履行でなかったとはいえないが、賃借人が自らの支払額が公租公課の額を下回ることを知っていたときには、賃借人がその額を主観的に相当と認めていたとしても、特段の事情のない限り、債務の本旨に従った履行をしたとはいえない（最判平8・7・12）。

Q15 借地契約において、賃貸人からの賃料増額請求につき当事者間に協議が整わず、賃借人が自らの支払額が当該借地に係る公租公課の額を下回ることを知っていたときでも、自らその額を主観的に相当と認めていれば、債務の本旨に従った履行をしたといえるのか。

A 特段の事情のない限り、債務の本旨に従った履行をしたとはいえない（最判平8・7・12）。⇨14

Q16 第三者の建物買取請求権が成立するためには、地上物件の取得当時のみならず、その後も借地権が存続している必要があるのか。

A その後も借地権が存続している必要はない。借地借家法14条の買取請求権が成立するためには、第三者の地上物件取得当時に借地権が存在していることが必要であるが、その後も借地権が存続していることは必要でない（大判昭7・6・2）。

Q17 建物賃貸人の立退料等の提供の申出が解約申入れ後になされた場合、その提供額を参酌して、当初の解約申入れの正当事由の有無を判断できるのか。

A 当初の解約申入れの正当事由の有無を判断できる。　建物の賃貸人が正当の事由を備える解約申入れをした場合は、その申入れ後6か月の経過により当該建物の賃貸借契約は終了するが、賃貸人が解約申入れ後に立退料等の金員の提供を申し出た場合または解約申入れ時に申し出ていた金員の増額を申し出た場合においても、その提供または増額にかかる金員を参酌して当初の解約申入れの正当事由を判断することができる（最判平3・3・22）。

出題　国Ⅰ－平成13

Q18 借地契約において、土地所有者が借地権の存続期間満了時に遅滞なく異議を述べた場合に、異議の申出時に借地権者になされた土地所有者からの立退料等金員の提供の申出又はその増額の申出は、正当事由の存否の判断において考慮することができるのか。

A 考慮することができる（最判平3・3・22）。⇒17

第622条（使用貸借の規定の準用）
　第597条第1項、第599条第1項及び第2項並びに第600条の規定は、賃貸借について準用する。

第4款　敷金

第622条の2
①賃貸人は、敷金（いかなる名目によるかを問わず、賃料債務その他の賃貸借に基づいて生ずる賃借人の賃貸人に対する金銭の給付を目的とする債務を担保する目的で、賃借人が賃貸人に交付する金銭をいう。以下この条において同じ。）を受け取っている場合において、次に掲げるときは、賃借人に対し、その受け取った敷金の額から賃貸借に基づいて生じた賃借人の賃貸人に対する金銭の給付を目的とする債務の額を控除した残額を返還しなければならない。
　1　賃貸借が終了し、かつ、賃貸物の返還を受けたとき。
　2　賃借人が適法に賃借権を譲り渡したとき。
②賃貸人は、賃借人が賃貸借に基づいて生じた金銭の給付を目的とする債務を履行しないときは、敷金をその債務の弁済に充てることができる。この場合において、賃借人は、賃貸人に対し、敷金をその債務の弁済に充てることを請求することができない。

〔判例法理の条文化〕

Q1 賃貸借契約存続中、賃料不払いがあっても、賃貸人は、まず敷金をこれに充当しなければならないのか。

A 敷金に充当するか否かは、賃貸人の自由である。賃借人が賃料の支払を怠ったときは、賃貸人は、賃貸借の存続中であっても、敷金を賃料の支払に充当できるが、賃借人側からは充当することを主張できない（大判昭5・3・10）。

出題　国家一般－令和2、東京Ⅰ－平成16、国税・財務・労基－令和3

Q2 甲が乙に賃貸していた自己所有建物を丙に譲渡した場合、乙が甲に差し入れていた敷金は甲と丙のいずれが保有するのか。

A 乙に未払賃料債務があれば弁済として充当され、残額については丙が保有する。　敷金は、賃貸借契約終了の際に賃借人の賃料債務不履行があるときは、その弁済として当然これに充当される性質のものであるから、建物賃貸借契約において当該建物の所有権移転に伴い賃貸人たる地位に承継があった場合には、旧賃貸人に差し入れられた敷金は、賃借人の旧賃貸人に対する未払賃料債務があればその弁済としてこれに当然充当され、その限度において敷金返還請求権は消滅し、残額についてのみその権利義務関係が新賃貸人に承継される（最判昭44・7・17）。

出題　国Ⅰ－平成23、地方上級－平成7・1（市共通）、裁Ⅱ－平成5、裁判所Ⅰ・Ⅱ－平成23

Q3 家屋賃貸借における敷金は、賃貸借存続中の賃料債権のみを担保するのか。

A 賃貸借存続中の賃料債権のみならず、賃貸借終了後明渡までに生ずる賃料相当額まで担保する。家屋賃貸借における敷金は、賃貸借存続中の賃料債権のみならず、賃貸借終了後家屋明渡義務履行までに生ずる賃料相当損害金の債権その他賃貸借契約により賃貸人が賃借人に対して取得することのあるべき一切の債権を担保し、賃貸借終了後、家屋明渡がなされた時において、それまでに生じた一切の被担保債権を控除しなお残額があることを条件として、その残額につき敷金返還請求権が発生する（最判昭48・2・2）。

出題　国Ⅰ－平成14、地方上級－平成1（市共通）、特別区Ⅰ－平成22、裁判所Ⅰ・Ⅱ－平成22・20、国税－平成14

Q4 賃借人が賃料の支払を遅滞し賃貸人から契約を解除された場合、不動産の明渡し前には、賃借人は敷金返還請求権を自働債権として賃料債権と相殺できるのか。

A 相殺できない（最判昭48・2・2）。⇒3

Q5 賃借権が対抗力を有する場合、賃貸人が目的不動産を第三者に譲渡したときには、賃貸借契約は譲受人に承継され、敷金契約は承継されるのか。

A 賃貸借契約は譲受人に承継され、敷金契約は承継される（最判昭48・2・2）。⇒3

Q6 建物の賃借人は、賃貸借契約満了時に、敷金返還請求権を被担保債権として、賃貸人に対してその建物の留置権を主張できるか。

A 留置権を主張できない（最判昭48・2・2）。⇒3

Q7 賃貸人が賃貸借契約終了後、明渡し前に目的不動産を第三者に譲渡した場合、敷金契約は譲受人に承継されるのか。

A 敷金契約は譲受人に承継されない。　賃貸借終了後に家屋所有権が移転し、賃貸借契約自体が新所有者に承継されていない場合には、敷金に関する権利義務の関係のみが新所有者に当然承継されるものではなく、また、旧所有者と新所有者との間の特別の合意によっても、この分のみを譲渡することはできない。このような場合に、家屋の所有権を取得し、賃貸借契約を承継しない第三者が、特に敷金に関する契約上の地位の譲渡を受け、自己の取得すべき賃貸人に対する不法占有に基づく損害賠償などの

債権に敷金を充当することを主張しうるためには、賃貸人であった前所有者との間にその旨の合意をし、かつ、賃借人に譲渡の事実を通知するだけでは足りず、賃借人の承諾を得ることを必要とする（最判昭48・2・2）。

出題 国Ⅰ-平成14、裁判所Ⅰ・Ⅱ-平成20

Q8 賃貸借終了後、明渡前において、敷金返還請求権は、転付命令の対象となるのか。

A 転付命令の対象とならない。　敷金返還請求権は明渡時に賃貸人の一切の債権を控除し、その残額につき発生するから、賃貸借終了後であっても明渡前においては、敷金返還請求権は、その発生および金額の不確定な権利であって、券面額のある債権にあたらず、転付命令の対象となる適格がない。そして、本件のように、明渡前に賃貸人が目的家屋の所有権を他へ譲渡した場合でも、賃借人は、賃貸借終了により賃貸人に家屋を返還すべき契約上の債務を負い、占有を継続する限り当該債務につき遅滞の責めを免れず、賃貸人において、賃借人の当該債務の不履行により受くべき損害の賠償請求権をも敷金によって担保しうるから、このような場合でも、家屋明渡前には、敷金返還請求権は未確定な債権である（最判昭48・2・2）。

出題 特別区Ⅰ-平成28、裁判所Ⅰ・Ⅱ-平成20

Q9 賃貸借の終了に伴う賃借人の家屋明渡債務と賃貸人の敷金返還債務とは、同時履行の関係にあるのか。

A 同時履行の関係にない。　敷金契約は、賃貸借契約に附随するものではあるが、賃貸借契約そのものではないから、賃貸借の終了に伴う賃借人の家屋明渡債務と賃貸人の敷金返還債務とは、1個の双務契約によって生じた対価的債務の関係にはなく、また、両債務の間には著しい価値の差が存することから、両債務を相対立させてその間に同時履行の関係を認めることは、必ずしも公平の原則に合致しない。このような観点からすると、賃借人は、特別の約定のない限り、賃貸人から家屋明渡しを受けた後に敷金残額を返還すれば足り、したがって、家屋明渡債務と敷金返還債務とは同時履行の関係にたつものではない。このことは、賃貸借の終了原因が解除（解約）による場合であっても異ならない。そして、このように賃借人の家屋明渡債務が賃貸人の敷金返還債務に対し先履行の関係に立つ場合には、賃借人は賃貸人に対し敷金返還請求権をもって家屋につき留置権を取得する余地はない（最判昭49・9・2）。

出題 国家総合-令和1・平成28・27・26、国Ⅰ-平成20・17・14・5・3・昭和61・54、地方上級-平成1（市共通）、特別区Ⅰ-令和2・平成25、国Ⅱ-平成23・21・14・5、裁判所総合・一般-令和3・平成29、裁判所Ⅰ・Ⅱ-平成23・22・18、国税・財務・労基-令和3・平成29・27・26、国税・労基-平成18、国税-平成12

Q10 賃貸借における賃借権が旧賃借人から新賃借人に移転した場合、賃貸人に差し入れられている敷金は当然新賃借人に承継されるのか。

A 敷金は新賃借人に承継されない。　賃借権が旧賃借人から新賃借人に移転され賃貸人がこれを承諾

したことにより旧賃借人が賃貸借関係から離脱した場合においては、敷金交付者が、賃貸人との間で敷金をもって新借人の債務不履行の担保とすることを約し、または新賃借人に対して敷金返還請求権を譲渡するなど特段の事情のない限り、当該敷金をもって将来新賃借人が新たに負担することとなる債務についてまでこれを担保しなければならないものと解することは、敷金交付者にその予期に反して不利益を被らせる結果となって相当でなく、敷金に関する敷金交付者の権利義務関係は新賃借人に承継されない（最判昭53・12・22）。

出題 国Ⅰ-平成23、地方上級-平成1（市共通）・昭和62、特別区Ⅰ-令和2、国Ⅱ-平成9・5、裁判所総合・一般-平成24、国税・財務・労基-平成29

Q11 居住用建物の賃貸借における敷金につき、賃貸借契約終了時に敷金の一定金額又は一定割合の金員（敷引金）を返還しない旨の敷引特約が付された場合、災害により建物が滅失し賃貸借契約が終了したときでも、同特約が適用され、賃貸人は賃借人に対し敷引金を返還する必要はないのか。

A 特段の事情がない限り、同特約が適用されず、賃貸人は賃借人に対し敷引金を返還する必要がある。　居住用の家屋の賃貸借における敷金につき、賃貸借契約終了時にそのうちの一定金額又は一定割合の金員（敷引金）を返還しない旨のいわゆる敷引特約がされた場合において、災害により賃借家屋が滅失し、賃貸借契約が終了したときは、特段の事情がない限り、敷引特約を適用することはできず、賃貸人は賃借人に対し敷引金を返還しなければならない。なぜなら、敷引金は個々の契約ごとに様々な性質を有するが、いわゆる礼金として合意された場合のように当事者間に明確な合意が存する場合は別として、一般に、賃貸借契約が火災、震災、風水害その他の災害等により当事者が予期していない時期に終了した場合についてまで敷引金を返還しないとの合意が成立していたとはいえないから、他に敷引金の不返還を相当とするに足りる特段の事情がない限り、これを賃借人に返還すべきであるからである（最判平10・9・3）。

出題 国Ⅰ-平成13、国Ⅱ-平成23

Q12 消費者契約である居住用建物の賃貸借契約に付された敷引特約は、常に有効か。

A 賃借人の利益を一方的に害する場合には、無効となる。　消費者契約である居住用建物の賃貸借契約に付された敷引特約は、当該建物に生ずる通常損耗等の補修費用として通常想定される額、賃料の額、礼金その他の一時金の授受の有無およびその額等に照らし、敷引金の額が高額に過ぎると評価すべきものである場合には、当該賃料が近傍同種の建物の賃料相場に比して大幅に低額であるなど特段の事情のない限り、信義則に反して消費者である賃借人の利益を一方的に害するものであって、消費者契約法10条により無効となる（最判平23・3・24）。

出題 予想

第8節　雇用

第623条（雇用）

雇用は、当事者の一方が相手方に対して労働に従事することを約し、相手方がこれに対してその報酬を与えることを約することによって、その効力を生ずる。

第624条（報酬の支払時期）

①労働者は、その約した労働を終わった後でなければ、報酬を請求することができない。

②期間によって定めた報酬は、その期間を経過した後に、請求することができる。

＊請負の報酬の支払時期に準用（633条但書）

第624条の2（履行の割合に応じた報酬）

労働者は、次に掲げる場合には、既にした履行の割合に応じて報酬を請求することができる。

1　使用者の責めに帰することができない事由によって労働に従事することができなくなったとき。

2　雇用が履行の中途で終了したとき。

第9節　請負

◇ 559条による562条〜564条（契約不適合責任）の準用

Q1 目的物に契約に適合しない部分があった場合、注文者は目的物を第三者に譲渡した後にも、請負人に対し契約に適合しない部分の修補を請求できるか。

A 契約に適合しない部分の修補を請求できる。　請負契約において契約に適合しない部分の修補請求権を有するためには、単に請負契約の注文者としての資格を有していれば足り、注文者が現に目的物のうえに所有権または占有権その他の権利を有することを必要としない（大判大4・12・28）。

出題 国Ⅰ-昭和55、裁判所Ⅰ・Ⅱ-平成16

第632条（請負）

請負は、当事者の一方がある仕事を完成することを約し、相手方がその仕事の結果に対してその報酬を支払うことを約することによって、その効力を生ずる。

Q1 建物の建築請負契約において、注文者と請負人の間に下請負禁止の特約がなされた場合、その特約の効力は第三者にも及び、請負人と第三者の間で成立した下請負契約は無効となるのか。

A 特約の効力は第三者には及ばず、下請負契約は有効となる。　建物の建築請負契約において、注文者と請負人の間に下請負禁止の特約がなされた場合でも、その特約の効力は第三者には及ばず、請負人と第三者の間で成立した下請負契約は有効である（大判明45・3・16）。　　出題 国Ⅰ-平成22

Q2 請負人が自己の材料で注文者の土地に建物を建築した場合、その建物は直ちに注文者の所有となるのか。

A 請負人が注文者に建物を引き渡した時に、注文者の所有となる。　請負人が自己の材料で注文者の土地に建物を築造した場合には、当事者間に別段の意思表示がなければ、その建物の所有権は材料を土地に付着させたことに従い当然注文者の取得に帰するのではなく、請負人が建物を注文者に引き渡した時にはじめて注文者に移転する（大判大3・12・26）。

出題 国家総合-平成30、国Ⅰ-平成22・7、裁判所Ⅰ・Ⅱ-平成21

Q3 請負契約において、請負人の債権者は仕事の完成前に請負人の報酬請求権を差し押さえることができるか。

A 仕事の完成前に報酬請求権を差し押さえることができる。　請負人の報酬請求権は請負契約の成立と同時に発生するものであって、請負工事の完成によって発生するものではない。もとより報酬の支払時期について、当事者間に何らの特約がないときは、請負人は工事完成の後でなければ報酬を請求することができないが、報酬の支払時期が工事の完成の時であるというにすぎず、請負工事の完成後でなければ、報酬債権そのものが発生しないわけではないから、請負工事が未完成であるために報酬債権が一定の券面額を有する債権ではないとはいえない。したがって、請負契約が有効に成立した後には、工事が未完成の場合であっても、これを差押えおよび転付することを妨げない（大判昭5・10・28）。

出題 国Ⅰ-昭和55、裁判所Ⅰ・Ⅱ-平成21

Q4 建物の建築請負契約において、注文者が建築の主要材料である木材一切を供給したときは、建物の所有権は原始的に注文者に帰属するのか。

A 当事者間に別段の意思表示がない限り、建物の所有権は原始的に注文者に帰属する。　請負契約に基づき、請負人が建築材料を供して、建物を築造したときは、特約のない限り、その建物の所有権は、請負人からの引渡しによって初めて注文者に帰属する。しかし、注文者が建築の主要部分を供給したときは、特約がない限り、建物の所有権は原始的に注文者に帰属する（大判昭7・5・9）。

出題 国Ⅰ-平成22

Q5 建物の材料の主要部分を請負人が提供した場合に、注文者が、建築工事完成前に請負代金の全額の支払いを完了しているときは、建物の所有権は誰に帰属するのか。

A 工事完成と同時に注文者に所有権が帰属する。建物の材料の主要部分を請負人が提供した場合に、注文者が、建築工事完成前に請負代金の全額の支払いを完了しているときは、特別の事情のない限り、建物は工事完成と同時に注文者の所有権が帰属する黙示の合意があったものと推認される（大判昭18・7・20）。

出題 国家総合-平成27、裁判所総合・一般-令和1

Q6 請負人が材料の全部または主要な部分を提供し、請負代金のほとんどが注文者からすでに支払われた場合、完成した建物の所有権は何時注文者に帰属するのか。

A 建物の完成と同時に注文者に帰属する。　4戸の建物の建築を注文した注文者は、これを請け負った請負人に対し、全工事代金の半額以上を棟上げのときまでに支払い、なお、工事の進行に応じ、残代

金の支払いをしてきたという事実関係のもとにおいては、特段の事情のない限り、建築された建物の所有権は、引渡しをまつまでもなく、完成と同時に原始的に注文者に帰属する（最判昭44・9・12）。

出題 国Ⅰ-平成11・昭和55

Q7 請負人が材料全部を提供して建築した建物を、注文者と請負人の間に明示の合意がなければ、引渡しおよび請負代金完済前にその所有権を注文者に帰属させることはできないのか。

A 黙示の合意がある場合でも、注文者に帰属させることができる。　建物建築の請負契約において、注文者の所有または使用する土地の上に請負人が材料全部を提供して建築した建物の所有権は、建物引渡しの時に請負人から注文者に移転するのを原則とするが、これと異なる特約が許されないものではなく、明示または黙示の合意により、引渡しおよび請負代金完済の前においても、建物の完成と同時に注文者が建物所有権を取得するものと認めることは、妨げられない（最判昭46・3・5）。

出題 国Ⅰ-平成7・昭和59、裁判所総合・一般-平成27

Q8 請負契約が請負人の責めに帰すべき事由により中途で終了した場合、注文者が残工事の施工に要した費用として請負人に賠償請求できるのは、どの程度の額か。

A 請負代金中未施行部分の報酬に相当する請負代金額を超える部分に限られる。　請負において、仕事が完成に至らないまま契約関係が終了した場合に、請負人が施工ずみの部分に相当する報酬に限ってその支払いを請求することができるときには、注文者は、当該契約関係の終了が、請負人の責めに帰すべき事由によるものであり、請負人において債務不履行責任を負う場合であっても、注文者が残工事の施工に要した費用については、請負代金中未施行部分の報酬に相当する金額を超えるときに限り、その超過額の賠償を請求することができるにすぎない（最判昭60・5・17）。　出題 予想

Q9 注文者と元請負人間で、契約が中途で解除された際の出来形部分の所有権は注文者に帰属する旨の約定の下、下請負人が自己の建築材料で注文者の敷地上に建物を建築したが、当該契約が中途で解除された場合、当該建物または建前の所有権を下請負人は主張できるのか。

A 原則として、主張できない。　建物建築工事請負契約において、注文者と元請負人との間に、契約が中途で解除された際の出来形部分の所有権は注文者に帰属する旨の約定がある場合に、当該契約が中途で解除されたときは、元請負人から一括して当該工事を請け負った下請負人が自ら材料を提供して出来形部分を築造したとしても、注文者と下請負人との間に格別の合意があるなど特段の事情のない限り、当該出来形部分の所有権は注文者に帰属する（最判平5・10・19）。

出題 国家総合-平成27、国家一般-令和3、国税・労基-平成16

Q10 請負人と雇用契約を締結し注文者の工場に派遣されていた労働者が注文者から直接具体的な指揮

命令を受けて作業に従事していたために、請負人と注文者の関係がいわゆる偽装請負にあたり、上記の派遣を違法な労働者派遣と解すべき場合に、注文者と当該労働者との間に雇用契約関係が黙示的に成立していたといえるのか。

A 黙示的に成立していたとはいえない。　請負人と雇用契約を締結し注文者の工場に派遣されていた労働者が注文者から直接具体的な指揮命令を受けて作業に従事していたために、請負人と注文者の関係がいわゆる偽装請負にあたり、上記の派遣を「労働者派遣事業の適正な運営の確保及び派遣労働者の就業条件の整備等に関する法律」に違反する労働者派遣と解すべき場合において、①上記雇用契約は有効に存在していたこと、②注文者が請負人による当該労働者の採用に関与していたとは認められないこと、③当該労働者が請負人から支給を受けていた給与等の額を注文者が事実上決定していたといえるような事情はうかがわれないこと、④請負人が配置を含む当該労働者の具体的な就業態様を一定の限度で決定しうる地位にあったことなど判示の事情の下では、注文者と当該労働者との間に雇用契約関係が黙示的に成立していたとはいえない（最判平21・12・18）。　出題 予想

◇危険負担

Q11 請負工事の履行不能が注文者の責めに帰すべき事由による場合、請負人は自己の債務を免れ、注文者も請負代金の支払義務を免れるのか。

A 請負人は自己の債務を免れるが、注文者は請負代金の支払義務を免れない。　請負工事の履行不能が注文者の責めに帰すべき事由に原因があるときは、請負人は民法536条2項の規定により、自己の債務を免れたことによって得た利益を注文者に償還する必要があるが、請負の報酬を受ける権利は失われない（大判大1・12・20）。

出題 国Ⅰ-平成5

第633条（報酬の支払時期）

　報酬は、仕事の目的物の引渡しと同時に、支払わなければならない。ただし、物の引渡しを要しないときは、第624条第1項の規定を準用する。

Q1 請負人の目的物の引渡義務と注文者の報酬支払義務とは同時履行の関係に立つのか。

A 同時履行の関係に立つ。　建物の建築請負契約において、請負人の目的物の引渡義務と注文者の報酬支払義務とは同時履行の関係に立つ（大判大5・11・27）。　出題 国Ⅰ-平成22

第634条（注文者が受ける利益の割合に応じた報酬）

　次に掲げる場合において、請負人が既にした仕事の結果のうち可分な部分の給付によって注文者が利益を受けるときは、その部分を仕事の完成とみなす。この場合において、請負人は、注文者が受ける利益の割合に応じて報酬を請求することができる。

1　注文者の責めに帰することができない事由によって仕事を完成することができなくなったとき。

2　請負が仕事の完成前に解除されたとき。

Q1 建築請負の仕事の目的物である建物に契約の

内容に適合しない重大性があるために建て替えざるをえない場合には、注文者は、請負人に対し、建物の建て替えに要する費用相当額の損害賠償を請求できるのか。

A 費用相当額の損害賠償を請求できる。　請負人が建築した建物に契約の内容に適合しない重大性があって建て替えるほかはない場合に、当該建物を収去することは社会経済的に大きな損失をもたらすものではなく、また、そのような建物を建て替えてこれに要する費用を請負人に負担させることは、契約の履行責任に応じた損害賠償責任を負担させるものであって、請負人にとって過酷であるともいえないのであるから、建て替えに要する費用相当額の損害賠償請求をするこを認めても、民法の規定の趣旨に反するものとはいえない。したがって、建築請負の仕事の目的物である建物に契約の内容に適合しない重大性があるためにこれを建て替えざるをえない場合には、注文者は、請負人に対し、建物の建替えに要する費用相当額を損害としてその賠償を請求することができるというべきである（最判平 14・9・24）。

出題 国家総合 – 平成 27、国家一般 – 平成 24、裁判所総合・一般 – 平成 28・25

第 636 条（請負人の担保責任の制限）
　請負人が種類又は品質に関して契約の内容に適合しない仕事の目的物を注文者に引き渡したとき（その引渡しを要しない場合にあっては、仕事が終了した時に仕事の目的物が種類又は品質に関して契約の内容に適合しないとき）は、注文者は、注文者の供した材料の性質又は注文者の与えた指図によって生じた不適合を理由として、履行の追完の請求、報酬の減額の請求、損害賠償の請求及び契約の解除をすることができない。ただし、請負人がその材料又は指図が不適当であることを知りながら告げなかったときは、この限りでない。

第 637 条（目的物の種類又は品質に関する担保責任の期間の制限）
① 前条本文に規定する場合において、注文者がその不適合を知った時から 1 年以内にその旨を請負人に通知しないときは、注文者は、その不適合を理由として、履行の追完の請求、報酬の減額の請求、損害賠償の請求及び契約の解除をすることができない。
② 前項の規定は、仕事の目的物を注文者に引き渡した時（その引渡しを要しない場合にあっては、仕事が終了した時）において、請負人が同項の不適合を知り、又は重大な過失によって知らなかったときは、適用しない。

第 641 条（注文者による契約の解除）
　請負人が仕事を完成しない間は、注文者は、いつでも損害を賠償して契約の解除をすることができる。

第 642 条（注文者についての破産手続の開始による解除）
① 注文者が破産手続開始の決定を受けたときは、請負人又は破産管財人は、契約の解除をすることができる。ただし、請負人による契約の解除については、仕事を完成した後は、この限りでない。
② 前項に規定する場合において、請負人は、既にした仕事の報酬及びその中に含まれていない費用について、破産財団の配当に加入することができる。
③ 第 1 項の場合には、契約の解除によって生じた損害の賠償は、破産管財人が契約の解除をした場合における請負人に限り、請求することができる。この場合において、請負人は、その損害賠償について、破産財団の配当に加入する。

第 10 節　委任

第 643 条（委任）
　委任は、当事者の一方が法律行為をすることを相手方に委託し、相手方がこれを承諾することによって、その効力を生ずる。

第 644 条（受任者の注意義務）
　受任者は、委任の本旨に従い、善良な管理者の注意をもって、委任事務を処理する義務を負う。
＊組合の業務を執行する組合員に準用（671 条）、後見監督人に準用（852 条）、後見に準用（869 条）、保佐監督人に準用（876 条の 3 第 2 項）、保佐の事務に準用（876 条の 5 第 2 項）、補助監督人に準用（876 条の 8 第 2 項）、補助の事務に準用（876 条の 10 第 1 項）、遺言執行者に準用（1012 条 2 項）

Q1 債務整理に係る法律事務を受任した弁護士が、特定の債権者の債権につき消滅時効の完成を待つ方針をとる場合において、その方針に伴う不利益等や他の選択肢を説明すべき委任契約上の義務を負うのか。

A 委任契約上の義務を負う。　債務整理に係る法律事務を受任した弁護士が、当該債務整理について、特定の債権者に対する残元本債務をそのまま放置して当該債務に係る債権の消滅時効の完成を待つ方針をとる場合において、上記方針は、債務整理の最終的な解決が遅延するという不利益があるほか、上記債権者から提訴される可能性を残し、いったん提訴されると法定利率を超える高い利率による遅延損害金も含めた敗訴判決を受ける公算が高いというリスクを伴うものであるうえ、回収した過払金を用いて上記債権者に対する残債務を弁済する方法によって最終的な解決を図ることも現実的な選択肢として十分に考えられたなどの事情の下では、上記弁護士は、委任契約に基づく善管注意義務の一環として、委任者に対し、上記方針に伴う上記の不利益やリスクを説明するとともに、上記選択肢があることも説明すべき義務を負う（最判平 25・4・16）。
出題 予想

第 644 条の 2（復受任者の選任等）
① 受任者は、委任者の許諾を得たとき、又はやむを得ない事由があるときでなければ、復受任者を選任することができない。
② 代理権を付与する委任において、受任者が代理権を有する復受任者を選任したときは、復受任者は、委任者に対して、その権限の範囲内において、受任者と同一の権利を有し、義務を負う。

民法

第645条（受任者による報告）

受任者は、委任者の請求があるときは、いつでも委任事務の処理の状況を報告し、委任が終了した後は、遅滞なくその経過及び結果を報告しなければならない。

＊組合の業務を執行する組合員に準用（671条）、事務管理への準用（701条）、限定承認者による管理に準用（926条2項）、相続を放棄した者による管理に準用（940条2項）、財産分離の請求後の相続人の管理に準用（944条2項）、遺言執行者に準用（1012条2項）

第646条（受任者による受取物の引渡し等）

①受任者は、委任事務を処理するに当たって受け取った金銭その他の物を委任者に引き渡さなければならない。その収取した果実についても、同様とする。

②受任者は、委任者のために自己の名で取得した権利を委任者に移転しなければならない。

＊寄託に準用（665条）、組合の業務を執行する組合員に準用（671条）、事務管理への準用（701条）、限定承認者による管理に準用（926条2項）、相続を放棄した者による管理に準用（940条2項）、財産分離の請求後の相続人の管理に準用（944条2項）、遺言執行者に準用（1012条2項）

第647条（受任者の金銭の消費についての責任）

受任者は、委任者に引き渡すべき金額又はその利益のために用いるべき金額を自己のために消費したときは、その消費した日以後の利息を支払わなければならない。この場合において、なお損害があるときは、その賠償の責任を負う。

＊寄託に準用（665条）、組合の業務を執行する組合員に準用（671条）、事務管理への準用（701条）、財産分離の請求後の相続人の管理に準用（944条2項）、遺言執行者に準用（1012条2項）

第648条（受任者の報酬）

①受任者は、特約がなければ、委任者に対して報酬を請求することができない。

②受任者は、報酬を受けるべき場合には、委任事務を履行した後でなければ、これを請求することができない。ただし、期間によって報酬を定めたときは、第624条第2項の規定を準用する。

③受任者は、次に掲げる場合には、既にした履行の割合に応じて報酬を請求することができる。

　1　委任者の責めに帰することができない事由によって委任事務の履行をすることができなくなったとき。

　2　委任が履行の中途で終了したとき。

＊寄託に準用（665条）、組合の業務を執行する組合員に準用（671条）、遺言執行者が報酬を受けるべき場合に準用（1018条：648条2項3項のみ）

第648条の2（成果等に対する報酬）

①委任事務の履行により得られる成果に対して報酬を支払うことを約した場合において、その成果が引渡しを要するときは、報酬は、その成果の引渡しと同時に、支払わなければならない。

②第634条の規定は、委任事務の履行により得られる成果に対して報酬を支払うことを約した場合に

ついて準用する。

第649条（受任者による費用の前払請求）

委任事務を処理するについて費用を要するときは、委任者は、受任者の請求により、その前払をしなければならない。

＊寄託に準用（665条）、組合の業務を執行する組合員に準用（671条）

Q1 債務整理事務の委任を受けた弁護士が、委任者からその事務処理費用に充てるためにあらかじめ交付を受けた金銭は、弁護士に帰属するのか。

A 弁護士に帰属する。　債務整理事務の委任を受けた弁護士が、委任者から債務整理事務の費用に充てるためにあらかじめ交付を受けた金銭は、民法649条の規定する前払費用にあたる。そして、前払費用は、交付の時に、委任者の支配を離れ、受任者がその責任と判断に基づいて支配管理し委任契約の趣旨に従って用いるものとして、受任者に帰属するものとなる。受任者は、これと同時に、委任者に対し、受領した前払費用と同額の金銭の返還義務を負うことになるが、その後、これを委任事務の処理の費用に充てることにより同義務を免れ、委任終了時に、精算した残金を委任者に返還すべき義務を負うことになる（最判平15・6・12）。**出題** 予想

Q2 委任者の受任者に対する前払費用についての返還請求権は、何時その債権額が確定するのか。

A 当該委任事務の終了時に初めてその債権額が確定する。　民法649条の規定する前払費用は、委任事務の処理のための費用にあてるものとして交付されたものであるから、受任者が委任事務を処理するために費用を支出するたびに当該費用に充当されることが予定されており、受任者は、当該委任事務が終了した時に、前払費用から支出した費用を差し引いた残金相当額を委任者に返還すべきこととなる。したがって、委任者の受任者に対する前払費用についての返還請求権は、当該委任事務の終了時に初めてその債権額が確定するものというべきである（最判平18・4・14）。**出題** 予想

第650条（受任者による費用等の償還請求等）

①受任者は、委任事務を処理するのに必要と認められる費用を支出したときは、委任者に対し、その費用及び支出の日以後におけるその利息の償還を請求することができる。

②受任者は、委任事務を処理するのに必要と認められる債務を負担したときは、委任者に対し、自己に代わってその弁済をすることを請求することができる。この場合において、その債務が弁済期にないときは、委任者に対し、相当の担保を供させることができる。

③受任者は、委任事務を処理するため自己に過失なく損害を受けたときは、委任者に対し、その賠償を請求することができる。

＊寄託に準用（665条：650条1項2項のみ準用）、事務管理に準用（702条2項）、限定承認者による管理に準用（926条2項：650条1項2項のみ準用）、相続を放棄した者による管理に準用（940条2項：650条1項2項のみ準用）、財産分離の請求後の相続人の管理に準用（944条2項：650条1項2項の

み準用）、遺言執行者に準用（1012条2項：650条1項2項のみ準用）、組合の業務を執行する組合員に準用（671条：650条1項2項3項準用）、遺言執行者に準用（1012条2項）

Q1 民法650条2項に基づいて有する代弁済請求権に対しては、委任者は、受任者に対して有する債権をもって相殺することができるのか。

A 相殺することはできない。　委任者は、受任者が民法650条2項前段の規定に基づき委任者をして受任者に代わって第三者に弁済をする権利を受働債権とし、委任者が受任者に対して有する金銭債権を自働債権として相殺することはできない（大判大14・9・8参照）。なぜなら、委任契約は、通常、委任者のために締結されるものであるから、委任者は受任者に対し何らの経済的負担をかけず、また損失を被らせることのないようにはかる義務を負うものであるところ、同条項は、受任者が自己の名で委任事務を処理するため第三者に対して直接金銭債務を負担した場合には、委任者は、受任者の請求があるときは、受任者の負う債務を免れさせるため、受任者に代わって第三者に対して有する債権を受働する義務を負うことを定めているのであり、受任者の有するこの代弁済請求権は、通常の金銭債権とは異なる目的を有するものであって、委任者が受任者に対して有する金銭債権と同種の目的を有する権利ということはできないからである（最判昭47・12・22）。〔出題〕裁判所総合・一般－平成24

第651条（委任の解除）

①委任は、各当事者がいつでもその解除をすることができる。

②前項の規定により委任の解除をした者は、次に掲げる場合には、相手方の損害を賠償しなければならない。ただし、やむを得ない事由があったときは、この限りでない。

　1　相手方に不利な時期に委任を解除したとき。

　2　委任者が受任者の利益（専ら報酬を得ることによるものを除く。）をも目的とする委任を解除したとき。

Q1 受任者の利益のためにも締結された委任契約である場合、委任者は民法651条により、委任契約を解除できないのか。

A やむをえない事由があるときは、解除できる。
受任者の利益のためにも締結された委任契約であっても、受任者が著しく不誠実な行動に出たなどのやむをえない事由があるときは、委任者は民法651条にのっとり、委任契約を解除することができる（最判昭43・9・20）。〔出題〕国Ⅰ－平成16

Q2 委任者および受任者双方の利益を目的とする委任契約において、委任者は、受任者が著しく不誠実な行動に出る等やむをえない事由がなければ委任契約を解除できないのか。

A やむをえない事由がなくても、委任者は委任契約を解除できる場合がある。　本件管理契約のごとく単に委任者の利益のみならず受任者の利益のためにも委任がなされた場合であっても、委任契約が当事者間の信頼関係を基礎とする契約であることに徴すれば、受任者が著しく不誠実な行動に出る等やむ

をえない事由があるときは委任者において委任契約を解除することができることはもちろんであるが、さらに、かかるやむをえない事由がない場合であっても、委任者が委任契約の解除権自体を放棄したといえない事情があるときは、当該委任契約が受任者の利益のためにもなされていることを理由として、委任者の意思に反して事務処理を継続させることは、委任者の利益を阻害し委任契約の本旨に反することになるから、委任者は、民法651条に則り委任契約を解除することができ、ただ、受任者がこれによって不利益を受けるときは、委任者からの損害の賠償をすることによって、その不利益を填補されれば足りる（最判昭56・1・19）。

〔出題〕国Ⅰ－平成16・8、市役所上・中級－平成8、国家一般－平成27

第652条（委任の解除の効力）

　第620条の規定は、委任について準用する。

第653条（委任の終了事由）

　委任は、次に掲げる事由によって終了する。

　1　委任者又は受任者の死亡

　2　委任者又は受任者が破産手続開始の決定を受けたこと。

　3　受任者が後見開始の審判を受けたこと。

Q1 委任者が自己の死後の事務を含めた事務処理を委託した場合には、委任者が死亡しても委任契約を終了させない旨の合意を包含するのか。

A 包含する。　自己の死後の事務を含めた法律行為等の委任契約が委任者と受任者との間に成立した場合には、当然に委任者の死亡によっても当該契約を終了させない旨の合意を包含する趣旨のものというべく、民法653条の法意がかかる合意の効力を否定するものではない（最判平4・9・22）。

〔出題〕国Ⅰ－平成11、国家一般－平成28

第654条（委任の終了後の処分）

　委任が終了した場合において、急迫の事情があるときは、受任者又はその相続人若しくは法定代理人は、委任者又はその相続人若しくは法定代理人が委任事務を処理することができるに至るまで、必要な処分をしなければならない。

＊親権を行う者が子の財産を管理する場合及び第三者が無償で子に与えた財産の管理に準用（831条）、後見監督人に準用（852条）、後見に準用（874条）、保佐監督人に準用（876条の3第2項）、保佐人の任務が終了した場合に準用（876条の5第3項）、補助監督人に準用（876条の8第2項）、補助人の任務が終了した場合に準用（876条の10第2項）、遺言執行者の任務が完了した場合に準用（1020条）

第655条（委任の終了の対抗要件）

　委任の終了事由は、これを相手方に通知したとき、又は相手方がこれを知っていたときでなければ、これをもってその相手方に対抗することができない。

＊親権を行う者が子の財産を管理する場合及び第三者が無償で子に与えた財産の管理に準用（831条）、後見監督人に準用（852条）、後見に準用（874条）、保佐監督人に準用（876条の3第2項）、保佐人の任務が終了した場合に準用（876条の5

民法

第3項)、補助監督人に準用 (876条の8第2項)、補助人の任務が終了した場合に準用 (876条の10第2項)、遺言執行者の任務が完了した場合に準用 (1020条)

第656条 (準委任)

この節の規定は、法律行為でない事務の委託について準用する。

第11節　寄託

第657条 (寄託)

寄託は、当事者の一方がある物を保管することを相手方に委託し、相手方がこれを承諾することによって、その効力を生ずる。

第657条の2 (寄託物受取り前の寄託者による寄託の解除等)

①寄託者は、受寄者が寄託物を受け取るまで、契約の解除をすることができる。この場合において、受寄者は、その契約の解除によって損害を受けたときは、寄託者に対し、その賠償を請求することができる。

②無報酬の受寄者は、寄託物を受け取るまで、契約の解除をすることができる。ただし、書面による寄託については、この限りでない。

③受寄者 (無報酬で寄託を受けた場合にあっては、書面による寄託の受寄者に限る。) は、寄託物を受け取るべき時期を経過したにもかかわらず、寄託者が寄託物を引き渡さない場合において、相当の期間を定めてその引渡しの催告をし、その期間内に引渡しがないときは、契約の解除をすることができる。

第658条 (寄託物の使用及び第三者による保管)

①受寄者は、寄託者の承諾を得なければ、寄託物を使用することができない。

②受寄者は、寄託者の承諾を得たとき、又はやむを得ない事由があるときでなければ、寄託物を第三者に保管させることができない。

③再受寄者は、寄託者に対して、その権限の範囲内において、受寄者と同一の権利を有し、義務を負う。

第659条 (無報酬の受寄者の注意義務)

無報酬の受寄者は、自己の財産に対するのと同一の注意をもって、寄託物を保管する義務を負う。

第660条 (受寄者の通知義務等)

①寄託物について権利を主張する第三者が受寄者に対して訴えを提起し、又は差押え、仮差押え若しくは仮処分をしたときは、受寄者は、遅滞なくその事実を寄託者に通知しなければならない。ただし、寄託者が既にこれを知っているときは、この限りでない。

②第三者が寄託物について権利を主張する場合であっても、受寄者は、寄託者の指図がない限り、寄託者に対しその寄託物を返還しなければならない。ただし、受寄者が前項の通知をした場合又は同項ただし書の通知を要しない場合において、その寄託物をその第三者に引き渡すべき旨を命ずる確定判決 (確定判決と同一の効力を有するものを含む。) があったときであって、その第三者にその寄託物を引き渡したときは、こ

の限りでない。

③受寄者は、前項の規定により寄託者に対して寄託物を返還しなければならない場合には、寄託者にその寄託物を引き渡したことによって第三者に損害が生じたときであっても、その賠償の責任を負わない。

第661条 (寄託者による損害賠償)

寄託者は、寄託物の性質又は瑕疵によって生じた損害を受寄者に賠償しなければならない。ただし、寄託者が過失なくその性質若しくは瑕疵を知らなかったとき、又は受寄者がこれを知っていたときは、この限りでない。

第662条 (寄託者による返還請求等)

①当事者が寄託物の返還の時期を定めたときであっても、寄託者は、いつでもその返還を請求することができる。

②前項に規定する場合において、受寄者は、寄託者がその時期の前に返還を請求したことによって損害を受けたときは、寄託者に対し、その賠償を請求することができる。

第663条 (寄託物の返還の時期)

①当事者が寄託物の返還の時期を定めなかったときは、受寄者は、いつでもその返還をすることができる。

②返還の時期の定めがあるときは、受寄者は、やむを得ない事由がなければ、その期限前に返還をすることができない。

第664条 (寄託物の返還の場所)

寄託物の返還は、その保管をすべき場所でしなければならない。ただし、受寄者が正当な事由によってその物を保管する場所を変更したときは、その現在の場所で返還をすることができる。

第664条の2 (損害賠償及び費用の償還の請求権についての期間の制限)

①寄託物の一部滅失又は損傷によって生じた損害の賠償及び受寄者が支出した費用の償還は、寄託者が返還を受けた時から1年以内に請求しなければならない。

②前項の損害賠償の請求権については、寄託者が返還を受けた時から1年を経過するまでの間は、時効は、完成しない。

第665条 (委任の規定の準用)

第646条から第648条まで、第649条並びに第650条第1項及び第2項の規定は、寄託について準用する。

第665条の2 (混合寄託)

①複数の者が寄託した物の種類及び品質が同一である場合には、受寄者は、各寄託者の承諾を得たときに限り、これらを混合して保管することができる。

②前項の規定に基づき受寄者が複数の寄託者からの寄託物を混合して保管したときは、寄託者は、その寄託した物と同じ数量の物の返還を請求することができる。

③前項に規定する場合において、寄託物の一部が滅失したときは、寄託者は、混合して保管されている総寄託物に対するその寄託した物の割合に応じた数量の物の返還を請求することができる。この

場合においては、損害賠償の請求を妨げない。

第 666 条（消費寄託）

①受寄者が契約により寄託物を消費することができる場合には、受寄者は、寄託された物と種類、品質及び数量の同じ物をもって返還しなければならない。

②第 590 条及び第 592 条の規定は、前項に規定する場合について準用する。

③第 591 条第 2 項及び第 3 項の規定は、預金又は貯金に係る契約により金銭を寄託した場合について準用する。

Q1 振込依頼人から受取人の銀行の普通預金口座に振込みがあった場合は、振込依頼人と受取人との間に振込みの原因となる法律関係が存在するか否かにかかわらず、受取人と銀行との間に振込金額相当の普通預金契約が成立するのか。

A 振込金額相当の普通預金契約が成立する。　振込依頼人から受取人の銀行の普通預金口座に振込みがあったときは、振込依頼人と受取人との間に振込みの原因となる法律関係が存在するか否かにかかわらず、受取人と銀行との間に振込金額相当の普通預金契約が成立し、受取人が銀行に対して当該金額相当の普通預金債権を取得する。なぜなら、振込みは、銀行間および銀行店舗間の送金手続を通して安全、安価、迅速に資金を移動する手段であって、多数かつ多額の資金移動を円滑に処理するため、その仲介にあたる銀行が各資金移動の原因となる法律関係の存否、内容等を関知することなくこれを遂行する仕組みがとられているからである（最判平 8・4・26）。　　　　　　　　　　**出題**国Ⅰ - 平成 18

Q2 振込依頼人と受取人との間に振込みの原因となる法律関係が存在しないにかかわらず、振込みによって受取人が振込金額相当の預金債権を取得したときは、振込依頼人は、銀行に対して同額の不当利得返還請求権を有するのか。

A 受取人に対して、同額の不当利得返還請求権を有する。　振込依頼人と受取人との間に振込みの原因となる法律関係が存在しないのに、振込みによって受取人が振込金額相当の預金債権を取得したときは、振込依頼人は、受取人に対し、同額の不当利得返還請求権を有することがあるにとどまり、預金債権の譲渡を妨げる権利を取得するわけではないから、受取人の債権者がした預金債権に対する強制執行の不許を求めることはできない（最判平 8・4・26）。　　　　　　　　**出題**国Ⅰ - 平成 18

Q3 普通預金において、損害保険会社 A の保険代理店 B が A 保険代理店 B 名義で開設した保険専用口座については、保険代理店 B が預金者となるのか。

A 保険代理店 B が預金者となる。　金融機関である上告人との間で普通預金契約を締結して本件預金口座を開設したのは、B である。また、本件預金口座の通帳および届出印は、B が保管しており、本件預金口座への入金および本件預金口座からの払戻し事務を行っていたのは、B のみであり、本件預金口座の管理者は、名実ともに B である。さらに、受任者が委任契約によって委任者から代理権を授与

されている場合、受任者が受け取った物の所有権は当然に委任者に移転するが、金銭については、占有と所有とが結合しているため、金銭の所有権はつねに金銭の受領者（占有者）である受任者に帰属し、受任者は同額の金銭を委任者に支払うべき義務を負うことになるにすぎない。そうすると、A の代理人である B が保険契約者から収受した保険料の所有権はいったん B に帰属し、B は、同額の金銭を A に送金する義務を負担することになるのであって、A は、B が上告人から払戻しを受けた金銭の送金を受けることによって、初めて保険料に相当する金銭の所有権を取得するに至るというべきである。したがって、本件預金の原資は、B が所有していた金銭にほかならない。本件事実関係の下においては、本件預金債権は、A にではなく、B に帰属するというべきである（最判平 15・2・21）。　　　　　　　　**出題**国Ⅰ - 平成 18

Q4 本件振込みが、本件窃取者らが E らに依頼して、被害者の自宅から窃取した預金通帳等を用いて夫の定期預金の口座を解約し、その解約金を本件普通預金口座に振り込んだものである場合、被害者が本件振込みに係る預金について払戻しを請求することは権利の濫用にあたるのか。

A 権利の濫用にあたらない。　受取人の普通預金口座への振込みを依頼した振込依頼人と受取人との間に振込みの原因となる法律関係が存在しない場合において、受取人が当該振込みに係る預金の払戻しを請求することについては、払戻しを受けることが当該振込みに係る金員を不正に取得するための行為であって、詐欺罪等の犯行の一環をなす場合であるなど、これを認めることが著しく正義に反するような特段の事情があるときは、権利の濫用にあたるとしても、受取人が振込依頼人に対して不当利得返還義務を負担しているというだけでは、権利の濫用にあたるとはいえない。これを本件についてみると、本件振込みは、本件窃取者らが E らに依頼して、上告人の自宅から窃取した預金通帳等を用いて夫の定期預金の口座を解約し、その解約金を上告人の本件普通預金口座に振り込んだものであるから、本件振込みにはその原因となる法律関係が存在しないことは明らかであるが、上告人が本件振込みに係る預金について払戻しを請求することが権利の濫用となるような特段の事情があることはうかがわれない（最判平 20・10・10）。　　**出題**予想

第 12 節　組合

第 667 条（組合契約）

①組合契約は、各当事者が出資をして共同の事業を営むことを約することによって、その効力を生ずる。

②出資は、労務をその目的とすることができる。

第 667 条の 2 （他の組合員の債務不履行）

①第 533 条及び第 536 条の規定は、組合契約については、適用しない。

②組合員は、他の組合員が組合契約に基づく債務の履行をしないことを理由として、組合契約を解除することができない。

第667条の3（組合員の1人についての意思表示の無効等）

組合員の1人について意思表示の無効又は取消しの原因があっても、他の組合員の間においては、組合契約は、その効力を妨げられない。

第668条（組合財産の共有）

各組合員の出資その他の組合財産は、総組合員の共有に属する。

Q1 甲組合の財産が第三者であるDによって侵害された場合に発生する損害賠償請求権について、組合員Aは自らの持分については、単独でDに対し履行を請求できるのか。

A 単独でDに対し履行を請求できない。　第三者（D）が故意又は過失により組合所有の財産（角寒天）を善意の第三者（E）に売却することは、組合財産に対する共有権を侵害したことになるから、共有権侵害に基づく損害賠償の債権は、組合財産に属する以上、組合員（A）はその一部分でも自己一人（A）の権利として請求することはできない（大判昭13・2・12）。　　**出題 国家総合 - 平成30**

Q2 組合財産が理論上合有であれば、組合所有の不動産を共有登記する必要はないか。

A 組合所有の不動産は共有登記しなければならない。　組合財産が理論上合有であるとしても、民法の法条そのものはこれを共有とする建前で規定されており、組合所有の不動産であっても共有の登記をするほかない。したがって、解釈論としては、民法の組合財産の合有は、共有持分について民法の定めるような制限を伴うものであり、持分such

ような制限のある、すなわち民法の組合財産合有の内容とみるべきである。そうだとすれば、組合財産については、民法667条以下において特別の規定のなされていない限り、民法249条以下の共有の規定が適用されることになる（最判昭33・7・22）。

出題 国 I - 平成8

第669条（金銭出資の不履行の責任）

金銭を出資の目的とした場合において、組合員がその出資をすることを怠ったときは、その利息を支払うほか、損害の賠償をしなければならない。

第670条（業務の決定及び執行の方法）

①組合の業務は、組合員の過半数をもって決定し、各組合員がこれを執行する。

②組合の業務の決定及び執行は、組合契約の定めるところにより、1人又は数人の組合員又は第三者に委任することができる。

③前項の委任を受けた者（以下「業務執行者」という。）は、組合の業務を決定し、これを執行する。この場合において、業務執行者が数人あるときは、組合の業務は、業務執行者の過半数をもって決定し、各業務執行者がこれを執行する。

④前項の規定にかかわらず、組合の業務については、総組合員の同意によって決定し、又は総組合員が執行することを妨げない。

⑤組合の常務は、前各項の規定にかかわらず、各組合員又は各業務執行者が単独で行うことができる。ただし、その完了前に他の組合員又は業務執行者が異議を述べたときは、この限りでない。

Q1 組合契約その他により業務執行組合員が定められている場合にも、組合員の過半数の者は共同して組合を代理する権限を有するのか。

A 組合を代理する権限を有しない。　組合契約その他により業務執行組合員が定められている場合は格別、そうでない限りは、対外的には組合員の過半数において組合を代理する権限を有する（最判昭35・12・9）。　　**出題 国 I - 平成6**

第670条の2（組合の代理）

①各組合員は、組合の業務を執行する場合において、組合員の過半数の同意を得たときは、他の組合員を代理することができる。

②前項の規定にかかわらず、業務執行者があるときは、業務執行者のみが組合員を代理することができる。この場合において、業務執行者が数人あるときは、各業務執行者は、業務執行者の過半数の同意を得たときに限り、組合員を代理することができる。

③前2項の規定にかかわらず、各組合員又は各業務執行者は、組合の常務を行うときは、単独で組合員を代理することができる。

第671条（委任の規定の準用）

第644条から第650条までの規定は、組合の業務を決定し、又は執行する組合員について準用する。

第672条（業務執行組合員の辞任及び解任）

①組合契約の定めるところにより1人又は数人の組合員に業務の決定及び執行を委任したときは、その組合員は、正当な事由がなければ、辞任することができない。

③前2項の規定にかかわらず、各組合員又は各業務執行者は、組合の常務を行うときは、単独で組合員を代理することができる。

第671条（委任の規定の準用）

第644条から第650条までの規定は、組合の業務を決定し、又は執行する組合員について準用する。

第672条（業務執行組合員の辞任及び解任）

①組合契約の定めるところにより1人又は数人の組合員に業務の決定及び執行を委任したときは、その組合員は、正当な事由がなければ、辞任することができない。

②前項の組合員は、正当な事由がある場合に限り、他の組合員の一致によって解任することができる。

第673条（組合員の組合の業務及び財産状況に関する検査）

各組合員は、組合の業務の決定及び執行をする権利を有しないときであっても、その業務及び組合財産の状況を検査することができる。

第674条（組合員の損益分配の割合）

①当事者が損益分配の割合を定めなかったときは、その割合は、各組合員の出資の価額に応じて定める。

②利益又は損失についてのみ分配の割合を定めたときは、その割合は、利益及び損失に共通であるものと推定する。

民法編

第675条（組合の債権者の権利の行使）

①組合の債権者は、組合財産についてその権利を行使することができる。

②組合の債権者は、その選択に従い、各組合員に対して損失分担の割合又は等しい割合でその権利を行使することができる。ただし、その債権者がその債権の発生の時に各組合員の損失分担の割合を知っていたときは、その割合による。

第676条（組合員の持分の処分及び組合財産の分割）

①組合員は、組合財産についてその持分を処分したときは、その処分をもって組合及び組合と取引をした第三者に対抗することができない。

②組合員は、組合財産である債権について、その持分についての権利を単独で行使することができない。

③組合員は、清算前に組合財産の分割を求めることができない。

第677条（組合財産に対する組合員の債権者の権利の行使の禁止）

組合員の債権者は、組合財産についてその権利を行使することができない。

第677条の2（組合員の加入）

①組合員は、その全員の同意によって、又は組合契約の定めるところにより、新たに組合員を加入させることができる。

②前項の規定により組合の成立後に加入した組合員は、その加入前に生じた組合の債務については、これを弁済する責任を負わない。

第678条（組合員の脱退）

①組合契約で組合の存続期間を定めなかったとき、又はある組合員の終身の間組合が存続すべきことを定めたときは、各組合員は、いつでも脱退することができる。ただし、やむを得ない事由がある場合を除き、組合に不利な時期に脱退することができない。

②組合の存続期間を定めた場合であっても、各組合員は、やむを得ない事由があるときは、脱退することができる。

Q1 任意の脱退を許さない旨の組合契約の約定は有効か。

A 無効である。　民法678条は、組合員は、やむをえない事由がある場合には、組合の存続期間の定めの有無にかかわらず、つねに組合から任意に脱退することができる旨を規定しているが、同条のうちその旨を規定する部分は、強行法規であり、これに反する組合契約における約定は効力を有しない。なぜなら、やむをえない事由があっても任意の脱退を許さない旨の組合契約は、組合員の自由を著しく制限するものであり、公の秩序に反するからである（最判平11・2・23）。

出題 国家総合－平成30、国Ⅰ－平成19

第679条

前条の場合のほか、組合員は、次に掲げる事由によって脱退する。

1　死亡
2　破産手続開始の決定を受けたこと。
3　後見開始の審判を受けたこと。

4　除名

Q1 組合の解散後に組合員が死亡した場合、死亡した組合員の相続人は残余財産の分配請求権を相続するのか。

A 残余財産の分配請求権を相続する。　民法が、組合員の死亡を脱退の原因としたのは、死亡した組合員の相続人に、当然に組合員の権利義務を承継させることが、組合員相互間の信頼関係を破ることになることを配慮したのであって、民法679条1号の規定は、組合の存続を前提とした規定である。したがって、すでに解散した組合は、組合の存続を前提としないから、死亡を脱退の原因として持分の払戻しおよびこれと表裏をなす残存組合員の持分の増加を認める必要はなく、死亡者の有した残存財産の分配請求権の相続を認めれば足りる（最判昭33・2・13）。

出題 国Ⅰ－平成6

第680条（組合員の除名）

組合員の除名は、正当な事由がある場合に限り、他の組合員の一致によってすることができる。ただし、除名した組合員にその旨を通知しなければ、これをもってその組合員に対抗することができない。

第680条の2（脱退した組合員の責任等）

①脱退した組合員は、その脱退前に生じた組合の債務について、従前の責任の範囲内でこれを弁済する責任を負う。この場合において、債権者が全部の弁済を受けない間は、脱退した組合員は、組合に担保を供させ、又は組合に対して自己に免責を得させることを請求することができる。

②脱退した組合員は、前項に規定する組合の債務を弁済したときは、組合に対して求償権を有する。

第681条（脱退した組合員の持分の払戻し）

①脱退した組合員と他の組合員との間の計算は、脱退の時における組合財産の状況に従ってしなければならない。

②脱退した組合員の持分は、その出資の種類を問わず、金銭で払い戻すことができる。

③脱退の時にまだ完了していない事項については、その完了後に計算をすることができる。

第682条（組合の解散事由）

組合は、次に掲げる事由によって解散する。

1　組合の目的である事業の成功又はその成功の不能
2　組合契約で定めた存続期間の満了
3　組合契約で定めた解散の事由の発生
4　総組合員の同意

第683条（組合の解散の請求）

やむを得ない事由があるときは、各組合員は、組合の解散を請求することができる。

第689条（組合契約の解除の効力）

第620条の規定は、組合契約について準用する。

第685条（組合の清算及び清算人の選任）

①組合が解散したときは、清算は、総組合員が共同して、又はその選任した清算人がこれをする。

②清算人の選任は、組合員の過半数で決する。

第686条（清算人の業務の決定及び執行の方法）

第670条第3項から第5項まで並びに第670条の

2 第2項及び第3項の規定は、清算人について準用する。

第687条（組合員である清算人の辞任及び解任）

第672条の規定は、組合契約の定めるところにより組合員の中から清算人を選任した場合について準用する。

第688条（清算人の職務及び権限並びに残余財産の分割方法）

①清算人の職務は、次のとおりとする。
1　現務の結了
2　債権の取立て及び債務の弁済
3　残余財産の引渡し

②清算人は、前項各号に掲げる職務を行うために必要な一切の行為をすることができる。

③残余財産は、各組合員の出資の価額に応じて分割する。

第13節　終身定期金

第689条（終身定期金契約）

終身定期金契約は、当事者の一方が、自己、相手方又は第三者の死亡に至るまで、定期に金銭その他の物を相手方又は第三者に給付することを約することによって、その効力を生ずる。

第14節　和解

第695条（和解）

和解は、当事者が互いに譲歩をしてその間に存する争いをやめることを約することによって、その効力を生ずる。

第696条（和解の効力）

当事者の一方が和解によって争いの目的である権利を有するものと認められ、又は相手方がこれを有しないものと認められた場合において、その当事者の一方が従来その権利を有していなかった旨の確証又は相手方がこれを有していた旨の確証が得られたときは、その権利は、和解によってその当事者の一方に移転し、又は消滅したものとする。

第3章　事務管理

第697条（事務管理）

①義務なく他人のために事務の管理を始めた者（以下この章において「管理者」という。）は、その事務の性質に従い、最も本人の利益に適合する方法によって、その事務の管理（以下「事務管理」という。）をしなければならない。

②管理者は、本人の意思を知っているとき、又はこれを推知することができるときは、その意思に従って事務管理をしなければならない。

Q1 事務管理においては、管理者は保存行為や管理行為だけでなく、処分行為をなしうる場合があるのか。

A 処分行為をなしうる場合がある。　事務管理者は管理行為のほかにさらに必要ある場合において、本人のためにその意思に反しない限りは、処分行為をすることができるので、契約解除の意思表示をすることができるが、事務管理者のする契約解除の意思表示が本人に対しその効力を生じるには、その追

認を必要とする（大判大7・7・10）。

出題 国家総合 - 令和1、国Ⅰ - 昭和61

Q2 事務の管理が、本人の意思に反することが明らかである場合には、いかなる場合にも、事務管理は成立しないのか。

A その本人の意思が強行法規や公の秩序に反するときは、事務管理は成立する。　事務の管理が、本人の意思に反することが明らかである場合であっても、その本人の意思が強行法規や公の秩序に反するときは、事務管理の成立は妨げられない（大判大8・4・18）。

出題 国家総合 - 令和1

Q3 他人のためにする意思は、自己のためにする意思と併存してもよいのか。

A 自己のためにする意思と併存してもよい。　共有者の一人が各自の負担である費用の全部を支払う場合のように、他人のためにする意思は、自己のためにする意思と併存して差し支えない（大判大8・6・26）。 出題 国家総合 - 令和1、東京Ⅰ - 平成20

Q4 事務管理者が本人の名で法律行為をした場合、その効力は本人に及ぶのか。

A 当然には本人にその効力は及ばない。　事務管理は、事務管理者と本人との間の法律関係をいうのであって、管理者が第三者となした法律行為の効果が本人に及ぶ関係は事務管理関係の問題ではない。したがって、事務管理者が本人の名で第三者との間に法律行為をしても、その行為の効果は、当然には本人に及ぶものではなく、そのような効果の発生するためには、代理その他別個の法律関係が伴うことを必要とする（最判昭36・11・30）。

出題 国家総合 - 令和4、国Ⅰ - 昭和61・52

Q5 共有者の1人が共有不動産から生ずる賃料を全額自己の収入として不動産所得の金額を計算し、納付すべき所得税の額を過大に申告してこれを納付した場合、事務管理は成立するのか。

A 事務管理は成立しない。　所得税は、個人の収入金額から必要経費および所定の控除額を控除して算出される所得金額を課税標準として、個人の所得に対して課される税であり、納税義務者は当該個人である。本来他人に帰属すべき収入を自己の収入として所得金額を計算したため税額を過大に申告した場合であっても、それにより当該他人が過大に申告された分の所得税の納税義務を負うわけではなく、申告をした者が申告に係る所得税額全額について納税義務を負うことになる。また、過大な申告をした者が申告に係る所得税を全額納付したとしても、これによって当該他人が本来負うべき納税義務が消滅するものではない。したがって、共有者の1人が共有不動産から生ずる賃料を全額自己の収入として不動産所得の金額を計算し、納付すべき所得税の額を過大に申告してこれを納付したとしても、過大に納付した分を含め、所得税の申告納付は自己の事務であるから、他人のために事務を管理したということはできず、事務管理は成立しないと解すべきである。このことは、市県民税についても同様である（最判平22・1・19）。 出題 予想

第698条（緊急事務管理）

管理者は、本人の身体、名誉又は財産に対する

急迫の危害を免れさせるために事務管理をしたときは、悪意又は重大な過失があるのでなければ、これによって生じた損害を賠償する責任を負わない。

第699条（管理者の通知義務）
　管理者は、事務管理を始めたことを遅滞なく本人に通知しなければならない。ただし、本人が既にこれを知っているときは、この限りでない。

第700条（管理者による事務管理の継続）
　管理者は、本人又はその相続人若しくは法定代理人が管理をすることができるに至るまで、事務管理を継続しなければならない。ただし、事務管理の継続が本人の意思に反し、又は本人に不利であることが明らかであるときは、この限りでない。

第701条（委任の規定の準用）
　第645条から第647条までの規定は、事務管理について準用する。

第702条（管理者による費用の償還請求等）
①管理者は、本人のために有益な費用を支出したときは、本人に対し、その償還を請求することができる。
②第650条第2項の規定は、管理者が本人のために有益な債務を負担した場合について準用する。
③管理者が本人の意思に反して事務管理をしたときは、本人が現に利益を受けている限度においてのみ、前2項の規定を適用する。

第4章　不当利得

第703条（不当利得の返還義務）
　法律上の原因なく他人の財産又は労務によって利益を受け、そのために他人に損失を及ぼした者（以下この章において「受益者」という。）は、その利益の存する限度において、これを返還する義務を負う。

◇因果関係

Q1 不当利得が成立するための受益と損失との間の因果関係があるためには、事実上何らかの因果関係があれば足り、両者の間に中間事実が介在したときでも因果関係は認められるのか。

A 受益と損失との間に中間事実が介在したときには因果関係は認められない。　民法703条によれば、他人の財産または労務により利益を受けたためにその他人に損失を及ぼした場合でなければ、不当利得返還義務は生じないのである。それ故、他人の損失と受益者の受益との間には直接の因果関係があることを要するのであり、もし、その受益の発生原因とその損失の発生原因とが直接に関係せず、中間の事実が介在し他人の損失はその中間事実に起因するときは、その損失は受益者の利益のために生じたものといえないから、受益者はその他人に対し不当利得返還の責任を負わない（大判大8・10・20）。

出題 国Ⅱ－平成8

Q2 MがXから金銭を騙取または横領して、その金銭で自己の債権者Yに対する債務を弁済した場合、XのYに対する不当利得返還請求は認められるか。

A YがMから受領した金銭が騙取または横領され

たものである点につき悪意または重大な過失がある場合には、XのYに対する不当利得返還請求が認められる。　Mが、Xから金銭を騙取または横領して、その金銭で自己の債権者Yに対する債務を弁済した場合に、XのYに対する不当利得返還請求が認められるかについて考えるに、騙取または横領された金銭の所有権がYに移転するまでの間そのままXの手中にとどまる場合にだけ、Xの損失とYの利得との間に因果関係があるとすべきでなく、Mが騙取または横領した金銭をそのままYの利益に使用しようと、あるいはこれを自己の金銭と混同させまたは両替し、あるいは銀行に預け入れ、あるいはその一部を他の目的のため費消した後その費消した分を別途工面した金銭によって補填する等してから、Yのために使用しようと、社会通念上Xの金銭でYの利益を図ったと認められるだけの連結がある場合には、なお不当利得の成立に必要な因果関係があり、また、YがMから上記の金銭を受領するにつき悪意または重大な過失がある場合には、Yの上記金銭の取得は、被騙取者または被横領者たるXに対する関係においては、法律上の原因がなく、不当利得となる（最判昭49・9・26）。

出題 国家総合－令和2、国Ⅰ－昭和62・57、裁判所総合・一般－平成28、裁判所Ⅰ・Ⅱ－平成18

◇転用物訴権

Q3 Mがブルドーザー修理の依頼人、Xが修理人、Yがその所有者である場合に、Yが修理により利益を受けた場合、XはYに対しその利得の返還請求権を有するか。

A M会社が無資力のため、M会社に対するXの修理代金の全部または一部が無価値になったときは、その限度において、XはYに対し不当利得として返還請求できる。　本件ブルドーザー修理は、一面においてXにこれに要した財産および労務の提供に相当する損失を生じさせ、他面において、Yにこれに相当する利得を生じさせたもので、Xの損失とYの利得との間に直接の因果関係があるのであって、本件において、Xのした給付（修理）を受領した者がYでなくMであることは、その損失および利得の間に直接の因果関係を認めることの妨げとならない。ただ、その修理はMの依頼によるものであり、したがって、XはMに対して修理代金債権を取得するから、その修理によりYの受ける利得はいちおうMの財産に由来することとなり、XはYに対しその利得の返還請求権を有しないのを原則とする。このため、当該修理代金債権の全部または一部が無価値であるときは、その限度において、Yの受けた利得はXの財産および労務に由来したものといえ、Xは、この修理（損失）によりYの受けた利得を、Mに対する代金債権が無価値である限度において、不当利得として、Yに返還を請求することができる（最判昭45・7・16）。

出題 国Ⅰ－平成2・昭和56、国税－平成11・5

Q4 甲が建物賃借人乙との間の請負契約に基づいて建物の修繕工事を行い、その結果第三者である建物所有者丙が建物増加という利益を得た場合、甲は丙に

民
法

545

対し直接利得の返還を請求できるのか。

A 丙と乙との賃貸借契約を全体としてみて、丙が対価関係なしに当該利益を受けたときに限り、甲は返還請求が認められる。　甲が建物賃借人乙との間の請負契約に基づき当該建物の修繕工事をしたところ、その後乙が無資力になったため、甲の乙に対する請負代金債権の全部又は一部が無価値である場合において、当該建物の所有者丙が法律上の原因なくその修理工事に要した財産および労務の提供に相当する利益を受けたということができるのは、丙と乙との賃貸借契約を全体としてみて、丙が対価関係なしに当該利益を受けたときに限られる。なぜなら、丙が乙との間の賃貸借契約において何らかの形でその利益に相応する出えんないし負担をしたときは、丙の受けたその利益は法律上の原因に基づくものであり、甲が丙に対してその利益につき不当利得としてその返還を請求することができるとするのは、丙に二重の負担を強いる結果となるからである（最判平7・9・19）。

Q5 建物賃貸人丙が賃借人乙との賃貸借契約締結の際、権利金免除の特約が定められている事情の下で、乙が甲に建物修繕工事を依頼し、その後、無資力となり、修理工事代金の支払が不能となった場合でも、甲は丙に修理代金の支払を請求することができるか。

A 甲は丙に修理代金の支払請求をすることはできない（最判平7・9・19）。⇨4

◇「法律上の原因なく」

Q6 騙取した金銭で騙取者が自己の債務を弁済した場合、善意で受領した債権者に対して、被騙取者は不当利得に基づく当該金銭の返還を請求できるのか。

A 不当利得に基づく返還請求はできない。　金銭の騙取者が騙取した金銭で自己の債務を弁済した場合、債権者が債務の弁済として善意で受領した行為は法律上の原因に基づく取得であるから、その金銭が騙し取られたものであっても、債権者に対して被騙取者は不当利得に基づいて当該金銭の返還を請求できない（最判昭42・3・31）。

Q7 婚姻が合意解除された場合、結納金を不当利得として返還請求できるか。

A 不当利得として返還請求できる。　結納は、他日婚姻が成立することを予想して授受する一種の贈与であって、婚姻が後に当事者双方の合意で解除された場合には、当然その効力を失い、給付を受けた者はその目的物（結納金）を自己に保留すべき法律上の原因を欠き、給付を受けた者はその目的物を相手方に返還すべき義務を有する（大判大6・2・28）。

Q8 借地上の建物買取請求権を行使した者が、買代金の支払いを受けるまで敷地を占有した場合、その賃料相当額は不当利得として返還しなければないのか。

A 賃料相当額は不当利得として返還しなければならない。　借地借家法14条の建物買取請求権が行使された後、建物取得者は買取代金の支払いを受けるまで当該建物の引渡しを拒むことができるが、これにより敷地をも占有する限り、敷地占有に基づく不当利得としてその賃料相当額を返還する義務がある（最判昭35・9・20）。

Q9 存在しない抵当権の実行により弁済を受けた債権者に対し、不動産の所有権を喪失した第三者は不当利得返還請求権を有するのか。

A 第三者は不当利得返還請求権を有する。　債権者が第三者所有の不動産のうえに設定を受けた根抵当権が不存在であるにもかかわらず、その根抵当権の実行による競売の結果、買受人の代金納付により当該第三者が不動産の所有権を喪失したときは、その第三者は、売却代金から弁済金の交付を受けた債権者に対し民法703条の規定に基づく不当利得返還請求権を有する（最判昭63・7・1）。

Q10 消費貸借契約の借主甲が貸主乙に対して貸付金を第三者丙に給付するよう求め、乙がこれに従って丙に対して給付を行った後甲が当該契約を取り消した場合、甲は、乙の丙に対する給付により、その価額に相当する利益を受けているのか。

A その価額に相当する利益を受けている。　消費貸借契約の借主甲が貸主乙に対して貸付金を第三者丙に給付するよう求め、乙がこれに従って丙に対して給付を行った後、甲が当該契約を取り消した場合、乙からの不当利得返還請求に関しては、甲は、特段の事情のない限り、乙の丙に対する給付により、その価額に相当する利益を受けたものとみることができる。なぜなら、そのような場合、甲を信頼しその求めに応じた乙は必ずしもつねに甲丙間の事情の詳細に通じているわけではないので、このような乙に甲丙間の関係の内容および乙の給付により甲の受けた利益につき主張立証を求めることは乙に困難を強いるのみならず、甲が乙から給付を受けたうえでさらにこれを丙に給付したことが明らかな場合と比較したとき、両者の取扱いを異にすることは衡平に反するからである（最判平10・5・26）。

Q11 消費貸借契約の借主Aは、貸主Bに対して貸付金を第三者Cに給付するよう求め、Bはこれに従ってCに対して給付を行ったが、その後、Aは当該契約を取り消した。この場合において、Aが、Dの強迫を受けて、ただ指示されるままに本件消費貸借契約を締結させられ、貸付金をCに給付するようBに指示したときには、AはBに対して貸付金相当額を返還する義務を負うのか。

A 返還する義務を負わない。　AがDの強迫により消費貸借契約の借主となり貸主Bに指示して貸付金をCに給付させた後に、Aが強迫を理由に契約を取り消したが、AとCとの間には事前に何らの法律上又は事実上の関係はなく、AがDの言うままにBに対して貸付金をCに給付するように指

示したなどの事実関係の下においては、B から A
に対する不当利得返還請求について、A が上記給付
によりその価額に相当する利益を受けたとみること
はできない。したがって、A は B に対して貸付金
相当額を返還する義務を負わない（最判平 10・5・
26）。　　　　　　　出題 国家総合 – 平成 27

◇損失

Q12 A は、本件各預金のうち B の法定相続分であ
る 2 分の 1 にあたる金員については、何らの受領
権限もないのに、その払戻しを受けた。その後、B
から提起された訴訟で A が、不当利得返還請求権
の成立要件である「損失」が発生していないと主張
して請求を争うことは許されるのか。

A 信義誠実の原則に反し、許されない。　(1) A は、
本件各金融機関から B 相続分の預金について自ら
受領権限があるものとして払戻しを受けておきなが
ら、B から提起された本件訴訟において、一転し
て、本件各金融機関に過失があるとして、自らが受
けた上記払戻しが無効であるなどと主張するに至っ
たものであること、(2)仮に、A が、本件各金融機
関がした上記払戻しの民法 478 条の弁済としての
有効性を争って、B の本訴請求の棄却を求めること
ができるとすると、B は、本件各金融機関が上記
払戻しをするにあたり善意無過失であったか否かと
いう、自らが関与していない問題についての判断を
したうえで訴訟の相手方を選択しなければならない
ということになるが、何ら非のない B が A との関
係でこのような訴訟上の負担を受忍しなければなら
ない理由はないことなどの諸点にかんがみると、A
が上記のような主張をして B の本訴請求を争うこ
とは、信義誠実の原則に反し許されない（最判平
16・10・26）。出題 裁判所総合・一般 – 平成 25

Q13 相続財産である預金債権について、一部の共
同相続人（B）が銀行（A）からその相続分を超え
て払戻しを受けても、他の共同相続人（C）に当
該超過分を支払うまでは、当該銀行（A）には民法
703 条所定の「損失」は発生しないのか。

A 「損失」は発生している。　原審は、A は、甲事
件において、C の請求を争っており、甲事件に係る
判決が確定し、C に対して現実に弁済した後でなけ
れば、A に「損失」は生じていないことになり、A
の B らに対する乙事件請求は、不当利得返還請求
権の成立要件を欠くものと判示している。しかし、
C が本件預金債権を取得しないという内容の遺産の
一部分割の合意をしていない等の事実関係等によれ
ば、B らは、本件預金のうち C の法定相続分相当
額の預金については、これを受領する権限がなかっ
たにもかかわらず、A から払戻しを受けたのであ
り、また、この払戻しが債権の受領権者としての外
観を有する者に対する弁済にあたるとはいえない。
そうすると、本件払戻しのうち C の法定相続分相
当額の預金の払戻しは弁済としての効力がなく、C
は、本件預金債権のうち自己の法定相続分に相当す
る預金債権を失わない。したがって、A は、本件払
戻しをしたことにより、本件預金のうち C の法定
相続分に相当する金員の損失を被ったことは明らか

である。そして、本件払戻しにより B らが C の法
定相続分に相当する金員を利得したこと、B らの利
得については法律上の原因が存在しないこともまた
明らかである。したがって、A は、本件 B らに対し、本
件払戻しをした時点において、本件預金のうち C
の法定相続分に相当する金員について、B らに対す
る不当利得返還請求権を取得したものといえる（最
判平 17・7・11）。　　　　　　　出題 予想

◇善意の受益者の返還の範囲

Q14 金銭の交付によって生じた不当利得を運用し
て得た利益は、それが返還請求時に現存していて
も、受益者が善意であれば返還すべき利益に含まれ
ないのか。

A 返還すべき利益に含まれる。　本件不当利得の
返還は価格返還の場合にあたり、原物返還の場合に
該当せず、運用利益をもって果実と同視することも
できないから、運用利益の返還義務の有無に関し
て、民法 189 条 1 項の適用を論ずる余地はない。
すなわち、たとえ、受益者が善意の不当利得者であ
る間に得た運用利益であっても、民法 189 条 1 項
の適用によって直ちに受益者にその収取権を認める
べきではなく、この場合、この運用利益を返還すべ
きか否かは、もっぱら民法 703 条の適用によって
決すべきである。そして、不当利得された財産につ
いて、受益者の行為が加わることによって得られた
収益については、社会観念上受益者の行為の介入が
なくても不当利得された財産から損失者が当然得る
であろうと考えられる範囲においては、損失者の
損失があり、したがって、それが現存する限り民
法 703 条にいう「利益の存する限度」に含まれる
のであって、その返還を要する（最判昭 38・12・
24）。　　　出題 国 I – 昭和 57、国税 – 平成 11

Q15 受益者が、法律上の原因なく利得した代替性
のある物を第三者に売却処分した場合、損失者に対
し、原則として、売却代金相当額の金員の不当利得
返還義務を負うのか。

A 売却代金相当額の金員の不当利得返還義務を負
う。　受益者が法律上の原因なく代替性のある物を
利得し、その後これを第三者に売却処分した場合、
その返還すべき利益を事実審口頭弁論終結時におけ
る同種・同等・同量の物の価格相当額であると解す
ると、その物の価格が売却後に下落したり、無価値
になったときには、受益者は取得した売却代金の全
部又は一部の返還を免れることになるが、これは
公平の見地に照らして相当ではない。また、逆に同
種・同等・同量の物の価格が売却後に高騰したとき
には、受益者は現に保持する利益を超える返還義務
を負担することになるが、これも公平の見地に照ら
して相当ではなく、受けた利益を返還するという不
当利得制度の本質に適合しない。そうすると、受益
者は、法律上の原因なく利得した代替性のある物を
第三者に売却処分した場合には、損失者に対し、原
則として、売却代金相当額の金員の不当利得返還義
務を負うと解する。大審院昭和 18 年 12 月 22 日
判決は、以上と抵触する限度において、これを変更
すべきである（最判平 19・3・8）。

出題 国家総合－平成24、国Ⅰ－平成22、裁判所総合・一般－平成27

◇利益の現存の主張・立証

Q16 目的物が金銭の場合、当該金銭の交付によって生じた不当利得について、その利得が現存することを誰が主張・立証しなければならないのか。

A 不当利得返還請求権の消滅を主張する者である。 金銭の交付によって生じた不当利得につきその利益が存しないことについては、不当利得返還請求権の消滅を主張する者において主張・立証しなければならない（最判平3・11・19）。

出題 国Ⅰ－平成7、裁判所総合・一般－平成28

Q17 利得者が利得に法律上の原因がないことを認識した後の利益の消滅は、返還義務の範囲を減少させる理由となるのか。

A 返還義務の範囲を減少させる理由とはならない。 善意で不当利得をした者の返還義務の範囲が利益の存する限度に減縮されるのは、利得に法律上の原因があると信じて利益を失った者に不当利得がなかった場合以上の不利益を与えるべきでないとする趣旨に出たものであるから、利得者が利得に法律上の原因がないことを認識した後の利益の消滅は、返還義務の範囲を減少させる理由とはならない（最判平3・11・19）。

出題 国Ⅰ－平成7、特別区Ⅰ－平成30・24、国Ⅱ－平成18、裁判所Ⅰ・Ⅱ－平成18

◇請求権の競合

Q18 不当利得返還請求権は不法行為に基づく損害賠償請求権等、他に救済手段がある場合には認められないのか。

A 不法行為に基づく損害賠償請求権と不当利得返還請求権の競合は認められる。 債権者が同一の事実関係に基づき、一面において不当利得返還請求権を有するのと同時に、他面において不法行為による損害賠償請求権を有する場合においては、請求権の競合が認められる（大判昭6・4・22）。

出題 国Ⅰ－平成7

第704条（悪意の受益者の返還義務等）

悪意の受益者は、その受けた利益に利息を付して返還しなければならない。この場合において、なお損害があるときは、その賠償の責任を負う。

Q1 民法704条は、悪意の受益者に対して不法行為とは異なる特別の責任を負わせたものか。

A 特別の責任を負わせたものではない。 不当利得制度は、ある人の財産的利益が法律上の原因ないし正当な理由を欠く場合に、法律が公平の観念に基づいて受益者にその利得の返還義務を負担させるものであり（最判昭49・9・26参照）、不法行為に基づく損害賠償制度が、被害者に生じた現実の損害を金銭的に評価し、加害者にこれを賠償させることにより、被害者が被った不利益を補てんし、不法行為がなかったときの状態に回復させることを目的とするものである（最大判平5・3・24）のとは、その趣旨を異にする。不当利得制度の下において受益者の受けた利益を超えて損失者の被った損害まで

賠償させることは同制度の趣旨とするところとは解しがたい。したがって、民法704条後段の規定は、悪意の受益者が不法行為の要件を充足する限りにおいて、不法行為責任を負うことを注意的に規定したものにすぎず、悪意の受益者に対して不法行為責任とは異なる特別の責任を負わせたものではない（最判平21・11・9）。 出題 国家総合－平成24

Q2 いわゆるリボルビング方式の貸付けについて、貸金業者が貸金業の規制等に関する法律（改正前のもの）17条1項に規定する書面として交付する書面に個々の貸付けの時点での残元利金につき最低返済額を毎月の返済期日に返済する場合の返済期間、返済金額等の記載をしない場合に、当該貸金業者は、判決の言渡し日以前であっても、過払金の取得につき民法704条の「悪意の受益者」であると推定されるのか。

A 民法704条の「悪意の受益者」であると推定される（最判平23・12・1）。 出題 予想

第705条（債務の不存在を知ってした弁済）

債務の弁済として給付をした者は、その時において債務の存在しないことを知っていたときは、その給付したものの返還を請求することができない。

Q1 債権者が強制執行の準備を開始したため、債務者が債務の存在しないことを知りながら、強制執行を避けるために弁済した場合、債務者は非債弁済として弁済額の返還を求めることができるのか。

A 弁済額の返還を求めることができる。 民法705条の規定の適用があるためには、給付をした者が任意で給付をしたことが必要である。それ故、強制執行を避けるためまたはその他の事由のためにやむをえず給付をした者は、債務が存在しない限りは、爾後その給付したものの返還請求をすることを妨げられない（大判大6・12・11）。

出題 国家総合－平成27、国Ⅰ－昭和62、地方上級－平成8

Q2 債務の不存在につき善意であれば、過失に基づく場合であっても、利得の返還を請求することができるのか。

A 利得の返還を請求することができる。 民法705条は、債務の弁済として給付をした者は、その時において債務の存在しないことを知っていたときは、その給付したものの返還を請求することができないとしているが、債務の存在しないことを過失によって知らなかっただけの場合には、同条は適用されず、非債利得に基づく返還請求が認められる（大判昭16・4・19）。 出題 特別区Ⅰ－令和4

Q3 弁済者が債務が存在しないのを知りながら弁済した場合には、たとえ当該弁済が強迫等によりやむをえず給付したなど弁済者の任意に基づかないものであっても、その返還を請求できないのか。

A 不当利得返還請求ができる。 家賃の賃料が地代家賃統制令による統制額を超えるものであることを知りながら、債務不履行による責めを問われることがあるのをおそれ、賃借人が「後日超過部分については、返還請求をなすべき」旨を特に留保して、やむをえず約定賃料の支払いをしたときは、民法705条の適用はない。なぜなら、同条にいう「債

務の弁済」は、給付が任意になされたものであることを要するのであるが、賃借人は後日の返還請求を留保し、やむをえず弁済したのであって、その給付は任意になされたといえないからである（最判昭35・5・6）。

出題　裁判所総合・一般 − 平成 28、国税 − 平成 8

第706条（期限前の弁済）

債務者は、弁済期にない債務の弁済として給付をしたときは、その給付したものの返還を請求することができない。ただし、債務者が錯誤によってその給付をしたときは、債権者は、これによって得た利益を返還しなければならない。

第707条（他人の債務の弁済）

①債務者でない者が錯誤によって債務の弁済をした場合において、債権者が善意で証書を滅失させ若しくは損傷し、担保を放棄し、又は時効によってその債権を失ったときは、その弁済をした者は、返還の請求をすることができない。

②前項の規定は、弁済をした者から債務者に対する求償権の行使を妨げない。

第708条（不法原因給付）

不法な原因のために給付をした者は、その給付したものの返還を請求することができない。ただし、不法な原因が受益者についてのみ存したときは、この限りでない。

Q1 不法原因給付物は、不当利得として返還を請求することはできないが、所有権に基づく返還請求は認められるのか。

A 所有権に基づく返還請求も認められない。　民法708条の規定はたんに不当利得の返還請求権について制限をしただけではなく、不法の原因のために給付をした者がその給付によって受けた損害につき、相手方の不法行為を原因としてその賠償を請求する場合についてもまた同一の制限があるものと解釈しなければならない。なぜなら、不当利得の場合も不法行為の場合も被害者が不正の原因にもとづいて給付をしたときは、法律はつねにこれを保護しない趣旨であるからである（大判明36・12・22）。

出題　地方上級 − 昭和 62

Q2 「不法な原因のため」とは、もっぱら給付自体が不法な場合をいうのであって、密航資金を貸与する場合のように、給付の動機に不法があるにすぎない場合は含まれないのか。

A 含む。　民法708条にいう「不法な原因のため」の給付は、その給付自体が不法な場合に限らず、密航資金を貸与する場合のように、給付の動機に不法があるにすぎない場合をも包含する（大判大5・6・1）。

出題　裁判所Ⅰ・Ⅱ − 平成 22

Q3 不法原因給付物であっても、不法原因契約を合意のうえ解除してその給付を返還する特約をすることについて、民法708条の適用はあるのか。

A 民法708条の適用はない。　AがBに交付した金銭が不法原因給付であってその返還を請求することができないとしても、元来民法708条が不法の原因のため給付をした者に、その給付したものの返還を請求することができないものとしたのは、かかる給付者の返還請求に法律上の保護を与えないとい

うだけであって、受領者にその給付を受けたものを法律上正当の原因があったものとして保留させる趣旨ではない。したがって、受領者がその給付を受けたものをその給付者に対し任意に返還することはもちろん、給付を受けた不法原因契約を合意のうえ解除してその給付を返還する特約をすることは、民法708条の禁ずるところでない。そして、かかる特約が民法90条により無効であると解することもできない（最判昭28・1・22）。

出題　特別区Ⅰ − 令和 4・平成 30・24、裁判所総合・一般 − 平成 27、裁判所Ⅰ・Ⅱ − 平成 22・20

Q4 消費貸借成立のいきさつにおいて、貸主の側に多少でも不法の点があれば、民法90条、708条の適用により契約目的物の返還を請求できないのか。

A その不法性のほとんどが借主にある場合には、契約目的物の返還を請求できる。　貸主が金銭を貸す経路において多少の不法の点があっても、その不法性は借主のそれと比較すれば微弱なものであり、その不法性のほとんどが借主にある場合には、すでに交付された物の返還請求に関する限り、民法90条、708条の適用はない（最判昭29・8・31）。

出題　裁判所Ⅰ・Ⅱ − 平成 22

Q5 不法原因給付における不法には、公序良俗違反の場合および強行法規違反の場合も含まれるのか。

A 単なる強行法規違反は含まれない。　民法708条にいう不法な原因のための給付とは、その原因となる行為が、強行法規に違反した不適法なものであるのみならず、さらにそれが、その社会において要求される倫理、道徳を無視した醜悪なものであることを必要とし、そして、その行為が不法原因給付にあたるかどうかは、その行為の実質に即し、当時の社会生活および社会感情に照らし、真に倫理、道徳に反する醜悪なものと認められるか否かによって決せられなければならない（最判昭37・3・8）。

出題　国Ⅰ − 昭和 59、国Ⅱ − 平成 8

Q6 賭博行為によって生じた金銭債権のためにされた抵当権設定登記の抹消請求は、民法708条の適用により認められないのか。

A 民法708条の適用はなく、抵当権設定登記の抹消請求は、認められる。　賭博行為によって生じた金銭債権のためにされた抵当権設定登記の抹消を求めることは、一見民法708条の適用を受けて許されないようであるが、他面、上告人が抵当権を実行しようとすれば、被上告人において賭博行為が民法90条に違反することを理由としてその行為の無効、したがって被担保債権の不存在を主張し、その実行を阻止できるものであり、被担保債権の存在しない抵当権の存続は法律上許されないのであるから、このような場合には、民法708条の適用はなく、被上告人において抵当権設定登記の抹消を上告人に対して請求できるものと解するのが相当である（最判昭40・12・17）。

出題　国家総合 − 平成 27、裁判所Ⅰ・Ⅱ − 平成 20

Q7 男性に妻のあることを知りつつ、女性が情交関係を結んだ場合でも、女性は男性に対して貞操等の侵害を理由とする慰謝料請求はできるのか。

A 女性より男性に違法性が著しく大きい場合には、

慰謝料請求ができる。　女性が、情交関係を結んだ当時、男性に妻のあることを知っていたとしても、その一事によって、男性の女性に対する貞操等の侵害を理由とする慰謝料請求が、民法708条の法の精神に反して当然に許されないものではない。すなわち、女性が、その情交関係を結んだ動機が主として男性の詐言を信じたことに原因している場合において、男性側の情交関係を結んだ動機その詐言の内容・程度およびその内容についての女性の認識等諸般の事情を斟酌し、その情交関係を誘発した責任が主として男性にあり、女性の側におけるその動機に内在する不法の程度に比し、男性の側における違法性が著しく大きいものと評価できるときには、女性の男性に対する貞操等の侵害を理由とする慰謝料請求は許容され、このように解しても民法708条に示された法の精神に反しない（最判昭44・9・26）。　　　　出題 国Ⅰ－平成10・昭和62・57

Q8 不法の原因に基づいて贈与し、引渡しを完了した未登記の建物について、当該建物の引渡しを受けた者が不法原因給付を理由として贈与者の返還請求を拒みうるためには、当該建物の所有権保存登記が必要か。

A 当該建物の所有権保存登記は不要である。　本件贈与は公序良俗に反し無効であり、また、当該建物の引渡しは不法の原因に基づくものであるのみならず、本件贈与の目的である建物は未登記のものであって、その引渡しにより贈与者の債務を履行を完了したのであるから、当該引渡しが民法708条本文にいわゆる給付に当たるのである（最大判昭45・10・21）。

出題 国家総合－令和2、国Ⅰ－平成15、国Ⅱ－平成18、裁判所総合・一般－令和2、国税－平成8

Q9 不法原因に基づきXがYに建物を贈与した場合、当該贈与が公序良俗に反し無効となり、XからYに対し不当利得に基づく返還請求が許されない場合、当該建物の所有権は誰に帰属するのか。

A 受贈者であるYに帰属する。　建物を目的としてなされた贈与が公序良俗に反し無効である場合には、建物の所有権は、贈与によっては受贈者に移転しない。しかし、当該贈与が無効であり、したがって、当該贈与による所有権の移転が認められない場合であっても、贈与者がした当該贈与に基づく履行行為が民法708条本文にいわゆる不法原因給付にあたるときは、当該建物の所有権は受贈者に帰属するに至ったものと解する。なぜなら、同条は、自ら反社会的な行為をした者に対しては、その行為の結果の復旧を訴求することを許さない趣旨を規定したものであるから、給付者は、不当利得に基づく返還請求をすることが許されないばかりでなく、目的物の所有権が自己にあることを理由として、給付した物の返還を請求することも許されない。かように、贈与者において給付した物の返還を請求できなくなったときは、その反射的効果として、目的物の所有権は贈与者の手を離れて受領者に帰属するに至ったものと解すべきである（最大判昭45・10・21）。

出題 国Ⅰ－平成15・2・昭和59、地方上級－平成

8・昭和62、国Ⅱ－平成18、裁判所Ⅰ・Ⅱ－平成22、国税－平成11・8

Q10 不法原因給付を理由として給付者が給付した物の返還を請求することができなくなったときは、その反射的効果として、当該物の給付を受けた者がその所有権を取得するのか。

A 当該物の給付を受けた者がその所有権を取得する（最大判昭45・10・21）。⇨9

Q11 AがBとの妾関係を維持するために既登記建物を贈与により引き渡したにとどまるときでも、受贈者Bは贈与者Aから当該建物の譲渡を受け、移転登記を経由した者Cに対して移転登記の抹消を請求できるのか。

A 移転登記の抹消請求はできない。　受贈者は贈与者から本件建物の引渡しを受けたにとどまり、贈与者は、その後、本件建物の所有権を取得し、かつ、自己のためその所有権移転登記を経由しながら、受贈者のための所有権移転登記手続は履行しなかったのであるから、これをもって民法708条にいう給付があったと解するのは相当でない。贈与が有効な場合、特段の事情のない限り、所有権移転のために登記を経ることを要しないが、贈与が不法の原因に基づくものであり、同条にいう給付があったとして贈与者の返還請求を拒みうるためには、本件のような既登記の建物にあっては、その占有の移転のみでは足りず、所有権移転登記手続が履践されていることをも要する（最判昭46・10・28）。

出題 国Ⅰ－平成15・昭和62・59・52、特別区Ⅰ－平成30・24、裁判所総合・一般－令和2・平成28、裁判所Ⅰ・Ⅱ－平成22・20

Q12 反倫理的行為に該当する不法行為の被害者が、損害を被るとともに、当該反倫理的行為に係る給付を受けて利益を得た場合に、被害者からの損害賠償請求において加害者が同利益を損益相殺等の対象として被害者の損害額から控除することは、民法708条の趣旨に反し許されるのか。

A 民法708条の趣旨に反し許されない。　反倫理的行為に該当する不法行為の被害者が、これによって損害を被るとともに、当該反倫理的行為に係る給付を受けて利益を得た場合には、同利益については、加害者からの不当利得返還請求が許されないだけでなく、被害者からの不法行為に基づく損害賠償請求において損益相殺ないし損益相殺的な調整の対象として被害者の損害額から控除することも、上記のような民法708条の趣旨に反するものとして許されない。これを本件事実関係についてみると、著しく高利の貸付けという形をとって上告人（被害者）らから元利金等の名目で違法に金員を取得し、多大の利益を得るという反倫理的行為に該当する不法行為の手段として、本件各店舗から上告人（被害者）らに対して貸付けとしての金員が交付されたのであるから、上記の金員の交付によって上告人（被害者）らが得た利益は、不法原因給付によって生じたものであり、同利益を損益相殺ないし損益相殺的な調整の対象として上告人（被害者）らの損害額から控除することは許されない（最判平20・6・10）。

出題 予想

Q13 Yが投資資金名下にXから金員を騙取した場合に、Xからの損害賠償請求においてYが詐欺の手段として配当金名下にXに交付した金員の額を損益相殺等の対象としてXの損害額から控除することは、民法708条の趣旨に反し、許されないのか。

A 民法708条の趣旨に反し、許されない。　社会の倫理、道徳に反する醜悪な行為（反倫理的行為）に該当する不法行為の被害者が、これによって損害を被るとともに、当該反倫理的行為に係る給付を受けて利益を得た場合には、同利益については、加害者からの不当利得返還請求が許されないだけでなく、被害者からの不法行為に基づく損害賠償請求において損益相殺ないし損益相殺的な調整の対象として被害者の損害額から控除することも許されないものというべきである（最判平20・6・10参照）。本件事実関係によれば、本件詐欺が反倫理的行為に該当することは明らかであるところ、Yは、真実は本件各騙取金で米国債を購入していないにもかかわらず、あたかもこれを購入して配当金を得たかのように装い、Xらに対し、本件各仮装配当金を交付したのであるから、本件各仮装配当金の交付は、もっぱら、XらをしてYが米国債を購入しているものと誤信させることにより、本件詐欺を実行し、その発覚を防ぐための手段にほかならない。そうすると、本件各仮装配当金の交付によってXらが得た利益は、不法原因給付によって生じたものであり、本件損害賠償請求において損益相殺ないし損益相殺的な調整の対象として本件各騙取金の額から本件各仮装配当金の額を控除することは許されない（最判平20・6・24）。**出題** 予想

第5章　不法行為

第709条（不法行為による損害賠償）

故意又は過失によって他人の権利又は法律上保護される利益を侵害した者は、これによって生じた損害を賠償する責任を負う。

⑴故意・過失

◇故意・過失

Q1 不法行為における相手方（加害者）の故意又は過失の証明責任は誰が負うのか。

A 主張する者（被害者）が証明責任を負う。　不法行為の場合において、相手方の故意又は過失を主張してその責任を負わせようとする者は、法律に特別の規定がある場合のほかは、主張する者からその証拠を立証しなければならない（大判明38・6・19）。

出題 国家総合−平成29、国Ⅰ−平成16、国Ⅱ−平成19

Q2 刑事判決で過失が否定されれば、民事判決でも過失は否定されるのか。

A 民事判決で必ずしも過失が否定されるわけではない。　自動車運転者が業務上過失致死被告事件の判決で過失を否定された場合でも、不法行為に関する民事事件ではその過失を否定しなければならないわけではない（最判昭34・11・26）。

出題 国Ⅱ−平成4

◇注意義務の内容

Q3 人の生命・健康を管理すべき業務（医業）に従事する者は、その業務の性質に照らし、危険防止のために経験上必要とされる最善の注意義務を要求されるのか。

A 最善の注意義務を要求される。　一定の職業に従事する者は、業務の性質に照らし危険を予防するに必要な一切の注意をなすべき義務を負い、とくに医師の場合、人の生命および健康を管理すべき業務に従事する者であるので、医療事故における過失の認定においては、その業務の性質に照らし、危険防止のために経験上必要とされる最善の注意義務が要求される〈東大梅毒輸血事件〉（最判昭36・2・16）。

出題 国Ⅱ−平成17

Q4 医療事故における過失の認定については、医師の注意義務の基準は診療当時のいわゆる臨床医学の実践における医療水準であり、危険防止のために経験上必要とされる最善の注意義務が要求されるのか。

A 診療当時のいわゆる臨床医学の実践における医療水準であり、経験上必要とされる最善の注意義務が要求される。　いやしくも人の生命および健康を管理すべき業務（医業）に従事する者は、その業務の性質に照らし、危険防止のために実験上必要とされる最善の注意義務を要求される〈東大梅毒輸血事件〉（最判昭36・2・16）。最善の注意義務の基準は、診療当時のいわゆる臨床医学の実践における医療水準である。ある新規の治療法の存在を前提にして検査・診断・治療等にあたることが診療契約に基づき医療機関に要求される医療水準であるかどうかを決するについては、当該医療機関の性格、所在地域の医療環境の特性等の諸般の事情を考慮すべきであり、上記の事情を捨象して、すべての医療機関について診療契約に基づき要求される医療水準を一律に解するのは相当ではない。新規の治療法に関する知見が当該医療機関と類似の特性を備えた医療機関に相当程度普及しており、当該医療機関において上記知見を有することを期待することが相当と認められる場合には、特段の事情がない限り、上記知見は当該医療機関にとっての医療水準である〈未熟児網膜症姫路日赤事件〉（最判平7・6・9）。

出題 国Ⅱ−平成17

Q5 平均的なスポーツ指導者において、落雷事故発生の危険性の認識が薄く、雨がやみ、空が明るくなり、雷鳴が遠のくにつれ、落雷事故発生の危険性は減弱するとの認識が一般的なものであった場合、落雷事故発生の危険が迫っていることを具体的に予見することは可能であったのか。

A 具体的に予見することは可能であり、また、予見すべき注意義務を怠ったものといえる。　事実関係によれば、落雷による死傷事故は、平成5年から平成7年までに全国で毎年5〜11件発生し、毎年3〜6人が死亡しており、また、落雷事故を予防するための注意に関しては、平成8年までに、本件各記載等の文献上の記載が多く存在していたと

民法

いうのである。そして、A高校の第2試合の開始直前ころには、本件運動広場の南西方向の上空には黒く固まった暗雲が立ち込め、雷鳴が聞こえ、雲の間で放電が起きるのが目撃されていたというのである。そうすると、上記雷鳴が大きな音ではなかったとしても、同校サッカー部の引率者兼監督であったB教諭としては、上記時点ころまでには落雷事故発生の危険が迫っていることを具体的に予見することが可能であったというべきであり、また、予見すべき注意義務を怠ったというべきである。このことは、たとえ平均的なスポーツ指導者において、落雷事故発生の危険性の認識が薄く、雨がやみ、空が明るくなり、雷鳴が遠のくにつれ、落雷事故発生の危険性は減弱するとの認識が一般的なものであったとしても左右されるものではない（最判平18・3・13）。

出題 予想

Q6 建物の建築に携わる設計・施工者等は、建物の建築にあたり、契約関係にない居住者等に対する関係でも、当該建物に建物としての基本的な安全性が欠けることがないように配慮すべき注意義務を負うのか。

A 配慮すべき注意義務を負う。　建物の建築に携わる設計者、施工者および工事監理者（以下、併せて「設計・施工者等」）は、建物の建築にあたり、契約関係にない居住者等に対する関係でも、当該建物に建物としての基本的な安全性が欠けることがないように配慮すべき注意義務を負う。そして、設計・施工者等がこの義務を怠ったために建築された建物に建物としての基本的な安全性を損なう瑕疵があり、それにより居住者等の生命、身体又は財産が侵害された場合には、設計・施工者等は、不法行為の成立を主張する者が上記瑕疵の存在を知りながらこれを前提として当該建物を買い受けていたなど特段の事情がない限り、これによって生じた損害について不法行為による賠償責任を負うというべきである。居住者等が当該建物の建築主からその譲渡を受けた者であっても異なるところはない（最判平19・7・6）。

出題 予想

◇表示義務

Q7 石綿含有建材が使用された建物の解体作業に従事した者が石綿肺、肺がん等の石綿関連疾患にり患した場合において、建材メーカーが、石綿含有建材を製造販売するに当たり、当該建材が使用される建物の解体作業に従事する者に対し、当該建材から生ずる粉じんにばく露すると石綿関連疾患にり患する危険があること等を表示すべき義務を負っているのか。

A 負っているとはいえない。　石綿含有建材が使用された建物の解体作業に従事した者が石綿肺、肺がん等の石綿関連疾患にり患した場合において、建材メーカーが石綿含有建材を製造販売するに当たり、(1) 石綿含有建材自体に上記の情報を記載する方法や、当該情報を記載したシール又は注意書等を当該建材に添付する方法は、上記の者が石綿粉じんにばく露する危険を回避するための当該情報の表示方法として実現性又は実効性に乏しいものであっ

たこと、(2) 建材メーカーは、その製造販売した石綿含有建材が使用された建物の解体に関与し得る立場になかったことから、当該建材が使用される建物の解体作業に従事する者に対し、当該建材から生ずる粉じんにばく露すると石綿関連疾患にり患する危険があること等を表示すべき義務負っていたとはいえない（最判令4・6・3）。

出題 予想

(2)違法性（権利侵害）・法律上保護される利益

◇損害の意義

Q8 被害者が交通事故により負傷し、後遺症が残った場合において、その後遺症の程度や被害者が従事する職業の性質からみて現在または将来における収入の減少が見込まれないときは、財産上の損害はないのか。

A 財産上の損害はない。　仮に交通事故の被害者が自己に起因する後遺症のために身体的機能の一部を喪失したこと自体を損害と観念することができるとしても、その後遺症の程度が比較的軽微であって、しかも被害者が従事する職業の性質からみて現在または将来における収入の減少も認められない場合においては、特段の事情のない限り、労働能力の一部喪失を理由とする財産上の損害を認めうる余地はない（最判昭56・12・22）。

出題 国Ⅰ-平成8

◇法律上保護される利益

Q9 弁護士法23条の2第2項に基づく照会に対する報告を拒絶する行為は、同照会をした弁護士会の法律上保護される利益を侵害するものとして当該弁護士会に対する不法行為を構成するのか。

A 当該弁護士会に対する不法行為を構成することはない。　弁護士法23条の2照会の制度は、弁護士が受任している事件を処理するために必要な事実の調査等をすることを容易にするために設けられたものである。そうすると、同法23条の2は、上記制度の適正な運用を図るために、照会権限を弁護士会に付与し、個々の弁護士の申出が上記制度の趣旨に照らして適切であるか否かの判断を当該弁護士会に委ねているものである。そうすると、弁護士会が23条の2照会の権限を付与されているのはあくまで制度の適正な運用を図るためにすぎないのであって、23条の2照会に対する報告を受けることについて弁護士会が法律上保護される利益を有するものとは解されない。したがって、23条の2照会に対する報告を拒絶する行為が、23条の2照会をした弁護士会の法律上保護される利益を侵害するものとして当該弁護士会に対する不法行為を構成することはないというべきである（最判平28・10・18）。

出題 予想

◇人格的諸利益の侵害

Q10 内縁を不当に破棄された者は、相手方に対し不法行為に基づく損害賠償請求ができるか。

A 不法行為に基づく損害賠償請求ができる。　民法709条にいう「権利」は、厳密な意味で権利といえなくても、法律上保護されるべき利益があれば足り、内縁も保護されるべき生活関係にほかならな

552

いから、内縁が正当の理由なく破棄された場合には、故意または過失により権利が侵害されたものとして、不法行為責任を肯定することができる。されば、内縁を不当に破棄された者は、相手方に対し婚姻予約の不履行を理由として損害賠償を求めることができるとともに、不法行為を理由として損害賠償を求めることもできる（最判昭33・4・11）。

出題 国家総合 - 令和1、国Ⅰ - 平成15・6・昭和63・51、国Ⅱ - 平成6

Q11 夫婦の一方は、他方と不貞行為に及んだ第三者に対し、離婚に伴う慰謝料を請求することができるか。

A 特段の事情のない限り、離婚に伴う慰謝料を請求することはできない。　夫婦の一方は、他方と不貞行為に及んだ第三者に対し、当該第三者が、単に不貞行為に及ぶにとどまらず、当該夫婦を離婚させることを意図してその婚姻関係に対する不当な干渉をするなどして当該夫婦を離婚のやむなきに至らしめたものと評価すべき特段の事情がない限り、離婚に伴う慰謝料を請求することはできない（最判平31・2・19）。　　　　　　出題 予想

Q12 警察官は犯罪捜査の必要があれば、本人の同意又は裁判官の令状がなくても、自由に被疑者の容ぼう等を撮影することができるか。

A 一定の要件の下で被疑者の容ぼう等を撮影することができる場合がある。　現に犯罪が行われもしくは行われた後間がないと認められる場合であって、しかも証拠保全の必要性および緊急性があり、かつその撮影が一般的に許容される限度を超えない相当な方法をもって行われる場合には、撮影される本人の同意がなく、また裁判官の令状がなくても、警察官による個人の容ぼう等の撮影が許容される。このような場合に行われる警察官による写真撮影は、その対象の中に、犯人の容ぼう等のほか、犯人の身辺又は被写体とされた物件の近くにいたためこれを除外できない状況にある第三者である個人の容ぼう等を含むことになっても、憲法13条、35条に違反しない〈京都府学連事件〉（最大判昭44・12・24）。　　　　　出題 国家総合 - 平成28

Q13 葬儀場の営業を行う者は、その近隣に居宅を共有してこれに居住する者に対し、居宅から葬儀場の様子が見えないようにするための既存の目隠しをさらに高くする措置を講ずべき義務と、葬儀場の営業についての不法行為責任を負うのか。

A 当該措置を講ずべき義務と、葬儀場の営業についての不法行為責任を負わない。　本件葬儀場と被上告人建物との間には幅員15.3mの本件市道があるうえ、被上告人建物において本件葬儀場の様子が見える場所は2階東側の各居室等に限られるというのである。そうすると、被上告人が、被上告人建物2階の各居室等から、本件葬儀場に告別式等の参列者が参集する様子、棺が本件葬儀場建物に搬入又は搬出される様子が見えることにより、強いストレスを感じているとしても、それはもっぱら被上告人の主観的な不快感にとどまるというべきであり、本件葬儀場の営業が、社会生活上受忍すべき程度を超えて被上告人の平穏に日常生活を送るという利益

を侵害しているということはできない。そうであれば、上告人が被上告人に対して被上告人建物から本件葬儀場の様子が見えないようにするための目隠しを設置する措置をさらに講ずべき義務を負うものでないことは、もとより明らかであるし、上告人が被上告人に対して本件葬儀場の営業につき不法行為責任を負うこともない（最判平22・6・29）。

出題 予想

◇債権侵害

Q14 第三者が不法に債権を侵害した場合、債権者は不法行為による損害賠償請求ができるか。

A 不法行為による損害賠償請求ができる。　相対的権利である債権も、他人にこれを侵害させない効力を有し、何人もこれを侵害してはならない義務を負担するのであり、その不可侵性により、債権もまた民法709条にいう「権利」の中に含まれる。したがって、第三者が債務者を教唆しもしくは債務者と共同してその債務の全部または一部の履行を不能にして、債権者の権利行使を妨げ、これによって損害を生じさせた場合には、債権者は第三者に対し不法行為に関する一般原則により損害賠償請求をすることができる（大判大4・3・10）。

出題 国家総合 - 平成28、国Ⅰ - 平成9、国Ⅱ - 昭和55

◇営業の自由の侵害

Q15 老舗に対する侵害があった場合、不法行為は成立するのか。

A 不法行為は成立する。　民法709条は、故意または過失によって法規違反の行為をなし、他人を侵害した者に対して損害賠償責任を負わせる広範な意味の規定であり、その侵害の対象は、必ずしも厳密な意味での権利である必要はなく、法律上保護されるべき利益であれば足りるのであるから、「大学湯」という老舗を侵害した場合にも不法行為は成立する〈大学湯事件〉（大判大14・11・28）。

出題 国税 - 昭和60

Q16 競業者であるXがパチンコ店を開業することを被上告人事業者等が、妨害する意図の下で、Yの承諾を得て、Yに児童遊園の設置認可を受けさせることは、違法性を有し、不法行為を構成するのか。

A 違法性を有し、不法行為を構成する。　Xが本件売買契約を締結した後、それを知った被上告人事業者等は、風俗営業等の規制及び業務の適正化等に関する法律4条2項2号による規制を利用して、Xが本件土地上でのパチンコ店の営業について同法3条1項の許可を受けることができないようにする意図の下に本件寄附を申し入れ、Yの承諾を得てこれを実行し、Yが本件児童遊園の設置認可を受けた結果、Xは本件パチンコ店の営業について同法3条1項の許可を受けることができなかった。そうすると、本件寄附は、Xの事業計画が本件売買契約の締結により実行段階に入った時点で行われたものであり、しかも、同法4条2項2号の規制は、都道府県の条例で定める地域内において良好な風俗環境を保全しようとする趣旨で設けられたものである

民法

ところ、被上告人事業者等はその趣旨とは関係のない自らの営業利益の確保のために上記規制を利用し、競業者であるXが本件パチンコ店を開業することを妨害したものであるから、本件寄附は、許される自由競争の範囲を逸脱しXの営業の自由を侵害するものとして違法性を有し、不法行為を構成するものである（最判平19・3・20）。　出題 予想

◇景観侵害

Q17 良好な景観の恵沢を享受する利益は法律上保護に値するのか。

A 法律上保護に値する。　良好な景観に近接する地域内に居住し、その恵沢を日常的に享受している者は、良好な景観が有する客観的な価値の侵害に対して密接な利害関係を有するものというべきであり、これらの者が有する良好な景観の恵沢を享受する利益（「景観利益」）は、法律上保護に値する。もっとも、この景観利益の内容は、景観の性質、態様等によって異なりうるものであるし、社会の変化に伴って変化する可能性のあるものでもあるところ、現時点においては、私法上の権利といいうるような明確な実体を有するものとはいえられず、景観利益を超えて「景観権」という権利性を有するものを認めることはできない（最判平18・3・30）。

出題 国家総合 − 平成28、国Ⅱ − 平成22

Q18 良好な景観の恵沢を享受する利益に対する違法な侵害にあたるといえるために必要な条件は何か。

A 社会的に容認された行為としての相当性を欠くことである。　景観利益は、これが侵害された場合に被侵害者の生活妨害や健康被害を生じさせるという性質のものではないこと、景観利益の保護は、一方において当該地域における土地・建物の財産権に制限を加えることとなり、その範囲・内容等をめぐって周辺の住民相互間や財産権者との間で意見の対立が生ずることも予想されるのであるから、景観利益の保護とこれに伴う財産権等の規制は、第一次的には、民主的手続により定められた行政法規や当該地域の条例等によってなされることが予定されているものということができることなどからすれば、ある行為が景観利益に対する違法な侵害にあたるといえるためには、少なくとも、その侵害行為が刑罰法規や行政法規の規制に違反するものであったり、公序良俗違反や権利の濫用に該当するものであるなど、侵害行為の態様や程度の面において社会的に容認された行為としての相当性を欠くことが求められる（最判平18・3・30）。

出題 国家総合 − 令和3、国家一般 − 令和2、国Ⅱ − 平成22

(3)即死の場合の相続人による損害賠償請求権

Q19 Aは、Yの過失による交通事故で死亡した。Aが即死の場合、Aの相続人であるXは、Aの逸失利益についての損害賠償請求権を相続するのか。

A 損害賠償請求権を相続する。　本人が即死の場合でも、死亡自体に伴う将来の逸失利益についての損害賠償請求権を本人がいったん取得し、それを

遺族が相続するものと解する（大判明43・7・7、大判大15・2・16）。

出題 国家総合 − 平成28、裁判所総合 − 一般 − 令和3、国税・労基 − 平成21

⑷因果関係

Q20 訴訟上の因果関係の立証は、自然科学的証明に準ずる程度の証明が必要か。

A 自然科学的証明に準ずる程度の証明は必要ではなく、高度の蓋然性があれば、証明されたといえる。　訴訟上の因果関係の立証は、一点の疑義も許さない自然科学的証明ではなく、経験則に照らして全証拠を総合検討し、特定の事実が特定の結果発生を招来した関係を是認しうる高度の蓋然性を証明することであり、その判定は、通常人が疑いを差し挟まない程度に真実性の確信をもちうるものであることを必要とし、かつ、それで足りる〈ルンバール・ショック事件〉（最判昭50・10・24）。

出題 国家総合 − 平成28、国Ⅰ − 平成23・9

Q21 医師が注意義務に従って行うべき診療行為を行わなかった不作為と患者の死亡との間の因果関係はどのように肯定されるのか。

A 医師が注意義務を尽くして診療行為を行っていたならば患者がその死亡の時点においてなお生存していたであろうことを是認しうる高度の蓋然性が証明されれば、肯定される。　訴訟上の因果関係の立証は、経験則に照らして全証拠を総合検討し、特定の事実が特定の結果発生を招来した関係を是認しうる高度の蓋然性を証明することであり、その判定は、通常人が疑いを差し挟まない程度に真実性の確信をもちうるものであることを必要とし、かつ、それで足りる。このことは、医師が注意義務に従って行うべき診療行為を行わなかった不作為と患者の死亡との間の因果関係の存否の判断においても異なるところはなく、経験則に照らして統計資料その他の医学的知見に関するものを含む全証拠を総合的に検討し、医師の当該不作為が患者の当該時点における死亡を招来したこと、換言すると、医師が注意義務を尽くして診療行為を行っていたならば患者がその死亡の時点においてなお生存していたであろうことを是認しうる高度の蓋然性が証明されれば、医師の当該不作為と患者の死亡との間の因果関係は肯定される。患者がその時点の後いかほどの期間生存しえたかは、主に得べかりし利益その他の損害の額の算定に当たって考慮されるべき事由であり、前記因果関係の存否に関する判断を直ちに左右するものではない（最判平11・2・25）。　出題 予想

Q22 疾病のため死亡した患者の診療にあたった医師の医療行為が、その過失により、当時の医療水準にかなったものでなかった場合、医師は、患者に対し、損害賠償責任を負うのか。

A 相当因果関係が認められれば、損害賠償責任を負う。　本件のように、疾病のため死亡した患者の診療にあたった医師の医療行為が、その過失により、当時の医療水準にかなったものでなかった場合において、上記医療行為と患者の死亡との間の因果関係の存在は証明されないけれども、医療水準にかなっ

民法編

た医療が行われていたならば患者がその死亡の時点においてなお生存していた相当程度の可能性の存在が証明されるときは、医師は、患者に対し、不法行為による損害を賠償する責任を負う。なぜなら、生命を維持することは人にとって最も基本的な利益であって、上記の可能性は法によって保護されるべき利益であり、医師が過失により医療水準にかなった医療を行わないことによって患者の法益が侵害されたものといえるからである（最判平12・9・22）。

出題 予想

Q23 父親の不貞行為の相手方に対して未成年の子の慰謝料請求権は認められるか。

A 認められない。　妻および未成年の子のある男性と肉体関係をもった女性が妻のもとを去った男性と同棲するに至った結果、その子が日常生活において父親から愛情を注がれ、その監護、教育を受けることができなくなったとしても、その女性が害意をもって父親の子に対する監護等を積極的に阻止するなど特段の事情のない限り、その女性の行為は未成年者の子に対して不法行為を構成するものではない（最判昭54・3・30）。

出題 国家総合 – 平成27

Q24 配偶者の一方と肉体関係を結んだ第三者は、婚姻関係がすでに破綻している場合でも、他方の配偶者に対して不法行為責任を負うのか。

A 不法行為責任を負わない。　甲の配偶者乙と第三者丙が肉体関係を持った場合において、甲と乙との婚姻関係がその当時すでに破綻していたときは、特段の事情のない限り、丙は、甲に対して不法行為責任を負わない。なぜなら、丙が乙と肉体関係をもつことが甲に対する不法行為となるのは、それが甲の婚姻共同生活の平和の維持という権利または法的保護に値する利益を侵害する行為といえるからであり、甲と乙との婚姻関係がすでに消滅していた場合には、原則として、甲にこのような権利または法的保護に値する利益があるとはいえないからである。（最判平8・3・26）。

出題 予想

Q25 後遺障害による逸失利益の算定にあたって、死亡後の生活費の控除はできるのか。

A 当該不法行為と被害者の死亡との間に相当因果関係がない限り、死亡後の生活費の控除はできない。　交通事故の被害者が事故に起因する後遺障害のために労働能力の一部を喪失した後に死亡した場合、労働能力の一部喪失による財産上の損害の額の算定にあたっては、交通事故と被害者の死亡との間に相当因果関係があって死亡による損害の賠償をも請求する場合に限り、死亡後の生活費を控除することができる。なぜなら、交通事故と死亡との間の相当因果関係が認められない場合には、被害者が死亡により生活費の支出を必要としなくなったことは、損害の原因と同一原因により生じたものということができず、両者は損益相殺の法理またはその類推適用により控除すべき損失と利得との関係にないからである（最判平8・5・31）。

出題 予想

Q26 患者の診療にあたった医師が、過失により患者を適時に適切な医療機関へ転送すべき義務を怠った場合、医師は不法行為責任を負わないのか。

A 患者に重大な後遺症が残らなかった相当程度の

可能性の存在が証明されれば、医師は不法行為責任を負う。　医師が過失により医療水準にかなった医療を行わなかった場合には、その医療行為と患者の死亡との間の因果関係の存在は証明されないが、上記医療が行われていたならば患者がその死亡の時点においてなお生存していた相当程度の可能性の存在が証明される場合には、医師は、患者が上記可能性を侵害されたことによって被った損害を賠償すべき不法行為責任を負う（最判平12・9・22参照）。患者の診療にあたった医師に患者を適時に適切な医療機関へ転送すべき義務の違反があり、本件のように重大な後遺症が患者に残った場合においても、同様に解すべきである。すなわち、患者の診療にあたった医師が、過失により患者を適時に適切な医療機関へ転送すべき義務を怠った場合において、その転送義務に違反した行為と患者の上記重大な後遺症の残存との間の因果関係の存在は証明されなくとも、適時に適切な医療機関への転送が行われ、同医療機関において適切な検査、治療等の医療行為を受けていたならば、患者に上記重大な後遺症が残らなかった相当程度の可能性の存在が証明されるときは、医師は、患者が上記可能性を侵害されたことによって被った損害を賠償すべき不法行為責任を負う（最判平15・11・11）。

出題 予想

(5)不法行為に基づく損害賠償の範囲

Q27 不法行為に基づく損害賠償の範囲については、民法416条の規定を類推適用できるか。

A 民法416条の規定を類推適用できる。　不法行為による損害賠償についても、民法416条が類推適用され、特別の事情によって生じた損害については、加害者において、その事情を予見しまたは予見することをうべかりしときに限り、これを賠償する責めを負う（最判昭48・6・7、大連判大15・5・22）。

出題 国Ⅰ–平成9・8・昭和52、裁判所Ⅰ・Ⅱ–平成14

Q28 不法行為により発生した損害について、当該損害が特別の事情によって生じたものであり、加害者が予見することができない場合でも、賠償責任が認められる余地はあるのか。

A 賠償責任が認められる余地はない（最判昭48・6・7）。⇨27

(6)金銭賠償

Q29 妻の家事労働は財産上の利益を生じるか。

A 財産上の利益を生じる。　結婚して家事に専念する妻は、その従事する家事労働によって現実に金銭収入を得ることはないが、家事労働に属する多くの労働は、労働社会において金銭的に評価されうるものであり、これを他人に依頼すれば当然相当の対価を支払わなければならないから、妻は、自ら家事労働に従事することにより、財産上の利益をあげているのである。かように、妻の家事労働は財産上の利益を生ずるものであり、これを金銭的に評価することも不可能ではない。ただ、具体的事案において金銭的に評価することが困難な場合が少なくないこ

とは予想されうるが、かかる場合には、現在の社会情勢等にかんがみ、家事労働に専念する妻は、平均的労働不能年齢に達するまで、女子雇用労働者の平均的賃金に相当する財産上の収益をあげるものと推定する（最判昭49・7・19）。　出題 国税-平成2

(7)損害の算定方法

Q30 不法行為による死亡に基づく損害賠償額から生命保険金を控除することは許されるのか。

A 許されない。　生命保険契約に基づいて給付される保険金は、すでに払い込んだ保険料の対価の性質を有し、もともと不法行為の原因と関係なく支払われるべきものであるから、たまたま本件事故のように不法行為により被保険者が死亡したためにその相続人たる被上告人両名に保険金の給付がされたとしても、これを不法行為による損害賠償額から控除すべきいわれはない（最判昭39・9・25）。

出題 国家総合-平成27、裁判所総合・一般-平成26、裁判所Ⅰ・Ⅱ-平成18

Q31 事故の後遺障害により被害者が労働能力の一部を失った場合、障害の程度が比較的軽微であり、被害者が従事する職業の性質からみて現在または将来の収入の減少が認められないときにも、障害の程度に応じて算定された逸失利益の賠償が認められるのか。

A 逸失利益の賠償は認められない。　交通事故による傷害のため、労働力の喪失・減退を来したことを理由として、将来得べかりし利益喪失による損害を算定するにあたって、労働能力喪失率が有力な資料となることは否定できない。しかし、損害賠償制度は、被害者に生じた現実の損害を塡補することを目的とするから、労働能力の喪失・減退にもかかわらず損害が発生しなかった場合には、それを理由とする賠償請求はできない（最判昭42・11・10）。

出題 国Ⅰ-平成9

Q32 交通事故により死亡した幼児の財産上の損害賠償額の算定については、幼児の損害賠償請求権を相続した者が一方で幼児の養育費の支出を必要としなくなった場合において、将来得べかりし収入額から養育費を控除すべきか。

A 控除すべきではない。　交通事故により死亡した幼児の損害賠償請求権を相続した者が一方で幼児の養育費の支出を必要としなくなった場合においても、養育費と幼児の将来得べかりし収入との間には前者を後者から損益相殺の法理又はその類推適用により控除すべき損失との同質性がなく、したがって、幼児の財産上の損害賠償額の算定にあたりその将来得べかりし収入額から養育費を控除すべきものではない（最判昭39・6・24、最判昭53・10・20）。

出題 特別区Ⅰ-令和4、裁判所Ⅰ・Ⅱ-平成21

Q33 交通事故により死亡した女子中学生の将来得べかりし利益の喪失による損害賠償額は、女子労働者の平均給与額を基礎として算定されるものであるが、これに家事労働分を加算することは許されるか。

A 家事労働分を加算することは許されない。　交

通事故により死亡した女子中学生（以下A）の将来の得べかりし利益の喪失による損害賠償額を算定するにあたり、賃金センサス中の女子労働者、旧中・新高卒、企業規模計の表による平均給与額を基準として収入額を算定することは、Aの将来の得べかりし利益の算定として不合理なものとはいえず、Aが専業として就業に就いて受けるべき給与額を基準として将来の得べかりし利益を算定するときには、Aが将来労働によって取得しうる利益は上記の算定によって評価し尽くされることになり、したがって、これに家事労働分を加算することは、将来労働によって取得しうる利益を二重に評価計算することに帰するから相当ではない（最判昭62・1・19）。

出題 国Ⅰ-平成8

Q34 交通事故により労働能力の一部を失った被害者が、その後水難事故で死亡した場合にも、被害者の就労可能期間全部の逸失利益を算定すべきか。

A 被害者の死亡の時までの就労可能期間全部について逸失利益を算定すべきである。　交通事故の被害者が事故に起因する傷害のために身体的機能の一部を喪失し、労働能力の一部を喪失した場合において、いわゆる逸失利益の算定にあたっては、その後に被害者が死亡したとしても、その交通事故の時点で、その死亡の原因となる具体的事由が存在し、近い将来における死亡が客観的に予測されていたなどの特段の事情がない限り、その死亡の事実は就労可能期間の認定上考慮すべきものではない（最判平8・4・25、最判平8・5・31）。

出題 国家総合-平成25、裁判所Ⅰ・Ⅱ-平成21

Q35 交通事故の被害者が事故のため介護を要する状態となった後に別の原因により死亡した場合には、死亡後の期間に係る介護費用を交通事故による損害として請求することはできるのか。

A 請求することはできない。　介護費用の賠償については、逸失利益の賠償とは別個の考慮を必要とする。すなわち、(1)介護費用の賠償は、被害者において現実に支出すべき費用を補てんするものであり、判決において将来の介護費用の支払を命ずるのは、引き続き被害者の介護を必要とする蓋然性が認められるからにほかならない。ところが、被害者が死亡すれば、その時点以降の介護は不要となるのであるから、もはや介護費用の賠償を命ずべき理由はなく、その費用をなお加害者に負担させることは、被害者ないしその遺族に根拠のない利得を与える結果となり、かえって衡平の理念に反することになる。(2)交通事故による損害賠償請求訴訟において一時金賠償方式をとる場合には、損害は交通事故のときに一定の内容のものとして発生したと観念され、交通事故後に生じた事由によって損害の内容に消長を来さないものとされるのであるが、上記のように衡平性の裏付けが欠ける場合にまで、このような法的な擬制を及ぼすことは相当ではない。(3)被害者死亡後の介護費用が損害にあたらないとすると、被害者が事実審の口頭弁論終結前に死亡した場合とその後に死亡した場合とで賠償すべき損害額が異なることがありうるが、このことは被害者死亡後の介護費用を損害として認める理由になるものではない（最

判平 11・12・20）。　出題 国税・労基－平成 16

Q36 他人の不法行為により死亡した者が生存していたならば将来受給しえたであろう遺族厚生年金は、不法行為による損害としての逸失利益にあたるのか。

A 逸失利益にあたらない。　遺族厚生年金は、その受給権者が被保険者または被保険者であった者の死亡当時その者によって生計を維持した者に限られており、妻以外の受給権者については一定の年齢や障害の状態にあることなどが必要とされていること、受給権者の婚姻、養子縁組といった一般的に生活状況の変更を生ずることが予想される事由の発生により受給権が消滅するとされていることなどからすると、これは、専ら受給権者自身の生計の維持を目的とした給付という性格を有するものと解される。また、この年金は、受給権者自身が保険料を拠出しておらず、給付と保険料とのけん連性が間接的であるところからして、社会保障的性格の強い給付ということができる。これらの点にかんがみると、遺族厚生年金は、受給権者自身の生存中その生活を安定させる必要を考慮して支給するものであるから、他人の不法行為により死亡した者が生存していたならば将来受給しえたであろう遺族厚生年金は、不法行為による損害としての逸失利益にはあたらない（最判平 12・11・14）。　出題 予想

Q37 不法行為により死亡した被害者の相続人がその死亡を原因として遺族厚生年金の受給権を取得したときは、当該相続人がする損害賠償請求において、給与収入等を含めた逸失利益全般から遺族厚生年金を控除すべきか。

A 控除すべきである。　国民年金法に基づく障害基礎年金及び厚生年金保険法に基づく障害厚生年金の受給権者が不法行為により死亡した場合に、その相続人のうちに被害者の死亡を原因として遺族厚生年金の受給権を取得した者がいるときは、その者が加害者に対して賠償を求めうる被害者の逸失利益（被害者が支給を受けるべかりし障害基礎年金等）に係る損害の額から、支給を受けることが確定した遺族厚生年金を控除すべきである（最判平 11・10・22）。そして、この理は、不法行為により死亡した者が障害基礎年金等の受給権者でなかった場合においても、相続人が被害者の死亡を原因として被害者の逸失利益に係る損害賠償請求権と遺族厚生年金の受給権との双方を取得したときには、同様に妥当する。そうすると、不法行為により死亡した被害者の相続人が、その死亡を原因として遺族厚生年金の受給権を取得したときは、被害者が支給を受けるべき障害基礎年金等に係る逸失利益だけでなく、給与収入等を含めた逸失利益全般との関係で、支給を受けることが確定した遺族厚生年金を控除すべきである（最判平 16・12・20）。　出題 予想

Q38 交通事故の被害者が後遺障害による逸失利益について定期金による賠償を求めている場合に、同逸失利益は定期金による賠償の対象となるのか。

A 不法行為に基づく損害賠償制度の目的及び理念に照らして相当と認められるときは、同逸失利益は、定期金による賠償の対象となる。　不法行為に基づく損害賠償制度は、被害者に生じた現実の損害を金銭的に評価し、加害者に賠償させることにより、被害者が被った不利益を補塡して、不法行為がなかったときの状態に回復させることを目的とするものであり、また、損害の公平な分担を図ることをその理念とするところである。このような目的及び理念に照らすと、交通事故に起因する後遺障害による逸失利益という損害につき、将来において取得すべき利益の喪失が現実化する都度これに対応する時期にその利益に対応する定期金の支払をさせるとともに、上記かい離が生ずる場合には民事訴訟法 117 条によりその是正を図ることができるようにすることが相当と認められる場合がある。以上によれば、交通事故の被害者が事故に起因する後遺障害による逸失利益について定期金による賠償を求めている場合において、上記目的及び理念に照らして相当と認められるときは、同逸失利益は、定期金による賠償の対象となるものと解される（最判令2・7・9）。　出題 予想

Q39 交通事故に起因する後遺障害による逸失利益につき定期金による賠償を命ずるに当たっては、就労可能期間の終期より前の被害者の死亡時を定期金による賠償の終期とする必要はあるのか。

A 事故の時点で、被害者が死亡する原因となる具体的事由が存在し、近い将来における死亡が客観的に予測されていたなどの特段の事情がない限り、就労可能期間の終期より前の被害者の死亡時を定期金による賠償の終期とする必要はない。　交通事故の被害者が事故に起因する後遺障害による逸失利益の賠償について定期金という方法による場合も、それは、交通事故の時点で発生した1個の損害賠償請求権に基づき、一時金による賠償と同一の損害を対象とするものである。そして、交通事故の時点で、その死亡の原因となる具体的 事由が存在し、近い将来における死亡が客観的に予測されていたなどの特段の事情がないのに、交通事故の被害者が事故後に死亡したことにより、賠償義務を負担する者がその義務の全部又は一部を免れ、他方被害者ないしその遺族が事故により生じた損害の塡補を受けることができなくなることは、一時金による賠償と定期金による賠償のいずれの方法によるかにかかわらず、衡平の理念に反するというべきである。したがって、上記後遺障害による逸失利益につき定期金による賠償を命ずる場合においても、その後就労可能期間の終期より前に被害者が死亡したからといって、上記特段の事情がない限り、就労可能期間の終期が被害者の死亡時となるものではない。そうすると、上記後遺障害による逸失利益につき定期金による賠償を命ずるに当たっては、交通事故の時点で、被害者が死亡する原因となる具体的事由が存在し、近い将来における死亡が客観的に予測されていたなどの特段の事情がない限り、就労可能期間の終期より前の被害者の死亡時を定期金による賠償の終期とすることを要しないと解するのが相当である（最判令2・7・9）。　出題 予想

Q40 被害者を被保険者とする人身傷害条項のある自動車保険契約を締結していた保険会社が、被害者

との間でいわゆる人傷一括払合意をし、上記条項の適用対象となる事故によって生じた損害について被害者に対して金員を支払った後に自動車損害賠償責任保険から損害賠償額の支払を受けた場合において、被害者の加害者に対する損害賠償請求権の額から損害賠償額の支払金相当額を全額控除することはできるのか。

Ⓐ **全額控除することはできない。**　被害者を被保険者とする人身傷害条項のある自動車保険契約を締結していた保険会社が、被害者との間で、上記条項に基づく保険金について自動車損害賠償責任保険による損害賠償額の支払分を含めて一括して支払う旨の合意（いわゆる人傷一括払合意）をし、上記条項の適用対象となる事故によって生じた損害について被害者に対して金員を支払った後に自動車損害賠償責任保険から損害賠償額の支払を受けた場合において、保険会社が上記保険金として保険給付をすべき義務を負うとされている金額と同額を支払ったにすぎないなどの事実関係の下では、被害者の加害者に対する損害賠償額の額から、保険会社が上記金員の支払により保険代位することができる範囲を超えて上記損害賠償額の支払金相当額を控除することはできない（最判令4・3・24）。　[出題]予想

(8)損益相殺

Q41 他人の不法行為により焼失した家屋について、火災保険金の支払を受けた場合には、その限度で不法行為者の責任が軽減されるのか。

Ⓐ **責任は軽減されず、損害賠償額が減額されるだけである。**　家屋焼失による損害につき火災保険契約に基づいて被保険者に給付される保険金は、払い込んだ保険料の対価たる性質を有し、その損害について第三者が所有者に対し損害賠償義務を負う場合でも、その損害賠償額の算定に際し、いわゆる損益相殺として控除される利益にはあたらないが、保険金を支払った保険者は本条の保険者代位の制度が適用されるから、所有者の第三者に対する賠償額は支払われた保険金の額だけ減少する（最判昭50・1・31）。　[出題]東京Ⅰ-平成15

Q42 被害者又はその相続人が取得した債権につき、損益相殺的な調整を図ることが許されるのは、どのような場合か。

Ⓐ **当該債権が現実に履行された場合又はこれと同視しうる程度にその存続および履行が確実であるということができる場合に限られる。**　被害者が不法行為によって損害を被ると同時に、同一の原因によって利益を受ける場合には、損害と利益との間に同質性がある限り、公平の見地から、その利益の額を被害者が加害者に対して賠償を求める損害額から控除することによって損益相殺的な調整を図る必要があり、また、被害者が不法行為によって死亡し、その損害賠償請求権を取得した相続人が不法行為と同一の原因によって利益を受ける場合にも、上記の損益相殺的な調整を図ることが必要なときがありうる。このような調整は、不法行為に基づく損害賠償制度の目的から考えると、被害者又はその相続人の受ける利益によって被害者に生じた損害が現実に補

てんされたということができる範囲に限られるべきである。ところで、不法行為と同一の原因によって被害者又はその相続人が第三者に対する債権を取得した場合には、当該債権を取得したということだけから上記の損益相殺的な調整をすることは、原則として許されないものといわなければならない。なぜなら、債権には、程度の差こそあれ、履行の不確実性を伴うことが避けられず、現実に履行されることがつねに確実であるということはできないうえ、とくに当該債権が将来にわたって継続的に履行されることを内容とするもので、その存続自体についても不確実性を伴うものであるような場合には、当該債権を取得したということだけでは、これによって被害者に生じた損害が現実に補てんされたものということができないからである。したがって、被害者又はその相続人が取得した債権につき、損益相殺的な調整を図ることが許されるのは、当該債権が現実に履行された場合又はこれと同視しうる程度にその存続および履行が確実であるということができる場合に限られるものというべきである（最大判平5・3・24）。

[出題]国家総合-令和4、国Ⅱ-平成21、裁判所総合・一般-令和3

Q43 退職年金を受給していたＡが交通事故により死亡し、相続人Ｘが、Ａが生存していればその平均余命期間に受給することのできた退職年金の額を基礎として損害を算定し、加害者にその賠償を求めることができる場合、ＸはＡの死亡を原因として遺族年金を受けた額をその損害賠償額から控除することを要するのか。

Ⓐ **支給を受けることが確定した遺族年金の額の限度で、その者が加害者に対して賠償を求めうる損害額からこれを控除すべきものである。**　退職年金を受給していた者が不法行為によって死亡した場合には、相続人は加害者に対し、退職年金の受給者が生存していればその平均余命期間に受給することができた退職年金の現在額を同人の損害として、その賠償を求めることができる。この場合において、その相続人のうちに、退職年金の受給者の死亡を原因として、遺族年金の受給権を取得した者があるときは、遺族年金の支給を受けるべき者につき、支給を受けることが確定した遺族年金の額の限度で、その者が加害者に対して賠償を求めうる損害額からこれを控除すべきものであるが、いまだ支給を受けることが確定していない遺族年金の額についてまで損害額から控除することを要しない（最大判平5・3・24）。　[出題]国家総合-平成27、国Ⅰ-平成8

Q44 被害者が、不法行為によって傷害を受け、その後に後遺障害が残った場合において、労働者災害補償保険法に基づく保険給付や公的年金制度に基づく年金給付を受けたときは、これらの各社会保険給付については、損益相殺的な調整を行うべきか。

Ⓐ **てん補の対象となる特定の損害と同性質であり、かつ、相互補完性を有する損害の元本との間で、損益相殺的な調整を行うべきである。**　被害者が、不法行為によって傷害を受け、その後に後遺障害が残った場合において、労災保険法に基づく各種保険

給付や公的年金制度に基づく各種年金給付を受けたときは、これらの社会保険給付は、それぞれの制度の趣旨目的に従い、特定の損害について必要額をてん補するために支給されるものであるから、同給付については、てん補の対象となる損害と同性質であり、かつ、相互補完性を有する損害の元本との間で、損益相殺的な調整を行うべきである（最判平22・9・13）。

出題 予想

Q45 被害者が、不法行為によって傷害を受け、その後に後遺障害が残った場合において、不法行為の時から相当な時間が経過した後に現実化する損害をてん補するために労働者災害補償保険法に基づく保険給付や公的年金制度に基づく年金給付の支給がされ、又は支給されることが確定したときに、てん補の対象となる損害は、不法行為の時にてん補されたものと法的に評価して損益相殺的な調整を行うべきか。

A 損益相殺的な調整を行うべきである。　労働者が通勤（労災保険法7条1項2号の通勤をいう）により負傷し、疾病にかかった場合において、療養給付は、治療費等の療養に要する費用をてん補するために、休業給付は、負傷又は疾病により労働することができないために受けることができない賃金をてん補するために、それぞれ支給されるものである。このような本件各保険給付の趣旨目的に照らせば、本件各保険給付については、これによるてん補の対象となる損害と同性質であり、かつ、相互補完性を有する関係にある治療費等の療養に要する費用又は休業損害の元本との間で損益相殺的な調整を行うべきであり、これらに対する遅延損害金が発生しているとしてそれとの間で上記の調整を行うことは相当でない。また、本件各年金給付は、労働者ないし被保険者が、負傷し、又は疾病にかかり、直ったときに障害が残った場合に、労働能力を喪失し、又はこれが制限されることによる逸失利益をてん補するために支給されるものである。このような本件各年金給付の趣旨目的に照らせば、本件各年金給付については、これによるてん補の対象となる損害と同性質であり、かつ、相互補完性を有する関係にある後遺障害による逸失利益の元本との間で損益相殺的な調整を行うべきであり、これに対する遅延損害金が発生しているとしてそれとの間で上記の調整を行うことは相当でない（最判平22・9・13）。

出題 予想

(9)損害賠償請求権と示談

Q46 示談成立後、症状が悪化し後遺症が発生して損害が増大した場合、被害者は加害者に対し損害賠償の追加請求ができるか。

A 被害者は損害賠償の追加請求ができる。　一般に不法行為による損害賠償の示談において、被害者が一定額の支払を受けることで満足し、その余の賠償請求権を放棄したときは、被害者は、示談当時にそれ以上の損害が存在したとしても、あるいは、それ以上の損害が事後に生じたとしても、示談額を上廻る損害については、事後に請求しえない趣旨と解する。しかし、全損害を正確に把握しがたい状況

の下において、早急に小額の賠償金をもって満足する旨の示談がされた場合においては、示談によって被害者が放棄した損害賠償請求権は、示談当時予想していた損害についてのもののみと解すべきであって、その当時予想できなかった不測の再手術や後遺症がその後発生した場合その損害についてまで、賠償請求権を放棄した趣旨と解することは、当事者の合理的意思に合致するものとはいえない（最判昭43・3・15）。

出題 国Ⅰ-平成16・4、地方上級-平成11、市役所上・中級-平成1、国税-平成9

(10)企業損害

Q47 会社の実体が個人企業であり、その代表取締役が交通事故によって負傷したため、企業に経営上の損害が生じた場合、企業は民法709条に基づいて損害賠償請求ができるか。

A 企業は民法709条に基づいて損害賠償請求ができる。　X会社は法人とは名ばかりの、俗にいう個人会社であり、その実権はA個人に集中して、同人にはX会社の機関としての代替性がなく、経済的に同人とX会社とは一体をなす関係にある場合においては、YのAに対する加害行為と同人の受傷によるX会社の利益の逸失との間に相当因果関係の存することを認め、形式上間接の被害者たるX会社の本訴請求を認めるべきである（最判昭43・11・15）。

出題 国Ⅰ-平成17・9・昭和58・57、国税・労基-平成21

(11)請求権の競合

Q48 債務不履行に基づく損害賠償請求権と不法行為に基づく損害賠償請求権のいずれの成立要件も満たす場合、債権者はどちらの請求権を行使してもよいのか。

A 債権者はどちらの請求権を行使してもよい。運送取扱人ないし運送人の責任に関し、運送取扱契約ないし運送契約上の債務不履行に基づく賠償請求権と不法行為に基づく賠償請求権との競合は認められる。そして、この請求権の競合が認められるには、運送取扱人ないし運送人の側に過失あるをもって足り、必ずしも故意または重過失の存することを要しない（最判昭38・11・5）。

出題 国Ⅱ-平成4、裁判所Ⅰ・Ⅱ-平成14

Q49 株式会社Aから貨物を預った運送会社BがAの承諾がないにもかかわらず株式会社Cに当該貨物を引き渡してこれを滅失したのと同一の結果を生じさせた場合、AはBに対して債務不履行と不法行為に基づく損害賠償請求をともにすることができるか。

A 両者の損害賠償請求権の競合は認められる（最判昭38・11・5）。⇨48

(12)自動車損害賠償保障法3条関係

〔参考〕自動車損害賠償保障法第3条　自己のために自動車を運行の用に供する者は、その運行によって他人の生命又は身体を害したときは、これ

によって生じた損害を賠償する責に任ずる。ただし、自己及び運転者が自動車の運行に関し注意を怠らなかったこと、被害者又は運転者以外の第三者に故意又は過失があったこと並びに自動車に構造上の欠陥又は機能の障害がなかったことを証明したときは、この限りでない。

Q50 自動車の修理業者が修理のために預かっている自動車を、その被用者が運転中に事故を起こした場合、修理業者は自動車損害賠償保障法3条の運行供用者にあたるのか。

A 修理業者は運行供用者にあたる。　本件事故は、自動車修理業者が修理のため預かり保管中の自動車を、その被用者が運転中に引き起こしたものであるが、一般に、自動車修理業者が修理のため自動車を預かった場合には、少なくとも修理や試運転に必要な範囲での運転行為を委ねられ、営業上自己の支配下においているのであり、かつ、その被用者によって保管中の車が運転された場合には、その運行は、特段の事情の認められない限り、客観的には、使用者たる修理業者の支配関係に基づき、その者のためにされたものと認められるから、修理業者は、本件事故につき、自動車損害賠償保障法3条にいう自己のために自動車を運行の用に供する者としての損害賠償責任を免れない（最判昭44・9・12）。

出題 国Ⅰ-昭和61

Q51 自動車の所有者から依頼されて自動車の所有者登録名義人となった者が、運行供用者となる場合があるのか。

A 運行供用者となる場合がある。　自動車の所有者から依頼されて自動車の所有者登録名義人となった者が、登録名義人となった経緯、所有者との身分関係、自動車の保管場所その他諸般の事情に照らし、自動車の運行を事実上支配、管理することができ、社会通念上自動車の運行が社会に害悪をもたらさないよう監視、監督すべき立場にある場合には、登録名義人は、自動車損害賠償保障法3条所定の自己のために自動車を運行の用に供する者にあたる（したがって、当該自動車の行為により被害を受けた者は、登録名義人に対して損害賠償を請求することができる）（最判昭50・11・28）。

出題 国Ⅰ-昭和61

Q52 自動車損害賠償保障法3条所定の「他人」に同乗中の妻は該当するのか。

A 妻は「他人」に該当する。　自動車損害賠償保障法3条は、自己のため自動車を運行の用に供する者（運行供用者）および運転者以外の者を他人といっているのであって、被害者が運行供用者の配偶者等であるからといって、そのことだけで、かかる被害者が自動車損害賠償保障法3条の「他人」にあたらないと解すべき論拠はなく、具体的な事実関係のもとにおいて、かかる被害者が他人にあたるかどうかを判断すべきである。そして本件事実関係の下においては、妻は事故当時、自動車損害賠償保障法3条にいう運行供用者・運転者もしくは運転補助者といえず、同条にいう他人に該当する（最判昭47・5・30）。

出題 国Ⅰ-昭和61

⒀他の救済手段の存在する場合の不法行為の成否

Q53 第三者の詐欺による売買のため、目的物の所有権を喪失した売主は、買主に対し代金請求権を有している場合には、損害があるとはいえないのか。

A 損害がある。　第三者の詐欺による売買により目的物件の所有権を喪失した売主は、買主に対し代金請求権を有し、また、第三者が買主に転売代金を支払えば、買主の売主に対する代金債務が完済される見込みがあるとしても、それだけで売主に損害がないとはいえず、不法行為に基づく損害賠償請求権を有する（最判昭38・8・8）。

出題 裁判所総合・一般-平成24

Q54 団地管理組合法人が一括して契約を締結するなどして団地建物所有者等が電力の供給を受ける方式への変更をするために、団地建物所有者等に対してその専有部分において使用する電力につき個別に締結されている供給契約の解約申入れを義務付ける旨の集会決議がされた場合において、団地建物所有者が上記解約申入れをしないことは他の団地建物所有者に対する不法行為を構成するのか。

A 他の団地建物所有者に対する不法行為を構成しない。　団地管理組合法人が一括して電力会社との間で高圧電力の供給契約を締結したうえで団地建物所有者等が当該団地管理組合法人との間で専有部分において使用する電力の供給契約を締結して電力の供給を受ける方式への変更をするために、団地建物所有者等に対し、その専有部分において使用する電力につき個別に締結されている供給契約の解約申入れを、規約を設定するなどして義務付ける旨の集会決議がされた場合において、上記変更は専有部分の電気料金を削減しようとするものにすぎず、上記変更がされないことにより専有部分の使用に支障が生じ、又は団地共用部分等の適正な管理が妨げられることとなる事情はうかがわれないなど判示の事情の下においては、団地建物所有者は上記集会決議又は上記規約に基づき上記解約申入れをする義務を負うものではなく、上記解約申入れをしないことは、他の団地建物所有者に対する不法行為を構成しない（最判平31・3・5）。**出題** 予想

第710条（財産以外の損害の賠償）

他人の身体、自由若しくは名誉を侵害した場合又は他人の財産権を侵害した場合のいずれであるかを問わず、前条の規定により損害賠償の責任を負う者は、財産以外の損害に対しても、その賠償をしなければならない。

Q1 被害者が死亡した当時、幼児には、苦痛を感受できる能力が備わっていない以上、慰謝料請求することはできないのか。

A 慰謝料請求をすることができる。　被害者が死亡した当時、幼児には、慰謝料請求権の前提である苦痛の感受性が備わっている必要はなく、将来における感受性の発生を通常期待できる以上、慰謝料請求権を認めることができる（大判昭11・5・13）。

出題 裁判所Ⅰ・Ⅱ-平成22

Q2 法人の名誉が侵害された場合、法人は民法710条に基づいて慰謝料請求ができるのか。

A 法人は民法710条に基づいて慰謝料請求ができる。　民法710条は、財産以外の損害に対しても、その賠償をなすことを要すると規定するだけで、その賠償の内容を限定していない。すなわち、その文面はいわゆる慰謝料を支払うことによって、和らげられる精神上の苦痛だけを意味するものとは受けとりえず、むしろすべての無形の損害を意味するものと読みとるべきである。したがって民法710条を根拠として無形の損害すなわち精神上の苦痛と解し、法人には精神がないから、無形の損害はありえず、有形の損害すなわち財産上の損害に対する賠償賠償以外に法人の名誉侵害の場合において民法723条による特別な方法が認められているほか、何らの救済手段も認められていないと解するのは妥当でない（最判昭39・1・28）。

出題 国家総合 − 令和2、国Ⅰ − 昭和63、地方上級 − 平成11・8、東京Ⅰ − 平成15、特別区Ⅰ − 平成23、裁判所総合・一般 − 平成29・24、裁判所Ⅰ・Ⅱ − 平成15

Q3 民事上の不法行為たる名誉毀損について、摘示された公共の利益に関する事実が真実であることの証明がなされなければ不法行為は成立するのか。

A 行為者においてその事実を真実と信じるについて相当の理由があるときは、不法行為は成立しない。民事上の不法行為たる名誉毀損については、その行為が公共の利益に関する事実にかかりもっぱら公益を図る目的に出た場合には、摘示された事実が真実であることが証明されたときは、当該行為には違法性がなく、不法行為は成立しないのであり、もし当該事実が真実であることが証明されなくても、その行為者においてその事実を真実と信じるについての相当の理由があるときには、その行為には故意もしくは過失がなく、結局、不法行為は成立しない（このことは、刑法230条の2の規定の趣旨からも十分窺うことができる）（最判昭41・6・23）。

出題 国家総合 − 令和2・平成26、国Ⅰ − 昭和58

Q4 慰謝料請求権が相続されるためには相続の意思表示が必要か。

A 相続の意思表示は不要である。　ある者が他人の故意・過失によって財産以外の損害を被った場合には、その者は、財産上の損害を被った場合と同様、損害の発生と同時にその賠償を請求する権利すなわち慰謝料請求権を取得し、この請求権を放棄したものと解しうる特別の事情がない限り、これを行使することができ、その損害の賠償を請求する意思を表明するなど格別の行為をすることを必要としない。そして、当該被害者が死亡したときは、その相続人は当然に慰謝料請求権を相続する（最大判昭42・11・1）。

出題 国家総合 − 平成28・26、国Ⅰ − 平成10・昭和62・59・58・57・54・51、地方上級 − 平成9、東京Ⅰ − 平成19、国Ⅱ − 平成16、裁判所総合・一般 − 令和2、裁判所Ⅰ・Ⅱ − 平成21、国税・財務・労基 − 平成29・24、国税・労基 − 平成21・20、国税 − 平成4

Q5 ビラ配布行為により公務員の社会的評価を低下させた場合には、名誉毀損の不法行為責任を負う

のか。

A 一定の要件を充たせば、名誉毀損の不法行為責任を負わない。　公共の利益に関する事項について自由に批判、論評を行うことはもとより表現の自由の行使として尊重されるべきであり、その対象が公務員の地位における行動である場合には、その批判等により当該公務員の社会的評価が低下することがあっても、その目的がもっぱら公益を図るものであり、かつ、その前提としている事実が主要な点において真実であることの証明があったときは、人身攻撃に及ぶなど論評としての域を逸脱したものでない限り、名誉毀損の不法行為の違法性を欠く。このことは、ビラを作成配布しても、表現行為として保護されるべきに変わりはない（最判平1・12・21）。

出題 予想

Q6 新聞記事による名誉毀損によって損害の発生する時期は、被害者が損害を知った時点か。

A 被害者が損害を知った時ではなく、記事が掲載された新聞が発行された時点である。　新聞記事による名誉毀損にあっては、これを掲載した新聞が発行され、読者がこれを閲読しうる状態になった時点で、その記事により事実を摘示された人の客観的な社会的評価が低下するのであるから、その人が当該記事の掲載を知ったかどうかにかかわらず、名誉毀損による損害はその時点で発生していることになる。被害者が損害を知ったことは、不法行為による損害賠償請求権の消滅時効の起算点（民法724条）としての意味を有するにすぎない。したがって、被害者は、本件記事の掲載された新聞が発行された時点で、これによる損害を被ったのである（最判平9・5・27）。

出題 予想

Q7 名誉毀損による損害が生じた後に被害者が有罪判決を受ければ、名誉毀損による損害賠償請求権は消滅するのか。

A 名誉毀損による損害賠償請求権は消滅しない。　新聞の発行により名誉毀損による損害が生じた後に被害者が有罪判決を受けたとしても、これにより新聞発行の時点において被害者の客観的な社会的評価が低下したという事実自体に消長は来さないから、被害者が有罪判決を受けたという事実により損害が消滅し、すでに生じている名誉毀損による損害賠償請求権を消滅させはしない。（最判平9・5・27）。

出題 予想

Q8 名誉毀損による損害について慰謝料の額を算定するにあたり損害が生じた後に被害者が有罪判決を受けたことを斟酌（考慮）できるか。

A 斟酌（考慮）できる。　名誉毀損による損害について加害者が被害者に支払うべき慰謝料の額は、事実審の口頭弁論終結時までに生じた諸般の事情を斟酌して裁判所が裁量によって算定するものであり、この諸般の事情には、被害者の品性、徳行、名声、信用等の人格的価値について社会から受ける客観的評価が当該名誉毀損以外の理由によってさらに低下したという事実も含まれるから、名誉毀損による損害が生じた後に被害者が有罪判決を受けたという事実を斟酌して慰謝料の額を算定することが許される（最判平9・5・27）。

出題 予想

Q9 当該新聞が主に興味本位の内容の記事を掲載することを編集の方針とするものであり、当該記事が、一般読者にも興味本位の記事の一つとして一読されたにすぎない場合には、不法行為の成立は否定されるのか。

A 不法行為の成否とは無関係である。　新聞記事による名誉毀損にあっては、他人の社会的評価を低下させる内容の記事を掲載した新聞が発行され、当該記事の対象とされた者がその記事内容に従って評価を受ける危険性が生ずることによって、不法行為が成立するのであって、当該新聞の編集方針、その主な読者の構成もその編集方針に対応するものであったとしても、当該新聞が報道媒体としての性格を有している以上は、その読者も当該新聞に掲載される記事がおしなべて根も葉もないものと認識しているものではなく、当該記事に幾分かの真実も含まれているものと考えるのが通常であろうから、その掲載記事により記事の対象とされた者の社会的評価が低下させられる危険性が生ずることを否定することはできないからである（最判平9・5・27）。

出題 裁判所総合・一般 − 平成 24

Q10 特定の事実を基礎とする意見ないし論評の表明による名誉毀損において行為者が当該事実を真実と信ずるにつき相当な理由がある場合、不法行為は成立するのか。

A 真実であることの証明があったときには、人身攻撃に及ぶなど意見ないし論評としての域を逸脱したものでない限り、不法行為は成立しない。　事実を摘示しての名誉毀損にあっては、その行為が公共の利害に関する事実にかかり、かつ、その目的がもっぱら公益を図ることにあった場合に、摘示された事実がその重要な部分について真実であることの証明があったときには、その行為には違法性がなく、仮に当該事実が真実であることの証明がないときにも、行為者において当該事実を真実と信ずるについて相当の理由があれば、その故意または過失は否定される。一方、ある事実を基礎としての意見ないし論評の表明による名誉毀損にあっては、その行為が公共の利害に関する事実にかかり、かつ、その目的がもっぱら公益を図ることにあった場合に、その意見ないし論評の前提としている事実が重要な部分について真実であることの証明があったときには、人身攻撃に及ぶなど意見ないし論評としての域を逸脱したものでない限り、当該行為は違法性を欠く。そして、仮にその意見ないし論評の前提としている事実が真実であることの証明がないときにも、事実を摘示しての名誉毀損における場合と対比すると、行為者において当該事実を真実と信ずるについて相当の理由があれば、その故意または過失は否定

される（最判平9・9・9）。

出題 国税・労基 − 平成 16

Q11 ある事実を基礎としての意見ないし論評の表明による名誉毀損にあっては、その行為が公共の利害に関する事実に係り、かつ、その目的が専ら公益を図ることにあった場合に、当該意見ないし論評の前提としている事実が重要な部分について真実であるなどの証明があったときには、人身攻撃に及ぶなど意見ないし論評としての域を逸脱したものでない限り、当該行為は違法性を欠くのか。

A 当該行為は違法性を欠く（最判平9・9・9）。⇨ 10

Q12 特定の事実を基礎とする意見ないし論評の表明による名誉毀損において行為者が当該事実を真実と信ずるにつき相当な理由がある場合にも、不法行為は成立するのか。

A 仮にその意見ないし論評の前提としている事実が真実であることの証明がないときにも、事実を摘示しての名誉毀損における場合と対比すると、行為者において当該事実を真実と信ずるについて相当の理由があれば、その故意または過失は否定される（最判平9・9・9）。⇨ 10

Q13 事実を摘示しての名誉毀損と意見ないし論評による名誉毀損とでは、不法行為責任の成否に関する要件は異なるのか。

A 不法行為責任の成否に関する要件は異なる（最判平9・9・9）。⇨ 10

Q14 名誉毀損の成否が問題となっている新聞記事における事実の摘示と意見ないし論評の表明とはどのように区別すべきか。

A 間接的ないしえん曲に当該事項を主張するものと理解されれば、新聞記事中の名誉毀損の成否が問題となっている部分は事実を摘示するものである。ある記事の意味内容が他人の社会的評価を低下させるものであるかどうかは、当該記事についての一般の読者の普通の注意と読み方とを基準として判断すべきであり、そのことは、事実の摘示と意見ないし論評の表明との区別にあたっても妥当する。すなわち、新聞記事中の名誉毀損の成否が問題となっている部分について、そこに用いられている語のみを通常の意味に従って理解した場合には、証拠等をもってその存否を決することが可能な他人に関する特定の事項を主張しているものと直ちに解せないときにも、当該部分の前後の文脈や、記事の公表当時に一般の読者が有していた知識等を考慮し、当該部分が、修辞上の誇張ないし強調を行うか、比喩的表現方法を用いるか、または第三者からの伝聞内容の紹介や推論の形式を採用するなどによりつつ、間接的ないしえん曲に前記事項を主張するものと理解されるならば、同部分は、事実を摘示するものとみるのが相当である。また、そのような間接的な言及は欠けるにせよ、当該部分の前後の文脈等の事情を総合的に考慮すると、当該部分の叙述の内容として前記事項を黙示的に主張するものと理解されるならば、同部分は、やはり、事実を摘示するものと見るのが相当である（最判平9・9・9）。

出題 予想

Q15 特定の者について新聞報道等により犯罪の嫌疑の存在が広く知れわたっていれば、その者が当該犯罪を行ったと公表した者は、このように信ずるについて相当の理由があるといえるのか。

A 相当の理由があるとはいえない。　ある者が犯罪を犯したとの嫌疑につき、これが新聞等により繰り返し報道されていたため社会的に広く知れわたっていたとしても、このことから、直ちに、嫌疑にかかる犯罪の事実が実際に存在したと公表した者において、当該事実を真実であると信ずるにつき相当の理由があったとはいえない。なぜなら、ある者が実際に犯罪を行ったということと、この者に対して他者から犯罪の嫌疑がかけられているということとは、事実としてはまったく異なるものであり、嫌疑につき多数の報道がされてその存在が周知のものとなったという一事をもって、直ちに、その嫌疑に係る犯罪の事実までが証明されるわけではないからである（最判平9・9・9）。　　　　　　**出題** 予想

Q16 Xの読書歴等に基づき犯行の動機は金欲しさまたは犯罪小説を自作自演しようとするところにあったとする内容のY社の記事は、その推論の結果を事実として摘示するものか、意見ないし論評を表明するものか。

A その推論の結果を事実として摘示するものである。　新聞記事中の名誉毀損の成否が問題となっている部分において表現に推論の形式がとられている場合であっても、当該記事についての一般の読者の普通の注意と読み方とを基準に、当該部分の前後の文脈や記事の公表当時に一般の読者が有していた知識ないし経験等を考慮すると、証拠等をもってその存否を決することが可能な他人に関する特定の事項を上記推論の結果として主張するものと理解されるときには、同部分は、事実を摘示するものとみるのが相当である。本件記事は、Xが殺人被告事件を犯したとしてその動機を推論するものであるが、その推論の結果として本件記事に記載されているところは、犯罪事実そのものとともに、証拠をもってその存否を決することができ、これは、事実の摘示にあたる（最判平10・1・30）。　　　　　　**出題** 予想

Q17 裁判所は、名誉毀損に該当する事実の真実性につき、事実審口頭弁論終結時において判断し、名誉毀損行為の時点では存在しなかった証拠を考慮することも許されるのか。

A 許される。　裁判所は、摘示された事実の重要な部分が真実であるかどうかについては、事実審の口頭弁論終結時において、客観的な判断をすべきであり、その際に名誉毀損行為の時点では存在しなかった証拠を考慮することも当然に許される。なぜなら、摘示された事実が客観的な事実に合致し真実であれば、行為者がその事実についていかなる認識を有していたとしても、名誉毀損行為自体の違法性が否定されることになるからである。真実性の立証とは、摘示された事実が客観的な事実に合致していたことの立証であって、これを行為当時において真実性を立証するに足りる証拠が存在していたことの立証と解することはできないし、また、真実性の立証のための証拠方法を行為当時に存在した資料に限

定しなければならない理由もない。他方、摘示された事実を真実と信ずるについて相当の理由が行為者に認められるかどうかについて判断する際には、名誉毀損行為当時における行為者の認識内容が問題になるため、行為時に存在した資料に基づいて検討することが必要となるが、真実性の立証は、このような相当の理由についての判断とは趣を異にするものである（最判平14・1・29）。　　　　　　**出題** 予想

Q18 通信社から配信を受けた記事をそのまま掲載した新聞社にその内容を真実と信ずるについて相当の理由があるのか。

A 相当の理由はない。　民事上の不法行為である名誉毀損については、その行為が公共の利害に関する事実に係り、その目的がもっぱら公益を図るものである場合には、摘示された事実がその重要な部分において真実であることの証明があれば、同行為には違法性がなく、また、真実であることの証明がなくても、行為者がそれを真実と信ずるについて相当の理由があるときは、同行為には故意または過失がなく、不法行為は成立しない。そして、本件のような場合には、掲載記事が一般的には定評があるとされる通信社から配信された記事に基づくものであるという理由によっては、記事を掲載した新聞社において配信された記事に摘示された事実を真実と信ずるについての相当の理由があると認めることはできない（最判平14・1・29 参照）（最判平14・3・8）。
出題 予想➡**国家総合 - 令和2**

Q19 人格的価値を侵害された者は、どのような要件の下で、侵害行為の差止めを求めることができるのか。

A 侵害行為が明らかに予想され、その侵害行為によって被害者が重大な損失を受けるおそれがあり、かつ、その回復を事後に図るのが不可能ないし著しく困難になると認められるときである〈石に泳ぐ魚事件〉（最判平14・9・24）。　　　　**出題** 予想

Q20 起訴事実に係る罪を犯した事件本人であること（犯人情報）および経歴や交友関係等の詳細な情報（履歴情報）は、名誉を毀損する情報、および、他人にみだりに知られたくない個人のプライバシーに属する情報にあたるのか。

A 各情報にあたる。　本件記事に記載された起訴事実に係る罪を犯した事件本人であること（犯人情報）および経歴や交友関係等の詳細な情報（履歴情報）は、いずれも被上告人の名誉を毀損する情報であり、また、他人にみだりに知られたくない被上告人のプライバシーに属する情報である。そして、被上告人と面識があり、又は犯人情報あるいは被上告人の履歴情報を知る者は、その知識を手がかりに本件記事が被上告人に関する記事であると推知することが可能であり、本件記事の読者の中にこれらの者が存在した可能性を否定することはできない。そして、これらの読者の中に、本件記事を読んで初めて、被上告人についてのそれまで知っていた以上の犯人情報や履歴情報を知った者がいた可能性も否定することはできない。したがって、上告人（出版社）の本件記事の掲載行為は、被上告人の名誉を毀損し、プライバシーを侵害するものである〈長良川

リンチ殺人報道訴訟）（最判平 15・3・14）。

出題 予想

Q21 本件記事が、被上告人について、当時の実名と類似する仮名が用いられ、その経歴等が記載されているものの、被上告人と特定するに足りる事項の記載がない場合でも、少年事件情報の中の加害少年本人を推知させる事項についての報道（「推知報道」）にあたるのか。

A「推知報道」にあたらない。　少年法61条は、少年事件情報の中の加害少年本人を推知させる事項についての報道（以下「推知報道」という。）を禁止するが、これが推知報道かどうかは、その記事等により、不特定多数の一般人がその者を当該事件の本人であると推知することができるかどうかを基準にして判断すべきところ、本件記事は、被上告人について、当時の実名と類似する仮名が用いられ、その経歴等が記載されているものの、被上告人と特定するに足りる事項の記載はないから、被上告人と面識等のない不特定多数の一般人が、本件記事により、被上告人が当該事件の本人であることを推知することはできない。したがって、本件記事は、少年法61条の規定に違反するものではない〈長良川リンチ殺人報道訴訟〉（最判平 15・3・14）。

出題 予想

Q22 本件記事が個人の名誉を毀損し、プライバシーを侵害する内容を含むとした場合、本件記事の掲載によって出版社に不法行為が成立するか否かは、どのように判断すべきか。

A 被侵害利益ごとに違法性阻却事由の有無等を審理し、個別具体的に判断すべきである。　本件記事が被上告人の名誉を毀損し、プライバシーを侵害する内容を含むものとしても、本件記事の掲載によって上告人に不法行為が成立するか否かは、被侵害利益ごとに違法性阻却事由の有無等を審理し、個別具体的に判断すべきである。すなわち、名誉毀損については、その行為が公共の利害に関する事実に係り、その目的が専ら公益を図るものである場合において、摘示された事実がその重要な部分において真実であることの証明があるとき、又は真実であることの証明がなくても、行為者がそれを真実と信ずるについて相当の理由があるときは、不法行為は成立しないのであるから（最判昭 41・6・23）、本件においても、これらの点を個別具体的に検討することが必要である。また、プライバシーの侵害については、その事実を公表されない法的利益とこれを公表する理由とを比較衡量し、前者が後者に優越する場合に不法行為が成立するのであるから〈ノンフィクション「逆転」事件〉（最判平 6・2・8）、本件記事が週刊誌に掲載された当時の被上告人の年齢や社会的地位、当該犯罪行為の内容、これらが公表されることによって被上告人のプライバシーに属する情報が伝達される範囲と被上告人が被る具体的被害の程度、本件記事の目的や意義、公表の社会的状況、本件記事において当該情報を公表する必要性など、その事実を公表されない法的利益とこれを公表する理由に関する諸事情を個別具体的に審理し、これらを比較衡量して判断することが必要である〈長

良川リンチ殺人報道訴訟〉（最判平 15・3・14）。

出題 予想

Q23 法的な見解の表明は、判決等により裁判所が判断を示すことができる事項に係るものであっても、意見ないし論評の表明にあたるのか。

A 意見ないし論評の表明にあたる。　法的な見解の正当性それ自体は、証明の対象とはなりえないものであり、法的な見解の表明が証拠等をもってその存否を決することが可能な他人に関する特定の事項ということができないことは明らかであるから、法的な見解の表明は、事実を摘示するものではなく、意見ないし論評の表明の範ちゅうに属するものである。また、事実を摘示しての名誉毀損と意見ないし論評による名誉毀損とで不法行為責任の成否に関する要件を異にし、意見ないし論評については、その内容の正当性や合理性を特に問うことなく、人身攻撃に及ぶなど意見ないし論評としての域を逸脱したものでない限り、名誉毀損の不法行為が成立しないものとされているのは、意見ないし論評を表明する自由が民主主義社会に不可欠な表現の自由の根幹を構成するものであることを考慮し、これを手厚く保障する趣旨によるものである。そして、裁判所が具体的な紛争の解決のために当該法的な見解の正当性について公権的判断を示すことがあるからといって、そのことを理由に、法的な見解の表明が事実の摘示ないしそれに類するものにあたると解することはできない。したがって、一般的に、法的な見解の表明は、その前提として、上記特定の事項を明示的又は黙示的に主張するものと解されるため事実の摘示を含むというべき場合があることは否定しえないが、法的な見解の表明それ自体は、それが判決等により裁判所が判断を示すことができる事項に係るものであっても、そのことを理由に事実を摘示するものとはいえず、意見ないし論評の表明にあたる（最判平 16・7・15）。

出題 予想 ➡ 国家総合 - 令和2

Q24 分譲住宅の譲渡契約の譲受人が同契約を締結するか否かの意思決定をするにあたり価格の適否を検討するうえで重要な事実につき譲渡人が説明をしなかった行為は、慰謝料請求権の発生を肯定しうる違法行為と評価できるのか。

A 違法行為と評価できる。　Yは、本件各譲渡契約締結の時点において、Xらに対する譲渡価格が高額に過ぎ、仮にその価格で未分譲住宅につき一般公募を行っても買手がつかないことを認識しており、そのためXらおよび他の建替え団地の居住者に対するあっせん後直ちに未分譲住宅の一般公募をする意思を有していなかった。それにもかかわらず、Yは、Xらに対し、Xらに対するあっせん後直ちに未分譲住宅の一般公募をする意思がないことを説明しなかった。以上に照らすと、Yは、Xらが、本件優先購入条項により、本件各譲渡契約締結の時点において、Xらに対するあっせん後未分譲住宅の一般公募が直ちに行われると認識していたことを少なくとも容易に知ることができたにもかかわらず、Xらに対し、上記一般公募を直ちにする意思がないことを全く説明せず、これによりXらがYの設定に係

る分譲住宅の価格の適否について十分に検討したうえで本件各譲渡契約を締結するか否かを決定する機会を奪ったのであって、Yが当該説明をしなかったことは信義誠実の原則に著しく違反する。そうすると、XらがYとの間で本件各譲渡契約を締結するか否かの意思決定は財産的利益に関するものであるが、Yの上記行為は慰謝料請求権の発生を肯認し得る違法行為と評価することが相当である（最判平16・11・18）。　　　　　　　　出題 予想

Q25 刑事事件の法廷における被疑者の容ぼう等を撮影した行為およびその写真を写真週刊誌に掲載して公表した行為は、不法行為法上違法となるのか。

A 不法行為法上違法となる。　被上告人は、本件写真の撮影当時、社会の耳目を集めた本件刑事事件の被疑者として拘束中の者であり、本件写真は、本件刑事事件の手続での被上告人の動静を報道する目的で撮影されたものである。しかしながら、本件写真週刊誌のカメラマンは、刑訴規則215条所定の裁判所の許可を受けることなく、小型カメラを法廷に持ち込み、被上告人の動静を隠し撮りしたのであり、その撮影の態様は相当なものとはいえない。また、被上告人は、手錠をされ、腰縄を付けられた状態の容ぼう等を撮影されたものであり、このような被上告人の様子をあえて撮影することの必要性も認めがたい。本件写真が撮影された法廷は傍聴人に公開された場所であったとはいえ、被上告人は、被疑者として出頭し在廷していたのであり、写真撮影が予想される状況の下に任意に公衆の前に姿を現したものではない。以上の事情を総合考慮すると、本件写真の撮影行為は、社会生活上受忍すべき限度を超えて、被上告人の人格的利益を侵害するものであり、不法行為法上違法であるとの評価を免れない。そして、このように違法に撮影された本件写真を、本件第1記事に組み込み、本件写真週刊誌に掲載して公表する行為も、被上告人の人格的利益を侵害するものとして、違法性を有するものである（最判平17・11・10）。　　　出題 予想

Q26 弁護士法58条1項に基づく懲戒請求が事実上又は法律上の根拠を欠く場合、請求者が、そのことを知りながら、あえて懲戒を請求すると、違法な懲戒請求として不法行為を構成するのか。

A 不法行為を構成する。　懲戒請求を受けた弁護士は、根拠のない請求により名誉、信用等を不当に侵害されるおそれがあり、また、その弁明を余儀なくされる負担を負うことになる。そして、弁護士法58条1項が、請求者に対し恣意的な請求を許容したり、広く免責を与えたりする趣旨の規定でないことは明らかであるから、同項に基づく請求をする者は、懲戒請求を受ける対象者の利益が不当に侵害されることがないように、対象者に懲戒事由があることを事実上および法律上裏付ける相当な根拠について調査、検討をすべき義務を負うものというべきである。そうすると、同項に基づく懲戒請求が事実上又は法律上の根拠を欠く場合において、請求者が、そのことを知りながら又は通常人であれば普通の注意を払うことによりそのことを知りえたのに、あえて懲戒を請求するなど、懲戒請求が弁護士懲戒制度

の趣旨目的に照らし相当性を欠くと認められるときには、違法な懲戒請求として不法行為を構成すると解する（最判平19・4・24）。　　出題 予想

Q27 Z通信社が本件配信記事に摘示された事実を真実であると信ずるについて相当の理由があっても、新聞社が通信社からの配信に基づき自己の発行する新聞に記事を掲載し、名誉を毀損した場合には、不法行為責任を負うのか。

A 新聞社は不法行為責任を負わない。　新聞社が、通信社からの配信に基づき、自己の発行する新聞に記事を掲載した場合において、少なくとも、当該通信社と当該新聞社とが、記事の取材、作成、配信および掲載という一連の過程において、報道主体としての一体性を有すると評価することができるときは、当該通信社が当該配信記事に摘示された事実を真実と信ずるについて相当の理由があるのであれば、当該新聞社が当該配信記事に摘示された事実の真実性に疑いを抱くべき事実があるにもかかわらずこれを漫然と掲載したなど特段の事情のない限り、当該新聞社が自己の発行する新聞に掲載した記事に摘示された事実を真実と信ずるについても相当の理由があり、当該理由は、新聞社が掲載した記事に、これが通信社からの配信に基づく記事である旨の表示がない場合であっても異なるものではない（最判平23・4・28）。　　出題 予想

第711条（近親者に対する損害の賠償）

　他人の生命を侵害した者は、被害者の父母、配偶者及び子に対しては、その財産権が侵害されなかった場合においても、損害の賠償をしなければならない。

Q1 生命侵害以外の場合に近親者の慰謝料請求権は認められるのか。

A 死亡したときと比肩しうべき精神上の苦痛を受けたと認められるときには、近親者の慰謝料請求権が認められる。　民法709条、710条の各規定と対比してみると、民法711条が生命を害された者の近親者の慰謝料請求につき明文をもって規定しているとの一言をもって、直ちに生命侵害以外の場合においうる事情があってもその近親者の慰謝料請求権がすべて否定されているのではなく、むしろ、子の死亡したときにも比肩しうべき精神上の苦痛を受けたと認められるときには、民法711条所定の場合に類するものとして、同法709条、710条に基づいて、自己の権利として慰謝料を請求しうる（最判昭33・8・5）。

出題 国Ⅰ-昭和57、地方上級-平成11、裁判所総合-平成29、裁判所Ⅰ・Ⅱ-平成22・15、国税・財務・労基-令和4

Q2 直接の被害者が不法行為で死亡した場合に、配偶者、父母、子および兄弟姉妹に限って711条により不法行為者に対する慰謝料請求が認められるのか。

A 711条に該当しない者であっても、慰謝料請求が認められる場合がある。　不法行為により死亡した被害者の夫であっても、跛行顕著な身体障害者であるため、長年にわたり被害者と同居してその庇護の下に生活を維持し、将来もその継続を期待しており、被害者の死亡により甚大な精神

的苦痛を受けた等の事実関係があるときには、民法711条の類推適用により加害者に対し慰藉料を請求しうる。すなわち、不法行為による生命侵害があった場合、民法711条所定以外の者であっても、被害者との間に同条所定の者と実質的に同視しうべき身分関係が存し、被害者の死亡により甚大な精神的苦痛を受けた者は、加害者に対し直接に固有の慰藉料を請求しうる（最判昭49・12・17）。

出題 国Ⅰ－平成17、特別区Ⅰ－平成21、裁判所総合・一般－令和2・1・平成28

第712条（責任能力）

未成年者は、他人に損害を加えた場合において、自己の行為の責任を弁識するに足りる知能を備えていなかったときは、その行為について賠償の責任を負わない。

Q1 使用者が使用者責任を負うためには、被用者に責任能力が必要か。

A 被用者に責任能力が必要である。　不法行為における加害者が加害行為の当時20歳未満の未成年者であった場合に賠償責任を負わせるためには、その未成年者が加害行為の当時に是非善悪を識別することができる程度に発達した責任能力を具有していることを必要とし、この場合、被用者の不法行為について使用者は使用者責任を負う（大判大4・5・12）。　　**出題 国Ⅰ－平成6**

第713条

精神上の障害により自己の行為の責任を弁識する能力を欠く状態にある間に他人に損害を加えた者は、その賠償の責任を負わない。ただし、故意又は過失によって一時的にその状態を招いたときは、この限りでない。

第714条（責任無能力者の監督義務者等の責任）

①前2条の規定により責任無能力者がその責任を負わない場合において、その責任無能力者を監督する法定の義務を負う者は、その責任無能力者が第三者に加えた損害を賠償する責任を負う。ただし、監督義務者がその義務を怠らなかったとき、又はその義務を怠らなくても損害が生ずべきであったときは、この限りでない。

②監督義務者に代わって責任無能力者を監督する者も、前項の責任を負う。

Q1 未成年者が責任能力を有する場合にも、監督義務者が不法行為責任を負う場合があるのか。

A 民法709条によって不法行為責任を負う場合がある。　未成年者が責任能力を有する場合であっても監督義務者の義務違反と当該未成年者の不法行為によって生じた結果との間に相当因果関係を認めうるときは、監督義務者につき民法709条に基づく不法行為が成立するのであって、民法714条の規定はこの解釈を妨げない（最判昭49・3・22）。

出題 国Ⅰ－平成10・昭和62、地方上級－昭和63、特別区Ⅰ－平成23、裁判所総合・一般－令和1・平成26、裁判所Ⅰ・Ⅱ－平成21、国税・財務・労基－令和4、国税－平成9

Q2 小学校2年生の児童甲が「鬼ごっこ」中に1年生の児童乙に背負われて逃げようとし、過って乙児童を転倒させ、上腕骨骨折の負傷を与えた場合、当該傷害行為には違法性があるのか。

A 違法性はなく、監督義務者は責任を負わない。　自己の行為の責任を弁識するに足りる知能をそなえない児童が、「鬼ごっこ」なる一般に容認される遊戯中、他人に加えた傷害行為は、特段の事情のない限り、当該行為の違法性を阻却すべき事由があるものと解する。したがって、監督義務者は責任を負わない（最判昭37・2・27）。

出題 国家総合－平成24

Q3 責任を弁識する能力のない未成年者の行為により火災が発生し、その際、責任無能力者（当該未成年者）に故意・重過失がある場合、その監督義務者は責任を負うのか。

A 責任無能力者（当該未成年者）の故意・重過失に関係なく、監督義務者は未成年者の監督について重大な過失がある場合に責任を負う。　民法714条1項の趣旨は、責任を弁識する能力のない未成年者の行為については過失に相当するものの有無を考慮することができず、そのため不法行為の責任を負う者がなければ被害者の救済に欠けるところから、その監督義務者に損害の賠償を義務付けるとともに、監督義務者に過失がなかったときはその責任を免れさせることとしたものである。ところで、失火の責任に関する法律は、失火による損害賠償責任を失火者に重大な過失がある場合に限定しているのであって、この両者の趣旨を併せ考えれば、責任を弁識する能力のない未成年者の行為により火災が発生した場合においては、民法714条1項に基づき、未成年者の監督義務者がその火災による損害を賠償すべき義務を負うが、当該監督義務者に未成年者の監督について重大な過失がなかったときは、これを免れるのであり、未成年者の行為の態様は、これを監督義務者の責任の有無の判断に際して斟酌することは格別として、これについて未成年者自身に重大な過失に相当するものがあるかどうかを考慮するのは相当でない（最判平7・1・24）。

出題 国家総合－平成25、国Ⅰ－平成13

〔参考〕失火の責任に関する法律　民法第709条の規定は失火の場合には之を適用せず。但し失火者に重大なる過失ありたるときは此の限りに在らず。

Q4 責任を弁識する能力のない未成年者が、サッカーボールを蹴って他人を負傷させ、後に死亡させた場合、その親権者は民法714条1項の監督義務者としての義務を怠ったといえるのか。

A 必ずしも監督義務者としての義務を怠ったとはいえない。　責任を弁識する能力のない未成年者の蹴ったサッカーボールが校庭から道路に転がり出て、これを避けようとした自動二輪車の運転者が転倒して負傷し、その後死亡した場合において、(1)上記未成年者は、放課後、児童らのために開放されていた小学校の校庭において、使用可能な状態で設置されていたサッカーゴールに向けてフリーキックの練習をしていたのであり、当然に道路に向けてボールを蹴ったなどの事情もうかがわれない。(2)上記サッカーゴールに向けてボールを蹴ったとしても、ボールが道路上に出ることが常態であったものとはみられない。(3)上記未成年者の親権者である父

母は、危険な行為に及ばないよう日頃から通常のしつけをしており、上記未成年者の本件における行為について具体的に予見可能であったなどの特別の事情があったこともうかがわれないなどの事情の下では、当該未成年者の親権者は、民法714条1項の監督義務者としての義務を怠らなかったというべきである（最判平27・4・9）。

国家総合 – 令和3・平成29、国家一般 – 令和2

Q5 責任能力のない未成年者の親権者は、直接的な監視下にない子の行動については、子が、通常は人身に危険が及ぶものとはみられない行為によってたまたま人身に損害を生じさせた場合であっても、子に対する監督義務を尽くしていなかったことを理由として、常に民法第714条に基づく損害賠償責任を負うのか。

A 民法第714条に基づく損害賠償責任を負わない（最判平27・4・9）。⇨4

Q6 保護者や成年後見人であれば、民法714条の法定の監督義務者に該当するのか。

A 直ちに法定の監督義務者に該当するわけではない。　保護者の精神障害者に対する自傷他害防止監督義務は、平成11年に廃止された（なお、保護者制度そのものが平成25年の改正により廃止された）。また、後見人の禁治産者に対する療養看護義務は、平成11年の法律改正後の民法858条において成年後見人がその事務を行うにあたっては成年被後見人の心身の状態および生活の状況に配慮しなければならない旨のいわゆる身上配慮義務に改められた。この身上配慮義務は、成年後見人の権限等に照らすと、成年後見人が契約等の法律行為を行う際に成年被後見人の身上について配慮すべきことを求めるものであって、成年後見人に対し事実行為として成年被後見人の現実の介護を行うことや成年被後見人の行動を監督することを求めるものと解することはできない。そうすると、平成19年当時において、保護者や成年後見人であることだけでは直ちに法定の監督義務者に該当するということはできない（最判平28・3・1）。　　 国家総合 – 平成29

Q7 精神障害者と同居する配偶者は、民法714条1項にいう「責任無能力者を監督する法定の義務を負う者」にあたるのか。

A あたらない。　民法752条は、夫婦の同居、協力および扶助の義務について規定しているが、これらは夫婦間において相互に相手方に対して負う義務であって、第三者との関係で夫婦の一方に何らかの作為義務を課するものではなく、しかも、同居の義務についてはその性質上履行を強制することができないものであり、協力の義務についてはそれ自体抽象的なものである。また、扶助の義務はこれを相手方の生活を自分自身の生活として保障する義務であると解したとしても、そのことから直ちに第三者との関係で相手方を監督する義務を基礎付けることはできない。そうすると、民法752条の規定をもって同法714条1項にいう責任無能力者を監督する義務を定めたものということはできず、他に夫婦の一方が相手方の法定の監督義務者であるとする実定法上の根拠は見当たらない。したがって、精神

障害者と同居する配偶者であるからといって、その者が民法714条1項にいう「責任無能力者を監督する法定の義務を負う者」にあたるとすることはできない（最判平28・3・1）。 予想

Q8 法定の監督義務者に該当しない者は、民法714条1項の監督責任を一切負わないのか。

A 法定の監督義務者に該当しない者であっても、法定の監督義務者に準ずべき者として、民法714条1項が類推適用されて、監督責任を負う場合がある。　法定の監督義務者に該当しない者であっても、責任無能力者との身分関係や日常生活における接触状況に照らし、第三者に対する加害行為の防止に向けてその者が当該責任無能力者の監督を現に行いその態様が単なる事実上の監督を超えているなどその監督義務を引き受けたとみるべき特段の事情が認められる場合には、衡平の見地から法定の監督義務を負う者と同視してその者に対し民法714条に基づく損害賠償責任を問うことができるとするのが相当であり、このような者については、法定の監督義務者に準ずべき者として、同条1項が類推適用されると解すべきである（最判昭58・2・24参照）。そのうえで、ある者が、精神障害者に関し、このような法定の監督義務者に準ずべき者にあたるか否かは、その者自身の生活状況や心身の状況などとともに、精神障害者との親族関係の有無・濃淡、同居の有無その他の日常的な接触の程度、精神障害者の財産管理への関与の状況などその者と精神障害者との関わりの実情、精神障害者の心身の状況や日常生活における問題行動の有無・内容、これらに対応して行われている監護や介護の実態など諸般の事情を総合考慮して、その者が精神障害者を現に監督しているかあるいは監督することが可能かつ容易であるなど衡平の見地からその者に対し精神障害者の行為に係る責任を問うのが相当といえる客観的状況が認められるか否かという観点から判断すべきである（最判平28・3・1）。

予想➡国家一般 – 令和2

Q9 認知症により責任を弁識する能力のない者Aが線路に立ち入り列車と衝突して鉄道会社に損害を与えた場合、Aの妻Y1は、民法714条1項所定の法定の監督義務者に準ずべき者にあたるのか。

A 本件の事実認定の下では、あたらない。　認知症により責任を弁識する能力のない者Aが線路に立ち入り列車と衝突して鉄道会社に損害を与えた場合において、Aの妻Y1が、長年Aと同居しており長男Y2らの了解を得てAの介護にあたっていたものの、当時85歳で左右下肢に麻痺拘縮があり要介護1の認定を受けており、Aの介護につきY2の妻Bの補助を受けていたなどの事情の下では、Y1は、民法714条1項所定の法定の監督義務者に準ずべき者にあたらない（最判平28・3・1）。

予想

Q10 認知症により責任を弁識する能力のない者Aが線路に立ち入り列車と衝突して鉄道会社に損害を与えた場合、Aの長男Y2は、民法714条1項所定の法定の監督義務者に準ずべき者にあたるのか。

A 本件の事実認定の下では、あたらない。　認知

症により責任を弁識する能力のない者Ａが線路に立ち入り列車と衝突して鉄道会社に損害を与えた場合において、Ａの長男Y2がＡの介護に関する話合いに加わり、Y2の妻ＢがＡ宅の近隣に住んでＡ宅に通いながらＡの妻Y1によるＡの介護を補助していたものの、Y2自身は、当時20年以上もＡと同居しておらず、上記の事故直前の時期においても1か月に3回程度週末にＡ宅を訪ねていたにすぎないなどの事情の下では、Y2は、民法714条1項所定の法定の監督義務者に準ずべき者にあたらない（最判平28・3・1）。

出題 予想

第715条（使用者等の責任）

①ある事業のために他人を使用する者は、被用者がその事業の執行について第三者に加えた損害を賠償する責任を負う。ただし、使用者が被用者の選任及びその事業の監督について相当の注意をしたとき、又は相当の注意をしても損害が生ずべきであったときは、この限りでない。

②使用者に代わって事業を監督する者も、前項の責任を負う。

③前2項の規定は、使用者又は監督者から被用者に対する求償権の行使を妨げない。

◇「ある事業のために他人を使用する」

Q1 被用者が使用している第三者の不法行為に対して、使用者は責任を負うのか。

A 使用者責任を負う場合がある。　下請負人のトンネル掘さく作業により他人の土地・家屋に損害を与えた場合、元請負人から現場監督者が派遣されていた状況の下では元請負人は使用者責任を負わなければならない（大判昭11・2・12）。

出題 地方上級-昭和56

Q2 元請負人が下請負人に対し、工事上の指図をし又はその監督の下に工事を施工させ、その関係が使用者と被用者との関係等があれば、下請負人がさらに第三者を使用し、その第三者が他人に加えた損害については、元請負人は使用者責任を免れないのか。

A その第三者に直接間接に元請負人の指揮監督関係が及んでいた場合に、使用者責任を免れない。

元請負人が下請負人に対して指揮監督する権利を保有し、その関係があたかも使用者と被用者との関係又はこれと同視しうる場合において、下請負人の被用者（第三者）に対して、元請負人の指揮監督関係が及んでいた場合には、元請負人は、その第三者が他人に加えた損害については、使用者責任を免れない（最判昭37・12・14、最判昭45・2・12）。

出題 国Ⅰ-平成17、裁判所Ⅰ・Ⅱ-平成20

Q3 兄Ａが、その出先から自宅に連絡して弟ＢにＡ所有の自動車で迎えに来させたうえ、Ｂに自動車の運転を継続させ、これに同乗して自宅に帰る途中でＢが運転を誤りＣに損害を生じさせた場合において、Ａが同乗中の助手席でＢに運転上の指示をしていたなどの事情があるときは、Ａは、Ｃに対して、民法715条に基づく損害賠償責任を負うのか。

A Ａは、Ｃに対して、民法715条に基づく損害賠

償責任を負う。　兄が弟に兄所有の自動車を運転させこれに同乗して自宅に帰る途中、弟の運転に気を配り、事故直前にも弟に対し「ゴー」と発進の合図を送っていたなどの事実がある場合、兄（Ａ）は一時的にせよ弟（Ｂ）を指揮監督して、その自動車により自己を自宅に送り届けさせるという仕事に従事させていたということができるから、ＡとＢとの間にＡの仕事につき民法715条1項にいう使用者、被用者の関係が成立していたと解することができる（最判昭56・11・27）。

出題 国Ⅰ-平成17、国家一般-平成30

Q4 兄Ａが弟ＢにＡ所有の自動車を運転させて会社に迎えに来させたうえ、自宅に戻る途中、運転経験の長いＡが助手席に座って、運転免許の取得後半年位で運転経験の浅いＢの運転に気を配り、事故発生の直前にもＢに対し「ゴー」と合図して発進の指示をしていた場合には、ＡＢ間に民法715条の使用関係が肯定されるのか。

A 民法715条の使用関係が肯定される（最判昭56・11・27）。⇨3

◇「事業の執行について」

Q5 業務上自動車使用を許されていた被用者が、勤務時間終了後遊びに行くために会社の自動車の運転中事故を起こした場合、被害者は使用者に対して損害賠償請求ができるのか。

A 被害者は使用者に対して損害賠償請求ができる。販売業務遂行上、自動車の使用を許されているセールスマンが、業務終了後に遊びに行くために会社の自動車を勝手に運転して事故を起こした場合、会社の自動車の使用は、外形的には職務行為の範囲に属するから、使用者責任が認められる（最判昭37・11・8）。

出題 国Ⅰ-平成13、裁判所Ⅰ・Ⅱ-平成19、国税・労基-平成21・15、国税-平成4・2・昭和58

Q6 普段から業務として使用者である会社の自動車を運転していた被用者が、終電に乗り遅れたため、その自動車を無断で持ち出して運転して帰宅する途中、被害者をひいて死亡させた場合、被用者の行為は、使用者の事業の執行についてされたものといえるのか。

A 使用者の事業の執行についてされたものといえる。　自動車の販売等を業とする会社の販売課に勤務する被用者が、退社後映画見物をして帰宅のための最終列車に乗り遅れたため、私用に使うことが禁止されていた会社内規に違反して会社の自動車を運転し、帰宅する途中、追突事故を起こす等の事実関係の下において他人に加えた損害は、会社の「事業の執行について」生じたものと解するのが相当である（最判昭39・2・4）。

出題 国家総合-平成24、裁判所総合・一般-令和3・平成25、裁判所Ⅰ・Ⅱ-平成23

Q7 被用者の加害行為が、被用者の職務執行行為そのものには属しないが、行為の外形から観察して、あたかも被用者の職務の範囲内の行為に属するものとみられる場合も、「事業の執行について」なした行為に含むのか。

民法編

A 被用者の職務の範囲内の行為に属するものとみられる場合も含む。　会社の会計係中の手形係として手形作成準備事務を担当していた係員が、手形係を免じられた後に会社名義の約束手形を偽造した場合であっても、上記係員が、なお会計係に所属して割引手形を銀行に使送する等の職務を担当し、かつ、会社の施設機構および事業運営の実情から、係員が権限なしに手形を作成することが客観的に容易である状態に置かれている等のような事情があるときは、上記手形偽造行為は、民法715条にいう「事業の執行について」なした行為と解するのが相当である（最判昭40・11・30）。

出題 裁判所Ⅰ・Ⅱ－平成23

Q8 被用者が行為の外形からみて、使用者の事業の範囲内に属する取引行為をし、それによって相手方に被害を与えた場合、被害者はつねに使用者に対して損害賠償請求ができるのか。

A 当該行為が適法に行われたものでないことにつき被害者が悪意または重過失あるときは、損害賠償請求ができない。　被用者のなした取引行為が、その行為の外形からみて、使用者の事業の範囲内に属するものと認められる場合においても、その行為が被用者の職務権限内において適法に行われたものでなく、かつ、その行為の相手方が当該事情を知りながら、または、少なくとも重大な過失によりその事情を知らないで、当該取引をしたと認められるときは、その行為に基づく損害は民法715条にいわゆる「被用者が事業の執行について第三者に加えた損害」とはいえず、したがって、その取引の相手方である被害者は使用者に対してその損害の賠償を請求することはできない（最判昭42・11・2）。

出題 国Ⅰ－昭和62、地方上級－昭和58、国家一般－平成30、裁判所総合・一般－平成25

Q9 会社Aの従業員Bが、一緒に仕事をしていた他の従業員Cとの間で業務の進め方をめぐって言い争ったあげく、Cに暴行を加えて損害を発生させたとしても、Aは、Cに対して民法715条に基づく損害賠償責任を負わないのか。

A 損害賠償責任を負う。　使用者の施工に係る水道管敷設工事の現場において、被用者が、工事に従事中、作業用鋸の受渡しのことから、他の作業員と言い争ったあげく、同人に対し暴行を加えて負傷させた場合、これによって作業員の被った損害は、被用者が事業の執行につき加えた損害にあたるというべきである（最判昭44・11・18）。

出題 国家一般－平成30

Q10 郵便局に所属する保険外務員が夫婦から融資を受けた行為が、保険外務員と夫婦らとの個人的な貸借関係であり、夫が盗まれた保険金に充てる趣旨の保険外務員の言を信じ融資金を交付した場合、これを郵便局の業務に属する公的資金の調達にあたると評価できるか。

A 評価できない。　郵便局に所属する保険外務員Dは、夫婦に対し資金の融通を申し込むに際し、当日中に顧客に保険金を届けなければ勤務先に発覚して免職になるなどと述べたうえ、Dが契約している保険を解約して夫婦らに融資金を返済する旨述

べている。このことからすると、夫婦は、Dから懇願されて郵便局には知られないまま事態を収拾するための資金の融通に応じたのであり、融資金の返済資金はD個人が工面するのであるから、Dが夫婦らから融資を受けた行為はDと夫婦らとの個人的な貸借関係であり、夫がDの言を信じ盗まれた保険金に充てる趣旨で融資金を交付したからといって、これが郵便局の業務に属する公的資金の調達にあたると評価することはできない。以上によれば、Dの行為を外形的、全体的にみても、夫婦は、Dが確実に融資金を返済してくれるというD個人に対する信頼に基づきDに資金を融通したものと評価すべきであり、Dが夫婦らに加えた損害は、民法715条1項にいう「被用者がその事業の執行について第三者に加えた損害」にあたらない。したがって、Dの行為について上告人が民法715条に基づく責任を負う理由は認められず、また、Dの行為は国家賠償法1条1項にいう「公権力の行使」にはあたらないから、これについて同条に基づく責任を問うこともできない（最判平15・3・25）。

出題 予想

Q11 階層的に構成されている暴力団の最上位の組長と下部組織の構成員との間に同暴力団の威力を利用しての資金獲得活動に係る事業について、その構成員がした殺傷行為は、民法715条1項の「事業の執行について」した行為にあたるのか。

A 「事業の執行について」した行為にあたる。　⑴甲組は、その威力をその暴力団員に利用させ又はその威力を暴力団員が利用することを容認することを実質上の目的とし、下部組織の構成員に対しても、甲組の名称、代紋を使用するなど、その威力を利用して資金獲得活動をすることを容認していたこと、⑵Yは、甲組の1次組織の構成員から、また、甲組の2次組織以下の組長は、それぞれその所属組員から、毎月上納金を受け取り、上記資金獲得活動による収益がYに取り込まれる体制がとられていたこと、⑶Yは、ピラミッド型の階層的組織を形成する甲組の頂点に立ち、構成員を擬制的血縁関係に基づく服従統制下に置き、Yの意向が末端組織の構成員に至るまで伝達徹底される体制がとられていたことが明らかである。以上の諸点に照らすと、Yは、甲組の下部組織の構成員を、その直接間接の指揮監督の下、甲組の威力を利用しての資金獲得活動に係る事業に従事させていたといえるから、Yと甲組の下部組織の構成員との間には、同事業につき、民法715条1項所定の使用者と被用者の関係が成立していたと解する。また、甲組の下部組織における対立抗争においてその構成員がした殺傷行為は、甲組の威力を利用しての資金獲得活動に係る事業の執行と密接に関連する行為であり、甲組の下部組織の構成員がした殺傷行為について、Yは、民法715条1項による使用者責任を負う（最判平16・11・12）。

出題 裁判所Ⅰ・Ⅱ－平成23

Q12 貸金業を営む株式会社の従業員が会社の貸金の原資にあてると欺罔して第三者から金員を詐取した行為が、会社の事業の執行についてされたものであるためには、貸金の原資の調達が使用者である会

民法

569

社の事業の範囲に属するだけでよいのか。

A 会社の事業の範囲に属するだけでなく、これが客観的、外形的にみて、被用者である当該従業員が担当する職務の範囲に属するものでなければならない。　上告人は貸金業を営む株式会社であって、Aを含む複数の被用者にその職務を分掌させていたことが明らかであるから、本件欺罔行為が上告人の事業の執行についてされたものであるというためには、貸金の原資の調達が使用者である上告人の事業の範囲に属するというだけでなく、これが客観的、外形的にみて、被用者であるAが担当する職務の範囲に属するものでなければならない。ところが、原審は、原金の原資を調達することが上告人の事業の範囲に属するということのみから直ちに、これが上告人の被用者の職務の範囲に属するとして、本件欺罔行為が上告人の事業の執行についてされた行為に該当するとしたものであるから、その判断には、民法715条の解釈適用を誤った違法がある（最判平22・3・30）。　[出題] **予想**

◇選任・監督

Q13 法人の被用者が事業の執行につき失火をした場合、失火責任法上、当該被用者について重過失が認められれば、当該法人にその選任・監督につき重過失が認められないときには、当該法人は損害賠償責任を負わないのか。

A 当該法人にその選任・監督につき重過失が認められないときでも、当該被用者は損害賠償責任を負うが、当該法人は損害賠償責任を負う。　失火責任法は失火者その者の責任条件を規定したものであって、失火者を使用していた使用者の帰責条件を規定したものではないから、被用者が重過失によって失火し、使用者に選任監督について不注意があれば、使用者は本条により賠償責任を負うべく、選任監督について重大な過失ある場合にのみ使用者が責任を負うものと解すべきではない（最判昭42・6・30）。

[出題] **国Ⅰ-平成17、裁判所総合・一般-平成29、国税・労基-平成15、国税-平成13**

◇因果関係

Q14 労働者が労働日に長時間にわたり業務に従事する状況が継続するなどして、疲労や心理的負荷等が過度に蓄積したため、うつ病によるうつ状態が深まって、衝動的、突発的に自殺した場合、使用者は民法715条に基づく損害賠償責任を負うのか。

A 労働者に対する注意義務を怠れば、民法715条に基づく損害賠償責任を負う。　労働者が労働日に長時間にわたり業務に従事する状況が継続するなどして、疲労や心理的負荷等が過度に蓄積すると、労働者の心身の健康を損なう危険のあることは、周知のことである。これらのことからすれば、使用者は、その雇用する労働者に従事させる業務を定めてこれを管理するに際し、業務の遂行に伴う疲労や心理的負荷等が過度に蓄積して労働者の心身の健康を損なうことがないように注意する義務を負うのが相当であり、使用者に代わって労働者に対し業務上の

指揮監督を行う権限を有する者は、使用者の当該注意義務の内容に従って、その権限を行使すべきである。したがって、労働者が業務の遂行上長時間労働を余儀なくされた結果、心身共に疲労困ぱいした状態になり、それが誘因となって、うつ病に り患し、その後、うつ病によるうつ状態が深まって、衝動的、突発的に自殺するに至ったこと等を考慮すると、労働者の業務の遂行とそのうつ病り患による自殺との間には相当因果関係があり、使用者の前記義務につき、使用者に代わって労働者に対し業務上の指揮監督を行う権限を有する者の過失が認められ、使用者の民法715条に基づく損害賠償責任が認められる〈電通事件〉（最判平12・3・24）。　[出題] **予想**

◇被用者個人の責任と使用者責任

Q15 被用者の責任と使用者の責任とは不真正連帯債務の関係に立つのか。

A 不真正連帯債務の関係に立つ。　被用者の責任と使用者の責任とは、いわゆる不真正連帯債務と解すべきであり、不真正連帯債務の場合には、債務は別々に存在するから、その一人の債務について和解等がなされても、現実の弁済がない限り、他の債務については影響はない（大判昭12・6・30）。

[出題] **国Ⅰ-平成16・14、特別区Ⅰ-令和4、裁判所Ⅰ・Ⅱ-平成23・20、国税・労基-平成15**

Q16 従業員の過失により、歩行者がこの事故に巻き込まれ負傷した場合、歩行者の従業員に対する損害賠償債権が消滅時効により消滅した場合であっても、当該消滅時効の完成は、運送会社（使用者）の損害賠償債務に影響を及ぼさないのか。

A 運送会社（使用者）の損害賠償債務に影響を及ぼさない（大判昭12・6・30）。⇨ 15

Q17 使用者が民法715条による使用者責任を負う場合には、被用者自身は不法行為責任を負わないのか。

A 被用者と使用者はともに不法行為責任を負い、両者は不真正連帯債務の関係になる。　民法715条により被用者が事業の執行につき第三者に加えた損害を賠償すべき使用者の債務と同法709条により被用者自身が負担する損害賠償債務とは、いわゆる不真正連帯の関係にあり、債務者の1人について生じた事由は、債権を満足させるものを除き、他の債務に影響を及ぼさない。したがって、被用者の債務に関して確定判決が存在するというだけでは、使用者の債務に何ら影響を及ぼすものではない。（最判昭46・9・30）。

[出題] **国Ⅰ-昭和58、地方上級-昭和58、特別区Ⅰ-平成23、国税-平成13**

Q18 被用者が運転中に事故を起こし、第三者に損害を与えるとともに、使用者所有のタンクローリーに損害を与えたときにも、労働環境の整備につき使用者側に問題がある場合には、使用者は被用者に求償権を行使できないのか。

A 使用者は被用者に求償権を行使できないわけではない（最判昭46・9・30）。⇨ 17

民法編

◇使用者に代わって事業を監督する者

Q19 法人の代表者は、その代表機関であれば、当該被用者の行為について民法715条2項による責任を負うのか。

A その代表機関であるというだけではなく、現実に被用者の選任・監督を担当していたときに限り、民法715条2項による責任を負う。　民法715条2項のいわゆる代理監督者とは、客観的にみて、使用者に代わり現実に事業を監督する地位にある者を指称するものであり、使用者が法人である場合において、その代表者が現実に被用者の選任、監督を担当しているときは、代理監督者としての責任を負うが、単に法人の代表機関として一般的業務執行権限を有するというだけでは、代理監督者として個人責任を負うことはない（最判昭42・5・30）。

出題 国Ⅰ-平成17、裁判所Ⅰ・Ⅱ-平成20

◇求償権

Q20 使用者が使用者責任を負った場合、被用者に対して損害賠償請求または求償を求めることができるか。

A 信義則上相当と認められる限度において求めることができる。　使用者が、その事業の執行につきなされた被用者の加害行為により、直接損害を被りまたは使用者としての損害賠償責任を負担したことに基づき損害を被った場合には、使用者は、その事業の性格、規模、施設の状況、被用者の業務の内容、労働条件、勤務態度、加害行為の態様、加害行為の予防もしくは損失の分散についての使用者の配慮の程度その他諸般の事情に照らし、損害の公平な分担という見地から信義則上相当と認められる限度において、被用者に対し損害の賠償または求償の請求をすることができる（最判昭51・7・8）。

出題 国家総合-平成25、国Ⅰ-平成14・6、国家一般-平成30、裁判所総合・一般-平成30、裁判所Ⅰ・Ⅱ-平成19、国税・労基-平成17・15、国税-平成4

Q21 被用者と第三者とが共同の不法行為によって他人に損害を加え、第三者が被害者に損害を賠償したときは、第三者は使用者に対して求償できるのか。

A 第三者が自己の負担部分を超えて被害者に賠償した場合は、使用者に求償できる。　被用者がその使用者の事業の執行につき第三者との共同の不法行為により他人に損害を加えた場合において、第三者が自己と被用者との過失割合に従って定められるべき自己の負担部分を超えて被害者に損害を賠償したときは、第三者は、被用者の負担部分について使用者に対し求償することができる（最判昭63・7・1）。

出題 国Ⅰ-平成14・6、裁判所Ⅰ・Ⅱ-平成20

Q22 一方の加害者を指揮監督する複数の使用者（A・B）がそれぞれ損害賠償責任を負う場合に、使用者の一方（A）が自己の負担部分を超える損害賠償をしたときは、その超える部分につき、使用者の他方（B）に対して求償できるのか。

A 自己の負担部分を超えて賠償した場合は、その責任の割合に従って定められる負担部分の限度で求償できる。　一方の加害者を指揮監督する複数の使用者がそれぞれ損害賠償責任を負う場合においても、各使用者間の責任の内部的な分担の公平を図るため、求償が認められるべきであるが、その求償の前提となる各使用者の責任の割合は、被用者である加害者の加害行為の態様及びこれと各使用者の事業の執行との関連性の程度、加害者に対する各使用者の指揮監督の強弱などを考慮して定めるべきものであって、使用者の一方は、当該加害者の過失割合に従って定められる負担部分のうち、その責任の割合に従って定められる自己の負担部分を超えて損害を賠償したときは、その超える部分につき、使用者の他方に対してその責任の割合に従って定められる負担部分の限度で求償することができる（最判平3・10・25）。

出題 国Ⅰ-平成14、裁判所Ⅰ・Ⅱ-平成16

Q23 被用者が使用者の事業の執行について第三者に損害を加え、その損害を賠償した場合には、被用者は、使用者に対して求償することができるのか。

A 諸般の事情に照らし、損害の公平な分担という見地から相当と認められる額について、使用者に対して求償することができる。　使用者が第三者に対して使用者責任に基づく損害賠償義務を履行した場合には、使用者は、その事業の性格、規模、施設の状況、被用者の業務の内容、労働条件、勤務態度、加害行為の態様、加害行為の予防又は損失の分散についての使用者の配慮の程度その他諸般の事情に照らし、損害の公平な分担という見地から信義則上相当と認められる限度において、被用者に対して求償することができると解すべきところ（最判昭51・7・8参照）上記の場合と被用者が第三者の被った損害を賠償した場合とで、使用者の損害の負担について異なる結果となることは相当でない。以上によれば、被用者が使用者の事業の執行について第三者に損害を加え、その損害を賠償した場合には、被用者は、上記諸般の事情に照らし、損害の公平な分担という見地から相当と認められる額について、使用者に対して求償することができるものと解すべきである（最判令2・2・28）。　出題 予想

第716条（注文者の責任）
　注文者は、請負人がその仕事について第三者に加えた損害を賠償する責任を負わない。ただし、注文又は指図についてその注文者に過失があったときは、この限りでない。

第717条（土地の工作物等の占有者及び所有者の責任）
①土地の工作物の設置又は保存に瑕疵があることによって他人に損害を生じたときは、その工作物の占有者は、被害者に対してその損害を賠償する責任を負う。ただし、占有者が損害の発生を防止するのに必要な注意をしたときは、所有者がその損害を賠償しなければならない。
②前項の規定は、竹木の栽植又は支持に瑕疵がある場合について準用する。
③前2項の場合において、損害の原因について他にその責任を負う者があるときは、占有者又は所有

民法

者は、その者に対して求償権を行使することができる。

Q1 本件建物の所有者として民法717条1項但書の規定に基づく土地工作物責任を負うか否かについて、吹付け石綿の粉じんにばく露することによる健康被害の危険性に関する指摘等がされるようになった過程を説示すれば、本件建物が通常有すべき安全性を欠くと評価されるようになったのはいつの時点であるかを明らかにしなくてもよいのか。

A いつの時点であるかを明らかにする必要がある。 土地の工作物の設置又は保存の瑕疵とは、当該工作物が通常有すべき安全性を欠いていることをいうものであるところ、吹付け石綿を含む石綿の粉じんにばく露することによる健康被害の危険性に関する科学的な知見および一般人の認識ならびにさまざまな場面に応じた法令上の規制のあり方を含む行政的な対応等は時とともに変化していることにかんがみると、上告人が本件建物の所有者として民法717条1項但書の規定に基づく土地工作物責任を負うか否かは、人がその中で勤務する本件建物のような建築物の壁面に吹付け石綿が露出していることをもって、当該建築物が通常有すべき安全性を欠くと評価されるようになったのはいつの時点からであるかを証拠に基づいて確定したうえで、さらにその時点以降にAが本件建物の壁面に吹き付けられた石綿の粉じんにばく露したこととAの悪性胸膜中皮腫の発症との間に相当因果関係を認めることができるか否かなどを審理して初めて判断をすることができるというべきである（最判平25・7・12）。

出題 予想

第718条（動物の占有者等の責任）
①動物の占有者は、その動物が他人に加えた損害を賠償する責任を負う。ただし、動物の種類及び性質に従い相当の注意をもってその管理をしたときは、この限りでない。
②占有者に代わって動物を管理する者も、前項の責任を負う。

第719条（共同不法行為者の責任）
①数人が共同の不法行為によって他人に損害を加えたときは、各自が連帯してその損害を賠償する責任を負う。共同行為者のうちいずれの者がその損害を加えたかを知ることができないときも、同様とする。
②行為者を教唆した者及び幇助した者は、共同行為者とみなして、前項の規定を適用する。

Q1 占有補助者は、占有に関して生じた他人の権利の侵害や瑕疵ある土地工作物に係る損害賠償責任を免れることができるか。

A 免れることができる。 特別の事情のない限り、妻（占有補助者）は単に夫（占有者）に従って同居するにすぎないものと推測され、かかる場合において妻（占有補助者）の居住は夫（占有者）の占有の範囲内において行われ、独立の占有を有するものとはいえない。したがって、夫（占有者）の占有が不法な場合においても、不法占有の責任は夫（占有者）のみが負うのであり、妻（占有補助者）はこれと共同不法行為の関係にはない（大判昭10・6・

10）。

出題 国Ⅰ-平成8

Q2 数人が共同の不法行為によって他人に損害を加えたときには、行為者間に共同の認識がなくても、客観的に関連し共同している場合には、各自が連帯してその損害を賠償する責任を負うのか。

A 各自が連帯してその損害を賠償する責任を負う。 共同行為者各自の行為が客観的に関連し共同して流水を汚染し違法に損害を加えた場合において、各自の行為がそれぞれ独立に不法行為の要件を備えるときは、各自が、上記違法な加害行為と相当因果関係にある全損害について、その賠償の責に任ずべきである（最判昭43・4・23）。

出題 特別区Ⅰ-令和4

Q3 被用者と第三者との共同不法行為により他人に損害を加えた場合に、第三者が自己と被用者との過失割合に従って定められるべき自己の負担部分を超えて被害者に損害を賠償したときには、第三者は、被用者の負担部分について使用者に対し求償することができるのか。

A 求償することができる。 被用者がその使用者の事業の執行につき第三者との共同の不法行為により他人に損害を加えた場合において、第三者が自己と被用者との過失割合に従って定められるべき自己の負担部分を超えて被害者に損害を賠償したときは、第三者は、被用者の負担部分について使用者に対し求償することができる。なぜなら、使用者の損害賠償責任を定める民法715条1項の規定は、主として、使用者が被用者の活動によって利益をあげる関係にあることに着目し、利益の存するところに損失をも帰せしめるとの見地から、被用者が使用者の事業活動を行うにつき他人に損害を加えた場合には、使用者も被用者と同じ内容の責任を負うべきものとしたものであって、このような規定の趣旨に照らせば、被用者が使用者の事業の執行につき第三者との共同の不法行為により他人に損害を加えた場合には、使用者と被用者とは一体をなすものとみて、第三者との関係においても、使用者は被用者と同じ内容の責任を負うべきものと解すべきであるからである（最判昭63・7・1）。

出題 国家総合-令和4、裁判所総合・一般-平成29

Q4 複数の加害者の共同不法行為につき、各加害者を指揮監督する使用者（X・Y）が使用者責任を負う場合に、一方の使用者（X）が、自己の負担部分を超えて損害を賠償したときは、その超える部分につき、使用者の他方（Y）に対し、その負担部分の限度で、その全額を求償できるのか。

A 自己の負担部分を超えて賠償した場合は、その負担部分の限度で、その全額を求償できる。 複数の加害者の共同不法行為につき、各加害者を指揮監督する使用者がそれぞれ損害賠償責任を負う場合においては、一方の加害者の使用者と他方の加害者の使用者との間の責任の内部的な分担の公平を図るため、求償が認められるべきであるが、その求償の前提となる各使用者の責任の割合は、それぞれが指揮監督する各加害者の過失割合に従って定めるべきものであって、一方の加害者の使用者は、当該加

民法編

害者の過失割合に従って定められる自己の負担部分を超えて損害を賠償したときは、その超える部分につき、他方の加害者の使用者に対し、当該加害者の過失割合に従って定められる負担部分の限度で、その全額を求償することができる（最判平3・10・25）。

出題 国Ⅰ－平成14、裁判所Ⅰ・Ⅱ－平成16・15

Q5 交通事故と医療事故とが順次競合した共同不法行為において、各不法行為者が負うべき損害額を被害者の被った損害額の一部に限定することは許されるのか。

A 許されない。　本件交通事故により、被害者は放置すれば死亡するに至る傷害を負ったものの、事故後搬入された被上告人病院において、被害者に対し通常期待されるべき適切な経過観察がされるなどして脳内出血が早期に発見され適切な治療が施されていれば、高度の蓋然性をもって被害者を救命できたといえるから、本件交通事故と本件医療事故とのいずれもが、被害者の死亡という不可分の一個の結果を招来し、この結果について相当因果関係を有する関係にある。したがって、本件交通事故における運転行為と本件医療事故における医療行為とは民法719条所定の共同不法行為にあたるから、各不法行為者は被害者の被った損害の全額について連帯して責任を負うべきものである。本件のようにそれぞれ独立して成立する複数の不法行為が順次競合した共同不法行為においても別異に解する理由はないから、被害者との関係における、各不法行為者の結果発生に対する寄与の割合をもって被害者の被った損害の額を案分し、各不法行為者において責任を負うべき損害額を限定することは許されない（最判平13・3・13）。

出題 裁判所総合・一般－平成25、国税・労基－平成16

第720条（正当防衛及び緊急避難）

①他人の不法行為に対し、自己又は第三者の権利又は法律上保護される利益を防衛するため、やむを得ず加害行為をした者は、損害賠償の責任を負わない。ただし、被害者から不法行為をした者に対する損害賠償の請求を妨げない。

②前項の規定は、他人の物から生じた急迫の危難を避けるためその物を損傷した場合について準用する。

第721条（損害賠償請求権に関する胎児の権利能力）

胎児は、損害賠償の請求権については、既に生まれたものとみなす。

第722条（損害賠償の方法、中間利息の控除及び過失相殺）

①第417条及び第417条の2の規定は、不法行為による損害賠償について準用する。

②被害者に過失があったときは、裁判所は、これを考慮して、損害賠償の額を定めることができる。

◇被害者の過失

Q1 被害者に過失がある場合、損害賠償額の算定につき加害者側から過失相殺の主張があれば、裁判所は必ずこれを考慮して損害賠償額を減額しなければ

ならないか。

A 賠償額の算定につき考慮するか否かは、裁判所の自由裁量である。　民法722条2項が「裁判所は、これを考慮して、損害賠償の額を定めることができる。」と規定していることから、不法行為の場合は、債務不履行の場合と異なり、被害者の過失が認定されても、賠償額の算定にあたってそれを考慮するか否かは裁判所の自由裁量に属する（大判大9・11・26）。

出題 国Ⅰ－平成5

Q2 被害者に過失があれば、加害者の損害賠償責任の有無の判断にあたりこれを考慮できるのか。

A 考慮できない。　民法722条2項および418条を対比考察すれば、不法行為上の損害賠償の過失相殺については、債務不履行のそれと異なり、被害者に過失があっても、裁判所はその被害者の過失を考慮して単に賠償の数額を判定することができるにすぎず、不法行為者の賠償責任の有無をも判断して、その責任を全免することはできない（大判昭12・5・14）。

出題 国Ⅰ－平成5

Q3 被害者が未成年者である場合、その過失を考慮するには、行為の責任を弁識するに足る知能がそなわっていなければならないのか。

A 事理弁識能力がそなわっていれば足りる。　民法722条2項の過失相殺の問題は、不法行為者に対し積極的に損害賠償責任を負わせる問題とは趣を異にし、不法行為者が責任を負うべき損害賠償の額を定めるにつき、公平の見地から、損害発生についての被害者の不注意をいかに斟酌するかの問題にすぎないから、被害者たる未成年者の過失を考慮する場合においても、未成年者に事理を弁識するに足る知能がそなわっていれば足り、未成年者に対し不法行為責任を負わせる場合のごとく、行為の責任を弁識するに足る知能がそなわっていることを要しない（最大判昭39・6・24）。

出題 国家総合－令和4・平成25、国Ⅰ－平成5・昭和62・57、地方上級－平成9・昭和54、国Ⅱ－平成17、裁判所総合・一般－令和2・平成28、裁判所Ⅰ・Ⅱ－平成21、国税・労基－平成20

◇被害者側の過失

Q4 民法722条2項の定める被害者が幼児である場合に、被害者側の過失にはどの程度の範囲の者の過失が含まれるのか。

A 被害者と身分上ないしは生活関係上一体をなすとみられるような関係にある者が含まれる。　民法722条2項に定める被害者の過失とは単に被害者本人の過失のみでなく、ひろく被害者側の過失をも包含する趣旨と解すべきであるが、被害者本人が幼児である場合における被害者側の過失とは、たとえば被害者に対する監督者である父母ないしはその被用者である家事使用人などのように、被害者と身分上ないしは生活関係上一体をなすとみられるような関係にある者の過失をいい、両親より幼児の監督を委託された者の被用者のような被害者と一体をなすとみられない者の過失はこれに含まれない。したがって、本件における保育園の保育士は、被害者と一体をなすとみられるような関係を有する者ではな

い（最判昭42・6・27）。

Q5 被害者が幼児である場合、その保護者に過失があったとしても過失相殺をすることはできないのか。

A 過失相殺をすることはできる（最判昭42・6・27）。⇨4

Q6 民法722条2項の定める被害者の過失に配偶者は含まれるのか。

A 原則として配偶者は含まれる。　民法722条2項は不法行為による損害賠償の額を定めるにつき被害者の過失を考慮することができる旨を定めたのは、不法行為によって発生した損害を加害者と被害者との間において公平に分担させるという公平の理念に基づくものであるから、被害者の過失には、被害者本人と身分上、生活関係上、一体をなすとみられるような関係にある者の過失、すなわち被害者側の過失をも包含する。したがって、夫が妻を同乗させて運転する自動車と第三者が運転する自動車とが、第三者と夫との双方の過失の競合により衝突したため、傷害を被った妻が第三者に対し損害賠償を請求する場合の損害額を算定するについては、夫婦の婚姻関係がすでに破綻に瀕しているなど特段の事情のない限り、夫の過失を被害者側の過失として考慮（しんしゃく）することができる（最判昭51・3・25）。

Q7 被害自動車の運転手とこれに同乗中の被害者が恋愛関係にある場合、過失相殺においてその運転者の過失を被害者側の過失と認められるか。

A 運転手と被害者とは、身分上、生活関係上の一体関係はなく、被害者側の過失と認められない。不法行為に基づく損害賠償額を定めるにあたり、被害者と身分上、生活関係上一体をなすとみることができない者の過失を被害側の過失として考慮することは許されず、ＸとＡは、本件事故の約3年前から恋愛関係にあったものの、婚姻していたわけでも、同居していたわけでもないから、身分上、生活関係上一体をなす関係にあったということはできない。ＸとＡの関係がそのようなものにすぎない以上、Ａの過失の有無およびその程度は、Ｘに対し損害を賠償したＹがＡに対しその過失に応じた負担部分を求償する際に考慮されるべき事柄であるにすぎず、Ｙの支払うべき損害賠償額を定めるにつき、Ａの過失を考慮（しんしゃく）して損害額を減額することは許されない（最判平9・9・9）。

Q8 内縁の夫が内縁の妻を同乗させて運転する自動車と第三者が運転する自動車とが衝突し、それにより傷害を負った内縁の妻が第三者に対して損害賠償を請求する場合、その損害賠償額を定めるにあたっては、内縁の夫の過失を被害者側の過失として考慮（しんしゃく）することができるのか。

A 考慮することができる。　不法行為に基づき被

害者に対して支払われるべき損害賠償額を定めるにあたっては、被害者と身分上、生活関係上一体を成すとみられるような関係にある者の過失についても、民法722条2項の規定により、いわゆる被害者側の過失としてこれを考慮することができる（最判昭42・6・27、最判昭51・3・25参照）。内縁の夫婦は、婚姻の届出はしていないが、男女が相協力して夫婦としての共同生活を営んでいるものであり、身分上、生活関係上一体を成す関係にあるとみることができる。そうすると、内縁の夫が内縁の妻を同乗させて運転する自動車と第三者が運転する自動車とが衝突し、それにより傷害を負った内縁の妻が第三者に対して損害賠償を請求する場合において、その損害賠償額を定めるにあたっては、内縁の夫の過失を被害者側の過失として考慮（しんしゃく）することができる（最判平19・4・24）。

Q9 ＡとＢが、自動二輪車を交代で運転しながら共同して暴走行為を繰り返し、Ａが運転しＢが同乗する自動二輪車とパトカーが衝突しＢが死亡した交通事故につき、ＡとＢとの間に身分上、生活関係上の一体性はないから、過失相殺をするにあたってＡの過失を被害者側の過失として考慮（しんしゃく）することはできないのか。

A Ａの過失をＢの過失として考慮することができる。　本件事実関係によれば、ＡとＢは、本件事故当日の午後9時ころから本件自動二輪車を交代で運転しながら共同して暴走行為を繰り返し、午後11時35分ころ、本件国道上で取締りに向かった本件パトカーから追跡され、いったんこれを逃れた後、午後11時49分ころ、Ａが本件自動二輪車を運転して本件国道を走行中、本件駐車場内の本件小型パトカーを見つけ、再度これから逃れるために制限速度を大きく超過して走行するとともに、一緒に暴走行為をしていた友人が捕まっていないか本件小型パトカーの様子をうかがおうとしてわき見をしたため、本件自動二輪車を停止させるために停車していた本件パトカーの発見が遅れ、本件事故が発生したというのである（以下、本件小型パトカーを見つけてからのＡの運転行為を「本件運転行為」という。）。以上のような本件運転行為に至る経過や本件運転行為の態様からすれば、本件運転行為は、ＢとＡが共同して行っていた暴走行為から独立したＡの単独行為とみることはできず、上記共同暴走行為の一環を成すものというべきである。したがって、上告人との関係で民法722条2項の過失相殺をするにあたっては、公平の見地に照らし、本件運転行為におけるＡの過失もＢの過失として考慮（しんしゃく）することができる（最判平20・7・4）。

◇民法722条の類推適用

Q10 身体の損害が加害行為のみならず、被害者の心因的要因が寄与している場合、損害額を定めるにあたり、被害者の事情を考慮（しんしゃく）できるのか。

A 被害者の事情を考慮できる。　身体に対する加

害行為と発生した損害との間に相当因果関係がある場合において、その損害がその加害行為のみによって通常発生する程度、範囲を超えるものであって、かつ、その損害の拡大について被害者の心因的要因が寄与しているときは、損害を公平に分担させるという損害賠償法の理念に照らし、裁判所は、損害賠償の額を定めるにあたり、民法 722 条 2 項の過失相殺の規定を類推適用して、その損害の拡大に寄与した被害者の事情を考慮（しんしゃく）することができる（最判昭 63・4・21）。

出題 国Ⅰ－平成 16・5、国Ⅱ－平成 17・11、裁判所Ⅰ・Ⅱ－平成 19

Q11 交通事故の被害者が、被害者の特異な性格と回復への自発的意欲の欠如等があいまって、適切さを欠く治療を継続させた結果、症状の悪化とその固定化を招いた場合、損害賠償額の減額を考慮（しんしゃく）できるのか。

A 考慮できる（最判昭 63・4・21）。⇨ 10

Q12 被害者に対する加害行為とそれ以前から存在した被害者の疾患とがともに原因となって損害が発生した場合、裁判所は損害賠償の額を定めるにあたり、被害者の疾患を考慮（しんしゃく）できるのか。

A 民法 722 条 2 項の規定を類推適用して、被害者の疾患を考慮できる。　被害者に対する加害行為と被害者の罹患していた疾患とがともに原因となって損害が発生した場合において、当該疾患の態様、程度などに照らし、加害者に損害の全部を賠償させるのが公平を失するときは、裁判所は損害賠償の額を定めるにあたり、民法 722 条 2 項の過失相殺の規定を類推適用して、被害者の疾患を考慮（しんしゃく）することができる（最判平 4・6・25）。

出題 国Ⅰ－平成 16・9、国Ⅱ－平成 17・11、裁判所総合・一般－平成 29、裁判所Ⅰ・Ⅱ－平成 19

Q13 交通事故の被害者が、頭部、頚部および脳に対し相当に強い衝撃を受け、これが約 1 か月前の自己の過失による一酸化炭素中毒による脳内の損傷に悪影響を負荷し、当該交通事故による頭部打撲傷と一酸化炭素中毒とが併存競合することによって一酸化炭素中毒における各種の精神的症状が顕在発現して長期にわたり持続し、次第に増悪し、死亡した場合、被害者側の疾患を考慮（しんしゃく）できるのか。

A 被害者側の疾患を考慮できる（最判平 4・6・25）。⇨ 12

Q14 交通事故による傷害の結果、器質的障害は残さなかったものの、事故態様が被害者に大きな精神的衝撃を与え、また、その後の補償交渉が円滑に進行しなかったことなどが原因となってうつ病になり、自殺に至った場合、当該死亡は、事故との間に相当因果関係はあるのか。また、損害額の 8 割を減額することは認められないのか。

A 相当因果関係はあるが、損害額の 8 割を減額することは認められる。　本件事故により A が被った傷害は、身体に重大な器質的障害を伴う後遺症を残すようなものではなかったものの、本件事故の態様が A に大きな精神的衝撃を与え、しかもその衝撃が長い年月にわたって残るようなものであったこと、その後の補償交渉が円滑に進行しなかったこ

となどが原因となって、A が災害神経症状態に陥り、さらにその状態から抜け出せないままうつ病になり、その改善をみないまま自殺に至ったこと、自らに責任のない事故で傷害を受けた場合には災害神経症状態を経てうつ病に発展しやすく、うつ病にり患した者の自殺率は全人口の自殺率と比較してはるかに高いことなどの事実関係を総合すると、本件事故と A の自殺との間に相当因果関係があるが、自殺には同人の心因的要因も寄与しているので相応の減額をして死亡による損害額を定めることができる（最判平 5・9・9）。

出題 国Ⅰ－平成 16

Q15 被害者が平均的な体格ないし通常の体質と異なる身体的特徴を有していれば、当該身体的特徴を損害賠償の額を定めるにあたり考慮（しんしゃく）できるのか。

A それが疾患にあたらない場合には、考慮できない。　被害者が平均的な体格ないし通常の体質と異なる身体的特徴を有していたとしても、それが疾患にあたらない場合には、特段の事情の存しない限り、被害者のその身体的特徴を損害賠償の額を定めるにあたり考慮（しんしゃく）することはできない。本件の場合、X の身体的特徴は首が長くこれに伴う多少の頚椎不安定症があるが、これは疾患にあたらず、このような身体的特徴を有する者が一般的に負傷しやすいものとして慎重な行動を要請されているわけではないから、特段の事情が存するわけではなく、その身体的特徴と本件事故による加害行為とが競合して X の傷害が発生し、またはその身体的特徴が被害者の損害の拡大に寄与していたとしても、これを損害賠償の額を定めるにあたり考慮することはできない（最判平 8・10・29）。

出題 国家総合－令和 4・3・平成 27・24、国Ⅰ－平成 16、国Ⅱ－平成 17・11、裁判所Ⅰ・Ⅱ－平成 19、国税・労基－平成 16

Q16 交通事故の被害者が、通常人よりも首が長いという身体的特徴を有し、これに伴う多少の頚椎不安定症があり、疾患にはあたらないものの、これらが交通事故による損害の拡大に寄与した場合、損害賠償額を定めるにあたり、被害者側の事情を考慮（しんしゃく）できるのか。

A 疾患にあたらない限り、考慮できない（最判平 8・10・29）。⇨ 15

Q17 長時間にわたる残業を恒常的に伴う業務に従事していた労働者がうつ病に罹患し自殺した場合、業務の負担が過重であることを原因として労働者の心身に生じた損害の発生又は拡大に当該労働者の性格およびこれに基づく業務遂行の態様等を心因的要因として考慮（しんしゃく）できるのか。

A 考慮できない。　人身被害において、裁判所は、加害者の賠償すべき額を決定するにあたり、民法 722 条 2 項の過失相殺の規定を類推適用して、損害の発生または拡大に寄与した被害者の性格等の心因的要因を一定の限度で考慮（しんしゃく）することができるが、ある業務に従事する特定の労働者の性格が同種の業務に従事する労働者の個性の多様さとして通常想定される範囲を外れるものでない限り、その性格およびこれに基づく業務遂行の態様等

民法

が業務の過重負担に起因して当該労働者に生じた損害の発生または拡大に寄与したとしても、そのような事態は使用者として予想すべきものということができる。しかも、使用者はこれに代わって労働者に対し業務上の指揮監督を行う者は、各労働者がその従事すべき業務に適するか否かを判断してその配置先、遂行すべき業務の内容等を定めるのであり、その際に、各労働者の性格をも考慮することができる。したがって、労働者の性格が前記の範囲を外れるものでない場合には、裁判所は業務の負担が加重であることを原因とする損害賠償請求において使用者の賠償すべき額を決定するにあたり、その性格およびこれに基づく業務遂行の態様等を、心的要因として考慮することはできない〈電通事件〉（最判平 12・3・24）。　[出題] 国Ⅰ－平成 16

Q18 ある業務に従事する特定の労働者の性格が同種の業務に従事する労働者の個性の多様さとして通常想定される範囲を外れるものでない場合でも、裁判所は業務の負担が加重であることを原因とする損害賠償請求において使用者の賠償すべき額を決定するにあたり、その性格およびこれに基づく業務遂行の態様等を、心的要因として考慮（しんしゃく）することができるか。

A 心的要因として考慮することはできない〈電通事件〉（最判平 12・3・24）。⇨ 17

Q19 Ａが急性心筋虚血により死亡するに至ったことについては、業務上の過重負荷とＡが有していた基礎疾患とがともに原因となったものであるがＡが家族性高コレステロール血症（ヘテロ型）にり患していた事実を上告人が認識していなかった場合、上告人は過失相殺に関する規定を類推適用できないのか。

A 過失相殺に関する規定を類推適用できる。労災事故による損害賠償請求の場合において民法722 条 2 項の規定による過失相殺については、賠償義務者から過失相殺の主張がなくとも、裁判所は訴訟にあらわれた資料に基づき被害者に過失があると認めるべき場合には、損害賠償の額を定めるにあたり、職権をもってこれを考慮（しんしゃく）することができる（最判昭 41・6・21 参照）。このことは、同項の規定を類推適用する場合においても、別異に解すべき理由はない。本件事実関係等によれば、Ａが急性心筋虚血により死亡するに至ったことについては、業務上の過重負荷とＡが有していた基礎疾患とがともに原因となったものであるが、家族性高コレステロール血症（ヘテロ型）にり患し、冠状動脈の 2 枝に障害があり、陳旧性心筋梗塞の合併症を有していたというＡの基礎疾患の態様、程度、本件における不法行為の態様等に照らせば、上告人にＡの死亡による損害の全部を賠償させることは、公平を失するものといわざるをえない。本件では、上告人においてＡが家族性高コレステロール血症にり患していた事実を認識していなかったことがうかがわれるのであって、上告人の民法 722条 2 項の類推適用の主張が訴訟上の信義則に反するとはいえない（最判平 20・3・27）。　[出題] 予想

◇過失の割合

Q20 本件交通事故と本件医療事故という加害者および侵害行為を異にする二つの不法行為が順次競合した共同不法行為の場合に、過失の割合を考慮するいわゆる過失相殺は許されるのか。

A 許されない。　本件は、本件交通事故と本件医療事故という加害者および侵害行為を異にする二つの不法行為が順次競合した共同不法行為であり、各不法行為については加害者および被害者の過失の内容も別異の性質を有するものである。ところで、過失相殺は不法行為により生じた損害について加害者と被害者の間においてそれぞれの過失の割合を基準にして相対的な負担の公平を図る制度であるから、本件のような共同不法行為においても、過失相殺は各不法行為の加害者と被害者との間の過失の割合に応じてすべきものであり、他の不法行為者と被害者との間における過失の割合を考慮して過失相殺をすることは許されない（最判平 13・3・13）。　[出題] 予想➡国家総合－令和 3

Q21 複数の加害者の過失および被害者の過失が競合する一つの交通事故において、その交通事故の原因となったすべての過失の割合（絶対的過失割合）を認定できるときには、絶対的過失割合に基づく被害者の過失による過失相殺をした損害賠償額について、加害者らは連帯して共同不法行為に基づく賠償責任を負うのか。

A 加害者らは連帯して共同不法行為に基づく賠償責任を負う。　複数の加害者の過失および被害者の過失が競合する一つの交通事故において、その交通事故の原因となったすべての過失の割合（以下「絶対的過失割合」という）を認定することができるときは、絶対的過失割合に基づく被害者の過失による過失相殺をした損害賠償額について、加害者らは連帯して共同不法行為に基づく賠償責任を負うものと解すべきである。これに反し、各加害者と被害者との関係ごとにその間の過失の割合に応じて相対的に過失相殺をすることは、被害者が共同不法行為者のいずれからも全額の損害賠償を受けられるとすることによって被害者保護を図ろうとする民法 719 条の趣旨に反することになる（最判平 15・7・11）。　[出題] 国家総合－平成 27

◇過失相殺と損益相殺の順序

Q22 いわゆる第三者行為災害に係る損害賠償額の算定に当たっての過失相殺と労働者災害補償保険法に基づく保険給付額の減額（控除）とはどちらを先に行うべきか。

A 過失割合による減額（控除）を先に行うべきである。　労働者がいわゆる第三者行為災害により被害を受け、第三者がその損害につき賠償責任を負う場合において、賠償額の算定に当たり労働者の過失を考慮（斟酌）すべきときは、上記損害の額から過失割合による減額をし、その残額から労働者災害補償保険法に基づく保険給付の価額を控除するのが相当である（最判平 1・4・11）。　[出題] 国家総合－令和 4

第723条（名誉毀損における原状回復）

　他人の名誉を毀損した者に対しては、裁判所は、被害者の請求により、損害賠償に代えて、又は損害賠償とともに、名誉を回復するのに適当な処分を命ずることができる。

Q1 裁判所が判決によって新聞紙上に謝罪広告を出すことを加害者に命じることは許されるか。

A 加害者に命じることは許される。　裁判所が命じた謝罪広告の類は、被告に苦役的労苦を科したり、またはその有する倫理的な意思や良心の自由を侵害するものではなく、また民法723条にいう適当な処分というべきである〈謝罪広告請求事件〉（最大判昭31・7・4）。　出題 国税‑昭和27

Q2 民法723条にいう名誉には、人が自己自身の人格的価値について有する主観的な評価、すなわち名誉感情は含まれるのか。

A 名誉感情は含まれない。　民法723条にいう名誉とは、人がその品性、徳行、名声、信用等の人格的価値について社会から受ける客観的な評価、すなわち社会的名誉を指すものであって、人が自己自身の人格的価値について有する主観的な評価、すなわち名誉感情は含まないものと解する。なぜなら、同条が、名誉を毀損された被害者の救済処分として、損害の賠償のほかに、それに代えまたはそれとともに、原状回復処分を命じうることを規定している趣旨は、その処分により、加害者に対して制裁を加えたり、また、加害者に謝罪等をさせることにより被害者に主観的な満足を与えたりするためではなく、金銭による損害賠償のみでは塡補されえない、毀損された被害者の人格的価値に対する社会的、客観的な評価自体を回復することを可能ならしめるためであると解すべきであり、したがって、このような原状回復処分をもって救済するに適するのは、人の社会的名誉が毀損された場合であり、かつ、その場合に限られると解するのが相当であるからである（最判昭45・12・18）。

出題 国家総合‑令和2、特別区Ⅰ‑平成21

Q3 テレビジョン放送をされた報道番組の内容が、人の社会的評価を低下させるか否かについては、何を判断基準とすべきか。

A 一般の視聴者の普通の注意と視聴の仕方とを基準として判断すべきである。　新聞記事等の報道の内容が人の社会的評価を低下させるか否かについては、一般の読者の普通の注意と読み方とを基準として判断すべきものであり（最判昭31・7・20参照）、テレビジョン放送をされた報道番組が人の社会的評価を低下させるか否かについても、同様に、一般の視聴者の普通の注意と視聴の仕方とを基準として判断すべきである（最判平15・10・16）。

出題 予想

Q4 テレビジョン放送をされた報道番組によって摘示された事実の内容については、何を判断基準とすべきか。

A 一般の視聴者の普通の注意と視聴の仕方とを基準として判断すべきである。　テレビジョン放送をされた報道番組によって摘示された事実がどのようなものであるかという点についても、一般の視聴者

の普通の注意と視聴の仕方とを基準として判断すべきである。テレビジョン放送をされる報道番組においては、新聞記事等の場合とは異なり、視聴者は、音声および映像により次々と提供される情報を瞬時に理解することを余儀なくされるのであり、録画等の特別の方法を講じない限り、提供された情報の意味内容を十分に検討したり、再確認したりすることができないものであることからすると、当該報道番組により摘示された事実がどのようなものであるかという点については、当該報道番組の全体的な構成、これに登場した者の発言の内容や、画面に表示されたフリップやテロップ等の文字情報の内容を重視すべきことはもとより、映像の内容、効果音、ナレーション等の映像および音声に係る情報の内容ならびに放送内容全体から受ける印象等を総合的に考慮して、判断すべきである（最判平15・10・16）。

出題 予想

Q5 人の名誉感情を侵害する表現は、いかなる場合に、人の人格的利益の侵害にあたるのか。

A 社会通念上許される限度を超える侮辱行為であると認められる場合にはじめて、人の人格的利益の侵害にあたる。　異常な行動をする者を「気違い」という表現を用いて表しているが、このような記述は、「気違い」といった侮辱的な表現を含むとはいえ、被上告人の人格的価値に関し、具体的事実を摘示してその社会的評価を低下させるものではなく、被上告人の名誉感情を侵害するにとどまるものであって、これが社会通念上許される限度を超える侮辱行為であると認められる場合に初めて被上告人の人格的利益の侵害が認められるにすぎない。そして、本件書き込み中、被上告人を侮辱する文言は上記の「気違い」という表現の一語のみであり、特段の根拠を示すこともなく、本件書き込みをした者の意見ないし感想としてこれが述べられていることも考慮すれば、本件書き込みの文言それ自体から、これが社会通念上許される限度を超える侮辱行為であることが一見明白であるということはできず、本件スレッドの他の書き込みの内容、本件書き込みがされた経緯等を考慮しなければ、被上告人の権利侵害の明白性の有無を判断することはできない（最判平22・4・13）。

出題 国家総合‑令和2

第724条（不法行為による損害賠償請求権の消滅時効）

　不法行為による損害賠償の請求権は、次に掲げる場合には、時効によって消滅する。

　1　被害者又はその法定代理人が損害及び加害者を知った時から3年間行使しないとき。

　2　不法行為の時から20年間行使しないとき。

＊不当な弁済をした限定承認者の責任等に準用（934条3項）

◇「加害者を知ったとき」

Q1 使用者責任において民法724条の加害者を知るとは、被害者が、使用者ならびに使用者と不法行為者との間に使用関係がある事実を認識していればよいのか。

A これに加えて、一般人が当該不法行為が使用者

民法

の事業の執行につきなされたものであると判断するに足りる事実をも認識することを必要とする。

不法行為による損害賠償請求権は、被害者またはその法定代理人が損害および加害者を知った時から3年間これを行なわなかったときは、時効によって消滅することは、民法724条の規定するところであるが、同法715条において規定する使用者の損害賠償責任は、使用者と被用関係にある者が、使用者の事業の執行につき第三者に損害を加えることによって生ずるのであるから、この場合、加害者を知るとは、被害者らにおいて、使用者ならびに使用者と不法行為者との間に使用関係がある事実に加えて、一般人が当該不法行為が使用者の事業の執行につきなされたものであると判断するに足りる事実をも認識することをいう（最判昭44・11・27）。

出題 裁判所総合・一般 - 令和4

◇消滅時効

Q2 土地の不法占拠による継続的不法行為の損害賠償請求権は、日々の損害が発生するごとに個別に消滅時効が進行するのか。

A 被害者がその各々を知った時から、個別に消滅時効が進行する。　土地の不法占拠による継続的不法行為の場合には、当該行為により日々発生する損害につき、被害者がその各々を知ったときから、損害賠償請求権は、個別に消滅時効が進行する（大連判昭15・12・14）。

出題 裁判所総合・一般 - 平成28

Q3 夫婦の一方の配偶者が、他方の配偶者と第三者との同棲によりその第三者に対して取得する慰謝料請求権については、同棲関係終了の日から消滅時効が起算されるのか。

A 一方の配偶者がその同棲関係を知ったときから、消滅時効が進行する。　夫婦の一方の配偶者が、他方の配偶者と第三者との同棲によりその第三者に対して取得する慰謝料請求権については、同棲関係を全体として一つの違法な行為と把握し同棲関係終了の日から消滅時効が起算されると考えるのではなく、日々発生する損害につき各別に時効が進行するのであるから、一方の配偶者がその同棲関係を知ったときから、それまでの間の慰謝料請求権の消滅時効が進行する（最判平6・1・20）。

出題 国Ⅰ - 平成18

Q4 船舶の衝突によって生じた損害賠償請求権の消滅時効は、何時から進行するのか。

A 被害者が損害および加害者を知った時から進行する。　船舶の衝突によって損害を被った被害者が不法行為による損害賠償請求権を行使する場合においても、民法724条の趣旨はそのまま当てはまる。商法789条は、船舶の衝突によって生じた債権は2年を経過したときは時効によって消滅すると規定しているが、消滅時効の起算点については何ら規定するものではなく、消滅時効の期間について民法724条の特則を設けたにすぎない。したがって、船舶の衝突によって生じた損害賠償請求権の消滅時効は、民法724条により、被害者が損害および加害者を知った時から進行するものと解すべきで

ある（最判平17・11・21）。

出題 予想

Q5 民法724条1号にいう「加害者を知った時」とは、何時を指すのか。

A 加害者に対する賠償請求が事実上可能な状態で、その可能な程度にこれを知った時を指す。　民法724条1号にいう「加害者を知った時」とは、同条で時効の起算点に関する特則を設けた趣旨にかんがみれば、加害者に対する賠償請求が事実上可能な状態のもとに、その可能な程度にこれを知った時を意味するのであり、被害者が不法行為の当時の状況においてこれに対する賠償請求権を行使することが事実上不可能な場合においては、その状況が止み、被害者が加害者の住所氏名を確認した時が、はじめて「加害者を知りたる時」にあたる（最判昭48・11・16）。

出題 国Ⅰ - 平成18、裁判所Ⅰ・Ⅱ - 平成19

Q6 民法724条1号にいう被害者が損害を知った時とは、何時を指すのか。

A 被害者が損害の発生を現実に認識した時をいう。　民法724条1号にいう被害者が損害を知った時とは、被害者が損害の発生を現実に認識した時をいうと解すべきである。それは、次の理由による。不法行為の被害者は、損害の発生を現実に認識していない場合がある。特に、本件のような報道による名誉毀損については、被害者がその報道に接することなく、損害の発生をその発生時において現実に認識していないことはしばしば起こりうることであるといえる。被害者が、損害の発生を現実に認識していない場合には、被害者が加害者に対して損害賠償請求に及ぶことを期待することができないが、このような場合にまで、被害者が損害の発生を容易に認識しうることを理由に消滅時効の進行を認めることにすると、被害者は、自己に対する不法行為が存在する可能性のあることを知った時点において、自己の権利を消滅させないために、損害の発生の有無を調査せざるをえなくなるが、不法行為によって損害を被った者に対し、このような負担を課することは不当である。他方、損害の発生や加害者を現実に認識していれば、消滅時効の進行を認めても、被害者の権利を不当に侵害することにはならないからである（最判平14・1・29）。

出題 裁判所総合・一般 - 令和4・平成26

第724条の2（人の生命又は身体を害する不法行為による損害賠償請求権の消滅時効）

人の生命又は身体を害する不法行為による損害賠償請求権の消滅時効についての前条第1号の規定の適用については、同号中「3年間」とあるのは、「5年間」とする。

Q1 後遺症の治療費の消滅時効は何時から進行するのか。

A 後遺症の治療を受けるまで、消滅時効は進行しない。　不法行為によって受傷した被害者が、その受傷について、相当期間経過後に、受傷当時には医学的に通常予想しえなかったような治療が必要となり、その治療のため費用を支出することを余儀なくされるに至った等の事実関係のもとにおいては、後日その治療を受けるまでは、その治療に要した費用

すなわち損害については、民法 724 条所定の時効は進行しない（最判昭 42・7・18）。

出題 国Ⅰ－平成 18、市役所上・中級－平成 1

Q2 不法行為の被害者が不法行為の時から 20 年を経過する前 6 か月以内に心神喪失の常況にあるのに後見人を有しない場合、20 年が経過する前に不法行為による損害賠償請求権を行使することができないまま、当該請求権は消滅するのか。

A 当該被害者が後見開始の審判を受け、後見人に就職したものがその時から 6 か月内に当該損害賠償請求権を行使したなどの特段の事情があるときは、当該請求権は消滅しない。　民法 158 条の趣旨は、制限行為能力者は法定代理人を有しない場合には時効の完成猶予の措置をとることができないから、制限行為能力者が法定代理人を有しないにもかかわらず時効の完成を認めるのは制限行為能力者に酷であるとして、これを保護するところにある。これに対し、民法 724 条 2 号の規定によれば、不法行為の被害者が不法行為の時から 20 年を経過する前 6 か月内において心神喪失の常況にあるのに後見人を有しない場合には、20 年が経過する前に不法行為による損害賠償請求権を行使することができないまま、当該請求権が消滅することになる。しかし、これによれば、その心神喪失の常況が当該不法行為に起因する場合であっても、被害者はおよそ権利行使が不可能であるのに、単に 20 年が経過したということのみで一切の権利行使が許されないこととなる反面、心神喪失の原因を与えた加害者は、20 年の経過による損害賠償義務を免れる結果となり、著しく正義・公平の理念に反する。そうすると、少なくともこのような場合には、当該被害者を保護する必要があることは、前記時効の場合と同様であり、その限度で民法 724 条 2 号の効果を制限することは条理にも適うのである。したがって、不法行為の被害者が不法行為の時から 20 年を経過する前 6 か月内において当該不法行為を原因として心神喪失の常況にあるのに法定代理人を有しなかった場合において、その後当該被害者が後見開始の審判を受け、後見人に就職した者がそのときから 6 か月内に当該損害賠償請求権を行使したなど特段の事情があるときは、民法 158 条の法意に照らし、同法 724 条 2 号・724 条の 2 の効果は生じない〈予防接種禍訴訟〉（最判平 10・6・12）。

出題 国Ⅱ－平成 17、国税・労基－平成 16

Q3 不法行為が終了してから相当の期間が経過した後に損害が発生する場合には、民法 724 条 2 号所定の消滅時効期間は、何時から進行するのか。

A 当該損害の全部又は一部が発生した時から進行する。　民法 724 条 2 号・724 条の 2 所定の消滅時効期間の起算点は、「不法行為の時」と規定されており、加害行為が行われた時に損害が発生する不法行為の場合には、加害行為の時がその起算点となると考えられる。しかし、身体に蓄積した場合に人の健康を害することとなる物質による損害や、一定の潜伏期間が経過した後に症状が現れる損害のように、当該不法行為により発生する損害の性質上、

加害行為が終了してから相当の期間が経過した後に損害が発生する場合には、当該損害の全部又は一部が発生した時が消滅時効期間の起算点となると解すべきである。なぜなら、このような場合に損害の発生を待たずに消滅時効期間の進行を認めることは、被害者にとって著しく酷であるし、また、加害者としても、自己の行為により生じうる損害の性質からみて、相当の期間が経過した後に被害者が現れて、損害賠償の請求を受けることを予期すべきであると考えられるからである〈筑豊じん肺訴訟〉（最判平 16・4・27）。

出題 国家総合－平成 24、裁判所総合・一般－令和 4・平成 24

Q4 当該不法行為により発生する損害の性質上、加害行為が終了してから相当の期間が経過した後に損害が発生する場合、消滅時効期間の起算点は何時からか。

A 当該損害の全部又は一部が発生した時である。民法 724 条 2 号所定の消滅時効期間は、「不法行為の時から 20 年」と規定されており、加害行為が行われた時に損害が発生する不法行為の場合には、加害行為の時がその起算点となると考えられる。しかし、身体に蓄積する物質が原因で人の健康が害されることによる損害や、一定の潜伏期間が経過した後に症状が現れる疾病による損害のように、当該不法行為により発生する損害の性質上、加害行為が終了してから相当の期間が経過した後に損害が発生する場合には、当該損害の全部又は一部が発生した時が消滅時効期間の起算点となると解すべきである。このような場合に損害の発生を待たずに消滅時効期間が進行することを認めることは、被害者にとって著しく酷であるだけでなく、加害者としても、自己の行為により生じ得る損害の性質からみて、相当の期間が経過した後に損害が発生し、被害者から損害賠償の請求を受けることがあることを予期すべきであると考えられるからである〈熊本水俣病関西訴訟〉（最判平 16・10・15）。

出題 予想

Q5 交通事故による後遺障害に基づく損害賠償請求権の消滅時効の起算点は、後遺障害等級表 12 級 12 号の認定がされた時以降であると解すべきか。

A 認定以降ではなく、遅くとも症状固定の診断を受けた時である。　民法 724 条 1 号にいう「損害及び加害者を知った時」とは、被害者において、加害者に対する賠償請求をすることが事実上可能な状況の下に、それが可能な程度に損害及び加害者を知った時を意味し（最判昭 48・11・16）、同条にいう被害者が損害を知った時とは、被害者が損害の発生を現実に認識した時をいう（最判平 14・1・29）。これを本件の事実関係に照らしてみると、被上告人は、本件後遺障害につき、平成 9 年 5 月 22 日に症状固定という診断を受け、これに基づき後遺障害等級の事前認定を申請したのであるから、被上告人は、遅くとも上記症状固定の診断を受けた時には、本件後遺障害の存在を現実に認識し、加害者に対する賠償請求をすることが事実上可能な状況の下に、それが可能な程度に損害の発生を知ったものというべきである。自動車保険料率算定会による

等級認定は、自動車損害賠償責任保険の保険金額を算定することを目的とする損害の査定にすぎず、被害者の加害者に対する損害賠償請求権の行使を何ら制約するものではないから、上記事前認定の結果が非該当であり、その後の異議申立てによって等級認定がされたという事情は、上記の結論を左右するものではない。そうすると、被上告人の本件後遺障害に基づく損害賠償請求権の消滅時効は、遅くとも平成9年5月22日から進行すると解されるから、本件訴訟提起時には、上記損害賠償請求権について5年の消滅時効期間が経過していることが明らかである（最判平16・12・24）。　**出題** 予想

Q6 被害者を殺害した加害者が被害者の相続人において被害者の死亡の事実を知りえない状況をことさらに作出し、そのために相続人はその事実を知ることができず、相続人が確定しないまま上記殺害の時から20年が経過した場合において、その後相続人が確定した時から6か月内に相続人が上記殺害に係る不法行為に基づく損害賠償請求権を行使したなど特段の事情があるときは、724条2号の効果は生じるのか。

A 民法160条の法意に照らし、724条2号の効果は生じない。　相続人が被相続人の死亡の事実を知らない場合は、同法915条1項所定のいわゆる熟慮期間が経過しないから、相続人は確定しない。これに対し、民法724条2号の規定を字義どおりに解すれば、不法行為により被害者が死亡したが、その相続人が被害者の死亡の事実を知らずに不法行為から20年が経過した場合は、相続人が不法行為に基づく損害賠償請求権を行使する機会がないまま、同請求権は消滅時効期間により消滅することとなる。しかしながら、被害者を殺害した加害者が、被害者の相続人において被害者の死亡の事実を知りえない状況をことさらに作出し、そのために相続人はその事実を知ることができず、相続人が確定しないまま期間が経過した場合にも、相続人は一切の権利行使をすることが許されず、相続人が確定しないことの原因を作った加害者は損害賠償義務を免れるということは、著しく正義・公平の理念に反する。そうすると、被害者を殺害した加害者が、被害者の相続人において被害者の死亡の事実を知りえない状況をことさらに作出し、そのために相続人はその事実を知ることができず、相続人が確定しないまま上記殺害の時から20年が経過した場合において、その後相続人が確定した時から6か月内に相続人が上記殺害に係る不法行為に基づく損害賠償請求権を行使したなど特段の事情があるときは、民法160条の法意に照らし、同法724条2号の効果は生じない（最判平21・4・28）。　**出題** 予想

Q7 交通事故による車両損傷を理由とする不法行為に基づく損害賠償請求権の民法724条の2所定の消滅時効は、身体傷害を理由とする損害が生じた場合には、身体傷害を生じた時点から進行するのか。

A 被害者が身体傷害を理由とする損害が生じた点に加えて、車両損傷を理由とする損害を知った時から進行する。　交通事故の被害者の加害者に対する車両損傷を理由とする不法行為に基づく損害賠償請求権の短期消滅時効は、同一の交通事故により同一の被害者に身体傷害を理由とする損害が生じた場合であっても、被害者が、加害者に加え、上記車両損傷を理由とする損害を知った時から進行するものと解するのが相当である。なぜなら、車両損傷を理由とする損害と身体傷害を理由とする損害とが、これらが同一の交通事故により同一の被害者に生じたものであっても、被侵害利益を異にするものであり、車両損傷を理由とする不法行為に基づく損害賠償請求権は、身体傷害を理由とする不法行為に基づく損害賠償請求権とは異なる請求権であると解されるのであって、そうである以上、上記各損害賠償請求権の短期消滅時効の起算点は、請求権ごとに各別に判断されるべきものであるからである（最判令3・11・2）。　**出題** 予想

第4編　親族

第1章　総則

◇婚姻予約ないし内縁

Q1 婚姻予約の後に当事者の一方が正当な理由なく婚姻を拒絶した場合、相手方は損害賠償を請求できるのか。

A 相手方は損害賠償を請求できる。　婚姻の予約は将来において適法な婚姻をすることを目的とする契約で、その契約は適法で有効である。法律上婚姻の予約により当事者を婚姻させることを強制させることはできないが、当事者の一方が正当な理由なくその予約に反して婚姻を拒絶した場合には、その一方は相手方がその婚姻予約を信じたために被った有形・無形の損害を賠償する責任を負わなければならない（大連判大4・1・26）。

出題 市役所上・中級‐昭和62、国Ⅱ‐平成6

Q2 内縁関係解消前、別居中に一方が支出した医療費を他方に分担させることができるか。

A 他方に分担させることができる。　内縁が法律上の婚姻に準ずる関係と認むべきものである以上、民法760条の規定は準用される。したがって、一方が支出した医療費は、別居中に生じたものであっても、なお、婚姻から生ずる費用に準じ、同条の趣旨に従い、他方においてこれを分担すべきである（最判昭33・4・11）。

出題 国Ⅰ‐昭和51、市役所上・中級‐平成10、国Ⅱ‐平成6

Q3 内縁の当事者でない者が内縁関係に不当な干渉をしてこれを破綻させた場合には、不法行為による損害賠償責任を負うのか。

A 不法行為による損害賠償責任を負う。　内縁の当事者でない者であっても、内縁関係に不当な干渉をしてこれを破綻させれば、不法行為者として損害賠償の責任を負うべきことは当然である。そして、本件における内縁の解消は、生理的現象であるA女の悪阻による精神的肉体的変化を理解することなく、家風に合わぬなど事を婚家にいづらくし、里方に帰ったA女に対しては恥をかかせたと称して婚家に入ることを許さなかったB男らの言動に原因し、しかもB男の実父CはA女の追出し

にあたり主道的役割を演じたのであるから、実父Cの言動は社会観念上許容さるべき限度を超えた内縁関係に対する不当な干渉であり、実父Cには不法行為責任が認められる（最判昭38・2・1）。

出題 国Ⅰ－昭和51

Q4 戸籍上届出のある配偶者であっても、事実上の離婚状態にある場合には、遺族給付を受けるべき配偶者には該当しないのか。

A 遺族給付を受けるべき配偶者には該当しない。 農林漁業団体職員共済組合法24条1項の定める配偶者の概念は、同法の有する社会保障法的理念ないし目的に照らし、現実的な観点から理解すべきであって、戸籍上届出のある配偶者であっても、その婚姻関係が実体を失って形骸化し、かつその状態が固定化して近い将来解消される見込みのないとき、すなわち事実上の離婚状態にある場合には上記遺族給付を受けるべき配偶者には該当しない（最判昭58・4・14）。

出題 国Ⅰ－平成15

第725条（親族の範囲）

次に掲げる者は、親族とする。

1　6親等内の血族
2　配偶者
3　3親等内の姻族

第726条（親等の計算）

①親等は、親族間の世代数を数えて、これを定める。

②傍系親族の親等を定めるには、その1人又はその配偶者から同一の祖先にさかのぼり、その祖先から他の1人に下るまでの世代数による。

第727条（縁組による親族関係の発生）

養子と養親及びその血族との間においては、養子縁組の日から、血族間におけるのと同一の親族関係を生ずる。

第728条（離婚等による姻族関係の終了）

①姻族関係は、離婚によって終了する。

②夫婦の一方が死亡した場合において、生存配偶者が姻族関係を終了させる意思を表示したときも、前項と同様とする。

第729条（離縁による親族関係の終了）

養子及びその配偶者並びに養子の直系卑属及びその配偶者と養親及びその血族との親族関係は、離縁によって終了する。

第730条（親族間の扶け合い）

直系血族及び同居の親族は、互いに扶け合わなければならない。

第2章　婚姻

第1節　婚姻の成立

第1款　婚姻の要件

第731条（婚姻適齢）

婚姻は、18歳にならなければ、することができない。

第732条（重婚の禁止）

配偶者のある者は、重ねて婚姻をすることができない。

Q1 重婚における後婚が離婚によって解消した後にも後婚の取消請求は認められるか。

A 後婚の取消請求は認められない。 重婚の場合において、後婚が離婚によって解消されたときは、特段の事情のない限り、後婚が重婚にあたることを理由としてその取消しを請求することは許されない。なぜなら、婚姻取消しの効果は離婚の効果に準ずるのであるから（民法748条、749条）、離婚後、なお婚姻の取消しを請求することは、特段の事情がある場合のほか、法律上の利益がないからである（最判昭57・9・28）。

出題 国Ⅰ－平成18、国税・財務・労基－令和4

第733条（再婚禁止期間）

削除

第734条（近親者間の婚姻の禁止）

①直系血族又は3親等内の傍系血族の間では、婚姻をすることができない。ただし、養子と養方の傍系血族との間では、この限りでない。

②第817条の9の規定により親族関係が終了した後も、前項と同様とする。

Q1 民法734条1項によって婚姻が禁止される近親者間の内縁関係（3親等の傍系血族間の内縁関係も）は、時の経過ないし事情の変化によって婚姻障害事由が消滅ないし減退することはありうるのか。

A 婚姻障害事由が消滅ないし減退することはありえない。 民法734条1項によって婚姻が禁止される近親者間の内縁関係は、時の経過ないし事情の変化によって婚姻障害事由が消滅ないし減退することがありえない性質のものである。しかも、上記近親者間で婚姻が禁止されるのは、社会倫理的配慮および優生学的配慮という公益的要請を理由とするものであるから、上記近親者間における内縁関係は、一般的に反倫理性、反公益性の大きい関係というべきである。ことに、直系血族間、2親等の傍系血族間の内縁関係は、わが国の現在の婚姻法秩序又は社会通念を前提とする限り、反倫理性、反公益性がきわめて大きいと考えられるのであって、いかにその当事者が社会通念上夫婦としての共同生活を営んでいたとしても、厚生年金保険法3条2項によって保護される配偶者にはあたらないものと解される。そして、3親等の傍系血族間の内縁関係も、このような反倫理性、反公益性という観点からみれば、基本的にはこれと変わりがない（最判平19・3・8）。

出題 国Ⅱ－平成23

Q2 内縁関係が民法により婚姻が禁止される近親者間である場合、遺族厚生年金の受給権を否定することは許されるのか。

A 許されない。 社会的、時代的背景の下に形成された3親等の傍系血族間の内縁関係については、それが形成されるに至った経緯、周囲や地域社会の受け止め方、共同生活期間の長短、子の有無、夫婦生活の安定性等に照らし、反倫理性、反公益性が婚姻法秩序維持等の観点から問題とする必要がない程度に著しく低いと認められる場合には、上記近親者間における婚姻を禁止すべき公益的要請よりも遺族の生活の安定と福祉の向上に寄与するという法の目的を優先させるべき特段の事情があるものというべきである。したがって、このような事情が認められ

る場合、その内縁関係が民法により婚姻が禁止される近親者間におけるものであるという一事をもって遺族厚生年金の受給権を否定することは許されず、上記内縁関係の当事者は厚生年金保険法3条2項にいう「婚姻の届出をしていないが、事実上婚姻関係と同様の事情にある者」に該当する（最判平19・3・8）。　　　　　　　　　出題 国Ⅱ－平成23

第735条（直系姻族間の婚姻の禁止）

直系姻族の間では、婚姻をすることができない。第728条又は第817条の9の規定により姻族関係が終了した後も、同様とする。

第736条（養親子等の間の婚姻の禁止）

養子若しくはその配偶者又は養子の直系卑属若しくはその配偶者と養親又はその直系尊属との間では、第729条の規定により親族関係が終了した後でも、婚姻をすることができない。

第737条（未成年者の婚姻についての父母の同意）

削除

Q1 未成年者の婚姻は、父母の同意がなくても、戸籍吏が受理すれば、後に取消しがない限り有効に成立するのか。

A 有効に成立する。　　未成年者の婚姻は、父母の同意がなくても、戸籍吏が受理すれば、後に取消しがない限り有効に成立する。当事者の死亡後に婚姻が効力を生ずるということは有りえない。その後は同意権者に取消しを請求する権利があるだけである（最判昭30・4・5）。　　出題 国家総合－平成30

第738条（成年被後見人の婚姻）

成年被後見人が婚姻をするには、その成年後見人の同意を要しない。

第739条（婚姻の届出）

①婚姻は、戸籍法（昭和22年法律第224号）の定めるところにより届け出ることによって、その効力を生ずる。

②前項の届出は、当事者双方及び成年の証人2人以上が署名した書面で、又はこれらの者から口頭で、しなければならない。

Q1 婚姻の効力が発生するためには、婚姻届の受理とともに、戸籍簿の記載が必要なのか。

A 婚姻届の受理で足りる。　　婚姻の届出は戸籍吏に受理されれば完了し、戸籍簿に記入されなくても婚姻は成立する（大判昭16・7・29）。

出題 地方上級－平成11

第740条（婚姻の届出の受理）

婚姻の届出は、その婚姻が第731条、第732条、第734条から第736条まで及び前条第2項の規定その他の法令の規定に違反しないことを認めた後でなければ、受理することができない。

第741条（外国に在る日本人間の婚姻の方式）

外国に在る日本人間で婚姻をしようとするときは、その国に駐在する日本の大使、公使又は領事にその届出をすることができる。この場合において、前2条の規定を準用する。

第2款　婚姻の無効及び取消し

第742条（婚姻の無効）

婚姻は、次に掲げる場合に限り、無効とする。

1　人違いその他の事由によって当事者間に婚姻をする意思がないとき。

2　当事者が婚姻の届出をしないとき。ただし、その届出が第739条第2項に定める方式を欠くだけであるときは、婚姻は、そのためにその効力を妨げられない。

Q1 真に夫婦関係の設定を欲する効果意思がなくても、婚姻の届出について当事者の意思があれば、婚姻は有効に成立するか。

A 婚姻は有効に成立しない。　　民法742条にいう「当事者間に婚姻をする意思がないとき」とは、当事者間に真に社会観念上夫婦であると認められる関係の設定を欲する効果意思を有しない場合を指すものであり、したがってたとえ婚姻の届出自体について当事者間に意思の合致があり、ひいて当事者間に、一応、法律上の夫婦という身分関係を設定する意思はあったと認めうる場合であっても、それが、単に他の目的を達するための便法として仮託されたものにすぎないものであって、真に夫婦関係の設定を欲する効果意思がない場合には、婚姻はその効力を生じない。したがって、本件のように、婚姻の届出にあたり、当事者間に子どもを両名間の嫡出子としての地位を得させるための便法として婚姻の届出をした場合には、婚姻はその効力を生じない（最判昭44・10・31）。

出題 国Ⅰ－平成23・12・8・3、国税・財務・労基－平成25

Q2 当事者間に真に社会通念上夫婦と認められる関係を設定する意思がなく、単に当事者間に出生した子に嫡出子としての地位を得させるための便法として婚姻の届出をする意思の合意があったにすぎない場合であってもその婚姻は有効か。

A その婚姻は有効ではない（最判昭44・10・31）。⇨ 1

Q3 婚姻届が作成された当時は婚姻意思を有していたが、その届出書が係官に受理されるまでの間に完全な昏睡状態に陥り、意識を失った場合、当該婚姻は有効に成立するのか。

A 婚姻は有効に成立する。　　婚姻届がAの意思に基づいて作成され、同人がその作成当時婚姻意思を有していて、同人とYとの間に事実上の夫婦共同生活関係が存続していたとすれば、その届書が当該係官に受理されるまでの間に同人が完全に昏睡状態に陥り、意識を失い婚姻届出前に死亡した場合と異なり、届出書受理以前に翻意するなど婚姻の意思を失う特段の事情のない限り、届書の受理によって、本件婚姻は、有効に成立したものと解すべきである（最判昭44・4・3）。

出題 国家総合－平成30、国Ⅰ－平成23・3、国Ⅱ－平成15、国税・財務・労基－平成25

Q4 事実上の夫婦の一方が他方当事者の承諾なしに婚姻届を提出した後、他方当事者が届出を知りこれを追認すると、当該婚姻は有効となるのか。

A 婚姻は有効となり、追認の効果は届出時に遡及する。　　事実上の夫婦の一方が他方の意思に基づかないで婚姻届を作成提出した場合においても、当時両名に夫婦としての実質的生活関係が存在してお

り、後に他方の配偶者がその届出の事実を知ってこれを追認したときは、当該婚姻は追認によりその届出の当初に遡って有効となる（最判昭47・7・25）。

出題 国家総合−平成30、国Ⅰ−平成18・12・9・8、市役所上・中級−昭和62、国税・財務・労基−令和4・平成25

第743条（婚姻の取消し）
婚姻は、次条、第745条及び第747条の規定によらなければ、取り消すことができない。

第744条（不適法な婚姻の取消し）
①第731条、第732条及び第734条から第736条までの規定に違反した婚姻は、各当事者、その親族又は検察官から、その取消しを家庭裁判所に請求することができる。ただし、検察官は、当事者の一方が死亡した後は、これを請求することができない。
②第732条又は第733条の規定に違反した婚姻については、前婚の配偶者も、その取消しを請求することができる。

第745条（不適齢者の婚姻の取消し）
①第731条の規定に違反した婚姻は、不適齢者が適齢に達したときは、その取消しを請求することができない。
②不適齢者は、適齢に達した後、なお3箇月間は、その婚姻の取消しを請求することができる。ただし、適齢に達した後に追認をしたときは、この限りでない。

第746条（再婚禁止期間内にした婚姻の取消し）
削除

第747条（詐欺又は強迫による婚姻の取消し）
①詐欺又は強迫によって婚姻をした者は、その婚姻の取消しを家庭裁判所に請求することができる。
②前項の規定による取消権は、当事者が、詐欺を発見し、若しくは強迫を免れた後3箇月を経過し、又は追認をしたときは、消滅する。

第748条（婚姻の取消しの効力）
①婚姻の取消しは、将来に向かってのみその効力を生ずる。
②婚姻の時においてその取消しの原因があることを知らなかった当事者が、婚姻によって財産を得たときは、現に利益を受けている限度において、その返還をしなければならない。
③婚姻の時においてその取消しの原因があることを知っていた当事者は、婚姻によって得た利益の全部を返還しなければならない。この場合において、相手方が善意であったときは、これに対して損害を賠償する責任を負う。

第749条（離婚の規定の準用）
第728条第1項、第766条から第769条まで、第790条第1項ただし書並びに第819条第2項、第3項、第5項及び第6項の規定は、婚姻の取消しについて準用する。

第2節　婚姻の効力

第750条（夫婦の氏）
夫婦は、婚姻の際に定めるところに従い、夫又は妻の氏を称する。

第751条（生存配偶者の復氏等）
①夫婦の一方が死亡したときは、生存配偶者は、婚姻前の氏に復することができる。
②第769条の規定は、前項及び第728条第2項の場合について準用する。

第752条（同居、協力及び扶助の義務）
夫婦は同居し、互いに協力し扶助しなければならない。

第753条（婚姻による成年擬制）
削除

第754条（夫婦間の契約の取消権）
夫婦間でした契約は、婚姻中、いつでも、夫婦の一方からこれを取り消すことができる。ただし、第三者の権利を害することはできない。

Q1 民法754条にいう「婚姻中」とは、単に形式的に婚姻が継続していればよいのか。

A 実質的にも婚姻が継続していることを必要とする。　民法754条にいう「婚姻中」とは、単に形式的に婚姻が継続していることではなく、形式的にも、実質的にもそれが継続していることをいうのであるから、婚姻が実質的に破綻している場合には、それが形式的に継続しているとしても、同条の規定により、夫婦間の契約を取り消すことは許されないものと解する（最判昭42・2・2）。

出題 国税・財務・労基−平成30

第3節　夫婦財産制

第1款　総則

第755条（夫婦の財産関係）
夫婦が、婚姻の届出前に、その財産について別段の契約をしなかったときは、その財産関係は、次款に定めるところによる。

第756条（夫婦財産契約の対抗要件）
夫婦が法定財産制と異なる契約をしたときは、婚姻の届出までにその登記をしなければ、これを夫婦の承継人及び第三者に対抗することができない。

第758条（夫婦の財産関係の変更の制限等）
①夫婦の財産関係は、婚姻の届出後は、変更することができない。
②夫婦の一方が、他の一方の財産を管理する場合において、管理が失当であったことによってその財産を危うくしたときは、他の一方は、自らその管理をすることを家庭裁判所に請求することができる。
③共有財産については、前項の請求とともに、その分割を請求することができる。

第759条（財産の管理者の変更及び共有財産の分割の対抗要件）
前条の規定又は第755条の契約の結果により、財産の管理者を変更し、又は共有財産の分割をしたときは、その登記をしなければ、これを夫婦の承継人及び第三者に対抗することができない。

第2款　法定財産制

第760条（婚姻費用の分担）
夫婦は、その資産、収入その他一切の事情を考慮

して、婚姻から生ずる費用を分担する。

第761条（日常の家事に関する債務の連帯責任）

夫婦の一方が日常の家事に関して第三者と法律行為をしたときは、他の一方は、これによって生じた債務について、連帯してその責任を負う。ただし、第三者に対し責任を負わない旨を予告した場合は、この限りでない。

第762条（夫婦間における財産の帰属）

①夫婦の一方が婚姻前から有する財産及び婚姻中自己の名で得た財産は、その特有財産（夫婦の一方が単独で有する財産をいう。）とする。

②夫婦のいずれに属するか明らかでない財産は、その共有に属するものと推定する。

第4節　離婚

第1款　協議上の離婚

第763条（協議上の離婚）

夫婦は、その協議で、離婚をすることができる。

第764条（婚姻の規定の準用）

第738条、第739条及び第747条の規定は、協議上の離婚について準用する。

Q1 協議離婚の届出の当時、離婚の意思を有しないことが明確である場合にも、届出による協議離婚は有効か。

A 届出による協議離婚は無効である。　Yから離婚の届出がなされた当時にXに離婚の意思がなかったところ、協議離婚の届出は協議離婚意思の表示とみるべきであるから、本件のごとくその届出の当時離婚の意思を有しないことが明確である以上、届出による協議離婚は無効である。そして、必ずしも離婚を翻意したことが相手方に表示されること、または、届出委託を解除する等の事実がなかったからといって、協議離婚届書が無効でないとはいえない（最判昭34・8・7）。

出題 国Ⅰ-平成18・12・2・昭和58、地方上級-昭和62

Q2 協議離婚届書を作成した後、離婚意思を翻意し、その旨を市町村長に申し出たとしても、その後、当該離婚届が相手方によって提出されれば、離婚は有効に成立するのか。

A 当該協議離婚は無効である（最判昭34・8・7）。⇨ 1

Q3 事実上の夫婦関係を保ちながら生活扶助の受給を継続するためになされた協議離婚は、実質的な夫婦関係を解消する意思が認められないいわゆる仮装離婚の場合でも有効となるのか。

A 法律上の婚姻関係を解消する意思の合致が認められる場合には、有効である。　妻を戸主とする入夫婚姻をした夫婦が、事実上の婚姻関係は維持しつつ、単に夫に戸主の地位を与えるための方便として、協議離婚の届出をした場合でも、両名が真に法律上の婚姻関係を解消する意思の合致に基づいてこれをしたときは、その協議離婚は無効とはいえない（最判昭38・11・28）。　出題 国Ⅰ-平成8

第765条（離婚の届出の受理）

①離婚の届出は、その離婚が前条において準用する第739条第2項の規定及び第819条第1項の規定

その他の法令の規定に違反しないことを認めた後でなければ、受理することができない。

②離婚の届出が前項の規定に違反して受理されたときであっても、離婚は、そのためにその効力を妨げられない。

第766条（離婚後の子の監護に関する事項の定め等）

①父母が協議上の離婚をするときは、子の監護をすべき者、父又は母と子との面会及びその他の交流、子の監護に要する費用の分担その他の子の監護について必要な事項は、その協議で定める。協議が調わないとき、又は協議をすることができないときは、家庭裁判所が、これを定める。この場合においては、子の利益を最も優先して考慮しなければならない。

②前項の協議が調わないとき、又は協議をすることができないときは、家庭裁判所が、同項の事項を定める。

③家庭裁判所は、必要があると認めるときは、前2項の規定による定めを変更し、その他子の監護について相当な処分を命ずることができる。

④前3項の規定によっては、監護の範囲外では、父母の権利義務に変更を生じない。

Q1 離婚請求を認容するに際し、別居後離婚までの間の子の監護費用の支払を命ずることができるか。

A 命ずることができる。　離婚の訴えにおいて、別居後単独で子の監護にあたっている当事者から他方の当事者に対し、別居後離婚までの期間における子の監護費用の支払を求める旨の申立があった場合には、裁判所は、離婚請求を認容するに際し、民法771条、766条1項を類推適用し、人事訴訟手続法15条1項により、上記申立に係る子の監護費用の支払を命ずることができる。なぜなら、民法の上記規定は、父母の離婚によって、共同して子の監護にあたることができなくなる事態を受け、子の監護について必要な事項等を定める旨を規定するものであるが、離婚前であっても父母が別居し共同して子の監護にあたることができない場合には、子の監護に必要な事項としてその費用の負担等についての定めを要する点において、離婚後の場合と異ならないからである（最判平9・4・10）。

出題 国Ⅰ-平成18

Q2 婚姻関係が破綻して父母が別居状態にある場合に、子と同居していない親と子の面接交渉について家庭裁判所は相当な処分を命ずることができるか。

A 家庭裁判所は相当な処分を命ずることができる。父母の婚姻中は、父母が共同して親権を行い、親権者は、子の監護および教育をする権利を有し、義務を負うものであり（民法818条3項、820条）、婚姻関係が破綻して父母が別居状態にある場合であっても、子と同居していない親が子と面接交渉することは、子の監護の一内容であるということができる。そして、別居状態にある父母の間で面接交渉につき協議が調わないとき、または協議をすることができないときは、家庭裁判所は、民法766条を類推適用し、家事審判法9条1項乙類4号により、面接交渉について相当な処分を命ずることができる

（最判平12・5・1）。　**出題** 予想

Q3 監護親に対し非監護親が子と面会交流をすることを許さなければならないと命ずる審判において、面会交流の日時又は頻度、各回の面会交流時間の長さ、子の引渡しの方法等が具体的に定められているなど監護親がすべき給付の特定に欠けるところがないといえる場合は、上記審判に基づき監護親に対し間接強制決定をすることができる。

A 監護親に対し間接強制決定をすることができる。子を監護している親（「監護親」）と子を監護していない親（「非監護親」）が子と面会交流をすることを許さなければならないと命ずる審判において、面会交流の日時又は頻度、各回の面会交流時間の長さ、子の引渡しの方法等が具体的に定められているなど監護親がすべき給付の特定に欠けるところがないといえる場合は、上記審判に基づき監護親に対し間接強制決定をすることができると解するのが相当である。そして、子の面会交流に係る審判は、子の心情等を踏まえた上でされているといえる。したがって、監護親に対し非監護親が子と面会交流をすることを許さなければならないと命ずる審判がされた場合、子が非監護親との面会交流を拒絶する意思を示していることは、これをもって、上記審判時とは異なる状況が生じたといえるときは上記審判に係る面会交流を禁止し、又は面会交流についての新たな条項を定めるための調停や審判を申し立てる理由となり得ることなどは格別、上記審判に基づく間接強制決定をすることを妨げる理由となるものではない（最判平25・3・28）。　**出題** 国家総合 – 令和4

Q4 父母以外の第三者は、事実上子を監護してきた者であっても、家庭裁判所に対し、子の監護に関する処分として上記第三者と子との面会交流について定める審判を申し立てることはできるのか。

A 審判を申し立てることはできない。　民法766条2項は、同条1項の協議の主体である父母の申立により、家庭裁判所が子の監護に関する事項を定めることを予定しているものと解される。他方、民法その他の法令において、事実上子を監護してきた第三者が、家庭裁判所に上記事項を定めるよう申し立てることができる旨を定めた規定はなく、上記の申立てについて、監護の事実をもって上記第三者を父母と同視することもできない。なお、子の利益は、子の監護に関する事項を定めるにあたって最も優先して考慮しなければならないものであるが（民法766条1項後段参照）、このことは、上記第三者に上記の申立ての許容する根拠となるものではない。以上によれば、民法766条の適用又は類推適用により、上記第三者が上記の申立てをすることができると解することはできず、他にそのように解すべき法令上の根拠も存しない。したがって、父母以外の第三者は、事実上子を監護してきた者であっても、家庭裁判所に対し、子の監護に関する処分として上記第三者と子との面会交流について定める審判を申し立てることはできない（最判令3・3・29）。　**出題** 予想

第767条（離婚による復氏等）

①婚姻によって氏を改めた夫又は妻は、協議上の離婚によって婚姻前の氏に復する。

②前項の規定により婚姻前の氏に復した夫又は妻は、離婚の日から3箇月以内に戸籍法の定めるところにより届け出ることによって、離婚の際に称していた氏を称することができる。

第768条（財産分与）

①協議上の離婚をした者の一方は、相手方に対して財産の分与を請求することができる。

②前項の規定による財産の分与について、当事者間に協議が調わないとき、又は協議をすることができないときは、当事者は、家庭裁判所に対して協議に代わる処分を請求することができる。ただし、離婚の時から2年を経過したときは、この限りでない。

③前項の場合には、家庭裁判所は、当事者双方がその協力によって得た財産の額その他一切の事情を考慮して、分与をさせるべきかどうか並びに分与の額及び方法を定める。

Q1 離婚における財産分与がなされた場合にも、別途離婚による慰謝料請求ができるのか。

A 別途離婚による慰謝料請求ができる場合がある。財産分与として、損害賠償の要素をも含めて給付がなされた場合には、さらに請求者が相手方の不法行為を理由に離婚そのものによる慰謝料の支払いを請求したときに、その額を定めるにあたっては、財産分与がなされている事情をも考慮しなければならないのであり、このような財産分与によって請求者の精神的苦痛がすべて慰謝されたときには、もはや重ねて慰謝料の請求を認容することはできない。しかし、財産分与がなされても、それが損害賠償の要素を含めた趣旨とは解せられないか、そうでないとしても、その額および方法について、請求者の精神的苦痛を慰謝するには足りないときには、すでに財産分与を得たという一事によって慰謝料請求権がすべて消滅するものではなく、別個に不法行為を理由として離婚による慰謝料を請求することを妨げられない（最判昭46・7・23）。

出題 国家総合 – 令和4、国Ⅰ – 平成18・6・昭和53、地方上級 – 昭和62、国税・財務・労基 – 平成28

Q2 離婚の際の財産分与に関し、裁判所が財産分与の額や方法を定めるにあたっては、婚姻継続中における過去の婚姻費用の分担の態様についても考慮の対象に含まれるか。

A 考慮の対象に含まれる。　離婚訴訟において裁判所が財産分与の額および方法を定めるについては当事者双方の一切の事情を考慮すべきであることは、民法771条、768条3項の規定上明らかであるところ、婚姻継続中における過去の婚姻費用の分担の態様はその事情のひとつにほかならないから、裁判所は、当事者の一方が過当に負担した婚姻費用の清算のための給付をも含めて財産分与の額および方法を定めることができる（最判昭53・11・14）。　**出題** 国家総合 – 令和1

Q3 内縁の夫婦の一方の死亡により内縁関係が解消した場合に、法律上の夫婦の離婚に伴う財産分与に関する民法768条の規定を類推適用することは

民法

できるか。

A 類推適用することはできない。　民法は、法律上の夫婦の婚姻解消時における財産関係の清算および婚姻解消後の扶養については、離婚による解消と当事者の一方の死亡による解消とを区別し、前者の場合には財産分与の方法を用意し、後者の場合には相続により財産を承継させることでこれを処理するものとしている。このことにかんがみると、内縁の夫婦について、離別による内縁解消の場合に民法の財産分与の規定を類推適用することは、準婚的法律関係の保護に適するものとしてその合理性を承認しうるとしても、死亡による内縁解消のときに、相続の開始した遺産につき財産分与の法理による遺産清算の道を開くことは、相続による財産承継の構造の中に異質の契機を持ち込むもので、法の予定しないところである。したがって、生存内縁配偶者が死亡内縁配偶者の相続人に対して清算的要素および扶養的要素を含む財産分与請求権を有するものと解することはできない（最判平12・3・10）。

出題 国家総合－令和4、国Ⅰ－平成15、国税・財務・労基－平成28

第769条（離婚による復氏の際の権利の承継）
①婚姻によって氏を改めた夫又は妻が、第897条第1項の権利を承継した後、協議上の離婚をしたときは、当事者その他の関係人の協議で、その権利を承継すべき者を定めなければならない。
②前項の協議が調わないとき、又は協議をすることができないときは、同項の権利を承継すべき者は、家庭裁判所がこれを定める。

第2款　裁判上の離婚

第770条（裁判上の離婚）
①夫婦の一方は、次に掲げる場合に限り、離婚の訴えを提起することができる。
1　配偶者に不貞な行為があったとき。
2　配偶者から悪意で遺棄されたとき。
3　配偶者の生死が3年以上明らかでないとき。
4　配偶者が強度の精神病にかかり、回復の見込みがないとき。
5　その他婚姻を継続し難い重大な事由があるとき。
②裁判所は、前項第1号から第4号までに掲げる事由がある場合であっても、一切の事情を考慮して婚姻の継続を相当と認めるときは、離婚の請求を棄却することができる。

Q1 配偶者が精神病にかかった場合には、必ず離婚できるのか。

A 必ず離婚できるわけではない。　民法770条は、新たに「配偶者が強度の精神病にかかり、回復の見込みがないとき」を裁判上離婚請求の一事由としたけれども、同条2項は、この事由があるときでも裁判所は一切の事情を考慮して婚姻の継続を相当と認めるときは離婚の請求を棄却することができる旨を規定しているのであって、民法は単に夫婦の一方が不治の精神病にかかった一事をもって直ちに離婚の訴訟を理由ありとするのではなく、たとえかかる場合においても、諸般の事情を考慮し、病者の今後の

療養、生活等についてできる限りの具体的方途を講じ、ある程度において、前途に、その方途の見込みのついたうえでなければ、直ちに婚姻関係を廃絶することは不相当と認めて、離婚の請求は許さない法意である（最判昭33・7・25）。

出題 国Ⅰ－昭和58

Q2 婚姻関係が完全に破綻した後に夫が他の女性と同棲した場合、夫は離婚請求ができるのか。

A 夫は離婚請求ができる。　夫が妻以外の女性と同棲し、夫婦同様の生活を送っている事実があっても、これが妻との婚姻関係が完全に破綻した後に生じたものであるときは、その事実をもって夫からの離婚請求を排斥すべき理由とすることはできない（最判昭46・5・21）。

出題 国Ⅰ－昭和58

Q3 有責配偶者からの離婚請求は認められないのか。

A 認められる場合がある。　民法770条1項5号所定の事由による離婚請求がその事由につきもっぱら責任のある一方の当事者（以下「有責配偶者」という）からされた場合において、当該請求が信義誠実の原則に照らして許されるものであるかどうかを判断するにあたっては、有責配偶者の責任の態様・程度を考慮すべきであるが、相手方配偶者の婚姻継続についての意思および請求者に対する感情、離婚を認めた場合における相手方配偶者の精神的・社会的・経済的状態および夫婦間の子、ことに未成熟の子の監護・教育・福祉の状況、別居後に形成された生活関係、たとえば夫婦の一方又は双方がすでに内縁関係を形成している場合にはその相手方や子らの状況等が考慮されなければならず、さらには、時の経過とともに、これらの諸事情がそれ自体あるいは相互に影響し合って変容し、また、これらの諸事情のもつ社会的意味ないしは社会的評価も変化することを免れないから、時の経過がこれらの諸事情に与える影響も考慮されなければならないのである。そうであってみれば、有責配偶者からされた離婚請求であっても、(1)夫婦の別居が両当事者の年齢および同居期間との対比において相当の長期間に及び、(2)その間に未成熟の子が存在しない場合には、(3)相手方配偶者が離婚により精神的・社会的・経済的にきわめて苛酷な状態に置かれる等離婚請求を認容することが著しく社会正義に反するといえるような特段の事情の認められない限り、当該請求は、有責配偶者からの請求であるとの一事をもって許されないとすることはできない（最大判昭62・9・2）。

出題 国家総合－令和4、国Ⅰ－平成9・6・2、地方上級－平成11、市役所上・中級－平成5、国Ⅱ－平成20

Q4 AはBと同居して生活する意思はないこと、BがAおよび長男と別居してから約2年4か月が経過しており、その間、Bは長男とさえ会っておらず、家族としての交流がないこと等の事情の下で、有責配偶者からの離婚請求を認容できるのか。

A 離婚請求を認容できない。　(1)AとBとの婚姻については民法770条1項5号所定の事由があり、Bは有責配偶者であること、(2)AとBとの別居期間は、原審の口頭弁論終結時に至るまで約2

民法編

年4か月であり、双方の年齢や同居期間（約6年7か月）との対比において相当の長期間に及んでいるとはいえないこと、(3)AとBとの間には、その監護、教育および福祉の面での配慮を要する7歳（原審の口頭弁論終結時）の長男（未成熟の子）が存在すること、(4)Aは、子宮内膜症にり患しているため就職して収入を得ることが困難であり、離婚により精神的・経済的に苛酷な状況に置かれることが想定されること等が明らかである。以上の諸点を総合的に考慮すると、Bの本件離婚請求は、信義誠実の原則に反するものといわざるをえず、これを棄却すべきである（最判平16・11・18）。

出題 予想

第771条（協議上の離婚の規定の準用）
第766条から第769条までの規定は、裁判上の離婚について準用する。

第3章　親子

第1節　実子

第772条（嫡出の推定）
①妻が婚姻中に懐胎した子は、当該婚姻における夫の子と推定する。女が婚姻前に懐胎した子であって、婚姻が成立した後に生まれたものも、同様とする。

②前項の場合において、婚姻の成立の日から200日以内に生まれた子は、婚姻前に懐胎したものと推定し、婚姻の成立の日から200日を経過した後又は婚姻の解消若しくは取消しの日から300日以内に生まれた子は、婚姻中に懐胎したものと推定する。

③第1項の場合において、女が子を懐胎した時から子の出生までの間に二以上の婚姻をしていたときは、その子は、その出生の直近の婚姻における夫の子と推定する。

④前3項により父が定められた子について、第774条の規定によりその父の嫡出であることが否認された場合における前項の規定の適用については、同項中「直近の婚姻」とあるのは、「直近の婚姻（第774条の規定により子がその嫡出であることが否認された夫との間の婚姻を除く。）」とする。

Q1 他人の子として届けられても、離婚後2日で分娩した子は、1年内に嫡出否認の訴えがなければ、嫡出子として確定するのか。

A 嫡出子として確定する。　離婚後2日目に出生した子については、他人の子として出生届が出されたという事実があったとしても、嫡出否認の訴えについての1年の出訴期間が徒過すれば、その子は嫡出子として確定する（大判昭13・12・24）。

出題 国Ⅰ-平成14、国Ⅱ-平成13

Q2 嫡出否認の訴えを提起しうる期間が経過した場合には、血液型の不一致があり、かつ、すでに婚姻関係が終了し嫡出性の推定および嫡出否認の制度の基盤である家族共同体の実体が失われていたとしても、戸籍上の父が父子関係の存否を争うことはできないのか。

A 争うことはできない（大判昭13・12・24）。⇨1

Q3 婚姻の届出の日から200日以内に出生した子は、同棲開始から200日後に出生した場合であれば、当然嫡出子となるのか。

A 当然嫡出子となる。　いまだ婚姻の届出をしていなくても、すでに事実上の夫婦として同棲し、いわゆる内縁関係の継続中に、内縁の妻が内縁の夫によって懐胎し、しかも内縁の夫婦が適式に法律上の婚姻をした後に出生した子は、仮に婚姻の届出とその出生との間に旧民法820条（現民法772条2項）所定の200日の期間が存在しない場合であっても、民法上私生子と判断してはならない。このような子については、特に父母の認知の手続を要せず、出生と同時に当然に父母の嫡出子としての身分を有する（大連判昭15・1・23）。

出題 国Ⅰ-平成14・昭和61、市役所上・中級-平成1、国家一般-令和3・平成25、国Ⅱ-平成14

Q4 A女がB男と離婚後にC男と再婚した場合、C男とDの関係について、DがA・Cの婚姻届出後200日以内の出生子である場合であっても、届出前に内縁関係が先行し、内縁関係成立から200日経過後の出生であれば嫡出推定が及ぶのか。

A 嫡出推定は及ばない。　民法772条によって嫡出推定を受ける子が父の認知を必要としないのは、嫡出推定が一定期間内に否認の訴えを提起してこれを覆す途が設けられているに止まり、かつ民法779条は嫡出子について認知を問題としていないし、776条では「承認」という表現を用い、認知という言葉を使っていないからである。そして、内縁についても民法772条が類推されるという趣旨は、事実の蓋然性に基づいて立証責任の問題として、父の推定があるというにすぎない。それ故、認知の訴訟において父の推定を受けている者が、父にあらざることを主張する場合には、その推定を覆すに足るだけの反証をあげる責任を負う。そして、父と推定される者は、認知をまたずして、法律上一応子の子として取り扱われることもなく、また同様にその者は、認知をまたずして、法律上一応推定を受ける父の子として取り扱われることもない。したがって、父子の関係は、任意の認知がない限りどこまでも認知の訴えで決定されるのであり（民法779条、787条）、その際民法772条の類推による推定は、立証責任負担の問題として意義を有する（最判昭29・1・21）。

出題 国Ⅰ-平成14・11、国家一般-令和1

Q5 内縁関係にある夫婦間の子についても民法772条の趣旨が類推適用され、これにより父子関係も推定され、父の認知を要しないのか。

A 父の認知を要する（最判昭29・1・21）。⇨4

Q6 内縁関係成立後200日は経過しているが、婚姻届出後200日以内に出生した子は、嫡出の推定を受けるのか。

A 嫡出の推定は否定される。　民法772条2項にいう「婚姻成立の日」とは、婚姻の届出の日を指称するのであるから、AとBの婚姻届出の日から200日以内に出生したXは、同条により、Bの嫡出子としての推定を受ける者ではなく、たとえ、X出生の日が、AとBの挙式あるいは同棲開始の時

民法

から 200 日以後であっても、同条の類推適用はない（最判昭 41・2・15）。　出題 国Ⅰ－平成 14

Q7 婚姻の届出の日から 180 日後に出生した子であっても、内縁関係成立の日から 360 日後に出生した場合は、その子は嫡出子としての推定を受けるのか。

A 嫡出子としての推定を受けない（最判昭 41・2・15）。⇨ 6

Q8 事実上数年間夫 B と別居した後に離婚の届出をした妻 A が届出後 300 日以内に X を出生したのであれば、B の嫡出否認がなくても、X は真の父親と思われる Y に対して認知請求ができるのか。

A B の嫡出否認がなくても X は真の父親 Y に対して認知請求ができる。　X は母 A と B との婚姻解消の日から 300 日以内に出生した子であるが、A と B 間の夫婦関係は、離婚の届出に先だち約 2 年半以前から事実上の離婚をして爾来夫婦の実態は失われ、単に離婚の届出がおくれていたにとどまるから、X は実質的には民法 772 条の推定を受けない嫡出子というべく、X は戸籍上の父である B からの嫡出否認をまつまでもなく、事実上の父と思われる Y に対して認知の請求をすることができる（最判昭 44・5・29）。

出題 国Ⅰ－平成 14・11・昭和 61・56

Q9 D が A・B の婚姻解消の日から 300 日以内に出生した子であったとしても、A・B が離婚の届出に先立ち 2 年半以上前から事実上の離婚状態で夫婦の実態が失われていたという事情がある場合には、B 男の嫡出推定は受けないのか。

A 嫡出推定は受けない（最判昭 44・5・29）。⇨ 8

Q10 婚姻解消の約 2 年半以上前から両親が事実上の離婚状況であったという事情が認められたとしても、その婚姻解消の日から 240 日後に出生した子は嫡出子としての推定を受けるのか。

A 嫡出子としての推定を受けない（最判昭 44・5・29）。⇨ 8

Q11 子、直系卑属またはこれらの代理人は、子が成年に達していれば、父または母の死後 3 年以内に認知の訴えを提起できるのか。

A 父または母の死後 3 年以内（民法 787 条但書）であれば、子の年齢を問わず認知の訴えを提起できる。　内縁の子が内縁の父の生前に同人に対して認知の訴えを提起する機会があったからといって、その死亡後 3 年以内に提起した本訴が不適法になるものではない。また、内縁の妻が内縁関係の成立の日から 200 日後、その解消の日から 300 日以内に分娩した子は、民法 772 条の趣旨を類推し、立証上特段の事情のない限り、内縁の夫の子と推定すべきである（最判昭 46・3・19）。

出題 国Ⅱ－平成 5

Q12 夫と妻との婚姻関係が終了してその家庭が崩壊しているとの事情が存在する場合、嫡出否認の訴えを提起しうる期間の経過後に、親子関係不存在確認の訴えをもって夫と子との間の父子関係の存否を争うことはできるのか。

A 原則として争うことはできない。　夫と妻との婚姻関係が終了してその家庭が崩壊しているとの事情があっても、子の身分関係の法的安定を保持する必要が当然になくなるものではないから、上記の事情が存在することの一事をもって、嫡出否認の訴えを提起しうる期間の経過後に、親子関係不存在確認の訴えをもって夫と子との間の父子関係の存否を争うことはできない。もっとも、民法 772 条 2 項所定の期間内に妻が出産した子について、妻がその子を懐胎すべき時期に、すでに夫婦が事実上の離婚をして夫婦の実態が失われ、または遠隔地に居住して、夫婦間に性的関係を持つ機会がなかったことが明らかであるなどの事情が存在する場合には、その子は実質的には民法 772 条の推定を受けない嫡出子にあたるから、同法 774 条以下の規定にかかわらず、夫はその子との間の父子関係の存否を争うことができる（最判平 12・3・14）。　出題 予想

◇親子関係不存在確認の訴え

Q13 父親と子との間の親子関係の不存在を確定するための法的手続が、父親の所在確認のため子の出生から訴えの提起までに 8 か月余を要した場合には、子の出生後遅滞なくとられたものと解することができるか。

A 子の出生から訴えの提起までに 8 か月余を要したのもやむをえない場合には、子の出生後遅滞なくとられたものと解することができる。　B は、帝王切開により子を出産し、退院後も長女と子を養育しながら、自宅療養を続けていたのであり、また、出産に控えた平成 9 年 8 月ころには、C からの連絡を待つだけで、B の側から C に連絡を取ることはできない状態になっていたところ、B は、同 10 年 3 月ころ、弁護士に相談し、C と子との間の親子関係の不存在を確定するための法的手続をとることとし、そのために約 3 か月間 C の所在を調査したが、結局、C の所在が判明しないので、同年 6 月 15 日に至り、子の親権者として、子の C に対する親子関係不存在確認の訴えを提起し、C に対しては公示送達がされたのである。これらの事情に照らせば、子の出生から訴えの提起までに 8 か月余を要したのもやむをえないのであり、本件においては、C と子との間の親子関係の不存在を確定するための法的手続が子の出生後遅滞なくとられたものと解する。そして、D は、C と子との間の親子関係の不存在を確認する判決が確定した 4 日後に子を認知する旨の届出をしたのであるから、上記認知の届出が速やかにされたことは明らかである。そうすると、本件においては、客観的にみて、戸籍の記載上嫡出の推定がされなければ D により胎児認知がされたであろうと認めるべき特段の事情があり、このように認めることの妨げとなる事情はうかがわれない。したがって、子は、日本人である D の子として、国籍法 2 条 1 号により日本国籍を取得したものと認めるのが相当である（最判平 15・6・12）。

出題 予想

Q14 真実の親子関係と異なる出生の届出に基づき戸籍上甲の嫡出子として記載されている乙が、甲との間で長期間にわたり実の親子と同様に生活し、関

係者もこれを前提として社会生活上の関係を形成してきた場合において、実親子関係不存在確認請求をすることは許されるのか。

A 権利の濫用にあたり許されない。　真実の親子関係と異なる出生の届出に基づき戸籍上甲の嫡出子として記載されている乙が、甲との間で長期間にわたり実の親子と同様に生活し、関係者もこれを前提として社会生活上の関係を形成してきた場合において、実親子関係が存在しないことを判決で確定するときは、乙に軽視しえない精神的苦痛、経済的不利益を強いることになるばかりか、関係者間に形成された社会的秩序が一挙に破壊されることにもなりかねない。また、虚偽の出生の届出がされることについて乙には何ら帰責事由がないのに対し、そのような届出を自ら行い、又はこれを容認した甲が、当該届出からきわめて長期間が経過した後になり、戸籍の記載が真実と異なる旨主張することは、当事者間の公平に著しく反する行為といえる。そこで、甲がその戸籍上の子である乙との間の実親子関係の存在しないことの確認を求めている場合においては、甲乙間に実の親子と同様の生活の実体があった期間の長さ、判決をもって実親子関係の不存在を確定することにより乙およびその関係者の受ける精神的苦痛、経済的不利益、甲が実親子関係の不存在確認請求をするに至った経緯および請求をする動機、目的、実親子関係が存在しないことが確定されないとした場合に甲以外に著しい不利益を受ける者の有無等の諸般の事情を考慮し、実親子関係の不存在を確定することが著しく不当な結果をもたらすものといえるときには、当該確認請求は権利の濫用にあたり許されない（最判平18・7・7）。

出題 国家総合 − 令和3・平成27

Q15 両親と血縁関係がある子が、別の子と両親との間に実親子関係が存在しないことの確認を求めている場合、両親である夫婦とその別の子との間に実の親子と同様の生活の実体がある期間が長期に及び、判決をもって実親子関係を確定することによって関係者に著しい精神的苦痛、経済的不利益が生じるなどの諸般の事情を考慮すると、実親子関係の不存在を確定することが著しく不当な結果をもたらすものといえるときであっても、親子関係が血縁によって発生することに鑑み、実親子関係が存在しないことが明白であれば、当該確認請求を認めるべきか。

A 親子関係不存在確認請求を認めるべきではない。（最判平18・7・7）。⇨ 14

Q16 DNA型鑑定で父子の血縁が否定された場合、法律上の父子関係も無効とすることができるのか。

A 法律上の父子関係を無効とすることはできない。夫と子との間に生物学上の父子関係が認められないことが科学的証拠により明らかであり、かつ、子が、現時点において夫の下で監護されておらず、妻および生物学上の父の下で順調に成長している（あるいは、夫と子との間に生物学上の父子関係が認められないことが科学的証拠により明らかであり、かつ、夫と妻がすでに離婚して別居し、子が親権者である妻の下で監護されている）という事情があって

も、子の身分関係の法的安定を保持する必要が当然になくなるものではないから、上記の事情が存在するからといって、民法772条による嫡出の推定が及ばなくなるものとはいえず、親子関係不存在確認の訴えをもって当該父子関係の存否を争うことはできないものと解する。このように解すると、法律上の父子関係が生物学上の父子関係と一致しない場合が生ずることになるが、同条および774条から778条までの規定はこのような不一致が生ずることをも容認しているものと解される。もっとも、民法772条2項所定の期間内に妻が出産した子について、妻がその子を懐胎すべき時期に、すでに夫婦が事実上の離婚をして夫婦の実態が失われ、または遠隔地に居住して、夫婦間に性的関係を持つ機会がなかったことが明らかであるなどの事情が存在する場合には、上記子は実質的には同条の推定を受けない嫡出子にあたるということができるから、同法774条以下の規定にかかわらず、親子関係不存在確認の訴えをもって夫と上記子との間の父子関係の存否を争うことができると解するのが相当である（最判昭44・5・29、最判平10・8・31、最判平12・3・14参照）（最判平26・7・17）。

出題 国家総合 − 令和3・平成27、国家一般 − 令和3

◇代理出産

Q17 子を懐胎し出産した女性とその子に係る卵子を提供した女性とが異なる場合、その子を懐胎、出産していない女性との間に、母子関係の成立を認めることはできるのか。

A その女性が卵子を提供した場合であっても、母子関係の成立を認めることはできない。　子を懐胎し出産した女性とその子に係る卵子を提供した女性とが異なる場合についても、現行民法の解釈として、出生した子とその子を懐胎し出産した女性との間に出産により当然に母子関係が成立することとなるのかが問題となる。この点について検討すると、民法には、出生した子を懐胎、出産していない女性をもってその子の母とすべき趣旨をうかがわせる規定は見当たらず、このような場合における法律関係を定める規定がないことは、同法制定当時そのような事態が想定されなかったことによるものではあるが、実親子関係が公益および子の福祉に深くかかわるものであり、一義的に明確な基準によって一律に決せられるべきであることにかんがみると、現行民法の解釈としては、出生した子を懐胎し出産した女性をその子の母と解さざるをえず、その子を懐胎、出産していない女性との間には、その女性が卵子を提供した場合であっても、母子関係の成立を認めることはできない（最決平19・3・23）。

出題 予想

第773条（父を定めることを目的とする訴え）
　第732条の規定に違反して婚姻をした女が出産した場合において、前条の規定によりその子の父を定めることができないときは、裁判所が、これを定める。

第774条（嫡出の否認）
①第772条の規定により子の父が定められる場合において、夫又は子は、子が嫡出であることを否認

することができる。

②前項の規定における子の否認権は、親権を行う母、親権を行う養親又は未成年後見人が、このために行使することができる。

③第1項に規定する場合において、母は、子が嫡出子であることを否認することができる。ただし、その否認権の行使が子の利益を害することが明らかなときは、この限りでない。

④第772条第3項の規定により子の父が定められる場合において、子の懐胎の時から出生の時までの間に母と婚姻していた者であって、子の父以外の者（以下「前夫」という。）は、子が嫡出であることを否認することができる。ただし、その否認権の行使が子の利益を害することが明らかなときは、この限りでない。

⑤前項の規定による否認権を行使し、第772条第4項の規定により読み替えられた同条第3項の規定により新たに子の父と定められた者は、第1項の規定にかかわらず、子が自らの嫡出であることを否認することができない。

第775条（嫡出否認の訴え）

①次の各号に掲げる否認権はそれぞれ当該各号に定める者に対する嫡出否認の訴えによって行う。
1　父の否認権　子又は親権を行う母
2　子の否認権　父
3　母の否認権　父
4　前夫の否認権　父及び子又は親権を行う母

②前項第1号から第4号までに掲げる否認権を親権を行う母に対し行使しようとする場合において、親権を行う母がない時は、家庭裁判所は、特別代理人を選任しなければならない。

第776条（嫡出の承認）

父又は母は、子の出生後において、その嫡出であることを承認した時は、それぞれその否認権を失う。

第777条（嫡出否認の訴えの出訴期間）

次の各号に掲げる否認権の行使に係る嫡出否認の訴えは、それぞれ当該各号に定める時から3年以内に提起しなければならない。
1　父の否認権　父が子の出生を知った時
2　子の否認権　その出生の時
3　母の否認権　子の出生の時
4　前夫の否認権　前夫が子の出生を知った時

第778条

第772条第3項の規定により父が定められた子について第774条の規定により嫡出であることが否認された時は、次の各号に掲げる否認権の行使に係る嫡出否認の訴えは、前条の規定にかかわらず、それぞれ当該各号に定める時から1年以内に提起しなければならない。
1　772条第4項の規定により読み替えられた同条第3項の規定により新たに子の父と定められた者の否認権　新たに子の父と定められた者が当該子に係る嫡出否認の裁判が確定したことを知った時
2　子の否認権　子が前号の裁判が確定したことを知った時
3　母の否認権　母が第1号の裁判が確定したこ

とを知った時
4　前夫の否認権　前夫が第1号の裁判が確定したことを知った時

第778条の2

①第777条（第2号に係る部分に限る。）又は前条（第2号に係る部分に限る。）の期間の満了前6箇月以内の間に親権を行う母、親権を行う養親及び未成年後見人がないときは、子は、母若しくは養親の親権停止の期間が満了し、親権喪失若しくは親権停止の審判の取消しの審判が確定し、若しくは親権が回復された時、新たに養子縁組が成立した時又は未成年後見人が就職した時から6箇月を経過するまでの間は、嫡出否認の訴えを提起することができる。

②子は、その父と継続して同居した期間（当該期間が2以上ある時は、そのうち最も長い期間）が3年を下回る時は、第777条（第2号に係る部分に限る。）及び前条（第2号に係る部分に限る。）の規定にかかわらず、21歳に達するまでの間、嫡出否認の訴えを提起することができる。ただし、子の否認権の行使が父による養育の状況に照らして父の利益を著しく害する時は、この限りでない。

③第774条第2項の規定は、前項の場合には、適用しない。

④第777条（第4号に係る部分に限る。）及び前条（第4号に係る部分に限る。）に掲げる否認権の行使に係る嫡出否認の訴えは、子が成年に達した後は、提起することができない。

第778条の3（子の監護に要した費用の償還の制限）

第774条の規定により嫡出であることが否認された場合であっても、子は、父であった者が支出した子の監護に要した費用を償還する義務を負わない。

第778条の4（相続の開始後に新たに子と推定された者の価額の支払請求権）

相続の開始後、第774条の規定により否認権が行使され、第772条第4項の規定により読み替えられた同条第3項の規定により新たに被相続人がその父と定められた者が相続人として遺産の分割を請求しようとする場合において、他の共同相続人が既にその分割その他の処分をしていた時は、当該相続人の遺産分割の請求は、価額のみによる支払の請求により行うものとする。

第779条（認知）

嫡出でない子は、その父又は母がこれを認知することができる。

Q1 母と非嫡出子との親子関係は母の認知により発生するのか。

A 分娩の事実により当然に発生する。　母とその非嫡出子との間の親子関係は、原則として、母の認知をまたず、分娩の事実により当然に発生する（最判昭37・4・27）。

出題 国Ⅰ-平成21、市役所上・中級-平成1、国家一般-令和1、国Ⅱ-平成5

Q2 嫡出でない子は、認知によらないで父との間の親子関係の存在確認の訴えを提起できるのか。

A 提起できない。　嫡出でない子と父との間の法

律上の親子関係は、認知によってはじめて発生するのであるから、嫡出でない子は、認知によらないで父との間の親子関係の存在確認の訴えを提起することができない（最判平2・7・19）。　**出題** 予想

第780条（認知能力）
認知をするには、父又は母が未成年者又は成年被後見人であるときであっても、その法定代理人の同意を要しない。

第781条（認知の方式）
①認知は、戸籍法の定めるところにより届け出ることによってする。

②認知は、遺言によっても、することができる。

Q1 他人の子として届け出た自分の非嫡出子を自己の養子とする縁組届は、認知としての効力を有するのか。

A 認知としての効力を有しない。　養子縁組と私生子の認知とはその発生を目的とする私権の内容を異にする各別個の性質を有する行為であって、民法上その方式および要件はもとより同一ではないため、一方を他方に代替して行うことはできない。したがって、縁組が無効であるが、縁組の届出がその実質において私生子の認知の意思表示を包含することから、縁組の届出によって認知の効力が生ずるとすることはできない（大判昭4・7・4）。

出題 国Ⅰ-昭和59・54

Q2 認知者の意思によらず認知者以外の者が認知者の氏名を冒用して認知届を出した場合、認知者と被認知者との間に真実の親子関係があるときは、この認知は効力を有するのか。

A 認知は効力を有しない。　任意認知は認知者の意思に基づいて行われるものであるから、認知者の意思によらずに行われた認知届は無効である（最判昭52・2・14）。　**出題** 特別区Ⅰ-平成14

Q3 父が妻以外の女性との間に出生した子について、妻との間の嫡出子とする嫡出子出生届を提出し、これが受理された場合、認知届としての効力を有するのか。

A 認知届としての効力を有する。　嫡出でない子につき、父から、これを嫡出子とする出生届がされ、または嫡出でない子としての出生届がされた場合において、各出生届が戸籍事務管掌者によって受理されたときは、その各届は認知届としての効力を有する（最判昭53・2・24）。

出題 国家総合-令和4、国Ⅰ-昭和59、東京Ⅰ-平成20、特別区Ⅰ-平成24・14、国家一般-令和3、国Ⅱ-平成23・5

Q4 血縁上の親子関係にある父が、子を認知する意思を有し、かつ、他人に認知届の委託をしたが、届出が受理された当時意識を失っていれば、認知届の効力は無効となるのか。

A 認知届の効力は有効である。　民法781条1項所定の認知の届出は、父母が他人に認知届書の作成および提出を委託した場合であっても、そのことの故に認知の有効な成立が妨げられるものではなく、また、血縁上の親子関係にある父が、子を認知する意思を有し、かつ、他人に対し認知の届出の委託をしていたときは、届出が受理された当時

父が意識を失っていたとしても、その受理の前に翻意したなど特段の事情のない限り、その届出の受理により認知は有効に成立する（最判昭54・3・30）。　**出題** 予想

第782条（成年の子の認知）
成年の子は、その承諾がなければ、これを認知することができない。

第783条（胎児又は死亡した子の認知）
①父は、胎内に在る子でも、認知することができる。この場合においては、母の承諾を得なければならない。

②前項の子が出生した場合において、第772条の規定によりその子の父が定められる時は、同項の規定による認知は、その効力を生じない。

③父又は母は、死亡した子でも、その直系卑属がある時に限り、認知することができる。この場合においては、その直系卑属が成年者である時は、その承諾を得なければならない。

第784条（認知の効力）
認知は、出生の時にさかのぼってその効力を生ずる。ただし、第三者が既に取得した権利を害することはできない。

第785条（認知の取消しの禁止）
認知をした父又は母は、その認知を取り消すことができない。

Q1 認知者は、自らが血縁上の父子関係がないことを知りながら認知をした場合でも、認知の無効を主張することができるのか。

A 自らした認知の無効を主張することができる。血縁上の父子関係がないにもかかわらずされた認知は無効というべきであるところ、認知者が認知をするに至る事情はさまざまであり、自らの意思で認知したことを重視して認知者自身による無効の主張を一切許さないと解することは相当でない。そして、認知者が、当該認知の効力について強い利害関係を有することは明らかであるし、認知者による血縁上の父子関係がないことを理由とする認知の無効の主張が民法785条によって制限されると解することもできない。そうすると、認知者は、民法786条に規定する利害関係人にあたり、自らした認知の無効を主張することができるというべきである。この理は、認知者が血縁上の父子関係がないことを知りながら認知をした場合においても異なるところはない（最判平26・1・14）。

出題 国家一般-令和1

第786条（認知の無効の訴え）
①次の各号に掲げる者は、それぞれ当該各号に定める時（第783条第1項の規定による認知がされた場合にあっては、子の出生の時）から7年以内に限り、認知について反対の事実があることを理由として、認知の無効の訴えを提起することができる。ただし、第3号に掲げる者について、その認知の無効の主張が子の利益を害することが明らかなときは、この限りでない。

1　子又はその法定代理人　子又はその法定代理人が認知を知った時

2　認知をした者　認知の時

3　子の母　子の母が認知を知った時

②子は、その子を認知した者と認知後に継続して同居した期間（当該期間が2以上ある時は、そのうち最も長い期間）が3年を下回る時は、前項（第1号に係る部分に限る。）の規定にかかわらず、21歳に達するまでの間、認知の無効の訴えを提起することができる。ただし、子による認知の無効の主張が認知をした者による養育の状況に照らして認知をした者の利益を著しく害する時は、この限りでない。

③前項の規定は、同項に規定する子の法定代理人が第1項の認知の無効の訴えを提起する場合には、適用しない。

④第1項及び第2項の規定により認知が無効とされた場合であっても、子は、認知をした者が支出した子の監護に要した費用を償還する義務を負わない。

Q1 認知者が死亡した後に、被認知者は検察官を相手方として、認知無効の訴えを提起できるのか。

A 認知無効の訴えを提起できる。　認知者が死亡した後に、被認知者は検察官を相手方として、認知無効の訴えを提起できる（最判平1・4・6）。　　　　　　　　出題　予想

第787条（認知の訴え）
　子、その直系卑属又はこれらの者の法定代理人は、認知の訴えを提起することができる。ただし、父又は母の死亡の日から3年を経過したときは、この限りでない。

Q1 認知請求権は放棄できるのか。

A 放棄できない。　子の父に対する認知請求権は、その身分法上の権利たる性質およびこれを認めた民法の法意に照らし、放棄することができない（最判昭37・4・10、大判昭6・11・13）。

出題　特別区Ⅰ－平成24、国Ⅱ－平成5

Q2 未成年者の子の法定代理人は、その未成年の子に意思能力があるとき、任意に認知しない父又は母に対して、子を代理して認知の訴えを提起できないのか。

A 子を代理して認知の訴えを提起できる。　未成年の子も、意思能力がある場合には、法定代理人の同意なしに自ら原告となって認知の訴えを提起することができる。しかし、他方、民法787条は子の法定代理人が認知の訴えを提起できる旨を規定しており、その趣旨は、身分上の行為が本人によってなされるべきであるという原則に対する例外として、法定代理人が子を代理して訴えを提起することをも認めたものである。そして、このような法定代理人が子を代理して認知の訴えを提起できることによって、子に意思能力がない場合でも上記の訴えの提起が可能となるのであるが、子に意思能力がない場合に限って法定代理人が上記訴えを提起することができると解することは、子の意思能力の有無について紛争を生じ訴訟手続の明確と安定を害することになるおそれがあって相当でなく、他面、子に意思能力がある場合にも法定代理人が訴訟を追行することを認めたからといって、必ずしも子の利益を実質的に害することにはならないのである。したがって、未

成年の子の法定代理人は、子が意思能力を有する場合にも、子を代理して認知の訴えを提起することができる（最判昭43・8・27）。

出題　特別区Ⅰ－平成14

Q3 死後懐胎子と死亡した父との間の法律上の親子関係の形成は認められるのか。

A 認められない。　民法は、少なくとも死後懐胎子と死亡した父との間の親子関係を想定していないことは、明らかである。すなわち、死後懐胎子については、その父は懐胎前に死亡しているため、親権に関しては、父が死後懐胎子の親権者になりうる余地はなく、扶養等に関しては、死後懐胎子が父から監護、養育、扶養を受けることはありえず、相続に関しては、死後懐胎子は父の相続人になりえないものである。そうすると、その両者の間の法律上の親子関係の形成に関する問題は、本来的には、死亡した者の保存精子を用いる人工生殖に関する生命倫理、生まれてくる子の福祉、親子関係や親族関係を形成されることになる関係者の意識、さらにはこれらに関する社会一般の考え方等多角的な観点からの検討を行ったうえ、親子関係を認めるか否か、認めるとした場合の要件や効果を定める立法によって解決されるべき問題であり、そのような立法がない以上、死後懐胎子と死亡した父との間の法律上の親子関係の形成は認められない（最判平18・9・4）。

出題　予想➡国家総合－令和3

Q4 夫が自己の精子を保存し死亡した後に、妻が当該精子を用いて体外受精により出産した場合、出産した母親と子との間のみならず、死亡した夫と子との間にも親子関係が認められるのか。

A 夫と子との間には親子関係は認められない（最判平18・9・4）。➡3

第788条（認知後の子の監護に関する事項の定め等）
　第766条の規定は、父が認知する場合について準用する。

第789条（準正）
①父が認知した子は、その父母の婚姻によって嫡出子の身分を取得する。
②婚姻中父母が認知した子は、その認知の時から、嫡出子の身分を取得する。
③前2項の規定は、子が既に死亡していた場合について準用する。

第790条（子の氏）
①嫡出である子は、父母の氏を称する。
　ただし、子の出生前に父母が離婚したときは、離婚の際における父母の氏を称する。
②嫡出でない子は、母の氏を称する。

第791条（子の氏の変更）
①子が父又は母と氏を異にする場合には、子は、家庭裁判所の許可を得て、戸籍法の定めるところにより届け出ることによって、その父又は母の氏を称することができる。
②父又は母が氏を改めたことにより子が父母と氏を異にする場合には、子は、父母の婚姻中に限り、前項の許可を得ないで、戸籍法の定めるところにより届け出ることによって、その父母の氏を称することができる。

③子が15歳未満であるときは、その法定代理人が、これに代わって、前2項の行為をすることができる。

④前3項の規定により氏を改めた未成年の子は、成年に達した時から1年以内に戸籍法の定めるところにより届け出ることによって、従前の氏に復することができる。

第2節　養子

第1款　縁組の要件

第792条（養親となる者の年齢）
20歳に達した者は、養子をすることができる。

第793条（尊属又は年長者を養子とすることの禁止）
尊属又は年長者は、これを養子とすることができない。

第794条（後見人が被後見人を養子とする縁組）
後見人が被後見人（未成年被後見人及び成年被後見人をいう。以下同じ。）を養子とするには、家庭裁判所の許可を得なければならない。後見人の任務が終了した後、まだその管理の計算が終わらない間も、同様とする。

第795条（配偶者のある者が未成年者を養子とする縁組）
配偶者のある者が未成年者を養子とするには、配偶者とともにしなければならない。ただし、配偶者の嫡出である子を養子とする場合又は配偶者がその意思を表示することができない場合は、この限りでない。

第796条（配偶者のある者の縁組）
配偶者のある者が縁組をするには、その配偶者の同意を得なければならない。ただし、配偶者とともに縁組をする場合又は配偶者がその意思を表示することができない場合は、この限りでない。

第797条（15歳未満の者を養子とする縁組）
①養子となる者が15歳未満であるときは、その法定代理人が、これに代わって、縁組の承諾をすることができる。

②法定代理人が前項の承諾をするには、養子となる者の父母でその監護をすべき者であるものが他にあるときは、その同意を得なければならない。養子となる者の父母で親権を停止されているものがあるときも、同様とする。

Q1 他人の子を実子として届け出た者の代諾による養子縁組が無効である場合、この無効な養子縁組を15歳に達した養子が追認すれば、有効な養子縁組となるのか。

A 有効な養子縁組となる。　旧民法843条（現民法797条）の場合につき民法は追認に関する規定を設けていないし、民法総則の規定は、直接には親族法上の行為に適用をみないが、15歳未満の子の養子縁組に関する、家に在る父母の代諾は、法定代理に基づくものであり、その代理権の欠如した場合は一種の無権代理と解するから、民法総則の無権代理の追認に関する規定、および養子縁組の追認に関する規定の趣旨を類推して、旧民法843条（現民法797条）の場合においても、養子は満15歳に達した後は、父母でない者が自己の

ために代諾した養子縁組を有効に追認することができる。そして、その意思表示は、満15歳に達した養子から、養親の双方に対してなすべきであり、養親の一方の死亡の後は、他の一方に対してすれば足りるものであり、適法に追認がなされたときは、これによって、はじめから、有効となる（最判昭27・10・3）。

出題 国Ⅰ－平成4・昭和54、国家一般：令和3、国Ⅱ－昭和60

Q2 養子縁組の追認の場合には、民法116条但書の規定は類推適用されるのか。

A 民法116条但書の規定は類推適用されない。養子縁組の追認のような身分行為については、民法116条但書の規定は類推適用されない。なぜなら、事実関係を重視する身分関係の本質にかんがみ、取引の安全のための同条但書の規定をこれに類推することはその本質に反するからである（最判昭39・9・8）（なお最判昭27・10・3は本判決の第一次上告審判決）。

出題 予想

第798条（未成年者を養子とする縁組）
未成年者を養子とするには、家庭裁判所の許可を得なければならない。ただし、自己又は配偶者の直系卑属を養子とする場合は、この限りでない。

第799条（婚姻の規定の準用）
第738条及び第739条の規定は、縁組について準用する。

Q1 認知の届出が事実に反することを知りながら認知届をした場合、当該認知届を養子縁組届とみなすことができるか。

A 養子縁組届とみなすことはできない。　認知の届出が事実に反するため無効である場合には、認知者が被認知者を自己の養子とすることを意図し、その後、被認知者の法定代理人と婚姻した事実があるとしても、この認知届をもって養子縁組届とみなし、有効に養子縁組が成立したものとすることはできない。なぜなら、養子縁組は、養親となる者と養子となる者またはその法定代理人との間の合意によって成立するものであって、認知が認知者の単独行為としてされるのとはその要件、方式を異にし、また、認知者と被認知者の法定代理人との間の婚姻が認知者と被認知者の養子縁組に関する何らかの意思表示を含むものとはいえないからである（最判昭54・11・2）。

出題 国家総合－令和3、国Ⅰ－平成4

第800条（縁組の届出の受理）
縁組の届出は、その縁組が第792条から前条までの規定その他の法令の規定に違反しないことを認めた後でなければ、受理することができない。

第801条（外国に在る日本人間の縁組の方式）
外国に在る日本人間で縁組をしようとするときは、その国に駐在する日本の大使、公使又は領事にその届出をすることができる。この場合においては、第799条において準用する第739条の規定及び前条の規定を準用する。

民法

第2款　縁組の無効及び取消し

第802条（縁組の無効）

　縁組は、次に掲げる場合に限り、無効とする。

1　人違いその他の事由によって当事者間に縁組をする意思がないとき。
2　当事者が縁組の届出をしないとき。ただし、その届出が第799条において準用する第739条第2項に定める方式を欠くだけであるときは、縁組は、そのためにその効力を妨げられない。

Q1 養子縁組の婚姻意思について、当事者間に過去に情交関係があっても、養子縁組は有効となるのか。

A 養子縁組は有効である。　甲は養子縁組の届出をした当時は、すでにかなりの高齢に達していたばかりでなく、病を得て、建築請負業をもやめ、療養中であったものであり、乙に永年世話になったことへの謝意をもこめて、乙を養子とすることにより、自己の財産を相続させ、あわせて死後の供養を託する意思をもって、縁組の届出に及んだものであること、また、縁組前に甲と乙との間にあったと推認される情交関係は、偶発的に生じたものにすぎず、人目をはばかった秘密の交渉の程度を出なかったものであって、事実上の夫婦としての生活関係を形成したものではなかったことから、かかる事実関係のもとにおいては、養子縁組の意思が存在するものと認めることができ、一時的な情交関係の存在は、いまだもって、あるべき縁組の意思を欠くものとして、縁組の有効な成立を妨げるには至らない（最判昭46・10・22）。　**出題 国I－平成4**

Q2 もっぱら相続税の節税のために養子縁組をする場合には、当該養子縁組について民法802条1号にいう「当事者間に縁組をする意思がないとき」にあたるのか。

A あたらない。　養子縁組は嫡出親子関係を創設するものであり、養子は養親の相続人となるところ、養子縁組をすることによる相続税の節税効果は、相続人の数が増加することに伴い、遺産に係る基礎控除額を相続人の数に応じて算出するなどの相続税法の規定によって発生しうるものである。相続税の節税のために養子縁組をすることは、このような節税効果を発生させることを動機として養子縁組をするものにほかならず、相続税の節税の動機と縁組をする意思とは、併存しうるものである。したがって、もっぱら相続税の節税のために養子縁組をする場合であっても、直ちに当該養子縁組について民法802条1号にいう「当事者間に縁組をする意思がないとき」にあたるとすることはできない（最判平29・1・31）。　**出題 予想**

第803条（縁組の取消し）

　縁組は、次条から第808条までの規定によらなければ、取り消すことができない。

第804条（養親が20歳未満の者である場合の縁組の取消し）

　第792条の規定に違反した縁組は、養親又はその法定代理人から、その取消しを家庭裁判所に請求す

ることができる。ただし、養親が、20歳に達した後6箇月を経過し、又は追認をしたときは、この限りでない。

第805条（養子が尊属又は年長者である場合の縁組の取消し）

　第793条の規定に違反した縁組は、各当事者又はその親族から、その取消しを家庭裁判所に請求することができる。

第806条（後見人と被後見人との間の無許可縁組の取消し）

①第794条の規定に違反した縁組は、養子又はその実方の親族から、その取消しを家庭裁判所に請求することができる。ただし、管理の計算が終わった後、養子が追認をし、又は6箇月を経過したときは、この限りでない。

②前項ただし書の追認は、養子が、成年に達し、又は行為能力を回復した後にしなければ、その効力を生じない。

③養子が、成年に達せず、又は行為能力を回復しない間に、管理の計算が終わった場合には、第1項ただし書の期間は、養子が、成年に達し、又は行為能力を回復した時から起算する。

第806条の2（配偶者の同意のない縁組等の取消し）

①第796条の規定に違反した縁組は、縁組の同意をしていない者から、その取消しを家庭裁判所に請求することができる。ただし、その者が、縁組を知った後6箇月を経過し、又は追認をしたときは、この限りでない。

②詐欺又は強迫によって第796条の同意をした者は、その縁組の取消しを家庭裁判所に請求することができる。ただし、その者が、詐欺を発見し、若しくは強迫を免れた後6箇月を経過し、又は追認をしたときは、この限りでない。

第806条の3（子の監護をすべき者の同意のない縁組等の取消し）

①第797条第2項の規定に違反した縁組は、縁組の同意をしていない者から、その取消しを家庭裁判所に請求することができる。ただし、その者が追認をしたとき、又は養子が15歳に達した後6箇月を経過し、若しくは追認をしたときは、この限りでない。

②前条第2項の規定は、詐欺又は強迫によって第797条第2項の同意をした者について準用する。

第807条（養子が未成年者である場合の無許可縁組の取消し）

　第798条の規定に違反した縁組は、養子、その実方の親族又は養子に代わって縁組の承諾をした者から、その取消しを家庭裁判所に請求することができる。ただし、養子が、成年に達した後6箇月を経過し、又は追認をしたときは、この限りでない。

第808条（婚姻の取消し等の規定の準用）

①第747条及び第748条の規定は、縁組について準用する。この場合において、第747条第2項中「3箇月」とあるのは、「6箇月」と読み替えるものとする。

②第769条及び第816条の規定は、縁組の取消しについて準用する。

第3款　縁組の効力

第809条（嫡出子の身分の取得）
養子は、縁組の日から、養親の嫡出子の身分を取得する。

第810条（養子の氏）
養子は、養親の氏を称する。ただし、婚姻によって氏を改めた者については、婚姻の際に定めた氏を称すべき間は、この限りでない。

第4款　離縁

第811条（協議上の離縁等）
①縁組の当事者は、その協議で、離縁をすることができる。
②養子が15歳未満であるときは、その離縁は、養親と養子の離縁後にその法定代理人となるべき者との協議でこれをする。
③前項の場合において、養子の父母が離婚しているときは、その協議で、その一方を養子の離縁後にその親権者となるべき者と定めなければならない。
④前項の協議が調わないとき、又は協議をすることができないときは、家庭裁判所は、同項の父若しくは母又は養親の請求によって、協議に代わる審判をすることができる。
⑤第2項の法定代理人となるべき者がないときは、家庭裁判所は、養子の親族その他の利害関係人の請求によって、養子の離縁後にその未成年後見人となるべき者を選任することができる。
⑥縁組の当事者の一方が死亡した後に生存当事者が離縁をしようとするときは、家庭裁判所の許可を得て、これをすることができる。

第811条の2（夫婦である養親と未成年者との離縁）
養親が夫婦である場合において未成年者と離縁をするには、夫婦が共にしなければならない。ただし、夫婦の一方がその意思を表示することができないときは、この限りでない。

第812条（婚姻の規定の準用）
第738条、第739条及び第747条の規定は、協議上の離縁について準用する。この場合において、同条第2項中「3箇月」とあるのは、「6箇月」と読み替えるものとする。

第813条（離縁の届出の受理）
①離縁の届出は、その離縁が前条において準用する第739条第2項の規定並びに第811条及び第811条の2の規定その他の法令の規定に違反しないことを認めた後でなければ、受理することができない。
②離縁の届出が前項の規定に違反して受理されたときであっても、離縁は、そのためにその効力を妨げられない。

第814条（裁判上の離縁）
①縁組の当事者の一方は、次に掲げる場合に限り、離縁の訴えを提起することができる。
　1　他の一方から悪意で遺棄されたとき。
　2　他の一方の生死が3年以上明らかでないとき。

　3　その他縁組を継続し難い重大な事由があるとき。
②第770条第2項の規定は、前項第1号及び第2号に掲げる場合について準用する。

第815条（養子が15歳未満である場合の離縁の訴えの当事者）
養子が15歳に達しない間は、第811条の規定により養親と離縁の協議をすることができる者から、又はこれに対して、離縁の訴えを提起することができる。

第816条（離縁による復氏等）
①養子は、離縁によって縁組前の氏に復する。ただし、配偶者とともに養子をした養親の一方のみと離縁をした場合は、この限りでない。
②縁組の日から7年を経過した後に前項の規定により縁組前の氏に復した者は、離縁の日から3箇月以内に戸籍法の定めるところにより届け出ることによって、離縁の際に称していた氏を称することができる。
*縁組の取消しに準用（808条2項）

第817条（離縁による復氏の際の権利の承継）
第769条の規定は、離縁について準用する。

第5款　特別養子

第817条の2（特別養子縁組の成立）
①家庭裁判所は、次条から第817条の7までに定める要件があるときは、養親となる者の請求により、実方の血族との親族関係が終了する縁組（以下この款において「特別養子縁組」という。）を成立させることができる。
②前項に規定する請求をするには、第794条又は第798条の許可を得ることを要しない。

第817条の3（養親の夫婦共同縁組）
①養親となる者は、配偶者のある者でなければならない。
②夫婦の一方は、他の一方が養親とならないときは、養親となることができない。ただし、夫婦の一方が他の一方の嫡出である子（特別養子縁組以外の縁組による養子を除く。）の養親となる場合は、この限りでない。

第817条の4（養親となる者の年齢）
25歳に達しない者は、養親となることができない。ただし、養親となる夫婦の一方が25歳に達していない場合においても、その者が20歳に達しているときは、この限りでない。

第817条の5（養子となる者の年齢）
①第817条の2に規定する請求の時に15歳に達している者は、養子となることができない。特別養子縁組が成立するまでに18歳に達した者についても、同様とする。
②前項前段の規定は、養子となる者が15歳に達する前から引き続き養親となる者に監護されている場合において、15歳に達するまでに第817条の2に規定する請求がされなかったことについてやむを得ない事由があるときは、適用しない。
③養子となる者が15歳に達している場合においては、特別養子縁組の成立には、その者の同意がな

ければならない。

第817条の6（父母の同意）

特別養子縁組の成立には、養子となる者の父母の同意がなければならない。ただし、父母がその意思を表示することができない場合又は父母による虐待、悪意の遺棄その他養子となる者の利益を著しく害する事由がある場合は、この限りでない。

第817条の7（子の利益のための特別の必要性）

特別養子縁組は、父母による養子となる者の監護が著しく困難又は不適当であることその他特別の事情がある場合において、子の利益のため特に必要があると認めるときに、これを成立させるものとする。

第817条の8（監護の状況）

①特別養子縁組を成立させるには、養親となる者が養子となる者を6箇月以上の期間監護した状況を考慮しなければならない。

②前項の期間は、第817条の2に規定する請求の時から起算する。ただし、その請求前の監護の状況が明らかであるときは、この限りでない。

第817条の9（実方との親族関係の終了）

養子と実方の父母及びその血族との親族関係は、特別養子縁組によって終了する。ただし、第817条の3第2項ただし書に規定する他の一方及びその血族との親族関係については、この限りでない。

第817条の10（特別養子縁組の離縁）

①次の各号のいずれにも該当する場合において、養子の利益のため特に必要があると認めるときは、家庭裁判所は、養子、実父母又は検察官の請求により、特別養子縁組の当事者を離縁させることができる。

　1　養親による虐待、悪意の遺棄その他養子の利益を著しく害する事由があること。

　2　実父母が相当の監護をすることができること。

②離縁は、前項の規定による場合のほか、これをすることができない。

第817条の11（離縁による実方との親族関係の回復）

養子と実父母及びその血族との間においては、離縁の日から、特別養子縁組によって終了した親族関係と同一の親族関係を生ずる。

第4章　親権

第1節　総則

第818条（親権者）

①成年に達しない子は、父母の親権に服する。

②子が養子であるときは、養親の親権に服する。

③親権は、父母の婚姻中は、父母が共同して行う。ただし、父母の一方が親権を行うことができないときは、他の一方が行う。

第819条（離婚又は認知の場合の親権者）

①父母が協議上の離婚をするときは、その協議で、その一方を親権者と定めなければならない。

②裁判上の離婚の場合には、裁判所は、父母の一方を親権者と定める。

③子の出生前に父母が離婚した場合には、親権は、母が行う。ただし、子の出生後に、父母の協議で、父を親権者と定めることができる。

④父が認知した子に対する親権は、父母の協議で父を親権者と定めたときに限り、父が行う。

⑤第1項、第3項又は前項の協議が調わないとき、又は協議をすることができないときは、家庭裁判所は、父又は母の請求によって、協議に代わる審判をすることができる。

⑥子の利益のため必要があると認めるときは、家庭裁判所は、子の親族の請求によって、親権者を他の一方に変更することができる。

第2節　親権の効力

第820条（監護及び教育の権利義務）

親権を行う者は、子の利益のために子の監護及び教育をする権利を有し、義務を負う。

Q1 破綻した夫婦間で子の奪い合いがあり、夫婦の一方が他方に対し、人身保護法に基づき、共同親権に服する幼児の引渡しを請求する場合に、幼児に対する他方の配偶者の監護につき拘束の違法性が顕著であるというための、いかなる要件が必要か。

A 当該監護が、一方の配偶者の監護に比べて、子の幸福に反することが明白であることを要する。

夫婦の一方（請求者）が他方（拘束者）に対し、人身保護法に基づき、共同親権に服する幼児の引渡しを請求した場合には、夫婦のいずれに監護させるのが子の幸福に適するかを主眼として子に対する拘束状態の当不当を定め、その請求の許否を決すべきである。そして、この場合において、拘束者による幼児に対する監護・拘束が権限なしにされていることが顕著である（人身保護規則4条参照）というためには、幼児が拘束者の監護の下に置かれるよりも、請求者に監護されることが子の幸福に適することが明白であること、言いかえれば、拘束者が幼児を監護することが子の幸福に反することが明白であることを要するものというべきである（最判平5・10・19）。**出題** 国家総合 - 平成27

第821条（子の人格の尊重等）

親権を行う者は、前条の規定による監護及び教育をするに当たっては、子の人格を尊重するとともに、その年齢及び発達の程度に配慮しなければならず、かつ、体罰その他の子の心身の健全な発達に有害な影響を及ぼす言動をしてはならない。

第822条（居所の指定）

子は、親権を行う者が指定した場所に、その居所を定めなければならない。

旧第822条（懲戒）

削除

第823条（職業の許可）

①子は、親権を行う者の許可を得なければ、職業を営むことができない。

②親権を行う者は、第6条第2項の場合には、前項の許可を取り消し、又はこれを制限することができる。

第824条（財産の管理及び代表）

親権を行う者は、子の財産を管理し、かつ、その財産に関する法律行為についてその子を代表する。ただし、その子の行為を目的とする債務を生ずべ

き場合には、本人の同意を得なければならない。

Q1 親権者が子を代理して子の所有する不動産を第三者の債務の担保に供する行為は、代理権の濫用にあたるのか。

A 原則として、代理権の濫用にあたらない。　親権者が子を代理してする法律行為は、親権者と子との利益相反行為にあたらない限り、それをするか否かは子のために親権を行使する親権者が子をめぐる諸般の事情を考慮してする広範な裁量に委ねられている。そして、親権者が子を代理して子の所有する不動産を第三者の債務の担保に供する行為は、利益相反行為にあたらないのであるから、それが子の利益を無視して自己または第三者の利益を図ることのみを目的としてされるなど、親権者に子を代理する権限を授与した法の趣旨に著しく反すると認められる特段の事情が存しない限り、親権者による代理権の濫用にあたらない（最判平4・12・10）。

出題　国家一般－平成25

第825条（父母の一方が共同の名義でした行為の効力）

父母が共同して親権を行う場合において、父母の一方が、共同の名義で、子に代わって法律行為をし又は子がこれをすることに同意したときは、その行為は、他の一方の意思に反したときであっても、そのためにその効力を妨げられない。ただし、相手方が悪意であったときは、この限りでない。

第826条（利益相反行為）

①親権を行う父又は母とその子との利益が相反する行為については、親権を行う者は、その子のために特別代理人を選任することを家庭裁判所に請求しなければならない。

②親権を行う者が数人の子に対して親権を行う場合において、その1人と他の子との利益が相反する行為については、親権を行う者は、その一方のために特別代理人を選任することを家庭裁判所に請求しなければならない。

Q1 親権者が子に財産を与える場合には、特別代理人を選任しなければならないのか。

A 特別代理人を選任する必要はない。　贈与は親権を行う父から未成年である子女に対してなされるもので、もっぱら受贈者である子女の利益に帰するものであり、不利益を伴うものではないから、民法826条のいわゆる利益相反行為に該当しない。したがって、受贈者である子女が意思能力を有すると否とにかかわらず、特別代理人を選任する必要はない。このような場合には、贈与者である父が自ら受贈者である子女の法定代理人として贈与の受諾をしても、民法108条の相手方代理の禁止の原則に抵触しない（大判昭14・3・18）。

出題　地方上級－昭和57

Q2 親権者が負担する債務のために親権者の子が所有する不動産に抵当権を設定する行為は、利益相反行為にあたるのか。

A 利益相反行為にあたる。　親権者が他人から金銭を借り入れるにあたり、親権者がその子を連帯保証人とするとともに、子の不動産に抵当権を設定する行為は、民法826条の利益相反行為にあたる（大判

大3・9・28）。

出題　国家総合－平成28、地方上級－平成7

Q3 親権者の一方と子との間に利益相反の関係がある場合、利益相反関係のない親権者と特別代理人とは共同して子のために代理行為をしなければならないのか。

A 共同して子のために代理行為をしなければならない。　親権者の一方と子との間に利益相反の関係がある場合には、利益相反の関係にある親権者は特別代理人の選任を求め、特別代理人と利益相反関係のない親権者と共同して代理行為をしなければならない（最判昭35・2・25）。　出題　国Ⅰ－平成10

Q4 未成年者Aの父Bが、Cに対して債務を負い、Aの母かつBの妻であるDと共にAを代理して、Bの債務の代物弁済としてA所有の不動産をCに譲渡した場合における当該譲渡行為は、利益相反行為にあたるのか。

A 利益相反行為にあたる。　未成年者Aの父Bが、Cに対して債務を負い、Aの母かつBの妻であるDと共にAを代理して、Bの債務の代物弁済としてA所有の不動産をCに譲渡における当該譲渡行為は、AがBの事業により生活上の利益を受けており、その利益も考慮してなされたものであるとしても、利益相反行為にあたる（最判昭35・2・25）。　出題　国家総合－平成28

Q5 親権者である母が子の継父である夫の債務のために子の不動産に抵当権を設定する行為は利益相反行為にあたるのか。

A 利益相反行為にあたらない。　親権者である母が子の継父である夫の債務のために、第三者から金員を借り受けることについて、子の法定代理人として、子を債務者として、子所有の不動産に抵当権を設定する行為は、母が夫のためにしたもので、自己の利益のためにしたものではないから、利益相反行為にあたらない（最判昭35・7・15）。

出題　国Ⅰ－平成10、国家一般－令和3

Q6 民法826条の利益相反行為にあたるか否かは、親権者の意図やその行為の実質的効果から判断すべきか。

A もっぱら当該行為の外形で決すべきである。　親権者が子の法定代理人として、子の名において金員を借り受け、その債務につき子の所有不動産のうえに抵当権を設定することは、仮に借受金を親権者自身の用途に充当する意図であっても、かかる意図のあることのみでは、民法826条所定の利益相反する行為とはいえないから、子に対して有効であるが、これに反し、親権者自身が金員を借り受けるにあたり、その債務につき子の所有不動産のうえに抵当権を設定することは、仮にその借受金を養育費に充当する意図であったとしても、同法条所定の利益相反する行為にあたるから、子に対しては無効である（最判昭37・10・2）。

出題　国Ⅰ－平成10・3、地方上級－平成10、国家一般－令和3

Q7 親権者が、自己の借入金債務のため、未成年の子を代理してその子所有の不動産に抵当権を設定する行為は、借入金を子の養育費に当てる意図でな

民法

されたのであれば、利益相反行為にあたらないのか。

A 利益相反行為にあたる（最判昭37・10・2）。
⇨6

Q8 子が債務者となり、親権者がその連帯保証人となって金員を借り受けた場合に、その借受金の支払いのために約束手形を親権者と子とが共同振出しする行為は、利益相反行為に該当するのか。

A 利益相反行為に該当しない。　手形行為の原因関係たる貸付は未成年者自身が債務者となり、親権者はその連帯保証人となったものであること、および本件手形はいずれも当該仮受金支払いのために振り出されたものであるから、当該事実関係を外形的に観察した場合、未成年者と親権者との間に利益相反関係は存しない（最判昭42・4・18）。

Q9 未成年者Aの親権者Bが、Cの債務を連帯保証するとともに、Aを代理してCの債務を連帯保証し、さらにBが、同債務を担保するため、AおよびBの共有不動産について、共有者の1人およびAの代理人として抵当権を設定した場合におけるAのための当該連帯保証契約および抵当権設定行為は、利益相反行為にあたるのか。

A 利益相反行為にあたる。　本件の確定した事実、とくに昭和35年3月10日DからCに対する金35万円の貸付けについて同人の懇望により、Bが、自らは共有者の一員として、また、未成年者であったA2、同A3、同A4の親権者としてこれらを代理し、さらに、長男A1の代理人名義を兼ねて、上記債務について各連帯保証契約を締結するとともに、同一債務を担保するため、いわゆる物上保証として本件不動産全部について抵当権を設定する旨を約しその旨の設定登記を経た等の具体的事実関係の下においては、債権者が抵当権の実行を選択するときは、本件不動産における子らの持分の競売代金が弁済に充当される限度において親権者の責任が軽減され、その意味で親権者が子らの不利益において利益を受け、また、債権者が親権者に対する保証責任の追究を選択して、親権者から弁済を受けるときは、親権者と子らとの間の求償関係および子の持分の上の抵当権について親権者による代位の問題が生ずる等のことから、前記の連帯保証ならびに抵当権設定行為自体の外形からも当然予想されるとして、A2、同A3、同A4の関係においてされた本件Bの連帯保証債務負担行為および抵当権設定行為は、民法826条にいう利益相反行為に該当する（最判昭43・10・8）。

Q10 親権者と子との間の利益相反行為に該当するにもかかわらず、特別代理人を選任せず、親権者がその子を代理して行う行為は、無権代理行為となるのか。

A 無権代理行為となる。　親権者が民法826条に違反し自ら利益の相反する子の法定代理人としてなした行為は民法113条所定の無権代理行為に該当し、本人が成年に達した後、自ら当該行為を追認した時は、同法116条により当該行為の時に遡ってその効力を生ずる（最判昭46・4・20）。

Q11 親権者が共同相続人である数人の子を代理して遺産分割の協議をすることは、利益相反行為にあたるのか。

A 利益相反行為にあたる。　民法826条所定の利益が相反する行為にあたるか否かは、当該行為の外形で決すべきであって、親権者の意図やその行為の実質的な効果を問題とすべきではないので、親権者が共同相続人である数人の子を代理して遺産分割の協議をすることは、仮に親権者において数人の子のいずれに対しても衡平を欠く意図がなく、親権者の代理行為の結果数人の子の間に利害の対立が現実化されていなかったとしても、同条2項所定の利益が相反する行為にあたるから、親権者が共同相続人である数人の子を代理してした遺産分割の協議は、追認のない限り無効であると解すべきである（最判昭48・4・24）。　

Q12 親権者が共同相続人である数人の子を代理して遺産分割の協議をすることは、利益相反行為にあたるのか。

A 利益相反行為にあたる。　遺産分割の協議は、その行為の客観的性質上、相続人相互間に利害の対立を生ずるおそれのある行為と認められるから、民法826条2項の適用上は、利益相反行為に該当する。したがって、共同相続人中の数人の未成年者が、相続権を有しない1人の親権者の親権に服するときは、その未成年者らのうち当該親権者によって代理される1人の者を除くその余の未成年者については、各別に選任された特別代理人がその各人を代理して遺産分割の協議に加わることを要するのであって、もし1人の親権者が数人の未成年者の法定代理人として代理行為をしたときは、被代理人全員につき前記条項に違反し、かかる代理行為によって成立した遺産分割の協議は、被代理人全員による追認がない限り、無効である（最判昭49・7・22）。　

Q13 相続放棄は利益相反行為にあたるのか。

A 利益相反行為にあたる。　共同相続人の一部が相続放棄をすると、その相続に関しては、その者ははじめから相続人とならなかったものとみなされ、その結果として相続分の増加する相続人が生ずることになるのであって、相続の放棄をする者とこれによって相続分が増加する者とは利益が相反する関係にあることが明らかであり、また、民法860条によって準用される同法826条は、同法108条とは異なり、適用の対象となる行為を相手方のある行為のみに限定する趣旨であるとは解されないから、相続の放棄が相手方のない単独行為であるということから直ちに民法826条にいう利益相反行為にあたる余地がないと解するのは相当でない（最判昭53・2・24）。　

Q14 法定共同相続人の1人である後見人が、共同相続人である複数の被後見人を代理して相続放棄することは、利益相反行為にあたるのか。

A 必ずしもつねに利益相反行為にあたるわけではない。　共同相続人の1人が他の共同相続人の全部または一部の者を後見している場合において、後

見人が被後見人を代理してする相続の放棄は、必ずしもつねに利益相反行為にあたるとはいえず、後見人がまず自らの相続の放棄をした後に被後見人全員を代理して相続の放棄をしたときはもとより、後見人自らの相続放棄と被後見人全員を代理してするその相続放棄が同時にされたと認められるときもまた、その行為の客観的性質からみて、後見人と被後見人との間においても、被後見人相互間においても、利益相反行為になるとはいえない（最判昭53・2・24）。　**出題 国家総合－平成28**

Q15 特別代理人と未成年者との間に利益相反の関係がある場合、特別代理人は選任の審判によって付与された権限を行使できるのか。

A 特別代理人は権限を行使できない。　家庭裁判所が民法826条1項の規定に基づいて選任した特別代理人と未成年者との間に利益相反の関係がある場合には、特別代理人は選任の審判によって付与された権限を行使することができず、これを行使しても無権代理行為として新たに選任された特別代理人または成年に達した本人の追認がない限り無効である（最判昭57・11・18）。　**出題 予想**

第827条（財産の管理における注意義務）
親権を行う者は、自己のためにするのと同一の注意をもって、その管理権を行わなければならない。

第828条（財産の管理の計算）
子が成年に達したときは、親権を行った者は、遅滞なくその管理の計算をしなければならない。ただし、その子の養育及び財産の管理の費用は、その子の収益と相殺したものとみなす。

第829条
前条ただし書の規定は、無償で子に財産を与える第三者が反対の意思を表示したときは、その財産については、これを適用しない。

第830条（第三者が無償で子に与えた財産の管理）
①無償で子に財産を与える第三者が、親権を行う父又は母にこれを管理させない意思を表示したときは、その財産は、父又は母の管理に属しないものとする。
②前項の財産につき父母が共に管理権を有しない場合において、第三者が管理者を指定しなかったときは、家庭裁判所は、子、その親族又は検察官の請求によって、その管理者を選任する。
③第三者が管理者を指定したときであっても、その管理者の権限が消滅し、又はこれを改任する必要がある場合において、第三者が更に管理者を指定しないときも、前項と同様とする。
④第27条から第29条までの規定は、前2項の場合について準用する。

第831条（委任の規定の準用）
第654条及び第655条の規定は、親権を行う者が子の財産を管理する場合及び前条の場合について準用する。

第832条（財産の管理について生じた親子間の債権の消滅時効）
①親権を行った者とその子との間に財産の管理について生じた債権は、その管理権が消滅した時から5年間これを行使しないときは、時効によって消

滅する。
②子がまだ成年に達しない間に管理権が消滅した場合において子に法定代理人がないときは、前項の期間は、その子が成年に達し、又は後任の法定代理人が就職した時から起算する。

第833条（子に代わる親権の行使）
親権を行う者は、その親権に服する子に代わって親権を行う。

第3節　親権の喪失

第834条（親権喪失の審判）
父又は母による虐待又は悪意の遺棄があるときその他父又は母による親権の行使が著しく困難又は不適当であることにより子の利益を著しく害するときは、家庭裁判所は、子、その親族、未成年後見人、未成年後見監督人又は検察官の請求により、その父又は母について、親権喪失の審判をすることができる。ただし、2年以内にその原因が消滅する見込みがあるときは、この限りでない。

第834条の2（親権停止の審判）
①父又は母による親権の行使が困難又は不適当であることにより子の利益を害するときは、家庭裁判所は、子、その親族、未成年後見人、未成年後見監督人又は検察官の請求により、その父又は母について、親権停止の審判をすることができる。
②家庭裁判所は、親権停止の審判をするときは、その原因が消滅するまでに要すると見込まれる期間、子の心身の状態及び生活の状況その他一切の事情を考慮して、2年を超えない範囲内で、親権を停止する期間を定める。

第835条（管理権喪失の審判）
父又は母による管理権の行使が困難又は不適当であることにより子の利益を害するときは、家庭裁判所は、子、その親族、未成年後見人、未成年後見監督人又は検察官の請求により、その父又は母について、管理権喪失の審判をすることができる。

第836条（親権喪失、親権停止又は管理権喪失の審判の取消し）
第834条本文、第834条の2第1項又は前条に規定する原因が消滅したときは、家庭裁判所は、本人又はその親族の請求によって、それぞれ親権喪失、親権停止又は管理権喪失の審判を取り消すことができる。

第837条（親権又は管理権の辞任及び回復）
①親権を行う父又は母は、やむを得ない事由があるときは、家庭裁判所の許可を得て、親権又は管理権を辞することができる。
②前項の事由が消滅したときは、父又は母は、家庭裁判所の許可を得て、親権又は管理権を回復することができる。

第5章　後見

第1節　後見の開始

第838条
後見は、次に掲げる場合に開始する。
　1　未成年者に対して親権を行う者がないとき、又は親権を行う者が管理権を有しないとき。

２　後見開始の審判があったとき。

第 2 節　後見の機関

第 1 款　後見人

第 839 条（未成年後見人の指定）
①未成年者に対して最後に親権を行う者は、遺言で、未成年後見人を指定することができる。ただし、管理権を有しない者は、この限りでない。
②親権を行う父母の一方が管理権を有しないときは、他の一方は、前項の規定により未成年後見人の指定をすることができる。

第 840 条（未成年後見人の選任）
①前条の規定により未成年後見人となるべき者がないときは、家庭裁判所は、未成年被後見人又はその親族その他の利害関係人の請求によって、未成年後見人を選任する。未成年後見人が欠けたときも、同様とする。
②未成年後見人がある場合においても、家庭裁判所は、必要があると認めるときは、前項に規定する者若しくは未成年後見人の請求により又は職権で、更に未成年後見人を選任することができる。
③未成年後見人を選任するには、未成年被後見人の年齢、心身の状態並びに生活及び財産の状況、未成年後見人となる者の職業及び経歴並びに未成年被後見人との利害関係の有無（未成年後見人となる者が法人であるときは、その事業の種類及び内容並びにその法人及びその代表者と未成年被後見人との利害関係の有無）、未成年被後見人の意見その他一切の事情を考慮しなければならない。

第 841 条（父母による未成年後見人の選任の請求）
父若しくは母が親権若しくは管理権を辞し、又は父若しくは母について親権喪失、親権停止若しくは管理権喪失の審判があったことによって未成年後見人を選任する必要が生じたときは、その父又は母は、遅滞なく未成年後見人の選任を家庭裁判所に請求しなければならない。

第 843 条（成年後見人の選任）
①家庭裁判所は、後見開始の審判をするときは、職権で、成年後見人を選任する。
②成年後見人が欠けたときは、家庭裁判所は、成年被後見人若しくはその親族その他の利害関係人の請求により又は職権で、成年後見人を選任する。
③成年後見人が選任されている場合においても、家庭裁判所は、必要があると認めるときは、前項に規定する者若しくは成年後見人の請求により又は職権で、更に成年後見人を選任することができる。
④成年後見人を選任するには、成年被後見人の心身の状態並びに生活及び財産の状況、成年後見人となる者の職業及び経歴並びに成年被後見人との利害関係の有無（成年後見人となる者が法人であるときは、その事業の種類及び内容並びにその法人及びその代表者と成年被後見人との利害関係の有無）、成年被後見人の意見その他一切の事情を考慮しなければならない。

第 844 条（後見人の辞任）
後見人は、正当な事由があるときは、家庭裁判所の許可を得て、その任務を辞することができる。

第 845 条（辞任した後見人による新たな後見人の選任の請求）
後見人がその任務を辞したことによって新たに後見人を選任する必要が生じたときは、その後見人は、遅滞なく新たな後見人の選任を家庭裁判所に請求しなければならない。

第 846 条（後見人の解任）
後見人に不正な行為、著しい不行跡その他後見の任務に適しない事由があるときは、家庭裁判所は、後見監督人、被後見人若しくはその親族若しくは検察官の請求により又は職権で、これを解任することができる。

第 847 条（後見人の欠格事由）
次に掲げる者は、後見人となることができない。
1　未成年者
2　家庭裁判所で免ぜられた法定代理人、保佐人又は補助人
3　破産者
4　被後見人に対して訴訟をし、又はした者並びにその配偶者及び直系血族
5　行方の知れない者

第 2 款　後見監督人

第 848 条（未成年後見監督人の指定）
未成年後見人を指定することができる者は、遺言で、未成年後見監督人を指定することができる。

第 849 条（後見監督人の選任）
家庭裁判所は、必要があると認めるときは、被後見人、その親族若しくは後見人の請求により又は職権で、後見監督人を選任することができる。

第 850 条（後見監督人の欠格事由）
後見人の配偶者、直系血族及び兄弟姉妹は、後見監督人となることができない。

第 851 条（後見監督人の職務）
後見監督人の職務は、次のとおりとする。
1　後見人の事務を監督すること。
2　後見人が欠けた場合に、遅滞なくその選任を家庭裁判所に請求すること。
3　急迫の事情がある場合に、必要な処分をすること。
4　後見人又はその代表する者と被後見人との利益が相反する行為について被後見人を代表すること。

第 852 条（委任及び後見人の規定の準用）
第 644 条、第 654 条、第 655 条、第 844 条、第 846 条、第 847 条、第 861 条第 2 項及び第 862 条の規定は後見監督人について、第 840 条第 3 項及び第 857 条の 2 の規定は未成年後見監督人について、第 843 条第 4 項、第 859 条の 2 及び第 859 条の 3 の規定は成年後見監督人について準用する。

第 3 節　後見の事務

第 853 条（財産の調査及び目録の作成）
①後見人は、遅滞なく被後見人の財産の調査に着手

し、1箇月以内に、その調査を終わり、かつ、その目録を作成しなければならない。ただし、この期間は、家庭裁判所において伸長することができる。

②財産の調査及びその目録の作成は、後見監督人があるときは、その立会いをもってしなければ、その効力を生じない。

第854条（財産の目録の作成前の権限）

後見人は、財産の目録の作成を終わるまでは、急迫の必要がある行為のみをする権限を有する。ただし、これをもって善意の第三者に対抗することができない。

第855条（後見人の被後見人に対する債権又は債務の申出義務）

①後見人が、被後見人に対し、債権を有し、又は債務を負う場合において、後見監督人があるときは、財産の調査に着手する前に、これを後見監督人に申し出なければならない。

②後見人が、被後見人に対し債権を有することを知ってこれを申し出ないときは、その債権を失う。

第856条（被後見人が包括財産を取得した場合についての準用）

前3条の規定は、後見人が就職した後被後見人が包括財産を取得した場合について準用する。

第857条（未成年被後見人の身上の監護に関する権利義務）

未成年後見人は、第820条から第823条までに規定する事項について、親権を行う者と同一の権利義務を有する。ただし、親権を行う者が定めた教育の方法及び居所を変更し、営業を許可し、その許可を取り消し、又はこれを制限するには、未成年後見監督人があるときは、その同意を得なければならない。

第857条の2（未成年後見人が数人ある場合の権限の行使等）

①未成年後見人が数人あるときは、共同してその権限を行使する。

②未成年後見人が数人あるときは、家庭裁判所は、職権で、その一部の者について、財産に関する権限のみを行使すべきことを定めることができる。

③未成年後見人が数人あるときは、家庭裁判所は、職権で、財産に関する権限について、各未成年後見人が単独で又は数人の未成年後見人が事務を分掌して、その権限を行使すべきことを定めることができる。

④家庭裁判所は、職権で、前2項の規定による定めを取り消すことができる。

⑤未成年後見人が数人あるときは、第三者の意思表示は、その1人に対してすれば足りる。

第858条（成年被後見人の意思の尊重及び身上の配慮）

成年後見人は、成年被後見人の生活、療養看護及び財産の管理に関する事務を行うに当たっては、成年被後見人の意思を尊重し、かつ、その心身の状態及び生活の状況に配慮しなければならない。

第859条（財産の管理及び代表）

①後見人は、被後見人の財産を管理し、かつ、その財産に関する法律行為について被後見人を代表す

る。

②第824条ただし書の規定は、前項の場合について準用する。

第859条の2（成年後見人が数人ある場合の権限の行使等）

①成年後見人が数人あるときは、家庭裁判所は、職権で、数人の成年後見人が、共同して又は事務を分掌して、その権限を行使すべきことを定めることができる。

②家庭裁判所は、職権で、前項の規定による定めを取り消すことができる。

③成年後見人が数人あるときは、第三者の意思表示は、その1人に対してすれば足りる。

第859条の3（成年被後見人の居住用不動産の処分についての許可）

成年後見人は、成年被後見人に代わって、その居住の用に供する建物又はその敷地について、売却、賃貸、賃貸借の解除又は抵当権の設定その他これらに準ずる処分をするには、家庭裁判所の許可を得なければならない。

第860条（利益相反行為）

第826条の規定は、後見について準用する。ただし、後見監督人がある場合は、この限りでない。

第860条の2（成年後見人による郵便物等の管理）

①家庭裁判所は、成年後見人がその事務を行うに当たって必要があると認めるときは、成年後見人の請求により、信書の送達の事業を行う者に対し、期間を定めて、成年被後見人に宛てた郵便物又は民間事業者による信書の送達に関する法律（平成14年法律第99号）第2条第3項に規定する信書便物（次条において「郵便物等」という。）を成年後見人に配達すべき旨を嘱託することができる。

②前項に規定する嘱託の期間は、6箇月を超えることができない。

③家庭裁判所は、第1項の規定による審判があった後事情に変更を生じたときは、成年被後見人、成年後見人若しくは成年後見監督人の請求により又は職権で、同項に規定する嘱託を取り消し、又は変更することができる。ただし、その変更の審判においては、同項の規定による審判において定められた期間を伸長することができない。

④成年後見人の任務が終了したときは、家庭裁判所は、第1項に規定する嘱託を取り消さなければならない。

第860条の3

①成年後見人は、成年被後見人に宛てた郵便物等を受け取ったときは、これを開いて見ることができる。

②成年後見人は、その受け取った前項の郵便物等で成年後見人の事務に関しないものは、速やかに成年被後見人に交付しなければならない。

③成年被後見人は、成年後見人に対し、成年後見人が受け取った第1項の郵便物等（前項の規定により成年被後見人に交付されたものを除く。）の閲覧を求めることができる。

第861条（支出金額の予定及び後見の事務の費用）

①後見人は、その就職の初めにおいて、被後見人の生活、教育又は療養看護及び財産の管理のために毎年支出すべき金額を予定しなければならない。

②後見人が後見の事務を行うために必要な費用は、被後見人の財産の中から支弁する。

第862条（後見人の報酬）

家庭裁判所は、後見人及び被後見人の資力その他の事情によって、被後見人の財産の中から、相当な報酬を後見人に与えることができる。

第863条（後見の事務の監督）

①後見監督人又は家庭裁判所は、いつでも、後見人に対し後見の事務の報告若しくは財産の目録の提出を求め、又は後見の事務若しくは被後見人の財産の状況を調査することができる。

②家庭裁判所は、後見監督人、被後見人若しくはその親族その他の利害関係人の請求により又は職権で、被後見人の財産の管理その他後見の事務について必要な処分を命ずることができる。

第864条（後見監督人の同意を要する行為）

後見人が、被後見人に代わって営業若しくは第13条第1項各号に掲げる行為をし、又は未成年被後見人がこれをすることに同意するには、後見監督人があるときは、その同意を得なければならない。ただし、同項第1号に掲げる元本の領収については、この限りでない。

第865条

①後見人が、前条の規定に違反してし又は同意を与えた行為は、被後見人又は後見人が取り消すことができる。この場合においては、第20条の規定を準用する。

②前項の規定は、第121条から第126条までの規定の適用を妨げない。

第866条（被後見人の財産等の譲受けの取消し）

①後見人が被後見人の財産又は被後見人に対する第三者の権利を譲り受けたときは、被後見人は、これを取り消すことができる。この場合においては、第20条の規定を準用する。

②前項の規定は、第121条から第126条までの規定の適用を妨げない。

第867条（未成年被後見人に代わる親権の行使）

①未成年後見人は、未成年被後見人に代わって親権を行う。

②第853条から第857条まで及び第861条から前条までの規定は、前項の場合について準用する。

第868条（財産に関する権限のみを有する未成年後見人）

親権を行う者が管理権を有しない場合には、未成年後見人は、財産に関する権限のみを有する。

第869条（委任及び親権の規定の準用）

第644条及び第830条の規定は、後見について準用する。

第4節　後見の終了

第870条（後見の計算）

後見人の任務が終了したときは、後見人又はその相続人は、2箇月以内にその管理の計算（以下「後見の計算」という。）をしなければならない。ただし、この期間は、家庭裁判所において伸長することができる。

第871条

後見の計算は、後見監督人があるときは、その立会いをもってしなければならない。

第872条（未成年被後見人と未成年後見人等との間の契約等の取消し）

①未成年被後見人が成年に達した後後見の計算の終了前に、その者と未成年後見人又はその相続人との間でした契約は、その者が取り消すことができる。その者が未成年後見人又はその相続人に対してした単独行為も、同様とする。

②第20条及び第121条から第126条までの規定は、前項の場合について準用する。

第873条（返還金に対する利息の支払等）

①後見人が被後見人に返還すべき金額及び被後見人が後見人に返還すべき金額には、後見の計算が終了した時から、利息を付さなければならない。

②後見人は、自己のために被後見人の金銭を消費したときは、その消費の時から、これに利息を付さなければならない。この場合において、なお損害があるときは、その賠償の責任を負う。

第873条の2（成年被後見人の死亡後の成年後見人の権限）

成年後見人は、成年被後見人が死亡した場合において、必要があるときは、成年被後見人の相続人の意思に反することが明らかなときを除き、相続人が相続財産を管理することができるに至るまで、次に掲げる行為をすることができる。ただし、第3号に掲げる行為をするには、家庭裁判所の許可を得なければならない。

1　相続財産に属する特定の財産の保存に必要な行為
2　相続財産に属する債務（弁済期が到来しているものに限る。）の弁済
3　その死体の火葬又は埋葬に関する契約の締結その他相続財産の保存に必要な行為（前2号に掲げる行為を除く。）

第874条（委任の規定の準用）

第654条及び第655条の規定は、後見について準用する。

第875条（後見に関して生じた債権の消滅時効）

①第832条の規定は、後見人又は後見監督人と被後見人との間において後見に関して生じた債権の消滅時効について準用する。

②前項の消滅時効は、第872条の規定により法律行為を取り消した場合には、その取消しの時から起算する。

第6章　保佐及び補助

第1節　保佐

第876条（保佐の開始）

保佐は、保佐開始の審判によって開始する。

第876条の2（保佐人及び臨時保佐人の選任等）

①家庭裁判所は、保佐開始の審判をするときは、職権で、保佐人を選任する。

②第843条第2項から第4項まで及び第844条から第847条までの規定は、保佐人について準用する。

③保佐人又はその代表する者と被保佐人との利益が相反する行為については、保佐人は、臨時保佐人の選任を家庭裁判所に請求しなければならない。ただし、保佐監督人がある場合は、この限りでない。

第876条の3（保佐監督人）

①家庭裁判所は、必要があると認めるときは、被保佐人、その親族若しくは保佐人の請求により又は職権で、保佐監督人を選任することができる。

②第644条、第654条、第655条、第843条第4項、第844条、第846条、第847条、第850条、第851条、第859条の2、第859条の3、第861条第2項及び第862条の規定は、保佐監督人について準用する。この場合において、第851条第4号中「被後見人を代表する」とあるのは、「被保佐人を代表し、又は被保佐人がこれをすることに同意する」と読み替えるものとする。

第876条の4（保佐人に代理権を付与する旨の審判）

①家庭裁判所は、第11条本文に規定する者又は保佐人若しくは保佐監督人の請求によって、被保佐人のために特定の法律行為について保佐人に代理権を付与する旨の審判をすることができる。

②本人以外の者の請求によって前項の審判をするには、本人の同意がなければならない。

③家庭裁判所は、第1項に規定する者の請求によって、同項の審判の全部又は一部を取り消すことができる。

第876条の5（保佐の事務及び保佐人の任務の終了等）

①保佐人は、保佐の事務を行うに当たっては、被保佐人の意思を尊重し、かつ、その心身の状態及び生活の状況に配慮しなければならない。

②第644条、第859条の2、第859条の3、第861条第2項、第862条及び第863条の規定は保佐の事務について、第824条ただし書の規定は保佐人が前条第1項の代理権を付与する旨の審判に基づき被保佐人を代表する場合について準用する。

③第654条、第655条、第870条、第871条及び第873条の規定は保佐人の任務が終了した場合について、第832条の規定は保佐人又は保佐監督人と被保佐人との間において保佐に関して生じた債権について準用する。

第2節　補助

第876条の6（補助の開始）

補助は、補助開始の審判によって開始する。

第876条の7（補助人及び臨時補助人の選任等）

①家庭裁判所は、補助開始の審判をするときは、職権で、補助人を選任する。

②第843条第2項から第4項まで及び第844条から第847条までの規定は、補助人について準用する。

③補助人又はその代表する者と被補助人との利益が相反する行為については、補助人は、臨時補助人の選任を家庭裁判所に請求しなければならない。ただし、補助監督人がある場合は、この限りでない。

第876条の8（補助監督人）

①家庭裁判所は、必要があると認めるときは、被補助人、その親族若しくは補助人の請求により又は職権で、補助監督人を選任することができる。

②第644条、第654条、第655条、第843条第4項、第844条、第846条、第847条、第850条、第851条、第859条の2、第859条の3、第861条第2項及び第862条の規定は、補助監督人について準用する。この場合において、第851条第4号中「被後見人を代表する」とあるのは、「被補助人を代表し、又は被補助人がこれをすることに同意する」と読み替えるものとする。

第876条の9（補助人に代理権を付与する旨の審判）

①家庭裁判所は、第15条第1項本文に規定する者又は補助人若しくは補助監督人の請求によって、被補助人のために特定の法律行為について補助人に代理権を付与する旨の審判をすることができる。

②第876条の4第2項及び第3項の規定は、前項の審判について準用する。

第876条の10（補助の事務及び補助人の任務の終了等）

①第644条、第859条の2、第859条の3、第861条第2項、第862条、第863条及び第876条の5第1項の規定は補助の事務について、第824条ただし書の規定は補助人が前条第1項の代理権を付与する旨の審判に基づき被補助人を代表する場合について準用する。

②第654条、第655条、第870条、第871条及び第873条の規定は補助人の任務が終了した場合について、第832条の規定は補助人又は補助監督人と被補助人との間において補助に関して生じた債権について準用する。

第7章　扶養

第877条（扶養義務者）

①直系血族及び兄弟姉妹は、互いに扶養をする義務がある。

②家庭裁判所は、特別の事情があるときは、前項に規定する場合のほか、3親等内の親族間においても扶養の義務を負わせることができる。

③前項の規定による審判があった後事情に変更を生じたときは、家庭裁判所は、その審判を取り消すことができる。

第878条（扶養の順位）

扶養をする義務のある者が数人ある場合において、扶養をすべき者の順序について、当事者間に協議が調わないとき、又は協議をすることができないときは、家庭裁判所が、これを定める。扶養を受ける権利のある者が数人ある場合において、扶養義務者の資力がその全員を扶養するのに足りないときの扶養を受けるべき者の順序についても、同様とする。

第879条（扶養の程度又は方法）

扶養の程度又は方法について、当事者間に協議

が調わないとき、又は協議をすることができないときは、扶養権利者の需要、扶養義務者の資力その他一切の事情を考慮して、家庭裁判所が、これを定める。

第880条（扶養に関する協議又は審判の変更又は取消し）

扶養をすべき者若しくは扶養を受けるべき者の順序又は扶養の程度若しくは方法について協議又は審判があった後事情に変更を生じたときは、家庭裁判所は、その協議又は審判の変更又は取消しをすることができる。

第881条（扶養請求権の処分の禁止）

扶養を受ける権利は、処分することができない。

第5編　相続

第1章　総則

第882条（相続開始の原因）

相続は、死亡によって開始する。

第883条（相続開始の場所）

相続は、被相続人の住所において開始する。

第884条（相続回復請求権）

相続回復の請求権は、相続人又はその法定代理人が相続権を侵害された事実を知った時から5年間行使しないときは、時効によって消滅する。相続開始の時から20年を経過したときも、同様とする。

Q1 相続財産中の個々の財産の特定承継人は、相続回復請求権を行使できるのか。

A 相続回復請求権を行使できない。　真正の相続人が家督相続の回復をしない限り、真正相続人以外の第三者は、個々の特定財産についても、表見家督相続人に対し、相続の無効を理由として、その承継取得の効力を争うことはできない（最判昭32・9・19）。　　　　　　　　　**出題** 国Ⅰ-昭和59

Q2 共同相続人間における相続権の帰属に関する争いには、民法884条は適用されるのか。

A 原則として適用されるが、自己の相続権の不存につき悪意または過失がある相続人には適用されない。　共同相続人のうちの1人または数人が、相続財産のうち自己の本来の相続持分を超える部分について、当該部分の表見相続人として当該部分の真正共同相続人の相続権を否定し、その部分もまた自己の相続持分であると主張してこれを占有管理し、真正共同相続人の相続権を侵害している場合につき、民法884条の規定の適用を否定すべき理由はない。しかし、自ら相続人でないことを知りながら相続人であると称し、またはその者に相続権があると信ぜらるべき合理的な事由がないにもかかわらず自ら相続人であると称し、相続財産を占有管理することによりこれを侵害している者は、実質において一般の物権侵害者ないし不法行為者であって、消滅時効の援用を認められるべき者にあたらない（最大判昭53・12・20）。　　　　**出題** 予想

Q3 相続財産である不動産について単独相続の登記を経由した甲が、甲の本来の相続分を超える部分が他の共同相続人にあることを知っていた場合に、当該不動産を甲から譲り受けた第三者は相続回復請求権の消滅時効の援用ができるのか。

A 相続回復請求権の消滅時効の援用はできない。共同相続人のうちの1人である甲が、他に共同相続人がいること、ひいては相続財産の共同相続人の持分に属することを知りながら、またはその部分についても甲に相続による持分があるものと信ずべき合理的な事由がないにもかかわらず、その部分もまた自己の持分に属するものと称し、これを占有管理している場合は、もともと相続回復請求制度の適用が予定されている場合にはあたらず、甲は、相続権を侵害されている他の共同相続人からの侵害の排除の請求に対し、民法884条の規定する相続回復請求権の消滅時効の援用を認めるべきにあたらない（最大判昭53・12・20参照）。そして、共同相続の場合において相続回復請求制度の問題として扱うかどうかを決する上記のような悪意または合理的事由の存否は、甲から相続財産を譲り受けた第三者がいるときであっても、甲について判断すべきであるから、相続財産である不動産について単独相続の登記を経由した甲が、甲の本来の相続分を超える部分が他の共同相続人にあることを知っていたか、またはその部分を含めて甲が単独相続したと信ずるにつき合理的な事由がないために、他の共同相続人に対して相続回復請求権の消滅時効を援用することができない場合には、甲から当該不動産を譲り受けた第三者にも上記時効を援用することはできない（最判平7・12・5）。　　**出題** 予想

Q4 共同相続人による相続権侵害につき善意かつ合理的事由の存在の判断時期はいつか。

A 当該相続権侵害の開始時点を基準として判断する。　相続権を侵害している共同相続人が他に共同相続人がいることを知っていたかどうかおよび本来の持分を超える部分についてもその者に相続による持分があるものと信ぜられるべき合理的な事由があったかどうかは、当該相続権侵害の開始時点を基準として判断すべきである。そして、消滅時効を援用しようとする者は、侵害している共同相続人が、その相続権侵害の開始時点において、他に共同相続人がいることを知らず、かつ、これを知らなかったことに合理的な事由があったこと（「善意かつ合理的事由の存在」）を主張立証しなければならない。なお、このことは、侵害している共同相続人において、相続権侵害の事実状態が現に存在することを知っていたかどうか、またはこれを知らなかったことに合理的な事由があったかどうかにかかわらない。民法884条にいう相続権が侵害されたというためには、侵害者において相続権侵害の意思があることを要せず、客観的に相続権侵害の事実状態が存在すれば足りる（最判平11・7・19）。

出題 予想

Q5 共同相続人による相続権侵害につき善意かつ合理的事由の存在の立証責任は誰が負うのか。

A 侵害している共同相続人である（最判平11・7・19）。⇨4

第885条（相続財産に関する費用）

相続財産に関する費用は、その財産の中から支弁する。ただし、相続人の過失によるものは、この限りでない。

第2章　相続人

第886条（相続に関する胎児の権利能力）

①胎児は、相続については、既に生まれたものとみなす。

②前項の規定は、胎児が死体で生まれたときは、適用しない。

第887条（子及びその代襲者等の相続権）

①被相続人の子は、相続人となる。

②被相続人の子が、相続の開始以前に死亡したとき、又は第891条の規定に該当し、若しくは廃除によって、その相続権を失ったときは、その者の子がこれを代襲して相続人となる。ただし、被相続人の直系卑属でない者は、この限りでない。

③前項の規定は、代襲者が、相続の開始以前に死亡し、又は第891条の規定に該当し、若しくは廃除によって、その代襲相続権を失った場合について準用する。

第889条（直系尊属及び兄弟姉妹の相続権）

①次に掲げる者は、第887条の規定により相続人となるべき者がない場合には、次に掲げる順序の順位に従って相続人となる。

1　被相続人の直系尊属。ただし、親等の異なる者の間では、その近い者を先にする。

2　被相続人の兄弟姉妹

②第887条第2項の規定は、前項第2号の場合について準用する。

第890条（配偶者の相続権）

被相続人の配偶者は、常に相続人となる。この場合において、第887条又は前条の規定により相続人となるべき者があるときは、その者と同順位とする。

第891条（相続人の欠格事由）

次に掲げる者は、相続人となることができない。

1　故意に被相続人又は相続について先順位若しくは同順位にある者を死亡するに至らせ、又は至らせようとしたために、刑に処せられた者

2　被相続人の殺害されたことを知って、これを告発せず、又は告訴しなかった者。ただし、その者に是非の弁別がないとき、又は殺害者が自己の配偶者若しくは直系血族であったときは、この限りでない。

3　詐欺又は強迫によって、被相続人が相続に関する遺言をし、撤回し、取り消し、又は変更することを妨げた者

4　詐欺又は強迫によって、被相続人に相続に関する遺言をさせ、撤回させ、取り消させ、又は変更させた者

5　相続に関する被相続人の遺言書を偽造し、変造し、破棄し、又は隠匿した者

Q1 相続人が被相続人の意思を実現させるためにその法形式を整える趣旨で遺言状を偽造または変造した場合、当該相続人は民法891条5号の相続欠格者にあたるか。

A 相続欠格者にあたらない。　民法891条3号ないし5号の趣旨は、遺言に関する著しく不当な干渉行為をした相続人に対し相続人となる資格を失わせるという民事上の制裁を課そうとすることにかんがみると、相続人に関する被相続人の遺言書がその方式を欠くために無効である場合または有効な遺言書についてされている訂正がその方式を欠くために無効である場合に、その相続人がその方式を具備させることにより有効な遺言書としての外形または有効な訂正としての外形を作出する行為は、同条5号にいう遺言書の偽造または変造にあたるけれども、相続人が遺言者たる被相続人の意思を実現させるためにその法形式を整える趣旨で当該行為をしたにすぎないときは、その相続人は同条所定の相続欠格者にはあたらない（最判昭56・4・3）。

出題 予想

Q2 相続に関する不当な利益を目的としない遺言書の破棄隠匿行為は民法891条5号の相続欠格事由に該当するのか。

A 相続欠格事由に該当しない。　相続人が相続に関する被相続人の遺言書を破棄または隠匿した場合において、相続人の当該行為が相続に関して不当な利益を目的とするものでなかったときは、相続人は、民法891条5号所定の相続欠格者にはあたらない。なぜなら、同条5号の趣旨は遺言に関し著しく不当な干渉行為をした相続人に対し、相続人となる資格を失わせるという民事上の制裁を課そうとするものであるが（最判昭56・4・3）、遺言書の破棄または隠匿行為が相続に関し不当な利益を目的とするものでないときは、これを遺言に関する著しく不当な行為ということはできず、このような行為をしたものに相続人となる資格を失わせるという厳しい制裁を課すことは、同条5号の趣旨にそわないからである（最判平9・1・28）。

出題 国家総合－令和2、国Ⅰ－平成16、国家一般－平成28

第892条（推定相続人の廃除）

遺留分を有する推定相続人（相続が開始した場合に相続人となるべき者をいう。以下同じ。）が、被相続人に対して虐待をし、若しくはこれに重大な侮辱を加えたとき、又は推定相続人にその他の著しい非行があったときは、被相続人は、その推定相続人の廃除を家庭裁判所に請求することができる。

第893条（遺言による推定相続人の廃除）

被相続人が遺言で推定相続人を廃除する意思を表示したときは、遺言執行者は、その遺言が効力を生じた後、遅滞なく、その推定相続人の廃除を家庭裁判所に請求しなければならない。この場合において、その推定相続人の廃除は、被相続人の死亡の時にさかのぼってその効力を生ずる。

第894条（推定相続人の廃除の取消し）

①被相続人は、いつでも、推定相続人の廃除の取消しを家庭裁判所に請求することができる。

②前条の規定は、推定相続人の廃除の取消しについて準用する。

第895条（推定相続人の廃除に関する審判確定前の遺産の管理）

①推定相続人の廃除又はその取消しの請求があった後その審判が確定する前に相続が開始したとき

民法

は、家庭裁判所は、親族、利害関係人又は検察官の請求によって、遺産の管理について必要な処分を命ずることができる。推定相続人の廃除の遺言があったときも、同様とする。

②第27条から第29条までの規定は、前項の規定により家庭裁判所が遺産の管理人を選任した場合について準用する。

第3章　相続の効力

第1節　総則

第896条（相続の一般的効力）

相続人は、相続開始の時から、被相続人の財産に属した一切の権利義務を承継する。ただし、被相続人の一身に専属したものは、この限りでない。

Q1 被相続人が相続人を受取人に指定して死亡した場合、生命保険金請求権は相続の対象となるのか。

A 相続の対象とならない。　本件養老保険契約において保険金受取人を単に「被保険者またはその死亡の場合はその相続人」と約定し、被保険者死亡の場合の受取人を特定人の氏名を挙げずに抽象的に指定している場合でも、保険契約者の意思を合理的に推測して、保険事故発生のときにおいて被指定者を特定しうる以上、上記のような指定も有効であり、特段の事情のない限り、上記指定は、被保険者死亡の時における、すなわち保険金請求権発生当時の相続人たるべき者個人を受取人として特に指定したいわゆる他人のための保険契約と解する。そして、上記のような保険金受取人としてその請求権発生当時の相続人たるべき者を特に指定した場合には、上記請求権は、保険契約の効力発生と同時に相続人の固有財産となり、被保険者（兼保険契約者）の遺産より離脱している（最判昭40・2・2）。

出題 国Ⅱ－平成16

Q2 生活保護受給権は相続の対象とならず、また、被相続人の生存中の受給権ですでに遅滞ある生活保護給付の請求権は相続の対象となるか、これについて相続人が国に対して不当利得返還請求権を有しないのか。

A 不当利得返還請求権を有しない〈朝日訴訟〉（最大判昭42・5・24）。⇨憲法25条6

出題 国Ⅰ－平成10、国税－平成24

Q3 ゴルフクラブの会員が死亡した場合、同クラブの規約に会員が死亡した場合にはその資格を失う旨の条項があるときでも、当該会員の会員権は相続財産に属するのか。

A 当該会員の会員権は相続財産に属しない。　Xの死亡当時におけるゴルフクラブの会員資格喪失に関する定めの中に、会員が死亡したときはその資格を失う旨の規定が存することが認められる以上、ゴルフクラブの会員たる地位は一身専属的なものであって、相続の対象となりえない（最判昭53・6・16）。

出題 地方上級－平成9

Q4 死亡退職金の受給権者について民法の相続順位決定原則と異なる定め方がされている場合、死亡退職金の受給権は相続財産に属するのか。

A 相続財産に属さず、受給権者たる遺族が自己固有の権利として取得する。　Yの「職員の退職手当

に関する規程」はYの職員に関する死亡退職金の支給、受給権者の範囲および順位を定めているが、当該規程によると、死亡退職金の支給を受ける者の第1順位は内縁の配偶者を含む配偶者であって、配偶者があるときは子はまったく支給を受けないこと、直系血族間でも親等の近い父母が孫より先順位となり、嫡出子と非嫡出子が平等に扱われ、父母や養父母については養方が実方に優先すること、死亡した者の収入によって生計を維持していたか否かにより順位に差異を生ずることなど、受給権者の範囲および順位につき民法の規定する相続人の順位決定の原則とは著しく異なった定め方がされているのであり、これによれば、当該規程は、もっぱら職員の収入に依拠していた遺族の生活保障を目的とし、民法とは別の立場で受給権者を定めたもので、受給権者たる遺族は、相続人としてではなく、当該規程の定めにより直接これを自己固有の権利として取得するものと解するのが相当であり、そうすると、この死亡退職金の受給権は相続財産に属さず、受給権者である遺族が存在しない場合に相続財産として他の相続人による相続の対象となるものではない（最判昭55・11・27）。　出題 地方上級－平成9

第897条（祭祀に関する権利の承継）

①系譜、祭具及び墳墓の所有権は、前条の規定にかかわらず、慣習に従って祖先の祭祀を主宰すべき者が承継する。ただし、被相続人の指定に従って祖先の祭祀を主宰すべき者があるときは、その者が承継する。

②前項本文の場合において慣習が明らかでないときは、同項の権利を承継すべき者は、家庭裁判所が定める。

第897条の2（相続財産の保存）

①家庭裁判所は、利害関係人又は検察官の請求によって、いつでも、相続財産の管理人の選任その他の相続財産の保存に必要な処分を命ずることができる。ただし、相続人が1人である場合においてその相続人が相続の単純承認をしたとき、相続人が数人ある場合において遺産の全部の分割がされたとき、又は第952条第1項の規定により相続財産の清算人が選任されているときは、この限りでない。

②第27条から第29条までの規定は、前項の規定により家庭裁判所が相続財産の管理人を選任した場合について準用する。

第898条（共同相続の効力）

①相続人が数人あるときは、相続財産は、その共有に属する。

②相続財産について共有に関する規定を適用するときは、第900条から第902条までの規定により算定した相続分をもって各相続人の共有持分とする。

Q1 被相続人の有していた可分債権のうち一身専属的でないものについては、共同相続人は、法定相続分によって分割承継するのではなく、特別受益等を考慮して定められる具体的相続分によって分割承継するのか。

A 共同相続人は、法定相続分によって分割承継す

る。 相続人数人ある場合において、その相続財産中に金銭その他の可分債権あるときは、その債権は法律上当然分割され、共同相続人がその相続分に応じて権利を承継するものと解するを相当とする（最判昭29・4・8）。 出題 国家一般 - 平成30

Q2 共同相続人の1人から遺産を構成する特定不動産の共有持分権を譲り受けた第三者が当該遺産の分割について協議がととのわないときは、遺産分割審判の解決方法を求めることができるか。

A 民法258条に基づく共有物分割訴訟によるべきである。 共同相続人が分割前の遺産を共同所有する法律関係は、基本的には民法249条以下に規定する共有としての性質を有し、共同相続人の1人から遺産を構成する特定不動産について同人の有する共有持分権を譲り受けた第三者は、適法にその権利を取得することができ、他の共同相続人とともに当該不動産を共同所有する関係にたつが、この共同所有関係は民法249条以下の共有としての性質を有する。そして、第三者がこの共同所有関係の解消を求める方法としての裁判上とるべき手続は、民法907条に基づく遺産分割審判ではなく、民法258条に基づく共有物分割訴訟である（最判昭50・11・7）。 出題 国Ⅰ - 昭和57

Q3 保険契約において、保険契約者が死亡保険金の受取人を被保険者の「相続人」と指定した場合は、当該指定には、相続人が保険金を受け取るべき権利の割合を相続分の割合によるとする旨の指定も含まれているのか。

A 特段の事情のない限り、含まれている。 保険契約において、保険契約者が死亡保険金の受取人を被保険者の「相続人」と指定した場合は、特段の事情のない限り、当該指定には、相続人が保険金を受け取るべき権利の割合を相続分の割合によるとする旨の指定も含まれているものと解するのが相当である。したがって、保険契約者が死亡保険金の受取人を被保険者の「相続人」と指定した場合に、数人の相続人がいるときは、特段の事情のない限り、民法427条にいう「別段の意思表示」である相続分の割合によって権利を有するという指定があったものと解すべきであるから、各保険金受取人の有する権利の割合は、相続分の割合になるものというべきである（最判平6・7・18）。 出題 国家総合 - 平成26

Q4 共同相続人の1人が相続開始前から被相続人の許諾を得て遺産である建物に被相続人と同居し、その後、被相続人が死亡したときには、当該建物の使用貸借契約関係は終了するのか。

A 遺産分割終了までの間は、当該建物の使用貸借契約関係は存続する。 共同相続人の1人が相続開始前から被相続人の許諾を得て遺産である建物において被相続人と同居してきたときは、特段の事情のない限り、被相続人とその同居の相続人との間において、被相続人が死亡し相続が開始した後も、遺産分割により当該建物の所有関係が最終的に確定するまでの間は、引続きその同居の相続人にこれを無償で使用させる旨の合意があったと推認されるのであり、被相続人が死亡した場合は、この時から少なくとも遺産分割終了までの間は、被相続人の地位を

承継した他の相続人等が貸主となり、その同居の相続人を借主とする当該建物の使用貸借契約関係が存続することになる（最判平8・12・17）。 出題 特別区Ⅰ - 平成24

Q5 共同相続人が、他の共同相続人に対し、その者が被相続人の遺産につき相続人の地位を有しないことの確認を求める訴えは、共同相続人全員が当事者として関与する、いわゆる固有必要的共同訴訟でなければならないのか。

A 固有必要的共同訴訟でなければならない。 被相続人の遺産につき特定の共同相続人が相続人の地位を有するか否かの点は、遺産分割をすべき当事者の範囲、相続分および遺留分の算定等の相続関係の処理における基本的な事項の前提となる事柄である。そして、共同相続人が、他の共同相続人に対し、その者が被相続人の遺産につき相続人の地位を有しないことの確認を求める訴えは、当該他の共同相続人に相続欠格事由があるか否か等を審理判断し、遺産分割前の共有関係にある当該遺産につきその者が相続人の地位を有するか否かを既判力をもって確定することにより、遺産分割審判の手続等における上記の点に関する紛議の発生を防止し、共同相続人間の紛争解決に資することを目的とするものである。このような上記訴えの趣旨、目的にかんがみると、上記訴えは、共同相続人全員が当事者として関与し、その間で合一にのみ確定することを要するのであり、いわゆる固有必要的共同訴訟と解する（最判平16・7・6）。 出題 予想

Q6 共同相続された委託者指図型投資信託の受益権につき、相続開始後に元本償還金又は収益分配金が発生し預り金として上記受益権の販売会社における被相続人名義の口座に入金された場合に、共同相続人の1人が自己の相続分に相当する金員の支払いを請求することはできるのか。

A 金員の支払いを請求することはできない。 本件投資受益権は、委託者指図型投資信託（投資信託及び投資法人に関する法律2条1項）に係る信託契約に基づく受益権であるところ、共同相続された委託者指図型投資信託の受益権は、相続開始と同時に当然に相続分に応じて分割されることはないものというべきである。そして、元本償還金又は収益分配金の交付を受ける権利は上記受益権の内容を構成するものであるから、共同相続された上記受益権につき、相続開始後に元本償還金又は収益分配金が発生し、それが預り金として上記受益権の販売会社における被相続人名義の口座に入金された場合にも、上記預り金の返還を求める債権は当然に相続分に応じて分割されることはなく、共同相続人の1人は、上記販売会社に対し、自己の相続分に相当する金員の支払いを請求することができない（最判平26・12・12）。 出題 予想

Q7 共同相続された定期預金債権および定期積金債権は、いずれも、相続開始と同時に当然に相続分に応じて分割されるのか。

A 分割されることはない。 (1)共同相続された普通預金債権は、相続開始と同時に当然に相続分に応じて分割されることはないものというべきである

（最大決平28·12·19参照）。(2)定期預金については、預入れ1口ごとに1個の預金契約が成立し、預金者は解約をしない限り払戻しをすることができないのであり、契約上その分割払戻しが制限されているものといえる。そして、定期預金の利率が普通預金のそれよりも高いことは公知の事実であるところ、上記の制限は、一定期間内には払戻しをしないという条件とともに定期預金の利率が高いことの前提となっており、単なる特約ではなく定期預金契約の要素というべきである。他方、仮に定期預金債権が相続により分割されると解したとしても、同債権には上記の制限がある以上、共同相続人は共同して払戻しを求めざるをえず、単独でこれを行使する余地はないのであるから、そのように解する意義は乏しい（最大決平28·12·19参照）。この理は、積金者が解約をしない限り給付金の支払いを受けることができない定期積金についても異ならないと解される。したがって、共同相続された定期預金債権および定期積金債権は、いずれも、相続開始と同時に当然に相続分に応じて分割されることはないものというべきである（最判平29·4·6）。

[出題]国家一般－平成30

第899条

各共同相続人は、その相続分に応じて被相続人の権利義務を承継する。

Q1 相続人は、遺産分割をまたずに相続開始時に存した金銭を相続財産として保管している他の相続人に対して、自己の相続分に相当する金銭の支払いを求めることができるか。

A 遺産分割までの間は求めることができない。

相続人は、遺産分割までの間は、相続開始時に存した金銭を相続財産として保管している他の相続人に対して、自己の相続分に相当する金銭の支払いを求めることはできない（最判平4·4·10）。

[出題]国Ⅰ－平成8

第899条の2（共同相続における権利の承継の対抗要件）

①相続による権利の承継は、遺産の分割によるものかどうかにかかわらず、次条及び第901条の規定により算定した相続分を超える部分については、登記、登録その他の対抗要件を備えなければ、第三者に対抗することができない。

②前項の権利が債権である場合において、次条及び第901条の規定により算定した相続分を超えて当該債権を承継した共同相続人が当該債権に係る遺言の内容（遺産の分割により当該債権を承継した場合にあっては、当該債権に係る遺産の分割の内容）を明らかにして債務者にその承継の通知をしたときは、共同相続人の全員が債務者に通知をしたものとみなして、同項の規定を適用する。

第2節　相続分

第900条（法定相続分）

同順位の相続人が数人あるときは、その相続分は、次の各号の定めるところによる。

　1　子及び配偶者が相続人であるときは、子の相続分及び配偶者の相続分は、各2分の1とす

る。

　2　配偶者及び直系尊属が相続人であるときは、配偶者の相続分は、3分の2とし、直系尊属の相続分は、3分の1とする。

　3　配偶者及び兄弟姉妹が相続人であるときは、配偶者の相続分は、4分の3とし、兄弟姉妹の相続分は、4分の1とする。

　4　子、直系尊属又は兄弟姉妹が数人あるときは、各自の相続分は、相等しいものとする。ただし、父母の一方のみを同じくする兄弟姉妹の相続分は、父母の双方を同じくする兄弟姉妹の相続分の2分の1とする。

第901条（代襲相続人の相続分）

①第887条第2項又は第3項の規定により相続人となる直系卑属の相続分は、その直系尊属が受けるべきであったものと同じとする。ただし、直系卑属が数人あるときは、その各自の直系尊属が受けるべきであった部分について、前条の規定に従ってその相続分を定める。

②前項の規定は、第889条第2項の規定により兄弟姉妹の子が相続人となる場合について準用する。

第902条（遺言による相続分の指定）

①被相続人は、前2条の規定にかかわらず、遺言で、共同相続人の相続分を定め、又はこれを定めることを第三者に委託することができる。

②被相続人が、共同相続人中の1人若しくは数人の相続分のみを定め、又はこれを第三者に定めさせたときは、他の共同相続人の相続分は、前2条の規定により定める。

第902条の2（相続分の指定がある場合の債権者の権利の行使）

被相続人が相続開始の時において有した債務の債権者は、前条の規定による相続分の指定がされた場合であっても、各共同相続人に対し、第900条及び第901条の規定により算定した相続分に応じてその権利を行使することができる。ただし、その債権者が共同相続人の1人に対してその指定された相続分に応じた債務の承継を承認したときは、この限りでない。

第903条（特別受益者の相続分）

①共同相続人中に、被相続人から、遺贈を受け、又は婚姻若しくは養子縁組のため若しくは生計の資本として贈与を受けた者があるときは、被相続人が相続開始の時において有した財産の価額にその贈与の価額を加えたものを相続財産とみなし、第900条から第902条までの規定により算定した相続分の中からその遺贈又は贈与の価額を控除した残額をもってその者の相続分とする。

②遺贈又は贈与の価額が、相続分の価額に等しく、又はこれを超えるときは、受遺者又は受贈者は、その相続分を受けることができない。

③被相続人が前2項の規定と異なった意思を表示したときは、その意思に従う。

④婚姻期間が20年以上の夫婦の一方である被相続人が、他の一方に対し、その居住の用に供する建物又はその敷地について遺贈又は贈与をしたときは、当該被相続人は、その遺贈又は贈与について

第1項の規定を適用しない旨の意思を表示したものと推定する。

Q1 養老保険契約に基づき保険金受取人とされた相続人が取得する死亡保険金請求権又はこれを行使して取得した死亡保険金は、民法903条1項に規定する遺贈又は贈与に係る財産にはあたるのか。

A 原則として、あたらない。　　養老保険契約に基づき保険金受取人とされた相続人が取得する死亡保険金請求権又はこれを行使して取得した死亡保険金は、民法903条1項に規定する遺贈又は贈与に係る財産にはあたらない。もっとも、上記死亡保険金請求権の取得のための費用である保険料は、被相続人が生前保険会社に支払ったものであり、保険契約者である被相続人の死亡により保険金受取人である相続人に死亡保険金請求権が発生することなどにかんがみると、保険金受取人である相続人とその他の共同相続人との間に生ずる不公平が民法903条の趣旨に照らしとうてい是認することができないほどに著しいものであると評価すべき特段の事情が存する場合には、同条の類推適用により、当該死亡保険金請求権を特別受益に準じて持戻しの対象とする。上記特段の事情の有無については、保険金の額、この額の遺産の総額に対する比率のほか、同居の有無、被相続人の介護等に対する貢献の度合いなどの保険金受取人である相続人および他の共同相続人と被相続人との関係、各相続人の生活実態等の諸般の事情を総合考慮して判断すべきである（最判平16・10・29）。　　**出題**　予想➡国家総合－令和2

Q2 共同相続人間においてされた無償による相続分の譲渡は、譲渡をした者の相続において、民法903条1項に規定する「贈与」にあたるのか。

A 譲渡に係る相続分に含まれる積極財産および消極財産の価額等を考慮して算定した当該相続分に財産的価値があるとはいえない場合を除き、民法903条1項に規定する「贈与」にあたる。　　共同相続人間で相続分の譲渡がされたときは、積極財産と消極財産とを包括した遺産全体に対する譲渡人の割合的な持分が譲受人に移転し、相続分の譲渡に伴って個々の相続財産についての共有持分の移転も生ずるものと解される。そして、相続分の譲渡を受けた共同相続人は、従前から有していた相続分と上記譲渡に係る相続分とを合計した相続分を有する者として遺産分割手続等に加わり、当該遺産分割手続等において、他の共同相続人に対し、従前から有していた相続分と上記譲渡に係る相続分との合計に相当する価額の相続財産の分配を求めることとなる。このように、相続分の譲渡は、譲渡に係る相続分に含まれる積極財産および消極財産の価額等を考慮して算定した当該相続分に財産的価値があるとはいえない場合を除き、譲渡人から譲受人に対し経済的利益を合意によって移転するものということができ、上記譲渡をした者の相続において、民法903条1項に規定する「贈与」にあたる（最判平30・10・19）。　　**出題**　予想

第904条
　前条に規定する贈与の価額は、受贈者の行為によって、その目的である財産が滅失し、又はその価格の増減があったときであっても、相続開始の時においてなお原状のままであるものとみなしてこれを定める。

第904条の2（寄与分）
①共同相続人中に、被相続人の事業に関する労務の提供又は財産上の給付、被相続人の療養看護その他の方法により被相続人の財産の維持又は増加について特別の寄与をした者があるときは、被相続人が相続開始の時において有した財産の価額から共同相続人の協議で定めたその者の寄与分を控除したものを相続財産とみなし、第900条から第902条までの規定により算定した相続分に寄与分を加えた額をもってその者の相続分とする。
②前項の協議が調わないとき、又は協議をすることができないときは、家庭裁判所は、同項に規定する寄与をした者の請求により、寄与の時期、方法及び程度、相続財産の額その他一切の事情を考慮して、寄与分を定める。
③寄与分は、被相続人が相続開始の時において有した財産の価額から遺贈の価額を控除した残額を超えることができない。
④第2項の請求は、第907条第2項の規定による請求があった場合又は第910条に規定する場合にすることができる。

第904条の3（期間経過後の遺産の分割における相続分）
①前3条の規定は、相続開始の時から10年を経過した後にする遺産の分割については、適用しない。ただし、次の各号のいずれかに該当するときは、この限りでない。
　1　相続開始の時から10年を経過する前に、相続人が家庭裁判所に遺産の分割の請求をしたとき。
　2　相続開始の時から始まる10年の期間の満了前6箇月以内の間に、遺産の分割を請求することができないやむを得ない事由が相続人にあった場合において、その事由が消滅した時から6箇月を経過する前に、当該相続人が家庭裁判所に遺産の分割の請求をしたとき。

第905条（相続分の取戻権）
①共同相続人の1人が遺産の分割前にその相続分を第三者に譲り渡したときは、他の共同相続人は、その価額及び費用を償還して、その相続分を譲り受けることができる。
②前項の権利は、1箇月以内に行使しなければならない。

第3節　遺産の分割

第906条（遺産の分割の基準）
　遺産の分割は、遺産に属する物又は権利の種類及び性質、各相続人の年齢、職業、心身の状態及び生活の状況その他一切の事情を考慮してこれをする。

第906条の2（遺産の分割前に遺産に属する財産が処分された場合の遺産の範囲）
①遺産の分割前に遺産に属する財産が処分された場合であっても、共同相続人は、その全員の同意により、当該処分された財産が遺産の分割時に遺産

民法

として存在するものとみなすことができる。

②前項の規定にかかわらず、共同相続人の1人又は数人により同項の財産が処分されたときは、当該共同相続人については、同項の同意を得ることを要しない。

第907条（遺産の分割の協議又は審判等）

①共同相続人は、次条第1項の規定により被相続人が遺言で禁じた場合又は同条第2項の規定により分割をしない旨の契約をした場合を除き、いつでも、その協議で、遺産の全部又は一部の分割をすることができる。

②遺産の分割について、共同相続人間に協議が調わないとき、又は協議をすることができないときは、各共同相続人は、その全部又は一部の分割を家庭裁判所に請求することができる。ただし、遺産の一部を分割することにより他の共同相続人の利益を害するおそれがある場合におけるその一部の分割については、この限りでない。

Q1 遺産分割は、相続人の協議による場合は現物分割と価格分割のいずれの方法によることも可能であるが、協議が調わず裁判所が分割する場合は競売を命じて価格分割によることを原則とするのか。

A 現物分割を原則とする。　相続財産の共有（民法898条、旧法1002条）は、民法改正の前後を通じ、民法249条以下に規定する「共有」とその性質を異にするものではない。相続財産中に金銭その他の可分債権があるときは、その債権は法律上当然分割され、各共同相続人がその相続分に応じて権利を承継するとした新法についての当裁判所の判例（最判昭29・4・8）は、この解釈を前提とする。それ故に、遺産の共有および分割に関しては、共有に関する民法256条以下の規定が第一次的に適用され、遺産の分割は現物分割を原則とし、分割によって著しくその価格を損するおそれがあるときは、その競売を命じて価格分割を行うことになるのであって、民法906条は、その場合にとるべき方針を明らかにしたものである（最判昭30・5・31）。 **出題** 地方上級 – 平成10

Q2 相続により相続人の共有となった財産について、共同相続人間に遺産の分割の協議が調わないとき、又は協議をすることができないときは、共有物分割の訴えを提起することは許されるのか。

A 遺産の分割の審判を求めるべきであって、共有物分割の訴えを提起することは許されない。　遺産相続により相続人の共有となった財産の分割について、共同相続人間に協議が調わないとき、又は協議をすることができないときは、家事事件手続法の定めるところに従い、家庭裁判所が審判によってこれを定めるべきものであり、通常裁判所が判決手続で判定すべきものではないと解する。したがって、上告人の本件共有物分割請求の訴えを不適法として却下すべきものとした原審の判断は、正当として是認することができる（最判昭62・1・4）。 **出題** 国家総合 – 平成30

Q3 遺産分割協議が成立したが、相続人の1人がその協議で負担した債務を履行しない場合、他の相続人は民法541条によって当該協議を解除できるか。

A 他の相続人は民法541条によって当該協議を解除できない。　共同相続人間において遺産分割協議が成立した場合に、相続人の1人が他の相続人に対してその協議において負担した債務を履行しないときであっても、他の相続人は民法541条によって当該遺産分割協議を解除することができない。なぜなら、遺産分割はその性質上協議の成立とともに終了し、その後は協議において当該債務を負担した相続人とその債権を取得した相続人間の債権債務関係が残るだけであり、しかも、このように解さなければ民法909条本文により遡及効を有する遺産の再分割を余儀なくされ、法的安定性が著しく害されるからである（最判平1・2・9）。 **出題** 国家総合 – 令和2、国Ⅰ – 平成16・14、国家一般 – 平成28、国税・財務・労基 – 令和3

Q4 共同相続人は、すでに成立している遺産分割協議につき、その全部または一部を全員の合意により解除したうえ、改めて分割協議を成立させることができるか。

A 改めて分割協議を成立させることができる。　共同相続人の全員が、すでに成立している遺産分割協議の全部または一部を合意により解除したうえ、改めて遺産分割協議をすることは、法律上、当然には妨げられない（最判平2・9・27）。 **出題** 予想

Q5 相続開始から遺産分割までの間に共同相続に係る不動産から生ずる賃料債権は、各共同相続人がその相続分に応じて分割単独債権として確定的に取得し、この賃料債権の帰属は、後にされた遺産分割の影響を受けないのか。

A 後にされた遺産分割の影響を受けない。　遺産は、相続人が数人あるときは、相続開始から遺産分割までの間、共同相続人の共有に属するものであるから、この間に遺産である賃貸不動産を使用管理した結果生ずる金銭債権たる賃料債権は、遺産とは別個の財産というべきであって、各共同相続人がその相続分に応じて分割単独債権として確定的に取得するものである。遺産分割は、相続開始の時にさかのぼってその効力を生ずるものであるが、各共同相続人がその相続分に応じて分割単独債権として確定的に取得した上記賃料債権の帰属は、後にされた遺産分割の影響を受けない。したがって、相続開始から本件遺産分割決定が確定するまでの間に本件各不動産から生じた賃料債権は、被上告人および上告人らがその相続分に応じて分割単独債権として取得したものであり、本件口座の残金は、これを前提として清算されるべきである（最判平17・9・8）。 **出題** 国家総合 – 令和2・平成26

Q6 相続が開始して遺産分割が未了の間に相続人が死亡した場合において、第2次被相続人が取得した第1次被相続人の遺産についての相続分に応じた共有持分権は、第2次被相続人の遺産として遺産分割の対象となるのか。

A 遺産分割の対象となる。　遺産は、相続人が数人ある場合において、それが当然に分割されるものでないときは、相続開始から遺産分割までの間、共

同相続人の共有に属し、この共有の性質は、基本的には民法 249 条以下に規定する共有と性質を異にするものではない（最判昭 30・5・31、最判昭 50・11・7、最判昭 61・3・13 参照）。そうすると、共同相続人が取得する共有持分権は、実体上の権利であって遺産分割の対象となる。本件におけるＡおよびＢの各相続の経緯は、Ａが死亡してその相続が開始し、次いで、Ａの遺産の分割が未了の間にＡの相続人でもあるＢが死亡してその相続が開始したというものである。そうすると、Ｂは、Ａの相続の開始と同時に、Ａの遺産について相続分に応じた共有持分権を取得しており、これはＢの遺産を構成するものであるから、これをＢの共同相続人である抗告人および相手方らに分属させるには、遺産分割手続を経る必要があり、共同相続人の中にＢから特別受益にあたる贈与を受けた者があるときは、その持戻しをして各共同相続人の具体的相続分を算定しなければならない。以上と異なり、審判によって分割すべきＢの遺産はなく、Ｂとの関係における特別受益を考慮する場面はないとした原審の判断には、裁判に影響を及ぼすことが明らかな法令の違反がある（最決平 17・10・11）。

出題 国家総合－平成 30、国Ⅱ－平成 19
Q7 相続財産の共有（民法 898 条）は、民法 249 条以下に規定する「共有」とその性質を異にするのか。
A その性質を異にするものではない（最判昭 30・5・31）。⇨ 1

Q8 共同相続された普通預貯金債権、通常貯金債権および定期預金債権は、いずれも、相続開始と同時に当然に相続分に応じて分割されるのか。
A いずれも、相続開始と同時に当然に相続分に応じて分割されることはなく、遺産分割の対象となる。　預貯金契約は、消費寄託の性質を有するものであるが、預貯金契約に基づいて金融機関の処理すべき事務には、預貯金の返還だけでなく、振込入金の受入れ、各種料金の自動支払い、定期預金の自動継続処理等、委任事務ないし準委任事務の性質を有するものも多く含まれている（最判平 21・1・22）。そして、これを前提として、普通預金口座等が賃金や各種年金給付等の受領のために一般的に利用されるほか、公共料金やクレジットカード等の支払いのための口座振替が広く利用され、定期預金等についても総合口座取引において当座貸越の担保とされるなど、預貯金は決済手段としての性格を強めてきている。また、一般的な預貯金については、預金保険等によって一定額の元本およびこれに対応する利息の支払いが担保されているうえ（預金保険法 3 章 3 節等）、その払戻手続は簡易であって、金融機関が預金者に対して預貯金口座の取引経過を開示すべき義務を負うこと（最判平 21・1・22）などから預貯金債権の存否およびその額が争われる事態は多くなく、預貯金債権を細分化してもこれによりその価値が低下することはない。このようなことから、預貯金は、預金者においても、確実かつ簡易に換価することができるという点で現金との差をそれほど意識させない財産であると受け止められてい

る。共同相続の場合において、一般の可分債権が相続開始と同時に当然に相続分に応じて分割されるという理解を前提としながら、遺産分割手続の当事者の同意を得て預貯金債権を遺産分割の対象とするという運用が実務上広く行われてきている（最大決平 28・12・19）。

出題 国家総合－平成 30、国家一般－平成 30
Q9 相続人ＹがＡの遺産について相続分を有することを前提とする前訴判決が他の相続人Ｘとの間で確定し、また、ＸがＹに対してＡのＸに対する債務をＹが法定相続分の割合により相続したと主張してその支払を求める訴えを提起していた場合において、ＸＹ自己に遺産全部を相続させる旨のＡの遺言の有効確認をＹに対して求める訴えを提起することが信義則に反するといえるのか。
A 信義則に反するとはいえない。　上告人は、前訴では、本件不動産はＡとの売買等により取得したものであり、預金の払戻しは生前にＡから与えられた権限に基づくもの であるなどと主張して前件本訴に係る請求を争っていたのであって、前訴の判決においては、上記の主張の当否が判断されたにとどまり、本件遺言の有効性について判断されることはなかった。また、本件訴えで確認の対象とされている本件遺言の有効性はＡの遺産をめぐる法律関係全体に関わるものであるのに対し、前件本訴ではＡの遺産の一部が問題とされたにすぎないから、本件訴えは、前件本訴とは訴訟によって実現される利益を異にするものである。そして、前訴では、受訴裁判所によって前件本訴に係る請求についての抗弁等として取り上げられることはなかったものの、上告人は、本件遺言が有効であると主張していたのであり、前件反訴に関しては本件遺言が無効であることを前提とする前件本訴に対応して提起したにすぎない旨述べていたものである。これらの事情に照らせば、被上告人において、自らがＡの遺産について相続分を有することが前訴で決着したと信頼し、又、上告人により今後本件遺言が有効であると主張されることはないであろうと信頼したとしても、これらの信頼は合理的なものであるとはいえない。また、本件訴えにおいて本件遺言が有効であることの確認がされたとしても、上告人が前件反訴の結果と矛盾する利益を得ることになるとはいえない。以上によれば、本件訴えの提起が信義則に反するとはいえない（最判令 3・4・16）。

出題 予想
第 908 条（遺産の分割の方法の指定及び遺産の分割の禁止）
①被相続人は、遺言で、遺産の分割の方法を定め、若しくはこれを定めることを第三者に委託し、又は相続開始の時から 5 年を超えない期間を定めて、遺産の分割を禁ずることができる。
②共同相続人は、5 年以内の期間を定めて、遺産の全部又は一部について、その分割をしない旨の契約をすることができる。ただし、その期間の終期は、相続開始の時から 10 年を超えることができない。
③前項の契約は、5 年以内の期間を定めて更新する

ことができる。ただし、その期間の終期は、相続開始の時から10年を超えることができない。

④前条第2項本文の場合において特別の事由があるときは、家庭裁判所は、5年以内の期間を定めて、遺産の全部又は一部について、その分割を禁ずることができる。ただし、その期間の終期は、相続開始の時から10年を超えることができない。

⑤家庭裁判所は、5年以内の期間を定めて前項の期間を更新することができる。ただし、その期間の終期は、相続開始の時から10年を超えることができない。

Q1 特定の遺産を特定の相続人に「相続させる」趣旨の遺言は、当該相続人に対する当該遺産の遺贈と解すべきか。

A 当該遺産の遺贈ではなく、単独相続である。

遺言者において特定の相続人に「相続させる」趣旨の遺言者の意思が表明されている場合、当該相続人も当該遺産を他の共同相続人とともにではあるが当然相続する地位にあることにかんがみれば、遺言者の意思は、各般の事情を配慮して、当該遺産を当該相続人に、他の共同相続人とともにではなく、単独で相続させようとする趣旨と解するのが当然の合理的な意思解釈であり、遺言書の記載から、その趣旨が遺贈であることが明らかであるかまたは遺贈と解すべき特段の事情がない限り、遺贈と解すべきではない（最判平3・4・19）。

出題 国家総合－平成30、国Ⅰ－平成8

Q2 特定の遺産を特定の相続人に「相続させる」趣旨の遺言があった場合には、当該遺産は、被相続人の死亡の時に直ちに当該相続人に承継されるのか。

A 特段の事情のない限り、直ちに当該相続人に承継される。　遺言者において特定の相続人に「相続させる」趣旨の遺言は、民法908条にいう遺産の分割の方法を定めた遺言であり、他の共同相続人もその遺言に拘束され、これと異なる遺産分割の協議、さらには審判もなしえないのであるから、このような遺言にあっては、遺言者の意思に合致するものとして、遺産の一部の分割がなされたと同様の遺産の承継関係を生じさせるものであり、当該遺産において相続による承継を当該相続人の受諾の意思表示にかからせたなどの特段の事情のない限り、何らの行為を要せず、被相続人の死亡の時（遺言の効力の生じた時）に直ちに当該遺産が当該相続人に相続により承継される（最判平3・4・19）。

出題 国家総合－平成30、国Ⅰ－平成8、地方上級－平成10、国Ⅱ－平成18

第909条（遺産の分割の効力）

遺産の分割は、相続開始の時にさかのぼってその効力を生ずる。ただし、第三者の権利を害することはできない。

第909条の2（遺産の分割前における預貯金債権の行使）

各共同相続人は、遺産に属する預貯金債権のうち相続開始の時の債権額の3分の1に第900条及び第901条の規定により算定した当該共同相続人の相続分を乗じた額（標準的な当面の必要生計費、平均的な葬式の費用の額その他の事情を勘案して預貯金

債権の債務者ごとに法務省令で定める額を限度とする。）については、単独でその権利を行使することができる。この場合において、当該権利の行使をした預貯金債権については、当該共同相続人が遺産の一部の分割によりこれを取得したものとみなす。

第910条（相続の開始後に認知された者の価額の支払請求権）

相続の開始後認知によって相続人となった者が遺産の分割を請求しようとする場合において、他の共同相続人が既にその分割その他の処分をしたときは、価額のみによる支払の請求権を有する。

Q1 相続の開始後、認知によって相続人となった者が、他の共同相続人に対して民法910条に基づき価額の支払を請求する場合における遺産の価額算定の基準時は、いつか。

A 価額の支払を請求した時である。　相続の開始後認知によって相続人となった者が他の共同相続人に対して民法910条に基づき価額の支払を請求する場合における遺産の価額算定の基準時は、価額の支払を請求した時であると解するのが相当である。なぜなら、民法910条の規定は、相続の開始後に認知された者が遺産の分割を請求しようとする場合において、他の共同相続人がすでにその分割その他の処分をしていたときには、当該分割等の効力を維持しつつ認知された者に価額の支払請求を認めることによって、他の共同相続人と認知された者との利害の調整を図るものであるところ、認知された者が価額の支払を請求した時点までの遺産の価額の変動を他の共同相続人が支払うべき金額に反映させるとともに、その時点で直ちに当該金額を請求しうるものとすることが、当事者間の衡平の観点から相当であるといえるからである（最判平28・2・26）。

出題 予想

第911条（共同相続人間の担保責任）

各共同相続人は、他の共同相続人に対して、売主と同じく、その相続分に応じて担保の責任を負う。

第912条（遺産の分割によって受けた債権についての担保責任）

①各共同相続人は、その相続分に応じ、他の共同相続人が遺産の分割によって受けた債権について、その分割の時における債務者の資力を担保する。

②弁済期に至らない債権及び停止条件付きの債権については、各共同相続人は、弁済をすべき時における債務者の資力を担保する。

第913条（資力のない共同相続人がある場合の担保責任の分担）

担保の責任を負う共同相続人中に償還をする資力のない者があるときは、その償還することができない部分は、求償者及び他の資力のある者が、それぞれその相続分に応じて分担する。ただし、求償者に過失があるときは、他の共同相続人に対して分担を請求することができない。

第914条（遺言による担保責任の定め）

前3条の規定は、被相続人が遺言で別段の意思を表示したときは、適用しない。

第4章　相続の承認及び放棄

第1節　総則

第915条（相続の承認又は放棄をすべき期間）

①相続人は、自己のために相続の開始があったことを知った時から3箇月以内に、相続について、単純若しくは限定の承認又は放棄をしなければならない。ただし、この期間は、利害関係人又は検察官の請求によって、家庭裁判所において伸長することができる。

②相続人は、相続の承認又は放棄をする前に、相続財産の調査をすることができる。

Q1 被相続人と相続人とが長年音信不通状態にあり、相続人が被相続人の相続財産を調査することが困難な状態にあった場合、相続の限定承認または放棄のための熟慮期間は何時から起算されるべきか。

A 相続人が相続財産の全部または一部の存在を認識した時または通常認識しうべき時から起算される。　相続人が相続開始の原因たる事実およびそれにより自己が法律上相続人となった事実を知った場合であっても、各事実を知った時から3か月以内に限定承認または相続放棄をしなかったのが、被相続人に相続財産が全く存在しないと信じたためであり、かつ、被相続人の生活歴、被相続人と相続人との間の交際状態その他諸般の状況からみて当該相続人に対し相続財産の有無の調査を期待することが著しく困難な事情があって、相続人において上記のように信じるについて相当な理由があると認められるときは、相続人が前記の各事実を知った時から熟慮期間を起算することは相当でなく、熟慮期間は相続人が相続財産の全部または一部の存在を認識した時または通常これを認識しうべき時から起算すべきである（最判昭59・4・27）。**出題**国Ⅰ−平成1

第916条

相続人が相続の承認又は放棄をしないで死亡したときは、前条第1項の期間は、その者の相続人が自己のために相続の開始があったことを知った時から起算する。

Q1 甲の相続につきその相続人乙が承認または放棄をしないで死亡した場合、乙の相続人丙が乙の相続につき放棄をしないときには、甲の相続につき放棄できるのか。

A 甲の相続につき放棄できる。　甲の相続につきその相続人である乙が承認または放棄をしないで死亡した場合に、乙の法定相続人である丙が乙の相続を放棄して、もはや乙の権利義務を何ら承継しなくなった場合には、丙はその放棄によって乙が有していた甲の相続についての承認または放棄の選択権を失うことになるから、もはや甲の相続につき承認または放棄をすることはできないが、丙が乙の相続につき放棄をしていないときは、甲の相続につき放棄をすることができ、かつ、甲の相続につき放棄をしても、それによっては乙の相続につき承認または放棄をするのに何ら障害にならず、また、その後に丙が乙の相続につき放棄をしても、丙が先に再転相続人たる地位に基づいて甲の相続につき放棄の効力が遡って無効になることはない（最判昭63・6・

出題予想

Q2 民法916条にいう「その者の相続人が自己のために相続の開始があったことを知った時」とは、いつを指すのか。

A 相続の承認又は放棄をしないで死亡した者の相続人が、当該死亡した者からの相続により、当該死亡した者が承認又は放棄をしなかった相続における相続人としての地位を、自己が承継した事実を知った時をいう。　なぜなら、民法916条の趣旨は、乙が甲からの相続について承認又は放棄をしないで死亡したときには、乙から甲の相続人としての地位を承継した丙において、甲からの相続について承認又は放棄のいずれかを選択することになるという点に鑑みて、丙の認識に基づき、甲からの相続に係る丙の熟慮期間の起算点を定めることによって、丙に対し、甲からの相続について承認又は放棄のいずれかを選択する機会を保障することにあるというべきである。さらに、再転相続人である丙は、自己のために乙からの相続が開始したことを知ったからといって、当然に乙が甲の相続人であったことを知りうるわけではない。また、丙は、乙からの相続により、甲からの相続について承認又は放棄を選択しうる乙の地位を承継してはいるものの、丙自身において、乙が甲の相続人であったことを知らなければ、甲からの相続について承認又は放棄のいずれかを選択することはできない。丙が、乙から甲の相続人としての地位を承継したことを知らないにもかかわらず、丙のために乙からの相続が開始したことを知ったことをもって、甲からの相続に係る熟慮期間が起算されるとすることは、丙に対し、甲からの相続について承認又は放棄のいずれかを選択する機会を保障する民法916条の趣旨に反するからである（最判令1・8・9）。**出題**予想

第917条

相続人が未成年者又は成年被後見人であるときは、第915条第1項の期間は、その法定代理人が未成年者又は成年被後見人のために相続の開始があったことを知った時から起算する。

第918条（相続人による管理）

相続人は、その固有財産におけるのと同一の注意をもって、相続財産を管理しなければならない。ただし、相続の承認又は放棄をしたときは、この限りでない。

第919条（相続の承認及び放棄の撤回及び取消し）

①相続の承認及び放棄は、第915条第1項の期間内でも、撤回することができない。

②前項の規定は、第1編（総則）及び前編（親族）の規定により相続の承認又は放棄の取消しをすることを妨げない。

③前項の取消権は、追認をすることができる時から6箇月行使しないときは、時効によって消滅する。相続の承認又は放棄の時から10年を経過したときも、同様とする。

④第2項の規定により限定承認又は相続の放棄の取消しをしようとする者は、その旨を家庭裁判所に申述しなければならない。

民法

第2節　相続の承認

第1款　単純承認

第920条（単純承認の効力）

　相続人は、単純承認をしたときは、無限に被相続人の権利義務を承継する。

第921条（法定単純承認）

　次に掲げる場合には、相続人は、単純承認をしたものとみなす。

1　相続人が相続財産の全部又は一部を処分したとき。ただし、保存行為及び第602条に定める期間を超えない賃貸をすることは、この限りでない。

2　相続人が第915条第1項の期間内に限定承認又は相続の放棄をしなかったとき。

3　相続人が、限定承認又は相続の放棄をした後であっても、相続財産の全部若しくは一部を隠匿し、私にこれを消費し、又は悪意でこれを相続財産の目録中に記載しなかったとき。ただし、その相続人が相続の放棄をしたことによって相続人となった者が相続の承認をした後は、この限りでない。

Q1 相続財産を処分する際に、相続人が相続開始の事実を知らずかつその事実を予想していなかった場合、単純承認があったものとみなすことは許されるのか。

A 単純承認があったものとみなすことは許されない。　民法921条1号本文が相続財産の処分行為があった事実をもって当然に相続の単純承認があったものとみなしている主たる理由は、本来、かかる行為は相続人が単純承認をしない限りしてはならないところであるから、これにより黙示の単純承認があるものと推認しうるのみならず、第三者からみても単純承認があったと信ずるのが当然であると認められることにある。したがって、たとえ相続人が相続財産を処分したとしても、いまだ相続開始の事実を知らなかったときは、相続人に単純承認の意思があったものと認めるに由ないから、同規定により単純承認を擬制することは許されず、この規定が適用されるためには、相続人が自己のために相続が開始した事実を知りながら相続財産を処分したか、または、少なくとも相続人が被相続人の死亡した事実を確実に予想しながらあえてその処分をしたことを要する（最判昭42・4・27）。　**出題** 国Ⅰ-昭和61

第2款　限定承認

第922条（限定承認）

　相続人は、相続によって得た財産の限度においてのみ被相続人の債務及び遺贈を弁済すべきことを留保して、相続の承認をすることができる。

Q1 限定承諾をした相続人は、死因贈与による不動産の取得を相続債権者に対抗できるか。

A 相続債権者に対抗できない。　不動産の死因贈与の受贈者が贈与者の相続人である場合において、限定承認がされたときは、死因贈与にもとづく限定承認者への所有権移転登記が相続債権者による差押

登記よりも先にされたとしても、信義則に照らし、限定承認者は相続債権者に対して不動産の所有権取得を対抗することができない（最判平10・2・13）。　**出題** 予想

第923条（共同相続人の限定承認）

　相続人が数人あるときは、限定承認は、共同相続人の全員が共同してのみこれをすることができる。

第924条（限定承認の方式）

　相続人は、限定承認をしようとするときは、第915条第1項の期間内に、相続財産の目録を作成して家庭裁判所に提出し、限定承認をする旨を申述しなければならない。

第925条（限定承認をしたときの権利義務）

　相続人が限定承認をしたときは、その被相続人に対して有した権利義務は、消滅しなかったものとみなす。

第926条（限定承認者による管理）

①限定承認者は、その固有財産におけるのと同一の注意をもって、相続財産の管理を継続しなければならない。

②第645条、第646条並びに第650条第1項及び第2項の規定は、前項の場合について準用する。

第927条（相続債権者及び受遺者に対する公告及び催告）

①限定承認者は、限定承認をした後5日以内に、すべての相続債権者（相続財産に属する債務の債権者をいう。以下同じ。）及び受遺者に対し、限定承認をしたこと及び一定の期間内にその請求の申出をすべき旨を公告しなければならない。この場合において、その期間は、2箇月を下ることができない。

②前項の規定による公告には、相続債権者及び受遺者がその期間内に申出をしないときは弁済から除斥されるべき旨を付記しなければならない。ただし、限定承認者は、知れている相続債権者及び受遺者を除斥することができない。

③限定承認者は、知れている相続債権者及び受遺者には、各別にその申出の催告をしなければならない。

④第1項の規定による公告は、官報に掲載してする。

第928条（公告期間満了前の弁済の拒絶）

　限定承認者は、前条第1項の期間の満了前には、相続債権者及び受遺者に対して弁済を拒むことができる。

第929条（公告期間満了後の弁済）

　第927条第1項の期間が満了した後は、限定承認者は、相続財産をもって、その期間内に同項の申出をした相続債権者その他知れている相続債権者に、それぞれその債権額の割合に応じて弁済をしなければならない。ただし、優先権を有する債権者の権利を害することはできない。

第930条（期限前の債務等の弁済）

①限定承認者は、弁済期に至らない債権であっても、前条の規定に従って弁済をしなければならない。

②条件付きの債権又は存続期間の不確定な債権は、家庭裁判所が選任した鑑定人の評価に従って弁済

民法編

をしなければならない。

第 931 条（受遺者に対する弁済）

　限定承認者は、前 2 条の規定に従って各相続債権者に弁済をした後でなければ、受遺者に弁済をすることができない。

第 932 条（弁済のための相続財産の換価）

　前 3 条の規定に従って弁済をするにつき相続財産を売却する必要があるときは、限定承認者は、これを競売に付さなければならない。ただし、家庭裁判所が選任した鑑定人の評価に従い相続財産の全部又は一部の価額を弁済して、その競売を止めることができる。

第 933 条（相続債権者及び受遺者の換価手続への参加）

　相続債権者及び受遺者は、自己の費用で、相続財産の競売又は鑑定に参加することができる。この場合においては、第 260 条第 2 項の規定を準用する。

第 934 条（不当な弁済をした限定承認者の責任等）

①限定承認者は、第 927 条の公告若しくは催告をすることを怠り、又は同条第 1 項の期間内に相続債権者若しくは受遺者に弁済をしたことによって他の相続債権者若しくは受遺者に弁済をすることができなくなったときは、これによって生じた損害を賠償する責任を負う。第 929 条から第 931 条までの規定に違反して弁済をしたときも、同様とする。

②前項の規定は、情を知って不当に弁済を受けた相続債権者又は受遺者に対する他の相続債権者又は受遺者の求償を妨げない。

③第 724 条の規定は、前 2 項の場合について準用する。

第 935 条（公告期間内に申出をしなかった相続債権者及び受遺者）

　第 927 条第 1 項の期間内に同項の申出をしなかった相続債権者及び受遺者で限定承認者に知れなかったものは、残余財産についてのみその権利を行使することができる。ただし、相続財産について特別担保を有する者は、この限りでない。

第 936 条（相続人が数人ある場合の相続財産の精算人）

①相続人が数人ある場合には、家庭裁判所は、相続人の中から、相続財産の精算人を選任しなければならない。

②前項の相続財産の精算人は、相続人のために、これに代わって、相続財産の管理及び債務の弁済に必要な一切の行為をする。

③第 926 条から前条までの規定は、第 1 項の相続財産の精算人について準用する。この場合において、第 927 条第 1 項中「限定承認をした後 5 日以内」とあるのは、「その相続財産の精算人の選任があった後 10 日以内」と読み替えるものとする。

第 937 条（法定単純承認の事由がある場合の相続債権者）

　限定承認をした共同相続人の 1 人又は数人について第 921 条第 1 号又は第 3 号に掲げる事由があるときは、相続債権者は、相続財産をもって弁済を受けることができなかった債権額について、当該共同相続人に対し、その相続分に応じて権利を行使することができる。

第 3 節　相続の放棄

第 938 条（相続の放棄の方式）

　相続の放棄をしようとする者は、その旨を家庭裁判所に申述しなければならない。

第 939 条（相続の放棄の効力）

　相続の放棄をした者は、その相続に関しては、初めから相続人とならなかったものとみなす。

第 940 条（相続の放棄をした者による管理）

①相続の放棄をした者は、その放棄の時に相続財産に属する財産を現に占有しているときは、相続人又は第 952 条第 1 項の相続財産の清算人に対して当該財産を引き渡すまでの間、自己の財産におけるのと同一の注意をもって、その財産を保存しなければならない。

②第 645 条、第 646 条並びに第 650 条第 1 項及び第 2 項の規定は、前項の場合について準用する。

第 5 章　財産分離

第 941 条（相続債権者又は受遺者の請求による財産分離）

①相続債権者又は受遺者は、相続開始の時から 3 箇月以内に、相続人の財産の中から相続財産を分離することを家庭裁判所に請求することができる。相続財産が相続人の固有財産と混合しない間は、その期間の満了後も、同様とする。

②家庭裁判所が前項の請求によって財産分離を命じたときは、その請求をした者は、5 日以内に、他の相続債権者及び受遺者に対し、財産分離の命令があったこと及び一定の期間内に配当加入の申出をすべき旨を公告しなければならない。この場合において、その期間は、2 箇月を下ることができない。

③前項の規定による公告は、官報に掲載してする。

第 942 条（財産分離の効力）

　財産分離の請求をした者及び前条第 2 項の規定により配当加入の申出をした者は、相続財産について、相続人の債権者に先立って弁済を受ける。

第 943 条（財産分離の請求後の相続財産の管理）

①財産分離の請求があったときは、家庭裁判所は、相続財産の管理について必要な処分を命ずることができる。

②第 27 条から第 29 条までの規定は、前項の規定により家庭裁判所が相続財産の管理人を選任した場合について準用する。

第 944 条（財産分離の請求後の相続人による管理）

①相続人は、単純承認をした後でも、財産分離の請求があったときは、以後、その固有財産におけるのと同一の注意をもって、相続財産の管理をしなければならない。ただし、家庭裁判所が相続財産の管理人を選任したときは、この限りでない。

②第 645 条から第 647 条まで並びに第 650 条第 1 項及び第 2 項の規定は、前項の場合について準用する。

第945条（不動産についての財産分離の対抗要件）

　財産分離は、不動産については、その登記をしなければ、第三者に対抗することができない。

第946条（物上代位の規定の準用）

　第304条の規定は、財産分離の場合について準用する。

第947条（相続債権者及び受遺者に対する弁済）

①相続人は、第941条第1項及び第2項の期間の満了前には、相続債権者及び受遺者に対して弁済を拒むことができる。

②財産分離の請求があったときは、相続人は、第941条第2項の期間の満了後は、相続財産をもって、財産分離の請求又は配当加入の申出をした相続債権者及び受遺者に、それぞれその債権額の割合に応じて弁済をしなければならない。ただし、優先権を有する債権者の権利を害することはできない。

③第930条から第934条までの規定は、前項の場合について準用する。

第948条（相続人の固有財産からの弁済）

　財産分離の請求をした者及び配当加入の申出をした者は、相続財産をもって全部の弁済を受けることができなかった場合に限り、相続人の固有財産についてその権利を行使することができる。この場合においては、相続人の債権者は、その者に先立って弁済を受けることができる。

第949条（財産分離の請求の防止等）

　相続人は、その固有財産をもって相続債権者若しくは受遺者に弁済をし、又はこれに相当の担保を供して、財産分離の請求を防止し、又はその効力を消滅させることができる。ただし、相続人の債権者が、これによって損害を受けるべきことを証明して、異議を述べたときは、この限りでない。

第950条（相続人の債権者の請求による財産分離）

①相続人が限定承認をすることができる間又は相続財産が相続人の固有財産と混合しない間は、相続人の債権者は、家庭裁判所に対して財産分離の請求をすることができる。

②第304条、第925条、第927条から第934条まで、第943条から第945条まで及び第948条の規定は、前項の場合について準用する。ただし、第927条の公告及び催告は、財産分離の請求をした債権者がしなければならない。

第6章　相続人の不存在

第951条（相続財産法人の成立）

　相続人のあることが明らかでないときは、相続財産は、法人とする。

Q1 遺言者に相続人は存在しないが相続財産全部の包括受遺者が存在する場合、民法951条にいう「相続人のあることが明かでないとき」にあたるのか。

A あたらない。　遺言者に相続人は存在しないが相続財産全部の包括受遺者が存在する場合は、民法951条にいう「相続人のあることが明かでないとき」にはあたらない。なぜなら、同条から959条までの同法第5編第6章の規定は、相続財産の帰属すべき者が明らかでない場合におけるその管理、清算等の方法を定めたものであり、包括受遺者は、相続人と同一の権利義務を有し（同法990条）、遺言者の死亡の時から原則として同人の財産に属した一切の権利義務を承継するのであって、相続財産全部の包括受遺者が存在する場合には前記各規定による諸手続を行わせる必要はないからである（最判平9・9・12）。　**出題** 予想

第952条（相続財産の清算人の選任）

①前条の場合には、家庭裁判所は、利害関係人又は検察官の請求によって、相続財産の清算人を選任しなければならない。

②前項の規定により相続財産の清算人を選任したときは、家庭裁判所は、遅滞なく、その旨及び相続人があるならば一定の期間内にその権利を主張すべき旨を公告しなければならない。この場合において、その期間は、6箇月を下ることができない。

第953条（不在者の財産の管理人に関する規定の準用）

　第27条から第29条までの規定は、前条第1項の相続財産の清算人（以下この章において単に「相続財産の清算人」という。）について準用する。

第954条（相続財産の清算人の報告）

　相続財産の清算人は、相続債権者又は受遺者の請求があるときは、その請求をした者に相続財産の状況を報告しなければならない。

第955条（相続財産法人の不成立）

　相続人のあることが明らかになったときは、第951条の法人は、成立しなかったものとみなす。ただし、相続財産の清算人がその権限内でした行為の効力を妨げない。

第956条（相続財産の清算人の代理権の消滅）

①相続財産の清算人の代理権は、相続人が相続の承認をしたときに消滅する。

②前項の場合には、相続財産の清算人は、遅滞なく相続人に対して清算に係る計算をしなければならない。

第957条（相続債権者及び受遺者に対する弁済）

①第952条第2項の公告があったときは、相続財産の清算人は、全ての相続債権者及び受遺者に対し、2箇月以上の期間を定めて、その期間内にその請求の申出をすべき旨を公告しなければならない。この場合において、その期間は、同項の規定により相続人が権利を主張すべき期間として家庭裁判所が公告した期間内に満了するものでなければならない。

②第927条第2項から第4項まで及び第928条から第935条まで（第932条ただし書を除く。）の規定は、前項の場合について準用する。

第958条（権利を主張する者がない場合）

　第952条第2項の期間内に相続人としての権利を主張する者がないときは、相続人並びに相続財産の清算人に知れなかった相続債権者及び受遺者は、その権利を行使することができない。

第958条の2（特別縁故者に対する相続財産の分与）

①前条の場合において、相当と認めるときは、家庭

裁判所は、被相続人と生計を同じくしていた者、被相続人の療養看護に努めた者その他被相続人と特別の縁故があった者の請求によって、これらの者に、清算後残存すべき相続財産の全部又は一部を与えることができる。

②前項の請求は、第952条第2項の期間の満了後3箇月以内にしなければならない。

第958条の3（特別縁故者に対する相続財産の分与）

①前条の場合において、相当と認めるときは、家庭裁判所は、被相続人と生計を同じくしていた者、被相続人の療養看護に努めた者その他被相続人と特別の縁故があった者の請求によって、これらの者に、清算後残存すべき相続財産の全部又は一部を与えることができる。

②前項の請求は、第958条の期間の満了後3箇月以内にしなければならない。

第959条（残余財産の国庫への帰属）

前条の規定により処分されなかった相続財産は、国庫に帰属する。この場合においては、第956条第2項の規定を準用する。

Q1 相続人不存在の場合において、特別縁故者に分与されなかった相続財産は、何時国庫に帰属するのか。

A 相続財産管理人が国庫に引き継いだ時に国庫に帰属する。　相続人不存在の場合において、民法958条の3により特別縁故者に分与されなかった残余相続財産が国庫に帰属する時期は、特別縁故者から財産分与の申立てがないまま同条2項所定の期間が経過した時または分与の申立てがされその却下ないし一部分与の審判が確定した時ではなく、その後相続財産管理人において残余相続財産を国庫に引き継いだ時であり、したがって、残余相続財産の全部の引継が完了するまでは、相続財産法人は消滅することなく、相続財産管理人の代理権もまた、引継未了の相続財産についてはなお存続する（最判昭50・10・24）。　　　　**出題** 予想

第7章　遺言

第1節　総則

第960条（遺言の方式）

遺言は、この法律に定める方式に従わなければ、することができない。

◇遺言の解釈

Q1 遺言書の文言を前提にしながらも、遺言者が遺言作成に至った経緯およびそのおかれた状況等を考慮することも許されるのか。

A 許される。　遺言の解釈にあたっては、遺言書の文言を形式的に判断するだけではなく、遺言者の真意を探究すべきものであり、遺言書が多数の条項からなる場合にそのうちの特定の条項を解釈するにあたっても、単に遺言書の中から当該条項のみを他から切り離して抽出しその文言を形式的に解釈するだけでは十分ではなく、遺言書の全記載との関連、遺言書作成当時の事情および遺言者のおかれていた状況などを考慮して遺言者の真意を探究し当該条項の趣旨を確定すべきものである（最判昭58・3・

18）。

出題 国家総合－令和1、国Ⅰ－平成12、国税・財務・労基－令和3

Q2 「相続させる」旨の遺言は、当該遺言により遺産を相続させるものとされた推定相続人が遺言者の死亡以前に死亡した場合にも、その効力を生ずるのか。

A 特段の事情のない限り、その効力を生ずることはない。　「相続させる」旨の遺言をした遺言者は、通常、遺言時における特定の推定相続人に当該遺産を取得させる意思を有するにとどまる。したがって、「相続させる」旨の遺言は、当該遺言により遺産を相続させるものとされた推定相続人が遺言者の死亡以前に死亡した場合には、当該「相続させる」旨の遺言に係る条項と遺言書の他の記載との関係、遺言書作成当時の事情および遺言者の置かれていた状況などから、遺言者が、上記の場合には、当該推定相続人の代襲者その他の者に遺産を相続させる旨の意思を有していたとみるべき特段の事情のない限り、その効力を生ずることはない（最判平23・2・22）。　　**出題** 国税・財務・労基－令和1

第961条（遺言能力）

15歳に達した者は、遺言をすることができる。

第962条

第5条、第9条、第13条及び第17条の規定は、遺言については、適用しない。

第963条

遺言者は、遺言をする時においてその能力を有しなければならない。

第964条（包括遺贈及び特定遺贈）

遺言者は、包括又は特定の名義で、その財産の全部又は一部を処分することができる。

Q1 「遺産は一切の相続を排除し、全部を公共に寄与する」との遺言は、その文言自体において受遺者の特定を欠き無効な遺言となるのか。

A 有効な遺言である。　遺言の解釈にあたっては遺言書に表明されている遺言者の意思を尊重して合理的にその趣旨を解釈すべきであるが、可能な限りこれを有効となるように解釈することがその意思に沿う所以であり、そのためには、遺言書の文言を前提にしながらも、遺言者が遺言書作成に至った経緯およびそのおかれた状況等を考慮することも許される。このような見地から考えると、本件遺言書の文言全体の趣旨および同遺言書作成時の被相続人のおかれた状況からすると、同人としては、自らの遺産を法定相続人に取得させず、これをすべて公益目的のために役立てたいという意思を有していたことが明らかである。そして、本件遺言は、その目的を達成することのできる団体等にその遺産の全部を包括遺贈する趣旨である。また、遺産の利用目的が公益目的に限定されているうえ、被選定者の範囲も前記の団体等に限定され、そのいずれが受遺者として選定されても遺言者の意思と矛盾するものではなく、したがって、選定者における選定権濫用の危険も認められないのであるから、本件遺言の効力は否定されない（最判平5・1・19）。

出題 国Ⅰ－平成12・8、国Ⅱ－平成18

Q2 遺言者自らが具体的な受遺者を指定せず、その選定を遺言執行者に委託する内容を含むことになるような遺言は、遺産の利用目的が公益目的に限定され、かつ、被選定者の範囲が国又は地方公共団体等に限定されていたとしても、有効と認められる余地はないのか。

A 有効と認められる余地はある（最判平5・1・19）。⇨1

第965条（相続人に関する規定の準用）

　第886条及び第891条の規定は、受遺者について準用する。

第966条（被後見人の遺言の制限）

①被後見人が、後見の計算の終了前に、後見人又はその配偶者若しくは直系卑属の利益となるべき遺言をしたときは、その遺言は、無効とする。

②前項の規定は、直系血族、配偶者又は兄弟姉妹が後見人である場合には、適用しない。

第2節　遺言の方式

第1款　普通の方式

第967条（普通の方式による遺言の種類）

　遺言は、自筆証書、公正証書又は秘密証書によってしなければならない。ただし、特別の方式によることを許す場合は、この限りでない。

第968条（自筆証書遺言）

①自筆証書によって遺言をするには、遺言者が、その全文、日付及び氏名を自書し、これに印を押さなければならない。

②前項の規定にかかわらず、自筆証書にこれと一体のものとして相続財産（第997条第1項に規定する場合における同項に規定する権利を含む。）の全部又は一部の目録を添付する場合には、その目録については、自書することを要しない。この場合において、遺言者は、その目録の毎葉（自書によらない記載がその両面にある場合にあっては、その両面）に署名し、印を押さなければならない。

③自筆証書（前項の目録を含む。）中の加除その他の変更は、遺言者が、その場所を指示し、これを変更した旨を付記して特にこれに署名し、かつ、その変更の場所に印を押さなければ、その効力を生じない。

Q1 氏名の記載が、氏のみ又は名のみである場合は、同一性が示されていると認められる場合であっても無効か。

A 有効である。　民法968条1項が自筆証書による遺言に氏名の自書を要件としたのは、何人が遺言者であるかを明確にする趣旨であるから、氏名の自書とは遺言者が何人であるかにつき、疑いを容れることのできない程度に完全な表示をすることを必要とする意味である。しかし、完全な表示をするにあたっては、通常氏名を表示することで必要かつ十分であるが、他に同一の氏名の者がいて、混同を生じる場合には、他の同一氏名の者でないことを明らかにするため、住所爵位称号雅名等を附記する必要がある。しかし、遺言の内容その他に

より遺言者が何人であるかを知るに足り、他人と混同を生じることがない場合には、氏名を併記しなくても、氏または名を自書することで十分である（大判大4・7・3）。

出題 国Ⅰ-平成12

Q2 遺言書中の日付以外の文言をすべて書き終えて、数日後その日の日付のみを記載した場合、遺言は日付を記載した日に完成したものとして有効となるのか。

A 遺言は日付を記載した日に完成したものとして有効となる。　民法968条によれば、自筆証書によって遺言をするには、遺言者がその全文、日付および氏名を自書し印をおさなければならず、その日付の記載が要求されるのは、遺言の成立の時期を明確にするために必要とされるのであるから、真実遺言が成立した日の日付を記載しなければならない。しかし、遺言者が遺言書のうち日付以外の部分を記載し署名して印を押し、その8日後に当日の日付を記載して遺言書を完成させることは、法の禁ずるところではなく、前記法条の立法趣旨に照らすと、当該遺言は、特段の事情のない限り、その日付が記載された日に成立した遺言として適式なものとなる（最判昭52・4・19）。

出題 地方上級-平成8（市共通）

Q3 自筆証書の遺言書中の日付については、年月の記載があれば年月の後を「吉日」としても、遺言は有効か。

A 遺言は無効である。　自筆証書によって遺言をするには、遺言者は、全文・日付・氏名を自書して押印しなければならないが（民法968条1項）、その日付は暦上の特定の日を表示するものといえるように記載されるべきであるから、証書の日付として単に「昭和四拾壱年七月吉日」と記載されているにとどまる場合は、暦上の特定の日を表示するものとはいえず、そのような自筆証書遺言は、証書上の日付の記載を欠くものとして無効である（最判昭54・5・31）。

出題 地方上級-平成8（市共通）、国家一般-令和4、国税・財務・労基-令和1

Q4 他人の添え手による補助を受けて作成された自筆証書の遺言書は無効か。

A 一定の要件を充たせば、有効である。　病気その他の理由により運筆について他人の添え手による補助を受けてされた自筆証書遺言は、(1)遺言者が証書作成時に自書能力を有し、(2)他人の添え手が、単に始筆もしくは改行にあたりもしくは字の間配りや行間を整えるための遺言者の手を紙面の正しい位置に導くにとどまるか、または遺言者の手の動きが遺言者の望みにまかされており、遺言者は添え手をした他人から単に筆記を容易にするための支えを借りただけであり、かつ、(3)添え手がそのような態様のものにとどまること、すなわち添え手をした他人の意思が介入した形跡のないことが、筆跡のうえで判定できる場合には「自書」の要件を充たすものとして、有効である（最判昭62・10・8）。

出題 地方上級-平成8（市共通）

Q5 遺言書の押印が遺言者の指印によるものである場合にも、遺言は有効か。

A 遺言は有効である。　自筆証書によって遺言を

するには、遺言者が遺言の全文、日付および氏名を自書したうえ、押印することを要するが（民法968条1項）、ここにいう押印としては、遺言者が印章に代えて拇指その他の指頭に墨、朱肉等をつけて押捺すること（「指印」）をもって足りる（最判平1・2・16）。 出題 地方上級 – 平成8（市共通）

Q6 カーボン複写による自筆証書遺言書は、民法968条1項の「自書」の要件を欠くのか。

A 「自書」の要件を欠かない。　本件遺言書は、Aが遺言の全文、日付および氏名をカーボン紙を用いて複写の方法で記載したものであるが、カーボン紙を用いることも自書の方法として許されないものではないから、本件遺言書は、民法968条1項の「自書」の要件に欠けるところはない（最判平5・10・19）。

出題 国家総合 – 令和1、国Ⅰ – 平成16、国家一般 – 令和4

Q7 遺言書の本文の自署名下には押印がなかったが、これを入れた封筒の封じ目にされた押印があれば、押印の要件を充たすのか。

A 押印の要件を充たす。　遺言書の本文の自署名下には押印がなかったが、遺言書の本文の入れられた封筒の封じ目にされた押印があれば、民法968条1項の押印の要件に欠けるところはない（最判平6・6・24）。

出題 国Ⅰ – 平成16、国家一般 – 令和4

Q8 花押を書くことは、印章による押印と同視でき、民法968条1項の押印の要件を満たすのか。

A 民法968条1項の押印の要件を満たさない。花押を書くことは、印章による押印とは異なるから、民法968条1項の押印の要件を満たすものであると直ちにいうことはできない。そして、民法968条1項が、自筆証書遺言の方式として、遺言の全文、日付および氏名の自書のほかに、押印をも要するとした趣旨は、遺言の全文等の自書とあいまって遺言者の同一性および真意を確保するとともに、重要な文書については作成者が署名したうえその名下に押印することによって文書の作成を完結させるというわが国の慣行ないし法意識に照らして文書の完成を担保することにあると解されるところ、わが国において、印章による押印に代えて花押を書くことによって文書を完成させるという慣行ないし法意識が存するものとは認めがたい。以上によれば、花押を書くことは、印章による押印と同視することはできず、民法968条1項の押印の要件を満たさないというべきである（最判平28・6・3）。

出題 予想

Q9 遺言者が、入院中の日に自筆証書による遺言の全文、同日の日付及び氏名を自書し、退院して9日後（全文等の自書日から27日後）に押印したなどの事実関係の下においては、同自筆証書に真実遺言が成立した日と相違する日の日付が記載されていると、同自筆証書による遺言は無効となるのか。

A 同自筆証書による遺言が無効となるものではない。　本件遺言が成立した日は、押印がされて本件遺言が完成した平成27年5月10日というべきであり、本件遺言書には、同日の日付を記載しなけ

ればならなかったにもかかわらず、これと相違する日付が記載されていることになる。しかしながら、民法968条1項が、自筆証書遺言の方式として、遺言の全文、日付及び氏名の自書並びに押印を要するとした趣旨は、遺言者の真意を確保すること等にあるところ、必要以上に遺言の方式を厳格に解するときは、かえって遺言者の真意の実現を阻害するおそれがある。したがって、Aが、入院中の平成27年4月13日に本件遺言の全文、同日の日付及び氏名を自書し、退院して9日後の同年5月10日に押印したなどの本件の事実関係の下では、本件遺言書に真実遺言が成立した日と相違する日の日付が記載されているからといって直ちに本件遺言が無効となるものではない（最判令3・1・18）。

出題 予想

第969条（公正証書遺言）

公正証書によって遺言をするには、次に掲げる方式に従わなければならない。

1　証人2人以上の立会いがあること。
2　遺言者が遺言の趣旨を公証人に口授すること。
3　公証人が、遺言者の口述を筆記し、これを遺言者及び証人に読み聞かせ、又は閲覧させること。
4　遺言者及び証人が、筆記の正確なことを承認した後、各自これに署名し、印を押すこと。ただし、遺言者が署名することができない場合は、公証人がその事由を付記して、署名に代えることができる。
5　公証人が、その証書は前各号に掲げる方式に従って作ったものである旨を付記して、これに署名し、印を押すこと。

Q1 遺言の証人となることができない者が同席してされた公正証書遺言の効力は、無効となるのか。

A 有効である。　遺言公正証書の作成にあたり、民法所定の証人が立ち会っている以上、たまたま当該遺言の証人となることができない者が同席していたとしても、この者によって遺言の内容が左右されたり、遺言者が自己の真意に基づいて遺言をすることを妨げられたりするなど特段の事情のない限り、当該遺言公正証書の作成手続を違法ということはできず、同遺言が無効となるものではない（最判平13・3・27）。 出題 国Ⅱ – 平成18

第969条の2（公正証書遺言の方式の特則）

①口がきけない者が公証人によって遺言をする場合には、遺言者は、公証人及び証人の前で、遺言の趣旨を通訳人の通訳により申述し、又は自書して、前条第2号の口授に代えなければならない。この場合における同条第3号の規定の適用については、同号中「口述」とあるのは、「通訳人の通訳による申述又は自書」とする。

②前条の遺言者又は証人が耳が聞こえない者である場合には、公証人は、同条第3号に規定する筆記した内容を通訳人の通訳により遺言者又は証人に伝えて、同号の読み聞かせに代えることができる。

③公証人は、前2項に定める方式に従って公正証書

民法

を作ったときは、その旨をその証書に付記しなければならない。

第 970 条（秘密証書遺言）

①秘密証書によって遺言をするには、次に掲げる方式に従わなければならない。

　1　遺言者が、その証書に署名し、印を押すこと。

　2　遺言者が、その証書を封じ、証書に用いた印章をもってこれに封印すること。

　3　遺言者が、公証人 1 人及び証人 2 人以上の前に封書を提出して、自己の遺言書である旨並びにその筆者の氏名及び住所を申述すること。

　4　公証人が、その証書を提出した日付及び遺言者の申述を封紙に記載した後、遺言者及び証人とともにこれに署名し、印を押すこと。

②第 968 条第 3 項の規定は、秘密証書による遺言について準用する。

Q1 遺言者が公証人に対し、ワープロを操作して秘密証書遺言の遺言書の表題および本文を入力し印字した者の氏名および住所を申述しなかった場合、本件遺言は、民法 970 条 1 項 3 号所定の方式を欠き、無効か。

A 無効である。　亡Ａは、財産全部を妻である上告人に相続させる旨の本件遺言をした。本件遺言書の記載は、表題、本文、作成年月日ならびに遺言者であるＡの住所および氏名から成るところ、そのうち、作成年月日である「平成十年十一月拾五日」の記載のうちの「拾五」の部分および氏名はＡが自筆で記載したが、その余の部分はワープロで印字されている。この印字部分は、上告人の子であるＢの妻Ｃが、市販の遺言書の書き方の文例を参照し、ワープロを操作して、その文例にある遺言者と妻の氏名をＡおよびＤに置き換え、そのほかは文例のまま入力し、印字したものである。Ａは、本件遺言を秘密証書の方式によってすることとし、横浜地方法務局所属公証人および証人 2 人の前に本件遺言書を入れた封書を提出し、自己の遺言書である旨およびＡ自身がこれを筆記した旨述べたが、遺言書の筆者としてＣの氏名および住所を述べなかった。上記事実関係の下においては、本件遺言の内容を筆記した筆者は、ワープロを操作して本件遺言書の表題および本文を入力し印字したＣであるというべきである。Ａは、公証人に対し、本件遺言書の筆者としてＣの氏名および住所を申述しなかったのであるから、本件遺言は、民法 970 条 1 項 3 号所定の方式を欠き、無効である（最判平 14・9・24）。

出題 予想

第 971 条（方式に欠ける秘密証書遺言の効力）

秘密証書による遺言は、前条に定める方式に欠けるものがあっても、第 968 条に定める方式を具備しているときは、自筆証書による遺言としてその効力を有する。

第 972 条（秘密証書遺言の方式の特則）

①口がきけない者が秘密証書によって遺言をする場合には、遺言者は、公証人及び証人の前で、その証書は自己の遺言書である旨並びにその筆者の氏名及び住所を通訳人の通訳により申述し、又は封

紙に自書して、第 970 条第 1 項第 3 号の申述に代えなければならない。

②前項の場合において、遺言者が通訳人の通訳により申述したときは、公証人は、その旨を封紙に記載しなければならない。

③第 1 項の場合において、遺言者が封紙に自書したときは、公証人は、その旨を封紙に記載して、第 970 条第 1 項第 4 号に規定する申述の記載に代えなければならない。

第 973 条（成年被後見人の遺言）

①成年被後見人が事理を弁識する能力を一時回復した時において遺言をするには、医師 2 人以上の立会いがなければならない。

②遺言に立ち会った医師は、遺言者が遺言をする時において精神上の障害により事理を弁識する能力を欠く状態になかった旨を遺言書に付記して、これに署名し、印を押さなければならない。ただし、秘密証書による遺言にあっては、その封紙にその旨の記載をし、署名し、印を押さなければならない。

第 974 条（証人及び立会人の欠格事由）

次に掲げる者は、遺言の証人又は立会人となることができない。

　1　未成年者

　2　推定相続人及び受遺者並びにこれらの配偶者及び直系血族

　3　公証人の配偶者、4 親等内の親族、書記及び使用人

第 975 条（共同遺言の禁止）

遺言は、2 人以上の者が同一の証書ですることができない。

Q1 父母の意思表示により連名で作成された遺言書は、両名が死亡した時点で有効な遺言として成立するのか。

A 共同遺言にあたり無効である。　同一の証書に 2 人の遺言が記載されている場合は、そのうちの一方に氏名を自書しない方式の違背があるときでも、当該遺言は、民法 975 条により禁止された共同遺言にあたる（最判昭 56・9・11）。

出題 国家総合 – 令和 1、地方上級 – 平成 8（市共通）

第 2 款　特別の方式

第 976 条（死亡の危急に迫った者の遺言）

①疾病その他の事由によって死亡の危急に迫った者が遺言をしようとするときは、証人 3 人以上の立会いをもって、その 1 人に遺言の趣旨を口授して、これをすることができる。この場合においては、その口授を受けた者が、これを筆記して、遺言者及び他の証人に読み聞かせ、又は閲覧させ、各証人がその筆記の正確なことを承認した後、これに署名し、印を押さなければならない。

②口がきけない者が前項の規定により遺言をする場合には、遺言者は、証人の前で、遺言の趣旨を通訳人の通訳により申述して、同項の口授に代えなければならない。

③第 1 項後段の遺言者又は他の証人が耳が聞こえな

い者である場合には、遺言の趣旨の口授又は申述を受けた者は、同項後段に規定する筆記した内容を通訳人の通訳によりその遺言者又は他の証人に伝えて、同項後段の読み聞かせに代えることができる。

④前3項の規定によりした遺言は、遺言の日から20日以内に、証人の1人又は利害関係人から家庭裁判所に請求してその確認を得なければ、その効力を生じない。

⑤家庭裁判所は、前項の遺言が遺言者の真意に出たものであるとの心証を得なければ、これを確認することができない。

Q1 危急時遺言において、遺言者の口授後に、遺言者の現在しない場所で証人が署名捺印した場合、その遺言は無効か。

A その遺言は有効である。　民法976条所定の署名捺印は、遺言者の口授に従って筆記された遺言の内容を遺言者および他の証人に読み聞かせた後、その場でなされるのが本来の趣旨であるが、本件のように、筆記者である証人が、筆記内容を清書した書面に遺言者の現在しない場所で署名捺印をし、他の証人の署名を得たうえ、証人らの立ち会いのもとに遺言者に読み聞かせ、その後遺言者の現在しない場所（遺言執行者に指定された者の法律事務所）で、その証人らが捺印し、署名捺印を完成した場合には、いまだ署名捺印によって筆記の正確性を担保しようとする同条の趣旨を害するとはいえ、その署名捺印は同条の方式に則ったものとして遺言の効力を妨げない（最判昭47・3・17）。

出題 予想

第977条（伝染病隔離者の遺言）
　伝染病のため行政処分によって交通を断たれた場所に在る者は、警察官1人及び証人1人以上の立会いをもって遺言書を作ることができる。

第978条（在船者の遺言）
　船舶中に在る者は、船長又は事務員1人及び証人2人以上の立会いをもって遺言書を作ることができる。

第979条（船舶遭難者の遺言）
①船舶が遭難した場合において、当該船舶中に在って死亡の危急に迫った者は、証人2人以上の立会いをもって口頭で遺言をすることができる。

②口がきけない者が前項の規定により遺言をする場合には、遺言者は、通訳人の通訳によりこれをしなければならない。

③前2項の規定に従ってした遺言は、証人が、その趣旨を筆記して、これに署名し、印を押し、かつ、証人の1人又は利害関係人から遅滞なく家庭裁判所に請求してその確認を得なければ、その効力を生じない。

④第976条第5項の規定は、前項の場合について準用する。

第980条（遺言関係者の署名及び押印）
　第977条及び第978条の場合には、遺言者、筆者、立会人及び証人は、各自遺言書に署名し、印を押さなければならない。

第981条（署名又は押印が不能の場合）
　第977条から第979条までの場合において、署名又は印を押すことのできない者があるときは、立会人又は証人は、その事由を付記しなければならない。

第982条（普通の方式による遺言の規定の準用）
　第968条第3項及び第973条から第975条までの規定は、第976条から前条までの規定による遺言について準用する。

第983条（特別の方式による遺言の効力）
　第976条から前条までの規定によりした遺言は、遺言者が普通の方式によって遺言をすることができるようになった時から6箇月間生存するときは、その効力を生じない。

第984条（外国に在る日本人の遺言の方式）
　日本の領事の駐在する地に在る日本人が公正証書又は秘密証書によって遺言をしようとするときは、公証人の職務は、領事が行う。この場合においては、第969条第4号又は第970条第1項第4号の規定にかかわらず、遺言者及び証人は、第969条第4号又は第970条第1項第4号の印を押すことを要しない。

第3節　遺言の効力

第985条（遺言の効力の発生時期）
①遺言は、遺言者の死亡の時からその効力を生ずる。

②遺言に停止条件を付した場合において、その条件が遺言者の死亡後に成就したときは、遺言は、条件が成就した時からその効力を生ずる。

第986条（遺贈の放棄）
①受遺者は、遺言者の死亡後、いつでも、遺贈の放棄をすることができる。

②遺贈の放棄は、遺言者の死亡の時にさかのぼってその効力を生ずる。

第987条（受遺者に対する遺贈の承認又は放棄の催告）
　遺贈義務者（遺贈の履行をする義務を負う者をいう。以下この節において同じ。）その他の利害関係人は、受遺者に対し、相当の期間を定めて、その期間内に遺贈の承認又は放棄をすべき旨の催告をすることができる。この場合において、受遺者がその期間内に遺贈義務者に対してその意思を表示しないときは、遺贈を承認したものとみなす。

第988条（受遺者の相続人による遺贈の承認又は放棄）
　受遺者が遺贈の承認又は放棄をしないで死亡したときは、その相続人は、自己の相続権の範囲内で、遺贈の承認又は放棄をすることができる。ただし、遺言者がその遺言に別段の意思を表示したときは、その意思に従う。

第989条（遺贈の承認及び放棄の撤回及び取消し）
①遺贈の承認及び放棄は、撤回することができない。

②第919条第2項及び第3項の規定は、遺贈の承認及び放棄について準用する。

第990条（包括受遺者の権利義務）
　包括受遺者は、相続人と同一の権利義務を有する。

民法

第991条（受遺者による担保の請求）

受遺者は、遺贈が弁済期に至らない間は、遺贈義務者に対して相当の担保を請求することができる。停止条件付きの遺贈についてその条件の成否が未定である間も、同様とする。

第992条（受遺者による果実の取得）

受遺者は、遺贈の履行を請求することができる時から果実を取得する。ただし、遺言者がその遺言に別段の意思を表示したときは、その意思に従う。

第993条（遺贈義務者による費用の償還請求）

①第299条の規定は、遺贈義務者が遺言者の死亡後に遺贈の目的物について費用を支出した場合について準用する。

②果実を収取するために支出した通常の必要費は、果実の価格を超えない限度で、その償還を請求することができる。

第994条（受遺者の死亡による遺贈の失効）

①遺贈は、遺言者の死亡以前に受遺者が死亡したときは、その効力を生じない。

②停止条件付きの遺贈については、受遺者がその条件の成就前に死亡したときも、前項と同様とする。ただし、遺言者がその遺言に別段の意思を表示したときは、その意思に従う。

第995条（遺贈の無効又は失効の場合の財産の帰属）

遺贈が、その効力を生じないとき、又は放棄によってその効力を失ったときは、受遺者が受けるべきであったものは、相続人に帰属する。ただし、遺言者がその遺言に別段の意思を表示したときは、その意思に従う。

第996条（相続財産に属しない権利の遺贈）

遺贈は、その目的である権利が遺言者の死亡の時において相続財産に属しなかったときは、その効力を生じない。ただし、その権利が相続財産に属するかどうかにかかわらず、これを遺贈の目的としたものと認められるときは、この限りでない。

第997条

①相続財産に属しない権利を目的とする遺贈が前条ただし書の規定により有効であるときは、遺贈義務者は、その権利を取得して受遺者に移転する義務を負う。

②前項の場合において、同項に規定する権利を取得することができないとき、又はこれを取得するについて過分の費用を要するときは、遺贈義務者は、その価額を弁償しなければならない。ただし、遺言者がその遺言に別段の意思を表示したときは、その意思に従う。

第998条（遺贈義務者の引渡義務）

遺贈義務者は、遺贈の目的である物又は権利を、相続開始の時（その後に当該物又は権利について遺贈の目的として特定した場合にあっては、その特定した時）の状態で引き渡し、又は移転する義務を負う。ただし、遺言者がその遺言に別段の意思を表示したときは、その意思に従う。

第999条（遺贈の物上代位）

①遺言者が、遺贈の目的物の滅失若しくは変造又はその占有の喪失によって第三者に対して償金を請求する権利を有するときは、その権利を遺贈の目

的としたものと推定する。

②遺贈の目的物が、他の物と付合し、又は混和した場合において、遺言者が第243条から第245条までの規定により合成物又は混和物の単独所有者又は共有者となったときは、その全部の所有権又は持分を遺贈の目的としたものと推定する。

第1001条（債権の遺贈の物上代位）

①債権を遺贈の目的とした場合において、遺言者が弁済を受け、かつ、その受け取った物がなお相続財産中に在るときは、その物を遺贈の目的としたものと推定する。

②金銭を目的とする債権を遺贈の目的とした場合において、相続財産中にその債権額に相当する金銭がないときであっても、その金額を遺贈の目的としたものと推定する。

第1002条（負担付遺贈）

①負担付遺贈を受けた者は、遺贈の目的の価額を超えない限度においてのみ、負担した義務を履行する責任を負う。

②受遺者が遺贈の放棄をしたときは、負担の利益を受けるべき者は、自ら受遺者となることができる。ただし、遺言者がその遺言に別段の意思を表示したときは、その意思に従う。

第1003条（負担付遺贈の受遺者の免責）

負担付遺贈の目的の価額が相続の限定承認又は遺留分回復の訴えによって減少したときは、受遺者は、その減少の割合に応じて、その負担した義務を免れる。ただし、遺言者がその遺言に別段の意思を表示したときは、その意思に従う。

第4節　遺言の執行

第1004条（遺言書の検認）

①遺言書の保管者は、相続の開始を知った後、遅滞なく、これを家庭裁判所に提出して、その検認を請求しなければならない。遺言書の保管者がない場合において、相続人が遺言書を発見した後も、同様とする。

②前項の規定は、公正証書による遺言については、適用しない。

③封印のある遺言書は、家庭裁判所において相続人又はその代理人の立会いがなければ、開封することができない。

第1005条（過料）

前条の規定により遺言書を提出することを怠り、その検認を経ないで遺言を執行し、又は家庭裁判所外においてその開封をした者は、5万円以下の過料に処する。

第1006条（遺言執行者の指定）

①遺言者は、遺言で、1人又は数人の遺言執行者を指定し、又はその指定を第三者に委託することができる。

②遺言執行者の指定の委託を受けた者は、遅滞なく、その指定をして、これを相続人に通知しなければならない。

③遺言執行者の指定の委託を受けた者がその委託を辞そうとするときは、遅滞なくその旨を相続人に通知しなければならない。

第 1007 条（遺言執行者の任務の開始）

①遺言執行者が就職を承諾したときは、直ちにその任務を行わなければならない。

②遺言執行者は、その任務を開始したときは、遅滞なく、遺言の内容を相続人に通知しなければならない。

第 1008 条（遺言執行者に対する就職の催告）

相続人その他の利害関係人は、遺言執行者に対し、相当の期間を定めて、その期間内に就職を承諾するかどうかを確答すべき旨の催告をすることができる。この場合において、遺言執行者が、その期間内に相続人に対して確答をしないときは、就職を承諾したものとみなす。

第 1009 条（遺言執行者の欠格事由）

未成年者及び破産者は、遺言執行者となることができない。

第 1010 条（遺言執行者の選任）

遺言執行者がないとき、又はなくなったときは、家庭裁判所は、利害関係人の請求によって、これを選任することができる。

第 1011 条（相続財産の目録の作成）

①遺言執行者は、遅滞なく、相続財産の目録を作成して、相続人に交付しなければならない。

②遺言執行者は、相続人の請求があるときは、その立会いをもって相続財産の目録を作成し、又は公証人にこれを作成させなければならない。

第 1012 条（遺言執行者の権利義務）

①遺言執行者は、遺言の内容を実現するため、相続財産の管理その他遺言の執行に必要な一切の行為をする権利義務を有する。

②遺言執行者がある場合には、遺贈の履行は、遺言執行者のみが行うことができる。

③第 644 条、第 645 条から第 647 条まで及び第 650 条の規定は、遺言執行者について準用する。

Q1 遺言者の所有に属する特定の不動産が遺贈された場合、受遺者は、遺言執行者がいるときでも、当該不動産について相続人または第三者のためになされた登記の抹消登記手続を求めることができるか。

A 当該不動産の登記の抹消登記手続を求めることができる。　遺言者の所有に属する特定の不動産が遺贈された場合には、目的不動産の所有権は遺言者の死亡により遺言がその効力を生ずるのと同時に受遺者に移転するのであるから、受遺者は、遺言執行者がある場合でも、当該不動産について相続人または第三者のためになされた無効な登記の抹消登記手続を求めることができる（最判昭 62・4・23）。

出題 予想

第 1013 条（遺言の執行の妨害行為の禁止）

①遺言執行者がある場合には、相続人は、相続財産の処分その他遺言の執行を妨げるべき行為をすることができない。

②前項の規定に違反してした行為は、無効とする。ただし、これをもって善意の第三者に対抗することができない。

③前 2 項の規定は、相続人の債権者（相続債権者を含む。）が相続財産についてその権利を行使する

ことを妨げない。

◇**参考判例**

Q1 相続人が、民法 1013 条の規定に違反して第三者のため抵当権を設定してその登記をした場合、受遺者は遺贈による目的不動産の所有権取得は登記がなければ第三者に対抗できないのか。

A 登記がなくても第三者に対抗できる。　民法 1013 条は、遺言者の意思を尊重し、遺言執行者に遺言の公正な実現を図らせることをその趣旨とするから、相続人が、同法 1013 条の規定に違反して第三者のため抵当権を設定しその登記をしたとしても、相続人の当該処分行為は無効であり、受遺者は遺贈による目的不動産の所有権取得を登記なくしてその処分行為の相手方たる第三者に対抗することができる。そして、前示のような法の趣旨に照らすと、同条にいう「遺言執行者がある場合」とは、遺言執行者として指定された者が就職を承諾する前をも含む（最判昭 62・4・23）。　　**出題** 予想

第 1014 条（特定財産に関する遺言の執行）

①前 3 条の規定は、遺言が相続財産のうち特定の財産に関する場合には、その財産についてのみ適用する。

②遺産の分割の方法の指定として遺産に属する特定の財産を共同相続人の 1 人又は数人に承継させる旨の遺言（以下「特定財産承継遺言」という。）があったときは、遺言執行者は、当該共同相続人が第 899 条の 2 第 1 項に規定する対抗要件を備えるために必要な行為をすることができる。

③前項の財産が預貯金債権である場合には、遺言執行者は、同項に規定する行為のほか、その預金又は貯金の払戻しの請求及びその預金又は貯金に係る契約の解約の申入れをすることができる。ただし、解約の申入れについては、その預貯金債権の全部が特定財産承継遺言の目的である場合に限る。

④前 2 項の規定にかかわらず、被相続人が遺言で別段の意思を表示したときは、その意思に従う。

第 1015 条（遺言執行者の行為の効果）

遺言執行者がその権限内において遺言執行者であることを示してした行為は、相続人に対して直接にその効力を生ずる。

第 1016 条（遺言執行者の復任権）

①遺言執行者は、自己の責任で第三者にその任務を行わせることができる。ただし、遺言者がその遺言に別段の意思を表示したときは、その意思に従う。

②前項本文の場合において、第三者に任務を行わせることについてやむを得ない事由があるときは、遺言執行者は、相続人に対してその選任及び監督についての責任のみを負う。

第 1017 条（遺言執行者が数人ある場合の任務の執行）

①遺言執行者が数人ある場合には、その任務の執行は、過半数で決する。ただし、遺言者がその遺言に別段の意思を表示したときは、その意思に従う。

②各遺言執行者は、前項の規定にかかわらず、保存行為をすることができる。

第1018条（遺言執行者の報酬）

①家庭裁判所は、相続財産の状況その他の事情によって遺言執行者の報酬を定めることができる。ただし、遺言者がその遺言に報酬を定めたときは、この限りでない。

②第648条第2項及び第3項並びに第648条の2の規定は、遺言執行者が報酬を受けるべき場合について準用する。

第1019条（遺言執行者の解任及び辞任）

①遺言執行者がその任務を怠ったときその他正当な事由があるときは、利害関係人は、その解任を家庭裁判所に請求することができる。

②遺言執行者は、正当な事由があるときは、家庭裁判所の許可を得て、その任務を辞することができる。

第1020条（委任の規定の準用）

第654条及び第655条の規定は、遺言執行者の任務が終了した場合について準用する。

第1021条（遺言の執行に関する費用の負担）

遺言の執行に関する費用は、相続財産の負担とする。ただし、これによって遺留分を減ずることができない。

第5節　遺言の撤回及び取消し

第1022条（遺言の撤回）

遺言者は、いつでも、遺言の方式に従って、その遺言の全部又は一部を撤回することができる。

第1023条（前の遺言と後の遺言との抵触等）

①前の遺言が後の遺言と抵触するときは、その抵触する部分については、後の遺言で前の遺言を撤回したものとみなす。

②前項の規定は、遺言が遺言後の生前処分その他の法律行為と抵触する場合について準用する。

Q1 遺言による寄附行為の後、遺言者の生前行為に基づく財団設立行為がされ、両者が競合した場合、当該遺言は取り消されたものとみなされるのか。

A 当該遺言は取り消されたものとみなされない。遺言による寄附行為がされたあとで、遺言者の生前行為に基づく財団設立行為がされて、両者が競合する形式になった場合において、生前行為が遺言と抵触し、したがって、その遺言が取り消されたものとみなされるためには、生前処分の寄附行為に基づく財団設立行為が主務官庁の許可によって、その財団が設立され、その効果の生じたことを必要とし、ただ単に生前処分の寄附行為に基づく財団設立手続がなされたというだけでは、その効果は生じないから、遺言との抵触の問題は生ずる余地がない（最判昭43・12・24）。　**出題 国Ⅰ-平成6**

Q2 終生扶養を受けることを前提とし養子縁組をしたうえ、大半の不動産を遺贈した者が、後に協議離縁をした場合、その遺贈は取り消されたものとみなされるのか。

A その遺贈は取り消されたものとみなされる。民法1023条の法意は、遺言者がした生前処分に表示された遺言者の最終意思を重んずるにある

から、同条2項にいう「抵触」とは、単に後の生前処分を実現しようとするときには、前の遺言の執行が客観的に不能となる場合のみにとどまらず、諸般の事情より観察して後の生前処分が前の遺言と両立させられない趣旨のものとされるべきであって、前の遺言の効果を失わせる意思に出たものであるとみられる場合をも包含する。したがって、AはXから終生扶養を受けることを前提としてXと養子縁組したうえその所有する不動産の大半をXに遺贈する旨の遺言をしたが、その後Xに対し不信の念を深くしてXとの間で協議離縁し、法律上も事実上もXから扶養を受けないことにしたのであるから、この協議離縁は前に遺言によりなされた遺贈と両立させない趣旨のものとされるべきであり、したがって、本件遺贈は後の協議離縁と抵触するものとして、取り消されたものとみなさざるをえない（最判昭56・11・13）。　**出題 国Ⅰ-平成12、国Ⅱ-平成18**

第1024条（遺言書又は遺贈の目的物の破棄）

遺言者が故意に遺言書を破棄したときは、その破棄した部分については、遺言を撤回したものとみなす。遺言者が故意に遺贈の目的物を破棄したときも、同様とする。

Q1 本件遺言書に故意に赤色のボールペンで斜線を引く行為は、遺言を撤回したものとみなされるのか。

A 本件行為は、民法1024条前段所定の「故意に遺言書を破棄したとき」に該当し、遺言を撤回したものとみなされる。　本件のように赤色のボールペンで遺言書の文面全体に斜線を引く行為は、その行為の有する一般的な意味に照らして、その遺言書の全体を不要のものとし、そこに記載された遺言の全ての効力を失わせる意思の表れとみるのが相当であるから、その行為の効力について、一部の抹消の場合と同様に判断することはできない。以上によれば、本件遺言書に故意に本件斜線を引く行為は、民法1024条前段所定の「故意に遺言書を破棄したとき」に該当するというべきであり、これによりAは本件遺言を撤回したものとみなされることになる。したがって、本件遺言は、効力を有しない（最判平27・11・20）。　**出題 予想**

第1025条（撤回された遺言の効力）

前3条の規定により撤回された遺言は、その撤回の行為が、撤回され、取り消され、又は効力を生じなくなるに至ったときであっても、その効力を回復しない。ただし、その行為が錯誤、詐欺又は強迫による場合は、この限りでない。

Q1 原遺言を遺言の方式に従って撤回した遺言者が、さらにその撤回遺言を遺言の方式に従って撤回した場合、原遺言の効力の復活は認められるのか。

A 原遺言の復活を希望する意思が明確なとき、復活は認められる。　遺言（以下「原遺言」という。）を遺言の方式に従って撤回した、遺言者が、さらにその撤回遺言を遺言の方式に従って撤回した場合において、遺言書の記載に照らし、遺言者の意思が原遺言の復活を希望するものであることが明らかなときは、民法1025条但書の法意にかんがみ、遺言者の真意を尊重して原遺言の効力の復活を認めるの

が相当である（最判平 9・11・13）。

第 1026 条（遺言の撤回権の放棄の禁止）

遺言者は、その遺言を撤回する権利を放棄することができない。

第 1027 条（負担付遺贈に係る遺言の取消し）

負担付遺贈を受けた者がその負担した義務を履行しないときは、相続人は、相当の期間を定めてその履行の催告をすることができる。この場合において、その期間内に履行がないときは、その負担付遺贈に係る遺言の取消しを家庭裁判所に請求することができる。

第 8 章　配偶者の居住の権利

第 1 節　配偶者居住権

第 1028 条（配偶者居住権）

①被相続人の配偶者（以下この章において単に「配偶者」という。）は、被相続人の財産に属した建物に相続開始の時に居住していた場合において、次の各号のいずれかに該当するときは、その居住していた建物（以下この節において「居住建物」という。）の全部について無償で使用及び収益をする権利（以下この章において「配偶者居住権」という。）を取得する。ただし、被相続人が相続開始の時に居住建物を配偶者以外の者と共有していた場合にあっては、この限りでない。

1　遺産の分割によって配偶者居住権を取得するものとされたとき。

2　配偶者居住権が遺贈の目的とされたとき。

②居住建物が配偶者の財産に属することとなった場合であっても、他の者がその共有持分を有するときは、配偶者居住権は、消滅しない。

③第 903 条第 4 項の規定は、配偶者居住権の遺贈について準用する。

第 1029 条（審判による配偶者居住権の取得）

遺産の分割の請求を受けた家庭裁判所は、次に掲げる場合に限り、配偶者が配偶者居住権を取得する旨を定めることができる。

1　共同相続人間に配偶者が配偶者居住権を取得することについて合意が成立しているとき。

2　配偶者が家庭裁判所に対して配偶者居住権の取得を希望する旨を申し出た場合において、居住建物の所有者の受ける不利益の程度を考慮してもなお配偶者の生活を維持するために特に必要があると認めるとき（前号に掲げる場合を除く。）。

第 1030 条（配偶者居住権の存続期間）

配偶者居住権の存続期間は、配偶者の終身の間とする。ただし、遺産の分割の協議若しくは遺言に別段の定めがあるとき、又は家庭裁判所が遺産の分割の審判において別段の定めをしたときは、その定めるところによる。

第 1031 条（配偶者居住権の登記等）

①居住建物の所有者は、配偶者（配偶者居住権を取得した配偶者に限る。以下この節において同じ。）に対し、配偶者居住権の設定の登記を備えさせる義務を負う。

②第 605 条の規定は配偶者居住権について、第 605 条の 4 の規定は配偶者居住権の設定の登記を備えた場合について準用する。

第 1032 条（配偶者による使用及び収益）

①配偶者は、従前の用法に従い、善良な管理者の注意をもって、居住建物の使用及び収益をしなければならない。ただし、従前居住の用に供していなかった部分について、これを居住の用に供することを妨げない。

②配偶者居住権は、譲渡することができない。

③配偶者は、居住建物の所有者の承諾を得なければ、居住建物の改築若しくは増築をし、又は第三者に居住建物の使用若しくは収益をさせることができない。

④配偶者が第 1 項又は前項の規定に違反した場合において、居住建物の所有者が相当の期間を定めてその是正の催告をし、その期間内に是正がされないときは、居住建物の所有者は、当該配偶者に対する意思表示によって配偶者居住権を消滅させることができる。

第 1033 条（居住建物の修繕等）

①配偶者は、居住建物の使用及び収益に必要な修繕をすることができる。

②居住建物の修繕が必要である場合において、配偶者が相当の期間内に必要な修繕をしないときは、居住建物の所有者は、その修繕をすることができる。

③居住建物が修繕を要するとき（第 1 項の規定により配偶者が自らその修繕をするときを除く。）、又は居住建物について権利を主張する者があるときは、配偶者は、居住建物の所有者に対し、遅滞なくその旨を通知しなければならない。ただし、居住建物の所有者が既にこれを知っているときは、この限りでない。

第 1034 条（居住建物の費用の負担）

①配偶者は、居住建物の通常の必要費を負担する。

②第 583 条第 2 項の規定は、前項の通常の必要費以外の費用について準用する。

第 1035 条（居住建物の返還等）

①配偶者は、配偶者居住権が消滅したときは、居住建物の返還をしなければならない。ただし、配偶者が居住建物について共有持分を有する場合は、居住建物の所有者は、配偶者居住権が消滅したことを理由としては、居住建物の返還を求めることができない。

②第 599 条第 1 項及び第 2 項並びに第 621 条の規定は、前項本文の規定により配偶者が相続の開始後に附属させた物がある居住建物又は相続の開始後に生じた損傷がある居住建物の返還をする場合について準用する。

第 1036 条（使用貸借及び賃貸借の規定の準用）

第 597 条第 1 項及び第 3 項、第 600 条、第 613 条並びに第 616 条の 2 の規定は、配偶者居住権について準用する。

民法

第2節　配偶者短期居住権

第1037条（配偶者短期居住権）

①配偶者は、被相続人の財産に属した建物に相続開始の時に無償で居住していた場合には、次の各号に掲げる区分に応じてそれぞれ当該各号に定める日までの間、その居住していた建物（以下この節において「居住建物」という。）の所有権を相続又は遺贈により取得した者（以下この節において「居住建物取得者」という。）に対し、居住建物について無償で使用する権利（居住建物の一部のみを無償で使用していた場合にあっては、その部分について無償で使用する権利。以下この節において「配偶者短期居住権」という。）を有する。ただし、配偶者が、相続開始の時において居住建物に係る配偶者居住権を取得したとき、又は第891条の規定に該当し若しくは廃除によってその相続権を失ったときは、この限りでない。

1　居住建物について配偶者を含む共同相続人間で遺産の分割をすべき場合　遺産の分割により居住建物の帰属が確定した日又は相続開始の時から6箇月を経過する日のいずれか遅い日

2　前号に掲げる場合以外の場合　第3項の申入れの日から6箇月を経過する日

②前項本文の場合においては、居住建物取得者は、第三者に対する居住建物の譲渡その他の方法により配偶者の居住建物の使用を妨げてはならない。

③居住建物取得者は、第1項第1号に掲げる場合を除くほか、いつでも配偶者短期居住権の消滅の申入れをすることができる。

第1038条（配偶者による使用）

①配偶者（配偶者短期居住権を有する配偶者に限る。以下この節において同じ。）は、従前の用法に従い、善良な管理者の注意をもって、居住建物の使用をしなければならない。

②配偶者は、居住建物取得者の承諾を得なければ、第三者に居住建物の使用をさせることができない。

③配偶者が前2項の規定に違反したときは、居住建物取得者は、当該配偶者に対する意思表示によって配偶者短期居住権を消滅させることができる。

第1039条（配偶者居住権の取得による配偶者短期居住権の消滅）

配偶者が居住建物に係る配偶者居住権を取得したときは、配偶者短期居住権は、消滅する。

第1040条（居住建物の返還等）

①配偶者は、前条に規定する場合を除き、配偶者短期居住権が消滅したときは、居住建物の返還をしなければならない。ただし、配偶者が居住建物について共有持分を有する場合は、居住建物取得者は、配偶者短期居住権が消滅したことを理由としては、居住建物の返還を求めることができない。

②第599条第1項及び第2項並びに第621条の規定は、前項本文の規定により配偶者が相続の開始後に附属させた物がある居住建物又は相続の開始後に生じた損傷がある居住建物の返還をする場合について準用する。

第1041条（使用貸借等の規定の準用）

第597条第3項、第600条、第616条の2、第1032条第2項、第1033条及び第1034条の規定は、配偶者短期居住権について準用する。

第9章　遺留分

第1042条（遺留分の帰属及びその割合）

①兄弟姉妹以外の相続人は、遺留分として、次条第1項に規定する遺留分を算定するための財産の価額に、次の各号に掲げる区分に応じてそれぞれ当該各号に定める割合を乗じた額を受ける。

1　直系尊属のみが相続人である場合　3分の1

2　前号に掲げる場合以外の場合　2分の1

②相続人が数人ある場合には、前項各号に定める割合は、これらに第900条及び第901条の規定により算定したその各自の相続分を乗じた割合とする。

Q1 遺留分を有する相続人は、将来の遺留分をあらかじめ保全するための仮処分の申立てが認められるか。

A 認められない。　相続開始前に、推定相続人が遺留分侵害額の請求を理由として、当該受贈物件につき所有権移転請求権保全の仮登記を求めることは認められない（大決大6・7・18）。

出題 国Ⅰ－平成11

第1043条（遺留分を算定するための財産の価額）

①遺留分を算定するための財産の価額は、被相続人が相続開始の時において有した財産の価額にその贈与した財産の価額を加えた額から債務の全額を控除した額とする。

②条件付きの権利又は存続期間の不確定な権利は、家庭裁判所が選任した鑑定人の評価に従って、その価格を定める。

Q1 遺留分算定の基礎となる財産に特別受益として加えられる贈与財産が金銭である場合、相続開始時の貨幣価値に換算した価額をもって評価すべきか。

A 相続開始時の貨幣価値に換算した価額をもって評価すべきである。　被相続人が相続人に対しその生計の資本として贈与した財産の価額をいわゆる特別受益として遺留分算定の基礎となる財産に加える場合に、その贈与財産が金銭であるときは、その贈与の時の金額を相続開始の時の貨幣価値に換算した価額をもって評価すべきである（最判昭51・3・18）。

出題 予想

Q2 被相続人が相続開始時に債務を有していた場合、遺留分の侵害額はどのように算定すべきか。

A 遺留分の額から、遺留分権利者が相続によって得た財産がある場合はその額を控除し、同人が負担すべき相続債務がある場合はその額を加算して算定する。　被相続人が相続開始の時に債務を有していた場合の遺留分の額は、民法1043条、1044条に従って、被相続人が相続開始の時に有していた財産全体の価額にその贈与した財産の価額を加え、その中から債務の全額を控除して遺留分算定の基礎となる財産額を確定し、それに同法1042条所定の

遺留分の割合を乗じ、複数の遺留分権利者がいる場合はさらに遺留分権利者それぞれの法定相続分の割合を乗じ、遺留分権利者がいわゆる特別受益財産を得ているときはその価額を控除して算定すべきであり、遺留分の侵害額は、このようにして算定した遺留分の額から、遺留分権利者が相続によって得た財産がある場合はその額を控除し、同人が負担すべき相続債務がある場合はその額を加算して算定すべきである（最判平8・11・26）。

出題 特別区Ⅰ−令和1

Q3 相続人のうちの1人に対して財産全部を相続させる旨の遺言がされた場合において、遺留分の侵害額の算定にあたり、遺留分権利者の法定相続分に応じた相続債務の額を遺留分の額に加算することは許されるのか。

A 特段の事情のない限り、許されない。　相続人のうちの1人に対して財産全部を相続させる旨の遺言がされた場合には、遺言の趣旨等から相続債務については当該相続人にすべてを相続させる意思のないことが明らかであるなどの特段の事情のない限り、相続人間においては当該相続人が相続債務もすべて承継したと解され、遺留分の侵害額の算定にあたり、遺留分権利者の法定相続分に応じた相続債務の額を遺留分の額に加算することは許されない（最判平21・3・24）。

出題 予想

第1044条

①贈与は、相続開始前の1年間にしたものに限り、前条の規定によりその価額を算入する。当事者双方が遺留分権利者に損害を加えることを知って贈与をしたときは、1年前の日より前にしたものについても、同様とする。

②第904条の規定は、前項に規定する贈与の価額について準用する。

③相続人に対する贈与についての第1項の規定の適用については、同項中「1年」とあるのは「10年」と、「価額」とあるのは「価額（婚姻若しくは養子縁組のため又は生計の資本として受けた贈与の価額に限る。）」とする。

Q1 遺留分の算定における贈与は、相続開始前の1年間にしたものに限りその価額が算入されるので、1年以上前にした贈与であれば、特別受益者への贈与であっても、遺留分侵害額請求の対象とならないのか。

A 特段の事情のない限り、遺留分侵害額請求の対象となる。　民法903条1項の定める相続人に対する贈与は、その贈与が相続開始よりも相当以前にされたものであって、その後の時の経過に伴う社会経済事情や相続人など関係人の個人的事情の変化をも考慮するとき、侵害額請求を認めることが相続人に酷であるなどの特段の事情のない限り、民法1044条の定める要件を満たさないものであっても、遺留分侵害額請求の対象となる。なぜなら、民法903条1項の定める相続人に対する贈与は、すべて民法903条の規定により遺留分算定の基礎となる財産に含まれるところ、当該贈与のうち民法1044条の定める要件を満たさないものが遺留分侵害額請求の対象とならないとすると、遺留分を

侵害された相続人が存在するにもかかわらず、侵害額請求の対象となるべき遺贈、贈与がないために上記の者が遺留分相当額を確保できないことが起こりえ、このことは遺留分制度の趣旨を没却することとなるからである（最判平10・3・24）。

出題 特別区Ⅰ−令和1・平成25

第1045条

①負担付贈与がされた場合における第1043条第1項に規定する贈与した財産の価額は、その目的の価額から負担の価額を控除した額とする。

②不相当な対価をもってした有償行為は、当事者双方が遺留分権利者に損害を加えることを知ってしたものに限り、当該対価を負担の価額とする負担付贈与とみなす。

第1046条（遺留分侵害額の請求）

①遺留分権利者及びその承継人は、受遺者（特定財産承継遺言により財産を承継し又は相続分の指定を受けた相続人を含む。以下この章において同じ。）又は受贈者に対し、遺留分侵害額に相当する金銭の支払を請求することができる。

②遺留分侵害額は、第1042条の規定による遺留分から第1号及び第2号に掲げる額を控除し、これに第3号に掲げる額を加算して算定する。

1　遺留分権利者が受けた遺贈又は第903条第1項に規定する贈与の価額

2　第900条から第902条まで、第903条及び第904条の規定により算定した相続分に応じて遺留分権利者が取得すべき遺産の価額

3　被相続人が相続開始の時において有した債務のうち、第899条の規定により遺留分権利者が承継する債務（次条第3項において「遺留分権利者承継債務」という。）の額

Q1 遺留分を害することが明らかな財産処分は公序良俗に反し当然無効となるのか。

A 当然無効とならない。　Yの養父A（被相続人）は実子を持たない後妻Xの将来を慮り、当時同人の所有していた本件物件その他一切の動産、不動産を挙げて、これをXに贈与したのであるが、長子相続制を認めていた当時の民法下においても、これをもって直ちに公序良俗に反する無効の契約とすることはできない。かかる場合に、家督相続人に遺留分権を認めた同民法の趣旨からしても、当該契約を当然無効とすることはできない（最判昭25・4・28）。

出題 国Ⅰ−平成11

Q2 遺留分侵害額請求権の行使は裁判上の請求でなければならないのか。

A 意思表示で足りる。　遺留分権利者が民法1046条に基づいて行う侵害額請求権は形成権であって、その権利の行使は受贈者または受遺者に対する意思表示によってなせば足り、必ずしも裁判上の請求による必要はなく、また、いったん、その意思表示がなされた以上、法律上当然に遺留分侵害額の請求の効力を生ずる。そして、遺留分権利者が1年内に遺留分侵害額の請求の意思表示をした以上、その意思表示により確定的に遺留分侵害額の請求の効力を生じ、もはや請求権そのものについて民法1048条による消滅時効を考える余地はない。（最

民法編

[出題]国Ⅰ-平成11・昭和53、特別区Ⅰ-令和1

Q3 遺言者の財産全部の包括遺贈に対して遺留分権利者が侵害額請求権を行使した場合、遺留分権利者に帰属する権利は、遺産分割の対象となる相続財産としての性格を有するのか。

A 遺産分割の対象となる相続財産としての性格を有しない。　遺贈に対して遺留分権利者が侵害額請求権を行使した場合、遺贈は遺留分を侵害する限度において失効し、受遺者が取得した権利は遺留分を侵害する限度で当然に侵害額請求をした遺留分権利者に帰属するところ、遺言者の財産全部についての包括遺贈に対して遺留分権利者が侵害額請求権を行使した場合に遺留分権利者に帰属する権利は、遺産分割の対象となる相続財産としての性格を有しない（最判平8・1・26）。

[出題]特別区Ⅰ-令和1

Q4 自己を被保険者とする生命保険契約の契約者が死亡保険金の受取人を変更する行為は、民法1046条に規定する遺留分の侵害（遺贈又は贈与）にあたるのか。

A 遺留分の侵害（遺贈又は贈与）にあたらず、これに準ずるものでもない。　自己を被保険者とする生命保険契約の契約者が死亡保険金の受取人を変更する行為は、民法1046条に規定する遺留分の侵害（遺贈又は贈与）にあたるものではなく、これに準ずるものでもない。なぜなら、死亡保険金請求権は、指定された保険金受取人が自己の固有の権利として取得するのであって、保険契約者又は被保険者から承継取得するものではなく、これらの者の相続財産を構成するものではなく（最判昭40・2・2）、また、死亡保険金請求権は、被保険者の死亡時に初めて発生するものであり、保険契約者の払い込んだ保険料と等価の関係に立つものではなく、被保険者の稼働能力に代わる給付でもないのであって、死亡保険金請求権が実質的に保険契約者又は被保険者の財産に属していたものとみることもできないからである（最判平14・11・5）。

[出題]予想➡国家総合-令和2

Q5 遺留分侵害額請求により、遺留分割合を超える相続分を指定された相続人の指定相続分が、その遺留分割合を超える部分の割合に応じて修正されるのか。

A 修正される。　相続分の指定が、特定の財産を処分する行為ではなく、相続人の法定相続分を変更する性質の行為であること、および、遺留分制度が被相続人の財産処分の自由を制限し、相続人に被相続人の財産の一定割合の取得を保障することをその趣旨とするものであることにかんがみれば、遺留分侵害額請求により、遺留分割合を超える相続分を指定された相続人の指定相続分が、その遺留分割合を超える部分の割合に応じて修正されるものと解するのが相当である（最判平10・2・26、最決平24・1・26）。

[出題]予想

Q6 特別受益にあたる贈与についてされた当該贈与に係る財産の価額を相続財産に算入することを要しない旨の被相続人の意思表示が遺留分侵害額請求を受けた場合、当該贈与に係る財産の価額は、どの

ように算定されるのか。

A 上記意思表示が遺留分を侵害する限度で、遺留分権利者である相続人の相続分に加算され、当該贈与を受けた相続人の相続分から控除される。　本件遺留分侵害額請求は、本件遺言により相続分を零とする指定を受けた共同相続人である抗告人らから、相続分全部の指定を受けた他の共同相続人である相手方らに対して行われたものであることからすれば、Aの遺産分割において抗告人らの遺留分を確保するのに必要な限度で相手方らに対するAの生前の財産処分行為を遺留分侵害額請求の対象とすることを、その趣旨とするものと解される。そうすると、本件遺留分侵害額請求により、抗告人らの遺留分を侵害する本件持戻し免除の意思表示が侵害額請求されることになるが、遺留分侵害額請求により特別受益にあたる贈与についてされた持戻し免除の意思表示が遺留分侵害額請求を受けた場合、持戻し免除の意思表示は、遺留分を侵害する限度で失効し、当該贈与に係る財産の価額は、上記の限度で、遺留分権利者である相続人の相続分に加算され、当該贈与を受けた相続人の相続分から控除されるものと解する（最決平24・1・26）。

[出題]特別区Ⅰ-令和1

Q7 遺留分侵害額請求の目的物の価額を弁償する場合には、その価額算定の基準時は、遺産分割における財産評価の基準時と同様、現実に価額弁済する時点ではなく相続開始時点か。

A 現実に価額弁済する時点である。　価額弁償における価額算定の基準時は、現実に弁償がされる時であり、遺留分権利者において当該価額弁償を請求する訴訟にあっては現実に弁償がされる時に最も接着した時点としての事実審口頭弁論終結の時である（最判昭51・8・30）。

[出題]国Ⅰ-平成11

Q8 土地の遺贈に対する遺留分侵害額請求について、受遺者が価額弁償をすることにより、当該土地が遺贈により被相続人から受遺者に譲渡されたという事実には変動が生じるのか。

A 被相続人から受遺者に譲渡されたという事実には何ら変動が生じない。　本件土地の遺贈に対する遺留分侵害額請求について、受遺者が価額による弁償を行ったことにより、結局、本件土地が遺贈により被相続人から受遺者に譲渡されたという事実には何ら変動が生じないこととなり、したがって、当該遺留分侵害額請求が遺贈による本件土地に係る被相続人の譲渡所得に何ら影響を及ぼさない（最判平4・11・16）。

[出題]予想

Q9 侵害額請求をした遺留分権利者が遺贈の目的物の返還を求める訴訟において、受遺者が裁判所の定めた価額により弁償する旨の意思表示は認められるか。

A 認められる。　遺留分侵害額の請求をした遺留分権利者が遺贈の目的物の返還を求める訴訟において、受遺者が事実審口頭弁論終結前に弁償すべき価額による現実の履行または履行の提供をしなかったときは、受遺者は、遺贈の目的物の返還義務を免れることはできない。しかし、受遺者が、当該訴訟手続において、事実審口頭弁論終結前に、裁判所が定

めた価額により民法1046条の規定による価額の弁償をなすべき旨の意思表示をした場合には、裁判所は、当該訴訟の事実審口頭弁論終結時を算定の基準時として弁済すべき額を定めたうえ、受遺者がその額を支払わなかったことを条件として、遺留分権利者の目的物返還請求を認容すべきである（最判平9・2・25）。　　　　　　　　　　出題 予想

Q10 受贈者または受遺者は、民法1046条1項に基づき、侵害額請求を受けた贈与または遺贈の目的たる各個の財産について、侵害額を支払って、その返還義務を免れることができるのか。

A 免れることができる。　受贈者または受遺者は、民法1046条1項に基づき、侵害額請求を受けた贈与または遺贈の目的たる各個の財産について、価額を弁償して、その返還義務を免れることができる。このことは、遺留分侵害額請求の目的がそれぞれ異なる者に贈与または遺贈された複数の財産である場合には、各受贈者または各受遺者は各別に各財産について侵害額を支払うことができることからも肯認できる。そして、相続財産全部の包括遺贈の場合であっても、個々の財産についてみれば特定遺贈とその性質を異にするものではないから（最判平8・1・26）、上記に説示したことが妥当するのである（最判平12・7・11）。　　　　　　　出題 予想

第1047条（受遺者又は受贈者の負担額）
①受遺者又は受贈者は、次の各号の定めるところに従い、遺贈（特定財産承継遺言による財産の承継又は相続分の指定による遺産の取得を含む。以下この章において同じ。）又は贈与（遺留分を算定するための財産の価額に算入されるものに限る。以下この章において同じ。）の目的の価額（受遺者又は受贈者が相続人である場合にあっては、当該価額から第1042条の規定による遺留分として当該相続人が受けるべき額を控除した額）を限度として、遺留分侵害額を負担する。
1　受遺者と受贈者とがあるときは、受遺者が先に負担する。
2　受遺者が複数あるとき、又は受贈者が複数ある場合においてその贈与が同時にされたものであるときは、受遺者又は受贈者がその目的の価額の割合に応じて負担する。ただし、遺言者がその遺言に別段の意思を表示したときは、その意思に従う。
3　受贈者が複数あるとき（前号に規定する場合を除く。）は、後の贈与に係る受贈者から順次前の贈与に係る受贈者が負担する。
②第904条、第1043条第2項及び第1045条の規定は、前項に規定する遺贈又は贈与の目的の価額について準用する。
③前条第1項の請求を受けた受遺者又は受贈者は、遺留分権利者承継債務について弁済その他の債務を消滅させる行為をしたときは、消滅した債務の額の限度において、遺留分権利者に対する意思表示によって第1項の規定により負担する債務を消滅させることができる。この場合において、当該行為によって遺留分権利者に対して取得した求償権は、消滅した当該債務の額の限度において消滅

する。
④受遺者又は受贈者の無資力によって生じた損失は、遺留分権利者の負担に帰する。
⑤裁判所は、受遺者又は受贈者の請求により、第1項の規定により負担する債務の全部又は一部の支払につき相当の期限を許与することができる。

第1048条（遺留分侵害額請求権の期間の制限）
　遺留分侵害額の請求権は、遺留分権利者が、相続の開始及び遺留分を侵害する贈与又は遺贈があったことを知った時から1年間行使しないときは、時効によって消滅する。相続開始の時から10年を経過したときも、同様とする。

Q1 遺留分侵害額請求権者は、遺留分を侵害する遺贈があったことを知ったときから1年以内に侵害額請求の意思表示を行っていれば法律上当然に侵害額請求の効力を生ずるから、その結果生じた侵害額請求権そのものについて民法1048条による消滅時効を考える余地はないのか。

A 民法1048条による消滅時効を考える余地はない（最判昭41・7・14）。⇨ 1046条2

第1049条（遺留分の放棄）
①相続の開始前における遺留分の放棄は、家庭裁判所の許可を受けたときに限り、その効力を生ずる。
②共同相続人の1人のした遺留分の放棄は、他の各共同相続人の遺留分に影響を及ぼさない。

第10章　特別の寄与

第1050条
①被相続人に対して無償で療養看護その他の労務の提供をしたことにより被相続人の財産の維持又は増加について特別の寄与をした被相続人の親族（相続人、相続の放棄をした者及び第891条の規定に該当し又は廃除によってその相続権を失った者を除く。以下この条において「特別寄与者」という。）は、相続の開始後、相続人に対し、特別寄与者の寄与に応じた額の金銭（以下この条において「特別寄与料」という。）の支払を請求することができる。
②前項の規定による特別寄与料の支払について、当事者間に協議が調わないとき、又は協議をすることができないときは、特別寄与者は、家庭裁判所に対して協議に代わる処分を請求することができる。ただし、特別寄与者が相続の開始及び相続人を知った時から6箇月を経過したとき、又は相続開始の時から1年を経過したときは、この限りでない。
③前項本文の場合には、家庭裁判所は、寄与の時期、方法及び程度、相続財産の額その他一切の事情を考慮して、特別寄与料の額を定める。
④特別寄与料の額は、被相続人が相続開始の時において有した財産の価額から遺贈の価額を控除した残額を超えることができない。
⑤相続人が数人ある場合には、各相続人は、特別寄与料の額に第900条から第902条までの規定により算定した当該相続人の相続分を乗じた額を負担する。

刑法編

◆ 試 験 種 別 出 題 数 ◆

試 験 種 別		第 1 次試験日	出題数
国家公務員	国家総合職（法律）	4 月第 2 週	*3*
	国家総合職（政治・国際）		－
	国家総合職（経済）		－
	裁判所事務官総合・一般職	5 月第 2 週（土）	*10*
	労働基準監督官 A	6 月第 1 週	*3*
	国税専門官		－
	財務専門官		－
	国家一般職	6 月第 2 週	－
地方公務員	地方上級［全国型］	6 月第 3 週	*2*
	地方上級［関東型］		*2*
	地方上級［中部・北陸型］※		*2*
	地方上級［法律専門型］		*3*
	市役所 A 日程（一部）		－
	地方上級［全国変形型］		－
	地方上級［経済専門型］		－
	特別区（東京 23 区）Ⅰ類	4 月第 2 週	－

※名古屋市：4 月第 4 週／愛知県：5 月第 3 週

刑法〔抄〕

（明治40年4月24日／法律第45号）

第1編　総則

第1章　通則

第1条（国内犯）

①この法律は、日本国内において罪を犯したすべての者に適用する。

②日本国外にある日本船舶又は日本航空機内において罪を犯した者についても、前項と同様とする。

Q1 失火罪につき行為の一部が国内で行われたが、結果が国外で発生した場合、日本の刑法の適用があるのか。

A 日本の刑法の適用はある。　失火罪の一構成要件である過失行為が日本国内で行われた以上は、仮にその犯罪構成の他の要件である結果が日本国外で発生しても、当該罪は日本国内において犯されたものとして、日本の法令により処罰されるべきである（大判明44・6・16）。　**出題** 国Ⅰ-昭和63

Q2 日本国外で幇助行為が行われ正犯行為が国内で実行された場合、わが国の刑法は国外の幇助者に適用されるのか。

A わが国の刑法は国外の幇助者に適用される。　日本国外で幇助行為をした者であっても、正犯が日本国内で実行行為をした場合には、刑法1条1項の「日本国内において罪を犯したすべての者」にあたる（最決平6・12・9）。　**出題** 予想

第2条（すべての者の国外犯）

　この法律は、日本国外において次に掲げる罪を犯したすべての者に適用する。

2　第77条から第79条まで（内乱、予備及び陰謀、内乱等幇助）の罪

3　第81条（外患誘致）、第82条（外患援助）、第87条（未遂罪）及び第88条（予備及び陰謀）の罪

4　第148条（通貨偽造及び行使等）の罪及びその未遂罪

5　第154条（詔書偽造等）、第155条（公文書偽造等）、第157条（公正証書原本不実記載等）、第158条（偽造公文書行使等）及び公務所又は公務員によって作られるべき電磁的記録に係る第161条の2（電磁的記録不正作出及び供用）の罪

6　第162条（有価証券偽造等）及び第163条（偽造有価証券行使等）の罪

7　第163条の2から第163条の5まで（支払用カード電磁的記録不正作出等、不正電磁的記録カード所持、支払用カード電磁的記録不正作出準備、未遂罪）の罪

8　第164条から第166条まで（御璽偽造及び不正使用等、公印偽造及び不正使用等、公記号偽造及び不正使用等）の罪並びに第164条第

2項、第165条第2項及び第166条第2項の罪の未遂罪

第3条（国民の国外犯）

　この法律は、日本国外において次に掲げる罪を犯した日本国民に適用する。

1　第108条（現住建造物等放火）及び第109条第1項（非現住建造物等放火）の罪、これらの規定の例により処断すべき罪並びにこれらの罪の未遂罪

2　第119条（現住建造物等浸害）の罪

3　第159条から第161条まで（私文書偽造等、虚偽診断書等作成、偽造私文書行使）及び前条第5号に規定する電磁的記録以外の電磁的記録に係る第161条の2の罪

4　第167条（私印偽造及び不正使用等）の罪及び同条第2項の罪の未遂罪

5　第176条から第181条まで（強制わいせつ、強制性交等、準強制わいせつ及び準強制性交等、監護者わいせつ及び監護者性交等、未遂罪、強制わいせつ等致死傷）及び第184条（重婚）の罪

6　第198条（贈賄）の罪

7　第199条（殺人）の罪及びその未遂罪

8　第204条（傷害）及び第205条（傷害致死）の罪

9　第214条から第216条まで（業務上堕胎及び同致死傷、不同意堕胎、不同意堕胎致死傷）の罪

10　第218条（保護責任者遺棄等）の罪及び同条の罪に係る第219条（遺棄等致死傷）の罪

11　第220条（逮捕及び監禁）の罪及び第221条（逮捕致死傷）の罪

12　第224条から第228条まで（未成年者略取及び誘拐、営利目的等略取及び誘拐、身の代金目的略取等、所在国外移送目的略取及び誘拐、人身売買、被略取者等所在国外移送、被略取者引渡し等、未遂罪）の罪

13　第230条（名誉毀損）の罪

14　第235条から第236条まで（窃盗、不動産侵奪、強盗）、第238条から第240条まで（事後強盗、昏酔強盗、強盗致死傷）、第241条第1項及び第3項（強盗・強制性交等及び同致死）並びに第243条（未遂罪）の罪

15　第246条から第250条まで（詐欺、電子計算機使用詐欺、背任、準詐欺、恐喝、未遂罪）の罪

16　第253条（業務上横領）の罪

17　第256条第2項（盗品譲受け等）の罪

第3条の2（国民以外の者の国外犯）

　この法律は、日本国外において日本国民に対し

て次に掲げる罪を犯した日本国民以外の者に適用する。

1　第176条から第181条まで（強制わいせつ、強制性交等、準強制わいせつ及び準強制性交等、監護者わいせつ及び監護者性交等、未遂罪、強制わいせつ等致傷）の罪

2　第199条（殺人）の罪及びその未遂罪

3　第204条（傷害）及び第205条（傷害致死）の罪

4　第220条（逮捕及び監禁）及び第221条（逮捕等致傷）の罪

5　第224条から第228条まで（未成年者略取及び誘拐、営利目的等略取及び誘拐、身の代金目的略取等、所在国外移送目的略取及び誘拐、人身売買、被略取者等所在国外移送、被略取者引渡し等、未遂罪）の罪

6　第236条（強盗）、第238条から第240条まで（事後強盗、昏酔強盗、強盗致死傷）並びに第241条第1項及び第3項（強盗・強制性交等及び同致死）の罪並びにこれらの罪（同条第1項の罪を除く。）の未遂罪

第4条（公務員の国外犯）

この法律は、日本国外において次に掲げる罪を犯した日本国の公務員に適用する。

1　第101条（看守者等による逃走援助）の罪及びその未遂罪

2　第156条（虚偽公文書作成等）の罪

3　第193条（公務員職権濫用）、第195条第2項（特別公務員暴行陵虐）及び第197条から第197条の4まで（収賄、受託収賄及び事前収賄、第三者供賄、加重収賄及び事後収賄、あっせん収賄）の罪並びに第195条第2項の罪に係る第196条（特別公務員職権濫用等致死傷）の罪

第4条の2（条約による国外犯）

第2条から前条までに規定するもののほか、この法律は、日本国外において、第2編の罪であって条約により日本国外において犯したときであっても罰すべきものとされているものを犯したすべての者に適用する。

第5条（外国判決の効力）

外国において確定裁判を受けた者であっても、同一の行為について更に処罰することを妨げない。ただし、犯人が既に外国において言い渡された刑の全部又は一部の執行を受けたときは、刑の執行を減軽し、又は免除する。

第6条（刑の変更）

犯罪後の法律によって刑の変更があったときは、その軽いものによる。

Q1 刑法6条にいう「犯罪後」とは、構成要件に該当する行為の時を基準として、その後という意味であり、包括的一罪の場合は、その行為の終了時の法律を適用すべきか。

A 包括的一罪の場合は、その行為の終了時の法律を適用すべきである。　被告の行為は単一の意思の発動に基づき、免許を受けず酒精含有飲料を製造して数量が多数に達したのであるが、その行為全部

が一罪を組成するにすぎず、その犯罪の完成前に法律により刑の変更があった場合には、その行為全部に対し新法を適用すべきである。なぜなら、行為の全部について観察すれば、本件においては犯罪当時の法律により刑の変更があったのであり、刑法6条を適用すべきではないからである（大判明43・11・24）。
出題 地方上級-平成9

Q2 刑の執行猶予の条件に関する法規の変更は、刑法6条にいう「刑の変更」に該当するのか。

A「刑の変更」に該当しない。　刑の執行猶予の条件に関する規定の変更は、特定の犯罪を処罰する刑の種類または量を変更するものではないから、刑法6条の刑の変更にあたらない（最判昭23・6・22）。
出題 地方上級-平成9

Q3 刑法6条にいう「犯罪後」とは、構成要件に該当する行為の時を基準として、その後という意味であり、継続犯の場合は、その行為の終了時の法律を適用すべきか。

A 継続犯の場合は、その行為の終了時の法律を適用すべきである。　所持罪のような継続犯については、1個の罪が成立し継続中、たとえ刑罰法規に変更があっても、刑法6条による新旧両法対照の問題はおこらず、つねに新法を適用して処断すべきである（最決昭27・9・25）。
出題 地方上級-平成9

第7条（定義）

①この法律において「公務員」とは、国又は地方公共団体の職員その他法令により公務に従事する議員、委員その他の職員をいう。

②この法律において「公務所」とは、官公庁その他公務員が職務を行う所をいう。

第7条の2

この法律において「電磁的記録」とは、電子的方式、磁気的方式その他人の知覚によっては認識することができない方式で作られる記録であって、電子計算機による情報処理の用に供されるものをいう。

第8条（他の法令の罪に対する適用）

この編の規定は、他の法令の罪についても、適用する。ただし、その法令に特別の規定があるときは、この限りでない。

第2章　刑

第9条（刑の種類）

死刑、拘禁刑、罰金、拘留及び科料を主刑とし、没収を付加刑とする。

第10条（刑の軽重）

①主刑の軽重は、前条に規定する順序による。

②同種の刑は、長期の長いもの又は多額の多いものを重い刑とし、長期又は多額が同じであるときは、短期の長いもの又は寡額の多いものを重い刑とする。

③2個以上の死刑又は長期若しくは多額及び短期若しくは寡額が同じである同種の刑は、犯情によってその軽重を定める。

第11条（死刑）

①死刑は、刑事施設内において、絞首して執行する。

②死刑の言渡しを受けた者は、その執行に至るまで刑事施設に拘置する。

第12条（拘禁刑）

①拘禁刑は、無期及び有期とし、有期拘禁刑は、1月以上20年以下とする。

②拘禁刑は、刑事施設に拘置する。

③拘禁刑に処せられた者には、改善更生を図るため、必要な作業を行わせ、又は必要な指導を行うことができる。

第13条（禁錮）

削除

第14条（有期拘禁刑の加減の限度）

①死刑又は無期拘禁刑を減軽して有期拘禁刑とする場合においては、その長期を30年とする。

②有期拘禁刑を加重する場合においては30年にまで上げることができ、これを減軽する場合においては1月未満に下げることができる。

第15条（罰金）

罰金は、1万円以上とする。ただし、これを減軽する場合においては、1万円未満に下げることができる。

第16条（拘留）

①拘留は、1日以上30日未満とし、刑事施設に拘置する。

②拘留に処せられた者には、改善更生を図るため、必要な作業を行わせ、又は必要な指導を行うことができる。

第17条（科料）

科料は、1,000円以上1万円未満とする。

第18条（労役場留置）

①罰金を完納することができない者は、1日以上2年以下の期間、労役場に留置する。

②科料を完納することができない者は、1日以上30日以下の期間、労役場に留置する。

③罰金を併科した場合又は罰金と科料とを併科した場合における留置の期間は、3年を超えることができない。科料を併科した場合における留置の期間は、60日を超えることができない。

④罰金又は科料の言渡しをするときは、その言渡しとともに、罰金又は科料を完納することができない場合における留置の期間を定めて言い渡さなければならない。

⑤罰金については裁判が確定した後30日以内、科料については裁判が確定した後10日以内は、本人の承諾がなければ留置の執行をすることができない。

⑥罰金又は科料の一部を納付した者についての留置の日数は、その残額を留置1日の割合に相当する金額で除して得た日数（その日数に1日未満の端数を生じるときは、これを1日とする。）とする。

第19条（没収）

①次に掲げる物は、没収することができる。

1　犯罪行為を組成した物

2　犯罪行為の用に供し、又は供しようとした物

3　犯罪行為によって生じ、若しくはこれによって得た物又は犯罪行為の報酬として得た物

4　前号に掲げる物の対価として得た物

②没収は、犯人以外の者に属しない物に限り、これをすることができる。ただし、犯人以外の者に属する物であっても、犯罪の後にその者が情を知って取得したものであるときは、これを没収することができる。

Q1 幇助したことのみを理由に幇助犯からその薬物犯罪収益等を正犯と同様に没収・追徴することはできるか。

A できない。　麻薬特例法11条1項（2条3項）、13条1項は、その文理および趣旨に照らし、薬物犯罪の犯罪行為により得られた財産等である薬物犯罪収益等を得た者から没収・追徴することを定めた規定であると解される。これを幇助犯についてみると、その犯罪行為は、正犯の犯罪行為を幇助する行為であるから、薬物犯罪の正犯（共同正犯を含む。）がその正犯としての犯罪行為により薬物犯罪収益等を得たとしても、幇助犯は、これを容易にしたというにとどまり、自らがその薬物犯罪収益等を得たということはできず、幇助したことのみを理由に幇助犯からその薬物犯罪収益等を正犯と同様に没収・追徴することはできないと解される。そして、上記各条文の解釈によれば、幇助犯から没収・追徴できるのは、幇助犯が薬物犯罪の幇助行為により得た財産等に限られると解するのが相当である（最判平20・4・22）。　　**出題**予想

第19条の2（追徴）

前条第1項第3号又は第4号に掲げる物の全部又は一部を没収することができないときは、その価額を追徴することができる。

第20条（没収の制限）

拘留又は科料のみに当たる罪については、特別の規定がなければ、没収を科することができない。ただし、第19条第1項第1号に掲げる物の没収については、この限りでない。

第21条（未決勾留日数の本刑算入）

未決勾留の日数は、その全部又は一部を本刑に算入することができる。

Q1 刑法21条の解釈上、未決勾留日数を勾留事実に係る罪の刑を同条にいう「本刑」としてこれに算入する際、その刑が懲役刑と罰金刑を併科する場合には、懲役刑のみならず、罰金刑への未決勾留日数の算入を是認することは、違法となるのか。

A 違法とならない（最決平18・8・30、最決平18・8・31）。　　**出題**予想

第7章　犯罪の不成立及び刑の減免

1　犯罪の主体・行為・結果

◇両罰規定

Q1 両罰規定における事業主の処罰は、無過失責任によるのか。

A 過失責任である。　旧入場税法17条の3は事業主たる、人の「代理人、使用人其の他の従業者」が入場税を逋脱しまたは逋脱せんとした行為に対

し、事業主として当該行為者らの選任、監督その他違反行為を防止するために必要な注意を尽くさなかった過失の存在を推定した規定と解すべく、したがって事業主において上記に関する注意を尽くしたことの証明がない限り、事業主もまた刑責を免れえないとする法意と解する。それ故、両罰規定は故意、過失もない事業主に他人の行為に対し刑責を負わせたものではない（最大判昭32・11・27）。 出題 国Ⅰ－平成4、裁判所Ⅰ・Ⅱ－平成18

◇不作為犯

Q2 埋葬義務者でない者が死体を発見しながら放置した場合、死体遺棄罪は成立するのか。

A 死体遺棄罪は成立しない。 死体遺棄罪は埋葬に関する良俗に反する行為を罰することにあるので、死体をその現在する場所から他に移してこれを放棄する場合はもちろん、法令または慣習により葬祭をなすべき責務ある者もしくは死体を監護すべき責務のある者が、死体を放置しその所在の場所より離去することもまた死体遺棄罪を構成する。これに対して、積極的に死体を他に移してこれを放棄する場合には、犯人がその葬祭義務者または監護義務者であると否とを問わず、ひとしく本罪が成立するのであるが、消極的に単に死体を放置するにとどまる場合においては、法令または慣習により葬祭をなすべき責務を有するか、死体を監護すべき責務を有するときにのみ本罪を構成する（大判大13・3・14）。 出題 国Ⅰ－昭和62、地方上級－昭和59

Q3 自己の過失に基づく既発の火力により建物が焼燬（焼損）することを知りながら、防火措置をとらなかった場合、既発の火力を利用する意思があれば不作為による放火罪は成立するのか。

A 既発の火力を利用する意思がなくても、不作為による放火罪は成立する。 被告人は自己の過失により原符、木机等の物件が焼燬（焼損）されつつあるのを現場において目撃しながら、その既発の火力により当該建物が焼燬（焼損）せられるべきことを認容する意思をもってあえて被告人の義務である必要かつ容易な消火措置をとらない不作為により建物についての放火行為をなし、よってこれを焼燬（焼損）したのであるから、被告人に不作為による放火罪が認められる（最判昭33・9・9）。 出題 国Ⅰ－平成19・17・昭和62、裁判所総合・一般－平成3・1

Q4 自動車で歩行者に傷害を負わせた者が、負傷者をいったん自動車に乗せたが、その後、降ろして放置したために負傷者が死亡した場合、その罪責はどうなるのか。

A 業務上過失傷害罪と不作為による保護責任者遺棄罪との併合罪が成立する（不作為による殺人罪は成立しない）。 刑法218条にいう遺棄には単なる置去りをも包含し、本件のごとく、自動車の操縦者が歩行中の被害者に歩行不能の重傷を負わせながら道路交通取締法、同法施行令に定める救護その他必要な措置を講ずることなく、被害者を自動車に乗せて事後現場を離れ、折柄降雪中の薄暗い車道上まで運び、医師を呼んできてやる旨申し欺いて被害

者を自動車から降ろし、同人を同所に放置したまま自動車の操縦を継続して同所を立ち去ったときは、まさに刑法218条の病者を遺棄したときに該当する（最判昭34・7・24）。 出題 国Ⅰ－平成19・7、裁判所総合・一般－平成29

Q5 被告人が覚せい剤を注射したため、被害者が錯乱状態に陥ったが、被告人は救急医療を要請せずに被害者を放置し、その後死亡した場合、被害者を放置した不作為と被害者の死亡との間には因果関係があるのか。

A 因果関係があり、被告人に保護責任者遺棄致死罪が認められる。 被害者の女性が被告人らによって注射された覚せい剤により錯乱状態に陥った午前零時半ころの時点において、直ちに被告人が救急医療を要請していれば、同女が年若く（当時13才）、生命力が旺盛で、特段の疾病がなかった事情の下では、十中八、九同女の救命は可能であったといえる。そうとすると、同女の救命は合理的な疑いを超える程度に確実であったといえるから、被告人がこのような措置をとることなく漫然同女をホテル客室に放置した行為と午前2時15分ころから午前4時ころまでの間に同女が同室で覚せい剤による急性心不全のため死亡した結果との間には、刑法上の因果関係がある。したがって、被告人には保護責任者遺棄致死罪の成立が認められる（最決平1・12・15）。 出題 国Ⅰ－平成22・19・17・8・7、裁判所総合・一般－令和1・平成26

◇因果関係

Q6 殺意をもって縄で首を絞めると、被害者が動かなくなり、死亡したものと思い、海岸に放置したところ、被害者が砂を吸い込んで死亡した場合、被告人の絞首行為と被害者の死亡との間には因果関係は認められるのか。

A 因果関係が認められる。 殺意をもって麻縄で首を絞めると、被害者が身動きをしなくなったので、死亡したものと思い、犯行の発覚を防ぐ目的で被害者を海岸に運び、砂上に放置したところ、被害者が砂末を吸い込んで死亡したときは、社会生活上の普通観念に照らし、被告が殺害の目的で行った行為と被害者の死との間には因果関係が認められる（大判大12・4・30）。 出題 国家総合－令和2、国Ⅰ－昭和58・57、地方上級－昭和63、市役所上・中級－平成3、裁判所総合・一般－平成30、裁判所Ⅰ・Ⅱ－平成18・15

Q7 AがBの左顔面を1回蹴りつけ、Bに全治10日間程度の顔面打撲の傷害を負わせたところ、Bが脳梅毒に罹患しており、脳に高度の病的変化があったため、Aの暴行により脳組織の崩壊を来し、死亡した。この場合、Aが、Bに対して暴行行為に及んだ当時、Bの脳梅毒による脳の病的変化という特殊事情を知らず、また予測もできなかったとしても、Aの暴行とBの死亡との間に刑法上の因果関係を認めることができるのか。

A 刑法上の因果関係を認めることができる。 被

告人は被害者の左眼の部分を右足で蹴りつけた。被告人の暴行による傷だけでは致命的なものではないが、被害者はすでに脳梅毒にかかっており、脳に高度の病的変化があったので顔面に激しい外傷を受けたため脳の組織が崩壊した結果、死亡するに至ったのである。この被告人の行為により脳組織が崩壊したことから、被告人の行為と被害者の死亡との間には因果関係を認めることができる。また、被告人の行為が被害者の脳梅毒による脳の高度の病的変化という特殊の事情さえなかったならば致死の結果を生じなかったであろうと認められる場合でも、被告人が行為当時その特殊事情と相まって致死の結果を生ぜさせたときは、その行為と結果との間に因果関係を認めることができる（最判昭25・3・31）。

出題 国Ⅰ-平成22、裁判所総合・一般-令和1

Q8 被告人の過失により自動車間で衝突し、被害者を自車の屋根の上に跳ね上げたが、その事実を知らない間に同乗者が被害者を引きずり降ろし、被害者が死亡した場合、被告人の行為と被害者の死の結果との間には因果関係が認められるのか。

A 因果関係は認められない。　同乗者が進行中の自動車の屋根の上から被害者をさかさまに引きずり降ろし、アスファルト舗装道路上に転落させることは、経験上、普通、予想できず、ことに、本件においては、被害者の死因となった頭部の傷害が最初の被告人の自動車の衝突の際に生じたものか、同乗者が被害者を自動車の屋根から引きずり降ろし路上に転落させた際に生じたものか確定しがたいのであって、このような場合に被告人の過失行為から被害者の死の結果が発生することが、われわれの経験則上当然予想できないので、因果関係は認められない（最決昭42・10・24）。

出題 国家総合-令和2・平成30、国Ⅰ-平成14・昭和57、裁判所総合・一般-令和1・平成26、裁判所Ⅰ・Ⅱ-平成18

Q9 被告人の暴行と被害者の特殊事情があいまって致死の結果が生じた場合、暴行と致死の結果との間には因果関係が認められるのか。

A 因果関係が認められる。　被告人の本件暴行が、被害者の重篤な心臓疾患という特殊の事情さえなかったならば致死の結果を生じなかったと認められ、しかも、被告人が行為当時その特殊事情のあることを知らず、また、致死の結果を予見することもできなかったとしても、その暴行がその特殊事情とあいまって致死の結果を生ぜしめたものと認められる以上、その暴行と致死の結果との間に因果関係を認める余地がある（最判昭46・6・17）。

出題 国Ⅰ-平成14・1・昭和57、裁判所総合・一般-平成30・26、裁判所Ⅰ・Ⅱ-平成18・15

Q10 狩猟中、被害者を熊と誤認して猟銃を発射し瀕死の重傷を負わせた者が、その後、殺意をもって同人の胸部に猟銃を発射して死亡させた場合、いずれの行為についても被害者の死亡との間に因果関係が認められるのか。

A 被告人の各行為と被害者の死亡との間にすべて因果関係が認められるわけではない。　被告人の過失による傷害の結果が発生し、致死の結果が生じな

い時点で、被告人の殺人の故意による実行行為が開始され、すでに生じていた傷害のほか、新たな傷害が加えられて死亡の結果を生じたものであって、殺人罪の構成要件を充足する行為があったのであり、さらに、殺人の実行行為が開始された時点までの被告人の犯罪行為は業務上過失傷害の程度にとどまり、殺人の実行行為が開始された時点以後は殺人罪に該当する行為のみが存在したのである。また、以上の業務上過失傷害罪と殺人罪とは併合罪の関係にある（東京高判昭50・5・26、最決昭53・3・22）。

出題 国Ⅰ-平成22・14・8

Q11 Ａは、熊撃ちに出た際、山小屋にいた狩猟仲間Ｂを熊と誤認して猟銃を２発誤射し、Ｂの下腹部と下肢そけい部（ももの付け根部）にそれぞれ命中させてひん死の重傷を負わせた後、誤射したことに気付き、いっそＢを射殺して楽にしてやろうと決意し、さらに１発猟銃を発射してＢの胸部に命中させて即死させた。Ｂの下腹部の傷は放置すれば２、３日で死亡する程度、下肢そけい部の傷は手当不能で数分以内で死亡する程度、胸部の傷は放置すると１日以内で死亡する程度のものであった。この場合、Ａの誤射行為とＢの死亡との間には因果関係が認められるか。

A 因果関係は認められず、業務上過失傷害罪と殺人罪との併合罪の関係になる（最決昭53・3・22）。⇨10

Q12 被害者の死因となったくも膜下出血が、被告人らの暴行に耐えかねた被害者が逃走しようとして池に落ち込み露出した岩石に頭部を打ちつけたため生じたものである場合、被告人らの暴行と被害者の受傷に基づく死亡との間に因果関係を認めることができるのか。

A 因果関係を認めることができる。　本件被害者の死因となったくも膜下出血の原因である頭部擦過打撲傷が、たとえ、被告人および共犯者２名による足蹴り等の暴行に耐えかねた被害者が逃走しようとして池に落ち込み、露出した岩石に頭部を打ちつけたため生じたものであるとしても、被告人ら３名の暴行と被害者の受傷に基づく死亡との間には因果関係を認めることができる（最決昭59・7・6）。

出題 国Ⅰ-平成22

Q13 医師免許のない行為者の誤った治療行為により、被害者が死亡した場合、被害者側に医師の診療を受けず、自己の体力を過信した等の過失があれば、当該治療行為と被害者の死亡との間の因果関係は認められないのか。

A 因果関係は認められる。　被害者の行為は、それ自体が被害者の病状を悪化させ、ひいては死亡の結果をも引き起こしかねない危険性を有していたのであるから、医師の診療治療を受けることなく被告人（医師免許を持たない行為者）だけに依存した被害者側にも落度があったことは否定できないとしても、被告人の治療行為と被害者の死亡との間には因果関係があるのであり、被告人につき業務上過失致死罪の成立を肯定することができる（最決昭63・5・11）。

出題 国Ⅰ-平成8、裁判所総合・一般-平成25、裁判所Ⅰ・Ⅱ-平成18

Q14 Xの暴行によりYの死因となった傷害が形成され、その後Zによって加えられた暴行によりYの死期が早められた場合、Zの暴行がXにとって予見可能でなければ、Xの暴行とYの死亡との間の因果関係は否定されるのか。

A 因果関係は否定されない。 犯人の暴行により被害者の死因となった傷害が形成された場合には、仮にその後第三者により加えられた暴行によって死期が早められたとしても、犯人の暴行と被害者の死亡との因果関係を肯定することができ、傷害致死罪の成立を認めることができる（最判平2・11・20）。

出題 国Ⅰ－平成22・14・8、市役所上・中級－平成10、裁判所総合・一般－平成26、裁判所Ⅰ・Ⅱ－平成18

Q15 Aは、Bに対し、洗面器の底や皮バンドで、その頭部等を多数回殴打するなどの暴行を加え、その結果、Bに内因性高血圧性橋脳出血を発生させて意識消失状態に陥らせた後、寒風吹きすさぶ港の資材置場に運んで放置して立ち去った。結局Bは、脳出血により死亡したが、同時で倒れていたBは、その生存中、第三者に角材で頭頂部を数回殴打され、これがその脳出血を拡大させて、Bの死期を幾分か早めた。この場合、第三者により加えられた暴行によってBの死期が早められたことは、Aの暴行とBの死亡との間の因果関係を肯定する妨げとなるのか。

A 因果関係を肯定する妨げとはならない（最決平2・11・20）。⇨14

Q16 夜間潜水の講習指導中に、指導者が不用意に移動して被害者（A）のそばを離れ、Aを見失ったためにAが死亡した場合でも、Aが不適切な行動をとったことに加え、指導補助者にも同様の過失があれば、指導者の行為とAの死亡との間の因果関係は否定されるのか。

A 因果関係は否定されない。 被告人が、夜間潜水の講習指導中、受講生らの動向に注意することなく不用意に移動して受講生らのそばから離れ、同人らを見失うに至った行為は、それ自体が、指導者からの適切な指示、誘導がなければ事態に適応した措置を講ずることができないおそれがあった被害者に、海中で空気を使い果たさせ、適切な措置を講ずることもできないままに、溺死させる結果を引き起こしかねない危険性を持つものであり、被告人を見失った後の指導補助者および被害者に適切を欠く行動があったことは否定できないが、それは被告人の当該行為から誘発されたものであり、被告人の行為と被害者の死亡との間の因果関係を肯定する妨げとはならない（最決平4・12・17）。

出題 国家総合－令和2、国Ⅰ－平成14・8、裁判所総合・一般－平成26

Q17 被害者が間断なくきわめて激しい暴行を繰り返し受けたため傷害を負い、加害者からの追跡から逃れるため、高速道路に進入し、疾走してきた自動車に衝突され、後続の自動車にれき過されて死亡した場合、加害者の暴行行為と被害者の死亡との間の因果関係は肯定できるか。

A 因果関係は肯定できる。 Aら4名は、他の2名と共謀のうえ、被害者Bに対し、公園において、深夜約2時間10分にわたり間断なくきわめて激しい暴行を繰り返し、引き続きマンション居室において、約45分間、断続的に同様の暴行を加え、Bに顔面打撲傷等の傷害を負わせた。その後、Bは、すきをみてマンション居室から靴下履きのまま逃走したが、Aらに対し強度の恐怖感を抱き、逃走を開始してから約10分後、Aらによる追跡から逃れるため、マンションから763mないし810m離れた高速道路に進入し、疾走してきた自動車に衝突され、後続の自動車にれき過されて死亡した。このような事情の下では、確かにBが逃走しようとして高速道路に進入したことは、それ自体きわめて危険な行為であるものの、Bは、Aらから長時間激しくかつ執ような暴行を受け、Aらに対し極度の恐怖感を抱き、必死に逃走を図る過程で、とっさにそのような行動を選択したものと認められ、その行動が、Aらの暴行から逃れる方法として、著しく不自然、不相当であったとはいえない。そうすると、Bが高速道路に進入して死亡したのは、Aらの暴行に起因するものと評価できるから、Aらの暴行とBの死亡との間の因果関係を肯定することができる（最決平15・7・16）。

出題 国家総合－令和2、裁判所総合・一般－平成25

Q18 暴行による傷害の治療中に、被害者が医師の指示に従わず安静に努めなかったために治療の効果が上がらなかったという事情が介在していた場合でも、被告人らの暴行による左後部血管損傷等の傷害と被害者の死亡との間には因果関係が認められるのか。

A 因果関係が認められる。 被告人は、ほか数名と共謀のうえ、深夜、飲食店街の路上で、被害者に対し、その頭部をビール瓶で殴打したり、足蹴にしたりするなどの暴行を加えたうえ、共犯者の1名が底の割れたビール瓶で被害者の後頸部を突き刺すなどし、同人に左後頸部刺創による左後頸部血管損傷等の傷害を負わせた。被害者の負った左後頸部刺創は、頸椎左後方に達し、深頸静脈、外椎骨静脈叢などを損傷し、多量の出血を来すものであった。被害者は、受傷後直ちに知人の運転する車で病院に赴いて受診し、翌日未明までに止血のための緊急手術を受け、術後、いったんは容体が安定し、担当医は、加療期間について、良好に経過すれば約3週間との見通しをもった。しかし、被害者が無断退院しようとして、体から治療用の管を抜くなどして暴れ、それが原因でその日のうちに、被害者の容体が急変し、他の病院に転院したが、事件の5日後に上記左後頸部刺創に基づく頭部循環障害による脳機能障害により死亡した。以上のような事実関係によれば、被告人らの行為により被害者の受けた前記の傷害は、それ自体死亡の結果をもたらしうる身体の損傷であって、仮に被害者の死亡の結果発生までの間に、上記のように被害者が医師の指示に従わず安静に努めなかったために治療の効果が上がらなかったという事情が介在していたとしても、被告人らの暴行による傷害と被害者の死亡との間には因果

関係があるというべきであり、本件において傷害致死罪の成立は認められる（最決平16・2・17）。

出題 裁判所総合・一般 – 令和1・平成25

Q19 被告人が高速道路上に自車および A が運転する車を停止させ、A に暴行を加えるなどしたところ、A の車に後続車が追突して死傷事故が生じた場合、被告人の過失行為と死傷事故との間には因果関係が認められるのか。

A 因果関係が認められる。　被告人は、大型トレーラー（「A車」）を運転していた A の運転態度に立腹し、A を停止させて A に文句を言い、謝罪させようと考え、パッシングなどをして、A に停止するよう求めた。その後、被告人は、A を運転席から路上に引きずり降ろし、自車まで引っ張っていって、なおも、A に足蹴り殴打を加えた。そのころ、第3通行帯を進行していた B 運転の普通乗用自動車（「B車」）および C 運転の普通乗用自動車（「C車」）は、それぞれ停止した。C車から同乗者 D らが降車したので、被告人は、暴行をやめ、同乗女性に自車を運転させ、本件現場から走り去った。A は、エンジンキーがみつからなかったため、D らと共に付近を捜したりしたが、結局、ズボンのポケットに入っていたのを発見し、自車のエンジンを始動させたが、前方に停止していた C車と B車に進路を空けるよう依頼しようとして、自車から降車し、C車に向かって歩き始めたころ、停止中の A車後部に、普通乗用自動車が衝突し、同車の運転者および同乗者3名が死亡し、同乗者1名が全治約3か月の重傷を負った。このような事実関係の下での被告人の本件過失行為は、それ自体において後続車の追突等による人身事故につながる重大な危険性を有していた。そして、本件事故は、被告人の上記過失行為の後、A が、自らエンジンキーをズボンのポケットに入れたことを失念し周囲を捜すなどして、被告人車が本件現場を走り去ってから7、8分後まで、危険な本件現場に自車を停止させ続けたことなど、少なからぬ他人の行動等が介在して発生したものであるが、それらは被告人の上記過失行為およびこれと密接に関連してされた一連の暴行等に誘発されたものであったといえる。そうすると、被告人の過失行為と被害者らの死傷との間には因果関係がある（最決平16・10・19）。　出題 予想

Q20 被害者の死亡原因が直接的には追突事故を起こした第三者のはなはだしい過失行為にある場合、道路上で停車中の普通乗用自動車後部のトランク内に被害者を監禁した本件監禁行為と被害者の死亡との間の因果関係を肯定することができるのか。

A 本件監禁行為と被害者の死亡との間の因果関係を肯定することができる。　被告人は、2名と共謀のうえ、平成16年3月6日午前3時40分ころ、普通乗用自動車後部のトランク内に被害者を押し込み、トランクカバーを閉めて脱出不能にし同車を発進走行させた後、呼び出した知人らと合流するため、大阪府岸和田市内の路上で停車した。その停車した地点は、車道の幅員が約7.5mの片側1車線のほぼ直線の見通しのよい道路上であった。上記車両が停車して数分後の同日午前3時50分ころ、

後方から普通乗用自動車が走行してきたが、その運転者は前方不注意のために、停車中の上記車両に至近距離に至るまで気付かず、同車のほぼ真後ろから時速約60kmでその後部に追突した。これによって同車後部のトランクは、その中央部がへこみ、トランク内に押し込まれていた被害者は、第2・第3頸髄挫傷の傷害を負って、間もなく同傷害により死亡した。以上の事実関係の下においては、被害者の死亡原因が直接的には追突事故を起こした第三者のはなはだしい過失行為にあるとしても、道路上で停車中の普通乗用自動車後部のトランク内に被害者を監禁した本件監禁行為と被害者の死亡との間の因果関係を肯定することができる。したがって、本件において逮捕監禁致死罪の成立を認めることができる

出題 国家総合 – 令和2・平成30、裁判所総合・一般 – 平成30・25

2　可罰的違法性、被害者の同意

◇可罰的違法性

Q21 被告人が電話回線に取り付けると発信側の通話料金の計算が不可能になる機器（マジックホン）を取り付け、1回通話を試みたが、不安を感じすぐに取り外した場合、偽計業務妨害罪は成立しないか。

A 偽計業務妨害罪は成立する。　被告人がマジックホンと称する電話機器1台を加入電話の回線に取り付ければ、たとえ被告人がただ1回通話を試みただけで同機器を取り外した等の事情があっても、それ故に、行為の違法性が否定されるものではなく、有線電気通信妨害罪、偽計業務妨害罪の成立は認められる〈マジックホン事件〉（最決昭61・6・24）。　出題 予想

◇被害者の同意

Q22 幼児や高度の精神病者による被害者の承諾は有効か。

A 無効である。　自殺が何であるかを理解できない5年11月の幼児には、自己を殺害することを承諾、嘱託する適格がないので、被害者の承諾は無効である（大判昭9・8・27）。

出題 裁判所総合・一般 – 平成25

Q23 A は、当初から強盗を行う目的で、友人 B の住居へ行き、「こんばんは」と呼び掛けたところ、B が「お入り」と応じて玄関の鍵を開けたので、そのまま室内に入り、B に暴行、脅迫を加えてその反抗を抑圧したうえで、金品を強取した場合、B の居室に入った点については、B の承諾があることから、違法性が阻却され、A には住居侵入罪が成立しないのか。

A 違法性は阻却されず、A には住居侵入罪が成立する。　強盗の意図を隠して「こんばんは」と挨拶し、家人が「お入り」と答えたのに応じて住居に入った場合には、真実においては家人の承諾を欠くものであるから、住居侵入罪が成立する（最大判昭24・7・22）。

出題 国家総合 – 令和1、国Ⅰ – 平成13、裁判所総合・一般 – 令和2・平成25、裁判所Ⅰ・Ⅱ – 平成15

Q24 被害者が保険金騙取の違法目的のために身体傷害を承諾して傷害を負った場合、傷害罪は成立しないのか。

A 傷害罪は成立する。　被害者が身体傷害を承諾した場合に傷害罪が成立するか否かは、単に承諾が存在するという事実だけでなく、その承諾を得た動機、目的、身体傷害の手段、方法、損傷の部位、程度など諸般の事情を照らし合せて決すべきであるが、本件のように、過失による自動車衝突事故であるかのように装い保険金を騙取する目的をもって、被害者の承諾を得てその者に故意に自己の運転する自動車を衝突させて傷害を負わせた場合には、その承諾は、保険金を騙取するという違法な目的に利用するために得られた違法なものであって、これによって当該傷害行為の違法性を阻却するものではない（最決昭55・11・13）。

出題 国Ⅰ－平成13、裁判所総合・一般－令和4・3・1・平成25、裁判所Ⅰ・Ⅱ－平成18・15

Q25 AとBは、Aが運転する自動車をBに故意に衝突させてBに軽い傷害を負わせるという方法で、交通事故を装って保険会社から保険金をだまし取ろうと企て、これを実行し、保険会社から保険金を得た。この場合において、Bが受傷した点については、Bの承諾があることから、違法性が阻却され、Aには傷害罪は成立しないのか。

A 違法性を阻却せず、Aには傷害罪が成立する（最決昭55・11・13）。⇨24

◇違法性阻却事由

Q26 気管支ぜん息の重積発作により入院しこん睡状態にあった患者から、気道確保のため挿入されていた気管内チューブを抜管した医師の行為は、法律上許容される治療中止にあたるのか。

A 治療中止にあたらない。　気管支ぜん息の重積発作により入院しこん睡状態にあった患者から、気道確保のため挿入されていた気管内チューブを抜管した医師の行為は、患者の余命を判断するために必要とされる脳波等の検査が実施されておらず、発症から2週間の時点でもあり、回復可能性や余命について的確な判断を下せる状況にはなく、また、回復をあきらめた家族からの要請に基づき行われたものの、その要請は上記のとおり病状等について適切な情報を伝えられたうえでされたものではなかったなどの本件事情の下では、法律上許容される治療中止にはあたらない（最決平21・12・7）。

出題 予想

第35条（正当行為）
法令又は正当な業務による行為は、罰しない。

Q1 店舗を増築する必要から、自己の借地内に突き出ている隣家の玄関の軒先の一部を所有者の承諾を得ずに切り取る行為は、違法性を阻却するのか。

A 違法性を阻却しない。　被告人の切断した本件Aの玄関が被告人の借地内に突出し、当該玄関が無許可の不法建築であっても、その侵害を排除するため法の救済によらず自ら実力を用いることは法秩序を破壊し社会の平和を乱し、その弊害たるやはなはだしく現在の国家形態においてはとうてい認容せ

らるべき権利の保護の方法ではない。正当防衛または緊急避難の要件を具備する場合は格別、みだりに明文のない自救行為のごときは許されるべきものではない。したがって、被告人の当該行為は違法性を阻却しない（最判昭30・11・11）。

出題 国Ⅰ－平成5・昭和53

Q2 弁護人の弁護活動が名誉毀損罪の構成要件に該当する場合、正当な弁護活動として刑法35条の適用を受けるためには、その行為が弁護活動のために行われたものであればよいのか。

A その行為が弁護活動のために行われただけでは足りない。　名誉毀損罪などの構成要件にあたる行為をした場合であっても、それが自己が弁護人となった刑事被告人の利益を擁護するためにした正当な弁護活動であるときは、刑法35条の適用を受け、罰せられないことは、いうまでもない。しかし、刑法35条の適用を受けるためには、その行為が弁護活動のために行われたものであるだけでは足りず、行為の具体的状況その他諸般の事情を考慮して、それが法秩序全体の見地から許容されなければならないのであり、かつ、その判断をするにあたっては、それが法令上の根拠をもつ職務活動であるかどうか、弁護目的の達成との間にどのような関連性をもつか、弁護を受ける刑事被告人自身がこれを行った場合に刑法上の違法性阻却を認めるべきかどうかという諸点を考慮に入れるのが相当である（最決昭51・3・23）。

出題 国Ⅰ－平成5

Q3 報道機関が国家機密を公務員から聞き出すことは、正当な取材活動か。

A 正当な取材活動であるか否かの判断は、目的と手段との関連で判断される。　報道機関が公務員に対し根気よく執拗に説得ないし要請を続けることは、それが真に報道の目的から出たものであり、その手段・方法が法秩序全体の精神に照らし相当なものとして社会通念上是認される限りは、実質的に違法性を欠き正当な業務行為というべきである。しかし、報道機関といえども、取材に関し他人の権利・自由を不当に侵害することのできる特権を有するものでなく、取材の手段・方法が贈賄、脅迫、強要等の一般の刑罰法令に触れる行為を伴う場合はもちろん、その手段・方法が一般の刑罰法令に触れないものであっても、取材対象者の個人としての人格の尊厳を著しく蹂躙する等法秩序全体の精神に照らし社会観念上是認することのできない態様のものである場合にも、正当な取材活動の範囲を逸脱し違法性を帯びる〈外務省秘密電文漏洩事件（西山記者事件）〉（最決昭53・5・31）。

出題 国Ⅰ－平成5・昭和59

第36条（正当防衛）
①急迫不正の侵害に対して、自己又は他人の権利を防衛するため、やむを得ずにした行為は、罰しない。

②防衛の程度を超えた行為は、情状により、その刑を減軽し、又は免除することができる。

◇急迫不正の侵害

Q1 急迫の侵害とは、現在する侵害（被害の現在性）を意味するのか。

A 法益の侵害が間近に押し迫ったことを意味する。 刑法 36 条にいわゆる緊迫の侵害における「急迫」とは、法益の侵害が間近に迫ったことすなわち法益侵害の危険が緊迫したことをいうのであって、被害の現在性を意味するものではない。なぜなら、被害の緊迫した危険にある者は、加害者が現に被害を与えるに至るまで、正当防衛をすることを待たねばならぬ道理はないからである。また刑法 37 条にいわゆる「現在の危難」についても、ほぼこれと同様のことがいいうる（最判昭 24・8・18）。

出題 国家総合－平成 24、国 I－昭和 56・52

Q2 侵害があらかじめ予期されていたときには、急迫性を失い、正当防衛の成立する余地はないのか。

A 急迫性を失わず、正当防衛の成立する余地はある。 刑法 36 条にいう「急迫」とは、法益の侵害が現に存在しているか、または間近に押し迫っていることを意味し、その侵害があらかじめ予期されていたものであるとしても、そのことから直ちに急迫性を失うものではない（最判昭 46・11・16）。

出題 国 I－平成 21・18・6・2・昭和 56・52、裁判所総合・一般－令和 4・3・平成 30・29・26、裁判所 I・II－平成 23・14

Q3 予期された侵害を避けなかっただけでなく、その機会を利用して積極的に相手に対して加害行為をする意思で侵害に臨んだときにも、侵害の急迫性を満たすのか。

A 侵害の急迫性を満たさない。 刑法 36 条が正当防衛について侵害の急迫性を要件としているのは、予期された侵害を避けるべき義務を課する趣旨ではないから、当然またはほとんど確実に侵害が予期されたとしても、そのことから直ちに侵害の急迫性が失われるわけではない。しかし、同条が侵害の急迫性を要件としている趣旨から考えて、単に予期された侵害を避けなかったというにとどまらず、その機会を利用し積極的に相手に対して加害行為をする意思で侵害に臨んだときは、もはや侵害の急迫性の要件を満たさない（最決昭 52・7・21）。

出題 国家総合－平成 27、国 I－平成 21・18・11、裁判所総合・一般－平成 29・26、裁判所 I・II－平成 23

Q4 アパート 2 階で B が A からいきなり鉄パイプで殴打されてもみ合いになり、いったんは B が鉄パイプを取り上げて A を 1 回殴打したが、A は、これを取り戻して殴り掛かろうとし、その際、勢い余って 2 階手すりに上半身を乗り出してしまい、そこで、B が A の片足をもち上げて A を階下のコンクリート道路上に転落させた場合、A の B に対する急迫不正の侵害は、B が当該行為に及んだ当時もなお継続していたといえるのか。

A 急迫不正の侵害は、継続していたといえる。 A は、B に対し執拗な攻撃に及び、その挙げ句に勢い余って手すりの外側に上半身を乗り出していたのであり、しかも、その姿勢でなおも鉄パイプを握り続けていたことに照らすと、A の B に対する加害の意欲は、おう盛かつ強固であり、B がその片足をもち上げて A を地上に転落させる行為に及んだ当時も存続していたのである。また、A は、その姿勢の

ため、直ちに手すりの内側に上半身を戻すことは困難であったものの、B の当該行為がなければ、間もなく態勢を立て直したうえ、B に追い付き、再度の攻撃に及ぶことが可能であったのである。そうすると、A の B に対する急迫不正の侵害は、B が当該行為に及んだ当時もなお継続していたのである。さらに、それまでの一連の経緯に照らすと、B の当該行為が防衛の意思をもってされたことも明らかである（最判平 9・6・16）。 出題 国 I－平成 21・15

Q5 B は、A の呼出しに応じて現場に赴けば A から凶器を用いた暴行を加えられることを十分予期していながら、A に近づき A のハンマーによる攻撃に対して A の左側胸部を強く刺突した場合にも、B の本件行為は刑法 36 条の侵害の急迫性の要件を充たすのか。

A 侵害の急迫性の要件を充たさない。 行為者が侵害を予期したうえで対抗行為に及んだ場合、侵害の急迫性の要件については、侵害を予期していたことから、直ちにこれが失われると解すべきではなく（最判昭 46・11・16 参照）、対抗行為に先行する事情を含めた行為全般の状況に照らして検討すべきである。本件の事実関係によれば、B は、A の呼出しに応じて現場に赴けば、A から凶器を用いるなどした暴行を加えられることを十分予期していながら、A の呼出しに応じる必要がなく、自宅にとどまって警察の援助を受けることが容易であったにもかかわらず、包丁を準備したうえ、A の待つ場所に出向き、A がハンマーで攻撃してくるや、包丁を示すなどの威嚇的行動を取ることもしないまま A に近づき、A の左側胸部を強く刺突したものと認められる。このような先行事情を含めた本件行為全般の状況に照らすと、B の本件行為は、刑法 36 条の趣旨に照らし許容されるものとは認められず、侵害の急迫性の要件を充たさないというべきである。したがって、本件につき正当防衛および過剰防衛の成立は否定される（最決平 29・4・26）。

出題➡予想➡国家総合－令和 3、裁判所総合・一般－令和 3

◇**自己または他人の権利の防衛**

Q6 上流の部落が用水路から従来の慣行に反し多量の水を揚げたため、下流の田地のかんがい用水が減少し、その稲が枯死するおそれがある場合、下流の水利権者が上流部落の渇水設備を取り除く行為は、正当防衛にあたるのか。

A 正当防衛にあたる。 上流の部落が一定の用水路から従来の慣行に反し、多量の水を揚げたため、下流の田地のかんがい用水が減少し、その稲が枯死するおそれがある場合に、下流の水利権者がその損害を免れるために上流部落の渇水設備を取り除く行為は、まさに急迫不正の侵害に対しその権利を防衛するためやむをえずにした行為であるから、刑法 36 条 1 項の正当防衛行為にあたり、処罰することはできない（大判昭 10・9・11）。

出題 国 I－昭和 58・54

Q7 国家的法益の防衛は正当防衛として認められるのか。

A 正当防衛として認められる場合がある。 公共の福祉をも含めてすべての法益は防衛されなければならないとする刑法の理念からいっても、国家的、国民的、公共的法益についても正当防衛が許されるべき場合がある。しかし、本来国家的、公共的法益を保全防衛することは、国家または公共団体の公的機関の本来の任務に属する事柄であって、これをたやすく自由に私人または私的団体の行動に任すことはかえって秩序を乱し事態を悪化させる危険を伴うおそれがある。それ故、かかる公益のための正当防衛等は、国家公共の機関の有効な公的活動を期待しえないきわめて緊迫した場合においてのみ例外的に許容される（最判昭 24・8・18）。

出題 国Ⅰ-平成 11、地方上級-昭和 60

◇やむをえないでした行為（防衛手段としての相当性の範囲）

Q8 反撃行為が侵害に対する防衛手段として相当性があれば、反撃行為で生じた結果が侵害された法益より大きくても、正当防衛は成立するのか。

A 正当防衛は成立する。 刑法 36 条 1 項にいう「やむを得ずにした行為」とは、急迫不正の侵害に対する反撃行為が、自己または他人の権利を防衛する手段として必要最小限度のものであること、すなわち反撃行為が侵害に対する防衛手段として相当性を有するものであることを意味するのであって、反撃行為がその限度を超えず、したがって侵害に対する防衛手段として相当性を有する以上、その反撃行為により生じた結果がたまたま侵害されようとした法益より大であっても、その反撃行為が正当防衛行為でなくなるものではない（最判昭 44・12・4）。

出題 国家総合-平成 27・24、国Ⅰ-平成 21・18・11・6・2・1・昭和 56、市役所上・中級-昭和 61、裁判所総合・一般-平成 30・29

Q9 素手で殴打しあるいは足蹴りの動作を示したにすぎない K に対し、被告人が殺傷能力のある菜切包丁を構えて脅迫することは、防衛手段としての相当性の範囲を逸脱しているのか。

A 防衛手段としての相当性の範囲を逸脱していない。 被告人は、年齢も若く体力に優れた K から、「お前、殴られたいのか。」といって手拳を前に突き出し、足を蹴り上げる動作を示されながら近づかれ、さらに後ずさりするのを追いかけて目前に迫られたため、その接近を防ぎ、同人からの危害を免れるため、やむなく本件菜切包丁を手に取ったうえ腰のあたりに構え、「切られたいんか。」などといったのであって、K からの危害を避けるための防御的な行動に終始していたものであるから、その行為をもって防衛手段としての相当性の範囲を超えたものとはいえない（最判平 1・11・13）。

出題 裁判所総合・一般-令和 2、国Ⅰ-平成 15

Q10 相手方らが立入禁止等と記載した看板を被告人方建物に取り付けようとした際に、これを阻止するために被告人が行った暴行について、相手方らの行為は被告人らの建物に対する共有持分権、賃借権等を侵害すると共に、その業務を妨害し、名誉を害するうえ、相手方らは以前から継続的に被告人らの

上記権利等を実力で侵害する行為を繰り返していた一方、上記暴行の程度は軽微であるなどの事情の下において、正当防衛は成立するのか。

A 正当防衛が成立する。 B の依頼を受けた C らは、本件建物のすぐ前において本件看板を取り付ける作業を開始し、被告人らがこれを取り上げて踏みつけた後も、B がこれを持ち上げ、付けてくれと言って C に渡そうとしていたのであるから、本件暴行の際、B らはなおも本件看板を本件建物に取り付けようとしていたものと認められ、その行為は、被告人らの上記権利や業務、名誉に対する急迫不正の侵害にあたるというべきである。そして、被告人は、B が C に対して本件看板を渡そうとしたのに対し、これを阻止しようとして本件暴行に及び、B を本件建物から遠ざける方向に押したのであるから、B らによる上記侵害から被告人らの上記権利等を防衛するために本件暴行を行ったものと認められる。さらに、B らは、本件建物のガラスを割ったり作業員を威圧したりすることによって被告人らが請け負わせた本件建物の原状回復等の工事を中止に追い込んだうえ、本件建物への第三者の出入りを妨害し、即時抗告棄却決定の後においても、立入禁止と記載した看板を本件建物に設置するなど、本件以前から継続的に被告人らの本件建物に対する権利等を実力で侵害する行為を繰り返しており、本件における上記不正の侵害はその一環をなすものである。一方、被告人と B との間には体格差等があることや、B が後退して転倒したのは被告人の力のみによるものとは認めがたいことなどからすれば、本件暴行の程度は軽微なものであったというべきである。そうすると、本件暴行は、被告人らの主として財産的権利を防衛するために B の身体の安全を侵害したものであることを考慮しても、いまだ B らによる上記侵害に対する防衛手段としての相当性の範囲を超えたものということはできない（最判平 21・7・16）。

出題 予想➡国家総合-令和 3

◇自招防衛

Q11 相手方（B）から攻撃された被告人（A）がその反撃として傷害行為に及んだが、A は、B の攻撃に先立ち、B に対して暴行を加えているのであって、B の攻撃は、A の暴行に触発された、その直後における近接した場所での一連、一体の事態ということができ、A は不正の行為により自ら侵害を招いたものといえるから、A の上記傷害行為は、A において何らかの反撃行為に出ることが正当とされる状況における行為といえるのか。

A 正当とされる状況における行為とはいえない。

A は、ゴミの捨て方をめぐって隣人 B と口論になり、憤激のあまりいきなり B の左ほほを手拳で殴打する暴行（以下「第一暴行」という）を加え、すぐさまその場から立ち去った。B は、A を自転車で追いかけ、約 60 メートル離れた地点で追いつくと、自転車に乗ったまま A の背中の上部を右腕で強く殴打したため、A は前方から地面に倒れた。A は起き上がり、護身用に携帯していた特殊警棒を取り出し、B の顔面を数回殴打する暴行（以下「第二

暴行」という）を加え、Bに加療約 3 週間を要する傷害を負わせた。この場合、Aは、そもそも自分の不正な行為により自ら侵害を招いたものである以上、Bの攻撃がAの第一暴行の程度を大きく超えるものでない場合には、Aの第二暴行について正当防衛は認められない（最決平 20・5・20）。

出題 国家総合－令和 3・平成 27、裁判所総合・一般－令和 3

◇正当防衛の意思

Q12 急迫不正の侵害があれば、防衛の意思がなくても正当防衛は成立するのか。

A 防衛の意思がなければ正当防衛は成立しない。刑法 36 条は、加害行為について防衛の意思の存在を必要とするのであって、急迫不正の侵害ある場合であっても、これに対する行為が防衛の意思に出たものでない限りは、正当防衛または過剰防衛と解することはできない（大判昭 11・12・7）。

出題 国Ⅰ－昭和 60、裁判所総合・一般－平成 28

Q13 相手の加害行為に対し憤激または逆上して反撃を加えた場合には、防衛の意思を欠くのか。

A 直ちに防衛の意思を欠くわけではない。 刑法 36 条の防衛行為は、防衛の意思をもってなされることが必要であるが、相手の加害行為に対し憤激または逆上して反撃を加えたからといって、直ちに防衛の意思を欠くものではない。そうであるとすれば、本件において、かねてから被告人がAに対し憎悪の念をもち攻撃を受けたのに乗じ積極的な加害行為に出たなどの特別な事情が認められない限り、被告人の反撃行為は防衛の意思をもってなされたものと認める（最判昭 46・11・16）。

出題 国家総合－令和 3、国Ⅰ－平成 18・昭和 56、裁判所Ⅰ・Ⅱ－平成 14

Q14 防衛の意思と攻撃の意思とが併存している場合の行為は、正当防衛のための行為と評価できるのか。

A 正当防衛のための行為と評価できる。 急迫不正の侵害に対し自己または他人の権利を防衛するためにした行為と認められる限り、その行為は、同時に侵害者に対する攻撃的な意思に出たものであっても、防衛のためにした行為にあたると判断するのが相当である。すなわち、防衛に名を借りて侵害者に対し積極的に攻撃を加える行為は、防衛の意思を欠く結果、正当防衛のための行為と認めることはできないが、防衛の意思と攻撃の意思とが併存している場合の行為は、防衛の意思を欠くものではないので、これを正当防衛のための行為と評価することができる（最判昭 50・11・28）。

出題 国家総合－令和 3、国Ⅰ－平成 23・21・18・11・6・1、地方上級－平成 2、裁判所総合・一般－令和 3

Q15 防衛に名を借りて侵害者に対し積極的に攻撃を加える行為は、防衛の意思を欠くのか。

A 防衛の意思を欠く（最判昭 50・11・28）。⇨ 14

Q16 被告人が、自己の経営するスナック店内において、相手方から一方的にかなり激しい暴行を加え

られているうち、憎悪と怒りから調理場にあった文化包丁を持ち出し、「表に出てこい」などと言いながら出入口へ向かったところ、相手方から物を投げられ、「逃げる気か」と言って肩を掴まれるなどしたため、さらに暴行を加えられることをおそれ、振り向きざま手にした包丁で相手方の胸部を一突きして殺害した場合には、被告人の行為は、「表に出てこい」などの言辞があったことから、専ら攻撃の意思に出たものとはいえ、防衛の意思を欠くことにはなるのか。

A 専ら攻撃の意思に出たものとはいえ、防衛の意思を欠くことにはならない。 Bは「お前、逃げる気か。文句があるなら面と向かって話しせえ」などと怒鳴りながら、被告人を追いかけたというのであるから、そもそもBに被告人が発した「表に出てこい」などという言葉が聞こえているのか否かさえ定かではないし、少なくとも当時Bは被告人が逃げ始めたと思って追跡したとみられるのであって、被告人の言葉がBによる第三暴行を招いたものとは認めがたい。また、Bにより全く一方的になされた第一ないし第三暴行の状況、包丁を手にした後も直ちにBに背を向けて出入口に向かったという被告人の本件行為直前の行動、包丁でBの右胸部を一突きしたのみでさらに攻撃を加えることなく直ちに店外に飛び出したという被告人の本件行為およびその直後の行動等に照らすと、被告人の「表に出てこい」などという言葉は、せいぜい、防衛の意思と併存しうる程度の攻撃の意思を推認せしめるにとどまり、上記言葉の故をもって、本件行為が専ら攻撃の意思に出たものと認めることは相当でない（最判昭 60・9・12）。 出題 国家総合－令和 3

Q17 被告人は、甲から投げ付けられたアルミ製灰皿を避けながら、甲の顔面を右手で殴打し、甲は、後頭部を地面に打ち付け、仰向けに倒れたまま意識を失ったように動かなくなった（「第 1 暴行」）。そして、被告人は、憤激のあまり、甲に対し、その状況を十分に認識しながら、その腹部等を足蹴にするなどの暴行を加えた（「第 2 暴行」）。この場合、第 2 暴行については、防衛の意思は認められるのか。

A 被告人の第 1 暴行については正当防衛が成立するが、第 2 暴行については、甲の侵害は明らかに終了しているうえ、防衛の意思も認められず、正当防衛ないし過剰防衛が成立する余地はない。 被告人は、甲から投げ付けられた同灰皿を避けながら、甲の顔面を右手で殴打すると、甲は、頭部から落ちるように転倒し、後頭部をタイルの敷き詰められた地面に打ち付け、仰向けに倒れたまま意識を失ったように動かなくなった（「第 1 暴行」）。そして、被告人は、憤激のあまり、意識を失ったように動かなくなって仰向けに倒れている甲に対し、その状況を十分に認識しながら、「おれを甘く見ているな。おれに勝てるつもりでいるのか。」などと言い、その腹部等を足蹴にしたり、足で踏み付けたりし、さらに、腹部にひざをぶつけるなどの暴行を加えた（「第 2 暴行」）が、甲は、第 2 暴行により、肋骨骨折、脾臓挫滅、腸間膜挫滅等の傷害を負った。このような事実関係の下では、第 1 暴行により転倒した甲

刑法編

が、被告人に対しさらなる侵害行為に出る可能性はなかったのであり、被告人は、そのことを認識したうえで、もっぱら攻撃の意思に基づいて第2暴行に及んでいるのであるから、第2暴行が正当防衛の要件を満たさないことは明らかである。そうすると、両暴行を全体的に考察して、1個の過剰防衛の成立を認めるのは相当でなく、正当防衛にあたる第1暴行については、罪に問うことはできないが、第2暴行については、正当防衛はもとより過剰防衛を論ずる余地もないのであって、これにより甲に負わせた傷害につき、被告人は傷害罪の責任を負うというべきである（最決平20・6・25）。

出題 予想➡国家総合 – 令和3

◇喧嘩闘争

Q18 いわゆる喧嘩闘争において、正当防衛の成立する余地はあるのか。

A 正当防衛が成立する余地はある。　いわゆる喧嘩は、闘争者双方が攻撃及び防御を繰り返す一団の連続的闘争行為であるから、闘争のある瞬間においては、闘争者の一方がもっぱら防御に終始し、正当防衛を行う観を呈することがあっても、闘争の全般からみては、刑法36条の正当防衛の観念を容れる余地がない場合があるから、法律判断として、まず喧嘩闘争はこれを全般的に観察することを要し、闘争行為中の瞬間的部分の攻防の態様によって事を判断してはならないということと、喧嘩闘争においてもなお正当防衛が成立する場合がありうるという両面を含む（最判昭32・1・22）。

出題 国Ⅰ–平成6・2・昭和60、市役所上・中級 – 昭和61

◇過剰防衛

Q19 老父が木の棒でなぐりかかってきたので、被告人がとっさにそばにあった斧を木の棒と間違えて反撃した場合、正当防衛が成立するのか。

A 過剰防衛が成立する。　斧はただの木の棒とは比べものにならない重量のあるものだから、いくら昂奮していたからといって、これを手に持って殴打するため振り上げればそれ相応の重量は手に感じるはずである。したがって、老父が棒を持って打ってかかってきたのに対し、斧だけの重量のある棒様のもので頭部を乱打した事実はたとえ斧とは気づかなかったとしてもこれをもって過剰防衛と認めることは違法とはいえない（最判昭24・4・5）。

出題 国Ⅰ–平成15、市役所上・中級 – 平成3

Q20 正当防衛の要件を備える反撃行為により相手方の侵害態勢が崩れた後もなお反撃を続け、相手方を殺害するに至ったときは、全体として過剰防衛にあたるのか。

A 全体として過剰防衛にあたる。　Aは、業務用屋根鋏を持って夜9時ごろX方土間に侵入し、屋根鋏の刃先をXの首近くに突きつけ、2、3回チョキチョキと音を立てて鋏を開閉しながら「この野郎殺してしまうぞ」と申向けて威嚇しつつXを土間の一隅に追い詰めた。Xは、じりじりと後退するうち右手が付近の腰掛けの上にあった鉈に触ったの

で、このまま推移すれば殺されてしまうと考え、自己の生命身体に対する危険を排除するため、とっさにその鉈を右手につかみ左手で目前の屋根鋏を払いのけ鉈でAの左頭部辺をめがけて斬りつけて一撃を加え、ついでよろけながら屋根鋏を落としたAの同部を追い討ちに殴りつけ、その場にAを横倒しにさせたが、XはAの不法行為とこれに起因した異常な出来事により、はなはだしく恐怖、驚愕、興奮かつ狼狽していたので、さらに一撃のうちにAの頭部、腕等を鉈を振るって3、4回斬りつけ、よってAを頭部切創による左大脳損傷のため死亡させた。このような被告人Xの本件一連の行為は、その全部が全体として、その際の情況に照らして、刑法36条1項にいわゆる「やむを得ずにした行為」とはいえないのであって、同条2項にいわゆる「防衛の程度を超えた行為」にあたる（最判昭34・2・5）。

出題 国Ⅰ–平成15

Q21 アパート2階でBがAからいきなり鉄パイプで殴打されてもみ合いになり、いったんはBが鉄パイプを取り上げてAを1回殴打したが、Aは、これを取り戻して殴り掛かろうとし、その際、勢い余って2階手すりに上半身を乗り出してしまい、そこで、BがAの片足をもち上げてAを階下のコンクリート道路上に転落させた場合、正当防衛は認められるのか。

A 過剰防衛にあたる。　AのBに対する不正の侵害は、鉄パイプでその頭部を1回殴打したうえ、引き続きそれで殴り掛かろうとしたのであり、Aが手すりに上半身を乗り出した時点では、その攻撃力はかなり減殺しており、他方、BのAに対する暴行のうち、その片足をもち上げて約4メートル下のコンクリート道路上に転落させた行為は、一歩間違えばAの死亡の結果すら発生しかねない危険なものであったことに照らすと、鉄パイプでAの頭部を1回殴打した行為を含むBの一連の暴行は、全体として防衛のためにやむをえない程度を超えたものであったといわざるをえない。そうすると、Bの暴行は、Aによる急迫不正の侵害に対し自己の生命、身体を防衛するためその防衛の程度を超えてされた過剰防衛にあたる（最判平9・6・16）。

出題 国Ⅰ–平成15

Q22 被害者の方から被告人に向けて折り畳み机を押し倒してきたため、被告人はその反撃として同机を押し返したもの（第1暴行）であり、これには被害者からの急迫不正の侵害に対する防衛手段としての相当性が認められると共に、同机に当たって押し倒され、反撃や抵抗が困難な状態になった被害者に対し、その顔面を手けんで数回殴打したこと（第2暴行）は、防衛手段としての相当性の範囲内の行為か。

A 第2暴行は、防衛手段としての相当性の範囲を逸脱した行為である。　折り畳み机による暴行については、被害者の方から被告人に向けて同机を押し倒してきたため、被告人はその反撃として同机を押し返したもの（第1暴行）であり、これには被害者からの急迫不正の侵害に対する防衛手段としての相当性が認められるが、同机に当たって押し倒

され、反撃や抵抗が困難な状態になった被害者に対し、その顔面を手けんで数回殴打したこと（第2暴行）は、防衛手段としての相当性の範囲を逸脱したものである。そして、第1暴行と第2暴行は、被害者による急迫不正の侵害に対し、時間的・場所的に接着してなされた一連一体の行為であるから、両暴行を分断して評価すべきではなく、全体として1個の過剰防衛行為として評価すべきであり、罪となるべき事実として、「被告人は、被害者が折り畳み机を被告人に向けて押し倒してきたのに対し、自己の身体を防衛するため、防衛の程度を超え、同机を被害者に向けて押し返したうえ、これにより転倒した同人の顔面を手けんで数回殴打する暴行を加えて、同人に本件傷害を負わせた」旨認定でき、傷害罪の成立を認めるべきである（最決平21・2・24）。 出題 予想

◇共犯と正当防衛、過剰防衛

Q23 共同正犯者の1人について過剰防衛が成立すれば、他の共同正犯者にも当然に過剰防衛が成立するのか。

A 当然に過剰防衛は成立しない。　共同正犯が成立する場合における過剰防衛の成否は、共同正犯者の各人につきそれぞれその要件を満たすかどうかを検討して決するべきであって、共同正犯者の1人について過剰防衛が成立したとしても、その結果当然に他の共同正犯者についても過剰防衛が成立するものではない（最決平4・6・5）。 出題 国Ⅰ-平成23・6

Q24 相手方の侵害に対し、相手方の侵害のため共同で暴行し、相手方からの侵害終了後も一部の者が暴行を続けた場合、正当防衛の成否の判断はどのように行われるべきか。

A 侵害現在時と終了後に分け、後者の暴行につき新たに共謀が成立したかどうかを検討すべきである。　相手方の侵害に対し、複数人が共同して防衛行為としての暴行に及び、相手方からの侵害が終了した後に、なおも一部の者が暴行を続けた場合において、後の暴行を加えていない者について正当防衛の成否を検討するにあたっては、侵害現在時と侵害終了時とに分けて考察し、侵害現在時における暴行が正当防衛と認められる場合には、侵害終了後の暴行については、侵害現在時における防衛行為としての暴行の共同意思から離脱したかどうかではなく、新たに共謀が成立したかどうかを検討すべきであって、共謀の成立が認められるときにはじめて、侵害現在時および侵害終了後の一連の行為を全体として考察し、防衛行為としての相当性を検討すべきである。したがって、反撃行為と、その後の行為（追撃行為）とに分けて考察すれば、被告人に関しては、反撃行為については正当防衛が成立し、追撃行為については新たに暴行の共謀が成立したとは認められない場合には、反撃行為と追撃行為とを一連一体のものとして総合評価する余地はなく、被告人に関して、これらを一連一体のものと認めて、共謀による傷害罪の成立を認め、これが過剰防衛にあたるとすることはできない（最判平6・12・6）。

出題 国Ⅰ-平成15

◇誤想過剰防衛

Q25 乙女が「ヘルプミー」と叫んだので、甲男が乙女に暴行を加えているものと思い込み、また、甲が自分にも殴りかかってくるものと誤信した空手3段の被告人が、自己および乙の身体を防衛するため、回し蹴りをして傷害を負わせ、被害者を死亡させた場合、誤想過剰防衛にあたるか。

A 誤想過剰防衛にあたる。　乙女が「ヘルプミー」と叫んだので、甲男が乙に暴行を加えているものと思い込み、また、甲が自分にも殴りかかってくるものと誤信した空手3段の被告人が、自己および乙の身体を防衛するため、回し蹴りをして傷害を負わせ、被害者を死亡させたという事実関係のもとにおいて、本件回し蹴り行為は、被告人が誤信した甲による急迫不正の侵害に対する防衛手段として相当性を逸脱していることは明らかであり、被告人の行為については傷害致死罪が成立し、いわゆる誤想過剰防衛にあたり、刑法36条2項により刑が減軽される（最決昭62・3・26）。 出題 予想

第37条（緊急避難）

①自己又は他人の生命、身体、自由又は財産に対する現在の危難を避けるため、やむを得ずにした行為は、これによって生じた害が避けようとした害の程度を超えなかった場合に限り、罰しない。ただし、その程度を超えた行為は、情状により、その刑を減軽し、又は免除することができる。

②前項の規定は、業務上特別の義務がある者には、適用しない。

Q1 自動車運転者Aが、自己の過失により歩行者Bをひきそうになったので、これを避けようとして対向車と衝突して対向車の運転者Cを死亡させた場合、運転者Aの行為は緊急避難にあたるのか。

A 緊急避難にあたらない。　刑法37条で緊急避難として刑罰の責任を科さない行為を規定しているのは、公平正義の観念に立脚し、他人の正当な利益を侵害してもなお自己の利益を保たせることにあるから、同条はその危難は行為者がその有責行為により自ら招いたもので、社会通念に照らしてやむをえないものとして、その避難行為を是認することができない場合にはこれを適用できない。したがって、本件においては、他に避ける方法があるにもかかわらず、Cと衝突したのであり、やむをえずに衝突したものではないから、Aの行為は緊急避難にあたらない（大判大13・12・12）。 出題 国Ⅰ-昭和54

Q2 つり橋が荷馬車が通る場合にはきわめて危険であったが、人の通行には差し支えない状況で、これをダイナマイトで爆破する行為は緊急避難にあたるのか。

A 緊急避難にあたらない。　つり橋は荷馬車が通る場合にはきわめて危険であったが、人の通行には差し支えない場合には、爆破するほど切迫した状況ではなかったものと考えられる。さらに、危険を防止するためには、通行制限の強化その他適当な手段、方法を講ずる余地のないことはなく、本件にお

けるようにダイナマイトを使用してこれを爆破しなければ危険を防止しえないものであったとはとうてい認められない。したがって、被告人等の当該爆破行為については、緊急避難を認める余地はなく、したがってまた過剰避難も成立しえない（最判昭 35・2・4)。

出題 国 I －昭和 58、市役所上・中級－平成 2

第 38 条（故意）

①罪を犯す意思がない行為は、罰しない。ただし、法律に特別の規定がある場合は、この限りでない。

②重い罪に当たるべき行為をしたのに、行為の時にその重い罪に当たることとなる事実を知らなかった者は、その重い罪によって処断することはできない。

③法律を知らなかったとしても、そのことによって、罪を犯す意思がなかったとすることはできない。ただし、情状により、その刑を減軽することができる。

◇条件付故意

Q1 共謀共同正犯において、殺害行為に関与しない共謀共同正犯者（A）が、謀議の内容において被害者の殺害を一定の事態の発生にかからせ、したがって、A の犯意自体が未必的なものにとどまる場合には、実行行為の意思が確定的であっても、殺人罪の故意は成立しないのか。

A 犯意自体が未必的なものであっても、実行行為の意思が確定的であれば、殺人の故意が成立する。殺害行為に関与しないいわゆる共謀共同正犯者としての殺意の成否につき、謀議の内容においては被害者の殺害を一定の事態の発生にかからせていたとしても、殺害計画を遂行しようとする意思が確定的であったときは、殺人の故意の成立に欠けることはなく、このことは、犯意自体が未必的なものであるときに故意の成立を否定する趣旨ではない。すなわち、共謀共同正犯者につき、謀議の内容においては被害者の殺害を一定の事態の発生にかからせており、犯意自体が未必的なものであっても、実行行為の意思が確定的であったときは、殺人の故意の成立に欠けることはない（最判昭 59・3・6、最決昭 56・12・21)。

出題 国家総合－平成 29、国 I －平成 6

◇故意の概念

Q2 覚せい剤を含む身体に有害で違法な薬物類であることを認識し、物件を密輸入して所持した場合、覚せい剤輸入罪、同所持罪の故意があるのか。

A 覚せい剤輸入罪、同所持罪の故意がある。被告人が、本件物件を密輸入して所持した際、覚せい剤を含む身体に有害で違法な薬物類であるとの認識があれば、覚せい剤かもしれないし、その他の身体に有害で違法な薬物かもしれないとの認識があったことに帰することになるから、覚せい剤輸入罪、同所持罪の故意に欠けるところはない（最決平 2・2・9)。

出題 国 I －平成 6

◇規範的構成要件の錯誤

Q3 問題となる文書の記載の存在の認識とこれを販売する認識はあるが、当該文書がわいせつ文書頒布罪において販売を禁止されているわいせつ物に該当するとの認識がない場合、同罪の故意は阻却されるのか。

A わいせつ文書頒布罪の故意は成立する。刑法 175 条の罪における犯意の成立については問題となる記載の存在の認識とこれを頒布販売することの認識があれば足り、かかる記載のある文書が同条所定のわいせつ性を具備するかどうかの認識まで必要としていない。仮に主観的には刑法 175 条のわいせつ文書にあたらないものと信じてある文書を販売しても、それが客観的にわいせつ性を有するならば、法律の錯誤として犯意を阻却しない。わいせつ性に関し完全な認識があったか、未必の認識があったのにとどまっていたか、またはまったく認識がなかったかは刑法 38 条 3 項但書の情状の問題にすぎず、犯意の成立には関係がない〈チャタレイ事件〉（最大判昭 32・3・13)。

出題 国 I －平成 6・昭和 58、地方上級－昭和 61・55、裁判所総合・一般－平成 27

◇行政刑罰法規の錯誤

Q4 その地方で「もま」と俗称されている動物を、禁猟獣である「むささび」と同一のものであることを知らずに捕獲した場合、事実の錯誤として故意は阻却されるのか。

A 故意は阻却されない。「むささび」と「もま」とは同一物であるにもかかわらず、単に同一であることを知らず、「もま」は捕獲しても罪にならないものと信じて捕獲したにすぎない場合に、法律で捕獲を禁止した「むささび」すなわち「もま」を「もま」と知って捕獲したのであり、犯罪構成に必要な事実の認識には何ら欠けるところはなく、ただその行為が違法であることを知らないにすぎない。それ故、刑法 38 条 3 項にいわゆる法律の不知を主張することにほかならず、罪を犯す意思がなかったとはいえない〈もま・むささび事件〉（大判大 13・4・25)。

出題 国家総合－平成 29、地方上級－昭和 61

Q5 狩猟法で捕獲を禁止されている「たぬき」を別獣の「むじな」と信じて捕獲した場合、事実の錯誤として故意は阻却されるのか。

A 故意は阻却される。被告人は狩猟法で捕獲を禁止する「たぬき」の中に「むじな」も包含することを意識せず、したがって、被告人は「十文字むじな」は禁止獣である「たぬき」と別物であるとの信念の下に捕獲したのであるから、狩猟法が禁止する「たぬき」を捕獲する認識を欠いていたことは明らかであり、その犯意は阻却され、行為は不問に付されるのは当然である〈たぬき・むじな事件〉（大判大 14・6・9)。

出題 地方上級－昭和 61

Q6 「メチルアルコール」を法律上所持を禁止されている「メタノール」であることを知らずに所持した場合、犯罪構成に必要な事実の認識を欠き故意は阻却されるのか。

A 犯罪構成に必要な事実の認識はあり、故意は阻却されない。　「メチルアルコール」であることを知って、これを飲用に供する目的で所持または譲渡した以上は、仮に「メチルアルコール」が法律上その所持または譲渡を禁じられている「メタノール」と同一のものであることを知らなかったとしても、それは単なる法律の不知にすぎないのであって、犯罪構成に必要な事実の認識に何ら欠けるところがないから、犯意があったものと認められる（最大判昭23・7・14）。　出題 地方上級－昭和61

Q7 警察規則を誤解した結果、鑑札をつけていない犬はたとえ他人の飼犬であっても直ちに無主犬とみなされるものと誤信して他人所有の犬を撲殺した場合には、器物損壊罪の故意があるのか。

A 器物損壊罪の故意はない。　被告人は警察規則等を誤解した結果、鑑札をつけていない犬はたとえ他人の飼犬であっても直ちに無主犬とみなされるものと誤信してこれを撲殺するに至ったのであるから、本件は被告人が錯誤の結果、犬が他人の所有に属する事実について認識を欠いていたと認めるべき場合であったかもしれない。したがって、その犬が他人の飼犬であることは分かっていたことから、直ちに被告人はその犬が他人の所有に属することを認識しており、本件について犯意があったものと断定することは、刑法38条1項の解釈適用を誤ったものである（最判昭26・8・17）。

出題 国家総合－令和4・平成29、国Ⅰ－平成20

Q8 会社代表者が、実父の公衆浴場営業を会社において引き継いで営業中、県係官の教示により、当初の営業許可申請者を実父から会社に変更する旨の公衆浴場業営業許可申請事項変更届を県知事宛に提出し、受理された旨の連絡を県庁を通じて受けたため、会社に対する営業許可があったと認識して営業を続けていたときは、公衆浴場法8条1号の無許可営業罪における無許可営業の故意は、認められるのか。

A 無許可営業の故意は、認められない。　甲は、実父が営業許可を受けていた公衆浴場を甲が代表取締役を務めるA社で引き継いで営業していたが、A社において営業許可を得るため、所轄の県係官の教示により、当初の営業許可申請書を実父からA社に変更する旨の公衆浴場営業許可申請事項変更届を県知事宛に提出したところ、県議会議員を介して受理された旨の連絡を受け、その後だれからも営業許可を問題にされなかった。そこで、甲は、当該変更届の受理により営業許可があったものと誤認して公衆浴場を営業していた。この場合、甲に公衆浴場法8条1号の無許可営業罪における無許可営業の故意は、認められない（最判平1・7・18）。

出題 国Ⅰ－平成20

◇具体的事実の錯誤

Q9 犯罪の故意があるためには、犯人が認識した罪となるべき事実と現実に発生した事実とが具体的に一致していなければならないのか。

A 法定の範囲内において一致していれば足りる。犯罪の故意があるとするためには、罪となるべき事実の認識を必要とするが、犯人が認識した罪となるべき事実と現実に発生した事実とが必ずしも具体的に一致することを要するものではなく、両者が法定の範囲内において一致することをもって足りるから、人を殺す意思のもとに殺害行為に出た以上、犯人の認識しなかった人に対してその結果が発生した場合にも、この結果について殺人の故意がある（最判昭53・7・28）。

出題 国家総合－令和4、国Ⅰ－平成13・6、裁判所総合・一般－平成27、裁判所Ⅰ・Ⅱ－平成14

Q10 被告人がAを殺そうとしたところ隣りのBを殺してしまった場合、被告人の殺人の犯意は阻却されるのか。

A 殺人の犯意は阻却されない。　殺人の罪は故意に人を殺害することによって成立するものであって、被害者が誰であるかは、その成立に影響を及ぼさない。したがって、殺意をもって人を殺傷した以上、被害者が誰であるかについて誤認があったとしても、殺人の犯意を阻却しない（大判大11・2・4）。

出題 国Ⅰ－昭和58、地方上級－昭和55

Q11 Aに暴行を加えたところ、加害者が目的とした人と異なるBを傷害しまたは死亡させた場合、傷害罪または傷害致死罪が成立するのか。

A 傷害罪または傷害致死罪が成立する。　人に対し故意に暴行を加え、その結果人を傷害しまたは死に至らしめたときは、その暴行による傷害または致死の結果が被告の目的とした者と異なり、被告が意識しない客体のうえに生じても、暴行と傷害または致死の結果との間には因果関係の存することは明らかであるから、その行為は傷害罪または傷害致死罪を構成し、過失傷害罪もしくは過失致死罪とならない（大判大11・5・9）。

出題 国Ⅰ－昭和58

Q12 Aが女児Bを抱いているのをみて、Aを殺そうと決意し、日本刀でその身体を突き刺し同時にBにも刺傷を与えて各々即死させた場合、被告人の罪責はどうなるのか。

A 被告人はA・Bに対してそれぞれ殺人罪が成立する。　人を殺害する意思で暴行を加え、これにより殺害の結果を惹起した以上は、その殺害の結果が犯人にとって意識しない客体のうえに生じたとしても、暴行と殺害との関係が存することは明白である以上、犯人は殺人既遂の罪責を負い、過失致死罪は成立しない（大判昭8・8・30）。

出題 国Ⅰ－昭和61

Q13 被告人が殺意をもって被害者Aに暴行を加えたが殺害するに至らず、他方その暴行によって同時に第三者Bに傷害を負わせた場合、被告人の罪責はどうなるのか。

A Aに対する殺人未遂罪とBに対する殺人未遂罪が成立する。　被告人が人を殺害する意思で手製装薬銃を発射して殺害行為に出た結果、被告人の意図した巡査Aに右胸部貫通銃創を負わせたが殺害するに至らなかったのであるから、同巡査に対する殺人未遂罪が成立し、同時に、被告人の予期しなかった通行人Bに対し腹部貫通銃創の結果が発生し、かつ、その殺害行為とBの傷害の結果との間に因果関係が認められるから、同人に対する殺人未

遂罪もまた成立する（最判昭53・7・28）。

出題 国Ⅰ－平成6、裁判所総合・一般－令和4・3

◇抽象的事実の錯誤

Q14 税関長の許可を受けずに、営利目的で覚せい剤を輸入する意思で誤って麻薬を輸入した場合、麻薬輸入罪の故意が認められるのか。

A 覚せい剤輸入罪の故意が認められる。　密輸入にかかる貨物が覚せい剤か麻薬かによって関税法上その罰則の適用を異にするのは、覚せい剤が輸入制限物件であるのに対し麻薬が輸入禁制品とされているだけの理由にすぎないことにかんがみると、覚せい剤を無許可で輸入する罪と輸入禁制品である麻薬を輸入する罪とは、ともに通関手続を履行しないでした類似する貨物の密輸入行為を処罰の対象とする限度において、その犯罪構成要件は重なり合っている。本件において、被告人は、覚せい剤を無許可で輸入する罪を犯す意思であったのであるから、輸入にかかる貨物が輸入禁制品たる麻薬であるという重い罪となるべき事実の認識がなく、輸入禁制品である麻薬を輸入する罪の故意を欠くものとして同罪の成立は認められないが、両者の構成要件が重なり合う限度で軽い覚せい剤を無許可で輸入する罪の故意が成立し覚せい剤輸入罪が成立する（最決昭54・3・27）。

出題 裁判所総合・一般－令和4・3、裁判所Ⅰ・Ⅱ－平成20

Q15 麻薬所持罪を犯す意思で覚せい剤所持罪にあたる事実を実現した場合、覚せい剤所持罪が成立するのか。

A 麻薬所持罪が成立する。　被告人は、覚せい剤を麻薬であるコカインと誤認して所持したのであるから、麻薬所持罪を犯す意思で、覚せい剤所持罪にあたる事実を実現したことになるが、両罪は、その目的物が麻薬か覚せい剤かの差異があり、後者につき前者に比し重い刑が定められているだけで、その余の犯罪構成要件は同一であるところ、麻薬と覚せい剤との類似性にかんがみると、この場合、両罪の構成要件は、軽い前者の罪の限度において、実質的に重なり合っている。被告人には、所持にかかる薬物が覚せい剤であるという重い罪となるべき事実の認識がないから、覚せい剤所持罪の故意を欠くものとして同罪の成立は認められないが、両罪の構成要件が実質的に重なり合う限度で軽い麻薬所持罪の故意が成立し同罪が成立する（最決昭61・6・9）。

出題 国Ⅰ－平成20・13・6、裁判所Ⅰ・Ⅱ－平成20

◇違法性の錯誤

Q16 違法性の意識は故意の要件となるのか（法律の錯誤は故意を阻却するのか）。

A 故意の要件とならない（故意を阻却しない）。　刑法38条3項において「法律を知らなかったとしても、そのことによって、罪を犯す意思がなかったとすることはできない」と規定したのは、犯罪の違法性の錯誤は犯意を阻却させない趣旨を明らかに

したもので、現行刑法は犯罪行為の違法性の錯誤と犯罪行為自体の構成要素である事実の錯誤とを区別し、後者が存する場合のみ犯意がないものとしていることは明瞭である（大決大15・2・22）。

出題 国Ⅰ－平成1

Q17 弁護士の意見により、他人の住居に侵入することが許された行為だと思い、住居に侵入した場合、故意を阻却するのか。

A 故意は阻却しない。　人の看守する邸宅であることを認識しながら、看守人の意思に反して侵入する際に、弁護士の意見により侵入しても罪にならないと告げられて、これを信じても、刑法130条の解釈を誤ったものであり、家宅侵入罪を構成する（大判昭9・9・28）。

出題 地方上級－昭和61

Q18 被告人が進駐軍物資を運搬所持することが法律上許された行為であると誤信して行為した場合、故意は阻却するのか。

A 故意は阻却しない。　自然犯たると行政犯たるとを問わず、犯意の成立に違法の認識を必要としないから、被告人が進駐軍物資を運搬所持することが法律上許された行為であると誤信したとしてもそのような事情は犯意を阻却する事由とはいえない（最判昭25・11・28）。

出題 国Ⅰ－昭和51

Q19 被告人が自己の行為が違法であることを意識していたが、ただその罰則または法定刑の程度を知らなかった場合、刑法38条3項但書は適用されるのか。

A 刑法38条3項但書は適用されない。　刑法38条3項但書は、自己の行為が刑罰法令に処罰さるべきことを知らず、これがためその行為の違法であることを意識しなかったにかかわらず、それが故意犯として処罰される場合において、その違法の意識を欠くことにつき斟酌または宥恕すべき事由があるときは、刑の減軽をなしうべきことを認めたものである。したがって、自己の行為に適用される具体的な刑罰法令の規定ないし法定刑の寛厳の程度を知らなかったとしても、その行為の違法であることを意識している場合には、故意の成否につき同項本文の規定をまつまでもなく、また前記のような事由による科刑上の寛典を考慮する余地はありえないから、同項但書により刑の減軽をなすべきものではない。したがって、被告人が自己の行為が違法であることを意識していたが、ただその罰条または法定刑の程度を知らなかった場合には、刑法38条3項但書は適用されない（最判昭32・10・18）。

出題 予想

Q20 被告人は、本件車両の席の状況を認識しながら、同社の上司から、人を乗せなければ普通自動車免許で本件車両（大型自動車）を運転しても大丈夫である旨を聞いたことや、本件車両に備え付けられた自動車検査証の自動車の種別欄に「普通」と記載されているのを見たこと等から、本件車両を普通自動車免許で運転することが許されると思い込み、本件運転に及んだものであった場合、被告人には、無免許運転の故意を認めることができるのか。

A 無免許運転の故意を認めることができる。　被告人は、普通自動車と大型自動車とが区別され、自

己が有する普通自動車免許で大型自動車を運転することが許されないことは知っていたものの、その区別を大型自動車は大きいという程度にしか考えていなかったため、本件車両の席の状況を認識しながら、その点や本件車両の乗車定員について格別の関心を抱くことがないまま、同社の上司から、人を乗せなければ普通自動車免許で本件車両を運転しても大丈夫である旨を聞いたことや、本件車両に備え付けられた自動車検査証の自動車の種別欄に「普通」と記載されているのを見たこと等から、本件車両を普通自動車免許で運転することが許されると思い込み、本件運転に及んだものであった。乗車定員が 11 人以上である大型自動車の座席の一部が取り外されて現実に存する席が 10 人分以下となった場合においても、乗車定員の変更につき国土交通大臣が行う自動車検査証の記入を受けていないときは、当該自動車はなお道路交通法上の大型自動車にあたるから、本件車両は同法上の大型自動車に該当するというべきである。そして、事実関係の下においては、本件車両の席の状況を認識しながられを普通自動車免許で運転した被告人には、無免許運転の故意を認めることができるというべきである。そうすると、被告人に無免許運転罪の成立を認めた原判断は、結論において正当である（最決平 18・2・27）。　　　　　　　　　　　　出題 予想

◇過失

Q21 古物営業法 33 条に相当で処罰する同法 16 条違反行為は、その取り締まる事柄の本質にかんがみ、故意に帳簿に所定の事項を記載しなかったものばかりでなく、過失によりこれを記載しなかったものをも包含する法意か。

A 包含する法意である。　古物営業法 33 条 2 号で処罰する同法 16 条の規定に違反した者とは、たとえ同法にその過失犯を処罰する旨の明文の規定がなくても、その取り締まる事柄の本質にかんがみ、故意に帳簿に所定の事項を記載しなかった者ばかりでなく、過失によりこれを記載しなかった者をも包含する趣旨であると解すべきであるので、古物商を営んでいた被告人が、スクーターを数回にわたり古物として買い受けながら、所定の帳簿に、そのつど所定の事項を記載することを失念していた場合、被告人につき同法 33 条 2 号の罪が成立する（最判昭 37・5・4）。　　　出題 国Ⅰ-平成 17

Q22 旅客の整理誘導等を取り扱う駅員が酔客を下車させる場合、その者の酩酊の程度や歩行の姿勢・態度その他外部からたやすく観察できる徴表に照らし、一応その者が安全維持のために必要な行動をとるものと信頼して客扱いをすれば足りるのか。

A 足りる。　鉄道を利用する一般公衆も鉄道交通の社会的効用と危険性にかんがみ、自らその危険を防止するよう心がけるのが当然であって、飲酒者といえども、その例外ではない。それゆえ、駅客係が酔客を下車させる場合においても、その者の酩酊の程度や歩行の姿勢、態度その他外部からたやすく観察できる徴表に照らし電車との接触、線路敷への転落などの危険を惹起するものと認められるような特

段の状況があるときは格別、さもないときは、一応その者が安全維持のために必要な行動をとるものと信頼して客扱いをすれば足りるものと解する。また、係員が客扱いを終了し、その旨の合図を車掌に送るにあたっても、線路敷などに転落者があることを推測させるような異常な状況が認められない限り、このような特殊な事態の発生をつねに想定して、ホームから一見して見えにくい車両の連結部付近の線路敷まで逐一点検すべき注意義務があるとまで考えるのは相当でない。したがって、乗客係が事故の結果について、業務上過失致死罪を認めることはできない（最判昭 41・6・14）。　　出題 国Ⅰ-平成 17

Q23 行為者の過失と被害者の不適切な行動とが競合して結果が発生したが、被害者が適切に行動することを行為者が信頼するのが相当である場合には、行為者の行為に違法な点があった場合でも過失責任を負わないのか。

A「信頼の原則」の適用により、過失責任を負わない。　本件被告人のように、センターラインの若干左側から、右折の合図をしながら、右折を始めようとする原動機付自転車の運転者としては、後方からくる他の車両の運転者が、交通法規を守り、速度を落として自車の右折をまって進行する等、安全な速度と方法で進行するであろうことを信頼して運転すれば足り、本件Kのように、あえて交通法規に違反して、高速度で、センターラインの右側にはみ出してまで自車を追い越そうとする車両のあることまでも予想して、後方に対する安全を確認し、もって事故の発生を未然に防止すべき業務上の注意義務はない（最判昭 42・10・13）。　出題 国Ⅰ-平成 8

Q24 Aが無謀な運転によって、助手席に同乗していた Bに傷害を与え、同時に、Aの知らない間に後部荷台に乗り込んでいた C・Dを死亡させた場合、AはC・Dの死亡について責任を負わないのか。

A AはC・Dの死亡について責任を負う。　被告人において、無謀ともいうべき自動車運転をすれば人の死傷を伴うかもしれない事故を惹起するかもしれないことは、当然認識しえたのであるから、たとえ被告人が自車の後部荷台に両名が乗車している事実を認識していなかったとしても、当該両名に関する業務上過失致死罪の成立を妨げない（最決平 1・3・14）。　出題 国Ⅰ-平成 17・8、地方上級-平成 11

Q25 デパートの火災事故から死傷の結果が発生した場合に、消火設備を備えず、従業員に火災避難訓練をしていなかった点について、経営者の管理過失を問うためには、経営者に出火原因についての具体的な予見可能性があればよいのか。

A 具体的な予見可能性だけでなく、一定の結果回避義務がなければならない。　防火管理につき包括的な権限・義務を有していた代表取締役（第一審の公判審理前に死亡）が適正な防火管理業務を遂行する能力を欠くなどの特別の事情がなく、また当該取締役は、防火管理者に選任されたこともデパートの維持myい管理につき委任を受けたこともない場合には、代表取締役に対し防火管理上の注意義務を履行するよう意見を具申すべき注意義務等も含め、結果回避義務があるとはいえず、当該取締役に業務

刑法編

上過失致死は認められない〈大洋デパート事件〉(最判平3・11・14)。 〔出題〕国Ⅰ-平成8

Q26 対向車が前照灯を点灯して進行中の被告人車に気付いた様子もなく、異常な走行をしているなどの事情の下で、前方を注視し、視認可能地点で直ちに対向車を発見しこれを注視したとしても、同車のその後の進路の予測が可能となり、被告人において当該事故を回避できたとはいえない場合でも、被告人に前方不注視の過失があったといえるのか。

A 過失があったとはいえない。　被告人が、業務として普通乗用自動車を運転し、夜間、片側2車線の道路の第二通行帯を制限速度内の時速約40kmで進行中、車の進路上を無灯火のまま対向進行してきた普通乗用自動車(前照灯を点灯して進行中の被告人車に気付いた様子もなく)を前方約7.9mに迫って初めて発見し、急制動の措置を講じたが間に合わず、当該自動車と正面衝突し、その結果、当該自動車の運転者が死亡した場合、前方を注視し、視認可能地点で直ちに対向車を発見しこれを注視したとしても、被告人においてハンドル操作により衝突を回避することができる可能性がない以上、被告人につき業務上過失致死罪は成立しない(最判平4・7・10)。 〔出題〕国Ⅰ-平成17

Q27 鉄道トンネル内の電力ケーブルの接続工事を施工した業者が、炭化導電路が形成されるという経過を具体的に予見できなかった以上、本件火災の発生につき、過失は認められないのか。

A 誘起電流が大地に流されずに本来流れるべきでない部分に長期間にわたり流れ続けることによって火災の発生に至る可能性があることを予見できた以上、過失が認められる。　近畿日本鉄道東大阪線生駒トンネル内における電力ケーブルの接続工事に際し、施工資格を有してその工事にあたった被告人が、ケーブルに特別高圧電流が流れる場合に発生する誘起電流を接地するための大小2種類の接地銅板のうちの1種類をY分岐接続器に取り付けるのを怠ったため、誘起電流が、大地に流されずに、本来流れるべきでないY分岐接続器本体の半導電層部に流れて炭化導電路を形成し、長期間にわたり同部分に集中して流れ続けたことにより、本件火災が発生したものである。この事実関係の下においては、被告人は、そのような炭化導電路が形成されるという経過を具体的に予見することはできなかったとしても、誘起電流が大地に流されずに本来流れるべきでない部分に長期間にわたり流れ続けることによって火災の発生に至る危険性があることを予見することはできたものというべきである。したがって、本件火災発生の予見可能性を認めることができる〈近鉄生駒トンネル火災事件〉(最決平12・12・20)。 〔出題〕国Ⅰ-平成17

❖期待可能性

Q1 期待可能性の不存在の根拠は何か。

A 超法規的責任阻却事由である。　期待可能性の不存在を理由として刑事責任を否定する理論は、刑法上の明文に基づくものではなく、いわゆる超法規的責任阻却事由と解すべきである。したがって、期

待可能性の不存在の法文上の根拠を示すことなく、その根拠を条理に求めることは違法でない〈三友炭坑事件〉(最判昭31・12・11)。 〔出題〕地方上級-平成2(市共通)

第39条 (心神喪失及び心神耗弱)
①心神喪失者の行為は、罰しない。
②心神耗弱者の行為は、その刑を減軽する。

Q1 心神喪失とは是非弁別能力がない場合に限られるのか。

A 行動能力が欠ける場合も含まれる。　心神喪失と心神耗弱とはいずれも精神障害の態様に属するものであるが、その程度を異にするものであり、前者は精神の障害により事物の理非善悪を弁識する能力なく、またはこの弁識に従って行動する能力のない状態を指称し、後者は精神の障害がいまだそのような能力を欠如する程度に達していないが、その能力が著しく減退した状態を指称する(大判昭6・12・3)。 〔出題〕地方上級-昭和61

Q2 裁判所は人の精神状態を認定する場合に、専門家の鑑定等による必要があり、他の証拠によって認定することはできないのか。

A 専門家の鑑定等による必要なく、他の証拠によって認定してもよい。　裁判所は人の精神状態を認定するのに必ずしも専門家の鑑定等による必要なく他の証拠によって認定しても差し支えない。なぜなら、心神耗弱とか心神喪失とかいうことは刑事訴訟法360条にいう処罪となるべき事実ではないから、これを認定した証拠の説明をする必要はないからである(最判昭23・7・6)。 〔出題〕裁判所総合・一般-平成30

Q3 被告人が犯行当時精神分裂病(統合失調症)に罹患していれば、直ちに被告人が心神喪失の状態にあったといえるのか。

A 被告人が犯行当時精神分裂病(統合失調症)に罹患していただけでは足りず、その責任能力の有無・程度は、被告人の犯行当時の病状、犯行前の生活状態、犯行の動機・態様等を総合して判定すべきである。　原判決が、精神鑑定書(鑑定人に対する証人尋問調書を含む)の結論の部分に被告人が犯行当時心神喪失の情況にあった旨の記載があるのに、その部分を採用せず、鑑定書全体の記載内容とその余の精神鑑定の結果、ならびに記録により認められる被告人の犯行当時の病状、犯行前の生活状態、犯行の動機・態様等を総合して、被告人が本件犯行当時精神分裂病(統合失調症)の影響により心神耗弱の状態にあったと認定したのは、正当として是認することができる(最決昭59・7・3)。 〔出題〕裁判所総合・一般-令和4・3・平成30

◇原因において自由な行為

Q4 飲酒をすると酩酊して他人に暴行を加える習癖のある者が、自ら招いた酩酊により心神喪失となっている間に人を殺傷した場合、被告人は過失致死傷の罪責を負わないのか。

A 被告人は過失致死罪の罪責を負う。　被告人のように、多量に飲酒するときは病的酩酊に陥ることにより、心神喪失の状態で他人に犯罪の害悪を及ぼ

す危険ある素質を有する者はつねに心神喪失の原因となる飲酒を抑止または制限する等前示危険の発生を未然に防止するよう注意する義務がある。したがって、本件殺人行為が被告人の心神喪失時の行為であったとしても①被告人がすでに前示のような自分の素質を自覚し、かつ②本件事前の飲酒につき前示注意義務を怠ったのであれば、被告人は過失致死の罪責を免れえない（最大判昭 26・1・17）。

出題 予想➡裁判所総合・一般－令和 4
Q5 酒酔い運転の行為当時、酩酊により心神耗弱状態で犯罪行為を行った場合、刑法 39 条 2 項の適用により刑は減軽されるのか。

A 刑法 39 条 2 項の適用はなく、刑は減軽されない。 酒酔い運転の行為当時に飲酒酩酊により心神耗弱の状態にあったとしても、飲酒の際、酒酔い運転の意思が認められる場合には、刑法 39 条 2 項を適用して刑の減軽をすべきではない（最決昭 43・2・27）。 出題 予想

第 41 条（責任年齢）

14 歳に満たない者の行為は、罰しない。

第 42 条（自首等）

①罪を犯した者が捜査機関に発覚する前に自首したときは、その刑を減軽することができる。

②告訴がなければ公訴を提起することができない罪について、告訴をすることができる者に対して自己の犯罪事実を告げ、その措置にゆだねたときも、前項と同様とする。

第 8 章 未遂罪

第 43 条（未遂減免）

犯罪の実行に着手してこれを遂げなかった者は、その刑を減軽することができる。ただし、自己の意思により犯罪を中止したときは、その刑を減軽し、又は免除する。

(1)実行の着手

Q1 裁判所に対する不実の請求を目的とする訴えの提起は、訴訟詐欺の実行の着手にあたるのか。

A 訴訟詐欺の実行の着手にあたる。 訴状の提出があれば、裁判所は訴訟を進行させる手続を行うのであるから、この場合における不実の請求を目的とする訴えの提起、すなわち訴状の提出は裁判所に対する欺罔の着手があるのが当然であり、口頭弁論開始後における不実の請求の演述はその実行行為の一部分にとどまるのであり、これをもって実行の着手ということはできない（大判大 3・3・24）。

出題 国Ⅰ－昭和 52、地方上級－平成 5（市共通）
Q2 博戯をする当事者一同が花札の配布を始めれば、賭博罪の実行の着手があるのか。

A 賭博罪の実行の着手がある。 賭博罪は偶然の事情によって決する勝敗に関し、財物の得喪を目的とする博戯または賭事をすることにより成立するものであるから、花札の使用による博戯においては、相共に約してその博戯をする当事者一同が花札の配布を始めたときは、その偶然の事情により勝敗の運命を決する行為はすでに開始されており、賭博行為はその実行の程度に及んでいる（大判大 6・11・8）。

出題 地方上級－平成 5（市共通）
Q3 殺人の目的で毒物の入った砂糖を郵便小包で送付した場合、殺人の実行の着手時期は何時か。

A 郵便小包が配達されて相手方が受領した時である。 他人が純粋の砂糖と誤認して食用し中毒死することを予見しながら毒物を飲食できる状態においたとき、すなわち、毒物混入の砂糖が配達されて相手方が受領したときに、相手方またはその家族が食用しうべき状態の下におかれたものとして、すでに毒殺行為の着手があったということができる（大判大 7・11・16）。

出題 国家総合－平成 30・28・24、国Ⅰ－平成 18・昭和 62・52、地方上級－昭和 62、市役所上・中級－昭和 61
Q4 保険金を騙取する目的で家屋に放火した場合、その放火の時点で詐欺罪の実行の着手はあるのか。

A 詐欺罪の実行の着手はない。 被告人が被保険物に放火し独立して燃焼作用を継続させる状態に至ったが、いまだ保険株式会社に対し保険料支払いの請求をした事実がない以上、本件放火行為は詐欺罪に対しては単に準備行為の関係にとどまり、いまだ詐欺の着手があるとはいえない（大判昭 7・6・15）。

出題 国家総合－令和 3、国Ⅰ－昭和 63・60・54・52、地方上級－昭和 62、市役所上・中級－昭和 61
Q5 被告人が家宅に侵入して金品物色のためたんすに近寄った場合、窃盗罪の実行の着手はあるのか。

A 窃盗罪の実行の着手がある。 窃盗の目的で家宅に侵入し他人の財物に対する事実上の支配を犯すにつき、密接な行為をなしたときは、窃盗罪に着手したものといえる。したがって、窃盗犯人が家宅に侵入して金品物色のためたんすに近寄ることは、他人の財物に対する事実上の支配を侵すにつき密接な行為をしたものであるから、窃盗罪の実行の着手があったといえる（大判昭 9・10・19）。

出題 国Ⅰ－昭和 52、地方上級－昭和 62・58、市役所上・中級－昭和 61、裁判所総合・一般－令和 2・1・平成 27
Q6 すりが被害者の現金をすり取ろうとしてポケットの外側に手を触れた行為は、窃盗罪の実行の着手にあたるか。

A 窃盗罪の実行の着手にあたる。 被害者のズボン右ポケットから現金をすり取ろうとして同ポケットに手を差しのべその外側に触れた以上、窃盗の実行に着手したものである（最決昭 29・5・6）。

出題 国家総合－令和 3・平成 24、国Ⅰ－平成 21、地方上級－昭和 62、市役所上・中級－平成 7、裁判所総合・一般－令和 2・1・平成 27
Q7 甲は、電柱に架設中の電話線を盗もうと考え、電柱に登って電話線を切断しようとしたが、警察官に発見されたため、電話線の被膜を傷つけたにとどまった場合、窃盗の実行の着手は認められるのか。

A 認められる。 被告人は A 管理の電柱に架設中の電話線を切断窃取しようとしたが、巡査に発見逮捕されてその目的を遂げなかったのであって、被告

人は窃盗の目的で他人の財物を切断しようとしたのであるから、このときすでに窃盗の着手があったとみるのが相当である（最判昭31・10・2）。

Q8 店舗内を懐中電燈で照らし、なるべく金をとるため煙草売場のほうに行きかけたとき、被害者に発見され包丁で刺し何もとらずに逃走した場合、加害者の罪責はどうなるのか。

A 事後強盗致傷罪が成立する。　被害者方店舗内において、所携の懐中電燈により真暗な店内を照らしたところ、電気器具類が積んであることがわかったが、なるべく金をとりたいので自己の左側に認めた煙草売場のほうに行きかけた際、被害者らが帰宅した事実が認められた場合には、被告人に窃盗の実行の着手行為があったものと認め、刑法238条の「窃盗」犯人にあたる（最判昭40・3・9）。

Q9 被告人らが、夜間、1人で道路を通行中の婦女を被告人の運転するダンプカーの運転席に引きずり込もうとした時は、強制性交等の罪の実行の着手が認められるのか。

A 強制性交等の罪の実行の着手が認められる。　被告人らが、夜間、1人で道路を通行中の婦女をとらえて車内で強制性交しようと共謀し、必死に抵抗する婦女を被告人の運転するダンプカーの運転席に引きずり込もうとした段階において、すでに強制性交に至る客観的な危険性が明らかに認められるから、その時点において強制性交行為の着手が認められる（最判昭45・7・28）。

Q10 大麻が隠匿された黒色スーツケースを空港作業員により旅具検査場内に搬入させ、大麻が隠匿された紺色スーツケースは被告人が自ら携帯して上陸審査場に赴いて上陸審査を受けるまでに至っていれば、禁制品輸入罪の実行の着手はあるのか。

A 禁制品輸入罪の実行の着手はある。　被告人は、入国審査官により本邦からの退去を命じられて、即日シンガポールに向け出発する航空機に搭乗することとした時点において、本件大麻を通関線を突破して本邦に輸入しようとする意思を放棄したものと認められるが、それまでに、大麻が隠匿された黒色スーツケースは空港作業員により旅具検査場内に搬入させ、大麻が隠匿された紺色スーツケースは被告人が自ら携帯して上陸審査場に赴いて上陸審査を受けるまでに至っていたのであるから、この時点においては被告人の輸入しようとした大麻全部について禁制品輸入罪の実行の着手がすでにあったものと認められる（最決平11・9・28）。　　　　出題 予想

Q11 覚せい剤取締法41条1項の覚せい剤輸入罪は、覚せい剤を領海内に搬入した時点で既遂に達するのか。

A 領土への陸揚げの時点で既遂に達する。　覚せい剤を船舶によって領海外から搬入する場合には、船舶から領土に陸揚げすることによって、覚せい剤の濫用による保健衛生上の危険発生の危険性が著しく高まるから、覚せい剤取締法41条1項の覚せ

い剤輸入罪は、領土への陸揚げの時点で既遂に達すると解する。所論の指摘する近年における船舶を利用した覚せい剤の密輸入事犯の頻発や、小型船舶の普及と高速化に伴うその行動範囲の拡大、GPS（衛星航法装置）等の機器の性能の向上と普及、薬物に対する国際的取組みの必要性等の事情を考慮に入れても、被告人らが運行を支配している小型船舶を用いて、公海上で他の船舶から覚せい剤を受け取り、これを本邦領域内に搬入した場合に、覚せい剤を領海内に搬入した時点で覚せい剤輸入罪の既遂を肯定すべきものとは認められない（最決平13・11・14）。　　　　出題 国家総合 − 平成28

Q12 Aは、外国において覚せい剤を密輸船に積み込んだうえ、本邦近海まで航行させ、同船から海上に投下した覚せい剤を小型船舶で回収して本邦に陸揚げするという方法で覚せい剤を輸入しようとしたが、悪天候等の理由により、投下した覚せい剤を回収できなかった場合に、回収の可能性に乏しかったとしても、Aには、覚せい剤輸入罪の未遂犯は成立するのか。

A Aには、覚せい剤輸入罪の未遂犯は成立しない。被告人は、共犯者らと共謀のうえ、外国において覚せい剤を密輸船に積み込んだうえ、本邦近海まで航行させ、同船から海上に投下した覚せい剤を小型船舶で回収して本邦に陸揚げするという方法で覚せい剤を輸入しようとしたものの、悪天候などの理由により、投下した覚せい剤を小型船舶により発見、回収することができなかったものである。その事実関係に照らせば、小型船舶の回収担当者が覚せい剤をその実力的支配の下に置いていないばかりか、その可能性にも乏しく、覚せい剤が陸揚げされる客観的な危険性が発生したとはいえないから、本件各輸入罪の実行の着手があったものとは解されない（最判平20・3・4）。　　　　出題 国家総合 − 平成28

Q13 被告人らが、スーツケースを機内持込手荷物と偽って入口での保安検査を回避して国際線チェックインカウンターエリア内に持ち込み、不正に入手していた保安検査済みシールを貼付した時点では、無許可輸出罪の実行の着手が認められないのか。

A 無許可輸出罪の実行の着手が認められる。　航空機に機内預託手荷物として積載するスーツケースに隠匿する方法でうなぎの稚魚を無許可で輸出しようとした行為について、入口にエックス線検査装置が設けられ、周囲から区画された国際線チェックインカウンターエリア内にある保安検査済みシールを貼付された手荷物は、そのまま機内預託手荷物として航空機に積載される扱いになっていたなどの本件事実関係の下においては、被告人らが、同スーツケースを機内持込手荷物と偽って入口での保安検査を回避して同エリア内に持ち込み、不正に入手していた保安検査済みシールを貼付した時点では、すでに関税法111条3項、1項1号の無許可輸出罪の実行の着手があったものと解するのが相当である（最判平26・11・7）。　　　　出題 予想

Q14 現金を被害者宅に移動させたうえで、警察官を装った被告人に現金を交付させる計画の一環として述べられた嘘について、その嘘の内容が、現金を

交付するか否かを被害者が判断する前提となるよう予定された事項に係る重要なものであり、被害者に現金の交付を求める行為に直接つながる嘘が含まれ、被害者にその嘘を真実と誤信させることによって被害者が被告人の求めに応じて即座に現金を交付してしまう危険性を著しく高めるといえるなどの本件事実関係の下においては、当該嘘を一連のものとして被害者に述べた段階で、被害者に現金の交付を求める文言を述べていないとしても、詐欺罪の実行の着手があったと認められるのか。

Ａ 詐欺罪の実行の着手があったと認められる。
本件における、警察官を名乗る氏名不詳者からの電話で、「昨日、駅のところで、不審な男を捕まえたんですが、その犯人が被害者の名前を言っています」「昨日、詐欺の被害にあっていないですか」「口座にはまだどのくらいの金額が残っているんですか」「銀行に今すぐ行って全部下ろした方がいいですよ」「前日の100万円を取り返すので協力してほしい」などの文言は、警察官を装って被害者に対して直接述べられたものであって、預金を下ろして現金化する必要があるとの嘘（1回目の電話）、前日の詐欺の被害金を取り戻すためには被害者が警察に協力する必要があるとの嘘（1回目の電話）、これから間もなく警察官が被害者宅を訪問するとの嘘（2回目の電話）を含むものである。上記認定事実によれば、これらの嘘（以下「本件嘘」という）を述べた行為は、被害者をして、本件嘘が真実であると誤信させることによって、あらかじめ現金を被害者宅に移動させたうえで、後に被害者宅を訪問で警察官を装って現金の交付を求める予定であった被告人に対して現金を交付させるための計画の一環として行われたものであり、本件嘘の内容は、その犯行計画上、被害者が現金を交付するか否かを判断する前提となるよう予定された事項に係る重要なものであったと認められる。そして、このように段階を踏んで嘘を重ねながら現金を交付させるための犯行計画の下において述べられた本件嘘には、預金口座から現金を下ろして被害者宅に移動させることを求める趣旨の文言や、間もなく警察官が被害者宅を訪問することを予告する文言といった、被害者に現金の交付を求める行為に直接つながる嘘が含まれており、すでに100万円の詐欺被害にあっていた被害者に対し、本件嘘を真実であると誤信させることは、被害者において、間もなく被害者宅を訪問しようとしていた被告人の求めに応じて即座に現金を交付してしまう危険性を著しく高めるものといえる。このような事実関係の下においては、本件嘘を一連のものとして被害者に対して述べた段階において、被害者に現金の交付を求める文言を述べていないとしても、詐欺罪の実行の着手があったと認められる（最判平30・3・22）。 **出題**予想

Q15 被告人が被害者宅を訪問し虚偽の指示等を行うことに直接つながるとともに、被害者に被告人の指示等に疑問を抱かせることなくすり替えの隙を生じさせる状況を作り出すようなうそが述べられ、被告人が被害者宅付近路上まで赴いたなどの本件事実関係の下においては、被告人が被害者に対して

キャッシュカード入りの封筒から注意をそらすための行為をしていない場合には、当該うそが述べられ被告人が被害者宅付近路上まで赴いた時点では、窃盗罪の実行の着手は認められないのか。

Ａ 窃盗罪の実行の着手が既にあったと認められる。本件犯行計画上、キャッシュカード入りの封筒と偽封筒とをすり替えてキャッシュカードを窃取するには、被害者が、金融庁職員を装って来訪した被告人の虚偽の説明や指示を信じてこれに従い、封筒にキャッシュカードを入れたまま、割り印をするための印鑑を取りに行くことによって、すり替えの隙を生じさせることが必要であり、本件うそはその前提となるものである。そして、本件うそには、金融庁職員のキャッシュカードに関する説明や指示に従う必要性に関係するうそや、間もなくその金融庁職員が被害者宅を訪問することを予告するうそなど、被告人が被害者宅を訪問し、虚偽の説明や指示を行うことに直接つながるとともに、被害者に被告人の説明や指示に疑問を抱かせることなく、すり替えの隙を生じさせる状況を作り出すようなうそが含まれている。このような本件うそが述べられ、金融庁職員を装いすり替えによってキャッシュカードを窃取する予定の被告人が被害者宅付近路上まで赴いた時点では、被害者が間もなく被害者宅を訪問しようとしていた被告人の説明や指示に従うなどしてキャッシュカード入りの封筒から注意をそらし、その隙に被告人がキャッシュカード入りの封筒と偽封筒とをすり替えてキャッシュカードの占有を侵害するに至る危険性が明らかに認められる。このような事実関係の下においては、被告人が被害者に対して印鑑を取りに行かせるなどしてキャッシュカード入りの封筒から注意をそらすための行為をしていないとしても、本件うそが述べられ、被告人が被害者宅付近路上まで赴いた時点では、窃盗罪の実行の着手が既にあったと認められる。（最決令4・2・14）。 **出題**予想

(2)実行に移す意思

Q16 クロロホルムを吸引させて失神させた被害者を自動車ごと海中に転落させてでき死させようとして、被害者にクロロホルムを吸引させて、自動車ごと海中に転落させ、被害者を死亡させたが、死因が、でき水に基づく窒息であるか、クロロホルム摂取に基づく呼吸停止等であるか特定できなかった場合、殺人罪の成立は認められるのか。

Ａ 殺人罪の成立は認められる。 実行犯3名の殺害計画は、クロロホルムを吸引させてＡを失神させたうえ（第1行為）、その失神状態を利用して、Ａを港まで運び自動車ごと海中に転落させてでき死させるというものであって（第2行為）、(1)第1行為は第2行為を確実かつ容易に行うために必要不可欠なものであったといえること、(2)第1行為に成功した場合、それ以降の殺害計画を遂行するうえで障害となるような特段の事情が存しなかったと認められることや、(3)第1行為と第2行為との間の時間的場所的近接性などに照らすと、第1行為は第2行為に密接な行為であり、実行犯3名が第1

行為を開始した時点ですでに殺人に至る客観的な危険性が明らかに認められるから、その時点において殺人罪の実行の着手があったものと解する。また、実行犯3名は、クロロホルムを吸引させてAを失神させたうえ自動車ごと海中に転落させるという一連の殺人行為に着手して、その目的を遂げたのであるから、たとえ、実行犯3名の認識と異なり、第2行為の前の時点でAが第1行為により死亡していたとしても、殺人の故意に欠けるところはなく、実行犯3名については殺人既遂の共同正犯が成立するものと認められる。そして、実行犯3名は被告人両名との共謀に基づいて上記殺人行為に及んだのであるから、被告人両名もまた殺人既遂の共同正犯の罪責を負う〈クロロホルム事件〉（最決平16・3・22）。

出題 国家総合 − 令和4・平成29・24、裁判所総合・一般 − 令和3・平成27

(3)不能犯

Q17 甲は現金を取る目的で、通行人乙のポケットに手を差し込んだが、乙は現金を持ち合わせていなかった場合、甲は窃盗の不能犯となるのか。

A 甲は窃盗の不能犯ではなく、未遂犯となる。
通行人が懐中物を所持することは普通予想できる事実であるから、それを奪取しようとする行為は、その結果が発生する可能性を有するのであり、実害の発生する危険がある。それ故、その行為の当時被害者が懐中物を所持していないため、犯人がその奪取の目的を達することができなくても、犯人は意外な障碍により、その着手した行為が予想の結果を生じさせなかったにすぎず、未遂犯をもって処断することは妨げられない（大判大3・7・24）。

出題 地方上級 − 平成1（市共通）、市役所上・中級 − 平成2、裁判所総合・一般 − 平成27

Q18 X・Yは殺人の故意で飲み物の中に硫黄の粉末を混入してAに飲ませたが、Aは死ななかった場合、X・Yは殺人の不能犯となるのか。

A X・Yは殺人の不能犯となる。
被告両名X・Yは、殺害の意思で2回硫黄の粉末を飲食物の中もしくは水薬の中に混和して、これをYの内縁の夫であるAに服用させて毒殺しようとしたが、その方法は絶対に殺害の結果を惹起するに足りず、目的を達することができない（大判大6・9・10）。

出題 地方上級 − 平成1（市共通）、市役所上級 − 平成14・2、裁判所総合 − 平成30・27

Q19 甲は乙の静脈内に注射をすれば乙は死ぬと思い、静脈内に空気を注射したが、致死量に達せず乙は死ななかった場合、甲は殺人の不能犯となるのか。

A 甲は殺人の不能犯ではなく、未遂犯となる。
静脈内に注射された空気の量が致死量以下であっても、被注射者の身体的条件その他の事情のいかんによっては、死の結果発生の危険が絶対にないとはいえない（最判昭37・3・23）。

出題 国家総合 − 平成28、国Ⅰ − 平成18、地方上級 − 平成1（市共通）、市役所上・中級 − 平成2、裁判所総合・一般 − 平成27

(4)中止犯

◇中止の任意性

Q20 外部的障害により殺害行為を止めた場合、中止犯の適用はあるのか。

A 中止犯の適用はない。
被告Xは殺害の目的で人を斬り重傷を負わせたが、外部の障碍によって犯罪が発覚することを畏怖し、殺害行為を遂行することができず、現場を逃走せざるをえなかったのであり、犯人の意思以外の事情で強制されることなく、任意に殺害行為を中止した事実がなかったことは明らかである。したがって、被告Xの行為は殺人未遂罪であって、中止犯ではない（大判大2・11・18）。

出題 国Ⅰ − 平成18・4

Q21 窃盗犯人が目的物を発見できなかったために窃盗の意思を放棄した場合、窃盗の中止犯となるのか。

A 窃盗の中止犯とはならない。
中止犯は犯人が自己の任意の行為によって結果の発生を防止した場合であって、これを本件窃盗の事実についてみると、窃盗という結果の不発生は目的物が発見されなかったことに原因があり、その目的物が発見されなかったということは、とうてい被告人等の任意的行為による原因事実とはいえないので、これについて中止犯をもって論ずることはできない（大判昭21・11・27）。

出題 市役所上・中級 − 平成5

Q22 母親が頭部から血を流し痛苦しているのをみて驚愕・恐怖し、殺害行為を止めた場合、中止犯の適用はあるのか。

A 中止犯の適用はない。
母の流血痛苦の様子をみていまさらのごとく事の重大性に驚愕・恐怖するとともに、自己の当初の意図どおりに実母殺害の実行を完遂できないことを知り、これらのため殺害行為続行の意力を抑圧され、他面事態をそのままにしておけば、当然犯人は自己であることが直ちに発覚することをおそれ、ことさらに便所の戸や高窓を開いたり等して外部からの侵入者の犯行であるかのように偽装することに努めたものである。したがって、そのような事情原因の下に被告人が犯行完成の意力を抑圧させられて本件犯行を中止した場合は、犯罪の完成を妨害するに足る性質の障害に基づくものであって、刑法43条但書にいわゆる自己の意思により犯行を止めたる場合にあたらない（最決昭32・9・10）。

出題 国家総合 − 令和3、国Ⅰ − 平成23、市役所上・中級 − 平成5・昭和63

◇結果の防止

Q23 放火犯人がよろしく頼むと叫びながら走り去り、その後他人の消火行為によって放火の発生が防止されたときは、放火犯人に中止犯の適用があるのか。

A 中止犯の適用はない。
刑法43条但書のいわゆる中止犯は、犯人が犯罪の実行に着手した後、その継続中任意にこれを中止しもしくは結果の発生を防止することによって成立するもので、結果発生についての防止は必ずしも犯人単独でこれにあたるこ

刑法〔抄〕

とを要しないが、自らこれにあたらない場合は、少なくとも犯人自身が防止にあたるのと同視するに足るべき程度の努力を払う必要がある。したがって、被告人が放火の実行に着手した後、逃走の際、火勢を認めて恐怖心を生じ、他人に放火したのでよろしく頼むと叫びながら走り去ることは、放火の結果発生の防止につき、自らこれにあたったのと同視することのできる努力を尽くしたと認めることができないので、被告人が逃走後、その他人らの消火行為によって放火の結果発生が防止されても、被告人に中止犯の適用は認められない（大判昭12・6・25）。

◇予備と中止、共同正犯と中止

Q24 予備罪に中止未遂が認められるのか。
A 中止未遂は認められない。　予備罪には中止未遂の観念を容れる余地がないから、被告人の強盗予備行為は中止未遂とならない（最大判昭29・1・20）。

Q25 共同正犯者の1人が、自己の意思により犯行を中止した場合、他の者の犯行を阻止できなくても、中止犯の適用はあるか。
A 中止犯の適用はない。　XがAの妻Bの差し出した現金を受け取ることを断念して同人方を立ち去った事情があるとしても、Xにおいて、その共謀者たるYが金員を強取することを放任した以上、被告人Xのみを中止犯として論ずることはできないのであって、XとしてもYによって遂行された強盗既遂の罪責を免れることはできない（最判昭24・12・17）。

第44条（未遂罪）
　未遂を罰する場合は、各本条で定める。

第9章　併合罪

第45条（併合罪）
　確定裁判を経ていない2個以上の罪を併合罪とする。ある罪について拘禁刑以上の刑に処する確定裁判があったときは、その罪とその裁判が確定する前に犯した罪とに限り、併合罪とする。

Q1 窃取または騙取した郵便貯金通帳で郵便局員を欺罔して金員を騙取した場合、両者の行為はどのような関係にあるのか。
A 通帳の領得罪と詐欺罪とは併合罪の関係にある。臓物（盗品その他財産に対する罪にあたる行為によって領得れた物）を処分することは財産罪に伴う事後処分にすぎないから別罪を構成しないが、窃取または騙取した郵便貯金通帳を利用して郵便局員を欺罔し、真実名義人において貯金の払戻しを請求するものと誤信させて貯金の払戻名義の下に金員

を騙取することはさらに新法益を侵害する行為であるから、ここに犯罪の成立を認めるべきであって、これをもって臓物の単なる事後処分と同視することはできない。したがって、郵便貯金通帳を利用して預金を引き出した行為に対し詐欺罪が成立し、通帳の領得罪と詐欺罪とは併合罪の関係になる（最判昭25・2・24）。　

Q2 傷害の目的で人を監禁し傷害を与えた場合、罪責はどうなるのか。
A 監禁罪と傷害罪の併合罪である。　傷害の手段として監禁がなされたものであっても、その行為の性質からみて、両者が通常手段と結果の関係にあるものとは認められないから、刑法54条1項の牽連犯にあたらない（最決昭43・9・17）。

Q3 酒酔い運転の罪とその運転中に行われた業務上過失致死の罪とは、どのような関係にあるのか。
A 併合罪の関係にある。　酒に酔った状態で自動車を運転中に誤って人身事故を発生させた場合についてみるに、もともと自動車を運転する行為は、その形態が、通常、時間的継続と場所的移動を伴うものであるのに対し、その過程において人身事故を発生させる行為は、運転継続中における一時点一場所での事象であって、自然的観察からするならば、両者は、酒に酔った状態で運転したことが事故を惹起した過失の内容をなすものかどうかにかかわりなく、社会的見解上別個のものと評価すべきであって、これを1個のものとみることはできない。したがって、酒酔い運転の罪とその運転中に行われた業務上過失致死の罪とは併合罪の関係にある（最大判昭49・5・29）。

Q4 身代金取得の目的で人を拐取した者が、さらに被拐取者を監禁し、その間に身代金を要求した場合には、身代金目的拐取罪と身代金要求罪と監禁罪とは併合罪の関係にあるのか。
A 身代金目的拐取罪と身代金要求罪とは牽連犯の関係に、以上の各罪と監禁罪とは併合罪の関係にある。　身代金取得の目的で人を拐取した者が、さらに被拐取者を監禁し、その間に身代金を要求した場合には、身代金目的拐取罪と身代金要求罪とは牽連犯の関係に、以上の各罪と監禁罪とは併合罪の関係にある（最決昭58・9・27）。　

Q5 継続して自動車を運転した場合の2地点間の距離が離れ、道路状況等が変化している状況での速度違反行為の罪数はどうなるのか。
A 各速度違反の行為は併合罪の関係にある。　本件においては制限速度を超過した状態で運転を継続した2地点間の距離が約19.4キロメートルも離れていたのであり、また、道路状況等が変化していることにもかんがみると、その各地点における速度違反の行為は別罪を構成し、両者は併合罪の関係にある（最決平5・10・29）。　

Q6 恐喝の手段として監禁が行われた場合、両罪は、牽連犯の関係にあるのか。
A 牽連犯ではなく、併合罪の関係にある。　被告

人が共犯者らと共謀のうえ、被害者から風俗店の登録名義貸し料名下に金品を喝取しようと企て、被害者を監禁し、その際に被害者に対して加えた暴行により傷害を負わせ、さらに、これら監禁のための暴行等により畏怖している被害者をさらに脅迫して現金および自動車1台を喝取したという監禁致傷、恐喝の各罪について、これらを併合罪として処断すべきである。すなわち、恐喝の手段として監禁が行われた場合であっても、両罪は、犯罪の通常の形態として手段又は結果の関係にあるものとは認められず、牽連犯の関係にはないと解するから、大判大15・10・14の判例はこれを変更すべきである（最判平17・4・14）。

Q7 数罪が科刑上一罪の関係にある場合、その最も重い罪の刑は懲役刑のみであるがその他の罪に罰金刑の任意的併科の定めがあるときは、最も重い罪の懲役刑にその他の罪の罰金刑を併科できるのか。

A 併科できる。 所論は、詐欺と組織的な犯罪の処罰及び犯罪収益の規制等に関する法律10条1項の犯罪収益等隠匿とが刑法54条1項前段の観念的競合の関係に立つ場合、詐欺罪の法定刑は10年以下の懲役であり、犯罪収益等隠匿罪のそれは5年以下の懲役若しくは300万円以下の罰金又はこれの併科であるから、いわゆる重点的対照主義によれば、被告人に対する処断は重い刑を定める詐欺罪の法定刑によることになり、軽い罪である犯罪収益等隠匿罪の罰金刑を併科することはできないという。しかしながら、数罪が科刑上一罪の関係にある場合において、その最も重い罪の刑は懲役刑のみであるがその他の罪に罰金刑の任意的併科の定めがあるときは、刑法54条1項の規定の趣旨等にかんがみ、最も重い罪の懲役刑にその他の罪の罰金刑を併科することができるものと解するのが相当である（最決平19・12・3）。 [出題]予想

Q8 被害児童に性交又は性交類似行為をさせて撮影することをもって児童ポルノを製造した場合、児童福祉法34条1項6号違反の児童に淫行をさせる罪と児童買春・児童ポルノ等処罰法7条3項の児童ポルノ製造罪は、観念的競合の関係にあるのか。

A 併合罪の関係にある。 本件のように被害児童に性交又は性交類似行為をさせて撮影することをもって児童ポルノを製造した場合においては、被告人の児童福祉法34条1項6号に触れる行為と児童ポルノ法7条3項に触れる行為とは、一部重なる点はあるものの、両行為が通常伴う関係にあるとはいえないことや、両行為の性質等にかんがみると、それぞれにおける行為者の動機は社会的見解上別個のものといえるから（最大判昭49・5・29参照）、両罪は、刑法54条1項前段の観念的競合の関係にはなく、同法45条前段の併合罪の関係にあるというべきである（最決平21・10・21）。 [出題]予想

第46条（併科の制限）

①併合罪のうちの1個の罪について死刑に処するときは、他の刑を科さない。ただし、没収は、この

限りでない。

②併合罪のうちの1個の罪について無期の拘禁刑に処するときも、他の刑を科さない。ただし、罰金、科料及び没収は、この限りでない。

Q1 併合罪関係にある複数の罪のうちの1個の罪について死刑又は無期刑を選択する際には、その結果科されないこととなる刑に係る罪を、これをも含めて処断する趣旨で、考慮できるということか。

A これをも含めて処罰する趣旨で、考慮できるということである。 刑法46条は、併合罪関係にある複数の罪のうち1個の罪について死刑又は無期刑に処するときは、一定の軽い刑を除き、他の刑を科さない旨を規定するところ、これは、1個の罪について死刑又は無期刑に処するときに、その結果科されないこととなる刑に係る罪を不問に付する趣旨ではなく、その刑を死刑又は無期刑に吸収させ、これらによってその罪をも処断する趣旨のものと解される。したがって、併合罪関係にある複数の罪のうちの1個の罪について死刑又は無期刑を選択する際には、その結果科されないこととなる刑に係る罪を、これをも含めて処断する趣旨で、考慮できるというべきであり、当該1個の罪のみで死刑又は無期刑が相当とされる場合でなければそれらの刑を選択できないというものではない。なお、刑種の選択は量刑の一部であるので、他の犯罪事実の存在、内容をその事情の一つとして考慮することが許されるのは、当然である（最決平19・3・22）。 [出題]予想

第47条（有期の懲役及び禁錮の加重）

併合罪のうちの2個以上の罪について有期拘禁刑に処するときは、その最も重い罪について定めた刑の長期にその2分の1を加えたものを長期とする。ただし、それぞれの罪について定めた刑の長期の合計を超えることはできない。

Q1 刑法47条は、併合罪のうち2個以上の罪について有期の懲役又は禁錮に処するときは、処断刑の範囲内で具体的な刑を決するにあたり、併合罪の構成単位である各罪についてあらかじめ個別的な量刑判断を行ったうえこれを合算するようなことが、法律上予定されているのか。

A 法律上予定されていない。 刑法47条は、併合罪のうち2個以上の罪について有期の懲役又は禁錮に処するときは、同条が定めるところに従って併合罪を構成する各罪全体に対する統一刑を処断刑として形成し、修正された法定刑ともいうべきこの処断刑の範囲内で、併合罪を構成する各罪全体に対する具体的な刑を決することとした規定であり、処断刑の範囲内で具体的な刑を決するにあたり、併合罪の構成単位である各罪についてあらかじめ個別的な量刑判断を行ったうえこれを合算するようなことは、法律上予定されていない。又、同条がいわゆる併科主義による過酷な結果の回避という趣旨を内包した規定であることは明らかであるが、そうした観点から問題となるのは、法によって形成される制度としての刑の枠、特にその上限であると考えられる。同条が、さらに不文の法規範として、併合罪を構成する各罪についてあらかじめ個別的に刑を量定する

刑法〔抄〕

ことを前提に、その個別的な刑の量定に関して一定の制約を課していると解するのは相当でない（最判平15・7・10）。　出題 予想

Q2 下校途中の女子小学生（当時9歳）を略取し、繰り返し暴行・脅迫を加えて、自宅自室に9年2か月もの長期にわたって監禁し続け（第1事実）、その結果、被害者に治療期間不明なほどの両下肢筋力低下等の傷害を与えるとともに、監禁期間中、被害者に着用させるための下着（時価合計約2,500円）を窃取した（第2事実）場合、第1、第2の両罪全体に対する処断刑の範囲は何年になるのか。

A 懲役3月以上15年以下となる。　刑法45条前段の併合罪の関係にある第1の罪（未成年者略取罪と逮捕監禁致傷罪が観念的競合の関係にあって後者の刑で処断されるもの）と同第2の罪（窃盗罪）について、同法47条に従って併合罪加重を行った場合には、同第1、第2の両罪全体に対する処断刑の範囲は、懲役3月以上15年以下となるのであって、量刑の当否という問題を別にすれば、上記の処断刑の範囲内で刑を決するについて、法律上特段の制約は存しない（最判平15・7・10）。　出題 予想

第48条（罰金の併科等）
①罰金と他の刑とは、併科する。ただし、第46条第1項の場合は、この限りでない。
②併合罪のうちの2個以上の罪について罰金に処するときは、それぞれの罪について定めた罰金の多額の合計以下で処断する。

第49条（没収の付加）
①併合罪のうちの重い罪について没収を科さない場合であっても、他の罪について没収の事由があるときは、これを付加することができる。
②2個以上の没収は、併科する。

第50条（余罪の処理）
併合罪のうちに既に確定裁判を経た罪とまだ確定裁判を経ていない罪とがあるときは、確定裁判を経ていない罪について処断する。

第51条（併合罪に係る2個以上の刑の執行）
①併合罪について2個以上の裁判があったときは、その刑を併せて執行する。ただし、死刑を執行すべきときは、没収を除き、他の刑を執行せず、無期拘禁刑を執行すべきときは、罰金、科料及び没収を除き、他の刑を執行しない。
②前項の場合における有期拘禁刑の執行は、その最も重い罪について定めた刑の長期にその2分の1を加えたものを超えることができない。

第52条（一部に大赦があった場合の措置）
併合罪について処断された者がその一部の罪につき大赦を受けたときは、他の罪について改めて刑を定める。

第53条（拘留及び科料の併科）
①拘留又は科料と他の刑とは、併科する。ただし、第46条の場合は、この限りでない。
②2個以上の拘留又は科料は、併科する。

第54条（1個の行為が2個以上の罪名に触れる場合等の処理）
①1個の行為が2個以上の罪名に触れ、又は犯罪の

手段若しくは結果である行為が他の罪名に触れるときは、その最も重い刑により処断する。
②第49条第2項の規定は、前項の場合にも、適用する。

◇観念的競合

Q1 刑法54条1項前段における「1個の行為」とは何か。

A 法的評価を離れ自然的観察の下で、行為者の動態が社会的見解上1個のものと評価されるものをいう。　刑法54条1項前段の規定は、1個の行為が同時に数個の犯罪構成要件に該当して数個の犯罪が競合する場合において、これを法律上一罪として刑を科する趣旨のものであるところ、この規定にいう1個の行為とは、法的評価を離れ構成要件的観点を捨象した自然的観察の下で、行為者の動態が社会的見解上1個のものとの評価を受ける場合をいう（最大判昭49・5・29）。　出題 国Ⅰ-昭和52

Q2 窃盗犯人が、逮捕を免れるため、巡査に暴行を加えた場合の罪責はどうなるのか。

A 公務執行妨害罪と強盗致傷罪との観念的競合である。　被告が窃盗を犯した際に巡査の逮捕を免れるためこれに対して暴行を加えもって創傷を負わせた事実があることから、公務員である巡査の職務を執行するにあたり、これに対して暴行を加えた点と窃盗を犯した際に巡査の逮捕を免れるため暴行を加えて傷を負わせた点とがあり、前者は刑法95条1項に後者は238条、240条前段に該当し、要するに1個の行為で2個の罪名に触れるものであるから、同法54条1項によりその最も重い後者に対する刑をもって処断するものである（大判明43・2・15）。　出題 国Ⅰ-昭和51

Q3 殺意をもって女子を強制性交し、死亡させた場合の罪責はどうなるのか。

A 強制性交等致死罪と殺人罪との観念的競合である。　殺意をもって女子を強制性交し、死亡させた場合は、強制性交等致死罪と殺人罪との観念的競合である（大判大4・12・11、最判昭31・10・25）。　出題 地方上級-昭和62・63

Q4 贓物（盗品その他財産に対する罪にあたる行為によって領得された物）であるという情を知りながら、これを賄賂として収受した場合の罪責はどうなるのか。

A 収賄罪と贓物収受罪（盗品譲受罪）との観念的競合である。　刑法197条の罪が成立するために公務員が収受した金品が贓物であっても差し支えない。されば、その職務上の不正行為に対する謝礼として交付した金員が贓物であったとしても、そのために贈賄罪の成立に少しも影響を及ぼすことはない（最判昭23・3・16）。　出題 国Ⅰ-昭和51

Q5 自動車のひき逃げにおける、道路交通法上の救護義務違反と報告義務違反との関係は観念的競合の関係にあるのか。

A 刑法54条1項前段の観念的競合の関係にある。車両等の運転者等が、1個の交通事故から生じた道路交通法72条1項前段の救護義務と後段の報告義務を負う場合、これをいずれも履行する意思がな

く、事故現場から立ち去るなどしたときは、他に特段の事情がない限り、各義務違反の不作為は社会的見解上1個の動態と評価すべきものであり、各義務違反の罪は刑法54条1項前段の観念的競合の関係にある（最大判昭51・9・22）。

出題 国Ⅰ-昭和57

◇牽連犯

Q6 Xは財物騙取の目的で民事訴訟を提起し、その訴訟の中で証人に偽証を教唆してその目的を遂げた場合、Xの罪責はどうなるのか。

A 詐欺罪と偽証教唆罪との牽連犯である。　数人が共謀して財物騙取の目的で虚構の事実に基づき民事訴訟を提起した場合、共謀者の1人がその目的を達するため偽証をなしたるときは、偽証の行為は偽造証書の証拠としてこれを口頭弁論の際に提出したのと同じく詐欺の手段にほかならず、刑法54条のいわゆる犯罪の手段である行為で他の罪名に触れるものである（大判大2・1・24）。

出題 国Ⅰ-昭和52

Q7 1個の住居侵入行為と3個の殺人行為とは、どのような関係にたつのか。

A 牽連犯の関係にたつ。　1個の住居侵入行為と3個の殺人行為とがそれぞれ牽連犯の関係にある場合には、刑法54条1項後段、10条を適用し一罪としてその最も重き刑に従い処断すべきものである（最決昭29・5・27）。

出題 裁判所総合・一般-平成24

Q8 牽連犯を構成する手段となる犯罪と結果となる犯罪との中間に別罪の確定裁判が介在する場合には、刑法54条の適用があるのか。

A 刑法54条の適用がある。　牽連犯を構成する手段となる犯罪と結果となる犯罪とは、本来数罪として広義の併合罪に包含されるが、科刑上一罪として罪数上は本来の一罪と同様に扱われ、刑法45条の適用については数罪ではなく一罪であると解することに文理上支障はない。そして、牽連犯はその数罪間に罪質上通例その一方が他方の手段または結果となる関係があり、しかも具体的に犯人がかかる関係においてその数罪を実行した場合に科刑上特に一罪として取り扱うこととしたのであるから、牽連犯を構成する手段となる犯罪と結果となる犯罪との中間に別罪の確定裁判が介在する場合においても、なお刑法54条の適用がある（最大判昭44・6・18）。

出題 予想

第10章 累犯

第56条（再犯）
①拘禁刑に処せられた者がその執行を終わった日又はその執行の免除を得た日から5年以内に更に罪を犯した場合において、その者を有期拘禁刑に処するときは、再犯とする。
②死刑に処せられた者がその執行の免除を得た日又は減刑により拘禁刑に減軽されてその執行を終わった日若しくはその執行の免除を得た日から5年以内に更に罪を犯した場合において、その者を有期拘禁刑に処するときも、前項と同様

とする。

第57条（再犯加重）
　再犯の刑は、その罪について定めた拘禁刑の長期の2倍以下とする。

第59条（3犯以上の累犯）
　3犯以上の者についても、再犯の例による。

第11章 共犯

1　必要的共犯

Q1 弁護士でない者に、自己の法律事件の示談解決を依頼し、これに報酬を与えまたは与えることを約束した者を、弁護士法72条、77条違反の教唆犯として処罰できるのか。

A 教唆犯として処罰することはできない。　弁護士法は、弁護士でない者が、報酬を得る目的で、他人の法律事件を取り扱うことを禁じているが、報酬を与える等の行為をした者について、これを処罰する趣旨の規定をおいていない。このように、ある犯罪が成立するについて当然予想され、むしろそのために欠くことができない関与行為について、これを処罰する規定がない以上、これを、関与を受けた側の可罰的な行為の教唆もしくは幇助として処罰することは、原則として、法の意図しないところである。そうすると、弁護士でない者に、自己の法律事件の示談解決を依頼し、これに、報酬を与えもしくは与えることを約束した者を、弁護士法72条、77条違反の罪の教唆犯として処罰することはできない（最判昭43・12・24）。

出題 国Ⅰ-昭和62

2　間接正犯

Q2 Xは、情を知らないAに対し自己に処分権があるように装ってくず鉄を売却し、Aは、情を知らない古鉄回収業者Bをしてくず鉄を解体し搬出させた。AおよびBにXに処分権がないことを知らなかったことにつき過失があった場合、Xには窃盗罪の間接正犯は成立しないのか。

A Xに窃盗罪の間接正犯は成立する。　炭坑構内に会社において採炭運搬のために据えつけた、同会社の所有管理にかかる本件ドラグライン1基につき、なんら管理処分権なきXが他人と売買契約を締結しても、ただそれだけの事実にとどまるならば、Xに窃盗罪の成立を認めることはできないが、Xは9月11日頃、くず鉄類を取り扱っているその情を知らないAに、自己に処分権があるごとく装い、くず鉄として、解体運搬費等を差し引いた価額、すなわち買主において解体のうえこれを引き取る約定で売却し、その翌日頃Aは情を知らない古鉄回収業者Bに物件を古鉄として売却し、同人において、その翌日頃ガス切断等の方法により、解体のうえ順次搬出したものであることが明らかであるから、解体搬出された物件につきXは窃盗罪の刑事責任を免れることはできない（最決昭31・7・3）。

出題 裁判所総合・一般-平成27

Q3 Xが、麻薬施用者の医師であるYに対し、嘘を

言って麻薬の注射を求め、情を知らない同人を誤信させて、麻薬を自己に注射させた場合、Xには麻薬施用罪の教唆犯が成立するのか。

Ⓐ Xには麻薬施用罪の間接正犯が成立する。 被告人が、麻薬施用者である医師に対し、胃痛腹痛が激しいかのように仮装して麻薬の注射を求め、情を知らない同人をして、疾病治療のため麻薬注射が必要であると誤診させ、麻薬を自己に注射させた場合には、被告人が自ら麻薬を施用したものとして、麻薬取締法27条1項違反の罪が成立する（最決昭44・11・11）。 出題 裁判所総合・一般－平成27

Ⓠ4 被告人の平素の言動に畏怖して意思を抑圧されている12歳の養女を利用して、窃盗を行えば、窃盗罪の教唆犯となるのか。

Ⓐ 窃盗罪の間接正犯となる。 日頃被告人の言動に逆らう素振りをみせる都度、顔面にタバコの火を押しつけたりドライバーで顔をこすったりするなどの暴行を加えて自己の意のままに従わせていた12歳の養女に対し、各窃盗を命じてこれを行わせた本件では、被告人が、自己の日頃の言動に畏怖し意思を抑圧されている同女を利用して各窃盗を行ったと認められるから、たとえ同女が是非善悪の判断能力を有する者であったとしても、被告人については本件各窃盗の間接正犯が成立する（最決昭58・9・21）。

出題 国Ⅰ－平成20・16・9・5、地方上級－平成8（市共通）、裁判所総合・一般－平成29・27

Ⓠ5 教唆犯が成立するためには、正犯に責任がない場合でも構成要件該当性と違法性が備わっていれば足りるとする立場に立てば、正犯Aに構成要件該当性と違法性が備わっていれば、教唆者Bが責任能力のないAを道具のように利用して犯罪を行わせた場合でも、Bは教唆犯になるのか。

Ⓐ Bは間接正犯になる（最決昭58・9・21）。⇨4

Ⓠ6 被告人らは、外国から大麻を輸入しようとしたが、税関検査の段階で税関および捜査機関に大麻隠匿の事実が発覚し、その後、税関長の輸入許可を経て、配送業者が、捜査当局と打合せのうえ、当該貨物を（麻薬特例法4条によるコントロールド・デリバリー）配達し、被告人がこれを受け取った場合、関税法上の禁制品輸入罪は未遂となるのか。

Ⓐ 禁制品輸入罪は既遂となる。 被告人らは、通関業者や配送業者が通常の業務の遂行として当該貨物の輸入申告をし、保税地域から引き取って配達するであろうことを予期し、運送契約上の義務を履行する配送業者らを自己の犯罪実現のための道具として利用しようとしたのであり、他方、通関業者による申告はもとより、配送業者による引取りおよび配達も、被告人らの依頼の趣旨にそうものであって、配送業者が、捜査機関から事情を知らされ、捜査協力を要請されてその監視の下におかれたからといって、それが被告人らからの依頼に基づく運送契約上の義務の履行としての性格を失うものではなく、被告人らは、その意図したとおり、第三者の行為を自己の犯罪実現のための道具として利用したのである。そうすると、本件禁制品輸入罪（関税法109

条1項）は既遂に達したということができる（最決平9・10・30）。 出題 予想

〔参考〕関税法旧第109条
①関税定率法第21条第1項（輸入禁制品）に掲げる貨物を輸入した者は、5年以下の懲役若しくは500万円以下の罰金に処し、又はこれを併科する。

Ⓠ7 自殺させて保険金を取得する目的で、被害者に命令して岸壁上から自動車ごと海中に転落させた被告人の行為は、被害者を利用した間接正犯形態の殺人未遂罪の成立が認められるのか。

Ⓐ 認められる。 被告人は、本件犯行当時、被害者に、被告人の命令に応じて車ごと海に飛び込む以外の行為を選択することができない精神状態に陥らせていたということができる。被告人は、以上のような精神状態に陥っていた被害者に、自らを死亡させる現実的危険性の高い行為に及ばせたのであるから、被害者に命令して車ごと海に転落させた被告人の行為は、殺人罪の実行行為にあたる。また、被害者には被告人の命令に応じて自殺する気持ちはなかったのであって、この点は被告人の予期に反していたが、被害者に対し死亡の現実的危険性の高い行為を強いたこと自体については、被告人において何ら認識に欠けるところはなかったのであるから、上記の点は、被告人につき殺人罪の故意を否定すべき事情にはならない（最決平16・1・20）。 出題 国家総合－平成25

Ⓠ8 生命維持のためにインスリンの投与が必要な1型糖尿病にり患した幼年の被害者の治療をその両親から依頼された者（X）が、両親に指示してインスリンの投与をさせず、被害者が死亡した場合、母親（Z）を道具として利用するとともに不保護の故意のある父親（Y）と共謀した殺人罪は成立するのか。

Ⓐ（X）は、母親（Z）を道具として利用するとともに、不保護の故意のある父親（Y）と共謀した殺人罪が成立する。 生命維持のためにインスリンの投与が必要な1型糖尿病にり患している幼年の被害者の治療をその両親（Y・Z）から依頼された被告人（X）が、インスリンを投与しなければ被害者が死亡する現実的な危険性があることを認識しながら、（X）自身を信頼して指示に従っている母親（Z）に対し、インスリンは毒であるなどとして被害者にインスリンを投与しないよう執ようかつ強度の働きかけを行い、母親（Z）に対して、被害者の生命を救うためには（X）の指導に従う以外にないなどと一途に考えるようにさせて、被害者へのインスリンの投与という期待された作為に出ることができない精神状態に陥らせ、（X）の治療法に半信半疑の状態であった父親（Y）に対しても、母親（Z）を介してインスリンの不投与を指示し、両親（Y・Z）に対して、被害者へのインスリンの投与をさせず、その結果、被害者が死亡したなどの本件事実関係の下では、（X）には、母親（Z）を道具として利用するとともに不保護の故意のある父親（Y）と共謀した未必の殺意に基づく殺人罪が成立する（最決令2・8・24）。 出題 予想

刑法編

第60条（共同正犯）

　2人以上共同して犯罪を実行した者は、すべて正犯とする。

◇共同実行の意思

Q1 共同正犯が成立するためには、行為者相互間に意思の連絡が必要か。

A 行為者相互間に意思の連絡が必要である。　刑法60条が「2人以上共同して犯罪を実行した者は、すべて正犯とする」と規定し、行為者各自が犯罪要素の一部を実行するにかかわらず、その実行部分に応じて責任を負担するのは、共同正犯が単独正犯と異なり、行為者相互間に意思の連絡、すなわち、共同犯行の認識があって互いに一方が他方の行為を利用し全員協力して犯罪事実を実現させることにある。ところが、もし、行為者間に意思の連絡を欠いてその1人が他の者と共同犯行の意思をもってその犯罪に参加しても、全員の協力によって犯罪事実を実行したとはいえないから、共同正犯の成立を認めることはできない（大判大11・2・25）。

出題 国Ⅰ－昭和62、裁判所総合・一般－令和2・平成27

Q2 事前に相談して意思の連絡をもつ場合には、ともに犯罪を実行しようとする意思が認められるが、実行行為の時に、暗黙のうちに意思を通じるだけではこれを認めることはできないのか。

A 暗黙のうちに意思を通じるだけでも、ともに犯罪を実行しようとする意思が認められる。　共同正犯であるためには、行為者双方の間に意思の連絡があることは必要であるが、行為者間で事前の打ち合わせ等があることは必ずしも必要ではなく、共同行為の認識があり、互いに一方の行為を利用し全員協力して犯罪事実を実現させれば足りる（最判昭23・12・14）。

出題 国Ⅰ－平成9、裁判所総合・一般－平成29

Q3 Aが、保管中の硫酸ピッチ入りのドラム缶の処理を、その下請会社のBに委託したところ、Bが不法投棄に及ぶ可能性を強く認識しながら、それでもやむをえないと考え、実際に同ドラム缶が投棄された場合、Aにも不法投棄罪の共謀共同正犯が認められるのか。

A 共謀共同正犯が認められる。　Bにおいて、Aが硫酸ピッチ入りのドラム缶の処理に苦慮していることを聞知し、その処理を請け負った末、仲介料をとって他の業者に丸投げすることにより利益を得ようと考え、その処理を請け負う旨Aに対し執拗に申し入れたところ、Aは、Bや実際に処理にあたる者らが、同ドラム缶を不法投棄することを確定的に認識していたわけではないものの、不法投棄に及ぶ可能性を強く認識しながら、それでもやむをえないと考えてBに処理を委託したのである。そうすると、Aは、その後Bを介して共犯者により行われた同ドラム缶の不法投棄について、未必の故意による共謀共同正犯の責任を負うというべきである（最決平19・11・14）。　出題 予想

Q4 インターネット上の動画の投稿サイト及び配信サイトを管理・運営していた被告人両名が、上記各サイトに投稿・配信された無修正わいせつ動画であった場合、これを利用して利益を上げる目的で、上記各サイトにおいて不特定多数の利用者の閲覧又は観覧に供するという意図の下、動画の投稿・配信を勧誘し、投稿者及び配信者らが、働きかけを受け、同様の意図に基づき、投稿又は配信を行えば、被告人両名と投稿者らと間に、わいせつ電磁的記録記録媒体陳列罪及び公然わいせつ罪の各共同正犯が成立するのか。

A 各罪の各共同正犯が成立する。　被告人両名及びZは、本件各サイトに無修正わいせつ動画が投稿・配信される蓋然性があることを認識した上で、投稿・配信された動画が無修正わいせつ動画であったとしても、これを利用して利益を上げる目的で、本件各サイトにおいて不特定多数の利用者の閲覧又は観覧に供するという意図を有しており、本件各サイトの仕組みや内容、運営状況等を通じて動画の投稿・配信を勧誘することにより、被告人両名及びZの上記意図は本件各投稿者らに示されていたといえる。他方、本件各投稿者らは、上記の働きかけを受け、不特定多数の利用者の閲覧又は観覧に供するという意図に基づき、本件各サイトのシステムに従って投稿又は配信を行ったものであり、本件各投稿者らの上記意図も、本件各サイトの管理・運営を行う被告人両名及びZに対し表明されていたということができる。そうすると、被告人両名及びZと本件各投稿者らの間には、無修正わいせつ動画を投稿・配信することについて、黙示の意思連絡があったと評価することができる。そして、本件わいせつ電磁的記録記録媒体陳列罪及び公然わいせつ罪は、本件各投稿者らが無修正わいせつ動画を本件各サイトに投稿又は配信することによって初めて成立するものであり、他方、本件各投稿者らも、被告人両名及びZによる上記勧誘及び本件各サイトの管理・運営行為がなければ、無修正わいせつ動画を不特定多数の者が認識できる状態に置くことがなかったことは明らかである。加えて、被告人両名及びZは、本件公然わいせつの各犯行については、より多くの視聴料を獲得することについて、C、D及びEらとその意図を共有していたことも認められる。以上の事情によれば、被告人両名について、Z及び本件各投稿者らとの共謀が認められ、わいせつ電磁的記録記録媒体陳列罪及び公然わいせつ罪の各共同正犯が成立する（最決令3・2・1）。　出題 予想

◇共同実行の事実

Q5 本件当時Bには是非弁別の能力があり、被告人の指示命令はBの意思を抑圧するに足る程度のものではなく、Bは自らの意思により本件強盗の実行を決意したうえ、臨機応変に対処して本件強盗を完遂した場合、本件強盗の教唆犯が成立するのか。

A 共同正犯が成立する。　本件当時Bには是非弁別の能力があり、被告人の指示命令はBの意思を抑圧するに足る程度のものではなく、Bは自らの意思により本件強盗の実行を決意したうえ、臨機応変に対処して本件強盗を完遂したことなどが明らか

である。これらの事情に照らすと、被告人につき本件強盗の間接正犯が成立するものとは、認められない。そして、被告人は、生活費欲しさから本件強盗を計画し、Bに対し犯行方法を教示するとともに犯行道具を与えるなどして本件強盗の実行を指示命令した上、Bが奪ってきた金品をすべて自ら領得したことなどからすると、被告人については本件強盗の教唆犯ではなく共同正犯が成立するものと認められる（最決平13・10・25）。

出題 国Ⅰ-平成23・16

Q6 見張りは共同正犯になるのか。

A 共謀があれば見張りも共同正犯になる。 数人が強盗または窃盗の実行を共謀した場合において、共謀者のある者が屋外の見張りをした場合でも、共同正犯は成立する（最判昭23・3・16）。

出題 国Ⅰ-平成19、地方上級-昭和62

Q7 数人で犯罪の遂行を共謀し、共謀者の一部が共謀に係る犯罪の実行に出た場合、直接実行に携わらない共謀者に共同正犯は成立しないのか。

A 共同正犯は成立する。 共謀共同正犯が成立するためには、2人以上の者が、特定の犯罪を行うため、共同意思の下に一体となって互いに他人の行為を利用し、各自の意思を実行に移すことを内容とする謀議をなし、よって犯罪を実行した事実が認められなければならない。したがって、このような関係において共謀に参加した事実が認められる以上、直接実行行為に関与しない者でも、他人の行為をいわば自己の手段として犯罪を行ったという意味において、その間刑責の成立に差異を生ずると解すべき理由はない。さればこの関係において実行行為に直接関与したかどうか、その分担または役割のいかんはその共犯の刑責自体の成立を左右するものではない〈練馬事件〉（最大判昭33・5・28）。

出題 国Ⅰ-平成9、地方上級-平成8（市共通）、裁判所総合・一般-平成29、裁判所Ⅰ・Ⅱ-平成18

Q8 同一の犯罪について、数人の間の順次共謀が行われた場合、これらの者のすべての間に当該犯行の共謀が行われたものと解することができるのか。

A 共謀が行われたものと解することができる。 数人の共謀共同正犯が成立するためには、その数人が同一場所に会し、かつその数人間に一個の共謀の成立することを必要とするものでなく、同一の犯罪について、甲と乙が共謀し、次いで乙と丙が共謀するというようにして、数人の間に順次共謀が行われた場合は、これらの者のすべての間に当該犯行の共謀が行われたと解するを相当とする〈練馬事件〉（最大判昭33・5・28）。

出題 裁判所総合・一般-令和1・平成29・28

Q9 甲は大麻密輸入を計画した乙から、その実行担当者になって欲しい旨頼まれ、知人の丙に協力を求め、乙に引き合わせ、資金の一部を乙に提供した場合、甲には幇助犯が成立するのか。

A 甲には共謀共同正犯が成立する。 被告人甲は、タイ国からの大麻密輸入を計画した乙から、その実行担当者になって欲しい旨頼まれるや、大麻を入手したい欲求にかられ、執行猶予中の身であることを理由にこれを断わったものの、知人の丙に対し事情を明かして協力を求め、同人を自己の身代りとして乙に引き合わせるとともに、密輸入した大麻の一部をもらい受ける約束のもとにその資金の一部（金20万円）を乙に提供したのであるから、これらの行為を通じ被告人が乙および丙らと本件大麻密輸入の謀議を遂げたと認められ、共謀共同正犯が成立する（最決昭57・7・16）。

出題 予想

Q10 暴力団組長がボディーガードらのけん銃所持につき直接指示を下さなくても、スワットらが自発的にXを警護するために本件けん銃等を所持していることを確定的に認識しながら、それを当然のこととして受け入れて認容していれば、暴力団組長は、共謀共同正犯の罪責を負うのか。

A 共謀共同正犯の罪責を負う。 Xは、スワットらに対してけん銃等を携行して警護するように直接指示を下さなくても、スワットらが自発的にXを警護するために本件けん銃等を所持していることを確定的に認識しながら、それを当然のこととして受け入れて認容していたものであり、そのことをスワットらも承知していたことなどから、Xとスワットらとの間にけん銃等の所持につき黙示的に意思の連絡があったといえる。そして、スワットらはXの警護のために本件けん銃等を所持しながら終始Xの近辺にいてXと行動をともにしていたものであり、彼らを指揮命令する権限を有するXの地位と彼らによって警護を受けるというXの立場をあわせ考えれば、実質的には、まさにXがスワットらに本件けん銃を所持させていたと評しうるのである。したがって、Xには本件けん銃の所持について、スワット5名等との間に共謀共同正犯が成立する〈スワット事件〉（最決平15・5・1）。

出題 国Ⅰ-平成19、裁判所総合・一般-令和2・平成29

Q11 被告人は、特別背任罪の行為主体としての身分を有していない場合、Aらにとって各取引を成立させることがその任務に違背するものであることや、本件各取引によりイトマンやエムアイギャラリーに損害が生ずることを十分に認識していたと認められるとしても、特別背任罪の共同正犯は認められるのか。

A 特別背任罪の共同正犯は認められる。 被告人は、各取引により、イトマンおよびエムアイギャラリーが財産上多額の損害を負うことを十分認識し、また、AおよびCが、そのような取引において、本件各売買契約の代金について被告人との間で減額等の交渉を全くせず被告人の言い値どおりに決めたこと、形だけの鑑定評価書を要求していたことなどから、Aらがイトマン等に対する前記の任務に違背したものであることも十分認識していた。被告人は、特別背任罪の行為主体としての身分を有していないが、Aらにとって各取引を成立させることがその任務に違背するものであることや、本件各取引によりイトマンやエムアイギャラリーに損害が生ずることを十分に認識していたと認められる。また、本件各取引においてイトマンやエムアイギャラリー側の中心となったAと被告人は、共に支配する会社の経営がひっ迫した状況にある中、互いに無担保

で数十億円単位の融資をし合い、両名の支配する会社がいずれもこれに依存するような関係にあったことから、Aにとっては、被告人に取引上の便宜を図ることが自らの利益にもつながるという状況にあった。また、被告人は、そのような関係を利用して、本件各取引を成立させたとみることができ、また、取引の途中からは偽造の鑑定評価書を差し入れるといった不正な行為を行うなどもしている。このようなことからすれば、本件において、被告人が、Aらの特別背任行為について共同加功したと評価しうることは明らかであり、被告人に特別背任罪の共同正犯の成立を認めた原判断は正当である（最決平17・10・7）。

出題予想

Q12 共犯者数名と住居に侵入して強盗に及ぶことを共謀した被告人が、共犯者の一部が住居に侵入した後、強盗に着手する前に、見張り役の共犯者において住居内に侵入していた共犯者に電話で「犯行をやめた方がよい、先に帰る」などと一方的に伝えただけで、待機していた現場から見張り役らと共に離脱した場合、当初の共謀関係が解消したといえるのか。

A 当初の共謀関係が解消したとはいえない。 被告人は、共犯者数名と住居に侵入して強盗に及ぶことを共謀したところ、共犯者の一部が家人の在宅する住居に侵入した後、見張り役の共犯者がすでに住居内に侵入していた共犯者に電話で「犯行をやめた方がよい、先に帰る」などと一方的に伝えただけで、被告人において格別それ以後の犯行を防止する措置を講ずることなく待機していた場所から見張り役らと共に離脱したにすぎず、残された共犯者らがそのまま強盗に及んだものと認められる。そうすると、被告人が離脱したのは強盗行為に着手する前であり、たとえ被告人も見張り役の上記電話内容を認識したうえで離脱し、残された共犯者らが被告人の離脱をその後知るに至ったという事情があったとしても、当初の共謀関係が解消したとはいえず、その後の共犯者らの強盗も当初の共謀に基づいて行われたものと認めるのが相当である。したがって、被告人は住居侵入のみならず強盗致傷についても共同正犯の責任を負う（最決平21・6・30）。

出題国Ⅰ－平成23

Q13 共謀加担後の暴行が、共謀加担前に他の者がすでに生じさせていた傷害を相当程度重篤化させた場合、傷害罪の共同正犯の成立範囲は、共謀加担前の傷害結果についても及ぶのか。

A 共謀加担前の傷害結果については及ばない。 他の者が被害者に暴行を加えて傷害を負わせた後に、被告人が共謀加担したうえ、さらに暴行を加えて被害者の傷害を相当程度重篤化させた場合、被告人は、被告人の共謀およびそれに基づく行為と因果関係を有しない共謀加担前にすでに生じていた傷害結果については、傷害罪の共同正犯としての責任を負うことはなく、共謀加担後の傷害を引き起こすに足りる暴行によって傷害の発生に寄与したことについてのみ、傷害罪の共同正犯としての責任を負う（最決平24・11・6）。

出題予想➡裁判所総合・一般－令和3

Q14 被告人と共犯者らとの間では、本件詐欺につき、被告人の共謀加担後は、「だまされたふり作戦」が開始されたため、被告人と共犯者らにおいて詐欺の実行行為がなされたということはできず、被告人は詐欺未遂罪の共同正犯としての責任は負わないのか。

A 被告人はその加功前の欺罔行為の点も含め詐欺未遂罪の共同正犯としての責任を負う。 共犯者による欺罔行為がされた後、「だまされたふり作戦」が開始されたことを認識せずに共犯者らと共謀のうえ、詐欺を完遂するうえで欺罔行為と一体のものとして予定されていた被害者から発送された荷物の受領行為に関与したなどの本件事実関係の下では、「だまされたふり作戦」の開始いかんにかかわらず、被告人はその加功前の欺罔行為の点も含め詐欺未遂罪の共同正犯としての責任を負う（最決平29・12・11）。

出題予想

Q15 被告人とAは、本件交差点の2km以上手前の交差点において、赤色信号に従い停止した第三者運転の自動車の後ろにそれぞれ自車を停止させた後、信号表示が青色に変わると、共に自車を急激に加速させ、強引な車線変更により前記先行車両を追い越し、制限時速60kmの道路を時速約130km以上の高速度で連なって走行し続けた末、本件交差点において赤色信号をことさらに無視する意思で時速100kmを上回る高速度でA車、被告人車の順に連続して本件交差点に進入させ、事故に至った場合、被告人には、A車による死傷の結果も含め、自動車の運転により人を死傷させる行為等の処罰に関する法律2条5号の危険運転致死傷罪の共同正犯が成立するのか。

A 危険運転致死傷罪の共同正犯が成立する。 設問の行為態様に照らせば、被告人とAは、互いに、相手が本件交差点において赤色信号をことさらに無視する意思であることを認識しながら、相手の運転行為にも触発され、速度を競うように高速度のまま本件交差点を通過する意図の下に赤色信号をことさらに無視する意思を強め合い、時速100kmを上回る高速度で一体となって自車を本件交差点に進入させたといえる。以上の事実関係によれば、被告人とAは、赤色信号をことさらに無視し、かつ、重大な交通の危険を生じさせる速度で自動車を運転する意思を暗黙に相通じたうえ、共同して危険運転行為を行ったものといえるから、被告人には、A車による死傷の結果も含め、自動車の運転により人を死傷させる行為等の処罰に関する法律2条5号の危険運転致死傷罪の共同正犯が成立するというべきである（最決平30・10・23）。

出題予想

◇過失の共同正犯

Q16 過失犯には共同正犯が認められるのか。

A 認められる。 被告人両名の共同経営にかかる飲食店で、出所不明な液体を客に販売するには「メタノール」を含有するか否かを十分に検査したうえで販売しなければならない義務があるにもかかわらず、被告人等はいずれも不注意にもこの義務を怠り、必要な検査もしないで、当該液体が法定の除外

刑法〔抄〕

量以上の「メタノール」を含有しないものと軽信してこれを客に販売した点において有毒飲食物等取締令4条1項後段にいわゆる「過失により違反したる」ものと認められるのである。そして、被告人両名は、この飲食店を共同経営し、当該液体の販売についても、意思を連絡して販売したのであるから、被告人両名の間に共犯関係の成立を認め、刑法60条を適用するのは正当である（最判昭28・1・23）。

出題 国Ⅰ・平成7・5・昭和62・55・54、裁判所Ⅰ・Ⅱ・平成19

Q17 花火大会が実施された公園と最寄り駅とを結ぶ歩道橋で多数の参集者が折り重なって転倒して死傷者が発生した事故について、警備計画策定の第一次的責任者ないし現地警備本部の指揮官という立場にあった警察署地域官と、同署副署長ないし署警備本部の警備副本部長として同署長を補佐する立場にあった被告人とでは、業務上過失致死傷罪の共同正犯は成立するのか。

A 分担する役割や事故発生の防止のために要求されうる行為が基本的に異なっていた事実関係の下では、被告人に同署地域官との業務上過失致死傷罪の共同正犯は成立しない。　業務上過失致死傷罪の共同正犯が成立するためには、共同の業務上の注意義務に共同して違反したことが必要であると解されるところ、明石警察署の職制および職務執行状況等に照らせば、B地域官が本件警備計画の策定の第一次的責任者ないし現地警備本部の指揮官という立場にあったのに対し、被告人は、副署長ないし署警備本部の警備副本部長として、C署長が同警察署の組織全体を指揮監督するのを補佐する立場にあったもので、B地域官および被告人がそれぞれ分担する役割は基本的に異なっていた。本件事故発生の防止のために要求されうる行為も、B地域官については、本件事故当日午後8時頃の時点では、配下警察官を指揮するとともに、C署長を介し又は自ら直接機動隊の出動を要請して、本件歩道橋内への流入規制等を実施すること、本件警備計画の策定段階では、自ら又は配下警察官を指揮して本件警備計画を適切に策定することであったのに対し、被告人については、各時点を通じて、基本的にはC署長に進言することなどにより、B地域官らに対する指揮監督が適切に行われるよう補佐することであったといえ、本件事故を回避するために両者が負うべき具体的注意義務が共同のものであったということはできない。被告人につき、B地域官との業務上過失致死傷罪の共同正犯が成立する余地はない（最決平28・7・12）。

出題 予想

◇不作為の共同正犯

Q18 入院中の患者（A）を退院させてその生命に具体的な危険を生じさせたうえ、その親族（B）から患者に対する手当てを全面的にゆだねられた者（X）が、患者の生命を維持するために必要な医療措置を受けさせる義務を怠り、患者を死亡させた場合、XとBにはいかなる犯罪が成立するのか。

A Xには、不作為による殺人罪が成立し、Bとの間では保護責任者遺棄致死罪の限度で共同正犯となる。　(1)Xは、手のひらで患者の患部をたたいてエネルギーを患者に通すことにより自己治癒力を高めるという「シャクティパット」と称する独自の治療（以下「シャクティ治療」という。）を施す特別の能力をもつなどとして信奉者を集めていた。(2)Aは、脳内出血で倒れて兵庫県内の病院に入院し、意識障害のため痰の除去や水分の点滴等を要する状態にあり、生命に危険はないものの、数週間の治療を要し、回復後も後遺症が見込まれた。Aの息子Bは、AとともにXの信奉者であったが、後遺症を残さずに回復できることを期待して、Aに対するシャクティ治療をXに依頼した。(3)Xは、脳内出血等の重篤な患者につきシャクティ治療を施したことはなかったが、Aの息子Bの依頼を受け、「点滴治療は危険である。今日、明日が山場である。明日中にAを連れてくるように。」などとBらに指示して、なお点滴等の医療措置が必要な状態にあるAを入院中の病院から運び出させ、その生命に具体的な危険を生じさせた。(4)Xは、前記ホテルまで運び込まれたAに対するシャクティ治療をAの息子Bらからゆだねられ、Aの容態を見て、そのままでは死亡する危険があることを認識したが、上記(3)の指示の誤りが露呈することを避ける必要などから、シャクティ治療をAに施すにとどまり、未必的な殺意をもって、痰の除去や水分の点滴等A の生命維持のために必要な医療措置を受けさせないままAを約1日の間放置し、痰による気道閉塞に基づく窒息によりAを死亡させた。以上の事実関係によれば、Xは、自己の責めに帰すべき事由により患者Aの生命に具体的な危険を生じさせたうえ、Aが運び込まれたホテルにおいて、Xを信奉する患者の親族Bから、重篤な患者Aに対する手当てを全面的にゆだねられた立場にあったものと認められる。その際、Xは、Aの重篤な状態を認識し、これを自らが救命できるとする根拠はなかった以上、直ちにAの生命を維持するために必要な医療措置を受けさせる義務を負っていた。それにもかかわらず、未必的な殺意をもって、上記医療措置を受けさせないまま放置してAを死亡させたXには、不作為による殺人罪が成立し、殺意のない患者の親族Bとの間では保護責任者遺棄致死罪の限度で共同正犯となる〈シャクティパット事件〉（最決平17・7・4）。

出題 裁判所総合・一般・令和3・1・平成30・26

◇結果的加重犯の共同正犯

Q19 強盗を共謀した共犯者のうちの1人が強盗の延長上ないしはその機会に発生させた傷害致死結果について、他の共謀者は強盗致死罪の共同正犯として責めを負うのか。

A 強盗致死罪の共同正犯として責めを負う。　被告人両名は、共謀のうえ強盗に着手した後、家人に騒がれて逃走し、なお泥棒、泥棒と連呼追跡されて逃走中、警察官巡査に発見され追い付かれまさに逮捕されようとした際、逮捕を免れるため同巡査に数回切りつけついに死に至らしめた状況では、共犯者の1人の傷害致死行為は強盗の機会においてなさ

れたものであって、強盗について共謀した共犯者等はその1人が強盗の機会になした行為については、他の共犯者も責任を負うべきであるから、強盗致死罪の共同正犯としての責めを負う（最判昭26・3・27）。

◇予備罪の共同正犯

Q20 殺人予備の共同正犯は認められるのか。

A 認められる。 わが刑法は、予備罪の従犯を処罰するのは、特に明文の規定がある場合にこれを制限し、その旨の明文の規定のない場合は、一般にこれを不処罰にしたものであるから、殺人予備の従犯を処罰することはできない。したがって、殺人の目的を有する者から毒物の入手を依頼され、使途を認識しつつ依頼者に交付した者は、依頼者が殺人の実行に出なければ、殺人予備の共同正犯となる（名古屋高判昭36・11・27、最決昭37・11・8）。

第61条（教唆）

①人を教唆して犯罪を実行させた者には、正犯の刑を科する。

②教唆者を教唆した者についても、前項と同様とする。

◇教唆犯の成立

Q1 教唆犯の成立には、ただ漠然と特定しない犯罪を惹起させるに過ぎないような行為だけで足りるのか。

A 足りない。一定の犯罪を実行する決意を相方に生じさせる必要がある。 教唆犯の成立には、ただ漠然と特定しない犯罪を惹起させるに過ぎないような行為だけでは足りないけれども、いやしくも一定の犯罪を実行する決意を相手方に生じさせるのであれば足りるのであって、これを生じさせる手段、方法が指示たると指揮たると、命令たると嘱託たると、誘導たると慫慂たるとその他の方法たるとを問うものではない（最決昭26・12・6）。

◇共同正犯と教唆犯の区別

Q2 甲の刑事事件に関する具体的な証拠偽造を乙が考案して、積極的に甲に提案していたという事情があっても、甲が当該証拠偽造を乙に依頼した行為は、証拠偽造罪の共同正犯にあたるのか。

A 証拠偽造教唆罪にあたる。 甲の刑事事件に関する具体的な証拠偽造を乙が考案して積極的に甲に提案していたという事情があっても、甲がこれを承諾して提案に係る工作の実行を依頼する行為は、これによって乙が甲の提案どおりに犯罪を遂行しようという意思を確定させたという事実関係の下では、人に特定の犯罪を実行する決意を生じさせたものとして、教唆にあたる（最決平18・11・21）。

◇教唆行為と実行行為の因果関係

Q3 教唆された者が教唆により犯意を生じたが、実行の着手前に犯意を放棄し、その後新たな犯意に基づいて実行した場合、教唆者は教唆犯としての責任を負うのか。

A 教唆者は教唆犯としての責任を負わない。 Yは被告人Xの教唆により強盗をなすことを決意し、強盗の目的でA方の屋内に侵入したが、母屋に侵入する方法を発見しえなかったので断念した。その後、YのF方における犯行は、被告人Xの教唆に基づいてなした犯行ではなく、いったんXの教唆に基づく犯意は障碍のため放棄したが、たまたま、共犯者3名が強硬にB商会に押し入ろうと主張したことに動かされて決意を新たにしてついにこれを敢行したものであるとすれば、被告人Xの教唆行為とYの行為との間に、因果関係があるとすることは疑問である（最判昭25・7・11）。

◇アジャン・プロヴォカトール

Q4 捜査機関のおとり捜査によって犯意を生じた者が犯罪を実行した場合、実行行為者の刑事責任は否定されるのか。

A 実行行為者の刑事責任は否定されない。 他人の誘惑により犯意を生じまたはこれを強化された者が犯罪を実行した場合に、わが刑事法上その誘惑者が場合によっては麻薬取締法53条の規定の有無にかかわらず教唆犯または従犯として責めを負うことのあるのは格別、その他人である誘惑者が一私人でなく、捜査機関であるとの一事をもってその犯罪実行者の犯罪構成要件該当性または責任性もしくは違法性を阻却しまたは公訴提起の手続規定に違反しもしくは公訴権を消滅させることはできない（最決昭28・3・5）。

◇共同教唆

Q5 教唆を共謀した者の一部の者が現に教唆を行い、被教唆者が犯罪を実行した場合、他の教唆共謀者に教唆犯は成立するのか。

A 教唆共謀者全員に教唆犯が成立する。 窃盗の教唆を共謀した者のうちの一部の者が現に窃盗の教唆を行い、被教唆者が窃盗罪を実行したときは、教唆共謀者全員に窃盗罪の教唆犯が成立する（大判明41・5・18）。

第62条（幇助）

①正犯を幇助した者は、従犯とする。

②従犯を教唆した者には、従犯の刑を科する。

◇幇助犯と正犯の実行行為との因果関係

Q1 幇助犯の成立には、行為者を激励し、犯行の決意を強固ならしめる心理的因果関係があれば足りるのか。

A 心理的因果関係があれば足りる。 幇助犯が成

立するためには、行為者を激励し、犯行の決意を強固ならしめるだけで足り、正犯が幇助犯から譲り受けた物を使用しなくてもよい（大判大2・7・9）。

出題 国家総合－平成25、裁判所総合・一般－平成30

◇幇助犯の故意

Q2 売春防止法6条1項の周旋罪が成立するためには、売春が行われるように周旋行為がなされるだけでは足りず、遊客において周旋行為が介在している事実を認識していることを要するのか。

A 売春が行われるように周旋行為がなされることで足りる。　被告人は、いわゆる出会い系サイトを利用して遊客を募る形態の派遣売春デートクラブを経営し、男性従業員と共謀のうえ、女性従業員を遊客に引き合わせて売春をする女性として紹介したものであるが、出会い系サイトに書込みをして遊客を募る際には売春をする女性自身を装い、遊客の下には直接女性従業員を差し向けるなどして、遊客に対し被告人らの存在を隠していたため、遊客においては、被告人らが介在して女性従業員を売春をする女性として紹介していた事実を認識していなかったというのである。所論は、そのような事実関係の下では、売春防止法6条1項の周旋罪は成立しないという。しかし、売春防止法6条1項の周旋罪が成立するためには、売春が行われるように周旋行為がなされれば足り、遊客において周旋行為が介在している事実を認識していることを要しない（最決平23・8・24）。　出題 予想

Q3 適法用途にも著作権侵害用途にも利用できるファイル共有ソフトWinnyをインターネットを通じて不特定多数の者に公開、提供し、正犯者がこれを利用して著作物の公衆送信権を侵害することを幇助した場合には、著作権法違反の幇助が認められるのか。

A 幇助犯の故意はなく、著作権法違反の幇助は認められない。　適法用途にも著作権侵害用途にも利用できるファイル共有ソフトWinnyをインターネットを通じて不特定多数の者に公開、提供し、正犯者がこれを利用して著作物の公衆送信権を侵害することを幇助したとして、著作権法違反幇助に問われた事案につき、被告人において、⑴現に行われようとしている具体的な著作権侵害を認識、認容しながらWinnyの公開、提供を行ったものでないことは明らかであるうえ、⑵その公開、提供にあたり、常時利用者に対しWinnyを著作権侵害のために利用することがないよう警告を発していたなどの本件事実関係の下では、例外的とはいえない範囲の者がそれを著作権侵害に利用する蓋然性が高いことを認識、認容していたとまで認めることも困難であり、被告人には著作権法違反の幇助犯の故意が欠ける（最決平23・12・19）。　出題 国家総合－平成29

Q4 刑法旧208条の2第1項前段の危険運転致死傷罪の正犯者である職場の後輩がアルコールの影響により正常な運転が困難な状態であることを認識しながら、車両の発進を了解し、同乗して運転を黙認し続けた行為について、同罪の幇助罪が成立するの

か。

A 幇助罪が成立する。　刑法旧208条の2第1項前段の危険運転致死傷罪の正犯者において、自動車を運転するにあたって、職場の先輩で同乗している被告人両名の意向を確認し、了解を得られたことが重要な契機となっている一方、被告人両名において、正犯者がアルコールの影響により正常な運転が困難な状態であることを認識しながら、同車発進に了解を与え、その運転を制止することなくそのまま同車に同乗してこれを黙認し続け、正犯者が危険運転致死傷の犯行に及んだという本件事実関係の下では、被告人両名の行為について、同罪の幇助罪が成立する（最決平25・4・15）。　出題 予想

◇片面的幇助

Q5 幇助犯が成立するためには、正犯と従犯との間に相互に意思の連絡を必要とするのか。

A 相互の意思の連絡を必要としない。　共同正犯の成立にはその主観的要件として共犯者間に意思の連絡、すなわち、共犯者が相互に共同犯罪の認識あることを必要とするが、従犯成立の主観的要件としては、従犯者において正犯の行為を認識しこれを幇助する意思があれば足り、従犯者と正犯者との間に相互的に意思の連絡があることを必要とせず、正犯者が従犯の幇助行為を認識する必要はない（大判大14・1・22）。

出題 国Ⅰ－昭和59、地方上級－昭和57、裁判所総合・一般－令和1・平成28

◇承継的従犯

Q6 他人が強盗の目的で人を殺した後、その事実を知って財物の盗取を幇助した者は、窃盗罪の従犯と強盗殺人罪の従犯のいずれが成立するのか。

A 強盗殺人罪の従犯が成立する。　刑法240条後段の罪は強盗罪と殺人罪もしくは傷害致死罪から組成されて、各罪種が結合して単純一罪を構成するものであって、他人が強盗の目的で人を殺害した事実を知って、その企図する犯行を容易にさせる意思のもとに当該強盗殺人罪の一部である強取行為に加担し、これを幇助したときは、その行為に対しては強盗殺人罪の従犯が成立するのを相当とし、単に強盗罪もしくは窃盗罪の従犯を構成するにとどまるものではない（大判昭13・11・18）。

出題 国Ⅰ－昭和62・63

◇間接幇助

Q7 正犯の実行行為を間接に幇助する行為は、従犯として処断されるのか。

A 従犯として処断される。　刑法62条は従犯を教唆した者は従犯に準じて処断することを規定しているのに対して、正犯を間接に幇助した者は従犯に準じて論ずる旨を規定していないが、これによって直ちに刑法はいわゆる間接従犯が罪とならない趣旨と解することはできない。従犯を処断するのは、正犯の実行を容易にする点に存するから、その幇助行為が正犯の実行行為に対して直接、間接を問わず、正犯が犯行をする事情を知り、その実行を容易にす

る点においてはひとしく因果関係を有し、幇助の効果があるものと認められ、その間に区別を設けるべきではない。したがって、正犯を間接に幇助する行為もまた従犯として処断するのが相当である（大判大14・2・20）。

Q8 被告人はAまたはその得取先が公然陳列することを知りながら、Aにわいせつフィルムを貸与し、さらにAからBに貸与され、Bがこれを不特定多数人に観覧させた場合、被告人に犯罪は成立するのか。

A 被告人に、わいせつ図画陳列罪の間接従犯が成立する。　被告人がAまたはその得取先の者が不特定の多数人に観覧させるであろうことを知りながら、わいせつ映画フィルムをAに貸与し、Aからその得取先であるBに当該フィルムが貸与され、Bがこれを映写し十数名の者に観覧させて公然陳列するに至ったときには、被告人は正犯たるBの犯行（わいせつ図画陳列罪）を間接に幇助したものとして、従犯が成立する（最決昭44・7・17）。

出題 国Ⅰ－平成5

◇**幇助罪の個数**

Q9 Aは覚せい剤の密輸入の資金に使われることを知りながら、小切手をBに交付したところ、Bがこれを用いて2回にわたり覚せい剤を密輸入した場合、Aの罪責はどうなるのか。

A Aは2個の覚せい剤取締法違反幇助の罪の観念的競合となる。　幇助罪は正犯の犯行を幇助することによって成立するものであるから、成立すべき幇助罪の個数については、正犯の罪のそれに従って決定される。そして、本件において、被告人は、正犯らが2回にわたり覚せい剤を密輸入し、2個の覚せい剤取締法違反の罪を犯した際、覚せい剤の仕入資金にあてられることを知りながら、正犯の1人から渡された現金等を銀行保証小切手にかえて同人に交付し、正犯らの各犯行を幇助したというのであるから、たとえ被告人の幇助行為が1個であっても、2個の覚せい剤取締法違反幇助の罪が成立する。ところで、このように幇助罪が数個成立する場合において、それらが刑法54条1項にいう1個の行為によるものであるか否かについては、幇助犯における行為は幇助犯のした幇助行為そのものにほかならないから、幇助行為それ自体についてこれをみるべきである。したがって、被告人の幇助行為が1個と認められる場合には、たとえ犯罪の罪が併合罪の関係にあっても、被告人の2個の覚せい剤取締法違反幇助の罪は観念的競合の関係にある（最決昭57・2・17）。

出題 国Ⅰ－昭和59、裁判所総合・一般－平成24

第63条（従犯減軽）
従犯の刑は、正犯の刑を減軽する。

第64条（教唆及び幇助の処罰の制限）
拘留又は科料のみに処すべき罪の教唆者及び従犯は、特別の規定がなければ、罰しない。

第65条（身分犯の共犯）
①犯人の身分によって構成すべき犯罪行為に加担したときは、身分のない者であっても、共犯とす

る。
②身分によって特に刑の軽重があるときは、身分のない者には通常の刑を科する。

◇**身分の意義**

Q1 他人の物について占有者でない者（甲）が、その物の占有者（乙）による横領罪に加担した場合、刑法65条1項により共犯として処罰されるのか。

A 横領罪は身分により構成される犯罪であるから、刑法65条1項により共犯として処罰される。（最判昭27・9・19）。

出題 地方上級－昭和55、裁判所総合・一般－令和3

◇**1項と2項との関係**

Q2 他人の物について占有者でない者（甲）が、その物の占有者（乙）による横領罪に加担した場合、刑法65条1項により共犯として処罰されるのか。

A 横領罪は身分により構成される犯罪であるから、刑法65条1項により共犯として処罰される。　刑法65条1項は、真正身分犯（構成的身分犯）について身分の連帯的作用を規定したものであり、同条2項は不真正身分犯（加減的身分犯）について身分の個別的作用を規定したものである（大判大2・3・18）。

出題 国Ⅰ－平成13

◇**1項関係**

Q3 刑法65条1項の共犯の中には、共同正犯、教唆犯、従犯が含まれるのか。

A 共同正犯、教唆犯、従犯が含まれる。　刑法65条1項が規定する加功行為の種類いかんによって、共同正犯の場合、教唆犯の場合、従犯の場合があることは当然である（大判昭9・11・20）。

出題 地方上級－昭和55

Q4 整形外科医院を経営する医師Bの母親Aが、Bの業務に関し、その所得税を免れようと企て、同医院の窓口業務を担当するBの従業員C及びDと共謀のうえ、所得税法238条1項に規定する所得税ほ脱の行為に加功した場合には、Aには所得税法違反の共同正犯は成立しないのか。

A 共同正犯が成立する。　所得税法244条1項にいう「使用人その他の従業者」は、所得の計算や所得税確定申告書の作成などの申告納税に関する事務を担当する従業者に限定されない。また、被告人Aは、被告人Bの従業者ではないが、C・Dと共謀して、同法238条1項の所得税ほ脱の違反行為に加功したのであるから、被告人Aには刑法65条1項の適用により所得税ほ脱の共同正犯が成立する。そして、被告人Bは、従業者であるC・Dの行為について、事業主としての過失責任を負うことが明らかであるから、被告人両名にほ脱犯の成立が認められる（最決平9・7・9）。

出題 国Ⅰ－平成13

Q5 収支報告書の虚偽記入罪（旧政治資金規正法12条1項が規定する）は、刑法65条1項の身分犯にあたるのか。

A 刑法65条1項の身分犯にあたらない。　本件は、平成6年法律第4号による改正前の政治資金

刑法〔抄〕

規正法 12 条 1 項に基づいて提出された報告書を作成するにあたり、それに虚偽の記入をしたというものであるところ、何人がその報告書に虚偽の記入をしても、政治活動の公明と公正を確保するという同法の目的が没却されることに変わりはないのであって、改正前の同法 25 条 1 項により当該行為が処罰されるのは、特定の者に課せられた義務に違反するからではない。したがって、同条項が定める前記報告書に虚偽の記入をする罪は、その主体が限定されたものではなく、犯人の身分によって構成すべき犯罪ではないと解されるから、会計責任者との共謀による被告人の本件所為に対して、刑法 65 条 1 項を適用することはできない（最決平 12・11・27）。

出題 予想

◇ 2 項関係

Q6 A は懐胎の婦女 B を教唆し、その承諾を得たうえで、医師 C を教唆して B に対する堕胎手術を行わせた場合、A は業務上堕胎罪の教唆犯として処断されるのか。

A A は同意堕胎罪の教唆犯として処断される。被告 A が一面懐胎の婦女 B を教唆して堕胎の決意をさせ、他面医師 C を教唆して同婦女に対する堕胎手術を行うべき決意をさせて、1 個の堕胎行為を遂行させた場合においては、その前者に対する教唆行為は刑法 61 条 1 項、212 条に該当し、後者に対する教唆行為は同法 61 条 1 項、214 条前段に該当するところ、元来被告人の行為は 2 人を教唆して 1 個の堕胎行為を実行させたにすぎないから、包括的にこれを観察して重い後者に対する刑によるべきであるが、被告は医師の身分がないので、同法 65 条 2 項により同法 213 条前段の刑を科すものである（大判大 9・6・3）。

出題 国 I - 平成 22・13・昭和 62

Q7 賭博の常習者が非常習者に賭博行為を幇助した場合、常習者に単純賭博罪の従犯が成立するのか。

A 常習者に常習賭博罪の従犯が成立する。賭博犯を幇助する者が賭博常習者であるか否かにより、刑法 65 条 2 項に基づいて同 186 条 1 項もしくは同 185 条に照らして減軽して処断することはできない。しかし、同 186 条 1 項は同 185 条の通常賭博の加重規定であって、その加重は犯人の身分に関する加重であるから、その賭博犯の幇助行為者を処断するにあたっても、その犯人に加重の原因である身分があるか否かにより、法の適用を異にしなければならない（大判大 12・2・22）。

出題 国家総合 - 平成 25、国 I - 昭和 59・53

Q8 業務上の物の占有者たる身分を有しない者が業務上横領に加功したとき、その罪責はどうなるのか。

A 業務上横領罪の共同正犯となるが、刑法 65 条 2 項の適用により単純横領罪の刑が科される。Z のみが当該中学校建設委員会の委託を受け同委員会のため、M 村の収入役として同村のため当該中学校建設資金の寄附金の受領、保管その他の会計事務に

従事していたのであって、被告人両名は、かかる業務に従事していたことは認められないから、刑法 65 条 1 項により同法 253 条に該当する業務上横領罪の共同正犯として論ずべきである。しかし、同法 253 条は横領罪の犯人が業務上物を占有する場合において、特に重い刑を科することを規定したのであるから、業務上物の占有者たる身分のない被告人両名に対しては同法 65 条 2 項により同法 252 条 1 項の通常の横領罪の刑を科すべきである（最判昭 32・11・19）。

出題 国家総合 - 令和 1、国 I - 平成 7・昭和 59・51、裁判所総合・一般 - 平成 28

Q9 麻薬輸入において、営利の目的を有しない者が営利の目的を有する者に加功した場合、共犯として処断できるのか。

A 共犯として処断できる。麻薬取締法 64 条は、同法 12 条 1 項の規定に違反して麻薬を輸入した者に対しても、犯人が営利の目的をもっていたか否かという犯人の特殊な状態の差異によって、各犯人に科すべき刑に軽重の区別をしているのであって、刑法 65 条 2 項にいう「身分によって特に刑の軽重があるとき」にあたる。そうすると、営利の目的をもつ者ともたない者とが、共同して麻薬取締法 12 条 1 項の規定に違反して麻薬を輸入した場合には、刑法 65 条 2 項により、営利の目的をもつ者に対しては、麻薬取締法 64 条 2 項（無期もしくは 3 年以上の懲役、または情状により無期もしくは 3 年以上の懲役及び 500 万円の罰金）の刑を、営利の目的をもたない者に対しては同条 1 項（1 年以上の有期懲役）の刑を科すべきである（最判昭 42・3・7）。

出題 国 I - 平成 22・13・昭和 59

Q10 麻薬および向精神薬取締法第 64 条第 2 項にいう「営利の目的」は、刑法第 65 条第 2 項にいう「身分」にはあたらないのか。

A 「身分」にはあたる（最判昭 42・3・7）。⇨ 9

❖共犯の諸問題

1　共犯の錯誤

◇共同正犯内の錯誤

Q1 X は窃盗の意思で見張りをしていたが、他の共同正犯者 Y が最初から強盗の意思で強盗の結果を実現した場合、X の罪責はどうなるのか。

A 窃盗罪の共犯になる。被告人以外の共犯者は最初から強盗の意思で強盗の結果を実現したのであるが、ただ被告人だけは軽い窃盗の意思で他の共犯者の勧誘に応じて屋外で見張りをしたのであるから、被告人は軽い窃盗の犯意で重い強盗の結果を発生させたものであって、共犯者の強盗行為は被告人の予期しないところであるから、この共犯者の強盗行為について被告人に強盗の責任を問うことはできないのであって、被告人に対し刑法 38 条 2 項により窃盗罪として処断すべきである（最判昭 23・5・1）。

出題 国 I - 昭和 56

Q2 財物を強取するために共犯者の1人が現実に使用した脅迫文言が、あらかじめ打ち合わせたものと異なる場合、他の共犯者に強盗罪の共同正犯は成立するのか。

A 他の共犯者に強盗罪の共同正犯が成立する。数人が「ジタバタするな」とか「黙っておれ」とか申し向けて脅迫し、財物を強取しようと共謀した以上、その1人が「旅の者だ、俺は札幌の者だ、人殺しを知っているだろう」、「騒げば身が危いぞ」と申し向け、共謀のときに打ち合わせた脅迫文言と異なった文言を実際に使用したからといって、強盗共犯の成立を妨げるものではない（最判昭24・3・22）。

出題 国Ⅰ-昭和56

Q3 暴行・傷害を共謀した被告人のうちの1人が未必の故意をもって殺人罪を犯した場合、他の被告人の罪責はどうなるのか。

A 傷害致死罪の共同正犯が成立する。殺人罪と傷害致死罪とは、殺意の有無という主観的な面に差異があるだけで、その余の犯罪構成要件要素はいずれも同一であるから、暴行・傷害を共謀した被告人のうちの1人が未必の故意をもって殺人罪を犯した場合、殺意のなかった他の被告人は、殺人罪の共同正犯と傷害致死罪の共同正犯の構成要件が重なり合う限度で軽い傷害致死罪の共同正犯が成立する（最決昭54・4・13）。

出題 国家総合-令和4・1、国Ⅰ-平成19・7・4・昭和58、地方上級-昭和58、市役所上・中級-平成6、裁判所総合・一般-令和3・2・平成28

◇**教唆犯内の錯誤**

Q4 甲は乙に丙を暴行するよう教唆したところ、乙は丙に重い傷害を負わせその結果死亡させてしまった場合、甲は傷害致死罪の教唆犯としての責任を負うのか。

A 甲は傷害致死罪の教唆犯としての責任を負う。人の身体を不法に侵害する認識で行った意思活動により人を死に致らしめたときは、傷害致死罪を構成する。それ故、傷害致死罪にあっては、他人に対し暴行を加える意思があれば足りるのであり、人を死に致らす故意がないことはいうまでもない。したがって、人を教唆して他人に暴行を加えた以上は、その暴行の結果、他人の身体を傷害し、よって死に致らしめた場合には、教唆者は傷害致死の罪責を負う（大判大13・4・29）。

出題 地方上級-平成8（市共通）

Q5 公文書無形偽造の教唆を共謀した者の1人が、他の共謀者と相談することなく、公文書有形偽造の手段により目的を達成した場合、他の共謀者はどのような罪責を負うのか。

A 公文書有形偽造の教唆の責任を負う。被告人等は最初その目的を達する手段として刑法156条の公文書無形偽造の罪を教唆することを共謀したが、結局共謀者の1人であるYが公文書有形偽造教唆の手段を選び、これによって目的を達成したのである。そのため、YのZに対する本件公文書偽造の教唆行為は、被告人とYとの公文書無形偽造教唆の共謀と全然無関係に行われたとはいえないの

であって、当該共謀に基づいてたまたまその具体的手段を変更したにすぎないから、両者の間には相当因果関係がある。したがって、被告人が事実上本件公文書有形偽造教唆に直接関与しなかったとしてもなお、その結果に対する責任を負わなければならないから、被告人は法律上本件公文書有形偽造教唆につき故意を阻却しない（最判昭23・10・23）。

出題 国Ⅰ-平成3・昭和58

◇**従犯内の錯誤**

Q6 傷害幇助の意思をもって短刀を貸与したにもかかわらず、正犯者が殺人の故意で殺害した場合、幇助者はいかなる罪責を負うのか。

A 傷害致死の幇助としての罪責を負う。被告人の犯意と現に発生した事実とが一致しない場合には、刑法38条2項の適用上、軽い犯意についてその既遂を論ずべきであって、重い事実の既遂を論ずることはできない。したがって、傷害幇助の意思をもっていたにもかかわらず、客観的には殺人の幇助をした場合には、刑法199条と同法62条1項に該当するが、軽い犯意に基づいて傷害致死幇助として同法205条と同法62条1項をもって処断すべきである（最判昭25・10・10）。

出題 国Ⅰ-昭和59・56

◇**直接共犯と間接共犯間の錯誤**

Q7 犯罪の実行を教唆したところが、被教唆者自ら実行せずさらに第三者を教唆して実行させた場合、犯罪の実行を教唆した者に教唆犯が成立するのか。

A 教唆犯が成立する。犯罪の実行を教唆したところが、被教唆者自ら実行せずさらに第三者を教唆して実行させた場合には、犯罪は第1の教唆行為に基因するもので、この教唆がなければ犯罪は実行されなかった関係にあるから、第1の教唆行為と犯罪の実行との間には因果関係があり、その間、第2の教唆行為が介在してもこれにより因果関係が中断されるものとはいえない（最判昭28・6・12）。

出題 国Ⅰ-昭和61・58、地方上級-平成6

2　共犯の過剰

Q8 強盗共謀者の1人が、実行行為の途中から強盗の手段を生じ、殺意を生じ、人を殺害した場合、他の殺意のない共謀者の罪責はどうなるのか。

A 他の殺意のない共謀者は強盗致死罪の罪責を負う。強盗殺人罪は、強盗する機会に人を殺すによって成立する結合的犯罪である。数人が強盗の罪を犯すことを共謀して各自がその実行行為の一部を加担した場合においては、その各自の分担した実行行為は、それぞれ共犯者全員の犯行意思を遂行したのであるから、共謀者全員は何れも強盗の実行正犯としてその責任を負うべきである。そして強盗共謀者の1人または数人の分担した暴行行為により殺人の結果を生じたときは、他の共謀者もまた殺人の結果につきその責任を負うべきである（最判昭23・11・4）。

出題 国Ⅰ-昭和55、地方上級-昭和54、裁判所

刑法〔抄〕

総合・一般 – 平成28

Q9 XがYに対してA宅の窃盗行為の教唆をしたにもかかわらず、YがB宅をA宅と誤ってしかも強盗行為を行った場合、Xの罪責はどうなるのか。

A Xに窃盗行為の教唆犯が成立する。 犯罪の故意があるためには、必ずしも犯人が認識した事実と、現に発生した事実とが、具体的に一致（符合）することを要するものではなく、両者が犯罪の類型（定型）として規定している範囲において一致（符合）することで足りるから、いやしくも、Yの住居侵入強盗の行為が、被告人Xの教唆に基づいてなされたものと認められる限り、被告人Xは窃盗の範囲において、Yの強盗の行為について教唆犯としての責任を負うべきことは当然であって、被告人Xの教唆行為において指示した犯罪の被害者（A宅）と、本犯たるYのなした犯罪の被害者（B宅）とが異なっても、直ちに被告人XにYの犯罪について何ら責任を負わないとはいえない（最判昭25・7・11）。

出題 国家総合 – 令和1、国Ⅰ – 平成9・昭和61・54、地方上級 – 平成6・昭和57、市役所上・中級 – 平成9・昭和62、裁判所総合・一般 – 令和3・平成28

3 共犯関係からの離脱

Q10 A、Bが共同してCに暴行を加えた後、Bがなお制裁を加えるおそれが消滅していないのに、Aはこれを防止することなく現場を去った後に、Bがさらに加えた暴行によりCの死の結果が発生した場合、Aはどのような罪責を負うのか。

A Aは傷害致死罪の共同正犯の責めを負う。 A、Bが共同してCに暴行を加えた後、Aが帰った時点では、Bにおいてなお制裁を加えるおそれが消滅していなかったのに、Aにおいて格別これを防止する措置を講ずることなく、成り行きに任せて現場を去ったにすぎないのであるから、Bとの間の当初の共犯関係がその時点で解消したとはいえ、その後のBの暴行も両者の共謀に基づくものと認めるのが相当である。そうすると、Cの死がAが帰る前にAとBが共同して加えた暴行によるものか、その後のBによる暴行により生じたものか明らかでないが、仮にCの死の結果がAが帰った後にBが加えた暴行によって生じていたとしても、Aは傷害致死の責を負う（最決平1・6・26）。

出題 国家総合 – 令和1、国Ⅰ – 平成23・19・5

第12章 酌量減軽

第66条（酌量減軽）
　犯罪の情状に酌量すべきものがあるときは、その刑を減軽することができる。
第67条（法律上の加重と酌量減軽）
　法律上刑を加重し、又は減軽する場合であっても、酌量減軽をすることができる。

第13章 加重減軽の方法

第68条（法律上の減軽の方法）
　法律上刑を減軽すべき1個又は2個以上の事由があるときは、次の例による。
1　死刑を減軽するときは、無期又は10年以上の拘禁刑とする。
2　無期拘禁刑を減軽するときは、7年以上の有期拘禁刑とする。
3　有期拘禁刑を減軽するときは、その長期及び短期の2分の1を減ずる。
4　罰金を減軽するときは、その多額及び寡額の2分の1を減ずる。
5　拘留を減軽するときは、その長期の2分の1を減ずる。
6　科料を減軽するときは、その多額の2分の1を減ずる。

Q1 法律上刑の減軽をなすべき原因が2個ある場合、2回の減軽ができるのか。

A 減軽は1回しかできない。 法律上刑の減軽をなすべき場合は、減軽をなすべき原因が2個（数個）ある場合においても、1個の場合と同様に1回だけ減軽することは、刑法68条に「法律上刑を減軽すべき1個または2個以上の事由があるときは、次の例による」と規定し、各種の刑に付き減軽の例を示しているが、減軽の原因が1個の場合と2個（数個）の場合とを区別していないことによって明白である（最判昭24・3・29）。

出題 市役所上・中級 – 平成7

第2編　罪

第2章 内乱に関する罪

第77条（内乱）
①国の統治機構を破壊し、又はその領土において国権を排除して権力を行使し、その他憲法の定める統治の基本秩序を壊乱することを目的として暴動をした者は、内乱の罪とし、次の区別に従って処断する。
1　首謀者は、死刑又は無期拘禁刑に処する。
2　謀議に参与し、又は群衆を指揮した者は無期又は3年以上の拘禁刑に処し、その他諸般の職務に従事した者は1年以上10年以下の拘禁刑に処する。
3　付和随行し、その他単に暴動に参加した者は、3年以下の拘禁刑に処する。
②前項の罪の未遂は、罰する。ただし、同項第3号に規定する者については、この限りでない。
第78条（予備及び陰謀）
　内乱の予備又は陰謀をした者は、1年以上10年以下の拘禁刑に処する。
第79条（内乱等幇助）
　兵器、資金若しくは食糧を供給し、又はその他の行為により、前2条の罪を幇助した者は、7年以下の拘禁刑に処する。
第80条（自首による刑の免除）
　前2条の罪を犯した者であっても、暴動に至る前

に自首したときは、その刑を免除する。

第5章　公務の執行を妨害する罪

第95条（公務執行妨害及び職務強要）

①公務員が職務を執行するに当たり、これに対して暴行又は脅迫を加えた者は、3年以下の拘禁刑又は50万円以下の罰金に処する。

②公務員に、ある処分をさせ、若しくはさせないため、又はその職を辞させるために、暴行又は脅迫を加えた者も、前項と同様とする。

◇保護法益

Q1 公務執行妨害罪の保護法益は公務員か。

A 本罪の保護法益は、公務の執行そのものである。刑法95条の規定は、公務員を特別に保護する趣旨の規定ではなく、公務員によって執行される公務そのものを保護するものである（最判昭28・10・2）。

出題 国Ⅰ－平成3

◇公務員の意義

Q2 郵便集配員は公務員にあたるのか。

A 公務員にあたる。　郵便集配人は、諸規定により公務に従事するものであり、その担当事務の性質は単に郵便物の取集め、配達という単純な肉体的、機械的労働にとどまらず、民事訴訟法、郵便法、郵便取扱規程等の諸規定に基づく精神的労務に属する事務をもあわせ担当しているのであるから、仕事の性質からいって公務員でないというのは当を得ず、したがって、同人がその職務を執行するにあたりこれに対して暴行を加えた被告人の行為は、刑法95条の公務執行妨害罪を構成する（最判昭35・3・1）。

出題 地方上級－昭和62

Q3 旧国鉄職員が現業業務に従事している場合、当該旧国鉄職員に対する暴行は、公務執行妨害罪を構成するのか。

A 公務執行妨害罪を構成する。　旧国鉄の気道車運転士が、急行列車の運転室内で中継駅の運転士と乗務の引継ぎ・交替を行い、運転当直助役のもとに赴いて終業点呼を受けるため駅ホームを歩行していた際、当該運転士に対して加えられた本件暴行は、公務執行妨害罪を構成する（最決昭54・1・10）。

出題 国Ⅰ－昭和59

◇暴行

Q4 刑法95条にいわゆる暴行とは何か。

A 公務員に対し、不法な攻撃を加えることをいう。刑法95条にいわゆる暴行とは、公務員に対し、直接であると間接であるとを問わず不法な攻撃を加えることをいう（最判昭37・1・23）。

出題 裁判所総合・一般－平成25

◇職務の執行

Q5 職務の執行は強制的性質のものに限られるのか。

A 強制的性質のものに限られない。　刑法95条1項に「公務員が職務を執行するに当たり」とあるのは、その職務を行うことが人を強制するに至るべ

き場合のみに限らず、全て職務の範囲内に属する事項を行う場合を包含する（大判明44・4・17、最判昭53・6・29）。

出題 国Ⅰ－平成9・3、地方上級－昭和58

Q6 郵政事務官が庁舎を警備する行為は、強制力を行使する権力的公務といえないから、これに対する公務執行妨害罪は成立しないのか。

A 公務執行妨害罪は成立する。　郵政省庁舎管理規程に基づく郵便局長の命令により郵政事務官がした警備行為は、刑法95条1項にいう公務員の職務にあたる（最決昭55・10・27）。

出題 国Ⅰ－平成9

Q7 公務執行妨害罪における職務行為は、職務そのものだけではなく、まさに職務を執行しようとする段階での行為も含まれるのか。

A まさに職務を執行しようとする段階での行為も含まれる。　公務員はまだ職務の執行を始めていないが、まさにその執行に着手しようとする場合も、刑法95条1項にいわゆる「公務員が職務を執行するに当たり」に該当するのであり、この時に犯人が暴行または脅迫を加えてその執行を妨げれば、犯人は同条項の罪責を負う（大判明42・4・26）。

出題 地方上級－昭和62・58

Q8 県議会の委員会において、委員長が休憩に入る旨宣言し退室しようとしたところ、これに暴行を加えた場合、公務執行妨害罪は成立するのか。

A 公務執行妨害罪は成立する。　県議会の委員長は、休憩宣言により職務の執行を終えたものではなく、休憩宣言後も、その職責に基づき、委員会の秩序を保持し、紛議に対処するための職務を現に執行していたのであるから、同委員長に対して加えられた暴行が公務執行妨害罪を構成することは明らかである（最決平1・3・10）。

出題 市役所上・中級－平成4

◇職務の適法性・要保護性

Q9 検査章不携帯の収税官吏による所得調査は、公務の執行にあたるのか。

A 公務の執行にあたる。　収税官吏の検査権は検査章の携帯によってはじめて賦与されるものではないから、相手方が何ら検査章の呈示を求めていないのに収税官吏においてたまたまこれを携帯していなかったからといって、直ちに収税官吏の検査行為をその権限外の行為であると断ずべきではない。すなわち、所得税に関する調査等をする職務を有する収税官吏が所得調査のため所得税法63条により同条所定の物件を検査するにあたって、検査章を携帯していなかったとしても、その一事をもって、収税官吏の検査行為を公務の執行でないとはいえない。したがって、収税官吏に対して暴行または脅迫を加えたときは公務執行妨害罪に該当する（最判昭27・3・28）。

出題 国家総合－平成27、国Ⅰ－平成9、地方上級－平成5（市共通）

Q10 公務執行妨害罪が成立するためには、妨害される職務行為が適法なものであることを要するのか。

A 必ずしも適法なものであることを要しない。 議員懲罰動議を先議せずに質疑打切り、上程議案一括採択の緊急動議を採択した議長の措置が、本来、議長の抽象的権限の範囲内に属することは明らかであり、仮に当該措置が会議規則に違反するものである等法令上の適法要件を完全には満たしていなかったとしても、議長の当該措置は、刑法上には少なくとも、本件暴行等による妨害から保護されるに値する職務行為にほかならず、刑法 95 条 1 項にいう公務員の職務の執行にあたるとみるのが相当であって、これを妨害する行為については、公務執行妨害罪の成立を妨げない（最大判昭 42・5・24）。

出題 地方上級－昭和 62

Q11 警察官が酒気帯び運転の疑いのある者を職務質問中、その者の逃走を停止させるため、窓からエンジンキーを回しスイッチを切ろうとしたところ、これに対して暴行を加えた場合、公務執行妨害罪は成立するのか。

A 公務執行妨害罪は成立する。 交通違反取締中の警察官が、信号無視の自動車を現認しこれを停車させた際、下車した運転者が酒臭をさせており、酒気帯び運転の疑いが生じたため、酒気の検知をする旨告げたところ、同人が、警察官が提示を受けて持っていた運転免許証を奪い取り、自動車に乗り込んで発進させようとしたなどの事実関係の下では、警察官が自動車の窓から手を差し入れエンジンキーを回して運転を制止した行為は、警察官職務執行法 2 条 1 項、道路交通法 67 条 3 項および刑法 95 条 1 項の規定に基づく職務の執行として適法である（最決昭 53・9・22）。

出題 市役所上・中級－平成 4

◇職務の要保護性の判断基準

Q12 職務行為の適法性は、事後的に純客観的な立場から判断されるべきか。

A 行為当時の状況に基づいて客観的・合理的に判断されるべきである。 職務行為の適否は事後的に純客観的な立場から判断されるべきでなく、行為当時の状況に基づいて客観的、合理的に判断されるべきである。したがって、行為時において現行犯と認められる十分の理由がある場合には、警察官による逮捕行為は適法である（最決昭 41・4・14）。

出題 国Ⅰ－平成 9・3、地方上級－昭和 56、裁判所Ⅰ・Ⅱ－平成 18

◇暴行・脅迫の意義

Q13 暴行は直接公務員の身体に対するものでなくてはならないのか。

A 直接公務員の身体に対するものでなくてもよい。 公務員の職務の執行にあたりその執行を妨害するに足る暴行を加えるものである以上、それが直接公務員の身体に対するものであると否とは問わない。したがって、専売局事務官等が適法な令状により押収した煙草を、街路上に投げ捨ててその公務の執行を不能にした場合には、その暴行は間接的には同事務官等に対するものといいうる（最判昭 26・3・20）。

出題 国Ⅰ－平成 3・昭和 61、地方上級－昭和 58・56

Q14 検挙に向かった警察官に対してスクラムを組み、労働歌を高唱して気勢をあげた場合には、公務執行妨害罪の暴行・脅迫があるといえるのか。

A 公務執行妨害罪の暴行・脅迫はない。 労働争議に際して、会社の業務妨害の現行犯として検挙に向かった警察官に対し、労働者がスクラムを組み、労働歌を高唱して気勢をあげただけでは、特にスクラムを振り切ったり、はねかえす等の積極的な抵抗がない限り、公務執行妨害罪の暴行・脅迫があるとはいえない（最大判昭 26・7・18）。

出題 国Ⅰ－昭和 59、地方上級－昭和 58

Q15 公務執行妨害罪における暴行・脅迫は、たとえば警察官に対する一度の投石行為のように、現実に職務執行妨害の結果が発生していない場合でもよいのか。

A 職務の執行を妨害するに足りるものであればよい。 公務執行妨害罪は公務員が職務を執行するにあたりこれに対して暴行または脅迫を加えたときは直ちに成立するものであって、その暴行または脅迫はこれにより現実に職務執行妨害の結果が発生したことを必要とするものではなく、妨害となるべきものであれば足りうる。されば、本件被告人等の各投石行為はその相手方である各巡査の職務執行の妨害となるべき性質のものであり、したがって公務執行妨害罪の構成要件に該当する。そうだとすれば被告人等の各投石行為がたとえただ 1 回の瞬間的なものであったとしても、直ちに公務執行妨害罪の成立がある（最決昭 33・9・30）。

出題 国Ⅰ－昭和 61・59、地方上級－昭和 62・58、市役所上・中級－平成 4

Q16 覚せい剤取締法違反の現行犯逮捕の現場で、押収された覚せい剤のアンプルを足で踏みつけて壊す行為は、公務執行妨害罪の暴行にあたるのか。

A 公務執行妨害罪の暴行にあたる。 被告人は、司法巡査が覚せい剤取締法違反の現行犯人を逮捕する場合、逮捕の現場で証拠物として適法に差し押えたうえ、整理のため同所においた覚せい剤注射液入りアンプル 30 本を足で踏みつけうち 21 本を損壊してその公務の執行を妨害したのであるから、被告人の行為はその司法巡査の職務の執行中その執行を妨害するに足る暴行を加えたものであり、そしてその暴行は間接に同司法巡査に対するものである。さればかかる被告人の暴行は刑法 95 条 1 項の公務執行妨害にあたる（最決昭 34・8・27）。

出題 国家総合－平成 27、市役所上・中級－平成 4、裁判所総合・一般－平成 28・25

Q17 公務員の補助者に対する暴行・脅迫は、刑法 95 条における暴行・脅迫に含まれるのか。

A 刑法 95 条の暴行・脅迫に含まれる。 刑法 95 条 1 項に規定する公務執行妨害罪の成立には、公務員が職務の執行をなすにあたり、その職務の執行を妨害するに足る暴行・脅迫がなされることを要するが、その暴行・脅迫は、必ずしも直接に当該公務員の身体に対して加えられる場合に限らず、当該公務員の指揮に従いその手足となりその職務の執行

に密接不可分の関係において関与する補助者に対してなされた場合もこれに該当する（最判昭41・3・24）。

出題 国家総合－平成27、国Ⅰ－平成3・昭和59、地方上級－平成5（市共通）・昭和62・58、市役所上・中級－平成4

第96条（封印等破棄）

公務員が施した封印若しくは差押えの表示を損壊し、又はその他の方法によりその封印若しくは差押えの表示に係る命令若しくは処分を無効にした者は、3年以下の拘禁刑若しくは250万円以下の罰金に処し、又はこれを併科する。

第96条の2（強制執行妨害目的財産損壊等）

強制執行を妨害する目的で、次の各号のいずれかに該当する行為をした者は、3年以下の拘禁刑若しくは250万円以下の罰金に処し、又はこれを併科する。情を知って、第3号に規定する譲渡又は権利の設定の相手方となった者も、同様とする。

1 強制執行を受け、若しくは受けるべき財産を隠匿し、損壊し、若しくはその譲渡を仮装し、又は債務の負担を仮装する行為
2 強制執行を受け、又は受けるべき財産について、その現状を改変して、価格を減損し、又は強制執行の費用を増大させる行為
3 金銭執行を受けるべき財産について、無償その他の不利益な条件で、譲渡をし、又は権利の設定をする行為

第96条の3（強制執行行為妨害等）

①偽計又は威力を用いて、立入り、占有者の確認その他の強制執行の行為を妨害した者は、3年以下の拘禁刑若しくは250万円以下の罰金に処し、又はこれを併科する。
②強制執行の申立てをさせず又はその申立てを取り下げさせる目的で、申立権者又はその代理人に対して暴行又は脅迫を加えた者も、前項と同様とする。

第96条の4（強制執行関係売却妨害）

偽計又は威力を用いて、強制執行において行われ、又は行われるべき売却の公正を害すべき行為をした者は、3年以下の拘禁刑若しくは250万円以下の罰金に処し、又はこれを併科する。

第96条の5（加重封印等破棄等）

報酬を得、又は得させる目的で、人の債務に関して、第96条から前条までの罪を犯した者は、5年以下の拘禁刑若しくは500万円以下の罰金に処し、又はこれを併科する。

第96条の6（公契約関係競売等妨害）

①偽計又は威力を用いて、公の競売又は入札で契約を締結するためのものの公正を害すべき行為をした者は、3年以下の拘禁刑若しくは250万円以下の罰金に処し、又はこれを併科する。
②公正な価格を害し又は不正な利益を得る目的で、談合した者も、前項と同様とする。

第6章　逃走の罪

第97条（逃走）

裁判の執行により拘禁された既決又は未決の者が逃走したときは、1年以下の拘禁刑に処する。

第98条（加重逃走）

前条に規定する者又は勾引状の執行を受けた者が拘禁場若しくは拘束のための器具を損壊し、暴行若しくは脅迫をし、又は2人以上通謀して、逃走したときは、3月以上5年以下の拘禁刑に処する。

第99条（被拘禁者奪取）

法令により拘禁された者を奪取した者は、3月以上5年以下の拘禁刑に処する。

第100条（逃走援助）

①法令により拘禁された者を逃走させる目的で、器具を提供し、その他逃走を容易にすべき行為をした者は、3年以下の拘禁刑に処する。
②前項の目的で、暴行又は脅迫をした者は、3月以上5年以下の拘禁刑に処する。

第101条（看守者等による逃走援助）

法令により拘禁された者を看守し又は護送する者がその拘禁された者を逃走させたときは、1年以上10年以下の拘禁刑に処する。

第102条（未遂罪）

この章の罪の未遂は、罰する。

第7章　犯人蔵匿及び証拠隠滅の罪

第103条（犯人蔵匿等）

罰金以上の刑に当たる罪を犯した者又は拘禁中に逃走した者を蔵匿し、又は隠避させた者は、3年以下の拘禁刑又は30万円以下の罰金に処する。

Q1 殺人の嫌疑による捜査の対象となっているA（実際には殺人を犯していない）に家族の安否情報等を提供した友人Cは犯人隠避罪を構成する対象となるのか。

A 犯人隠避罪を構成する対象となる。　蔵匿とは官憲の発見逮捕を免れるべき隠匿場を供給することをいい、隠避とは蔵匿以外の方法により官憲の発見逮捕を免れしむるべき一切の行為を包含するから、逃避者に、留守宅の状況、家族の安否、捜査の形勢等を通報する行為は、逃避の便宜を与えたものであって犯人隠避罪を構成する（大判昭5・9・18）。出題 国Ⅰ－平成16

Q2 刑法103条の「罪を犯した者」には犯罪の嫌疑によって捜査中の者をも含むのか。

A 犯罪の嫌疑によって捜査中の者をも含む。　刑法103条は司法に関する国権の作用を妨害する者を処罰しようとするのであるから、「罪を犯した者」は犯罪の嫌疑によって捜査中の者をも含むと解釈しなくては、立法の目的を達しえない（最判昭24・8・9）。出題 国家総合－平成26、国Ⅰ－平成16・11

Q3 殺人の実行犯（未だ捜査の対象になっていない）Dの依頼を受け、Dをかくまった共犯者Eは、犯人蔵匿罪を構成する対象となるのか。

A 犯人蔵匿罪を構成する対象となる。　真に罰金以上の刑にあたる罪を犯した者であることを知りながら、これをかくまった場合には、その犯罪がすでに捜査官憲に発覚し捜査が始まっているかどうかに関係なく本罪が成立する（最判昭28・10・2）。出題 国家総合－平成26、国Ⅰ－平成16、裁判所総合・一般－平成24

刑法〔抄〕

Q4 密入国者をかくまった場合、密入国罪が罰金以上の刑であることを認識していなければ犯人蔵匿罪は成立しないのか。

A 当該罪が罰金以上の刑であることの認識がなくても、犯人蔵匿罪は成立する。　犯人蔵匿罪は、被告人が、外国人等がいわゆる密入国者であることを認識してこれを蔵匿することによって成立する。いわゆる密入国罪の刑が罰金以上である限り、被告人において、その刑が罰金以上であることの認識がなくとも、当該犯罪の成立には差し支えない（最決昭29・9・30）。

〔出題〕国家総合－平成 26、国Ⅰ－昭和 57

Q5 罰金以上の刑にあたる罪を犯した者であることを知りながらかくまったが、その犯罪が発覚していない場合には、犯人蔵匿罪は成立しないのか。

A 犯人蔵匿罪は成立する。　真に罰金以上の刑にあたる罪を犯した者であることを知りながら、官憲の発見、逮捕を免れるように、その者をかくまった場合には、その犯罪がすでに捜査官憲に発覚して捜査が始まっているかどうかに関係なく、犯人蔵匿罪が成立する（最判昭33・2・18）。

〔出題〕国Ⅰ－昭和 57

Q6 同一事件で同一人を蔵匿かつ隠避させたときは、犯人蔵匿罪と犯人隠避罪とが成立し、両罪は併合罪となるのか。

A 両罪は包括的一罪となる。　同一事件につき同一人を蔵匿し、かつ、隠避させたときは、包括的一罪として処断すべきである（最判昭35・3・17）。

〔出題〕国Ⅰ－昭和 57

Q7 犯人が他人を教唆して自己を隠避させた場合、犯人隠避罪の教唆犯が成立するのか。

A 成立する。　犯人が他人を教唆して自己を隠避させた場合に、犯人隠避罪の教唆犯が成立する（最決昭40・2・26）。

〔出題〕国Ⅰ－平成 16・11、裁判所総合・一般－平成 24

Q8 犯人が他人を教唆して自己を隠避させたときは、犯人隠避罪の教唆犯が成立するのか。

A 犯人隠避罪の教唆犯が成立する。　犯人が他人を教唆して自己を隠避させたときに、刑法 103 条の犯人隠避罪の教唆犯の成立を認めることは、当裁判所の判例とするところであり（最決昭35・7・18）、原判決の是認する第一審判決が被告人について犯人隠避教唆の成立を認めたのは相当である（最決昭60・7・3）。　〔出題〕国家総合－平成 26

Q9 すでに真犯人が犯人として逮捕・勾留されている場合、この真犯人が釈放される目的で身代わり犯人として名乗り出ても犯人隠匿罪は成立しないのか。

A 犯人隠匿罪は成立する。　刑法 103 条は、捜査、審判および刑の執行等広義における刑事司法の作用を妨害する者を処罰しようとする趣旨の規定であって、同条にいう「罪を犯した者」には、犯人として逮捕勾留されている者も含まれ、かかる者に現になされている身柄の拘束を免れさせるような性質の行為も同条にいう「隠避」にあたる。そうすると、犯人が殺人未遂事件で逮捕勾留された後、被告人が他

の者を教唆して当該事件の身代わり犯人として警察署に出頭させ、自己が犯人である旨の虚偽の陳述をさせる行為は、犯人隠避罪にあたる（最決平1・5・1）。　〔出題〕国家総合－平成 26、国Ⅰ－平成 16・11

Q10 道路交通法違反、自動車運転過失致死の各罪の犯人が A であると知りながら、A との間で、B は事故車両が盗まれたことにする旨口裏合わせをしたうえ、B は参考人として警察官に対して口裏合わせに基づいた虚偽の供述をした本件行為は、刑法 103 条にいう「隠避させた」にあたるのか。

A 刑法 103 条にいう「隠避させた」にあたる。　B は、道路交通法違反および自動車運転過失致死の各罪の犯人が A であると知りながら、同人との間で、事故車両が盗まれたことにして、A を各罪の犯人として身柄の拘束を継続することに疑念を生じさせる内容の口裏合わせをしたうえ、B は参考人として警察官に対して口裏合わせに基づいた虚偽の供述をしたものである。このような B の行為は、刑法 103 条にいう「罪を犯した者」をして現にされている身柄の拘束を免れさせるような性質の行為と認められるのであって、同条にいう「隠避させた」にあたる（最決平 29・3・27）。　〔出題〕予想

第 104 条（証拠隠滅等）

他人の刑事事件に関する証拠を隠滅し、偽造し、若しくは変造し、又は偽造若しくは変造の証拠を使用した者は、3 年以下の拘禁刑又は 30 万円以下の罰金に処する。

Q1〈参照判例〉証拠隠滅罪の客体は、捜査中の刑事事件の証拠を含むのか。

A 捜査中の刑事事件の証拠を含む。　刑法 104 条にいわゆる「刑事被告事件」とは、現に裁判所に係属する刑事訴訟事件はもちろん将来刑事訴訟事件となりうるものをも包含する（大判明 45・1・15）。　〔出題〕国Ⅰ－平成 11・昭和 55

Q2 共犯者の刑事被告事件に関する証拠を隠滅した場合、証拠隠滅罪は成立するのか。

A 証拠隠滅罪は成立する。　自己が当該被告事件の共犯である事実によって、証拠隠滅罪の成立は阻却されないから、被告人が、自己の被告事件のためではなく、他の共犯者のために証拠を偽造した場合は、証拠隠滅罪が成立する（大判大 7・5・7）。

〔出題〕国Ⅰ－昭和 55、裁判所Ⅰ・Ⅱ－平成 15

Q3 捜査段階における参考人にすぎない者を隠匿した場合にも、証拠湮滅罪は成立するのか。

A 証拠湮滅罪は成立する。　刑法 104 条の証拠湮滅罪は、犯罪者に対する司法権の発動を阻害する行為を禁止しようとする法意があるから、捜査段階における参考人にすぎない者も同条にいわゆる他人の刑事被告事件に関する証拠たるに妨げなく、これを隠匿すれば証拠湮滅罪が成立する（最決昭 36・8・17）。　〔出題〕予想

Q4 犯人が第三者に証拠を隠滅するように教唆し、第三者がこれを隠滅した場合、犯人に犯罪は成立するのか。

A 証拠隠滅罪の教唆犯が成立する。　犯人自身の行う犯人自身の証拠隠滅行為あるいは犯人自身の単なる隠避行為が罪とならないのは、これらの行為を

処罰することが刑事訴訟法における被告人の防御の地位と相容れないからである。したがって、他人を教唆してまでその目的を遂げようとすることは、もはや法の放任する防御の範囲を逸脱することになるので、犯人に証拠隠滅罪の教唆犯が成立する（最決昭40・9・16）。

出題 国Ⅰ-昭和57・55、裁判所Ⅰ・Ⅱ-平成15

Q5 第三者の覚せい剤所持という架空の事実に関する令状請求のための証拠を作り出す意図で、捜査官と相談しながら虚偽の供述内容を創作、具体化させ、それを供述調書の形式にした本件行為は、刑法104条の証拠偽造罪にあたるのか。

A 刑法104条の証拠偽造罪にあたる。　本件において作成された書面は、参考人AのC巡査部長に対する供述調書という形式をとっているものの、その実質は、被告人、A、B警部補およびC巡査部長の4名が、Dの覚せい剤所持という架空の事実に関する令状請求のための証拠を作り出す意図で、各人が相談しながら虚偽の供述内容を創作、具体化させて書面にしたものである。このようにみると、本件行為は、単に参考人として捜査官に対して虚偽の供述をし、それが供述調書に録取されたという事実とは異なり、作成名義人であるC巡査部長を含む被告人ら4名が共同して虚偽の内容が記載された証拠を新たに作り出したものといえ、刑法104条の証拠を偽造した罪にあたる。したがって、被告人について、A、B警部補およびC巡査部長との共同正犯が成立する（最判平28・3・31）。

出題 予想

第105条（親族による犯罪に関する特例）
前2条の罪については、犯人又は逃走した者の親族がこれらの者の利益のために犯したときは、その刑を免除することができる。

第105条の2（証人等威迫）
自己若しくは他人の刑事事件の捜査若しくは審判に必要な知識を有すると認められる者又はその親族に対し、当該事件に関して、正当な理由がないのに面会を強請し、又は強談威迫の行為をした者は、2年以下の拘禁刑又は30万円以下の罰金に処する。

Q1 刑法105条の2にいう「威迫」は、直接相手と相対する場合に限られるのか。

A 限られない。　刑法105条の2にいう「威迫」には、不安、困惑の念を生じさせる文言を記載した文書を送付して相手にその内容を了知させる方法による場合が含まれ、直接相手と相対する場合に限られるものではないと解するのが相当である（最決平19・11・13）。

出題 予想

第8章　騒乱の罪

第106条（騒乱）
多衆で集合して暴行又は脅迫をした者は、騒乱の罪とし、次の区別に従って処断する。
1　首謀者は、1年以上10年以下の拘禁刑に処する。
2　他人を指揮し、又は他人に率先して勢いを助けた者は、6月以上7年以下の拘禁刑に処する。

る。
3　付和随行した者は、10万円以下の罰金に処する。

第107条（多衆不解散）
暴行又は脅迫をするため多衆が集合した場合において、権限のある公務員から解散の命令を3回以上受けたにもかかわらず、なお解散しなかったときは、首謀者は3年以下の拘禁刑に処し、その他の者は10万円以下の罰金に処する。

第9章　放火及び失火の罪

第108条（現住建造物等放火）
放火して、現に人が住居に使用し又は現に人がいる建造物、汽車、電車、艦船又は鉱坑を焼損した者は、死刑又は無期若しくは5年以上の拘禁刑に処する。

◇既遂時期

Q1 放火罪が既遂となるためには、どのような状況が必要か。

A 目的物が独立燃焼の程度に至っていればよい。被告人が家屋の押入内壁紙にマッチで放火したため、火は天井に燃え移り当該家屋の天井板約1尺四方を焼燬（焼損）した事実自体によって、火勢は放火の媒介物を離れて家屋が独立燃焼する程度に達したことが認められるので、当該事実は放火罪を構成する事実を満たしている（最判昭23・11・2）。

出題 国Ⅰ-平成2・昭和58、市役所上・中級-平成8

Q2 住宅の天井の一部が燃焼すれば、現住建造物等放火罪が成立するのか。

A 現住建造物等放火罪が成立する（最判昭23・11・2）。⇨1

Q3 甲は、Aが住居に使用している家屋を焼損する目的で、Aが一時不在中に灯油を撒布してライターで火を放ったが、間もなく発見されて当該家屋の床板約30センチメートル四方および押入床板等約1メートル四方を燃焼しただけで消し止められた場合、甲は現住建造物等放火未遂罪の罪責を負うのか。

A 甲は現住建造物等放火既遂罪の罪責を負う。甲は、Aが住居に使用している家屋を焼損する目的で、Aが一時不在中に灯油を撒布してライターで火を放ったが、間もなく発見されて、Aおよびその家族の現に居住する本件家屋の一部である三畳間の床板約1尺四方ならびに押入床板および上段各約3尺四方を焼燬（焼損）しただけで消し止められた。しかし、現に人の居住する家屋の一部を焼燬（焼損）した以上、被告人甲の放火が媒介物を離れて家屋の部分に燃え移り独立して燃焼（焼損）する程度に達したことは明らかであるから、人の現在する建造物を焼燬（焼損）したといえ、甲は現住建造物等放火既遂罪の罪責を負う（最判昭25・5・25）。

出題 国Ⅰ-平成20

Q4 被告人は犯跡隠蔽のため放火したが、布団、畳を焼くにとどまった場合、放火罪の既遂は認められるのか。

Ⓐ 放火罪の既遂は認められない。　建具その他の家屋の従物が建造物たる家屋の一部を構成するものと認めるには、当該物件が家屋の一部に建て付けられているだけでは足りず、さらにこれを毀損しなければ取りはずすことができない状態にあることを必要とする。したがって、布団はもちろん畳はいまだ家屋と一体となってこれを構成する建造物の一部といえず、これらを焼くにとどまった場合には放火未遂罪となる（最判昭 25・12・14）。

出題 地方上級 − 昭和 62、市役所上・中級 − 平成 1

◇焼燬（焼損）の意義

Q5 焼燬（焼損）とは、火力によって目的物の重要部分が焼燬（焼損）し、その効用が失われることをいうのか。

Ⓐ 火が放火の媒介物を離れ、独立して燃焼を継続できる状態になったことをいう。　放火罪は静謐に対する犯罪であるから、放火の行為が一定の目的物のうえに行われ、その状態が導火材料を離れ独立して燃焼作用を営むことができる場合においては、公共の静謐に対する危険はすでに発生しているから、その目的物の効用を全く喪失させていなくても、刑法にいわゆる焼燬（焼損）の結果を生じ、放火の既遂状態に達している（大判大 7・3・15）。

出題 国Ⅰ − 平成 2・昭和 58、裁判所Ⅰ・Ⅱ − 平成 23

◇人の意義

Q6 刑法 108 条にいう「人」とは、誰を指すのか。

Ⓐ 犯人以外の者を指す。　刑法 108 条にいう「人」とは、犯人以外の者を指称する（最判昭 32・6・21）。

出題 国Ⅰ − 平成 2・昭和 58、市役所上・中級 − 平成 8・1

◇故意

Q7 現住建造物放火の目的で隣接する非現住建造物に放火したときは、非現住建造物放火の未遂罪が成立するのか。

Ⓐ 現住建造物放火の未遂罪が成立する。　人の住居に使用する建物を焼燬（焼損）する目的をもって、これに隣接する人の住居に使用せずまたは人の現在しない建物に放火し、その火勢なおいまだ人の現在しない建物焼燬（焼損）罪の未遂犯を構成するにすぎないときでも、その燃焼作用により、住宅焼燬（焼損）に至るべき状態を惹起し、住宅焼燬（焼損）罪の予備の程度を超え、住宅焼燬（焼損）罪の未遂犯を構成し、人の現住しない建物焼燬（焼損）罪の未遂犯を構成するものではなく、また、その火勢すでに人の現住しない建物焼燬（焼損）罪の既遂犯の程度に達したときでも、その建物は住宅焼燬（焼損）の媒介にすぎないため、住宅に延焼し、かつこれが焼燬（焼損）の程度に達しない限りは、なお、住宅焼燬（焼損）罪の未遂犯を構成するにすぎず、人の現住しない建物焼燬（焼損）罪の既遂犯を構成しない（大判大 15・9・28）。

出題 国Ⅰ − 平成 20・2・昭和 58、地方上級 − 昭和

62・53、裁判所総合・一般 − 令和 1、裁判所Ⅰ・Ⅱ − 平成 14

◇客体

Q8 学校の校舎に放火すれば、校舎内に夜間宿直員の宿泊する宿直室があっても、現住建造物等放火罪は成立しないのか。

Ⓐ 現住建造物等放火罪は成立する。　刑法 108 条の「現に人が住居に使用」する「建造物」とは、現に人の起臥寝食の場所として日常使用される建造物をいうのであり、昼夜間断なく人が現在する必要はない。したがって、学校の校舎の一室を宿直室にあて宿直員を夜間宿泊させるときは、その校舎は現に宿直員が起臥寝食の場所として日常使用されるものであり、現に人の住居に使用する建造物というべきである（大判大 2・12・24）。

出題 市役所上・中級 − 平成 8

Q9 マンションのエレベーターのかごの内部が燃焼すれば、現住建造物等放火罪が成立するのか。

Ⓐ 現住建造物等放火罪は成立する。　被告人は、12 階建集合住宅である本件マンション内部に設置されたエレベーターのかご内で火を放ち、その側壁として使用された化粧鋼板の表面約 0.3 平方メートルを燃焼させたのであるから、現住建造物等放火罪が成立する（最決平 1・7・7）。

出題 国家総合 − 令和 2、国Ⅰ − 平成 20・15、市役所上・中級 − 平成 8、裁判所総合・一般 − 平成 27

Q10 本殿、拝殿、社務所等の建物が廻廊等により接続され、その一部を放火すると全体に危険が及ぶ一体構造であり、また夜間は、神職らが社務所等で宿直し、全体が一体として日夜人の起居に利用されている状況で、この平安神宮社殿に放火することは、現住建造物放火罪にあたるか。

Ⓐ 現住建造物放火罪にあたる。　平安神宮社殿は、本殿、拝殿、社務所等の建物が廻廊等によって接続され、各建物は、すべて木造であり、多量の木材が使用されているため、一部の建物に放火された場合には、社務所、守衛詰所にも延焼する可能性を否定することができないこと、また、外拝殿では一般参拝客の礼拝が行われ、内拝殿では特別参拝客を招じ入れて神職により祭事等が行われていたこと、さらに夜間には、神職と守衛、ガードマンが宿直にあたり、社務所または守衛詰所で執務をするほか、守衛、ガードマンが建物等を巡回し、神職とガードマンは社務所、守衛は守衛詰所でそれぞれ就寝することになっていたこと等の事情に照らすと、当該社殿は、その一部に放火されることにより全体に危険が及ぶ一体の構造であり、また、全体が一体として日夜人の起居に利用されていたものである。そうすると、当該社殿は、物理的にみても、機能的にみても、その全体が 1 個の現住建造物であったと認めるのが相当であり、これに放火することは、現住建造物放火罪にあたる〈平安神宮事件〉（最決平 1・7・14）。

出題 国家総合 − 令和 2、国Ⅰ − 平成 15、裁判所総合・一般 − 平成 27、裁判所Ⅰ・Ⅱ − 平成 23

Q11 競売手続の妨害目的で自己の経営する会社の

従業員を自己所有の家屋に交替で泊まり込ませていたが、当該従業員を旅行に連れ出した後で、当該家屋に放火した場合、「現に人が住居に使用」する建造物にあたるのか。

A「現に人が住居に使用」する建造物にあたる。本件家屋は、人の起居の場所として日常使用されていたのであり、旅行中の本件犯行時においても、その使用形態に変更はなかったものと認められる。そうすると、本件家屋は、本件犯行時においても、「現に人が住居に使用」する建造物にあたるから、現住建造物等放火罪の成立が認められる（最決平9・10・21）。出題 国家総合－令和2、国Ⅰ－平成15

Q12 現住建造物等放火罪で起訴された者が、死傷の結果が訴因にも罪となるべき事実にも記載されていない場合、当該行為により生じた人の死傷結果を、その法定刑の枠内で、量刑上考慮することは許されるのか。

A その法定刑の枠内で、量刑上考慮することは許される。放火罪は、火力によって不特定又は多数の者の生命、身体及び財産に対する危険を惹起することを内容とする罪であり、人の死傷結果は、それ自体犯罪の構成要件要素とはされていないものの、上記危険の内容として本来想定されている範囲に含まれるものである。とりわけ現住建造物等放火罪においては、現に人が住居に使用し又は現に人がいる建造物、汽車、電車、艦船又は鉱坑を客体とするものであるから、類型的に人が死傷する結果が発生する相当程度の蓋然性があるといえるところ、その法定刑が死刑をも含む重いものとされており、上記危険が現実に人が死傷する結果として生じた場合について、他により重く処罰する特別な犯罪類型が設けられていないことからすれば、同罪の量刑において、かかる人の死傷結果を考慮することは、法律上当然に予定されているものと解される。したがって、現住建造物等放火罪に該当する行為により生じた人の死傷結果を、その法定刑の枠内で、量刑上考慮することは許されるというべきである（最決平29・12・19）。出題 国家総合－令和2

第109条（非現住建造物等放火）

①放火して、現に人が住居に使用せず、かつ、現に人がいない建造物、艦船又は鉱坑を焼損した者は、2年以上の有期拘禁刑に処する。

②前項の物が自己の所有に係るときは、6月以上7年以下の拘禁刑に処する。ただし、公共の危険を生じなかったときは、罰しない。

Q1 居住者全員を殺害直後に放火の意思を生じて家屋を焼燬（焼損）した場合、現住建造物の放火罪が成立するのか。

A 非現住建造物の放火罪が成立する。被告はその父母を殺害した後、その犯跡を蔽うため、即時に死屍が横たわる家屋に放火しこれを焼燬（焼損）したのであり、当該家屋には他に居住する者なく、また人が現在する事実をも認めることができないので、当該被告人の行為は刑法109条に該当する（大判大6・4・13）。

出題 国家総合－令和2、国Ⅰ－平成2、市役所上・中級－平成8・1、裁判所総合・一般－平成30、裁

判所Ⅰ・Ⅱ－平成14

第110条（建造物等以外放火）

①放火して、前2条に規定する物以外の物を焼損し、よって公共の危険を生じさせた者は、1年以上10年以下の拘禁刑に処する。

②前項の物が自己の所有に係るときは、1年以下の拘禁刑又は10万円以下の罰金に処する。

Q1 刑法110条1項の放火罪が成立するためには、焼燬（焼損）の結果公共の危険を発生させることを認識する必要はあるのか。

A 焼燬（焼損）の結果公共の危険を発生させることまでを認識する必要はない。刑法110条1項の放火罪が成立するためには、火を放って同条所定の物を焼燬（焼損）する認識のあることが必要であるが、焼燬（焼損）の結果公共の危険を発生させることまでを認識する必要はない（最判昭60・3・28）。

出題 国家総合－平成29、国Ⅰ－平成23・20・15、裁判所総合・一般－令和1、裁判所Ⅰ・Ⅱ－平成23

Q2 刑法110条1項にいう「公共の危険」は、同法108条、109条所定の建造物等への延焼のおそれに限られるのか。

A 限られない。不特定又は多数の人の生命、身体又は前記建造物等以外の財産に対する危険も含まれる。刑法110条1項にいう「公共の危険」は、必ずしも同法108条および109条1項に規定する建造物等に対する延焼の危険のみに限られるものではなく、不特定又は多数の人の生命、身体又は建造物等以外の財産に対する危険も含まれる。そして、市街地の駐車場において、被害車両からの出火により、第1、第2車両に延焼の危険が及んだ等の事実関係の下では、同法110条1項にいう「公共の危険」の発生を肯定することができる（最決平15・4・14）。

出題 国家総合－平成29、裁判所総合・一般－平成27

第111条（延焼）

①第109条第2項又は前条第2項の罪を犯し、よって第108条又は第109条第1項に規定する物に延焼させたときは、3月以上10年以下の拘禁刑に処する。

②前条第2項の罪を犯し、よって同条第1項に規定する物に延焼させたときは、3年以下の拘禁刑に処する。

第112条（未遂罪）

第108条及び第109条第1項の罪の未遂は、罰する。

第113条（予備）

第108条又は第109条第1項の罪を犯す目的で、その予備をした者は、2年以下の拘禁刑に処する。ただし、情状により、その刑を免除することができる。

第114条（消火妨害）

火災の際に、消火用の物を隠匿し、若しくは損壊し、又はその他の方法により、消火を妨害した者は、1年以上10年以下の拘禁刑に処する。

刑法〔抄〕

第115条（差押え等に係る自己の物に関する特例）

第109条第1項及び第110条第1項に規定する物が自己の所有に係るものであっても、差押えを受け、物権を負担し、賃貸し、配偶者居住権が設定され、又は保険に付したものである場合において、これを焼損したときは、他人の物を焼損した者の例による。

第116条（失火）

①失火により、第108条に規定する物又は他人の所有に係る第109条に規定する物を焼損した者は、50万円以下の罰金に処する。

②失火により、第109条に規定する物であって自己の所有に係るもの又は第110条に規定する物を焼損し、よって公共の危険を生じさせた者も、前項と同様とする。

第117条（激発物破裂）

①火薬、ボイラーその他の激発すべき物を破裂させて、第108条に規定する物又は他人の所有に係る第109条に規定する物を損壊した者は、放火の例による。第109条に規定する物であって自己の所有に係るもの又は第110条に規定する物を損壊し、よって公共の危険を生じさせた者も、同様とする。

②前項の行為が過失によるときは、失火の例による。

第117条の2（業務上失火等）

第116条又は前条第1項の行為が業務上必要な注意を怠ったことによるとき、又は重大な過失によるときは、3年以下の拘禁刑又は150万円以下の罰金に処する。

第118条（ガス漏出等及び同致死傷）

①ガス、電気又は蒸気を漏出させ、流出させ、又は遮断し、よって人の生命、身体又は財産に危険を生じさせた者は、3年以下の拘禁刑又は10万円以下の罰金に処する。

②ガス、電気又は蒸気を漏出させ、流出させ、又は遮断し、よって人を死傷させた者は、傷害の罪と比較して、重い刑により処断する。

第11章　往来を妨害する罪

第124条（往来妨害及び同致死傷）

①陸路、水路又は橋を損壊し、又は閉塞して往来の妨害を生じさせた者は、2年以下の拘禁刑又は20万円以下の罰金に処する。

②前項の罪を犯し、よって人を死傷させた者は、傷害の罪と比較して、重い刑により処断する。

第125条（往来危険）

①鉄道若しくはその標識を損壊し、又はその他の方法により、汽車又は電車の往来の危険を生じさせた者は、2年以上の有期拘禁刑に処する。

②灯台若しくは浮標を損壊し、又はその他の方法により、艦船の往来の危険を生じさせた者も、前項と同様とする。

第126条（汽車転覆等及び同致死）

①現に人がいる汽車又は電車を転覆させ、又は破壊した者は、無期又は3年以上の拘禁刑に処する。

②現に人がいる艦船を転覆させ、沈没させ、又は破

壊した者も、前項と同様とする。

③前2項の罪を犯し、よって人を死亡させた者は、死刑又は無期拘禁刑に処する。

第127条（往来危険による汽車転覆等）

第125条の罪を犯し、よって汽車若しくは電車を転覆させ、若しくは破壊し、又は艦船を転覆させ、沈没させ、若しくは破壊した者も、前条の例による。

第128条（未遂罪）

第124条第1項、第125条並びに第126条第1項及び第2項の罪の未遂は、罰する。

第129条（過失往来危険）

①過失により、汽車、電車若しくは艦船の往来の危険を生じさせ、又は汽車若しくは電車を転覆させ、若しくは破壊し、若しくは艦船を転覆させ、沈没させ、若しくは破壊した者は、30万円以下の罰金に処する。

②その業務に従事する者が前項の罪を犯したときは、3年以下の拘禁刑又は50万円以下の罰金に処する。

第12章　住居を侵す罪

第130条（住居侵入等）

正当な理由がないのに、人の住居若しくは人の看守する邸宅、建造物若しくは艦船に侵入し、又は要求を受けたにもかかわらずこれらの場所から退去しなかった者は、3年以下の拘禁刑又は10万円以下の罰金に処する。

Q1 被告人らは、現金自動預払機利用客のカードの暗証番号等を盗撮する目的で、現金自動預払機が設置された銀行支店出張所に営業中に立ち入った場合でも、その立入りの外観が一般の現金自動預払機利用客のそれと特に異なるものでなければ、建造物侵入罪は成立しないのか。

A 建造物侵入罪は成立する。　被告人らは、本件銀行の現金自動預払機を利用する客のカードの暗証番号、名義人氏名、口座番号等を盗撮するため、現金自動預払機が複数台設置されており、行員が常駐しない同銀行支店出張所（看守者は支店長）に営業中に立ち入り、うち1台の現金自動預払機を相当時間にわたって占拠し続けることを共謀した。この共謀に基づき、盗撮目的で、平成17年9月5日午後0時9分ころ、現金自動預払機が6台設置されており、行員が常駐しない同銀行支店出張所に営業中に立ち入り、1台の現金自動預払機の広告用カードホルダーに盗撮用ビデオカメラを設置し、その隣の現金自動預払機の前の床に受信機等の入った紙袋を置き、そのころから同日午後1時47分ころまでの1時間30分以上、適宜交替しつつ、同現金自動預払機の前に立ってこれを占拠し続け、その間、入出金や振込等を行う一般の利用客のように装い、同現金自動預払機で適当な操作を繰り返すなどした。以上の事実関係によれば、被告人らは、現金自動預払機利用客のカードの暗証番号等を盗撮する目的で、現金自動預払機が設置された銀行支店出張所に営業中に立ち入ったものであり、そのような立入りが同所の管理権者である銀行支店長の意思に

反するものであることは明らかであるから、その立入りの外観が一般の現金自動預払機利用客のそれと特に異なるものでなくても、建造物侵入罪が成立するものというべきである（最決平19・7・2）。

出題 国家総合 – 平成30、裁判所総合・一般 – 平成26

Q2 分譲マンションの各住戸にビラ等を投かんする目的で、同マンションの共用部分に立ち入った行為は、刑法130条前段の罪にあたるのか。

A 刑法130条前段の罪にあたる。　分譲マンションの各住戸のドアポストにビラ等を投かんする目的で、同マンションの集合ポストと掲示板が設置された玄関ホールの奥にあるドアを開けるなどして7階から3階までの廊下等の共用部分に立ち入った行為は、同マンションの構造および管理状況、そのような目的での立入りを禁じたはり紙が玄関ホールの掲示板にちょう付されていた状況などの本件事実関係の下では、同マンションの管理組合の意思に反するものであり、刑法130条前段の罪が成立する（最判平21・11・30）。　出題 予想

第132条（未遂罪）

第130条の罪の未遂は、罰する。

第13章　秘密を侵す罪

第133条（信書開封）

正当な理由がないのに、封をしてある信書を開けた者は、1年以下の拘禁刑又は20万円以下の罰金に処する。

第134条（秘密漏示）

①医師、薬剤師、医薬品販売業者、助産師、弁護士、弁護人、公証人又はこれらの職にあった者が、正当な理由がないのに、その業務上取り扱ったことについて知り得た人の秘密を漏らしたときは、6月以下の拘禁刑又は10万円以下の罰金に処する。

②宗教、祈祷若しくは祭祀の職にある者又はこれらの職にあった者が、正当な理由がないのに、その業務上取り扱ったことについて知り得た人の秘密を漏らしたときも、前項と同様とする。

Q1 医師としての知識、経験に基づく診断を含む医学的判断を内容とする鑑定を命じられた医師がその過程で知りえた人の秘密を正当な理由なく漏らす行為は、秘密漏示罪に該当するのか。

A 秘密漏示罪に該当する。　本件は、精神科の医師である被告人が、少年事件について、家庭裁判所から、鑑定事項を「(1)少年が本件非行に及んだ精神医学的背景、(2)少年の本件非行時および現在の精神状態、(3)その他少年の処遇上参考になる事項」として、精神科医としての知識、経験に基づく、診断を含む精神医学的判断を内容とする鑑定を命じられ、それを実施したものであり、そのための鑑定資料として少年らの供述調書等の写しの貸出しを受けていたところ、正当な理由がないのに、同鑑定資料や鑑定結果を記載した書面を第三者に閲覧させ、少年およびその実父の秘密を漏らしたというものである。本件のように、医師が、医師としての知識、経験に基づく、診断を含む医学的判断を内容とする鑑定を

命じられた場合には、その鑑定の実施は、医師がその業務として行うものといえるから、医師が当該鑑定を行う過程で知りえた人の秘密を正当な理由なく漏らす行為は、医師がその業務上取り扱ったことについて知りえた人の秘密を漏示するものとして刑法134条1項の秘密漏示罪に該当すると解するのが相当である。このような場合、「人の秘密」には、鑑定対象者本人の秘密のほか、同鑑定を行う過程で知り得た鑑定対象者本人以外の者の秘密も含まれるというべきである（最決平24・2・13）。

出題 予想

第135条（親告罪）

この章の罪は、告訴がなければ公訴を提起することができない。

第15章　飲料水に関する罪

第142条（浄水汚染）

人の飲料に供する浄水を汚染し、よって使用することができないようにした者は、6月以下の拘禁刑又は10万円以下の罰金に処する。

第143条（水道汚染）

水道により公衆に供給する飲料の浄水又はその水源を汚染し、よって使用することができないようにした者は、6月以上7年以下の拘禁刑に処する。

第144条（浄水毒物等混入）

人の飲料に供する浄水に毒物その他人の健康を害すべき物を混入した者は、3年以下の拘禁刑に処する。

第145条（浄水汚染等致死傷）

前3条の罪を犯し、よって人を死傷させた者は、傷害の罪と比較して、重い刑により処断する。

第146条（水道毒物等混入及び同致死）

水道により公衆に供給する飲料の浄水又はその水源に毒物その他人の健康を害すべき物を混入した者は、2年以上の有期拘禁刑に処する。よって人を死亡させた者は、死刑又は無期若しくは5年以上の拘禁刑に処する。

第147条（水道損壊及び閉塞）

公衆の飲料に供する浄水の水道を損壊し、又は閉塞した者は、1年以上10年以下の懲役に処する。

第16章　通貨偽造の罪

第148条（通貨偽造及び行使等）

①行使の目的で、通用する貨幣、紙幣又は銀行券を偽造し、又は変造した者は、無期又は3年以上の拘禁刑に処する。

②偽造又は変造の貨幣、紙幣又は銀行券を行使し、又は行使の目的で人に交付し、若しくは輸入した者も、前項と同様とする。

Q1 偽造通貨を情を知る者に交付し、交付を受けた者が現に行使の実行に着手した時にはじめて、交付者に偽造通貨交付罪の既遂が成立するのか。

A 偽造通貨を情を知る者に交付した時に、偽造通貨交付罪の既遂が成立する。　刑法148条2項の「行使の目的で人に交付し」とは、偽貨を流通におく意思で他人に交付することをいうのであるから、交付者から被交付者に偽貨である事実を告げて交付

しようと、他人が行使する情を知って交付するとを問わない。また、同条項によれば偽貨である事実を告げ、他人に行使させるために交付する行為を独立罪としたのである。それ故、被交付者が行使の目的を実行しないときでも、交付者はなお同条項の責任を免れることはできず、また、これを実行したときでも、教唆の法条を適用しない（大判明43・3・10）。 出題 国Ⅰ-昭和62

Q2 偽造通貨の行使により、財物を騙取しまたは不法の利益を取得した場合、偽造通貨行使罪と詐欺罪とは、牽連犯となるか。

A 詐欺罪は偽造通貨行使罪に吸収される。　偽造銀行券を行使して財物を不正に領得した場合には、財物領得の行為は偽造銀行券行使の行為の中に包含され、別に犯罪を構成しない（大判明43・6・30）。 出題 国Ⅰ-昭和62・60・52

第 149 条（外国通貨偽造及び行使等）
①行使の目的で、日本国内に流通している外国の貨幣、紙幣又は銀行券を偽造し、又は変造した者は、2 年以上の有期拘禁刑に処する。
②偽造又は変造の外国の貨幣、紙幣又は銀行券を行使し、又は行使の目的で人に交付し、若しくは輸入した者も、前項と同様とする。

Q1 通貨偽造における行使の目的は、自己が行使する場合に限られるのか。

A 自己が行使する場合に限らず、他人に真正の通貨として流通におかせる目的でもよい。　被告人は、本件偽造にかかる軍票10 ドルを 3,200 円くらいで売却する目的であったというのであるが、売却とはいえこれを通貨以外の商品として売る意思ではなく、真正の 10 ドル軍票として相当額の円の対価を得て譲渡するのが目的であり、結局は、他人にこれを 10 ドル軍票として流通におかせることを目的とするものであり、この場合もまた通貨偽造罪における行使の目的があるということを妨げない（最判昭34・6・30）。 出題 国Ⅰ-昭和62

第 150 条（偽造通貨等収得）
行使の目的で、偽造又は変造の貨幣、紙幣又は銀行券を収得した者は、3 年以下の拘禁刑に処する。

第 151 条（未遂罪）
前 3 条の罪の未遂は、罰する。

第 152 条（収得後知情行使等）
貨幣、紙幣又は銀行券を収得した後に、それが偽造又は変造のものであることを知って、これを行使し、又は行使の目的で人に交付した者は、その額価格の 3 倍以下の罰金又は科料に処する。ただし、2000 円以下にすることはできない。

第 153 条（通貨偽造等準備）
貨幣、紙幣又は銀行券の偽造又は変造の用に供する目的で、器械又は原料を準備した者は、3 月以上5 年以下の拘禁刑に処する。

第 17 章　文書偽造の罪

1　文書の意義

◇刑法上の文書

Q1 文書偽造罪における文書は、文字に限られるか。

A 文字に限られない。　文書とは文字もしくはこれに代わるべき符号を用い、永続すべき状態において、ある物体のうえに記載した意思表示をいうもので、法律上その物体の種類に制限はない（大判明43・9・30）。 出題 裁判所Ⅰ・Ⅱ-平成20

◇名義人の実在性

Q2 名義人の氏名が表示されない文書にも、文書偽造の罪は成立するのか。

A 文書偽造の罪が成立する場合がある。　刑法159 条 3 項の犯罪は、作成名義人の署名又は捺印の存しない文書の偽造を内容とするため、その犯罪の成立にはその文書の作成名義人が何人であるかがその文書自体またはこれに付随する物体から知ることができればそれで足りる（大判昭7・5・23）。 出題 地方上級-平成7（市共通）

Q3 死亡者または架空人などを名義人とする文書についても、文書偽造罪は成立するのか。

A 架空の者を代表者として、実在する会社名義の契約書および領収書を作成する行為は、私文書偽造罪を構成する（最判昭23・10・26）。 出題 国Ⅰ-昭和59

Q4 実在しない公務所名義の証明書を作成した場合は、その文書の形式・外観において、一般人にそのような公務所が実在し、その職務権限内で作成された公文書であると誤信させるに足りるものであっても、公文書偽造罪は成立しないのか。

A 公文書偽造罪は成立する。　実在しない司法局別館人権擁護委員会会計課名義の書面は、その形式・外観において一般人にそのような実在する公務所が権限内で作成した公文書であると誤信させるに足りるから、その偽造・行使は公文書偽造・行使にあたる（最判昭36・3・30）。 出題 国Ⅰ-平成16

◇コピーの文書性

Q5 公文書偽造罪の客体となる文書にコピー（原本の写し）は含まれるのか。

A 含まれる場合がある。　公文書偽造罪は、公文書に対する公共的信用を保護法益とし、公文書が証明手段としてもつ社会的機能を保護し、社会生活の安定を図ろうとするものであるから、公文書偽造罪の客体となる文書は、これを原本たる公文書そのものに限る根拠はなく、たとえ原本の写しであっても、原本と同一の意識内容を保有し、証明文書としてこれと同様の社会的機能と信用性を有するものと認められる限り、これに含まれる（最判昭51・4・30）。

[出題]国家総合 – 平成28、国Ⅰ – 平成16・9・5・1・昭和54、地方上級 – 平成7（市共通）

Q6 写真コピーの上に印章、署名が複写されている場合、当該コピーは原本作成名義人の印章、署名のある文書として公文書偽造罪の客体となるのか。

A 公文書偽造罪の客体となる。　公文書の写真コピーの性質とその社会的機能に照らすときは、このコピーは、公文書偽造罪の客体たりうるものであって、この場合においては、原本と同一の意識内容を保有する原本作成名義人作成名義の公文書と解すべきであり、また、この作成名義人の上に印章、署名の有無についても、写真コピーの上に印章、署名が複写されている以上、これを写真コピーの保有する意識内容の場合と別異に解する理由はないから、原本作成名義人の印章、署名のある文書として公文書偽造罪の客体たりうる（最判昭51・4・30）。

[出題]国家総合 – 平成28、国Ⅰ – 平成16・9・5・昭和54、裁判所総合・一般 – 平成28

2 偽造

(1)他人名義の冒用

◇名義人の同意

Q7 作成名義人の承諾を得てその他人名義で交通事件原票中の供述書を作成した場合、私文書偽造罪は成立するのか。

A 私文書偽造罪は成立する。　交通事件原票中の供述書は、その文書の性質上、作成名義人以外の者がこれを作成することは法令上許されないものであって、この供述書を他人の名義で作成した場合は、あらかじめその他人の承諾を得ていたとしても、私文書偽造罪が成立する（最決昭56・4・8）。

[出題]国家総合 – 平成28、国Ⅰ – 平成21・14・13・9・5、裁判所Ⅰ・Ⅱ – 平成20・16

Q8 無免許運転により取締りを受けた者が、道路交通法違反の交通事件原票中の供述書の記入に際し、他人の氏名を署名した場合には、あらかじめ当該他人の承諾を得ていた場合、私文書偽造罪は成立しないのか。

A 私文書偽造罪は成立する（最決昭56・4・8）。⇨7

◇通称の使用

Q9 他人の氏名が限られた範囲で行為者自身を指称するものとして通用していた場合、交通事件原票中の供述書をその他人名義で作成する行為は、私文書偽造罪にあたるのか。

A 私文書偽造罪にあたる。　氏名がたまたまある限られた範囲において被告人を指称するものとして通用していたとしても、被告人が供述書の作成名義を偽り、他人の名義で交通事件原票中の供述書を作成したことにかわりなく、被告人の当該行為について私文書偽造罪が成立する（最決昭56・12・22）。

[出題]国Ⅰ – 昭和59、裁判所総合・一般 – 平成24

Q10 日本に密入国した者が、20年以上にわたって他人の氏名を自己の氏名として公然と使用し、当該他人の氏名による外国人登録も行った結果、当該氏名が相当広範囲に同人を指す名称として定着し、他人との混同を生じるおそれのない高度の特定識別機能を十分に果たすに至った場合には、同人が当該氏名により再入国許可申請書を作成しても、名義人と文書作成者との人格の同一性にそごは生じず、私文書偽造罪は成立しないのか。

A 私文書偽造罪は成立する。　被告人Aは、密入国者であり外国人の新規登録申請をしていないのに、B名義で発行された外国人登録証明書を取得し、その名義で登録事項確認申請を繰り返すことで、自らがその登録証明書のBであるかのように装って日本に在留を続けていたのであり、被告人がBという名称を永年自己の氏名として公然使用した結果、それが相当広範囲に被告人Aを指称する名称として定着し、他人との混同を生ずるおそれのない高度の特定識別機能を有するに至っても、被告人Aが外国人登録の関係ではBになりすましていた事実を否定することはできない。以上の事実関係から、被告人は、再入国の許可を取得しようとして、再入国許可申請書をB名義で作成、行使したのであるが、再入国許可申請書の性質に照らすと、本件文書に表示されたBの氏名から認識される人格は、適法に日本に在留することを許されているBであって、密入国をし、何らの在留資格をも有しない被告人Aとは別の人格であり、本件文書の名義人と作成者との人格の同一性にそごを生じている。したがって、被告人Aは、本件再入国許可申請書の作成名義を偽り、他人の名義でこれを作成、行使したものであり、その行為は私文書偽造、同行使罪にあたる（最判昭59・2・17）。[出題]国Ⅰ – 平成14

Q11 被告人の氏名が弁護士Yと同姓同名であることを利用して、同弁護士になりすまし、「弁護士Y」の名義で文書を作成して行使した場合、私文書偽造罪と同行使罪は成立するのか。

A 私文書偽造罪と同行使罪は成立する。　私文書偽造罪の本質は、文書の名義人と作成者との間の人格の同一性を偽る点にあると解されるところ、被告人は、自己の氏名が弁護士Yと同姓同名であることを利用して、同弁護士になりすまし、「弁護士Y」の名義で本件各文書を作成したものであって、たとえ名義人として表示された者の氏名が被告人の氏名と同一であったとしても、本件各文書が弁護士としての業務に関連して弁護資格を有する者が作成した形式、内容のものである以上、本件各文書に表示された名義人は、弁護士Yであって、弁護士資格を有しない被告人とは別人格の者であることが明らかであるから、本件各文書の名義人と作成者との人格の同一性に齟齬を生じさせたのである。したがって、被告人は人格の同一性を偽ったものであって、その各行為について私文書偽造罪と同行使罪が成立する（最決平5・10・5）。

[出題]国家総合 – 平成28、国Ⅰ – 平成21・14、裁判所Ⅰ・Ⅱ – 平成16

Q12 国際運転免許証発給権限のない団体が、国際運転免許証の発給権限を有する国際旅行連盟から、

国際運転免許証の作成を委託されていた場合でも、当該団体が国際旅行連盟の名義を無断使用して、国際運転免許証を作成することは、文書の名義人と作成者との間の人格の同一性を偽ることになるのか。

A 人格の同一性を偽ることになる。 私文書偽造の本質は、文書の名義人と作成者との間の人格の同一性を偽る点にある。これを本件文書の記載内容、性質などに照らすと、ジュネーブ条約に基づく国際運転免許証の発給権限を有する団体により作成されていることが、本件文書の社会的信用性を基礎づけるものとなっているから、本件文書の名義人は、「ジュネーブ条約に基づく国際運転免許証の発給権限を有する団体である国際旅行連盟」である。そうすると、当該団体が国際旅行連盟から同条約に基づきその締約国等から国際運転免許証の発給権限を与えられた事実はないのであるから、国際旅行連盟が実在の団体であり、Xに本件文書の作成を委託していたとの前提に立ったとしても、Xが国際旅行連盟の名称を用いて本件文書を作成する行為は、文書の名義人と作成者との間の人格の同一性を偽るものである（最決平15・10・6）。　　　　　　　　　　　　出題 予想

(2)代理資格の冒用

Q13 代理権・代表権を有しない者が代理・代表資格を冒用して代理・代表文書を作成した場合、文書偽造罪を構成するのか。

A 文書偽造罪を構成する。 他人の代表者または代理人として文書を作成する権限のない者が、他人を代表もしくは代理すべき資格、または、普通人に他人を代表もしくは代理するものと誤信させるに足りるような資格を表示して作成した文書は、その文書によって表示された意識内容に基づく効果が、代表もしくは代理された本人に帰属する形式のものであるから、その名義人は、代表もしくは代理された本人である（最決昭45・9・4）。

出題 国Ⅰ－昭和59、裁判所総合・一般－平成26、裁判所Ⅰ・Ⅱ－平成20

(3)代理権限の濫用

Q14 他人の代表名義を用いて文書の作成権限を有する者が、その権限を濫用して、自己の利益を図る目的でその代表名義を用いて文書を作成した場合、文書偽造罪は成立するのか。

A 文書偽造罪は成立しない。 他人の代表者または代理人がその代表名義もしくは代理名義を用いまたは直接に本人の商号を使用して文書を作成する権限を有する場合に、その地位を濫用して単に自己または第三者の利益を図る目的で、その代表もしくは代理名義または直接に本人の商号を用い文書を作成しても、文書偽造罪は成立しない（大連判大11・10・20）。

出題 国Ⅰ－昭和59・51、地方上級－平成7（市共通）・昭和59

(4)偽造文書の内容

Q15 公文書の内容が真実であれば、作成権者の意思に反し、その名義を冒して文書が作成されても、公文書偽造罪は成立しないのか。

A 公文書偽造罪は成立する。 いやしくも公文書として成立するものである以上、その内容が真実に適合するか否かを問わず、法律の保護を受けるのであるから、これを増減変更したときは、他に実害を生じていると否とにかかわらず、公の信用を害するものとして処罰を免れることはできない（大判大4・9・21）。　　　　　　　　　出題 地方上級－昭和59

3　偽造と変造の区別

Q16 自動車運転免許証の写真を貼り代えた場合、文書変造罪が成立するのか。

A 文書偽造罪が成立する。 特定人に交付された自動車運転免許証に貼付してある写真およびその人の生年月日の記載は、当該免許証の内容にして重要事項に属するのであるから、その写真をほしいままに剥ぎとり、その特定人と異なる他人の写真を貼り代え、生年月日欄の数字を改ざんし、まったく別個の新たな免許証としたときは、公文書偽造罪が成立する（最決昭35・1・12）。

出題 地方上級－平成7（市共通）

4　電磁的記録

Q17 自動車登録ファイルに不実の記載をさせれば、公正証書原本等不実記載罪が成立するのか。

A 公正証書原本等不実記載罪が成立する。 道路運送車両法に規定する電子情報処理組織による自動車登録ファイルは、刑法157条1項にいう「権利若しくは義務に関する公正証書の原本」にあたり、自動車登録ファイルの「使用の本拠の位置」または「使用の本拠の位置」および「使用者の住所」についての虚偽の記載は刑法157条1項にいう「不実の記載」にあたる（最決昭58・11・24）。

出題 国Ⅰ－平成5

第154条（詔書偽造等）
①行使の目的で、御璽、国璽若しくは御名を使用して詔書その他の文書を偽造し、又は偽造した御璽、国璽若しくは御名を使用して詔書その他の文書を偽造した者は、無期又は3年以上の拘禁刑に処する。
②御璽若しくは国璽を押し又は御名を署した詔書その他の文書を変造した者も、前項と同様とする。

第155条（公文書偽造等）
①行使の目的で、公務所若しくは公務員の印章若しくは署名を使用して公務所若しくは公務員の作成すべき文書若しくは図画を偽造し、又は偽造した公務所若しくは公務員の印章若しくは署名を使用して公務所若しくは公務員の作成すべき文書若しくは図画を偽造した者は、1年以上10年以下の拘禁刑に処する。
②公務所又は公務員が押印し又は署名した文書又は図画を変造した者も、前項と同様とする。
③前2項に規定するもののほか、公務所若しくは公務員の作成すべき文書若しくは図画を偽造し、又は公務所若しくは公務員が作成した文書若しく

刑法編

は図画を変造した者は、3年以下の拘禁刑又は20万円以下の罰金に処する。

Q1 公務員であっても、自己に作成権限のない文書を作成すれば、公文書偽造罪は成立するのか。

A 公文書偽造罪は成立する。　刑法155条1項の公文書偽造罪が成立するには、その作成権限のない者が行使の目的で公務所又は公務員の作成名義を偽って公文書を作成することを要する。元来本件割当証明書の作成名義人は建築出張所長総理庁技官であるからその作成権限は同人に属する。したがって、出張所長が当該割当証明書作成権限を被告人に移したとか所長に故障があるため被告人が臨時代理者として本件割当証明書発行の事務を執行したという事実が認められない以上、被告人がほしいままに出張所長の印章および署名を使用して出張所長の権限に属する割当証明書を作成したことは、明らかに刑法155条1項の公文書偽造罪に該当し同法156条、同157条には該当しない（最判昭25・2・28）。

出題 国Ⅰ-平成16

Q2 公務所または公務員の権限に属しない事項について、偽造文書を作成しても、公文書偽造罪は成立しないのか。

A 一定の形式・外観を備えていれば公文書偽造罪が成立する。　偽造文書が一般人に公務所または公務員の職務権限内において作成されたものと信じさせるに足る形式・外観を備えている以上は、その作成名義者たる公務所または公務員にその権限がない場合においても、刑法155条の偽造公文書というを妨げない（最判昭28・2・20）。

出題 国Ⅰ-平成1、地方上級-昭和59

Q3 民間人が公文書の内容に改ざんを加えたうえ、コピーを作成した場合、その改ざんが非本質的部分に加えられたものであれば公文書変造罪、その改ざんが本質的部分に加えられたものであれば公文書偽造罪が成立するのか。

A ともに公文書偽造罪が成立する。　被告人は、行使の目的をもって、ほしいままに、A営林署長の記名押印がある売買契約書2通の各売買代金欄等の記載に改ざんを施すなどしたうえ、これらを複写機械で複写する方法により、あたかも真正な各売買契約書を原形どおりに正確に複写したかのような形式、外観を有するコピー2通を作成したのである。これらコピーは、原本と同様の社会的機能と信用性を有すると認められるから、被告人の各行為は、いずれも刑法155条1項の有印公文書偽造にあたると解する。第一審判決は、被告人の各行為は、いずれも同条2項の有印公文書変造罪にあたるとしているが、公文書の改ざんコピーを作成することは、たとえ、その改ざんが、公文書の原本自体になされたのであれば、未だ文書の変造の範ちゅうに属するとみられる程度にとどまっているとしても、原本とは別個の文書を作り出すのであるから、文書の変造ではなく、文書の偽造にあたる（最決昭61・6・27）。　**出題** 裁判所総合・一般-平成24

第156条（虚偽公文書作成等）

公務員が、その職務に関し、行使の目的で、虚偽の文書若しくは図画を作成し、又は文書若しくは図

画を変造したときは、印章又は署名の有無により区別して、前2条の例による。

◇主体

Q1 公文書の作成権限は、作成名義人に限られるのか。

A 作成名義人以外に代決者あるいは補助者が作成権限を有する場合もある。　公文書偽造罪における偽造とは、公文書の作成名義人以外の者が、権限なしに、その名義を用いて公文書を作成することを意味する。そして、この作成権限は、作成名義人の決裁をまたずに自らの判断で公文書を作成することが一般に許されている代決者ばかりでなく、一定の手続を経由するなどの特定の条件の下において公文書を作成することが許されている補助者も、その内容の正確性を確保することなど、その者への授権を基礎づける一定の基本的な条件に従う限度において、これを有している（最判昭51・5・6）。

出題 国Ⅰ-平成16・1・昭和63

Q2 作成名義人の決済を受けずに自らの判断で公文書を作成することが一般的に許容されている代決者が、作成名義人の決済を受けずに文書を作成した場合、公文書偽造罪が成立するのか。

A 公文書偽造罪は成立しない。　被告人を含む市民課員も、市民課長の補助者の立場で、一定の条件の下において、印鑑証明書を作成する権限を有していたことを認めることができる。そして、問題となる5通の印鑑証明書は、いずれも内容が正確であって、通常の申請手続を経由するなら、当然交付されるものであったのであるから、被告人がこれを作成したことから、補助者としての作成権限を超えた行為であるとはいえない。してみれば、被告人は、作成権限に基づいて、本件の5通の印鑑証明書を作成したのであるから、正規の手続によらないで作成した点において権限の濫用があるとしても、そのことを理由に内部規律違反の責任を問われることは格別、公文書偽造罪をもって問擬されるべきではない（最判昭51・5・6）。

出題 国Ⅰ-平成16・14・1、裁判所総合・一般-平成28

Q3 市長の代決者である課長を補助し、印鑑証明書の作成にあたっていた公務員が、自己の用に供するため、印鑑証明書の作成手続に必要な申請書の提出と手数料の納付を行うことなく印鑑証明書を作成した行為には、公文書偽造罪が成立するのか。

A 公文書偽造罪は成立しない（最判昭51・5・6）。⇨ 1・2

◇行為 ― 間接正犯

Q4 非公務員が虚偽の申立てをして、公務員に内容虚偽の証明書を作成させる場合には、虚偽公文書作成罪は成立するのか。

A 成立しない。　刑法157条が定める公正証書原本等不実記載罪は、文書の種類を限定して軽い処罰規定を設けていることに鑑みると、それ以外の場合は処罰しない趣旨と解されるから、非公務員が虚偽の申立てをして、公務員に内容虚偽の証明書を作

成させる場合には、虚偽公文書作成罪は成立しない（最判昭27・12・25）。

出題 裁判所総合・一般－平成29

Q5 作成権限のない公務員が作成権限のある公務員を利用して虚偽の公文書を作成させる場合、公文書偽造罪と虚偽公文書作成罪のいずれが成立するのか。

A 虚偽公文書作成罪の間接正犯が成立する。　刑法156条の虚偽公文書作成罪は、公文書の作成権限者たる公務員を主体とする身分犯ではあるが、作成権者たる公務員を補佐して公文書の起案を担当する職員が、その地位を利用し行使の目的でその職務上起案を担当する文書につき内容虚偽のものを起案し、これを情を知らない上司に提出し上司に当該起案文書の内容を真実なものと誤信して署名もしくは記名、捺印させ、内容虚偽の公文書を作らせた場合も、なお、虚偽公文書作成罪の間接正犯が成立する（最判昭32・10・4）。

出題 国Ⅰ－平成22・16・1・昭和63・59・51、裁判所総合・一般－平成26

第157条（公正証書原本不実記載等）

①公務員に対し虚偽の申立てをして、登記薄、戸籍薄その他の権利若しくは義務に関する公正証書の原本に不実の記載をさせ、又は権利若しくは義務に関する公正証書の原本として用いられる電磁的記録に不実の記録をさせた者は、5年以下の拘禁刑又は50万円以下の罰金に処する。

②公務員に対し虚偽の申立てをして、免状、鑑札又は旅券に不実の記載をさせた者は、1年以下の拘禁刑又は20万円以下の罰金に処する。

③前2項の罪の未遂は、罰する。

Q1 旧住民登録法による住民票は、公正証書原本にあたるのか。

A 公正証書原本にあたる。　旧住民登録法による住民票は、公務員が職務上作成し、権利義務に関するある事実を証明する効力を有する文書であるから、公正証書原本にあたる（最判昭36・6・20、最決昭48・3・15）。

出題 国家総合－令和1、国Ⅰ－平成16

Q2 不動産登記法30条、31条に基づく官公署による登記の嘱託手続は、刑法157条1項にいう「申立」にあたるのか。

A 刑法157条1項にいう「申立」にあたる。　被告人は、自己所有の不動産を第三者に売却しながら、土地開発公社事務局長と共謀し、情を知らない同公社職員に、不動産登記法30条、31条に基づき、当該不動産を被告人から公社に、次いで公社から第三者に売却したとする内容虚偽の各所有権移転登記の嘱託手続をさせ、情を知らない登記官に不動産登記簿原本にその旨の不実の記載をさせている。このような場合において、官公署による登記の嘱託手続をすることも、私人が登記の申請手続をするのと同様、刑法157条1項にいう「申立」にあたるのであるから、被告人の本件各行為につき公正証書原本不実記載罪の成立が認められる（最決平1・2・17）。

出題 予想

Q3 小型船舶の船籍及び総トン数の測度に関する

政令8条の2の船籍簿は、刑法157条1項にいう「権利若しくは義務に関する公正証書の原本」にあたるのか。

A あたる。　小型船舶の船籍及び総トン数の測度に関する政令（改正前のもの）8条の2の「船籍簿」は、刑法157条1項にいう「権利若しくは義務に関する公正証書の原本」にあたる。また、同令8条の2により、書換申請に基づき変更された船籍票の記載内容がそのまま船籍簿に移記されることが予定されていることからすると、同令4条1項に基づき新所有者と偽って内容虚偽の船籍票の書換申請を行うことは、同法157条1項にいう「虚偽の申立て」にあたる。以上のように解するのが相当であるから、被告人に対し公正証書原本不実記載罪の成立を認めた原判断は、結論において正当である（最判平16・7・13）。

出題 予想

Q4 小型船舶の船籍及び総トン数の測度に関する政令4条1項に基づく船籍票の書換申請は、同令8条の2の船籍簿に関し、刑法157条1項にいう「申立て」にあたるのか。

A あたる（最判平16・7・13）。⇨3

Q5 被告人Xが暴力団員との間で当該暴力団員に土地の所有権を取得させる旨の合意をし、Xが代表者を務めるA会社名義で当該土地を売主から買い受けた場合、当該土地につき売買契約を登記原因とする所有権移転登記等をA会社名義で申請して当該登記等をさせた行為について、売買契約の締結に際し当該暴力団員のためにする旨の顕名が一切なく、当該売主は買主は当該会社であると認識していたとの事情の下では、これに係る申請が電磁的公正証書原本不実記録罪にいう「虚偽の申立て」、また、当該登記等が同罪にいう「不実の記録」にあたるのか。

A 「虚偽の申立て」、また、「不実の記録」にあたらない。　電磁的公正証書原本不実記録罪および同供用罪の成否に関し、不動産の権利に関する登記の申請が虚偽の申立てにあたるか否か、また、当該登記が不実の記録にあたるか否かについては、当該登記が当該不動産に係る民事実体法上の物権変動の過程を忠実に反映しているか否かという観点から判断すべきである。そうすると、本件各登記の申請が虚偽の申立てにあたるか否か、また、本件各登記が不実の記録にあたるか否かを検討するにあたっては、本件各土地の所有権が本件売主らからBに直接移転したのか、それともA社にいったん移転したのかが問題となる。この点、本件各売買契約における買主の名義はいずれもA社であり、被告人XがA社の代表者として本件売主らの面前で売買契約書等を作成し代金全額を支払っている。また、XがBのために本件各売買契約を締結する旨の顕名は一切なく、本件売主らはA社が買主であると認識していた。そうすると、本件各売買契約の当事者は本件売主らとA社であり、本件各売買契約により本件各土地の所有権は本件売主らからA社に移転したものと認めるのが相当である。したがって、申請が電磁的公正証書原本不実記録罪にいう「虚偽の申立て」、また、当該登記等が同罪にいう「不実の記録」

刑法編

にあたらない（最判平28・12・5）。 出題 予想

第158条（偽造公文書行使等）

①第154条から前条までの文書若しくは図画を行使し、又は前条第1項の電磁的記録を公正証書の原本としての用に供した者は、その文書若しくは図画を偽造し、若しくは変造し、虚偽の文書若しくは図画を作成し、又は不実の記載若しくは記録をさせた者と同一の刑に処する。

②前項の罪の未遂は、罰する。

Q1 自動車を運転する際に偽造した運転免許証を携帯しているにとどまる場合にも、偽造公文書行使罪にあたるのか。

A 偽造公文書行使罪にあたらない。 偽造公文書行使罪にいう行使にあたるためには、文書を真正に成立したものとして他人に交付、提示等して、その閲覧に供し、その内容を認識させまたはこれを認識しうる状態におくことを要する。したがって、たとえ自動車を運転する際に運転免許証を携帯し、一定の場合にこれを提示すべき義務が法令上定められているとしても、自動車を運転する際に偽造にかかる運転免許証を携帯しているにとどまる場合には、いまだこれを他人の閲覧に供しその内容を認識しうる状態においたものというには足りず、偽造公文書行使罪にあたらない（最大判昭44・6・18）。

出題 国家総合－平成28、国Ⅰ－平成21・16・5

第159条（私文書偽造等）

①行使の目的で、他人の印章若しくは署名を使用して権利、義務若しくは事実証明に関する文書若しくは図画を偽造し、又は偽造した他人の印章若しくは署名を使用して権利、義務若しくは事実証明に関する文書若しくは図画を偽造した者は、3月以上5年以下の拘禁刑に処する。

②他人が押印し又は署名した権利、義務又は事実証明に関する文書又は図画を変造した者も、前項と同様とする。

③前2項に規定するもののほか、権利、義務又は事実証明に関する文書又は図画を偽造し、又は変造した者は、1年以下の拘禁刑又は10万円以下の罰金に処する。

Q1 書画が真筆である旨の箱書を偽造した場合、私文書偽造罪は成立するのか。

A 私文書偽造罪は成立する。 書画の箱書は、その書画の真筆にかかる事実を証明するに足るべき文書であることは明白であるから、刑法159条1項にいわゆる事実証明に関する文書に該当するのみならず、書画に掲げる雅号および雅号印であっても特定人を表彰するに足りるから、これらを偽造したときは同条項にいわゆる署名および印章を偽造したものに該当する（大判大14・10・10）。

出題 国Ⅰ－昭和59

Q2 私立大学における入学選抜試験の答案は、刑法159条1項にいう事実証明に関する文書にあたるのか。

A 事実証明に関する文書にあたる。 私立大学における入学選抜試験の答案は、試験問題に対し、志願者が正解と判断した内容を所定の用紙の解答欄に記載する文書であり、それ自体で志願者の学力が明らかになるものではないが、それが採点されて、その結果が志願者の学力を示す資料となり、これを基に合否の判定が行われ、合格の判定を受けた志願者が入学を許可されるのであるから、志願者の学力の証明に関するものであって、「社会生活に交渉を有する事項」を証明する文書にあたる。したがって、本件答案は刑法159条1項にいう事実証明に関する文書にあたる（最決平6・11・29）。

出題 国Ⅰ－平成21・9、裁判所総合・一般－平成28・24

Q3 大学の入学試験に際して、他人から依頼されて替え玉受験をし、その他人名義の試験答案を作成した場合、名義人である依頼者がその答案を自分の文書とする意思をもっている以上、違法性は阻却されるのか。

A 違法性は阻却されない（最決平6・11・29）。⇨2

Q4 就職の際に偽名を用いて履歴書および雇用契約書等を作成する行為については、これらの文書の性質、機能に照らすと、作成者が履歴書に自己の顔写真を貼り付け、また、同人がこれらの文書から生じる責任を免れようとする意思を有していなかった場合、名義人と文書作成者との人格の同一性にそごは生じず、私文書偽造罪は成立しないのか。

A 名義人と文書作成者との人格の同一性にそごは生じ、私文書偽造罪は成立する。 私文書偽造の本質は、文書の名義人と作成者との間の人格の同一性を偽る点にあるから、たとえ各文書の性質、機能等に照らして、これらの文書に被告人の顔写真が貼り付けられ、あるいは被告人が各文書から生じる責任を免れようとする意思を有していなかったとしても、これらの文書に表示された名義人は、被告人とは別人格の者であることが明らかであるから、名義人と作成者との人格の同一性に齟齬を生じさせたものというべきである。したがって、被告人の各行為について有印私文書偽造、同行使罪が成立する（最決平11・12・20）。

出題 国家総合－平成28、国Ⅰ－平成14、裁判所総合・一般－平成26、裁判所Ⅰ・Ⅱ－平成16

Q5 虚偽の氏名、生年月日、住所、経歴等を記載し、自分の顔写真を貼りつけた押印のある偽名の履歴書および虚偽の氏名を記載した押印のある偽名の雇用契約書を作成して提出行使する行為は、有印私文書偽造、同行使罪にあたるのか。

A 有印私文書偽造、同行使罪にあたる（最決平11・12・20）。⇨4

第160条（虚偽診断書等作成）

医師が公務所に提出すべき診断書、検案書又は死亡証書に虚偽の記載をしたときは、3年以下の拘禁刑又は30万円以下の罰金に処する。

第161条（偽造私文書等行使）

①前2条の文書又は図画を行使した者は、その文書若しくは図画を偽造し、若しくは変造し、又は虚偽の記載をした者と同一の刑に処する。

②前項の罪の未遂は、罰する。

第161条の2（電磁的記録不正作出及び供用）

①人の事務処理を誤らせる目的で、その事務処理の

刑法〔抄〕

用に供する権利、義務又は事実証明に関する電磁的記録を不正に作った者は、5年以下の拘禁刑又は50万円以下の罰金に処する。

②前項の罪が公務所又は公務員により作られるべき電磁的記録に係るときは、10年以下の拘禁刑又は100万円以下の罰金に処する。

③不正に作られた権利、義務又は事実証明に関する電磁的記録を、第1項の目的で、人の事務処理の用に供した者は、その電磁的記録を不正に作った者と同一の刑に処する。

④前項の罪の未遂は、罰する。

第18章　有価証券偽造の罪

第162条（有価証券偽造等）

①行使の目的で、公債証書、官庁の証券、会社の株券その他の有価証券を偽造し、又は変造した者は、3月以上10年以下の拘禁刑に処する。

②行使の目的で、有価証券に虚偽の記入をした者も、前項と同様とする。

Q1 テレホン・カードは有価証券か。

A 有価証券である。　　いわゆるテレホン・カードについては、その発行時の通話可能度数および残通話可能度数を示す度数情報ならびに当該テレホン・カードが発信者により真正に発行されたものであることを示す発行情報は、磁気情報として電磁的方法により記録されており、券面上に記載されている発行時の通話可能度数および発行者以外のその情報は、券面上の記載からは知りえないが、残通話可能度数については、カード式公衆電話にテレホン・カードを挿入すれば、度数カウンターに赤色で表示され、その発行情報もカード式公衆電話に内蔵されたカードリーダーにより読み取るシステムとなっている。そうすると、テレホン・カードのその磁気情報部分ならびにその券面上の記載および外観を一体としてみれば、電話の役務の提供を受ける財産上の権利がその証券上に表示されていると認められ、かつ、これをカード式公衆電話機に挿入することにより使用するものであるから、テレホン・カードは、有価証券にあたる（最決平3・4・5）。

出題 国Ⅰ－平成5

Q2 テレホン・カードの変造および交付は、有価証券変造および変造有価証券交付罪にあたるのか。

A 有価証券変造および変造有価証券交付罪にあたる。　　有価証券の変造とは、真正に作成された有価証券に権限なく変更を加えることをいうが、テレホン・カードは有価証券にあたる以上、その磁気情報部分に記録された通話可能度数を権限なく改ざんする行為がこれにあたることは、明らかである。また、偽造等をした有価証券の行使とは、その用法に従って真正なものとして使用することをいうから、変造されたテレホン・カードをカード式公衆電話機に挿入して使用する行為は、変造された有価証券の行使にあたる。そうすると、行使の目的で、AがN株式会社作成にかかるテレホン・カードの通話可能度数である50度を1998度に改ざんしたうえ、Bに対し、その旨を告げてこれを売り渡した行為は、有価証券変造および変造有価証券交付の各罪

にあたる（最決平3・4・5）。　出題 国Ⅰ－平成5

第163条（偽造有価証券行使等）

①偽造若しくは変造の有価証券又は虚偽の記入がある有価証券を行使し、又は行使の目的で人に交付し、若しくは輸入した者は、3月以上10年以下の拘禁刑に処する。

②前項の罪の未遂は、罰する。

第18章の2　支払用カード電磁的記録に関する罪

第163条の2（支払用カード電磁的記録不正作出等）

①人の財産上の事務処理を誤らせる目的で、その事務処理の用に供する電磁的記録であって、クレジットカードその他の代金又は料金の支払用のカードを構成するものを不正に作った者は、10年以下の拘禁刑又は100万円以下の罰金に処する。預貯金の引出用のカードを構成する電磁的記録を不正に作った者も、同様とする。

②不正に作られた前項の電磁的記録を、同項の目的で、人の財産上の事務処理の用に供した者も、同項と同様とする。

③不正に作られた第1項の電磁的記録をその構成部分とするカードを、同項の目的で、譲り渡し、貸し渡し、又は輸入した者も、同項と同様とする。

第163条の3（不正電磁的記録カード所持）

前条第1項の目的で、同条第3項のカードを所持した者は、5年以下の拘禁刑又は50万円以下の罰金に処する。

第163条の4（支払用カード電磁的記録不正作出準備）

①第163条の2第1項の犯罪行為の用に供する目的で、同項の電磁的記録の情報を取得した者は、3年以下の拘禁刑又は50万円以下の罰金に処する。情を知って、その情報を提供した者も、同様とする。

②不正に取得された第163条の2第1項の電磁的記録の情報を、前項の目的で保管した者も、同項と同様とする。

③第1項の目的で、器械又は原料を準備した者も、同項と同様とする。

第163条の5（未遂罪）

第163条の2及び前条第1項の罪の未遂は、罰する。

第19章　印章偽造の罪

第164条（御璽偽造及び不正使用等）

①行使の目的で、御璽、国璽又は御名を偽造した者は、2年以上の有期拘禁刑に処する。

②御璽、国璽若しくは御名を不正に使用し、又は偽造した御璽、国璽若しくは御名を使用した者も、前項と同様とする。

第165条（公印偽造及び不正使用等）

①行使の目的で、公務所又は公務員の印章又は署名を偽造した者は、3月以上5年以下の拘禁刑に処する。

②公務所若しくは公務員の印章若しくは署名を不正に使用し、又は偽造した公務所若しくは公務員の印章若しくは署名を使用した者も、前項と同様とする。

第166条（公記号偽造及び不正使用等）

①行使の目的で、公務所の記号を偽造した者は、3年以下の拘禁刑に処する。

②公務所の記号を不正に使用し、又は偽造した公務所の記号を使用した者も、前項と同様とする。

第167条（私印偽造及び不正使用等）

①行使の目的で、他人の印章又は署名を偽造した者は、3年以下の拘禁刑に処する。

②他人の印章若しくは署名を不正に使用し、又は偽造した印章若しくは署名を使用した者も、前項と同様とする。

第168条（未遂罪）

第164条第2項、第165条第2項、第166条第2項及び前条第2項の罪の未遂は、罰する。

第19章の2　不正指令電磁的記録に関する罪

第168条の2（不正指令電磁的記録作成等）

①正当な理由がないのに、人の電子計算機における実行の用に供する目的で、次に掲げる電磁的記録その他の記録を作成し、又は提供した者は、3年以下の拘禁刑又は50万円以下の罰金に処する。

1　人が電子計算機を使用するに際してその意図に沿うべき動作をさせず、又はその意図に反する動作をさせるべき不正な指令を与える電磁的記録

2　前号に掲げるもののほか、同号の不正な指令を記述した電磁的記録その他の記録

②正当な理由がないのに、前項第1号に掲げる電磁的記録を人の電子計算機における実行の用に供した者も、同項と同様とする。

③前項の罪の未遂は、罰する。

Q1 刑法168条の2の立法趣旨は何か。

A 電子計算機による情報処理のためのプログラムが、「意図に沿うべき動作をさせず、又はその意図に反する動作をさせるべき不正な指令」を与えるものではないという社会一般の信頼を保護し、電子計算機の社会的機能を保護することである。　不正指令電磁的記録に関する罪は、電子計算機において使用者の意図に反して実行される不正プログラムが社会に被害を与え深刻な問題となっていることを受け、電子計算機による情報処理のためのプログラムが、「意図に沿うべき動作をさせず、又はその意図に反する動作をさせるべき不正な指令」を与えるものではないという社会一般の信頼を保護し、ひいては電子計算機の社会的機能を保護するために、反意図性があり、社会的に許容し得ない不正性のある指令を与えるプログラムの作成、提供、保管等を、一定の要件の下に処罰するものである（最判令4・1・20）。**出題** 予想

Q2 刑法168条の2の「反意図性（「その意図に沿うべき動作をさせず、又はその意図に反する動作をさせるべき」という要件）」とは何か。

A 反意図性は、当該プログラムについて一般の使用者が認識すべき動作と実際の動作が異なる場合に肯定される。　反意図性は、当該プログラムについて一般の使用者が認識すべき動作と実際の動作が異なる場合に肯定されるものと解するのが相当であ

り、一般の使用者が認識すべき動作の認定に当たっては、当該プログラムの動作の内容に加え、プログラムに付された名称、動作に関する説明の内容、想定される当該プログラムの利用方法等を考慮する必要がある（最判令4・1・20）。**出題** 予想

Q3 刑法168条の2の「不正性」とは何か。

A 不正性は、電子計算機による情報処理に対する社会一般の信頼を保護し、電子計算機の社会的機能を保護するという観点から、社会的に許容し得ないプログラムについて肯定される。　不正性は、電子計算機による情報処理に対する社会一般の信頼を保護し、電子計算機の社会的機能を保護するという観点から、社会的に許容し得ないプログラムと解するのが相当であり、その判断に当たっては、当該プログラムの動作の内容に加え、その動作が電子計算機の機能や電子計算機による情報処理に与える影響の有無・程度、当該プログラムの利用方法等を考慮する必要がある（最判令4・1・20）。**出題** 予想

Q4 ウェブサイトの閲覧者の同意を得ることなくその電子計算機を使用して仮想通貨のマイニングを行わせるプログラムコードは、不正指令電磁的記録に当たるのか。

A 反意図性は認められるが、不正性は認められないので、不正指令電磁的記録に当たらない。　ウェブサイトの閲覧者の同意を得ることなくその電子計算機を使用して仮想通貨のマイニングを行わせるプログラムコードは、(1) ウェブサイトの収益方法として閲覧者の電子計算機にマイニングを行わせるという仕組みは一般の使用者に認知されていなかったことなどの事情の下では、その動作を一般の使用者が認識すべきとはいえず、刑法168条の2第1項の反意図性（「その意図に沿うべき動作をさせず、又はその意図に反する動作をさせるべき」という要件）は認められる。しかし、(2) ①その動作が閲覧者の電子計算機の機能等に与える影響は、閲覧中に中央処理装置を一定程度使用することにとどまり、その程度も、消費電力が若干増加したり処理速度が遅くなったりするが、閲覧者がその変化に気付くほどのものではなかったこと、②ウェブサイトの運営者が閲覧を通じて利益を得る仕組みは、ウェブサイトによる情報の流通にとって重要であるところ、同プログラムコードはそのような収益の仕組みとして利用されていたものである上、そのような仕組みとして社会的に受容されている広告表示プログラムと比較しても、閲覧者の電子計算機の機能等に与える影響に有意な差異はなく、利用方法等も同様であって、これらの点は社会的に許容し得る範囲内といえることなどの事情の下では、社会的に許容し得ないものとはいえず、同項の不正性（「不正な」という要件）は認められない。以上のとおり、本件プログラムコードは、反意図性は認められるが、不正性は認められないため、不正指令電磁的記録とは認められない。（最判令4・1・20）。**出題** 予想

第168条の3（不正指令電磁的記録取得等）

正当な理由がないのに、前条第1項の目的で、同項各号に掲げる電磁的記録その他の記録を取得し、

又は保管した者は、2年以下の拘禁刑又は30万円以下の罰金に処する。

第20章　偽証の罪

第169条（偽証）

法律により宣誓した証人が虚偽の陳述をしたときは、3月以上10年以下の拘禁刑に処する。

Q1 証人として宣誓のうえ虚偽の陳述をしたが、その公判手続が手続上の瑕疵により無効となった場合、当該証人に偽証罪は成立しないのか。

A 偽証罪は成立する。　被告事件の公判手続に違法があり、その公判が無効となっても、偽証罪の成立を妨げない（大判明45・7・8）。

出題 国Ⅰ-昭和56

Q2 証人として虚偽の陳述をすれば、訊問終了後に宣誓した場合でも、偽証罪は成立するのか。

A 偽証罪は成立する。　刑法169条の偽証罪が成立するためには、証人が適法に宣誓した後に虚偽の陳述をしたことを必要とせず、証人が法律に従い宣誓したこと、および故意に虚偽の陳述をしたことの2つの要素が併存すれば足り、宣誓が陳述の前であろうと、その後であろうと本罪の構成に影響を与えることなく、証人が民事訴訟法により訊問終了後宣誓した場合でも、証人として故意に虚偽の陳述をした以上は、偽証罪の責めを免れない（大判明45・7・23）。　　出題 国Ⅰ-昭和56

Q3 宣誓のうえ、偽証の意思で記憶に反する陳述をしたが、その内容がたまたま真実に合致した場合でも、偽証罪は成立するのか。

A 偽証罪は成立する。　証言内容の事実が真実に一致し、もしくは少なくともその不実であることを認めることができない場合でも、証人が故意にその記憶に反した陳述をすれば、偽証罪を構成する。すなわち、偽証罪は証言が不実であることを要件とするものではないため、裁判所は一面、偽証の犯罪事実を認め、他面、証言内容が不実でないことを認めても、2個の認定は必ずしも相抵触するものとはいえない（大判大3・4・29）。

出題 国Ⅰ-平成23・8・昭和56

Q4 証言拒否権を有する者が、宣誓のうえ、証言拒否権を行使しないで偽証した場合、偽証罪は成立するのか。

A 偽証罪は成立する。　何人も自己が刑事訴追を受けまたは有罪判決を受けることのある証言を拒むことができることは、刑事訴訟法146条の規定するところであるが、証人がこの証言拒否権を放棄し他の刑事事件につき証言するときは必ず宣誓させたうえで、これを訊問しなければならない。それ故かかる証人が虚偽の陳述をすれば刑法169条の偽証罪が成立する（最決昭28・10・19）。

出題 国家総合-令和1、国Ⅰ-平成8・昭和56

第170条（自白による刑の減免）

前条の罪を犯した者が、その証言をした事件について、その裁判が確定する前又は懲戒処分が行われる前に自白したときは、その刑を減軽し、又は免除することができる。

第171条（虚偽鑑定等）

法律により宣誓した鑑定人、通訳人又は翻訳人が虚偽の鑑定、通訳又は翻訳をしたときは、前2条の例による。

第21章　虚偽告訴の罪

第172条（虚偽告訴等）

人に刑事又は懲戒の処分を受けさせる目的で、虚偽の告訴、告発その他の申告をした者は、3月以上10年以下の拘禁刑に処する。

Q1 被誣告者（虚偽告訴を受ける者）の承諾がある場合には、誣告罪（虚偽告訴罪）は成立しないのか。

A 誣告罪（虚偽告訴罪）は成立する。　誣告罪（虚偽告訴罪）は一方個人の権利を侵害すると同時に他方では公益上当該官憲の職務を誤らせる危険があるため処罰するのであるから、被誣告者（虚偽告訴を受ける者）の承諾の事実があっても、本罪の構成上何ら影響をきたさない（大判大1・12・20）。

出題 国Ⅰ-昭和52、地方上級-昭和54

Q2 誣告罪（虚偽告訴罪）が既遂になるためには、刑事処分を目的とする虚偽の告訴状が捜査機関に受理されて捜査を開始したことを必要とするのか。

A 告訴状が捜査機関に到達して捜査官が閲覧しうる状態になれば、既遂になる。　誣告罪（虚偽告訴罪）が成立するには、告訴状が当該捜査官署に到達し、捜査官が閲覧しうる状態になればそれで足り、捜査官吏がこれを受理して捜査に着手することを必要としない（大判大3・11・3）。

出題 国Ⅰ-昭和52

Q3 刑法172条の「目的で」とは、不実の申告がその性質上他人に刑事または懲戒の処分を受けさせる結果の発生を意欲することを必要とするのか。

A 当該結果の発生すべきことを認識すれば足りる。刑法172条のいわゆる「人に刑事又は懲戒の処分を受けさせる目的で」とは、不実の申告がその性質上他人に刑事または懲戒の処分を受けさせる結果を発生することの認識をもってする意であるから、誣告罪（虚偽告訴罪）の成立には、その認識の下に不実の申告があれば足り、必ずしもその結果発生を欲望することを要しない（大判大6・2・8）。

出題 国Ⅰ-昭和52

Q4 客観的真実をたまたま行為者が虚偽の事実であると信じて申告をなした場合、誣告罪（虚偽告訴罪）は成立するのか。

A 誣告罪（虚偽告訴罪）は成立しない。　刑法172条にいう虚偽の申告とは、申告の内容をなすところの刑事、懲戒の処分の原因となる事実が客観的真実に反することをいう（最決昭33・7・31）。

出題 国Ⅰ-昭和52、地方上級-昭和54

第173条（自白による刑の減免）

前条の罪を犯した者が、その申告をした事件について、その裁判が確定する前又は懲戒処分が行われる前に自白したときは、その刑を減軽し、又は免除することができる。

刑法編

第22章　わいせつ、強制性交等及び重婚の罪

第174条（公然わいせつ）

　公然とわいせつな行為をした者は、6月以下の拘禁刑若しくは30万円以下の罰金又は拘留若しくは科料に処する。

第175条（わいせつ物頒布等）

①わいせつな文書、図画、電磁的記録に係る記録媒体その他の物を頒布し、又は公然と陳列した者は、2年以下の拘禁刑若しくは250万円以下の罰金若しくは科料に処し、又は拘禁刑及び罰金を併科する。電気通信の送信によりわいせつな電磁的記録その他の記録を頒布した者も、同様とする。

②有償で頒布する目的で、前項の物を所持し、又は同項の電磁的記録を保管した者も、前項と同様とする。

Q1 刑法174条および175条にいう「公然」とは、何を意味するのか。

A 不特定または多数の人が認識することのできる状態をいう。　刑法174条および175条にいう「公然」とは、不特定または多数の人が認識することのできる状態をいう（最決昭32・5・22）。

　　　　　　　　　　　　　　　出題 予想

Q2 英文書籍のわいせつ性の判断は誰を基準にすべきか。

A 英文書籍の読者でありうる英語の読める普通人、平均人を基準にする。　英文書籍の読者が社会一般人ではなく、限られた範囲のものにとどまる本件においては、英文書籍の読者たりうる英語の読める日本人および在日外国人の普通人、平均人を基準としてわいせつ性の判断をすべきである（最判昭45・4・7）。

　　　　　　　　　　　　　出題 国Ⅰ－平成5

Q3 刑法175条後段の「販売の目的」とは、わいせつの図画等を日本国内のみならず、日本国外で販売する目的をも含むのか。

A わいせつの図画等を日本国内で販売する目的に限られる。　刑法175条の規定は、わが国における健全な性風俗を維持するため、日本国内においてわいせつの文書、図画などが頒布、販売され、または公然と陳列されることを禁じようとする趣旨に出たものであるから、同条後段にいう「販売の目的」とは日本国内において販売する目的をいうものであり、したがって、わいせつの図画等を日本国内で所持していても日本国外で販売する目的であったにすぎない場合には同条後段の罪は成立しない（最判昭52・12・22）。

　　　　　　　　　　　　　出題 国Ⅰ－平成5

Q4 文書のわいせつ性の判断は、どのように行うべきか。

A 性に関する露骨で詳細な描写が全体の中で大きな比重をもち、主として読者等の好色的興味に訴えるものがわいせつとなる。　文書のわいせつ性の判断にあたっては、当該文書の性に関する露骨で詳細な描写叙述の程度とその手法、その描写叙述の文書全体に占める比重、文書に表現された思想等とその描写叙述との関連性、文書の構成や展開、さらには芸術性・思想性等による性的刺激の緩和の程度、これらの観点から当該文書を全体としてみたときに、

主として、読者の好色的興味に訴えるものと認められるか否かなどの諸点を検討することが必要であり、これらの事情を総合し、その時代の健全な社会通念に照らして「徒らに性欲を興奮または刺激せしめ、かつ、普通人の正常な性的羞恥心を害し、善良な性的道義観念に反するもの」といえるか否かを決すべきである〈四畳半襖の下張事件〉（最判昭55・11・28）。

　　　　　　　　　　　　　出題 国Ⅰ－平成5

Q5 わいせつな画像データを記憶、蔵置させたホストコンピュータのハードディスクは、刑法175条が定めるわいせつ物にあたるのか。

A わいせつ物にあたる。　わいせつな画像データを記憶、蔵置させたホストコンピュータのハードディスクは、刑法175条が定めるわいせつ物にあたる。同条が定めるわいせつ物を「公然と陳列した」とは、その物のわいせつな内容を不特定または多数の者が認識できる状態に置くことをいい、その物のわいせつな内容を特段の行為を要することなく直ちに認識できる状態にするまでのことは必ずしも要しない。被告人が開設し、運営していたパソコンネットにおいて、そのホストコンピュータのハードディスクに記憶、蔵置させたわいせつな画像データを再生して現実に閲覧するためには、会員が、自己のパソコンを使用して、ホストコンピュータのハードディスクから画像データをダウンロードしたうえ、画像表示ソフトを使用して、画像を再生閲覧する操作が必要であるが、そのような操作は、ホストコンピュータのハードディスクに記憶、蔵置された画像データを再生閲覧するために通常必要とされる簡単な操作にすぎず、会員は、比較的容易にわいせつな画像を再生閲覧することが可能であった。そうすると、被告人の行為は、ホストコンピュータのハードディスクに記憶、蔵置された画像データを不特定多数の者が認識できる状態に置いたものというべきであり、わいせつ物を「公然と陳列した」ことにあたる（最決平13・7・16）。

　　　　　　　　　　　　　　　出題 予想

Q6 被告人は、本件光磁気ディスク自体を販売する目的はなかったが、必要が生じた場合には、本件光磁気ディスクに保存された画像データを使用し、これをコンパクトディスクに記憶させて販売用のコンパクトディスクを作成し、これを販売する意思であった場合、その所持は、刑法175条後段にいう「販売の目的」で行われたものといえるのか。

A 「販売の目的」で行われたものといえる。　被告人は、本件光磁気ディスク自体を販売する目的はなかったけれども、これをハードディスクの代替物として製造し、所持していたものであり、必要が生じた場合には、本件光磁気ディスクに保存された画像データを使用し、これをコンパクトディスクに記憶させて販売用のコンパクトディスクを作成し、これを販売する意思であったものである。その際、画像上の児童の目の部分にぼかしを入れ、ファイルのサイズを縮小する加工を施すものの、その余はそのまま販売用のコンパクトディスクに記憶させる意思であった。そうすると、本件光磁気ディスクの製造、所持は、法7条2項にいう「前項に掲げる行為の

目的」のうちの児童ポルノを販売する目的で行われたものであり、その所持は、刑法 175 条後段にいう「販売の目的」で行われたものということができる。上記各目的を肯認した原判断は正当である（最決平 18・5・16）。 出題 予想

Q7 刑法 175 条 1 項後段にいう「頒布」とは何を意味するのか。

A **「頒布」とは、不特定又は多数の者の記録媒体上に電磁的記録その他の記録を存在するに至らしめることをいう。** 　不特定の者である顧客によるダウンロード操作に応じて自動的にデータを送信する機能を備えた配信サイトを利用した送信により、わいせつな動画等のデータファイルを同人の記録媒体上に記録、保存させることは、刑法 175 条 1 項後段にいうわいせつな電磁的記録の「頒布」にあたる（最決平 26・11・25）。 出題 予想

第 176 条（強制わいせつ）

13 歳以上の者に対し、暴行又は脅迫を用いてわいせつな行為をした者は、6 月以上 10 年以下の拘禁刑に処する。13 歳未満の者に対し、わいせつな行為をした者も、同様とする。

Q1 強制わいせつ罪の成立要件として、行為者の性的意図があることを必要とするのか。

A **行為者の性的意図があることを必要としない。**
今日では、強制わいせつ罪の成立要件の解釈をするにあたっては、被害者の受けた性的な被害の有無やその内容、程度にこそ目を向けるべきであって、行為者の性的意図を同罪の成立要件とする昭和 45 年判例の解釈は、その正当性を支える実質的な根拠を見出すことがいっそう難しくなっているといわざるをえず、もはや維持しがたい。もっとも、刑法 176 条にいうわいせつな行為と評価されるべき行為の中には、直ちにわいせつな行為と評価できる行為がある一方、行為そのものがもつ性的性質が不明確で、当該行為が行われた際の具体的状況等をも考慮に入れなければ当該行為に性的な意味があるかどうかが評価しがたいような行為もある。そのうえ、同条の法定刑の重さに照らすと、性的な意味を帯びているとみられる行為の全てが同条にいうわいせつな行為として処罰に値すると評価すべきものではない。そして、いかなる行為に性的な意味があり、同条による処罰に値する行為とみるべきかは、規範的評価として、その時代の性的な被害に係る犯罪に対する社会の一般的な受け止め方を考慮しつつ客観的に判断されるべき事柄であると考えられる。そうすると、刑法 176 条にいうわいせつな行為にあたるか否かの判断を行うためには、行為そのものがもつ性的性質の有無および程度を十分に踏まえたうえで、事案によっては、当該行為が行われた際の具体的状況等の諸般の事情をも総合考慮し、社会通念に照らし、その行為に性的な意味があるといえるか否かや、その性的な意味合いの強さを個別事案に応じた具体的事実関係に基づいて判断せざるをえないことになる。したがって、そのような個別具体的な事情の 1 つとして、行為者の目的等の主観的事情を判断要素として考慮すべき場合がありうることは否定しがたい。しかし、そのような場合があるとして

も、故意以外の行為者の性的意図を一律に強制わいせつ罪の成立要件とすることは相当でなく、昭和 45 年（最判昭 45・1・29）判例の解釈は変更されるべきである（最大判平 29・11・29）〔判例変更〕。
出題 予想➡〔改正前〕国Ⅰ - 平成 5

第 177 条（強制性交等）

13 歳以上の者に対し、暴行又は脅迫を用いて性交、肛門性交又は口腔性交（以下「性交等」という。）をした者は、強制性交等の罪とし、5 年以上の有期拘禁刑に処する。13 歳未満の者に対し、性交等をした者も、同様とする。

Q1 強制性交等の罪における暴行・脅迫は、被害者が現に抗拒不能の状態に陥った程度のものであることを要するのか。

A **被害者の抗拒を著しく困難にする程度でよい。**
刑法 177 条にいわゆる暴行または脅迫は、被害者の抗拒を著しく困難ならしめる程度のものであることをもって足りる（最判昭 24・5・10）。
出題 国Ⅰ - 昭和 61

第 178 条（準強制わいせつ及び準強制性交等）

①人の心神喪失若しくは抗拒不能に乗じ、又は心神を喪失させ、若しくは抗拒不能にさせて、わいせつな行為をした者は、第 176 条の例による。

②人の心神喪失若しくは抗拒不能に乗じ、又は心神を喪失させ、若しくは抗拒不能にさせて、性交等をした者は、前条の例による。

第 179 条（監護者わいせつ及び監護者性交等）

① 18 歳未満の者に対し、その者を現に監護する者であることによる影響力があることに乗じてわいせつな行為をした者は、第 176 条の例による。

② 18 歳未満の者に対し、その者を現に監護する者であることによる影響力があることに乗じて性交等をした者は、第 177 条の例による。

第 180 条（未遂罪）

第 176 条から前条までの罪の未遂は、罰する。

第 181 条（強制わいせつ等致死傷）

①第 176 条、第 178 条第 1 項若しくは第 179 条第 1 項の罪又はこれらの罪の未遂罪を犯し、よって人を死傷させた者は、無期又は 3 年以上の拘禁刑に処する。

②第 177 条、第 178 条第 2 項若しくは第 179 条第 2 項の罪又はこれらの罪の未遂罪を犯し、よって人を死傷させた者は、無期又は 6 年以上の拘禁刑に処する。

Q1 被告人は、就寝中にわいせつ行為をしている間に被害者が覚せいしたために、わいせつ行為を行う意思を喪失し、その後その場から逃走するため、被害者に対して暴行を加え、これによって傷害が生じた場合、強制わいせつ致傷罪は成立するのか。

A **強制わいせつ致傷罪は成立する。** 　事実関係によれば、被告人は、深夜、被害者宅に侵入し、就寝中の被害者が熟睡のため心神喪失状態であることに乗じ、その下着の上から陰部を手指でもてあそび、もって、人の心神喪失に乗じてわいせつな行為をしたが、これに気付いて覚せいした被害者が、被告人に対し、「お前、だれやねん。」などと強い口調で問いただすとともに、被告人着用の T シャツ背部を

両手でつかんだところ、被告人は、その場から逃走するため、被害者を引きずったり、自己の上半身を左右に激しくひねるなどし、その結果、被害者に対し、右中指挫創、右足第1趾挫創の傷害を負わせたというのである。上記事実関係によれば、被告人は、被害者が覚せいし、被告人のTシャツをつかむなどしたことによって、わいせつな行為を行う意思を喪失した後に、その場から逃走するため、被害者に対して暴行を加えたものであるが、被告人のこのような暴行は、上記準強制わいせつ行為に随伴するものといえるから、これによって生じた上記被害者の傷害について強制わいせつ致傷罪が成立するというべきである（最決平20・1・22）。 出題 予想

第182条（淫行勧誘）
営利の目的で、淫行の常習のない女子を勧誘して姦淫させた者は、3年以下の拘禁刑又は30万円以下の罰金に処する。

第184条（重婚）
配偶者のある者が重ねて婚姻をしたときは、2年以下の拘禁刑に処する。その相手方となって婚姻をした者も、同様とする。

第23章　賭博及び富くじに関する罪

第185条（賭博）
賭博をした者は、50万円以下の罰金又は科料に処する。ただし、一時の娯楽に供する物を賭けたにとどまるときは、この限りでない。

第186条（常習賭博及び賭博場開張等図利）
①常習として賭博をした者は、3年以下の拘禁刑に処する。
②賭博場を開張し、又は博徒を結合して利益を図った者は、3月以上5年以下の拘禁刑に処する。

第24章　礼拝所及び墳墓に関する罪

第188条（礼拝所不敬及び説教等妨害）
①神祠、仏堂、墓所その他の礼拝所に対し、公然と不敬な行為をした者は、6月以下の拘禁刑又は10万円以下の罰金に処する。
②説教、礼拝又は葬式を妨害した者は、1年以下の拘禁刑又は10万円以下の罰金に処する。

第189条（墳墓発掘）
墳墓を発掘した者は、2年以下の拘禁刑に処する。

第190条（死体損壊等）
死体、遺骨、遺髪又は棺に納めてある物を損壊し、遺棄し、又は領得した者は、3年以下の拘禁刑に処する。

第191条（墳墓発掘死体損壊等）
第189条の罪を犯して、死体、遺骨、遺髪又は棺に納めてある物を損壊し、遺棄し、又は領得した者は、3月以上5年以下の拘禁刑に処する。

第192条（変死者密葬）
検視を経ないで変死者を葬った者は、10万円以下の罰金又は科料に処する。

第25章　汚職の罪

第193条（公務員職権濫用）
公務員がその職権を濫用して、人に義務のないことを行わせ、又は権利の行使を妨害したときは、2年以下の拘禁刑に処する。

Q1 公務員職権濫用罪における職務権限は、必ずしも法律上の強制力を有する必要はなく、それが濫用された場合、職権行使の相手方に事実上義務のないことを行わせる権限があれば足りるのか。

A 職権行使の相手方に事実上義務のないことを行わせる権限があれば足りる。　刑法193条にいう「職権の濫用」とは、公務員が一般的職務権限に属する事項につき、職権の行使に仮託して実質的、具体的に違法、不当な行為をすることを指称するが、その一般的職務権限は、必ずしも法律上の強制力を伴うものであることを要せず、それが濫用された場合、職権行使の相手方をして事実上義務なきことを行わせまたは行うべき権利を妨害するに足りる権限であれば、これに含まれる（最決昭57・1・28）。 出題 地方上級－平成11（市共通）

Q2 裁判官が私的な交際を求める意図で、自己の担当する事件の女性被告人を、夜間電話で喫茶店に呼び出して同席させることは、公務員職権濫用罪にあたるのか。

A 公務員職権濫用罪にあたる。　刑事事件の被告人に出頭を求めることは裁判官の一般的職務権限に属するところ、裁判官がその担当する刑事事件の被告人を電話で喫茶店に呼び出す行為は、その職権行使の方法としては異常なことであるとしても、当該刑事事件の審理が被害弁償をまつ状況にあるもとで、弁償の件で会いたいといっていることにかんがみると、職権行使としての外形をそなえていないとはいえず、呼出しを受けた刑事事件の被告人に、裁判官がその権限を行使して出頭を求めてきたと信じさせるに足りる行為であると認めるのが相当であるから、裁判官の当該行為は、公務員職権濫用罪を構成する（最決昭60・7・16）。 出題 国Ⅰ－平成6

Q3 公務員職権濫用罪における職権とは、職務行使の相手方に対し法律上、事実上の負担ないし不利益を生じさせるに足りる特別の職務権限であることを要するのか。

A 特別の職務権限であることを要する。　刑法193条の公務員職権濫用罪における「職権」とは、公務員の一般的職務権限のすべてをいうのではなく、そのうち、職権行為の相手方に対し法律上、事実上の負担ないし不利益を生じさせるに足りる特別の職務権限をいい、同罪が成立するには、公務員の不法な行為が上記の性質をもつ職務権限を濫用して行われたことを要する。すなわち、公務員の不法な行為が職務としてなされたとしても、職権を濫用して行われていないときは同罪が成立する余地はなく、その反面、公務員の不法な行為が職務とかかわりなくなされたとしても、職権を濫用して行われたときには同罪が成立することがある。これを本件についてみると、被疑者らは盗聴行為の全般を通じて終始何人に対しても警察官による行為でないことを

刑法〔抄〕

装う行動をとっていたのであるから、そこに、警察官に認められている職権の濫用があったとみることはできない。したがって、本件行為は公務員職権濫用罪にあたらない（最決平1・3・14）。

出題 国Ⅰ-平成6

Q4 被疑者らが電話の盗聴行為の全般を通じて終始何人に対しても警察官による行為でないことを装う行動をとっていても、当該盗聴行為は公務員職権濫用罪にあたるのか。

A 公務員職権濫用罪にあたらない（最決平1・3・14）。⇨3

第194条（特別公務員職権濫用）
　裁判、検察若しくは警察の職務を行う者又はこれらの職務を補助する者がその職権を濫用して、人を逮捕し、又は監禁したときは、6月以上10年以下の拘禁刑に処する。

第195条（特別公務員暴行陵虐）
①裁判、検察若しくは警察の職務を行う者又はこれらの職務を補助する者が、その職務を行うに当たり、被告人、被疑者その他の者に対して暴行又は陵辱若しくは加虐の行為をしたときは、7年以下の拘禁刑に処する。
②法令により拘禁された者を看守し又は護送する者がその拘禁された者に対して暴行又は陵辱若しくは加虐の行為をしたときも、前項と同様とする。

Q1 少年補導員は刑法195条1項にいう警察の職務を補助する者に該当するのか。

A 警察の職務を補助する者に該当しない。　刑法195条は「裁判、検察若しくは警察の職務を行う者またはこれらの職務を補助する者が、その職務を行うに当たり」と規定しているが、同条項は、これらの国家作用の適正を保持するため、一定の身分を有する者についてのみその職務を行うにあたってした暴行、陵虐の行為を特別に処罰することとしたのであり、このような特別の処罰類型を定めた刑法の趣旨および文理に照らせば、同条項にいう警察の職務を補助する者は、警察の職務権限を有する者でなければならない。ところで、少年補導員は、警察署長から私人としての協力を依頼され、私人として、その自発的意思に基づいて、警察官と連携しつつ少年の補導等を行うものであって、警察の職務を補助する職務権限を何ら有するものではない。したがって、少年補導員は刑法195条1項にいう警察の職務を補助する者に該当しない（最決平6・3・29）。

出題 予想

第196条（特別公務員職権濫用等致死傷）
　前2条の罪を犯し、よって人を死傷させた者は、傷害の罪と比較して、重い刑により処断する。

第197条（収賄、受託収賄及び事前収賄）
①公務員が、その職務に関し、賄賂を収受し、又はその要求若しくは約束をしたときは、5年以下の拘禁刑に処する。この場合において、請託を受けたときは、7年以下の拘禁刑に処する。
②公務員になろうとする者が、その担当すべき職務に関し、請託を受けて、賄賂を収受し、又はその要求若しくは約束をしたときは、公務員となった場合において、5年以下の拘禁刑に処する。

(1)職務

Q1 職務とは、本人が具体的に担当している事務であることを要するのか。

A 当該公務員の一般的な職務権限に属するものであれば足りる。　刑法197条にいう「その職務」とは、当該公務員の一般的な職務権限に属するものであれば足り、現に具体的に担当している事務であることを要しない（最判昭37・5・29）。

出題 国Ⅰ-平成1・昭和63

(2)職務との関連性

◇職務との密接な関連行為

Q2 職務と密接な関係にある行為について賄賂が授受された場合、収賄罪は成立するのか。

A 収賄罪は成立する。　板硝子割当証明書を所持している者が、ある特定の店舗から板硝子を買い受けるように仕向けることは、厳密にいえばその職務の範囲に属するものとはいえない。しかし、被告人が権限に属する職務執行にあたり、その職務執行と密接な関係を有する行為をなすことにより相手方より金品を収受すれば賄賂罪の成立を妨げない（最判昭25・2・28）。

出題 国Ⅰ-平成1

Q3 刑法197条の「職務に関し」とは、公務員の職務行為自体であることを要するか。

A 公務員の職務行為自体でなくとも、その職務に密接な関係を有するものでもよい。　公務員が法令上管掌するその職務のみならず、その職務に密接な関係を有するいわば準職務行為または事実上所管する職務行為に関して賄賂を収受すれば刑法197条の罪は成立する（最決昭31・7・12）。

出題 国Ⅰ-平成1・昭和51、裁判所総合・一般-平成27

Q4 国立の中学校教諭である被告人の教育指導が父兄からの特別の依頼要望にこたえて私生活上の時間を割き法令上の義務的時間の枠をはるかに超える等の場合、その教育指導は被告人の職務行為といえるのか。

A 被告人の当然の職務行為とはいえない。　被告人の教育指導が父兄からの特別の依頼要望にこたえて私生活上の時間を割き法令上の義務的時間の枠をはるかに超え、かつ、その内容の実質も学校教員に対して寄せられる社会一般の通常の期待以上のものがあったと考えられる場合、その教育指導が、教育としての職務に基づく公的な面を離れ、児童生徒に対するいわば私的な人間的情愛と教育に対する格別の熱情の発露の結果であるともみられるとするならば、かかるきわめて特殊な場合についてまでその教育指導を被告人の当然の職務行為であると速断することは、教育公務員の地位身分とその本来の職務行為とを混同するものである。したがって、当該小切手の供与は、被告人の職務行為を離れた、むしろ私的な学習上生活上の指導に対する感謝の趣旨と、被告人に対する敬慕の念に発する儀礼の趣旨に出たものと思われる余地がある（最判昭50・4・24）。

出題 予想

Q5 大学設置審議会の委員でありかつ歯学専門委

員会の委員である甲が私立歯科大学設置の認可申請をしていた関係者から、現金の供与を受け、その関係者らに対し便宜を図った行為は、甲の職務行為にあたるのか。

A 甲の職務行為にあたる。 被告人甲は、歯科大学設置の認可申請をしていた関係者らに対し、各教員予定者の適否を歯学専門委員会における審査基準に従ってあらかじめ判定してやり、あるいは同専門委員会の中間的審査結果をその正式通知前に知らせたのであり、被告人甲の各行為は、大学設置審議会の委員でありかつ同専門委員会の委員である者としての職務に密接な関係のある行為であるから、これは収賄罪にいわゆる職務行為にあたる〈大学設置審事件〉（最決昭59・5・30）。 **出題** 予想

Q6 現職の市議会議員によって構成される市議会内会派に所属する議員が、市議会議長選挙の投票で同会派所属の議員を拘束する趣旨で、同会派として同選挙で投票すべき者を選定する行為は、職務行為にあたるのか。

A 職務行為にあたる。 現職の市議会議員によって構成される市議会内会派に所属する議員が、市議会議長選挙における投票につき同会派所属の議員を拘束する趣旨で、同会派として同選挙において投票すべき者を選定する行為は、市議会議員の職務に密接な関係のある行為であるから、これは収賄罪にいわゆる職務行為にあたる〈大館市議会議長選挙汚職事件〉（最決昭60・6・11）。 **出題** 予想

Q7 市長が、任期満了前に市長の一般的職務権限に属する事項に関し請託を受けて賄賂を収受したが、請託事項は再選後でなければ実現されえないという場合、受託収賄罪と事前収賄罪のいずれが成立するのか。

A 受託収賄罪が成立する。 市長が、任期満了の前に、現に市長としての一般的職務権限に属する事項に関し、再選された場合に担当すべき具体的職務の執行につき請託を受けて賄賂を収受したときは、受託収賄罪が成立する（最決昭61・6・27）。

出題 国Ⅰ-平成20、裁判所総合・一般-平成27

Q8 衆議院大蔵委員会で審査中の法律案に関し、同委員会に所属しない衆議院議員に対して、同院における審議・表決に際し意思を表明しまたは同委員会を含む他議員に説得・勧誘することを請託して金員の供与がなされれば、賄賂罪が成立するのか。

A 賄賂罪が成立する。 被告人は、タクシー等の燃料に用いる液化石油ガスに新たに課税することを内容とする石油ガス税法案が、当時衆議院大蔵委員会で審議中だったところ、甲ほか5名と共謀のうえ、衆議院議員として法律案の発議、審議、表決等をなす職務に従事していた丙、丁の両名に対し、その法案が廃案になるよう、あるいは、税率の軽減等により被告人らハイヤータクシー業者に有利に修正されるよう、同法案の審議、表決にあたって自らその旨の意思を表明するとともに、衆議院大蔵委員会を含む他の議員に対して説得勧誘することを依頼して、本件各金員を供与したのであるから、丙、丁がいずれも衆議院大蔵委員会委員ではなかったとはいえ、当該金員の供与は、衆議院議員たる丙、丁の

職務に関してなされた賄賂の供与というべきである〈大阪タクシー汚職事件〉（最決昭63・4・11）。
出題 予想

Q9 賄賂罪は公務員の職務の公正を保護法益とするものであるから、賄賂と対価関係に立つ行為は、公務員が通常職務として行っているものであり、具体的事情の下においてその行為を適法に行うことができるものであることが必要とされるのか。

A 必要とされない。 賄賂罪は、公務員の職務の公正とこれに対する社会一般の信頼を保護法益とするものであるから、賄賂と対価関係に立つ行為は、法令上公務員の一般的職務権限に属する行為であれば足り、公務員が具体的事情の下においてその行為を適法に行うことができたかどうかは、問うところではない。なぜなら、公務員が上記のような行為の対価として金品を収受することは、それ自体、職務の公正に対する社会一般の信頼を害するからである〈ロッキード事件丸紅ルート判決〉（最大判平7・2・22）。 **出題** 国Ⅰ-平成20

Q10 内閣総理大臣が運輸大臣に民間航空会社に特定機種の航空機の選定購入を勧奨するように働きかけることは、内閣総理大臣の職務権限に属する行為にあたるのか。

A 内閣総理大臣の職務権限に属する行為にあたる。民間航空会社に特定機種の航空機の選定購入を勧奨するのは、一般的には、運輸大臣の行政指導として、その職務権限に属するものである。そして、内閣総理大臣が行政各部に対し指揮監督を行使するためには、閣議にかけて決定した方針が存在することを要するが、閣議にかけて決定した方針が存在しない場合においても、流動的で多様な行政需要に遅滞なく対応するため、内閣総理大臣は、少なくとも、内閣の明示の意思に反しない限り、行政各部に対し指示を与える権限を有する。したがって、本件において内閣総理大臣が運輸大臣に働きかけて全日空に対しその選定購入を勧奨させることは、総理大臣の職務権限に属する行為にあたる〈ロッキード事件丸紅ルート判決〉（最大判平7・2・22）。 **出題** 予想

Q11 開発計画に含まれる本件スポーツ施設の建設予定場所等に関する情報の提供を札幌市等に求めることは、北海道開発庁長官の職務権限に属するのか。

A 職務権限に属する。 北海道開発庁長官は、国家行政組織法10条により、北海道開発庁の事務を統括するとされ、北海道開発庁は、北海道開発法5条1項1号により、北海道総合開発計画（以下「開発計画」という。）について調査、立案し、これに基づく事業の実施に関する事務の調整および推進にあたるものとされている。したがって、開発計画に含まれる本件スポーツ施設の建設予定場所等に関する情報の提供を札幌市等に求めることは、北海道開発庁の所管事務である開発計画に基づく事業の実施に関する事務の調整および推進にあたることに含まれるから、北海道開発庁長官の職務権限に属するものであったと解される。また、北海道開発庁は、その所掌事務の範囲内で、開発計画の実現という行政

目的を達成するため、特定の者に一定の作為または不作為を求める指導、勧告、助言等をすることができると解され、本件スポーツ施設の建設事業を支援するため必要があるときは、第三セクター方式で行われる当該建設事業の主体として適当な企業を札幌市等に紹介したり、特殊専門知識、技術を要する本件スポーツ施設建設工事にふさわしい施工業者を札幌市等に紹介、あっ旋したりするなどの指導、助言を行うこともできるものと解される。したがって、札幌市等に当該建設事業の主体として特定企業を紹介することや、本件スポーツ施設建設工事の施工業者として特定業者を紹介、あっ旋する行為も、一般的には、北海道開発庁長官の職務権限に属するものであったというべきである（最決平 12・3・22）。

出題 予想

Q12 文部省がリクルート社の事業の遂行に不利益となるような行政措置をとらずにいたこと（積極的な便宜供与行為をしていない）に対する謝礼と今後も同様のとりはからいを受けたいという趣旨の下に、リクルートコスモスの株式を、店頭登録後に見込まれる価格より明らかに低い１株あたり 3,000 円で１万株を取得した被告人の行為は、刑法 197 条 1 項前段（平 7 法 91 による改正前）の収賄罪に該当するのか。

A 収賄罪に該当する。　被告人（文部事務次官として、文部大臣を助け、省務を整理し、同省各部局等の事務を監督するなどの職務に従事していた者）は、昭和 61 年９月上・中旬頃、高校生向けの進学・就職情報誌を発行して、これを高校生に配布するなどの事業を営む株式会社リクルート（以下「リ社」という）の代表取締役社長をしていた Ａ およびリ社の関連会社であるファーストファイナンス株式会社の代表取締役社長をしていた Ｂ から、①リ社の進学情報誌に係る事業に関し、高等学校の教育職員が高校生の名簿を収集提供するという便宜を与えているとのことなどについての批判が顕在化していたのに、文部省が同事業の遂行に不利益となるような行政措置をとらずにいたことに対する謝礼と今後も同様のとりはからいを受けたいという趣旨、および②リ社の事業の遂行に利益となる同省役職員の教育課程審議会等文部省所管の各種審議会、会議等の委員への選任に対する謝礼と今後も同様のとりはからいを受けたいという趣旨の下に、同年 10 月 30 日に社団法人日本証券業協会に店頭売買有価証券として店頭登録されることが予定されており、登録後確実に値上がりすることが見込まれ、前記 Ａ らと特別の関係にある者以外の一般人が入手することがきわめて困難である株式会社リクルートコスモスの株式を、店頭登録後に見込まれる価格より明らかに低い１株あたり 3,000 円で１万株供与する旨の申入れを受け、申入れの趣旨が前記①②のとおり自己の職務に関するものであることを認識しながら、その申入れを了承し、同年 9 月 30 日、同株式 1 万株を取得したものと認められる。被告人の上記行為が刑法 197 条 1 項前段の収賄罪に該当することは明らかである。前記①の関係につき、被告人において積極的な便宜供与行為をしていないことは、同罪

の成否を左右するものではない（最決平 14・10・22）。

出題 予想

Q13 警視庁 A 警察署地域課に勤務する警察官が、同庁 B 警察署刑事課で捜査中の事件に関して、同事件の関係者から現金の供与を受けた行為につき、収賄罪が成立するのか。

A 収賄罪は成立する。　被告人は、警視庁警部補として同庁調布警察署地域課に勤務し、犯罪の捜査等の職務に従事していたものであるが、公正証書原本不実記載等の事件につき同庁多摩中央警察署長に対し告発状を提出していた者から、同事件について、告発状の検討、助言、捜査情報の提供、捜査関係者への働きかけなどの有利かつ便宜な取りはからいを受けたいとの趣旨の下に供与されるものであることを知りながら、現金の供与を受けたのである。警察法 64 条等の関係法令によれば、同庁警察官の犯罪捜査に関する職務権限は、同庁の管轄区域である東京都の全域に及ぶと解されることなどに照らすと、被告人が、調布警察署管内の交番に勤務しており、多摩中央警察署刑事課の担当する上記事件の捜査に関与していなかったとしても、被告人の上記行為は、その職務に関し賄賂を収受したものである。したがって、被告人につき刑法 197 条 1 項前段の収賄罪の成立が認められる（最決平 17・3・11）。

出題 予想

Q14 被告人 A は、その職務に関し、C から職人大学設置のため有利な取り計らいを求める質疑等の職人大学設置を支援する活動を行うよう勧誘説得されたい旨の請託を受け、その見返りに報酬が供与されることを知っていて収受した場合には、受託収賄罪は成立するのか。

A 受託収賄罪は成立する。　被告人 A は、参議院議員在職中の平成 8 年 1 月ころ、いわゆる職人を育成するための大学（以下「職人大学」という。）の設置をめざす財団法人の会長理事で、中小企業の社会的・経済的発展向上を目的とする政治団体の実質的主宰者である C から、参議院本会議において内閣総理大臣の演説に対して所属会派を代表して質疑するにあたり、国策として職人大学の設置を支援するよう提案するなど職人大学設置のため有利な取り計らいを求める質問をされたい旨の請託を受け、さらに、同年 6 月上旬ころ、他の参議院議員を含む国会議員に対しその所属する委員会等における国会審議の場において国務大臣等に職人大学設置を支援する活動を行うよう勧誘説得されたい旨の請託を受けた。そして、被告人 A は、これら各請託を受けたことなどの報酬として供与されるものであることを知りながら、また、被告人 B は、被告人 A が上記勧誘説得の請託を受けたことなどの報酬として供与されるものであることを知りながら、被告人両名は、共謀のうえ、C らから、同月から平成 10 年 7 月まで前後合計 26 回にわたり、被告人 A が実質的に賃借して事務所として使用しているビルの部屋の賃料相当額合計 2,288 万円の振込送金又は交付を受けた。さらに、被告人 A は、平成 8 年 10 月 2 日ころ、同様の趣旨で C から現

金 5,000 万円の交付を受けた。以上のような事実関係によれば、被告人 A は、その職務に関し、C から各請託を受けて各賄賂を収受したものにほかならない（最決平 20・3・27）。

Q15 北海道開発庁長官が、下部組織である北海道開発局の港湾部長に対し、競争入札が予定される港湾工事の受注に関し特定業者の便宜を図るように働きかける行為について、賄賂罪における職務関連性が認められるか。

A 職務関連性が認められる。　北海道開発庁長官である被告人が、港湾工事の受注に関し特定業者の便宜を図るように北海道開発局港湾部長に働きかける行為は、職員に対する服務統督権限を背景に、予算の実施計画作製事務を統括する職務権限を利用して、職員に対する指導の形を借りて行われたものであり、また、被告人には港湾工事の実施に関する指揮監督権限はないとしても、その働きかけた内容は、予算の実施計画において概要が決定される港湾工事について競争入札を待たずに工事請負契約の相手方である工事業者を事実上決定するものであって、このような働きかけが金銭を対価に行われることは、北海道開発庁長官の本来的職務として行われる予算の実施計画作製の公正およびその公正に対する社会の信頼を損なうものである。したがって、上記働きかけは、北海道開発庁長官の職務に密接な関係のある行為というべきである（最決平 22・9・7）。　**出題** 予想

Q16 県知事とその実弟（会社の代表取締役）が共謀のうえ、県が発注した建設工事受注の謝礼の趣旨の下に、受注業者の下請業者に当該土地を買い取ってもらい代金の支払いを受けたという事実関係の下においては、売買代金が時価相当額であったとしても、当該土地の売買による換金の利益が賄賂にあたるのか。

A 賄賂にあたる。　被告人 A は福島県知事であって、同県が発注する建設工事に関して、知事として、同県の事務を管理し執行する地位にあり、同県が発注する建設工事に関して、一般競争入札の入札参加資格要件の決定、競争入札の実施、請負契約の締結等の権限を有していたものであり、その実弟である被告人 B が代表取締役を務める C において、本件土地を早期に売却し、売買代金を会社再建の費用等にあてる必要性があったにもかかわらず、思うようにこれを売却できずにいる状況の中で、被告人両名が共謀のうえ、同県が発注した木戸ダム工事受注の謝礼の趣旨の下に、F に本件土地を買い取ってもらい代金の支払いを受けたというのであって、このような事実関係の下においては、本件土地の売買代金が時価相当額であったとしても、本件土地の売買による換金の利益は、被告人 A の職務についての対価性を有するものとして賄賂にあたると解するのが相当である（最決平 24・10・15）。　**出題** 予想

◇転職前の職務

Q17 公務員が転職後、前の職務に関して賄賂を収受することは収賄罪を構成するのか。

A 収受の当時において公務員であれば、収賄罪を構成する。　収賄罪は公務員が職務に関し賄賂を収受することによって成立する犯罪であって、公務員が他の職務に転じた後、前の職務に関して賄賂を収受する場合であっても、いやしくも収受の当時において公務員である以上は収賄罪はそこに成立し、賄賂に関する職務を現に担任することは収賄罪の要件ではない（最決昭 28・4・25）。　**出題** 国 I - 平成 6・1・昭和 63、市役所上・中級 - 昭和 62

◇転職前の職場

Q18 公務員が一般的職務権限を異にする他の職務に転じた後に前の職務に関して当該公務員に賄賂を供与した場合にも、贈賄罪は成立するのか。

A 贈賄罪は成立する。　贈賄罪は、公務員に対し、その職務に関し賄賂を供与することによって成立するものであり、公務員が一般的職務権限を異にする他の職務に転じた後に前の職務に関して賄賂を供与した場合であっても、賄賂の供与の当時供与者が公務員である以上、贈賄罪が成立する。本件においては、被告人は、甲に対し、県建築部建築振興課宅建業係としての職務に関し現金 50 万円を供与したのであり、その供与の当時、甲は県住宅供給公社に出向し、従前とは一般的職務権限を異にする同公社開発部参事兼開発課長としての職務に従事していたものであっても、同人が引き続き県職員としての身分を有し、また、同公社職員は地方住宅供給公社法 20 条により公務員とみなされるものである以上、被告人らの行為については贈賄罪が成立するのである（最決昭 58・3・25）。　**出題** 国 I - 平成 20・10

(3)対価関係

Q19 賄賂罪が成立するためには、特定の賄賂に対応する職務行為の内容が特定されている必要があるのか。

A 特定の賄賂に対応する職務行為の内容が特定されている必要はない。　賄賂は職務行為に関するものであれば足り、個々の職務行為と賄賂との間に対価的関係のあることを必要としない（最決昭 33・9・30）。　**出題** 国 I - 平成 6・昭和 63、地方上級 - 昭和 56

Q20 国立の中学校教諭である被告人が、学級担任となった生徒の父兄から小切手を供与されることは、被告人が学級担任として行う教育指導の職務行為そのものに関する対価的給付であるといえるのか。

A 必ずしも、対価的給付であるとはいえない。　小切手が供与されたのは、被告人が新規に A の学級担任になった直後の時期であるが、母 B は、生徒 A の場合ばかりではなく、かねてから子女の教員に対しては季節の贈答や学年はじめの挨拶を慣行としていたのであり、これらの贈答に関しては、儀礼的挨拶の限度を超えて、教育指導につき他の生徒に対するより以上の特段の配慮、便益を期待する意図があったとの疑惑を抱かせる特段の事情も認められないのであるから、本件小切手の供与について

も、被告人が新しく学級担任の地位についたことから父兄からの慣行的社交儀礼として行われたものとも考えられる余地が十分存するのであって、その供与をもって直ちに被告人が学級担任の教諭として行うべき教育指導の職務行為そのものに関する対価的給付であると断ずることはできない（最判昭50・4・24）。【出題】予想

(4)賄賂としての利益

Q21 公務員の職務外の行為に対する報酬に、職務行為に対する謝礼が含まれている場合、報酬全額について賄賂性が認められるか。

A 報酬全額について賄賂性が認められる。　公務員の職務行為に対する謝礼と職務外の行為に対する謝礼との趣旨を不可分的に含めて提供された金員は、全部包括して不可分的に賄賂性を帯びる（最判昭23・10・23）。【出題】国Ⅰ－平成6・昭和63

Q22 株式の新規上場に先立つ公開に際し、上場時には価格が確実に公開価格を上回ると見込まれ、一般人には公開価格で取得することがきわめて困難な株式を公開価格で取得できる利益は、それ自体が贈収賄罪の客体にあたるのか。

A 贈収賄罪の客体にあたる。　本件は、殖産住宅相互株式会社、日本電気硝子株式会社その他の株式会社が東京証券取引所等において新規に上場されるに先立ち、あらかじめその株式が公開された際、贈賄側の者が公開に係る株式を公開価格で提供する旨の申し出をし、収賄側の者がこれを了承してその代金を払い込むなどしたものであるが、この株式は、間近に予定されている上場時にはその価格が確実に公開価格を上回ると見込まれるものであり、これを公開価格で取得することは、これらの株式会社ないし当該上場事務に関与する証券会社と特別の関係にない一般人にとっては、きわめて困難であり、この場合における株式を取得できる利益は、それ自体が贈収賄罪の客体になる〈殖産住宅事件〉（最決昭63・7・18）。【出題】予想

(5)受託収賄罪

Q23 正当な職務行為を依頼されて賄賂を受け取った場合にも、受託収賄罪は成立するのか。

A 受託収賄罪は成立する。　収賄罪は公務員が職務に関して賄賂を収受することによって成立し、これにより公務員が不正の行為をなしまたは相当の行為をなさないことを要件とするものではない。故に、事実上不正処分の可能性なき場合においても収賄罪の成立を妨げない。したがって、刑法197条1項後段の請託とは公務員に対して一定の職務行為を行うことを依頼することであって、その依頼が不正な職務行為の依頼であると、正当な職務行為の依頼であるとに関係なく、いやしくも公務員が請託を受けて賄賂を収受した事実がある以上、同条項後段の収賄罪は成立し、賄賂の収受が事前なると事後なるとは犯罪の成否に影響しない（最判昭27・7・22）。【出題】国Ⅰ－平成6・1・昭和63、地方上級－昭和56、裁判所総合・一般－平成27

Q24 国家公務員の採用という国の行政機関全体にわたる事項について適切な措置をとることを求める請託の内容は、内閣官房長官の職務権限に属するのか。

A 内閣官房長官の職務権限に属する。　内閣官房長官は、内閣法13条3項により、「内閣官房の事務を統轄」するものとされ、内閣官房は、同法12条2項により、「閣議に係る重要事項に関する総合調整その他行政各部の施策に関するその統一保持上必要な総合調整に関する事務を掌る」ものとされているところ、請託の内容は、国家公務員の採用という国の行政機関全体にわたる事項について適切な措置をとることを求めるものであって、内閣官房の所掌する上記事務にあたり、内閣官房長官の職務権限に属するということができる（最決平11・10・20）。【出題】予想

(6)他罪との関係

Q25 公務員が人を畏怖させて財物を交付させたときは、収賄罪は成立するのか。

A 収賄罪は成立せず、恐喝罪が成立する。　公務員がその職務を執行する意思がなく、ただ職務執行の名を借りて、人を恐喝して財物を交付させた場合には、たとえその被害者側においては公務員の職務に対し財物を交付する意思があったときでも、当該公務員の犯行は、収賄罪を構成せず恐喝罪を構成する。すなわち、被害者の側では公務員たる警察官に自己の犯行を押さえられているので処罰を怖れて財物の交付をするのであって、全然任意に出た交付ではないから、恐喝罪のみを構成する（最判昭25・4・6）。【出題】国Ⅰ－昭和51

第197条の2（第三者供賄）

公務員が、その職務に関し、請託を受けて、第三者に賄賂を供与させ、又はその供与の要求若しくは約束をしたときは、5年以下の拘禁刑に処する。

第197条の3（加重収賄及び事後収賄）

①公務員が前2条の罪を犯し、よって不正な行為をし、又は相当の行為をしなかったときは、1年以上の有期拘禁刑に処する。

②公務員が、その職務上不正な行為をしたこと又は相当の行為をしなかったことに関し、賄賂を収受し、若しくはその要求若しくは約束をし、又は第三者にこれを供与させ、若しくはその供与の要求若しくは約束をしたときも、前項と同様とする。

③公務員であった者が、その在職中に請託を受けて職務上不正な行為をしたこと又は相当の行為をしなかったことに関し、賄賂を収受し、又はその要求若しくは約束をしたときは、5年以下の拘禁刑に処する。

Q1 防衛庁調達実施本部副本部長等の職にあった者が、在職中に私企業の幹部から請託を受けて職務上不正な行為をし、その後間もなく防衛庁を退職して上記私企業の関連会社の非常勤の顧問となり、顧問料として金員の供与を受けた場合、顧問としての実態があれば、事後収賄罪が成立しないのか。

A 供与を受けた金員が、不正な行為と対価関係があれば、事後収賄罪が成立する。　被告人は、調達実施本部在職中に、A社のBおよびCから請託を

受けて、Ａ社の関連会社および子会社の各水増し請求事案の事後処理として、それぞれこれらの会社が国に返還すべき金額を過少に確定させるなどの便宜を図り、その会社の利益を図ると共に国に巨額の損害を加えたものであるところ、被告人のこれらの行為は、いずれも被告人の前記調達実施本部契約原価計算第一担当副本部長としての任務に背くものであり、背任罪を構成すると共に、職務上不正な行為にあたることが明らかである。そして、その後の間もない時期に、Ａ社のＢおよびＣならびにＡ社の関連会社である G 社の代表取締役 H において、前記水増し請求の事案の事後処理で世話になっていたなどの理由から、被告人の希望に応ずる形で、当時の同社においては異例な報酬付与の条件等の下で、防衛庁を退職した被告人を同社の非常勤の顧問に受け入れ、被告人は、顧問料として前記金員の供与を受けることとなったものである。このような事実からすれば、被告人に供与された前記金員については、被告人に G 社の顧問としての実態が全くなかったとはいえないにしても、前記各不正な行為との間に対価関係があるというべきであり、事後収賄罪の成立が認められる（最決平 21・3・16）。

第 197 条の 4（あっせん収賄）

　公務員が請託を受け、他の公務員に職務上不正な行為をさせるように、又は相当の行為をさせないようにあっせんをすること又はしたことの報酬として、賄賂を収受し、又はその要求若しくは約束をしたときは、5 年以下の拘禁刑に処する。

Q1 公務員が私人として行為した場合にも斡旋収賄罪が成立する場合があるのか。

A 単なる私人としての行為については、斡旋収賄罪は成立しない。　刑法 197 条の 4 の斡旋収賄罪が成立するためには、その要件として、公務員が積極的にその地位を利用して斡旋することは必要でないが、少なくとも公務員としての立場で斡旋することを必要とし、単なる私人としての行為は斡旋収賄罪を構成しない（最決昭 43・10・15）。

Q2 公務員が請託を受けて、公正取引委員会委員長に対し同委員会が調査中の審査事件を告発しないように働きかけることは、あっせん収賄罪における職務上相当の行為をさせないようにあっせんすることにあたるのか。

A あっせんすることにあたる。　私的独占の禁止および公正取引の確保に関する法律 73 条 1 項は、公正取引委員会は、同法違反の犯罪があると思料するときは検事総長に告発しなければならないと定め、同法 96 条 1 項は、同法 89 条から 91 条までの罪は、同委員会の告発を待って、これを論ずると定めているところ、公務員が、請託を受けて、公正取引委員会が同法違反の疑いをもって調査中の審査事件について、同委員会の委員長に対し、これを告発しないように働きかけることは、同委員会の裁量判断に不当な影響を及ぼし、適正に行使されるべき同委員会の告発および調査に関する権限の行使をゆがめようとするものであるから、刑法 197 条

の 4 にいう「職務上相当の行為をさせないように」あっせんすることにあたると解する（最決平 15・1・14）。　　　　　　　　　　　出題 予想

第 197 条の 5（没収及び追徴）

　犯人又は情を知った第三者が収受した賄賂は、没収する。その全部又は一部を没収することができないときは、その価額を追徴する。

Q1 収受されなかった賄賂は、没収することができないのか。

A 刑法 19 条により没収することができる。　収受されなかった賄賂は、賄賂申込罪の組成物件として、刑法 19 条により没収することができる（最判昭 24・12・6）。　　　　出題 国Ⅰ－平成 6

Q2 収賄の共同正犯者が共同して収受した賄賂については、収賄犯人等に不正な利益の保有を許さないという要請が満たされる限りにおいて、相当と認められる場合には、裁判所の裁量により、共犯者各人にそれぞれ一部の額の追徴を命じ、あるいは一部の者にのみ追徴を科することも許されるのか。

A 許される。　刑法（改正前）197 条の 5 の規定による没収・追徴は、必要的に行うべきものであるが、本件のように収賄の共同正犯者が共同して収受した賄賂については、これが現存する場合には、共犯者各自に対しそれぞれ全部の没収を言い渡すことができるから、没収が不能な場合の追徴も、それが没収の換刑処分であることに徴すれば、共犯者各自に対し、それぞれ収受した賄賂の価額全部の追徴を命じることができ、賄賂を共同収受した者の中に公務員の身分を有しない者が含まれる場合であっても、異なる扱いをする理由はない。もっとも、収受された賄賂を犯人等から必要的に没収、追徴する趣旨は、収賄犯人等に不正な利益の保有を許さず、これをはく奪して国庫に帰属させる点にある。また、賄賂を収受した共犯者ら各自からそれぞれその価額の全部を追徴することができるとしても、追徴が没収に代わる処分である以上、その全員に対し重複してその全部につき執行することが許されるわけではなく、共犯者中の 1 人又は数人について全部の執行が了すれば、他の者に対しては執行しえないものである（最決昭 30・12・8、最決昭 33・4・15 参照）。これらの点に徴すると、収賄犯人等に不正な利益の保有を許さないという要請が満たされる限りにおいては、必要的追徴であるからといって、賄賂を共同収受した共犯者全員に対し、それぞれその価額全部の追徴をつねに命じなければならないものではなく（最大判昭 33・3・5 参照）、裁判所は、共犯者らに追徴を命じるにあたって、賄賂による不正な利益の共犯者間における帰属、分配が明らかである場合にその分配等の額に応じて各人に追徴を命じるなど、相当と認められる場合には、裁量により、各人にそれぞれ一部の額の追徴を命じ、あるいは一部の者にのみ追徴を科することも許される（最決平 16・11・8）。　出題 国Ⅰ－平成 20

第 198 条（贈賄）

　第 197 条から第 197 条の 4 までに規定する賄賂を供与し、又はその申込み若しくは約束をした者は、3 年以下の拘禁刑又は 250 万円以下の罰金に処する。

Q1 医療法人理事長として病院を経営していた被告人が、その経営に係る関連病院に対する医師の派遣について便宜ある取り計らいを受けたことなどの謝礼等の趣旨の下に、Ａに対して金員を供与した行為は贈賄罪にあたるのか。

A 贈賄罪にあたる。　Ａは、本件当時、奈良医大の救急医学教室教授であるとともに、附属病院救急科部長であり、教育公務員特例法等の規定により教育公務員とされ、地方公務員としての身分を有していたが、救急医学教室および救急科に属する助教授以下の教員、医員および臨床研修医等の医師を教育し、その研究を指導する職務権限を有していた。そして、教授は、自己が長を務める医局を主宰、運営する役割を担い、当該医局の構成員を教育指導し、その人事についての権限をもっている。Ａもまた、奈良医大において、救急医学教室および救急科に対応する医局に属する助教授以下の教員の採用や昇進、医員、非常勤医師および臨床研修医の採用、専修生および研究生の入学許可等につき、実質的な決定権を掌握していたほか、関連病院、すなわち、医局に属する医師の派遣を継続的に受けるなどして医局と一定の関係を有する外部の病院への医師派遣についても、最終的な決定権を有しており、Ａにとって、自己が教育指導する医師を関連病院に派遣することは、その教育指導のうえでも、また、将来の救急医学教室の教員等を養成するうえでも、重要な意義を有していた。以上の事実関係の下で、Ａがその教育指導する医師を関連病院に派遣することは、奈良医大の救急医学教室教授兼附属病院救急科部長として、これらの医師を教育指導するというその職務に密接な関係のある行為というべきである。そうすると、医療法人理事長として病院を経営していた被告人が、その経営に係る関連病院に対する医師の派遣について便宜ある取り計らいを受けたことなどの謝礼等の趣旨の下に、Ａに対して金員を供与した本件行為が贈賄罪にあたるとした原判断は正当である（最決平18・1・23）。　**出題** 予想

第26章　殺人の罪

第199条（殺人）

　人を殺した者は、死刑又は無期若しくは5年以上の拘禁刑に処する。

Q1 追死の意思がないのに被害者を欺罔し追死を誤信させて自殺させることは、殺人罪にあたるのか。

A 殺人罪にあたる。　被害者は被告人の欺罔の結果、被告人の追死を予期して死を決意したものであり、その決意は真意に添わない重大な瑕疵ある意思であることが明らかである。そしてこのように被告人に追死の意思がないにもかかわらず被害者を欺罔し被告人の追死を誤信させて自殺させた被告人の行為は通常の殺人罪に該当する（最判昭33・11・21）。　**出題** 地方上級－平成3・昭和59

第201条（予備）

　第199条の罪を犯す目的で、その予備をした者は、2年以下の拘禁刑に処する。ただし、情状により、その刑を免除することができる。

第202条（自殺関与及び同意殺人）

　人を教唆し若しくは幇助して自殺させ、又は人をその嘱託を受け若しくはその承諾を得て殺した者は、6月以上7年以下の拘禁刑に処する。

Q1 ＸはＹが通常の意思能力を有さず、自殺の何たるかを理解せず、命ずることは何でも服従するのを利用して、Ｙに自殺の方法を教えて自殺させた場合、Ｘには自殺幇助罪が成立するのか。

A 殺人罪が成立する。　被害者が通常の意思能力もなく、自殺の何たるかも理解せず、しかも被告人の命ずることは何でも服従するのを利用して、その被害者に縊死の方法を教えて縊首せしめ死亡するに至らしめた行為は、殺人罪にあたる（最決昭27・2・21）。　**出題** 裁判所総合・一般－平成27

第203条（未遂罪）

　第199条及び前条の罪の未遂は、罰する。

第27章　傷害の罪

第204条（傷害）

　人の身体を傷害した者は、15年以下の拘禁刑又は50万円以下の罰金に処する。

Q1 女性の髪の毛を根本から切る行為は、傷害罪にあたるのか。

A 暴行罪にあたる。　傷害とは、生理的機能の障害又は健康状態の不良な変更を意味する。したがって、女性の髪の毛を根本から切る行為は、傷害罪にあたらず、暴行罪にとどまる（大判明45・6・20）。　**出題** 国家総合－令和2

Q2 傷害罪の故意があるためには、暴行の故意で足りるのか。また、傷害罪は暴行罪の結果的加重犯か。

A 傷害罪は暴行罪の結果的加重犯であり、傷害罪の故意があるためには、暴行の故意で足りる。　傷害罪は結果犯であるから、その成立には傷害の原因たる暴行についての意思が存すれば足り、特に傷害の意思の存在を必要としない。されば、仮に被告人には被害者に傷害を加える目的をもたなかったとしても、傷害の原因たる暴行についての意思が否定されない限り、傷害罪は成立する（最判昭25・11・9）。

出題 国Ⅰ－平成17、市役所上・中級－平成6、裁判所総合・一般－令和3・1・平成30・29・27

Q3 性病であることを秘して、被害者の同意を得て自己の性器を押し当て、性病を感染させる行為については、傷害罪が成立するのか。

A 傷害罪が成立する。　性病を感染させる懸念のあることを認識しながら、婦女子に対し詐言を弄して性交し、その結果、病毒を感染させた場合、傷害罪は他人の身体の生理的機能を毀損するものである以上、その手段が何であるかを問わないのであり、傷害罪が成立する（最判昭27・6・6）。

出題 裁判所総合・一般－令和1・平成29・27・25

Q4 自宅から隣家の被害者に向けて連日ラジオの音声等を大音量で鳴らし続け、慢性頭痛症等の傷害を負わせた行為は、傷害罪にあたるのか。

A 傷害罪にあたる。　被告人は、自宅の中で隣家

刑法編

に最も近い位置にある台所の隣家に面した窓の一部を開け、窓際およびその付近にラジオおよび複数の目覚まし時計を置き、約1年半の間にわたり、隣家の被害者らに向けて、精神的ストレスによる障害を生じさせるかもしれないことを認識しながら、連日朝から深夜ないし翌未明まで、上記ラジオの音声および目覚まし時計のアラーム音を大音量で鳴らし続けるなどして、同人に精神的ストレスを与え、よって、同人に全治不詳の慢性頭痛症、睡眠障害、耳鳴り症の傷害を負わせたのである。以上のような事実関係の下においては、被告人の行為は傷害罪の実行行為にあたる（最決平17・3・29）。

出題 国家総合－令和2、裁判所総合・一般－平成25

Q5 病院で勤務中ないし研究中であった者に対し、睡眠薬等を摂取させたことによって、**約6時間又は約2時間にわたり意識障害および筋弛緩作用を伴う急性薬物中毒の症状を生じさせた行為は、傷害罪を構成するのか。**

A 傷害罪を構成する。　被告人は、大学病院内において、フルニトラゼパムを含有する睡眠薬の粉末を混入した洋菓子を同病院の休日当直医として勤務していた被害者に提供し、事情を知らない被害者に食させて、被害者に約6時間にわたる意識障害および筋弛緩作用を伴う急性薬物中毒の症状を生じさせ、6日後に、同病院の研究室において、医学研究中であった被害者が机上に置いていた飲みかけの缶入り飲料に上記同様の睡眠薬の粉末および麻酔薬を混入し、事情を知らない被害者に飲ませて、被害者に約2時間にわたる意識障害および筋弛緩作用を伴う急性薬物中毒の症状を生じさせ、もって、被害者の健康状態を不良に変更し、その生活機能の障害を惹起したものであるから、いずれの事件についても傷害罪が成立する（最決平24・1・30）。

出題 予想➡国家総合－令和2、裁判所総合・一般－令和3

Q6 不法に被害者を監禁し、その結果、被害者が、医学的な診断基準において求められている特徴的な精神症状が継続して発現していることなどから外傷後ストレス障害（PTSD）を発症したと認められる場合、同障害の惹起は刑法にいう傷害にあたり、監禁致傷罪が成立するのか。

A 刑法にいう傷害にあたり、監禁致傷罪が成立する。　被告人は、本件各被害者を不法に監禁し、その結果、各被害者について、監禁行為やその手段等として加えられた暴行、脅迫により、一時的な精神的苦痛やストレスを感じたという程度にとどまらず、いわゆる再体験症状、回避・精神麻痺症状および過覚醒症状といった医学的な診断基準において求められている特徴的な精神症状が継続して発現していることなどから精神疾患の一種である外傷後ストレス障害（以下「PTSD」という）の発症が認めら

れたものである。上記認定のような精神的機能の障害を惹起した場合も刑法にいう傷害にあたると解する。したがって、本件各被害者に対する監禁致傷罪の成立は認められる（最決平24・7・24）。

出題 国家総合－令和2、裁判所総合・一般－令和4・1・平成27・25

第205条（傷害致死）

　身体を傷害し、よって人を死亡させた者は、3年以上の有期拘禁刑に処する。

第206条（現場助勢）

　前2条の犯罪が行われるに当たり、現場において勢いを助けた者は、自ら人を傷害しなくても、1年以下の拘禁刑又は10万円以下の罰金若しくは科料に処する。

第207条（同時傷害の特例）

　2人以上で暴行を加えて人を傷害した場合において、それぞれの暴行による傷害の軽重を知ることができず、又はその傷害を生じさせた者を知ることができないときは、共同して実行した者でなくても、共犯の例による。

Q1 同時傷害の特例は、傷害罪のみならず傷害致死罪にも適用があるのか。

A 傷害致死罪にも適用がある。　傷害致死の事実について、被告人外2名の共同正犯は認められず、2人以上の者が暴行を加え人を傷害し、しかもその傷害を生じさせた者を知ることができない場合には、刑法207条の適用により、ともに傷害致死罪の責任を負う（最判昭26・9・20）。

出題 国家総合－令和2、国Ⅰ－平成17・昭和60、裁判所総合・一般－令和3・1

Q2 共犯関係にない2人以上による暴行によって傷害が生じさらに同傷害から死亡の結果が発生したという傷害致死の事案において、刑法207条適用の前提となる事実関係が証明された場合、いかなる場合にも、当該傷害について責任を負い、さらに同傷害を原因として発生した死亡の結果についても責任を負うのか。

A 各行為者は、同条により、自己の関与した暴行が死因となった傷害を生じさせていないことを立証しない限り、責任を負う。　同時傷害の特例を定めた刑法207条は、2人以上が暴行を加えた事案においては、生じた傷害の原因となった暴行を特定することが困難な場合が多いことなどに鑑み、共犯関係が立証されない場合であっても、例外的に共犯の例によることとしている。同条の適用の前提として、検察官は、各暴行が当該傷害を生じさせうる危険性を有するものであることおよび各暴行が外形的には共同実行に等しいと評価できるような状況において行われたこと、すなわち、同一の機会に行われたものであることの証明を要するというべきであり、その証明がされた場合、各行為者は、自己の関与した暴行がその傷害を生じさせていないことを立証しない限り、傷害についての責任を免れないというべきである。そして、共犯関係にない2人以上による暴行によって傷害が生じさらに同傷害から死亡の結果が発生したという傷害致死の事案において、刑法207条適用の前提となる前記の事実関係

刑法〔抄〕

が証明された場合には、各行為者は、同条により、自己の関与した暴行が死因となった傷害を生じさせていないことを立証しない限り、当該傷害について責任を負い、さらに同傷害を原因として発生した死亡の結果についても責任を負うというべきである（最判昭26・9・20参照）。このような事実関係が証明される場合にも、本件のようにいずれかの暴行と死亡との間の因果関係が肯定されるときであっても、別異に解すべき理由はなく、同条の適用は妨げられない（最決平28・3・24）。

出題 予想

Q3 他の者が先行して被害者に暴行を加え、これと同一の機会に、後行者が途中から共謀加担したが、被害者の負った傷害が共謀成立後の暴行により生じたとは認められない場合にも、刑法207条の適用により後行者に対して当該傷害についての責任を問うことができるのか。

A 後行者に対して当該傷害についての責任を問い得るのは、後行者の加えた暴行が当該傷害を生じさせ得る危険性を有するものであるときに限られる。

他の者が先行して被害者に暴行を加え、これと同一の機会に、後行者が途中から共謀加担したが、被害者の負った傷害が共謀成立後の暴行により生じたものとまでは認められない場合であっても、その傷害を生じさせた者を知ることができないときは、同条の適用により後行者は当該傷害についての責任を免れないと解する。先行者に対し当該傷害についての責任を問い得ることは、同条の適用を妨げる事情とはならない。また、刑法207条は、二人以上で暴行を加えて人を傷害した事案において、その傷害を生じさせ得る危険性を有する暴行を加えた者に対して適用される規定であること等に鑑みれば、上記の場合に同条の適用により後行者に対して当該傷害についての責任を問い得るのは、後行者の加えた暴行が当該傷害を生じさせ得る危険性を有するものであるときに限られると解する。後行者の加えた暴行に上記危険性がないときには、その危険性のある暴行を加えた先行者との共謀が認められるからといって、同条を適用することはできない（最決令2・9・30）。

出題 予想

第208条（暴行）

暴行を加えた者が人を傷害するに至らなかったときは、2年以下の拘禁刑若しくは30万円以下の罰金又は拘留若しくは科料に処する。

Q1 室内において被害者の耳元で大太鼓を連打する行為は、暴行罪における暴行にあたるのか。

A 暴行罪における暴行にあたる。 刑法208条にいわゆる暴行とは、人の身体に対し不法な攻撃を加えることをいい、加害者が、室内において相手方の身辺で大太鼓、鉦等を連打し、同人等をして頭脳の感覚が鈍り意識もうろうたる気分を与え、又は、脳貧血を起こさせたりする程度に達せしめたる場合をも包含するものと解すべきである（最判昭29・8・20）。

出題 国Ⅰ－平成17、裁判所総合・一般－平成25

Q2 狭い四畳半の室内で被害者を脅すために日本刀の抜き身を数回振り回す行為は、刑法208条の

暴行にあたるのか。

A 刑法208条の暴行にあたる。 狭い四畳半の室内で被害者を脅すために日本刀の抜き身を数回振り回す行為は、被害者に対する暴行である（最決昭39・1・28）。

出題 市役所上・中級－平成9、裁判所総合・一般－令和4・3・平成30・25

第208条の2（凶器準備集合及び結集）

①2人以上の者が他人の生命、身体又は財産に対し共同して害を加える目的で集合した場合において、凶器を準備して又はその準備があることを知って集合した者は、2年以下の拘禁刑又は30万円以下の罰金に処する。

②前項の場合において、凶器を準備して又はその準備があることを知って人を集合させた者は、3年以下の拘禁刑に処する。

Q1 ダンプカーは、刑法208条の2にいう「凶器」にあたるのか。

A 「凶器」にあたらない。 他人を殺傷する用具として利用する意図の下に準備されたダンプカーであっても、他人を殺傷する用具として利用される外観を呈しておらず、社会通念に照らし、直ちに他人をして危険感をいだかせるに足りない以上は、刑法208条の2にいう「凶器」にあたらない（最判昭47・3・14）。

出題 国Ⅰ－平成17

第28章 過失傷害の罪

第209条（過失傷害）

①過失により人を傷害した者は、30万円以下の罰金又は科料に処する。

②前項の罪は、告訴がなければ公訴を提起することができない。

第210条（過失致死）

過失により人を死亡させた者は、50万円以下の罰金に処する。

第211条（業務上過失致死傷等）

業務上必要な注意を怠り、よって人を死傷させた者は、5年以下の拘禁刑又は100万円以下の罰金に処する。重大な過失により人を死傷させた者も、同様とする。

Q1 業務上過失により胎児に病変を発生させ、出生後、それに起因してその者を死亡させた場合には、業務上過失致死罪が成立するのか。

A 業務上過失致死罪が成立する。 現行刑法上、胎児は、堕胎の罪において独立の行為客体として特別に規定されている場合を除き、母体の一部に対するものと取り扱われているから、業務上過失致死罪の成否を論ずるにあたっては、胎児に病変を発生させることは、人である母体の一部に対するものとして、人に病変を発生させることである。そして、胎児が出生し人となった後、病変に起因して死亡するに至った場合は、結局、人に病変を発生させて人に死の結果をもたらしたことに帰するから、病変の発生時において客体が人であることを要するとの立場をとると否とにかかわらず、同罪が成立する〈熊本水俣病事件〉（最決昭63・2・29）。 出題 予想

Q2 トンネル型水路内に周辺の河川からあふれ出

刑法編

た水が流れ込むのを防止する目的で設置された構造物の管理担当者は、同水路内の作業員らを退避させる措置をとるべき注意義務があるのか。

A **注意義務がある。** 被告人は、千葉県土木部真間川改修事務所国分川建設課長として、千葉県が発注したトンネル型水路部分を含む国分川分水路建設工事の監督にあたるとともに、千葉県が上記トンネル内に国分川や周辺の河川からあふれ出た水が流れ込むのを防止する目的で設置した構造物（以下「仮締切」という。）の管理を担当し、本件事故発生の20分以上前の時点で、仮締切が国分川や周辺の河川からあふれ出た水の水圧で決壊する可能性を認識することができた。また、仮締切は、千葉県が、トンネル内の工事を請け負った者にゆだねることなく、自ら占有し管理していた。以上の事実関係の下では、被告人は、仮締切の管理に関して、当時トンネル内で建設工事等に従事していた者の危険を回避すべき義務を負っていたと解される上、本件に際して仮締切の決壊を予見することができたのであるから、被告人には、仮締切の決壊による危険を回避するため、トンネル内で作業に従事するなどしていた請負人の作業員らを直ちに退避させる措置を採るべき注意義務がある（最決平 13・2・7）。 **出題** 予想

Q3 航行中の航空機同士の異常接近事故について、便名を言い間違えて降下の管制指示をした実地訓練中の航空管制官およびこれを是正しなかった指導監督者である航空管制官の両名に業務上過失傷害罪が成立するのか。

A **業務上過失傷害罪が成立する。** 航行中の航空機甲機および乙機が著しく接近し、両機の衝突を避けるために急降下した甲機の乗客らが負傷した事故について、実地訓練中の航空管制官において両機が異常接近しつつあることを知らせる警報を認知して巡航中の乙機を降下させることを意図しながら便名を言い間違えて上昇中の甲機に対し降下指示をし、その指導監督者である航空管制官においてこれに気付かず直ちに是正をしなかったことは、ほぼ同じ高度から甲機が同指示に従って降下すると同時に乙機も航空機衝突防止装置により発せられる降下指示に従って降下し、両機の接触、衝突等を引き起こす高度の危険性を有する行為であって、これと上記事故との間の因果関係も認められ、かつ、上記航空管制官両名において、両機が共に降下を続けて異常接近し、両機の機長が接触、衝突を回避するため急降下を含むなんらかの措置を余儀なくされることを予見できたという本件事実関係の下では、上記航空管制官両名につき、両機の接触、衝突等の事故の発生を未然に防止するという業務上の注意義務を怠った過失があったものとして、それぞれ業務上過失傷害罪が成立する（最決平 22・10・26）。 **出題** 予想

Q4 トラックのハブが走行中に輪切り破損したために前輪タイヤ等が脱落し、歩行者らを死傷させた事故について、同トラックの製造会社で品質保証業務を担当していた者において、同種ハブを装備した車両につきリコール等の改善措置の実施のために必要な措置を採るべき業務上の注意義務があったとい

えるのか。

A **業務上の注意義務があったといえる。** トラックのハブが走行中に輪切り破損したために前輪タイヤ等が脱落し、歩行者らに衝突して死傷させた事故について、以前の類似事故事案を処理する時点で、ハブの強度不足のおそれが客観的に認められる状況にあり、そのおそれの強さや、予測される事故の重大性、多発性に加え、同トラックの製造会社が事故関係の情報を一手に把握していたなどの本件事実関係の下では、その時点で同社の品質保証部門の部長又はグループ長の地位にあり品質保証業務を担当していた者には、同種ハブを整備した車両につきリコール等の改善措置の実施のために必要な措置を採り、強度不足に起因するハブの輪切り破損事故がさらに発生することを防止すべき業務上の注意義務があったといえる（最決平 24・2・8）。 **出題** 予想

Q5 国から占用許可を得て市が公園の一部として開放し維持管理していた人工砂浜での埋没事故について、同砂浜を含む海岸の工事、管理に関する事務を担当していた国土交通省職員には、同砂浜に関する安全措置を講ずべき業務上の注意義務があったといえるのか。

A **業務上の注意義務があったといえる場合がある。** 国から占用許可を得て兵庫県明石市が公園の一部として開放し維持管理していた人工砂浜において、これに接する突堤に取り付けられた防砂板が破損して砂が海中に吸い出され砂層内に形成された空洞が崩壊し、被害者がこれにより生じた陥没孔に埋没して死亡した事故について、同砂浜は国の直轄工事区域内に存在し、その区域内の海岸保全施設の維持管理を国がしていたこと、国の組織である国土交通省近畿地方整備局姫路工事事務所は明石市と共に同砂浜で過去に続発していた陥没の対策に取り組み始めていたことなどの本件事実関係の下では、同砂浜を含む海岸の工事、管理事務を担当していた同工事事務所工務第一課の課長であった者には、同課自ら又は明石市に要請するなどして安全措置を講じ、陥没等による死傷事故の発生を未然に防止すべき業務上の注意義務があったといえる（最決平 26・7・22）。 **出題** 予想

Q6 ガス抜き配管内での結露水の滞留によるメタンガスの漏出に起因する温泉施設の爆発事故について、設計担当者に結露水の水抜き作業に係る情報を確実に説明すべき業務上の注意義務があったにもかかわらず、この注意義務を怠った点について、被告人の過失を認めることができるのか。

A **過失を認めることができる。** 本件は、ガス抜き配管内での結露水の滞留によるメタンガスの漏出に起因する温泉施設の爆発事故であるところ、被告人は、その建設工事を請け負った本件建設会社におけるガス抜き配管設備を含む温泉一次処理施設の設計担当者として、職掌上、同施設の保守管理にかかわる設計上の留意事項を施工部門に対して伝達すべき立場にあり、自ら、ガス抜き配管に取り付けられた水抜きバルブの開閉状態について指示を変更し、メタンガスの爆発という危険の発生を防止するために安全管理上重要な意義を有する各ガス抜き配管か

らの結露水の水抜き作業という新たな管理事項を生じさせた。そして、水抜きバルブに係る指示変更とそれに伴う水抜き作業の意義や必要性について、施工部門に対して的確かつ容易に伝達することができ、それによって上記爆発の危険の発生を回避することができたものであるから、被告人は、水抜き作業の意義や必要性等に関する情報を、本件建設会社の施工担当者を通じ、あるいは自ら直接、本件不動産会社の担当者に対して確実に説明し、メタンガスの爆発事故が発生することを防止すべき業務上の注意義務を負う立場にあったというべきである。本件においては、この伝達を怠ったことによってメタンガスの爆発事故が発生したということもできるから、この注意義務を怠った点について、被告人の過失を認めることができる（最決平28・5・25）。 出題 予想

Q7 曲線での速度超過により列車が脱線転覆し多数の乗客が死傷した鉄道事故について、鉄道会社の歴代社長らには、ATS整備の主管部門を統括する鉄道本部長に対しATSを本件曲線に整備するよう指示すべき業務上の注意義務があったといえるのか。

A 業務上の注意義務があったとはいえない。 快速列車の運転士が制限速度を大幅に超過し、転覆限界速度をも超える速度で同列車を曲線（本件曲線）に進入させたことにより同列車が脱線転覆し、多数の乗客が死傷した鉄道事故について、同事故以前の法令上、曲線に自動列車停止装置（ATS）を整備することは義務付けられておらず、大半の鉄道事業者は曲線にATSを整備していなかったこと、同列車を運行する鉄道会社の歴代社長らが、管内に2,000か所以上も存在する同種曲線の中から、特に本件曲線を脱線転覆事故発生の危険性が高い曲線として認識できたとは認められないこと等の本件事実関係の下では、歴代社長らにおいて、ATS整備の主管部門を統括する鉄道本部長に対しATSを本件曲線に整備するよう指示すべき業務上の注意義務があったとはいえない（最決平29・6・12）。 出題 予想

第29章 堕胎の罪

第212条（堕胎）
妊娠中の女子が薬物を用い、又はその他の方法により、堕胎したときは、1年以下の拘禁刑に処する。

第213条（同意堕胎及び同致死傷）
女子の嘱託を受け、又はその承諾を得て堕胎させた者は、2年以下の拘禁刑に処する。よって女子を死傷させた者は、3月以上5年以下の拘禁刑に処する。

第214条（業務上堕胎及び同致死傷）
医師、助産師、薬剤師又は医薬品販売業者が女子の嘱託を受け、又はその承諾を得て堕胎させたときは、3月以上5年以下の拘禁刑に処する。よって女子を死傷させたときは、6月以上7年以下の拘禁刑に処する。

第215条（不同意堕胎）
①女子の嘱託を受けないで、又はその承諾を得ない

で堕胎させた者は、6月以上7年以下の拘禁刑に処する。
②前項の罪の未遂は、罰する。

第216条（不同意堕胎致死傷）
前条の罪を犯し、よって女子を死傷させた者は、傷害の罪と比較して、重い刑により処断する。

第30章 遺棄の罪

第217条（遺棄）
老年、幼年、身体障害又は疾病のために扶助を必要とする者を遺棄した者は、1年以下の拘禁刑に処する。

第218条（保護責任者遺棄等）
老年者、幼年者、身体障害者又は病者を保護する責任のある者がこれらの者を遺棄し、又はその生存に必要な保護をしなかったときは、3月以上5年以下の拘禁刑に処する。

Q1 自動車運転者が、過失によって通行人に重傷を負わせて、その場を立去ったときは、刑法218条の「病者」を「遺棄」したときに該当するのか。

A 該当する（最判昭34・7・24）。➡1編7章1 犯罪の主体・行為・結果 ◇不作為犯 *4*

Q2 医師が堕胎により出生させた未熟児を、生育可能性のあることを認識し、医療の措置をとることが迅速・容易にできたのに、医院内に放置して死亡させた場合には、業務上堕胎罪が成立するのか。

A 業務上堕胎罪に併せて保護責任者遺棄致死罪が成立する。 被告人は、産婦人科医師として、妊婦の依頼を受け、自ら開業する医院で妊娠26週に入った胎児の堕胎を行ったものであるところ、その堕胎により出生した未熟児に保育器等の未熟児医療設備の整った病院の医療を受けさせれば、同児が短時間内に死亡することはなく、むしろ生育する可能性のあることを認識し、かつ、その医療を受けさせるための措置をとることが迅速容易にできたにもかかわらず、同児を保育器もない自己の医院内に放置したまま、生存に必要な処理を何らとらなかった結果、出生の約54時間後に同児を死亡させた以上、被告人には業務上堕胎罪に併せて保護責任者遺棄致死罪が成立する（最決昭63・1・19）。 出題 予想

Q3 刑法218条の保護とは、広く保護行為一般（たとえば幼年者の親ならば当然に行っているような監護、育児、介護行為等全般）を行うことを刑法上の義務として求めているのか。

A 刑法上の義務として求めていない。 刑法218条の不保護による保護責任者遺棄罪の実行行為は、同条の文言および趣旨からすると、「老年者、幼年者、身体障害者又は病者」につきその生存のために特定の保護行為を必要とする状況（要保護状況）が存在することを前提として、その者の「生存に必要な保護」行為として行うことが刑法上期待される特定の行為をしなかったことを意味すると解すべきであり、同条が広く保護行為一般（たとえば幼年者の親ならば当然に行っているような監護、育児、介護行為等全般）を行うことを刑法上の義務として求めているものでないことは明らかである（最判平30・3・19）。 出題 予想

刑法編

第219条（遺棄等致死傷）

前2条の罪を犯し、よって人を死傷させた者は、傷害の罪と比較して、重い刑により処断する。

第31章　逮捕及び監禁の罪

第220条（逮捕及び監禁）

不法に人を逮捕し、又は監禁した者は、3月以上7年以下の拘禁刑に処する。

Q1 犯人が被害者を監禁するために殴る蹴るの暴行を加えた場合と暴行脅迫が全く別個の動機、原因からなされたものであるときも、暴行罪と監禁罪が成立し、両者は牽連犯となるのか。

A 前者の場合には、暴行は監禁罪に吸収されるが、後者の場合には、吸収されない。　暴行・脅迫が不法監禁中になされたものであっても、不法監禁の状態を維持存続させるため、その手段としてなされたものでなく、全く別個の動機、原因からなされたものであるときは、当該暴行脅迫の行為は、不法監禁罪に吸収されることなく、別罪を構成する（最判昭28・11・27）。　　　**出題** 国Ⅰ－平成17

Q2 刑法220条1項にいう「監禁」は、暴行又は脅迫によってなされる場合だけを指すのか。

A 偽計によって被害者の錯誤を利用してなされる場合をも含む。　刑法220条1項にいう「監禁」とは、人を一定の区域場所から脱出できないようにしてその自由を拘束することをいい、その方法は、必ずしも暴行又は脅迫による場合のみに限らず、偽計によって被害者の錯誤を利用する場合をも含むものと解するを相当とする（最決昭33・3・19）。　**出題** 国家総合－平成30

Q3 監禁する場所は、少なくとも囲まれた場所であることを要するのか。

A 要しない。　婦女を原動機付き自転車の荷台に乗車させて1,000メートル余りを疾走する行為も監禁罪にあたる（最決昭38・4・18）。
　出題 国家総合－平成30、国Ⅰ－平成17

第221条（逮捕等致死傷）

前条の罪を犯し、よって人を死傷させた者は、傷害の罪と比較して、重い刑により処断する。

第32章　脅迫の罪

第222条（脅迫）

①生命、身体、自由、名誉又は財産に対し害を加える旨を告知して人を脅迫した者は、2年以下の拘禁刑又は30万円以下の罰金に処する。

②親族の生命、身体、自由、名誉又は財産に対し害を加える旨を告知して人を脅迫した者も、前項と同様とする。

第223条（強要）

①生命、身体、自由、名誉若しくは財産に対し害を加える旨を告知して脅迫し、又は暴行を用いて、人に義務のないことを行わせ、又は権利の行使を妨害した者は、3年以下の拘禁刑に処する。

②親族の生命、身体、自由、名誉又は財産に対し害を加える旨を告知して脅迫し、人に義務のないことを行わせ、又は権利の行使を妨害した者も、前項と同様とする。

③前2項の罪の未遂は、罰する。

第33章　略取、誘拐及び人身売買の罪

第224条（未成年者略取及び誘拐）

未成年者を略取し、又は誘拐した者は、3月以上7年以下の拘禁刑に処する。

Q1 Aが、別居中の妻Bが養育している子Cを連れ去ることを企て、保育園からBの母Dに連れられて帰宅しようとしていたCを抱きかかえて、付近に駐車中の乗用車にCを同乗させたうえ、Dの制止を振り切って同車を発進させてCを連れ去り、自分の支配下に置いた場合、AはCの共同親権者であるから、Aの行為は未成年者略取罪の構成要件には該当せず、Aに同罪は成立しないのか。

A Aの行為は未成年者略取罪の構成要件に該当し、Aに同罪は成立する。　本件において、被告人は、離婚係争中の他方親権者であるBの下からCを奪取して自分の手元に置こうとしたものであって、そのような行動に出ることにつき、Cの監護養育上それが現に必要とされるような特段の事情は認められないから、その行為は、親権者によるものであるとしても、正当なものということはできない。また、本件の行為態様が粗暴で強引なものであること、Cが自分の生活環境についての判断・選択の能力が備わっていない2歳の幼児であること、その年齢上、常時監護養育が必要とされるのに、略取後の監護養育について確たる見通しがあったとも認めがたいことなどに徴すると、家族間における行為として社会通念上許容されうる枠内にとどまるものと評することもできない。以上によれば、本件行為につき、違法性が阻却されるべき事情は認められないのであり、未成年者略取罪の成立は認められる（最決平17・12・6）。　**出題** 国家総合－平成30

第225条（営利目的等略取及び誘拐）

営利、わいせつ、結婚又は生命若しくは身体に対する加害の目的で、人を略取し、又は誘拐した者は、1年以上10年以下の拘禁刑に処する。

第225条の2（身の代金目的略取等）

①近親者その他略取され又は誘拐された者の安否を憂慮する者の憂慮に乗じてその財物を交付させる目的で、人を略取し、又は誘拐した者は、無期又は3年以上の拘禁刑に処する。

②人を略取し又は誘拐した者が近親者その他略取され又は誘拐された者の安否を憂慮する者の憂慮に乗じて、その財物を交付させ、又はこれを要求する行為をしたときも、前項と同様とする。

Q1 相互銀行の代表取締役社長が拐取された場合における同銀行幹部らは、刑法225条の2にいう「近親その他略取されまたは誘拐された者の安否を憂慮する者」にあたるのか。

A あたる。　刑法225条の2にいう「近親その他略取されまたは誘拐された者の安否を憂慮する者」には、単なる同情から被拐取者の安否を気づかうにすぎないとみられる第三者は含まれないが、被拐取者の近親でなくとも、被拐取者の安否を親身になって憂慮するのが社会通念上当然とみられる特別な関係にある者はこれに含まれる。本件のように、

相互銀行の代表取締役社長が拐取された場合における同銀行幹部らは、被拐取者の安否を親身になって憂慮するのが社会通念上当然とみられる特別な関係にある者にあたるのであるから、本件銀行の幹部らは同条にいう「近親その他略取されまたは誘拐された者の安否を憂慮する者」にあたる（最決昭62・3・24）。

第226条（所在国外移送目的略取及び誘拐）

所在国外に移送する目的で、人を略取し、又は誘拐した者は、2年以上の有期拘禁刑に処する。

Q1 日本人である妻と別居中のオランダ国籍の者が、妻において監護養育していた2歳4か月の子をオランダに連れ去る目的で入院中の病院から有形力を用いて連れ出した行為は、国外移送略取罪に該当するのか。

A 国外移送略取罪に該当する。　本件においては、オランダ国籍で日本人の妻と婚姻していた被告人が、平成12年9月25日午前3時15分ころ、別居中の妻が監護養育していた2人の間の長女（当時2歳4か月）を、オランダに連れ去る目的で、長女が妻に付き添われて入院していた山梨県南巨摩郡a町内の病院のベッド上から、両足を引っ張って逆さにつり上げ、脇に抱えて連れ去り、あらかじめ止めておいた自動車に乗せて発進させたというのである。以上の事実関係によれば、被告人は、共同親権者の1人である別居中の妻のもとで平穏に暮らしていた長女を、外国に連れ去る目的で、入院中の病院から有形力を用いて連れ出し、保護されている環境から引き離して自分の事実的支配下に置いたのであるから、被告人の行為が国外移送略取罪にあたることは明らかである。そして、その態様も悪質であって、被告人が親権者の1人であり、長女を自分の母国に連れ帰ろうとしたものであることを考慮しても、違法性が阻却されるような例外的な場合にあたらない（最決平15・3・18）。

第228条（未遂罪）

第224条、第225条、第225条の2第1項、第226条から第226条の3まで並びに前条第1項から第3項まで及び第4項前段の罪の未遂は、罰する。

第228条の2（解放による刑の減軽）

第225条の2又は第227条第2項若しくは第4項の罪を犯した者が、公訴が提起される前に、略取され又は誘拐された者を安全な場所に解放したときは、その刑を減軽する。

Q1 刑法228条の2にいう「安全な場所」とは、略取され又は誘拐された者がその近親者および警察当局などによって安全に救出されると認められる場所をいい、その場合の安全とは、略取され又は誘拐された者が救出されるまでの間に、漠然とした抽象的な危険や単なる不安感ないし危惧感を伴うというだけで足りるのか。

A 具体的かつ実質的な危険にさらされるおそれのないことを意味する。　被告人の解放行為が刑法228条の2にいう「略取され又は誘拐された者を安全な場所に解放した」という場合にあたるかど

うかについて考えてみると、同条にいう「安全な場所」というのは、略取され又は誘拐された者が安全に救出されると認められる場所を意味するのであり、解放場所の位置、状況、解放の時刻、方法、略取され又は誘拐された者をその自宅などに復帰させるため犯人の講じた措置の内容、その他略取され又は誘拐された者の年齢、知能程度、健康状態など諸般の要素を考慮して判断しなければならない。それとともに、上記規定は、身代金目的の誘拐罪がはなはだ危険な犯罪であって略取され又は誘拐された者の殺害される事例も少なくないことにかんがみ、犯人が自発的、積極的に被拐取者を解放した場合にはその刑を必要的に減軽することにして、犯人に犯罪からの後退の道を与え被拐取者の一刻も早い解放を促して、上記のような不幸な事態の発生をできるだけ防止しようとする趣旨に出たものであることなどを考慮すると、解放の手段、方法などに関して、通常の犯人に期待しがたいような細心の配慮を尽くすことまで要求するものではなく、また、前述の「安全に救出される」という場合の「安全」の意義もあまりに狭く解すべきではなく、被拐取者が近親者および警察当局などによって救出されるまでの間に、具体的かつ実質的な危険にさらされるおそれのないことを意味し、漠然とした抽象的な危険や単なる不安感ないし危惧感を伴うということだけで、ただちに、安全性に欠けるものがあるとすることはできない（最決昭54・6・26）。

第228条の3（身の代金目的略取等予備）

第225条の2第1項の罪を犯す目的で、その予備をした者は、2年以下の拘禁刑に処する。ただし、実行に着手する前に自首した者は、その刑を減軽し、又は免除する。

第229条（親告罪）

第224条の罪及び同条の罪を幇助する目的で犯した第227条第1項の罪並びにこれらの罪の未遂罪は、告訴がなければ公訴を提起することができない。

第34章　名誉に対する罪

第230条（名誉毀損）

①公然と事実を摘示し、人の名誉を毀損した者は、その事実の有無にかかわらず、3年以下の拘禁刑又は50万円以下の罰金に処する。

②死者の名誉を毀損した者は、虚偽の事実を摘示することによってした場合でなければ、罰しない。

(1)客体

Q1 人の支払能力および支払意思に対する社会的評価は、名誉毀損罪の名誉の一部に属するのか。

A 名誉の一部に属しない。　刑法の解釈上、信用毀損罪における信用は、性質上これを財産的法益の一種と認めるのが相当であり、刑法233条のいわゆる信用は、同法230条1項のいわゆる名誉の一部に属するものではなく、その範囲外において独立の存在を有する（大判大5・6・26）。

Q2 名誉毀損罪または侮辱罪の被害者は、不特定人でもよいのか。

Ａ不特定では足りず、特定されていれば、個人で
も団体でもよい。　名誉毀損罪または侮辱罪は、あ
る特定した人または人格を有する団体に対し、その
名誉を毀損しまたは侮辱することによって成立する
もので、その被害者は、特定していることを要し、
単に東京市民または九州人というように漠然とした
表示では本罪は成立しない（大判大15・3・24）。

出題 国Ⅰ－昭和61、地方上級－平成14（市共通）・
1（市共通）・昭和57・55

(2)行為

◇公然

Ｑ3特定・少数者に対して事実を摘示したにすぎな
い場合には、名誉毀損罪は成立しないのか。

Ａ特定・少数者から不特定多数人に伝播する可能
性があれば、名誉毀損罪は成立する。　刑法230
条の罪の成立に必要とする「公然」は、必ずしも事
実を摘示した場所に現在した人員が衆多であること
を要しない。関係を有しない数人の人に対して事実
を告知した場合でも、他の多数の人に伝播する事情
があるときには、「公然」性があるとしても妨げな
い（大判大8・4・18）。

出題 国Ⅰ－平成2・昭和61

Ｑ4被告人は「Ｘの放火を見た」等のことをＸの
弟Ａおよび村会議員Ｂ、Ｘの妻Ｃに述べ、Ｘが放
火犯人であるという噂が村中に広まったときには、
刑法230条1項の「公然と事実を摘示」したとい
えるのか。

Ａ刑法230条1項の「公然と事実を摘示」したと
いえる。　被告人が「Ｘの放火を見た」等のことを
Ｘの弟Ａや村会議員Ｂ、Ｘの妻Ｃ等に述べた
ことは、被告人は不特定多数の人の視聴に達しうる
状態で事実を摘示したのであり、その摘示が質問に
対する答としてなされたものであるかどうかという
ようなことは、犯罪の成否に影響がない。そして、
このような場合には、被告人は刑法230条1項
にいう公然事実を摘示したものということができる
（最判昭34・5・7）。　　　　出題 予想

Ｑ5名誉毀損罪は、不特定かつ多数人に対して事実
を摘示しなければ成立しないのか。

Ａ特定かつ多数人でもよい。　多数人の面前にお
いて人の名誉を毀損すべき事実を摘示した場合は、
その多数人が特定しているときであっても、刑法
230条1項の罪を構成する（最判昭36・10・
13）。　　　　出題 地方上級－平成1（市共通）

◇事実の摘示

Ｑ6名誉毀損罪における事実は、非公知の事実でな
ければならないのか。

Ａ公知の事実でもよい。　人の名誉を毀損すべき
事実を公表する場合においては、その事実の有無を
問わず名誉毀損罪を構成し、当該事実が非公知であ
るか公知であるかは、同罪の成否に消長はない（大
判昭9・5・11）。

出題 国Ⅰ－昭和61、市役所上・中級－平成6

(3)既遂時期

Ｑ7名誉毀損罪は、どの程度で既遂に達するのか。

Ａ名誉低下の危険を生ずれば既遂に達する。　名
誉毀損罪の既遂は、公然人の社会的地位を落とすに
足るべき具体的事実を摘示し、名誉低下の危険状態
を発生させることで足りるから、新聞紙配布による
場合には、単に新聞紙を配布する事実をもって既遂
となるのであり、ことさら、被害者の社会的地位が
傷つけられた事実が存在することを要しない（大判
昭13・2・28）。

出題 国Ⅰ－昭和61、地方上級－平成1（市共通）

第230条の2（公共の利害に関する場合の特例）

①前条第1項の行為が公共の利害に関する事実に係
り、かつ、その目的が専ら公益を図ることにあっ
たと認める場合には、事実の真否を判断し、真実
であることの証明があったときは、これを罰しな
い。

②前項の規定の適用については、公訴が提起される
に至っていない人の犯罪行為に関する事実は、公
共の利害に関する事実とみなす。

③前条第1項の行為が公務員又は公選による公務員
の候補者に関する事実に係る場合には、事実の真
否を判断し、真実であることの証明があったとき
は、これを罰しない。

◇事実の公共性

Ｑ1私人の私生活の行状は、刑法230条の2第1
項の「公共の利害に関する事実」に該当するのか。

Ａ該当する場合がある。　私人の私生活上の行状
であっても、その携わる社会的活動の性質およびこれ
を通じて社会に及ぼす影響力の程度などのいかんに
よっては、その社会的活動に対する批判ないし評価
の一資料として、刑法230条の2第1項にいう
「公共の利害に関する事実」にあたる場合がある〈月
刊ペン事件〉（最判昭56・4・16）。

出題 国Ⅰ－昭和57

◇事実の真否の判断

Ｑ2言論、出版の業に携わる者に限り、事実の証明
が不十分でも名誉毀損罪の成立が阻却されるのか。

Ａ事実の証明が不十分であれば名誉毀損罪は成立
する。　言論、出版界において記事の出所を秘す
る慣習法があるとは認められず、仮にそのような倫
理慣行があるとしても、だからといって言論、出版
の業に携わる被告等に限って、特に事実の証明が不
十分であっても名誉毀損罪の成立が阻却されると解
すべき理由はなく、このように解しても、何ら憲法
21条に違反しない（最判昭30・12・9）。

出題 国Ⅰ－平成2・昭和57

Ｑ3人の噂であるとの表現を用いて公務員の名誉
を毀損する事実を摘示した場合、風評そのものの内
容が真実であれば、名誉毀損罪は成立しないのか。

Ａ名誉毀損罪は成立しない。　「人の噂であるか
真偽は別として」という表現を用いて、公務員の名
誉を毀損する事実を摘示した場合、刑法230条の
2所定の事実の証明の対象となるのは、風評そのも

刑法〔抄〕

のが存在することではなく、その風評の内容たる事実の真否である（最決昭43・1・18）。

出題 国Ⅰ－平成2・昭和57

◇事実の真実性に関する錯誤

Q4 刑法230条の2第1項の事実が、真実であることの証明ができない場合には、必ず名誉毀損罪が成立するのか。

A 名誉毀損罪が成立しない場合がある。 刑法230条の2の規定は、人格権としての個人の名誉の保護と、憲法21条による正当な言論の保障との調和を図ったものというべきであり、これら両者間の調和と均衡を考慮するならば、たとえ刑法230条の2第1項にいう事実が真実であることの証明がない場合でも、行為者がその事実を真実であると誤信し、その誤信したことについて、確実な資料、根拠に照らし相当の理由があるときは、犯罪の故意がなく、名誉毀損の罪は成立しない〈夕刊和歌山事件〉（最大判昭44・6・25）。

出題 国Ⅰ－平成2・昭和57、地方上級－平成14（市共通）

Q5 個人利用者がインターネット上に掲載したものは、おしなべて、閲覧者において信頼性の低い情報として受け取るのであって、相当の理由の存否を判断するに際し、これを一律に、個人が他の表現手段を利用した場合と区別して考えるべきか。

A 閲覧者において信頼性の低い情報として受け取るとは限らず、相当の理由の存否を判断するに際し、これを一律に、個人が他の表現手段を利用した場合と区別して考えるべきではない。 個人利用者がインターネット上に掲載したものであるからといって、おしなべて、閲覧者において信頼性の低い情報として受け取るとは限らないのであって、相当の理由の存否を判断するに際し、これを一律に、個人が他の表現手段を利用した場合と区別して考えるべき根拠はない。そして、インターネット上に載せた情報は、不特定多数のインターネット利用者が瞬時に閲覧可能であり、これによる名誉毀損の被害は時として深刻なものとなりうること、一度損なわれた名誉の回復は容易ではなく、インターネット上での反論によって十分にその回復が図られる保証があるわけでもないことなどを考慮すると、インターネットの個人利用者による表現行為の場合においても、他の場合と同様に、行為者が摘示した事実を真実であると誤信したことについて、確実な資料、根拠に照らして相当の理由があると認められるときに限り、名誉毀損罪は成立しないものと解するのが相当であって、より緩やかな要件で同罪の成立を否定すべきものとは解されない（最大判昭44・6・25参照）（最決平22・3・15）。 出題 予想

第231条（侮辱）

事実を摘示しなくても、公然と人を侮辱した者は、1年以下の拘禁刑若しくは30万円以下の罰金又は拘留若しくは科料に処する。

Q1 名誉毀損罪と侮辱罪の差異は何か。

A 事実の摘示の有無である。 刑法231条所定の侮辱罪は、事実を摘示せずして他人の社会的地位を軽蔑する犯人の自己の抽象的判断を公表することにより成立するものであるのに反し、同法230条1項所定の名誉毀損罪は、他人の社会的地位を害するに足るべき具体的事実を公然告知することにより成立するものであるから、犯人が具体的事実を告知することなく、単に他人の社会的地位を軽蔑する抽象的言辞を弄したにすぎないときは、侮辱罪を構成しても名誉毀損罪を構成しない（大判大15・7・5）。 出題 国Ⅰ－平成10、地方上級－昭和57

Q2 法人に対する侮辱罪は認められるか。

A 認められる。 刑法231条にいう「人」には法人も含まれるから、火災海上保険株式会社を被害者とする侮辱罪の成立を認めることができる（最決昭58・11・1）。 出題 予想

第232条（親告罪）

①この章の罪は、告訴がなければ公訴を提起することができない。

②告訴をすることができる者が天皇、皇后、太皇太后、皇太后又は皇嗣であるときは内閣総理大臣が、外国の君主又は大統領であるときはその国の代表者がそれぞれ代わって告訴を行う。

第35章 信用及び業務に対する罪

第233条（信用毀損及び業務妨害）

虚偽の風説を流布し、又は偽計を用いて、人の信用を毀損し、又はその業務を妨害した者は、3年以下の拘禁刑又は50万円以下の罰金に処する。

Q1 公務は、公務執行妨害罪だけでなく、業務妨害罪の保護の対象となるのか。

A 強制力を行使する権力的公務か否かを基準に、非権力的公務は業務に含まれ、業務妨害罪により保護される。 国鉄職員の非権力的現業業務の執行に対する妨害は、その妨害の手段方法の如何によっては、刑法233条又は234条の罪のほか95条の罪の成立することもあると解するのが相当である。されば国鉄の業務は、民営鉄道の業務と企業活動として実態を同じくすると同時に、国鉄職員の行う業務は、公共の福祉に特に重要な関係を有するものとして、その職員は法令により公務に従事するものとみなされているのであるから、国鉄の業務が、これに対する妨害に対し、業務妨害罪又は公務執行妨害罪の保護を受けるのは当然である（最大判昭41・11・30）。 出題 裁判所総合・一般－平成25

Q2 旧電電公社（現NTT）の加入電話回線に受信者側の応答信号の送出を妨害する機器を取り付け使用して、発信側電話機の課金装置の作動を不能にする行為は、偽計業務妨害罪にあたるのか。

A 偽計業務妨害罪にあたる。 旧日本電信電話公社（現NTT）の架設する電話回線において、発信側電話機に対する課金装置を作動させるため受信側から発信側に送出される応答信号は、有線電気通信法2条1項にいう「符号」にあたり、応答信号の送出を阻害する機能を有するマジックホンと称する電気機器を加入電話回線に取り付け使用して、応答信号の送出を妨害するとともに発信側電話機に対する課金装置の作動を不能にした行為は、有線電気通信妨害罪（同法21条）および偽計業務妨害罪にあ

たる（最決昭59・4・27）。 出題 国Ⅰ-平成7

Q3 販売される商品の品質に対する社会的な信頼は、刑法233条にいう「信用」に含まれるのか。

A 「信用」に含まれる。　刑法233条が定める信用毀損罪における「信用」には、人の支払能力又は支払意思に対する社会的な信頼のほか、販売する商品の品質等に対する社会的な信頼が含まれるものと解すべきである。したがって、販売されるオレンジジュースに家庭用洗剤を混入し、異物の入った商品が陳列・販売された旨の発表を報道機関にさせた場合は、粗悪な商品を販売しているとの虚偽の風説を流布して、当該商店が販売する商品の品質等に対する社会的な信頼を毀損したものとして本条の「信用」に該当する（最判平15・3・11）。

出題 裁判所総合・一般-平成28

Q4 被告人らが、1時間30分以上にわたって、受信機等の入った紙袋を置いた現金自動預払機を占拠し続け、他の客が利用できないようにした場合、その行為は、偽計業務妨害罪にあたるのか。

A 偽計業務妨害罪にあたる。　被告人らは、本件銀行の現金自動預払機を利用する客のカードの暗証番号、名義人氏名、口座番号等を盗撮するため、現金自動預払機が複数台設置されており、行員が常駐しない同銀行支店出張所（看守者は支店長）に営業中に立ち入り、うち1台の現金自動預払機を相当時間にわたって占拠し続けることを共謀した。この共謀に基づき、盗撮目的で、平成17年9月5日午後0時9分ころ、現金自動預払機が6台設置されており、行員が常駐しない同銀行支店出張所に営業中に立ち入り、1台の現金自動預払機の広告用カードホルダーに盗撮用ビデオカメラを設置し、その隣の現金自動預払機の前の床に受信機等の入った紙袋を置き、そのころから同日午後1時47分ころまでの1時間30分以上、適宜交替しつつ、同現金自動預払機の前に立っていたほか、その間、入出金や振込等を行う一般の利用客のように装い、同現金自動預払機で適当な操作を繰り返すなどした。以上の事実関係によれば、被告人らは、盗撮用ビデオカメラを設置した現金自動預払機の隣に位置する現金自動預払機の前の床にビデオカメラが盗撮した映像を受信する受信機等の入った紙袋が置いてあるのを不審に思われないようにするとともに、盗撮用ビデオカメラを設置した現金自動預払機に客を誘導する意図であるのに、その情を秘し、あたかも入出金や振込等を行う一般の利用客のように装い、適当な操作を繰り返しながら、1時間30分以上にわたって、受信機等の入った紙袋を置いた現金自動預払機を占拠し続け、他の客が利用できないようにしたものであって、その行為は、偽計を用いて銀行が同現金自動預払機を客の利用に供して入出金や振込等をさせる業務を妨害するものとして、偽計業務妨害罪にあたるというべきである（最決平19・7・2）。 出題 予想

第234条（威力業務妨害）

威力を用いて人の業務を妨害した者も、前条の例による。

Q1 被告人が、弁護士事務所で、弁護士が携行する訟廷日誌、訴訟記録等在中の鞄を奪い取り、これを2か月余り自宅に隠匿し、同人の弁護士活動を困難にさせた場合には、威力業務妨害罪が成立するのか。

A 威力業務妨害罪が成立する。　被告人は、弁護士である被害者の勤務する弁護士事務所において、同人が携行する訟廷日誌、訴訟記録等在中の鞄を奪い取り、これを2か月余りの間自宅に隠匿し、同人の弁護士活動を困難にさせたのである。このように、弁護士業務にとって重要な書類が在中する鞄を奪取し隠匿する行為は、被害者の意思を制圧するに足りる勢力を用いたものといえるから、刑法234条にいう「威力を用い」た場合にあたり、被告人の本件行為につき、威力業務妨害罪が成立する（最決昭59・3・23）。 出題 裁判所総合・一般-平成28

Q2 県議会の委員会における条例案の採決等の事務は、威力業務妨害罪の業務に該当するのか。

A 威力業務妨害罪にいう業務に該当する。　本件において妨害の対象となった職務は、新潟県議会総務文教委員会の条例案採決等の事務であり、何ら被告人らに対して強制力を行使する権力的公務ではないから、当該職務は威力業務妨害罪にいう「業務」にあたる（最決昭62・3・12）。

出題 国Ⅰ-平成7、裁判所総合・一般-平成28

Q3 被害者が執務に際して目にすることが予想される場所に猫の死がいを入れておき、被害者を畏怖させた行為は、威力業務妨害罪にいう「威力を用い」た場合にあたるのか。

A 「威力を用い」た場合にあたる。　被害者が執務に際して目にすることが予想される場所に猫の死がいなどを入れておき、被害者にこれを発見させ、畏怖させるに足りる状態においた一連の行為は、被害者の行為を利用する形態でその意思を制圧するような勢力を用いたものということができるから、刑法234条にいう「威力を用い」た場合にあたる（最決平4・11・27）。 出題 国Ⅰ-平成7

Q4 選挙長の立候補届出受理事務は業務妨害罪の業務にあたるのか。

A 業務妨害罪の業務にあたる。　本件において妨害の対象となった職務は、公職選挙法上の選挙長の立候補届出受理事務であり、当該事務は、強制力を行使する権力的公務ではないから、刑法233条、234条にいう「業務」にあたる（最決平12・2・17）。 出題 国Ⅰ-平成13

Q5 動く歩道を設置するため、通路上に起居する路上生活者に対して自主的に退去するよう説得し、これらの者が自主的に退去した後、通路上に残された段ボール小屋等を撤去することなどを内容とする環境整備工事は、強制力を行使する権力的公務に該当するのか。

A 強制力を行使する権力的公務ではなく、刑法234条にいう「業務」にあたる。　本件において妨害の対象となった職務は、動く歩道を設置するため、通路上に起居する路上生活者に対して自主的に退去するよう説得し、これらの者が自主的に退去した後、通路上に残された段ボール小屋等を撤去することなどを内容とする環境整備工事であって、強制

力を行使する権力的公務ではないから、刑法 234 条にいう「業務」にあたると解され（最決昭 62・3・12、最判平 12・2・17）、このことは、段ボール小屋の中に起居する路上生活者が警察官によって排除、連行された後、その意思に反してその段ボール小屋が撤去された場合であっても異ならない（最決平 14・9・30）。 <u>出題</u> 国 I - 平成 16

Q6 道路管理者である東京都が、動く歩道を設置するための環境整備工事により段ボール小屋を撤去したことは、業務妨害罪としての要保護性を失わせるような法的瑕疵があったといえるのか。

A 法的瑕疵があったとはいえない。　動く歩道を設置するための環境整備工事は、路上生活者の意思に反して段ボール小屋を撤去するに及んだものであったが、本件工事は、公共目的に基づくものであるのに対し、本件通路上に起居していた路上生活者は、これを不法に占拠していた者であって、これらの者が段ボール小屋の撤去によって被る財産的不利益はごくわずかであり、居住上の不利益についても、行政的に一応の対策が立てられていたうえ、事前の周知活動により、路上生活者が本件工事の着手によって不意打ちを受けることがないよう配慮されていたのである。しかも、東京都が道路法 32 条 1 項又は 43 条 2 号に違反する物件であるとして、段ボール小屋を撤去するため、同法 71 条 1 項に基づき除却命令を発したうえ、行政代執行の手続をとる場合には、除却命令および代執行の戒告等の相手方や目的物の特定等の点で困難を来し、実効性が期し難かったものと認められる。そうすると、道路管理者である東京都が本件工事により段ボール小屋を撤去したことは、やむをえない事情に基づくものであって、業務妨害罪としての要保護性を失わせるような法的瑕疵があったとは認められない。以上のとおり、本件工事は、刑法上威力業務妨害罪により保護される業務にあたる（最決平 14・9・30）。

<u>出題</u> 予想

第 234 条の 2（電子計算機損壊等業務妨害）

① 人の業務に使用する電子計算機若しくはその用に供する電磁的記録を損壊し、若しくは人の業務に使用する電子計算機に虚偽の情報若しくは不正な指令を与え、又はその他の方法により、電子計算機に使用目的に沿うべき動作をさせず、又は使用目的に反する動作をさせて、人の業務を妨害した者は、5 年以下の拘禁刑又は 100 万円以下の罰金に処する。

② 前項の罪の未遂は、罰する。

第 36 章　窃盗及び強盗の罪

第 235 条（窃盗）

　他人の財物を窃取した者は、窃盗の罪とし、10 年以下の拘禁刑又は 50 万円以下の罰金に処する。

(1)法益

Q1 正当な権利を有しない者の所持であっても、その所持は法律上の保護を受けるか。

A 法律上の保護を受ける。　正当な権利を有しない者の所持であっても、その所持は所持として法律

上の保護を受けるから、自動車が譲渡担保に供され、その所有権は債権者に帰属したが、引続き債務者が保管して、その事実上の支配内にある本件自動車を無断で債権者が運び去る行為は、窃盗罪にあたる（最判昭 35・4・26）。

<u>出題</u> 国 I - 昭和 55、地方上級 - 平成 4（市共通）・昭和 60、裁判所総合・一般 - 令和 2、裁判所 I ・II - 平成 19

Q2 金銭消費貸借に伴い、借主が自動車を融資金額で貸主に売り渡してその所有権を貸主に移転するが、返済期限までは借主が自動車を保管・利用できる契約をしたが、その期限到来と同時に貸主が借主に無断で自動車を引き揚げることは、窃盗罪が成立するのか。

A 貸主に窃盗罪が成立する。　被告人が自動車を引き揚げた時点においては、自動車は借主の事実上の支配内にあったことが明らかであるから、仮に被告人にその所有権があったとしても、被告人の引揚行為は、刑法 242 条にいう他人の占有に属する物を窃取したものとして窃盗罪を構成するのであり、かつ、その行為は、社会通念上借主に受忍を求める限度を超えた違法なものである（最決平 1・7・7）。

<u>出題</u> 国 I - 平成 18・15、市役所上・中級 - 平成 7

(2)占有の意味

◇占有の事実

Q3 旅客が旅館内のトイレに忘れた財布の占有は誰にあるのか。

A 旅館主にある。　旅館に宿泊する旅客が屋内トイレに財布を遺失し、これを被告人が領得した場合、領得した物件は所有者の事実上の支配を離脱しているが、旅客の宿泊した旅館主の事実上の支配が行われる当該旅館屋内のトイレに現在するものであるから、旅館主がその事実を認知していると否とを問わず、当該物件は旅館主の支配内に属し、遺失物をもって論ずべきではない（大判大 8・4・4）。

<u>出題</u> 国 I - 平成 12、地方上級 - 昭和 59、裁判所総合・一般 - 平成 28

Q4 旅館の丹前を客が着用している場合、丹前の占有は旅館にあるのか。

A 丹前の占有は旅館にある。　被告人が旅館に宿泊し、普通に旅館が旅客に提供するその所有の丹前、浴衣を着、帯をしめ、下駄をはいたままの状態で外出しても、その丹前等の所持は、所有者である旅館に存する（最決昭 31・1・19）。

<u>出題</u> 地方上級 - 昭和 58

Q5 落し主が海中に落とした物件の落下場所のだいたいの位置を知っている場合、落し主は、事実上の支配管理を有するのか。

A 事実上の支配管理を有する。　海中に取り落とした物件については、落し主の意に基づきこれを引き揚げようとする者が、その落下場所のだいたいの位置を指示し、その引揚方を依頼した結果、当該物件がその付近で発見されたときは、依頼者は、その物件に対し管理支配意思と支配可能な状態とを有するから、依頼者は、その物件の現実の握持なく、現物をみておらずかつその物件を監視していなくと

も、所持すなわち事実上の支配管理を有する（最決
昭 32・1・24）。

Q6 河川の砂利等を許可なく採取する行為は、窃盗
罪にあたるのか。

A 窃盗罪にあたらない。　河川敷地内に堆積して
いる砂利等は、流水の変化に伴い移動を免れないの
で、その占有を保持するため他に特段の事実上の支
配がなされない限り、刑法の窃盗罪の規定によって
保護されるべき管理占有が地方行政庁によってなさ
れているものと認めることはできない。それ故、本
件砂利等については、刑法の窃盗罪の規定によって
保護されるべき管理占有に該当する事実は認められ
ないのであるから、被告人の砂利等を採取する行為
は窃盗罪を構成しない（最判昭 32・10・15）。

Q7 バスをまつ行列中に写真機を置き忘れたが、そ
の間約 5 分で、その距離も約 20 メートルである場
合、その写真機は、被害者の実力的支配にあるとい
えるのか。

A 写真機は、被害者の実力的支配にある。　本件
写真機が被害者（占有者）の意思に基づかないでそ
の占有を離脱したものかどうかについては、刑法上
の占有は人が物を実力的に支配する関係であって、
その支配の態様は物の形状その他の具体的な事情に
よって一様ではないが、必ずしも物の現実の所持ま
たは監視を必要とするものではなく、物が占有者の
支配力の及ぶ場所に存在するをもって足りる。した
がって、本件のようにバスをまつ行列中に写真機を
置き忘れたが、その間約 5 分で、その距離も約 20
メートルである場合、その写真機は、なお被害者の
実力的支配にある（最判昭 32・11・8）。

Q8 パチスロ機のメダルを不正に取得するため、乱
数周期をパチスロ機の乱数周期と同期させる電子機
器を身体に装着して遊戯する場合、多数のメダル
を取得した場合、この電子機器が直接にはパチスロ
機に影響を及ぼさず、また、メダルの取得が電子機
器の操作によるものでない場合には、窃盗罪は成立
しないのか。

A 窃盗罪は成立する。　体感器と称する電子機器
がパチスロ機に直接には不正の工作ないし影響を与
えないものであるとしても、もっぱらメダルの不正
取得を目的として、乱数周期をパチスロ機の乱数周
期と同期させることによって、パチスロ機の大当た
りを連続して発生させる絵柄を揃えるための回胴停
止ボタンの押し順を判定することができる機能を有
する本件機器を使用する意図のもと、これを身体に
装着し不正取得の機会をうかがいながらパチスロ機
で遊戯すること自体、通常の遊戯方法の範囲を逸脱
するものであり、パチスロ機を設置している店舗が
およそそのような態様による遊戯を許容していない
ことは明らかである。そうすると、被告人が本件パ
チスロ機「甲」55 番台で取得したメダルについて
は、それが本件機器の操作の結果取得されたもので
あるか否かを問わず、被害店舗のメダル管理者の意
思に反してその占有を侵害し自己の占有に移したも
のというべきである。したがって、被告人の取得し

たメダル約 1,524 枚につき窃盗罪の成立が認めら
れる（最決平 19・4・13）。

Q9 パチスロ店内で、パチスロ機に針金を差し込ん
で誤動作させるなどの方法によりメダルを窃取した
乙の共同正犯である甲が、その犯行を隠蔽する目的
をもって、その隣のパチスロ機において、通常の方
法により遊戯していた場合、この通常の遊戯方法に
より取得したメダルについては、窃盗罪は成立する
のか。

A 窃盗罪は成立しない。　パチスロ店内で、パチ
スロ機に針金を差し込んで誤動作させるなどの方法
によりメダルを窃取した者（乙）の共同正犯である
者（甲）が、上記犯行を隠蔽する目的をもって、そ
の隣のパチスロ機において、自ら通常の方法により
遊戯していた場合、被害店舗が容認している通常の
遊戯方法により取得したメダルについては、窃盗罪
は成立しない。したがって、パチスロ機の下皿内に
窃取したメダル 72 枚が入っており、ドル箱内に窃
取したものと窃取したとはいえないものとが混在し
たメダル 414 枚が入っているとの本件事実関係の
下においては、窃盗罪が成立する範囲は、下皿内の
メダル 72 枚のほか、ドル箱内のメダル 414 枚の
一部にとどまる（最決平 21・6・29）。

◇占有の意思

Q10 ゴルフ場内の池に落ち、ゴルファーがその所
有権を放棄したロストボールを、ゴルフ場に不法侵
入した者が窃取する行為は、窃盗罪を構成するの
か。

A 窃盗罪を構成する。　被告人らが本件各ゴルフ
場内にある人工池の底から領得したゴルフボール
は、いずれもゴルファーが誤って同所に打ち込み放
置したいわゆるロストボールであるが、ゴルフ場側
においては、早晩その回収、再利用を予定していた
のである。この事実関係の下においては、本件ゴル
フボールは、無主物先占によるか権利の承継的な
取得によるかは別として、いずれにせよゴルフ場側
の所有に帰していたのであって無主物ではなく、か
つ、ゴルフ場の管理者においてこれを占有していた
のであるから、これは窃盗罪の客体になる（最決昭
62・4・10）。

Q11 公園のベンチ上に置き忘れられたポシェット
を領得した行為は、被害者がベンチから約 27m し
か離れていない場所まで歩いて行った時点で行われ
たことなどの事実関係の下では、窃盗罪にあたるの
か。

A 窃盗罪にあたる。　被告人が本件ポシェットを
領得したのは、被害者がこれを置き忘れてベンチか
ら約 27m しか離れていない場所まで歩いて行った
時点であったことなど本件の事実関係の下では、そ
の時点において、被害者が本件ポシェットのことを
一時的に失念したまま現場から立ち去りつつあった
ことを考慮しても、被害者の本件ポシェットに対す

る占有はなお失われておらず、被告人の本件領得行為は窃盗罪にあたる（最決平16・8・25）。

⑶死者の占有

Q12 人を殺害後、領得の意思を生じ、その死者の身辺から財物を取り去る行為は、窃盗罪と占有離脱物横領罪のいずれを構成するのか。

A 窃盗罪を構成する。　被告人は、当初から財物を領得する意思は有していなかったが、野外において、人を殺害した後、領得の意思を生じ、その犯行直後、その現場において、被害者が身につけていた時計を奪取していたのであって、このような場合には、被害者が生前有していた財物の所持はその死亡直後においてもなお継続して保護するのが法の目的にかなうものである。そうすると、被害者からその財物の占有を離脱させた自己の行為を利用してその財物を奪取した一連の被告人の行為は、これを全体的に考察して、他人の財物に対する所持を侵害したものであるから、その奪取行為は、占有離脱物横領罪ではなく、窃盗罪を構成する（最判昭41・4・8）。

⑷占有の他人性

◇上下主従関係間の占有

Q13 雇主の所有する物品を販売する場合に、雇人が当該物品を領得する行為は窃盗罪を構成するのか。

A 窃盗罪を構成する。　雇人が雇主の居宅で、雇主の物品を販売する場合においては、その物品は雇主の占有に属するもので、雇人の占有に属するものではない。したがって、雇人が雇主の占有を侵す場合には、窃盗罪の成立を認めるべきであり、横領罪をもって論ずべきではない（大判大7・2・6）。

Q14 旧国鉄の車掌が乗務中の貨物列車から荷物を領得した場合、窃盗罪が認められるのか。

A 窃盗罪が認められる。　旧国鉄の車掌が乗務中の貨物列車に積載されていた貨物を領得した場合には、旧国鉄の機関の占有を侵害したことになるから、窃盗罪が認められる（最判昭23・7・27）。

◇委託された包装物の占有

Q15 封緘・施錠などによって容易に開披しえない状態にされた包装物が委託された場合、その占有は、委託者、受託者のいずれに属するのか。

A 包装物の全体については受託者が占有を有するが、内容物については委託者が占有を保持する。　金品在中の容器に鎖または封印を施し、これを寄託するときは、容器の占有は受託者に移るが、寄託者は依然として在中の金品のうえに現実の支配力を有し、受託者はこれを有しないのであって、受託者が当該金品を取り出しこれを自己の支配内に移す行為は、

窃盗罪であって横領罪にはならない（大判明44・12・15）。

Q16 縄掛け梱包した行李1個を預かり保管していた者が内部の財物を取り出す行為は、窃盗罪を構成するのか。

A 窃盗罪を構成する。　被告人が他人からその所有の衣類在中の縄掛け梱包した行李1個を預かり保管していたような場合は、所有者たる他人は行李在中の衣類に対しその所持を失うものではないから、被告人が他から金借する質権に供する目的で梱包を解き行李から衣類を取り出したときは、衣類の窃盗罪を構成し横領罪を構成しない（最決昭32・4・25）。

◇共同占有

Q17 数人が共同して他人の財物を保管する場合、保管者の1人が他の保管者の同意を得ずに、自己の単独占有に移した場合、窃盗罪と横領罪のいずれが成立するのか。

A 窃盗罪が成立する。　他人と共同占有している物を、共同占有者の占有を奪って自己の単独の占有に移したときは、横領罪ではなく窃盗罪が成立する（最判昭25・6・6）。

⑸不法領得の意思

Q18 不法領得の意思とは何か。

A 権利者を排除し、他人の物を自己の所有物としてその経済的用法に従い、これを利用もしくは処分する意思をいう。　不法領得の意思とは、権利者を排除し他人の物を自己の所有物としてその経済的用法に従い、これを利用もしくは処分する意思にほかならないので、ただ物を毀壊または隠匿する意思で他人の支配内にある物を奪取する行為は、領得の意思に出たものとはいえないので、窃盗罪を構成しない。したがって、被告人が校長を失脚させるため、教育勅語等を教室の天井裏に隠匿した行為は、窃盗罪にあたらない（大判大4・5・21）。

Q19 被告人が校長を失脚させるため、教育勅語等を教室の天井裏に隠匿した場合、被告人に窃盗罪は認められるか。

A 窃盗罪は認められない（大判大4・5・21）。
⇨ 18

Q20 自転車を一時的に借用して乗り回したにすぎない場合には、不法領得の意思があるのか。

A 不法領得の意思はない。　刑法235条の窃盗罪の成立には、他人の財物につき不法領得の意思で、その所持を侵して自己の所持に移すことを必要とするため、単に一時使用のために自転車を自己の所持に移すことは窃盗罪を構成しない（大判大9・2・4）。

刑法編

般－平成30

Q21 他人所有の自動車を数時間にわたり乗り廻し、使用後に元の場所に戻しておくつもりであった場合、不法領得の意思はあるのか。

A 不法領得の意思はある。　被告人は、深夜、広島市内の給油所から、他人所有の普通乗用自動車（時価約250万円相当）を、数時間にわたって完全に自己の支配下におく意図の下に、所有者に無断で乗り出し、その後4時間余りの間、同市内を乗り廻していたのであるから、たとえ、使用後に、これを元の場所に戻しておくつもりであったとしても、被告人には自動車に対する不法領得の意思があったというべきである（最決昭55・10・30）。

出題 国Ⅰ－平成23・18・15、地方上級－昭和63・60、市役所上・中級－平成7、裁判所総合・一般－平成26

(6)窃盗の既遂時期

Q22 他人の家の浴室内で取得した指輪を後で取りに戻ろうと浴室内の他人の容易に発見しえない隙間に隠した時点では、いまだ既遂に達したとはいえないのか。

A 既遂に達したといえる。　他人の家の浴室内で所有者不明の遺留品である金の指輪を発見した者が、機会を待って持ち去ることを目的として、一時浴室内の他人の容易に発見しえない隙間に隠した行為は、その時点で窃盗の既遂になる（大判大12・7・3）。 出題 国Ⅰ－平成12

Q23 窃盗罪の既遂時期は何時か。

A 事実上他人の支配内に存する物体を自己の支配内に移したときである。　不法領得の意思をもって、事実上他人の支配内に存する物体を自己の支配内に移したときは、窃盗罪は既遂の域に達するものであって、必ずしも犯人がこれを自由に処分しうべき安全な位置にまでおくことを必要としない（最判昭23・10・23）。

出題 国Ⅰ－昭和58、裁判所Ⅰ・Ⅱ－平成15

第235条の2（不動産侵奪）

他人の不動産を侵奪した者は、10年以下の拘禁刑に処する。

Q1 本件土地に対する占有を喪失していない場合に、被告人らが、本件土地について一定の利用権限を超えて地上に大量の廃棄物を堆積させ、容易に原状回復できないようにした場合、不動産侵奪罪の成立が認められるのか。

A 不動産侵奪罪の成立が認められる。　本件土地の所有者であるAは、代表者が行方をくらまして事実上廃業状態となり、本件土地を現実に支配管理することが困難な状態になったけれども、本件土地に対する占有を喪失していたとはいえず、また、被告人らは、本件土地についての一定の利用権を有するとはいえ、その利用権限を超えて地上に大量の廃棄物を堆積させ、容易に原状回復をすることができないようにして本件土地の利用価値を喪失させたのである。そうすると、被告人らは、Aの占有を排除して自己の支配下に移したものといえるから、被告人両名につき不動産侵奪罪の成立が認められる（最

決平11・12・9）。 出題 国Ⅰ－平成15

Q2 本件簡易建物の構造は、容易に倒壊しない骨組みを有するため、本件土地の有効利用は阻害され、加えて、被告人らは本件土地の所有者の警告を無視して、本件建物を構築し、相当期間退去要求にも応じず、しかも、本件土地につき何ら権原がない場合、不動産侵奪罪は成立するのか。

A 不動産侵奪罪は成立する。　当該行為が侵奪行為にあたるかどうかは、具体的事案に応じて、不動産の種類、占有侵害の方法、態様、占有期間の長短、原状回復の難易、占有排除および占有設定の意思の強固、相手方に与えた損害の有無などを総合的に判断し、社会通念に従って決定すべきである。本件簡易建物は、約110.75m²の本件土地の中心部に、建築面積約64.3m²を占めて構築されたものであって、その構造等からすると、容易に倒壊しない骨組みを有するものとなっており、そのため、本件簡易建物により本件土地の有効利用は阻害され、その回復も決して容易なものではなかったということができる。加えて、被告人らは、本件土地の所有者である東京都の職員の警告を無視して、本件簡易建物を構築し、相当期間退去要求にも応じなかったのであるから、占有侵害の態様は高度で、占有排除および占有設定の意思も強固であり、相手方に与えた損害も小さくなかったと認められる。そして、被告人らは、本件土地につき何ら権原がないのに、当該行為を行ったのであるから、本件土地は、被告人らによって侵奪されていたものというべきである（最判平12・12・15）。 出題 予想

第236条（強盗）

①暴行又は脅迫を用いて他人の財物を強取した者は、強盗の罪とし、5年以上の有期拘禁刑に処する。

②前項の方法により、財産上不法の利益を得、又は他人にこれを得させた者も、同項と同様とする。

1　狭義の強盗罪（1項強盗罪）

◇暴行・脅迫

Q1 強盗罪における暴行は、強取の相手方である財物の所有者または占有者に対して加えられなければならないのか。

A 財物の所有者または占有者以外の者に対して加えてもよい。　財物強取の目的で他人の家に侵入し、家人に対し暴行・脅迫を加えた以上は強盗罪を構成し、暴行・脅迫を受けた者が必ずしも財物の所有者または占有者であることを要しない（大判大1・9・6）。 出題 国Ⅰ－昭和60

Q2 強盗罪が成立するためには、被害者が被告人の暴行・脅迫によってその精神および身体の自由を完全に制圧される必要があるのか。

A その精神および身体の自由を完全に制圧される必要はない。　強盗罪の成立には被告人が社会通念上被害者の反抗を抑圧するに足る暴行または脅迫を加え、それによって被害者から財物を強取した事実が存すれば足りるのであって、被害者が被告人の暴行・脅迫によってその精神および身体の自由を完全

に制圧される必要はない（最判昭 23・11・18）。

出題 予想

Q3 強盗の故意で被害者の反抗を抑圧するに足りる暴行または脅迫を加えて財物を奪取するが、被害者が反抗を抑圧されなかった場合、強盗罪は成立するのか。

A 強盗罪は成立する。　他人に暴行または脅迫を加えて財物を奪取した場合に、それが恐喝罪となるか強盗罪となるかは、その暴行または脅迫が、社会通念上一般に被害者の反抗を抑圧するに足る程度のものであるかどうかという客観的基準によって決せられるのであって、具体的事案の被害者の主観を基準としてその被害者の反抗を抑圧する程度であったかどうかということによって決せられるものではない（最判昭 24・2・8）。

出題 国家総合 − 令和 3・1、国 I − 平成 13・3・昭和 61、地方上級 − 昭和 59、市役所上・中級 − 平成 10、裁判所総合・一般 − 令和 1・平成 26・25、裁判所 I・II − 平成 22・19・15

Q4 強盗の手段としての暴行又は脅迫が相手方の反抗を抑圧するに足る程度か否かの判断は、相手方の主観を基準とするのか。

A 相手方の主観を基準とするのではなく、客観的な基準によらなければならない（最判昭 24・2・8）。⇨ 3

Q5 婦女を強制性交した者が同女の畏怖状態を利用することは、強制性交等の罪における暴行・脅迫と同視できるのか。

A 同視できる。　強制性交の目的でなされた暴行・脅迫により反抗不能の状態に陥った婦女は、犯人が現場を去らない限り、その畏怖状態が継続しているから、犯人が退去することを願って金品を提供する場合でも、これを受け取る行為は、相手方が畏怖状態に陥っているのに乗じて金品を奪取するにほかならない。したがって、その金品奪取の時において、先になされた暴行・脅迫は財物奪取のための暴行・脅迫と法律上同視でき、強盗罪が成立する（東京高判昭 37・8・30）。　出題 国 I − 平成 19

Q6 被害者の女性のハンドバッグをひったくる行為でも、相手方女性の抵抗を抑圧するに足るものである場合、当該行為は強盗罪における暴行にあたるのか。

A 強盗罪における暴行にあたる。　被害者の女性がハンドバッグを手離さなければ、自動車にひきずられたり、転倒したりなどして、その生命、身体に重大な危険をもたらすおそれのある暴行であるから、相手方女性の抵抗を抑圧するに足るものであり、当該行為は強盗罪における暴行にあたる（最決昭 45・12・22）。　出題 国 I − 平成 19・昭和 58

◇強取

Q7 行為者が強盗の故意で暴行・脅迫を加えたが、被害者の知らない間に財物を取得した場合、窃盗罪と強盗罪のいずれが成立するのか。

A 強盗罪が成立する。　犯人が屋内に侵入して家人にピストル等を突きつけて脅迫した場合に家人は犯人が屋外に退出するに至るまで畏怖を感じ反抗を

抑圧されることは当然であるから、犯人がその間家人の所持する財物を奪取すればそれは窃盗ではなく強盗である（最判昭 23・12・24）。

出題 国家総合 − 平成 28、国 I − 平成 13・3、地方上級 − 昭和 59

Q8 反抗を抑圧するに足る程度の暴行又は脅迫により、反抗を抑圧された相手方が気付かない間に物を持ち去った場合には、強盗罪は未遂にとどまるのか。

A 強盗罪の既遂となる（最判昭 23・12・24）。⇨ 7

Q9 行為者が強盗の故意でまず財物を奪取し、次いで被害者に暴行・脅迫を加えて奪取を確保した場合、事後強盗罪と強盗罪のいずれが成立するのか。

A 強盗罪が成立する。　暴行・脅迫を用いて財物を奪取する犯意の下にまず財物を奪取し、次いで被害者に暴行を加えてその奪取を確保した場合は強盗罪を構成するのであって、窃盗がその財物の取還を拒いで暴行をする場合の準強盗ではない（最判昭 24・2・15）。

出題 国家総合 − 令和 3、国 I − 平成 15・13・3、裁判所総合・一般 − 令和 2

Q10 暴行又は脅迫を加えて財物を奪取する意図の下に、手提げ鞄を奪取しようとしたところ、これを奪われまいと追いすがってきた被害者を、格闘のうえ、地面に組み伏せ麻酔薬をかがせて昏睡させてこれを奪取し、その中から現金を奪った行為については、事後強盗罪が成立するのか。

A 事後強盗罪ではなく、強盗罪が成立する（最判昭 24・2・15）。⇨ 9

◇既遂時期

Q11 事後強盗罪の既遂・未遂は、先行する窃盗の既遂・未遂によって決定されるのか。

A 先行する窃盗の既遂・未遂によって決定される。被害人は共犯者等とともに被害会社の事務所に押し入り、居合わせた男女事務員の全部を縛って、全然抵抗しえず奪われた物を取り返しえない状態におき、洋服類は着込み、その他の物は荷造りして持ち出すばかりにしたところを、警察隊に踏み込まれて逮捕されたのであるから、「取得説」の立場からいって、すでに物の支配を取得したといいうる（最判昭 24・6・14）。

出題 国 I − 平成 15、地方上級 − 昭和 59

Q12 被告人が会社の事務所の事務員全員を縛り上げ、荷造りし持ち出すばかりの時に、警察官に踏み込まれ逮捕された場合、強盗未遂罪となるのか。

A 強盗既遂罪となる（最判昭 24・6・14）。⇨ 11

2　強盗利得罪（2 項強盗罪）

Q13 自動車に乗車中、乗車賃の支払いを免れるために運転手に暴行を加え、その場を逃走して乗車賃の支払いを免れた場合、強盗罪は未遂となるのか。

A 強盗罪は既遂となる。　刑法 236 条 2 項の罪は財物の奪取と不法利得とを異にする以外は同条 1

項の罪とその構成要素に差異のある理由はないので、現に債務の支払いを免れる目的で、暴行または脅迫の手段により、被害者に債務の支払請求をさせない旨を表示させて支払いを免れるのと、その手段を用い、被害者に精神上または肉体上支払請求をさせない状態に陥らせて、支払いを免れるのとを問わず、ともに暴行・脅迫により財産上不法の利益を得たのであり、強盗罪を構成する。換言すれば、刑法236 条 1 項・2 項では、ともに強盗罪が成立するためには暴行・脅迫と財物奪取または不法利益との間に因果関係があれば足りるのであって、つねに必ずしも被害者の意思表示を必要とするものではない（大判昭 6・5・8）。　　　　出題 地方上級 – 昭和 59

Q14 刑法 236 条 2 項が成立するためには、相手方の反抗を抑圧すべき暴行、脅迫の手段を用いて財産上不法に利得し、相手方の意思による処分行為を強制することを要するのか。

A 必ずしも相手方の意思による処分行為を強制する必要はない。　　刑法 236 条 2 項の罪は 1 項の罪と同じく処罰すべきものと規定され 1 項の罪とは不法利得と財物強取とを異にするほか、その構成要素に何らの差異がなく、1 項の罪におけると同じく相手方の反抗を抑圧すべき暴行、脅迫の手段を用いて財産上不法利得するをもって足り、必ずしも相手方の意思による処分行為を強制することを要しない。犯人が債務の支払いを免れる目的をもって債権者に対しその反抗を抑圧すべき暴行、脅迫を加え、債権者に支払いの請求をさせない状態に陥らせて支払いを免れた場合であると、その手段により債権者に事実上支払いの請求をすることができない状態に陥らせて支払いを免れた場合であるとを問わず、等しく 236 条 2 項の不法利得罪を構成する（最判昭 32・9・13）。

出題 国家総合 – 平成 25、国 I – 平成 13、裁判所 I・II – 平成 19

第 237 条（強盗予備）

強盗の罪を犯す目的で、その予備をした者は、2 年以下の拘禁刑に処する。

第 238 条（事後強盗）

窃盗が、財物を得てこれを取り返されることを防ぎ、逮捕を免れ、又は罪跡を隠滅するために、暴行又は脅迫をしたときは、強盗として論ずる。

Q1 事後強盗罪における暴行・脅迫の程度については、事後強盗罪も強盗として処理される以上、単なる暴行・脅迫ではなく、相手方の反抗を抑圧するにたる必要があるのか。

A 相手方の反抗を抑圧するにたる必要がある。刑法 238 条にいう暴行は相手方の反抗を抑圧すべき程度のものたるを要し、その程度は具体的状況に照らして判断すべきである。したがって、17 歳の窃盗犯人が強壮な成人による逮捕を免れようとして手を振り払って押し倒したとしても、上記の程度に達したとはいえない（大判昭 19・2・8）。
　　　　出題 国 I – 平成 15、裁判所 I・II – 平成 15

Q2 事後強盗罪の既遂・未遂は、先行する窃盗の既遂・未遂によって決定されるのか。

A 先行する窃盗の既遂・未遂によって決定される。

窃盗未遂犯人による準強盗行為（事後強盗行為）の場合は、準強盗の未遂罪となるにもかかわらず、原審が刑法 238 条、同 236 条を適用し、準強盗の既遂とすることは違法である。なぜなら、窃盗未遂犯人による準強盗は、財物を得なかった点において、あたかも強盗の未遂と同一の犯罪態様を有するにすぎないものである。しからば、強盗未遂の場合には刑法 243 条の適用があるにかかわらず、これと同一態様の窃盗未遂の準強盗を強盗の既遂をもって論ずることは、刑法 243 条の適用を排除することになり、不合理な結果を生ずることになるからである（最判昭 24・7・9）。

出題 国家総合 – 平成 28、裁判所総合・一般 – 令和 3・平成 28・25、裁判所 I・II – 平成 22・19

Q3 事後強盗罪の予備も強盗予備罪になるのか。

A 強盗予備罪になる。　刑法 237 条にいう「強盗の罪を犯す目的」には、同法 238 条に規定する準強盗を目的とする場合を含む（最決昭 54・11・19）。

出題 国家総合 – 平成 28、国 I – 平成 23・15

Q4 窃盗犯人が現場住宅の天井裏に潜み、被害者等から容易に発見されて、財物を取り返され、あるいは逮捕されうる状況が継続し、約 3 時間後に逮捕を免れるため警察官に暴行を加えた場合、窃盗の機会の継続中に行われたといえるのか。

A 窃盗の機会の継続中に行われたといえる。　A は、B 方で指輪を窃取した後も犯行現場の真上の天井裏に潜んでいたところ、犯行の約 1 時間後に帰宅した B から、窃盗の被害に遭ったことおよびその犯人が天井裏に潜んでいることを察知され、上記犯行の約 3 時間後に B の通報により駆けつけた警察官に発見されたことから、逮捕を免れるため、持っていた切出しナイフでその顔面等を切りつけ、よって、同人に傷害を負わせた。このような事実関係によれば、A は、上記窃盗の犯行後も、犯行現場の直近の場所にとどまり、B 等から容易に発見されて、財物を取り返され、あるいは逮捕されうる状況が継続していたのであるから、上記暴行は、窃盗の機会の継続中に行われたというべきである。したがって、A に強盗致傷罪の成立が認められる（最決平 14・2・14）。

出題 国家総合 – 平成 28、国 I – 平成 19・16、裁判所総合・一般 – 令和 3・平成 26

Q5 被告人が、盗品をポケットに入れたまま、当初の窃盗の目的を達成するため約 30 分後に同じ家に引き返し、家人は、被告人が玄関を開け閉めした時点で泥棒に入られたことに気づき、これを追った場合、被告人の家人に対する脅迫は、事後強盗罪の脅迫にあたるのか。

A 事後強盗罪の脅迫にあたらない。（1）被告人は、金品窃取の目的で、平成 15 年 1 月 27 日午後 0 時 50 分ころ、A 方住宅に、1 階居間の無施錠の掃き出し窓から侵入し、同居間で現金等の入った財布および封筒を窃取し、侵入の数分後に玄関扉の施錠を外して戸外に出て、だれからも発見、追跡されることなく、自転車で約 1 km 離れた公園に向かった。（2）被告人は、同公園で盗んだ現金を数えたが、

３万円余りしかなかったため少ないと考え、再度Ａ方に盗みに入ることにして自動車で引き返し、午後１時20分ころ、同人方玄関の扉を開けたところ、室内に家人がいると気づき、扉を閉めて門扉外の駐車場に出たが、帰宅していた家人のＢに発見され、逮捕を免れるため、ポケットからボウイナイフを取り出し、Ｂに刃先を示し、左右に振って近づき、Ｂがひるんで後退したすきをみて逃走した。以上の事実関係によれば、被告人は、財布等を窃取した後、だれからも発見、追跡されることなく、いったん犯行現場を離れ、ある程度の時間を過ごしており、その間に、被告人が被害者等から容易に発見されて、財物を取り返される、あるいは逮捕されうる状況はなくなったものというべきである。そうすると、被告人が、その後に、再度窃盗をする目的で犯行現場に戻ったとしても、その際に行われた上記脅迫が、窃盗の機会の継続中に行われたとはいえない（最判平16・12・10）。

出題 国家総合 - 令和3、裁判所総合・一般 - 令和3・平成28

第239条（昏酔強盗）

　人を昏酔させてその財物を盗取した者は、強盗として論ずる。

第240条（強盗致死傷）

　強盗が、人を負傷させたときは無期又は6年以上の拘禁刑に処し、死亡させたときは死刑又は無期拘禁刑に処す。

Q1 行為者が当初から被害者を殺害して財物を奪取する故意を有していた場合は、強盗致死罪かそれとも強盗罪と殺人罪の観念的競合のいずれが成立するのか。

A 強盗致死罪が成立する。　強盗致死罪は、強盗罪と殺人罪との結合罪または強盗罪と傷害致死罪との結合罪と解すべきで、およそ、結合罪は、これを組成する各罪種を包括して単一罪を構成するものであって、この結合罪と各罪種とが独立して数個の罪名に触れるものではないことは、法律が特別の結合罪を認めた精神に照らして明白であるため、特別な結合罪である強盗殺人罪については、刑法240条後段のみを適用すればよいのであって、さらに重複して同法199条を適用する必要はない（大連判大11・12・22）。

出題 国Ⅰ - 平成23・21・13・3、裁判所総合・一般 - 令和4・3、裁判所Ⅰ・Ⅱ - 平成19・18

Q2 行為者が強盗の故意で暴行を加えて被害者を死亡させたが、財物を奪取するに至らなかった場合、強盗致死罪の未遂となるのか。

A 強盗致死罪の既遂である。　財物強取の手段として人を殺害したときは、刑法240条後段の犯罪が成立するのであって、財物を得たか否かは犯罪の構成に関係はない。なぜなら、同条後段は強盗の要件である暴行・脅迫を加える行為によって相手方の生命を害することがあるために、強盗の故意でまたは強盗の故意なくして人を死に致す場合を予想してこれに処罰規定を設けたのであって、同条後段の罪が未遂である場合は、強盗の故意で人を死に致らしめようとして遂げなかったときにこれを認める

ことができるのであって、財物を得たか否かは同条の構成要件に属しないからである（大判明43・5・16）。

出題 国家総合 - 令和3、国Ⅰ - 平成21・19・3、裁判所総合・一般 - 平成25、裁判所Ⅰ・Ⅱ - 平成18

Q3 被告人が金員強取の目的で小刀を突きつけて脅迫したところ、被害者が出刃包丁で抵抗したため格闘となり、その小刀で被害者の腕に切創を負わせたが金員強取の目的を遂げなかった場合、強盗致傷罪は成立するのか。

A 強盗致傷罪は成立する。　刑法240条前段の強盗傷人の罪は、強盗をする者が強盗の機会に他人に傷害を加えたことにより成立し、いやしくも傷害が強盗の機会になされた限り、それが財物強取の手段として行われない場合であっても、当該犯罪を構成するものであり、この場合に236条の強盗罪と204条の傷害罪との成立を認めるべきではない（大判昭6・10・29）。

出題 裁判所総合・一般 - 令和2・1・平成25、裁判所Ⅰ・Ⅱ - 平成18

Q4 強盗に着手した者が、その実行行為中、被害者に暴行を加へて傷害の結果を生じさせた場合には、財物の奪取が未遂の場合でも、強盗致傷罪の既遂が成立するのか。

A 強盗致傷罪の既遂が成立する。　甲は路上を歩いていた乙に対し、いきなり包丁を突きつけた上、「財布を出さないと殺すぞ」との脅迫を加え、乙の反抗を抑圧し、乙から財布を奪おうとしたところ、乙はこれに驚いて転倒し、全治約1週間を要する怪我を負った。その際、付近を巡回していた警察官が駆けつけたため、甲は逮捕され、乙から財物を奪うことができなかった事情の下でも、傷害の結果が生じた以上、強盗が未遂であっても、強盗致傷罪は既遂となる（最判昭23・6・12）。

出題 裁判所総合・一般 - 令和2

Q5 強盗犯人が強盗をなす機会において他人を殺害した場合には、強盗殺人罪が成立するのか。

A 強盗殺人罪が成立する。　刑法240条後段の強盗殺人罪は強盗犯人が強盗をなす機会において他人を殺害することによって成立する罪である（最判昭24・5・28）。

出題 国Ⅰ - 平成13、裁判所Ⅰ・Ⅱ - 平成19

Q6 強盗に着手後逃走するにあたり、追跡してきた家人を被害者宅の入口付近で殺害した場合、刑法240条後段の罪が成立するのか。

A 刑法240条後段の罪が成立する（最判昭24・5・28）。⇨5

Q7 被告人Ｘらは当初、甲を殺害して覚せい剤を奪う計画をたてたが、その後計画を変更し、欺罔手段ないし窃取により覚せい剤を取得し、後に、Ｘが甲に対して拳銃を発射し重傷を負わせた場合、1項強盗による強盗殺人未遂罪が成立するのか。

A 1項強盗ではなく、2項強盗による強盗殺人未遂罪が成立する。　本件覚せい剤の取得行為が、甲の財産的処分を介した騙取として詐欺罪にあたるのか、それとも窃盗罪なのか明らかでないが、被告人

Xが甲に対して拳銃発射に及んだ時点では、X以外の被告人Yらは本件覚せい剤を手中にして何ら追跡を受けずに逃走し、すでにタクシーに乗車して遠ざかりつつあった以上、その占有をすでに確保しており、被告人らが本件覚せい剤の占有奪取の手段とみることは困難であり、被告人らが本件覚せい剤を強取したと評価することはできない。したがって、本件につき1項強盗殺人未遂罪の成立を認めることはできない。しかし、被告人Xによる拳銃発射行為は、甲を殺害して同人に対する本件覚せい剤の返還ないし買主が支払うべきものとされていたその代金の支払いを免れるという財産上不法の利益を得るためになされたのであるから、当該行為はいわゆる2項強盗による強盗殺人未遂罪にあたり、先行する覚せい剤取得行為がそれ自体としては、窃盗罪または詐欺罪のいずれにあたるにせよ、本件は、その罪と2項強盗殺人未遂罪のいわゆる包括一罪として重い後者の刑で処断すべきである（最決昭61・11・18）。 出題 国家総合－平成25

第241条（強盗・強制性交等及び同致死）
①強盗の罪若しくはその未遂罪を犯した者が強制性交等の罪（第179条第2項の罪を除く。以下この項において同じ。）若しくはその未遂罪をも犯したとき、又は強制性交等の罪若しくはその未遂罪を犯した者が強盗の罪若しくはその未遂罪をも犯したときは、無期又は7年以上の拘禁刑に処する。
②前項の場合のうち、その犯した罪がいずれも未遂罪であるときは、人を死傷させたときを除き、その刑を減軽することができる。ただし、自己の意思によりいずれかの犯罪を中止したときは、その刑を減軽し、又は免除する。
③第1項の罪に当たる行為により人を死亡させた者は、死刑又は無期拘禁刑に処する。

第242条（他人の占有等に係る自己の財物）
自己の財物であっても、他人が占有し、又は公務所の命令により他人が看守するものであるときは、この章の罪については、他人の財物とみなす。

第243条（未遂罪）
第235条から第236条まで、第238条から第240条まで及び第241条第3項の罪の未遂は、罰する。

第244条（親族間の犯罪に関する特例）
①配偶者、直系血族又は同居の親族との間で第235条の罪、第235条の2の罪又はこれらの罪の未遂罪を犯した者は、その刑を免除する。
②前項に規定する親族以外の親族との間で犯した同項に規定する罪は、告訴がなければ公訴を提起することができない。
③前2項の規定は、親族でない共犯については、適用しない。

Q1 刑法244条1項が適用されるためには、同条1項所定の親族関係は、窃盗犯人と財物の占有者との間にあればよいのか。

A 窃盗犯人と財物の占有者間だけではなく、所有者との間にも必要である。　窃盗犯人が所有者以外の者の占有する財物を窃取した場合において、刑法244条1項が適用されるためには、同条1項所定の親族関係は、窃盗犯人と財物の占有者との間のみ

ならず、所有者との間にも存することを要する（最決平6・7・19）。
出題 国Ⅰ－平成23・18・15・12・10

Q2 内縁の配偶者に刑法244条1項は、適用又は類推適用されるのか。

A 刑法244条1項は、適用又は類推適用されない。刑法244条1項は、刑の必要的免除を定めるものであって、免除を受ける者の範囲は明確に定める必要があることなどからして、内縁の配偶者に適用又は類推適用されることはない（最決平18・8・30）。 出題 予想

Q3 家庭裁判所から選任された成年後見人が成年被後見人所有の財物を横領した場合、刑法244条1項が準用され、あるいは、両者の間の親族関係を量刑上酌むべき事情として考慮することができるのか。

A 刑法244条1項は準用されず、両者の間の親族関係を量刑上酌むべき事情として考慮することもできない。　家庭裁判所から選任された成年後見人の後見の事務は公的性格を有するものであって、成年被後見人のためにその財産を誠実に管理すべき法律上の義務を負っているのであるから、成年後見人が業務上占有する成年被後見人所有の財物を横領した場合、成年後見人と成年被後見人との間に刑法244条1項所定の親族関係があっても、同条項を準用して刑法上の処罰を免除することができないことはもとより、その量刑にあたりこの関係を酌むべき事情として考慮するのも相当ではない（最決平20・2・18参照）（最決平24・10・9）。 出題 予想

第245条（電気）
この章の罪については、電気は、財物とみなす。

第37章　詐欺及び恐喝の罪

第246条（詐欺）
①人を欺いて財物を交付させた者は、10年以下の拘禁刑に処する。
②前項の方法により、財産上不法の利益を得、又は他人にこれを得させた者も、同項と同様とする。

◇法益

Q1 国に対する詐欺罪は認められるか。

A 認められる場合がある。　国がその所有する本件未墾地を農地法の規定により売渡処分をする旨を公示したところ、隠居用家屋を建てる目的があるにもかかわらず、これを秘して当該土地を買い受けた場合、被告人らの行為は刑法246条1項に該当し、詐欺罪が成立する。被告人らの本件行為が、農業政策という国家的法益の侵害に向けられた側面を有するとしても、その故をもって当然に、刑法の詐欺罪の成立が排除されるものではない。欺く行為によって国家的法益を侵害する場合でも、それが同時に、詐欺罪の保護法益である財産権を侵害するものである以上、当該行政罰法規が特別法として詐欺罪の適用を排除する趣旨のものと認められない限り、詐欺罪の成立は認められる（最決昭51・4・1）。
出題 国Ⅰ－平成17・8・昭和60、市役所上・中級

－平成11

Q2 国が農業政策を推進する目的で国有の未開墾地を開拓地として売り出した際、隠居用家屋を建てる目的があるにもかかわらず、これを秘して当該土地を買い受けた場合、詐欺罪が成立するのか。

A 詐欺罪は成立する（最判昭51・4・1）。⇨ 1

Q3 いわゆる禁制品の取引に際して行われた欺く行為について、詐欺罪は適用されるのか。

A 詐欺罪は適用される。 詐欺罪のごとく他人の財産権の侵害を本質とする犯罪が、処罰されたのは単に被害者の財産権の保護のみにあるのではなく、かかる違法な手段による行為は社会の秩序をみだす危険があるからである。そして社会秩序をみだす点においてはいわゆる闇取引の際に行われた欺く行為でも通常の取引の場合と何ら異なるところはない。したがって、闇取引として経済統制法規によって処罰される行為であるとしても相手方を欺く方法、すなわち、社会秩序をみだすような手段で相手方の占有する財物を交付させて財産権を侵害した以上、被告人の行為が刑法の適用を免れるべき理由はない（最判昭25・7・4）。

出題 国Ⅰ－平成12・8、裁判所総合・一般－平成29

Q4 被害者側の財物交付が不法原因給付に基づいたもので民法上その返還又は損害賠償を請求することができない場合は、民法が保護しない利益を刑法が保護することはできないこと等から、詐欺罪は成立しないのか。

A 詐欺罪は成立する（最判昭25・7・4）。⇨ 3

Q5 欺く行為に基づく財物の交付が不法原因給付である場合、詐欺罪は成立するのか。

A 詐欺罪は成立する。 闇米の売買であっても、実際被告人は米を買ってやる意思がないにもかかわらず、米を買ってやると欺いてその代金を騙取した以上、詐欺罪は成立する（最判昭25・12・5）。

出題 市役所上・中級－平成11

Q6 傷病により入院中である無職の者に、簡易生命保険契約を締結させ、簡易生命保険契約書を騙取する行為は、刑法246条1項詐欺罪に該当するのか。

A 刑法246条1項詐欺罪に該当する。 簡易生命保険契約の事務に従事する係員に対し、被保険者が傷病により入院中であることまたは被保険者につきすでに法定の保険金最高限度額を満たす簡易生命保険契約が締結されていることを秘して契約の申込みをし、同係員を欺こうとして簡易生命保険契約を締結させ、その保険証書を騙取した行為について、刑法246条1項の詐欺罪の成立が認められる（最決平12・3・27）。

出題 国Ⅰ－平成22、裁判所Ⅰ・Ⅱ－平成19

Q7 他人になりすまして預金口座を開設し、銀行窓口係員から預金通帳の交付を受ける場合であっても、預金通帳は刑法246条1項の財物にあたるのか。

A あたる。 預金通帳は、それ自体として所有権の対象となりえるにとどまらず、これを利用して預金の預入れ、払戻しを受けられるなどの財産的価

値を有するから、他人名義で預金口座を開設し、それに伴って銀行から交付される場合であっても、刑法246条1項の財物にあたる。そして、被告人は、銀行窓口係員に対し、自己が本人であるかのように装って預金口座の開設を申し込み、その旨誤信した同係員から貯蓄総合口座通帳1冊の交付を受けたのであるから、被告人に詐欺罪が成立することは明らかである（最決平14・10・21）。

出題 国Ⅰ－平成16、裁判所総合・一般－令和1

◇欺く行為

Q8 訴訟詐欺は成立するのか。

A 訴訟詐欺は成立する。 裁判所を欺いて勝訴判決を得て敗訴者から財物を交付させた場合には、訴訟詐欺が成立する（大判明44・11・14）。

出題 国Ⅰ－平成2・昭和63、地方上級－昭和57

Q9 Xが所持金がなく代金支払いの意思がないのにホテルに宿泊し、飲食した後、知人を見送ると偽ってホテルから逃走した場合、欺く行為にあたるのか。

A 欺く行為にあたる。 飲食店又は旅館で注文者又は宿泊者が、支払いの意思がないのに、その事情を告げずに注文又は宿泊して飲食店又は旅館から逃走した場合、その注文又は宿泊行為自体、欺く行為にあたる（大判大9・5・8）。

出題 裁判所Ⅰ・Ⅱ－平成19

Q10 他人が占有する家屋について裁判所の執行吏等を欺いて、自己に債務名義があるものと誤信させ強制執行を行わせて当該家屋を取得すれば、詐欺罪は成立するのか。

A 詐欺罪は成立しない。 詐欺罪が成立するためには、被欺罔者が錯誤によって何らかの財産的処分行為をすることを要するのであり、被欺罔者と財産上の被害者とが同一人でない場合には、被欺罔者において被害者のためその財産を処分しうる権能または地位のあることを要する。これを本件についてみると、被欺罔者とされる裁判所書記官補および執行吏は、何ら所有者の財産である本件家屋を処分しうる権能も地位もなかったのであり、また、同人にかわって財産的処分行為をしたわけでもないので、裁判所の執行吏等を欺いて、自己に債務名義があるものと誤信させ強制執行を行わせて当該家屋を取得しても、詐欺罪は成立しない（最判昭45・3・26）。

出題 国Ⅰ－平成12・8・昭和60

Q11 家屋の旧所有者Aが、すでに失効しているAB間の和解調書正本を利用してCの所有する家屋に強制執行をなさしめ、当該家屋をBの占有に移転させた場合、詐欺罪は成立しないのか。

A 詐欺罪は成立しない（最判昭45・3・26）。⇨ 10

Q12 被欺罔者と財産上の被害者とが同一人でない場合には、被欺罔者は被害者のためにその財産を処分しうる権能または地位にあることが必要とされるのか。

A 必要とされる（最判昭45・3・26）。⇨ 10

Q13 商品先物取引における取引の委託方の勧誘にあたり、被告人らが客殺し商法により顧客にことさ

ら損失を与える意図と、向かい玉を建てることにより顧客の損失に見合う利益を取引員に帰属させる意図を持つ場合、詐欺罪は成立するのか。

Ａ詐欺罪は成立する。　いわゆる「客殺し商法」により、先物取引において顧客にことさら損失等を与えるとともに、向かい玉を建てることにより顧客の損失に見合う利益を商品に帰属させる意図であるのに、自分たちの勧めるとおりに取引すれば必ずもうかるなどと強調し、商品が顧客の利益のために受託業務を行う商品取引員であるかのように装って、取引の委託方を勧誘し、その旨信用した被害者らから委託証拠金名義で現金等の交付を受けたのであるから、被告人らの本件行為は刑法246条1項の詐欺罪を構成する（最判平4・2・18）。　出題予想

Q14 消費者金融会社の係員を欺いてローンカードを交付させたうえ、これを利用して同社の現金自動入出機から現金を引き出した場合、いかなる犯罪が成立するのか。

Ａ詐欺罪と窃盗罪が成立する。　消費者金融会社の係員を欺いてローンカードを交付させたうえ、これを利用して同社の現金自動入出機から現金を引き出した場合には、同係員を欺いて同カードを交付させた点につき詐欺罪が成立し、同カードを利用して現金自動入出機から現金を引き出した点につき窃盗罪が成立する（最決平14・2・8）。

出題 国家総合－令和4・平成29、裁判所総合－一般－平成24

Q15 誤った振込みがあることを知った受取人が、その情を秘して預金の払戻しを請求することは、詐欺罪の欺く行為にあたるのか。

Ａ詐欺罪の欺く行為にあたる。　銀行にとって、払戻請求を受けた預金が誤った振込みによるものか否かは、直ちにその支払に応ずるか否かを決するうえで重要な事柄である。これを受取人の立場から見れば、受取人においても、銀行との間で普通預金取引契約に基づき継続的な預金取引を行っている者として、自己の口座に誤った振込みがあることを知った場合には、銀行に上記の措置を講じさせるため、誤った振込みがあった旨を銀行に告知すべき信義則上の義務がある。社会生活上の条理からしても、誤った振込みについては、受取人において、これを振込依頼人等に返還しなければならず、誤った振込金額相当分を最終的に自己のものとすべき実質的な権利はないのであるから、上記の告知義務があることは当然というべきである。そうすると、誤った振込みがあることを知った受取人が、その情を秘して預金の払戻しを請求することは、詐欺罪の欺く行為にあたり、また、誤った振込みの有無に関する錯誤は同罪の錯誤にあたるから、錯誤に陥った銀行窓口係員から受取人が預金の払戻しを受けた場合には、詐欺罪が成立する（最決平15・3・12）。

出題 国家総合－令和4、国Ⅰ－平成22、裁判所総合・一般－令和3・平成29・28、裁判所Ⅰ・Ⅱ－平成22・19

Q16 クレジットカードの名義人からカードの使用を許されており、かつ、自らの使用に係る同カードの利用代金が会員規約に従い名義人において決済さ

れるものと誤信していたという事情があった場合でも、クレジットカードの名義人になりすまし同カードを利用して商品を購入する行為は詐欺罪にあたるのか。

Ａ詐欺罪にあたる。　Ａは、友人のＢから、同人名義の本件クレジットカードを預かって使用を許され、その利用代金については、Ｂに交付したり、所定の預金口座に振り込んだりしていた。その後、本件クレジットカードを被告人が入手した直後、加盟店であるガソリンスタンドにおいて、本件クレジットカードを示し、名義人のＢになりすまして自動車への給油を申し込み、被告人がＢ本人であると従業員を誤信させてガソリンの給油を受けた。上記ガソリンスタンドでは、名義人以外の者によるクレジットカードの利用行為には応じないこととなっていた。以上の事実関係の下では、被告人は、本件クレジットカードの名義人本人になりすまし、同カードの正当な利用権限がないのにこれがあるように装い、その旨店員を誤信させてガソリンの交付を受けたことが認められるから、被告人の行為は詐欺罪を構成する。仮に、被告人が、本件クレジットカードの名義人から同カードの使用を許されており、かつ、自らの使用に係る同カードの利用代金が会員規約に従い名義人において決済されるものと誤信していたという事情があったとしても、本件詐欺罪の成立は左右されない。したがって、被告人に対し本件詐欺罪の成立が認められる（最決平16・2・9）。

出題予想

Q17 不動産の売買契約にあたり、根抵当権の客体である不動産の買主を偽り、しかも当該売買契約が仮装譲渡であった場合、詐欺罪にいう欺く行為が認められるのか。

Ａ欺く行為が認められる。　本件各根抵当権等を放棄する対価としてＡ社から株式会社住宅金融債権管理機構（「住管機構」）に支払われた金員が本件各不動産の時価評価などに基づき住管機構において相当と認めた金額であり、かつ、で債務の一部弁済を受けて本件各根抵当権を放棄すること自体については住管機構に錯誤がなかったとしても、被告人に欺かれて本件各不動産が第三者に正規に売却されるものと誤信しなければ、住管機構が本件各根抵当権等の放棄に応ずることはなかったというべきである。被告人は、以上を認識したうえで、真実は自己が実質的に支配するダミー会社への売却であることなどを秘し、住管機構の担当者を欺いて本件各不動産を第三者に売却するものと誤信させ、住管機構をして本件各根抵当権等を放棄させてその抹消登記を了したのであるから、刑法246条2項の詐欺罪が成立する（最決平16・7・7）。　出題予想

Q18 預金通帳およびキャッシュカードを第三者に譲渡する意図であるのにこれを秘して、預金通帳およびキャッシュカードの申込みを行う行為は、詐欺罪にいう人を欺く行為にあたるのか。

Ａ詐欺罪にいう人を欺く行為にあたる。　被告人は、第三者に譲渡する預金通帳およびキャッシュカードを入手するため、友人のＡと意思を通じ、平成15年12月9日から平成16年1月7日ま

での間、前後５回にわたり、いずれも、Ａにおいて、５つの銀行支店の行員らに対し、真実は、自己名義の預金口座開設後、同口座に係る自己名義の預金通帳およびキャッシュカードを第三者に譲渡する意図であるのにこれを秘し、自己名義の普通預金口座の開設ならびに同口座開設に伴う自己名義の預金通帳およびキャッシュカードの交付方を申し込み、上記行員らをして、Ａが、各銀行の総合口座取引規定ないし普通預金規定等に従い、上記預金通帳等を第三者に譲渡することなく利用するものと誤信させ、各銀行の行員から、それぞれ、Ａ名義の預金口座開設に伴う同人名義の普通預金通帳１通およびキャッシュカード１枚の交付を受けた。上記銀行においては、Ａによる各預金口座開設等の申込み当時、契約者に対して、総合口座取引規定ないし普通預金規定、キャッシュカード規定等により、預金契約に関する一切の権利、通帳、キャッシュカードを名義人以外の第三者に譲渡、質入れ又は利用させるなどすることを禁止していた。また、Ａに応対した各行員は、第三者に譲渡する目的で預金口座の開設や預金通帳、キャッシュカードの交付を申し込んでいることがわかれば、預金口座の開設や、預金通帳およびキャッシュカードの交付に応じることはなかった。以上のような事実関係の下においては、銀行支店の行員に対し預金口座の開設等を申し込むこと自体、申し込んだ本人がこれを自分自身で利用する意思であることを表しているのであるから、預金通帳およびキャッシュカードを第三者に譲渡する意図であるのにこれを秘して上記申込みを行う行為は、詐欺罪にいう人を欺く行為にほかならず、これにより預金通帳およびキャッシュカードの交付を受けた行為が刑法246条１項の詐欺罪を構成することは明らかである（最決平19・7・17）。

出題 予想➡国家総合 - 令和4

Q19 暴力団関係者の利用を拒絶しているゴルフ場において暴力団関係者であることを申告せずに施設利用を申し込む行為は、詐欺罪にいう人を欺く行為にあたるのか。

A 申告者が「ビジター受付表」に暴力団関係者でない旨を記載していない以上、詐欺罪にいう人を欺く行為にあたらない。　Ｂ倶楽部は、ゴルフ場利用細則で暴力団関係者の施設利用を拒絶する旨規定し、九州ゴルフ場連盟、宮崎県ゴルフ場防犯協会等に加盟したうえ、クラブハウス出入口に「暴力団関係者の立入りお断りします」などと記載された立看板を設置するなどして、暴力団関係者による施設利用を拒絶する意向を示していた。しかし、それ以上に利用客に対して暴力団関係者でないことを確認する措置は講じていなかった。また、本件ゴルフ場と同様に暴力団関係者の施設利用を拒絶する旨の立看板等を設置している周辺のゴルフ場において、暴力団関係者の施設利用を許可、黙認する例が多数あり、被告人らも同様の経験をしていたというのであって、本件当時、警察等の指導を受けて行われていた暴力団排除活動が徹底されていたわけではない。上記の事実関係の下において、暴力団関係者であるビジター利用客が、暴力団関係者であること

を申告せずに、一般のビジター利用客と同様に、氏名を含む所定事項を偽りなく記入した「ビジター受付表」をフロント係の従業員に提出して施設利用を申し込む行為自体は、申込者が当該ゴルフ場の施設を通常の方法で利用し、利用後に所定の料金を支払う旨の意思を表すものではあるが、それ以上に申込者が当然に暴力団関係者でないことまで表しているとは認められない。そうすると、本件における被告人およびＣによる本件ゴルフ場の各施設利用申込み行為は、詐欺罪にいう人を欺く行為にはあたらない（最判平26・3・28）。

出題 予想

Q20 ゴルフ倶楽部会員において、同伴者が暴力団関係者であることを申告せずにそのゴルフ場の施設利用を申し込み、同人に施設を利用させた行為は、入会の際に暴力団関係者を同伴しない旨誓約していたなどの事実関係がある場合には、刑法246条2項の詐欺罪にあたるのか。

A 刑法246条2項の詐欺罪にあたる。　本件ゴルフ倶楽部においては、ゴルフ場利用約款で暴力団員の入場および施設利用を禁止する旨規定し、入会審査にあたり上記のとおり暴力団関係者を同伴、紹介しない旨誓約させるなどの方策を講じていたほか、長野県防犯協議会事務局から提供される他の加盟ゴルフ場による暴力団排除情報をデータベース化したうえ、予約時又は受付時に利用客の氏名がそのデータベースに登録されていないか確認するなどして暴力団関係者の利用を未然に防いでいたところ、本件においても、被告人が暴力団員であることが分かれば、その施設利用に応じることはなかった。以上のような事実関係からすれば、入会の際に暴力団関係者の同伴、紹介をしない旨誓約していた本件ゴルフ倶楽部の会員であるＡが同伴者の施設利用を申し込むこと自体、その同伴者が暴力団関係者でないことを保証する旨の意思を表しているうえ、利用客が暴力団関係者かどうかは、本件ゴルフ倶楽部の従業員において施設利用の許否の判断の基礎となる重要な事項であるから、同伴者が暴力団関係者であるのにこれを申告せずに施設利用を申し込む行為は、その同伴者が暴力団関係者でないことを従業員に誤信させようとするものであり、詐欺罪にいう人を欺く行為にほかならず、これによって施設利用契約を成立させ、Ａと意を通じた被告人において施設利用をした行為が刑法246条2項の詐欺罪を構成することは明らかである（最決平26・3・28）。

出題 予想

Q21 約款で暴力団員からの貯金の新規預入申込みを拒絶する旨定めている銀行の担当者に、暴力団員であるのに暴力団員でないことを表明、確約して口座開設等を申し込み通帳等の交付を受けた行為は、詐欺罪にあたるのか。

A 詐欺罪にあたる。　暴力団員であるのに暴力団員でないことを表明、確約して銀行の担当者に口座開設等を申し込み、通帳等の交付を受けた行為は、当該銀行において、政府指針を踏まえて暴力団員からの貯金の新規預入申込みを拒絶する旨の約款を定め、申込者に対し暴力団員でないことを確認していたなどの本件事実関係の下では、刑法246条1項

の詐欺罪にあたる（最決平 26・4・7）。

Q22 リゾート会員権の販売等を目的とする団体の実質オーナーである構成員が、当該団体が実質的な破綻状態のもと、預託金等の名目で金銭を集める行為を継続することは、その組織の中に詐欺行為に加担している認識のない者がいても、「詐欺罪に当たる行為を実行するための組織」にあたるのか。

A あたる。　リゾート会員権の販売等を目的とする団体の実質オーナーである被告人をはじめとする主要な構成員において、当該団体が実質的な破綻状態にあり、集めた預託金等を返還する能力がないことを認識したにもかかわらず、それ以降も、当該団体の役員および従業員によって構成される組織による営業活動として、預託金等の名目で金銭を集める行為を継続したなどの本件事実関係のもとでは、上記組織は、組織的な犯罪の処罰及び犯罪収益の規制等に関する法律（平成 23 年法律第 74 号による改正前のもの）3 条 1 項 9 号にいう「詐欺罪に当たる行為を実行するための組織」にあたり、その組織が元々は詐欺罪にあたる行為を実行するための組織でなく、また、その組織の中に詐欺行為に加担している認識のない者が含まれていたとしても、別異に解すべき理由はない（最決平 27・9・15）。

Q23 外国行きの自己に対する搭乗券を他の者に渡してその者を搭乗させる意図であるのにこれを秘し、航空会社の搭乗業務を担当する係員に対し乗客として自己の氏名が記載された航空券を呈示して搭乗券の交付を請求し、その交付を受けた行為は、刑法 246 条 1 項の詐欺罪に当たるのか。

A 刑法 246 条 1 項の詐欺罪に当たる。　本件において、航空券及び搭乗券にはいずれも乗客の氏名が記載されているところ、本件係員らは、搭乗券の交付を請求する者に対して旅券と航空券の呈示を求め、旅券の氏名及び写真と航空券記載の乗客の氏名及び当該請求者の容ぼうとを対照して、当該請求者が当該乗客本人であることを確認した上で、搭乗券を交付することとされていた。このように厳重な本人確認が行われていたのは、本件航空会社がカナダ政府から同国への不法入国を防止するために搭乗券の発券を適切に行うことを義務付けられていたこと等の点において、当該乗客以外の者を航空機に搭乗させないことが本件航空会社の航空運送事業の経営上重要な意味を有していたからであって、本件係員らは、上記確認ができない場合には搭乗券を交付することはなかった。また、これと同様に、本件係員らは、搭乗券の交付を請求する者がこれを更に他の者に渡して当該乗客以外の者を搭乗させる意図を有していることが分かっていれば、その交付に応じることはなかった。以上のような事実関係からすれば、搭乗券の交付を請求する者自身が航空機に搭乗するかどうかは、本件係員らにおいてその交付の判断の基礎となる重要な事項であるというべきであるから、自己に対する搭乗券を他の者に渡してその者を搭乗させる意図であるのにこれを秘して本件係員らに対してその搭乗券の交付を請求する行為は、詐

欺罪にいう人を欺く行為にほかならず、これによりその交付を受けた行為が刑法 246 条 1 項の詐欺罪を構成することは明らかである（最決平 22・7・29）。

◇不作為

Q24 単純な事実の黙秘によって人を錯誤に陥れた場合には、欺いたといえるのか。

A 欺いたとはいえない。　単純な事実の黙秘によって人を錯誤に陥れた場合には、事実を告知する法律上の義務がなければ欺いたとはいえない。（大判大 6・11・29）

Q25 自己の財物に担保物権が設定されていることを黙秘して、これに担保を供する場合、詐欺罪は成立するのか。

A 詐欺罪は成立する。　抵当権の設定およびその登記ある不動産を売買する場合において、抵当権の行使により買主はその所有権を失うおそれがあるため、買主が抵当権設定およびその登記があることを知れば、これを買い受けないこともあるから、信義誠実を旨とする取引の必要性に鑑みると、登記済みの抵当権のついた不動産の売買契約に際して、売主は当該事実を買主に告知すべき法律上の義務がある。したがって、売主が抵当権のあることを黙秘するのはこの義務に違反するから、買主が抵当権の負担のない不動産と誤信してこれを買い受けている以上、詐欺罪が成立する（大判昭 4・3・7）。

◇騙取（欺いて交付させる）─ 処分行為

Q26 A がついたうそを B が誤信した結果、B が現金の入った風呂敷包みを持ってきて B 宅玄関の入口に置き、現金を A が事実上支配することができる状態に置いたまま A だけを玄関に残してトイレに行き、その隙に A が風呂敷包みを持って逃走した場合には、A に詐欺罪は成立するのか。

A A に詐欺罪は成立する。　刑法 246 条 1 項に定める財物の騙取とは、犯人の施した欺罔手段により他人を錯誤に陥れ、財物を犯人自身又は第三者に交付させるか、あるいは、これらの者の自由支配内に置かせることをいう。したがって、A が B に虚言を弄し B を誤信させた結果、B が任意に現金の入った風呂敷包みを持ってきて B 宅玄関の入り口に置き、現金を A が事実上支配することができる状態に置いたまま A だけを玄関に残してトイレに行き、その隙に A が風呂敷包みを持って逃走した場合には、A の占有内に収めた事実がある以上、刑法 246 条 1 項に該当する（最判昭 26・12・14）。

Q27 すでに履行遅滞の状態にある債務者が、欺く行為によって、一時債権者の督促を免れれば、刑法 246 条 2 項にいう財産上の利益を得たといえるのか。

A 財産上の利益を得たとはいえない。　すでに履行遅滞の状態にある債務者が、欺く行為によって、

一時債権者の督促を免れたからといって、ただそれだけでは、刑法 246 条 2 項にいう財産上の利益を得たとはいえない。その際、債権者がもし欺かれなければ、その督促、要求により、債務の全部または一部の履行、あるいは、これに代わりまたはこれを担保すべき何らかの具体的措置が、ぜひとも行われざるをえなかったといえる特段の情況が存在したのに、債権者が、債務者によって欺かれたため、それを行うことができなかった場合にはじめて、債務者は一時的にせよそのような結果を免れたものとして、財産上の利益を得たものといえる（最判昭 30・4・8）。 出題 国Ⅰ－平成 22・12

Q28 すでに履行遅滞の状態にある債権者を、欺く行為によって、債権者を安心して帰宅させ、一時の督促を免れた場合は、その際債権者がもし欺かれなかったとすれば、その督促、要求により、債務の履行、担保提供のような何らかの具体的措置が是非とも行われざるをえなかったであろうといえるような特段の情況が存在しなかったとしても、詐欺罪は成立するのか。

A 詐欺罪は成立しない（最判昭 30・4・8）。⇨27

Q29 飲食後に代金不払いの意思を生じ、知人を見送ると欺いて店先に出てそのまま逃走し事実上支払いを免れた場合、刑法 246 条 2 項の詐欺罪は成立するのか。

A 刑法 246 条 2 項の詐欺罪は成立しない。　刑法 246 条 2 項にいわゆる「財産上不法の利益を得」とは、同法 236 条 2 項のそれとはその趣を異にし、すべて相手方の意思によって財産上不法の利益を得る場合をいう。したがって、詐欺罪で得た財産上不法の利益が、債務の支払いを免れたことであるとするには、相手方たる債権者を欺いて債務免除の意思表示をさせることを要するのであって、単に逃走して事実上支払いをしなかっただけで足りるものではない（最決昭 30・7・7）。 出題 国家総合－令和 1、国Ⅰ－平成 12・8・2・昭和 55、地方上級－昭和 57、裁判所総合・一般－令和 4・1・平成 27

Q30 刑法 246 条 2 項の詐欺罪が成立して、債務の支払免脱が詐欺によって得た不法の利益といえるためには、欺罔者が逃走して事実上支払を免れれば、欺かれた債権者による債務免除の意思表示は必要ではないのか。

A 欺かれた債権者による債務免除の意思表示は必要である（最決昭 30・7・7）。⇨29

◇不法領得の意思、詐欺の故意

Q31 郵便配達員から正規の受送達者を装って債務者あての支払督促正本等を受領することで、債権者から督促異議申立ての機会を奪ったまま支払督促の効力を確定させ、債務名義を取得したうえ、債務者の財産を差し押さえようとした場合、郵便配達員を欺いて取得した支払督促正本等を廃棄する目的であったときでも、支払督促正本等に対する不法領得の意思は認められるのか。

A 不法領得の意思は認められない。　A は、支払督促制度を悪用して B の財産を不正に差し押さえ、強制執行することなどにより金員を得ようと考え、B に対する内容虚偽の支払督促を裁判所に申し立てたうえ、A は、郵便配達員から正規の受送達者を装って B あての支払督促正本等を受領することにより、送達が適式にされたものとして支払督促の効力を生じさせ、B から督促異議申立ての機会を奪ったまま支払督促の効力を確定させて、債務名義を取得して B の財産を差し押さえようとしたのであって、受領した支払督促正本等はそのまま廃棄する意図であった。このように、郵便配達員を欺いて交付を受けた支払督促正本等について、廃棄するだけでほかに何らかの用途に利用し、処分する意思がなかった場合には、支払督促正本等に対する不法領得の意思を認めることはできず、このことは、郵便配達員からの受領行為を財産的利得を得るための手段の一つとして行ったときであっても異ならない（最決平 16・11・30）。 出題 裁判所総合・一般－令和 2、裁判所Ⅰ・Ⅱ－平成 19

Q32 宅配便で現金を送付させてだまし取る特殊詐欺において、被告人（A）が依頼を受け、他人の郵便受けの投入口から不在連絡票を取り出すという著しく不自然な方法を用いて、送付先のマンションに設置された宅配ボックスから荷物を取り出したうえ、これを回収役に引き渡すなどしている場合には、被告人（A）には、詐欺の故意が認められ、共犯者らとの共謀も認められるか。

A 被告人（A）には、詐欺の故意が認められ、共犯者らとの共謀も認められる。　被告人（A）は、依頼を受け、他人の郵便受けの投入口から不在連絡票を取り出すという著しく不自然な方法を用いて、宅配ボックスから荷物を取り出したうえ、これを回収役に引き渡しており、本件マンションの居住者が、わざわざ第三者である被告人（A）に対し、宅配ボックスから荷物を受け取ることを依頼し、しかも、オートロックの解錠方法や郵便受けの開け方等を教えるなどすることもなく、上記のような方法で荷物を受け取らせることは考え難いことも考慮すると、被告人（A）は、依頼者が本件マンションの居住者ではないにもかかわらず、居住者を名宛人として送付された荷物を受け取ろうとしていることを認識していたものと合理的に推認することができる。以上によれば、被告人（A）は、送り主は本件マンションに居住する名宛人が荷物を受け取るなどと誤信して荷物を送付したものであって、自己が受け取る荷物が詐欺に基づいて送付されたものである可能性を認識していたことも推認できるというべきである。また、被告人（A）は、「B から荷物の受取りを依頼されたのであり、B は本件マンションに居住していると思っていた」旨供述するが、上記のような被告人（A）の本件各荷物の取出し方法や各事件当時の通話状況に照らせば、この供述を信用することはできず、それ以外に上記の詐欺の可能性の認識を排除するような事情も見当たらない。このような事実関係の下においては、被告人（A）は、自己の行為が詐欺に関与するものかもしれないと認識しな

刑法編

がら本件各荷物を取り出して受領したものと認められるから、詐欺の故意に欠けるところはなく、共犯者らとの共謀も認められる（最判令 1・9・27）。

出題 予想

◇**既遂時期**

Q33 欺く行為が行われたが、それによって錯誤に陥ることなく単に憐憫の情から財物を交付した場合、詐欺罪は未遂か既遂か。

A 詐欺未遂罪である。　被害者は被告人が虚偽の貸金債権を主張し、支払請求をしたにもかかわらず、錯誤に陥らなかった以上、被告人の行為は刑法 246 条 1 項の詐欺罪の未遂に該当する。被害者が被告人にその請求した金額を支払ったのは、被告人の詐欺罪が未遂で終了した以後の行為であり、被告人の欺く行為は効を奏しておらず、被告人の詐欺行為とは因果関係はない（大判大 11・12・22）。

出題 国 I－昭和 63、地方上級－昭和 55

◇**財産的損害**

Q34 詐欺により被害者の意思表示が無効または取り消しうるもので、民法上、財産上の権利に変動がない場合、詐欺罪は成立しないのか。

A 詐欺罪は成立する。　詐欺罪は人を欺いて財産を騙取することにより成立するもので、この要件を具備する以上は、詐欺により被害者のなした意思表示が、法律行為の要素に錯誤があるため取消しになろうと、また、被害者においてその意思表示を取り消すまで有効な法律行為が成立するところとなっても、本罪の成立に異なった影響を及ぼすものではない（大判大 12・11・21）。　**出題** 国 I－平成 2

Q35 真実に反する誇大な事実を告知して相手方を誤信させ、金員の交付を受けた場合でも、価格相当の商品を提供すれば、詐欺罪は成立しないのか。

A 詐欺罪は成立する。　たとえ価格相当の商品を提供したとしても、事実を告知するときは相手方が金員を交付しないような場合において、ことさら商品の効能などにつき真実に反する誇大な事実を告知して相手方を誤信させ、金員の交付を受けた場合は、詐欺罪が成立する（最決昭 34・9・28）。

出題 国 I－平成 22・8・昭和 63・55、裁判所 I・II－平成 19・14

Q36 被告人らにおいて、A 建設の運転資金に充てる意図であるのに、その意図を秘して虚偽の払出請求をし、支店の係員をして、下請業者に対する前払金の支払と誤信させて同口座から前記 C 土木名義の口座に 400 万円を振込入金させたことは、同支店の上記預金に対する管理を侵害して払出しに係る金員を領得したものであり、詐欺罪に該当するのか。

A 詐欺罪に該当する。　被告人は、A 建設被告人名義の前払金専用口座に入金された金員について、前払金としての使途に適正に使用し、それ以外の用途に使用しないことを羽曳野市および保証事業会社との間でそれぞれ約しており、B 銀行藤井寺支店との関係においても同口座の預金を自由に払い出すことはできず、あらかじめ提出した「前払金使途内訳

明細書」と払出請求時に提出する「前払金払出依頼書」の内容が符合する場合に限り、その限度で払出しを受けられるにすぎないのであるから、同口座に入金された金員によって、初めて被告人の固有財産に帰属することになる関係にある（最判平 14・1・17 参照）。すなわち、上記前払金専用口座に入金されている金員は、いまだ被告人において自己の財産として自由に処分できるものではない。一方、B 銀行藤井寺支店も、保証事業会社との間で、前払金専用口座に入金された金員の支払にあたって、被告人の払出請求の内容を審査し、使途が契約内容に適合する場合に限って払出しに応じることを約しており、同口座の預金が予定された使途に従って使用されるように管理する義務を負っている。そうすると、被告人らにおいて、A 建設の運転資金に充てる意図であるのに、その意図を秘して虚偽の払出請求をし、同支店の係員をして、下請業者に対する前払金の支払と誤信させて同口座から前記 C 土木名義の口座に 400 万円を振込入金させたことは、同支店の上記預金に対する管理を侵害して払出しに係る金員を領得したものであり、詐欺罪に該当する（最決平 19・7・10）。　**出題** 予想

◇**他罪との関係**

Q37 他人の郵便貯金通帳を窃取した者が、郵便局員にこれを提示し、自分が真正の名義人であるかのように装って預金の払戻しを受ける行為は、詐欺罪を構成するか。

A 詐欺罪を構成する。　贓物（盗品その他財産に対する罪にあたる行為によって領得された物）を処分することは、財産罪に伴う事後処分にすぎないから別罪を構成しないが、窃取または騙取した郵便貯金通帳を利用して郵便局係員を欺いて、真実名義人が貯金の払戻しを請求するものと誤信させて、貯金の払戻名義の下に金員を騙取したことは、さらに新法益を侵害する行為であるから、ここにまた犯罪の成立を認めるべきであって、これをもって贓物の単なる事後処分と同視することはできない。したがって、郵便貯金通帳を利用して預金を引き出す行為は詐欺罪を構成する（最判昭 25・2・24）。

出題 国 I－平成 12・昭和 52

Q38 X は、A 金融会社の無人契約機コーナーに設置された無人契約機で、不正に入手した他人名義の自動車運転免許証を用いて、A 社サービスセンターにいる係員を欺き、ローンカードの交付を受け、その後に、現金自動入出機から現金を引き出した場合、ローンカードについての詐欺罪とともに現金の窃盗罪も成立するのか。

A ローンカードの詐欺罪とともに現金の窃盗罪も成立する。　A 社とカードローンに関する基本契約（カードローンの借入条件等が定められたもの。）を締結して、同社から融資用キャッシングカード（以下「ローンカード」という。）を交付されたカードローン契約者は、同カードを同社の各店舗に設置された現金自動入出機に挿入して同機を操作する方法により、契約極度額の範囲内で何回でも繰り返し金

員を借り入れることができるという権利を有する。一方、同社は、同契約者が上記のような権利を行使しなければ、同契約者に対し金員を貸し付ける義務を負わない。また、同社発行に係るローンカードの所持人が、同社の各店舗に設置された現金自動入出機に同カードを挿入し、暗証番号を正しく入力したときには、たとえその者が同カードの正当な所持人でなかったとしても、現金自動入出機により、自動的に貸付金相当額の現金が交付される仕組みになっている。上記のようなカードローン契約の法的性質、ローンカードの利用方法、機能および財物性などに鑑みると、同社係員を欺いて同カードを交付させる行為と、同カードを利用して現金自動入出機から現金を引き出す行為は、社会通念上別個の行為類型に属するものである。上記基本契約の締結およびローンカードの交付を担当した同社係員は、これらの行為により、上記無人契約機コーナー内に設置された現金自動入出機内の現金をＸに対して交付するという処分行為をしたとは認められず、Ｘは、上記のような機能をもつ重要な財物である同カードの交付を受けたうえ、同カードを現金自動入出機に挿入し、自ら同機を操作し作動させて現金を引き出したものと認められる。したがって、Ｘに対し、同社係員を欺いて同カードを交付させた点につき詐欺罪の成立を認めるとともに、同カードを利用して現金自動入出機から現金を引き出した点につき窃盗罪の成立を認めることができる（最決平14・2・8）。

出題 国家総合－平成29、国Ⅰ－平成22・16

第246条の2（電子計算機使用詐欺）

　前条に規定するもののほか、人の事務処理に使用する電子計算機に虚偽の情報若しくは不正な指令を与えて財産権の得喪若しくは変更に係る不実の電磁的記録を作り、又は財産権の得喪若しくは変更に係る虚偽の電磁的記録を人の事務処理の用に供して、財産上不法の利益を得、又は他人にこれを得させた者は、10年以下の拘禁刑に処する。

Q1 クレジットカードの名義人による電子マネーの購入の申込みがないにもかかわらず、電子計算機に同カードに係る番号等を入力送信して名義人本人が電子マネーの購入を申し込んだとする虚偽の情報を与えた場合には、電子計算機使用詐欺罪の成立が認められるのか。

A 電子計算機使用詐欺罪の成立が認められる。被告人は、窃取したクレジットカードの番号等を冒用し、いわゆる出会い系サイトの携帯電話によるメール情報送受信サービスを利用する際の決済手段として使用されるいわゆる電子マネーを不正に取得しようと企て、5回にわたり、携帯電話機を使用して、インターネットを介し、クレジットカード決済代行業者が電子マネー販売等の事務処理に使用する電子計算機に、本件クレジットカードの名義人氏名、番号および有効期限を入力送信して同カードで代金を支払う方法による電子マネーの購入を申し込み、上記電子計算機に接続されているハードディスクに、名義人が同カードにより販売価格合計11万3,000円相当の電子マネーを購入したとする電磁的記録を作り、同額相当の電子マネーの利用権を取得したものである。以上の事実関係の下では、被告人は、本件クレジットカードの名義人による電子マネーの購入の申込みがないにもかかわらず、本件電子計算機に同カードに係る番号等を入力送信して名義人本人が電子マネーの購入を申し込んだとする虚偽の情報を与え、名義人本人がこれを購入したとする財産権の得喪に係る不実の電磁的記録を作り、電子マネーの利用権を取得して財産上不法の利益を得たものというべきであるから、被告人につき、電子計算機使用詐欺罪の成立を認めた原判断は正当である（最決平18・2・14）。

出題 裁判所総合・一般－平成29

第247条（背任）

　他人のためにその事務を処理する者が、自己若しくは第三者の利益を図り又は本人に損害を加える目的で、その任務に背く行為をし、本人に財産上の損害を加えたときは、5年以下の拘禁刑又は50万円以下の罰金に処する。

◇**任務違背行為**

Q1 抵当権設定者甲が乙に対する一番抵当権を設定した後、その登記が未了であることを利用して、後順位の二番抵当権にすれば、乙に対する背任罪が成立するのか。

A 乙に対する背任罪が成立する。抵当権設定者はその登記に関し、これを完了するまでは、抵当権者に協力する任務を有することはいうまでもなく、この任務は主として他人である抵当権者のために負う。そして、抵当権設定は当該抵当物件の価額から、どの抵当権が優先して弁済を受けるかの財産上の利害に関する問題であるから、本件被告人甲が乙の一番抵当権を、後順位の二番抵当権にしたことは、すでに刑法247条の損害に該当する（最判昭31・12・7）。

出題 国Ⅰ－平成19・14・5・昭和61・55、地方上級－平成4（市共通）・2（市共通）、裁判所総合・一般－平成26、裁判所Ⅰ・Ⅱ－平成23・18

Q2 甲は自己所有の農地を県知事の許可を条件に乙に所有権を移転する売買契約をしたが、その許可前に丙のために当該土地に抵当権を設定し登記をすれば、甲の罪責はどうなるのか。

A 乙に対して背任罪が成立する。甲が県知事の許可を条件として農地を売り渡し、代金を受領したにもかかわらず、その許可前に当該農地を自己の債務の担保として第三者丙のため抵当権を設定し、その登記を経たときは、甲の当該抵当権設定行為は、当該農地の買主乙に対して背任罪を構成する（最決昭38・7・9）。

出題 地方上級－平成4（市共通）

Q3 貸付金の回収があぶない状態で、本人に損害を与えることを熟知しながら、決裁権者が十分な担保を徴収せずに貸付手続をとることは背任罪を構成するのか。

A 背任罪を構成する。信用組合の専務理事が自ら所管する貸付事務について、貸付金の回収が危ぶまれる状態にあることを熟知しながら、無担保であるいは十分な担保を徴することなく貸付けを実行す

る手続をとった以上、それが決裁権を有する組合理事長の決定・指示によるものであり、専務理事がその貸付けについて組合理事長に対し反対あるいは消極的意見を具申した事情が存するとしても、任務違背がないとはいえない（最判昭60・4・3）。

Q4 質権設定者がその任務に背き、質入れした株券について虚偽の申立てにより除権判決を得て株券を失効させ、質権者に損害を加えた場合には、背任罪が成立するのか。

A 背任罪が成立する。　被告人は、A株式会社の代表取締役として、B生命保険相互会社から合計1億1,800万円の融資を受け、その担保として同社のために株式を目的とする質権を設定し、同社に株券を交付していたところ、返済期を過ぎても融資金を返済せず、A株式会社の利益を図る目的で、質入れした上記株券を紛失したとの虚偽の理由により除権判決の申立てをし、同判決を得て上記株券を失効させ、質権者に財産上の損害を加えた。株式を目的とする質権の設定者は、株券を質権者に交付した後であっても、融資金の返済があるまでは、当該株式の担保価値を保全すべき任務を負い、これには、除権判決を得て当該株券を失効させてはならないという不作為を内容とする任務も当然含まれる。そして、この担保価値保全の任務は、他人である質権者のために負うものと解される。したがって、質権設定者がその任務に背き、質入れした株券について虚偽の申立てにより除権判決を得て株券を失効させ、質権者に損害を加えた場合には、背任罪が成立する（最決平15・3・18）。

◇**主観的要件**

Q5 客観的にみて自己の任務に違反し、本人に財産上の損害を与える行為があれば、行為者が自己の行為について任務の本旨に即していると誤信した場合でも背任罪は成立するのか。

A 背任罪は成立しない。　背任罪が成立するためには、他人のために事務を管理する者にその任務に違背した行為を必要とし、この要件を具備するためには事務管理者において現実にその任務に違背して事務管理をした事実を要するとともに、事務管理者が自己の行為がその任務に違背することの認識があることを必要とする。したがって、事務管理者が任務違背の行為をするには、この認識を欠いたこと、言い換えれば、事務管理者が自己の行為がその任務の本旨に適したものであると信じてしたときには、信ずるに至ったことが事実の錯誤、法規の誤解等管理者の過失に基因する場合であっても、その信念は背任罪が成立するうえで必要な故意を阻却するのであり、その行為により本人に損害を加えても当該管理権者に、刑法247条の背任罪は成立しない（大判大3・2・4）。

Q6 本人の利益を図ることが主たる目的である場合、背任罪は成立するのか。

A 背任罪は成立しない。　自己の行為が任務に違背するとの認識を欠き、任務の本旨に適したものと信じていた場合には、たとえ任務に違背したことによって本人に損害を与えた場合でも、本人の利益を図ることが主たる目的であったといえ、背任罪の故意があるとはいえない（大判大3・10・16）。

◇**財産上の損害**

Q7 信用保証協会支所長である被告人XらがYが多額の負債を抱え、資産状況劣悪で返済不能状態であることを知りながら、Yの利益を図る意図で同協会に債務保証させた場合、刑法247条所定の「本人に財産上の損害を加えたとき」にあたるのか。

A 「本人に財産上の損害を加えたとき」にあたる。刑法247条の「財産上の損害」とは、経済的見地から本人の財産状態を評価して、その財産的価値が減少ないし増加すべかりし価値が増加しなかった場合をいい、本件において、被告人甲らが企業者丙の債務保証業務を行う際に、丙の資金使途が倒産を一時糊塗するにすぎないものであることを知りながら、自己裁量限度額を超過して債務保証を専決し、また、信用保証協会会長に提出する稟議資料に不実の内容を記載し、保証条件に抵当権を設定すべき旨の指示にも背き、無担保で保証書を交付して同協会に保証債務を負担させた行為は、債務が不履行に至らないため、代位弁済によって現実に損害が発生しなくとも、経済上、同協会の財産状態は減少したといえるから、同条所定の「本人に財産上の損害を加えたとき」にあたる（最決昭58・5・24）。

Q8 債務の弁済能力があることを示す外観を作出し、さらに融資を行わせる目的で、銀行支店長と共謀し、振出人に決済能力のない約束手形につき銀行に保証させ、手形振出直後に同銀行の口座に手形額面金額を入金した場合、背任罪における財産上の損害があるのか。

A 背任罪における財産上の損害がある。　一部の手形を除き、手形の保証と引換えに、額面金額と同額の資金がA社名義のB銀行当座預金口座に入金し、B銀行に対する当座貸越債務の弁済にあてているが、その入金は、被告人と支店長との間の事前の合意に基づき、一時的にその貸越残高を減少させ、A社に債務の弁済能力があることを示す外観を作り出して、B銀行に引き続き当座勘定取引を継続させ、さらにA社への融資を行わせることなどを目的として行われたものであり、現に、被告人は、その支店長を通じ、当座貸越しの方法で引き続きA社に対し多額の融資を行わせている。このような場合、その入金により当該手形の保証に見合う経済的利益がB銀行に確定的に帰属したということはできず、B銀行が手形保証債務を負担したことは、そのような入金を伴わないその余の手形保証の場合と同様、刑法247条にいう「財産上の損害」にあたる（最決平8・2・6）。

◇**既遂時期**

Q9 貸付権限を有する組合の担当者が、回収見込みがないのに十分な担保を取らず金銭を貸し付けた場

合、背任罪は弁済期の到来と同時に既遂になるのか。

A 貸付行為がなされた時点で、背任罪は既遂となる。 刑法247条に「財産上の損害」とは、財産的価値の減少を意味し、財産的実害を生じさせた場合だけではなく、実害発生の危険を生じさせた場合をも包含する。したがって、本件のように組合において組合総会の決議で、組合員に対する無担保貸付の最高限度額を定め、かつその定款で無担保貸付については、組合員2名を保証人に立てることを必要とする規定があるにもかかわらず、当該決議および規定に反し、被告人の利益を計り限度外の貸付をした場合には、回収不能の結果をまつことなく、すでにこの一事によって組合に財産上の損害を加えたものと解すべきで、すすんで貸付当時における組合員の資産および信用状態いかんを顧みる必要はない（大判昭13・10・25）。

出題 国Ⅰ－昭和62

第248条（準詐欺）

未成年者の知慮浅薄又は人の心神耗弱に乗じて、その物を交付させ、又は財産上不法の利益を得、若しくは他人にこれを得させた者は、10年以下の拘禁刑に処する。

第249条（恐喝）

①人を恐喝して財物を交付させた者は、10年以下の拘禁刑に処する。

②前項の方法により、財産上不法の利益を得、又は他人にこれを得させた者も、同項と同様とする。

Q1 被恐喝者が畏怖して黙認しているのに乗じ恐喝者が財物を奪取した場合にも、恐喝罪は成立するのか。

A 恐喝罪は成立する。 恐喝取罪の本質は、被恐喝者の畏怖による瑕疵ある同意を利用する財物の領得行為であると解すべきであるから、その領得行為の形式が被恐喝者において自ら財物を提供した場合はもちろん、被恐喝者が畏怖して黙認しているのに乗じ恐喝者が財物を奪取した場合においても、本罪の成立を妨げるものではない。それゆえ、刑法249条1項の「交付させた」との語義は、以上の各場合を包含する趣旨と解するのが正当である（最判昭24・1・11）。

出題 国Ⅰ－平成17

Q2 恐喝罪が成立するためには、相手方に明示の害悪の告知に加えて、暴力を加えることを必要とするのか。

A 必ずしも、明示の害悪の告知を必要としない。また、暴力を加えることを必要としない。 刑法第249条第1項の恐喝の罪は、害悪の及ぶべきことを通知して、相手方を畏怖させることにより財物を交付させる犯罪ではあるが、その害悪の告知は必ずしも明示の言動を要するものではなく、自己の経歴・性行及び職業上の不法は、威勢等を利用して財物の交付を要求し、相手方がその要求を容れないときは、不当な不利益が生じる危険があるとの危惧の念を抱かせるような暗黙のある状況の場合には、恐喝取財罪を構成する（最判昭24・9・29）。

出題 裁判所総合・一般－令和2

Q3 被告人等が債権取立ての手段として、もし債務者が被告人らの要求に応じないときは、債務者の身

体に危害を加えるような態度等を示し、同人を畏怖させた場合、恐喝罪が成立成立するのか。

A 恐喝罪が成立する。 他人に対して権利を有する者が、その権利を実行することは、その権利の範囲内でありかつその方法が社会通念上一般に忍容すべきものと認められる程度を超えない限り、何ら違法の問題を生じないが、その範囲程度を逸脱するときは違法となり、恐喝罪の成立することがある。そして、本件において、被告人等が債権取立てのためにとった手段は、もし債務者が被告人らの要求に応じないときは、同人の身体に危害を加えるような態度を示し、かつ同人に対し被告人XおよびY等は「俺達の顔を立てろ」等と申向けAにもしその要求に応じない時は自己の身体に危害を加えられるかもしれないと畏怖させたのであるから、権利行使の手段として社会通念上、一般に忍容すべきと認められる程度を逸脱した手段であり、恐喝罪の成立が認められる（最判昭30・10・14）。

出題 国家総合－平成30、裁判所総合・一般－平成29

Q4 被告人が従業員からの飲食代金の請求に対して、脅迫文言を被害者に申し向けて同人を畏怖させてその請求を一時断念させた場合、恐喝罪は成立するのか。

A 恐喝罪は成立する。 被告人が「こんな店をつぶす位簡単だ」等の脅迫文言を申し向けて被害者等を畏怖させ、よって被害者側の請求を断念させれば、そこに被害者側の黙示的な少なくとも支払猶予の処分行為が存在するものと認められ、恐喝罪の成立が肯定される（最決昭43・12・11）。

出題 予想

第250条（未遂罪）

この章の罪の未遂は、罰する。

第251条（準用）

第242条、第244条及び第245条の規定は、この章の罪について準用する。

第38章 横領の罪

第252条（横領）

①自己の占有する他人の物を横領した者は、5年以下の拘禁刑に処する。

②自己の物であっても、公務所から保管を命ぜられた場合において、これを横領した者も、前項と同様とする。

◇他人の物

Q1 債権の取立てを委任された者が、債務者から取り立てた金銭を費消した場合、横領罪は成立するのか。

A 横領罪が成立する。 債権者が債務者に対する金銭債権等の取立てを第三者に委任した場合においては、その委任は特に反対の事情がない限り、受任者が自己の名で債権の取立てをしてこれを委任者に移転させる趣旨ではなく、受任者が債務者から取り立てた金銭等の所有権は、直接これを債権者本人に帰させることを本旨と解する。したがって、受任者が取立物件の占有中これを領得すれば、横領罪を構

成する（大判昭 8・9・11）。

出題 国Ⅰ−昭和 61、裁判所総合職・一般職−令和 4

Q2 使途を限定して寄託された金銭について、受託者が委託の意図に背いて費消した場合、その罪責はどうなるのか。

A 受託者に横領罪が成立する。　使途を限定されて寄託された金銭は、売買代金のごとく単純な商取引の履行として授受されたものとは自らその性質を異にするのであって、特別の事情がない限り受託者はその金銭について刑法 252 条にいわゆる「他人の者」を占有する者であり、したがって、受託者がその金銭について委託の本旨と違った処分をしたときは、横領罪を構成する（最判昭 26・5・25）。

出題 国Ⅰ−平成 8・5、裁判所総合・一般−令和 4、地方上級−平成 2（市共通）

Q3 A は B 自動車販売会社から所有権留保特約付割賦販売契約により自動車を購入し、B からその引渡しを受けたが、代金を完済しないうちに B 会社に無断で金融業者に当該自動車を自己の借入金の担保に供した場合、当該行為は横領罪にあたるか。

A A の行為は横領罪にあたる。　自動車販売会社から所有権留保の特約付割賦販売契約に基づいて引渡しを受けた 3 台の貨物自動車を、当該会社に無断で、金融業者に対し自己の借入金の担保として提供した被告人の本件各行為は、横領罪に該当する（最決昭 55・7・15）。　　　　出題 国Ⅰ−平成 14・8

Q4 委託を受けて占有する不動産を所有者に無断で売却する行為は、これに先行して無断で抵当権を設定していたとしても、横領罪にあたるのか。

A 横領罪にあたる。　委託を受けて他人の不動産を占有する者が、これにほしいままに抵当権を設定してその旨の登記を了した後においても、その不動産は他人の物であり、受託者がこれを占有していることに変わりはなく、受託者が、その後、その不動産につき、ほしいままに売却等による所有権移転行為を行いその旨の登記を了したときは、委託の任務に背いて、その物につき権限がないのに所有者でなければできないような処分をしたことになる。したがって、売却等による所有権移転行為について、横領罪の成立自体は、これを肯定することができ、先行の抵当権設定行為が存在することは、後行の所有権移転行為について犯罪の成立自体を妨げる事情にはならない（最大判平 15・4・23）。

出題 裁判所総合・一般−令和 2・平成 26

◇不法原因委託物

Q5 贈賄の目的で預かった金銭をほしいままに費消する行為は、横領罪を構成するか。

A 横領罪を構成する。　不法原因のため給付をした者はその給付したものの返還を請求することができないことは民法 708 条の規定するところであるが、刑法 252 条 1 項の横領罪の目的物は単に犯人の占有する他人の物であることを要件としているのであって、必ずしも物の給付者において民法上その返還を請求しうべきものであることを要件としていない。また、金銭のごとき代替物であるからといっ

て直ちにこれを被告人の財物であると断定することもできないから、本件金員は結局被告人の占有する他人の物であって、その給付者が民法上その返還を請求しうべきものであると否とを問わず、被告人においてこれを自己の用途に費消した以上、横領罪の成立を妨げない（最判昭 23・6・5）。

出題 国Ⅰ−昭和 61・55、裁判所総合・一般−平成 29、裁判所Ⅰ・Ⅱ−平成 18

Q6 窃盗犯人 B は、自己が盗んだ盗品の売りさばきを A に依頼し、A はこれに応じて盗品を C に売却したが、A は C から受け取った代金を B に渡さず着服した場合、A に横領罪は成立するのか。

A A に横領罪は成立する。　刑法 252 条 1 項の横領罪の目的物は、単に犯人の占有する他人の物であることをもって足りるのであって、その物の給付者において、民法上犯人に対しその返還を請求しうべきものであることを要件としない。したがって、当該金員は、窃盗犯人である B において牙保者（盗品その他財産の有償の処分のあっせんをする者）たる A において返還を請求しえないとしても、A が自己以外の者のためにこれを占有しているのであるから、その占有中これを着服した以上、横領の罪責を免れえない（最判昭 36・10・10）。

出題 国Ⅰ−平成 8

◇横領行為

Q7 質権者が、質権設定者の同意を得ずに、当該質権の範囲を超えて質物を転質した場合、横領罪が成立するのか。

A 横領罪が成立する。　民法 348 条により、質権者は、質権設定者の同意がなくても、その権利の範囲内において、質物を転質としうるが、新たに設定された質権が原質権の範囲を超越するとき、すなわち、債権額、存続期間等転質の内容、範囲、態様が質権設定者に不利な結果を生ずる場合においては、その転質行為は横領罪を構成する（最決昭 45・3・27）。

出題 国Ⅰ−昭和 61・57、地方上級−平成 4（市共通）

◇不法領得の意思

Q8 横領罪の成立には不法領得の意思が必要か。

A 不法領得の意思が必要である。　横領罪の成立に必要な不法領得の意思とは、他人の物の占有者が委託の任務に背いて、その物につき権限がないのに所有者でなければできないような処分をする意思をいうのであって、必ずしも占有者が自己の利益取得を意図することを必要とするものではなく、また占有者において不法に処分したものを後日に補塡する意思が行為当時にあっても横領罪の成立を妨げない（最判昭 24・3・8）。

出題 国Ⅰ−平成 19、地方上級−平成 5、裁判所総合・一般−平成 29

Q9 当該行為が商法その他の法令に違反するということから、行為者の不法領得の意思を認めることはできるのか。

A 直ちに認めることはできない。　当該行為ない

しその目的とするところが違法であるなどの理由から委託者たる会社として行いえないものであることは、行為者の不法領得の意思を推認させる一つの事情とはなりうる。しかし、行為の客観的性質の問題と行為者の主観の問題は、本来、別異のものであって、たとえ商法その他の法令に違反する行為であっても行為者の主観においてそれをもっぱら会社のためにするとの意識の下に行うことは、ありえないことではない。したがって、その行為が商法その他の法令に違反するという一事から、直ちに行為者の不法領得の意思を認めることはできない（最決平13・11・5）。 **出題** 予想

Q10 他人所有の建物を同人のために預かり保管していた者が、金銭的利益を得ようとして、同建物の電磁的記録である登記記録に不実の抵当権設定仮登記を了したことにつき、電磁的公正証書原本不実記録罪および同供用罪とともに、横領罪が成立するのか。

A 電磁的公正証書原本不実記録罪および同供用罪とともに、横領罪が成立する。　まず、本件仮登記の登記原因とされたAとE会との間の金銭消費貸借契約および抵当権設定契約は虚偽であり、本件仮登記は不実であるから、電磁的公正証書原本不実記録罪および同供用罪が成立することは明らかである。そして、被告人は、本件和解により所有権がB会に移転した本件建物を同会のために預かり保管していたところ、共犯者らと共謀のうえ、金銭的利益を得ようとして本件仮登記を了したものである。仮登記を了した場合、それに基づいて本登記を経由することによって仮登記の後に登記された権利の変動に対し、当該仮登記に係る権利を優先して主張することができるようになり、これを前提として、不動産取引の実務において、仮登記があった場合にはその権利が確保されているものとして扱われるのが通常である。以上の点にかんがみると、不実とはいえ、本件仮登記を了したことは、不法領得の意思を実現する行為として十分であり、横領罪の成立を認めた原判断は正当である。また、このような場合に、同罪と上記電磁的公正証書原本不実記録罪および同供用罪が併せて成立することは、何ら不合理ではないというべきである（なお、本件仮登記による不実記録電磁的公正証書原本供用罪と横領罪とは観念的競合の関係に立つと解するのが相当である）（最判平21・3・26）。 **出題** 予想

Q11 農地の所有者たる譲渡人と譲受人との間で農地の売買契約が締結されたが、譲受人の委託に基づき、第三者の名義を用いて農地法所定の許可が取得され、当該第三者に所有権移転登記が経由された場合において、当該第三者が当該土地を不法に領得したときは、当該第三者に刑法252条1項の横領罪が成立するのか。

A 当該第三者に刑法252条1項の横領罪が成立する。　農地の所有者たる譲渡人と譲受人との間で農地の売買契約が締結されたが、譲受人の委託に基づき、第三者の名義を用いて農地法所定の許可が取得され、当該第三者に所有権移転登記が経由されたという場面では、原則として、農地法所定の許可

を得ていない譲受人に対して農地の所有権は移転しないから、譲受人から当該第三者への占有（登記名義の保有）の委託は、所有者でない者からされたことになる。しかし、このような場面において、譲渡人は、譲受人に農地の所有権を移転する意思を有していることが明らかである上、当該第三者と共同して農地法所定の許可申請手続や登記の移転手続を行う立場にある。また、農地の売買契約自体は成立しており、譲受人は、譲渡人に対し、条件付きの権利を所有権移転請求権保全の仮登記により保全することもできる関係となる（最判昭49・9・26参照）。このような、農地の譲渡人の意思や立場、譲受人との関係に照らせば、前記の場面において、農地の所有者たる譲渡人は、譲受人が当該土地の占有（登記名義の保有）を第三者に委託することを許容し、その権限を付与しているものと認められる。このような場合、委託者が物の所有者でなくとも、刑法252条1項の横領罪が成立し得ると解するのが相当である。一方、農地の売買に際し、第三者名義を用いて農地法所定の許可を得ることや、譲受人自身が許可を得ないで農地を転用、取得することは、農地法に違反する行為である。しかし、農地法の趣旨は、耕作者の地位の安定や農業生産の増大を図るという点にあり、これに違反することが直ちに公序良俗に反するとまではいえない上、農地法が適用されるのは農地であり、農地であるか否かはその土地の現況によって判断されるところ、農地の売買契約締結後に当該土地が非農地化した場合、農地法所定の許可を得ずして所有権移転の効力が生ずる可能性がある（最判昭44・10・31、最判昭52・2・17参照）。これらの事情に照らせば、委託関係の成立過程に農地法違反があるということのみから刑法252条1項の横領罪の成立を否定すべきものとは解されない。したがって、農地の所有者たる譲渡人と譲受人との間で農地の売買契約が締結されたが、譲受人の委託に基づき、第三者の名義を用いて農地法所定の許可が取得され、当該第三者に所有権移転登記が経由された場合において、当該第三者が当該土地を不法に領得したときは、当該第三者に刑法252条1項の横領罪が成立するものと解される（最判令4・4・18）。 **出題** 予想

◇二重売買

Q12 不動産を譲渡したがその後も依然として登記簿上の名義人となっている者が、当該不動産を第三者に売却してその登記を経た場合、横領罪と背任罪のいずれが成立するのか。

A 横領罪が成立する。　不動産の所有権が売買によって買主に移転した場合、登記簿上の所有名義がなお売主にあるときは、売主はその不動産を占有し、いわゆる二重売買においては横領罪の成立が認められる（最判昭30・12・26、最決昭33・10・8）。

出題 国I－平成19・9・5・昭和61・55、地方上級－平成4（市共通）・2（市共通）、裁判所総合・一般－平成29・26・24

Q13 甲は自己が所有するA土地について、丙との

間で売買契約を締結し、後日、その代金を丙から受領してＡ土地を丙に引き渡したが、登記名義が甲にあることを奇貨として、乙のためにＡ土地に抵当権を設定し、抵当権設定登記をした場合、横領罪を構成するのか。

Ａ 横領罪を構成する。　甲が所有する不動産を第三者丙に売却し所有権を移転したが、未だその旨の登記を了しないことを奇貨とし、乙に対し当該不動産につき抵当権を設定し、その旨の登記をするときは横領罪が成立する。したがって、甲がその後さらに乙に対し当該不動産の所有権を移転しその旨の登記をしても（たとえ所有権譲渡契約成立後登記の直前に抵当権設定登記を抹消したとしても）別に横領罪を構成するものではない（最判昭31・6・26）。　　　　　　　　出題 裁判所Ⅰ・Ⅱ－平成18

◇債権譲渡

Q14 甲は乙に対する100万円の貸金債権を丙に譲渡することとし、丙との間で債権譲渡契約を締結したが、乙にこれを通知しないでいたところ、乙が弁済金として100万円を支払ってきたので、丙に渡さずにこれを丙に無断で自己名義の自動車の購入のために費消した場合、横領罪を構成するのか。

Ａ 横領罪を構成する。　債権の譲渡人が、債務者に対する貸金債権を譲受人に譲渡することとし、譲受人との間で債権譲渡契約を締結したが、債権の譲渡人が、債務者に対し未だその譲渡通知をしないうちに、債務の弁済として債務者より受領した金銭を、譲受人に渡さないで、勝手に、自己のため費消したときは、横領罪を構成する（最判昭33・5・1）。　　　　　　　　出題 裁判所Ⅰ・Ⅱ－平成18

◇横領と背任との区別

Q15 Ｂ町森林組合の組合長であるＡは、法令により造林資金以外に流用の禁止されている金員を、その目的に反して、しかも役員会決議を無視したまま、組合名義でＢ町に貸付け支出した場合、Ａには業務上横領罪と背任罪のいずれが成立するのか。

Ａ Ａには業務上横領罪が成立する。　農林漁業資金融通法による政府貸付金175万円がいったんは組合の所有に帰したとしても、組合の業務執行機関として組合のためその委託に基づき、この保管の責めに任じていた被告人らが、これを使途の規定に反し貸付けの目的以外の目的に使用したときは、借主たる組合自体と貸主たる政府との外部関係において貸付条件違反として一時償還の問題を生じ、さらにこれとは別個に、金員保管の委託を受けている被告人らとの委託者本人である組合との内部関係においては、金員流用の目的、方法等その処分行為の態様いかんにより業務上横領罪の成否を論ずる余地がある。さらに、たとえ被告人らが組合の業務執行機関であり、本件町に対する貸付けが組合名義をもって処理されているとしても、金員流用の目的、方法等その処分行為の態様、特に本件貸付けのための支出は、国もしくは公共団体における財政法違反の支出行為、金融機関における貸付内規違反のごとき手続違反的な形式的違法行為に止まるものではなく、保

管方法と使途の限定された他人所有の金員につき、その他人の所有権そのものを侵害する行為にほかならないことから、横領罪の成立に必要な不法領得の意思ありと認めて妨げなく、横領罪が成立し、背任罪の成否を論ずる余地はない（最判昭34・2・13）。　　　　　　　　出題 国Ⅰ－平成8

第253条（業務上横領）
業務上自己の占有する他人の物を横領した者は、10年以下の拘禁刑に処する。

第254条（遺失物等横領）
遺失物、漂流物その他占有を離れた他人の物を横領した者は、1年以下の拘禁刑又は10万円以下の罰金若しくは科料に処する。

Q1 甲は湖を群遊中の色鯉を建網で捕えたが、この色鯉は同じ湖にある養殖業者の色鯉である以外にないと判断される場合、甲に占有離脱物横領罪は成立するのか。

Ａ 甲に占有離脱物横領罪は成立する。　湖のような広大な水面に逃げ出した鯉は、飼養主においてこれを回収することは事実上きわめて困難な場合が多いと考えられるが、そのことの故に当該鯉が直ちに遺失物横領罪の客体となりえないわけではなく、被告人甲において当該鯉を他人が飼養していたものであることを知りながらほしいままに領得した以上、甲について遺失物横領罪が成立する（最決昭56・2・20）。　　　　　　　出題 国Ⅰ－平成8

第255条（準用）
第244条の規定は、この章の罪について準用する。

Q1 家庭裁判所から選任された未成年後見人である被告人が、共犯者2名と共謀のうえ、後見の事務として業務上預かり保管中の未成年被後見人の貯金を引き出して横領した場合、刑は免除されるのか。

Ａ 刑は免除されない。　刑法255条が準用する同法244条1項は、親族間の一定の財産犯罪については、国家が刑罰権の行使を差し控え、親族間の自律にゆだねる方が望ましいという政策的な考慮に基づき、その犯人の処罰につき特例を設けたにすぎず、その犯罪の成立を否定したものではない（最判昭25・12・12参照）。一方、家庭裁判所から選任された未成年後見人は、未成年被後見人の財産を管理し、その財産に関する法律行為について未成年被後見人を代表するが（民法859条1項）、その権限の行使にあたっては、未成年後見人と親族関係にあるか否かを問わず、善良な管理者の注意をもって事務を処理する義務を負い（同法869条、644条）、家庭裁判所の監督を受ける（同法863条）。また、家庭裁判所は、未成年後見人に不正な行為等後見の任務に適しない事由があるときは、職権でもこれを解任することができる（同法846条）。このように、民法上、未成年後見人は、未成年被後見人と親族関係にあるか否かの区別なく、等しく未成年被後見人のためにその財産を誠実に管理すべき法律上の義務を負っていることは明らかである。そうすると、未成年後見人の後見の事務は公的性格を有するものであって、家庭裁判所から選任された未成年後見人が、業務上占有する未成年被後見

人所有の財物を横領した場合に、上記のような趣旨で定められた刑法244条1項を準用して刑法上の処罰を免れるものと解する余地はないというべきである。したがって、本件に同条項の準用はなく、被告人の刑は免除されない（最決平20・2・18）。

出題 予想

第39章　盗品等に関する罪

第256条（盗品譲受け等）

①盗品その他財産に対する罪に当たる行為によって領得された物を無償で譲り受けた者は、3年以下の拘禁刑に処する。

②前項に規定する物を運搬し、保管し、若しくは有償で譲り受け、又はその有償の処分のあっせんをした者は、10年以下の拘禁刑及び50万円以下の罰金に処する。

(1)主体

Q1 窃盗罪の教唆犯は、贓物（盗品その他財産に対する罪にあたる行為によって領得された物）罪の主体となりうるのか。

A 贓物罪の主体となる。　窃盗を教唆した者が窃盗犯人のために贓物の牙保行為（盗品その他財産の有償の処分のあっせん）をしたときは、窃盗教唆罪のほか、贓物牙保罪（盗品その他財産の有償の処分のあっせんをする罪）が成立する（最判昭24・7・30）。

出題 国Ⅰ-平成10・昭和56

(2)客体

◇財産罪によって得た取得財物

Q2 収賄罪によって得た物件は、贓物（盗品その他財産に対する罪にあたる行為によって領得された物）となるのか。

A 贓物とならない。　贓物（盗品その他財産に対する罪にあたる行為によって領得された物）は所有者を害し奪取した物品の呼称であり、所有者が完全な承諾を与え合意上授受した物品は贓物ではない。したがって賄賂金はその授受の間に何ら瑕疵のないものであるから、元来贓金ではない。それ故、収賄者からその金員の分与を受けても、贓金収賄罪を構成しない（大判明35・3・28）。

出題 国Ⅰ-昭和53

◇代替性・同一性

Q3 横領の目的物件である紙幣を他の紙幣、貨幣と両替した場合、当該現金には贓物（盗品その他財産に対する罪にあたる行為によって領得された物）性はあるのか。

A 当該現金には贓物性がある。　被告人が被害者より横領した紙幣を他の紙幣、貨幣と両替した場合でも、当該現金は贓物性を失わない（大判大2・3・25）。

出題 国Ⅰ-昭和53

Q4 騙取した小切手を呈示して現金に替えた場合、当該現金に贓物（盗品その他財産に対する罪にあたる行為によって領得された物）性はあるのか。

A 当該現金には贓物性がある。　小切手は一覧払いの証券であるから、詐欺により小切手を振り出さ

せることは、要するに現金を支払わせる手段・方法にすぎないから、支払人から現金の支払いがあったときでも、その現金の受領について犯罪によって得た贓物（盗品その他財産に対する罪にあたる行為によって領得された物）の換価と同一に論ずべきではない。その現金は詐欺により領得した物件にほかならず、贓物性を保有する以上、その情を知って当該現金を寄蔵する行為は、当然贓物寄蔵（盗品その他財産の保管）を構成する（大判大11・2・28）。

出題 国Ⅰ-平成3

Q5 贓物（盗品その他財産に対する罪にあたる行為によって領得された物）である自転車の部品を取り外し、他の自転車に取り付けた場合、当該部品は贓物にあたるのか。

A 当該部品が民法上の附合、加工に該当しなければ、贓物にあたる。　窃取した婦人用自転車の車輪および「サドル」を取り外し、これらを被告人の持参した男子用自転車の車体に組み替え取り付けて男子用に変更したからといって、両者は原形のまま容易に分離しうることは明らかであるから、これをもって両者が分離することのできない状態において附合したともいえないし、また、婦人用自転車の車輪および「サドル」を用いて男子用自転車の車体に工作を加えたものということはできない。されば中古婦人用自転車の所有者たる窃盗の被害者は、依然としてその車輪および「サドル」に対する所有権を失う理由はなく、したがって、その贓物（盗品その他財産に対する罪にあたる行為によって領得された物）性を有する（最判昭24・10・20）。

出題 国Ⅱ-昭和56

(3)行為態様

◇本犯の行為が既遂に達していること

Q6 窃盗の本犯者が未遂またはそれ以前の段階にある場合でも、贓物（盗品その他財産に対する罪にあたる行為によって領得された物）罪にあたる行為がなされれば、贓物罪は成立するのか。

A 贓物罪は成立しない。　窃盗罪の実行を決意した者の依頼に応じて同人が将来窃取すべき物の売却を周旋しても、窃盗幇助罪の成立することあるは格別、贓物牙保罪（盗品その他財産の有償の処分のあっせんをする罪）は成立しないが、その後同人が窃取してきた贓物（盗品その他財産の有償の処分のあっせんをする罪）について情を知りながら現実に売却の周旋をした場合には、贓物牙保罪が成立する（最決昭35・12・13）。

出題 国Ⅰ-昭和53

◇運搬

Q7 被害物件を被害者宅に運搬する行為が、被害者のためではなく、本犯者の利益のためである場合でも、贓物（盗品その他財産に対する罪にあたる行為によって領得された物）運搬罪は成立しないのか。

A 贓物運搬罪は成立する。　被告人らの本件贓物（盗品その他財産に対する罪にあたる行為によって領得された物）の運搬は被害者のためになしたものではなく、窃盗犯人の利益のためにその領得を継受して贓物の所在を移転したものであって、これに

刑法編

よって被害者は当該贓物の正常な回復を全く困難となったのであるから贓物運搬罪の成立は肯定される（最決昭27・7・10）。 出題 予想

◇保管

Q8 贓物（盗品その他財産に対する罪にあたる行為によって領得された物）の保管開始後に、贓物であることの情を知るに至った場合、受託者に贓物寄蔵罪（盗品その他財産を保管する罪）は成立するのか。

A 贓物寄蔵罪が成立する。 贓物であることを知らずに物品の保管を開始した後、贓物であることを知るに至ったのに、なおも本犯のためにその保管を継続するときは、贓物の寄蔵にあたる（最決昭50・6・12）。 出題 国Ⅰ-平成3

◇有償譲受け

Q9 贓物故買罪（盗品その他財産を有償で譲り受ける罪）の故意が成立するためには、買い受くべき物が贓物（盗品その他財産に対する罪にあたる行為によって領得された物）であることを確定的に知っていることが必要か。

A 確定的に知っている必要はない。 贓物故買罪（盗品その他財産を有償で譲り受ける罪）は贓物（盗品その他財産に対する罪にあたる行為によって領得された物）であることを知りながらこれを買い受けることによって成立するものであるが、その故意が成立するためには必ずしも買い受くべき物が贓物であることを確定的に知っていることを必要としないのであり、贓物であるかもしれないと思いながらしかもあえてこれを買い受ける意思（いわゆる未必の故意）があれば足りる（最判昭23・3・16）。 出題 国家総合-令和4、国Ⅰ-平成3

◇有償処分のあっせん

Q10 贓物牙保罪（盗品その他財産の有償の処分のあっせんをする罪）の成立が認められるためには、その周旋にかかる贓物（盗品その他財産に対する罪にあたる行為によって領得された物）の売買が成立していなければならないのか。

A 贓物であることを知りながら贓物の売買を仲介周旋しただけで足りる。 贓物（盗品その他財産に対する罪にあたる行為によって領得された物）に関する罪の本質は、贓物を転々として被害者の返還請求権の行使を困難もしくは不能にした点にあるから、いやしくも贓物であることの情を知りながら贓物の売買を仲介周旋した事実があれば、すでに被害者の返還請求権の行使を困難にする行為をしたといえるから、その周旋にかかる贓物の売買が成立しなくとも、贓物牙保罪（盗品その他財産の有償の処分のあっせんをする罪）の成立を妨げない（最判昭23・11・9）。 出題 国Ⅰ-平成3・昭和56

Q11 盗品等の有償の処分のあっせんをする行為は、窃盗等の被害者を処分の相手方とする場合でも、「有償の処分のあっせん」にあたるのか。

A あたる。 盗品等の有償の処分のあっせんをする行為は、窃盗等の被害者を処分の相手方とする場合であっても、被害者による盗品等の正常な回復を

困難にするばかりでなく、窃盗等の犯罪を助長し誘発するおそれのある行為であるから、刑法256条2項にいう盗品等の「有償の処分のあっせん」にあたる（最決平14・7・1）。 出題 国Ⅰ-平成16

第257条（親族等の間の犯罪に関する特例）
①配偶者との間又は直系血族、同居の親族若しくはこれらの者の配偶者との間で前条の罪を犯した者は、その刑を免除する。
②前項の規定は、親族でない共犯については、適用しない。

Q1 窃盗犯人と贓物犯人との間には親族関係が必要なのか。

A 親族関係が必要である。 刑法257条1項は、本犯と贓物（盗品その他財産に対する罪にあたる行為によって領得された物）に関する犯人との間に同条項所定の関係がある場合に、贓物に関する犯人の刑を免除する旨を規定したのであるから、たとえ贓物に関する犯人相互の間に上記所定の配偶者たる関係があってもその刑を免除すべきではない（最決昭38・11・8）。 出題 国Ⅰ-平成10

第40章 毀棄及び隠匿の罪

第258条（公用文書等毀棄）
公務所の用に供する文書又は電磁的記録を毀棄した者は、3月以上7年以下の拘禁刑に処する。

Q1 違法な取調べのもとに作成された供述調書は、文書としての意味、内容を備えていても、公用文書等毀棄罪の客体にならないのか。

A 公用文書等毀棄罪の客体になる。 刑法258条にいう公務所の用に供する文書とは、公務所において現に使用しまたは使用に供する目的で保管している文書を総称するものであって、本件供述録取書のように、これを完成させるために用いられた手段方法がたまたま違法とされるものであっても、すでにそれが文書としての意味、内容を備えるに至っている以上、将来これを公務所において適法に使用することが予想されなくはなく、そのような場合に備えて公務所が保管すべきものであり、このような文書も刑法258条にいう公務所の用に供する文書に当たる（最判昭57・6・24）。 出題 地方上級-平成10

第259条（私用文書等毀棄）
権利又は義務に関する他人の文書又は電磁的記録を毀棄した者は、5年以下の拘禁刑に処する。

第260条（建造物等損壊及び同致傷）
他人の建造物又は艦船を損壊した者は、5年以下の拘禁刑に処する。よって人を死傷させた者は、傷害の罪と比較して、重い刑により処断する。

Q1 雨戸・板戸は建造物の一部か。

A 建造物の一部ではない。 家屋の外囲に建てつけてある雨戸または板戸は、損壊することなく自由に取りはずすことのできる装置で、家屋の一部を構成するものではない。したがってこれを損壊しても刑法260条は適用されない（大判大8・5・13）。 出題 地方上級-昭和59

Q2 闘争手段として、1回に約400枚か500枚ないし約2,500枚のビラを建物の壁、窓ガラス戸、ガ

ラス扉、シャッター等に3回にわたり、はりつける行為は、刑法260条の建造物損壊罪にあたるのか。

A 建造物損壊罪にあたる。　被告人らが、多数の者と共謀のうえ、闘争手段として、当局に対する要求事項を記載したビラを、建造物またはその構成部分である（旧）日本電信電話公社東海電気通信局庁舎の壁、窓ガラス戸、ガラス扉、シャッター等に、3回にわたり糊で貼付した行為は、ビラの枚数が1回に約400か500枚ないし約2,500枚という多数であり、貼付方法が同一場所一面に数枚、数十枚または数百枚を密接集中させて貼付したことから、当該建造物の効用を減損するものと認められるから、刑法260条にいう建造物の損壊に該当する〈全電通東海地本事件〉（最決昭41・6・10）。

出題 予想

Q3 将来民事訴訟等において他人の所有権が否定される可能性がある場合でも、刑法260条の「他人の」建造物にあたるのか。

A 刑法260条の「他人の」建造物にあたる。　刑法260条の「他人の」建造物というためには、他人の所有権が将来民事訴訟において否定される可能性がないということまでは要しないから、根抵当権の実行により他人に競落され移転登記を経た建物を旧所有者が損壊した場合は、たとえ根抵当権の設定につき詐欺が成立する可能性を否定することができず、かつ、損壊以前に取消しの意思表示がなされたとしても、本件建物は刑法260条の「他人の」建造物にあたる（最決昭61・7・18）。

出題 予想

Q4 公園内の公衆便所の白色外壁に、ラッカースプレーで赤色および黒色のペンキを吹き付け、「反戦」、「戦争反対」および「スペクタクル社会」と大書し、その建物の外観ないし美観を著しく汚損し、原状回復に相当の困難を生じさせた行為は、刑法260条前段にいう建造物の「損壊」にあたるのか。

A 「損壊」にあたる。　(1)本件建物は、区立公園内に設置された公衆便所であるが、公園の施設にふさわしいようにその外観、美観には相応の工夫が凝らされていた。被告人は、本件建物の白色外壁に、所携のラッカースプレー2本を用いて赤色および黒色のペンキを吹き付け、その南東側および北東側の白色外壁部分のうち、すでに落書きがされていた一部の箇所を除いてほとんどを埋め尽くすような形で、「反戦」、「戦争反対」および「スペクタクル社会」と大書した。(2)その大書された文字の大きさ、形状、色彩等に照らせば、本件建物は、従前と比べて不体裁かつ異様な外観となり、美観が著しく損なわれ、その利用についても抵抗感ないし不快感を与えかねない状態となり、管理者としても、そのままの状態で一般の利用に供し続けるのは困難と判断せざるをえなかった。ところが、本件落書きは、水道水や液性洗剤では消去することが不可能であり、ラッカーシンナーによっても完全に消去することはできず、壁面の再塗装により完全に消去するためには約7万円の費用を要するものであった。以上の事実関係の下では、本件落書き行為は、本件建物の外観ないし美観を著しく汚損し、原状回復に相当の

困難を生じさせたものであって、その効用を減損させたものというべきであるから、刑法260条前段にいう「損壊」にあたると解するのが相当である（最決平18・1・17）。

出題 裁判所総合・一般 – 平成25

Q5 本件ドアは、住居の玄関ドアとして外壁と接続し、外界とのしゃ断、防犯、防風、防音等の重要な役割を果たしているが、適切な工具を使用すれば損壊せずに同ドアの取外しが可能である場合、本件ドアに対する損壊は、建造物損壊罪を構成するのか。

A 建造物損壊罪を構成する。　建造物に取り付けられた物が建造物損壊罪の客体にあたるか否かは、当該物と建造物との接合の程度のほか、当該物の建造物における機能上の重要性をも総合考慮して決すべきものであるところ、本件事実関係によれば、本件ドアは、住居の玄関ドアとして外壁と接続し、外界とのしゃ断、防犯、防風、防音等の重要な役割を果たしているものと認められ、建造物損壊罪の客体にあたるものと認められ、適切な工具を使用すれば損壊せずに同ドアの取外しが可能であるとしても、この結論は左右されない。そうすると、建造物損壊罪の成立を認めた原判断は、結論において正当である（最決平19・3・20）。

出題 予想

第261条（器物損壊等）

前3条に規定するもののほか、他人の物を損壊し、又は傷害した者は、3年以下の拘禁刑又は30万円以下の罰金若しくは科料に処する。

Q1 盗難および火災予防のため土中に埋設したドラム缶入ガソリン貯蔵所を発掘して土壌を排除し、ドラム缶を露出させた行為は、刑法261条の損壊にあたるのか。

A 損壊にあたる。　刑法261条にいう損壊とは物質的に物の全部一部を害し又は物の本来の効用を失わせる行為をいうが、A炭鉱が本件ガソリンを埋設貯蔵していたのは盗難および火災予防のためであるから、ドラム缶入ガソリン貯蔵所を発掘して土壌を排除し、ドラム缶を露出させた毀棄行為が貯蔵施設本来の効用を喪失させたことは明白である。また、原状回復の難易如何は、本罪の成立に影響があるものではない（最判昭25・4・21）。

出題 裁判所総合・一般 – 平成25

第262条（自己の物の損壊等）

自己の物であっても、差押えを受け、物権を負担し、賃貸し、又は配偶者居住権が設定されたものを損壊し、又は傷害したときは、前3条の例による。

第262条の2（境界損壊）

境界標を損壊し、移動し、若しくは除去し、又はその他の方法により、土地の境界を認識することができないようにした者は、5年以下の拘禁刑又は50万円以下の罰金に処する。

Q1 境界標を損壊すれば、いまだ境界が不明にならなくても、境界毀損罪は成立するのか。

A 器物毀棄罪が成立しても、境界毀損罪は成立しない。　境界毀損罪が成立するためには、境界を認識することができなくなるという結果の発生することを要するのであって、境界標を損壊したが、いまだ境界が不明にならない場合には、器物毀棄罪が成

刑法編

立することは格別、境界毀損罪は成立しない（最判
昭43・6・28）。 出題 予想
第 263 条（信書隠匿）
　他人の信書を隠匿した者は、6 月以下の拘禁刑又

は 10 万円以下の罰金若しくは科料に処する。
第 264 条（親告罪）
　第 259 条、第 261 条及び前条の罪は、告訴がなけ
れば公訴を提起することができない。

■判例索引■

- 本書の収録判例を年月日順に配列。裁判所や裁判の種類、年月日が同じものについては、事件名を付した判例を除いて、各々異なる判例であっても同じ判例索引事項としてまとめている。
- 判例を掲載した法令略称・条数、判例◯番号（1、2…）を表示した。法令の略称は以下の通り。行政法総論の掲載判例については、行政総論と略している。

　　　　憲 — 日本国憲法　　　行手 — 行政手続法　　　行審 — 行政不服審査法　　　行訴 — 行政事件訴訟法
　　　　国賠 — 国家賠償法　　　情報公開 — 行政機関の保有する情報の公開に関する法律　　　国公 — 国家
　　　　公務員法　　　地自 — 地方自治法　　　民 — 民法　　　刑 — 刑法

明治

大判明 26·11·13	民 370 条 1
大判明 33·5·7	民 96 条 9
大判明 35·3·28	刑 256 条 2
大判明 35·10·14	民 192 条 1
大判明 35·12·18	民 536 条 1
大判明 36·11·16	民 268 条 1
大判明 36·12·22	民 708 条 1
大判明 37·4·5	民 349 条 1
大判明 37·12·26	民 94 条 5
大判明 38·5·11	民 9 条 1
大判明 38·6·19	民 709 条 1
大判明 38·12·6	民 369 条 2
大判明 39·3·31	民 101 条 1
大判明 39·10·29	民 413 条の 2 1
大判明 39·12·13	民 96 条 5
大判明 41·3·20	民 396 条の次（抵当直流）1
大判明 41·5·18	刑 61 条 5
大判明 41·6·20	民 424 条 4
大連判明 41·12·15	民 177 条 1·26·27·29
大判明 42·4·26	刑 95 条 7
大判明 43·2·15	刑 54 条 2
大判明 43·3·10	刑 148 条 1
大判明 43·6·30	刑 148 条 2
大判明 43·7·6	民 423 条の 7 1·2
大判明 43·7·7	民 709 条 18
大判明 43·9·30	刑 2 編 17 章 1
大判明 43·11·24	刑 6 条 1
大判明 43·12·9	民 541 条 1
大連判明 44·3·24	民 424 条 1·3
大判明 44·4·17	刑 95 条 5
大判明 44·4·28	民 106 条 1
大判明 44·6·16	刑 1 条 1
大判明 44·10·3	民 424 条の 2 1
大判明 44·11·14	刑 246 条 8
大判明 44·12·11	民 533 条 1
大判明 44·12·15	刑 235 条 15
大判明 45·1·15	刑 104 条 1
大判明 45·3·14	民 90 条 1
大判明 45·3·16	民 632 条 1
大判明 45·6·20	刑 204 条 1
大判明 45·7·8	刑 169 条 1
大判明 45·7·23	刑 169 条 2

大正

大判大 1·9·6	刑 236 条 1
大判大 1·12·20	民 632 条 11·刑 172 条 1
大判大 2·1·24	刑 54 条 6
大判大 2·3·18	刑 65 条 2
大判大 2·3·25	刑 256 条 3
大判大 2·7·9	刑 62 条 1
大判大 2·7·10	民 519 条 1
大判大 2·10·25	民 176 条 1
大判大 2·11·18	刑 43 条 19
大判大 2·12·24	刑 108 条 8
大判大 3·2·4	刑 247 条 5
大連判大 3·3·10	民 427 条 1
大判大 3·3·12	民 166 条 1
大判大 3·3·24	刑 43 条 1
大判大 3·4·14	民 388 条 25
大判大 3·4·29	刑 169 条 3
大判大 3·7·4	民 313 条 1
大判大 3·7·9	民 94 条 18
大判大 3·7·24	刑 43 条 16
大判大 3·9·28	民 826 条 2
大判大 3·10·2	民 177 条 41
大判大 3·10·16	刑 247 条 6
大判大 3·11·2	民 398 条の 22 の次（譲渡担保）1
大判大 3·11·3	刑 172 条 2
大判大 3·12·15	民 95 条 2
大判大 3·12·26	民 632 条 2
大連判大 4·1·26	民 4 編 1 章 1
大判大 4·2·2	民 178 条 1
大判大 4·3·10	民 709 条 13
大判大 4·3·24	民 135 条 1·166 条 2
大判大 4·4·27	民 178 条 2
大判大 4·5·12	民 712 条 1
大判大 4·5·21	刑 235 条 18·19
大判大 4·7·1	民 388 条 16
大判大 4·7·3	民 968 条 1
大判大 4·7·16	民 472 条の 4 3
大判大 4·9·21	刑 2 編 17 章 15
大判大 4·12·11	刑 54 条 3
大判大 4·12·28	民 3 編 2 章 9 節 1
大判大 5·2·2	民 13 条 1
大判大 5·4·1	民 177 条 39
大判大 5·5·31	民 370 条 1
大判大 5·6·1	民 708 条 2

公務員試験六法 **2024 年版**

2023 年 3 月 28 日　初版第 1 刷発行

- ■ 編　　　者――大学教育出版 編集部
- ■ 発 行 者――佐藤　守
- ■ 発 行 所――株式会社 **大学教育出版**
  　　　　　　　〒 700-0953　岡山市南区西市 855-4
  　　　　　　　電話（086）244-1268　FAX（086）246-0294
- ■ 印刷製本――サンコー印刷 ㈱

ISBN978-4-86692-246-1